KB156288

Fifth Edition

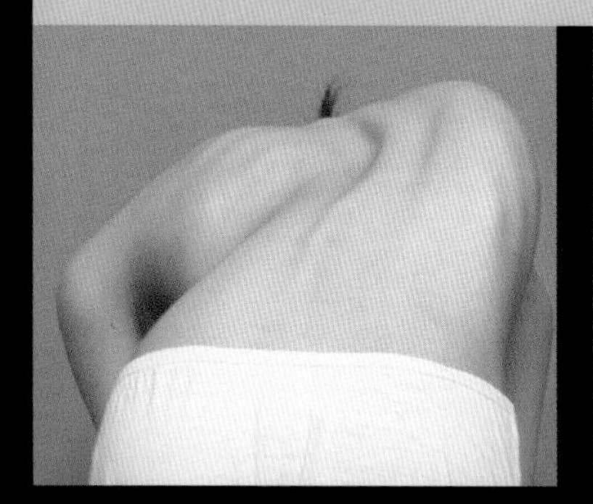

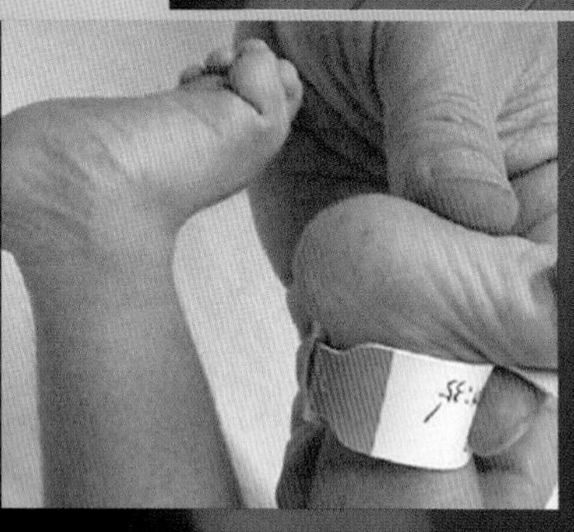

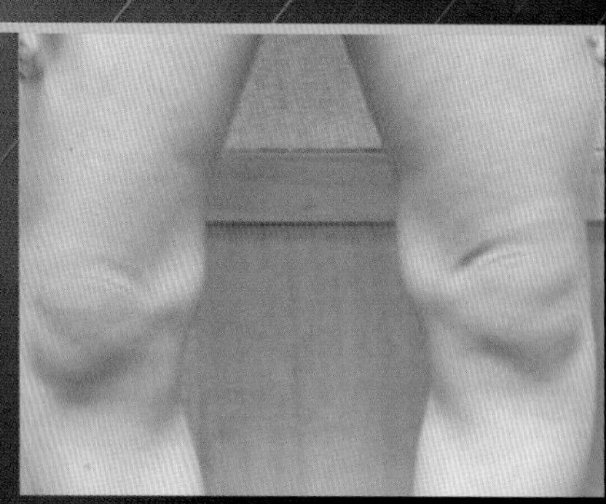

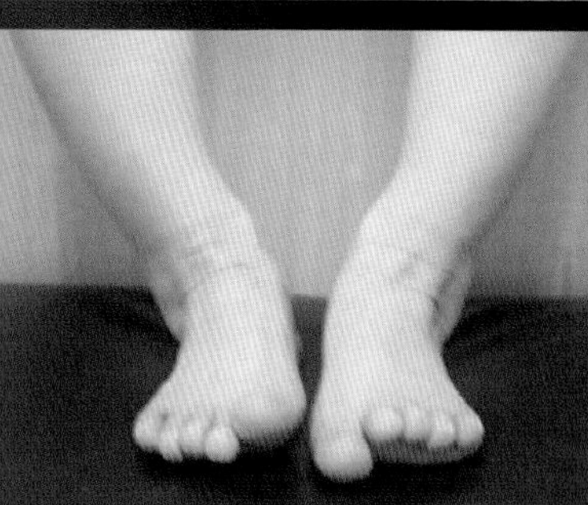

이덕용

소아정형외과학

Pediatric Orthopaedics

저자 조태준 유원준 박문석
성기혁 신창호

군자출판사

Duk Yong Lee's

PEDIATRIC ORTHOPAEDICS

5th Edition

Cho, Tae-Joon
Yoo, Won Joon
Park, Moon Seok
Sung, Ki Hyuk
Shin, Chang Ho

Seoul National University Children's Hospital
Seoul National University Bundang Hospital

이덕용 소아정형외과학 _ 제5판

다섯째판 1쇄 인쇄 | 2022년 02월 10일
다섯째판 1쇄 발행 | 2022년 03월 03일

옮 긴 이 조태준, 유원준, 박문석, 성기혁, 신창호
발 행 인 장주연
출 판 기 획 한수인
책 임 편 집 이경은
편집디자인 유현숙
표지디자인 김재욱
일 러 스 트 김경열
발 행 처 군자출판사
등록 제4-139호(1991.6.24)
(10881) 파주출판단지 경기도 파주시 회동길 338(서패동 474-1)
전화 (031)943-1888 팩스 (031)955-9545
www.koonja.co.kr

ISBN 979-11-5955-839-9
정가 200,000원

집필진 (가나다 순)

공현식 Gong, Hyun Sik — 분당서울대학교병원 Seoul National University Bundang Hospital
김정렬 Kim, Jung Ryul — 전북대학교병원 Jeonbuk National University Hospital
김지형 Kim, Jihyeung — 서울대학교 어린이병원 Seoul National University Children's Hospital
김하용 Kim, Ha-Yong — 을지대학교병원 Eulji University Hospital
김한수 Kim, Han-Soo — 서울대학교 어린이병원 Seoul National University Children's Hospital
김현우 Kim, Hyun Woo — 세브란스 어린이병원 Severance Children's Hospital
김형민 Kim, Hyoungmin — 서울대학교 어린이병원 Seoul National University Children's Hospital
김휘택 Kim, Hui Taek — 부산대학교병원 Pusan National University Hospital
김희수 Kim, Hee-Soo — 서울대학교 어린이병원 마취통증의학과 Department of Anesthesiology & Pain Medicine, Seoul National University Children's Hospital
박문석 Park, Moon Seok — 분당서울대학교병원 Seoul National University Bundang Hospital
박수성 Park, Soo-Sung — 서울아산병원 어린이병원 Asan Medical Center Children's Hospital
백구현 Baek, Goo Hyun — 서울대학교 어린이병원 Seoul National University Children's Hospital
서승우 Suh, Sueng Woo — 고려대학교 구로병원 Korea University Guro Hospital
성기혁 Sung, Ki Hyuk — 분당서울대학교병원 Seoul National University Bundang Hospital
신용운 Shin, Yong-Woon — 인제대학교 상계백병원 Inje University Sanggye Paik Hospital
신창호 Shin, Chang Ho — 서울대학교 어린이병원 Seoul National University Children's Hospital
신현대 Shin, Hyun Dae — 충남대학교병원 Chungnam National University Hospital
신형익 Shin, Hyung-Ik — 서울대학교 어린이병원 재활의학과 Department of Rehabilitation, Seoul National University Children's Hospital
심종섭 Shim, Jong Sup — 삼성서울병원 Samsung Medical Center
염진섭 Yeom, Jin Sup — 분당서울대학교병원 Seoul National University Bundang Hospital
오창욱 Oh, Chang-Wug — 경북대학교병원 Kyungpook National University Hospital
유원준 Yoo, Won Joon — 서울대학교 어린이병원 Seoul National University Children's Hospital
윤기욱 Yun, Ki Wook — 서울대학교 어린이병원 소아청소년과 Department of Pediatrics, Seoul National University Children's Hospital
이순혁 Lee, Soon Hyuck — 고려대학교 안암병원 Korea University Anam Hospital
정진엽 Chung, Chin Youb — 부민병원 Bumin Hospital
정창훈 Jeong, Changhoon — 가톨릭대학교 부천성모병원 Bucheon St. Mary's Hospital
조태준 Cho, Tae-Joon — 서울대학교 어린이병원 Seoul National University Children's Hospital
채종희 Chae, Jong-Hee — 서울대학교 어린이병원 소아청소년과 Department of Pediatrics, Seoul National University Children's Hospital
천정은 Cheon, Jung-Eun — 서울대학교 어린이병원 영상의학과 Department of Radiology, Seoul National University Children's Hospital
최인호 Choi, In Ho — 중앙대학교병원 Chung-Ang University Hospital

머리말 다섯째판

제5판을 내면서...

이 책은 1996년 이덕용 교수님의 정년퇴임을 기념하여 "소아정형외과학 요람"이라는 제목으로 처음 출간되었으며, 2002년에 개정판을 내었습니다. 2009년에는 책의 분량과 형식을 바꾸어 선생님의 성함을 빌어 "이덕용 소아정형외과학"이라는 제목으로 제3판을 내었고, 2014년에 제4판을 낸 이후 이제 8년 만에 개정판을 내게 되었습니다. 이덕용 교수님은 1985년 대한소아정형외과학회(현, 대한소아청소년정형외과학회)를 창립하시고 초대 회장을 지내신 우리나라 소아정형외과학계의 효시이시며 이 책에서 선생님의 가르침과 업적을 기리고자 합니다.

소아정형외과학 분야는 역사적으로 정형외과학이 시발한 분야로서, 정형외과학의 가장 기본적인 학문적 토대를 이루고 있다고 할 수 있습니다. 그러나 저출산과 급격한 고령화 사회로의 진입이라는 국내 상황 때문에 의료 현장에서는 그 수요가 감소하고 있으며, 어려운 이론과 드문 증례들을 많이 다루어야 하는 이유 등으로 제대로 수련되고 학습되지 못하는 폐단이 있는 것도 사실입니다. 그렇지만 우리의 후속 세대이며 우리나라 미래의 주역인 어린이 청소년에 대한 최적의 의료를 제공하여야 하는 것이 우리 의료진의 책무입니다. 그뿐 아니라 어려운 성인 환자를 평가하고 치료 계획을 세울 때에 소아정형외과학의 기본적인 지식이 없으면 제대로 접근하기가 어렵다는 것을 생각해 보면, 정형외과학을 배우고 있는 전공의뿐 아니라 여러 분야에서 성인 환자를 진료하고 있는 정형외과 전문의 선생님들도 소아정형외과학적 지식의 기반이 중요합니다. 이 책자는 그러한 지식을 제공하는 것을 목표로 하였습니다.

제5판에서는 단원 분류를 새로 하였으며, 지난 7-8년간 새로이 발표되어 인정되고 있는 최신 지견을 포함하도록 노력하였고, 참고 문헌들을 추가하거나 개편하였습니다. 본 책자의 특징이라고 할 수 있는 개조식의 서술을 유지하면서도 필요한 부분에서는 보다 충실한 서술을 전개하고자 노력하였습니다. 소아 골격계 외상에 대해서는 각론은 다루지 않고 총론적인 내용과 미성숙 골격계에서 특별히 유념해야 하는 독특한 병리 현상에 대한 설명에 치중하였습니다. 따라서 외상 각론에 대해서는 대한소아청소년정형외과학회에서 발간한 "소아-청소년 골절학"을 참조하여 주시기 바랍니다.

이 책을 발간하기까지 우리나라에 소아정형외과학 분야를 도입하고 발전시켜주신 선학 여러분들과 소아 환자 진료에서 부딪히는 많은 어려운 문제를 함께 고민하고 연구하는 우리나라 모든 소아정형외과 선생님들에게 감사와 존경의 마음을 전하고자 합니다. 이 책 발간에 음으로 양으로 도움을 주신 Harvard 의대 김영조 교수님, 서울대학교 치과대학 김정욱 교수님, 서울대학교 의과대학 최은화 교수님, 아주대학교 의과대학에서 은퇴하신 김옥화 교수님에게 깊은 감사의 마음을 전합니다. 또, 원고 편집 과정에서 수고를 아끼지 않은 전임의 조윤주 선생님과 김낙철 선생님, 군자출판사 관계자 여러분들께 감사드립니다.

2022년 2월

대표저자 조태준

머리말 초판

아시다시피 “정형외과”는 1741년 Nicholas Andry의 책 “Orthopaedia, or the Art of Preventing and Correcting Deformities in Children (영역)”에서 시작하였다. 그는 그리스어 “orthos (straight)”와 “pais (child)”의 합성어를 만들어 모든 어린이 변형은 적당한 외력의 도움으로 성장과 더불어 곧게 바로 잡힐 수 있다는 치료개념을 정립한 것이다. 한편 19세기 말 마취, 세균학, 무균법, X-ray 등의 발달에 힘입은 “외과”는 골절이나 외상을 다루면서 20세기 들어서는 기계문명의 발달과 제1차, 제2차 세계대전을 거치면서 점차 정형외과 영역은 현대 정형외과의 중심적 위치를 견지해 왔던 것이다. Shands나 Salter 등의 대표적인 교과서가 오늘날 관점에서 보면 소아정형외과학자에 의하여 쓰여진 것이 이를 뒷받침한다 하겠다. 1970, 80년대에 접어들어 기초의학의 발전과 관절삽입술, 척추기구 등의 발달은 정형외과를 다시금 분과화하는 경향을 보였다. 이러는 가운데 소아정형외과도 근년에 와서 그러한 분과의 하나로 다시금 자리매김을 하게 된 것이다. 새삼스럽게 1971년 발족한 미국의 소아정형외과가 1983년 Pediatric Orthopaedic Society of North America로 개편한 것도, 1985년 대한 소아정형외과학회가 발족한 것도 이러한 맥락에서 이해될 수 있을 것이다.

대한 정형외과학회가 발간한 「정형외과학」은 절대적인 호평하에 증판을 거듭하고 있어 우리 모두를 흐뭇하게 하고 있다. 다만 그것이 의과대학생에게는 다소 버거운 감이 없지 않는 반면 전문의 시험을 준비하는 고년차 전공의에게는 다소 미흡한 점도 있지 않나 싶다. 그렇다고 이들에게 Tachdjian이나 Lovell-Winter 같은 방대한 전문 교과서를 권할 수도 없는 것이다. 이에 저자들은 정형외과학의 핵심인 소아정형외과학을 요약해서 정리하여 시간에 쫓기는 고년차 전공의의 올바른 길잡이가 될 방법은 없을까 고심하던 끝에 이번에 외람되게도 용기를 내어 집필하게 된 것이다. 이들 시험준비생들이 문제집 위주로 체계 없이 암기를 일삼는 폐단을 오랫동안 안타깝게 지켜본 저자들로서는 더 이상 미룰 수 없다는 심정에서 감히 붓을 든 것이다.

이 책은 그 내용이나 체재에서 종래의 정통적인 교과서와는 판이하다고 본다. 첫째, 격식을 탈피하여 최신 지견을 체계적으로 정리하여 될수록 노트와 같이 간편하게 요약하여 경제적으로 읽고 외우기 편하게 노력하였다. 같은 내용을 이 책 저 책 뒤지는 혼란과 시간 낭비를 없애고 가급적 군더더기를 빼고 알맹이를 항목마다 나열하였고 중요한 부분은 박스 안에 모아서 쉽게 눈이 띄도록 하였다. 둘째, 웬만한 표준통계자료, 분류표, 도표 등도 한데 모아 수록하였고, 그림도 아낌없이 활용하여 빠른 이해에 도움이 되게 하였다. 셋째, 수시로 중요한 항목마다 original paper 문헌을 수록하여 내용의 근거를 제시하였다. 이는 또 바쁜 임상에서 좀 더 깊이 연구하고자 할 때 손쉬운 길잡이가 되리라 믿는다. 넷째, 최신 정형외과학의 발달이 기초의학의 발전에 힘입은 바 큰 점을 감안한다는 그 원인, 병인, 분류를 이해한 바탕 위에서 평가하여 decision-making process에 이르도록 노력하였다. 이는 또 합리적인 treatment option으로 연결되기 때문이다. 여섯째, 아울러 진단, 치료 상의 여러 current controversy를 소개하여 문제점을 부각시키고 편견에 치우치지 않도록 노력하였다.

이상과 같은 의도에도 불구하고 실제 쓰고 난 책의 내용이 과연 얼마나 그 목적에 부합한지 심히 두려움이 앞선다. 도처에 미진한 점이 발견되고 또 분량도 이미 예상을 상회하는 것 같다. 이러한 이유로 이번에는 골절은 포함하지 않기로 하였다. 이 책이 관련 전문의 시험을 준비하는 고년차 전공의들한테 도움이 되고 긍정적인 반응을 얻을 수 있기를 간절히 바라는 바이다. 아울러 욕심을 낸다면 젊은 전문의들의 바쁜 임상크리닉에서도 간편한 참고서가 될 수 있다면 더 바랄 것이 없겠다. 선학들과 실제 이 책으로 공부해 본 전공의 여러분들의 기탄없는 비평과 지적을 진심으로 기대한다. 끝으로 이 책의 일부를 집필한 이춘성, 심종섭 선생과 편집을 맡은 조태준 선생에게 심심한 사의를 표하는 바이다. 아울러 이 책의 출판을 맡은 최신의학사에게도 깊은 사의를 표한다.

1996년 2월
저자일동

목차

목차

소아정형외과학

10

근골격계의 발생과 성장

Development and Growth of Musculoskeletal System

PEDIATRIC ORTHOPAEDICS

Chapter 1

근골격계의 발생과 성장

Development and Growth of Musculoskeletal System

목차

배아의 발생은 유전자에 program되어 있는 바에 따라서 단계적으로 특정 유전자들이 특정 부위에서 발현함으로써 진행되고 조절된다. 이와 같이 배아발생에 관여하는 유전자들은 여러 진화 단계의 동물들에서 공통적으로 발견된다. Hox 유전자는 초기 발생 단계에서의 pattern formation에 중요한 역할을 하며, Pax 유전자는 분절(segmentation)과 신경계 발생에 중요한 역할을 한다. 또, 골형성 단백(BMP)과 Shh (sonic hedge-hog) 등은 골격계의 크기와 모양을 결정하는 중요한 물질들이다. 한편, 태생기 6주부터 관절 형성과 근육 수축이 이루어지면서 역학적 환경도 향후 사지와 척추의 형태를 결정짓는 중요한 요소가 된다.

골격은 태생기부터 성인이 될 때까지 지속적으로 길이와 부피가 증가하는 성장과정이 진행되는데, 시기와 부위에 따라서 성장 내용과 속도가 달라진다.

Table 1. **태생기의 주요 과정들의 요약**

Day	Embryonic Event
01	zygote
03	morula
05	blastocyst
10	implantation
20	primitive streak
21	complete notochord
22	neural groove
24	somites
26	upper limb buds
28	lower limb buds
29	elbow crease
33	hand plate
37	foot plate
38	cartilage miniature
42	finger rays
44	toe rays
45	clavicle ossified
48	humerus primary ossification center
52	adult external appearance

I. 배아형성(embryogenesis)Table 1, Fig 1

- 배아기(embryonic period): 수정(fertilization)으로부터 임신 8주 말까지 주요 장기가 형성되는 시기로 분할(cleavage), 착상(implantation), 창자배 형성(gastrulation), 신경관 형성(neurulation), 기관형성(organogenesis)의 단계로 나뉜다.
- 태아기(fetal period): 8주 이후 출산까지 장기의 성장과 성숙이 이루어지는 기간이다.

1. 분할(cleavage)

- 수정란이 지속적으로 세포 분열하는 과정이다.
- 8-세포기까지는 각 세포들은 동등한 입장이나 수정 약 3일 후 16-세포기가 되며 이를 오디배(morula)라고 하는데, 오디배 속에 있는 세포를 내세포괴(inner cell mass)라 하고, 밖을 둘러싸고 있는 세포를 외세포괴

(outer cell mass)라고 한다. 내세포괴는 장차 배아를 형성하는 반면, 외세포괴는 영양막(trophoblast)이 되며 태반(placenta)의 형성에 기여하는 등 차별성을 띠게 된다.

2. 착상(implantation)

- 태생 약 6-7일경

3. 창자배 형성(gastrulation) Fig 1A

- 태생 3주에 배아에서 내배엽(endoderm), 중배엽(mesoderm), 외배엽(ectoderm)을 형성하는 과정으로 창자배 형성은 배아 덩이 위판의 표면에서 원시선(primitive streak)이 나타남으로써 시작한다.

1) 외배엽: 뇌, 척수, 피부, 머리카락, 조갑, 치아, 감각 세포 및 신경계를 형성
2) 중배엽: 근골격계, 심혈관계, 비뇨생식계를 형성
3) 내배엽: 소화기계, 호흡기계를 형성

4. 신경관형성(neurulation) Fig 1B, C, D

- 태생 3주 말에 신경판 양쪽 경계가 불룩하게 솟아 신경주름(neural fold)이 되고 서서히 정중선으로 다가와 융합하여 신경관(neural tube)을 형성한다.
- 배아 중앙부에서 시작하여 근위 및 원위 방향으로 진행한다.
- 신경관은 뇌와 척수를 형성한다.
- 신경관의 등쪽(dorsal)에 해당하는 세포들을 신경릉

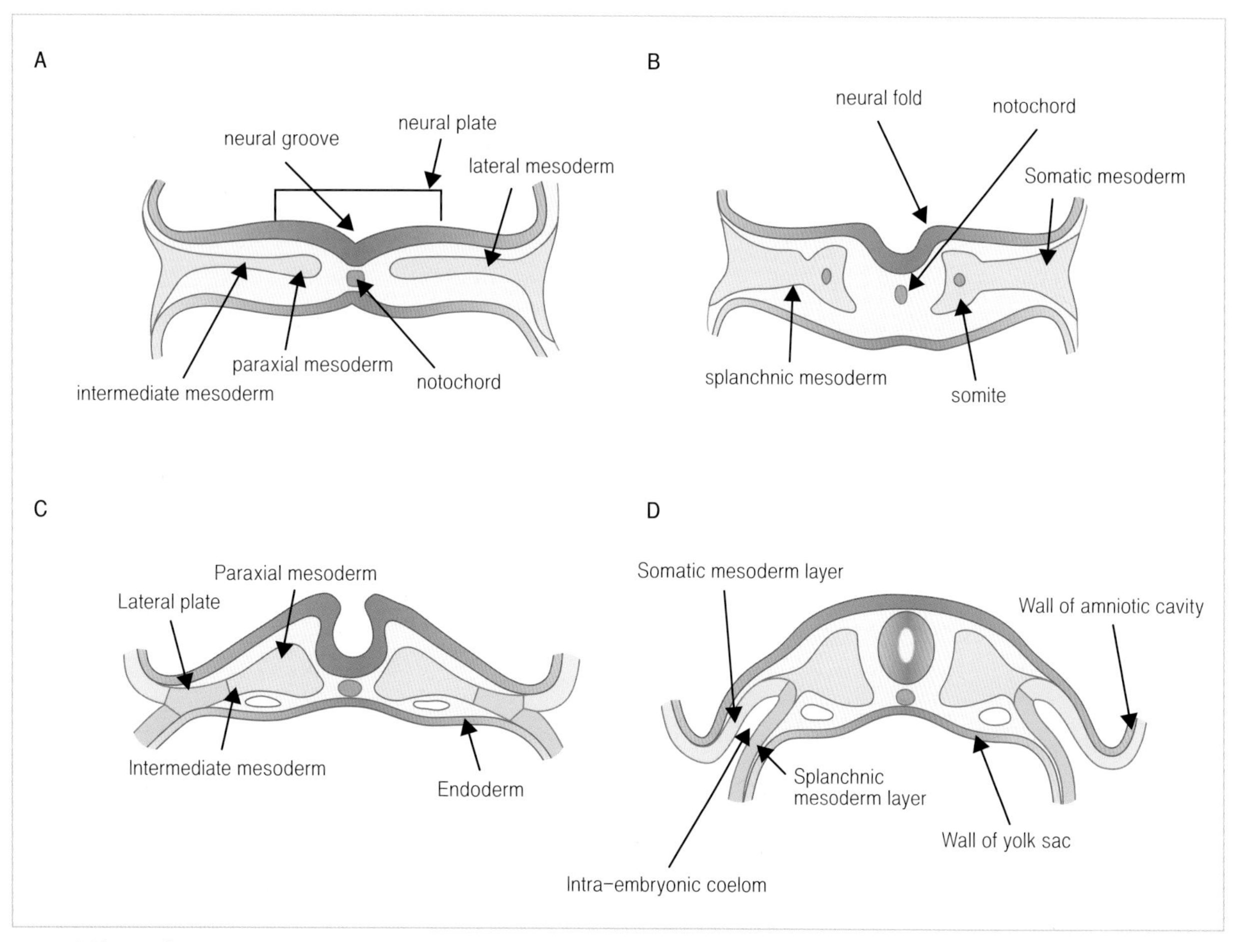

Fig 1. **배아(embryo)의 발달.**

(neural crest)이라 하며, 이들은 배아 내로 이동하여 말초신경계의 신경세포와 신경교세포(glial cell), 표피의 멜라닌세포, 두경부의 연골 및 결체조직 등을 형성한다.

5. 기관형성(organogenesis)

- 태생 2개월째에 해당하며, 태생 3개월까지는 모든 장기들이 존재하게 된다.

II. 사지의 발생과 발달

1. 지아(limb bud)의 형성과 발달 Fig 2, 3

1) 지아의 형성

- 태생 4주 말에 형성되는 지아는 체성 중배엽(somatic mesoderm)에서 형성된 간엽(mesenchymal) 조직과 이를 둘러싸고 있는 외배엽으로 구성된다. 체성 중배엽은 사지의 근골격계를 구성하게 되고 외배엽은 피부의 외피를 형성한다.
- 태생 5주경 간엽이 치밀해지면서 사지의 발생이 시작되는데, 상지 지아는 태생 26일에 심장 주변(C5-7) 전외측으로 돌출되기 시작하고 Fig 2, 하지 지아는 태생 28일에 제대(umbilical cord) 직하부(L4-S3)에서 돌출되기 시작한다.

2) 지아의 발달 과정

- 지아 말단부의 외배엽은 두꺼워지면서 외배엽 첨부 능선(apical ectodermal ridge, AER)을 형성하는데, 이는 바로 인접한 간엽 조직이 분화는 되지 않으면서 빠른 속도로 증식하게 유도하여 지아의 길이 성장을 초래한다.
- 지아가 자라면서 이 능선의 영향력에서 멀어지는 세포가 생기고, 이 세포는 연골과 근육으로 분화하기 시작한다. 이러한 방식으로 지아의 발달은 몸 쪽에서부터 시작해서 먼 쪽 방향으로 진행되어, 상지에서는 상완부, 전완부, 손의 순서로 발생하고 하지에서는 대퇴부, 하퇴부, 발의 순서로 발생한다.
- 배아기 사지 발달의 3가지 축은 전후방 축(anteroposterior axis; 무지-소지), 등배 축(dorsoventral axis; 수배부-수장부), 원위-근위 축(proximal-distal axis)이다 Fig 3. 전후방 축에서 두부쪽은 축전성 경계(preaxial border)라고 하고, 미부쪽은 축후성 경계(postaxial border)라고 한다. 어깨 끝부터 엄지손가락까지는 축전성 구조물이

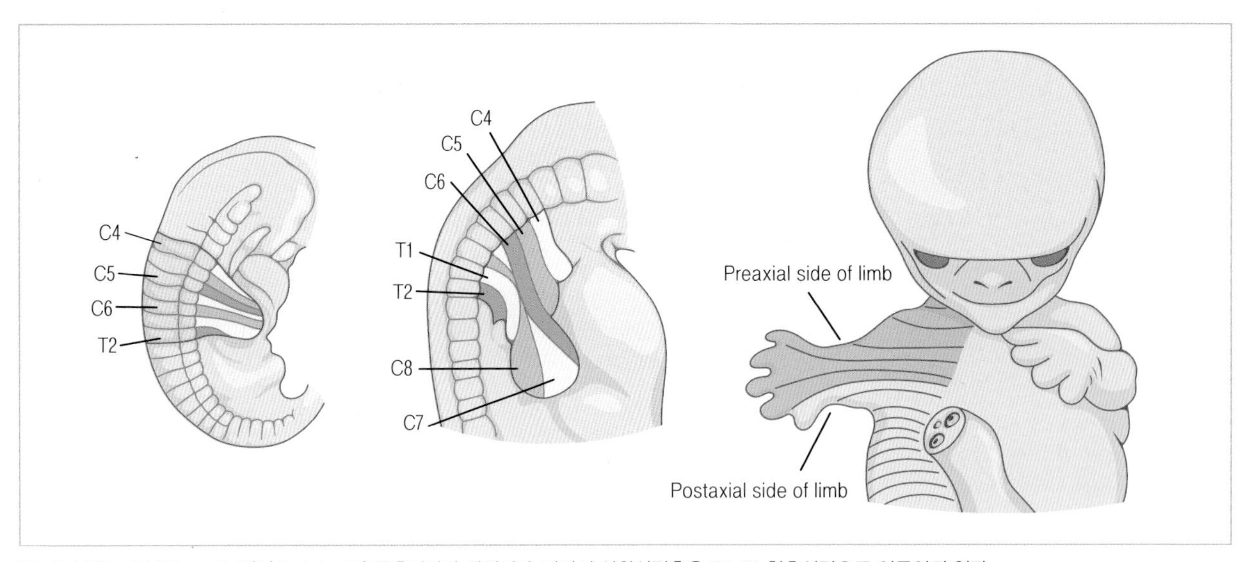

Fig 2. 상지는 C4-T2 somite에서 limb bud가 돌출되어서 생성된다. 따라서 상완신경총은 C4-T2 척추신경으로 이루어져 있다.

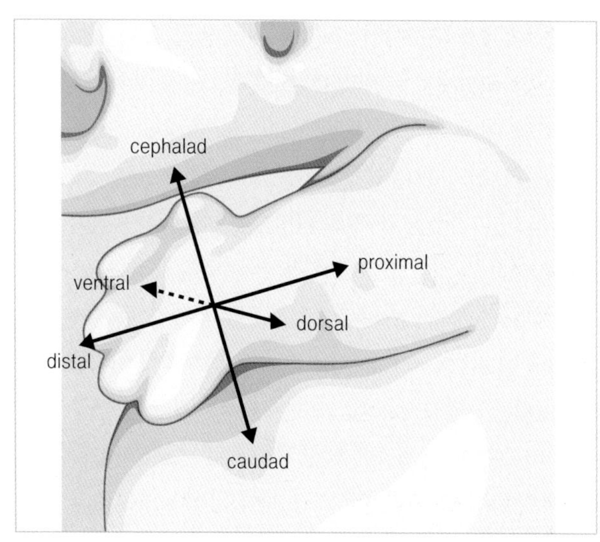

Fig 3. 지아의 pattern formation은 길이 성장(distal-proximal), 상하 방향성(cephalocaudal), 앞뒤 방향성(dorsoventral)에 대한 밀접한 조절의 결과이다.

며, 액와부부터 새끼손가락까지는 축후성 구조물이다.

- 축후성 구조인 척골과 제4,5수지가 축전성 구조인 요골과 제1, 2, 3수지보다 먼저 발생하며, 비골이 경골보다 먼저 발생한다.
- 지아 말단부는 지아 형성 후 편평해지면서 수부 또는 족부 판(hand or foot plates)을 형성한다.
- 태생 6주 말 및 7주에 각각 수지 및 족지의 형태를 보이는데, 이를 손가락 선(finger ray) 및 발가락 선(toe ray)이라고 한다.
- 손가락 선 및 발가락 선 사이의 공간은 엉성한 간엽조직으로 이루어져 있기 때문에 곧 떨어지면서 절흔이 형성되고 근위부로 진행하면서 태생 8주 말에 각각의 손가락 및 발가락은 완전히 분리된다.
- 태생 7주 후에 상지는 90도 외회전하여 신전근은 외측과 뒤쪽에 놓이고 엄지손가락은 외측에 놓인다. 반면에 하지는 90도 내회전하여 신전근이 앞쪽으로 오고 엄지발가락은 내측에 위치한다.
- 8주 말이면 상지와 하지의 발생이 완성된다.

2. 사지 발생에 대한 유전자 조절

1) 지아의 길이 성장

- 지아의 출현은 상지에서는 TBX5와 FGF10에 의해서, 하지에서는 TBX4와 FGF10에 의해서 일어나는데 이들 인자는 외측판 중배엽(lateral plate mesoderm) 세포들이 분비한다.
- 일단 지아가 생기면 배쪽 외배엽에서 발현되는 골형성 단백(bone morphogenic proteins, BMPs)이 MSX2를 매개로 한 신호 전달을 통하여 외배엽 첨부 능선의 형성을 유도한다.
- 외배엽 첨부 능선에서는 FGF4와 FGF8이 발현되며, 이들에 의해서 중간엽 세포가 빠르게 분열하는 부분을 진행구역(progress zone)이라 한다.
- 진행구역 근위부는 FGF들의 농도가 낮아지게 되고, 중간엽 세포들은 세포분열이 느려지면서 분화를 시작한다.

2) 지아의 전후(anteroposterior) 방향성

- 지아의 근위 축후성 부위에 존재하는 세포군에 의해 조절되며, 이 부위를 극성화 구역(zone of polarizing activity, ZPA)이라고 한다.
- 극성화 구역에서는 SHH (sonic hedgehog) 유전자가 발현되어, 그 농도가 높은 부위는 축후성으로 발달하여 척골 및 새끼손가락이 되고, 농도가 낮은 부위는 축전성으로 발달하여 요골 및 엄지손가락이 된다.

3) 지아의 등배(dorsoventral) 방향성

- WNT7A는 전사인자인 LMX1을 통해서 세포들이 등쪽 세포가 되게 한다. 배쪽 외배엽에서 만들어지는 BMP는 전사인자인 EN1을 통해서 WNT7A의 발현을 억제하기 때문에, WNT7A의 발현은 지아의 등쪽 외배엽에 국한된다. 이로 인해 등쪽(손등), 배쪽(손바닥)의 조직이 큰 차이를 보이면서 발달하게 한다.

3. 골의 형성부록 9, 10, 11, 12 참조

1) 연골내 골화(endochondral ossification)Fig 4

- 태생 5주경 지아 내부의 간엽세포들이 뭉치면서 연골 생성의 주요 전사 인자인 SOX9을 발현하며 연골 세포로 분화하여 연골 모형(cartilage model)을 형성한다.
- 태생 8주경 연골 모형 중앙부의 연골세포가 비후되면서 분화(terminal differentiation)가 진행되다가 연골 기질이 석회화 되고 연골세포는 결국 세포자멸사(apoptosis)에 이르게 된다.
- 주변의 연골막에서는 막내 골화와 유사한 방법에 의해 골 조직, 즉 골 테두리(bone collar)가 형성되며, 섬유혈관 조직이 비후/사멸된 연골조직 속으로 자라 들어오고, 함께 이동한 간엽세포들이 골모세포로 분화하면서 골 기질을 생산하여 연골조직은 골 조직으로 치환된다.
- 연골 모형 중앙부에 최초로 형성된 골화중심을 일차 골화중심(primary ossification center)이라 부르며 장관골의 골간부(diaphysis)에 해당한다.
- 일차 골화중심에서 연골 모형의 양쪽 끝으로 골화가 진행되며, 연골막은 골막으로 변한다.
- 이와 같이 연골 모형이 형성되었다가 골이 형성되는 과정을 연골내 골화(endochondral ossification)라고 하며, 대부분의 골 조직은 이러한 과정을 통해서 생성된다.
- 발달 과정 중 일정한 시기가 되면 연골 모형 중 골화가 진행되지 않은 부분에 또 다른 골화중심이 형성되는데 이를 이차 골화중심(secondary ossification center)이라고 한다. 장관골의 골단(epiphysis)뿐 아니라 골반골, 견갑골, 척추골 등에도 다양한 이차 골화중심이 발생한다.
- 장관골의 일차 골화중심으로부터 형성된 골간(diaphysis) 및 골간단(metaphysis)과 이차 골화중심에 의해서 형성되는 골단(epiphysis) 사이에 잔존하고 있는 연골 조직에서는 연골세포들이 일정 방향으로 정교한 세포분열과 분화 과정을 거치면서 기둥 모양의 배열(columnar organization)을 보이며 연골내 골화가 진행된다. 이를 골단판(epiphyseal plate) 또는 성장판(growth plate)이라 하며 성장이 완료될 때까지 지속적으로 연골세포 증식과 연골내 골화가 진행되어 골의 길이 성장이 이루어진다.
- 태생 6개월경 장관골의 중앙부에서는 파골 세포에 의한 흡수가 일어나 골수 강(marrow cavity)을 형성하는 관상화(tubulation) 과정을 거치게 된다.
- 출생 시 골간부(diaphysis)는 대개 골화가 이루어져 있으나 골단(epiphysis)은 연골 상태이다.

• **골단(epiphysis)의 성장**Fig 5

- 이차 골화중심이 형성되기 전에 장관골의 연골 원기

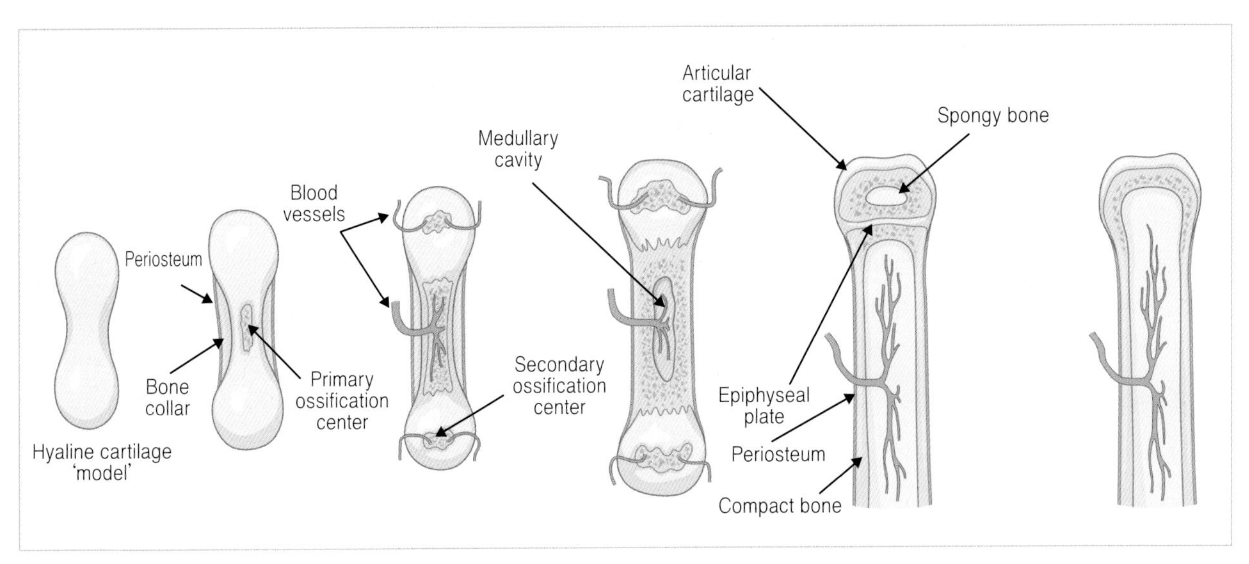

Fig 4. **장관골의 형성 과정.**

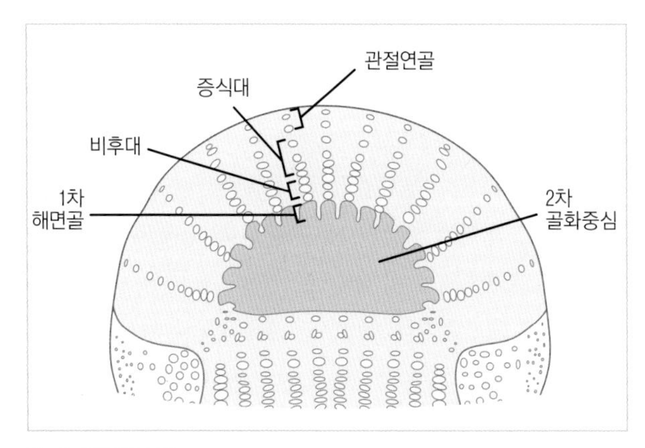

Fig 5. **골단의 성장.**
연골 골단 내에 생성된 이차 골화중심과 연골 골단의 경계부에서 연골내 골화 과정이 진행되며, 연골 골단에서는 골단판과 동일하게 연골세포가 증식하여 방사형으로 성장하게 된다.

(cartilage anlage)의 양 끝은 연골로 이루어져 있는데 이를 연골 골단(chondroepiphysis)이라고 하며, 2차 골화 중심이 형성되어도 상당 기간 동안은 연골이 차지하는 비중이 높다.

- 골단의 골간단 측은 연골하 골로 되어 있고 바로 옆에 골단판의 정지대에 연해 있다. 골단의 그 이외의 표면과 연골 골단 사이에서는 골단판과 동일하게 연골내 골화 과정이 진행되면서 연골성 골단은 연골세포의 증식으로 그 크기가 방사형으로 커지고 골성 골단(bony epiphysis)도 커지게 된다. 이러한 기전에 의해서 성인 새끼손가락 끝보다 작은 신생아의 대퇴골두가 성인의 대퇴골두 크기로 성장한다.
- 골 성숙(skeletal maturity)에 도달하면 연골 골단에 있는 연골세포의 증식은 멈추게 되고 더 이상 연골내 골화 과정이 진행되지 않으며, 관절연골 조직만 남게 된다.

2) 막내 골화(intramembranous ossification)

- 중간엽 세포 또는 두개골을 형성하는 신경릉 기원 세포들이 연골 모형 없이 골모세포(osteoblast)로 직접 분화하여 골 조직을 생성하는 기전이다.
- 중간엽 세포가 증식하고 응집한다. 이들 세포 중 일부는 모세혈관으로 분화하고, 일부는 골모세포로 분화한다.
- 분화된 골모세포들이 골기질을 분비하고 이러한 골기질이 석회화가 되면서 골조직을 형성하고 일부 골모세포는 석회화 기질에 파묻혀 골세포가 된다.
- 석회화가 진행된 골 소편을 골 침(bone spicule)이라고 하는데 골 침들이 서로 융합하여 해면 구조를 형성하게 되고, 골 침 사이로 혈관과 미분화된 간엽세포들이 침투해 들어와 골수를 형성한다.
- 편평골의 안쪽과 바깥쪽 표면에서는 골의 형성이 골의 흡수 보다 빠르게 진행되어 양측 표면에는 피질골이 형성되고 그 중심부는 해면골로 그대로 남아있게 된다.
- 두개골, 쇄골 간부, 견갑골의 체부, 장골익(iliac wing)의 중앙부 등에서 관찰된다. 그러나 쇄골의 양쪽 끝, 견갑골의 가장자리 부위, 장골릉(iliac crest) 또는 비구(acetabulum) 등은 연골내 골화에 의해 형성된다.
- 장관골의 골막에서 직접 골 조직이 형성되어 장관골의 외경이 증가하는 과정도 일종의 막내 골화이다.
- 그 이외 신연 골형성술(distraction osteogenesis), 골절 치유 과정 중 골막하 신생골 형성, 골수염이나 골종양에서의 골막 반응 등도 일종의 막내 골화 과정이다.

4. 사지 기타 조직의 형성

1) 관절의 형성

- 태생 6주에 형성되기 시작하여 태생 8주 말에 성인 관절과 비슷한 모양을 갖는다.
- 관절이 형성될 부위에 세포가 응집된 곳을 골화간부(interzone)이라 한다. 골화간부의 세포들은 연골발생 세포(chondrogenic cell), 활막 세포(synovial cell), 중심부 세포(central cell)로 분화한다. 중심부 세포들이 세포자멸사(apoptosis)의 과정을 통해서 사멸하고 관절강이 형성되며, 연골발생 세포들은 관절연골을 형성하고, 활막 세포들은 섬유성 관절막(fibrous capsule)과 혈관이 풍부한 활막(vascular synovium)으로 분화한다.
- 관절의 모양은 주변 근육의 형성에 따른 관절운동의 영향을 받아서 결정된다.

2) 사지 근육의 형성

- 태생 3주째부터 외측 중배엽에서 간엽세포들이 지아로

이동하여 들어가서 연골 원기를 둘러싼다.

- 이들 간엽조직에서 분화한 근육모세포들이 근육으로 발생하게 된다.
- 간엽세포가 근육모세포로 분화하는 데에는 MyoD1 등의 전사 인자가 중요한 역할을 한다.
- 근위부에서 원위부로 점차적으로 근육들이 형성되며, 8주까지는 모든 근육들이 식별 가능해진다.

3) 사지 말초 신경의 형성

- 태생 5주에 사지 신경총(brachial and lumbosacral plexus)으로부터 형성된 말초 신경은 지아의 간엽으로 자라 들어와 태생 7주까지는 목표 기관에 신경 지배를 하게 된다.
- 각 피부 분절(dermatome)은 각각의 척수신경에 의해서 신경 지배를 받은 피부 영역이다.
- 말초 신경 수초화(myelinization)는 태생기부터 시작되어 생후 1년까지 지속된다.

III. 척추와 중추신경계의 발생과 발달

1. 체절(somite)의 형성과 역할

- 태생 3주 말에 축옆 중배엽(paraaxial mesoderm)이 분절화되어 체절(somite)을 형성한다.
- 각각의 체절은 분화하여 골 분절(sclerotome)과 피부 및 근육 분절(dermomyotome)로 나누어진다.
- 각 체절의 전내측 부분인 골 분절은 척추와 늑골을 형성하고 후외측 부분인 피부 및 근육 분절은 피부의 진피와 근육, 건, 근막 등을 형성한다.
- 체절은 신경관이나 척색(notochord)으로부터 유도되는 것이 아니고 독립적으로 발달하며, 향후 발생시킬 조직들이 이미 결정되어 있는데, Hox 유전자 발현 양상에 따라서 척추체의 발생이 결정되는 것으로 생각된다.

2. 척추의 발생Fig 6

- 태생 4주에 체절에서 분화한 골 분절(sclerotome)이 신경관과 척색의 주위로 이동하여 에워싼다.
- 각 골 분절은 체절간 동맥(intersegmental artery)이 있는 체절간 조직에 의해 서로 분리되어 있으며, 한 개의 골 분절은 다시 머리 쪽과 꼬리 쪽으로 둘로 나뉜다.
- 태생 5주경 인접한 골분절의 머리 쪽 절반과 꼬리 쪽 절반이 합쳐져 간엽성 척추체 중심을 형성한다.
- 신경관 주변 골 분절은 척추 궁(vertebral arch)을 형성한다.
- 척추체 중앙에 존재하는 척색(notochord)은 인접한 척추체 사이에 잔존하여 점액 변성을 거쳐 수 핵(nucleus

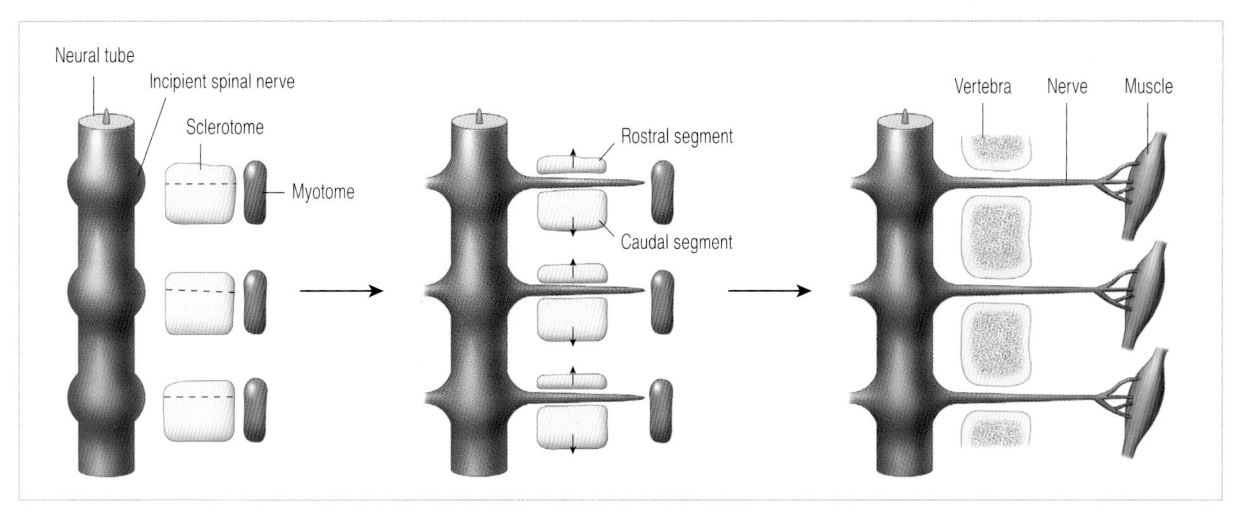

Fig 6. **척추의 형성.**

pulposus)을 형성하고, 나중에 섬유 윤(annulus fibrosus)에 둘러싸여 추간판(intervertebral disc)을 이룬다.
- 태생 7주에 척색의 양측 및 척추 궁의 양측에 연골화 중심이 나타나 태생 2개월경 연골성 척추체와 척추 궁이 융합하며, 태생 4개월경 신경관의 뒤에서 연골성 척추 궁의 양쪽이 합쳐진다.
- 척색의 양측 연골화중심은 태생기 말에 유합되어 연골성 척추체 중심을 형성한다.
- 극돌기 및 횡돌기는 척추 궁의 연골화중심이 연장되어 형성된다.

3. 척추의 골화와 성장

- 각각의 척추 분절에는 세 개의 일차 골화중심이 출현한다.
- 척추 궁 양측의 골화중심은 태생 7-8주경에 상부 경추에서 출현하여 미부로 이행한다.
- 척추체 전방의 골화중심은 태생 8주경 하흉추부 척추체에서 처음 출현하여 두부 및 미부 척추체에서도 나타나게 된다.
- 생후 1년 동안 양쪽 척추 궁 골화중심은 배쪽에서 유합되는데 요추부에서 시작하여 두부쪽으로는 상경추부가 생후 3세에 유합되며, 하요추부는 생후 6세까지 유합된다.
- 척추체와 척추궁의 골화중심 사이에 연골 부분이 잔존하는데 neurocentral synchondrosis라 하며 장관골의 골단판처럼 연골내 골화에 의해서 척추체의 성장이 일어나게 된다Fig 7.
- 척추체 높이 성장은 상하단의 연골판에서 연골내 골화에 의해서 일어나며, 청소년기에 나타난 다섯 개의 이차 골화중심은 약 25세경 나머지 부분들과 모두 결합한다.

4. 중추 신경계의 발생

- 척수 내에서 운동 신경, 감각 신경 순으로 두부에서 미부로 발생한다.
- 태생기(fetal period)에 척주(spinal column)는 척수(spinal cord)보다 빠른 속도로 성장해서 출생 시 척수단은 제2 또는 제3요추에 위치하며, 성장이 완료되면 제1요추 하단에 위치하게 된다.

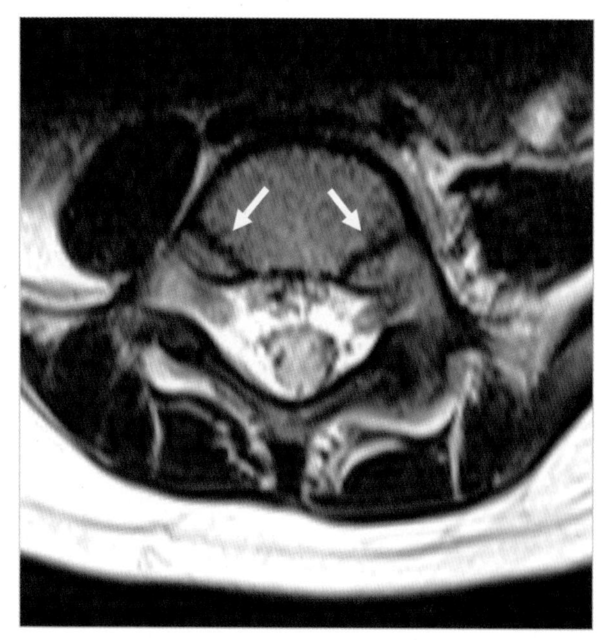

Fig 7. **Neurocentral synchondrosis.**
척추 체부와 척추경의 골화중심 사이에 있는 연골 조직으로 장관골의 골단판과 같이 연골내 골화를 하는 부위이다.

IV. 골단판(epiphyseal plate)의 발생학적 구조

- 장관골의 이차 골화중심에 의해서 형성된 골단(epiphysis)과 일차 골화중심에 의해 형성된 골간단(metaphysis) 사이에 위치하는 연골조직이다.
- 성장이 완료될 때까지 연골 세포의 증식과 연골내 골화가 지속된다.
- 골성숙이 되면 소실되어 골단과 골간단은 골질로 연결된다.

1. 골단판 연골(physeal cartilage)Fig 8

- 정교한 종적인(longitudinal) 구역을 형성하고 있다.
- 정지대(resting zone): 이차 골화중심 직하부에 존재하며, 다량의 세포외 기질(extracellular matrix) 내에 작고

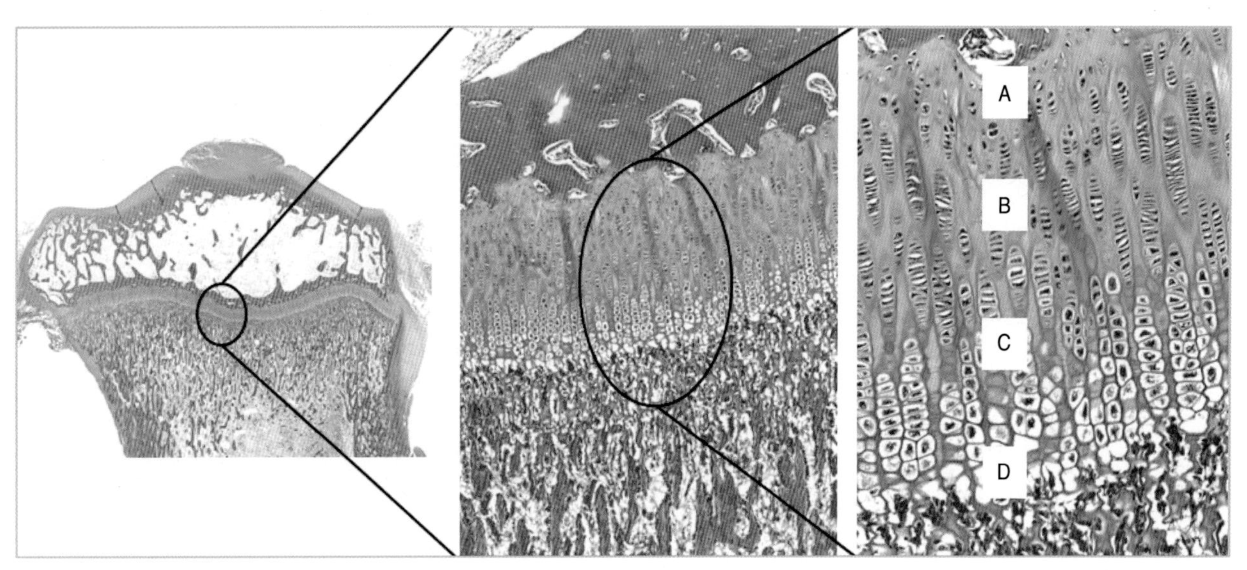

Fig 8. **골단판의 현미경적 구조.**
A: 정지대. B: 증식대. C: 비후대. D: 잠정 석회화대.

둥근 미성숙 연골 세포가 분포한다. 세포의 수가 적고 세포 활성이 저조하다. 증식대로 연골세포를 지속적으로 공급한다.

- 증식대(proliferative zone): 골의 장축을 따라서 납작한 세포들이 층을 이루면서 배열되어 있는 부분으로 활발한 세포 분열이 일어난다. 산소 분압이 가장 높고, 제2형 교원질(type II collagen) 및 단백 다당(proteoglycan)의 합성이 가장 활발히 일어난다. 제2형 교원질은 골단판 연골에서 가장 풍부한 교원질로, 조직의 모양과 인장력을 제공한다. Aggrecan은 골단판 연골 내에 가장 풍부한 단백 다당으로, 삼투성 팽윤을 통해 조직의 수화(hydration)를 유지함으로써 압박력을 견딜 수 있게 해준다.
- 비후대(hypertrophic zone): 증식대의 세포에 비해서 5-7배 정도 세포의 크기가 증가한다. 증식대에 있는 연골 세포에 비해서 제10형 교원질(type X collagen) 등 독특한 유전자 발현을 보인다. 비후대의 골간단쪽 부위에서는 VEGFA나 matrix metalloproteinase-13 등이 발현되어, 혈관내피세포, 파골세포, 골모세포 전구체들이 골단판으로 침윤할 수 있도록 한다.
- 잠정 석회화대(provisional calcification zone): 연골 기질의 성분 변화로 석회화가 되는 부위이다. 일부 연골세포는 세포자멸사(apoptosis)하여 소강(lacuna)이 빈 상태가 된다. 일부 연골세포는 골모세포 전구체로 형질전환(transformation)한다.

2. 골간단(metaphysis)

- 잠정 석회화대의 사멸한 연골세포 방의 횡격막은 골간단 측에서 이동한 파골세포에 의해서 흡수되어서 골간단 쪽 공간으로 열리게 된다.
- 모세혈관이 자라 들어오면서 연골 기질이 제거되고 함께 이동한 골모세포들이 골 기질을 생성한다.
- 다 제거되지 않은 석회화 연골 기질 위에 골 기질이 침착하여 형성된 해면골을 일차 해면골(primary spongiosa)이라고 하며, 나중에 파골세포-골모세포 조합에 의해서 재형성되면서 석회화 연골 기질이 완전히 제거된 해면골을 이차 해면골(secondary spongiosa)이라고 한다.

3. 골단판 주변 구조물 Fig 9

1) Ranvier 구(groove)

- 골단판은 쐐기 모양의 구조물인 Ranvier 구와 섬유성 고리인 LaCroix 연골환(perichondrial ring of LaCroix)

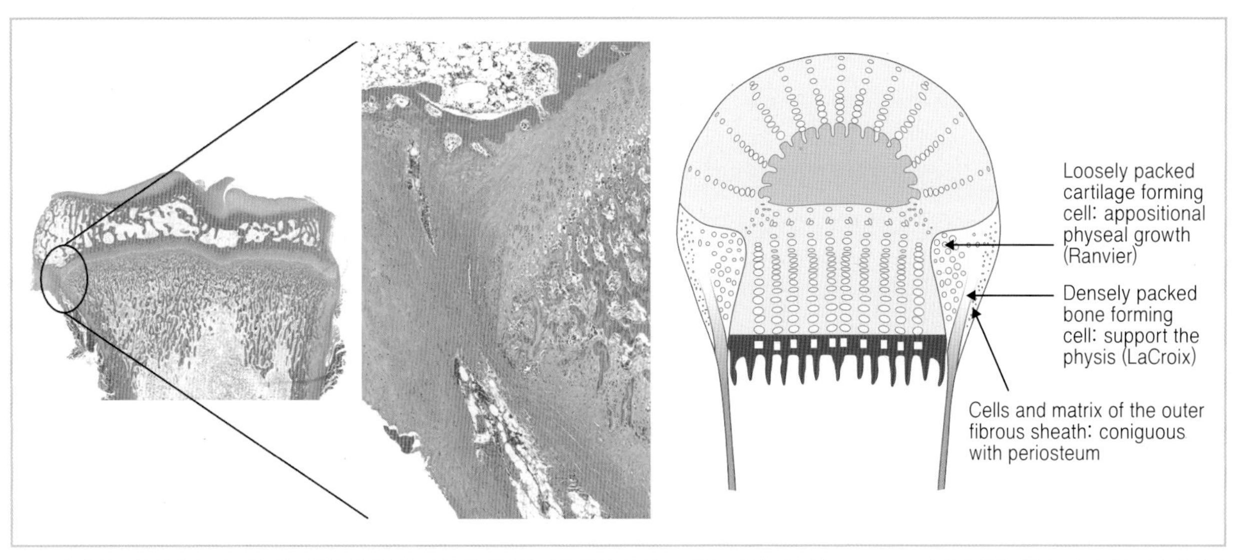

Fig 9. 골단판 주변은 3층 구조로 되어있다. 안쪽에 느슨하게 배열된 연골형성 세포들은 골단판의 정지대(reserve zone)에 새로운 세포들을 공급하여 부가성장(appositional growth)으로 골단판의 지름을 증가하게 하는 Ranvier groove에 해당한다. 그 외측의 perichondrial ring of LaCroix는 골을 형성하는 세포들이 조밀하게 배열되어 있는 층으로 골간단의 피질골과 연결되고, 더 외측에 있는 섬유조직은 골간단의 골막과 연결되어 있다.

으로 주위가 둘러싸여 있다.
- 세포 조성에 따라 세 층으로 구분된다. 내측은 골간단의 골막과 연속되어 있으며 빽빽하게 모여 있는 미분화 세포들이 골모세포로 분화되어 얇은 골(bony ring of LaCroix)을 형성한다. 중간 부위의 연골 세포들은 활발한 세포분열을 하여 골단의 횡적 성장에 기여한다. 외측의 섬유모세포들은 골단판의 연골막과 연결되어 있다.

2) LaCroix 연골환(perichondrial ring of LaCroix)
- Ranvier 구의 섬유성 부분과 골단부의 연골막을 연결하는 골단판 연골막
- 골-연골 연결부의 역학적 지지대 역할을 한다.

4. 골단판 주변 혈관 분포
- 태생기와 영유아기의 연골 골단(chondroepiphysis)에는 연골관(cartilage canal) 안에 혈관이 존재하고, 이들은 이차 골화중심이 출현하면서 골성 골단의 영양 혈관이 되며 골단판의 대부분에는 혈관이 존재하지 않게 된다.
- 골단판을 통과하여 골단과 골간단을 연결하는 관(transphyseal canal)은 출생 후 약 15개월까지 열려 있다가 폐쇄된다.
- 골단 영양혈관의 분지는 골단판 정지대에까지 분지를 낸다.
- 골간 영양혈관의 분지는 골간단과 골단판 경계에서 풍부한 모세혈관 분지를 낸다.
- 연골막 혈관은 LaCroix 연골환과 Ranvier 구에 분포하며 골단 및 골간 영양혈관과 문합한다.

V. 연령별 성장 양상부록 1 참조

1. 태생기
- 가장 빠른 속도로 성장하는 시기
- 키의 성장은 주로 임신 첫 6개월에 일어나고, 체중의 증가는 주로 임신 마지막 3개월에 일어난다.

2. 5세 이전
- 직립위 신장은 5세에 이르러 출생 시의 약 2배가 되며, 특히 생후 첫 해에 급격히 성장한다.
- 두부는 상대적으로 작아지고 하지가 길어진다(부록 2. 연령에 따른 신체상절과 하절의 비).

- 몸무게는 생후 1년에 3배로 증가하고, 3년에 4배로 증가한다.
- 머리의 직경은 평균 35 cm으로 태어나서 첫 일년 동안 약 12 cm 증가하며, 이는 신경계의 성장을 의미한다.

3. 5세 이후 – 사춘기 이전

- 성장 속도가 둔화되어 연평균 5 cm의 신장 증가를 보인다.
- 몸통 성장이 상대적으로 적고 하지 성장이 많이 일어난다.

4. 사춘기

- 성장의 가속화는 사춘기 시작의 좋은 지표이다.
- 사춘기 시작의 평균 나이는 골연령으로 여아 11세, 남아 13세이다.
- 최대 성장 속도(peak velocity)는 여아 11-13세, 남아 13-15세 사이이다.

VI. 사춘기

1. 사춘기에 나타나는 현상Table 2, 3, Fig 10

- 성장 속도가 증가한다.
- 몸통과 하지 길이 비의 변화: 하지의 성장보다는 몸통의 성장이 더 크게 일어난다.
- 전체적인 체형 변화: 어깨 넓이, 골반 넓이, 피하지방 분포 등이 있다.
- 2차 성징: 남아에서 고환의 성장이 첫 징후로 나타나는데 평균 골연령 13세에 해당하며 최대 성장 속도를 보이기 약 1.7년 전이다. 여아에서는 젖멍울 형성이 첫 징후로 나타나며 평균 골연령 11세에 해당하며 최대 성장 속도를 보이기 1년 전이다. 젖멍울 형성 2년 후에 초경이 시작되며, 초경 후 2.5-3년에 최종 신장에 도달한다. 초경은 최대 성장 속도를 보이는 연령보다 약 0.57년 후 나타나지만, 사람마다 차이가 크다.

Table 2. **사춘기의 성장**

	골연령(세)		골반	주관절	수부
	남아	여아			
사춘기 시작	13.0	11.0			
	14.0	12.0	삼방연골 폐쇄		
최대 성장 속도	15.0	13.0		주두 폐쇄	무지 원위지골 폐쇄
초경	15.5	13.5	Risser I		수지 원위지골 폐쇄
	16.0	14.0	Risser II 대퇴골 대전자 폐쇄		근위지골 폐쇄
	16.5	14.5	Risser III		중위지골 폐쇄
	17.0	15.0	Risser IV		원위 척골 폐쇄
사춘기 종료	19.0	17.0	Risser V		원위 요골 폐쇄

Table 3. **사춘기 시기별 성장 정도**(*Fig. 10에서 B 이전, **Fig. 10에서 B 이후)

		신장 증가	척추 성장	하지 성장
사춘기 전기* 남아 13-15세 여아 11-13세	성장 속도 가속	16.5 cm(M) 14.5 cm(F)	8.5 cm(M) 7.5 cm(F)	8 cm(M) 7 cm(F)
사춘기 후기** 남아 15-17.5세 여아 13-15.5세	성장 속도 감속	6 cm(M, F)	4.5 cm(M, F)	1.5 cm(M, F)

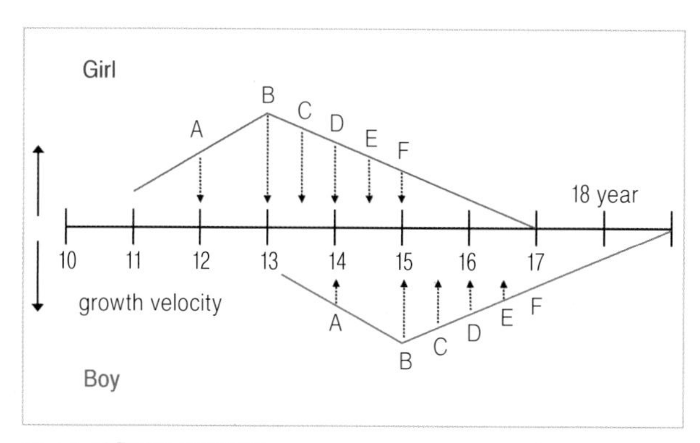

Fig 10. **사춘기의 성장 양상.**
A: 골반 삼방연골 폐쇄. B: 주두 폐쇄. C: Risser I (초경). D: Risser II (대퇴골 대전자 폐쇄). E: Risser III. F: Risser IV.

- **골 연령 도표의 문제점**
  - 골 연령은 인종, 종족 간에 차이가 날 수 있을 뿐 아니라, 영양상태와 다른 환경적 요소에 의해서 시대적으로 변화할 수 있다.
  - 수근골, 수지골 그리고 원위 요골, 척골의 골 연령이 각각 다를 수 있다. 특히 선천성 기형이나 골 성숙에 영향을 미치는 유전성 질환이 있는 경우에는 정상 아동에서 측정한 골 연령 도표를 적용할 수 없다.
  - 골 연령의 증가가 불규칙할 수 있다.
  - Greulich-Pyle 도표의 경우 표준 편차가 크고(10-20개월), 관찰자 간 판독 결과에 차이가 크다.
  - 한국인에서의 골 연령 도표를 이용한다(연경모 1999).

2. Tanner의 발달 단계(1962)

(부록 13. Tanner의 발달 단계)

- 2차 성징의 발달 정도에 따라서 사춘기를 다섯 단계로 구분할 수 있다.
- 초경은 제4, 5단계에서 일어난다.
- 사춘기를 세분할 수 있는 방법이지만, 계량화하기 어렵다는 단점이 있다.

VII. 골 성숙의 방사선 검사 방법

- 골 연령으로 표현하는 골 성숙 정도는 개인마다 차이가 나고, 동일인에서도 부위에 따라서 다를 수 있다.
- 약 50%에서 역연령(chronological age)과 골연령(bone age)은 일치하지 않는다.
- Legg-Calve-Perthes병, 심한 뇌성마비, 구루병, Ollier병, 다발성 골연골종 등에서는 골 연령이 지연된다.

1. Greulich-Pyle atlas(1959)

- 원위 요척골, 수근골, 중수골, 수지골의 성숙에 기반
- 사춘기에는 수부골에 큰 변화가 없기 때문에 효용성이 제한된다.

2. Sauvegrain 방법(1962)Fig 11, Table 4

- 주관절 전후면 및 측면 방사선 검사로 측정한다.
- 사춘기에 변화가 많기 때문에 하지길이부동의 치료 시기 결정에 유용한 방법이다.

3. Tanner-Whitehouse 방법

- 수부와 손목에서 20개의 지표를 설정하여 점수를 0점에서 100점까지 평가한다.
- 한국인 소아의 골 연령표(연경모 1999)

4. Risser 방법(1958)13장 참조

- 장골릉 견열 골단에 의한 방법이다.
- 척추측만증의 치료를 결정하는 데에 널리 사용되고 있다.
- 사춘기의 2/3가 지난 후에 Grade I이 나타나기 때문에 하지길이부동의 치료 방침 결정에는 효용이 제한된다.

5. Oxford 골반 골 연령(Acheson 1957)부록 14 참조

- 고관절 질환에서 골반부의 골 연령을 측정하는 데에 유용하다.

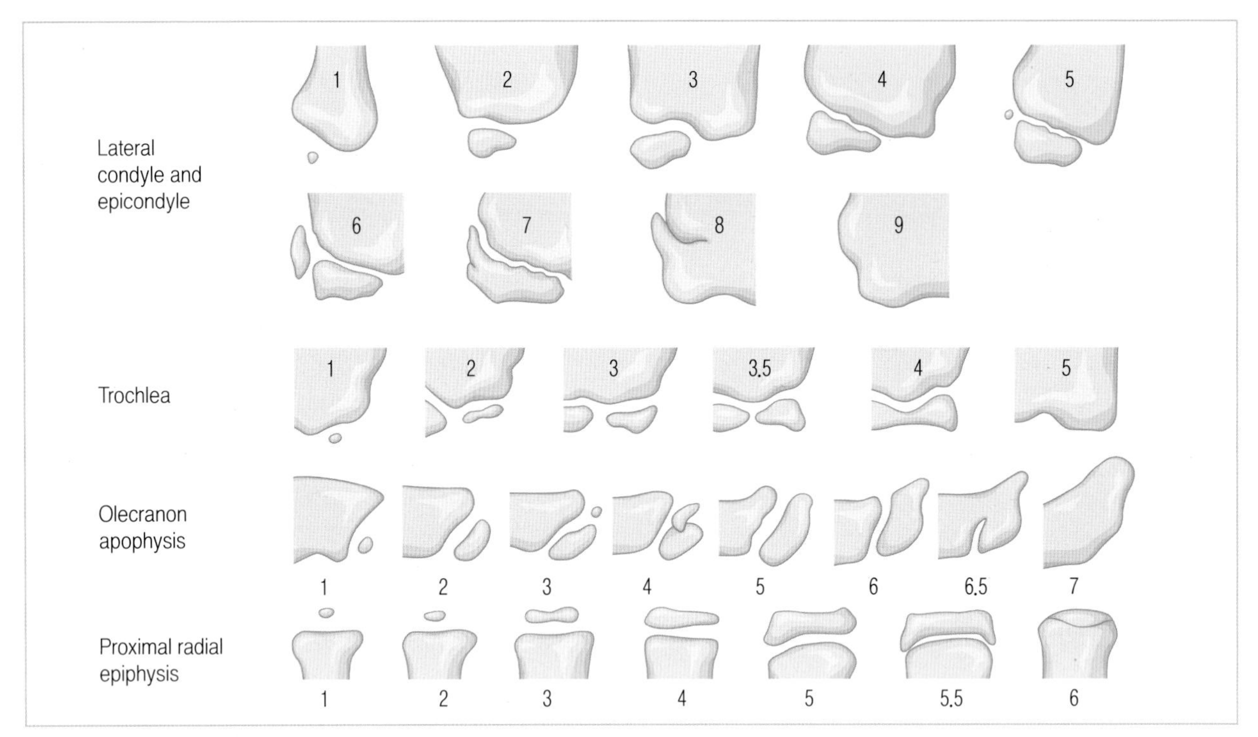

Fig 11. **주관절의 방사선 사진을 이용하여 골연령을 측정하는 Sauvegrain 법.**
주관절 방사선 사진에서 네 부위에서의 형태에 따른 점수를 더해서 Table 4에서 골연령을 구한다[Sauvegrain. Ann Raiol (Paris). 1962.에서 발췌].

Table 4. **주관절의 방사선 사진에 측정한 점수로 골연령 환산하는 표**

골연령	점수	
	여	남
9	9	
9.5	11	
10	14	
10.5	16	
11	20	10
1.5	24	12
12	26	13
12.5	26.5	16
13	27	18
13.5		19.5
14		22
14.5		26
15		27

[Sauvegrain. Ann Radiol (Paris). 1962.에서 변형]

VIII. 사지와 척추의 성장 부록 3, 4, 5, 6 참조

1. 하지의 성장 Fig 12A

- 대퇴골의 성장이 경골의 성장에 비해 빠르게 일어난다.
- 대퇴골과 경골의 길이의 비율은 성장 동안 일정한데 경골의 길이는 대퇴골의 80%이다.
- 경골 길이와 비골 길이의 비율은 일정한데, 비골의 길이는 경골의 98%이다.

1) 대퇴골의 성장 Tables 5, 6

- 근위 골단판에서는 전체 길이 성장의 30%(약 10 cm)가 일어나며, 1년에 약 0.4 cm 성장한다.
- 원위 골단판에서는 전체 길이 성장의 70%(약 24 cm)가 일어나며, 사춘기 이전에는 1년에 1.0 cm, 사춘기에는 1.2 cm 성장한다.

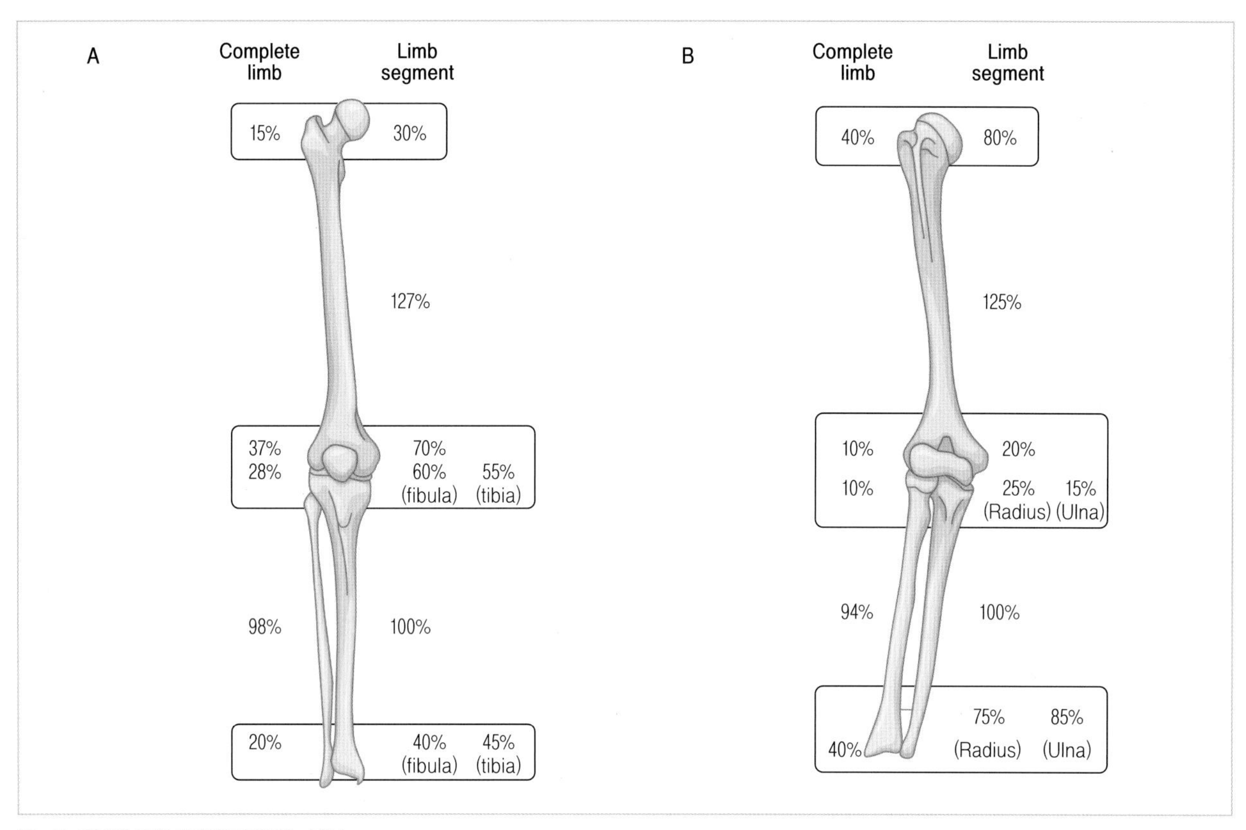

Fig 12. **사지의 길이 성장에 기여하는 정도.**
하지(A)에서는 무릎 주변 골단판에서 전체 하지 길이 성장의 65%가 일어나는 반면, 상지(B)에서는 팔꿈치 주변에서 20%의 길이 성장만 일어난다.

Table 5. **하지골 간의 정상 길이 비**(Maresh 1955)

대퇴골	100%	117%
경골	85%	100%
비골	82%	96%

Table 6. **대퇴골과 경골의 성장**

		대퇴골	경골
길이	출생 시	9 cm	7 cm
	4세	18 cm	14 cm
	성인	47(44) cm	37(35) cm
성장 속도	5세-사춘기	proximal 0.4 cm/yr	proximal 0.6 cm/yr
		distal 1.0 cm/yr	distal 0.5 cm/yr
	사춘기	proximal 0.5 cm/yr	proximal 0.9 cm/yr
		distal 1.2 cm/yr	distal 0.7 cm/yr

( ) 안은 여자에서의 길이

2) 경골과 비골의 성장Tables 5, 6

- 근위 골단판은 전체 경골 성장의 57%를 담당하고 약 16-18 cm 자라며, 1년에 약 0.6 cm 성장한다.
- 원위 골단판은 전체 경골 성장의 43%를 담당하고 약 12 cm 자라며, 1년에 약 0.5 cm 성장한다.

3) 발의 성장22장 참조

- 태생기에 상대적으로 많이 자라고 출생 후 하지에 대한 비가 점차 작아진다.
- 사춘기에 성장 폭발이 가장 먼저 시작되어 가장 먼저 성장이 정지된다.

2. 상지의 성장Fig 12B, Table 7

- 상완골은 11세 이후 90%가 근위부에서, 척골은 8세 이후 95%가 원위부에서, 요골은 8세 이후 90%의 길이 성장이 원위부에서 일어난다.

* 상지와 하지의 비율은 5세 경부터 대개 일정하게 유지되며, 척골은 상완골 길이의 80%이고, 상완골은 대퇴골의 70% 길이에 해당된다.

Table 7. **상지골 간의 정상 길이 비**(Maresh 1955)

상완골	100%	125%	134%
척골	80%	100%	107%
요골	75%	94%	100%

3. 척추의 성장

- 출생 시에는 각 척추 분절의 형태가 유사한데, 출생 후 점차 각 분절 고유의 형태를 띠게 된다.
- 출생 후 흉추부보다 요천추부에서 더 많은 성장이 일어난다.
- 흉추부는 후방에서, 요천추부는 전방에서 더 많은 성장이 일어나서 각각 흉추 후만 및 요추 전만이 나타난다.
- 출생 시 디스크의 높이는 전체 척추의 30%이며, 성인이 되면 25%로 감소한다.

1) 흉추의 성장

- 출생 시 11 cm이며 성인이 되면 평균 28 cm (남자), 26 cm (여자)로 성장한다.
- 생후 5세까지 7 cm, 5세에서 10세까지 4 cm, 다시 사춘기에 7 cm 성장한다.

2) 요추의 성장

- 출생 시 7 cm이며 성인이 되면 평균 16 cm (남자), 15.5 cm (여자)로 성장한다.
- 생후 5세까지 3 cm, 5세에서 10세까지 2 cm, 다시 사춘기에 3 cm 성장한다.
- 척수는 출생 시 L3에서 끝나지만, 성인이 되면 L1-L2 사이에서 끝난다.

참고문헌

연경모, 김인원. 한국인 소아에서 정상 표준 골 연령. 서울, 성문각, 1999.

Acheson RM. The Oxford method of assessing skeletal maturity. Clin Orthop Relat Res. 1957;10:19.

Anderson MS, Messner MB, Green WT. Distributions of lengths of the normal femur and tibia in children from 1 to 18 years of age. J Bone Joint Surg Am. 1964;46:1197.

Beals RK, Skyhar M. Growth and development of the tibia, fibula and ankle joint. Clin Orthop Relat Res. 1984;182:289.

Greulich WW, Pyle SI. Radiographic atlas of skeletal development of the hand and wrist, 2nd ed. Stanford, Stanford University Press, 1959.

Maresh MM. Linear growth of long bones of the extremities from infancy through adolescence. Am J Dis Child. 1955;89:725.

Pritchett JW. Growth plate activity in the upper extremity. Clin Orthop Relat Res. 1991;268:235.

Risser JC. The iliac apophysis: an invaluable sign in the management of scoliosis. Clin Orthop Relat Res. 1958;11:111.

Sauvegrain J, Nahum H, Bronstein N. Etude de la maturation osseuse du coude. Ann Radiol(Paris). 1962;5:542.

Tanner JM. Growth at adolescence, 2nd ed. Oxford, Blackwell Scientific Publications, 1962.

소아정형외과학

소아청소년 근골격계 질환의 진단

Diagnosis of Musculoskeletal Diseases in Children and Adolescents

PEDIATRIC ORTHOPAEDICS

소아청소년 근골격계 질환의 진단

Diagnosis of Musculoskeletal Diseases in Children and Adolescents

목차

I. 병력 조사와 신체 검사

병력과 신체 검사는 의학에서 모든 치료 방향을 결정하는데 가장 중요한 기초가 되는 정보를 제공한다. 특히 소아-청소년에서의 문제를 찾아내고 진단해 나가는 과정에서는 많은 사람들의 참여가 필요하며, 소아를 진료하는 정형외과 의사는 환아의 걱정, 불안 등의 상황을 잘 보살필 수 있는 숙련된 능력을 갖추어야 한다. 겁먹은 환아가 진료를 이해하고 협조해 주기를 바랄 수 없으므로 되도록 환아에게 우호적인 분위기를 조성하면서 신속하게 진행해야 한다.

- 어린 환아를 진료할 때에는 환아의 이름을 부르며 병력 조사와 신체 검사를 하는 것과, 환아가 갖고 온 장난감이나 애착 인형 등에 관심을 보이는 것이 종종 진료에 도움이 된다. 신체 검사를 할 때는 아프지 않은 부위부터 만지거나 움직여 환아가 겁을 먹지 않게 하는 것이 중요하다.
- 어린이에게 나타나는 변형과 발달 이상은 정형외과 의사의 상담이나 진료를 통해 처음으로 발견되는 경우가 대부분이므로 아이들의 기능과 발달 상태에 대한 정상 기준들을 숙지하고 있어야 한다.
- 어린이 환자의 경우 부모나 가족의 걱정과 진료에 대한 관심이 더욱 크다는 사실을 유념하여야 한다.

1. 주소(chief complaint)

- 환아가 내원한 정확한 이유를 알아내야 한다.
- 환아가 정말 아파서 왔는지, 가족이나 친지들의 걱정이나 다른 의사들에 의해 의뢰되어 추가적인 진단 및 검사를 위해 내원했는지를 구분한다.
- 환아나 가족들이 호소하는 문제에 대해 분명하고 정확한 전후 관계(time line)를 설정해야 한다.
- 환아가 가진 문제가 전신적인 문제인지 국소적 문제인지 파악한다.
- 환아가 가진 통증이나 부종 등이 기능에 영향을 주는 문제인지, 또는 관절 구축, 약화, 다리절기나 변형 등을 걱정해야 하는 문제인지 고려해봐야 한다.
- 환아가 앞으로 특정 운동이나 행위에 참여할 수 있는지, 그리고 현재 호소하는 증상이 놀이나 수면에 영향을 주는지 등을 알아봐야 한다.

2. 병력(orthopaedic history) Table 1

- 환아의 병력뿐만 아니라 가족력의 청취는 소아정형외과 영역에서 매우 중요하다.
- 환자 어머니의 출산 전 건강에 관련된 상태를 점검해야 하는 경우도 많다 Table 2.
- 주산기 병력(perinatal history): 환아의 출산 전후 상태를 점검해 본다 Table 3.
- 발달 과정(developmental milestones) Table 4, 부록 8

Table 1. **정형외과 영역에서 확인해야 할 주요 병력**

	관절 문제	근육 문제	골격계 문제	기타 손상
특징	강직 또는 운동 범위의 제한, 부종 또는 발적 및 열감, 단일 또는 여러 관절이 포함되는지 여부, 운동 등 특정 활동과 연관성, 기타 변형 여부	운동 범위의 제한, 약화, 피로, 낙상, 통증	다리 절기 또는 보행 이상, 움직일 때 통증, 변형	- 기전: 낙상, 과사용, 충돌, 오토바이 사고 - 통증: 위치, 점진적 또는 급성 발병(gradual or immediate onset) 여부, 통증이 완화되는 자세 - 부종: 위치, 점진적 또는 급성 발병(gradual or immediate onset) 여부
연관 인자	활동(activity), 손상시기(recent or remote), 손상시기(recent or remote), 하루 중 아픈 시기	손상, 새로 시작한 활동이나 운동, 격렬한 활동	최근 손상, 최근 골절, 잦은 반복적인 활동 및 운동	
시간 인자	발병 속도(서서히 또는 빠르게), 하루 중 통증 양상의 변화 (호전 및 악화 여부)			
과거 치료	휴식, 물리치료, NSAIDs	냉찜질, 고정 및 안정, NSAIDs	휴식, 고정 및 안정, NSAIDs	

Table 2. **어머니의 출산 전 건강 관련 사항**

- 흡연 및 음주 경력
- 산전 비타민 섭취
- 불법 의약품 또는 마약류
- 당뇨
- 풍진
- 성병 등의 병력

Table 3. **출산 전후 아이 상태**

- 임신 기간
- 미숙아 여부
- 산통 시간(length of labor)
- 유도분만 또는 자연분만
- 분만 시 태위(둔위 또는 두정위)
- 영아 호흡 곤란 여부(infant distress)
- 분만 후 산소 필요 여부
- 출생 시 키와 몸무게
- Apgar score
- 출생 당시 근긴장 상태(muscle tone)
- 수유력(feeding history)
- 퇴원 당시 상태(입원 시 병원재원 기간 등)

Table 4. **연령에 다른 평균 발달 과정**

연령	발달 과정
1개월	엎드린 상태(복와위)에서 부분적으로 머리를 가눌 수 있다.
2개월	엎드린 상태에서 머리를 잘 가누며, 바로 누운 상태(앙와위)에서는 부분적으로 머리를 가눈다.
4개월	앙와위에서 머리를 잘 가눈다. 바로 누운 상태에서 복와위에서 앙와위로 구른다.
5개월	앙와위에서 복와위 방향으로 구른다.
6개월	복와위에서 팔을 사용하여 머리와 가슴을 들어 올린다. 뒤를 받혀주면 앉는다.
8개월	혼자 앉는다.
10개월	기어 다니고, 가구 등을 붙잡고 서 있는다.
12개월	혼자 걷거나 손을 잡아주면 잘 걷는다.
18개월	뛰는 것이 가능하다.
2세	점프를 한다.
3세	발을 바꿔가며 계단을 오른다. 한발로 잠시 서 있을 수 있다.
4세	한발로 뛸 수 있고, 공을 어깨를 제치며 던질 수 있다.
5세	옷을 혼자 입는다.

- 가족력 청취: 유전성 질환 또는 유전성 경향이 있는 질환의 진단과 예후 판단에 도움이 된다(예: 선천성 첨내반족, 척추측만증, 고관절 이형성증, 골이형성증).
- 학교에서의 아이의 교육상태(educational standing), 감정발달 상황, 하루 일과(daily behavior), 일상 및 스포츠 활동 등 아이의 사회력과 관련된 사항을 파악한다.
- 과거 병력 및 수술력에 대해 파악한다.
- 아이의 성장 및 발달에 필요한 요소를 확인한다(예: 예방 접종력, 알레르기, 약물 복용력).

3. 신체 검사(physical examination)

근골격계와 신경계의 경계영역의 특성을 충분히 고려하여 근골격계 및 신경계 이상 여부에 대한 검사를 시행하여야 한다.

- 관절의 운동 범위가 정상 범위를 벗어난 경우와 뼈의 구조가 비정상적인 경우 모두 변형이라고 지칭하나, 전자를 관절 변형 또는 구축(contracture), 후자를 골 변형이라고 구분하기도 한다.
- 변형은 시상면, 관상면 그리고 횡단면에서의 3차원적인 평가가 필요하다.

1) 관절별 검사 방법

- 수동적 및 능동적 관절운동 범위를 구분하여 평가한다.
- 통증이 동반되는 경우 수동적 및 능동적 운동 범위 측정에 영향을 줄 수 있다.
- 건측 관절의 운동 범위와 비교한다.
- 연령에 따라 정상적인 운동 범위가 변화하는 것을 고려한다.

(1) 족근관절

족근관절은 굴곡, 신전의 두 가지 운동이 가능하다. 족부의 운동을 기술하는 용어로 내번(inversion), 외번(eversion)과 회외(supination), 회내(pronation)가 종종 혼용된다. 내번, 외번은 거골하 관절의 관상면 기준으로 내회전, 외회전이다. 회내와 회외는 발바닥을 기준으로 하기 때문에, 거골하 관절뿐만 아니라 중족 관절을 복합적인 운동이다. 즉 회내의 경우, 거골하 관절의 내번과 거주상 관절의 족저굴곡, 전족부의 내전을 모두 포함한다.

- Silfverskiöld 검사: 비복근(gastrocnemius)과 가자미근(soleus)의 구축을 감별하는 검사이다. 비복근은 대퇴골에서 기시하고, 가자미근은 경비골에서 기시한다. 즉, 슬관절을 굴곡할 경우 비복근은 상대적으로 이완이 된다. 슬관절 신전 시와 굴곡 시 모두 족근관절의 족배굴곡이 잘 안된다면 비복근과 가자미근의 구축을 의미한다. 슬관절 신전 시에는 족근관절 족배굴곡이 잘 안되지만, 슬관절 굴곡 시에는 원활하다면, 비복근은 구축되어 있지만, 가자미근은 문제가 없음을 의미한다Fig 1.

(2) 슬관절

슬관절은 굴곡, 신전 운동이 가능하고, 약간의 회전 운동(screw home movement)이 가능하나, 회전 운동은 그 정도가 경미하여 이학적 검사로는 측정이 불가능하다. 관절이 비교적 표재에 위치하고 있어서, 관절내의 삼출액을 알기 쉽고, 불안정성에 대한 검사법이 많이 알려져 있다.

- 슬와 각도(popliteal angle) 측정: 슬괵근(hamstring)의 경직성 및 구축을 측정하는 방법으로 앙와위에서 고관절과 슬관절을 90도 굴곡한 상태에서 고관절을 고정하고 슬관절을 신전시킬 때에 완전히 신전되지 않고 남은 각을 측정하는 방법으로 구축이 있을 경우에는 신전에 제한이 온다. 이때의 각도는 수직선과 하퇴부가

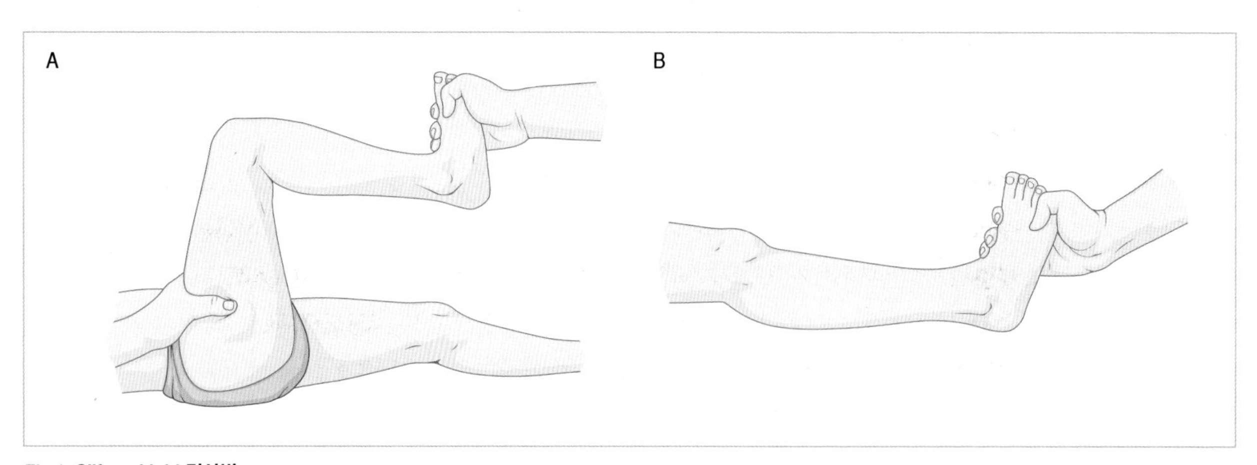

Fig 1. **Silfverskiold 검사법.**
슬관절 굴곡 시에는 족근관절 족배굴곡이 잘 되나(A), 슬관절 신전 시에는 족근관절 첨족변형이 관찰된다(B).

이루는 각도이다Fig 2.

- 하지 직거상 검사: 추간판 탈출증에서 좌골신경 자극에 의해서 하지 직거상이 감소되기도 하지만 슬괵근 구축에 의해서도 감소되어 슬와 각도 측정과 비슷한 의미를 가지기도 한다.

(3) 고관절

고관절은 구형 관절(ball-and-socket joint)로 굴곡, 신전, 내전, 외전, 내회전, 외회전으로 관절운동 범위가 표시된다.

- Thomas 검사: 고관절의 굴곡 구축을 측정하는 방법. 앙아위(supine position)에서 반대쪽 고관절을 충분히 굴곡시켜, 요추의 전만을 제한하여 고관절의 굴곡 정도를 측정한다. 이 굴곡 정도를 굴곡 구축으로 정의한다. 고관절의 굴곡 구축은 굴곡근 구축뿐만 아니라 고관절의 변형 등 여러 원인에 의해 생길 수도 있다. 토마스 검사는 비교적 손쉽게 굴곡 구축을 측정할 수 있다. 또한 앙아위의 검사이기에 수술 중에도 바로 검사할 수 있다는 장점이 있다. 단점은 보행에 적용하려면 한계가 있다는 것이다. 토마스 검사는 앙아위에서 측정을 하고, 측정할 수 있는 범위에 제한이 있다. 전형적 보행 시 고관절을 20도까지 신전을 하는데, 토마스 검사는 0도까지만 신전을 하면 굴곡 구축이 없는 것으로 해석하게 된다(Lee 2011).
- Staheli 검사: 복와위(prone position)에서 환자의 하지가 검사 침대 모서리까지 오도록 하고 골반을 고정한 상태에서 고관절을 신전하여 고관절의 굴곡 구축을 측정하는 방법이다Fig 3. 검사자가 한 손으로 골반을 잡고 고정하고 다른 손으로 고관절을 굴곡 상태에서 서서히 신전하다가, 골반이 들리는 지점의 각도를 측정한다. 고관절의 최대 신전을 평가할 수 있다는 장점이 있다. 하지만, 대상자의 체격이 큰 경우는 자세를 취하기 힘들고, 계측이 힘들며 수술장 등 마취 상태에서는 하기 힘들다는 단점이 있다.
- Duncan-Ely 검사: 대퇴직근(rectus femoris)의 구축을 확인하는 검사로 복와위에서 슬관절을 수동적으로 굴곡시켰을 때, 고관절이 함께 수동적으로 굴곡되는지 확인하는 검사이다Fig 4. 고관절이 수동적으로 굴곡하면 대퇴직근의 구축이 있는 것으로 판단한다. 대퇴직근이 골반에서 기시하여, 경골에 부착하는 이관절 근육(biarticular muscle)임을 이용하는 검사이다. 고관절 굴곡과 슬관절 신전의 역할을 하기 때문에 고관절 신전과 슬관절 굴곡 시 최대 길이가 된다. 따라서, 대퇴직근의 구축이 있다면 고관절 신전 자세에 슬관절 굴

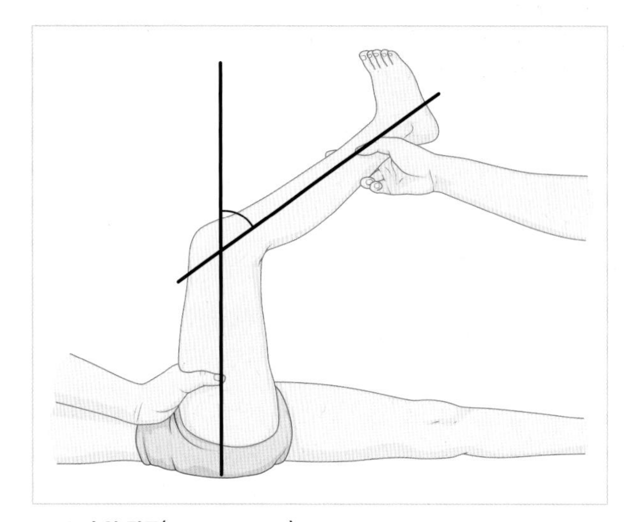

Fig 2. **슬와 각도(popliteal angle).**

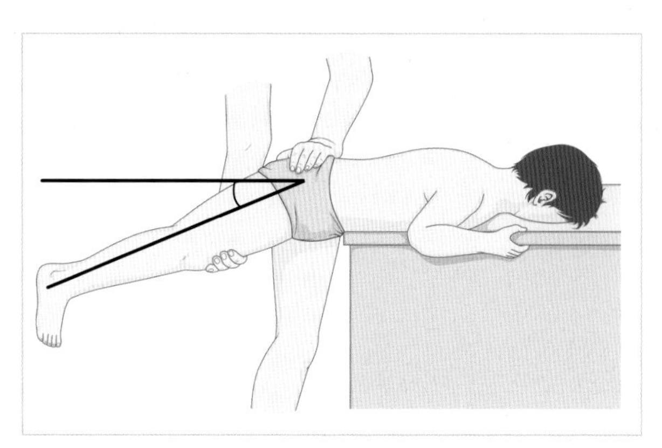

Fig 3. **Staheli 검사.**

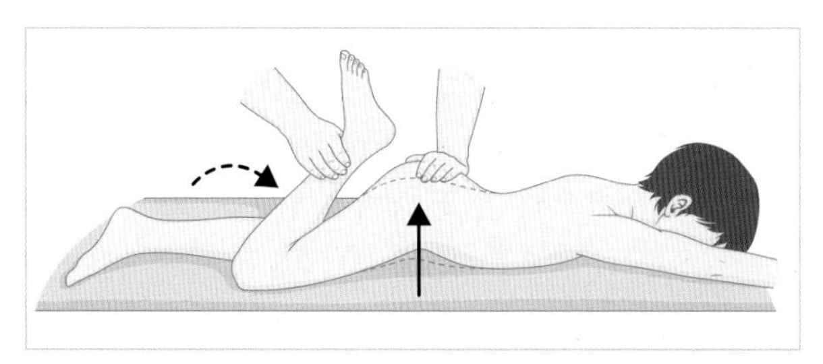

Fig 4. **Duncan-Ely 검사.**

곡에 제한이 생기고, 슬관절을 굴곡하면 수동적으로 고관절이 굴곡하게 된다.

- Phelps-Baker 검사: 박근(gracilis)과 고관절 내전근의 구축을 감별하는 방법이다. 박근이 경골에 부착하는 것을 응용하여, 슬관절을 신전한 상태와 굴곡한 상태에서 외전을 함으로써 박근의 단축을 판단하나 타당도와 신뢰도가 떨어지는 검사법이다.
- Steel's jerk 검사: 고관절 내회전근으로도 작용하는 중둔근과 소둔근(gluteus medius and minimus)의 경직성을 측정하는 방법이다. 복와위에서 슬관절을 90도 굴곡하고, 고관절을 급격하게 외회전시키면, 내회전근이 신전되면서 신전 반사에 의하여 고관절이 내회전된다 Fig 5.
- Trendelenburg 검사: 편측 하지로만 체중 부하를 하였을 때 고관절 외전근의 작용으로 반대측 골반이 상승하는 것이 정상이다. 어떤 이유에서든 고관절 외전근이 약화되어 이러한 작용이 일어날 수 없으면 반대측 골반이 오히려 하강하고 체간은 환측으로 기울어지는 것을 Trendelenburg 징후라고 한다 Fig 6. 보다 오랜 시간 편측 하지로만 체중 부하를 하게 하면서 Trendelenburg 징후의 지연 출현을 관찰하거나(지연 Trendelenburg 검사), 편측 하지로만 체중 부하를 하게 하면서 건측 어깨를 아래로 눌러서 Trendelenburg 징후가 나타나는지 관찰하면(부하 Trendelenburg 검사) 검사의 민감도를 높일 수 있다.
- Patrick 검사: 앙와위에서 다리가 4자 모양(figure of 4)이 되도록 고관절을 외전, 외회전 시켜서 검사측 발목을 반대편 무릎 위에 놓고 검사측 무릎을 바닥 쪽으로 누르면서 통증 유발 여부를 관찰한다. 고관절 또는 천장 관절에 병변이 있을 때에 양성으로 나타나며, 증상이 심하면 이러한 자세를 취하기도 어렵다.

2) 하지 각변형 검사

- 슬관절 각을 측정한다.
- 내반슬에서는 발을 붙이고 섰을 때 원위 대퇴골 내과 간의 과간 거리(intercondylar distance), 외반슬에서는 무릎을 붙이고 섰을 때 족근관절 내과 간의 과간 거리(intermalleolar distance)를 측정한다. 각변형이 같더라

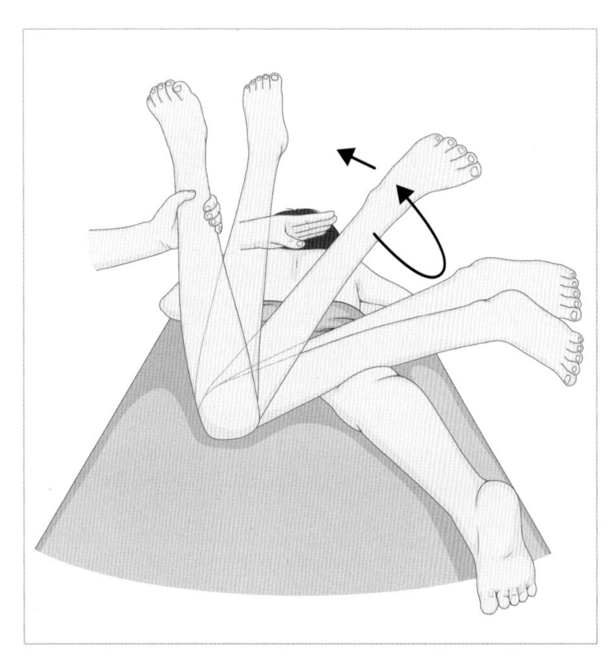

Fig 5. **Steel's jerk 검사.**
복와위에서 슬관절을 90도 굴곡하고, 고관절을 급격하게 외회전시키면, 내회전근이 신전되면서 신전 반응에 의하여 고관절이 내회전된다.

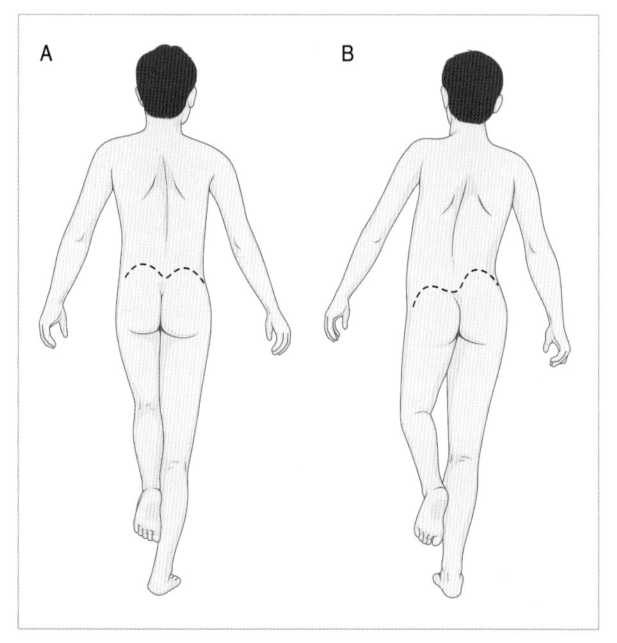

Fig 6. **Trendelenburg 징후.**
A: 정상. B: 징후 양성.

도 골편의 길이에 따라서 과간 거리는 달라지므로 정확한 측정 방법은 아니지만 간단하게 측정할 수 있다는 장점이 있다.

3) 하지 염전 변형 검사부록 17, 18 참조

- **회전 개요(rotational profile)(Staheli 1985)**Fig 7
  - 족부진행 각(foot progression angle, FPA): 환아가 걷는 방향과 발의 장축이 이루는 각도로 외측을 향하면 '+', 내측을 향하면 '–'로 표시한다.
  - 복와위에서 고관절 내회전 및 외회전 측정: 앙와위에서 고관절 90도 굴곡하여 측정한다. 그러나 보행 시에는 고관절이 덜 굴곡이 되기 때문에, 보행을 기준으로 한다면 고관절의 내회전, 외회전 측정은 고관절을 신전시킨 상태에서 하는 것이 정확할 것이다. 앙와위에 측정을 하면 전 장골대퇴인대(anterior iliofemoral ligament) 및 장요근(iliopsoas muscle)을 긴장시키고 고관절의 운동 범위를 제한시켜 고관절 신전 상태에서 고관절운동 범위를 측정할 수 있다. 골반이 한쪽으로 기울어지지 않도록 주의하면서 측정한다.
  - 대퇴-족부각(thigh-foot angle, TFA): 복와위에서 슬관절과 족근관절을 각각 직각으로 하고 발바닥이 지면과 평행하게 하고, 족부의 장축과 대퇴부의 장축이 이루는 각을 측정한다. 전족부가 바깥으로 향하면 경골의 외회전이 있는 것이며 내측으로 향하면 경골의 내회전이 있는 것이다. 대퇴-족부각이 경골 염전을 반영하려면, 다음과 같은 가정이 필요하다.

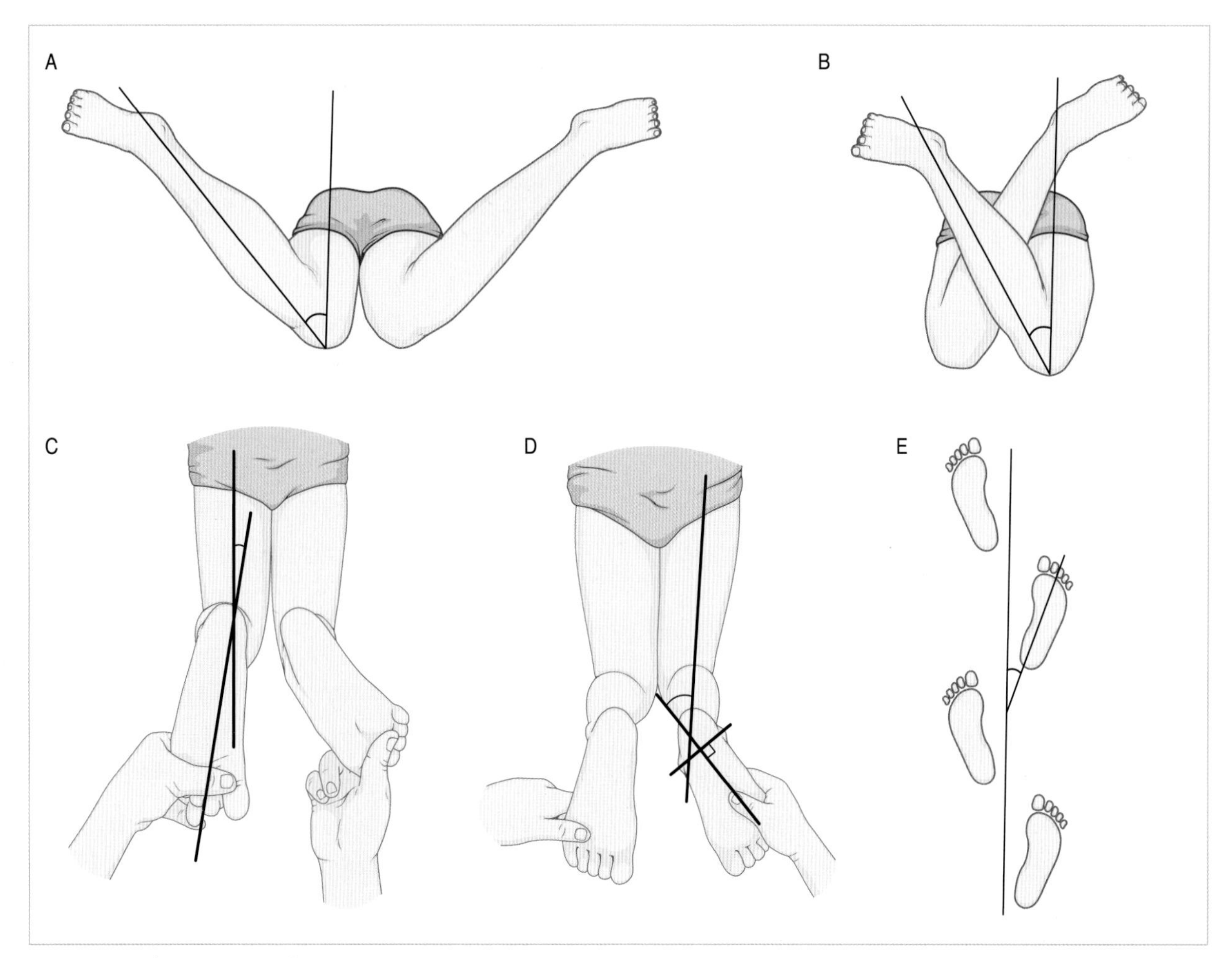

Fig 7. **회전 윤곽(rotational profile)에 대한 이학적 검사.**
A: 고관절 내회전. B: 고관절 외회전. C: 대퇴-족부 각(thigh-foot angle). D: 횡과각(transmalleolar angle). E: 족부 진행각(foot progression angle).

슬관절이 완전한 경첩 관절이어서 대퇴 장축이 슬관절 회전축에 수직이어야 한다. 족근관절도 경첩 관절이어야 한다. 족부 변형이 없어서 족부의 장축이 족근관절 회전축에 수직이어야 한다. 그렇기 때문에 족부 변형이 있는 경우, 대퇴-족부각 측정이 부정확해진다.

- 횡과각(transmalleolar angle, TMA): 대퇴-족부각과 같은 자세로 검사하며 족근관절의 내과(medial malleolus)와 외과(lateral malleolus)를 잇는 선에 직각이 되는 선과 대퇴부가 이루는 각을 측정한다. 원위 기준이 실제 경골 염전을 정의하는 지점(landmark)과 같아서 경골 염전에 더 가까운 값으로 측정이 된다. 횡과각과 대퇴-족부각 사이의 차이는 후족부 변형의 유무에 관계된다. 즉, 선천성 만곡족과 같이 후족부 변형이 있는 경우 경골의 회전 정도는 횡과각으로 측정하는 것이 바람직하다(Lee 2009).

• **족부의 평가**

가장 흔히 발생하는 족부 변형인 중족골 내전증(metatarsus adductus)은 대퇴-족부각을 측정할 때 쉽게 평가할 수 있다.

- 정상적으로 족부의 바깥면은 일직선이어야 하는데 중족골 내전에서는 안으로 굽어 보인다Fig 8. 발뒤꿈치를 반으로 나누는 종축선(heel bisector line)을 연장해서 발가락의 어느 부분을 지나가는지를 보는 것도 전족부 내전 정도를 평가하는 방법이다Fig 9).

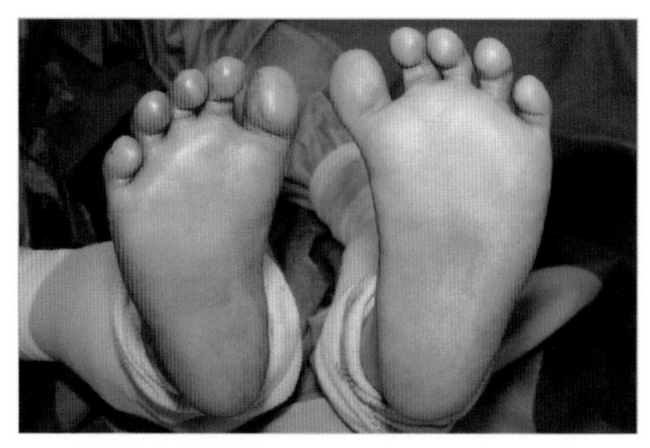

Fig 8. **중족골 내전증의 발바닥 모양.**

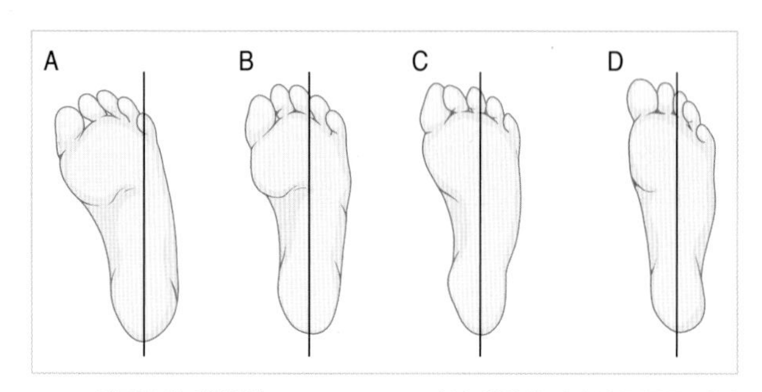

Fig 9. **발뒤꿈치 이분선(heel bisector line)의 위치에 따라서 중족골 내전등의 정도를 평가한다.**
A: 고도(severe). B: 중등도(moderate). C: 경도(mild). D: 정상(normal).

• **대퇴골 전염각 측정**

- 입각기의 고관절의 굴곡은 0도 근처이기 때문에 보행시의 상황을 판단하려면 가능하면 고관절을 굴곡하지 않고 대퇴골의 염전을 측정하여야 한다. 그렇기 때문에 고관절 회전과 대퇴 전염 측정 시에는 복와위(prone)에서 측정한다. 대퇴 전염이 증가하면, 고관절 내회전이 증가하고 외회전이 감소한다. 성인에서 고관절 내회전과 외회전의 정상치는 40도로 대칭이며 대퇴 염전은 15-20도이다. 내회전은 골반을 중립으로 유지하면서 양쪽을 동시에 측정한다.
- 대전자 촉지법: 대전자가 대퇴골두-경부의 연장선상에 있다는 전제 하에, 복와위에서 슬관절을 90도 굴곡하고 고관절을 내회전시키면서 대전자가 외측으로 가장 두드러진 위치로 오는 고관절의 내회전 정도를 측정하여 이를 대퇴골 전염각으로 간주한다(Chung 2010)Fig 10.

• **제2족지 검사(2nd toe test)**

- 복와위에서 무릎을 완전히 신전시킨 상태에서 두 번째 발가락이 지면과 수직이 되도록 하지를 회전시킨다. 그 상태에서 대퇴부를 고정한 채 무릎을 90도 구부리면 지면에 수직인 선과 경골이 이루는 각이 경골 염전에 해당한다(Gage 2004)Fig 11.

4) 관절 이완성(joint laxity)

- 관절의 이완성은 나이가 들수록 감소하게 된다.
- 개인적 특성에 따라 차이가 많고 유전적인 경향이 있다.
- Ehlers-Danlos 증후군, Marfan 증후군, Down 증후군, 골형성부전증 등에서는 관절 이완성이 증상 중의 하나이다.

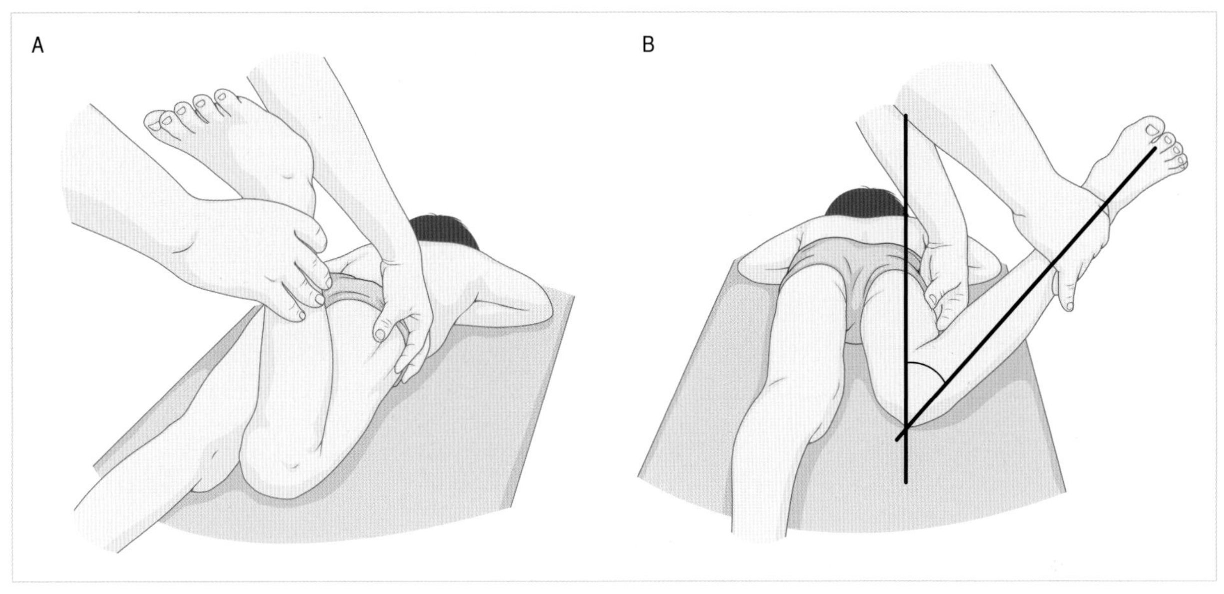

Fig 10. **대전자의 전후면을 손가락.**
대전자의 전후면을 손가락으로 촉지한 상태에서(A) 고관절을 내회전 하면서 대전자부가 지면에 평행하게 위치할 때 수직선과 하퇴부가 이루는 각도가 대퇴골 전염각이다(B).

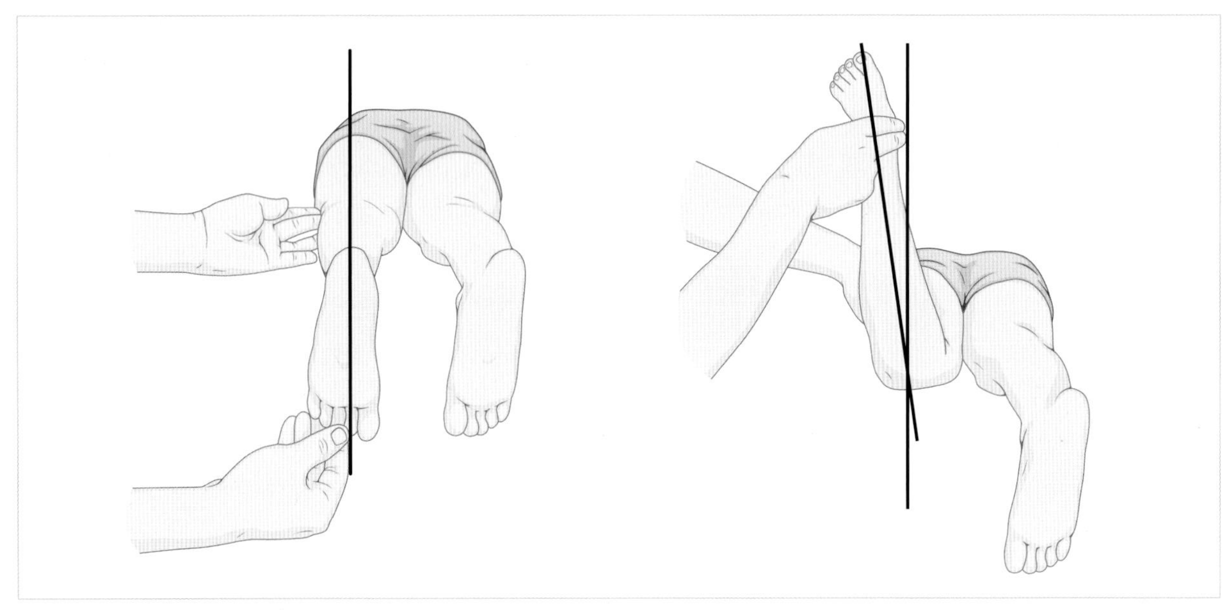

Fig 11. **제2족지 검사(2nd toe test).**

- 대퇴골 전염각 증가, 유연성 편평족, 발달성 고관절 이형성증, 습관성 슬개골 탈구 등과 연관되어 있다.
- 측정방법: Wynne-Davis는 다섯 가지 소견 중 3개 이상을 보이면 양성이라고 판정하였다. 소아의 7%에서 4-5개 양성인 과도한 이완 소견을 보인다Fig 12.

5) 근력

협조가 되지 않는 어린 소아에서는 현실적으로 검사가 불가능할 수도 있으며, 그런 경우에는 자발적 운동을 관찰하거나 반사(reflex)를 이용하여 기술할 수밖에 없다.

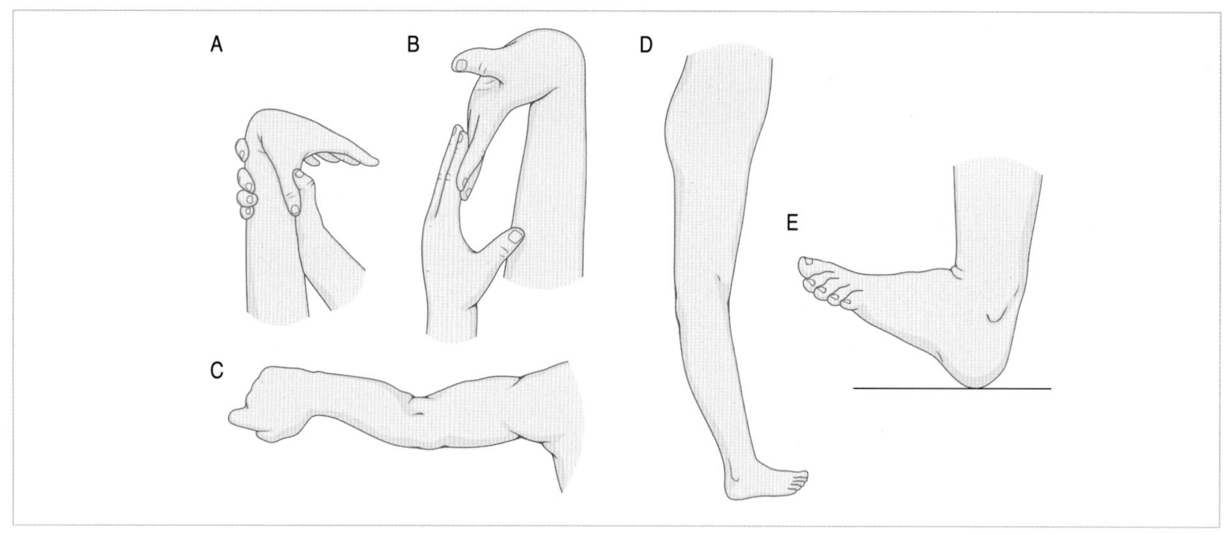

Fig 12. **Wynne-Davis가 제시한 전신적 인대 이완의 소견.**
A: 무지를 굴곡하여 전완부와 접촉 가능. B: 수지가 전완부와 평행해지도록 신전 가능. C: 주관절 과신전 15도 이상. D: 슬관절 과신전 15도 이상. E: 족근관절 신전 60도 이상.

* 근력 약화(weakness)가 있을 경우 국소적(localized)인지, 전신적(diffuse)인 문제인지 감별하여야 한다.

* 국소적인 약화일 경우 단일 근육의 문제인지 유사 근육군(단일신경단위 또는 척수신경 단위)의 문제인지, 전반적인 약화일 경우 편마비, 양마비, 사지마비 등을 구분하여야 한다.

6) 반사에 대한 검사부록 7 참조

운동 발달 과정에서 정상적으로 관찰되는 반사가 없거나 일정한 발달 단계에서 없어져야 할 원시적 반사(primitive reflexes)들이 계속 남아 있는 상황 모두 병적인 상태이다. 반사의 유무와 함께 근력(muscle strength), 반사(reflexes), 근 긴장도(muscle tone), 감각(sensation), 그리고 신생아의 경우 발달과정(developmental milestone) 등을 같이 고려한다.

- **경직성**(spasticity)
  근육을 수동적으로 빠른 속도로 늘리면 신연반사(stretch reflex)에 의해서 근육의 긴장성이 비정상적으로 증가되는 현상. 경직성 뇌성마비와 같은 상위운동신경 병변에서 관찰된다.
- **심부건 반사**(deep tendon reflex)
  신연 반사의 일종으로 심부건에 외력을 가하여 신연시켜서 반사적 근육 수축을 유발한다. 슬개건(patellar tendon), 아킬레스건(achilles tendon), 상완 이두박건(biceps brachii), 상완 삼두박건(triceps brachii) 등에서 시행하는데, 정상적인 반응 정도보다 저하되어 있거나 항진되어 있으면 각각 병적이다.
- **족근관절 간대성 경련**(ankle clonus)
  족근관절을 수동적으로 족배굴곡하는 힘을 유지하고 있으면 하퇴삼두근이 신연반사로 수축하여 족저굴곡되었다가 하퇴삼두근이 이완되면서 다시 족배굴곡되고, 다시 하퇴삼두근의 신연 반사로 족저굴곡하는 과정이 반복되면서 족근관절이 불수의적으로 족배굴곡과 족저굴곡을 반복하는 현상. 하퇴 삼두근의 심한 경직성이 있을 때에 관찰된다.
- **발달 반사**(developmental reflexes)
  발달 반사는 신생아에서는 정상 소견으로 나타날 수 있다. 신경학적으로 성숙되어 가면서 대뇌피질 발달에 의해 점차 소멸한다. 출생 시 관찰되어야 하는 반사가 아예 없거나 소멸하지 않고 지속되는 경우 신경학적 이상을 고려해야 한다Table 5.

Table 5. **원시 반사와 자세반사(primitive and postural reflex) 생성 및 소실 시기**

원시반사	사라지는 시기
Grasp	3개월
Moro	6개월
Symmetric tonic neck	6개월
Asymmetric tonic neck	6개월
Neck-righting	10개월
자세반사	**나타나는 시기**
Foot-placement	영아 초기
Parachute	12개월-

- 손 파악 반사(palmar grasp reflex): 손가락을 아이 손바닥의 척측으로 대면 손가락을 꽉 잡게 되고, 손을 당기면 몸이 들릴 정도로 강하게 잡는다Fig 13. 출생 4개월 때까지 정상적으로 나타난다. 편측성으로 나타날 경우 상완 신경총 마비, 골절, 편측성 뇌성마비 등을 의심해 볼 수 있다.

근력의 단계

0: 근육의 수축이 없다.
1: 약간의 수축을 느낄 수 있다.
2: 중력이 작용하지 않는 방향으로 자발적 관절운동이 가능하다.
3: 중력을 극복하면서 자발적 관절운동이 가능하다.
4: 중력 및 어느 정도의 저항을 극복하면서 자발적 관절운동이 가능하다.
5: 충분히 강한 저항을 극복하면서 자발적 관절운동이 가능하다.

- 경악 반사(startle reflex): 큰소리를 내거나 영아의 흉골 부위를 타진(percussion)하면 주먹을 쥐면서 주관절과 슬관절을 굽힌다. 출생 시 나타나서 지속된다.
- 디디기 반사(stepping reflex): 양손으로 아이 겨드랑이에 넣어 들어올린 후 편평한 표면에 닿게 하면서 앞으로 움직이면 걷는 모습을 나타낸다Fig 14. 출생 시 보이다가 2개월 이내에 사라진다.
- 낙하산 반사(parachute reaction): 복와위로 공중에 들고 있다가, 갑자기 내리는 행동을 취하면 떨어지는 것을 막으려고 상지를 벌리는 행동을 한다. 출생 6개월 이후에 나타나며 계속 존재한다.

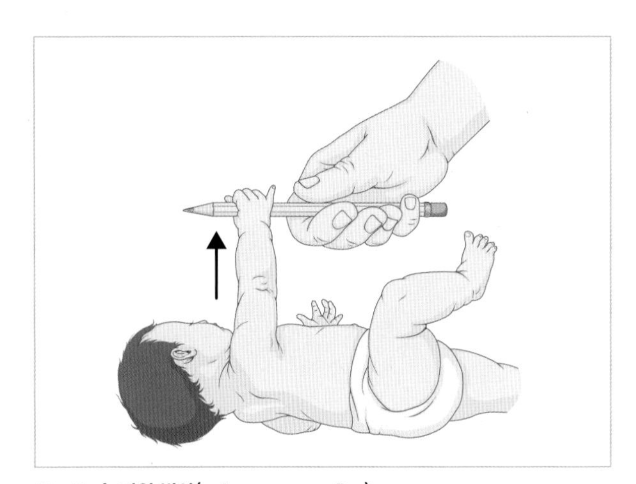

Fig 13. **손 파악 반사(palmar grasp reflex).**

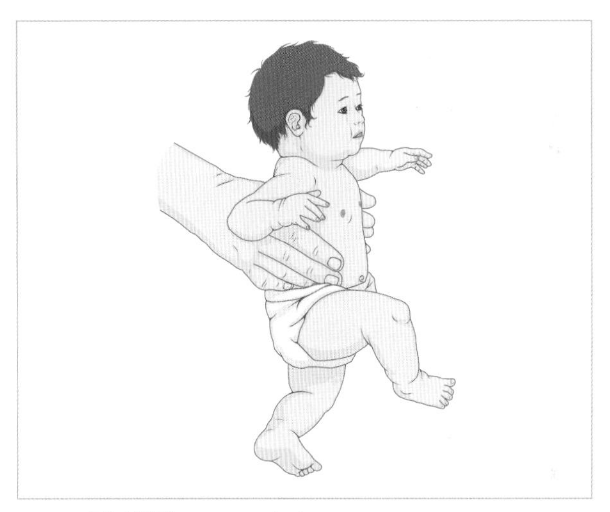

Fig 14. **디디기 반사(stepping reflex).**

- 대칭성 긴장성 경부 반사(symmetrical tonic neck reflex): 아이를 검사자의 무릎에 복와위로 두고, 목과 머리를 신전하면, 상지는 신전되고 하지는 굴곡된다. 목과 머리를 굽히면 상지는 굴곡되고, 하지는 신전된다Fig 15. 출생 12개월 이후에도 존재하면 이상이 있는 것이다.
- 비대칭성 긴장성 경부 반사(asymmetrical tonic neck reflex): 목을 한쪽으로 돌리면, 돌린 쪽의 상하지는 신전하게 되고, 반대쪽 상하지는 굴곡이 일어나서 소위 펜싱 자세(fencing position)를 취하게 된다Fig 16. 출생 후 6개월까지 나타난다.

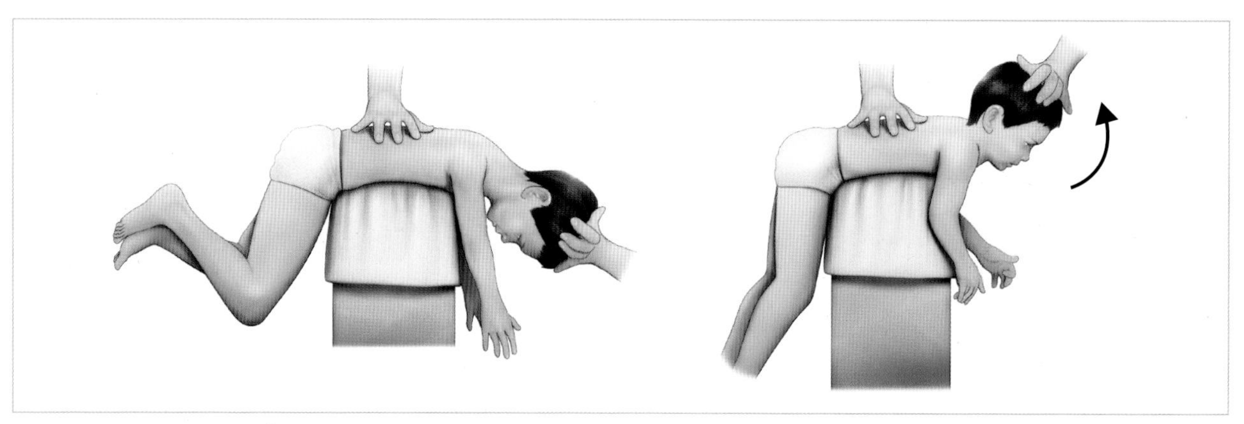

Fig 15. **대칭성 긴장성 경부 반사(symmetrical tonic neck reflex).**

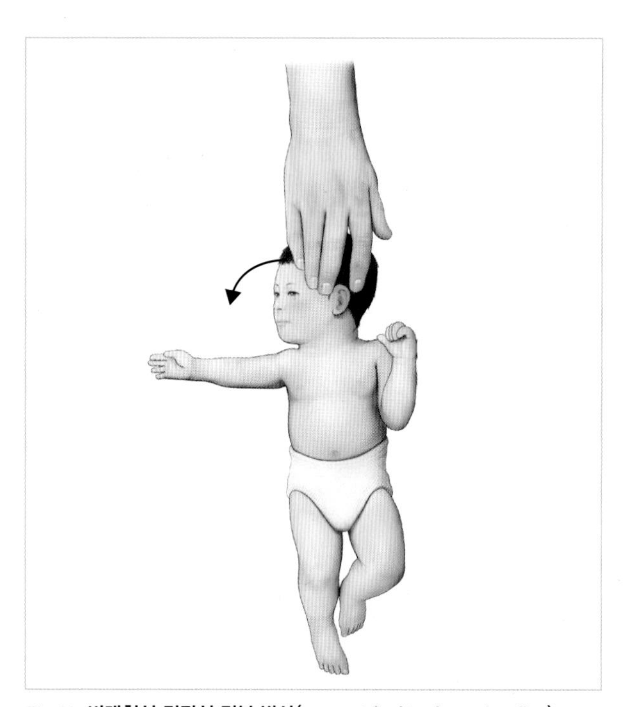

Fig 16. **비대칭성 긴장성 경부 반사(symmetrical tonic neck reflex).**

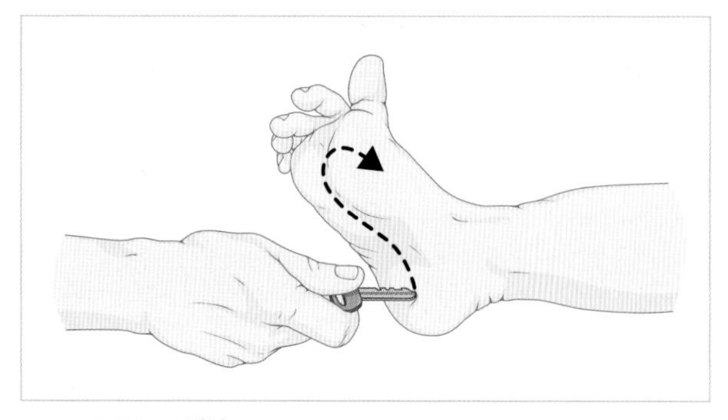

Fig 17. **Babinski 반사.**

- Babinski 반사: 발바닥의 내측을 발꿈치에서 발가락쪽으로 긋게 되면 엄지발가락이 족배굴곡 되고 다른 발가락은 펼쳐지는 현상을 보인다Fig 17. 피질척수로(corticospinal tract) 손상 시 나타난다. 1세 이전에 정상적으로 나타나나 그 이후에는 사라진다.
- 복부 반사(abdominal reflexes): 앙와위 상태에서 복부의 한 부분을 긁으면 배꼽이 긁은 쪽으로 움직인다. 소실되어 있는 경우 상위 운동신경원의 병변을 나타낸다.

II. 소아청소년 근골격계의 영상의학적 검사

1. 단순 방사선검사

골격계통의 이상을 발견하고, 분석하여 진단하기 위해 일차적으로 시행하는 검사이다. 외상이나 선천성 기형 등은 방사선촬영만으로도 진단과 추적관찰이 가능하다. 아동학대, 골이형성증(skeletal dysplasia) 또는 랑거한스조직구증(Langerhans cell histiocytosis, LCH)과 같이 전신 골격에 병변이 발생할 가능성이 있는 경우에는 전신 골격 조사(skeletal survey)를 시행한다. 골감염이 의심되는 경우에도 자기공명영상(magnetic resonance imaging, MRI) 등을 시행하기 이전에 방사선촬영을 반드시 시행한다. 골종양의 경우에 방사선촬영은 MRI 촬영 범위를 결정할 뿐만 아니라 종양의 기질(matrix) 형성 유무와 골파괴 정도를 알 수 있어 최종 진단에 필수적이다.

성장기의 골격계는 다양한 해부학적 변이를 보여 방사선 촬영영상에서 병적 병변과 혼동되는 경우가 흔하다.

• **전신적 골격계 정상 변이**
- Vacuum phenomenon Fig 18
- Irregular ossification
- Osteosclerosis of the newborn Fig 19
- Physiologic periosteal reaction (1-6 months old)
- Growth lines: gross arrest lines or growth recovery lines
- Dense metaphyseal lines

• **흔한 국소적 골격계 정상 변이**
- Shoulder: proximal humerus epiphyseal ossification, proximal humerus physis Fig 20
- Elbow: sequence of ossification −CRITOE (capitellum-radial head-internal [medial] epicondyle-trochlea-olecranon-external [lateral] epicondyle)
- Pelvis: irregularity of the iliac crest, ischium, ischiopubic synchondrosis Fig 21
- Hip: asymmetric appearance of femoral head ossification, irregularity of femoral head ossification
- Knee: avulsive cortical irregularity of the distal femoral metaphysis Fig 22, irregular ossification of the distal femoral epiphysis, irregular patellar ossification
- Tibia and fibula: irregular ossification of the tibial tuberosity, irregular ossification of the medial and lateral malleoli
- Hands and feet: pseudoepiphysis, 5th metatarsal apophysis Fig 23, accessory navicular, os trigonum, calcaneal apophysis, calcaneal pseudocyst

2. 컴퓨터 단층촬영(computed tomography, CT)

방사선 발생장치와 검출기의 쌍으로 구성되어 있어 조사한 X-선이 인체를 통과한 후 감쇄된 정보를 검출기가 검출하여 이를 컴퓨터로 이용해 계산한 후 각 지점에서의 X-선 흡수계수를 CT 번호(또는 Hounsfield 번호)로 표시한다. 물의 CT 번호를 0으로, 공기는 -1000, 뼈는 +1000으로 정하는 것이 일반적이다 Fig 24. 다중검출기 CT (multidetector

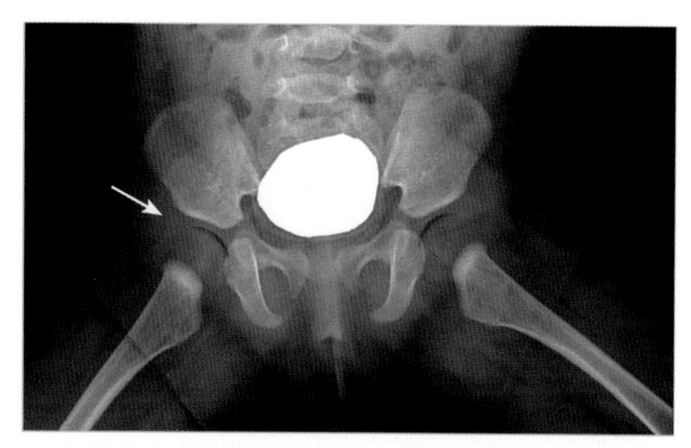

Fig 18. **관절 내 공기음영(vacuum joint or vacuum phenomenon).**
고관절 전후면 방사선촬영에서 양측 고관절 내 반월상의 공기음영이 보인다(화살표). 관절 견인에 의해 관절강 내 공기음영이 보이는 것으로 관절 내 공기음영이 보이는 경우 관절 내 병적인 관절 삼출은 없다는 것을 의미한다.

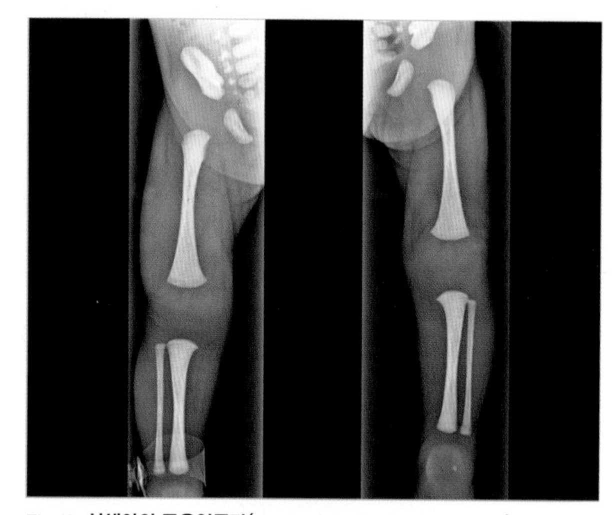

Fig 19. **신생아의 골음영증가(osteosclerosis of the newborn).**
신생아기에 방사선촬영을 시행하면 전신의 골 음영이 증가되어 보일 수 있다. 신생아기에서 보이는 일시적인 현상으로 osteopetrosis로 오인될 수 있다. 재태연령 34주에 출생한 신생아로 대퇴골 원위부 골단의 골화가 아직 진행되지 않았다.

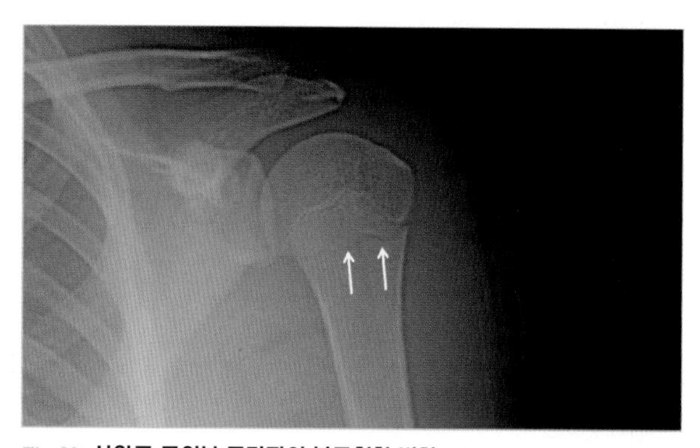

Fig 20. **상완골 근위부 골단판의 불규칙한 변화.**
상완골 전후면 방사선촬영에서 골단판의 앞쪽과 뒤쪽이 겹쳐지면서 이중음영이 나타나 골간단부의 골절로 오인될 수 있다.

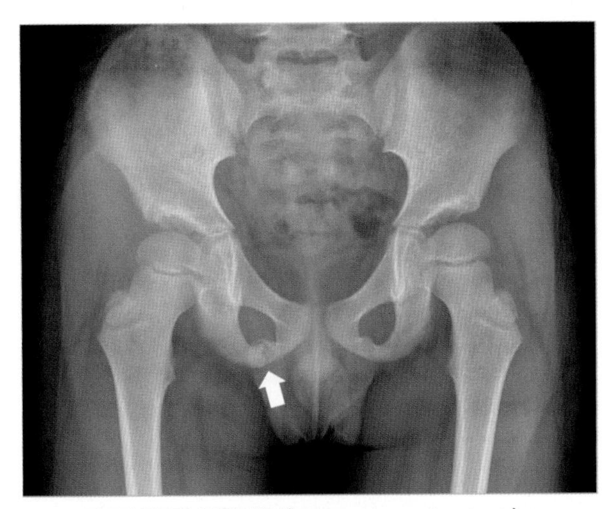

Fig 21. **좌골과 치골의 연골유합부(ischiopubic synchondrosis).**
10세 남아에서 좌골과 치골의 연골유합부가 비대칭적으로 보인다(화살표). 이런 연골유합부의 골화가 비대칭적으로 진행될 경우 종양이나 골절로 오인될 수 있다.

CT, MDCT)의 이용으로 얇은 축상면 영상을 얻고 이를 삼차원 재구성 및 다평면 재조합(multiplanar reconstruction, MPR)영상을 얻을 수 있어 정확한 해부학적 정보를 얻을 수 있고, 빠른 영상획득도 가능하다.

소아환자에서 근골격계 CT의 일차적 역할은 골절에 대한 정밀 평가, 상하지 염전변형(torsional malalignment) 평가, 골종양 내 기질 평가이며, 이외 복잡 척추기형과 족근골 유합 등에 사용된다. 그러나 이외 소아 근골격계 질환의 진단에서 CT의 역할은 제한적이며, 진단을 위한 의료영상 검사 중 방사선 피폭의 가장 큰 원인이 된다는 점을 고려하여 방사선 방호 원칙을 준수하여 검사를 시행하여야 한다.

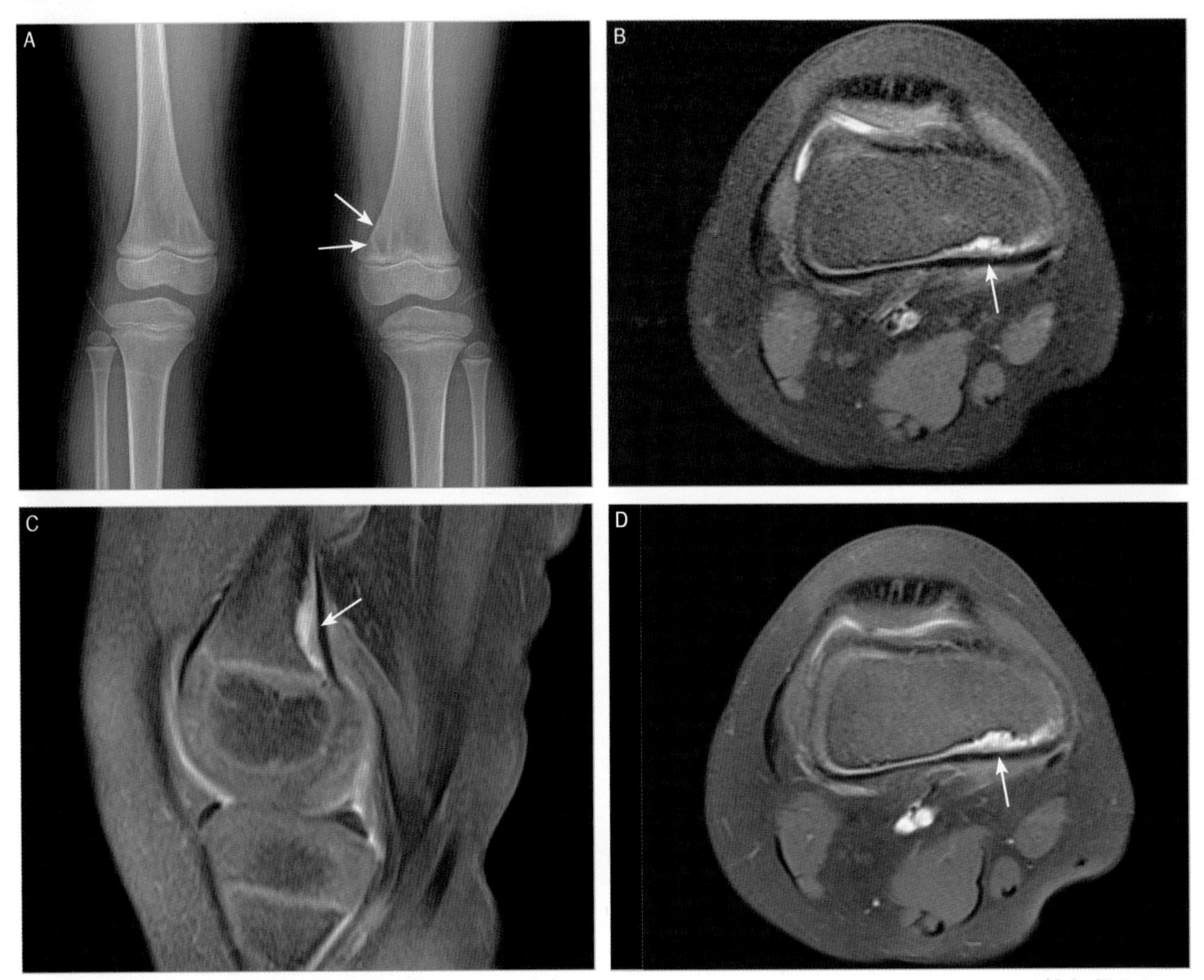

Fig 22. **대퇴골 원위부 골간단의 불규칙한 피질골 변화.**
이는 비복근(gastrocnemius) 근육 부착 부위에 나타나는 피질골의 변화로 성장하면서 크기가 감소한다. 종양으로 오인될 수 있다. A: 슬관절 전후면 방사선 촬영에서 양쪽 대퇴골 원위부 골간단에 내측에 경화성 경계를 보이는 골파괴병변이 있다. B,C: 지방 억제 T2 강조영상에서 대퇴골 원위부 내측, 후면 피질에 연해 고신호강도를 보이는 납작한 병변이 있다(화살표). D: 지방 억제 조영 증강 T1 강조영상에서 이러한 병변은 비교적 조영증강이 잘 된다(화살표).

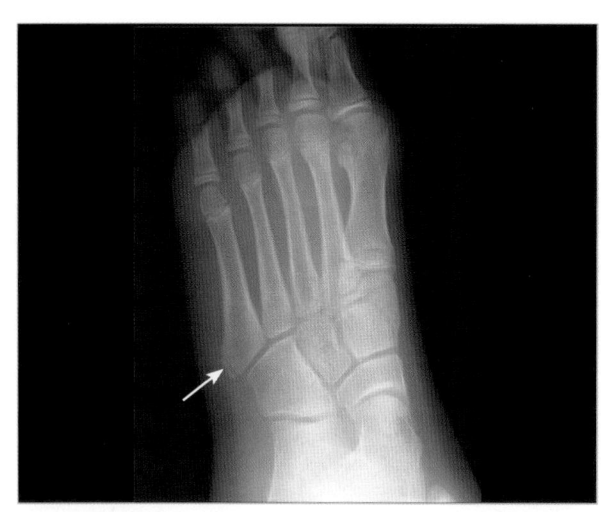

Fig 23. **견인골단(apophysis).**
다섯번째 중족골 기저부에 수직방향의 저음영이 보인다(화살표). 이는 발달성 변화인 견인골단으로 골절로 오인될 수 있다.

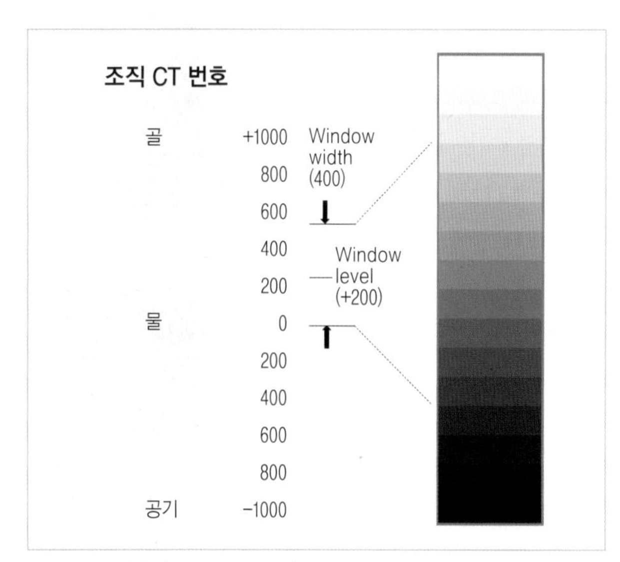

Fig 24. **CT 번호와 window width/level.**
CT 번호는 참고물질인 물의 CT 번호를 0으로 하고, 공기는 −1,000, 뼈는 +1,000으로 정하여 CT 번호가 작은 것은 검게, 큰 것은 희게 회색조 단계(gray scale)로 변환하여 2차원 영상으로 재구성한다.

- **소아근골격계 질환의 CT 적용 예**
- 복잡골절: Tillaux 골절, triplane 골절, 또는 골반 골절과 같은 복합 골절의 평가Fig 25
- 족근골 유합(tarsal coalition)Fig 26
- 염전 변형: 대퇴골 염전각(femoral anteversion angle) 또는 경골 염전각(tibial torsion angle) 측정
- 복잡 척추기형
- 종양: 종양 내 기질(matrix) 형성 또는 유골골종(osteoid osteoma)의 핵(nidus)Fig 27

- **방사선방어**

* 방사선방어의 원칙
- 정당화(justification)의 원칙: 방사선 피폭을 초래하는 모든 결정은 반드시 이로 인한 의학적 이득이 피폭으로 인한 위험도를 감수하고도 남을 만큼이어야 한다.
- 방호 최적화(optimization): 방사선 피폭을 수반하는 행위가 정당화되었을 경우, 경제적 및 사회적 요인을 고려하여 그 행위로부터 발생하는 모든 방사선 피폭을 합리적으로 달성 가능한 한 낮게 유지해야 한다[ALARA (as low as reasonably achievable) 원칙].

* 소아환자에서의 방사선 감수성
- 소아는 성인에 비해서 각 장기의 방사선 감수성(radiosensitivity)이 높다.
- 기대 수명이 길어 방사선피폭에 의한 암 발생 확률이 성인보다 더 높다.
- 환아의 신체 크기에 따라 맞춤형 CT 검사기법을 적용해서 방사선 노출을 최소화하여야 한다.

3. 자기공명영상(magnetic resonance imaging, MRI)

신체 일부에 강력한 자기장을 걸어 체내 각 조직의 수소원자핵(양성자, proton)을 그 자기장의 방향을 따라 일정하게 배열되도록 하고, 수소원자핵의 공명주파수와 같은 고주파에너지를 주어 순간적으로 여기(excitation) 시켰다가 원래의 자화 상태로 돌아가는 이완(relaxation) 과정에서 각 조직마다 다른 자기공명 신호가 발생하는 것을 감지하여 영상을 구성한다. 수소원자의 밀도, T1 이완시간, T2 이완시간, 혈류 등에 영향을 받기 때문에 연부조직 대조도가 뛰어나고, 다면상 영상 획득이 가능하며 방사선피폭의 위험이 없다는 점에서 대부분의 근골격계 질환에서 CT를 대체하고 있다. 연골 조직에 대한 선명한 영상을 얻을 수 있기 때문에 골화가 덜 된 성장기 아동에서 특히 유용한 검사 방법이다.

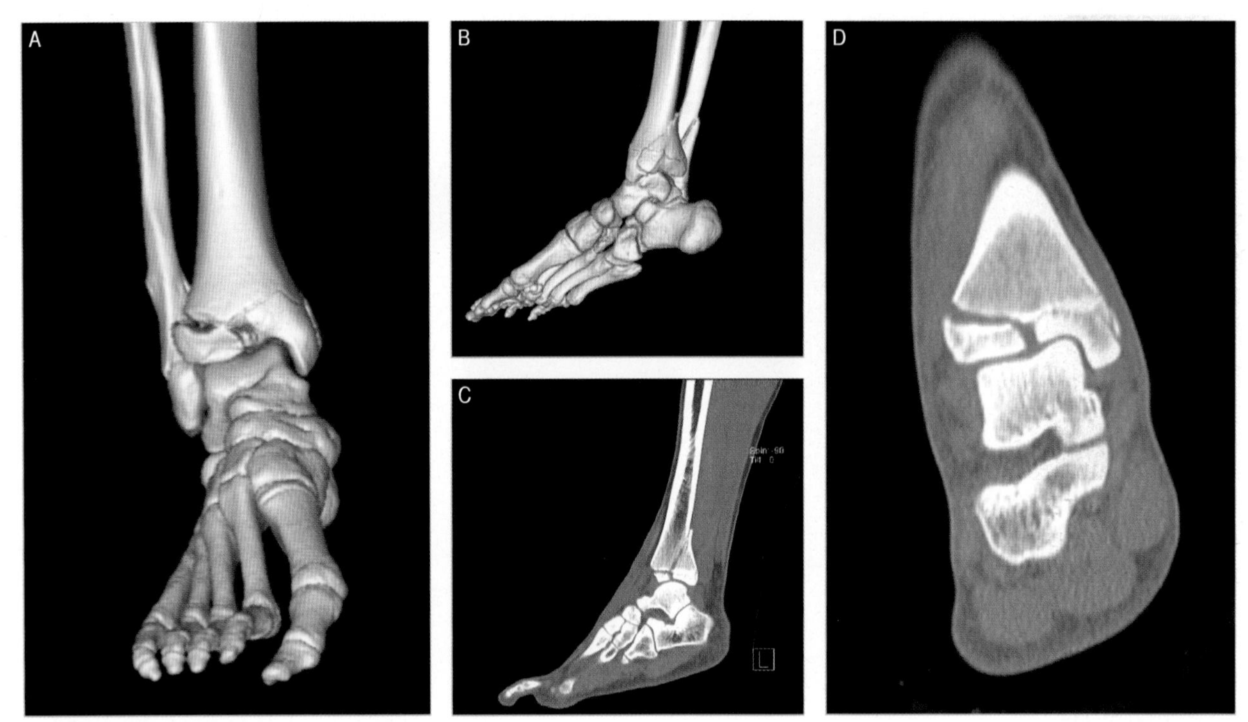

Fig 25. **Triplane 골절의 CT 소견.**
12세 남아의 3차원 재구성영상(A,B)과 다면상 재구성 CT 영상(C,D)에서 관상면, 시상면 및 축상면으로 진행하는 triplane 골절을 확인할 수 있다.

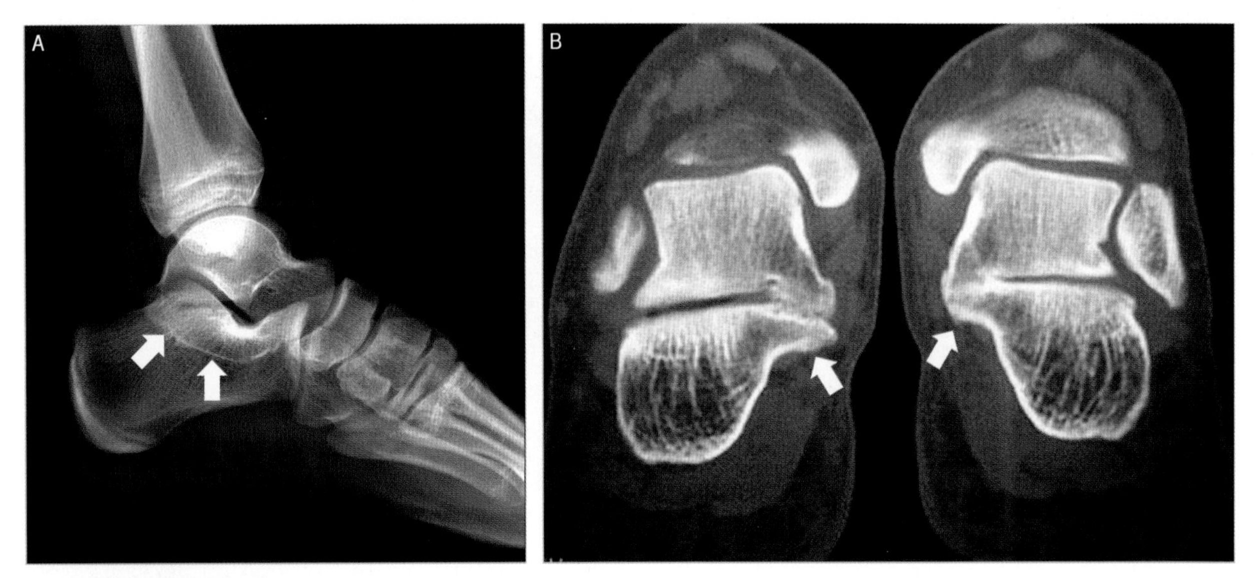

Fig 26. **족근골 유합의 CT 소견.**
A: 방사선촬영 측면상에서 거골과 종골을 연결하는 C-자 모양의 음영증가가 있다(화살표). B: 관상면 CT 영상에서 거골하관절 middle facet 부위에 거종 유합이 보인다(화살표).

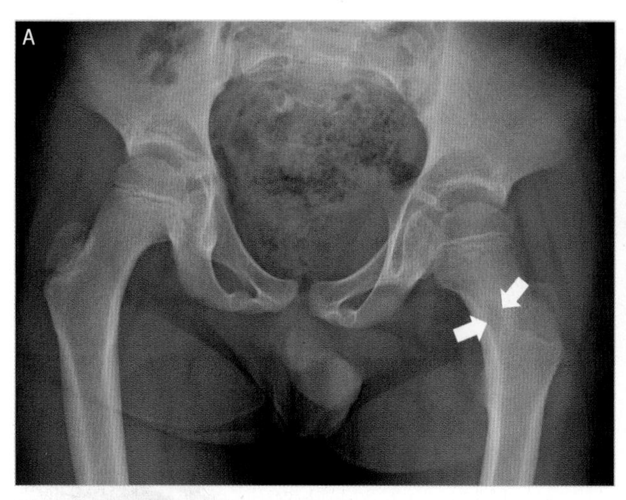

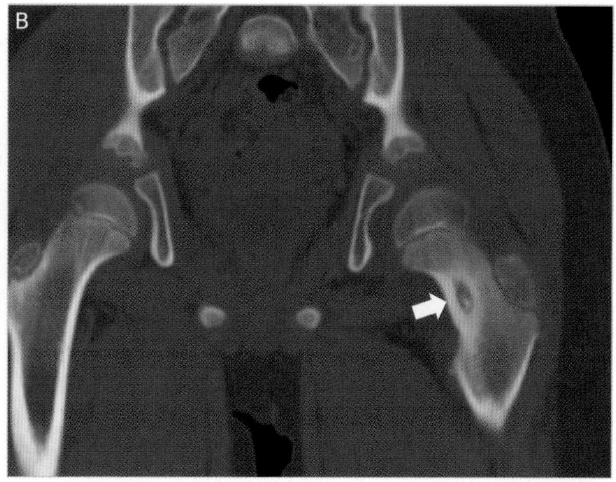

Fig 27. **유골골종의 CT 소견.**
A: 전후면 방사선촬영에서 대퇴골 근위부에 미세한 피질골 비후가 있다. B: CT 관상면 재구성 영상에서 두꺼워진 피질골 내에 저음영의 유골골종 핵이 보이고 내부로 작은 석회화 음영이 관찰된다(화살표).

1) MR 영상의 신호강도Fig 28, 부록 29

(1) T1 강조영상

- 지방, 고단백질 함유 병소, 아급성 출혈, 멜라닌함유 병소 등에서는 T1 강조영상에서 T1 이완시간이 짧아 고신호 강도를 보인다.
- Gadolinium 조영제는 T1 이완시간을 단축시키는 역할을 하기 때문에 조영제가 많이 모이는 조직은 T1 강조영상에서 고신호 강도로 보인다Fig 29.

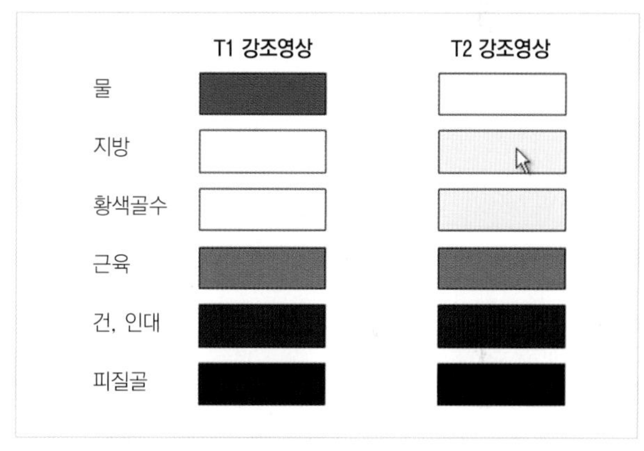

Fig 28. **T1 및 T2 강조영상에서 각 조직의 MRI의 신호강도.**

(2) T2 강조영상

- T2 이완시간이 짧은 공기나 수소 원자가 거의 없는 피질골에서는 T2 강조영상에서 저신호 강도를 보인다.
- 혈류 속도가 빠른 동맥에서는 T2 강조영상에서 신호 소실로 인해 매우 낮은 신호강도를 보이는 반면, 혈류 속도가 매우 느린 정맥에서는 고신호 혹은 중등도의 신호강도를 보인다.

2) MRI의 제한점

- 수소 원자가 거의 없는 골피질이나 석회화 병변을 평가하는 데에는 적합하지 않다.
- 체내 이식된 금속성 물질은 아주 작더라도 자기장의 균질성을 깨뜨려 국소적으로 철자성 인공물(ferromagnetic artifact)을 발생시킨다.
- 한 가지 영상기법을 시행하는데 수 분 정도의 시간이 소요될 정도로 검사 시간이 길기 때문에 협조가 어려운 소아에서는 진정(sedation)이 필요하다.
- 고가의 검사비
- 심장박동기(pacemaker), 와우관 이식(cochlear implant)과 같이 자석에 달라붙는 성질을 갖는 체내 삽입된 금속이 있는 경우 원칙적으로 금기이나, MRI 검사가 가능한 장비인 경우에 해당 진료과에서 MRI 시행 전/후 기기 점검이 필수이다.

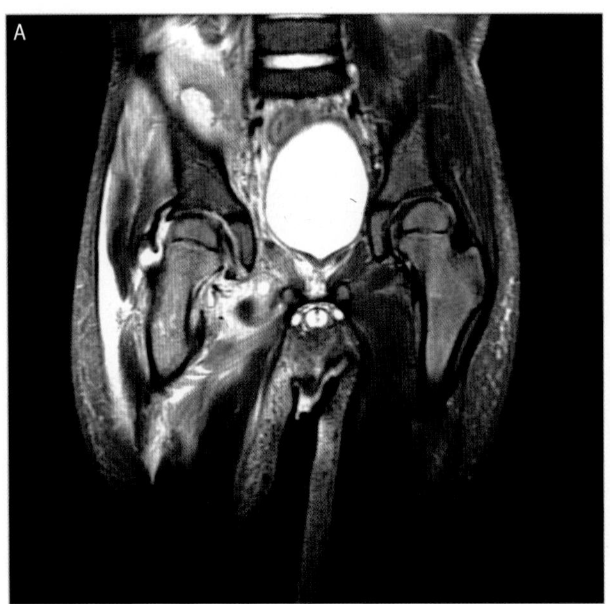

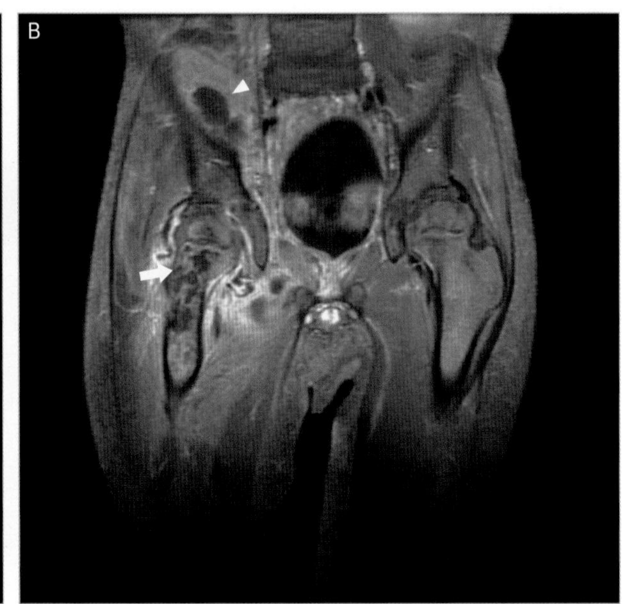

Fig 29. **고관절의 화농성 관절염.**
A: 3세 남아의 고관절 관상면 T2 강조영상에서 오른쪽 고관절 내 관절 삼출과 주변 연부조직 종창이 보인다. 오른쪽 대퇴골 근위부에 T2 고신호강도가 의심된다. B: 조영증강 관상면 T1 강조영상에서 근위부 대퇴골에 불규칙한 조영증강(화살표)이 보이고 주변 연부조직의 조영증강도 관찰된다. 골반의 장골근(iliacus)내 조영증강되지 않는 농양이 보인다(화살촉).

3) 골수의 MRI

- 황색 골수: 대부분이 지방 조직으로 이루어져 있어 T1 강조영상에서 고신호 강도를 보인다.
- 적색 골수: 적혈구, 백혈구, 혈소판 등을 생성하는 조혈세포가 들어 있어 T1 강조영상에서 저신호 강도를 보인다.
  * 골수전환: 신생아 때는 대부분의 골수가 적색 골수이나 성장과 발달이 진행됨에 따라 점차 황색 골수로 전환된다Fig 30. 황색 골수로의 전환은 순차적으로 정해진 순서에 따라 이루어지는데 말단지골에서 가장 먼저 나타나서 점차 근위부로 진행되며, 장관골에서는 골단 → 골간 → 골간단 순으로 전환된다.

* 골수 재전환(reconversion): 조혈 기능이 활성화되는 경우 골수 전환의 순서에 역행하여 황색 골수가 적색 골수로 재전환(reconversion) 된다.

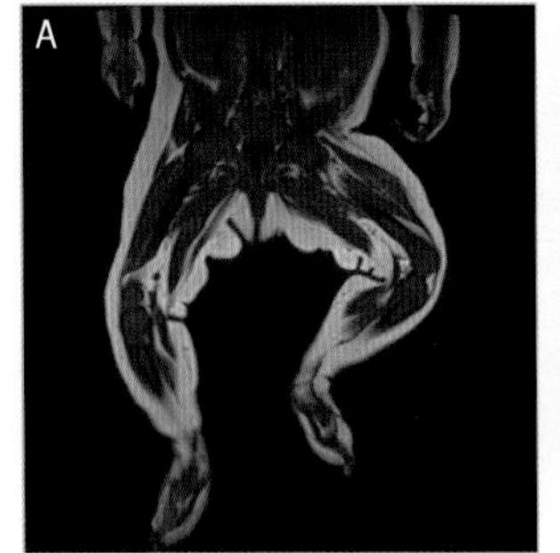

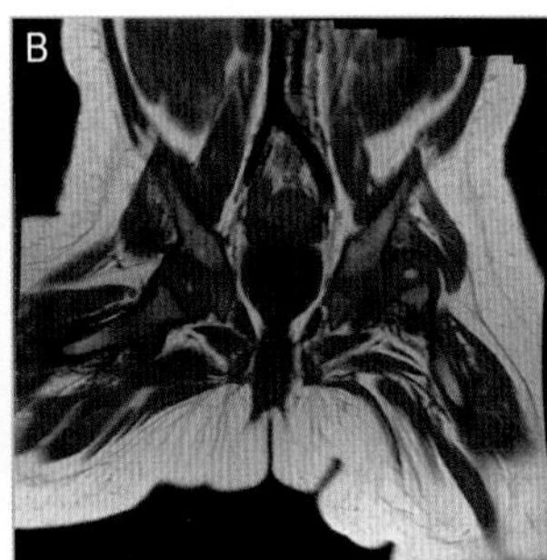

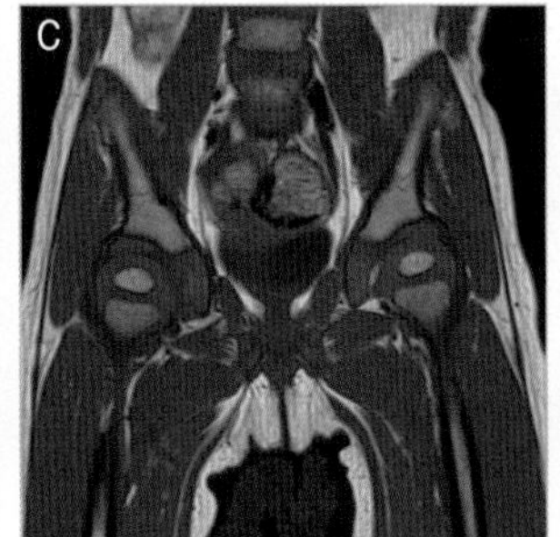

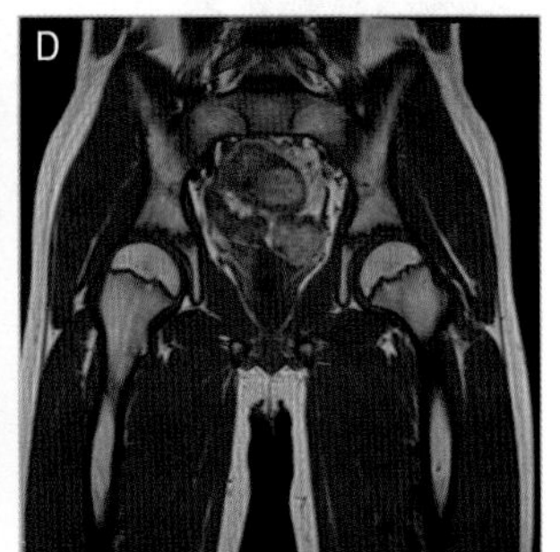

Fig 30. **골수전환.**
3개월(왼쪽부터 첫 번째), 6개월(두 번째), 24개월(세 번째), 10세(네 번째) 소아의 대퇴골두와 대퇴골 근위부의 T1 강조영상에서 연령에 따라 대퇴골두의 이차 골화중심이 저신호강도의 적색골수에서 고신호강도의 황색골수로 전환되는 것을 볼 수 있다.

4) 골단판의 MRI Fig 31

골단판은 3차원 지방억제 양자밀도 강조영상이나 지방억제 T2 강조영상과 같은 액체 민감 영상(fluid-sensitive sequence)에서 고신호강도를 보인다. 골단판 손상이 발생한 경우에는 골단판의 고신호 강도가 소실되고 골수와 동일한 신호강도 혹은 저신호 강도를 보이는 조직으로 대체되는데 이를 골교(bone bridge)라고 한다.

4. 초음파검사(ultrasonography)

초음파검사는 표층의 연부 조직에 대해 실시간으로 고해상도의 영상을 얻을 수 있어 근골격계 질환의 선별 검사로 이용되고 있다. 초음파검사는 방사선 피폭의 위험이 없고, 비침습적 검사로서, 소아 환자에서 진정(sedation) 없이 실시간 검사가 가능한 것이 장점이다. 초음파검사는 MRI에 비해 상대적으로 검사 시간이 짧고, 일측성 질환의 경우 건측과 비교가 쉬우며 역동적 검사가 가능한 점, 필요한 경우 기기를 이동하여 수술실이나 병실에서도 시행할 수 있는 장점이 있다. 색도플러 검사나 도플러 파형 분석을 이용하면 종괴 내 혈류 변화나 주변 혈관과의 해부학적 관계, 혈관의 개존 여부와 협착 유무, 혈류의 속도를 측정할 수 있다.

1) 영유아기에서 발달성 고관절 이형성증 평가 (17장 발달성 고관절 이형성증 참조)

대퇴골두의 골화가 진행되지 않은 영유아기에서 발달성 고관절 이형성증의 진단과 추적 관찰에 초음파검사를 이용한다. 생후 2-4주 이내의 신생아기에 초음파검사를 할 경우 생리적 인대성 이완(physiologic ligamentous laxity)으로 인해 가양성 결과가 나타날 수 있으므로 생후 4-6주 이후에 초음파검사를 시행하는 것이 좋다. 하지만 비정상적인 고관절 진찰소견을 보이는 경우 생후 2주경 초음파검사를 시행한다.

2) 고관절 삼출액 평가

대퇴 경부에 나란한 종축방향으로 탐촉자를 위치시켜 검사한다. 정상적인 고관절의 활액막은 요근(psoas muscle)의 안쪽으로 대퇴경부를 따라 오목한 고에코의 선상 음영을 보이는데 반해 관절삼출이 있으면 활액막낭이 팽창하여 고에코의 활액막이 대퇴경부의 앞에서 볼록하게 보인다 Fig 32.

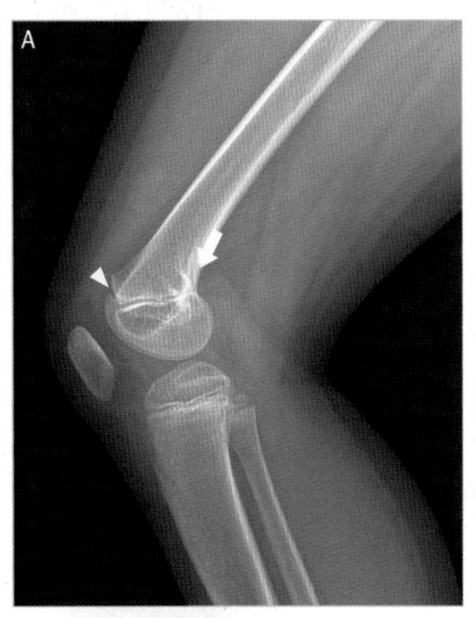

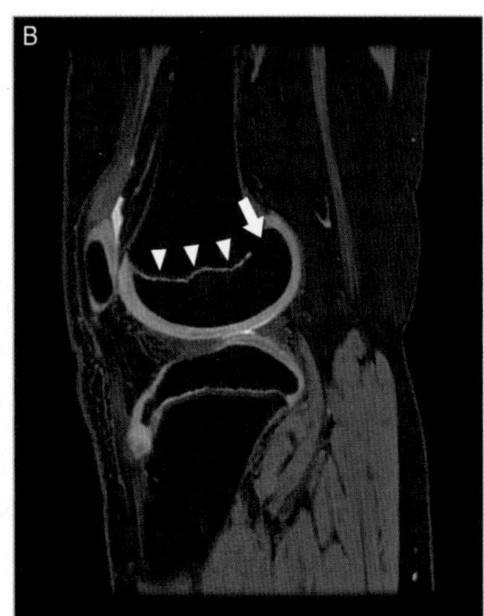

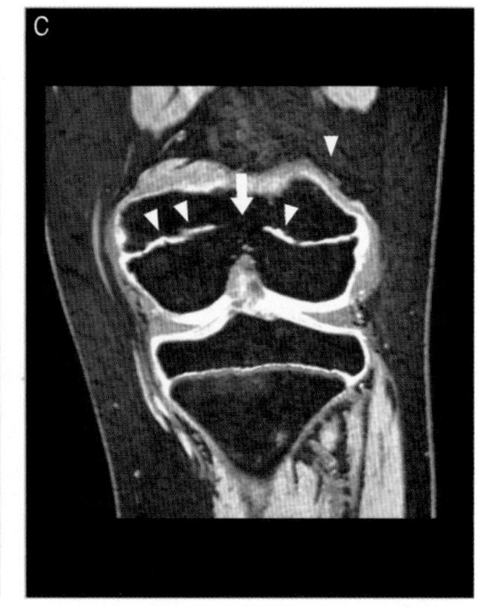

Fig 31. **골단판 손상의 MRI 소견.**
A: 10세 남아. 골단판(화살촉)은 골단과 골간단 사이에 띠모양의 방사선투과성(radiolucent) 영역으로 보인다. 오른쪽 대퇴골 원위부 골단판의 뒤쪽 부분에 불규칙한 고음영이 보이는데 이는 골단판 조기폐쇄에 의한 골교이다(화살표). B,C: 3D 경사자장 지방억제 영상에서 대퇴골 원위부 골단판은 고신호강도를 보이는데(화살촉) 대퇴골 원위부 골단판 뒤쪽 중앙 부분에 골교가 형성된 곳은 부분적인 신호강도 소실이 있다(B,C 화살표).

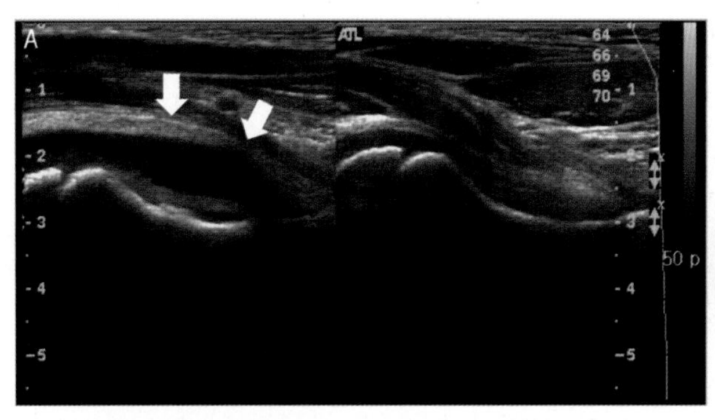
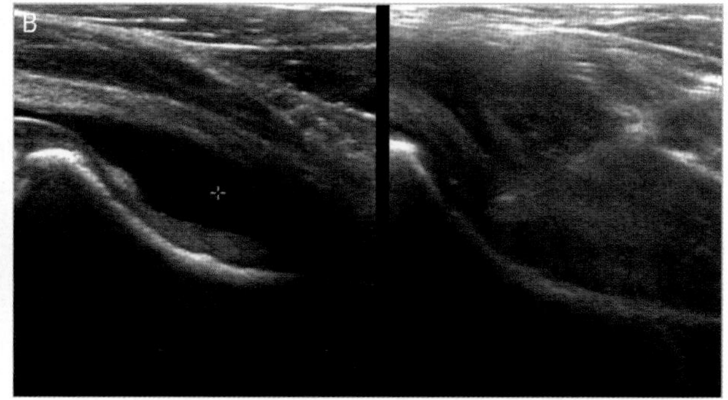

Fig 32. **고관절 삼출의 초음파검사.**
A: 고관절 삼출이 있는 경우(왼쪽) 관절강 내 저음영의 액체가 보이고, 이에 의해 관절낭이 팽창되어 볼록한 모양이다(화살표). 정상적인 고관절의 관절낭은 대퇴골 경부의 외연을 따라 오목한 형태를 보인다(오른쪽). B: 초음파검사 유도하 관절 삼출의 천자. 대퇴골 경부에 종축방향으로 나란하게 탐촉자를 위치시킨 후 탐촉자의 원위부에서 비스듬히 바늘을 삽입한다.

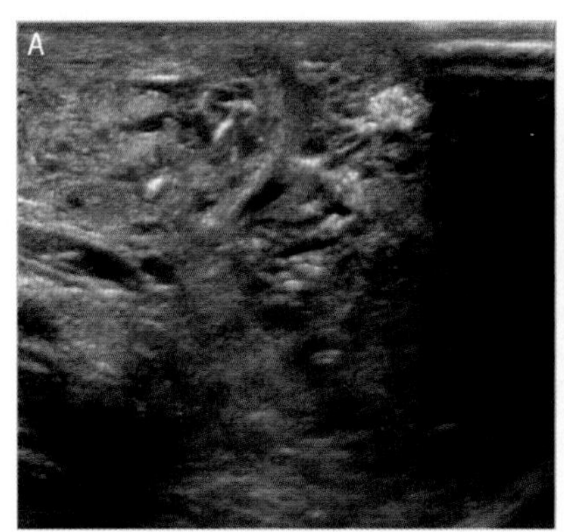
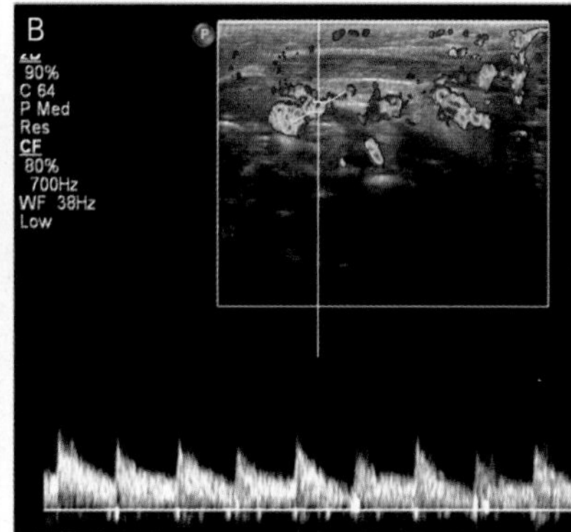

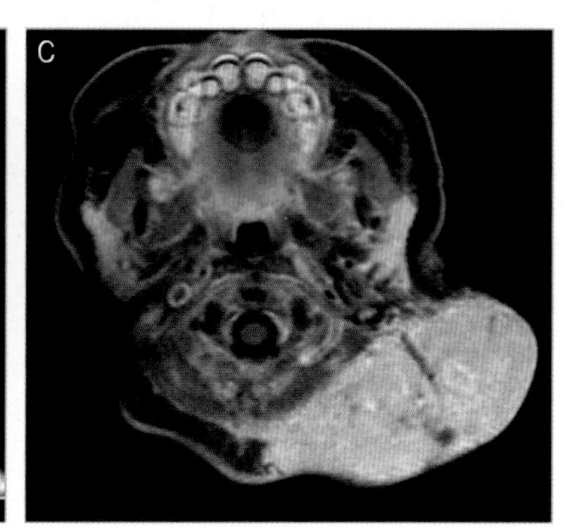

Fig 33. **혈관종의 초음파검사 소견.**
A,B: 혈관종은 초음파검사에서 비균질한 고에코의 종괴로 보인다. 색도플러 검사를 시행하면 종괴 내 혈류증가를 볼 수 있으며, 혈류파형 검사를 시행하면 동맥혈의 박동성을 볼 수 있다(B). C: 조영증강 T1 영상에서 강한 조영증강을 보이는 종괴를 확인할 수 있다.

3) 연부 종괴의 선별검사

연부종괴가 의심되는 경우 초음파검사로 낭성 종괴인지 고형성 종괴인지 평가할 수 있고, 종괴 내 석회화나 혈관 분포를 평가할 수 있다Fig 33. 또한 탐촉자를 이용하여 연부 종괴에 대해 압박(compression)과 감압(decompression)을 시행하는 역동적 검사를 통해 연부 조직의 단단한 정도를 평가하여 진단에 도움을 받을 수 있다. 피부밑 지방종(subcutaneous lipoma)은 쉽게 눌려지는 특징이 있어 다른 딱딱한 고형 종괴와 감별이 가능하다. 혈관종(hemangioma)의 경우에도 낮은 혈류 속도로 인해 컬러 도플러검사에서 신호 강도가 보이지 않을 경우 탐촉자로 압박과 감압을 해보면 혈관종 내부의 혈류를 관찰할 수 있다.

III. 보행 분석(gait analysis)

보행 이상은 소아정형외과를 찾는 환아의 중요한 주소(chief complaint) 중 하나이다. 이에 대한 치료의 목표는 병적 보행을 기능적으로 정상에 가깝게 호전시키는 것이며 이러한 치료 목적을 달성하기 위해서는 환자의 병적 보행을 유발하는 원인에 대한 정확한 파악이 필수적이며, 이를 위해서는 정상 보행에 대한 정확한 이해가 선행되어야 한다.

1. 정상 보행(normal gait)

1) 보행의 발달

소아는 출생 후 8-12개월에 서기 시작한 후, 12-17개월에 혼자 걷기 시작하게 된다. 이 시기의 소아는 슬관절이 상대적으로 강직(stiff)되어 있고, 두 발 사이를 넓게 한 상태로 걷고(wide-based gait), 고관절은 외회전되고 다리를 바깥쪽으로 돌리면서 걷는 원회전 보행(circumduction)을 한다. 흔히 까치발(tip-toeing) 보행을 하기도 한다. 상지는 벌리고 주관절은 신전한 상태로 걸으며 상지의 교차 왕복 운동(reciprocating movement)은 보이지 않는다. 약 2세 경에는 까치발 보행은 없어지고, 슬관절의 강직성이 없어지면서 굴곡이 좀 더 되는 양상을 보이기 시작한다. 또한 고관절은 중립위로 돌아오고, 팔도 좌우를 대칭되게 흔들면서 걷기 시작한다.

걸음마기에서 균형과 평형 감각이 발전됨에 따라서 보행은 점차 성인의 양상과 비슷해지며, 생후 3년 6개월에는 성인의 정상적 족부 보행(heel-toe gait)의 양상을 보이기 시작하고, 5-6세 이후에는 보행의 전반적인 양상이 성인과 거의 흡사하게 된다.

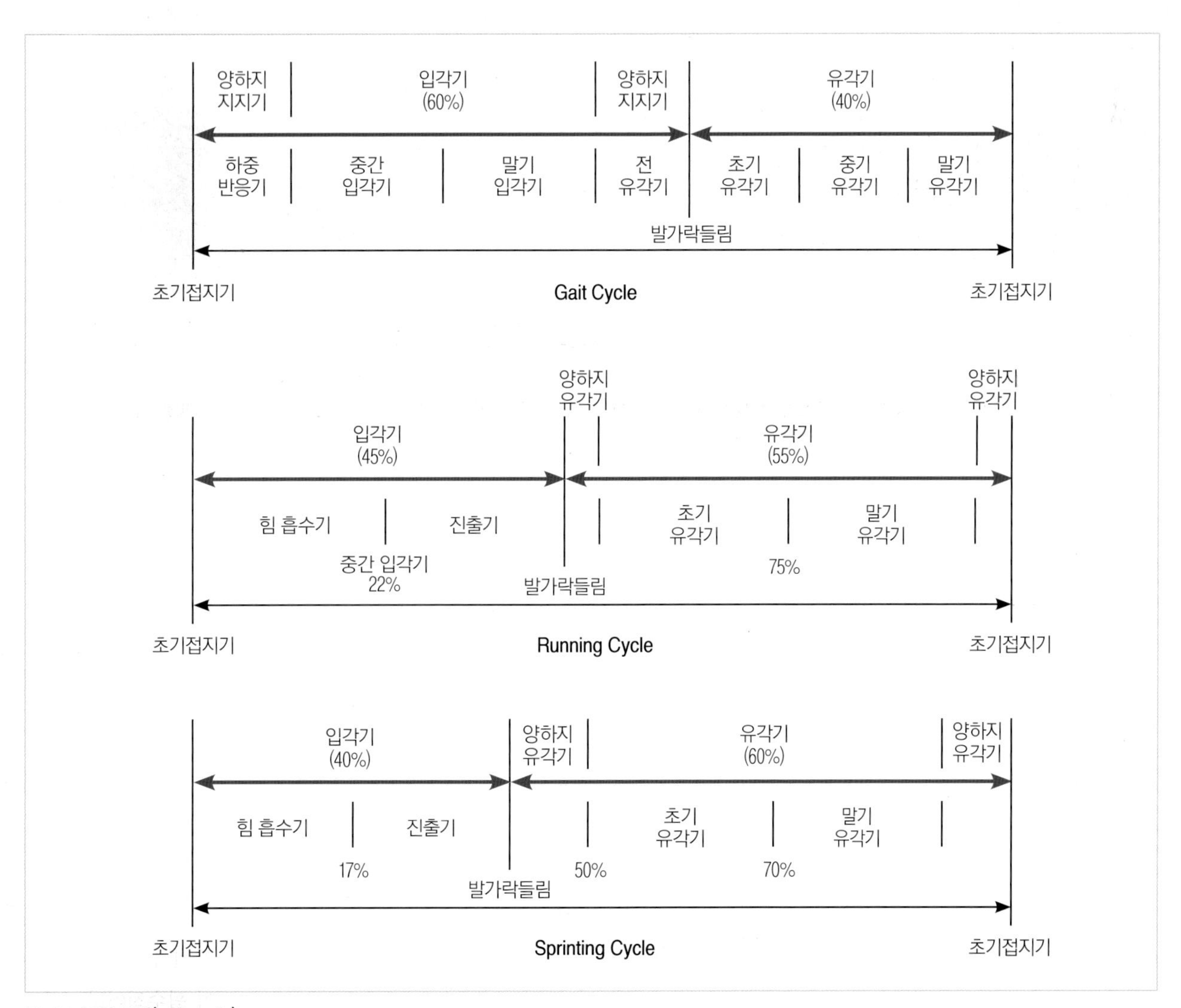

Fig 34. **보행 주기(gait cycle).**
달리기 주기(running cycle)와 전력 질주(sprinting cycle)의 주기.

2) 보행과 관련된 용어

보행에 대해서는 용어가 생소할 수 있다. 의사소통을 위해서는 정확한 용어의 이해가 필요하다.

(1) 보행 주기(gait cycle)

한 발이 지면에 접지할 때부터 시작하여 그 발이 다시 지면에 닿을 때까지이다Fig 34. 보행 주기는 한 발을 기준으로 하며, 보행 분석에서는 보행 주기를 100등분하여 0-100%로 표시한다. 즉 보행 분석 양식의 X축이 보행 주기이다.

하나의 보행 주기는 활보(stride)라고 하기도 한다. 활보의 길이는 개개인이 다르며, 이를 활보장(stride length)이라고 한다. 한 발이 지면에 접지한 부분부터 다른 발이 지면에 접지하는 부분까지의 거리는 보장(step length)이라고 한다. 단위 시간(1분) 동안의 보장(step) 수를 분속수(cadence)라고 한다. 보행 속도(walking velocity)는 단위 시간 동안의 보행거리(cm/sec, m/min)이며, 보장 x 분속수로 구할 수 있다.

보행주기는 입각기와 유각기의 두가지 시기로 나눈다. 보행 시 한쪽 다리의 입각기는 대략 반대쪽 다리의 유각기이다. 입각기가 유각기에 비해 좀 더 길어 6:4 정도이며, 보행 속도에 따라 이 비율이 변할 수 있다.

보행 시 왼쪽과 오른쪽 다리가 모두 입각기인 시기가 있다. 이 시기를 양하지 지지기(double support)라고 한다. 양하지 지지기는 한 주기에 2번 있으며, 각각 보행 주기의 1/10 정도이다. 보행 속도가 증가하면 줄어든다.

달리기 즉 주행(running)을 하면 양하지 지지기가 없어진다. 보행과 주행의 차이를 양하지 지지기의 유무로 구별하기도 한다. 주행을 하면 양하지 지지기가 없어지는 것뿐만 아니라 양쪽 다리가 모두 접지하지 않는 양하지 유각기(double swing)가 생긴다.

(2) 지면 반발력(ground reaction force)

지면 반발력은 접지점에서 무게 중심(center of mass, COM)으로 향하고 접지점에 가해지는 힘을 크기로 하는 벡터이다. 신체가 지면에 가하는 힘이지만, 방향만 반대로 한 개념이다. 관절의 수동적 모멘트(토크)를 설명하기 위해 많이 쓰인다. 개념상 발이 접지해 있을 때만 발생한다 Fig 35.

(3) 입각기(stance phase)

입각기는 발뒤축 접지(initial contact with heel)에서 발가락 들림(toe off)까지 기간으로 정상 보행에서 대략 보행 주기의 60%를 차지한다. 이는 다시 다음과 같이 나눈다Fig 36.

① 초기 접지기(initial contact): 보행 주기의 0%에 해당하며, 기간이 아니고 접지하는 순간을 의미한다.

② 하중 반응기(loading response): 초기 접지후 충격을 완화하는 감속기이다(1st ankle rocker). 양하지 지지기(double support)이며 반대쪽 하지는 전 유각기(pre-swing)이다.

③ 중간 입각기(midstance phase): 하중 반응기 이후 발

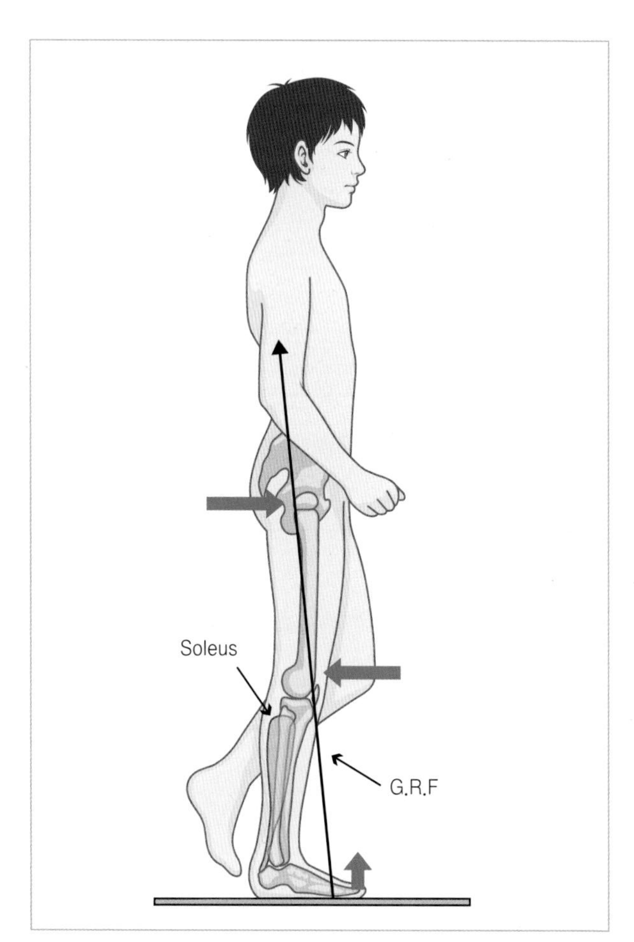

Fig 35. 지면 반발력은 정상 보행에서 중간입각기에 족근관절 회전축의 앞, 슬관절 회전축의 앞, 고관절 회전축의 뒤에 위치한다.

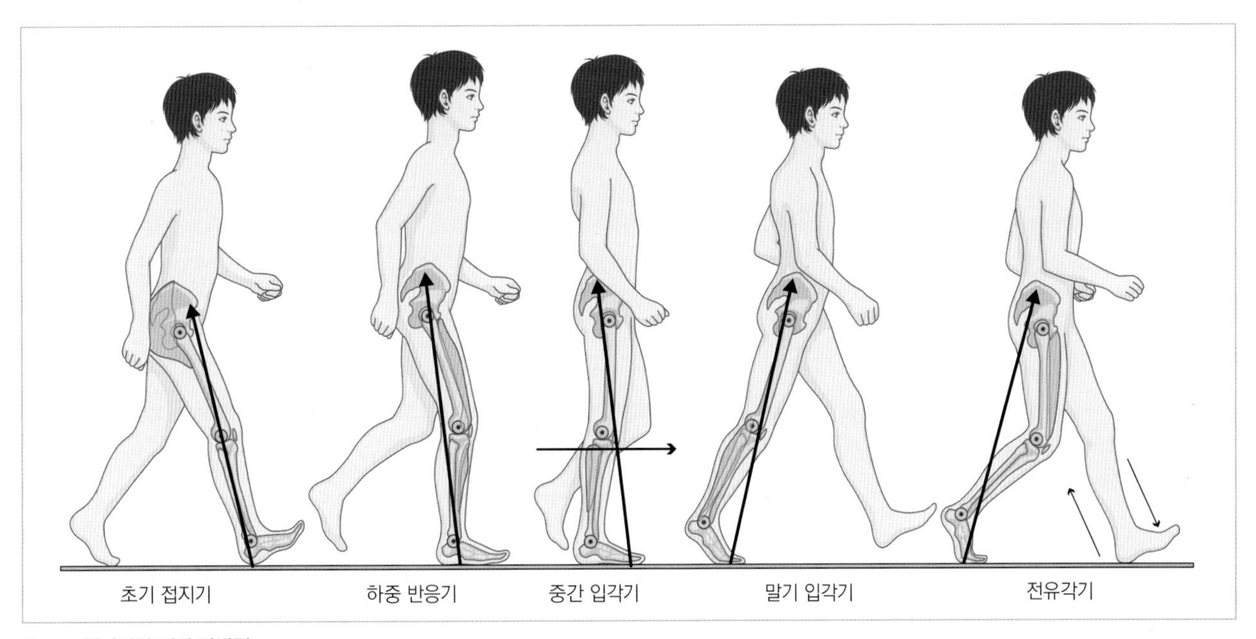

Fig 36. **입각기와 지면 반발력.**

이 지면에 닿아 있는 상태에서 족근관절을 축으로 하퇴부가 전방으로 이동하는 시기이다(2nd ankle rocker). 단하지 지지기이다.

④ 말기 입각기(terminal stance): 후족부가 지면에 들리기 시작할 때부터 반대측 발이 지면에 닿을 때까지이다(3rd ankle rocker). 즉, 단하지 지지기이다.

⑤ 전 유각기(pre-swing): 말기 입각기 이후에 반대측 발이 지면에 닿은 양하지 지지기로 발가락 들림(toe-off) 전까지의 시기를 뜻한다.

(4) 유각기(swing phase)

발가락 들림에서 발뒤축 접지까지의 기간으로 정상 보행에서 대략 보행 주기의 40%를 차지한다. 유각기에 하퇴부는 슬관절을 축으로 시계추와 같은 운동을 하며 하퇴부의 관성력에 따라서 3단계의 시기로 나뉜다Fig 37.

① 초기 유각기(initial swing): 유각기 시작 후 고관절이 굴곡하여, 슬관절의 회전 축이 일정한 높이까지 오르게 되는 시기이다. 슬관절은 수동적으로 굴곡을 하고 이때 발은 반대측 발 위치까지 이동한다. 하퇴부 운동의 가속 시기라고 표현을 한다.

② 중기 유각기(midswing): 초기 유각기 이후에 슬관절 회전축을 중심으로 하퇴가 진자 운동(pendulum)을 한다. 즉 슬관절이 수동 신전을 한다. 하퇴부 운동이 가속에서 감속으로 경골이 지면에 수직으로 위치할 때까지를 중기 유각기라고 한다.

③ 말기 유각기(terminal swing): 하퇴부 운동의 감속기로서 중기 유각기 이후 초기 접지까지이다. 슬관절을 신전한다.

(5) 운동형상학(kinematics)

운동형상학은 관절의 운동 각도, 분절의 전이같은 운동의 모양을 묘사하는 것을 의미한다. 임상 보행 분석에 X축은 보행 주기로 단위는 %이다, Y축은 운동의 방향으로 단위는 각도(°)이다Fig 38.

(6) 운동 역학(kinetics)

운동 역학은 지면 반발력(ground reaction force)과 운동형상학을 이용하여 관절 모멘트(joint moment)와 관절 일률(joint power)을 계산하여 제시한 그래프이다Fig 38.

① 모멘트

가해지는 힘이 물체의 회전 중심으로부터 멀리 떨어질수록, 그 물체는 더 강하게 회전하게 된다. 토크라

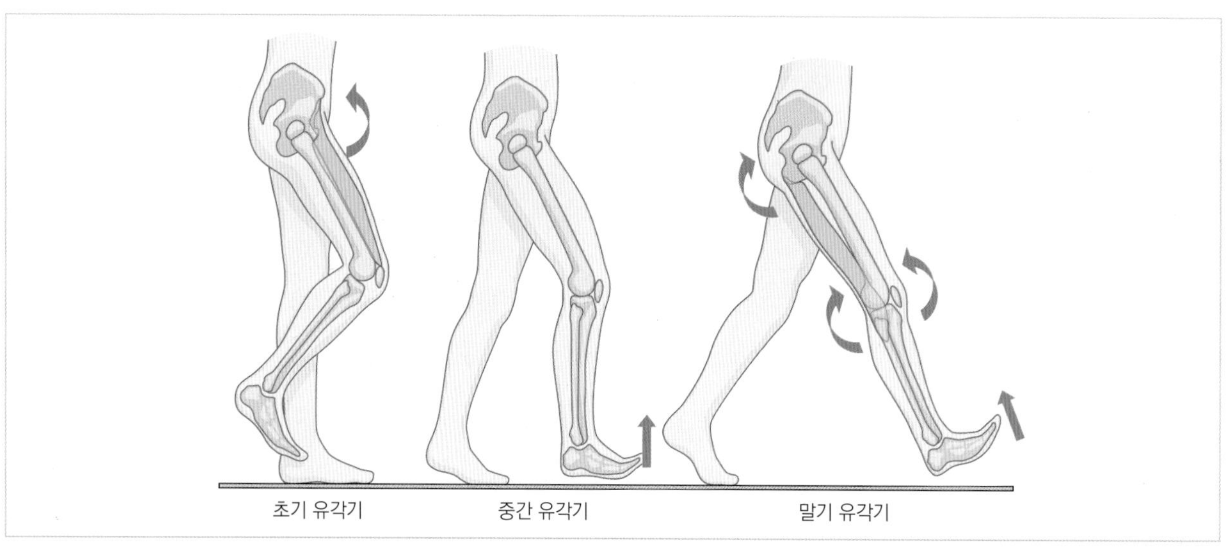

Fig 37. 중간 유각기에는 진자 운동으로 근육의 힘을 쓰지 않는다.

고 쓰이기도 하고 한글 용어로 "돌림힘"이라고 한다. 모멘트(토크, 돌림힘)=힘(N)×거리(m)이며, 임상 보행 분석에서는 대상자의 체중으로 나누어 표준화하여 표시한다.

- 외부 모멘트(external moment): 서있거나 보행 시 지면 반발력(ground reaction force)은 신체에 대해서 외부 힘(external force)으로 작용하여 관절을 회전시키는 모멘트를 발생시킨다. 이를 외부 모멘트라고 부른다. 신체가 서있을 경우 지면 반발력은 족근관절의 앞, 슬관절의 앞, 고관절의 뒤에 위치하여, 족근관절에서는 족배굴곡 모멘트, 슬관절과 고관절에서는 외부 신전 모멘트가 발생한다.
- 내부 모멘트(internal moment): 외부 모멘트(external moment)에 대하여 이를 상쇄하는 내부 모멘트를 의미한다. 외부 모멘트와 절대치는 같고, 방향만 반대인 개념적인 모멘트이다. 이론적으로 외부 모멘트에 의한 관절운동을 상쇄하는 근육, 관절 낭 및 인대로부터 발생한다. 예를 들어 기립 시 슬관절 회전축 앞으로 지면 반발력이 위치하면 외부 신전 모멘트가 발생한다. 그러나 슬관절은 0도 이상 신전하지 않기 때문에 0도로 유지한다. 슬관절이 0도 이상 신전하지 않는 이유는 관절의 모양, 후방의 관절낭, 후방십자인대 등 여러가지 요인이 있을 것이다. 이때 슬관절을 신전시키지 못하게 하는 모멘트가 내부 굴곡 모멘트가 된다 Fig 39.

임상 보행 분석에서 쓰이는 모멘트는 내부 모멘트의 방향/부호로 사용하는 것에 유의한다.

② 관절 일률(joint power)

일(work)은 힘과 움직인 거리의 곱이며, 힘이 변화한다면 계산할 때, 힘에 대해 이동한 거리의 적분이다. 일률(power)은 단위 시간당 일(work)이다.

관절은 회전 운동이기에 일은 모멘트와 각변위(angular movement)의 곱, 혹은 모멘트에 대한 각변위의 적분이 된다. 일률(power)은 단위 시간당 일(work)이다. 즉 한 일(work)을 시간으로 미분을 할 경우 일률(power)이 된다. 결국관절운동의 일률은 모멘트와 각속도(angular velocity)의 곱이다. 각변위는 레디언(radian)이기에 단위가 없어서 일(work)의 단위는 모멘트와 같이 Nm이며, 일률은 W(=Nm/sec)이다. 임상 보행 분석에서는 대상자의 체중으로 표준화하여 W/kg로 단위를 쓴다.

- 일률 형성(power generation): 내부 모멘트의 부호(방향)와 각속도의 부호가 일치하는 경우이다. 모멘트 방향으로 실제로 회전하면 일률 형성이다. 이론적으로

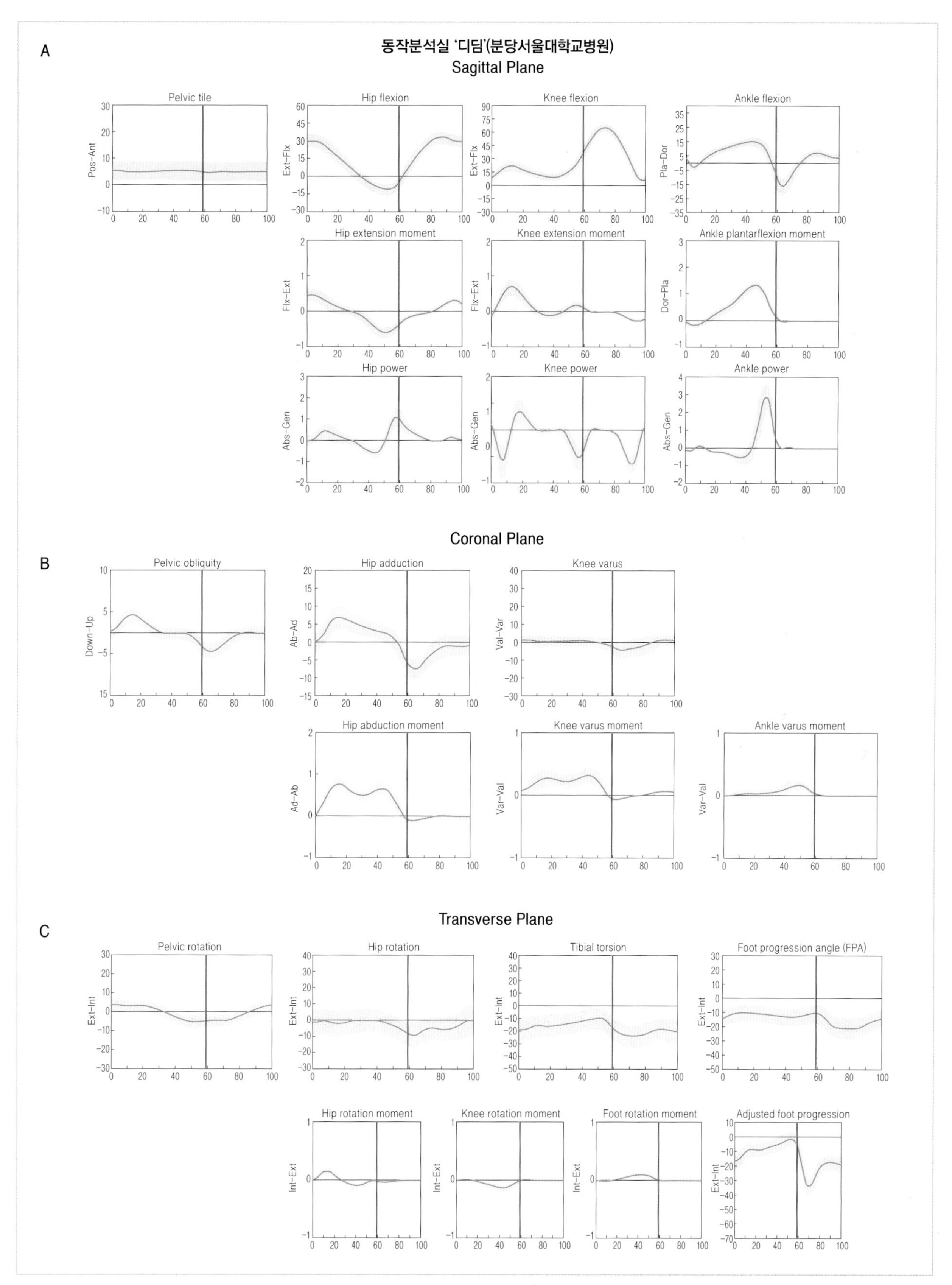

Fig 38. 성남시 정상 보행 코호트 500명의 운동형상학과 운동역학 그래프이다. 보행은 시상면(A), 관상면(B), 횡단면(C)으로 나누어 분석한다.

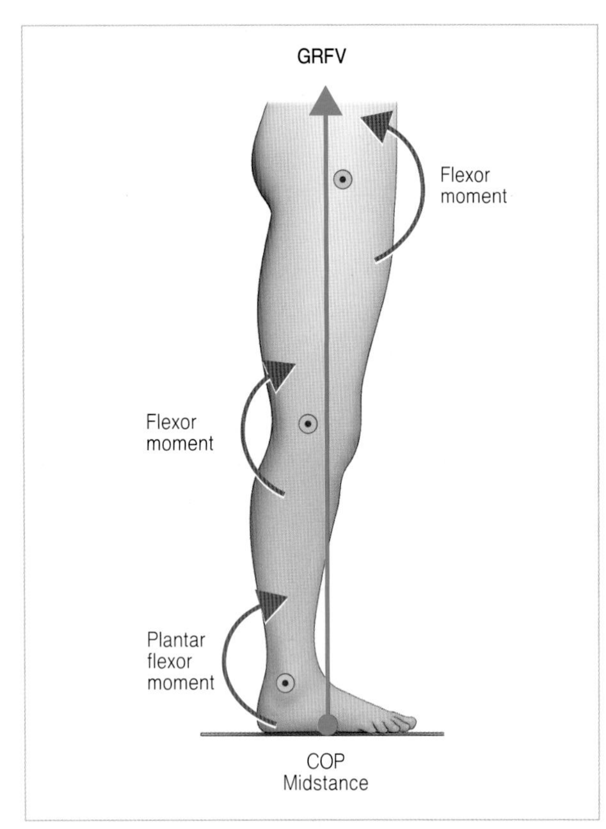

Fig 39. 중간 입각기의 지면 반발력에 따라 외부 모멘트는 족배굴곡, 슬관절 신전, 고관절 신전으로 작용하며, 내부 모멘트는 이와는 반대로 족저굴곡, 슬관절 굴곡, 고관절 굴곡 방향으로 작용한다.

근육의 동심성(concentric) 수축이 이에 해당한다.

- 일률 흡수(power absorption): 내부 모멘트의 부호와 각속도의 부호가 반대인 경우이다. 모멘트 방향과 반대 방향으로 회전하면 일률 흡수이다. 이론적으로 근육의 편심성(eccentric) 수축이 이에 해당한다.

3) 정상 보행의 조건

Gage에 의해 제시된 정상보행의 조건은 보행을 이해하고, 치료를 계획하는 데 도움이 되는 개념이다. 다만, 각각의 항목이 임의적이고, 동등한 중요성을 지니고 있지는 않다는 것을 유의하자.

(1) 입각기에서의 안정성(stability in stance)

넘어지지 않기 위해서는 입각기의 안정성이 필요하다. 평형 감각이 정상적으로 발달되어 있어야 한다는 것이 가장 중요한 전제 조건이며, 평형 감각이 발달하지 못한 경우에는 보행뿐만 아니라 서는 것도 불가능할 수 있다. 다음으로 하지에 심한 변형이 없어야 하며, 근육들이 정상적인 근력을 갖추고 길항근 사이의 조화가 잘 이루어져야 한다.

(2) 유각기에서의 발들림(foot clearance in swing)

유각기에 발이 끌리거나, 걸리면 넘어지거나 신체의 전방 이동에 제한이 생길 것이다. 유각기에 발이 적절히 들려서(foot clearance) 발끌림이 없어야 한다. 유각기의 발들림을 위해서는 족근관절부에 첨족 변형이 없어야 하며, 전경골근의 적절한 수축으로 유각기에 족근관절의 족배굴곡이 이루어져야 한다. 강직성 슬관절 보행(stiff-knee gait)과 같이 유각기에 슬관절 굴곡이 적절하지 않는 경우도 문제가 생기게 된다.

(3) 초기 접지기의 발 위치 잡기 (pre-positioning of the foot for initial contact)

정상적으로는 발 뒤꿈치가 지면에 먼저 닿아야 하는데, 이 동작이 이루어지지 않을 경우에는 입각기의 안정성이 없어지며, 보행의 하중 반응기(loading response) 동안의 충격 흡수 기능이 없어지게 되어 슬관절, 고관절 및 몸통으로 급격한 충격이 전달되게 된다.

(4) 적절한 보장(adequate step length)

보장이 충분하지 못할 경우에는 보행의 속도를 낼 수 없다. 따라서 분속수(cadence)를 높여 속도를 내야 하는데 이럴 경우에는 더욱 많은 에너지를 소모하게 된다. 보장이 짧은 예로는 어린아이의 경우나, 고관절 신전근인 슬근의 경직이나 구축이 있는 뇌성마비가 대표적이다.

(5) 에너지 보존(energy conservation)

4) 정상 보행의 추진력과 에너지 보존

정상 보행의 추진력은 주로 다음과 같은 세 종류의 힘에 의하여 발생한다고 설명한다.

(1) 중간 입각기의 위치 에너지가 운동 에너지로 전환

보행 중 중간 입각기 시기에는 몸의 무게 중심의 위치가 가장 높게 위치하게 되며, 이후에 말기 입각기로 넘어가면서 무게 중심의 위치가 낮아지게 된다. 즉, 중간 입각기 시기의 가장 높은 위치의 위치 에너지가 말기 입각기로 넘어가면서 운동 에너지로 전환되는 힘을 이용하여 전진하게 된다.

(2) 전 유각기 하퇴 삼두근에 의한 족저굴곡력 및 초기 유각기의 고관절 굴곡근에 의한 고관절 굴곡력

하퇴 삼두근이 지면에 가하는 굴곡력은 정상 보행에서 추진력의 대부분을 차지한다.

(3) 초기 입각기의 슬근을 포함한 고관절 신전근에 의한 고관절 신전력

정상 보행에서는 족근관절 족저굴곡력이 추진에 더 많은 역할을 하는 것으로 알려져 있다. 뇌성마비와 같이 원위로 갈수록 수의 조절이 힘든 경우는 고관절 신전력이 더 큰 역할을 한다.

5) 효율적인 보행

에너지 소모를 최소화하기 위하여 인체의 보행은 다음과 같은 특징을 가지고 있다.

(1) 인체 무게 중심 이동의 극소화

보행 시에 족근관절, 슬관절 및 고관절이 적절히 조화를 이루면서 굴신 운동을 일으켜 제2천추의 전방에 위치한 무게 중심의 상하 및 좌우로의 이동을 최소화함으로써 에너지 소모를 절약할 수 있게 한다.

(2) 지면 반발력에 의한 외부 모멘트의 이용Fig 39

지면 반발력에 의한 외부 모멘트를 이용하여 관절이 수동적으로 움직이게 된다. 이는 근육의 작용을 절제하게 함으로써 에너지를 절약하게 된다.

(3) 분절 간의 에너지 전환

전 유각기에 하퇴 삼두근의 수축으로 인하여 족근관절이 족저굴곡하면서 슬관절이 수동 굴곡한다. 이때 수동적 슬관절의 굴곡은 대퇴직근이 편심성 수축을 하면, 근위부로 힘이 전달되어 초기 유각기의 고관절 굴곡력으로 작용한다.

6) 달리기(running)와 전력 질주(sprinting)

보행의 속도가 증가하면서 보행은 달리기와 전력 질주와 같은 동작으로 변하게 되고 이에 따라서 운동형상학도 변하게 된다. 보행과 달리기(주행)의 차이는 양하지 지지기의 유무이다. 달리기와 전력 질주(sprinting)의 차이는 초기 접지기 시에 달리기는 발 뒤꿈치가 먼저 지면에 닿고 전력 질주의 경우는 발끝이 먼저 지면에 닿는다는 것이다.

속도가 증가함에 따라서 입각기의 시간은 짧아지고 유각기의 시간이 길어지는 현상이 나타나서 달리기에는 입각기가 50% 이하로 감소되고, 전력 질주의 경우 이 시간이 보행과 역전되어 40%로 감소하게 된다.

달리기나 전력 질주의 경우 입각기에는 고관절과 슬관절이 굴곡되고 족근관절은 족배굴곡 되면서 충격과 힘을 흡수 및 축적하는 힘 흡수기와, 고관절과 슬관절이 신전되고 족근관절이 족저굴곡되면서 힘을 내어 앞으로 나아가는 동력을 발휘하는 진출기로 나뉜다. 달리기에서는 족저굴곡력이 가장 중요한 동력이 되며, 전력 질주에서는 고관절의 신전력이 가장 중요한 동력이 된다.

7) 보행 시 근육의 기능

근육이 힘을 발생하는 능력은 근육의 횡 단면적에 가장 많은 영향을 받으며, 근 섬유의 종류(fast or slow twitch), 길이/장력 비율, 피로도 등에 의하여 결정된다. 근육 수축의 유형은 다음과 같이 구분한다.

(1) 동심성 수축(concentric contraction)

근육이 단축되면서 수축이 일어나는 것으로, 가속을 일으키게 된다[예: 말기 입각기(terminal stance)의 비복근(gastrocnemius)].

(2) 편심성 수축(eccentric contraction)

근육이 연장되면서 수축이 일어나는 것으로, 감속을 일

으키거나 충격 완화 효과가 있다[예: 중간 입각기(mid-stance)의 가자미근].

(3) 등장성 수축(isometric contraction)

근육의 길이가 변하지 않으면서 수축이 일어나는 것으로 대부분의 자세 유지를 위한 근육 운동(postural muscle)에서 발생하나 종종 다른 근육에서도 짧은 시간 일어날 수 있다(예: 중간 입각기의 중둔근).

2. 보행 분석 방법

객관적인 매체를 이용한 동작 분석의 역사는 말의 움직임을 사진을 이용하여 관찰한 것이 시초이며, 이후 인체에 기록 장치를 부착하여 움직임을 분석하면서 동작 분석이 개발되었다. 정형외과 의사인 Inman 등에 의하여 현대적인 의미의 보행 분석이 시작되었다. 보행 분석의 방법은 크게 다음과 같은 방법들이 있다.

1) 관측 보행 분석(observational gait analysis)

관측자의 눈에 의하거나 비디오의 영상을 관찰하는 방법이다.

(1) 눈에 의한 관찰

간단하게 외래 환경에서 시행할 수 있는 반면에 얻을 수 있는 정보가 한정되어 있다. 즉, 눈에 의한 관찰은 이론적으로 1/16초까지만 관찰이 가능하여 이보다 단시간에 발생되는 동작은 분석할 수 없다. 보행은 여러 관절에서 동시에 발생하는 동작인데 이를 한번에 관찰하기가 힘들다. 또한, 관찰한 자료를 객관적으로 자료화(documentation)하기가 어려우며 정확히 하기 위해서는 많은 경험이 필요하다.

(2) 2D 비디오 촬영

많은 센터에서 시행되고 있으며, 시상면, 관상면을 분석할 수 있으나, 횡단면의 분석은 제한적이다. 어느 정도 경험이 있으면 충분히 유용한 정보를 얻을 수 있다. 반복 재생, 슬로우 모션을 통하여 여러 관절을 파악할 수 있으며, 자료의 보관이 가능하여, 반복 측정이 가능하다. 이 또한 경험이 필요하며 자료를 객관화하기가 쉽지 않다. 적절히 보행 분석을 하려면, 3D 보행 분석을 통하여 수련을 한 이후에, 2D 영상으로 관찰하는 것을 권고한다.

2) 3D 보행 분석

피검자 신체에 부착한 마커를 광학적으로 추적하여 관절의 운동 형상학(kinematics)과 운동 역학(kinetics)을 객관적인 수치로 산출하는 방법이다.

(1) 보행 분석실의 구성Fig 40

보행 분석실은 근본적으로 네 가지의 측정 기기들로 구성된다.

① 광학적 추적 기기(optical tracking system)
운동형상학을 제시하여 주는 기기로 표지자, 카메라, 후처리를 통칭하여 부른다.

- 표지(marker): 이는 인체의 각 분절을 인식하기 위하여 인체의 지정된 부위에 부착하는 것으로서 표지 스스로가 빛을 내어 카메라가 이를 인식하게 하는 active marker system과 카메라의 렌즈 옆에서 적외선을 방출하여 각 표지기에서 반사되는 빛을 다시 그 카메라가 포착하는 passive marker system 등이 사용되고 있다.
- CCD (charge coupled device) 카메라: 이는 일반적인 아날로그 카메라가 아니라 디지털 카메라로 포착된 영상을 분석 컴퓨터에 디지털 신호로 보내게 된다.
- 인체 모델과 후처리: 카메라에 포착된 인체 각 분절 움직임(kinematics)의 자료를 인체 모델로 후처리하여 이용하여 임상의에게 필요한 정보를 수치와 그래프로 표시하여 준다.

② 역동적 근전도 검사(dynamic electromyography)
동작에 따른 각각의 근육의 활동 시기 및 상대적인 근육의 활성 정도를 표시하여 주는 기기이다. raw EMG로 표시되거나 quantitated EMG로 표시된다.

③ 힘판(force plate)
보행 시 발을 통해 지면에 가해지는 압력을 측정하는 기기로서, strain gauge이다. 보행 시에 발이 지면에 닿으면서 수직면, 내외측 및 전후면으로 발생되는 지면 반발력을 측정하여 이를 바탕으로 관절 모멘트와 관

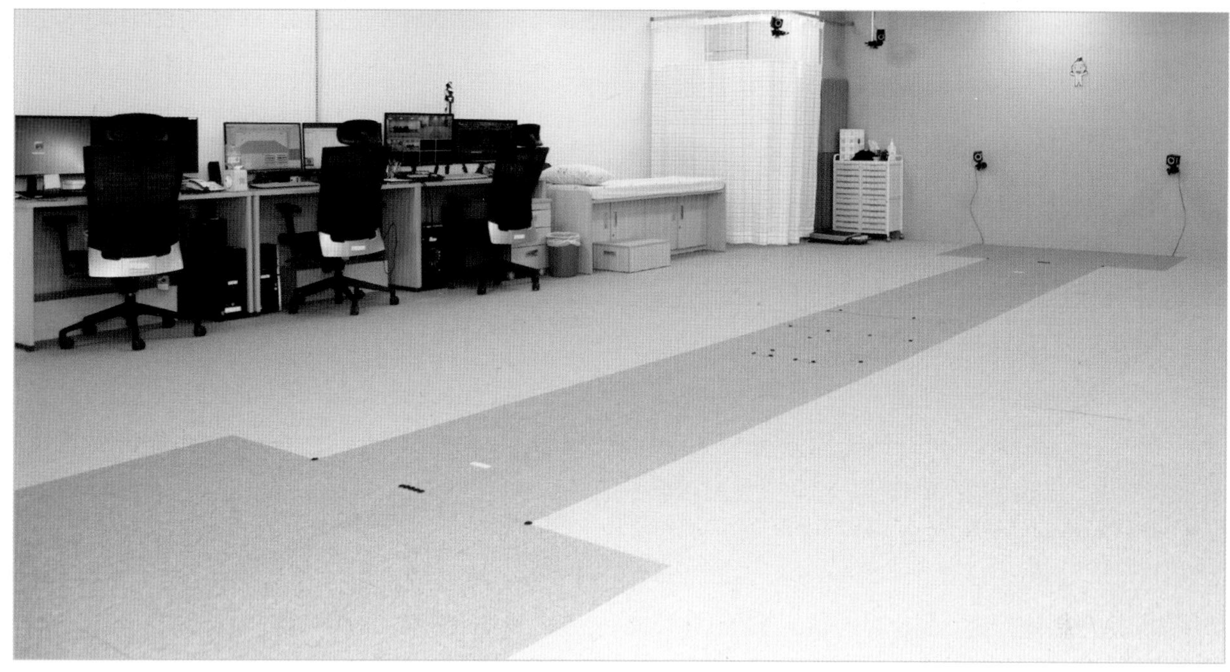

Fig 40. 동작 분석실은 광학적 추적 기기, 역동적 근전도, 힘판과 보행로가 필수이다.

절 일률을 제시하여 준다.

④ 에너지 소모 측정

환자가 어느 정도의 에너지를 소모하면서 보행이 이루어지는가를 판정하기 위한 방법으로 환자의 심박동수를 측정하거나, 산소의 소모량과 이산화탄소의 배출량을 측정하여 이를 이용하여 에너지 소모를 측정하게 된다.

(2) 보행 분석실의 적용

- 임상적 보행/동작 분석: 임상에서 환자의 보행이나 동작을 분석하여 치료의 계획을 수립할수 있다. 뇌성마비에서 수술전 계획 시 가장 많이 이용하고 있다.
- 연구용 동작 분석: 인체의 동작에 대한 이해를 증진시키는데 매우 강력한 도구이며, 동작을 객관적인 변량으로 제시할 수 있어서, 정형외과 연구에 필수적인 요소이다.

(3) 3D 보행 분석의 단점

보행 분석이 보행 분석실이라는 좁은 공간에 한정되어 있어, 환자의 일상 생활에서의 보행과 다른 결과가 나올 가능성이 있다.

(4) 착용 가능 보행 분석기기

일부 상용화 되어 있는 착용 가능한 보행 분석기기가 있어서, 환자의 일상 생활에서의 보행을 측정할 수 있다. 다만, 임상적 타당성은 확립되어 있지 않아 주로 연구용으로 쓰인다.

3) 시상면의 운동형상학 및 운동학
(kinematics and kinetics in sagittal plane)

임상에서 운동 형상학과 운동 역학은 일반적으로 헬렌 헤이즈 마커 세트과 전통적 모델(classic model)을 이용하여서 시행한다. 임상 보행 분석의 판독시에는 운동 형상학과 운동 역학 정보를 시상면, 관상면, 횡단면으로 모아서 분석을 하게 된다. 검사의 관점에서 보면, 각각의 그래프가 주는 정보의 신뢰성과 타당성은 다르다는 것을 유념하여야 한다. 예를 들어, 슬관절의 시상면 운동 형상학 그래프는 슬관절의 관상면 운동 역학 그래프와 비교하면 신뢰도, 타당도가 높고 더 많은 임상 정보를 준다.

시상면은 골반 경사(tilt) 고관절, 슬관절, 족근관절의 각도를 포함한 운동 형상학과 고관절, 슬관절 족근관절의 운동 역학을 포함한다.

운동 역학에서 족근관절의 모멘트(토크)는 거의 발생을 안 하는 것은 알 수 있다. 이는 회전하는 족부 분절의 크기가 작기 때문에 관성 모멘트가 작기 때문이다. 이에 반해 슬관절의 경우, 회전은 하퇴와 족부 분절를 합한 강체가 하는 것으로 이해할 수 있다. 즉 두개 분절을 합한 강체의 관성 모멘트가 비교적 커서, 슬관절은 유각기의 운동 역학을 무시하지 못한다. 이는 고관절도 마찬가지다. 고관절의 경우, 회전은 대퇴, 하퇴, 족부 분절을 합한 강체가 하게 된다. 따라서 관성 모멘트는 더 커지게 되고, 작은 관절 각도의 변화에도 모멘트(토크)와 일률이 크게 변할 수 있다.

(1) 족부 및 족근관절

족근관절은 전형적 보행에서 족배굴곡 16도 정도에서 족저굴곡 17도 정도 범위로 움직인다. 특히 최대 족배굴곡은 입각기에 나타난다. 족배굴곡의 제한은 다양한 보행 병리로 나타날 수 있으며, 만약 이에 대한 치료를 계획하고 있다면 이를 고려해서 목표를 정해야 할 것이다. 다만, 보행 분석의 발목 관절 시상면의 경우, 모델의 한계로 족부 변형을 많이 반영하고 있다. 따라서, 평발 등 족부 변형이 없는 상태에서 족배굴곡 15도 이상을 목표로 삼는 것이 합리적일 것이다Fig 41.

① 입각기

족부 및 족근관절의 시상면 운동은 세 단계의 rocker 운동으로 설명할 수 있다. 제1, 2단계는 감속기이며, 제3단계는 가속기이다Fig 42.

a. 제1단계 락커(first rocker)

1단계 라커(1st rocker)에서는 하중반응기 시기로 족근관절의 족저굴곡이 일어난다. 접지부가 발뒤꿈치이고, 발목 관절의 축에 비해 뒤쪽이기 때문에 지면 반발력(외부 모멘트)은 족저굴곡 방향이다. 그러므로, 내부 모멘트는 족배굴곡 모멘트가 생긴다. 관절의 회전 방향은 족저굴곡이고, 내부 모멘트는 족배굴곡 방향이다. 그러므로 일률 흡수가 생긴다. 경골 전방에 있는 전경골근, 장족지신근, 장족무지신근, 제3 비골근이 편심성 수축을 한다.

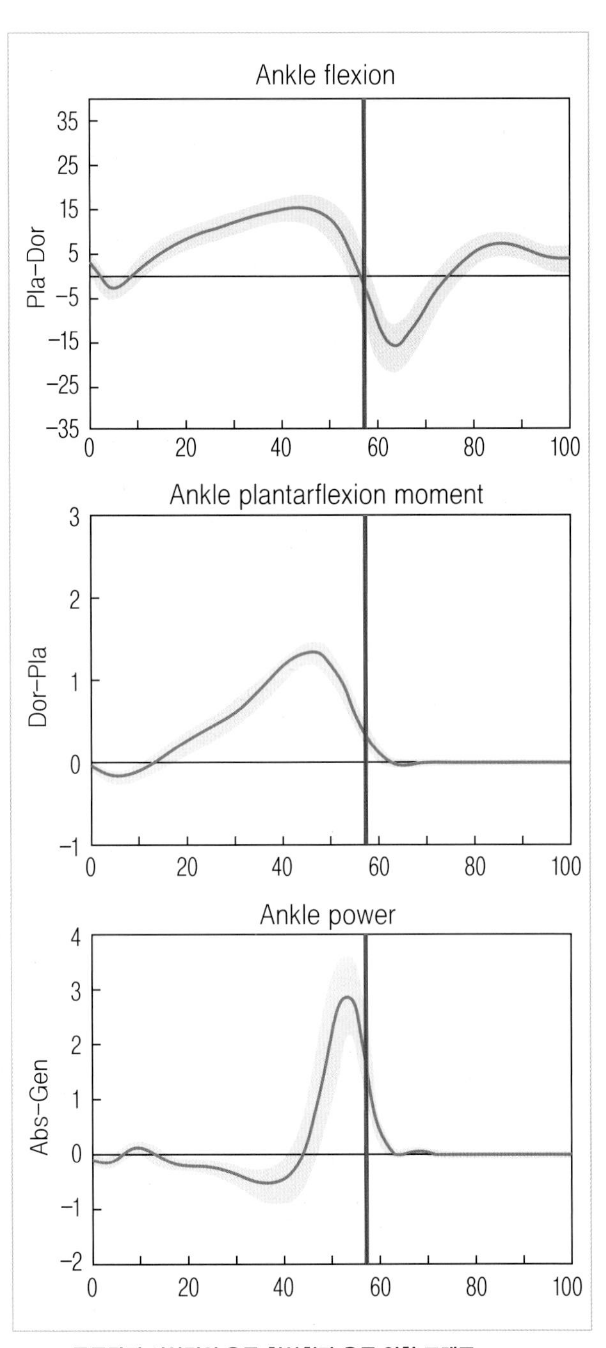

Fig 41. **족근관절 시상면의 운동 형상학과 운동 역학 그래프.**

b. 제2단계 라커(second rocker)

2단계 라커(2nd rocker)는 중기 입각기(midstance)시기의 족근관절의 운동이다. 족배굴곡이 서서히 일어나고, 내부 모멘트는 족저굴곡으로 바뀐다. 이는 지면 반발력이 발목 관절 축 보다 앞으로 이동하여 족배굴

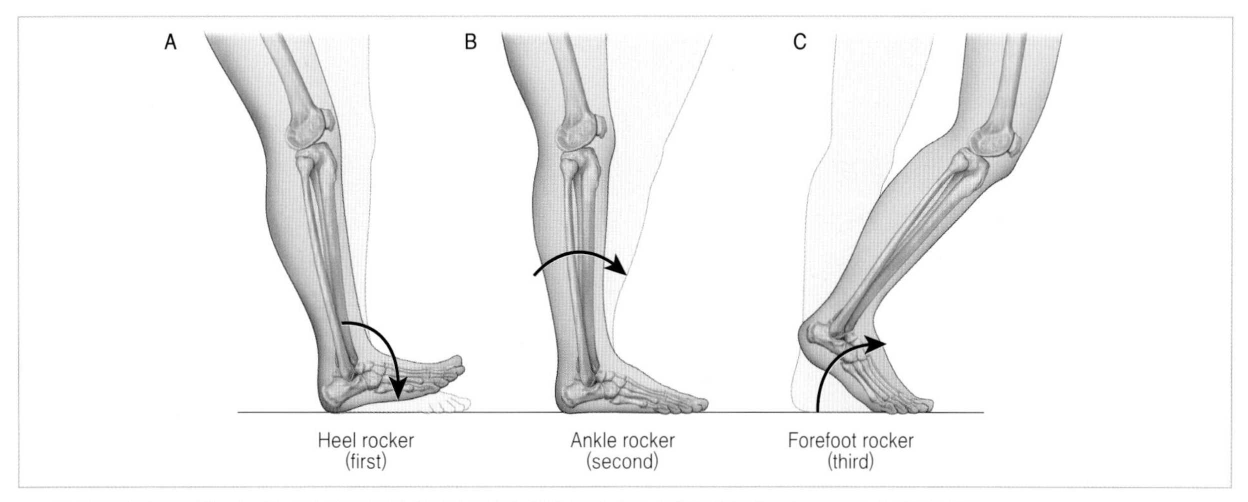

Fig 42. 족근관절의 락커(rocker)는 족부의 전 접촉여부로 구별을 한다. 만약 첨족 보행을 하게 되면 제1락커가 소실되게 된다.

곡 모멘트로 작용하기 때문이다. 관절의 회전 방향은 족배굴곡이고, 내부 모멘트는 족저굴곡 방향이다. 그러므로 일률 흡수가 지속된다. 비복근 및 가자미근이 편심성 수축을 한다. 특히 가자미근의 역할이 중요한 것으로 알려져 있다.

c. 제3단계 라커(third rocker)

3단계 라커(3rd rocker)는 말기 입각기와 전유각기의 시기에 일어난다. 족근관절의 족저굴곡이 일어나고, 내부 모멘트는 계속 족저굴곡 방향이다. 지면 반발력이 계속 발목 관절 축보다 앞에 있기 때문이다. 관절의 회전 방향은 족저굴곡이고, 내부 모멘트는 족저굴곡 방향이다. 그러므로 일률 생성을 확인할 수 있다. 비복근과 가자미근의 동심성 수축으로 전방 추진력을 얻고 발들림(push off)이 일어나게 된다.

② 유각기

a. 족근관절의 유각기는 발가락 들림에서부터 시작된다. 족부 클리어런스(foot clearnce)를 위하여 족근관절은 족배굴곡하여야 한다.

b. 초기 유각기는 족배굴곡 기간이며 전경골근의 동심성 수축에 의한다. 중간 유각기에는 족근관절이 5도 족배굴곡에 위치한다. 말기 유각기에 발은 중력과 전경골근의 편심성 수축에 의해 다시 중립 위치까지 족저굴곡 된다.

(2) 슬관절

임상 보행 분석에서 슬관절은 대퇴 분절과 하퇴 분절 사이의 관절로 정의하고, 대퇴 분절을 기준으로 표현한다. 경첩 관절에 가깝기 때문에 시상면 운동의 이해가 가장 중요하다. 슬관절은 입각기에 완전히 신전이 되는 시기는 없다. 입각기에 최소 굴곡이 대략 8도이다. 즉 보행에서는 5도 정도의 굴곡 구축은 문제가 안 될 것이다. 하중 반응기에 약간 더 굴곡이 되어 자연스럽게 충격을 흡수한다. 이후에는 좀더 신전 상태를 유지하다가, 굴곡이 되면서 유각기로 넘어간다Fig 43.

① 입각기

a. 하중 반응기

초기 접지기에 슬관절은 약간 굴곡된 상태로 시작한다. 하중 반응기에 족근관절에서 제1단계 라커와 더불어, 슬관절은 추가 굴곡을 시작하며 발바닥이 바닥에 완전히 닿았을 때 슬관절은 약 15도 굴곡이 이루어진다. 슬관절에는 외부 굴곡 모멘트가 작용하고, 일률 흡수기로 대퇴사두근이 충격을 흡수하는 기능을 한다.

b. 중간 입각기

족근관절의 제2단계 rocker 시기이다. 경골이 지면에 고정된 발 위로 지나 전방으로 움직일 때 슬관절은 신전한다. 지면 반발력은 슬관절 앞에 위치하여 외적

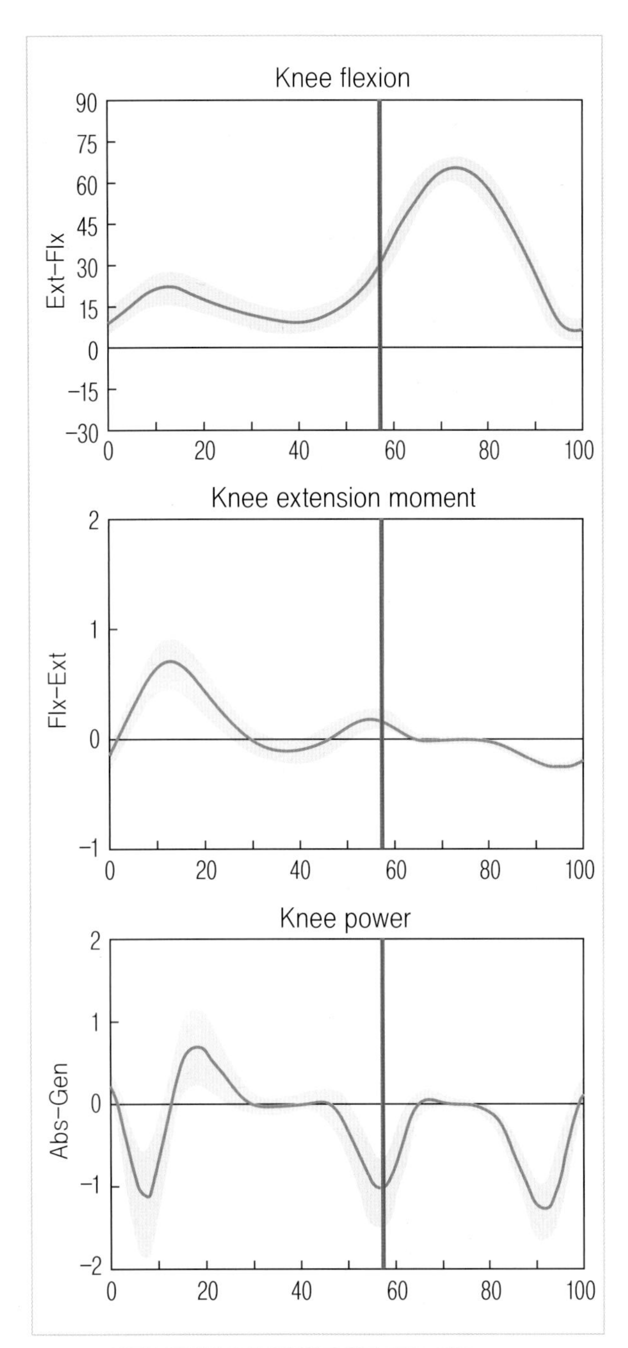

Fig 43. **슬관절 시상면의 운동 형상학과 운동 역학 그래프.**

신전 모멘트를 만들어 슬관절이 수동 신전되기 때문에 근육의 운동은 없다.

c. 말기 입각기와 전 유각기

제 3단계 rocker 운동 즉, 족근관절이 능동적으로 족저굴곡할 때, 슬관절은 수동적으로 굴곡을 시작하여 발가락 들림 시 45도까지 굴곡된다. 슬관절 굴곡이 증가함에 따라 지면 반발력은 외적 굴곡 모멘트를 발생시키면서 슬관절 뒤로 이동한다. 이때의 슬관절은 과도한 굴곡을 방지하기 위하여 주로 대퇴직근이 편심성 수축을 하며, 내적 모멘트는 신전 모멘트이다.

② 유각기

전형적 보행 시 유각기의 슬관절의 굴곡과 신전 운동은 수동적으로 일어난다. 즉 하퇴부는 진자 운동(pendulum movement)을 하게된다.

a. 초기 유각기

족근관절의 발들림(push off)과 고관절의 능동적 굴곡에 따라 슬관절이 수동적으로 굴곡된다. 약 62도의 최대 굴곡 위치에 이르게 된다. 말기 입각기와 전 유각기와 마찬가지로 슬관절의 과도한 굴곡이 발생되지 않도록 대퇴직근의 원위부가 슬관절 근처에서 편심성으로 수축함으로써 굴곡 속도를 감속시켜 준다. 또한 원위부에 편심성 수축이 일어난 대퇴직근의 근위부는 고관절에 대하여 동심성으로 수축하여 가속근으로 작용한다. 그러므로 대퇴직근은 에너지를 하퇴부로부터 고관절로 전환시키는 에너지 절감 효과가 발생한다.

b. 중간 유각기

슬관절은 진자 운동에 의하여 신전이 시작되며 근육의 활동이 없는 속도의 전환기(transitional period)이다.

c. 말기 유각기

슬관절은 완전한 신전 위치에 있게 된다. 슬관절의 과도한 신전을 방지하기 위하여 슬근이 편심성 수축을 하여 하퇴부의 진자 운동을 감속시켜 준다.

(3) 고관절

고관절은 골반 분절과 대퇴 분절 사이의 관절로 정의하고, 골반 분절이 기준이다. 초기 접지 시, 고관절은 30도 정도의 굴곡으로 시작한다.

말기 입각기까지 고관절은 지속적으로 신전을 하여 평균 11도까지 과신전을 한다. 즉, 고관절은 15도 정도까지는 과신전이 가능하여야 정상 보행이 가능하다. 말기 입각기에는 발들림(heel off)이 생기면서, 발목 관절의 족저굴곡,

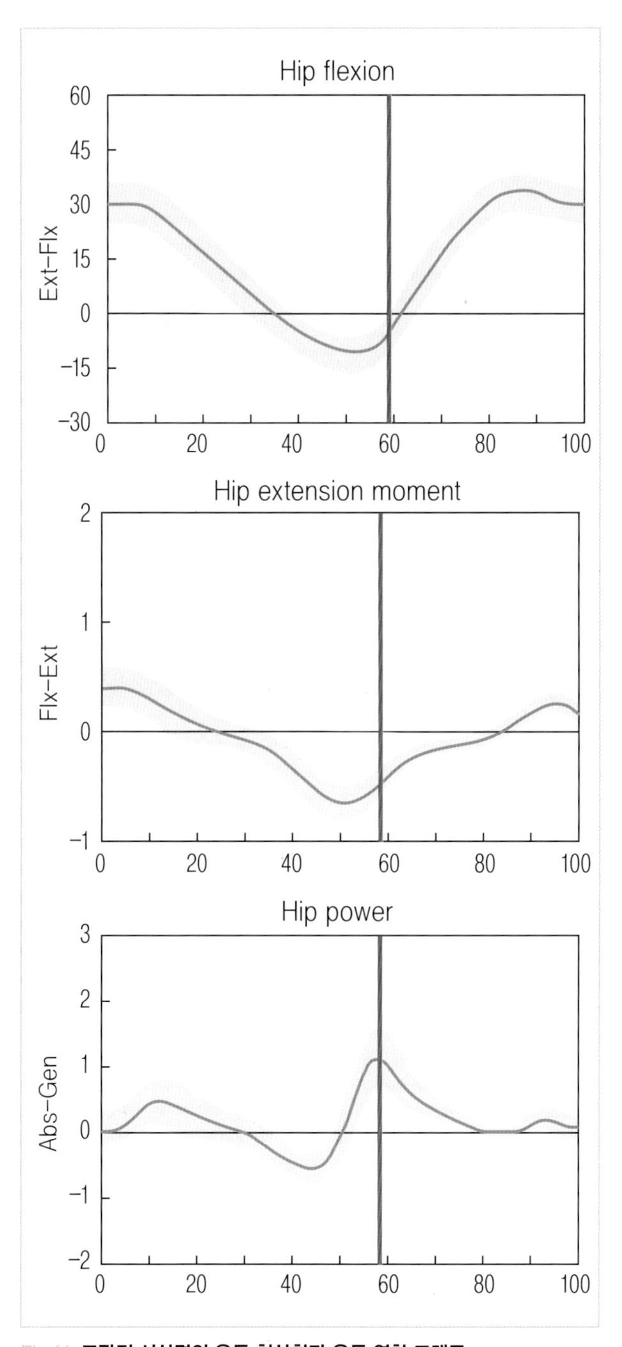

Fig 44. **고관절 시상면의 운동 형상학과 운동 역학 그래프.**

슬관절 굴곡, 고관절 굴곡이 같이 시작한다Fig 44.

① 입각기

a. 초기 접지기와 하중 반응기

고관절은 30도의 굴곡 상태에서 초기 접지를 하고, 하중 반응기에 고관절은 신전하기 시작한다. 하중 반응기에 지면 반발력은 고관절 회전 축의 앞을 지나므로 고관절의 외부 굴곡 모멘트를 계측할 수 있다. 즉 하중 반응기에는 고관절이 신전을 하며, 신전 내부 모멘트를 가지고, 일률 생성을 한다. 외부 굴곡 모멘트를 발생하므로 인체에서는 굴곡으로 인한 주저앉음을 막기 위해 고관절 신전근의 작용이 필요하다. 대둔근, 소둔근, 슬근은 고관절에서 신전 모멘트를 발생시키기 위해 동심성으로 수축한다.

b. 중간 입각기

계속적인 고관절의 신전이 일어난다. 중간 입각기의 전반부에는 내부 신전 모멘트가 몸을 전방, 상방으로 가속시키기 위한 작용을 지속한다. 중간 입각기의 후반부에는 지면 반발력은 고관절의 뒤로 지나가며 신전은 수동적으로 된다. 이때 내부 모멘트는 굴곡 모멘트가 되며, 이는 장대퇴 인대(iliofemoral ligament)의 인장력에 의해 일어나며 근육의 운동은 일어나지 않는다.

c. 말기 입각기

신전을 지속하며, 중립위를 지나 11도 정도 과신전한다. 즉, 고관절은 수동적으로 15도 정도까지는 과신전이 가능하여야, 전형적 보행을 할 수 있다. 초기의 내적 모멘트는 중기 입각기와 마찬가지로 굴곡 모멘트이다. 말기에는 비복근의 동심성 수축과 슬관절의 굴곡과 함께 고관절도 굴곡한다.

d. 전 유각기

고관절은 굴곡을 진행하고, 장요근을 포함한 고관절의 굴곡근의 동심성 수축으로 고관절은 능동적인 굴곡을 시작한다. 보행 속도가 빨라지면 대퇴직근도 이에 가세한다.

② 유각기

a. 초기 유각기

고관절의 굴곡이 가속되는 시기로 장요근은 초기 유각기 동안 고관절의 굴곡을 가속시킨다.

b. 중간 유각기와 말기 유각기

고관절은 관성에 의하여 굴곡이 유지되며, 근육의 작용은 없다.

4) 골반 운동 형상학의 이해

보행 분석에서 골반 분절은 분절의 방향(orientation)만 표시한다. 즉 시상면, 관상면, 횡단면에서 골반 분절 방향의 변화에 대한 정보를 준다. 골반과 족부진행각(foot progression angle)은 인체의 진행 방향을 기준으로 방향(orientation)을 표현한다.

골반은 시상면의 회전 운동을 골반 전 경사(anterior pelvic tilt)와 후 경사(posterior pelvic tilt)의 용어를 쓴다. 전 경사는 고관절이 굴곡하는 방향이다. 보행 분석에서 골반 분절의 정의는 양쪽 전상 장골극과 후상 장골극의 중앙을 연결하는 면이기에, 중립위는 전 경사 10도 정도이다Fig 45.

관상면의 회전 운동을 측 경사(pelvic obliquity)라고 한다. 측 경사는 양의 방향으로 회전하면 골반의 높이가 증가하는 것을 의미한다. 즉 오른쪽 측 경사가 증가하면, 골반의 오른쪽이 골반의 왼쪽보다 높은 것이다. 오른쪽 측 경사의 증가는 왼쪽 측방경사의 감소와 동일한 의미이다. 골반은 관상면 좌우 대칭이므로 중립위는 0도이다.

횡단면의 회전 운동을 골반 회전(pelvic rotation)이라고 한다. 방향에 따라 골반 외회전(external pelvic rotation)과 골반 내회전(internal pelvic rotation)으로 표현한다. 골반 외회전은 일측의 골반이 반대쪽에 비하여 보다 후방으로 회전하는 것이다. 즉 오른쪽 골반 외회전은 골반의 오른쪽이 골반의 왼쪽에 비해 뒤로 회전하는 것이다. 오른쪽 골반 외회전과 왼쪽 골반 내회전은 같은 의미이다. 골반은 횡단면에서 좌우 대칭이므로 중립위는 0도이다.

골반을 3차원에서의 각각의 운동을 나누어 표현하지만, 실제는 변화하는 회전축에 대한 한 가지 회전 운동이다.

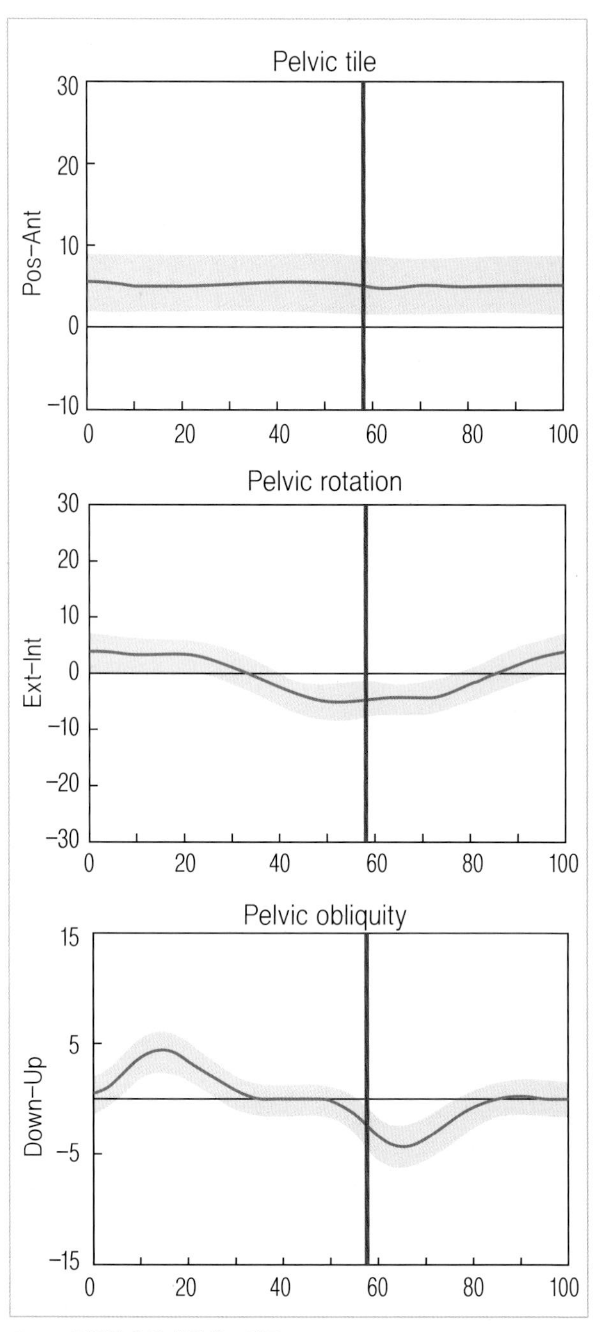

Fig 45. **골반의 운동 형상학 그래프.**

5) 관상면의 운동형상학 및 운동학
(kinematics and kinetics in coronal plane)

관상면에서의 운동형상학은 비교적 간단하다. 골반과 고관절은 서로 대칭적으로 움직이며, 슬관절과 족근관절의 측부 인대(collateral ligament)는 근본적으로 관상면에서의 슬관절과 족근관절의 운동을 막는다. 슬관절과 족근관절의 관상면에서의 움직임은 극히 미미하므로 골반과 고관절의 움직임만을 검토한다. 고관절의 운동과 골반의 운동은 상보적으로, 어느 정도 대칭을 이룬다.

(1) 입각기

초기 접지기에 골반은 수평, 고관절은 외, 내전의 중립에 위치한다. 하중 반응기에는 입각 하지쪽 골반은 약 5도 상승하고, 고관절은 내전되며 반대편 골반은 약 5도 하강한다.

하중 반응 시에 안 디딘 쪽의 골반 하강은 지지한 쪽 다

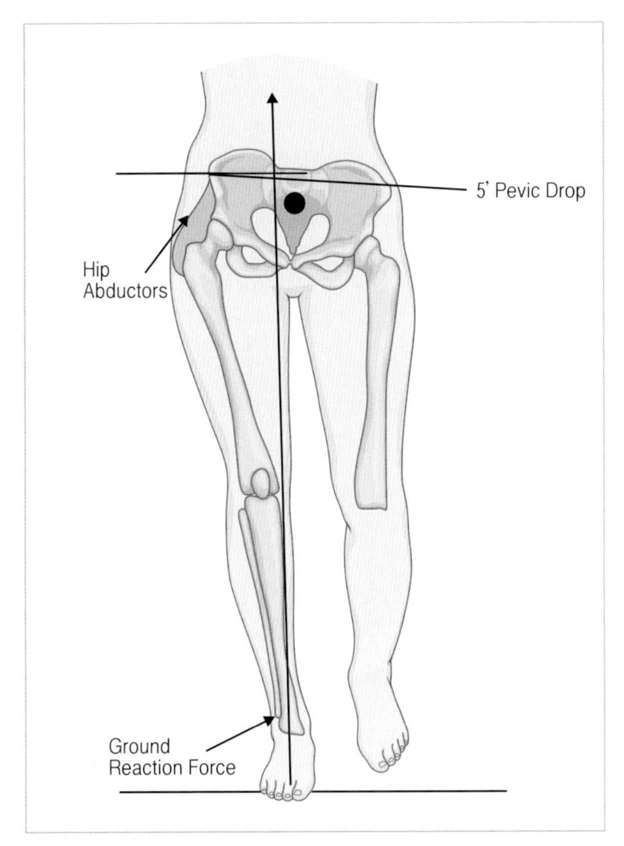

Fig 46. 중간 입각기에 관상면에서는 고관절, 슬관전에서 외부 내전 모멘트, 내부 외전 모멘트가 발생한다.

리의 지면 반발력에 의해 발생한다. 그 지면 반발력은 족근관절, 슬관절, 고관절 내측으로 떨어지며 이는 지지한 다리의 각관절에서 외부 내전 모멘트를 발생시킨다Fig 46. 이는 외전근의 편심성 수축, 슬관절에서는 인대, 족근관절에서는 외측 인대 및 비골근에 의해 내부 외전 모멘트의 저항을 받는다.

중간 입각기에 골반과 고관절의 운동은 역전되어 입각하지에서 고관절 외전근이 동심성 수축으로 골반을 올려서 반대쪽 다리의 다리의 발들림(foot clearance)을 돕는다.

말기 입각기에 양하지 지지기 동안 입각 하지 쪽의 고관절은 발들림을 위한 준비로 외전된다.

(2) 유각기

유각기에는 골반이 떨어지고 고관절이 외전되면서 시작

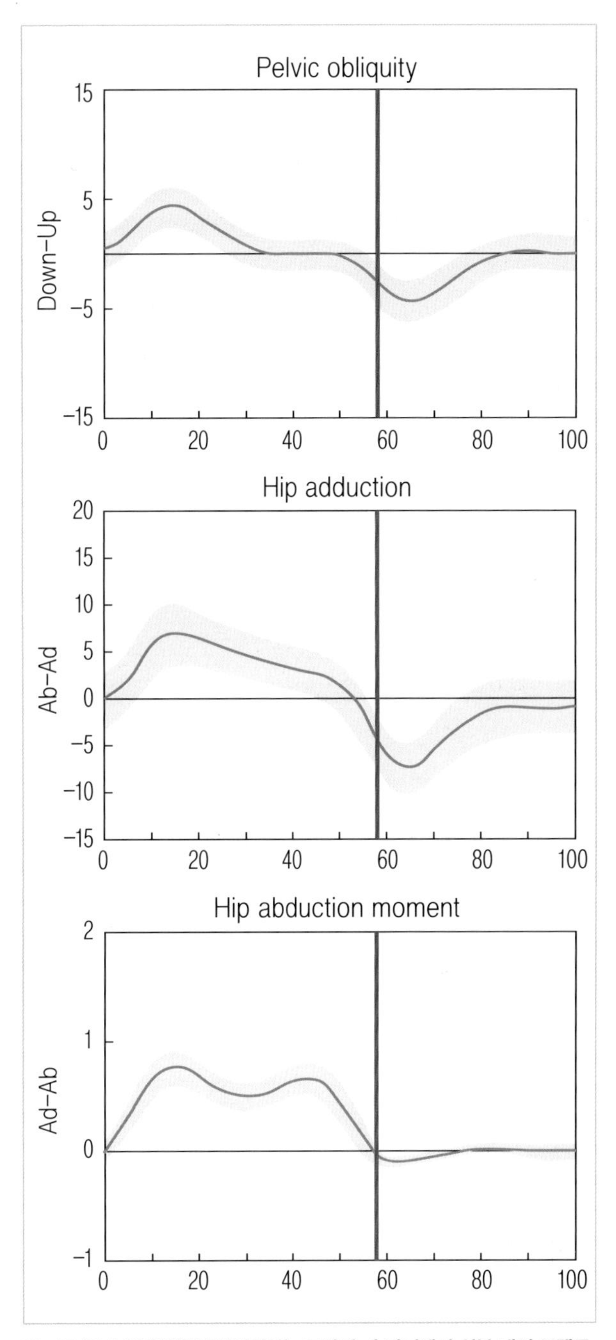

Fig 47. **중간 입각기에 관상면에서는 고관절, 슬관전에서 외부 내전 모멘트, 내부 외전 모멘트가 발생한다.**

한다. 초기 유각기 말쯤에는 입각 하지 쪽의 고관절 외전근은 골반을 올리기 위해 동심성 수축을 시작한다. 유각기 말이 되면 골반과 고관절은 상대적으로 중립위를 취한다 Fig 47.

6) 횡단면의 운동 형상학 및 운동학 (kinematics and kinetics in transverse plane)

횡단면 운동 형상학에서는 골반 분절 회전 운동과 족부 진행각을 제시한다. 이와 더불어, 고관절, 슬관절, 발목 관절의 횡단면 운동 형상학을 보여준다. 횡단면에서의 모멘트와 일률은 별로 쓰임새가 없다. 보행을 위나 아래에서 관찰하지 않기 때문에 횡단면의 운동형상학은 우리에게 익숙하지 않다. 횡단면 운동의 목적은 활보장(stride length)의 증가이다. 이는 골반 회전에 의하여 이루어지고, 결국 하지가 보행선상에 있으려면 보상적인 고관절의 회전이 필요하다. 이 회전은 주로 내전근, 특히 대내전근(adductor magnus)에 의해 조절된다Fig 48.

(1) 골반

골반은 초기 접지에 가능한 내회전을 하면 동측 하지를 더 멀리 접지 시켜 활보장을 넓게 할 수 있다. 그래서 골반은 초기 접지에는 5도 정도 내회전이 되고, 발들림에는 5도 정도 외회전한다. 평균 속도에서 골반은 10도 정도의 범위에서 내회전을 반복하는 회전 운동을 보이게 된다.

(2) 고관절

고관절은 골반과 상보적인 운동을 하게 된다. 이론적으로는 초기 접지에 골반이 내회전할 때, 최대한 고관절이 외회전하면 활보장을 넓게 할 수 있을 것이다. 그리고, 발들림에서 골반이 외외회 할 때 고관절이 최대한 외회전을 하면 전방 진출에 도움이 될 것이다.

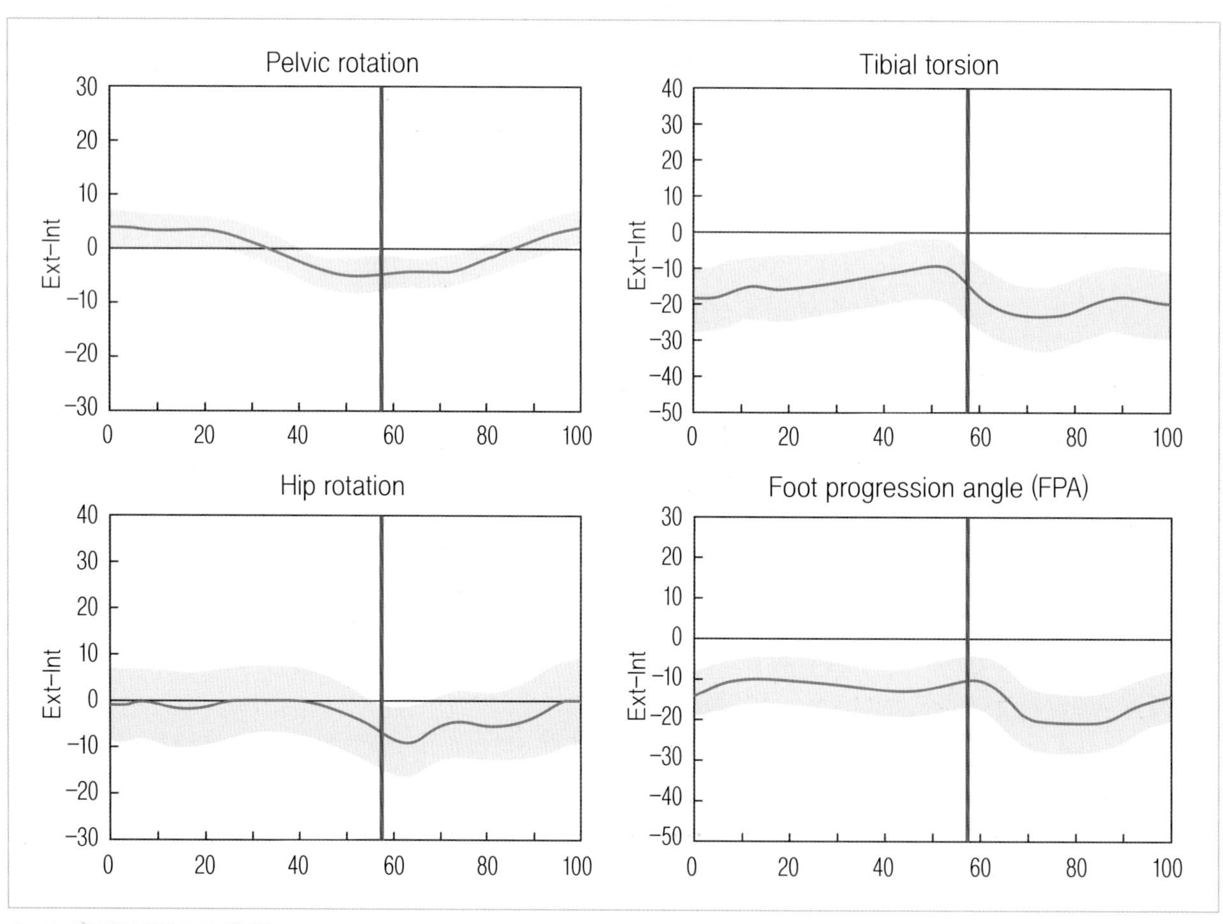

Fig 48. **횡단면에서의 운동 형상학.**

(3) 경골 염전 또는 슬관절 회전

슬관절 회전은 대퇴 관상면에 대한 하퇴 관상면의 회전 정도이다. 실제로 슬관절의 회전 운동이 미미하므로, 경골 염전의 지표로 사용하게 된다. 경골 염전은 평균 16도 정도 외회전이 되어 있다.

(4) 족부진행각

족부진행각이란 몸이 나아가는 방향에 대하여 족부가 향하고 있는 각을 말하는 것으로 내회전되어 있는 경우(안짱 걸음을 하는 경우)는 양각으로, 외회전되어 있는 경우(정상 혹은 팔자 걸음을 하는 경우)는 음각으로 표시하며, 정상적으로 약 11도 외회전되어 있다.

3. 병적보행(pathologic gait)

병적 보행은 변형(deformity), 경직성, 근력 약화, 통증 등의 원인이 있다. 본 장에서는 대표적인 병적 보행을 설명하고, 뇌성마비에 관련한 첨족 보행, 웅크림 보행(crouch gait), 강직 슬관절 보행(stiff knee gait), 내족지/외족지 보행은 7장 뇌성마비에서 다루기로 한다.

1) 내반슬(genu varum)과 외반슬(genu valgum)

관상면에서의 내반슬은 관절과 골의 정적(static) 변형일 경우가 많고 육안으로도 분석이 가능하다. 드물게 슬관절 인대 손상으로 인해 입각기에만 동적 내반슬이 발생할 수 있다. 이를 'varus thrust'라고 부르기도 한다. 동적 내반슬의 경우에도, 운동 형상학 분석보다는 비디오에서 좀더 쉽게 확인할 수 있다.

슬관절의 굴곡 구축과 고관절 외회전 증가가 함께 있으면, 내반슬처럼 보일 수 있다. 또한 슬관절의 과신전과 경골의 외염전이 증가가 함께 있으면, 외반슬처럼 보일 수 있다. 보행 분석, 방사선 사진 등 다양한 검사를 이용해서 이를 구분할 수 있다.

2) 트렌델렌버그 보행(Trendelenburg gait, T gait)

고관절 외전근 즉 중둔근이 약화된 경우, 입각기에 골반을 유지 못하고 반대측으로 골반 하강이 발생한다. 이 것을 트렌델렌버그 보행이라고 한다. 좀더 세분하여, 반대측 골반의 하강이 있는 경우를 비보상형(uncompensated) T gait이라고 하고, 중둔근이 너무 약해 질량 중심을 고관절 중심으로 맞추어 균형을 유지하려고 하는 경우를 보상형

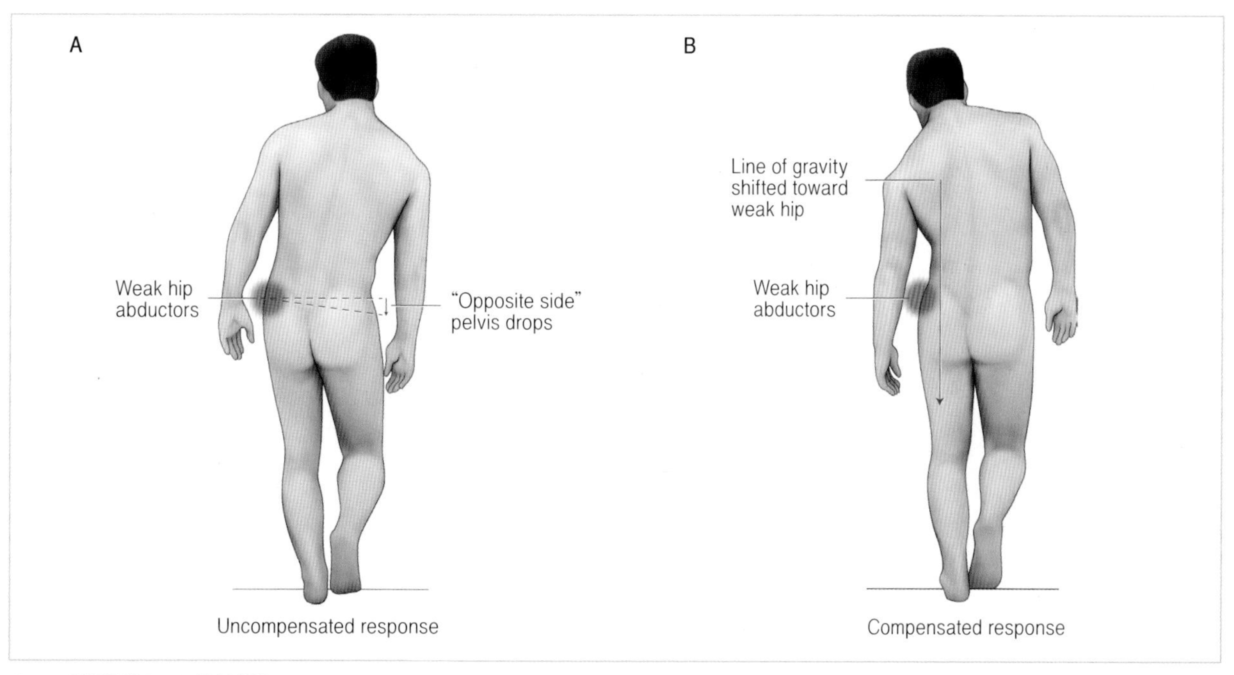

Fig 49. **비보상형 T gait와 보상형 T gait.**

(compensated) T gait이라고도 한다. 균형을 맞출 때 체간(trunk)가 휘청거린다고 해서 "Lurch"라는 표현을 쓰기도 한다Fig 49. 양쪽에 T gait가 있는 경우는 오리 걸음(Waddling gait)이라고 한다. 직접적인 외전근 약화 이외에 고관절의 탈구 등 불안정 지렛점(unstable fulcrum), 단축고 등 유효 지렛대 길이의 단축 등의 원인으로 Trendelenburg gait이 나타날 수 있다.

3) 하지 부동과 단하지 보행

하지 부동은 실제적인 길이의 단축이 있을 수 있으며 고관절의 구축(굴곡, 내/외전), 슬관절 구축, 족근관절 구축 등의 기능적인 단축이 있을 수 있다. 짧은 다리를 중심으로 생각하여, 이때의 보행을 단하지 보행이라 한다. 하지의 단축 측(short side)은 골반 경사(pelvic obliquity)가 하강하며 고관절 외전, 장측(long side) 족부 발가락 들림(foot clearance) 장애 등이 발생한다. 장측(long side) 족부 발가락 들림(foot clearance)를 원활하게 하기 위해 단측 하지(short limb)의 자발적 족저굴곡 즉 "Vaulting"을 하기도 하며, 장측 유각기에 슬관절 굴곡이 증가된다.

4) 족부 발가락 들림(foot clearance)과 원회전 보행

편측으로 족하수가 있거나 족근관절의 첨족을 보일 경우, 슬관절 굴곡이 원활하지 않은 경우 족부 발가락 들림(foot clearance)에 문제가 생기며 인체는 크게 세 가지로 보상을 한다.

첫째, 반대쪽 입각기에 반대쪽 족근관절이 자발적 족저굴곡을 함으로써 환측의 foot clearance를 도와줄 수 있다. 이를 도약 보행(vaulting gait)이라고 한다. 둘째, 환측 족부를 원회전(circumduction)함으로써 하지의 유효 길이(apparent limb length)를 줄여 foot clearance를 도와줄 수 있다Fig 50. 셋째, 유각기에 환측 슬관절의 굴곡이 증가하여 foot clearance를 도와줄 수 있다.

5) 진통 보행(antalgic gait)

통증으로 인한 보행을 진통 보행이라고 한다. 환측 다리로 몸을 지탱할 경우 통증이 발생되므로 지면에 발이 닿아 있는 시간을 짧게 하고 대신에 반대쪽 다리로 재빨리 체중을 지탱하게 하는 것을 말한다. 즉 진통 보행 시 환측의 입각기가 짧아지고, 건측의 입각기가 길어지게 된다.

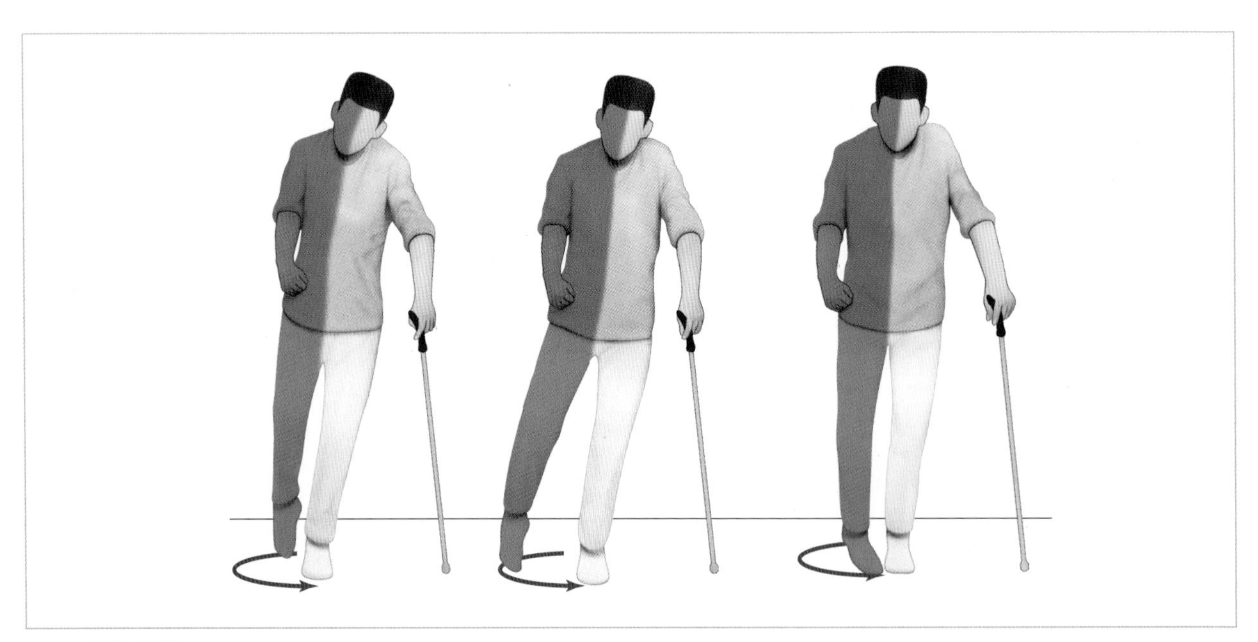

Fig 50. **원회전 보행.**

참고문헌

정진엽, 박문석. 동작분석입문, 1판, 서울: 영창출판사; 2019.

Callahan MJ. Musculoskeletal ultrasonography of the lower extremities in infants and children. Pediatr Radiol. 2013; 43:8.

Chung CY, Lee KM, Park MS, et al. Validity and reliability of measuring femoral anteversion and neck-shaft angle in patients with cerebral palsy. J Bone Joint Surg Am. 2010;92:1195.

Chung CY, Wang KC, Bang MS, et al. Introduction to cerebral palsy, 1st ed. Seoul: Koonja; 2013.

Ecklund K. Magnetic resonance imaging of pediatric musculoskeletal trauma. Top Magn Reson Imaging. 2002;13:203.

Fayad LM, Johnson P, Fishman EK. Multidetector CT of musculoskeletal disease in the pediatric patient: principles, techniques, and clinical applications. Radiographics 2005;25:603.

Gage JR. The treatment of gait problems in cerebral palsy. London: Mac Keith press; 2004.

Jaramillo D, Laor T. Pediatric musculoskeletal MRI: basic principles to optimize success. Pediatr Radiol. 2008;38:379.

Kan JH, Hernanz-Schulman M, Frangoul HA, et al. MRI diagnosis of bone marrow relapse in children with ALL. Pediatr Radiol. 2008;38:76.

Kellenberger CJ. Pitfalls in paediatric musculoskeletal imaging. Pediatr Radiol. 2009;39:372.

Keller MS. Musculoskeletal sonography in the neonate and infant. Pediatr Radiol. 2005;35:1167.

Lee KM, Chung CY, Kwon DG, et al. Reliability of physical examination in the measurement of hip flexion contracture and correlation with gait parameters in cerebral palsy. J Bone Joint Surg Am. 2011;93:150.

Lee SH, Chung CY, Park MS, et al. Tibial torsion in cerebral palsy: validity and reliability of measurement. Clin Orthop Relat Res. 2009;467:2098.

MacKenzie JD, Vasanawala SS. Advances in pediatric MR imaging. Magn Reson Imaging Clin N Am. 2008;16:385.

Meyer JS, Jaramillo D. Musculoskeletal MR imaging at 3 T. Magn Reson Imaging Clin N Am. 2008;16:533.

Pai DR, Thapa M. Musculoskeletal ultrasound of the upper extremity in children. Pediatr Radiol. 2013;43:48.

Radler C, Kranzl A, Manner HM, et al. Torsional profile versus gait analysis: consistency between the anatomic torsion and the resulting gait pattern in patients with rotational malalignment of the lower extremity. Gait Posture. 2010;32:405.

Salamipour H, Jimenez RM, Brec SL, et al. Multidetector row CT in pediatric musculoskeletal imaging. Pediatr Radiol. 2005;35:555.

Staheli LT, Corbett M, Wyss C, et al. Lower-extremity rotational problems in children. Normal values to guide management. J Bone Joint Surg Am. 1985;67:39.

Staheli LT. The prone hip extension test: a method of measuring hip flexion deformity. Clin Orthop Relat Res. 1977;123:12.

Thapa MM, Iyer RS, Khanna PC, et al. MRI of pediatric patients: Part 1, normal and abnormal cartilage. AJR Am J Roentgenol. 2012;198:450.

3 비수술적 치료와 고려사항

Non-surgical Treatment and Considerations

PEDIATRIC
ORTHOPAEDICS

Chapter

3 비수술적 치료와 고려사항

Non-surgical Treatment and Considerations

목차

I. 견인술과 석고고정술

견인술이란 사지와 척추에 지속적인 견인력을 적용하여 통증 완화, 관절 구축의 해소, 관절 또는 골절편의 정렬 및 고정, 연부 조직의 신연 등을 얻는 방법이다. 궁극적인 치료 또는 보조적인 치료 방법으로 사용되며 주로 하지에 적용되나 척추와 상지에도 간혹 사용된다. 석고나 부목을 사용한 경우와는 달리 환부를 항상 눈으로 관찰할 수 있고 필요에 따라 간헐적인 탈착이 가능하며 환부를 움직일 수 있다.

1. 피부 견인Fig 1

- 반창고나 기타 특수한 kit를 사용하는데, 사용이 간편하고 제거가 용이하지만, 피부에 상처가 있는 경우는 사용이 불가능하고, 말초 혈행 장해나 욕창 등의 합병증에 유의하여야 한다.
- 피부가 견딜 수 있는 한계는 2-5 kg 범위이며 주기적으로 피부 상태를 점검하여야 한다.
- 발달성 고관절 이형성증, Legg-Calvé-Perthes 병, 심한 고관절 일과성 활액막염, 제1-2경추 회전 아탈구, 취학 전 아동의 대퇴골 간부 골절 및 골절에 대한 궁극적 치료 전에 일시적 고정 등의 용도로 사용된다.

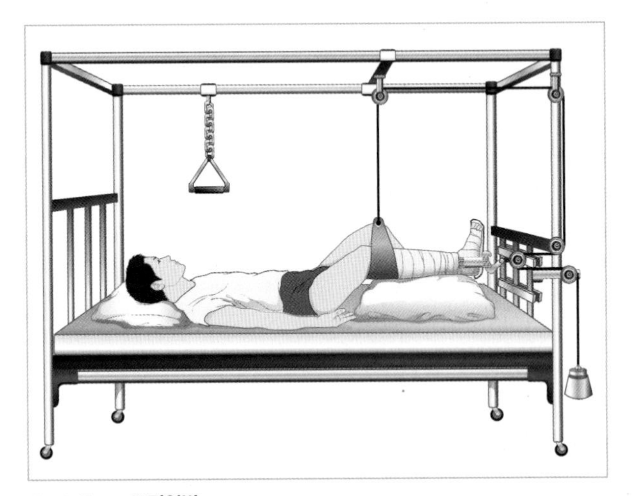

Fig 1. **Russell 견인법.**
수평 견인력과 수직 견인력을 함께 적용하여 피부가 견딜 수 있는 것보다 더 큰 견인력을 대퇴골에 전달할 수 있다.

2. 골 견인

- 골 조직에 금속핀을 삽입하고 이를 통해서 견인하는 방법으로, 피부 문제를 피할 수 있고 수십 kg의 강력한 견인도 견딜 수 있는 장점이 있다.
- 핀 삽입 시 골단판, 신경, 혈관 등의 손상 위험이 있으며 환자 진정이 필요하다.
- 대퇴골두 무혈성 괴사 등으로 고관절에 심한 구축이 있는 청소년 환자에 시행하는 원위 대퇴골 골 견인, 심한 척추측만증 환자에 대한 후방 유합술 전 halo를 이용한 골 견인 등이 이에 해당한다.

3. 석고고정

1) 석고의 재질

- 석고는 황산 칼슘(calcium sulfate, $CaSO_4$)의 수화물로 가루를 포도당 또는 녹말을 흡수시킨 무명천에 충진시킨 것이 석고붕대(plaster of Paris)이다. 석고붕대를 물에 적시면 황산 칼슘은 물을 취하여 발열 반응을 일으키며 수분 후에 단단한 덩어리로 굳어지게 된다.
$2CaSO_4 \cdot ½H_2O + 3H_2O \rightarrow 2CaSO_4 \cdot 2H_2O + Heat$
- 유리섬유로 제작된 석고는 가벼우면서도 강도가 높아서 요즘은 기존의 황산 칼슘 석고보다 더 널리 사용되고 있다. 단, molding면에서는 불리한 점이 있다.
- 석고고정시 필연적으로 발생하는 반응열 때문에 간혹 피부에 화상이 일어나기도 하는데, 외부열보다 내부열이 항상 높기 때문에 이를 유의하여야 한다.
- 반응열은 석고의 종류, 두께, 담그는 물의 온도의 영향을 받으며(Lavalette 1982), 주위 습도 및 온도, 받치는 쿠션에 의해서도 영향을 받는다(Gannaway 1983). 특히 석고가 두꺼울수록, 그리고 석고를 담그는 물의 온도가 24℃가 넘어가면 화상의 가능성이 높아진다.
- 유리섬유 석고는 발열 반응 시 통상 45℃를 넘지 않아 화상을 입힐 정도의 열을 발생시키지 않으며(Pope 1985), 담그는 물의 온도가 24℃ 이하의 경우 두께에 상관없이 열 손상은 발생되지 않는다(Halaski 2007).

2) 석고 부목(splint)

- 사지나 체간의 한쪽 면에 석고를 대고 탄력 붕대 등으로 고정하여 부분적인 고정력을 얻는 방법이다.
- 외상 또는 수술 후 부종이 심하면 환형 석고붕대를 적용하기 전에 일시적으로 사용하거나, 부분적인 고정력만 필요한 경우에 사용한다.
- 어린이에서는 협조가 되지 않고 순응력이 떨어지는 점을 고려하여 적용하여야 한다.
- 환아의 체구에 맞추어 적당한 폭의 석고붕대를 선택하여야 한다.
- 길이에 따라 하지에서는 족부에서 하퇴부의 근위부까지 고정하는 단하지 석고 부목(short leg splint), 대퇴부의 근위부까지 고정하는 장하지 석고 부목(long leg splint), 둔부를 지난 장골능까지 연장하여 고관절을 고정하는 연장 장하지 석고 부목(extended long leg splint) 등으로 나눈다.
- 상지에서는 수부에서 전완부까지 고정하는 단상지 부목(short arm splint)Fig 2, 상완부까지 고정하는 장상지 부목(long arm splint)으로 나눈다. 전완부에서는 필요에 따라서 수장(volar)측, 요골측(radial gutter), 또는 척골측(ulnar gutter) 등으로 부목의 적용 방향을 선택한다. 특별한 경우가 아니면 중수지 관절을 움직일 수 있도록 손바닥 근위 손금이 노출될 정도의 길이로 댄다.
- 설탕 집게 부목(sugar tong splint) 혹은 U-부목(U-slab)은 상완골 간부의 안정 골절 또는 요(척)골 원위부 골절 시에 쓰이는 고정 방법이다.
- 부목 고정의 합병증으로는 골 돌출부 등에서 발생하는 피부 욕창, 비골두 부근에서의 총비골신경(common peroneal nerve) 압박으로 인한 마비 등이 있다.

3) 환상 석고(circular cast)

사지 또는 체간의 주변을 석고붕대로 완전히 감아서 고정하는 방법이다. 부목보다 훨씬 큰 고정력을 제공하지만 공간이 더 늘어날 여지가 없기 때문에 부종이 예상되는 경우에는 사용에 세심한 주의를 하여야 한다. 간혹, 상지 수술 후 협조가 안 되는 환아가 드레싱을 뜯어내는 것을 막기 위해서 환상 석고를 적용하기도 한다.

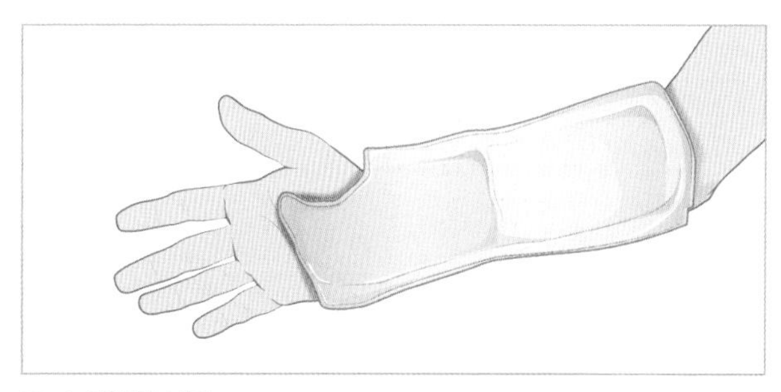

Fig 2. **단상지 부목.**
주관절과 중수골은 움직일 수 있도록 하며 완관절은 약 15도 배굴시킨다.

(1) 석고의 제작

- 피부 위에 스타키네트(stockinet), 솜붕대 등을 적당량 감고 석고붕대를 감는 방법이 보편적이다. 특히, 위아래 끝나는 부분은 충분히 padding하여서 석고 재질이 직접 피부와 접촉하지 않도록 한다.
- 가능한 한 일정한 두께로 매끈하게 감으며, 골 융기부에는 욕창(decubitus ulcer)이 생기지 않도록 유의하며 주변에 솜 받침을 충분히 하거나 스폰지를 대고 감는 등의 고려를 한다. 특히 종골 후면이 가장 욕창이 빈발하는 부위이다Fig 3.
- 환자 체구에 따라 적당한 크기의 석고붕대를 선택하여야 한다. 너무 큰 석고붕대로 시술하면 관절 주변에서 방향을 바꾸는 것이 어렵다. 특히 유리섬유 석고붕대는 신축성이 적기 때문에 더 좁은 것을 선택해야 한다. 구부러지는 부분에서는 볼록한 쪽이 얇아지기 때문에 부분적으로 부목을 대거나 볼록한 쪽에 반복해서 적용한다.
- 석고붕대를 돌려 감은 후(rolling), 문지르고(rubbing), 굳기 전까지 원하는 형태를 잡아(molding), 완전히 굳을 때까지 유지한다(holding).

(2) 상지 석고

- 손에서부터 전완 근위부까지 감는 단상지 석고(short arm cast)Fig 4, 상완 근위부까지 고정하는 장상지 석고(long arm cast)Fig 5, 무지를 포함하여 고정하는 무지수상 석고(thumb spica cast)Fig 6 등으로 구분한다.
- 주관절, 수근 관절, 그리고 전완부의 회내-회외 위치는 목적에 따라 달리 적용한다.
- 일반적인 석고의 원위단은 손바닥 근위 주름(proximal crease)을 따라 다듬어서 중수 수지 관절운동을 허용하고 무지(thumb)의 운동을 제한하지 않도록 한다.

(3) 하지 석고

- 발끝에서 하퇴 근위부까지 포함시킨 단하지 석고(short leg cast)Fig 7와 대퇴 근위부까지 포함시키는 장하지 석고(long leg cast)Fig 8로 나눈다.
- 필요에 따라 슬관절과 족근관절의 굴곡 정도를 달리 정한다. 가령 체중 부하를 필요로 하면 슬관절은 신전 혹은 5도 굴곡, 족근관절은 중립위를 취하며, 체중 부하를 못하게 하거나 하퇴부에서의 회전 변형을 조절하기 위해서는 슬관절을 충분히 굴곡한다. 후방 각형성 경향이 있는 원위 경골 골절에서는 어느 정도 가골 형성이 될 때까지는 족근관절을 족저위(plantar flexion)에서 고정한다.
- 석고의 원위단은 중족지 관절에서 끝나거나, 족배측에서는 중족지 관절에서 끝나되 족저측은 발가락 끝까지

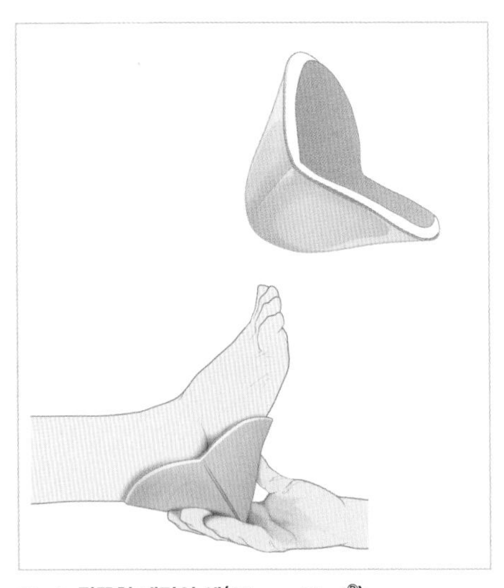

Fig 3. 뒷꿈치 패딩의 예(Allevyn Heel®).

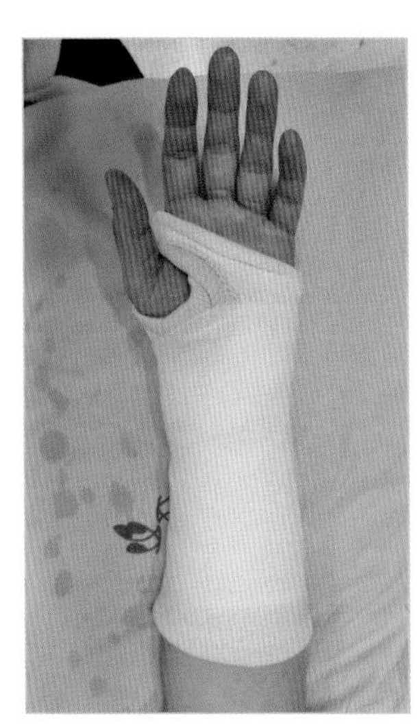

Fig 4. 단상지 석고.

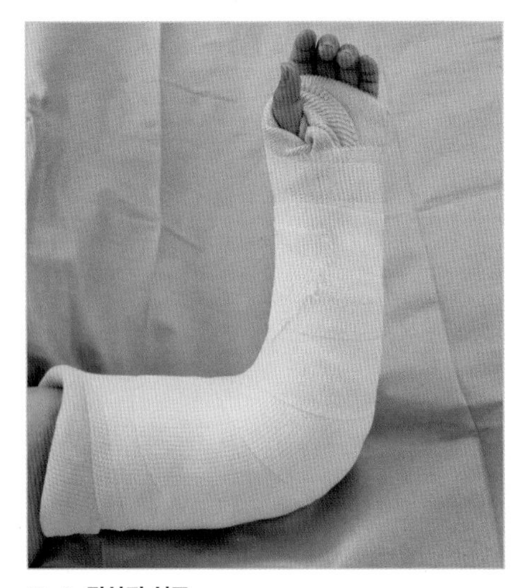

Fig 5. 장상지 석고.

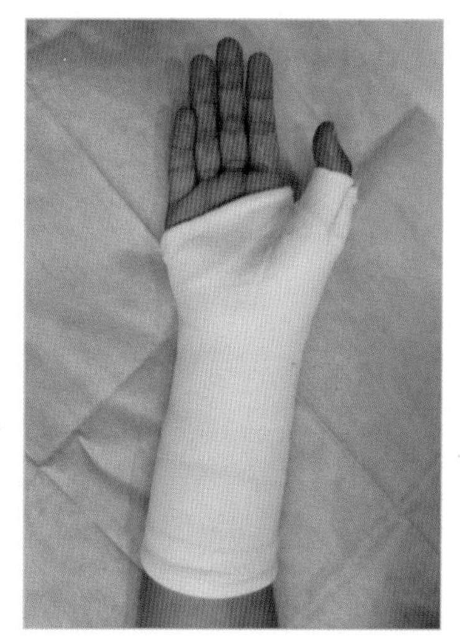

Fig 6. **무지수상 석고.**

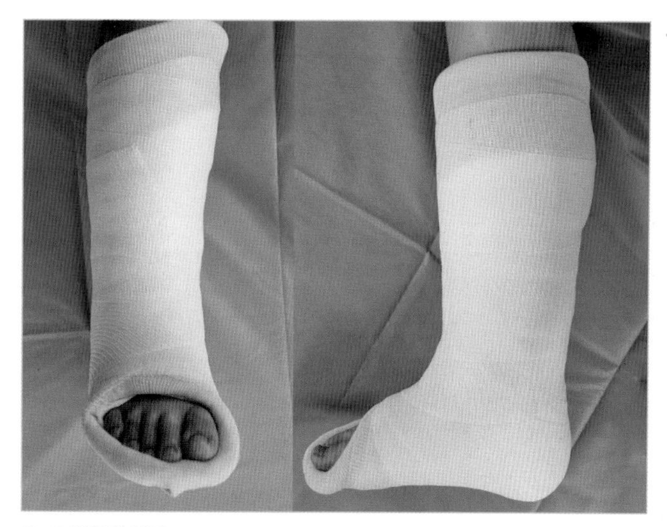

Fig 7. **단하지 석고.**

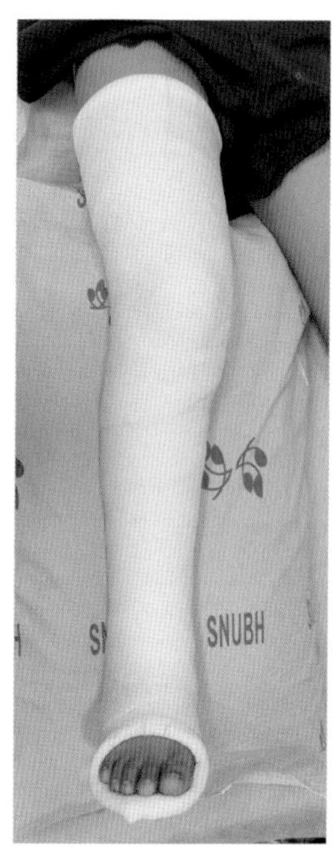

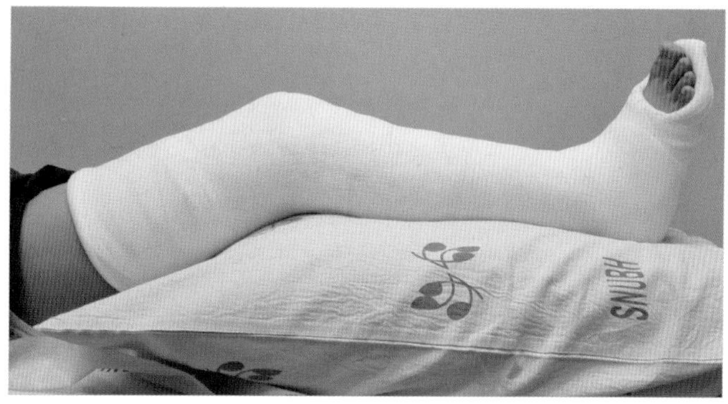

Fig 8. **장하지 석고.**

연장하여 족지판(toe plate)을 만들기도 한다. 제5족지까지 노출되도록 신경을 써야 한다.

- 슬개건 부하 석고(patellar tendon-bearing cast, PTB cast)Fig 9는 슬관절 굴신이 가능하면서 슬개골에 체중 일부가 부하되도록 조형(molding)한다. 슬관절 45도 굴곡 위에서 슬관절을 포함하여 대퇴 과상부까지 석고를 감으면서 전방에서는 슬개골과 슬개건 모양을 따라 누르고 후방에서는 하퇴 상부를 적당히 납작하게 눌러 석고 상단 단면이 거의 삼각형이 되게 한다. 석고가 굳으면 전방에서는 슬개골 중앙부, 측면은 과부의 상부 그리고 후방은 관절와에서 3-5 cm 하방을 남기고 그 근위의 석고는 제거하여 마치 안락 의자 모양으로 마무리한다.
- 비골 골두 바로 밑으로 지나가는 총비골신경이 눌리지 않도록 padding을 잘해야 하며, 발뒤꿈치에 욕창이 생기지 않도록 주의해야 한다.

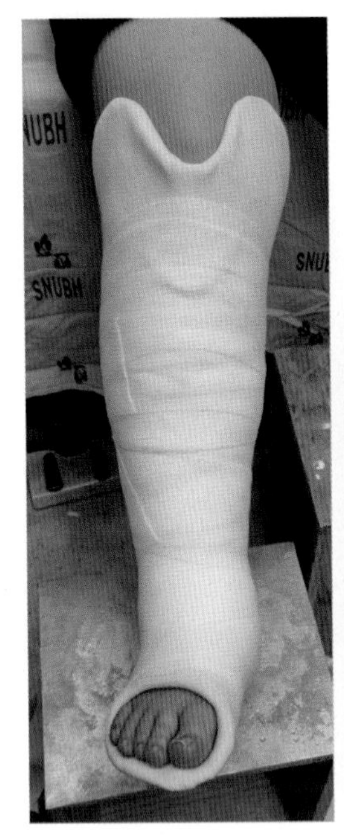
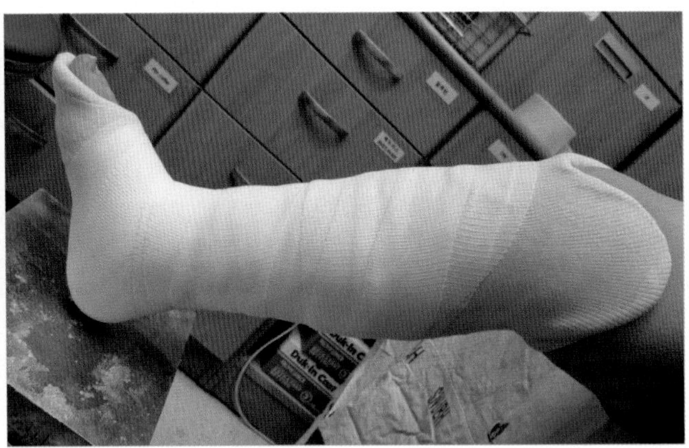

Fig 9. **슬개건 부하 석고.**

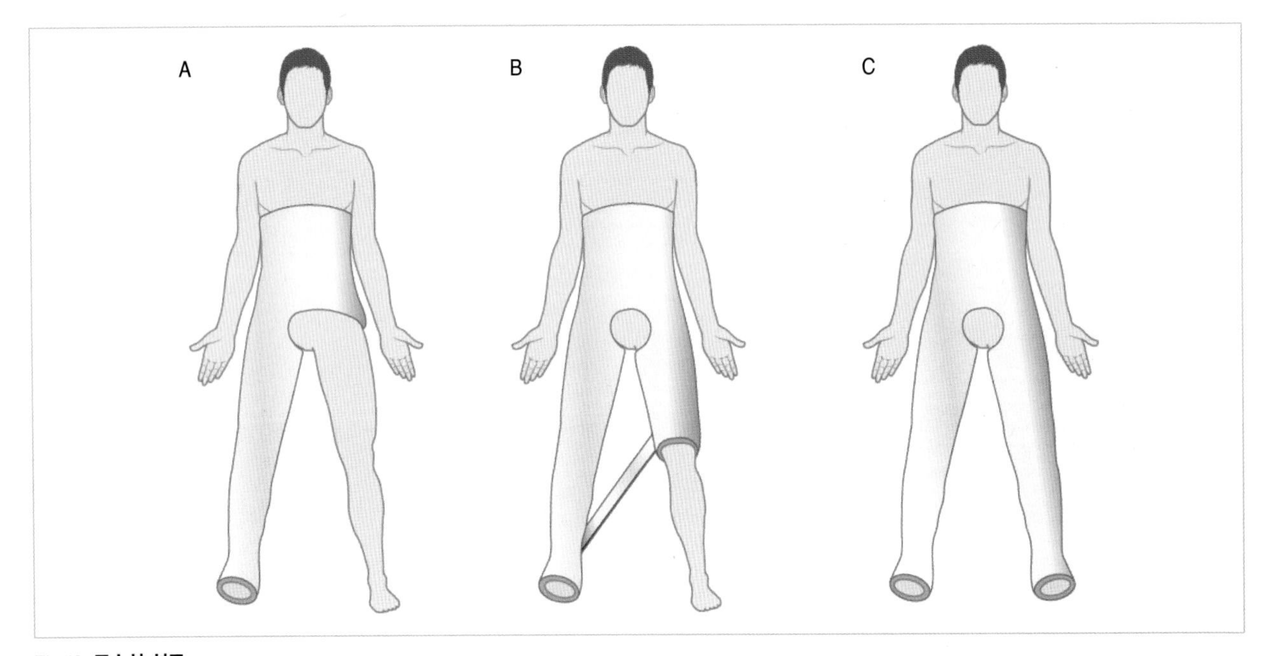

Fig 10. **고수상 석고.**
A: Single. B: One-and-half. C: Bilateral.

(4) 고수상 석고(hip spica cast) 및 기타 체간 고정 석고

- 고수상 석고는 골반을 감는 몸통 석고와 한쪽 혹은 양쪽 하지 석고를 연결한 것으로Fig 10 고관절 또는 근위 대퇴골의 고정에 이용된다. 학동기 이후의 아동이나 청소년은 견디기 어려운 고정 방법이며 금속 내고정 또는 외고정 장치의 발달로 현재는 학동기 이전 또는 영유아기에서만 주로 사용되고 있다.
- 천추골만 받치는 특수 frame 위에 환아를 올려놓고 감는다. 몸통 석고와 하지 석고의 결합 부위인 고관절의 내측 앞, 뒤로 삼각형으로 빈 공간이 형성될 수 있는데

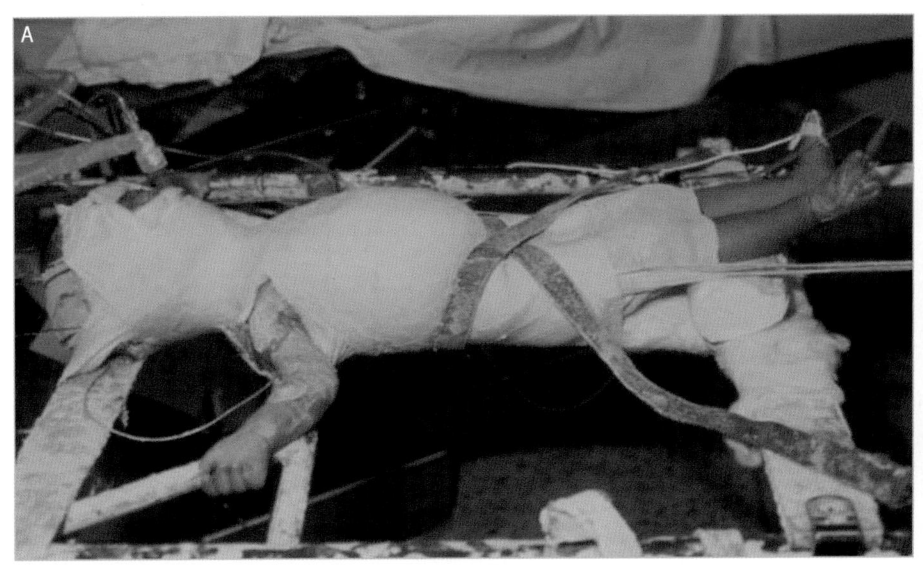

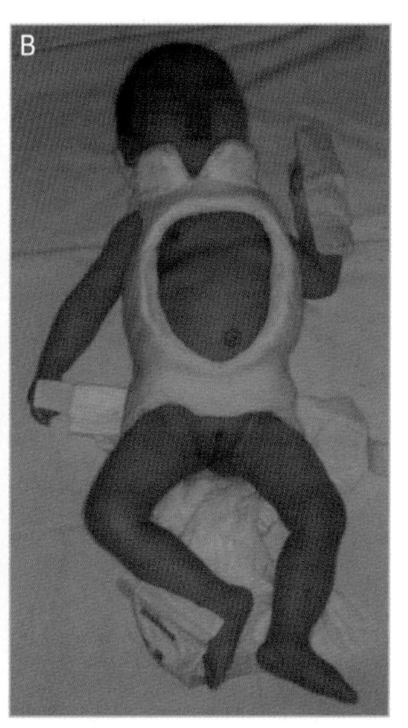

Fig 11. A: Risser table에서 체간을 고정하는 석고를 적용하고 있다. B: 조기 발현 척추측만증 환자에 적용한 Risser localizer cast의 예.

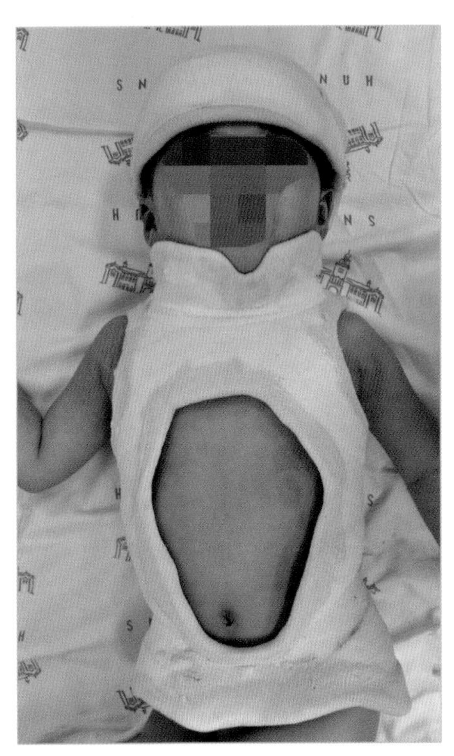

Fig 12. **두경부를 체간과 함께 고정하는 Minerva 석고.**

미숙한 시술자가 만들어낸다고 해서 인턴 삼각(intern's triangle)이란 별명으로 불린다. 이를 방지하기 위해서 석고붕대뿐 아니라 짧은 석고 부목을 적절하게 사용하여 감는다.

- 체간 고정 석고를 적용하기 위해서는 어깨 부분과 골반 부위만 받쳐주는 특수 frame을 사용하여야 한다Fig 11, 12.

4) 적용 후 석고 조작

(1) 석고 분리(cast splitting)

- 환상 석고 시행 후 해당 부위의 부종이 증가하면 피부 압박으로 수포가 형성되거나 더 심하면 구획 증후군(compartment syndrome)이 발생할 수도 있다. 이를 방지하기 위해서 예방적으로 또는 증상 초기에 석고 내 공간을 확장시키기 위해서 분리(splitting)를 시행한다.
- 석고를 종 방향으로 분리한 후 분리된 부위를 cast spreader로 약간 넓혀주고 필요시 나무토막 등을 끼워 넣어 공간을 유지한다. 벌어진 부위의 padding을 제거하여 피부까지 노출되도록 한다Fig 13.
- 보다 심한 부종이 우려되거나 발생할 때에는 석고의 양쪽으로 splitting하여 두 쪽으로 분리하는(bivalve) 방법을 사용한다.
- 부종이 가라앉으면 석고붕대를 그 위로 다시 감거나 새로 석고를 제작한다.

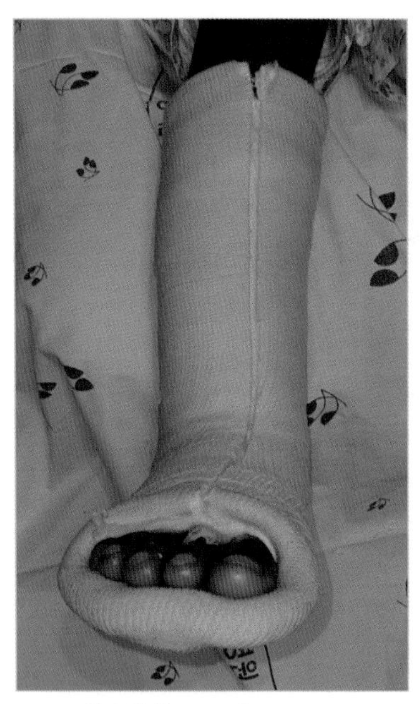

Fig 13. **석고 분리(splitting).**

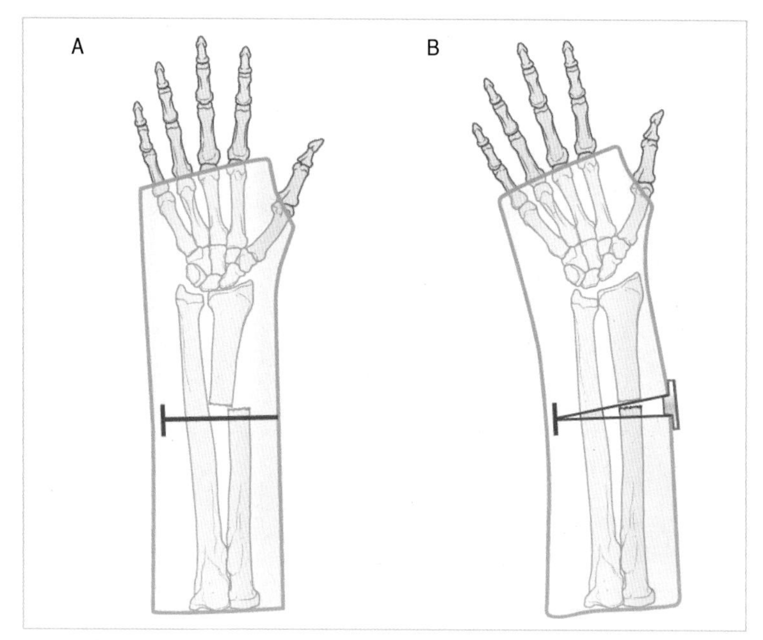

Fig 14. **석고 쐐기법.**

(2) 석고 쐐기법(cast wedging)Fig 14

- 장관골, 특히 대퇴골, 경비골, 요척골 골절을 도수 정복하여 석고고정한 후에 잔여 각변형에 대해서 도수정복-석고고정을 반복하지 않고 교정하는 방법이다.
- 시술 전 전후방 및 측방 방사선 검사를 면밀하게 검토하여 석고를 절개할 부위와 쐐기 개방할 방향과 정도를 결정한다.
- 환형 석고를 변형이 있는 부위에서 횡으로 절개하여 개방한 후, 적당한 크기의 나무토막 등으로 삽입하여 유지하고 석고붕대를 감아서 고정한다. 쐐기 개방하는 반대편의 석고 일부분은 완전히 절단하지 않고 남겨두어 회전 안정성을 유지하면서 경첩으로 작동하도록 한다. 쐐기를 절제하고 폐쇄하는 방법은 피부가 눌리는 위험이 있어 사용하지 않는다.

5) 석고고정 후 관리

- 석고고정 시 과도한 압박을 하였거나 시술 후 병소 부위의 부종이나 종창이 심하여 혈액 순환 장애나 신경 압박 증상을 보이는 경우가 있으므로 시술 후 2-3일간은 국소 통증, 청색증(cyanosis), 또는 저린 증상 등이 발생하는지 주의해야 한다.
- 시술 후 1-2일 간은 석고가 골고루 마를 수 있도록 2-4시간 마다 위치를 변경해 주는 것이 좋다.
- 시술 부위는 가능한 한 높여주는 것이 좋으며, 상지의 경우 베개나 수액 걸이대를, 하지의 경우 침상 받침이나 큰 베개를 이용하여 받쳐준다. 석고가 마른 후에도 더러워진 부분을 물로 씻으면 안 되며, 둔부와 회음부 주위는 방수 덮개 등을 사용하여 가능한 석고가 젖지 않도록 주의한다.
- 언어 구사 능력이 떨어지는 어린 환아 또는 지적 능력이 저하된 환아에서는 피부 욕창 발생 등에 대해서 고정 직후에 면밀한 주의를 기울여야 한다.
- 영유아기 고수상 석고고정 시에는 대소변이 석고 안으로 흘러들어가지 않도록 padding으로 막아 주는 등의 각별한 주의를 요한다.
- 뼈가 돌출된 부위, 즉 발뒤꿈치, 천골(sacrum) 등은 욕창이 생기기 쉬운 부위이므로 장기간 석고고정 시 그 부위에 통증이 발생하는지를 주의해서 관찰해야 한다. 고정 후 특정 부위의 통증을 호소하면 지체하지 말고 해당 부위에 창(window)을 내거나 십자 절개하여 피부 상태를 시진하여야 한다.

II. 보조기(orthosis/brace)

1. 상지 보조기

- 상지의 보조기(upper limb orthosis)는 착용 부위에 따라서 수부 및 수근관절부의 보조기, 주관절 보조기, 견관절 보조기 등으로 나누어지며 대부분이 수부 및 수근관절부의 보조기이다.
- 수부 및 손목 관절부 보조기는 근력을 보조하거나 또는 대신하기 위한 보조용 보조기, 수부 및 수근관절을 안정된 위치로 잡아주는 보호용 보조기, 그리고 변형의 교정을 위한 교정용 보조기로 나눌 수 있다.

2. 하지 보조기

하지 보조기(lower limb orthosis)는 체중 부하를 해야 하므로, 보조기의 정밀성 외에도 내구성이 필요하다.

1) 족부 보조기

종족부 변형 교정, 거골하 관절 변형 교정, 족부 기형에 의한 통증 완화, 편평족의 증상 완화 등에 이용된다. 대표적인 보조기로는 UCBL 보조기, arch insole (hard type, soft type) 등Fig 15이 있으며, 족근관절의 안정성을 보조하기 위하여 족근관절부의 내외과(malleolus)까지 감싸주는 족근관절 과상부 보조기(supramalleolar orthosis, SMO)Fig 16가 이용되기도 한다.

2) 단하지 보조기

- 단하지 보조기는 가장 흔히 사용되는 하지 보조기로, 일차적인 기능은 족근관절과 발의 모든 관절의 정렬과 운동, 근력을 조절하기 위한 것이다. 최근에는 주로 플라스틱으로 만든 보조기를 사용한다.
- 플라스틱으로 만든 단하지 보조기는, 석고 모델을 이용하여 만들기 때문에 발의 모양에 잘 밀착되도록 만들 수 있어 압력 분배를 보다 정확히 조절할 수 있다.
- 족근관절의 굴신 및 내, 외전 운동을 전혀 허락하지 않는 견고한 족근관절 보조기(solid ankle AFO)Fig 17와 배굴근의 약화로 인한 족하수를 막고 족근관절부에 약간의 탄력성을 주는 PLS (posterior leaf spring) 보조

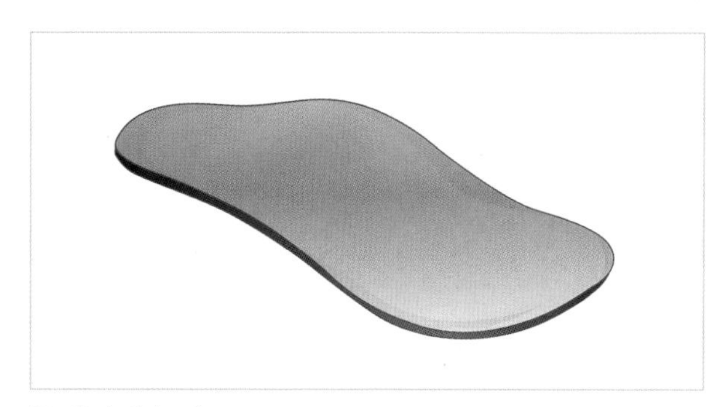

Fig 15. **Arch insole.**

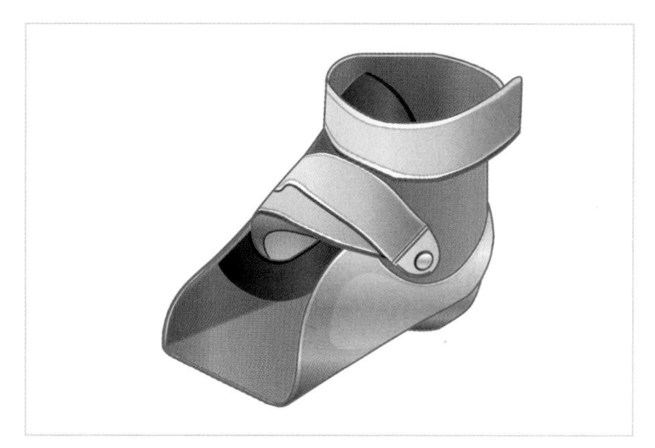

Fig 16. **족근관절 과상부 보조기.**

Fig 17. **족근관절 단하지 보조기.**

기 등이 있다.

- 필요에 따라서는 족근관절과 거골하 관절의 안정성을 증가시키기 위해서 재단선(trim line)을 족근관절 수준에서 전방으로 연장하거나, 두꺼운 플라스틱 재료를 사용하거나, 족근관절 내외측면에 카본(carbon) 삽입물을 넣거나, 보조기의 후엽(posterior leaf)에 주름(corrugation)을 제작함으로써 체중 지지 기능을 보완할 수 있다.

3) 장하지 보조기

- 슬관절과 족근관절의 정렬과 운동을 조절하고, 대퇴골이나 경골을 지지하기 위한 것으로 KAFO (knee-ankle-foot orthosis)Fig 18가 흔히 사용된다.
- 하지에 심한 마비를 보이는 뇌성마비, 소아마비 후유증이나 척수수막류 환자에서 주로 이용된다.
- 슬관절부의 회전축으로는 단일축형, 다중심형 등이 있으며, 안정성을 증가시키기 위해 후방축 슬관절(offset knee)을 사용하기도 한다.

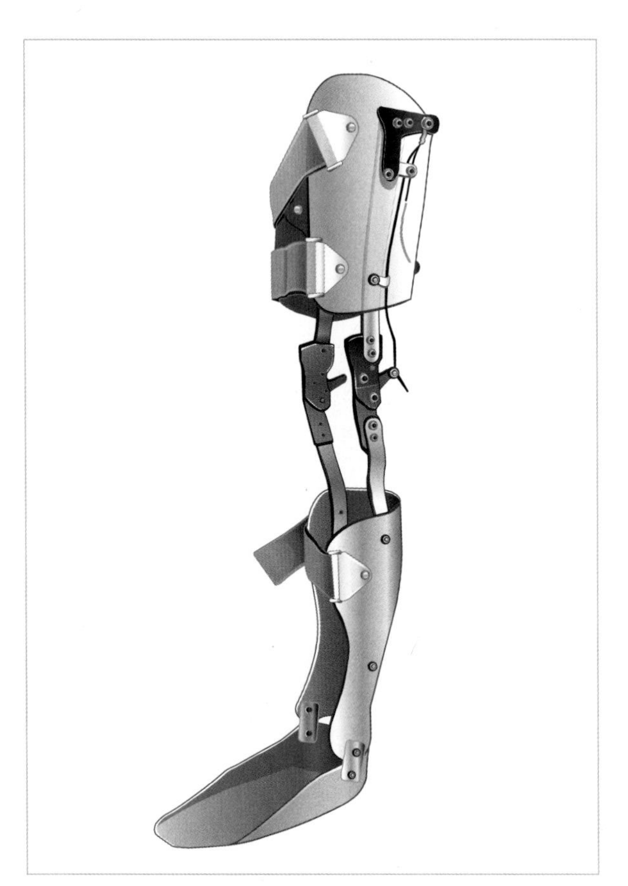

Fig 18. **대퇴골 과상부 장하지 보조기.**

- 슬관절의 고정 장치는, 낙하 방지형 고정 장치(drop ring lock)가 간단하고 튼튼하기 때문에 많이 사용하며, 잠금 장치의 작동에 어려움이 있는 경우 톱니형(ratchet) 혹은 물통 고리형(bail) 고정장치, 혹은 방지형 고정 장치에 스프링과 손잡이를 첨가하여 사용할 수 있다.

3. 척추 보조기

- 재질에 따라 연성 및 경성 보조기로 나누며, 착용 부위에 따라 경추, 경흉추, 흉요추, 흉요천추 보조기 등으로 분류한다.
- 척추 보조기의 효과는 운동 제한, 동체의 지지, 척추의 재정렬(realignment), 복압의 증가로 인한 척추 및 추간판 압력의 감소 등이다.
- 근위축과 에너지 소모의 단점이 있으며, 심리적 의존성으로 인해 생기는 부작용이 있으므로 적절한 시기에 착용 시간을 점차 줄이고 착용 기간을 최소화하는 것이 중요하다.
- 경추 보조기와 경흉추 보조기는 회전이나 측굴의 제한보다는 굴곡과 신전을 제한하는 데 사용되며, 경부 환형 보조기, 포스터 보조기, 주문 제작 주조형 보조기 등으로 나눌 수 있다.
- Thomas 보조기는 운동 제한이 미약하지만 정신적인 안정감을 제공하고 착용이 간편하다. Philadelphia 보조기는 굴신 운동의 약 30%를 제한한다.
- 흉요천추 보조기(thoraco-lumbo-sacral orthosis, TLSO) Fig 19는 3점 압력(three point pressure)과 전방 복부 압력에 의한 조절 기전으로 척추 운동을 제한하고 체간을 지지한다. 크게 코르셋과 경성 보조기로 구분되며 종류에 따라 흉요천추의 굴곡만 제한하는 보조기부터 굴곡, 신전, 측굴의 제한이 가능한 보조기까지 다양하다.
- 흉요추부 및 요천추 보조기 중 Milwaukee 보조기Fig 20는 후두부(occiput)와 골반부 사이의 능동적 신연에 의한 교정력과, 주만곡의 돌출부를 후측방으로 패드로 누르는 교정력을 통해 측만증 변형 교정 역할을 수행한다.

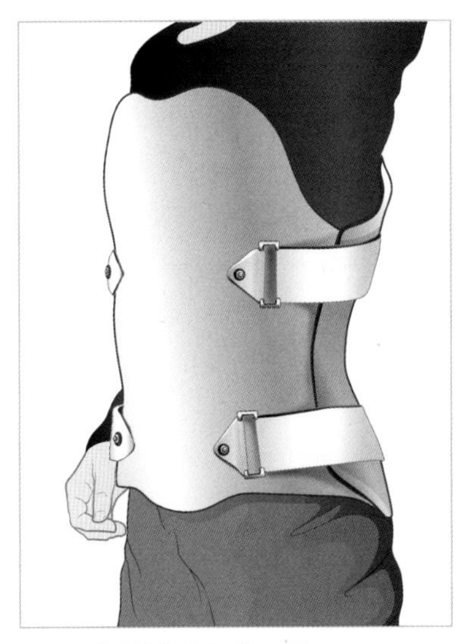

Fig 19. **흉요천추 보조기(TLSO).**

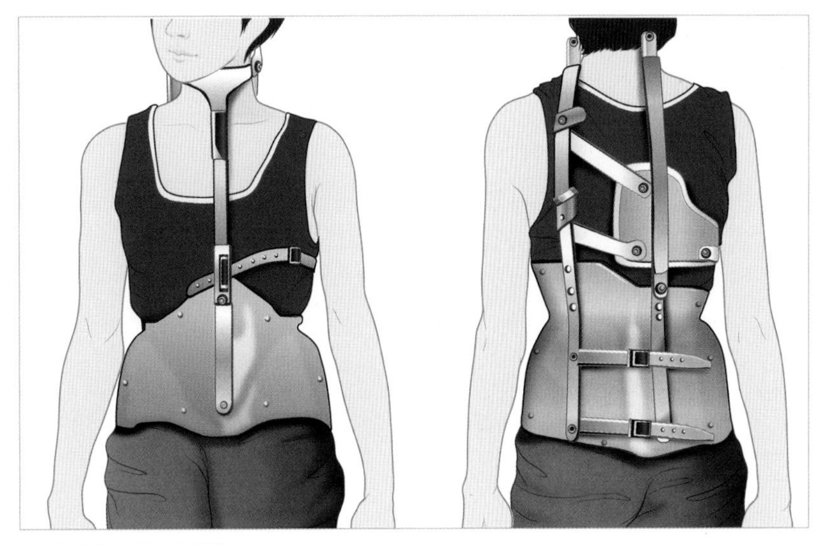

Fig 20. **Milwaukee 보조기.**

4. 보행 보조기(gait aid)

- 하지의 체중 부하를 감소시켜 통증을 경감시켜주며, 독립적인 보행이 어려운 경우 신체의 무게 중심을 안전하게 유지시켜주어 보행 균형을 향상시킨다.
- 밑면이 고정된 평행봉(parallel bar), 네 점을 지지할 수 있는 보행기인 전방 워커(anterior walker)와 후방 워커(posterior walker)Fig 21, 두 점을 지지할 수 있는 목발(crutch)Fig 22 등 종류가 다양하다.
- 어느 정도의 균형과 체중 부하가 가능한지, 보행 보조 기구를 안전하게 사용할 수 있는 상지의 기능 등을 고려하여 선택한다.
- 전방 워커는 앞으로 나가기 위해 워커를 밀 때 앞으로 기울어지는 성향이 있는 반면 후방 워커는 더 똑바른 직립 자세를 유지할 수 있게 하며 양측 하지 지지 시간을 줄이고 보행 속도를 높여주는 장점이 있기 때문에 소아나 뇌성마비 환자의 경우는 전방 워커보다 후방 워커가 더 선호된다.
- 보행기는 비교적 안정성을 제공하지만 보행 속도가 느리며 경사로나 계단 보행 시 어려움이 있다. 접는 형, 바퀴형 등 다양한 형태가 있으며 주로 보행 시 많은 도움이 필요한 환자나 협응(coordination) 기능이 저하된 환자에게 유용하다.

Fig 21. **후방 워커.**

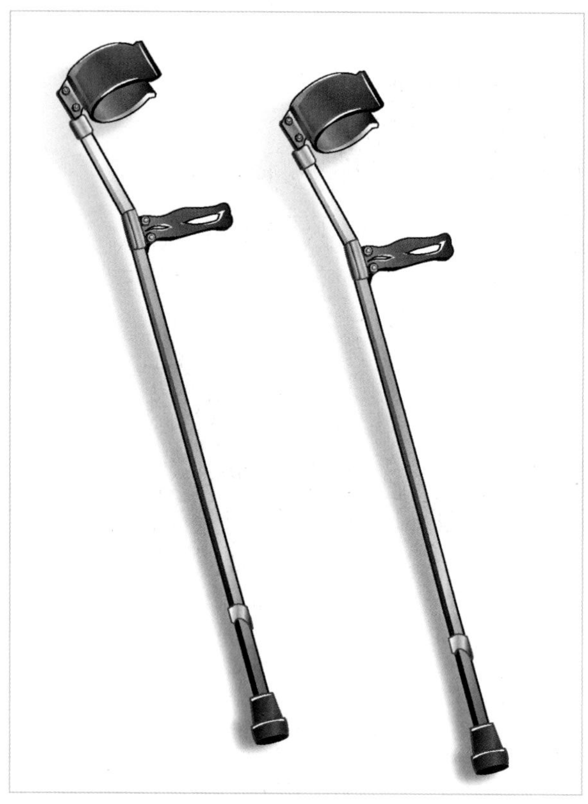

Fig 22. **전박부 지지 목발.**

- 목발은 견관절 굴곡근 및 하향근, 주관절 및 완관절 신전근, 수지 굴곡근들이 강해야 하며 적절한 상지 관절운동 범위의 유지 등과 같은 상지 기능이 양호해야 효과적으로 사용할 수 있다. 액와(axilla) 목발이 가장 흔하게 사용되나 액와부에 반복적인 압박으로 인해 신경병증(neuropathy)의 발생이 가능하며, 전박부 지지(forearm support) 목발은 주관절, 완관절, 혹은 수부에 골절이 있는 경우, 혹은 삼두근이나 손의 파지력이 약한 경우 사용된다.

5. 의자차(wheelchair)

- 이동 및 움직임에 장애가 있는 근골격계, 신경계 손상 환자가 타인의 도움을 받거나 특수 기구를 이용하여 이동 동작을 스스로 수행해야 할 때 사용되는 보조 도구이다.
- 의자차의 사용 목적은 일상 생활 동작의 효율화와 이동성의 향상, 이차적인 신체의 손상을 예방하며 근골격계 변형의 예방 및 교정, 생활의 편리성을 제공하는 데 있다.

1) 일반형 의자차(standard wheelchair)

일반적으로 병원에서 짧은 기간 사용을 목적으로 제작된 기본형으로 활동적인 사용자에게는 적합하지 않으며 사용자나 보조편의성을 고려해서 설계하지는 않는다.

2) 경량형과 초경량형

오랜 시간 동안 의자차를 사용하는 경우에는 경량형과 초경량형을 사용하는 것이 좋다. 특히 척수 손상에 의한 하지 또는 사지마비 환자의 경우에는 체형에 맞는 규격, 쿠션 선택, 이동성 향상, 가벼운 무게 등을 위해 사용한다.

3) 어린이 수동 의자차

성인용과 비슷하나 좌석 폭이 35 cm 이하로 작고 성장에 따라 골격과 부속품을 조절할 수 있다. 어린이 환자를 위해서 특수 좌석 시스템을 장착한 유모차나 전동 의자차를 사용할 수도 있다.

4) 전동 의자차

인지 기능(cognitive function)과 손의 세밀한 동작은 양호하나 하지와 상지의 심한 변형, 근력 약화로 의자차를 본인이 구동할 수 없을 때에 적절한 기구이다. 심한 골형성부전증 환자 등에 유용하다.

6. 자세유지도구(seat device)

중증의 뇌성마비, 근육병 환자 등의 일부에서는 몸통의 조정능력이나 근력에 따라 일반적인 의자에서는 앉은 자세 유지가 어려운 경우가 많다. 이러한 경우 적절한 앉은 자세 유지를 위하여 자세유지도구를 사용한다. 자세유지도구는 환자의 몸통의 형태에 따라 마치 금형처럼 제작하여 몸통을 고정하는 몰딩형(moulding) 자세유지도구와 측면판, 골반고정끈, 어깨끈 등을 이용하여 체간과 골반을 고정하는 모듈라(modular)형 자세유지도구가 있다Fig 23.

Fig 23. **자세유지도구.**
A: 몰딩형. B: 모듈라형.

III. 절단 및 의지

1. 소아청소년기의 절단(amputation)

1) 소아 절단 환자의 특징

- **신체의 크기와 기능이 계속 성장한다. 따라서 자주 의지를 조정하거나, 교체하여야 한다.**
  - <5세: 매년 교체
  - 5-12세: 년 2회 교체
  - 12-21세: 3-4년에 한번 교체
- **정서적으로 미숙하고, 결정권은 보호자가 가지고 있다.**

2) 원인 질환

- **후천성 절단**

편측성이 90%를 차지하며, 하지 대 상지의 비율은 6:4 정도이고, 남아 대 여아의 비율은 3:2 정도이다.

- 외상에 의한 절단: 발생 빈도는 질환에 의한 절단의 약 2배이다.
- 질병에 의한 절단: 악성 종양이 50% 이상을 차지하고, 혈관 질환, 신경성 질환의 순이다.

- **선천성 절단**

선천성 사지 결손(congenital limb deficiency)이 원인이다(23장 선천성 사지결손 참조).

3) 수술 원칙

(1) 가능한 한 절단 시에 사지의 길이를 길게 보존하여야 한다. 특히 대퇴절단 시에는 원위 대퇴부 골단판의 골 성장이 없어지므로 성장이 끝난 후에는 절단단의 길이가 너무 짧게될 수 있음을 고려해야 한다.

(2) 성인에 비해서 조직 탄력성과 빠른 조직 성장을 기대할 수 있다. 따라서 피부 이식과 같은 조작을 하거나, 절단단에 장력(tension)을 주어서 봉합해도 잘 치유된다.

(3) 골간부에서의 절단보다 관절이단술(disarticulation)이 바람직하다.

- 골단판을 보존하여 절단단의 길이 성장이 가능하다.
- 골과(condyle, malleolus)들은 재형성 과정을 통해서 위축된다.
- 절단단 과성장을 예방한다.

4) 절단의 종류Fig 24

5) 절단술의 합병증

(1) 절단단 과성장(terminal overgrowth)

소아기 절단단 합병증 중에 가장 흔하다. 성장기 환자의 골 절단단에서 부가성장(appositional growth)이 연부 조직의 성장보다 더 빠르기 때문에 발생하며, 결국 골 절단단이 피부를 천공하게 된다. 골단판에서의 성장과는 무관하다.

- 호발 부위: 상완골>비골>경골>대퇴골
- 발병률: 후천성 절단의 8-12%
- 한 번 발생하면 치료 후에도 재발이 흔하다.

- **치료**
  - 절단단 성형술: 골 절단단을 충분히 절제하고 연부 조직을 봉합한다.
  - Silicone rubber 또는 polyethylene 삽입물을 골수강 내 삽입 → 효과가 확실하지 않다.
  - 자가 연골-골 이식술(capping with autogenous cartilage- bone transplant)

(2) 점액낭 형성(bursal formation)

절단단 과성장 부위에 점액낭(bursa)이 형성된다.

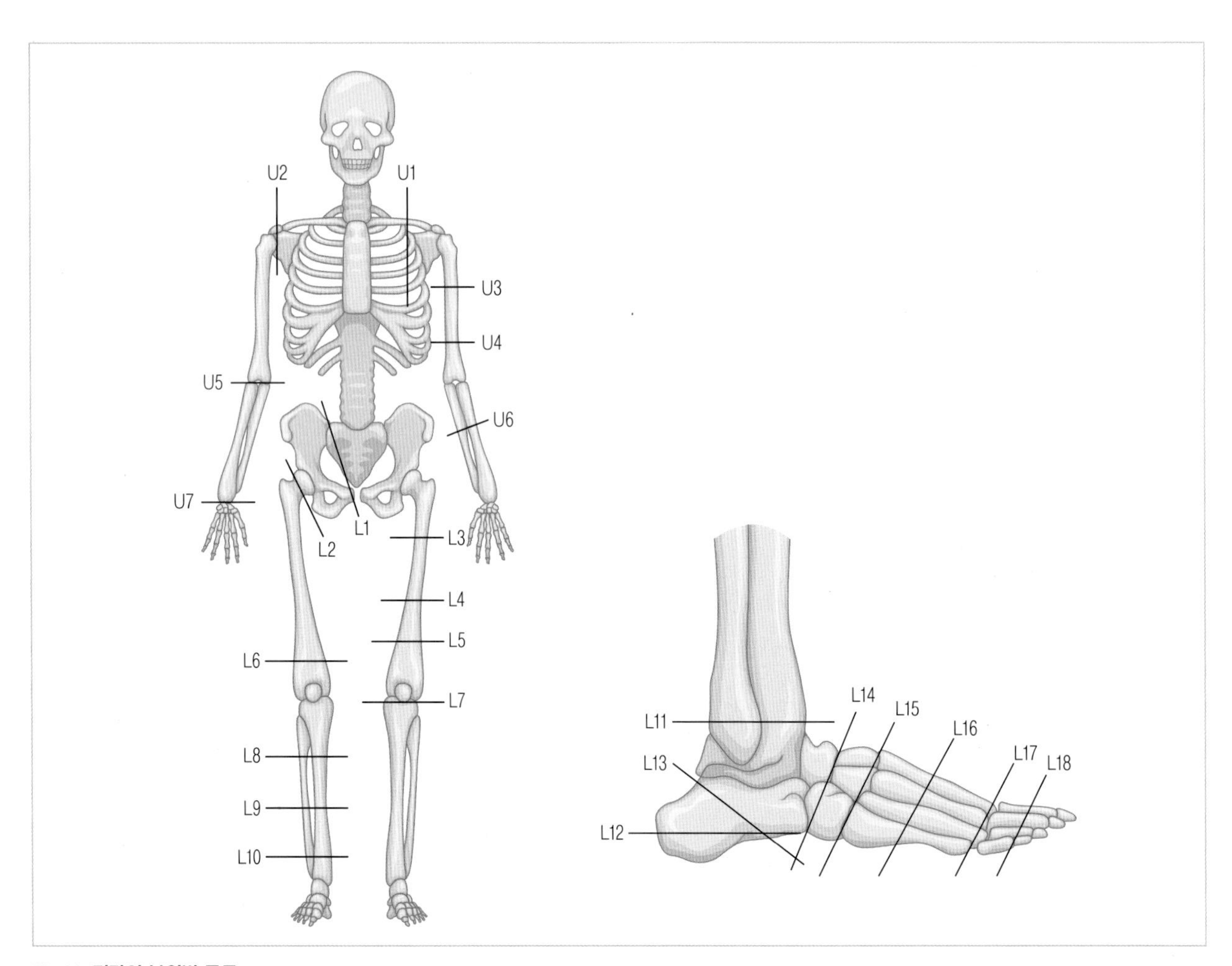

Fig 24. **절단의 부위별 종류.**
U1: Forequarter. U2: Shoulder disarticulation. U3: Short above elbow. U4: Standard above elbow. U5: Elbow disarticulation. U6: Below elbow. U7: Wrist disarticulation. L1: Hemipelvectomy. L2: Hip disarticulation. L3: Short above knee. L4: Medium above knee. L5: Long above knee. L6: Supracondylar. L7: Knee disarticulation. L8: Short below knee. L9: Standard below knee. L10: Low below knee. L11: Syme. L12: Boyd. L13: Pirogoff. L14: Chopart. L15: Lisfranc. L16: Transmetatarsal. L17: Metatarsophalangeal disarticulation. L18: Toe disarticulation.

- **치료**
  - 천자 흡입, corticosteroid 주사, 절단단 wrapping → 일시적 효과
  - 점액낭 절제 및 골 절단단 절제로 완치할 수 있으며, 이후 의지 소켓을 적절히 조절하여야 한다.

(3) 골극(bony spur) 형성

골 절단단 변연부에 수술 시 골막 자극으로 인해 발생한다. 절단단 과성장과 감별이 중요한데, 이 경우에는 절단단 성형술이 필요하지 않다. 예방을 위해서는 골 절단 시 골막을 매끈하고 날카롭게 완전히 절제한다.

(4) 절단단 반흔(stump scar)

외상이나 피부 이식으로 인한 절단단 반흔이 광범위하여도 소아에서는 성인에 비해 잘 견딘다. 따라서 절단단 과성장이 없는 한 반흔으로 인해서 절단단 성형술이 필요한 경우는 거의 없다.

(5) 신경종(neuroma)

이를 예방하기 위해서는 신경을 절단단보다 가능한 한 높은 부위에서 날카롭게 신경을 절단하여야 한다. 이로 인해서 재수술이 필요한 경우는 전체 절단단의 4% 이하이며, 선천성 절단에서는 발견되지 않는다.

(6) 환상지(phantom limb)

10세 이전에는 신속하게 소실되나 청소년기에 발생한 경우에는 영원히 지속될 수도 있다. 동통성 환상지(painful phantom limb)도 발생할 수 있다. 선천성 절단에서는 발견되지 않는다.

6) 의지 착용을 위한 준비

절단단이 붓지 않도록 Fig 25와 같이 절단단용 양말(shrinker)을 사용한다. 이때 너무 강한 양말을 사용하여 혈류의 제한이 발생하지 않도록 해야 한다. 또한 슬관절과 고관절의 굴곡구축이 발생하지 않도록 관절운동을 하여 예방한다. 의지 사용에 중요한 고관절 외전근, 신전근, 슬관절 신전근 등을 강화한다.

2. 소아청소년에 사용하는 의지(prosthesis)

1) 하지 의지(prosthesis for lower limb)

하지 의지는 공학의 발전에 힘입어 많은 발전이 있었는

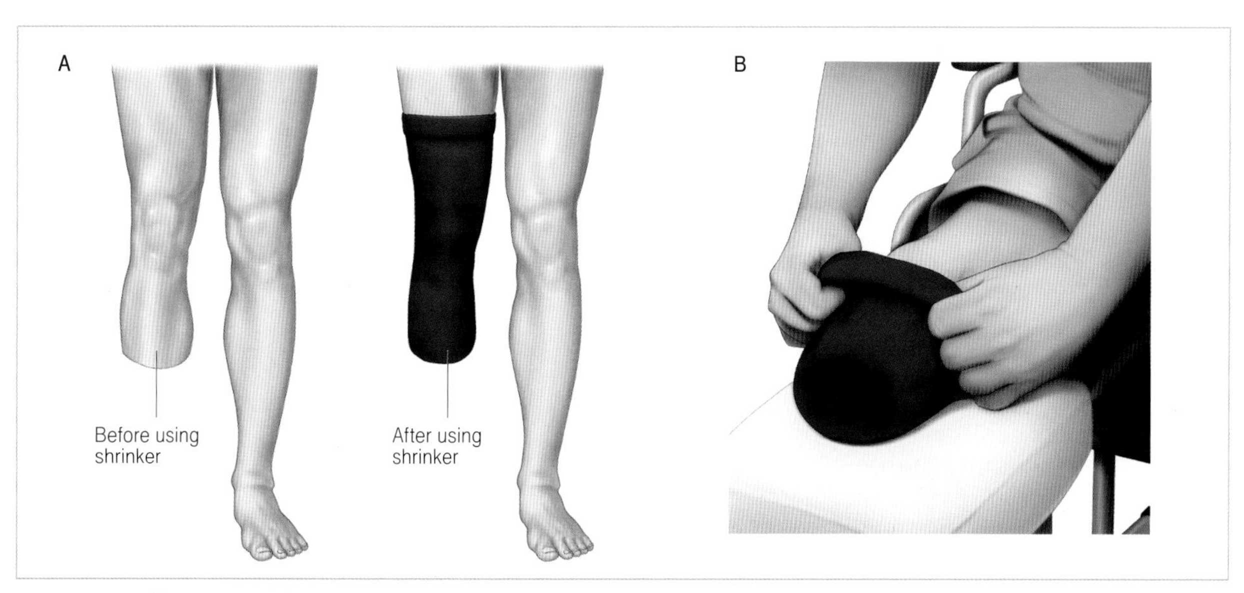

Fig 25. 하퇴절단(A) 및 대퇴절단(B)에서의 양말(shrinker) 사용.

데 실리콘 라이너를 이용한 소켓과 현가장치, 플라스틱 스프링을 이용한 동적 반응을 보이는 에너지 저장형 족부와 같은 의지 부품, 충격 완화장치, 전자 회로에 의한 의지 슬관절의 조절 등이다(Marks 2001). 그러나 소아 절단단에는 성인에 비해 사용할 수 있는 의지 부품의 선택의 폭이 좁다. 특히 사춘기 전의 절단 환자는 높은 기능의 의지 슬관절(prosthetic knee)이나 족부-족근관절(foot and ankle assembly)을 사용할 수 없고 소아가 어느 정도 성장하여 가장 작은 어른용 의지 부품을 사용할 정도가 되어야 다양한 기능의 의지를 선택할 수 있다.

(1) 착용 시기

성인과 같은 정상적인 형태의 보행은 5세 이후에 가능하므로, 의지보행에서도 너무 어린 환자에게 이를 교육하려고 할 필요는 없다.

- 편측성 절단: 8-12개월경, 일어서고 걸음마를 시작할 때에 양측 하지 길이가 맞도록 의지를 착용한다. 그 이전에는 의지가 필요하지 않다.
- 양측성 절단: 정확한 결정이 어려우나 정상 아동의 기립 시기에 준해서 의지 착용을 시작한다.
- 대퇴 절단: 환아가 의지를 잘 조절할 수 있을 때까지는 슬관절을 고정시킨다.

(2) 의지의 구성(prosthesis components)

의지는 절단단에 안정성과 체중 부하 등을 제공하는 소켓(socket), 슬관절운동을 허용하는 슬관절부(knee assembly), 소켓과 관절 혹은 관절과 관절을 연결하는 대퇴부(thigh piece)와 하퇴부(shank), 족부-족근관절부(foot ankle assembly), 현가장치(suspension device) 등으로 구성된다.

① 족부-족근관절부(foot ankle assembly) Fig 26

- 단축 족부-족근관절부(single-axis foot-ankle assembly): 족근관절에서 족저굴곡과 족배굴곡만 허용된다.
- SACH (solid ankle-cushion heel) 족부-족근관절부: 표준적으로 널리 사용되고 있다. 뒤꿈치의 cushion에서 족저굴곡 효과를 얻을 수 있다. 저렴하고 튼튼하다.

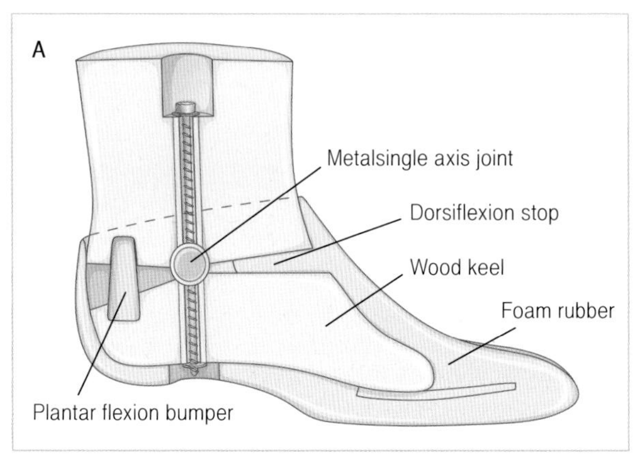

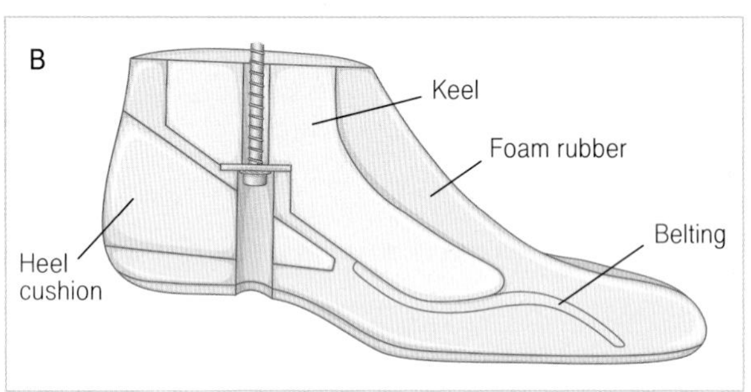

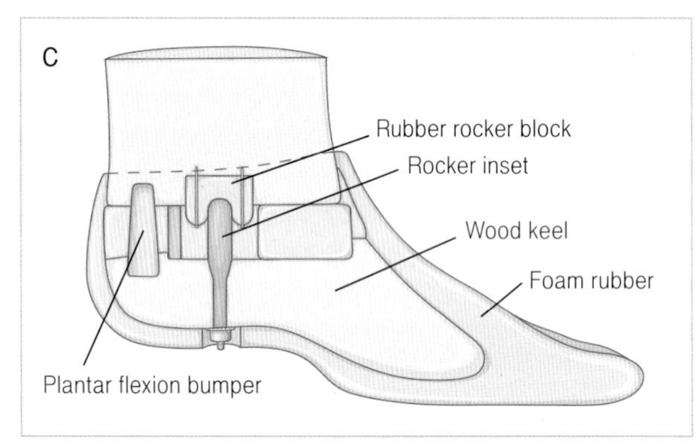

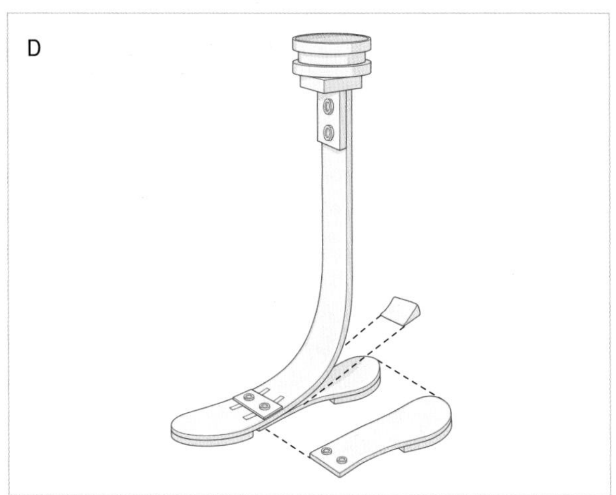

Fig 26. **족부-족근관절부의 종류.**
A: 단축 족부-족근관절부. B: SACH 족부-족근관절부. C: 다축 족부-족근관절부. D: 에너지저장형 족부의 일종인 Flex foot.

- 다축족부-족근관절부(multiple-axis foot-ankle assembly): 족근관절 위치에서 족저굴곡, 족배굴곡, 내번, 외번, 회전이 허용된다. 단축이나 SACH에 비해 무겁고 소리가 날 수 있으며 내구성이 떨어진다. 소아 의지에는 잘 사용하지 않는다.
- 에너지저장형 족부-족근관절부(energy storing foot and ankle assembly): 발뒤축 접지기(heel strike)에 발뒤축이 지면과 충돌하면서 발생되는 에너지가 스프링 형태의 족부에 저장되었다가 진출기(push-off)에 방출되는 가설을 기반으로 여러 종류의 족부-족근관절부가 개발되었다. 현재는 flex foot 종류가 가장 많이 사용되나 소아용은 없고 가장 작은 성인용을 사용할 수 있는 정도로 소아가 성장하면 사용 가능하다. 가격이 비싼 편이나 내구성이 높고 단축이나 SACH보다는 보행이 편하다.

② 슬관절부(knee assembly)

- 슬관절부는 슬관절축의 종류, 유각기 때의 슬관절의 마찰 조절 기능의 종류, 입각기 때의 안정성 장치의 종류에 따라서 다양하다.
- 일정한 마찰장치 슬관절부(constant friction knee): 관절운동 속도에 관계없이 일정한 저항을 준다. 어린 아동에게 적합하며, 내구성이 강하고 저렴하다.
- 다양한 마찰장치 슬관절부(variable friction knee): 유각기 때의 마찰의 강도가 변하며, 보행 속도의 변화에 어느 정도 적응할 수 있다.
- 안전 슬관절부(safety knee, weight activated friction knee): 슬관절에 체중 부하가 되면 속에 있는 마찰 브레이크가 작동하여 입각기 때 buckling을 방지하는 기능을 가진다. 가볍고 가격이 싸고 내구성이 강하나 소리가 날 수 있고 유각기 때 슬관절 굴곡이 늦게 일어나는 단점이 있다.
- 다축 슬관절(polycentric knee): 입각기 때 buckling이 일어나지 않게 안정되게 고정되며 유각기 때 굴곡이 일어난다. 가격이 싸고 내구성이 강하며 슬관절 굴곡축이 높아 길이가 긴 대퇴절단이나 슬관절 이단에 많이 사용된다. 무게는 무거운 편이다.
- 기압 또는 수압 마찰 슬관절부(pneumatic or hydraulic knee): 관절운동 속도에 따라서 저항이 변한다. 유각기의 하퇴 움직임이 자연스러워 보행의 모양이 좋으나 가격이 비싸다.
- 하이브리드 슬관절(hybrid knee): 유압 조절 기능을 가진 축을 여러 개 사용하여 다축과 유압을 결합한 형태의 슬관절로 평지에서 보행 양상이 정상에 가까운 장점을 보여 최근 많이 사용된다. 정상인의 슬관절에서 보이는 입각기 초기에 슬관절이 굴곡/신전되며 발뒤축 접지기의 충격을 완화해주는 기능도 있어 보행이 편하다. 가격은 비싼 편이다.
- 입각기 조절 슬관절: 입각기 조절 기능이 없는 슬관절을 사용하면 한 발씩 계단을 내려와야 하는데 반해 입각기 조절 슬관절을 사용하면 입각기에 슬관절을 천천히 굴곡하여도 buckling이 방지되므로 계단을 내려올 때 양 발을 번갈아 내려올 수 있다. 따라서 고위절단 환자나 활동도가 매우 높은 대퇴절단 환자에게 적용된다. 기마 자세도 가능하여 테니스 등 운동을 원하는 경우에도 사용할 수 있으나 가격이 매우 비싸다는 문제가 있다.

③ 소켓(socket)

소켓의 종류는 환자의 활동도, 연령, 절단 부위에 따라서 달라진다. 대퇴의지의 경우 과거에는 대부분은 좌골 조면(ischial tuberosity)을 통해 체중 부하를 하도록 고안된 장사방형 소켓(quadrilateral socket)을 사용하였으나 최근에는 좌골 포함 소켓(ischial containment socket)이 더 많이 사용된다 Fig 27. 2000년대에 들어오면서 좌골 포함 소켓의 후방면을 낮추어 소켓에 의한 대둔근의 압박을 최소화하고 고관절 가동 범위를 최대화한 MAS (Marlo anatomical socket)이 개발되어 좋은 성과를 보이고 있으나 아직은 기술적인 요구 사항이 많고 절단단의 부피 변화가 적어야 하는 등 적응증이 넓지 않은 상태이다.

④ Shank의 구조 Table 1

⑤ 현가 장치(suspension)

a. 하퇴의지 현가장치: 과거에는 낭대 현가장치(cuff suspension), 과상부 현가장치(supracondylar suspension system), 과상부 및 슬개골 상부 현가장치(supracon-

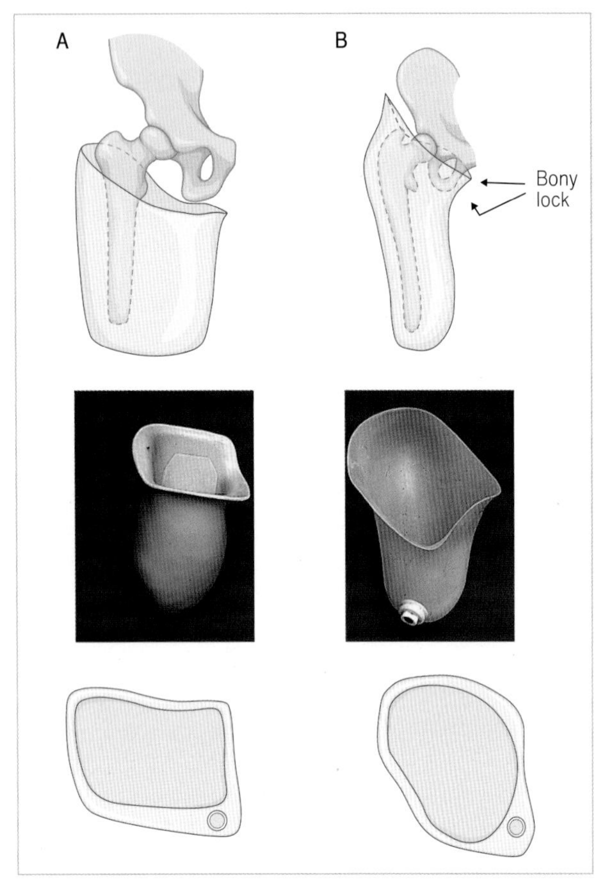

Fig 27. **대퇴절단 환자를 위한 장사방형 소켓(A)과 좌골포함 소켓(B)의 모식도.**
장사방형 소켓은 전후로 좁은 모양이나 좌골포함 소켓은 내외측으로 좁고 좌골조면을 포함하는 bony lock을 가지므로 의족에 대한 내외측 조절이 더 좋은 장점이 있다. 푸른색 원은 좌골조면이 닿는 체중부하 부분이다.

Table 1. **Shank의 구조**

	Exoskeletal construction	Endoskeletal construction
Weight bearing	Hard outer shell	Central metal tube
Durability	Good	Poor
Price	Cheap	Expensive
Cosmesis	Poor	Good
Candidates	Young children	Old children with
	Old children with hard use	Less strenuous activity
	Syme & BK amputee	Teenage girls
		High amputee

dylar/suprapatellar system), 대퇴부 코르셋 현가장치(thigh corset suspension) 등이 사용되었다.

- 90년대 이후 실리콘 현가장치가 개발되었고 실리콘 현가장치는 절단단과 소켓 사이에 매우 부드러운 interface를 제공하고 유격이 거의 없는 현가를 제공하는 뛰어난 장점 때문에 최근에는 경제적인 상황이 허락하는 한 대부분의 경우 실리콘 현가장치를 사용하고 있다Fig 28.
- 실리콘 현가장치는 엄밀하게 소켓과 현가장치의 기능을 동시에 갖는다.
- 어린 소아 하퇴절단의 경우 적절한 크기의 실리콘 현가장치가 없으므로 딱딱한 외부 소켓에 비교적 부드러운 재질을 이용한 내부 소켓을 사용하고 낭대 현가장치나 대퇴부 코르셋 현가장치 등을 사용하는 경우도 있다Fig 29.

b. 대퇴의지 현가장치: 흡입 현가장치(suction suspension), 실레지안 밴드(silesian band), 골반대(pelvic band) 등이 이용된다. 실리콘 현가장치가 대퇴의지에도 널리 사용되고 있으나 어린 소아의 경우 적절한 크기의 실리콘 현가장치를 사용할 수 없는 경우가 많고 연부 조직이 풍부하여 흡입 현가장치도 많이 사용된다Fig 30.

(3) 하지 의지의 처방

* Syme 절단술 후 의지Fig 31

- 어린 아동: 절단단의 경비골 과(malleoli)가 별로 돌출되어 있지 않으며, 성장하면서 경비골 과가 위축되므로 미용상 훌륭한 의지를 만들 수 있다. → hard plastic laminate socket, SACH foot
- 나이 든 아동: 경비골 과가 돌출되어 있다. → 내측에 창을 내거나 socket이 늘어날 수 있도록 한다.

* 하퇴 절단 후 의지

- 표준적인 구조: 슬개인대 체중부하(patellar tendon bearing) 소켓, SACH (활동도가 높은 경우에는 에너지 저장형) 족부-족근관절부 및 실리콘 현가장치(silicon suspension)로 구성된다Fig 32.

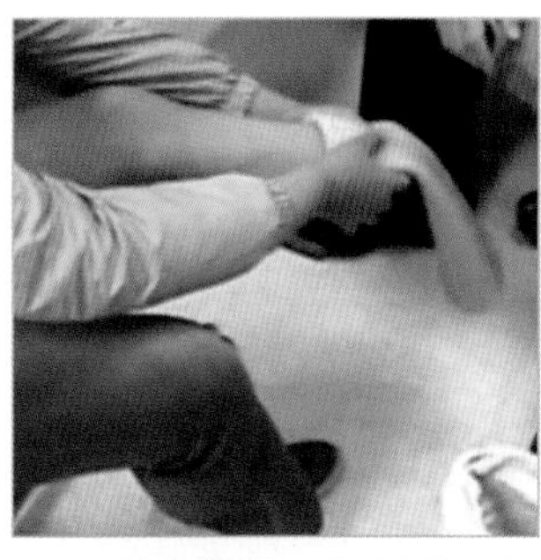

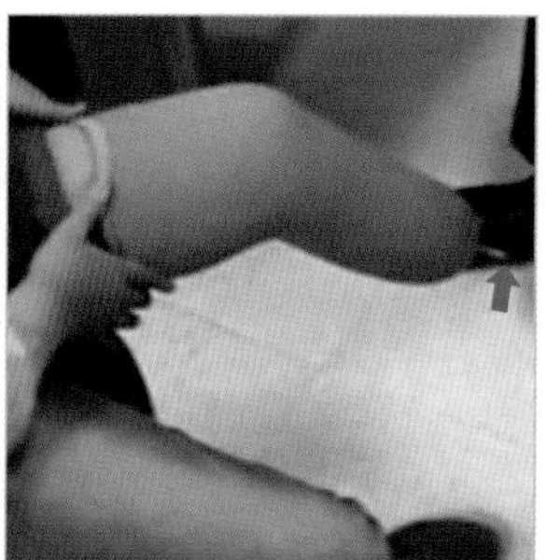

Fig 28. **하퇴절단의 12세 여아가 실리콘 라이너를 착용하는 모습.**
좌측 위부터 시계 방향으로 진행한다. 실리콘 라이너의 끝에 있는 금속핀(화살표)이 소켓에 물려 강한 현가가 일어난다.

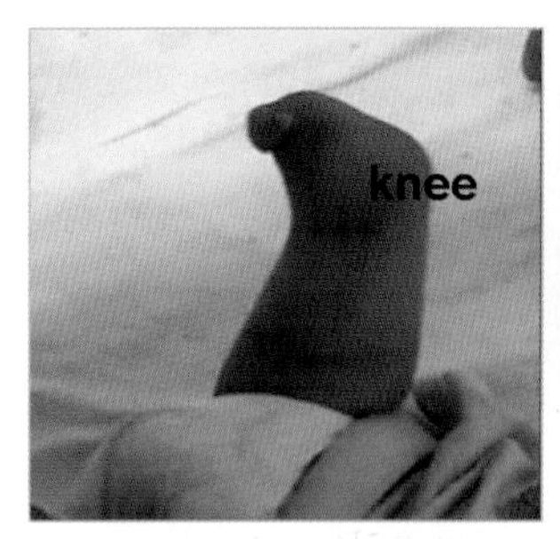

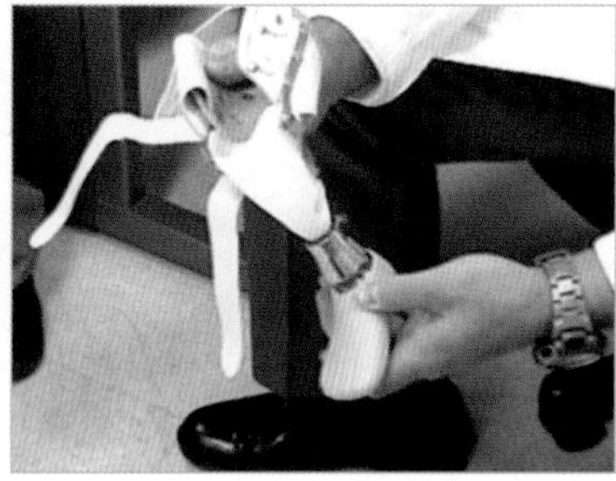
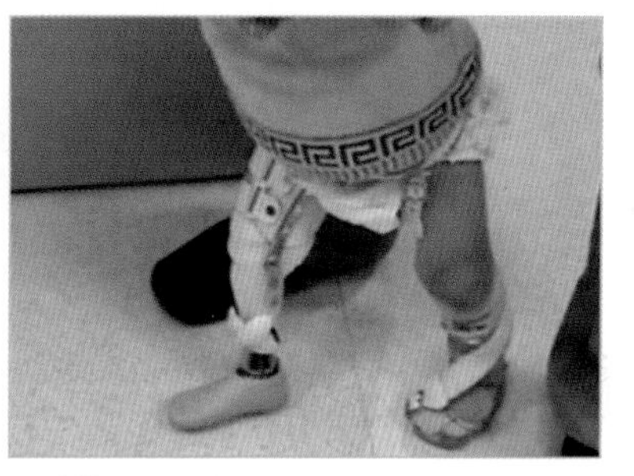

Fig 29. **절단단이 매우 짧은 선천성 하퇴절단의 3세 남아를 위한 대퇴콜셋형 현가장치를 사용한 하퇴의지.**

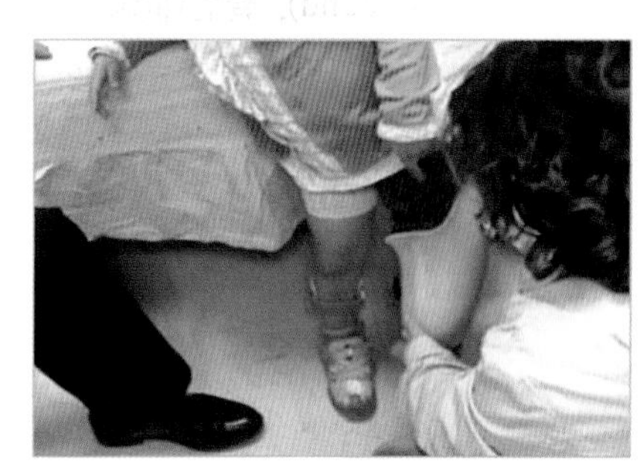

Fig 30. **절단단의 연부조직이 풍부한 슬관절 이단 여아가 흡입소켓을 착용하는 모습.**
절단 단위에 푸른색의 얇은 천을 씌운 후 소켓을 신고 체중을 부하한 상태에서 소켓 아래쪽에 뚫린 체크밸브용 구멍으로 얇은 천을 조금씩 빼게 되면 절단단이 소켓에 강하게 밀착된다.

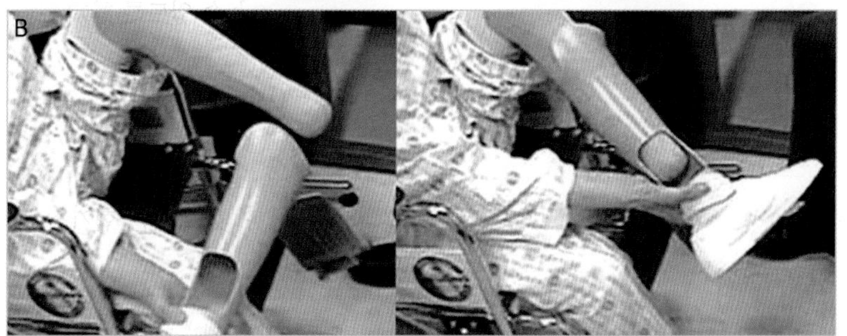

Fig 31. **Syme 절단단에 대한 의지.**
A: 말단이 그리 크지 않은 어린 Syme 절단 환아. B: 경비골 과가 큰 나이 청소년 Syme 절단 환자에서 소켓의 내측에 window를 낸 Canadian Syme 의지.

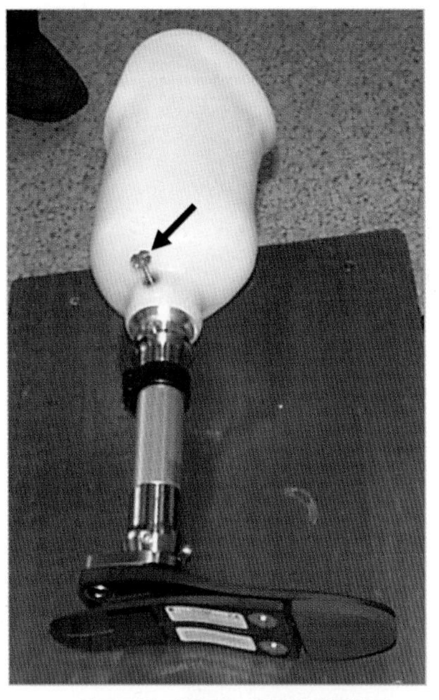

Fig 32. **최근 많이 사용되는 발전된 하퇴의지.** 족부는 에너지 저장형인 Flex foot을 사용하였고 소켓은 슬개인대 체중부하 소켓이며 이 소켓 속에 실리콘라이너를 신은 절단단이 들어가게 된다. 화살표는 실리콘라이너의 끝에 부착된 금속 핀에 대한 잠금장치이다.

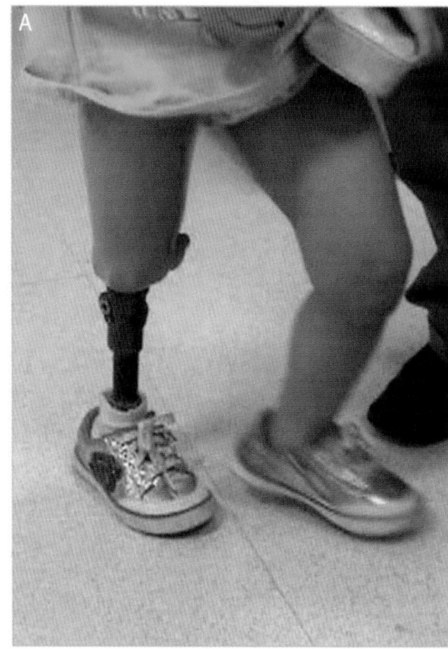

Fig 33. **대퇴 절단 후 의지.** A: 어린 대퇴 절단 환아를 위한 대퇴 의지로 좌골포함 소켓과 흡인 현가장치에 단축 일정한 마찰장치의 슬관절로 이루어져 있다. B: 비교적 큰 아동을 위한 대퇴 의지로 좌골포함 소켓과 실리콘 라이너에 하이브리드 슬관절을 적용하였다.

- 영아, 절단단이 매우 짧은 경우, 슬관절의 불안정성 혹은 절단단에 심한 반흔이 있는 경우에는 측면관절(side joint)과 대퇴 코르셋(thigh corset)을 사용하는 것이 좋다Fig 29.
- 소켓의 내외측 불안정성이 있거나, 전반슬(genu recurvatum)이 있는 경우에는 슬개인대 상과(patellar tendon supracondylar-suprapatellar, PTS)의지를 사용한다.

* 슬관절 이단술 후 의지

- 어린 소아에서는 이단단의 골이 많이 돌출되어 있지 않고, 있어도 성장하면서 위축된다.
- 어린 소아: 장사방형 견고성 플라스틱 소켓에 실레지안 현가장치를 사용한다.
- 상과가 돌출된 나이든 소아: 소켓에 착탈식 가죽 lacer를 이용하여 착용 및 제거를 가능하게 하며, 확장 가능한 소켓을 사용할 수도 있다. 이 경우 외슬관 절부(outside knee joint)를 사용하며, 큰 아이의 경우에는 four-bar linkage 슬부를 사용할 수 있다. 족부-족근관절부로는 SACH를 사용한다.

* 대퇴 절단 후 의지Fig 33

① 소켓: 전 밀착 얇은 플라스틱 장사방형 소켓(quadrilateral total-contact plastic laminate)이나 좌골포함 소켓(ischial containment socket)을 사용한다Fig 27.

② 슬관절

- 유아기: 의지의 슬관절을 조절할 수 있는 능력이 있을 때까지 슬부 제동장치(knee locking)를 사용한다.
- 어린 소아: 일정한 마찰력이 있는 단일 축 내슬관절부(inside knee)를 사용한다.
- 활동적인 청소년: 기압 혹은 수압 유각기 슬관절 조절장치를 사용한다.

③ 현가 장치

- 어린 소아: 실레지안 밴드, 골반대를 사용한다.

- 흡입 현가장치: 환아가 보조기를 착용하고 벗을 수 있을 때 유용하다.

④ 족부 장치: SACH foot

* 고관절 이단술 및 천장골 하지 절단 후 의지

① 소켓: 얇은 플라스틱 골반 bucket을 사용하며, 이 bucket은 절단측을 감싸며 반대측 골반까지 연장되어 있다.

② 고관절 장치: 정상 고관절의 회전축보다 전방 및 하부에 관절축을 설치하여야 입각기에 의지 안정성에서 유리하다.

③ 족부 장치: SACH 족부를 주로 이용하며, 슬관절의 안정성을 부여하기 위해서는 축이 있는 나무 족부를 사용할 수 있다.

* 양측 절단 후 의지Fig 34

- 양측 하퇴 절단의 경우 적절한 의지 착용과 재활로 독립 보행이 가능하다. 단, 절단단이 매우 짧거나 슬관절에 굴곡 구축이 심하면 지팡이 등의 보행 보조기가 필요하게 된다.
- 양측 대퇴 절단의 경우 보행 가능성은 낮아지며 의지 재활의 초기에는 소켓에 의지족부를 직접 장착하고 발뒤축을 앞으로 오게 돌려서 중심을 잡게 하는 Stubby를 사용한다.
- Stubby에 익숙해지면 소켓과 의지족부 사이에 내골격(shank)을 삽입하여 안정성을 잃지 않는 범위에서 차츰 의지의 길이를 길게 한다.
- 의지의 길이가 충분히 길어지면 의지족부를 정상 방향으로 돌려서 기립 자세를 훈련한다.
- 길어진 의지와 정상 의지족부의 방향에서 안정된 기립 자세가 가능하면 의지 슬관절을 장착하되 처음에는 의지 슬관절을 신전한 상태로 고정하여 보행 훈련을 하고 보행이 안정화되면 편측 의지 슬관절은 신전 고정, 반대측 슬관절은 굴곡 가능하도록 하여 보행 훈련을 하게 한다.
- 양측 대퇴 절단의 경우 보행보조기가 필요한 경우가 많다.
- 편측은 대퇴 절단, 반대측은 하퇴 절단인 경우는 독립 보행을 할 수 있는 가능성이 높다.

2) 상지 의지(prosthesis for upper limb)

편측성 상지 절단이 있는 경우에는 의지 없이도 거의 완전히 독립적인 일상 생활을 누릴 수 있지만, 양손을 이용한 활동에 장애가 있으며, 초기부터 의지를 착용한 환자에 비

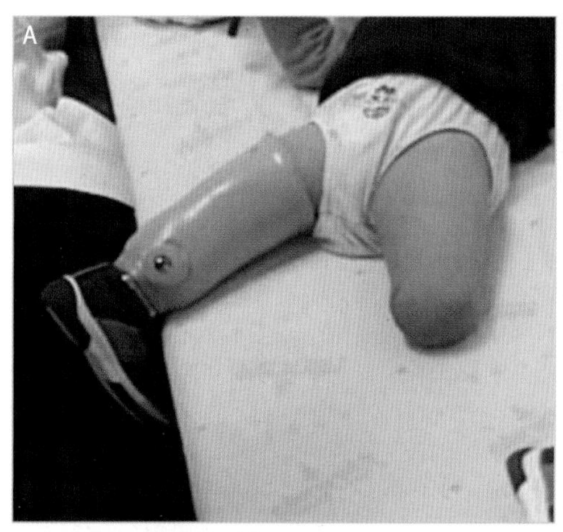
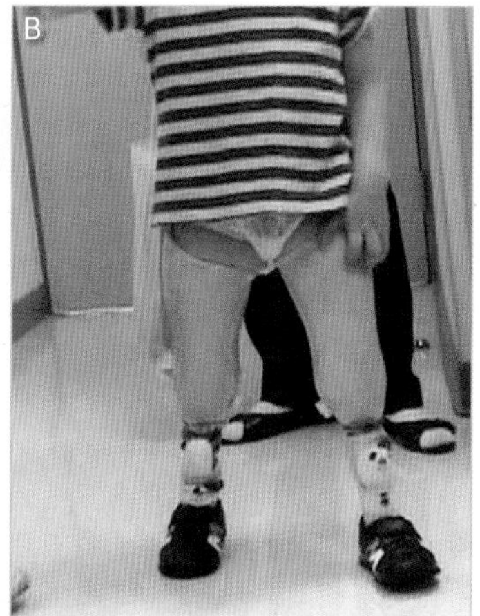
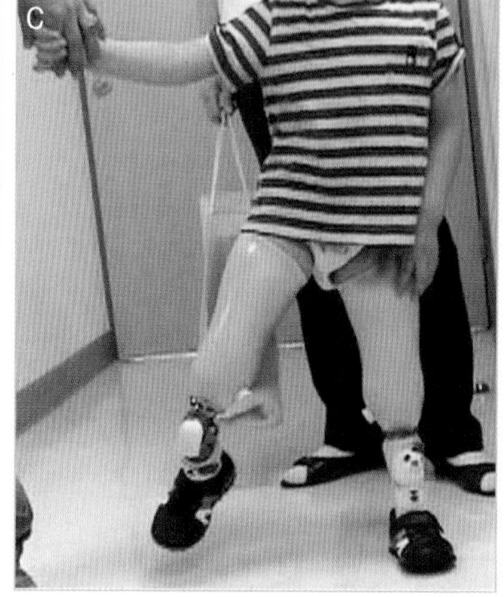

Fig 34. **양측 하지 절단의 의지.**
A: 양측 슬관절 이단 환아가 의지 재활 초기에 일측 stubby를 착용한 모습. 환아는 앙와위로 누워있고 신발의 뒷꿈치가 앞쪽으로 향하고 있다. B: 동일한 환아가 성장함에 따라 의지 슬관절부와 shank를 적용하여 다리가 길어진 모습. 그러나 안정성을 위해 환아의 상체에 비해 하지가 짧게 제작되었다. C: 의지 슬관절부가 양측에 장착되었으나 우측 슬관절만 굴곡이 가능하게 하였고 좌측 슬관절을 신전상태에서 잠금되어 있다.

해서 의지를 착용하지 않을 경우 독립적인 생활을 성취하는 것이 지연된다.

* 의지 착용의 성패를 결정하는 요소
- 절단 부위: 원위부일수록 양호
- 환아가 의지를 사용하겠다는 의지
- 의지 제작자와 물리치료사의 역할
- 환아 가족의 태도

(1) 착용 시기

환아의 정상적인 운동발달 과정에 적당한 의지를 선택하는 것이 중요하다.

- 의지 착용 시작: 앉기 평형감각(sitting balance)이 형성되는 생후 6개월 경. 말단장치(terminal device)는 능동적 운동이 되지 않는 것이 바람직하다. 능동적 운동이 되는 말단장치는 2세 또는 그 이후에 착용하며, 주관절을 원격 능동 운동시키는 장치는 3세 이후에 착용한다.

(2) 의지의 구성(prosthetic component)

① 말단장치(terminal device)

잡는 동작은 유아기에는 양손으로 쥐는 것이며, 성장함에 따라서 한 손으로 잡기, 손가락으로 잡기로 발달하게 된다. 따라서 말단장치는 연령에 맞는 장치를 사용하여야 한다.

- 연령에 따른 말단장치: 유아기의 말단장치로는 plastic mitten, Plastisol-covered wafer, Dorrance 말단장치의 하나인 Plastisol-covered hook, CAPP (Child Amputee Prosthetic Project) 말단기구 등이 이용되며, 능동적 운동은 불가능하다. 성장하면서 말단장치는 크기가 큰 것으로 교환하여야 하며, 필요에 따라서 갈고리와 손 모양을 교체하면서 사용할 수 있다.
- 갈고리(hook)와 손 모양(prosthetic hand)의 비교 Table 2

* 말단장치의 구동 방법
- 체간 동력 방법(body-powered hand): 현가장치에 붙어있는 강선을 움직이는 방법이다.
- 전기 동력 방법(electrically powered hand): 스위치나 근전도의 신호에 의하여 전기적인 동력을 이용하는 방법이다Fig 35.

* 말단장치의 선택
- 경제적인 여건: 갈고리>체간 동력 말단장치>전기 동력 말단장치
- 환경: 10대의 여아의 경우는 손모양이 좋으며, 더럽거나 습한 곳에서 작업하는 경우나 힘든 작업을 하는 경우에는 전기 동력 방법은 금기이다.
- 절단 부위: 주관절 하부 절단 시 절단단이 매우 짧거나, 상위부위의 절단인 경우에는 손 모양 말단장치는 무거워서 주관절을 굴곡할 수 없기 때문에 사용이 어렵다.
- 환아의 연령: 2세 이상이면 전기 동력 말단장치를 사용할 수 있다(Sorbye 1980).

Table 2. **갈고리와 손 모양의 비교**

	Hook	Hand
Cost	Inexpensive	Expensive
Weight	Light	Heavy
Durability	Good	Poor
Function	Rapid	Slow
Cosmesis	Poor	Good
Prehension power	Poor	Good

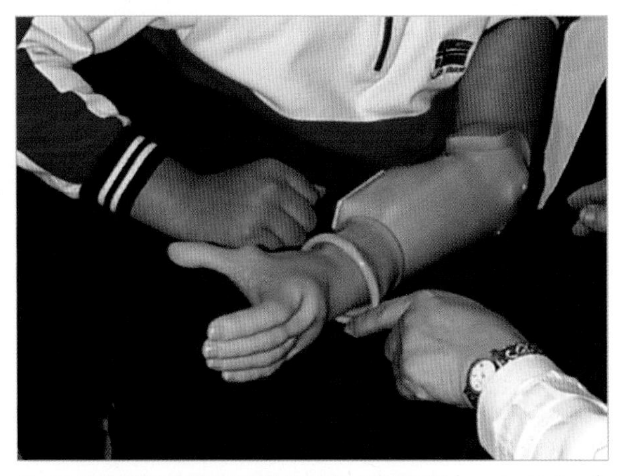

Fig 35. **전기동력으로 말단 장치를 구동하는 근전동 의수(myoelectric hand).** 절단지에 남아있는 근육을 수축할때 발생하는 근전도 신호로 의수의 움직임을 조절하는 방법이 주로 사용된다.

② 수근관절부 장치(wrist unit)

마찰력을 이용하여 손으로 조절하는 형태를 사용하며, 전완부 회외-회내 전환을 가능하게 한다. 절단이 양측성일 경우에는 수근부 굴곡 장치를 사용하여 얼굴 부근에서의 동작을 용이하게 할 수 있다. 그러나 어린 연령에서는 굴곡장치가 필요하지 않다.

③ 주관절 장치(elbow unit)

* 주관절 하부 절단Fig 36

주관절 하부 절단의 경우에는 주관절 경첩을 사용하게 되는데, 이는 현가장치의 일부이다.

- 유연성 경첩(flexible hinge): 전완부의 회내-회외 회전 기능을 살릴 수 있다.
- 단단한 경첩(rigid hinge): 절단단이 짧거나, 의지를 사용하여 힘든 일을 해야 할 경우에 사용된다.

* 주관절 상부 절단Fig 37

주관절을 고정하는 장치를 사용한다.

- 외부 고정 장치(outside locking mechanism): 주관절 이단술 시에 사용된다.
- 내부 고정 장치(inside locking mechanism): 상완 절단술, 견관절 이단술 시에 사용된다.
- 전기 동력 주관절(electrically powered elbow): 견관절 이단술, 견갑흉곽간 상지절단(forequarter amputation) 시에 사용된다.

④ 견관절 장치(shoulder joint)

견관절 이단술이나 견갑흉곽간 상지 절단 시에 사용하기 위하여 많은 종류의 수동적 견관절 장치(prosthetic shoulder joint)가 이용되고 있으며, 최근에는 자제관절(universal joint)이나 굴곡-외전 관절 등이 개발되고 있다.

⑤ 보장구(harness)

보장구는 현가장치와 주관절부, 말단장치를 움직이게 하는 케이블로 구성된다. 8자형 보장구가 가장 많이 이용되고 있으며, 피부에 이상이 있거나 8자형 보장구를 착용하는데 문제가 있는 경우에는 견관절 안장부(shoulder saddle)와 흉곽대(chest strap)가 필요하다Fig 38.

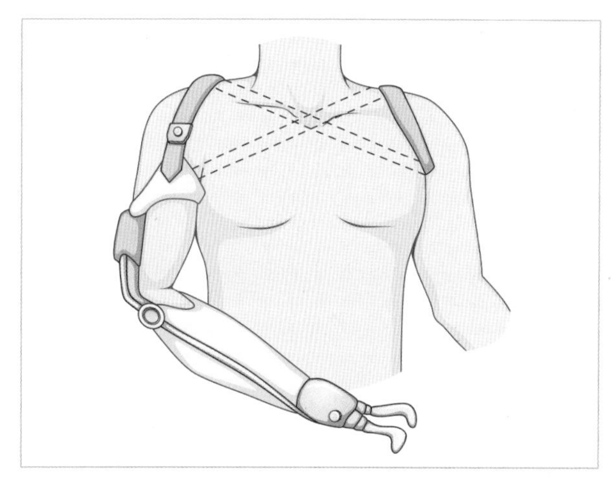

Fig 36. **주관절 하부 절단 후 의지.**

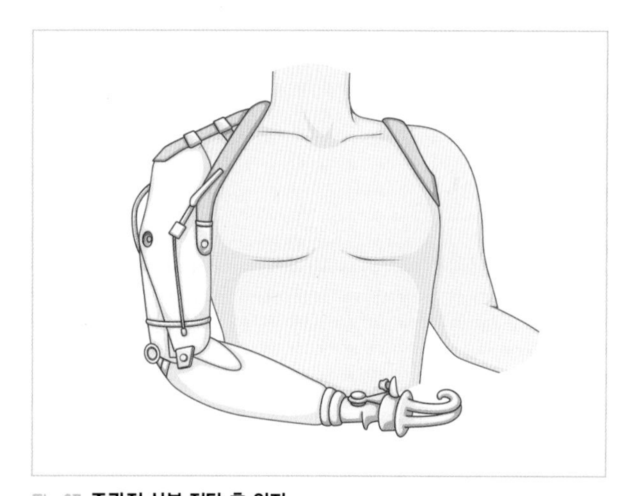

Fig 37. **주관절 상부 절단 후 의지.**

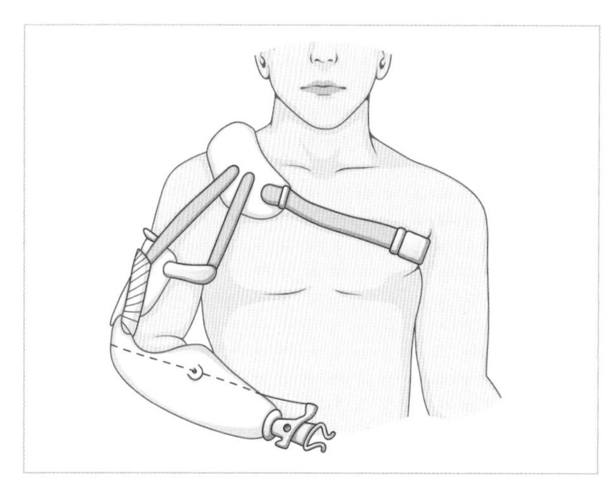

Fig 38. **견관절 안장부와 흉곽대.**

견관절 이단술이나 견갑흉곽간 상지 절단의 경우에는 체간 동력 방법(body-powered) 의지는 곤란하고 전기 동력 방법(externally powered) 의지를 사용하여야 한다.

IV. 진정과 마취

1. 수술 전 평가

수술 전 문진이나 신체검진은 기본적인 수술 전 평가로 중요하다. 정보를 제공하는 교과서도 있으며, 최근에는 온라인으로 정보를 접할 기회가 많으니 그 중 하나를 소개해 둔다(http://omim.org).

1) 환자파악

아래의 표는 마취통증의학과 교과서에서 언급한 질병이나 환자 상태의 요약이다 Table 3.

이와 함께 마취통증의학과에 자문을 필요로 하는 경우는 Table 4와 같다.

(1) 미숙아

미숙아로 출생한 후 성장한 경우 마취 자체에 영향을 줄 수 있고, 수술 후 무호흡이나 주기적 호흡과 서맥, 기관지폐형성이상이나 성문하 협착 등 호흡합병증에 주의한다.

(2) 호흡기 질환

천식은 주술기 폐합병증 발생을 증가시킬 수 있으므로 수술 전에 증상을 조절하도록 하고 잘 조절되어 있더라도 주의가 필요하다.

Table 3. **마취통증의학과적으로 특별한 주의가 필요한 소아정형외과 환자**

질병	수술	마취통증의학과적 고려사항
선천기형		
Amniotic band constriction	Soft-tissue release	Facial clefts
Clubfoot	Tendon lengthening release	Associated malformations
Klippel–Feil syndrome	Release, scoliosis	Hemivertebra or fused vertebra; limited C-spine mobility; possible difficult intubation; heart defects
Radial dysgenesis	Tendon lengthening, pollicization release	Episodic thrombocytopenia; congenital heart disease
Sprengel deformity		Only associated with Klippel-Feil syndrome
Trisomy 21 (Down syndrome)	Cervical spine fusion	Large tongue; usually easy intubation; in-line traction during intubation; congenital heart disease; opioid sensitivity
후천 질환		
Charcot-Marie-Tooth disease	Tendon transfer	Questionable use of nondepolarizing muscle relaxants
Legg-Calvé-Perthes disease	Osteotomies	None known
Osteomyelitis	Culture, aspiration	Systemic bacterial infection
Septic arthritis	Culture, irrigation	Systemic bacterial infection
Slipped femoral capital epiphysis	Pinning	Obesity
Tumors, benign	Excision, curettage	Possible significant blood loss; pathologic fracture
Tumors, malignant	Radical excision, amputation	Blood loss; metastasis: CNS, lung; chemotherapy; cardiotoxicity

증후군		
Apert and Crouzon disease	Syndactyly repair; craniosynostosis; hypertelorism	Airway usually normal, but occasional mandibular hypoplasia; cardiac defect
Ellis-van Creveld syndrome	Polydactyly	Cardiac defects; bronchial collapse
Holt-Oram syndrome	Tendon lengthening, pollicization release	Cardiac defects (ASD, VSD)
Jeune syndrome (asphyxiating thoracic dystrophy)	Chest reconstruction, scoliosis	Respiratory failure, prolonged mechanical ventilation; renal failure
Marfan syndrome	Scoliosis	Cardiac (AI, MR), aortic aneurysm
Möbius syndrome	Syndactyly	Micrognathia; cleft palate; cranial nerve palsy
Osteogenesis imperfecta	Pathologic fractures, scoliosis	Fractures on positioning or intubation; hypermetabolic fever, platelet dysfunction; blood pressure cuff may cause fracture
VATER (vertebral, anal, tracheal esophageal fistula, renal, cardiac)	Tendon lengthening, pollicization release	Cardiac defects; tracheoesophageal fistula
저신장증후군		
Achondroplasia	Spinal fusion, cervical decompression, Ilizarov method	Poor cervical mobility, difficult arterial catheterization
Morquio-Ullrich disease	Cervical spine fusion	Poor cervical mobility, difficult airway
Mucopolysaccharidoses (Hurler, Hunter, Morquio syndromes)	Kyphoscoliosis, bony Abnormalities failure	Very difficult intubation; unstable neck; perioperative respiratory
Systemic Disease		
Juvenile rheumatoid arthritis	Varies	TMJ ankylosis; C-spine immobility or instability; carditis; occasional pulmonary involvement; difficult airway
Neurofibromatosis	Scoliosis	CNS tumors; occasional pheochromocytom
중추신경계질환		
Arthrogryposis multiplex	Tendon releases (multiple congenital contractures), scoliosis	Difficult intubation (TMJ ankylosis, C-spine immobility); GE reflux; Postoperative upper-airway obstruction; congenital heart disease
Cerebral palsy	Tendon releases	GE reflux; postoperative upper-airway obstruction
Myelomeningocele	Lower-extremity tendon releases, scoliosis, kyphosis	Hydrocephalus
Werdnig-Hoffmann disease	Scoliosis	Respiratory insufficiency; bulbar involvement—poor secretion handling; succinylcholine-induced hyperkalemia
근육병		
Duchenne muscular dystrophy	Tendon releases, scoliosis	Respiratory insufficiency; cardiomyopathy; succinylcholine-induced hyperkalemia
Myotonia dystrophica	Tendon releases	Succinylcholine-induced myotonic spasm; cardiac conduction system involvement; avoid direct muscle stimulation

CNS, Central nervous system; ASD, atrial septal defect; VSD, ventricular septal defect; AI, aortic incompetence; MR, mitral regurgitation; TMJ, temporomandibular joint; GE, gastroesophageal.

Table 4. **마취통증의학과의 자문이 필요한 소아환자들**

수술의 종류
복합척추수술
환자의 상태
• 복잡심장질환, 심부전력, 심박동기
• 심각한 호흡기 질환(중증 천식, 낭성섬유증, 산소치료나 호흡기 치료가 필요한 경우 등)
• 복잡 기도를 가진 환자(두개안면증후군, 어려운 기도삽관 기왕력 등)
• 중증 폐쇄성 수면 무호흡
• 근이양증, 미토콘드리아 근육병, 뮤코다당질축적증, 기타 진행성 신경근질환
• 경추 불안정성 및 목 보호대 착용
• 신장 질환
• 비만
• 이식환자
• 윤리적 문제 수반(수혈거부, 소생술 포기 등)
• 복합통증 또는 정신사회적 문제
• 미숙아
• 중추신경질환(간질, 주의력부족행동과다장애 등)
• 항암치료
• 내분비적 문제; 당뇨 등

수술 전 4주 이내에 감기를 앓았거나 수술 당일 열, 분비물, 처지거나, 이상 폐음 등이 있는 경우 수술 후 폐합병증이 약 2-7배 정도 많이 유발될 수 있다. 그러므로 감기에 걸린 후 4-6주 후로 수술을 연기하거나, 감기 증상이 없어지고 최소한 2-4주 후에 수술하는 것이 좋다.

폐쇄성 수면무호흡은 저산소증이나 폐부종과 기도폐쇄, 호흡부전까지 발생할 수 있으므로 주의한다. 또한 마약성 진통제의 호흡저하 효과에 더 민감하므로 주의한다.

(3) 심장 질환

심장 질환이 교정되지 않은 상태이거나 기능적 교정된 경우 수술 전 정확한 평가를 한 후 수술을 하는 것이 안전하다.

(4) 신경학적 질환

간질발작은 소아에서 흔하고 대부분의 경우 약물로 잘 조절된 상태에서 수술을 받게 되지만, 금식 시간이 길거나 약물을 복용하지 않아 혈중 약물 농도 감소로 간질발작이 발생할 수 있으므로 금식 시간을 적절하게 조절하거나 약을 복용하도록 한다.

(5) 근골격계 질환

뇌성마비는 간질발작을 동반하는 경우가 많고, 주술기 동안 저체온이나 저혈압이 발생하기 쉽다. 또한 근육이 잘 발달되지 않아 기도 유지가 어려울 수 있어 저산소증이나 기도폐쇄가 발생할 수 있다. 대부분의 근이양증 환자는 기관내삽관이 어렵고 폐기능이 저하된 경우가 많아 수술 후 폐합병증이 발생하기 쉬우므로 수술 후 중환자실로 이송하는 것이 안전하다. 흉부를 포함한 척추측만증에서는 심혈관계 기능에 영향을 받을 수 있으며, 근육병증의 경우 심근에도 영향을 줄 수 있다. 누운 자세를 하지 못하는 경우 기도삽관이 어려울 수 있어 대비가 필요하다.

(6) 종양

항암제가 신체 각 기관에 영향을 미칠 수 있으므로 항암제의 종류에 대한 정보를 정확하게 확인하도록 한다.

2) 과거 마취력 및 가족력과 수술 전 검사

과거 마취력이나 가족력(악성고열증, 유사콜린에스트라제 결핍증, 수술 후 오심과 구토, 선천성 근육병증, 출혈성 질병 등)에 대해서 확인한다. 또한 영아 빈혈이 있는 경우 수술 후 무호흡이 발생할 수 있으므로 필요시 교정하도록 한다.

3) 금식

수술 전 금식은 수술 전후의 흡인성 폐렴을 방지하기 위해 지켜야 할 원칙으로 건강 소아의 권장 금식시간은 Table 5와 같다. 위 배출시간이 길어질 수 있는 경우 적용되기 어려울 수 있다

4) 수술 전 불안

1-5세 사이의 소아에서 소심한 성격이거나 의료의 경험이 적거나 인지 능력이 높은 소아와 부모의 불안이 심할 경우 고위험군이다. 수술 전 불안은 수술 후 행동 이상 또

Table 5. **수술 전 금식 권장 시간**

섭취 음식	연령별 최소 금식시간 (시간)		
	< 6개월	6-36개월	36개월 초과
맑은 음료(clear liquid)		2	
모유(breast milk)		4	
유아식(infant formula)		6	
분유, 우유(nonhuman milk)		6	
가벼운 식사(light meal)	4	6	6
든든한 식사(heavy meal)	6	6	8

맑은 유동식-맹물, 덩어리가 없는 맑은 주스, 탄산 음료, 맑은 차, 우유가 포함되지 않은 맑은 블랙 커피; 가벼운 식사(light meal)-토스트나 수프(toast or soup); 든든한 식사(heavy meal)-기름에 요리된 음식이나 고기, 지방이 포함된 음식/보통 식사/다량의 맑은 음료(clear liquids).

는 악몽이나 심한 통증으로 진통제를 과량으로 사용하는 등 수술 후 결과에도 영향을 줄 수 있으므로 수술 전 불안을 감소시키는 노력을 해야 한다. 특히 정형외과적 치료를 필요로 하는 환자는 여러 번 수술을 받는 경우가 많아서 세심한 지지와 주의가 필요하다.

2. 수술 중 관리

소아는 대부분 전신마취를 시행하지만, 수술의 부위나 기저 질환에 따라 척추마취나 경막외마취 또는 말초신경 차단 등 부위마취를 시행할 수 있다.

- 소아정형외과 수술을 받는 환자들은 기도관리에 있어 마취통증의학과 의사의 주의가 필요한 대상이 많으므로 사전에 상의를 하도록 한다.
- 전신마취가 체온조절능을 감소시켜서 저체온이 흔하게 발생하는데, 소아는 성인보다 저체온에 더 취약하므로 체온 유지를 할 수 있도록 준비한다.
- 근육병증 환자는 악성고열증의 고위험군이므로, 흡입 마취제를 사용할 때 특히 주의해야 한다.
- 척추측만증 수술이나 종양 수술 등에서는 대량의 출혈이 발생할 수 있으므로 준비가 필요하다.
- 전신마취하의 환자는 몸의 자세 변화에 취약하므로 수술 중 추가의 상해를 입지 않도록 주의한다.

1) 눈

엎드린 자세에서 수술 시 눈에 압력이 가해지면 실명까지 발생할 수 있으므로 주의한다. 또한 눈꺼풀이 덮여 있지 않으면 각막 손상이 유발될 수 있다.

2) 뼈의 돌출 부위

수술이 장시간 지속되면 뼈의 돌출 부위가 압력을 받아 피부 손상이 발생하거나 심한 경우 궤양으로 발전할 수 있으므로 최종 수술 자세에서 돌출 부위에 압력이 가해지지 않도록 적절한 패딩을 한다.

3) 신경 손상

팔이나 다리를 지나치게 외전하거나 엎드린 자세에서 겨드랑이에 압력이 가해지는 경우, 수술 침대의 모서리 등에 장시간 닿아 있는 경우 신경 손상이 발생할 수 있다.

3. 수술 후 관리

미숙아, 신생아는 수술 후 무호흡이 쉽게 발생하므로 24시간 정도 호흡을 감시하도록 한다. 또한 심폐기능이 저하된 경우 말초산소포화도 정도는 모니터링한다. 고유량비강 캐뉼라를 적용하면 수술 후 무기폐를 줄여서 폐합병증 예방에 도움이 된다.

4. 통증 관리

1) 약물을 통한 통증 관리 Table 6

(1) 아세타미노펜

아세타미노펜은 소아에서 가장 널리 사용되는 진통제로 과량 사용 시 간기능 부전이 발생할 수 있다.

Table 6. **진통제의 용량**

약물	용량(mg/kg) 및 투여간격	최대용량	비고
아세타미노펜	경구 10–15 PO, 4-6시간 (정제 기준) 4-6개월: 80 mg, 7-23개월: 120 mg, 만 2-3세: 160 mg, 만 4-6세: 24 0mg, 만 7-8세: 320 mg, 만 9-10세: 400 mg, 만 11세: 480 mg, 만 12세: 640 mg (현탁액 기준) 4-11개월(7.0-9.9 kg): 80 mg(2.5 ml) 12-23개월(10.0-11.9 kg): 120 mg(3.5 ml) 만 2-3세(12.0-15.9 kg): 160 mg(5 ml) 만 4-5세(16.0-20.9 kg): 240 mg(7.5 ml) 만 6-8세(21.0-29.9 kg): 320 mg(10 ml) 만 9-10세(30.0-37.9 kg): 400 mg(12.5 ml) 만 11세(38.0-42.9 kg): 480 mg(15 ml) 만 12세(43 kg 이상): 640 mg(20 ml)	5 doses/day(75 mg/kg)	항염증 작용 결여 혈소판에 미치는 영향 없음 고용량 시 간부전 초래
	정주 12.5-15, 4시간	60 mg/kg 또는 4 g/day	11세(약 33 kg 이상 소아)
이부프로펜	생후 6개월 이상 소아: 5-7, 4-6시간	4회/day(28 mg/kg/day) 30 kg 이하 소아: 25 ml/day	신장장애, 위장장애, 혈소판 응집 억제, 신생아에서 10 mg/kg 사용 시 동맥관개존증 폐쇄 가능
나프록센	경구 5–10, 12시간	1,500 mg	이부프로펜과 유사 2세 이상 사용
케토롤락	정주 또는 근주 부하 0.5 유지 0.2–0.5, 6시간	120 mg	경구약제: 16세 이하 금기 주사제: 2세 미만 금기 정주의 경우 2일을 초과하지 말 것

(2) 비스테로이드성 항염증약물

비스테로이드성 항염증약물은 항혈소판 효과가 있어 출혈 시간을 증가시키거나 골형성에도 영향을 줄 수 있어 정형외과 수술에서의 사용은 논란이 되고 있다. 케토롤락은 정맥 투여 후 마약성 진통제와 유사한 효과가 있어 널리 사용된다.

(3) 마약성 진통제

소아정형외과 수술 후 통증은 중등도 및 중증 통증을 동반하는 경우가 많아서 마약성 진통제가 사용되지만 외래나 병실에서 사용하기에는 위험할 수 있어 관리하에 사용하거나 자가통증조절기로 사용하도록 한다.

2) 부위마취나 신경차단을 통한 통증 관리

마약성 진통제의 부작용(오심이나 구토, 변비나 배뇨곤란, 과도한 진정이나 무호흡 등)을 줄일 수 있다Table 7. 구획증후군의 초기 증상이 통증인데 신경차단이나 부위마취로 인해 통증이 차단될 수 있기 때문에 주의한다.

3) 자가통증조절기

수술 후 환자가 느끼는 통증은 개인적 차이가 많아서 스스로 제어할 수 있는 자가통증조절기가 유용하다. 마약성 진통제를 섬세하게 조절하므로 비교적 안전하지만 모니터링은 필요하다. 스스로 통증을 이야기할 수 있고 장치를 사용할 수 있는 연령(5세 이상)이 되면 사용할 수 있다.

4) 시술 시 소아 진정 및 진통
(대한소아마취학회 소아진정가이드라인 참조)

(1) 진정 전 평가

진정과 마취는 서로 독립적인 상태가 아니므로 진정을 한다고 하더라도 환자 상태에 대한 평가는 마취와 같다. 환자의 상태가 위중하다면 마취통증의학과의 도움을 받아

Table 7. **말초신경 차단술과 예상되는 부작용**

신경차단	수술부위	예상되는 합병증 및 부작용
상지		
사각근간차단(interscalene block)	어깨, 상완	척수손상, 경막내 투여, 기흉, 척추동맥천자, 횡격막신경차단, 호너증후군
쇄골상차단(supraclavicular block)	팔, 팔꿈치, 전완, 손목, 손	기흉, 횡격막신경차단, 마취제혈관투여
쇄골하차단(infraclavicular block)	팔꿈치, 전완, 손	기흉, 마취제혈관투여
액와 차단(axillary block)	팔꿈치, 전완, 손	마취제혈관투여
하지		
요추신경총차단(lumbar plexus block)	엉덩이, 대퇴골두/대퇴골간부 골절, 무릎	근막혈종, 후복막 또는 신장혈종, 경막외 확산
장골근막차단(fascia iliaca block)	엉덩이, 대퇴골	마취제혈관투여
대퇴신경차단(femoral nerve block)	넓적다리, 대퇴, 무릎	마취제혈관투여, 지속적 근력약화
복재신경차단(saphenous nerve block)	하퇴내측, 무릎	운동력약화, 마취제혈관투여
좌골신경차단(sciatic nerve) block	무릎, 다리, 발목, 발	마취제혈관투여

진정을 시행하는 것이 좋다.

(2) 진정의 단계 및 평가

진정은 그 정도에 따라 몇 단계로 구분될 수 있다. 시술의 특성과 환자의 상태에 따라 진정의 정도를 계획하고, 진정 시 호흡 및 심혈관계 기능이 저하될 수 있음에 주의한다Table 8-10.

(3) 진정 전 금식

깊은 진정은 언제든지 전신마취로 진행할 수 있기 때문에 금식은 전신마취에 준한다. 금식시간을 지킬 수 없는 경우, 발생할 수 있는 합병증을 처치할 수 있는지 확인한다.

(4) 모니터링

환자의 안전을 위해 시술 의사와 진정을 제공하는 의사가 별도로 있는 것이 가장 이상적이다. 가능하다면 지속적 심전도, 비침습적 혈압, 호흡수나 호기말 이산화탄소를 모니터하고 특히 말초산소포화도는 반드시 감시하고 진정의 정도도 지속적으로 모니터링한다.

(5) 진정약물

- 병원마다 구비되어 있는 약제와 임상 상황이 다를 수 있으므로 익숙한 약물을 선택하도록 한다.
- 충분한 진정을 위해 2-3회의 반복 투여가 필요할 수 있으며 2가지 이상의 약물을 병용하기도 한다.
- 깊은 진정은 언제든 전신마취 상태가 될 수 있으므로 깊은 진정 시 사용되는 약제나 덱스메데토미딘(부하용량시 서맥, 고혈압, 저혈압 등 발생가능) 등은 마취통증의학과 의사가 사용하는 것을 권장한다Table 11.
- 마약성 진통제는 통증이 수반되는 시술에서 중등도 이상의 진정을 위해 사용될 수 있다. 길항제 투여 후에도 재진정의 가능성이 있으므로 2시간 정도 관찰이 필요하다Table 12, 13.

① 경구투여

가장 손쉽게 이용할 수 있고 약물 복용 순응도가 좋아 널리 사용되고 있지만 개인간 차이가 커서 효과를 예측하기 어렵고 투여한 후에는 약물의 효과가 없어질 때까지 진정이 지속될 수 있다.

② 흡입투여

정맥로 없이 투여가 간편하고 환자의 순응도를 높일 수 있고 효과발현 시간이 빠르다. 흔하게 사용되는

Table 8. **진정의 정도**

진정 정도	임상기술
최소 진정	불안을 해소하는 정도의 얕은 진정으로, 구두 명령에 반응하고, 호흡계나 심혈 관계 기능은 영향 받지 않는다.
중등도 진정	약물에 의해 의식이 저하된 상태이나, 구두 명령에 목적 있는 반응을 보인다. 대개 자발적인 환기가 유지되며, 심혈관계 기능도 대개 유지된다.
해리 진정	케타민과 같은 해리약물에 의해 유도되는 무아지경성 강직 상태로 강력한 진통과 기억 상실을 일으키면서 기도 반사, 자발적 호흡 및 심폐 안정성이 유지되는 상태
깊은 진정	약물에 의한 수면 상태로 반복적인 아픈 자극에는 목적 있는 반응을 보일 수 있다. 자발호흡이 부적절할 수 있고, 때때로 기도 유지가 필요하지만, 심혈관계 기능은 대개 잘 유지된다
전신 마취	유해한 통증자극에도 수면상태에서 깨어나지 못하고 호흡관리가 필요하며, 심혈관계 기능도 저하될 수 있다.

Table 9. **진정 평가: Ramsay 진정점수(*: 중등도 진정, #: 깊은 진정, †: 전신마취)**

점수		반응도
1		불안, 격앙된 상태 (awake and anxious, agitated, or restless)
2		협조적, 지남력이 있으며 평온한 상태 (awake, cooperative, accepting ventilation, oriented, tranquil)
3		단지 명령에 반응함 (awake; responds only to commands)
4	asleep	*미간을 가볍게 두드릴 때 또는 큰 소리에 반응함 (brisk response to light glabellar tap or loud noise)
5	asleep	#미간을 가볍게 두드릴 때 또는 큰 소리에 느리게 반응함 (sluggish response to light glabellar tap or loud noise stimulus)
6	asleep	†미간을 가볍게 두드릴 때 또는 큰 소리에 무반응 (no response to light glabellar tap or loud noise)

Table 10. **진정평가: Modified Observer's Assessment of Alertness/Sedation (MOAA/S) scale. 진정의 수준을 단계에 따라 2-4점 정도로 유지하는 것을 목표로 한다.**

반응도	점수
정상적인 톤의 목소리로 이름을 부를 때 반응함(alert) (responds readily to name spoken in normal tone)	5
정상적인 톤의 목소리로 이름을 부를 때 반응이 둔화됨 (lethargic response to name spoken in normal tone)	4
반복적으로 혹은 큰 목소리로 이름을 부를 경우에만 반응함 (responds only after name is called loudly or repeatedly)	3
가볍게 두드리거나 몸을 살짝 흔드는 경우에 반응함 (response only after mild prodding or shaking)	2
꼬집는 등의 통증 자극에만 반응함 (does not respond to mild prodding or shaking)	1
통증자극에도 반응하지 않음 (does not respond to deep stimulus)	0

Table 11. **진정제**

진정 단계			진정 약물	용량	발현시간 (분)	최대 효과 (분)	작용시간 (분)
최소 진정	중등도 진정	깊은 진정					
√	√	√	클로랄 하이드레이트 (포크랄 시럽)	• 경구: 25-100 mg/kg(시술 30-60분 전): 추가 용량 투여 30분 후 반복 투여(최대 용량: 120 mg/kg 또는 2 g)			
	√	√	미다졸람	• 경구: 0.25-1 mg/kg(최대 용량 15 mg) • 근주: 0.1-0.3 mg/kg • 정주: 0.05-0.1 mg/kg • 비강: 0.2-0.5 mg/kg(최대 용량 15 mg) • 항문: 0.5-1 mg/kg 최대 용량 15 mg)	0.5-1	2-3	30
	√	√	로라제팜	• 경구: 1일 1-4 mg, 2-3회 분복 (Max: 20 mg/day) • 0.05 mg/kg 근주 및 정주			
	√	√	하이드록시진	• 경구: 0.6 mg/kg/회 • 근주: 0.5-1 mg/kg/회			
	√	√	케타민	• 정주: 0.5-2.0 mg/kg(30-60초 이상 서서히 정주, 5-15분 관찰), 추가로 0.5-1.0 mg/kg 정주 가능 • 경구: 6-10 mg/kg(시술 전 30분) • 근주: 4-5 mg/kg → 10분 후 2-4 mg/kg 추가 가능	0.5-1 5	1 5	10-15 20-30
	√		아산화질소 (N_2O gas)	• 경구 혹은 경비 흡입: 50% N_2O/50% 산소			
		√	프로포폴	• 정주: 0.5-1 mg/kg 이후 3-5분 간격으로 필요시 0.25-0.5 mg/kg • 지속 정주: 25-100 μg/kg/min	0.5-1	1-1.5	5-10
		√	에토미데이트	• 정주: 0.1 mg/kg(30-60초 동안 서서히) → 2-3분마다 0.05- 0.1 mg/kg • 통상적인 총 용량: 0.1-0.6 mg/kg			
		√	펜토바비탈	• 경구(유아): 3-6 mg/kg → 2-4 mg/kg 매 30분마다(최대 8 mg/kg) • 근주(유아 및 소아): 2-6 mg/kg(최대: 100 mg) • 정주: 1-2 mg/kg → 1-2 mg/kg 매 3-5분마다 (최대: 100 mg) • 항문: 1.5-3 mg/kg(최대: 100 mg) • 청소년: 시술 전 100 mg 정주			
		√	덱스메데토미딘	• 정주(성인 용량과 동일): 1 μg/kg의 부하 용량을 10분 동안 투여한 후 0.2-0.7 μg/kg/hr • 정주 부하 용량은 생략 가능 • 비강: 0.5-1 μg/kg(불안감소), 3-4 μg/kg(시술을 위한 진정)	5-10	15-30	4-250

Table 12. **마약성 진통제**

마약성 진통제	용량
페치딘	• 1-1.5 mg/kg(정주, 근주, 피하: 최대 용량 100 mg)
모르핀	• 정주: 0.05-0.1 mg/kg(최대 10 mg/회) • 피하: 0.1-0.2 mg/kg(최대 15 mg/회)
펜타닐	• 1-4 μg/kg(서서히 정주), 2-4시간(신생아 또는 유아) 또는 30-60분(1세 이상) 간격 반복 투여 가능 • 지속적 정주: 1-2 μg/kg 정주 후 0.5-2 μg/kg/hr(필요시 증량)

Table 13. **마약성 진통제 길항제**

길항제	용량
날록손	• 마약성 진통제의 역전 • 5세 이하(또는 체중 < 20 kg): 0.1 mg/kg 정주, 근주, 피하, 기관내 튜브, 2-3분 간격으로 반응을 보일 때까지 투여 • 5세 이상(또는 체중 > 20 kg): 2 mg 정주, 근주, 피하, 기관내 튜브, 2-3분 간격으로 반응을 보일 때까지 투여
플루마제닐	• 진정제인 미다졸람, 로라졸람의 역전: 0.01-0.02 mg/kg 정주(최대 0.2 mg, 15초 이상 정주) → 필요시 1분마다 0.005-0.01 mg/kg(최대 0.2 mg) 추가 정주(최대 누적 용량 0.05 mg/kg 또는 1 mg)

아산화질소는 단독 사용 시 깊은 진정에는 활용하기 어렵고 확산성 저산소증이 가능하므로 진정 전후로 산소 투여가 반드시 필요하다.

③ 비강내 투여

투여가 간편하고 약물의 흡수가 빠르므로 전신효과가 금방 나타난다. 투여 10-15분 후 임상효과가 나타난다.

④ 근육내 투여

비경구적 투여 방법 중 흔하게 사용되는 방법으로 대사과정 없이 직접 심혈관계로 들어가게 되어 비교적 효과를 예측할 수 있고 협조가 불가능한 환자에게 유용하다. 정맥로 확보를 위한 전처치의 목적으로 사용하기도 한다.

⑤ 정맥투여

가장 확실하게 약물 효과를 확인할 수 있고 효과가 예측 가능하며 약물이 직접 심혈관계로 흡수되어 발현이 빠른 장점이 있는 반면 정맥로를 확보해야 하는 단점이 있다.

- 대한소아마취과학회에서 편찬한 소아진정가이드라인에서 제시하는 최소 및 중등도 진정을 위해 예시는 Table 14와 같다. 이 방법으로 진정이 실패할 경우 캐타민 0.5-1 mg/kg (최대 4 mg)를 정주한다. 만일 진정에 실패한다면 마취통증의학과 의사에게 자문을 구하는 것이 좋다.

V. 사회적 문제와 장애 판정

1. 소아청소년 근골격계 질환의 특징과 사회적 참여

소아의 근골격계 질환의 치료 및 관리의 중요성이 더욱 부각되고 있다. 의료의 발달이나 사회 환경의 변화에 따라 장기적인 관리가 필요한 질환이 증가하기 때문이다. 또한 복지에 대한 관심이 높아지면서 이들 환자의 사회적 참여 역시 관심의 대상이 되고 있다. 사회적 참여는 인간 발달의 측면에서도, 건전한 자아를 형성하고 사회의 독립된 구성원으로 성장하는데 매우 중요하다. 특히 소아기는 급격히 성장하는 시기이므로 이 시기의 사회적 참여는 발달과 밀접하게 연관되어 이루어진다. 즉, 소아는 그들이 처한 환경, 접하는 다양한 기회, 여러 작업활동을 통하여 발달한다. 청소년기에는 가족 중심의 인간 관계에서 친구 중심의 인간 관계로 전환하면서, 다양한 단체 활동에 참여하는 것과 같은 사회적 참여를 통해 협력과 동료애를 경험하게 되

Table 14. **진정제 예시**

1개월-6개월	• 포크랄 시럽(경구) 0.25-1.0 ml/kg (100 mg/ml)
6개월-6세	• 포크랄 시럽(경구) 0.25-1.0 ml/kg → 포크랄 시럽(경구) 0.25-0.5 ml/kg
6세 이상	• 포크랄 시럽(경구) 0.25-1.0 ml/kg → 포크랄 시럽(경구) 0.25-0.5 ml/kg → 미다졸람 0.05-0.1 mg/kg(정주) (최대 2.5 mg) → 미다졸람 0.05-0.1 mg/kg(정주) (총용량 6 mg)
12세 이상	• 포크랄 시럽 (경구) 0.25-1.0 ml/kg → 포크랄 시럽 (경구) 0.25-0.5 ml/kg → 미다졸람 0.025-0.05 mg/kg(정주) (최대 2.5 mg) → 미다졸람 0.025-0.05 mg/kg(정주) (총용량 10 mg)
플루마제닐	• 미다졸람(총용량 10 mg; 일반적으로 총 5 mg 이상은 요구되지 않는다)

고, 사회적 네트워크의 범위를 가정과 학교 이외의 영역으로 넓히며, 직업, 결혼, 여가 활동 등 성인으로서의 삶을 준비하게 된다. 이러한 점에서 사회적 참여는 치료의 궁극적인 목표가 되며, 최근 들어 그 중요성은 더욱 강조되고 있다.

근골격계 질환으로 인하여 활동이 제한된 환자의 사회적 참여를 막는 요인으로는 사회심리적 압박, 경제적 문제, 공공 서비스의 부족 등이 있다. 이러한 문제들에 대한 뒷받침이 선행되어야 이들의 사회적 참여가 증가할 수 있다. 재활치료는 환자의 운동 기능과 신체 능력을 향상시키는 역할을 하며 이를 통해 적극적인 사회 참여를 유도할 수 있다. 개개인의 신체 능력을 최대한으로 이끌어내고 이에 맞는 활동을 추천하며, 보조 공학 기술을 이용하여 가정과 지역 사회에서의 환경 개선에 대한 상담을 제공하는 등의 활동이 포함된다. 일부 뇌성마비 환자에서와같이 인지, 지적 능력의 저하를 동반할 수 있는 환자의 경우 다수의 전문가들에 의한 특수 교육이 진행되어야 한다. 단순한 학업 영역뿐만 아니라 추후 직업을 갖기 위한 기능과 관련된 기술을 습득하는 것도 특수 교육의 중요한 역할이 된다. 공공서비스는 사회 환경의 개선과 맞물려 소아 및 청소년 환자의 이동과 밀접한 관련을 맺는다. 예를 들어 건물과 거리에서 턱을 없애 환자의 이동을 용이하게 하고 휠체어 이용이 가능한 대중교통 시스템을 구축하는 것은 공공서비스의 역할이다.

2. 가족 문화에 대한 고려

가족은 자녀에게 문화적 기반을 제공하고 이러한 문화적 기반을 토대로 자녀는 성장한다. 이를 통해 자녀는 다양한 환경에 참여할 수 있는 작업 활동을 습득하게 된다. 가정 내에서 자녀는 돌봄을 받게 되고 가족 활동을 공유함으로써 일상 생활 동작을 독립적으로 수행하는 데 필요한 기본 기술을 배우게 된다. 또한 가정 내에서 습관을 익히게 되는데 이러한 습관은 훗날 자녀의 건강 상태에도 영향을 미치게 된다. 또한 가족은 자녀에게 다양한 형태의 교육적인 활동을 제공하게 되고 소아가 성인으로 성장하기 위해 필요한 사회적 관습을 교육하게 된다. 가족이 가족 활동을 수행하는 데 이용할 수 있는 자원은 가정에 따라 다양하며 이러한 다양성은 반드시 고려되고 존중되어야 한다.

기능은 소아 및 청소년의 삶의 질에 매우 중요한 것으로 알려져 있다. 가족이 질환에 대하여 긍정적인 적응(positive adaptation)을 하는 경우 환자들도 긍정적인 적응 반응을 보인다. 그러나 반대로 부모의 스트레스 수준이 높고 가족의 대처 능력이 좋지 않은 경우 환자들의 삶의 질은 저하된다. 부모, 특히 어머니는 보통 의료진과 소아 사이의 의사 소통의 창구로서의 역할도 한다. 따라서 의료진은 어머니의 요구에 대하여 특히 주의를 기울일 필요가 있다. 그러나 동시에 아버지는 간접적으로(즉, 어머니를 통해서) 정보를 접하고 치료 과정에서 상대적으로 소외될 우려가 있으므로, 의료진은 아버지에게도 정보가 정확하게 전달되고 어머니에게 정보 전달의 책임까지 지지 않도록 아버지와 직접적으로 의사 소통을 하는 것이 좋다. 의료서비스를 제공받음에 있어 가장 좋은 결과를 도출하기 위해서는 의료진과 가족들이 공유할 수 있는 목표를 정해야 한다. 단순히 가족들을 치료 과정에 포함시키는 것이 아니라 가족에게 의료 정보를 제공하고 그들로 하여금 적극적으로 치료적 결정을 내릴 수 있도록 하는 것이 필요하다. 의료진이나 각 가족들에 따라 치료의 성공에 대한 정의가 다를 수 있기 때문이다. 여기에는 가족 문화가 중요한 역할을 담당한다. 가족의 문화적 특성은 민족의 특성보다 더 광범위하다(Malina 2005). 또한 소아의 경우 의료진과의 의사 소통에 어려움이 있는 경우가 많다. 이런 경우 가족은 치료 성공 판단의 대변인 혹은 프락시(proxy)의 역할을 하게 된다. 따라서 의료진은 급성기 치료와 환자가 병원에서 진료를 마치고 집이나 학교, 지역사회로 복귀한 후 향후 치료에 있어, 치료의 파트너로서 가족이 큰 역할을 한다는 것을 인지하고 그들의 문화를 이해하는 데 노력을 기울여야 한다.

3. 사회 환경 및 학교 생활에 대한 고려

현대 사회는 맞벌이 부부가 다수를 차지하고 있다. 이러한 사회적 경향을 반영하는 것도 의료진의 역할이 된다. 소아나 청소년 환자가 입원 치료를 하게 되면, 부모 중 한 사람은 상당 기간 동안 경제 활동에 제한을 받게 된다. 따라서 전통적으로 시행해오던 치료 방법 역시 사회 상황에 맞게 다시 고려를 해야 한다. 가령 소아의 대퇴골 간부 골절의 경우 과거 수 주간 입원하여 견인(traction)을 시행하였으나 현재는 수술적 치료를 시행하고 재원 기간을 줄이는 추세이다. 치료 결과에 차이가 없다면 주변 상황에 맞게 치료 방침을 조절할 필요가 있다. 아이가 병원에서 치료를 받은 후 일상 생활로 복귀를 할 때 학교 생활에 대해서도 충분히 고려하여야 한다. 통학은 가능한지, 외래 추시를 학교 일정에 방해되지 않도록 할 수 있는지, 거주지에 가까운 병원에서 처치할 수 있는 부분이 있는지 등을 고려한다. 급성기 치료와 지속 치료 기간으로 이원화하여 아이가 학교 생활을 최대한 영위할 수 있도록 한다.

* 급성기 치료: 단시간에 전문화된 치료를 필요로 하는 단계로 신체의 구조와 기능에 대한 치료를 의미한다. 매주 1-3회가량의 치료가 필요한 상태로 학교 관계자와 아이의 상태, 주의할 점 등에 대해 직접 소통하는 것이 바람직하다.

* 지속 치료: 신체의 구조와 기능을 유지하기 위한 치료를 의미한다. 환자에 대한 시술 등을 거의 필요로 하지 않아 환아의 접근성이 좋은 의료 기관으로의 의뢰가 가능한 시기이다. 지속 치료의 목표는 일상 생활에 영향을 주는 인자에 대한 치료이며, 환자와 가족에 대한 교육과 가정, 학교에서의 프로그램이 절대적으로 중요한 역할을 한다.

4. 소아 청소년 장애에 대한 사회의 역할

- UN 장애인 권리협약(Convention on the Rights of Persons with Disabilities, 2006)은 장애인의 접근성을 비장애인과 동등한 수준으로 보장해야 함을 국가의 의무로 규정하였다.
- WHO는 1980년에 'Classification of Impairments, Disabilities and Handicaps'을 발표하였는데, 'Impairment'는 임상적인 질병을 다른 사람이 인식할 수 있게 되는 상태로 신체적 차원이고 이상이 있는 부분의 직접적인 효과를 의미한다. 'Disability'는 impairment로 인하여 환아가 겪는 기능의 상실을 의미한다. 'Handicap'은 특정 disability에 따른 환경과 사회에서의 한계에 대한 결과다. 학교나 회사 생활을 하는데 있어 계단 등으로 인해 이동이 어렵다면 이런 사회화 불능 상태가 handicap이며 많은 소아정형외과 환자들의 사회화에 걸림돌이 된다.
- 장애에 관한 관점을 사회학적 관점에서 연구하는 '장애학'이라는 영역까지 발전하게 되었다. 이렇듯 장애에 대한 사회적 역할은 매우 크며 사회적 배려와 관심 없이는 신체적 장애를 가진 환자들은 주류 사회에서 점점 멀어져 갈 수밖에 없다.
- 장애가 있는 소아 환자에서 가장 문제가 되고 사회적으로 더욱 고립되게 만드는 분야 중 하나가 교육이다. 2011년에 시행된 장애인 실태 조사에 의하면 검정고시를 제외하고 중학교를 다니지 않은 장애인은 43%, 고등학교를 다니지 않은 장애인은 61%에 달했다. 이동

수단과 특수학교 여건 등이 주요 원인으로 생각될 수 있지만 학교를 다니지 않거나 그만둔 장애인 중 전체의 75%가 '경제적으로 어려워서' 학업을 포기했다는 점은 이 사회가 생각해 볼 문제다.

5. 장애 정도 판정기준

- 소아정형외과에서는 장애를 가진 환자들을 자주 접하게 되고 이에 따라 장애진단서 작성이 필요한 경우가 많다. 정형외과 의사로서 주로 작성하는 장애진단서는 지체 장애에 관련된 것이며, 현재의 법률 체계로는 뇌성마비 등에 관련된 뇌병변 장애에 관련해서는 재활의학과, 신경외과, 신경과 전문의가 작성하도록 되어 있다.
- 진단서 발급 시기는 장애의 원인 질환 등에 대한 치료가 충분히 이루어지고 장애가 고착되었을 때로 하며, 그 기준 시기는 원인 질환 또는 부상 등의 발생 후 또는 수술 후 6개월 이상 지속적으로 치료한 후로 한다. 단, 지체의 절단 및 인공관절치환 등은 예외가 된다.
- 장애인의 분류는 대분류, 중분류, 소분류, 세분류로 나뉜다. 대분류에는 신체적 장애와 정신적 장애가 있다. 신체적 장애는 중분류로 외부 신체 기능의 장애와 내부 기관의 장애로 나뉜다. 지체장애는 외부 신체 기능의 장애 중 하나의 소분류에 해당되며, 지체장애는 다시 절단장애, 관절장애, 지체기능장애, 변형 등의 장애로 나뉘게 된다. 각 장애 유형별 판정 기준에 따라 판정하며 두 종류 이상의 장애가 중복되는 경우 장애 정도는 중복 장애의 합산 기준에 따라 합산하여 판단한다(장애인복지법시행규칙 제2조 및 [별표1]).

참고문헌

대한소아마취학회, 소아 진정 가이드라인-한국형 지침. 2016.

대한정형외과학회. 정형외과학, 제8 판, 최신의학사; 2020.

서울대학교 의과대학 정형외과학교실. 골절학, 4판, 군자출판사; 2016.

장애인복지법시행규칙 제2조 및 [별표1]. https://www.law.go.kr/법령/장애인복지법시행규칙(Accessed: 2nd Feb 2021)

최인호, 조태준, 유원준 등. 부목 석고붕대 견인법, 군자출판사; 2017.

American Academy of Orthopaedic Surgeons. Atlas of limb prosthetics: surgical and prosthetic principles. 4th ed. St. Louis: CV Mosby Co; 2016.

Becke K. Anesthesia in children with a cold. Curr Opin Anaesthesiol:2012;25:333.

Canadian Institute of Child Health. The Health of Canada's Children: ACICH Profile. 3rd ed. Ottawa: Canadian Institute of Child Health; 2003.

Chung CY, Wang KC, Bang MS, et al. Introduction to cerebral palsy, 1st ed. Seoul: Koonja; 2013. 265.

Davidson AJ, Shrivastava PP, Jamsen K et al. Risk factors for anxiety at induction of anesthesia in children: a prospective cohort study. Paediatr Anaesth:2006;16:919.

Davidson WH, Bohne WH. The Syme amputation in children. J Bone Joint Surg Am. 1975;57:905.

Eilert RE, Jayakumar SS. Boyd and Syme ankle amputations in children. J Bone Joint Surg Am. 1976;58:1138.

Herring JA, Barnhill B, Gaffney C, et al. Syme amputation: An evaluation of the physical and psychological function in young patients. J Bone Joint Surg Am. 1968;68:573.

Kraemer FW, Rose JB. Pharmacologic management of acute pediatric pain. Anesthesiol Clin:2009;27:241.

Lamb DW. Prosthetics in the upper extremity. J Hand Surg. 1983;8:774.

Lee SH, Chung CY, Park MS, et al. Parental satisfaction after single-event multilevel surgery in ambulatory children with cerebral palsy. J Pediatr Orthop. 2009;29:398.

Loder RT, Herring JA. Disarticulation of the knee in children: A functional assessment. J Bone Joint Surg Am. 1987;69:1155.

MacDonell JA. Age of fitting upper extremity prostheses in children: A clinical study. J Bone Joint Surg Am. 1958;40:655.

Malina D. Compliance, caricature, and culturally aware care. N Engl J Med. 2005;353:1317.

Marks LJ, Michael JW. Science, medicine, and the future: Artificial limbs. BMJ 2001;323:732.

Marx HW. An innovation in Symes prosthetics. Orthotics Prosthetics, 23:131, 1969.

Michael JW. Overview of prosthetic feet. In Greene WB ed. AAOS Inst Course Lect. 1990;39:353.

Michaud LJ. Prescribing therapy services for children with

motor disabilities. Pediatrics. 2004;113:1836.
Orlin MN, Palisano RJ, Chiarello LA, et al. Participation in home, extracurricular, and community activities among children and young people with cerebral palsy. Dev Med Child Neurol. 2010;52:160.
Park MS, Chung CY, Lee KM, et al. Issues of concern before single event multilevel surgery in patients with cerebral palsy. J Pediatr Orthop. 2010;30:489.
Park MS, Chung CY, Lee KM, et al. Parenting stress in parents of children with cerebral palsy and its association with physical function. J Pediatr Orthop B. 2012;21:452.
Park MS, Chung CY, Lee SH, et al. Issues of concern after a single-event multilevel surgery in ambulatory children with cerebral palsy. J Pediatr Orthop. 2009;29:765.
Practice Guidelines for Preoperative Fasting and the Use of Pharmacologic Agents to Reduce the Risk of Pulmonary Aspiration: Application to Healthy Patients Undergoing Elective Procedures: An Updated Report by the American Society of Anesthesiologists Task Force on Preoperative Fasting and the Use of Pharmacologic Agents to Reduce the Risk of Pulmonary Aspiration. Anesthesiology:2017;126:376.
Raina P, O'Donnell M, Rosenbaum P, et al. The health and well-being of caregivers of children with cerebral palsy. Pediatrics. 2005:115:e626.
Sauter WF. Prostheses for the child amputee. Orthop Clin N Am. 1972;3:483.
Sorbye R. Myoelectric prosthetic fitting in young children. Clin Orthop RelatRes. 1980;148:34.
Waters RL, Perry J, Antonelli D, et al. Energy cost of walking of amputees: The influence of level of amputation. J Bone Joint Surg Am. 1976;58:42.
World Health Organization. Classification of Impairments, Disabilities, and Handicaps. Geneva:WHO;1980.

소아정형외과학

4

하지변형과 하지길이부동

Lower Limb Deformity and Leg Length Discrepancy

PEDIATRIC ORTHOPAEDICS

Chapter

하지변형과 하지길이부동

Lower Limb Deformity and Leg Length Discrepancy

목차

I. 변형의 개요

변형(deformity)은 골과 관절에서 다른 의미로 사용된다. 먼저 관절 변형은 관절의 움직임이 정상에 비해서 감소되어 있거나 다른 범위에서 일어나는 경우를 지칭하는데, 주관절 굴곡변형(elbow flexion deformity) 같은 표현에서 볼 수 있다. 이에 비해서 골의 변형은 주로 장관골이 정상적인 형태가 아닌 경우를 말하며, 경골 내반변형(tibia varus deformity)과 같이 표현한다. 그러나 관절과 골에 복합적으로 변형이 있어서 어느 쪽인지 불분명할 수도 있는데, 첨내반족 변형(pes equinovarus deformity), 내반슬 변형(genu varum deformity)과 같은 표현은 골과 관절 모두에서의 변형을 뜻하기도 한다. 본 장에서는 골 변형에 대해서 기술한다.

- 골의 근위 분절과 원위 분절의 상대적인 형태 관계에 따라 크게 두 분절이 회전(rotation)되어 있는 경우와 전위(translation)되어 있는 경우로 나누어서 생각할 수 있다.
- 골은 삼차원 구조이므로 시상면(sagittal plane), 관상면(coronal plane), 횡단면(transverse plane)에서의 변형으로 나누어 이해할 수 있다.
- 장관골의 장축에 평행한 시상면 또는 관상면상에서 두 분절이 회전되어 있는 경우는 각변형(angular deformity)이라고 하며, 횡단면상에서 두 분이 회전되어 있는 경우는 염전변형(torsional deformity)이라고 한다. 역시 시상면 또는 관상면상에서 두 분절이 전위되어 있는 경우는 단축(shortening) 또는 연장(lengthening) 변형이며, 횡단면상에서의 전위된 변형은 그냥 전위라고 부른다Fig 1.
- 각변형은 평면에 따라서 다른 용어가 사용되는데, 의미를 명확하게 하기 위해서 첨단(apex)이 향하는 방향으로 표시하기도 한다. 즉, anterior angulation deformity를 anterior-apex angulation deformity로 부르기도 한다.
- 관상면의 각변형은 근위부에 비해서 원위부가 신체 중심선에서 멀어지는 변형을 외반(valgus)이라고 하며 medial-apex angulation에 해당한다. 원위부가 신체 중심선에 가까와지는 변형은 내반(varus) 변형이라고 한다.
- 시상면의 각변형은 굴곡 변형을 후만(procurvatum)이라고도 하는데 anterior-apex angulation에 해당한다. 신전 변형은 전만(recurvatum)이라고도 한다.
- 횡단면에서 원위부가 내회전되어 있는 경우 내염전(internal torsion), 외회전되어 있는 경우 외염전(external torsion)이라고 하며, 해부학적 위치에 따라서 다른 용어가 사용될 수도 있는데, 대퇴골 내염전은 대퇴전염각 증가(increased femoral anteversion), 외염전은 대퇴전염각 감소 또는 후염전(retroversion)에 해당한다.

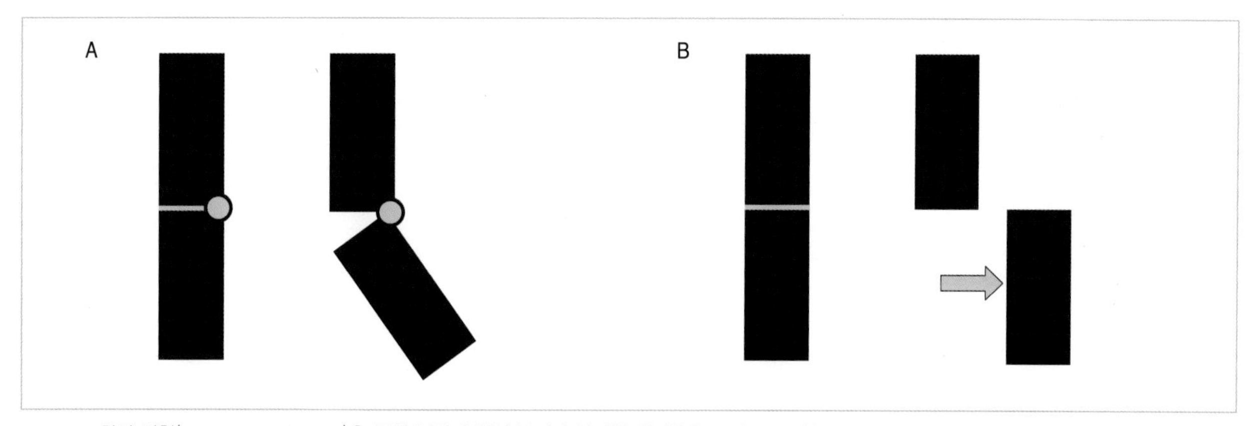

Fig 1. A: 회전 변형(rotational deformity)은 근위 분절과 원위 분절이 일정한 회전축을 중심으로 각을 이룬다. 시상면과 관상면에서는 각변형(angular deformity)이라 부르고, 횡단면에서는 염전 변형(torsional deformity)이라고 부른다. B: 전위 변형(translational deformity)은 근위 분절에 대해서 원위 분절이 일정한 거리로 이동을 하는 것이다.

II. 하지 각변형
(angular deformity of lower extremity)

1. 각변형의 평가

1) 하지의 정상 정렬 상태

- 하지 장관골의 기계적 축(mechanical axis)은 근위 관절의 중심과 원위 관절의 중심을 연결한 선이며, 해부학적 축(anatomical axis)은 장관골 골간부의 중심을 지나는 선이다Fig 2. 경골에서는 해부학적 축과 기계적 축이 일치하지만 대퇴골에서는 약 7도의 차이를 보인다.
- 관상면상에서 하지 전체의 기계적 축은 대퇴골두 중심에서 족근관절 중심을 연결하는 선으로, 정상 정렬에서는 슬관절의 중심을 통과한다.
- 각 관절선이 기계적 축 또는 해부학적 축과 이루는 각도를 관절방향각(joint orientation angle)이라고 하며 그 정상값은 Fig 3과 같다.

2) 부정정렬 검사(malalignment test)

하지의 정렬 상태가 정상인지, 비정상이면 해부학적으로 어느 부위의 변형 때문인지를 구체적으로 규명하는 검사이다.

- 편한 기립 상태에서 촬영한 전후방 및 측방 원격방사선 검사(teleradiogram)에서 고관절, 슬관절 및 족근관절이 같은 축선상에 위치하는지 평가하고, 슬관절과 족근관절의 방향각을 평가한다.
- 기계적 축 변위(mechanical axis deviation, MAD): 관상면에서 하지의 기계적 축이 슬관절을 통과할 때에 슬관절 중심에서의 거리로 측정한다. 거리의 절대값으로 표시하기도 하지만, 환자의 연령에 따라 신체 크기가 다르기 때문에 근위 경골 관절면 폭을 4등분 하여, 내측과 외측의 각 2분절 그리고 관절면 바깥 부분으로 표시하기도 한다Fig 4.

(1) 관상면에서의 부정정렬 검사(malalignment test)

- step 0: MAD를 구한다.
- step 1: 외측원위대퇴골각(LDFA)을 구한다. LDFA의 정상 범위는 88도(85-90도)이며 LDFA가 작으면 대퇴골 외반 변형(valgus deformity), 크면 대퇴골 내반 변형(varus deformity)을 의미한다.
- step 2: 내측근위경골각(MPTA)을 구한다. MPTA의 정상 범위는 87도(85-90도)이며, MPTA가 작으면 경골 내반 변형(varus deformity), 크면 경골 외반 변형(valgus deformity)을 의미한다.
- step 3: 관절면수렴각(JLCA)을 구한다. 정상값은 내측수렴(medial convergence) 0-2도이며, 이보다 큰 medial JLCA은 외측 관절인대 이완(lateral ligament-capsular laxity) 혹은 내측 관절면 결손(medial cartilage loss)을

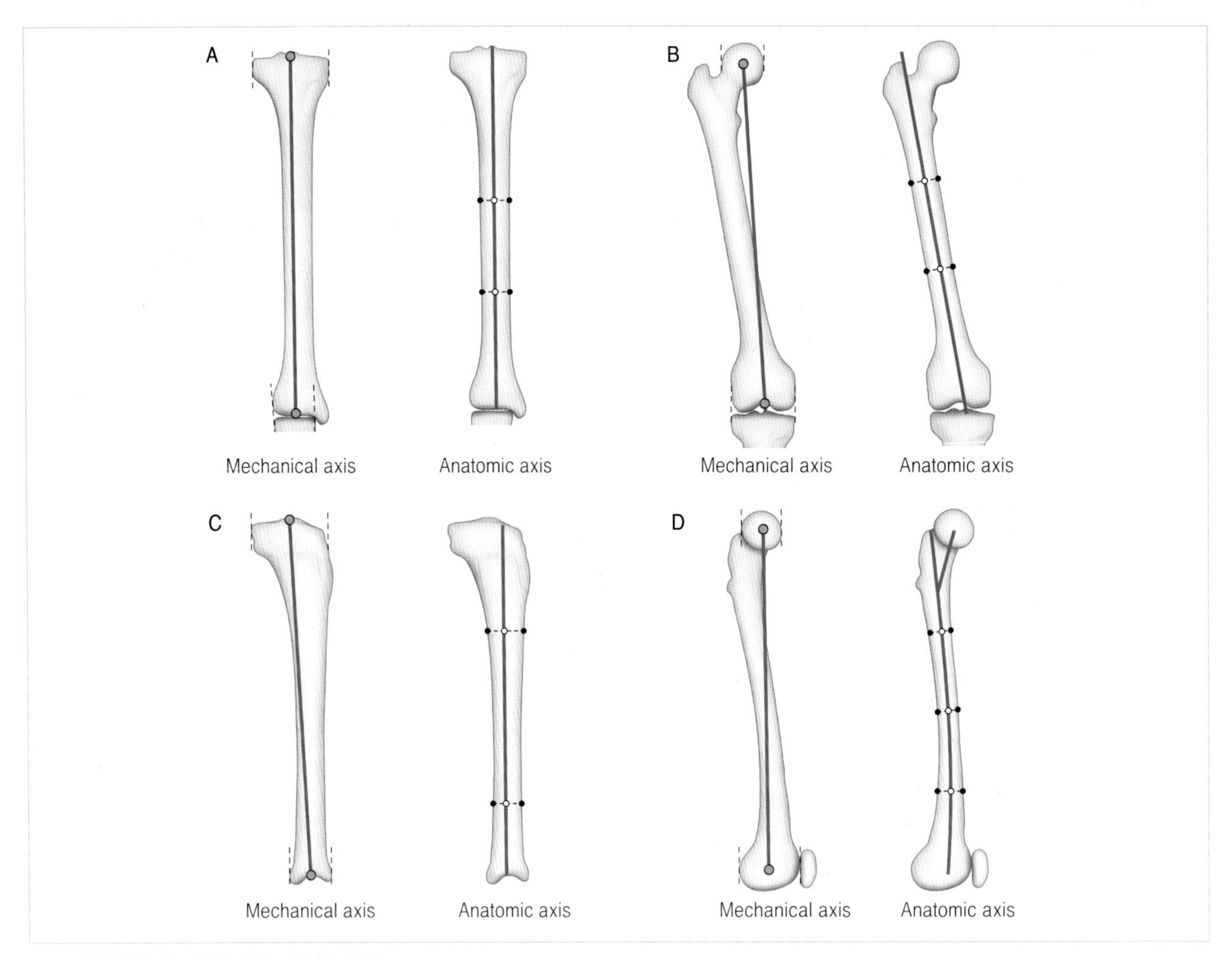

Fig 2. **하지 장관골의 기계적 축과 해부학적 축.**

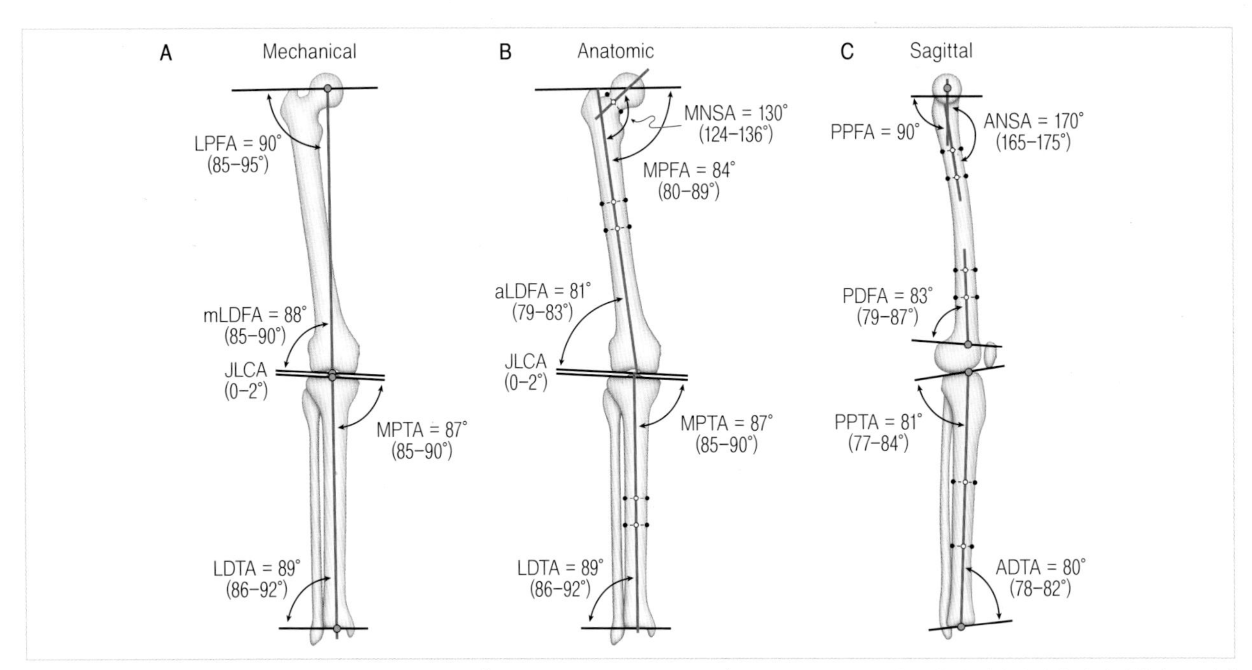

Fig 3. A: 관상면에서 기계적 축의 각각의 정상 관절 방향각(normal joint orientation angle). B: 관상면에서 해부학적 축의 각각의 정상 관절 방향각. C. 시상면에서 해부학적 축의 각각의 정상 관절 방향각.

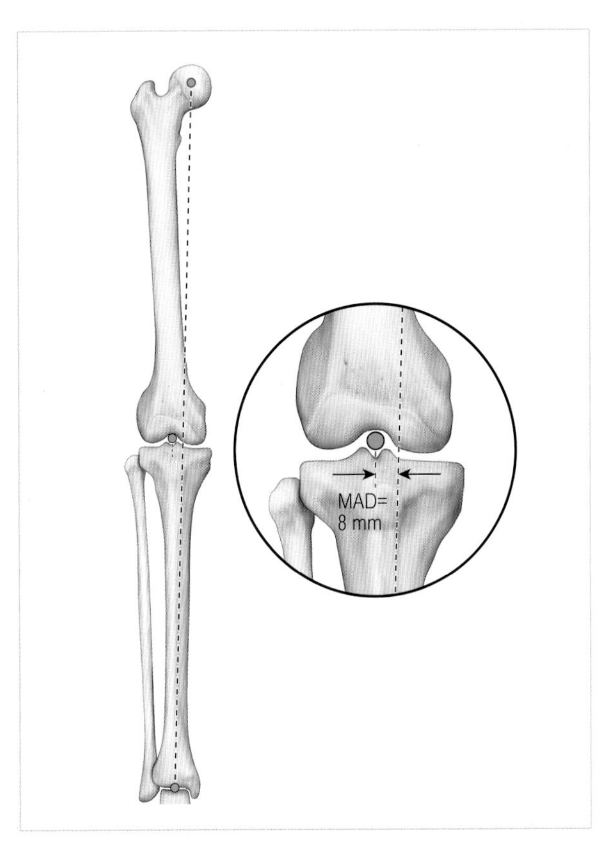

Fig 4. **기계적 축 편차(MAD)의 측정 방법**(Reproduced with permission from Mielke CH, Stevens PM. J Pediatr Orthop. 1996.).

의미하고, 외측 수렴각(lateral JLCA)이 존재하면 내측 관절인대 이완(medial ligament-capsular laxity) 혹은 외측 관절면 결손(lateral cartilage loss)을 의미한다.

- **슬관절의 부정방향**(malorientation)
  - 슬관절이 부정방향을 가지고 있으면 체중 부하 시 압박력이 전단력으로 전환되어 연골관절 마모의 위험이 있으며, 슬관절 굴곡-신전 평면이 시상면에서 벗어나게 된다.
  - 원위 대퇴골과 근위 경골의 변형이 있으나 서로 상쇄되는 경우 부정방향 변형이 있어도 기계적 축 변위(MAD)는 정상일 수 있다.

- 정상 하지 정렬의 변화(Salenius 1975, Yoo 2008)
  - 신생아는 약간의 내반슬을 가지고 태어나며
  - 보행을 시작하면서 점차 외반슬로 전환되어
  - 생후 3–4세에 최대 외반슬이 되었다가
  - 그 이후 점차 외반슬이 감소하여 6–7세 경에 약간의 외반슬 상태로 고착되어 성인에 이르게 된다Fig 5.

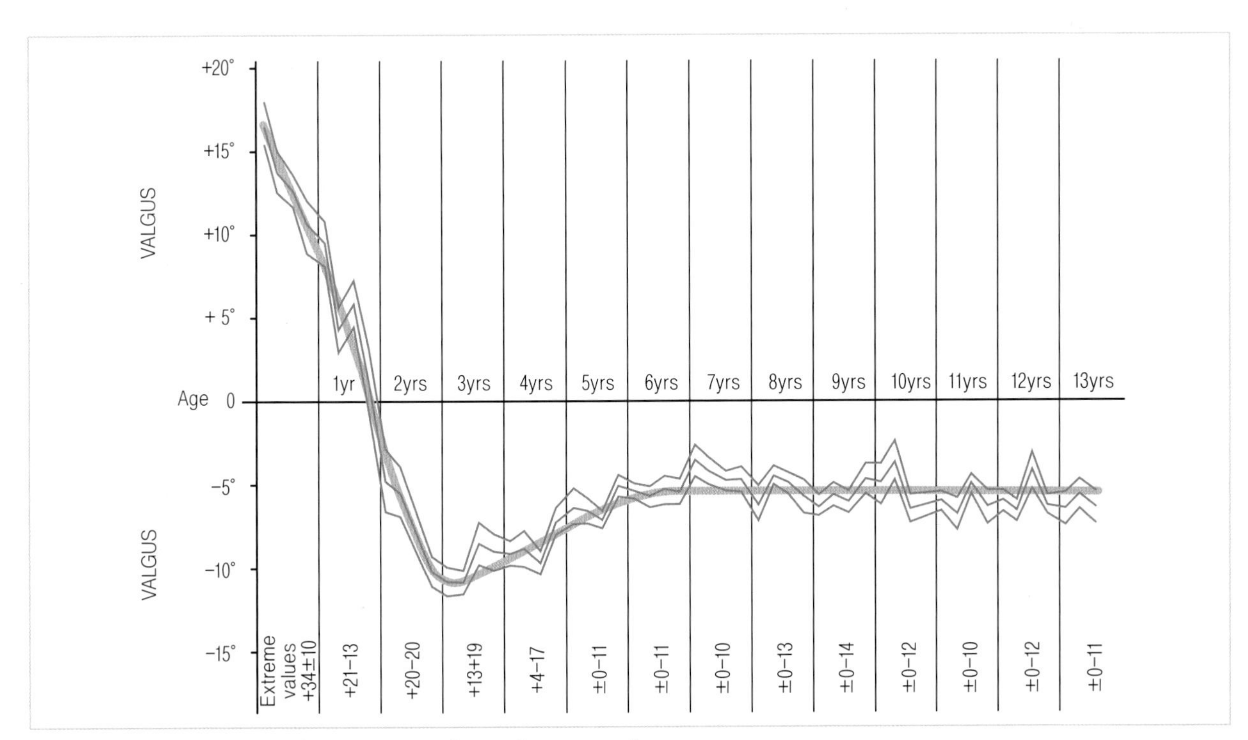

Fig 5. **연령에 따른 대퇴-경골간 각(tibiofemoral angle)의 변화(Salenius 1975).**

(2) 슬관절 시상면(sagittal plane)에서의 검사

- 슬관절의 시상면(sagittal plane)은 보상운동(compensatory motion)이 많고, 굴곡-신전 위치에 따라 기계적 축(mechanical axis)과 슬관절이 만나는 지점이 변한다. 따라서 부정정렬 검사보다는 경골과 대퇴골 각각에서 해부학적 축의 관절방향각(joint orientation angle)을 측정하는 부정방향검사(malorientation test)가 변형 정도와 원인을 평가하는데 더 유용하다.
- 최대 신전 위치(maximum extension view)에서 기계적 축이 슬관절의 후방을 지나는 경우, 굴곡부정 정렬(flexion malalignment)에 해당한다Fig 6.
- 최대 신전 위치(maximum extension view)에서 경골과 대퇴골의 기계적 축이 5도 이상의 과신전(hyperextension)을 보이는 경우, 신전 부정 정렬(extension malalignment)에 해당한다.
- 후방 원위대퇴골각(PDFA)의 정상값은 83±4도(79-87도)이다. PDFA가 작은 경우 원위 대퇴골이 굴곡 변형(procurvatum)이고, PDFA가 큰 경우 원위 대퇴골이 신전 변형(recurvatum)이다.
- 후방 근위경골각(PPTA)의 정상값은 81±4도(77-85도)이다. PPTA가 작은 경우 근위 경골 굴곡변형(procurvatum)이고, PPTA가 큰 경우 근위 경골 신전변형(recurvatum)이다.

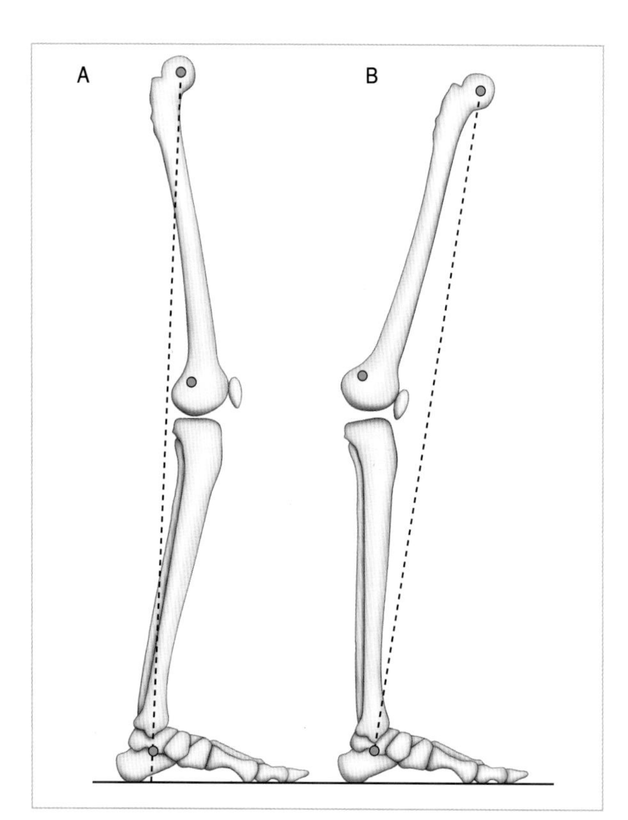

Fig 6. **시상면에서의 기계적축.**
A: 슬관절 뒤쪽으로 지나가면 굴곡부정 정렬(flexion malalignment). B: 슬관절 앞쪽으로 지나가며 신전부정 정렬(extension malalignment)을 의미한다.

III. 하지 염전변형 (torsional deformity of lower extremity)

1. 염전변형의 평가

1) 이학적 검사

(제2장, 1. 병력 조사와 신체검사 참조)

2) 방사선 검사

- 2D-CT를 이용한 측정법: 대퇴골 또는 경골의 근위부와 원위부의 횡단면을 나란히 놓고 근위부와 원위부의 특정 해부학적 구조물을 기준으로 염전을 평가한다. 단면을 장축에 정확하게 수직으로 놓지 못할 수도 있고 근위 대퇴골은 한 단면에서 그 해부학적 구조를 충분히 측정할 수 없기 때문에 오차의 소지가 있다.
- 3D-CT를 이용한 측정법: 가장 정확한 측정 방법이다 Fig 7. 그러나, 이렇게 얻은 염전변형이 방사선 피폭을 정당화할 만큼 중요한 정보인지를 숙고하여 검사하여야 한다.
- EOS를 이용한 측정법: 서로 직각 방향에서 촬영한 방사선 검사로부터 3차원 영상을 재건하는 하는 방법이다. 아직 국내에서는 일부 의료기관에서만 사용할 수 있다.
- 단순 방사선검사를 이용한 대퇴골 염전각 측정: 전후방 및 측방 방사선 검사에서 측정한 대퇴경간각에서 삼각함수 방법으로 염전각을 산출할 수 있으며, 단순 방사선검사를 통계형상모델에 대입하여 재건한 대퇴골 3차원 영상으로부터 전염각을 측정하는 소프트웨어도 개발되어 있다Fig 7.

2. 생리적 하지 염전변형(physiologic torsional deformity of lower extremity)

염전 변형이 있는 곳이 대퇴골인지 경골인지 여부에 대한 검사, 정상 성장의 단계, 병력 청취 등을 통하여 정확한 치료를 할 수 있다Table 1. 성장에 따른 장골 회전 변화는 유전적인 요인에 가장 영향을 많이 받으며, 환경적인 영양 상태도 영향을 주는 것으로 보인다. 뇌성마비, Blount 병, 구루병, 여러 가지 골이형성증에서 병적 염전변형이 나타날 수 있으나, 건강한 아동에서도 대퇴전염각의 증가 또는 감소, 경골의 내염전 또는 외염전이 나타날 수 있다. 염전 변형에 대한 보조기 치료, 자세 요법 또는 근력 운동 등은 효과를 기대할 수 없다.

1) 대퇴전염각 증가(increased femoral anteversion)

- 관절이완(ligament laxity)이 있는 아동에서 흔히 관찰되며, 고관절 관절막 전방에 있는 Bigelow 인대의 이완으로 신생아기에 있는 대퇴전염각이 줄어드는 재형성 과정이 제대로 진행되지 않기 때문으로 생각된다.
- 3-5세 사이에 흔히 발견되고 여아에서 더 흔하다Fig 8. 특징적으로 "W"위치(TV position)로 앉으며 차려 자세로 서 있거나 걸을 때에 슬개골이 안쪽으로 향하는 경향을 보인다. 달리기할 때에 어색한 모습을 보인다. 고관절의 내회전이 증가되어 있다.
- 나이가 들면서 아동 자신이 의식적으로 내족지 보행을 안 할 수도 있고, 대퇴골 내염전이 감소하거나 경골의 이차적인 외염전으로 내족지 보행이 없어지는 경우가 흔하다.

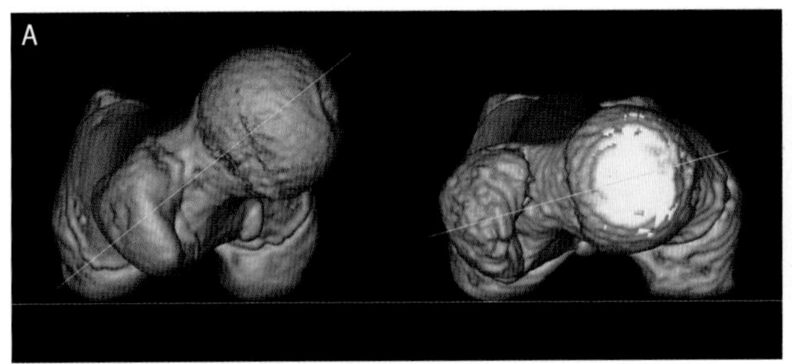

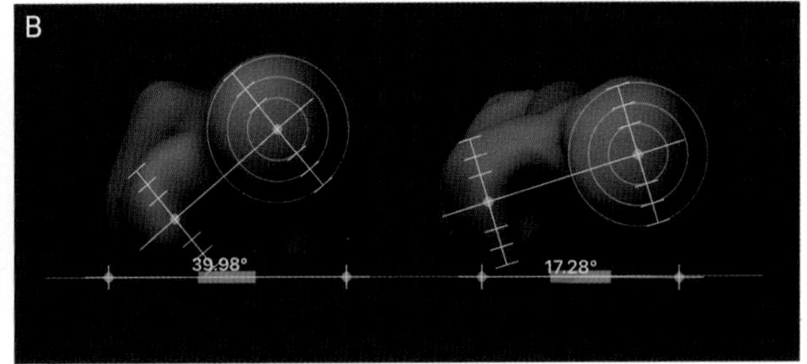

Fig 7. 전염각이 과도하게 증가된 환자와 정상범위 환자의 3차원 CT 영상(A)과 같은 환자의 2차원 단순 영상을 통계형상모델에 대입하여 3차원 재건한 영상(B).

Table 1. **내족지 및 외족지 보행의 원인**

Level of affection	Toe-in	Toe-out
Feet-ankles	Pronated feet (protective toeing-in) Metatarsus varus Talipes varus and equinovarus	Pes valgus due to contracture of triceps surae Talipes calcaneovalgus Congenital convex pes planovalgus
Leg-knee	Tibia vara and developmental genu varum Abnormal medial tibial torsion Genu valgum : developmental (protective toeing-in to shift body center of gravity medially) Congenital or acquired hypoplasia of the tibia with relative overgrowth of the fibula	Lateral tibial torsion Congenital absence or hypoplasia of the fibula
Femur-hip	Abnormal femoral antetorsion Spasticity of medial rotators of hip (cerebral palsy)	Abnormal femoral retroversion Flaccid paralysis of medial rotators of hip
Acetabulum	Maldirected : facing anteriorly	Maldirected : facing posteriorly

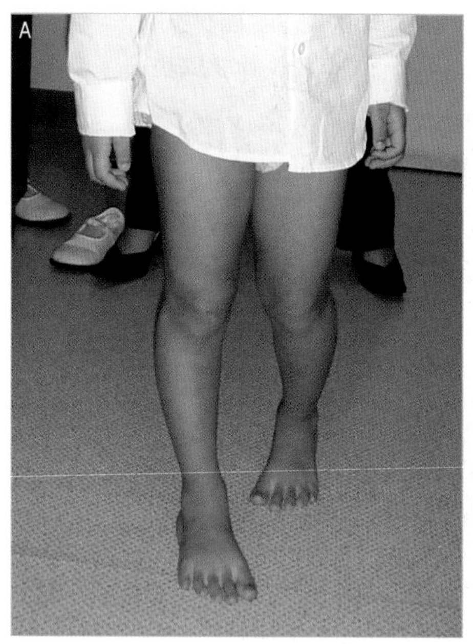

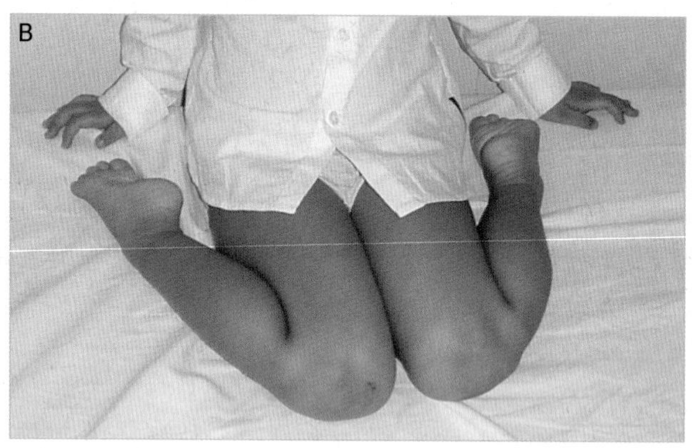

Fig 8. 전염으로 내족지 보행(A)을 보이며 앉을 때는 TV-position(B)을 선호한다.

- 대퇴염전각 증가로 인한 장기적인 후유증이나 운동 장애 등은 없다(Kitaoka 1989, Hubbard 1988, Wedge 1989).
- 8-10세 이후에도 상당히 큰 전염각이 잔존하여 운동이 어색한 경우에 대단히 예외적으로 대퇴골 회전절골술을 통해서 교정하는 것을 고려할 수 있으나 그 적응증 범위는 대단히 좁다.

2) 대퇴골 전염각 감소 또는 후염전(decreased anteversion or retroversion of the femur)

- 외족지 보행을 보이며 청소년기 이후 대퇴비구 충돌증후군을 초래할 수 있다.
- 대퇴골두골단분리증(SCFE)의 위험인자이다.

3) 경골 내염전(internal tibial torsion)

- 유아기 때 가장 흔히 나타나던 경골의 내염전은 내족지 보행의 원인이 된다. 성장과 더불어 저절로 교정되는 경우가 많으므로 학령기 아동이 되면 외염전에 비하여 드물게 된다.
- 약간의 내염전 변형은 기능에 지장을 주지는 않는다(Fuchs 1996).

4) 경골 외염전(external tibial torsion)

- 외족지 보행의 원인이 된다. 성장하면서 대개 경골은 외염전이 증가되기 때문에 경골의 외염전은 저절로 호전되는 내염전에 비하여 성장에 따라 저절로 호전되기를 기대할 수 없다.
- 경골의 외염전이 심한 경우 슬관절의 부정 정열(malalignment)에 의하여 슬관절 통증을 호소할 수 있으며, 대퇴골 내염전이 동반된 경우에 더 심할 수 있다.
- 외염전은 저절로 호전되는 경우가 거의 없으며 8세 이후에 40도 이상의 대퇴-족부 각을 보이는 심한 외염전은 경골 과상부 회전 절골술로 교정하는 것을 고려할 수 있다.

5) 염전 부정정렬 증후군(torsional malalignment syndrome)

- 대퇴전염각 증가와 경골 외염전 변형이 복합된 변형이다Fig 9.
- 다리가 애매하게 휘어 보이는 듯한 미용상의 문제가 있으며, 족부진행각은 정상이나 걸을 때 무릎끼리 부딪히기도 하고 간혹 슬관절 통증 및 슬개골 불안정성을 호소할 수도 있다.

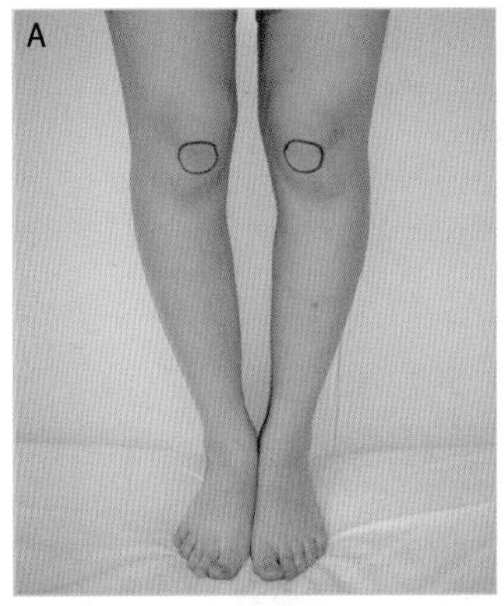

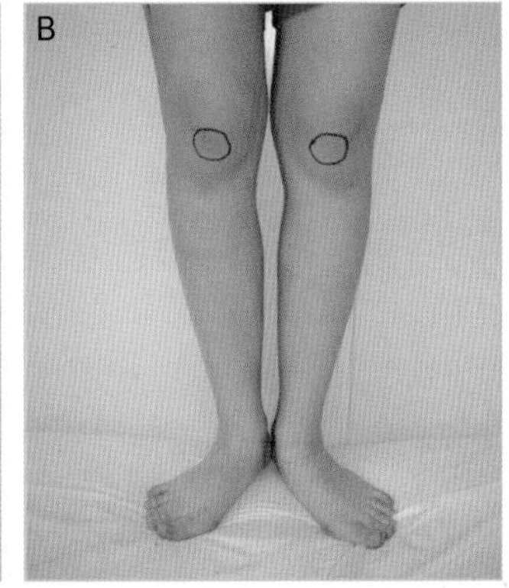

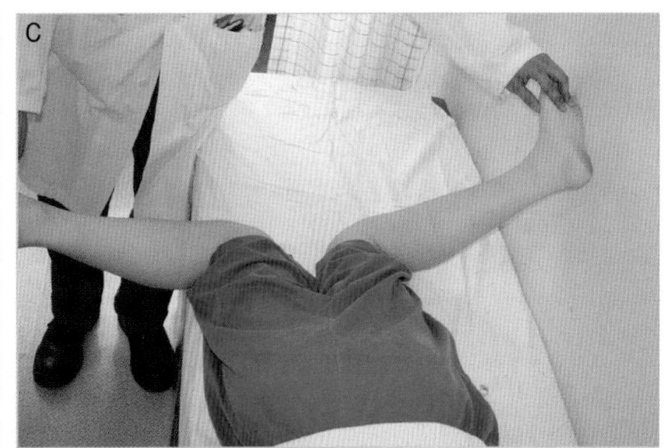

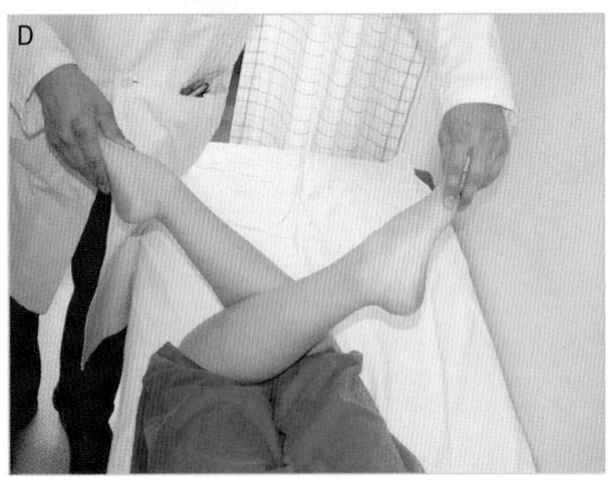

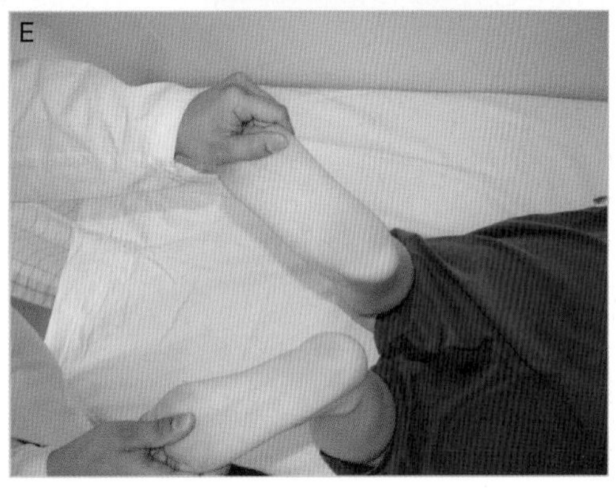

Fig 9. **염전 부정정렬 증후군.**
발을 나란히 하면 슬개골이 안쪽으로 향하고(A), 슬개골을 정면으로 향하게 하면 발이 벌어지게 된다(B). 대퇴골 전염이 증가되어 내회전이 증가되어 있고(C) 외회전이 감소되어 있으며(D), 경골 외회전이 증가되어 있어 대퇴-족부 각이 증가되어 있다(E).

- 관절이완으로 전만슬(genu recurvatum) 변형이 있는 경우 하지의 회전 자세에 따라서 내반슬(genu varum)로 오인될 수도 있다Fig 9A.
- 증상의 정도에 따라 대퇴골 및 경골의 회전 절골술을 고려할 수 있다(Delgado 1996, Stambough 2018).

IV. 사지길이부동

1. 임상적 평가

하지길이부동에 대한 치료의 목표는 임상적 상태에 따라서 환자마다 다르게 결정한다. 하지, 골반, 척추의 동반된 골-관절 변형과 신경근육 상태를 점검하여 근력 약화와 보조기의 필요성 등을 점검한다.

1) 하지 길이의 측정

(1) 줄자를 이용한 측정

- 극과거리(spine-malleolar distance, SMD): 전상장골극(ASIS)에서 발목 관절의 내과 또는 외과까지의 거리를 측정한 길이로서 진성 하지장(true leg length)를 의미한다.
- 제과거리(umbilicus-malleolar distance, UMD): 배꼽에서 족근관절 내과까지의 거리를 측정한 길이로서 고관절 외전 상태, 골반 경사 상태에 따라 영향을 받을 수 있는 현성 하지장(apparent leg length)을 의미한다.
- 테이프를 이용한 길이 측정은 관절 구축이 있거나 양측 다리 두께에 차이가 있을 때 오류가 있을 수 있고, 비만이 있는 경우 landmark를 찾기 어려울 수 있으며, 족근관절 이하에서 길이 차이가 있는 것을 반영할 수 없다는 한계가 있다.

(2) Wood block test

- 단축된 하지의 발 밑에 나무토막을 놓고 서게 해서 골반골 방사선 검사 상 양측 장골능의 높이가 같아지는 나무토막의 두께로 하지길이부동을 측정하는 방법이다Fig 10.
- 하지길이부동인 상태가 장기간 지속되면 어느 정도 적응되기 때문에 환자가 편안하게 느끼는 정도의 하지길이부동 교정 정도를 파악하는 데에도 유용한 방법이다. 하지길이부동을 치료하는 과정에서 다시 길이 차이가 줄어드는 데에 천천히 적응할 수도 있으므로 이때에 측정한 교정 정도보다는 어느 정도 더 교정해도 무방하다.

3) 기타 임상적 관찰 내용

- 기립 자세에서 슬관절의 상대적 높이 비교: 무릎 이하에서 다리 길이 차이를 알 수 있다.

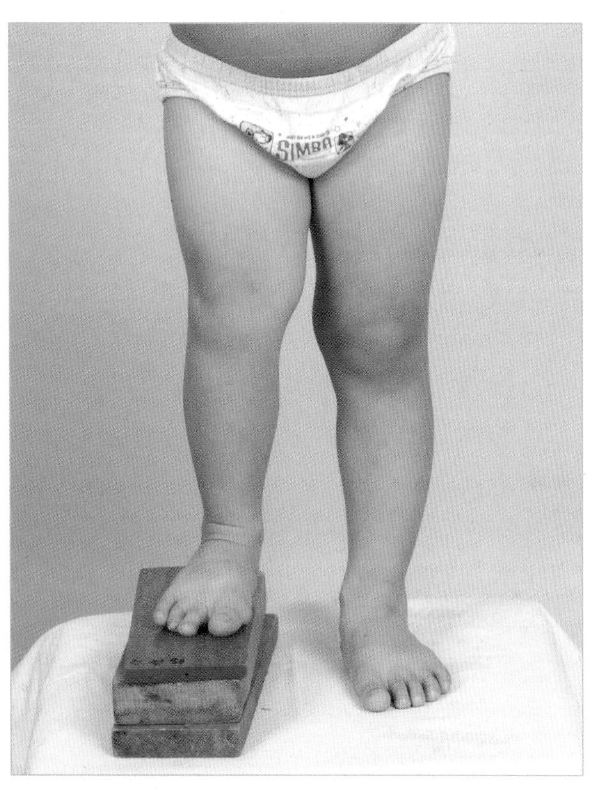

Fig 10. **Wood block test.**
환측의 발 밑에 얼마나 두꺼운 나무토막을 놓고 서서 장골능의 높이(iliac crest height)가 동일해 지는지를 측정하고, 환자가 편하게 느끼는 나무토막의 두께를 측정한다.

- 골반 경사(pelvic obliquity): 실제 다리 길이 차이가 있으나 골반을 틀면서 고관절에서 경사를 주어 요추부는 균형을 이루는 경우를 판별해 낸다.
- 요추부의 수직성
- 요추부의 균형
- 하지의 각변형: 긴 다리 쪽 하지는 내반슬, 짧은 다리 쪽 하지는 외반슬 변형이 발생하는 경향이 있다.
- 관절의 구축: 슬관절 및 고관절의 굴곡 구축, 족부의 첨족 변형 등이 환자가 느끼는 하지길이부동에 영향을 줄 수 있다. 또, 고관절 외전 구축이 있으면 이환된 하지가 더 길게 느껴지고 그런 보행 양상을 보인다.
- 족부의 크기 또는 아치의 높이 차이도 하지길이부동에 기여한다.

2. 방사선검사에 의한 평가

방사선검사를 통한 하지 길이의 평가는 환자가 해부학적 자세를 취하고 있는 것을 전제로 한다. 슬관절 굴곡 구축 등을 고려하여 하지길이부동을 평가하여야 한다.

1) 전통적 단순 방사선검사를 이용하는 방법Fig 11

(1) 기립 전후면 골반골 방사선검사

하지길이부동은 결국 기립 상태에서 골반골이 얼마나 기울어서 그 영향이 척추에 어떻게 미치는지가 중요하다. 관절 구축이 없다면 발뒤꿈치를 땅바닥에 대고 슬관절과 고관절은 신전한 상태로 기립하여 촬영한 골반골 방사선검사에서 장골능의 높이 차이 또는 기울기 등이 하지길이부동을 가장 잘 대변할 수 있다.

(2) 원격방사선검사(teleradiogram)

하지의 중심에 방사선 조사 중심을 놓고 긴 한 장의 필름에 골반에서 족부까지 촬영하기 때문에, 양쪽 끝에서는 전후면이 아닌 상방 또는 하방 경사면 영상이 확대되어 보인다. 전체적인 각변형 관찰에 유용하지만 하지길이 측정에는 오차가 발생한다.

(3) 수직방사선검사(orthoroentgenogram)

한 장의 사진에 긴 자와 고관절, 슬관절, 족근관절에 주

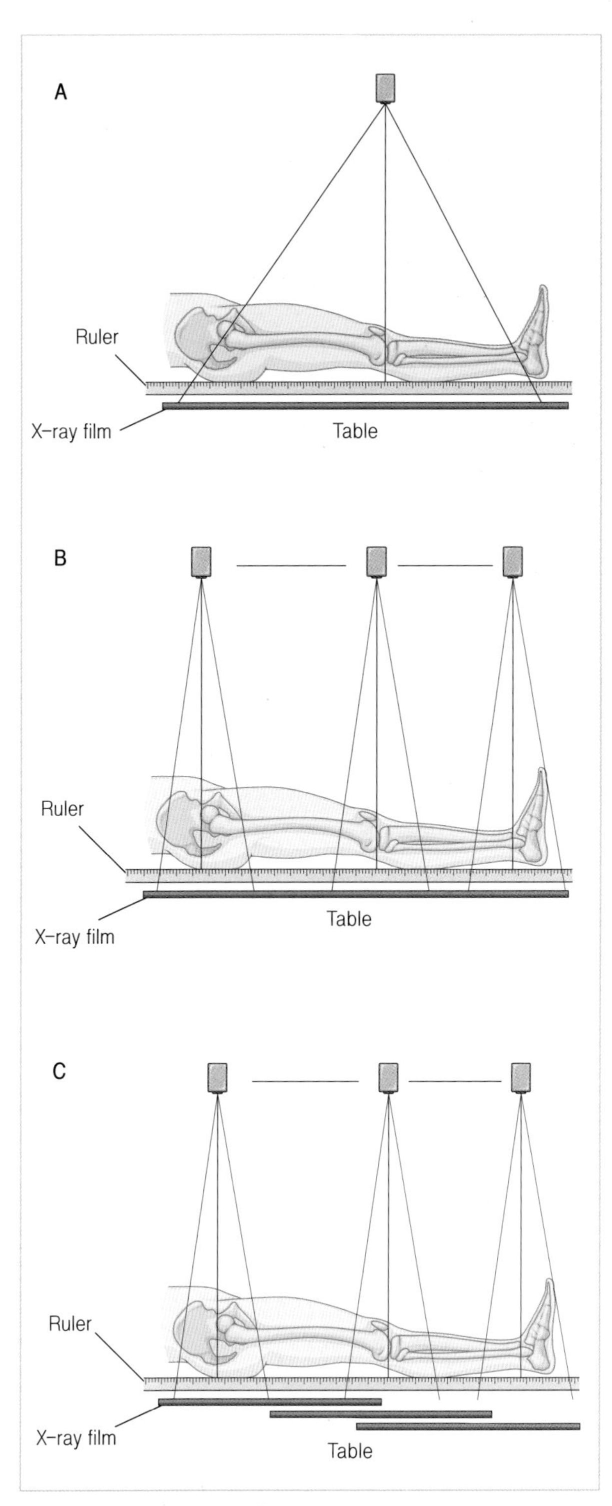

Fig 11. **전통적인 방사선 길이 측정법.**
A: 원격 방사선 촬영법(teleroentgenogram). B: 수직방사선 촬영법(orthoroentgenogram). C: Slit scanogram (Bell-Thompson study).

사선의 중심을 두고 중복되게 노출시킨다. 방사선 방출구가 이동하면서 3회의 노출을 한다. 원격방사선검사의 경사면 영상에 비해서 오차를 줄일 수 있으나 환자의 협조가 필요하다.

(4) Slit scanogram (Bell-Thompson study)

수직방사선검사와 같은 방법으로 촬영하지만 필름이 함께 이동하면서 작은 크기의 필름에 눈금자와 함께 고관절, 슬관절, 족근관절 영상을 담는 방법이다.

2) 스캔촬영을 이용한 방법Fig 12

(1) CT scanogram

CT 촬영에 앞서 시행하는 스카우트 영상에서 대퇴골 및 경골의 길이를 측정하는 방법이다. 슬관절 굴곡 구축이 있는 경우에는 시상면 영상에서 길이를 측정할 수도 있다. 수직방사선 촬영법의 개념을 적용한 것이지만 피폭량이 적고 시간도 적게 걸린다는 장점이 있다.

(2) 슬롯 스캔 디지털촬영(slot-scan Digital Radiography)

자동화된 기계 장치에서 기립자세에서 저용량의 방사선량으로도 하지 전체의 영상을 얻어서 정확한 하지길이부동을 측정할 수 있다.

(3) EOS® imaging system

직각 방향에서 2장의 슬롯 스캔을 동시에 촬영하고 통계형상모형을 통하여 3D 재건하는 방법으로, 측방 영상에서 시상면상에서 환자가 해부학적 자세로 기립하였는지도 확인할 수 있다. 단, 하지길이부동을 평가하기 위해서는 일반적인 EOS 촬영 자세 대신 두발을 나란히 붙이고 차려 자세에서 촬영하여야 한다.

3. 성장 계산(growth calculation)

성장기 환아에서 건측 및 환측 하지의 길이 성장과 하지길이부동의 정도를 예측하고, 적당한 골단판 유합술 시기를 산출하는 것이다. 여러 가지 방법이 소개되어 있는데 어느 방법에도 오차가 있을 수밖에 없기 때문에 주어진 자료로 사용할 수 있는 여러 가지 방법으로 계산하고 이들 결

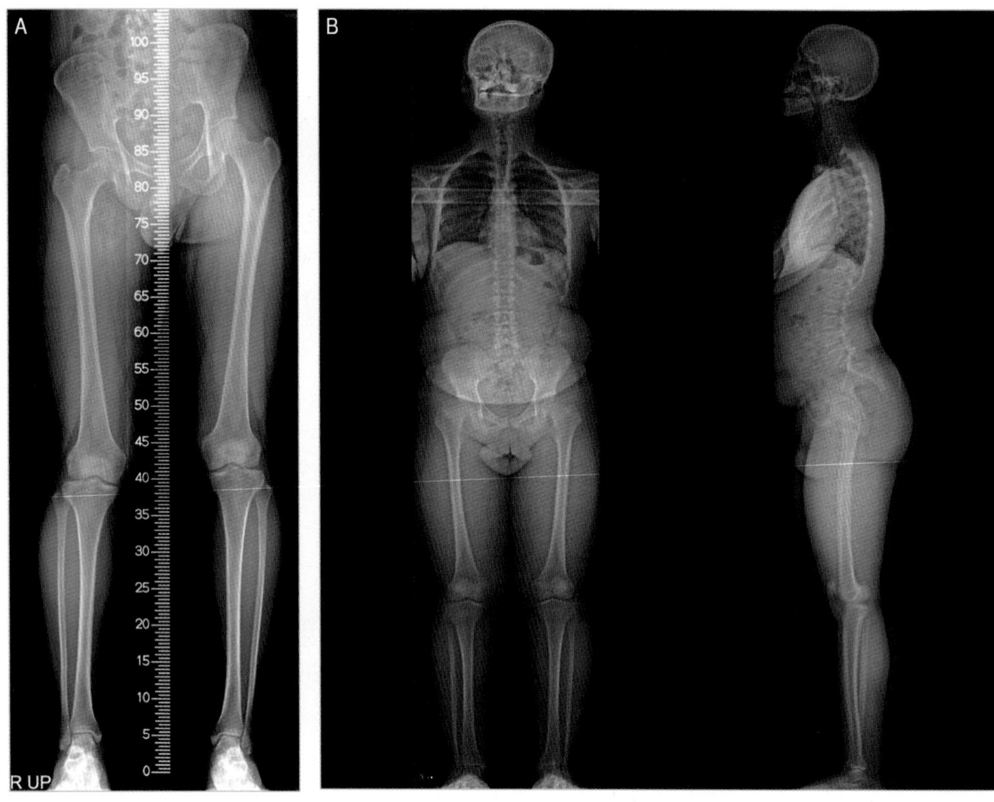

Fig 12. A: 슬롯 스캔 디지털촬영(Slot-scan Digital Radiography). B: EOS로 측정한 하지 길이.

과를 종합적으로 고려하여 하지길이부동을 치료해야 한다. 현재 산술적 방법과 승수법이 널리 사용되고 있다. 승수법은 사용하기 편리하지만 정확성에 대해서 회의적인 의견도 있다(Burger 2019, Markarov 2018, Lee 2013).

1) 골 연령(bone age)의 판정

(제1장 골 성숙의 방사선검사 방법 참조)

2) 산술적 방법(arithmetic method)(White-Menelaus 1966)

- 성장이 억제되는 정도가 선형(linear)이라는 가정 하에 계산을 한다. 여러 측정 시점의 자료들은 PC 등을 이용하여 회귀 분석을 통해서 쉽게 계산할 수 있다.
- 연간 성장 억제된 정도를 계산한 성장 억제율(growth inhibition rate, GIR)을 이용한다.
- 역연령(chronologic age)이나 골연령(bone age)을 모두 사용할 수 있으며, 골연령을 사용할 경우 결과가 더 정확하다.
  - 여아는 14세까지, 남아는 16세까지 근위 대퇴골 골단판에서 매년 4 mm, 원위 대퇴골에서 10 mm, 근위 경골에서 6 mm, 그리고 원위 경골 5 mm씩 성장한다는 가정에 근거를 두고 있다.
- 가장 직관적이고 정확하다.

- 저자들의 modified White-Menelaus 산술적 방법
  - 계산에 필요한 측정값: 현 시점과 그 이전의 여러 시점에서 측정한 양측 하지(또는 해당 장관골)의 길이, 각 시점에서의 골연령
  - 모든 측정 시점의 양측 하지 길이의 차이(cm)를 모두 이용하여 회귀분석을 한다.
  - 성장 억제율(GIR)(cm/yr): 회귀 분석의 기울기에 해당한다.
  - 잔여 성장기간 = 현재 골연령 − 14(여) 또는 16(남)
  - 향후 성장 억제 정도 = 성장 억제율 × 잔여 성장 기간
  - 성장 완료 시의 하지길이부동 = 현재 하지길이부동 + 향후 성장 억제 정도
    예: 골연령 자료가 없으면 역연령을 이용한다.

3) 잔여 성장 방법
(growth remaining method)(Anderson 1963)

- Anderson 등은 1963년 백인 정상 아동 50명과 백인 소아마비 환아 50인에서 골 연령에 따른 하지 길이의 변화Fig 13, 골 연령에 따른 근위 및 원위 대퇴골과 경골의 잔여 성장Fig 14, 그리고 역 연령에 따른 대퇴골과 경골의 길이를 발표하였다. 인종과 시대에 따라서 그대로 적용할 수 있는지에 대한 의문이 제기되고 있다.
- 잔여 성장이 선형(linear)하지 않다는 것을 가정하고, 일정 기간 동안 건측 성장 길이에 대한 건측과 환측의 성장 차이를 의미하는 성장 억제비(growth inhibition ratio)를 이용하며, 골 연령(bone age)으로 계산한다.
- 골단판 유합술의 효과를 추정함에 있어 성장 억제 개념을 적용하지 않은 문제점이 있다.
- PC가 도입되기 이전에 그래프에 점을 찍어서 결과를 구하는 방법이었다.
  - Dimeglio 등도 각 골단판 별로 연령에 따른 잔여 성장 자료를 발표하였고 이를 토대로 골단판 유합술의 효과를 간단하게 추정할 수 있다Table 2(Dimeglio 1998).

- **잔여 성장 방법을 이용한 하지길이부동 예측법**
  - 계산에 필요한 측정값: 현 시점과 과거 특정 시점에 측정한 하지 길이, 각 시점에서의 골 연령
  - 성장 억제비(growth inhibition ratio) = (해당 기간 중 긴 다리의 성장 – 짧은 다리의 성장)/긴 다리의 성장
  - 현재 긴 다리 길이와 골 연령을 Green-Anderson 하지 길이 그래프Fig 13에 투사하여 그 연령에서 평균으로부터의 편차를 구한다.
  - 성장 완료 시 동일한 편차의 다리 길이를 추정
  - 긴 다리의 향후 성장 = 성장 완료 시 추정 길이 – 현재 길이
  - 향후 추가로 발생할 하지길이부동 = 성장 억제비 x 긴 다리의 향후 성장
  - 성장 종료 시의 하지길이부동 = 현재의 하지길이부동 + 향후 추가로 발생할 하지길이부동
  - 골단판 유합술에 의한 효과는 Green-Anderson 잔여 성장 그래프Fig 14에서 구한다.

4) 직선 그래프 방법(Moseley 1977)

- 잔여성장방법의 기초가 되는 Anderson 등의 데이터를 성장 그래프로 전환한 것으로, 여러 번 추시해서 그 평균적인 값으로 성장 종료 시 골 길이를 추정한다.

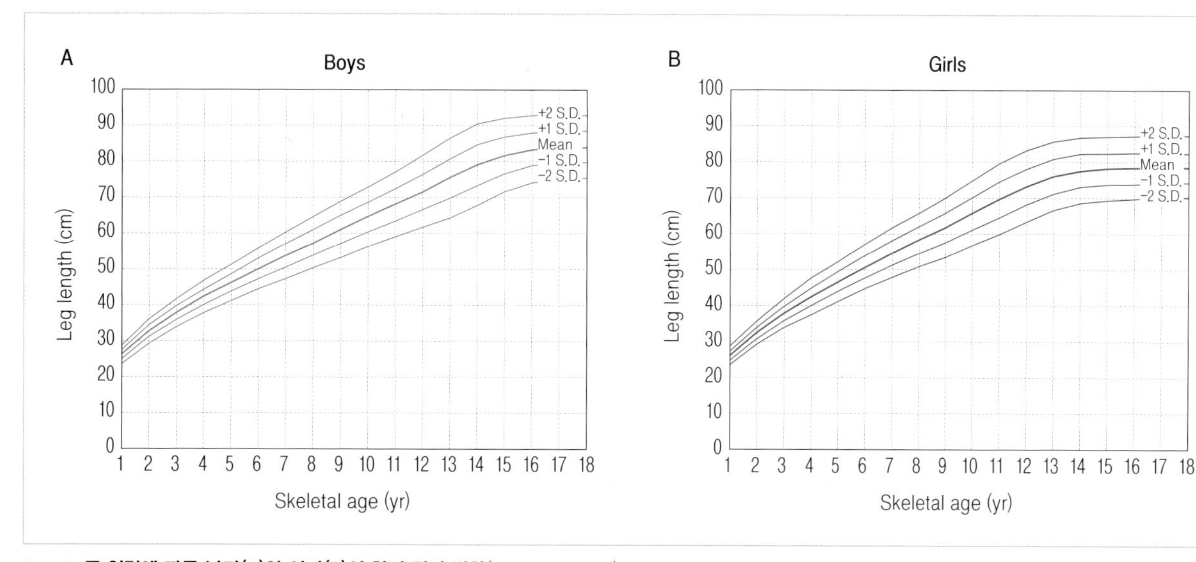

Fig 13. **골 연령에 따른 남자(A)와 여자(B)의 하지 길이 변화**(Anderson 1948).

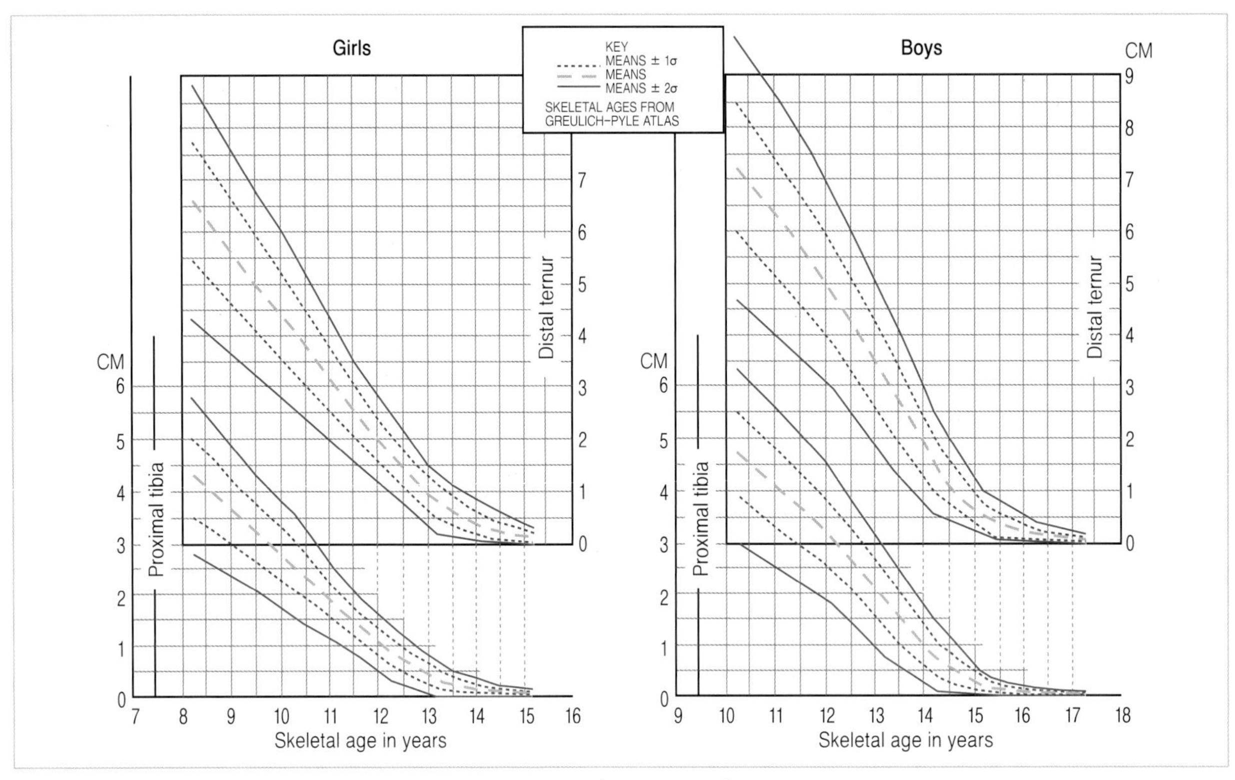

Fig 14. **골 연령에 따른 원위 대퇴골 골단판과 근위 경골 골단판의 잔여 성장(Anderson 1963).**

- Anderson의 기초 자료가 가지고 있는 한계를 공유하고 있다. 오늘날 핸드폰이나 PC 등으로 보다 정확한 결과를 쉽게 연산할 수 있기 때문에 널리 사용되지 않는다.

• Moseley 도표를 이용한 하지길이부동 예측법 Fig 15

- 측정해야 할 값: 여러 차례 측정한 하지 길이와 각 시점에서의 역연령
- 각 시점에서 측정한 하지 길이를 도표 Y축의 다리 길이에 따라서 건측의 다리 길이를 "normal leg"이라는 직선 위에 찍는다.
- 그 점에서 수직선을 긋고 환측 다리 길이에 해당하는 점들을 수직선 위에 찍는다.
- 환측 다리에 해당하는 점들을 최적으로 연결하는 직선을 긋는다. 이 선이 환측 다리의 성장을 추정하는 직선이다.

* 향후 성장의 추정

- 위의 수직선들이 해당 골 연령을 의미하는 위 또는 아래의 nomogram의 직선과 만나는 점들을 잡는다.
- 이 점들을 최적으로 fitting하는 수평선을 긋는다. 이를 성장 백분위선이라 한다.
- 이 수평선이 Maturity를 의미하는 선과 만나는 점에서 수직선을 내려서 "normal leg" 직선과 환측 다리의 성장 직선을 만나는 점을 잡는다. 이 두 점이 각각 normal leg과 환측 다리의 성장 종료 지점이며 그 Y축 값이 성장 종료 시 각각 다리의 길이이다. 그 차이가 성장 종료 시 하지길이부동에 해당한다.

* 수술의 효과 추정

- Moseley 도표 내 삽입되어 있는 "reference slope"와 평행하게 "normal leg" 직선의 특정 점에서 직선을 그어서 maturity 점에서 내린 수직선과 만나는 점을 잡는다. 이 점이 해당 수술을 하였을 때 normal leg의 성장 완료 시 길이가 되며, 환측 하지의 성장 완료 시 길이로부터 수술 후 하지길이부동의 정도를 예측한다.
- 거꾸로 maturity 점에서 내린 수직선과 환측 하지 성장선이 만나는 점에서 "reference slope"와 평행하게 선을 그어서 "normal leg" 직선과 만나는 점을 구한다. 여기에서 수직선을 그어서 성장 백분위선과 만나는 점의 골 연령이 해당 수술을 시행하여 하지길이부동이 소멸되도록 할 수 있는 골 연령에 해당한다.

Table 2. **연령에 따른 하지의 골단판에서의 잔여 성장(Dimeglio 1998)**

남자												
	5	6	7	8	9	10	11	12	13	14	15	16
Proximal femur	7.2	6.4	5.8	4.8	4.2	3.6	3	2.3	1.5	0.8	0.4	0.1
Distal femur	15.2	13.5	12.2	10	8.8	7.5	6.2	4.8	3.3	1.9	0.4	0.1
Proximal tibia	9.6	8.7	7.8	6.4	5.7	4.8	4	3	2	1.9	0.4	0.1
Distal tibia	7.2	6.5	5.8	4.8	4.6	3.7	3	2.3	1.5	0.8	0.4	0.1
여자												
	5	6	7	8	9	10	11	12	13	14	15	
Proximal femur	5.9	5	4.4	3.5	2.8	2	1.4	0.7	0.3	0.1	0.1	
Distal femur	12.8	10.7	9.2	7.2	5.9	4.5	3	0.7	0.3	0.1	0.1	
Proximal tibia	8.1	7	6	4.8	3.8	2.8	1.8	1.6	0.6	0.1	0.1	
Distal tibia	8.1	5.3	4.6	3.6	2.9	2	1.3	1.6	0.6	0.1	0.1	

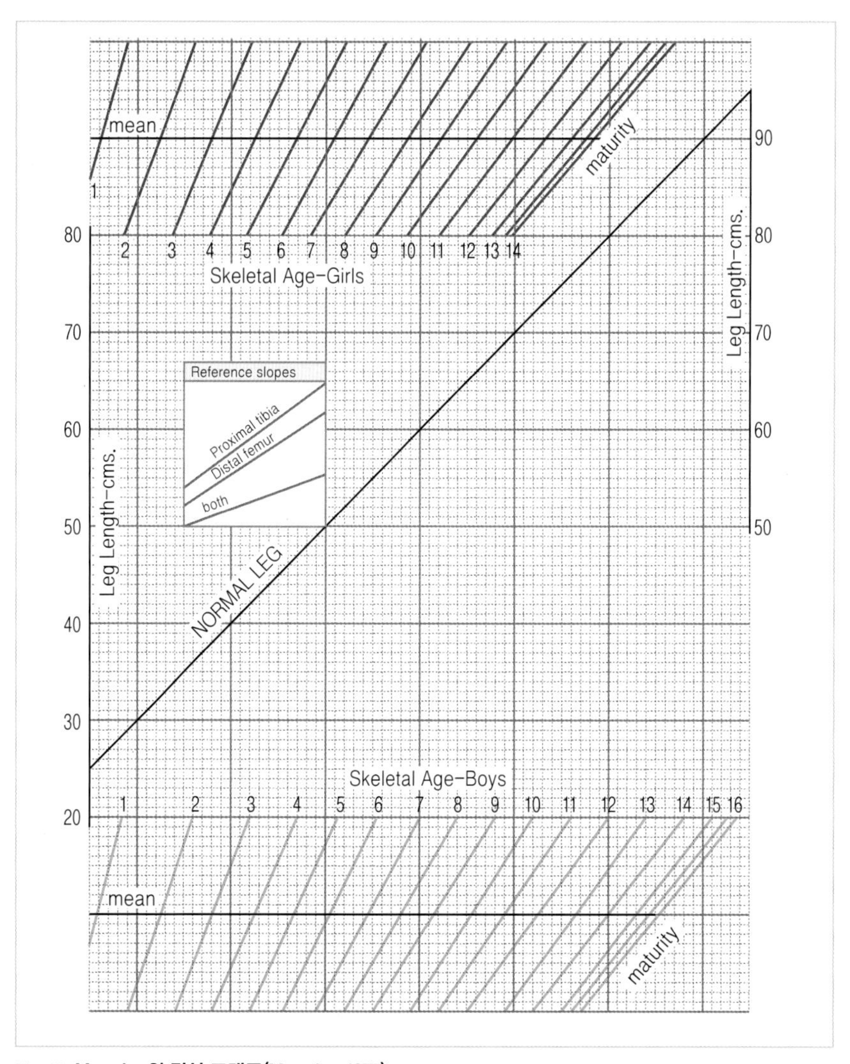

Fig 15. **Moseley의 직선 그래프(Moseley 1977).**

5) 승수 방법(multiplier method)(Paley 2000)

- Paley 등(2000)은 각 연령대 별로 하지골의 성장 완료 시에 대한 길이 비율을 제시하여Table 3, 부록 16 이를 승수(multiplier)로 해서 최종 하지길이부동을 예측하는 방법을 발표하였다. 이들은 골연령을 사용하여도 더 정확한 결과는 얻는 것이 아니므로 역연령을 사용할 것을 권장하였다.
- 하지길이부동의 크기가 하지 길이 성장에 비례하는 상태(Shapiro 제1형에 상당)에 적용할 수 있는 방법으로, 숫자표만으로 계산하는 방식이다.
- 한두 번의 측정만으로도 성장 완료 후의 하지 길이를 예측한다. 예를 들어 여아 11세에서 대퇴골의 multiplier가 1.12라 함을 앞으로 성장할 길이가 현재의 12%가 더 남았다는 것을 의미한다.
- 기초 자료는 Anderson 자료 등을 이용하기 때문에, Anderson 자료의 한계를 공유하고 있다.
- 스마트폰 용 App도 사용 가능하기에 바쁜 외래에서 쓰기 편리하다(https://itunes.apple.com/us/app/paley-growth/id435195238?mt=8).

• 승수 방법(multiplier method)을 이용한 성장 계산

* 선천성 하지길이부동일 때: 하지길이부동이 성장과 비례해서 증가한다는 가정
- 골 성장 완료 시 건측 하지 길이(Lm) = 현재 하지 길이(L) x 승수(M)Table 3
- 골 성장 완료 시 하지길이부동(△m) = 현재 하지길이부동 x 승수

* 후천성 하지길이부동일 때:
- 잔여 성장 방법에서의 성장 억제비(I) 계산
- 건측의 잔여 성장(G) = 골 성장 시 건측 길이(Lm) − 현재 건측 길이(L) = L(M−1)
- 향후 발생할 하지길이부동(△g) = I x G
- 골 성장 완료 시 하지길이부동(△m) = 현재 하지길이부동 + I x G

* 골단판 유합술 시기 결정
- 대퇴골은 전체 길이 성장의 71%가 원위 골단판에서, 경골은 57%가 근위 골단판에서 일어난다는 전제 하에
- 최적 골단판 유합술 시기에 잔여 길이성장(Gε) = ε/0.71(대퇴골) 또는 ε/0.57(경골)(ε는 골단판 유합술로 교정하고자 하는 하지길이부동의 크기)
- 최적 골단판 유합술 시기의 건측 하지 길이(Lε) = 성장 완료 시 건측 하지 길이(Lm) − Gε
- 최적 골단판 유합술 시기의 승수(Mε) = Lm / Lε
- Mε로부터 Table 3에서 최적 골단판 유합술 시기를 찾는다.

Table 3. 하지에 적용되는 승수 방법(multiplier method)의 상수(Paley 2000)

Age (yrs.+mos.)	Multiplier	
	Boys	Girls
birth	5.080	4.630
0+3	4.550	4.155
0+6	4.050	3.725
0+9	3.600	3.300
1+0	3.240	2.970
1+3	2.975	2.750
1+6	2.825	2.600
1+9	2.700	2.490
2+0	2.590	2.390
2+3	2.480	2.295
2+6	2.385	2.200
2+9	2.300	2.215
3+0	2.230	2.050
3+6	2.110	1.925
4+0	2.000	1.830
4+6	1.890	1.740
5+0	1.820	1.660
5+6	1.740	1.580
6+	1.670	1.510
6+6	1.620	1.460
7+0	1.570	1.430
7+6	1.520	1.370
8+0	1.470	1.330
8+6	1.420	1.290
9+0	1.380	1.260
9+6	1.340	1.220
10+0	1.310	1.190
10+6	1.280	1.160
11+0	1.240	1.130
11+6	1.220	1.100
12+0	1.180	1.070
12+6	1.160	1.050
13+0	1.130	1.030
13+6	1.100	1.010
14+0	1.080	1.000
14+6	1.060	NA
15+0	1.040	NA
15+6	1.020	NA
16+0	1.010	NA
16+6	1.010	NA
17+0	1.000	NA

V. 하지의 변형 교정

1. 변형 교정의 원리

1) CORA (center of rotation of angulation)

각변형이 있는 장관골에서 변형의 근위부 장축과 원위부 장축이 만나는 점으로Fig 16, 각 분절이 회전되어 있는 축에 해당한다. 관상면과 시상면에 각각 구할 수 있다. 하나의 골이 여러 수준에서 각변형되어 있으면 CORA도 여러 곳에 존재할 수 있다.

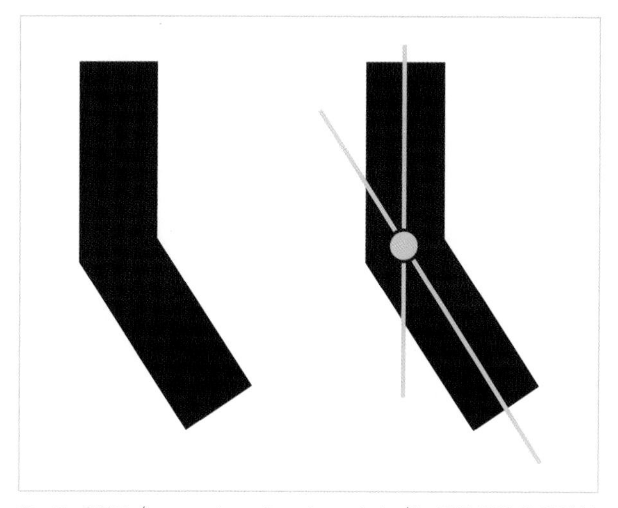

Fig 16. CORA (center of rotation of angulation)는 근위 분절과 원위 분절의 장축이 만나는 점으로 변형의 회전축이다(blue dot).

2) ACA (angulation correction axis)

변형 교정 수술 시 각변형 교정을 위하여 실제로 골 분절을 회전시키는 축이다. 외고정 장치를 이용한 각변형 교정 시에는 외고정 장치의 hinge 위치에 해당한다. CORA와 일치하면 이상적이지만 여러 가지 사정으로 일치시킬 수 없는 경우가 있으며, 그 차이에 따라 교정 후 골 연장, 골편의 전위 등이 발생할 수 있다.

3) ACA 위치에 따른 교정 후 길이의 변화

CORA를 통과하고 근위 분절의 장축(longitudinal axis)과 원위 분절의 장축(longitudinal axis)이 이루는 각을 양분하는 이분선(bisector line)을 긋는다. ACA가 이 이분선 위에 위치하면 교정 후 골편간의 전위(translation)가 발생하지 않는다. ACA가 이분선 상 각변형의 오목한 쪽에 있으면 골단축이 되며 폐쇄 절골술에 해당한다. 반면, ACA가 이분선 상 각변형의 볼록한 쪽에 있으면 각변형 교정 후 골 연장이 된다Fig 17.

4) ACA 위치에 따른 교정 후 골편의 전위

ACA를 CORA를 통과하는 이분선보다 근위측 또는 원위측에 위치하면 전위(translation)가 발생한다Fig 18. 해부학적인 이유로 ACA를 이렇게 둘 수밖에 없는 경우에

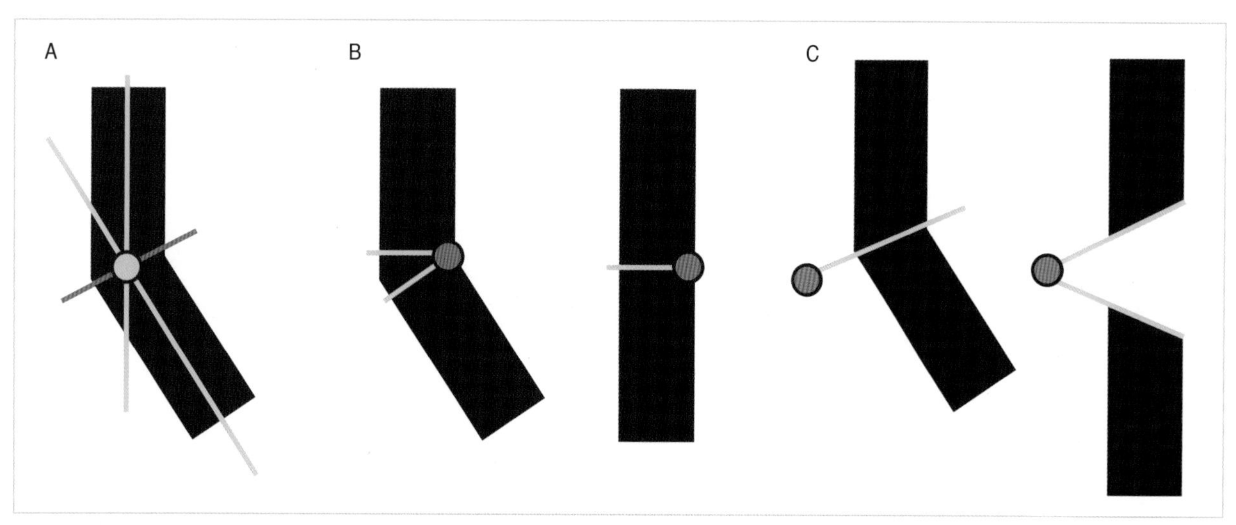

Fig 17. A: 이분선(bisector line)은 CORA를 통과하면서 근위 분절과 원위 분절 간 각을 양분하여 그은 선이다(red line). B: ACA (red dot)을 이분선 상 오목한 쪽에 위치하여 각변형을 교정하면 전체 골 길이가 단축된다. C: ACA (red dot)을 이분선 상 볼록한 쪽에 위치하여 각변형을 교정하면 전체 골 길이가 증가한다.

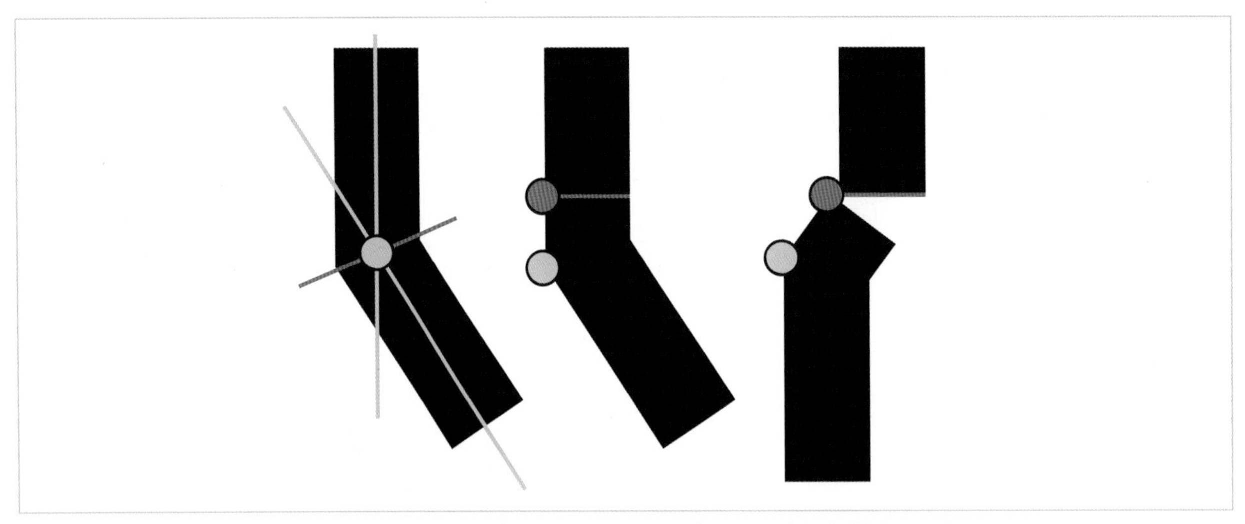

Fig 18. ACA를 이분선보다 근위 혹은 원위에 위치하고(red dot) 각변형을 교정하면 전위(translation)가 발생한다.

는 각변형 교정 후 골편을 전위하여 전체적인 정렬을 맞추는 것을 수술 전 계획에 포함하여야 한다.

2. 비수술적 변형 교정 방법

- 골 변형을 보조기, 물리치료 등 비수술적 방법으로 교정하는 것은 대부분 과학적 근거가 없는 비효과적인 방법이다.
- 예외적으로, 초기의 유아기 경골 내반증(infantile tibia vara)에서는 장하지 보조기가 교정 효과를 보일 수 있다. 이는 경골이나 대퇴골에 bending force를 가하여 변형을 교정하는 것이 아니고, 슬관절에 외반 stress를 주어서 근위 경골 골단판에 가해지는 체중부하를 개선함으로써 근위 경골 골단판에서의 성장 속도의 변화에 의해 변형이 교정되도록 한다.

3. 골단판 억제술 (physeal suppression/epiphysiodesis)

장관골의 골단판 전체를 억제하여 길이 성장을 감소시키거나, 내측-외측 또는 전방-후방 중 한쪽만 비대칭적으로 억제하여 각변형을 교정하는 방법이다.

1) 경피적 영구 골단판 유합술(percutaneous permanent epiphysiodesis)Fig 19

- 작은 피부 절개를 통해서 내측 및 외측 골단판 변연부에 구멍을 내고 이를 통해서 굵은 드릴을 삽입하여 부채꼴로 골단판을 파괴한 후, currette으로 드릴이 닿지 않은 부분의 골단판을 긁어 파괴한다(Timperlake,

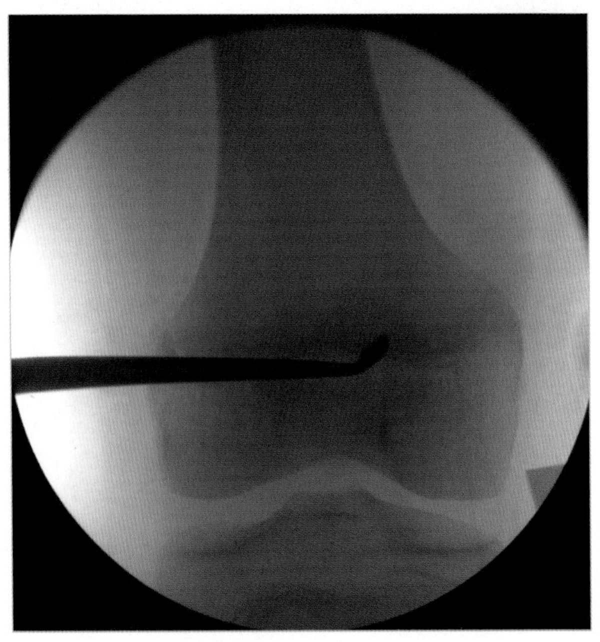

Fig 19. **경피적 영구 골단판 유합술.**

1991). 골단판 면적의 50% 이상 파괴하여야 한다. 근위 경골에 대한 골단판 유합술 시에는 근위 비골 골단판 유합술을 잊지 말아야 하며, 총비골 신경 손상을 피하기 위해서 근위 비골 골단판의 전방에서 접근하는 것이 바람직하다.

- 각변형 교정을 위해서 시행하는 영구적 반골단판 유합술(hemiepiphysiodesis)은 비가역적인 술식이므로 수술 시기를 정확하게 계산하여 시술하여야 한다(Bowen 1985).

2) 가역적 골단판 억제술(reversible physeal suppression)

- 금속 내고정물로 골단판 성장을 억제하는 방법으로 변형이 교정된 후 내고정물을 제거하면 골단판에서의 길이 성장을 기대할 수 있는 가역적 술식이다. 수술 후 면밀하게 경과 관찰하면서 적절한 시기에 내고정물을 제거하는 것이 필요하다.
- 특히, 반골단판 유합술로 각변형을 교정하는 경우 영구적 유합술은 오차에 의해 과교정 또는 저교정의 위험이 있기 때문에 가역적 방법이 더 선호된다.
- 내고정물을 삽입한지 2-3년 이상 경과하면 비가역적 성장 억제가 일어날 수도 있다. 반면 이들을 제거한 후에는 rebound 현상에 의해서 약간의 변형 재발이 발생할 수도 있다.

(1) 골단판 스테이플링 (epiphyseal stapling)(Blount 1949)Fig 20

- 1940년대에 소개되어 가장 오랫동안 사용되어 왔다. 간단하고 값싼 기구를 이용하며 삽입하는 스테이플의 개

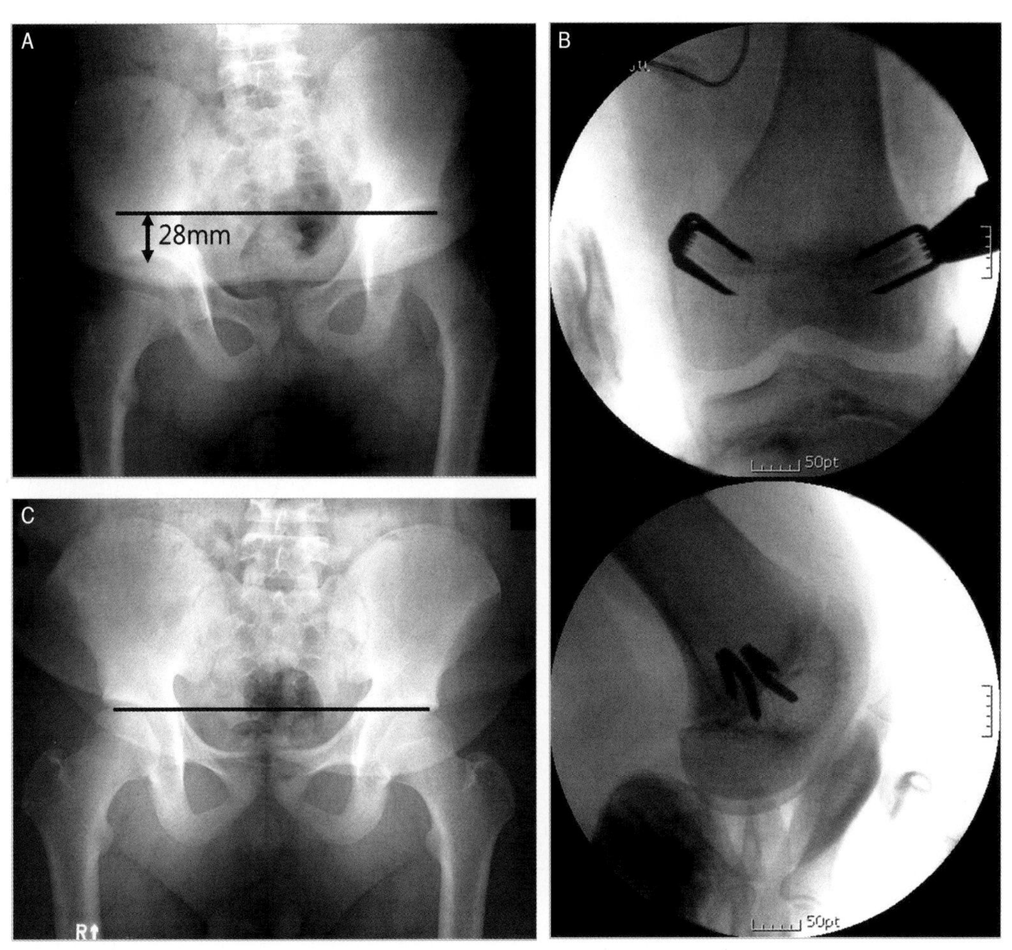

Fig 20. 2.8 cm의 하지 부동에 대해서 좌측 원위 대퇴골 골단판 스테이플링을 이용하여 교정한 례.

수를 조절하여 억제 정도를 조정할 수 있는 장점이 있다.

- 스테이플이 휘면서 교정이 되도록 하는 것이기 때문에 스테이플의 이탈, 파손과 이에 따른 교정 실패의 합병증이 있을 수 있다. 또, 스테이플 제거가 어려운 경우들이 있고, 이에 따라 인접 골단판에 손상을 줄 위험도 있다.

(2) 경피적 골단판 통과 나사못 삽입술(percutaneous epiphysiodesis using transphyseal screw, PETS) (Metaizeau 1998)Fig 21

- 나사못을 골간단에서 골단판을 통과하여 골단까지 경피적으로 삽입한다. 삽입과 제거가 모두 최소 침습적 시술이어서 미용상 우수하고 수술 후 회복이 빠르다.
- 충분히 높은 나사산(thread height), 큰 나사머리, stainless steel 재질, full threaded 나사못이 가장 적절한 선택이며, 가급적 골단판에 수직에 가깝고 골단에 깊숙하게 삽입한다. 보통 체구의 청소년은 7.0 mm 직경의 나사못이 적절하다.
- 하지길이부동에 대한 골단판 억제술 시 억제 효과가 시술 후 6개월 정도 지연되어 나타나기 때문에 영구적 골단판 유합술로 계산한 시기보다 1년 정도 일찍 시술하는 것이 바람직하다. 나사못을 제거할 때를 대비해서 나사머리가 신생골에 덮이지 않을 정도의 길이를 선택하는 것이 바람직하다.
- 스테이플링이나 장력대 금속판에 비해서 나사못이 골단판을 통과하기 때문에 영구적인 성장정지를 초래할 위험이 이론적으로는 있으며, 특히 골단판 자체가 병적인 골이형성증에서 드물게 그런 현상이 관찰된다. 10세 이하 아동이나 골단판이 건강하지 못한 골이형성증에서는 다른 방법을 사용하는 것이 바람직하다.

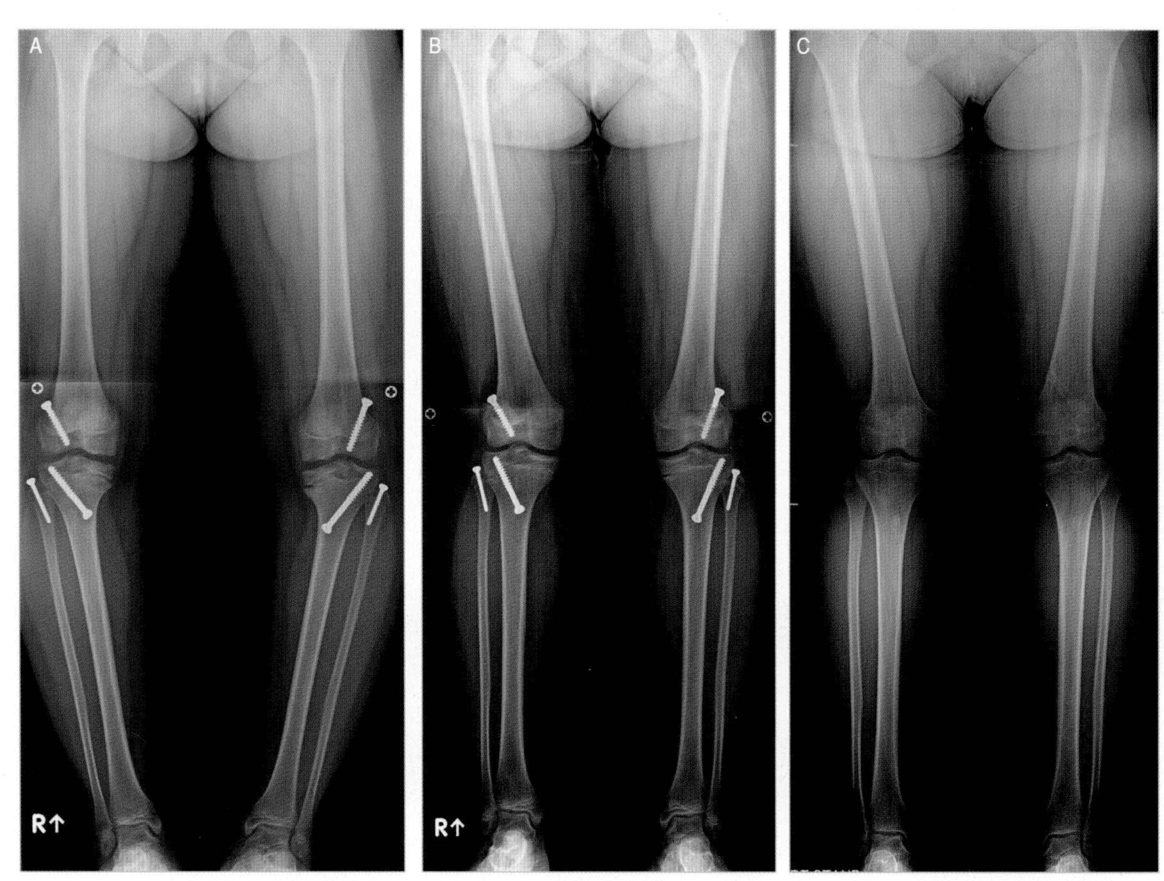

Fig 21. A: 12세 여아, 다발성 골단이형성증에 동반된 내반슬에 대해서 원위 대퇴골 및 근위 경골 외측 hemiPETS, 근위 비골 PETS를 시행한 례. B: 13세에 교정이 완료되어 나사못을 제거하였고, C: 15세에 정렬 상태가 유지되었다.

(3) 장력대 금속판(tension band plate)을 이용한 guided growth (Stevens 2007)Fig 22

- 작은 금속판을 골단판 골막 외에 두고 골단과 골간단에 나사못을 삽입하여 고정하며, 금속판이 장력대로 작용하여 나사못들 사이가 벌어지고 골단판의 성장은 억제된다.
- 골단판 통과 나사못에 비해서 골단판을 직접적으로 통과하지 않는다는 이점이 있고, 스테이플링에 비해서는 골단판의 성장에 따라서 내고정물 자체가 자연스럽게 형태가 변하면서 장력대로 작용하며 쉽게 제거할 수 있다는 장점이 있다.
- 골단이 얇거나 나이가 어린 환자에서 골단판 통과 나사못보다 더 선호된다.
- 나사못들이 벌어지도록 삽입하는 것이 수술 직후부터 금속판이 장력대 작용할 수 있어서 빠른 성장 억제효과가 있을 것이라는 주장도 있으나, 저자들은 골단판 억제 효과에는 차이가 없다고 보고하였으며(Kim 2021) 오히려 성장 억제가 진행되면서 더 벌어지지 못하여 파열될 위험이 더 크다고 생각한다.
- 나사못 삽입에 비해서 피부 절개가 크고 수술 후 통증이 심하다는 단점이 있다.

4. 절골술을 통한 변형 교정

골 조직을 절단하고 원하는 위치 또는 형태에서 고정하여 골 유합이 되도록 함으로써 골의 형태를 변경시키는 방법이다. 절골면의 디자인, 절골편의 고정 방법 등에 따라서 그 종류는 대단히 다양하다.

1) 절골편의 고정 방법에 따른 종류

(1) 내고정을 하지 않는 절골술Fig 23A

- 일부 피질골을 남겨두는 불완전 절골술 또는 연골 조직이나 골막들을 이용하여 어느 정도의 안정성을 얻고 석고고정 등으로 추가 고정력을 얻는 방법이다. 대부분 개방 쐐기 절골술을 적용한다.
- 골반골의 Dega 절골술, Pemberton 절골술, 원위 상완골에 적용하는 스프링 절골술 등이 이에 해당한다. 골 조직에 탄력이 있고 골막이 두꺼운 어린 소아 환자에서 주로 사용된다.

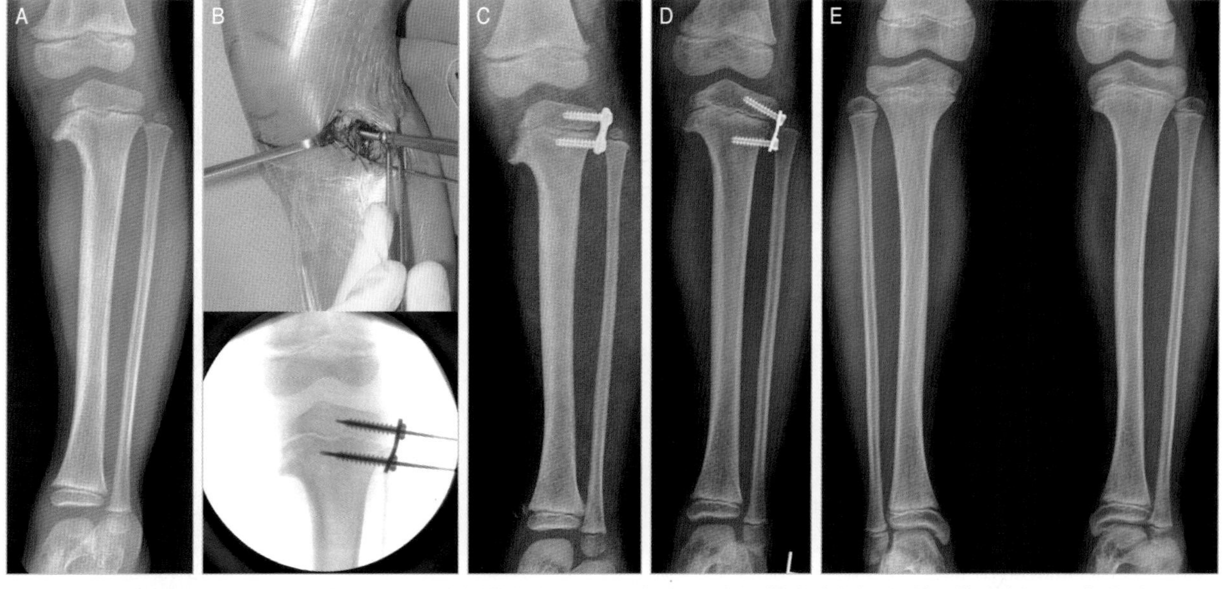

Fig 22. A: 4세 여아의 Blount병으로 발생한 근위 경골 내반변형에 대하여. B: 근위 경골 골단판 외측에 장력대 금속판을 적용하였다. C: 수술 후 사진. D: 1.5년 후, 나사못이 벌어지면서 변형이 교정되었다. E: 5년 후 추시사진으로 내측 골단판이 정상적으로 회복되어, 정상적인 정렬을 회복하였다.

(2) 금속 내고정을 이용한 절골술

- 가장 널리 사용되는 방법으로, 교차 핀 고정술(cross pinning)Fig 23B, 나사못(screw), 금속판과 나사못Fig 23A, C, D, 골수강내 금속정 등이 사용된다.
- 잠김금속판(locking plate)을 사용하면Fig 23C 골막 박리를 최소화하면서 변형 교정을 보다 자유롭게 할 수 있고 견고한 고정을 얻을 수 있다는 장점이 있다.
- 환자 입장에서는 외고정 고정에 비해서 수술 후 편리한 반면, 수술 중에 사지 전체의 정렬 상태를 정확하게 파악하기 어렵기 때문에 오차의 범위가 상대적으로 넓고, 수술 후 과교정/저교정을 발견하여도 재수술하지 않고는 문제를 해결할 수 없다는 단점이 있다.

(3) 외고정 장치를 이용한 절골술Fig 23B

- 주로 일측성 외고정 장치를 사용한다. 외고정 장치 자체 기능을 이용하거나 clamp를 풀고 조절하여 교정을 얻는다. 보다 세밀한 변형 교정이 가능하며, 수술 후에도 외고정 장치를 조정해서 추가 교정이 가능하다.
- 대개 내고정 장치보다 더 견고한 고정을 얻기 때문에 빠른 체중 부하가 가능하다.
- 그러나, 외고정 장치 때문에 목욕 등 일상생활에 거추장스럽고 핀 삽입부 관리를 잘 해야 한다는 단점이 있다.

2) 절골 방법에 따른 종류

(1) 폐쇄 쐐기 절골술(closing wedge osteotomy)Fig 23A

- 각변형만큼의 쐐기 골편을 절제하고 그 공간을 폐쇄하여 각변형의 교정을 얻는다.
- 이식골이나 골 대체물이 필요하지 않으며, 절제해낸 쐐기형 골편을 다른 부위에 이식골로 사용할 수도 있다 [예: 내반족 변형에 대해서 입방골(cuboid)의 폐쇄 쐐기 절골술을 하면서 떼어낸 골편을 내측 설상골(medial cuneiform) 개방 쐐기 절골술에 사용].

(2) 개방 쐐기 절골술(open wedge osteotomy)Fig 24

- 골편의 절골면을 벌려서 각변형을 교정하고 생성된 빈 공간에 이식골 또는 골 대체물로 채워넣는 방법이다. 환아의 나이라 어리고 충분히 견고한 고정을 하면 빈 공간에 골 이식을 하지 않고 골 유합을 기다릴 수도 있다.

(3) 중립 쐐기 절골술(neutral wedge osteotomy)

- 각변형의 볼록한 쪽에서 쐐기를 절제하여 폐쇄하고 오목한 쪽에서는 개방하여 볼록한 쪽에서 절제한 골편 또는 다른 이식골을 삽입하는 개방 쐐기 절골술을 시행하는 방법이다.
- 장관골의 길이 변화를 최소화할 수 있다.

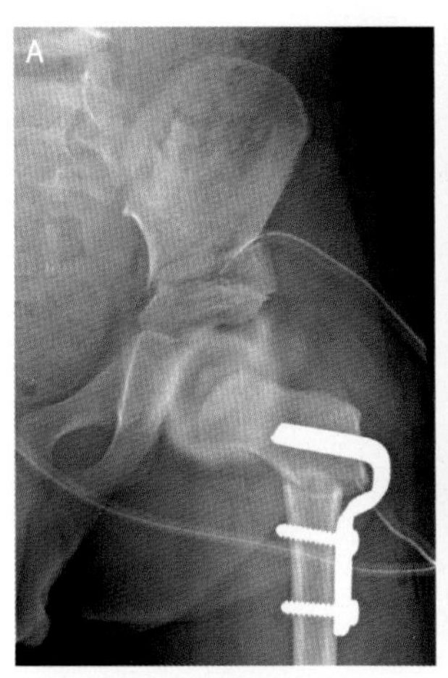

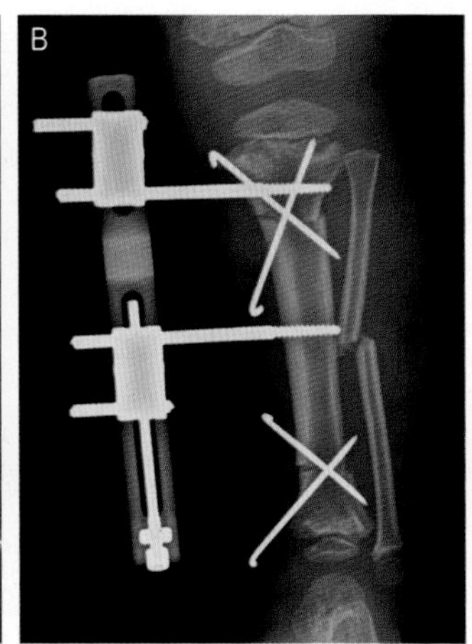

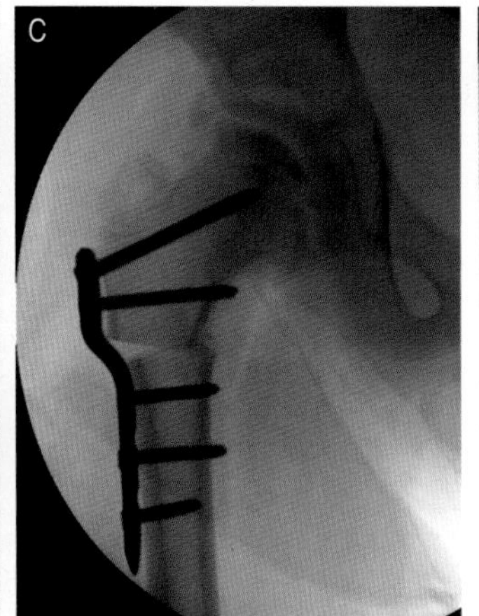

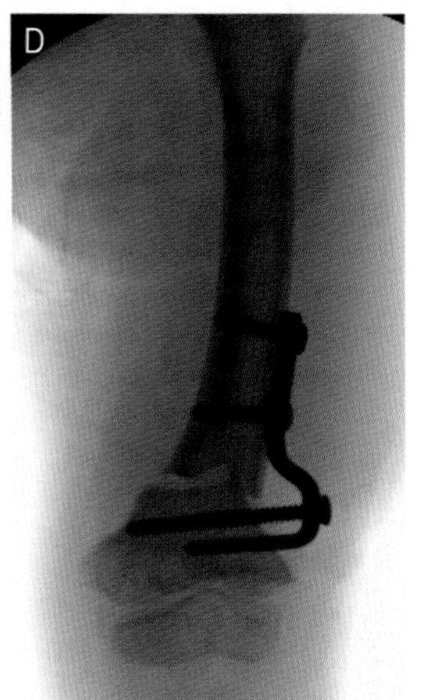

Fig 23. **절골술의 다양한 종류.**

A: 불완전 절골을 하여 개방한 골편들이 이식골을 고정하여 내고정물이 필요없는 Dega 절골술과 근위 대퇴골 폐쇄 쐐기 절골술 후 blade 금속판으로 고정하였다. B: 경골 근위부와 원위부에 폐쇄 쐐기 절골술 후 외고정 장치와 교차 핀으로 고정하였다. C: 대퇴 근위부 개방 쐐기 절골술 후 잠김금속판으로 고정하였다. D: 원위 대퇴골에 계단형 절골술 후 blade 금속판으로 고정하였다.

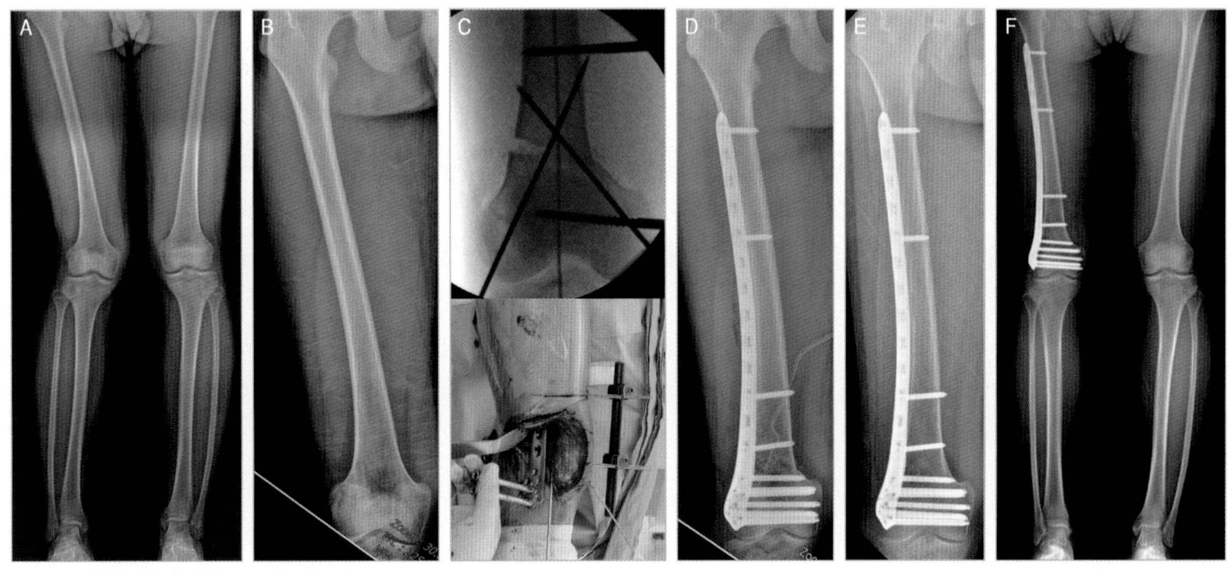

Fig 24. A: 우하지의 역학적 축이 외측으로 전위 되어 있는 하지 변형. 원위 대퇴골의 외반기형에 대하여(B), 대퇴골 원위부에 절골술을 시행 후 개방형 쐐기를 외측에 두고 금속판 고정을 하였다(C). D: 외반 절골술후에 금속판 고정된 수술 후 사진. 수술 후 1년에 절골부는 잘 유합되었으며(E), 역학적 축이 건측과 유사하게 회복되었다(F).

(4) 돔형 또는 계단형 절골술(dome or step-cut osteotomy)

- 골 간단부에서 돔형으로 절골을 하고 절골면의 접촉을 유지하면서 골편을 회전시키고 고정하거나(돔형 절골술)Fig 25D, 장축에 수직으로 절골하고 골간 측 골편 절골면 중앙에서 쐐기형 골편을 절제한 후 골단 측 골편의 모서리를 집어넣고 고정하는(계단형 절골술)Fig 23D 방법이다.
- 돔형은 절골면의 접촉이 유지되어 골 유합에 유리하며, 계단형은 절골편의 구조적 결합으로 인한 안정성을 얻을 수 있다는 장점이 있다.

• **절골술 후 골 길이의 변화에 대한 고려**

- 국소적으로는 폐쇄 쐐기형에서는 단축, 개방 쐐기형에서는 신연 효과가 있고, 중립 쐐기형, 돔형 및 계단형에서는 변화가 없다.
- 그러나 각변형을 교정하는 방향에 따라서 전체 골의 실질적 길이는 달라지는 효과도 고려하여야 한다. 근위 대퇴골 내반절골술은 골 단축 효과, 외반 절골술은 골 신연 효과를 보이며, 각변형이 있는 골간 부위를 직선화하면 골 신연효과를 얻는다. 단축이나 신연 정도는 각변형 교정 정도와 골편의 길이에 의해서 결정된다.
- 폐쇄쐐기 절골술은 장관골의 길이가 줄어드는 효과가 있는 반면 개방쐐기 절골술은 연장되는 효과가 있다. 대퇴 내반절골술을 할 때에, 과성장이 문제가 되는 발달성 고관절 이형성증에서는 폐쇄쐐기 절골술을, 성장장애가 우려되는 Legg-Calvé-Perthes 병에서는 개방쐐기 절골술을 주로 시행한다.

• **골편 회전 축과 CORA** Fig 25

- 골편 회전 축과 CORA가 일치하지 않으면 골 단축, 신연, 전위 등 이차 변형이 발생할 수 있다.
- 외상 후 내반주(cubitus varus) 변형, Blount 병 등은 CORA가 관절면에 근접하기 때문에 기술적으로 CORA 수준에서 절골할 수 없으며, 그보다 골간 쪽에서 한쪽 피질골을 회전축으로 하는 폐쇄 또는 개방 쐐기형 절골술을 시행하게 되는데 이러한 경우 전위가 발생하게 된다. 이를 회피하기 위해서는 완전 절골하고 골편을 회전시킬 뿐 아니라 이차 변형의 반대 방향으로 전위시켜야 한다.
- 돔형이나 계단형 절골술에서는 골편의 회전축을 CORA에 위치시킬 수 있으므로 이러한 경우에 적용할 수 있다.

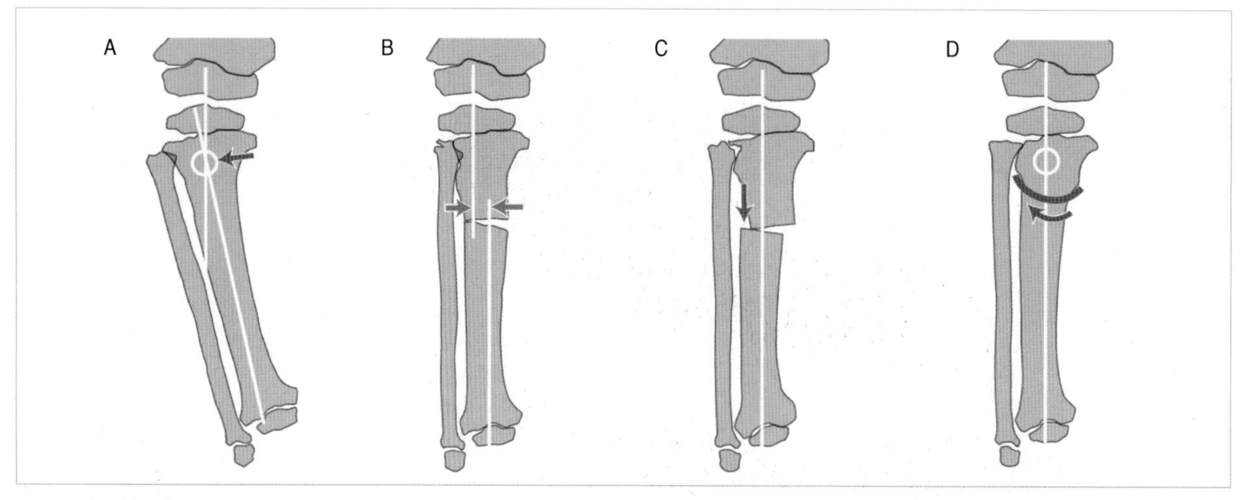

Fig 25. **골편 회전 축과 CORA.**

A: CORA (회색 원)는 근위 골간부에 위치하나 기술적으로 그 수준에서 절골할 수 없다. B: CORA보다 원위부에서 개방 쐐기형 절골하고 외측 피질골을 축으로 각 교정하면 원위 골편이 내측 전위되었다(푸른색 화살표). C: 이를 교정하기 위해서는 각 교정하면서 원위 골편을 외측 전위시켜야 한다(붉은색 화살표). D: CORA를 중심으로 돔형의 절골(붉은색 arc)을 한 후 CORA를 중심으로 원위 골편을 회전시켜서(붉은색 화살표) 각 교정을 하면 골편의 전위나 길이의 변화없이 교정을 얻을 수 있다.

5. 신연 골형성술(distraction osteogenesis)을 이용한 변형 교정

1) 신연 골형성술(distraction osteogenesis)

절골된 골편을 안정적으로 고정하고 특정한 조건에서 신연시키면 그 신연 공간에 신생골이 형성되는 원리를 이용하여 골을 연장시키고 각종 변형을 교정하는 데에 응용하고 있는 술식이다Fig 26. 1950년대 러시아의 Ilizarov가 고안하였으며, 이탈리아의 De Bastiani 등에 의해 개념이 정립되었고 이후 80년대에 들어서 전 세계적으로 보급되었다.

(1) 신연 골형성술의 과정

① 골 외고정 장치의 장착

- 절골된 골편을 원하는 속도와 길이만큼 신연시킬 수 있도록 고안된 골 외고정 장치를 해당 골에 장착한다. 견고한 고정을 하여야 막내골화(intramembranous ossification) 과정에 의해서 신생골이 형성된다.
- 골절 치료 또는 절골술을 고정하는 것보다 더 큰 강도가 요구되며 장기간 장착하면서 일부 핀과 골 조직 사이가 느슨해지기 때문에 보다 많은 수의 핀으로 고정한다. 성인이나 청소년 기준으로 대퇴골이나 경골에서는 한 쪽 골편에 핀을 4개 이상 삽입하여 고정하는 것이 바람직하다.

② 피질골 절골술(corticotomy)

- 골막 및 주위 연부 조직의 손상을 최소화하면서 절골한다.
- power saw로 절골하면 인근 골조직이 화상을 입거나 주변 연부조직 손상의 위험이 크기 때문에 드릴로 여러 개의 구멍을 낸 다음 골절도(osteotome)로 최종 절골하는 것이 바람직하다.
- 절골 부위는 골간부(diaphysis)보다는 골간단부(metaphysis)에서 하는 것이 신생골 형성에 유리하다.

③ 지연기(latency period)

- 외고정 장치 장착과 절골술 후 염증기가 지나고 골유합의 재생기에 들어갈 때까지 조작을 가하지 않고 기다리는 기간이다.
- 연령, 절골술 부위, 동반 질환, 전신 상태 등을 고려하여 5-14일 범위에서 조절한다.
- 수술 통증이 가라앉는 대로 인근 관절의 능동적 운동과 부분 체중부하 보행을 시작한다.

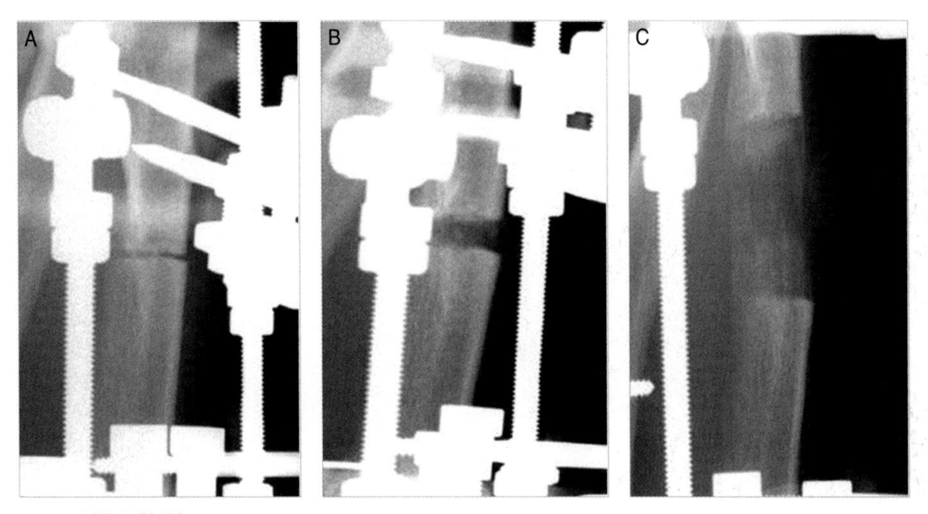

Fig 26. **신연 골형성술.**
A: 외고정 장치를 장착하고 절골술을 한 직후. B: 1주일간의 지연기 이후, 1주일간 신연한 상태. C: 6주간 신연한 상태. 신연 간격에 신생골 형성이 관찰된다.

④ 신연(distraction)

- 외고정 장치를 조작하여 절골 골편을 신연한다. 신연 속도는 신연 부위의 신생골 형태를 방사선 검사로 주기적으로 평가하면서 하루에 0.5-2.0 mm 범위 내에서 조절한다. 가급적 적은 양을 자주 늘리는 것이 바람직하나 현실적으로는 통상 하루에 4차례에 나누어서 늘린다.
- 신연에 따른 신경-혈관 합병증이 발생하지 않는지 주기적인 관찰이 필요하다.
- 핀 삽입부 피부의 관리를 충분히 교육한다. 필요하면 핀의 진행 방향으로 피부를 미리 절개해 주는 것이 통증을 줄이고 핀 삽입부 염증을 줄일 수 있다.
- 너무 빨리 늘리면 신연부 신생골이 허리가 잘룩한 형태로 형성되거나 불충분하게 형성되는 반면, 너무 천천히 늘리면 신생골이 성숙되면서 절골편이 골유합되어 버릴 수도 있다.
- 인근 관절의 운동 범위를 최대한으로 유지하도록 적극적으로 능동적/수동적 관절운동을 시행하며 체중 부하를 적극 권장한다. 신연 속도가 빠르면 근육 신장이 따라가지 못해서 인접관절운동 제한이 발생할 수 있다. 관절 구축이 심해지면서 아탈구가 발생할 수도 있으니 이에 대한 경각심을 가지고 있어야 한다.

⑤ 신생골의 성숙(consolidation)

- 목표로 하는 길이 또는 형태만큼 신연을 하고 나면 신생골이 성숙되어 host bone 정도의 강도를 가질 때까지 외고정 장치를 장착한 상태로 지속한다.
- 신생골을 재형성 과정을 거치면서 피질골이 형성되는데, 단순 방사선검사에서 단면을 90도 간격으로 네 방향으로 나누었을 때에 적어도 세 방향에서 피질골이 형성되어야 외고정 장치를 제거해도 신연 또는 교정 손실 없이 유지할 수 있다. 임상적으로는 전 체중부하 상태로 자연스럽게 보행을 하는 것이 외고정 장치 제거의 전제 조건이다.
- 성숙기간 중 단계적으로 일부 핀을 제거하여 신생골에 가해지는 스트레스를 단계적으로 높여 주는 것이 빠른 신생골 성숙을 자극할 수 있으며, 핀 삽입부 문제도 점차 줄여 나갈 수 있다.
- 골 외고정 장치는 Ilizarov 외고정 장치와 같이 사지를 완전히 둘러 싸서 고정하는 환형 외고정장치(ring external fixator)와 DynaExtor®(BK Meditech)와 같이 사지의 일측에만 막대를 설치하고 half pin 등으로 사지를 고정하는 일측성 외고정 장치(monolateral fixator)로 대별할 수 있다. 환형 기구는

환자에게 거추장스럽고 추가 시술할 때 사지에 접근이 어렵다는 단점이 있으나, 보다 안정적인 고정이 가능하고 다양한 방향으로의 변형 교정이 가능하다. Hybrid형 외고정 장치는 일측성 외고정 장치와 환형 고정 장치를 결합하여 사용하는 방식이다.

- 성공적인 신연 골형성술의 요건
  - 견고한 외고정 장치
  - 연부 조직 손상을 최소화한 절골
  - 적절한 신연 지연 기간(latency period)
  - 적절한 속도(speed)와 간격으로 신연
  - 신연 중 인접 관절의 가동성 유지
  - 신생골의 충분한 성숙 후 외고정 장치 제거

2) 신연 골형성술을 이용한 변형 교정

- 하지길이부동에 대한 골연장술은 신연골형성술을 중에는 단순한 술식에 속한다.
- 골 변형이 정도가 심하거나 여러 평면에 걸쳐서 있는 경우 골단판 억제술이나 절골술로 교정하는 데에는 한계가 있으며 골 외고정 장치를 장착하고 신연 골형성술을 이용하는 것이 신경-혈관 합병증을 피하면서 큰 변형을 교정하는 것이 가능하다. 장기간의 골 외고정 장치 장착에 따른 환자의 불편과 높은 합병증 발생률이 문제이지만 이러한 방법으로만 해결할 수 있는 복잡 변형에 대해서는 필수 불가결한 술식이다.

(1) 편측성 외고정 장치 또는 hybrid 외고정 장치를 이용한 교정

- 편측성 외고정 장치는 단순 골 연장술 또는 절골술 후 외고정에 적절한 기구이나 특수한 장치 또는 환형 외고정 장치와 hybrid를 구성하여 신연 중 각변형-전위 등을 조절할 수 있는 모델이 있다Fig 27.
- 환형 외고정 장치보다 환자가 편리한 장점이 있지만, 경도의 각변형과 전위를 조절하는 데에 국한되고 심한 변형 교정에는 적절하지 않으며 교정 중 특정 변형 요소를 추가로 교정하지 못하는 제한이 있다.

(2) 환형 외고정 장치를 이용한 교정

- Ilizarov 외고정 장치로 대표되는 전통적 환형 외고정 장치는 고리와 고리를 연결하는 막대봉을 경첩(hinge)으

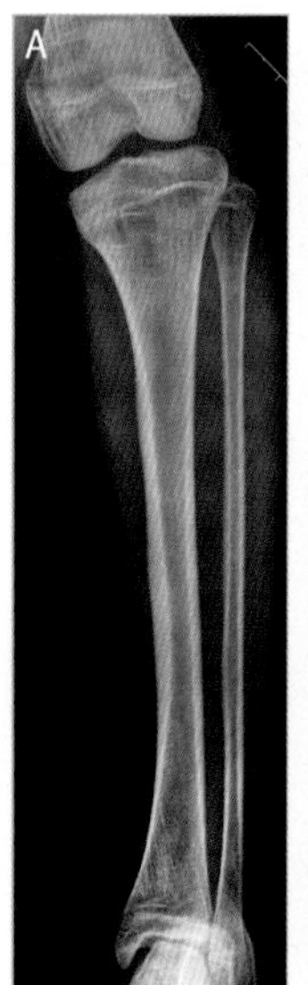

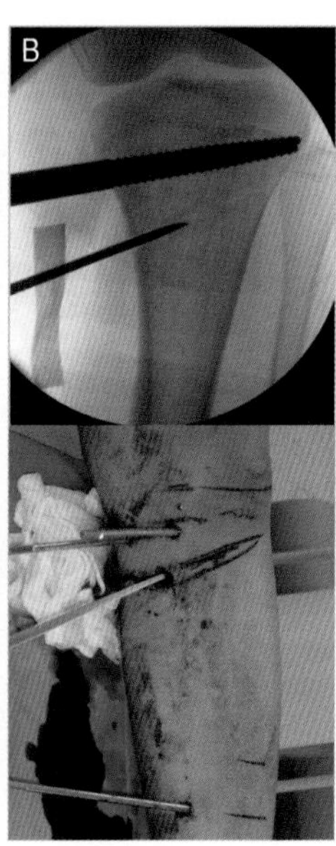

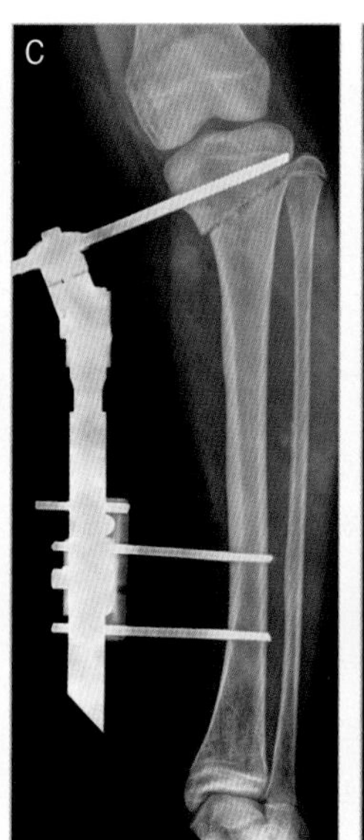

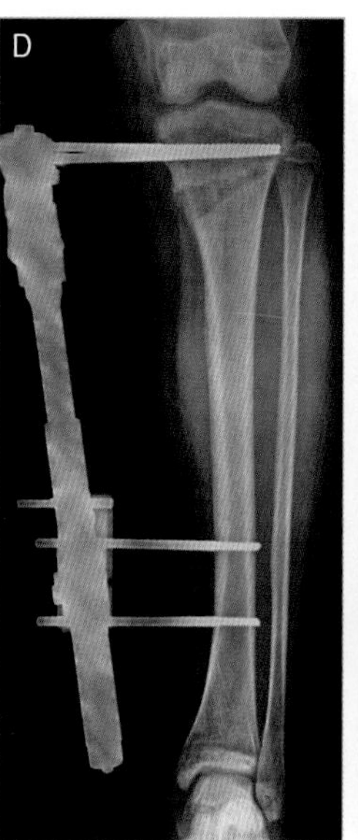

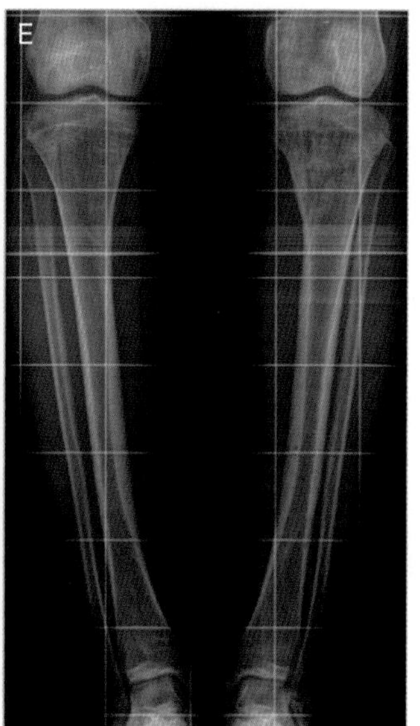

Fig 27. A: 14세 여아의 근위 경골 내반 변형에 대하여, B: 근위 경골의 관절면에 평행하게, 골간부에는 골편에 수직으로 금속핀을 먼저 고정하고, 이후 골간단부에 사선형 절골술을 시행하였다. C: 수술 후 사진. D: 점진적인 신연술을 시행하여, 8주경에 각변형은 적절히 교정되었다. E: 2년 후 추시 사진으로 건측과 비교하여 정상적인 정렬을 회복하였다.

로 연결하여 점진적인 각변형 교정이 가능하다Fig 28. 또, 전위 장치(translation device)를 이용하여 수평적인 전위를 얻을 수도 있으며, 전위 장치를 고리를 따라 한 쪽 방향으로 장착하면 회전 변형에 대한 교정도 얻을 수 있다Fig 29.

- 변형을 정확하게 평가하고 경첩을 정확한 위치에 장착하는 것이 중요하다. 신연-각변형-회전변형-전위변형의 순으로 교정하는 것이 바람직하다. 이론적으로는 모든 각변형, 회전변형, 전위변형을 교정할 수 있지만 단계마다 외고정 장치의 구조를 변경해야 하는 번거로움이 크다.

(3) Hexapod 환형 외고정 장치를 이용한 교정

- Taylor Spatial Frame™ (Smith & Nephew)으로 대표되는 hexapod 환형 외고정 장치는 두 개의 고리를 여섯 개의 막대봉으로 연결하고 각 막대봉의 길이를 차별적으로 신연 또는 단축시킴으로써 단축-각변형-회전변형-전위변형을 한꺼번에 교정하는 기구이다Fig 30.
- 직관적으로 변형 교정을 이해하기 어렵기 때문에 컴퓨터 소프트웨어를 이용하여 각각 막대봉을 조작하는

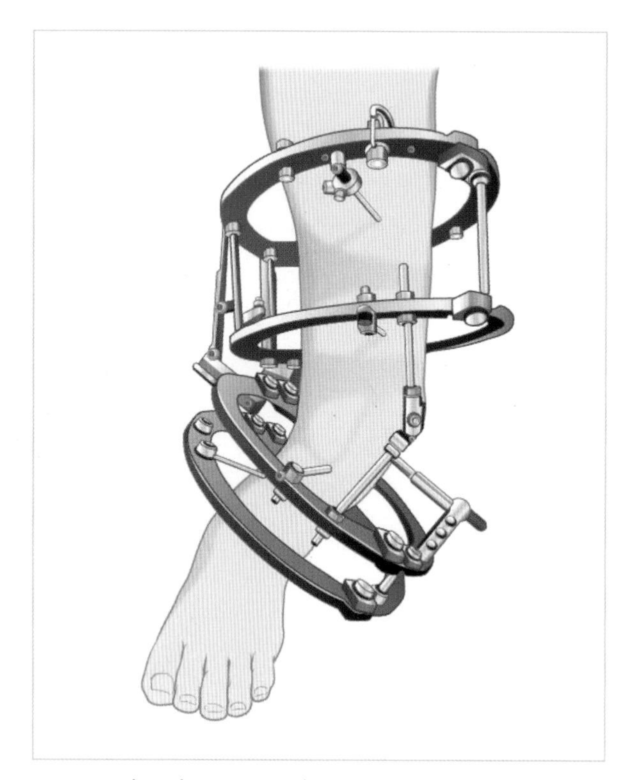

Fig 28. **경첩(hinge)과 신연 막대봉(distraction rod)을 이용하여 심한 각변형을 교정하는 Ilizarov frame.**
경첩을 각변형의 CORA 또는 transverse bisector line 위에 정확하게 위치시켜야 전위 변형과 같은 이차 변형을 초래하지 않는다.

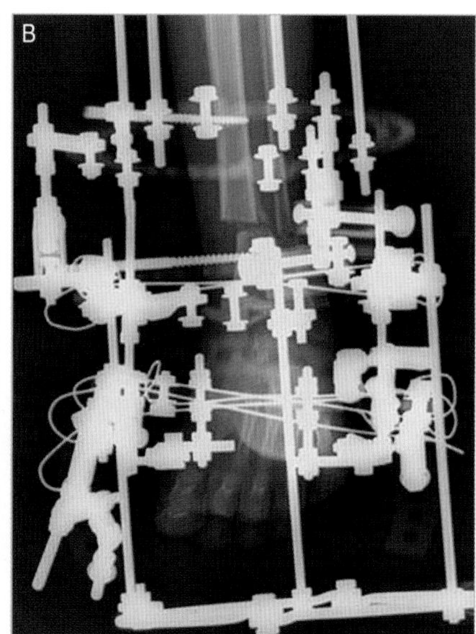

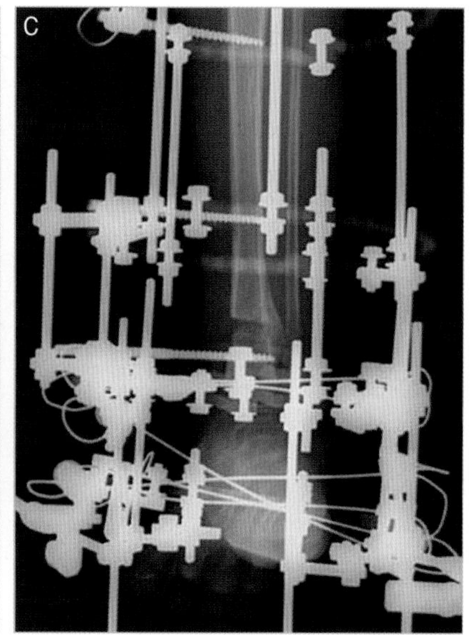

Fig 29. **Ilizarov 외고정 장치에서 사용하는 전위 기구(translation device).**
회전 변형 교정 후에 발생한 원위 경골 외측 전위를 교정하였다.

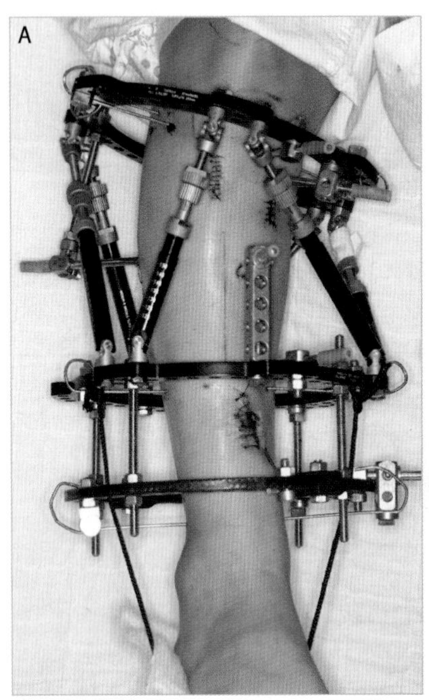

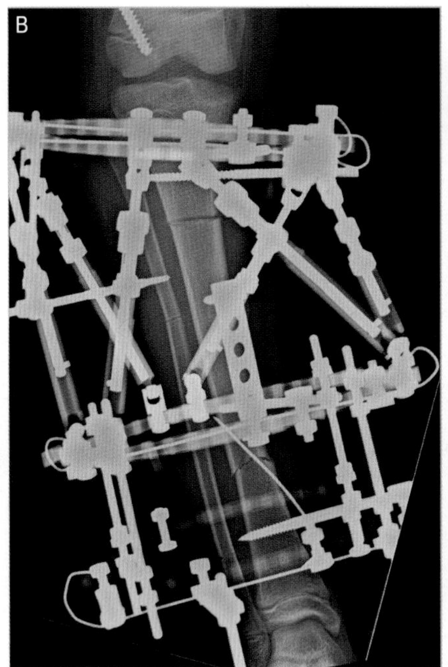

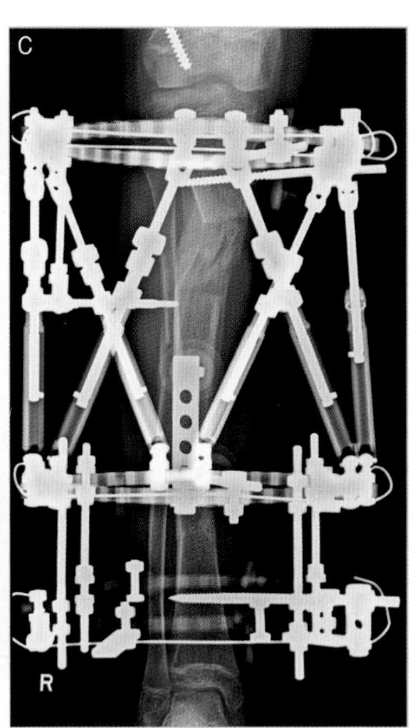

Fig 30. **Talyor Spatial Frame을 이용한 복잡 변형의 교정.**
전인산염 구루병에 의한 경골 내반 및 내회전 변형에서 신연-외반-외회전을 동시에 얻었다.

속도와 정도를 계산하여 적용한다. 복잡 변형을 동시에 교정할 수 있으며 교정 중에도 잔존 변형을 다시 평가하여 교정함으로써 최종적으로 정확한 변형 교정을 얻을 수 있다. 교정 중에 외고정 장치의 구조를 변형하지 않아도 되며 개개 막대봉의 길이를 조절하여 교정할 수 있다.

- 우리나라는 건강보험의 의료비 통제 정책으로 인하여 제대로 도입되지 못하고 있는 실정이다.

3) 신연 골형성술의 개선 방안들

- 신연 골형성술에 의한 신생골 형성 효율은 치유 지수(healing index) 또는 외고정 지수(external fixator index)로 평가하는데, 수술에서 외고정기 기구를 제거할 수 있을 때까지의 기간을 신연 길이로 나눈 값이다. 통상 1.0-2.0 month/cm 범위에 있는데, 환아의 나이가 많거나, 감염 후 또는 선천성 단축이거나, 골 연장 길이가 짧을 때에 치유 지수는 더 길어진다.
- 상당한 길이를 연장할 때에는 외고정 장착 기간이 6개월이 넘어가기도 하며, 신연 기간 보다 성숙 기간이 1-2배 정도 더 길다. 이러한 외고정 장치를 장착하고 있는 기간을 줄이기 위한 응용 술식들이 소개되어 현재 사용되고 있다.

(1) 신생골 형성을 촉진시키는 방법

① 적극적인 체중부하: 신생골의 단면적을 증가시키며 절골편의 골 결핍을 예방하여 외고정 기구의 안정성을 유지시킬 수 있다.

② 역동화(dynamization): 신생골 성숙기에 외고정 장치가 연결된 막대를 약간 느슨하게 하거나 일부 핀을 제거하여, 체중 부하 시 신연 부위 신생골에 종축 압박(longitudinal compression)이 가해지도록 한다.

③ 저강도 초음파 자극(low-intensity pulsed ultrasound, 30 W/cm^2, 1.5 MHz): 신연기 후기나 성숙기의 초반에 세포수가 많고 무기질이 적은 시기에 신연 부위에 하루에 20분씩 사용한다.

④ 골 형성 촉진 물질의 국소 투여: 탈무기질화 골기질(demineralized bone matrix, DBM), 골형성단백(BMP), plate-rich plasma, 골수추출물(bone marrow aspirate), 배양된 골모세포 등이 연구 또는 일부 임상 적용 단계이다.

⑤ 전신적 투여 약물: Bisphosphonate, 성장호르몬, 부갑상선호르몬 제제, Vitamin D 등이 동물 실험 또는 임상 실험 단계이다.

(2) 외고정지수를 줄이기 위한 수술적 방법

외고정 장치로 목표 길이를 신연한 후 골수강내 금속정이나 잠김금속판으로 고정하는 술기들이 개발되었다. 골강강내 금속정이 생역학적으로 더 유리하고 수술 반흔도 작게 낼 수 있지만, 골단판이 열려 있는 환아 또는 골수강 직경이 작은 경우에는 사용할 수 없다.

① 금속정 삽입 후 연장술

- 장관골을 절골한 후 골수강내 금속정을 삽입하고 한쪽만 교합나사로 고정하고 외고정 장치를 장착한다. 목표 길이만큼 신연 시킨 후 금속정 한 편을 마저 교합나사로 고정하고 외고정 장치를 제거한다Fig 31 (lengthening over nail, LON). 신연 기간 중 골수강내 금속정이 절골편의 각변형을 방지하는 효과를 기대할 수 있는 반면, 핀 삽입부 감염이 골 내부로 전파되면 골수강내 금속정을 따라서 골 전체로 퍼질 위험이 있다.

② 골 연장 후 금속판으로 고정

- 장관골을 절골한 후 잠김금속판(locking plate)을 근육하 골막 외부에 삽입하고 한쪽만 교합나사로 고정한다. 외고정 장치를 장착하고 외고정 장치로 목표 길이만큼 신연시킨 후 금속판을 완전 고정하고 외고정 장치를 제거한다(lengthening-with-plate) Fig 32.
- 외고정 장치로 신연 골형술에 준하여 신연한 후 나중에 골수강내 교합금속정을 삽입하여 고정하고 외 고정 장치를 제거하는 방법도 소개되어 있다 (lengthening and then nailing, LATN)(Rozbruch 2008). 외고정 장치 시술 시에 골수강내 금속정 삽입을 염두에 두어야 하는 어려운 점이 있으나 감염의 위험을 줄일 수 있다는 장점이 있다.
- 해부학적 구조상 대퇴골에서는 lengthening and then plating을 시행하기 어렵기 때문에 lengthening-with-

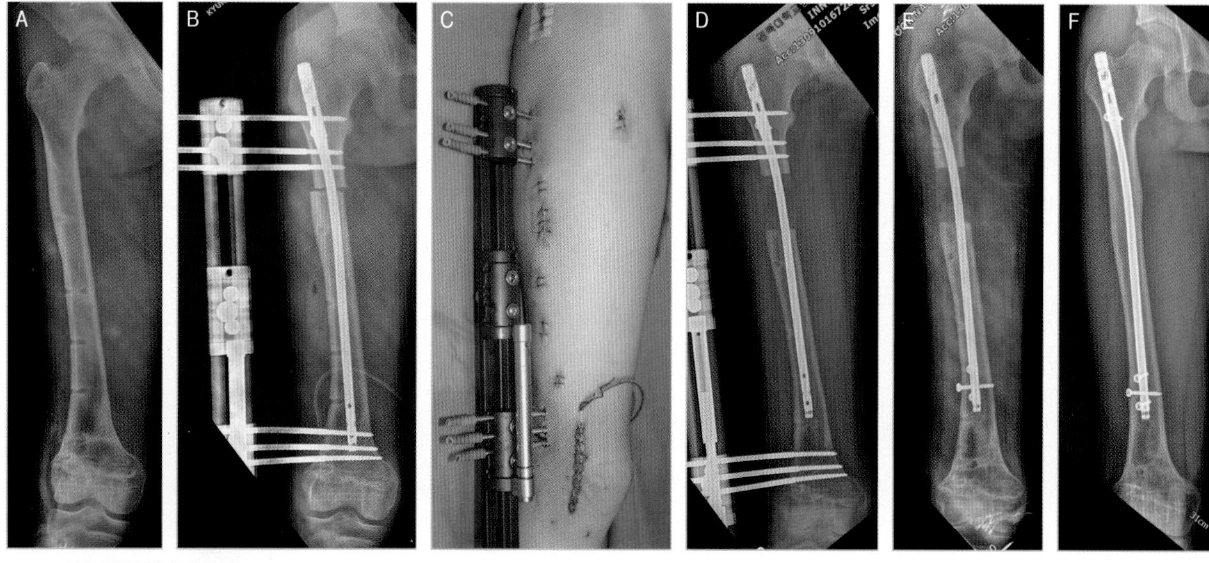

Fig 31. **금속정 삽입 후 연장술.**
우측 대퇴골의 골단판 손상으로 인한 단축(A)에 대하여, 대퇴골 근위부에 절골술 후 골수강내 금속정을 삽입하고 근위 골편에서만 교합나사를 삽입한 다음, 일측형 외고정 장치를 장착하여(B), 5.5 cm 신연하였다(C). D: 원위 골편에 교합나사를 삽입하고 외고정 장치를 제거하였다. E. 1년 후 신연 부위 재생골이 성숙되었으며, 하지길이부동이 해결되었다.

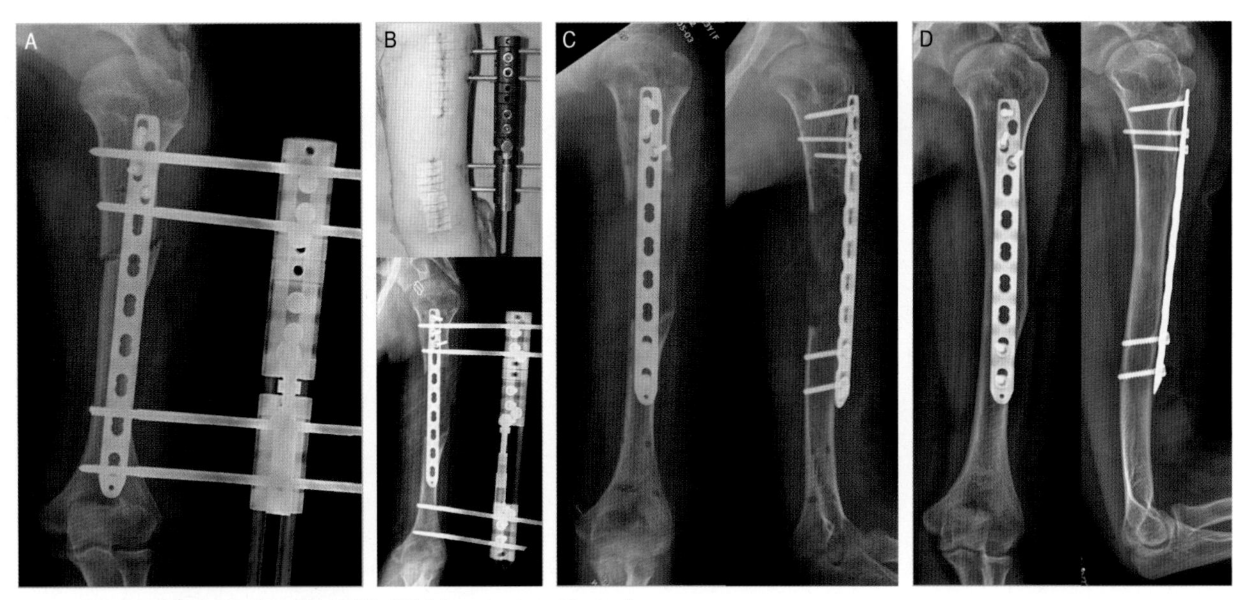

Fig 32. **근육하 금속판과 외고정 장치를 이용한 연장술(lengthening with plate).**
A: 골단판 손상에 의한 상완골 단축 환자에서 금속판을 삽입 후, 근위골편에만 나사못을 고정하였고, 일측형 외고정 장치를 외측에 장착하였다. B: 7.7 cm 신연하였다. C: 원위 골편에 나사못을 고정하고, 외고정 장치를 제거하였다. D: 6개월 후 골성숙이 잘되었다.

plate가 선호된다. 반면, 경골에서는 lengthening with plate에 따른 구획증후군의 위험이 있고 해부학적 구조상 수월하기도 하여 lengthening and then plating이 선호된다.

(3) 골수내정을 이용한 골연장술
(intramedullary lengthening device)

- 장관골을 절골한 후 특수하게 고안된 골수강내 금속정을 삽입하고 근위 및 원위 골편을 모두 교합나사로 고정한다. 골편간의 회전력 또는 내장된 모터 등에 의해서 골편을 신연되도록 하여 신연 골형성술을 수행한다.
- Albizzia®nail, Guichet®nail, ISKD Lengthener (Orthofix) Fig 33, Fibone® (Wittenstein intens GmbH), Precice® (Ellipse Technologies, Inc) 등의 기구들이 과거 사용되었거나 현재 사용 중이다. 흉터가 적으며 외고정 기구를 장착하지 않아도 된다는 장점이 있지만, 대단히 고가이고 신연 과정을 완전하게 조절할 수 없기 때문에 합병증의 가능성이 더 높다.

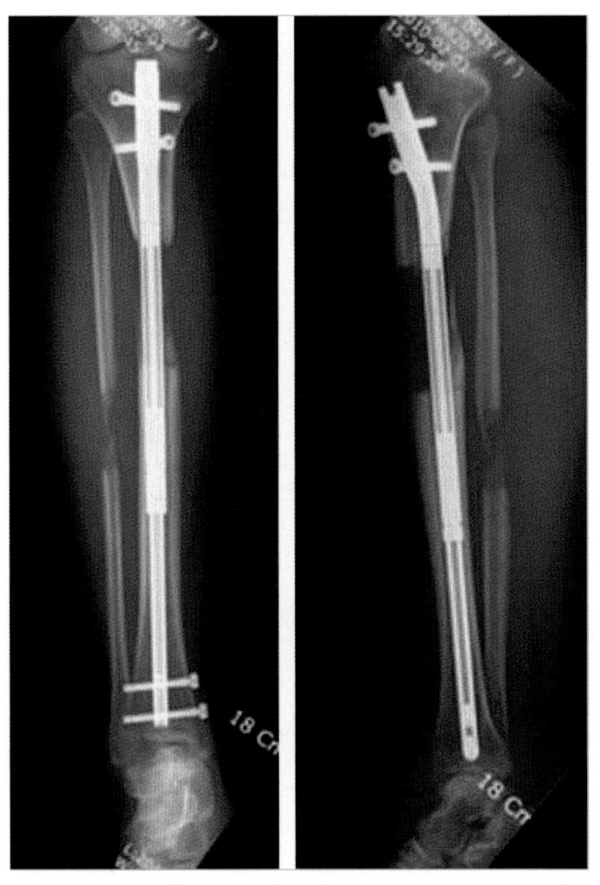

Fig 33. **ISKD를 이용한 경골 연장술의 례.**

4) 신연 골형성술의 합병증

(1) 연부 조직 및 관절과 관련된 합병증

① 핀 부위 감염

- 피부 감염, 연부 조직 감염, 골수염 등의 3단계로 나눌 수 있다.
- 외고정 장치 장착 중에는 매일 핀 주위의 괴사 조직이나 이물질을 제거하고 자극이 적은 cyclohexidine으로 소독하고 거즈로 드레싱을 한다. 핀 이동에 따른 피부조직 괴사를 막기 위해서 예방적으로 피부 절개를 주기적으로 하는 것이 통증 완화와 핀 부위 감염 예방에 도움이 된다.
- 정도에 따라서 국소, 경구 또는 정맥 항생제 요법과 함께 필요한 정도의 변연 절제술을 한다.

② 관절 구축

- 신연력에 의한 골형성보다 근육의 스트레칭 및 근육 형성에 더 제한이 많기 때문에 발생한다. 골 연장 길이가 길면 더 심하게 나타난다. 삽입한 핀이 근육, 근막, 건 등을 포착해서 발생할 수도 있다.
- 족근관절 첨족 변형, 슬관절 굴곡 구축 또는 신전 구축 등이 흔히 발생한다.
- 신연 기간에 적극적인 수동적 관절을 통해서 관절 운동 범위를 확보해야 한다.

③ 관절 탈구

- 불안정한 주변 관절, 특히 수술 전 비구 이형성증이나 아탈구가 있었던 고관절이 근위 대퇴골 연장술 시 탈구될 수 있다. 따라서 연장술 전에 고관절을 안정화하는 술식을 시행하는 것이 필요하다.
- 원위 대퇴골 연장술 시 슬관절 굴곡 구축을 방치하면 후방 탈구/아탈구가 발생할 수 있다Fig 34. 굴곡근 이완술을 시행하고 외고정 장치를 슬관절 넘어서 연장하고 외고정 장치를 이용하여 서서히 정복한다.

④ 신경 손상

- 외고정 장치 장착 시, 절골 시 또는 신연 시 서서히 발생하는 경우로 나눌 수 있다.
- 신연 시 발생은 특정 부위, 예컨대 경골 연장술 시 비골 신경 등에서 발생할 수 있는데 수술 시 예방적 감압술이 필요하다.
- 총비골 신경은 근위부 비골근의 밑에 위치하여 압박을 받고 비골근과 신전건사이의 근막 부위에서 압박되어 과민 감각 및 통증(반사성 통증), 감각 저하, 근력 저하 등을 보인다. 신연 속도를 줄여도 호전되지 않으면 수술적 감압술을 고려한다.

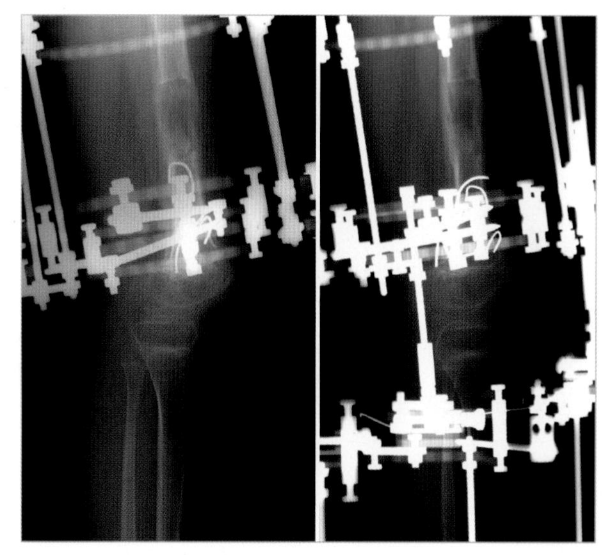

Fig 34. 대퇴골 연장술 시 발생한 슬관절 후방 아탈구에 대해서, 외고정 장치를 경골까지 연장하고 경골을 전방으로 점진적으로 전위시켜서 정복하였다.

⑤ 혈관 손상 및 구획 증후군

- 절골 시 절골도(osteotome)에 의한 손상, 일리자로프 강선 및 핀에 혈관이 관통되어 손상이 유발되어 동정맥루(AV fistula) 및 가성 동맥류(pseudoaneurysm) 등이 발생할 수 있다.
- 절골술 후 12-24시간에 혈종이나 근육의 부종으로 인하여 구획 증후군이 발생할 수도 있다.

(2) 신생골 및 골단판 관련 합병증

① 신연 부위의 각변형 또는 축 편향(axial deviation)

- 신연 골의 내외측 및 전후방의 근육량이 다르기 때문에 발생한다. 대퇴골 근위부 연장 시에서는 내반 및 신전 변형, 대퇴골 원위부 및 경골 근위부는 외반 및 신전 변형, 경골 원위부에서는 내반 및 신전 변형이 유발된다.

- 이러한 합병증을 예상하고 외고정 장치의 디자인이나 핀을 선택한다. 신연 중 발생하면 hinge를 사용하여 교정하거나 단측 외고정 기구 사용 시는 단측 외 고정 기구를 외측에 하나 더 장착하여 두 개의 단측 외고정 기구의 신연율을 서로 다르게 조정하면서 교정한다.

② 지연 골성숙(delayed bone consolidation)

③ 재골절

④ 관절 연골 손상 및 골단판의 조기 유합

- 연장 길이가 길 때 근육의 구축으로 인하여 관절의 연골 및 골단판의 연골에 압박력이 증가하여 발생한다.
- 너무 어린 나이에 과도한 골 연장술을 시행하는 것을 삼가 한다. 압박력이 심하게 가해지는 관절 건너편에 외고정 장치를 연장하여 관절 연골에 가해지는 압박력을 줄이면서 hinge를 달아서 관절운동 시키는 방법을 고려한다.

참고문헌

Akhmedov B, Ahn S, Chung CY, et al. Estimation of the recovery of physiological genu varum with linear mixed model. J Pediatr Orthop. 2013;33:439.

Anderson M, Green WT, Messner MB. Growth and prediction of growth in the lower extremities. J Bone Joint Surg Am. 1963;45:1.

Anderson M, Messner MB, Green WT. Distribution of lengths of the normal femur and tibia in children from one to eighteen years of age. J Bone Joint Surg Am. 1964;46:1197.

Blount WP, Clarke GR. Control of bone growth by epiphyseal stapling; a preliminary report. J Bone Joint Surg Am. 1949;31:464.

Bowen JR, Leahey JL, Zhang ZH, et al. Partial epiphysiodesis at the knee to correct angular deformity. Clin Orthop Relat Res. 1985;194:184.

Bowen RE, Dorey FJ, Moseley CF. Relative tibial and femoral varus as a predictor of progression of varus deformities of the lower limbs in young children. J Pediatr Orthop. 2002;22:105.

Chao EY, Neluheni EV, Hsu RW, et al. Biomechanics of malalignment. Orthop Clin North Am. 1994;25:379.

Cho TJ, Choi IH, Chung CY, et al. Hemiepiphyseal stapling for angular deformity correction around the knee joint in children with multiple epiphyseal dysplasia. J Pediatr Orthop. 2009;29:52.

Chung CY, Lee KM, Park MS, et al. Validity and reliability of measuring femoral anteversion and neck- shaft angle in patients with cerebral palsy. J Bone Joint Surg Am. 2010;92:1195.

Delgado ED, Schoenecker PL, Rich MM, et al. Treatment of severe torsional malalignment syndrome. J Pediatr Orthop. 1996;16:484.

Dimeglio A, Bonnel F. Growth and development of the knee. In: De Pablos J. ed. The Immature Knee. Biblio stm. Masson; 1998. 3.

Dubousset J, Charpak G, Dorion I, et al. A new 2D and 3D imaging approach to musculoskeletal physiology and pathology with low-dose radiation and the standing position: the EOS system. Bull Acad Natl Med. 2005;189:287.

Fabry G, MacEwen GD, Shands AR Jr. Torsion of the femur. A follow-up study in normal and abnormal conditions. J Bone Joint Surg Am. 1973;55:1726.

Hsu RW, Himeno S, Coventry MB, et al. Normal axial alignment of the lower extremity and load-bearing distribution at the knee. Clin Orthop Relat Res. 1990;25:215.

Kim NT, Kwon SS, Choi KJ, et al. Effect of Screw Configuration on the Rate of Correction for Guided Growth Using the Tension-band Plate. J Pediatr Orthop. 2021;41(10):e899-e903.

Lee DY, Chung CY, Choi IH. Longitudinal growth of the rabbit tibia after callotasis. J Bone Joint Surg Br. 1993;75:898.

Lee DY, Lee CK, Cho TJ. A new method for measurement of femoral anteversion. A comparative study with other radiographic methods. Int Orthop. 1992;16:277.

Lee KH, Kwon JW, Yoon YC. Slot-scan digital radiography of the lower extremities: a comparison to computed radiography with respect to image quality and radiation dose. Korean J Radiol.2009;10:51.

Lee SC, Shim JS, Seo SW, et al. The accuracy of current methods in determining the timing of epiphysiodesis. Bone Joint J 2013;95-B:993.

Lee SH, Chung CY, Park MS, et al. Tibial torsion in cerebral palsy: validity and reliability of measurement. Clin Orthop

Relat Res. 2009;467:2098.

Makarov MR, Jackson TJ, Smith CM, et al. Timing of Epiphysiodesis to Correct Leg-Length Discrepancy: A Comparison of Prediction Methods. J Bone Joint Surg Am. 2018;100:1217.

McCarthy JJ, Ranade A, Davidson RS. Pediatric deformity correction using a multiaxial correction fixator. Clin Orthop Relat Res. 2008;466:3011.

Menelaus M. Correction of leg length discrepancy by epiphyseal arrest. J Bone Joint Surg Br. 1966;48:336.

Metaizeau JP, Wang-Chung J, Bertrand H. Percutaneous epiphysiodesis using transepiphyseal screws (PETS). J Pediatr Orthop.1998;18:363.

Mielke CH, Stevens PM. Hemiepiphyseal stapling for knee deformities in children younger than 10 years: a preliminary report. J Pediatr Orthop. 1996;16:423.

Moseley CF. A straight line graph for leg length discrepancies. J Bone Joint Surg Am. 1977;59:174.

Oh CW, Song HR, Kim JW, et al. Limb lengthening with a submuscular locking plate. J Bone Joint Surg Br. 2009;91:1394.

Paley D, Bhave A, Herzenberg J, et al. Multiplier method for predicting limb-length discrepancy. J Bone Joint Surg Am. 2000;82:1432.

Paley D, Tetsworth K. Mechanical axis deviation of the lower limbs. Preoperative planning of uniapical angular deformities of the tibia or femur. Clin Orthop Relat Res. 1992;28:48.

Paley D, Tetsworth K.: Mechanical axis deviation of the lower limbs. Preoperative planning of uniapical angular deformities of the tibia or femur. Clin Orthop Relat Res. 1992;28:48.

Paley D. Problems, obstacles, and complications of limb lengthening by the Ilizarov technique. Clin Orthop Relat Res. 1990;250:81.

Park N, Lee J, Sung KH, et al. Design and validation of automated femoral bone morphology measurements in cerebral palsy. J Digit Imaging. 2014;27:262.

Park SS, Gordon JE, Luhmann SJ, et al. Outcome of hemiepiphyseal stapling for late-onset tibia vara. J Bone Joint Surg Am. 2005;87:2259.

Rozbruch SR, Kleinman D, Fragomen AT, et al. Limb lengthening and then insertion of an intramedullary nail: a case-matched comparison. Clin Orthop Relat Res. 2008;466:2923.

Salenius P, Vankka E. The development of the tibiofemoral angle in children. J Bone Joint Surg. 1975;57A:259.

Shin SJ, Cho TJ, Park MS, et al. Angular deformity correction by asymmetrical physeal suppression in growing children: stapling versus percutaneous transphyseal screw. J Pediatr Orthop. 2010;30:588.

Song HR, Oh CW, Mattoo R, et al. Femoral lengthening over an intramedullary nail using the external fixator: risk of infection and knee problems in 22 patients with a follow-up of 2 years or more. Acta Orthop. 2005;76:245.

Song MH, Choi ES, Park MS, et al. Percutaneous Epiphysiodesis Using Transphyseal Screws in the Management of Leg Length Discrepancy: Optimal Operation Timing and Techniques to Avoid Complications. J Pediatr Orthop. 2015;35:89.

Song SH, Kim SE, Agashe MV, et al. Growth disturbance after lengthening of the lower limb and quantitative assessment of physeal closure in skeletally immature patients with achondroplasia. J Bone Joint Surg Br. 2012;94:556.

Staheli LT. Rotational problems in children. J Bone Joint Surg Am. 1993;75:939.

Stevens PM. Guided growth for angular deformity: a preliminary series using a tension band plate. J Pediatr Orthop. 2007;27:253.

Sung KH, Ahn S, Chung CY, et al. Rate of correction after asymmetrical physeal suppression in valgus deformity: analysis using a linear mixed model application.J Pediatr Orthop. 2012;32:805.

Sung KH, Youn K, Chung CY, et al. Development and validation of a mobile application for measuring femoral anteversion in patients with cerebral palsy. J Pediatr Orthop. 2020;40:516.

White J, Stubbins SJ. Growth arrest for equalizing leg lengths. J Am Med Assoc. 1944;126:1146.

Yoo JH, Choi IH, Cho T-J, et al. Development of tibiofemoral angle in Korean children. J Korean Med Sci. 2008;23:231.

5 골격계 유전성 질환

Genetic Diseases of Skeletal System

PEDIATRIC ORTHOPAEDICS

Chapter 5

골격계 유전성 질환

Genetic Diseases of Skeletal System

목차

용어설명

- Locus: 특정 유전자가 염색체 상에 존재하는 위치. 통상 염색체 번호, short arm인지 long arm인지, 그리고 염색체 염색 시 관찰되는 band들의 번호로 표기한다. 예: 6p21.3
- Allele: 특정 유전자는 조금씩 다른 몇 가지 변이들로 존재하는데 그 각각을 allele이라고 한다. 한 개체는 특정 유전자에 대해서 부모 각각에게서 받은 allele 한 쌍을 가지고 있는데, 동일할 수도 있고 조금 다른 것일 수도 있다. ABO 혈액형을 결정하는 유전자는 A, B, O 등의 서로 다른 allele들이 있는데 어떤 allele을 가지고 있느냐에 따라서 혈액형이 결정된다.
- Genome: 하나의 세포가 핵 안에 있는 염색체 내에 가지고 있는 DNA 전체의 염기서열이다. 유전자를 구성하는 부분과 유전자가 아닌 부분으로 되어 있으며, 유전자 부분도 실제로 단백질 합성에 template가 되는 exon 부분과 그 중간에 단백질 합성에 기여하지 않는 intron 부분으로 되어 있다.
- Mutation: 질병을 초래하는 유전자 변이.
- Polymorphism: 질병을 초래하지 않는 유전자 변이. 개체 간의 다양성을 보이는 원인이 된다.
- Heterozygous: genome에는 각각의 유전자들이 두 개의 allele로 존재하는데 그 중 하나에만 돌연변이가 있는 상태.
- Homozygous: genome에는 있는 유전자의 두 allele 모두 동일한 돌연변이로 있는 상태.
- Compound heterozygous: 유전자의 두 allele이 서로 다른 돌연변이로 있는 상태.
- Hemizygous: 남성에서는 X 염색체에 있는 유전자의 allele이 하나만 존재하는데 이것이 돌연변이인 상태.
- Genotype: 넓은 의미에서 세포 또는 개체의 유전자 형태를 말하며, 좁은 의미에서는 특정 유전성 질환의 유전자 수준에서의 결함을 지칭한다.
- Phenotype: 유전자 이상으로 나타나는 생화학적, 방사선학적 및 임상적 증상들을 통칭한다.
- Sporadic: 임상적 및 유전적으로 정상인 부모에서 새로운 돌연변이(de novo mutation)에 의하여 유전성 질환 환자가 태어난 경우.
- Expressivity: 동일한 유전자 이상이 있어도 증상이 다양할 수 있는데, 증상이 나타나는 정도 또는 증상이 심한 정도를 말한다.
- Penetrance: 유전자 이상을 가지고 있는 개체 중 증상이 나타나는 비율. penetrance가 낮은 유전 질환인 경우 유전자 이상이 있어도 증상이 없는 반면 그 후손에서 질병이 나타날 수 있다.

I. 정형외과 유전학

선천적으로 또는 소아기에 증상이 나타나는 근골격계 질환 중 많은 경우 전적으로 유전자 이상에 의해서 발병하거나 또는 유전자 이상과 환경적 요인이 복합하여 발병한다. 따라서, 이러한 질환의 병태 생리를 이해하는 데에 유전학적 지식이 필요하다. 분자유전학의 발전에 힘입어서 정형외과적 치료를 요하는 많은 유전성 질환들의 원인 유전자가 밝혀졌고(부록 25 참조), 이를 통해서 발병 기전을 보다 명확하게 설명할 수 있게 되었다. 또한 산전 진단을 통한 재발 방지가 가능해졌으며 궁극적인 치료라 할 수 있는 유전자 치료 개발의 기초가 되고 있다.

1. 유전자 결함의 종류와 유전 양식

1) 염색체 이상(chromosomal anomaly)

- 염색체의 일부분이 결손, 중복, 또는 치환되어서 발생하며, 여러 유전자의 기능이 한꺼번에 영향을 받기 때문에 여러 기관계에 걸쳐서 이상이 나타난다.
- 신생아의 0.7%에서 발견되며, 35세 이상의 산모에서 출산하는 아기의 2%에 달한다.
- 본 장 염색체 이상(chromosomal anomalies) 참조

2) 단일 유전자 이상(single gene disorder)

- 하나의 유전자 결함에 의해서 나타나는 질환으로 Mendel의 유전 법칙에 따른 유전 양상을 보인다.

(1) 상염색체 우성(autosomal dominant) 유전

- 상염색체 상의 유전자는 한 쌍으로 존재하는데, 그 중 한쪽에만 결함이 있어도 발병하는 경우
- 발현 정도(expressivity), 투과도(penetrance) 등에 의해서 멘델 유전 법칙에 해당하지 않는 양상을 보일 수도 있다.
- 골형성부전증(osteogenesis imperfecta), 가성 연골무형성증(pseudoachondroplasia), 선천성 척추골단 이형성증(spondyloepiphyseal dysplasia congenita)과 같이 기질 단백질(matrix protein) 유전자 이상에 의한 경우는 대부분 이에 속하며, 연골무형성증(achondroplasia)을 초래하는 수용체(receptor)와 같은 기능성 단백질 유전자의 기능향상 돌연변이(gain-of-function mutation)도 대부분 이에 속한다.

(2) 상염색체 열성(autosomal recessive) 유전

- 한 쌍의 유전자 모두에 결함이 있을 때에 발병한다. 결함 있는 유전자를 하나만 가지고 있는 부모는 대개 임상적으로 증상이 없으며 부모 각각이 결함 있는 유전자를 자녀에게 전달하여 발병한다.
- 동일한 돌연변이를 두 개 가지고 있는 경우를 homozygous, 서로 다른 돌연변이를 하나씩 가지고 있는 경우를 compound heterozygous라고 하는데, 근친 결혼에서 태어난 환자는 homozygous가 대부분이다.
- 효소(Morquio 증후군), 세포막 이온채널 유전자(diastrophic dysplasia), 수용체(mesomelic dysplasia, Maroteaux type) 등과 같은 기능성 단백질의 기능상실 돌연변이(loss-of-function mutation)일 때 대부분 이러한 유전 양상을 보인다.

(3) 반성 유전

유전자가 X 염색체에 있어서 부모와 자녀의 성에 따라 유전 양상이 달라지는 경우이다.

- **반성 열성 유전**
  - 보인자인 어머니가 아들에게만 유전시킨다. 외삼촌 중 환자가 있는 경우가 있다.
  - 예: Duchenne 근이영양증, spondyloepiphyseal dysplasia tarda X-linked type
- **반성 우성 유전**
  - 남성 환자는 모든 딸에게 유전시키지만, 아들에게는 유전하지 않는다.
  - 여성 환자는 자녀 50%에게 유전시킨다.
  - 예: X-linked hypophosphatemic rickets

(4) 모자이씨즘(mosaicism)

개체 내의 세포 중 일부만 결함 유전자를 보유하고 있는 경우

① 체세포 모자이씨즘(somatic mosaicism)
- 체세포의 일부에만 결함 유전자가 있기 때문에 해당 기관계 중 일부 기관에서만 발병하며 후손에게 유전되지 않는다.
- 예: McCune-Albright 증후군, 대부분의 악성 종양

② 배선 모자이씨즘(germline mosaicism)
- 생식 세포를 만드는 배선세포의 일부에만 결함 유전자가 있다.
- 체세포에는 결함 유전자가 없기 때문에 증상이 없지만 자녀에게서 발병 가능하며, 그 가능성은 새로운 돌연변이 발생(de-novo mutation)보다 높다.

(5) 독특한 유전 현상

- Genomic imprinting
  - 돌연변이가 모계 유전자에 있을 때와 부계 유전자에 있을 때에 표현형이 달라지는 현상이다.
  - Prader-Willi 증후군은 해당 결손 염색체가 부계 염색체일 때에 발병한다. 모계 염색체에서 동일한 결손이 있을 때에는 임상 양상이 다른 Angelman 증후군이 발병한다.
  - Beckwith-Wiedemann 증후군과 Silver-Russell 증후군도 대표적인 genomic imprinting disorder이다.
- Contiguous gene syndrome
  - 염색체 상에 인접해서 존재하는 몇 개의 유전자가 해당 부분 염색체 결손에 따라 동시에 결손되면서 복합적인 증상이 나타나는 경우이다.
  - Prader-Willi 증후군, Langer-Gidieon 증후군 등이 대표적인 경우이다.

3) 다인자성 이상(multifactorial disorder)

- 가족성 경향, 일란성 쌍생아에서 함께 발병하는 확률이 증가하지만 단일 유전자 질환보다는 발병률이 적은 경우이다.
- 유전적 요인과 환경적 요인의 복합. 여러 가지 유전자가 함께 작용할 수도 있다.
- 예: 발달성 고관절 이형성증, 선천성 첨내반족, 신경관 결손

2. 유전성 질환의 진단

- 현재의 의학적 문제와 가족력 및 출생력을 면밀하게 조사하는 것이 진단의 첫 걸음이다Fig 1.
- 신장은 동일 성-연령대에서의 백분위 수 또는 z-score로 환산한다(질병관리청 2017). 신장과 벌린 팔 길이(arm span)를 측정하고 척추와 사지의 변형을 평가한다. 독특한 얼굴 모양이 진단의 단서가 될 수도 있다.
- 단순 방사선검사를 계통적으로 분석한다. 성장이 끝난 후에는 여러 가지 진단적 단서들이 사라지기 때문에 성장기의 방사선 검사를 구해서 검토하는 것이 필요하다. CT, MRI, 초음파검사 등이 진단에 큰 도움이 되는 경우는 드물다.
- 현재까지 450여 가지 이상의 질환들이 정의되어 있기 때문에(Mortier 2019) 정확한 진단을 하는 것은 대단히 어렵다. 골이형성증 전문가에게 자문을 구하는 것을 망설이지 말아야 한다.
- NGS 기법을 통한 유전자 검사가 실용화되면서 유전자 돌연변이를 확인하여 임상적으로 내린 진단을 확인하는 것이 보편적인 진단과정이 되었고, 질병이 있는지 또는 어느 질병인지가 애매한 경우에도 확실한 진단을 내릴 수 있는 경우가 많아졌다.

- **유전자 검사의 실제**
  - 염색체 검사(karyotyping)를 위해서는 혈중 임파구를 배양하여 세포 분열 중의 염색체 형태를 현미경으로 관찰하여야 하므로 채취한 혈액을 즉시 처리하여야 한다. 필요하면 특수 염색이나 동소 보합반응(in-situ hybridization) 등으로 보다 정밀하게 분석한다.
  - 반면 DNA 염기서열을 통한 검사는 정맥혈 중의 백혈구에서 추출한 genomic DNA에서 시행하는 바, EDTA로 항응고 처리한 정맥혈 4-6 cc 정도로 대부분의 DNA 염기서열 분석을 시행할 수 있다. 채취한 정맥혈은 상온에서 2-3일간 보관해도 genomic DNA를 추출하는 데에 문제가 없고, 추출된 DNA는 충분한 저온에서 보관하면 수년 간 보관도 가능하다.
  - 혈액 채취가 어려운 경우에는 제한적이지만 구강

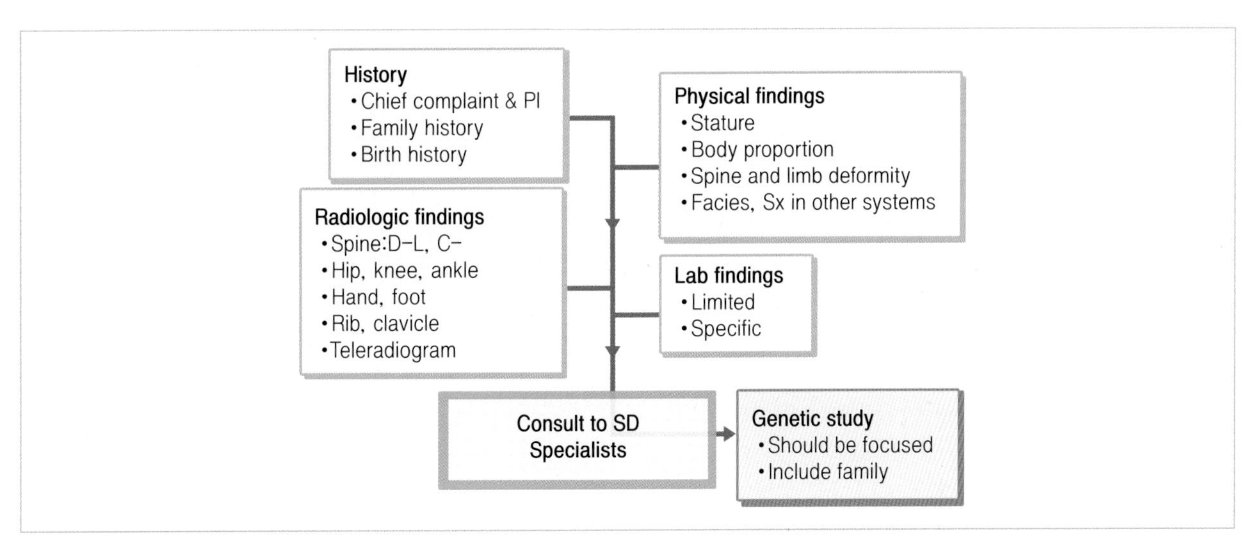

Fig 1. **유전성 골격계 질환의 진단 과정.**
면밀한 병력 조사, 신체검사, 방사선 검사와 함께 골이형성증 전문가와의 충분한 논의를 하고, 유전자 검사는 가능성이 높은 질환을 선별해서 시행하여야 한다. PI = present illness, SD = skeletal dysplasia.

점막 세포, 모근 등에서 DNA를 채취하여 검사할 수도 있다.

- 유전자 변이가 messenger RNA의 구조를 변화시킬 것으로 예상되는 경우 해당 단백질이 발현하는 조직을 채취하여 mRNA를 추출하여 검사하여야 한다(예: 제1형 단백질 → 피부, 제2형 단백질 → 연골 등).

• Next generation sequencing (NGS)
  - 기존에 DNA 염기서열 분석에 사용된 Sanger 방법과는 다른 원리를 이용해서 수많은 유전자를 대량으로 한꺼번에 분석하는 기술로, 개발한 회사에 따라 몇 가지 다른 방법들이 사용되고 있다.
  - Sanger 방법에 비해서 분석하는 DNA 크기 당 소요되는 비용과 시간이 현저하게 감소되었으며, 앞으로도 더욱 비용이 저렴하여 질 것으로 생각된다.
  - 분석하는 DNA 범위에 따라서 정해진 특정 유전자들만 gene panel을 만들어서 검사하는 target sequencing, exon들의 집합체인 exome 전체를 분석하는 whole exome sequencing (WES), 그리고 genome 전체를 분석하는 whole genome sequencing (WGS) 등으로 응용하여 사용된다. 검사 범위가 넓으면 비용이 많이 들고 정확도가 떨어질 수 있다.
  - 유전성 골격계 질환을 초래하는 유전자들의 gene panel로 target sequencing을 하거나 WES을 통해서 유전자 변이를 찾아내는 서비스는 최근 널리 상용화 되었다.
  - 질병과 무관한 변이들이 많이 발견되기 때문에 어느 변이가 질병의 원인인지를 파악하기 위해서는 질병의 phenotype에 대한 깊이 있는 이해가 필수적이다. 그렇지 않으면 엉뚱한 질병으로 진단을 잘못하거나, 발견된 변이를 질병의 원인으로 인식하지 못하게 될 위험도 있다.

3. 유전성 골격계 질환의 산전 진단

유전성 골격계 질환을 가진 아기가 태어날 가능성이 높은 경우 산전에 이를 미리 확인하는 방법이다. 검사 대상 질병을 정확하게 진단하는 것이 첫 번째 단계이며, 그 가계에서 그 질병의 원인 돌연변이가 확인된 경우에는 보다 확실한 산전 진단이 가능하다. 그러나 어느 질환까지 이러한 술식의 대상이 될 수 있을지에 대해서 생명윤리 상의 심각한 논의를 필요로 한다.

II. 척추와 사지의 성장/발달에 영향을 미치는 질환

골과 연골의 내재적인 이상으로 인하여 성장, 발달, 재형성 과정에 결함이 발생하여, 두개골, 척추 및 사지에 다양한 정도의 이상을 초래하는 일련의 질환들이다.

용어설명

- 골이형성증(skeletal dysplasia): 골격계를 형성하는 세포들의 이상으로 전신적인 골 변화를 보이는 경우
- 이골증(dysostosis): 단일 골이나 그 조합에 이상이 발생하는 것으로 흔히 두개-안면 이상에서 나타난다. 예: Apert syndrome, Crouzon syndrome, Carpenter syndrome, Treacher-Collins syndrome.
- 골 이영양증(skeletal dystrophy): 골격계 외적인 이상으로 인하여 골격계에 변화가 나타나는 경우. 대사성 골 질환이 이에 해당한다.

1. 분류

유전성 골격계 질환은 450여 종 이상 보고되어 있으며 1990년대 중반부터 그 원인 유전자가 밝혀지면서 종래의 임상적, 방사선학적 소견에 따른 분류에 분자유전학적 요소를 가미하면서 개정되고 있다. International Skeletal Dysplasia Society 2010년도 분류에서는 다음과 같이 40개의 분야로 분류하였다. 전체 분류표를 요약한 것은 부록25를 참조한다.

International Skeletal Dysplasia Society Nosology & Classification, 2019 Revision (Mortier 2019)

1. FGFR3 chondrodysplasia group
2. Type 2 collagen group
4. Sulphation disorders group
5. Perlecan group
6. Aggrecan group
7. Filamin group and related disorders
8. TRPV4 group
9. Ciliopathies with major skeletal involvement
10. Multiple epiphyseal dysplasia and pseudoachondroplasia group
11. Metaphyseal dysplasias
12. Spondylometaphyseal dysplasias (SMD)
13. Spondylo-epi-(meta)-physeal dysplasias (SE(M)D)
14. Severe spondylodysplastic dysplasias
15. Acromelic dysplasias
16. Acromesomelic dysplasias
17. Mesomelic and rhizo-mesomelic dysplasias
18. Bent bone dysplasia group
19. Primordial dwarfism and slender bones group
20. Dysplasias with multiple joint dislocations
21. Chondrodysplasia punctata (CDP) group
22. Neonatal osteosclerotic dysplasias
23. Osteopetrosis and related disorders
24. Other sclerosing bone disorders
25. Osteogenesis Imperfecta and decreased bone density group
26. Abnormal mineralization group
27. Lysosomal storage diseases with skeletal involvement (dysostosis multiplex group)
28. Osteolysis group
29. Disorganized development of skeletal components group
30. Overgrowth (tall stature) syndromes with skeletal involvement
31. Genetic inflammatory/rheumatoid-like osteoarthropathies
32. Cleidocranial dysplasia and related disorders
33. Craniosynostosis syndromes
34. Dysostoses with predominant craniofacial involvement
35. Dysostoses with predominant vertebral with and without costal involvement
36. Patellar dysostoses
37. Brachydactylies (without extraskeletal manifestations)
38. Brachydactylies (with extraskeletal manifestations)
39. Limb hypoplasia-reduction defects group
40. Ectrodactyly with and without other manifestations
41. Polydactyly-Syndactyly-Triphalangism group
42. Defects in joint formation and synostoses

2. 골이형성증 환자의 흔한 문제들

1) 단신

대부분 머리, 체간, 사지 간의 길이 균형이 정상인과 다른 불균형 단신(disproportionate short stature)을 보인다Fig 2. 이를 다시 팔다리가 유난히 짧은 short-limb type과 척추가 유난히 짧은 short-trunk type으로 구분한다Fig 3. 팔다리 중 대퇴부-상완부를 근위지절, 하퇴부-전완부를 중위지절, 손발을 원위지절이라고 나누었을 때, 근위지절이 유난히 짧은 경우를 rhizomelic, 중위지절이 유난히 짧은 경우를 mesomelic, 원위지절이 유난히 짧은 경우를 acromelic이라고 한다Fig 4.

* 사지가 상대적으로 더 많이 이환되어 짧은 질환의 예
- Achondroplasia/hypochondroplasia
- MED/pseudoachondroplasia

* 체간이 상대적으로 더 많이 이환되어 짧은 질환의 예
- Morquio disease
- Spondyloepiphyseal dysplasia congenita

* 변형성 이형성증(metatropic dysplasia)은 출생 시에는 short-limb type이었다가 성장하면서 척추에 심한 변형이 발생하면서 short-trunk type으로 전환되며, 병명도 그런 의미를 내포하고 있다.

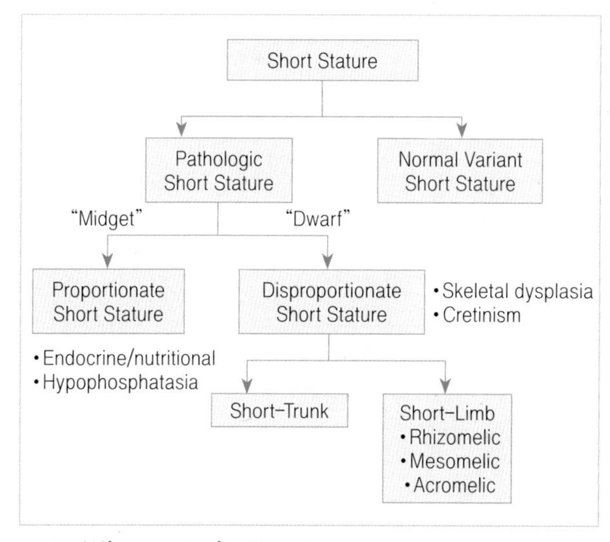

Fig 2. **단신(short stature)의 감별 진단.**

2) 사지 변형

- 내반슬(genu varum), 외반슬(genu valgum), 내반고(coxa vara), 하지의 회전 변형 등이 흔하다.
- 인대 불안정성과 동반되어 더욱 악화될 수도 있다.

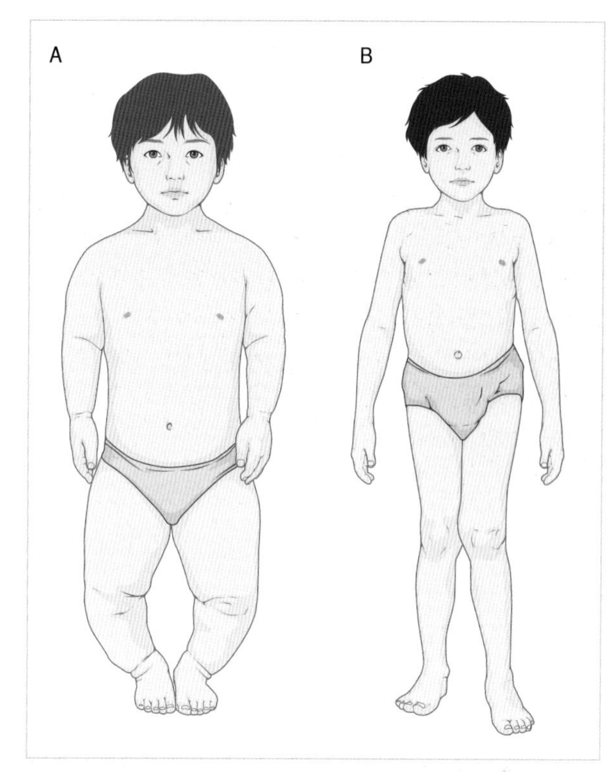

Fig 3. A: short-limb dwarfism. B: short-trunk dwarfism.

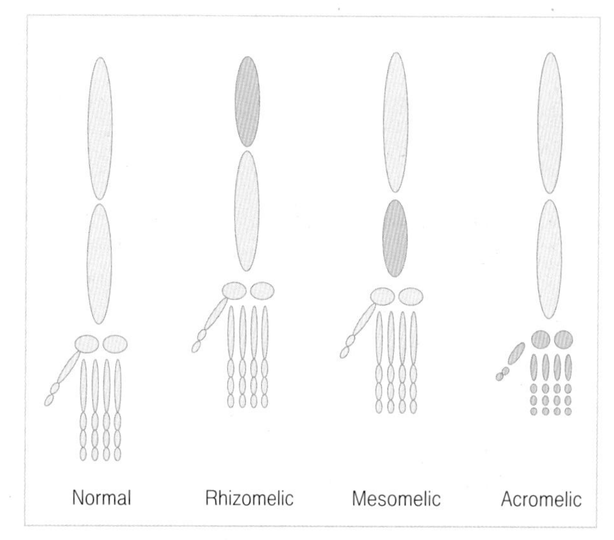

Fig 4. Short-limb dwarfism은 다시 대퇴부-상완부가 유난히 짧은 rhizomelic, 하퇴부-전완부가 유난히 짧은 mesomelic, 그리고 손-발이 유난히 짧은 acromelic형으로 구분한다.

3) 척추 변형

- 척추 측만증, 척추 후만증, 척추관 협착증 등이 발생할 수 있다.

4) 환축추 불안정성(atlantoaxial instability)Fig 5

- 점진적으로 경직성 사지 부분마비가 나타나거나, 가벼운 외상에 의해서 상부 경추 척수 손상을 초래할 수 있다.
- 운동이나 마취 중 급사의 원인이 될 수 있다.
- 경추 측방 굴곡-신전 단순 방사선검사로 불안정성을 평가하는 것이 필요하며, 경추 굴곡-신전 MRI 검사를 통해서 척추 압박 여부를 확인할 수 있다.

환축추 불안정성으로 척수병증을 초래할 수 있는 질환들
- TRPV4-pathy (ex. metatropic dysplasia)
- Morquio disease
- Type II collagenopathy (ex. SEDC)
- Diastrophic dysplasia
- Pseudoachondroplasia
- Down syndrome

5) 조기 퇴행성 관절염

- 관절연골이 파괴되어 통증, 관절운동 범위 감소 등이 발생하며 방사선 검사 상에도 관절 간격 협소, 관절면 불규칙 등이 관찰되지만, 관절부종, 관절삼출액, CRP 상승과 같은 염증 반응이 나타나는 것은 아니다.
- 관절 불안정성, 고관절 이형성증, 슬관절 각변형 등의 해부학적 변형뿐 아니라 관절연골 기질의 결함이 복합적으로 작용하여 발병한다Fig 6.
- 수술적으로 해부학적 변형을 교정하면 관절의 퇴행성 변화를 어느 정도 지연시킬 것으로 기대되지만 그 효과가 어느 정도일지는 알 수 없다Fig 7.
- 관절연골이 조기에 파괴되는 환자에서 사지연장술을 시행하면 관절 압력이 증가하여 관절 파괴가 더욱 촉진되고 환자의 활동능력이 심각하게 저하될 수 있으므로 금기증이다.
- 작고 변형이 심한 골격으로 인하여 인공관절 수술이 기술적으로 어렵다.

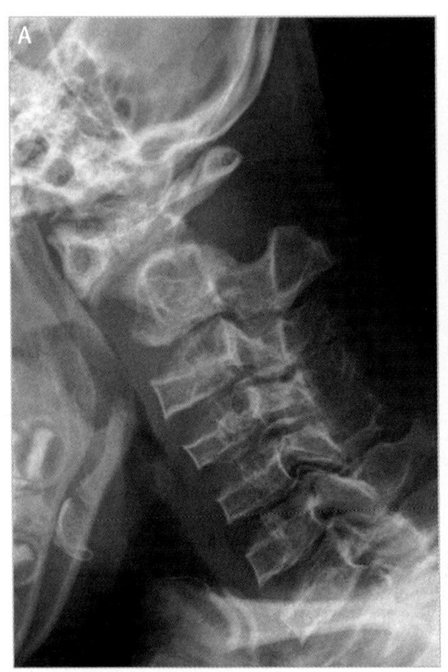

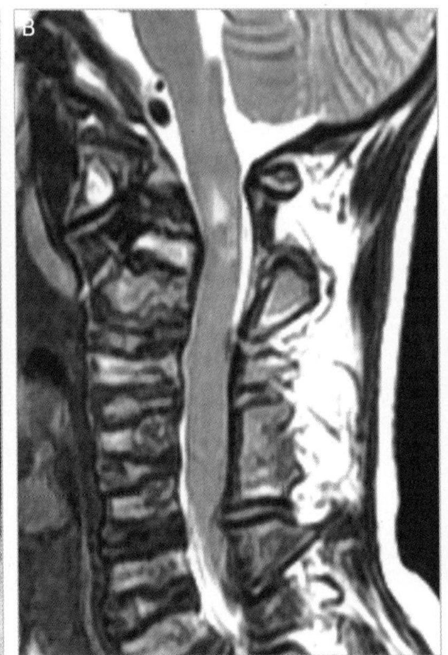

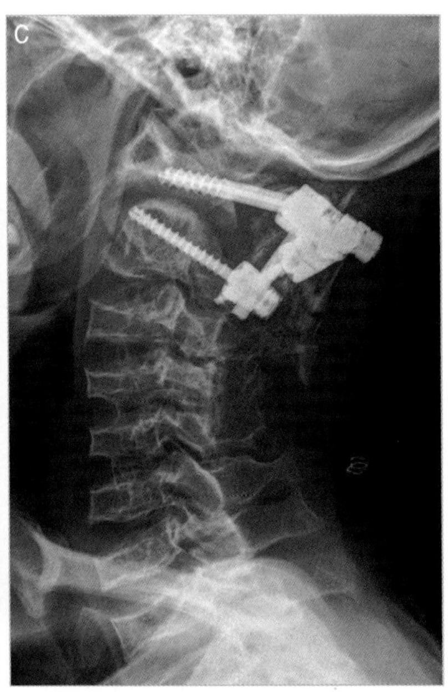

Fig 5. **변형성 이형성증 6세 여아.**
A: 제1-2경추 불안정성이 있으나 증상이 없어서 경과 관찰하기로 하였다. B: 의자에서 떨어지면서 spinal cord contusion으로 quadriparesis 발생. C: 제1-2경추 후방유합술 후 현재 보행 가능한 상태로 회복되었다.

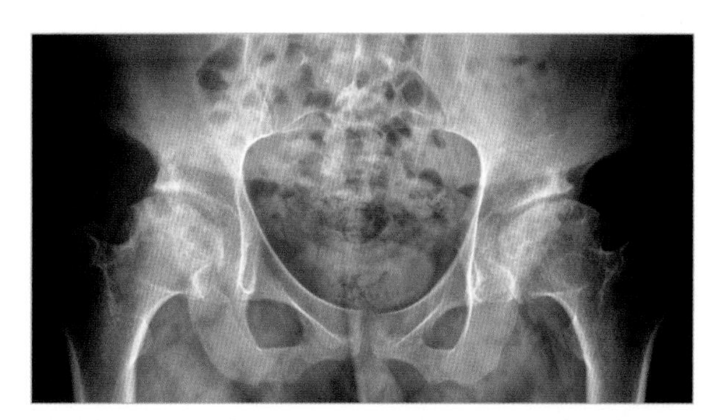

Fig 6. **다발성 골단 이형성증이 있는 24세 남자에서 보이는 고관절 조기 퇴행성 관절염.**

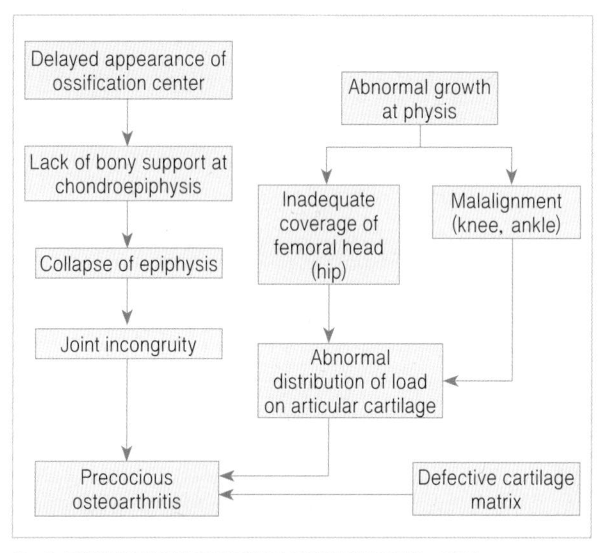

Fig 7. **골이형성증에서 조기 퇴행성 관절염이 발생하는 기전.**

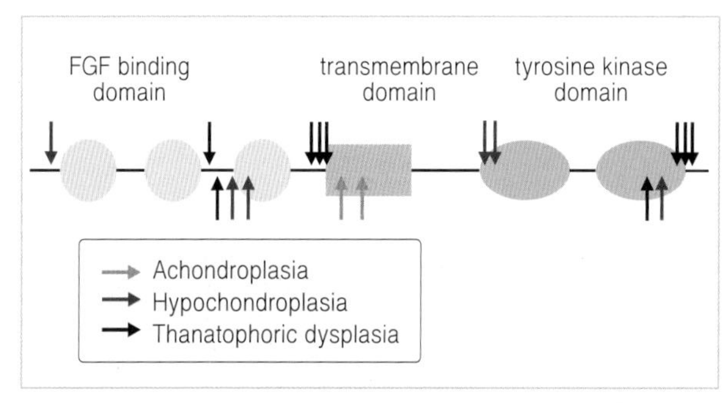

Fig 8. **FGFR3 유전자 돌연변이로 발병하는 질환들.**
같은 유전자에서 다양한 돌연변이에 의해서 발생하는 질환들을 allelic diseases라고 한다.

6) 골격계 이외의 문제

- 이염(otitis): 언어 지연 또는 영구 장애
- 구순열, 구개열(cleft palate): 제2형 교원질병증에서 흔히 동반된다.
- 기도협착
- 수두증(hydrocephalus)
- 대후두공(foramen magnum) 협착: 연골무형성증
- 신경, 척수 손상
- 근시, 사시, 망막박리: 제2형 교원질병증에서 흔히 동반된다.
- 치아 과다
- 비만증
- 발달 지연
- 산부인과적 합병증

7) 골이형성증 환자에서 마취 상의 문제점

① 제1-2경추 불안정성
② 협소한 기도(trachea)
③ 협소하고 고정된 흉강
④ 관절운동 장애로 골절을 유발할 수 있다.
⑤ 척추 변형 또는 협착으로 인하여 척추 마취가 불가능한 경우가 많다.
⑥ 각종 약물, 마취제의 용량을 줄여야 한다.

3. 연골무형성증(achondroplasia)

왜소증의 가장 흔한 원인 질환으로 사지가 더 심한 불균형 단신을 보인다.

1) 유전 양상 및 발병률

- FGFR3(fibroblast growth factor receptor-3) 유전자의 점돌연변이(point mutation)로 발생한다Fig 8. 3가지 염기서열 변이가 알려져 있다.
- 상염색체 우성 유전이나 상당수는 새로운 돌연변이 발생에 의해서 정상 부모에서 태어난다. 아버지의 연령이 높을수록 새로운 돌연변이 발생 위험이 증가한다.
- 발병률: 100,000 출생당 2-3례

2) 병리학적 소견

- FGFR3은 중추신경계와 골단판의 증식대(proliferative zone)에서 발현하는 세포막 수용체로서, 활성화되면 연골세포의 증식과 분화를 억제한다. 연골무형성증 돌연변이는 수용체의 기능을 항진시켜서(gain-of-function mutation) 골단판에서의 연골내 골화에 의한 장관골 길이 성장을 억제한다.
- 막내골화(membranous ossification)는 영향을 받지 않거나 오히려 촉진되는 것으로 보이며, 이는 연골무형성증 환자에서 신연 골형성술에 의해서 신생골 형성이 대단히 빠르게 진행되는 현상을 설명할 수 있다.
- 비정상적인 골격 모양은 연골내골화와 막내골화의 불균형에 의해서 발생한다.
- 관절연골 생성과 발달은 정상적이다.

3) 임상적 소견Fig 9, Table 1

- **출생 시 및 신생아기**
  - 특징적 얼굴과 단신으로 진단 가능하다.
- **대후두공 협착(foramen magnum stenosis)**
  - 신생아기-유아기에 좁고 기형인 대후두공(foramen magnum)으로 인해 저긴장성(hypotonia), 뇌간(brain stem) 압박에 의한 중심성 수면 무호흡증, 하부 뇌신경 기능이상, 심한 발달지연, 반사 이상항진(hyperreflexia) 등이 나타날 수 있다.
- **단신**부록 26-1, 26-2 참조
  - 성장 종료 시: 남 131±5.6 cm, 여 125±5.9 cm
  - Rhizomelic short limb: 체간보다 사지가, 근위 지절이 원위 지절보다 더 심하게 이환된다.
- **흉요추 후만증**
  - 유년기에 모든 환자에서 발생한다.

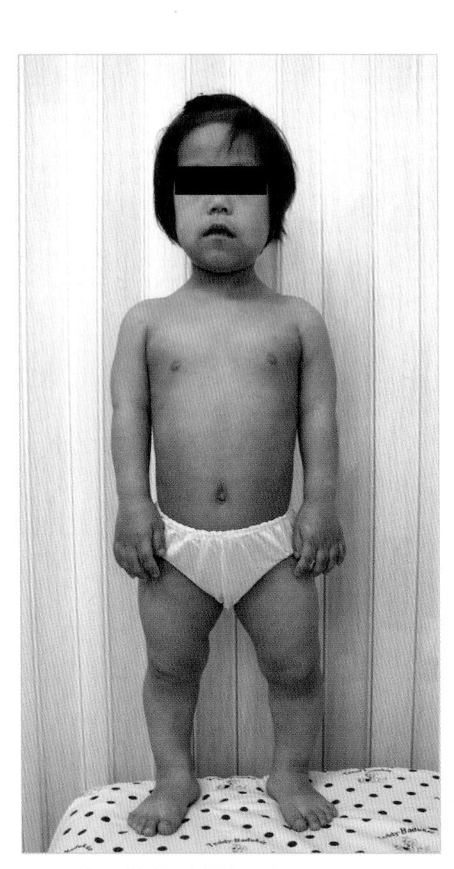
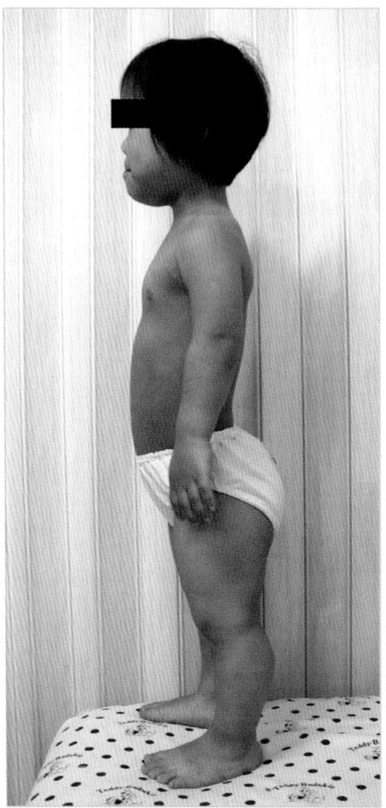
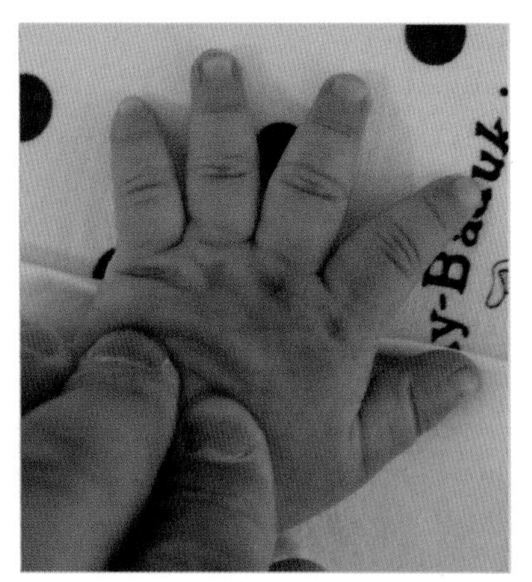

Fig 9. **연골무형성증의 임상 소견.**
7세 여아로 신장 93 cm이다. 체간에 비해서 사지, 특히 대퇴부와 상완부가 짧다. 내반슬, 주관절 굴곡 구축, 요추 전만, 삼지창수(trident hand) 등을 볼 수 있다.

Table 1. **Achondroplasia, hypochondroplasia, pseudoachondroplasia 임상 양상의 차이**

	Achondroplasia	Hypochondroplasia	Pseudoachondroplasia
Causative gene	FGFR3	FGFR3 and others	COMP
Inheritance pattern	AD	AD	AD
Age at Dx	At birth	2-3 yrs	2-3 yrs
Face	Typical	Normal	Normal
Body proportion	Rhizomelic short-limb	Short limb	Short limb
Final height	131cm(M)/124cm(F)	118-152cm	82-130cm
Spine	TL-kyphosis Spinal stenosis	Normal or mild stenosis	C1-2 instability Mild or no deformity
Hand	Trident	Normal	Short
Knee	Genu varum Long fibula	Mild deformity	Various angular deformity Ligamentous laxity
Main clinical problems	Spinal stenosis	Rare	Precocious osteoarthritis C1-2 instability

- 90%에서 보행을 시작하면서 소실된다.
- 잔존하는 경우, 흉요추 이행부 척추체의 저형성 또는 설상 변형이 동반되고, 척추관 협착증을 악화시킬 소지가 있다.

- **척추관 협착증**
  - 약 1/3에서 수술적 치료를 요하는 증상을 보이며 대개 10대 후반기 이후부터 발생한다.
  - 어느 부위에나 발생 가능하나, 요천추부 협착이 가장 흔하다.
  - 하부요추에서 척추경간 간격이 좁아지는 소견이 뚜렷하고 잔존하는 흉요추 후만증이 있는 경우 호발한다(Schkrohowsky 2007).
  - 퇴행성 척추관 협착증과 달리 여러 척추분절에 걸쳐서 광범위하게 협착되어 있다.
- **내반슬**
  - 비골에 비해서 경골의 상대적 저성장, 인대 이완, 비만 등이 작용한다.
  - 심하면 보행 장애나 동통을 유발할 수 있다.
- **기타 근골격계 증상**
  - 운동 능력 발달의 지연으로 독자 보행은 2-3세에 시작한다.
  - 수부: 짧고 넓은 손, 제3-4수지 간격이 벌어진 trident hand 모양이다.
  - 주관절 굴곡 구축과 드물게 요골두의 후외측방 탈구.
  - 관절 이완
- **타 부위 증상**
  - 안면부: 이마가 넓고 돌출되어 있고 콧잔등 등 얼굴 중앙부가 저형성되어 있다. 상대적인 하악골 돌출, 과밀한 치아, 부정교합, 두개 기저부 저형성으로 재발성 중이염, 전도성 난청 등이 흔하다.
  - 비만증이 흔하다.
  - 수두증(hydrocephalus)이 3%에서 발생한다.
  - 지능, 수명, 생식기능은 정상이다.
- **연령에 따른 주 증상**
  - 영유아기: 수두증, 대후두공 협착, 흉요추 후만증
  - 아동기: 요추 전만증(고관절 굴곡구축), 내반슬
  - 청소년기: 비만증
  - 성년기: 척추관 협착증

4) 방사선학적 소견 Fig 10

- 척추 전후면에서는 제1요추에서 제5요추로 갈수록 척추경 간 거리가 감소하고, 척추 측면에서는 척추경이 짧아서 척추체-추궁판 간격이 좁다. 이는 neurocentral synchondrosis (제1장 참조)에서 연골내골화에 의한 성장이 저해되어 있기 때문이다.
- 골반 전후면: 수평한 비구개, 네모난 장골익(iliac

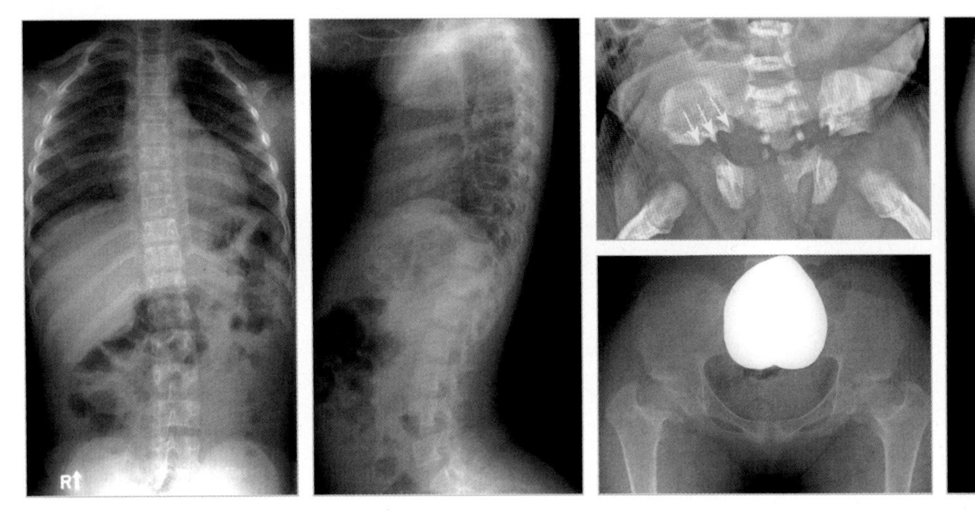

Fig 10. **연골무형성증의 방사선 소견(본문 참조).**

wing), 좁은 좌골 절흔(sciatic notch). 신생아기에는 좌골 절흔에 두개의 notch (trident pelvis)(Fig 10 화살표)가 특징적인 소견이다.
- 넓은 장관골 골간단(metaphyseal flaring), 두꺼운 골간, 역 V자 원위 대퇴골 골단판
- 비골 과성장(overgrowth)

5) 장관골 길이성장을 촉진하는 약물치료

- 성장 호르몬을 투여하면 성장 속도가 대개 첫 1년은 증가하나, 이후로 2-3년에 걸쳐서 감소하여, 약 3 cm 정도 밖에 신장 확대 효과가 없다. 또, 성장 호르몬을 과다하게 투여하면 척추관 협착증 발생을 촉진한다는 의견도 있다. 연골무형성증에서 성장 호르몬 투여는 우리나라 건강보험에서 인정되지 않고 있다.
- FGFR3 신호전달을 감소시키기 위하여 1) 수용체(receptor)가 활성화되는 것을 차단(blocking)하거나 2) FGFR3 신호전달의 downstream에서 연골내 골화를 저해하는 작용을 억제하려는 치료제들이 개발되어 임상시험 중이다(Savarirayan 2020).

6) 수술적 치료가 필요한 병변

(1) 대후두공 협착(foramen magnum stenosis)

- 증상의 정도에 따라서 대후두공 감압술(decompression)이 필요할 수 있다(White 2016, Shim 2021). 아직 확실한 수술 적응증이 확립되어 있지 않으나 신경학적 증상이 있거나 중심성 무호흡증이 뚜렷하면 감압술이 필요하다.

(2) 흉요추 후만증Fig 11A, B

- 유아기에는 예방적 sitting support를 시도해 볼 수 있으며(Breed 1997), 대부분이 저절로 호전된다.
- 3세 이후에도 잔존하면 신전 보조기(Knight 등)나 주기적 석고고정 등의 보고가 있지만 작은 체구 때문에 실질적인 효과를 기대하기 어렵다.
- 후만증이 지속되면 척추관 협착증을 더욱 악화시킬 수 있다. 5세 이후에도 후만증이 진행하거나 통증의 원인으로 판단되면 척추관 협착증이 발생하기 전이라도 수술적 교정을 권하기도 하지만(Ain 2004) 아직 충분한 공감대가 형성되어 있지는 않다.

(3) 요추 척추관 협착증Fig 11C

- 짧고 두꺼운 척추경(pedicle), 좁은 척추경 간 간격, 흉요추 후만, 요추 과전만과 추간판 퇴행성 변화 등이 발병에 기여한다.
- 대개 20대에 발병하지만 10대에 발병하는 경우도 있다.
- 협착 부위가 요추 전장에 걸쳐 있는 경우가 많아서 광

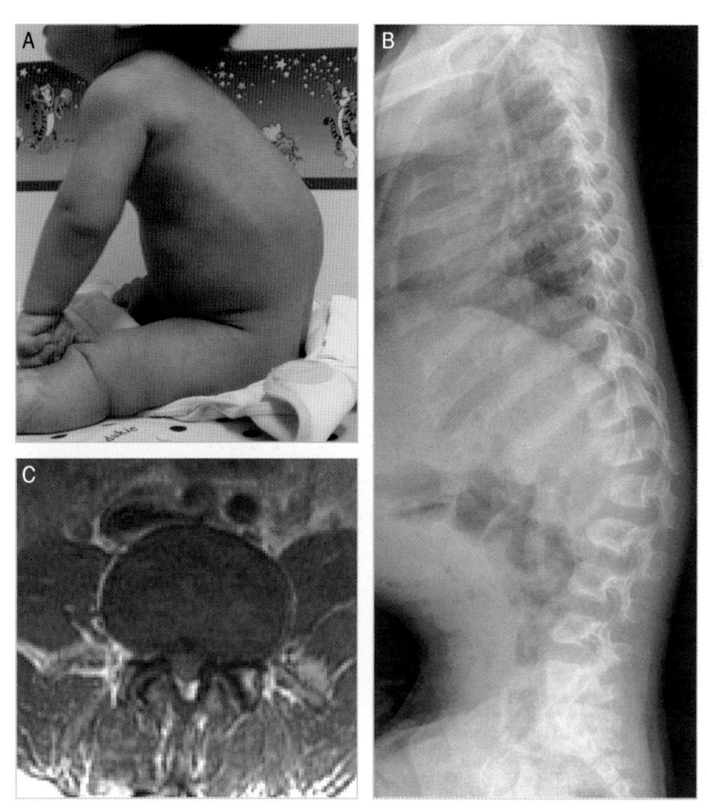

Fig 11. **연골무형성증 환아에서 보이는 척추 문제.**
A,B: 2세 환아의 흉요추부 후만증. C: 척추관 협착증.

범위 요추 감압술을 요한다. 후궁 절제술(laminectomy)뿐 아니라 추간공 절개술(foraminotomy)까지 필요하다.

- 신경관이 좁기 때문에 hook의 사용은 금기이고 척추경 나사 사용이 권장된다. 흉요추 후만증이 동반된 경우 후만증 교정도 함께 시행한다.

(4) 내반슬

- 인대가 느슨하고 사지가 짤막하기 때문에 효과적인 보조기를 착용하기 어렵다.
- 통증, 진행성 변형, 경골의 외측 전위(lateral thrust) 등이 있으면 수술적 교정을 고려한다.
- 절골술로 각변형만 교정하거나, 사지 연장술을 하면서 각변형을 동시에 교정할 수도 있다. 내측의 잔여성장이 충분하다면 반골단판 억제술을 이용한 교정도 가능하나 골단판에서의 길이성장이 적기 때문에 정상 아동에 비해서 결과가 일정하지 않다(McClure 2017).

(5) 사지 연장술을 통한 신장 확대

- 단신 자체는 의학적 문제보다는 사회적 적응의 문제이다.
- 연골무형성증 환자에서는 신연 골형성술을 통한 사지 연장술이 비교적 용이하며 사지 연장술을 통해서 신장을 확대하면 사회적 적응에 이점이 있을 수 있다.
- 그러나 수년간의 치료 기간을 요하며 20 cm 이상 골을 연장하면 많은 합병증을 초래할 수 있기 때문에 경제적, 시간적, 신체적 비용을 충분히 고려하여 수술 여부를 결정하도록 하여야 한다.
- 학동기 이전에 시행하는 것은 골 연장술 자체가 골단판에 과도한 압박력을 가해서 오히려 자연적인 길이 성장을 억제할 수도 있고(Song 2012), 환자가 병식을 충분히 가지지 않은 상태에서 환자 자신의 선택권을 박탈하는 문제 등이 있어 바람직하지 않다.
    - 상완골 연장술은 손이 미칠 수 있는 범위를 확대시켜서 환자 스스로 자신의 몸 관리하는 것을 가능하

게 하기 때문에 신장확대를 위한 하지연장술보다 더 욱 절실한 수술이다.

연골무형성증 환자에서 사지연장술을 통한 신장 확대가 효과적인 이유
- 막내골화는 지장이 없거나 항진되어 신연 골형성술이 대단히 효율적으로 진행된다.
- 연부 조직이 풍부해서 사지연장술 시 연부 조직의 저항이 상대적으로 적다.
- 관절 연골은 건강하기 때문에 조기 퇴행성 관절염의 위험이 적다.
- Short-limb dwarfism이어서 사지연장을 하면 신체 균형이 호전된다.
- 정상 지능과 정상 수명으로 효과를 충분히 누릴 수 있다.

4. 연골저형성증(hypochondroplasia)

- 연골 무형성증과 유사하지만 경한 신체 증상을 보이는 질환이다.
- 상염색체 우성 유전을 하며, 연골무형성증과 같은 FGFR3 유전자의 다른 돌연변이에 의해서 발병하는 allelic disease이다Fig 8, Table 1.

5. 가성 연골무형성증(pseudoachondroplasia)

사지가 짧은 불균형 왜소증으로 장관골과 척추에서 중등도 또는 고도의 골단, 골간단, 골단판 이상이 나타난다.

1) 병리기전

- 상염색체 우성 유전
- COMP (cartilage oligomeric matrix protein) 유전자의 heterozygous 돌연변이에 의해서 발병한다.
- COMP는 연골세포 주변의 기질, 인대, 건 등에 존재하는 당단백으로 비정상적인 COMP가 연골세포의 조면소포체(rough endoplasmic retinaculum)와 세포외 기질에 축적되고, 결국 세포가 조기에 사멸하게 된다.

2) 임상적 소견Fig 12, Table 1

- 일종의 축적 질환(storage disorder)이기 때문에 출생 시에는 신장, 외모 모두 정상 범위이나, 생후 2년부터 단신, 사지 변형 등이 관찰된다.

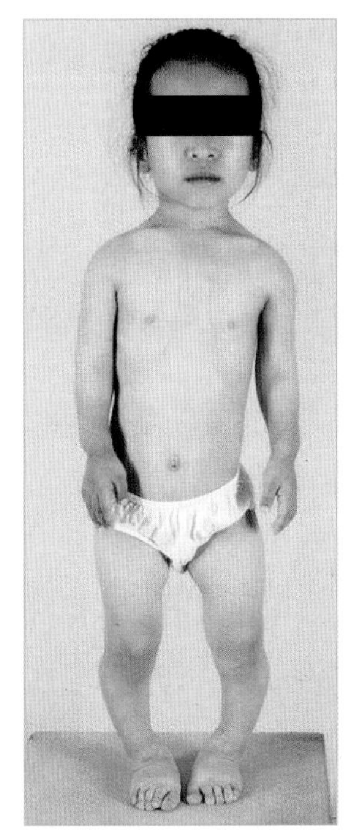

Fig 12. 가성 연골무형성증의 임상 소견(본문 참조).

- 연골무형성증과 유사한 rhizomelic short-limb dwarfism을 보이나 얼굴 모양은 정상이고, 연골무형성증과 달리 삼지창수(tident hand)는 보이지 않는다.
- 관절 불안정성이 관찰되나 주관절에는 굴곡 구축을 보인다.
- 골격계 이외에는 영향을 미치지 않기 때문에 정상 지능, 정상 수명을 보인다.
- 고관절, 슬관절, 족근관절 등에 조기 퇴행성 관절염을 초래한다.

- **단신**부록 26-3 참조
  - 생후 2-3년 사이에 성장 지체가 발생하여 사지가 짧은 단신이 나이들수록 더 심해진다.
  - 성인 신장 평균 119 cm(82-130 cm)
- **고관절**
  - 비구 이형성증, 대퇴골두 변형, 아탈구, trochanter overriding 등으로 waddling gait를 초래하며, 조기

퇴행성 관절염이 발생한다.

- **슬관절**
  - 심한 각변형: 외반슬, 내반슬, windswept deformity
  - 굴곡 구축 또는 전반슬
  - 심한 인대 이완으로 인하여 각변형 교정 후 재발하는 경우가 흔하다.
- **척추**
  - 일부 환자에서 환축추 불안정성이 관찰되기 때문에 경추 측면 굴곡-신전 검사로 확인하는 것이 필요하다. 척수 압박 증상이 발견되거나 뚜렷한 불안정성이 확인되면 제1-2요추 유합술로 고정하는 것이 바람직하다.
  - 경도의 척추측만증, 요추 전만, 또는 흉추 후만
- **기타 골격계 문제**
  - 주관절 굴곡 구축
  - 손발이 짤막하다.

3) 방사선학적 소견Fig 13

- 편평척추(platyspondyly) 및 척추체 전방 돌출(anterior beaking)
- 치상돌기 저형성 또는 무형성(50%)
- 장관골 골간단의 확대 및 골단판이 불규칙하다.
- 장관골 골단 골화중심 지연 출현, 저형성, 및 변형
- 작은 대퇴골두 골화중심, 내반고(coxa vara), 고관절 관절면 부조화(joint incongruity)
- 짧은 중수골, 중족골, 수지골 및 족지골

4) 치료

- 환축추 불안정성이 발견되면 후방유합술이 필요하지만, 수술 시기와 적응증에 대해서는 술자마다 의견이 일치하지 않는다.
- 슬관절 각변형 교정은 미용 개선, 생역학적 기능 개선의 효과는 있으나 관절 연골 자체의 결함은 지속되므로 조기 퇴행성 관절염의 발생을 막을 수는 없을 것으로 생각된다. 인대 이완으로 인하여 해부학적으로 정확한 교정을 하여도 기립 시 하지 정렬이 어떻게 될지를 수술 중 예측하기 어려우며, 재발 가능성이 높다.
- 고관절 퇴행성 변화가 진행하기 전에 변형으로 인한 통증이 심한 경우 비구 및 대퇴골 절골술 등으로 증상을 개선하고 퇴행성 변화를 지연시키는 것을 기대해 볼

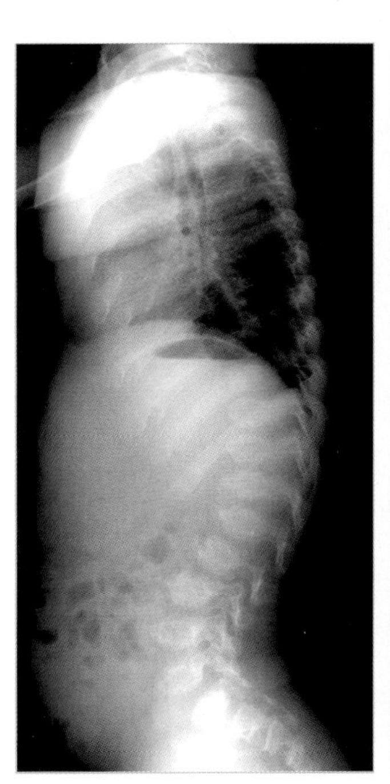
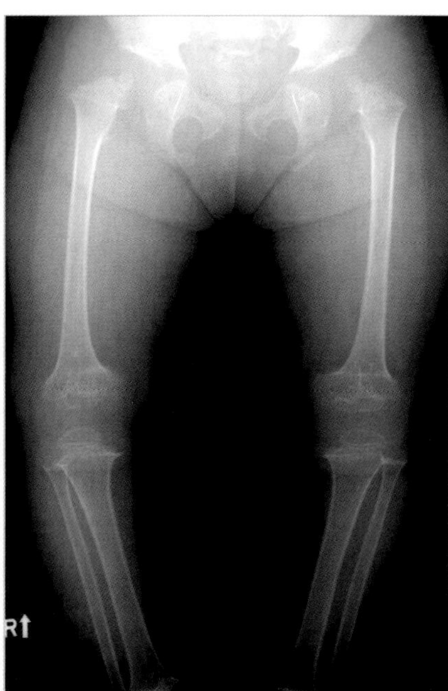

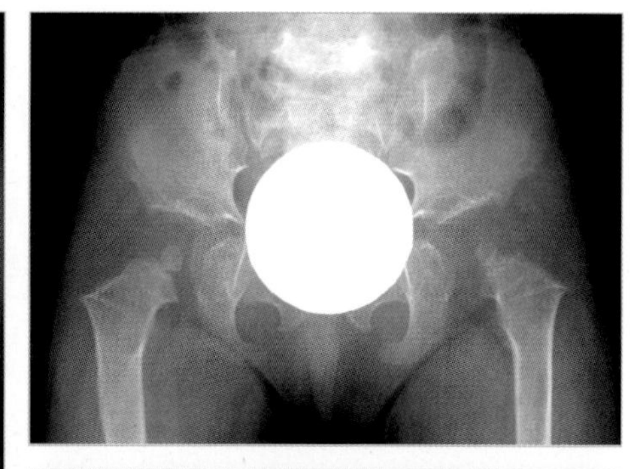
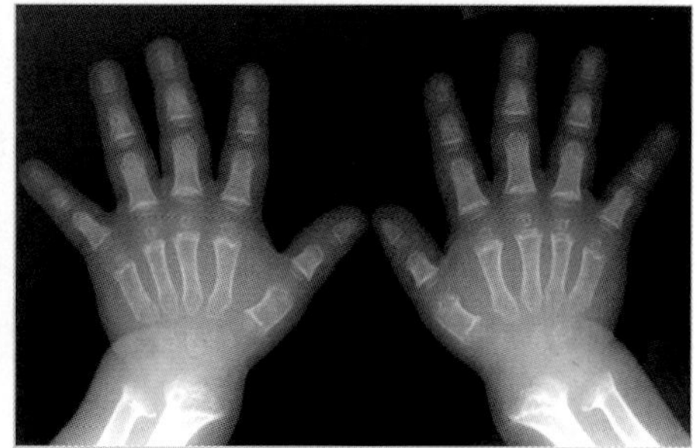

Fig 13. **가성 연골무형성증의 방사선 소견(본문 참조).**

수 있다. 그러나, 장기적으로는 관절염 발생을 지연시킬 수 있을지는 불분명하다.

- 퇴행성 관절염이 발생한 관절에 인공관절 치환술이 필요한 경우가 흔하지만 작은 체구로 인하여 기술적인 어려움이 있다.
- 사지 연장술을 통한 신장 확대는 관절 불안정성, 조기 퇴행성 변화 등을 악화시킬 수 있으므로 금기증이다.

6. 다발성 골단 이형성증 (multiple epiphyseal dysplasia)

경도의 단신, 하지 각변형, 조기 퇴행성 관절염, 장관골 골단의 저형성 또는 변형 등을 특징으로 하는 비교적 흔한 골이형성증이다.

1) 유전학적 다양성

- 현재까지 6가지 유전자 돌연변이에 의해서 발생하는 것으로 알려져 있으며, 아직 알려지지 않은 원인 유전자가 더 있을 것으로 생각된다Fig 14.
- 대부분 상염색체 우성 유전하지만, SLC26A2 유전자 변이에 의한 경우는 상염색체 열성 유전한다.
- 한국인 등 동양인에서는 MATN3이 가장 흔한 원인 유전자이며 그 뒤를 이어 COMP가 흔하고 SLC26A2와 제9형 교원질 유전자 돌연변이는 대단히 드물다. 반면, 유럽계에서는 COMP에 이어서 SLC26A2가 흔한 원인 유전자이며 MATN3는 상대적으로 드물어 인종 간 차이가 관찰된다(Kim 2011).
- MATN3, COMP, COL9A1, COL9A2, COL9A3는 연골 조직의 세포외 기질단백들의 유전자이며, SLC26A2는 sulfate transporter 유전자이다.
- COMP에 의한 MED는 가성연골무형성증과, SLC26A2에 의한 MED는 diastrophic dysplasia와 스펙트럼을 이루며 중간 단계의 표현형을 보이는 증례들도 있다.
- 유사한 표현형으로 MED라는 하나의 질병으로 묶였지만 개개 유전자에 따라 독특한 임상적, 방사선학적 특징을 보인다(Kim 2011, Unger 2008).

2) 임상적 및 영상의학적 소견

- 경도 또는 중등도의 사지가 짧은 불균형 왜소증으로 성인 신장은 145-170 cm 범위이다. 단신이 심하지 않아서 normal variant short stature로 간주되는 경우도 많

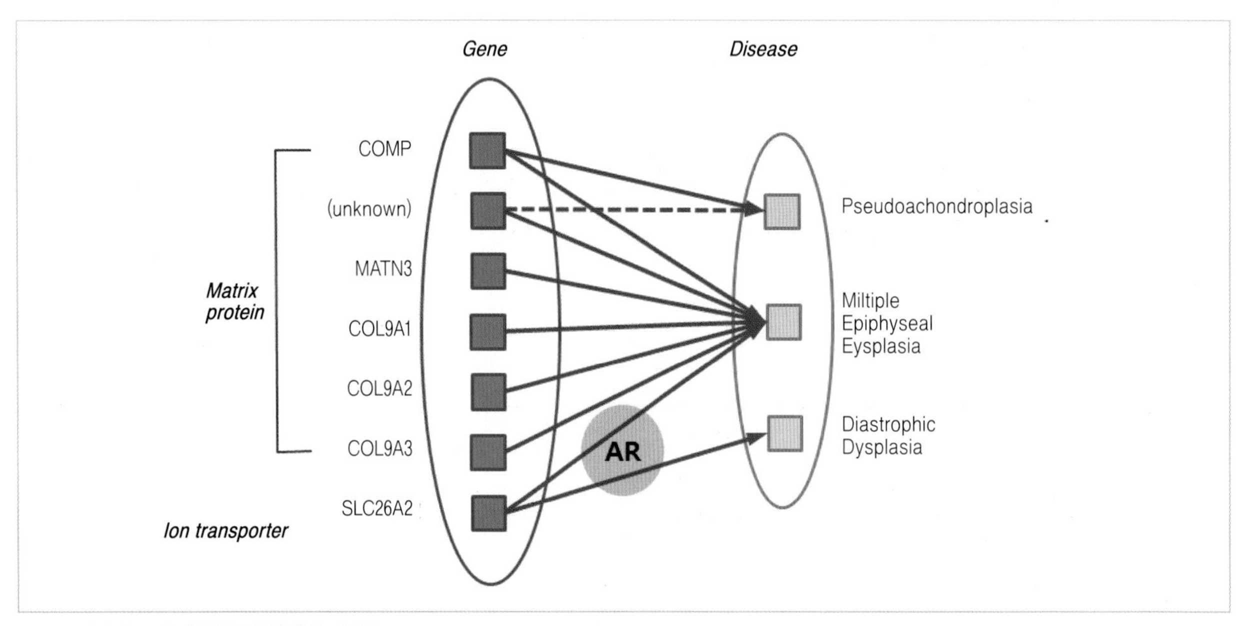

Fig 14. **다발성 골단 이형성증의 원인 유전자들.**
COMP는 가성 연골무형성증의 원인이기도 하며, SLC26A2는 diastrophic dysplasia의 원인이기도 하다. AR = autosomal recessive.

다. 골 성숙 후에는 골단 이형성을 판단하기 쉽지 않아서 진단이 어렵다.
- 성장기에 간헐적으로 운동 후에 체중 부하 관절에 일시적인 통증을 호소하는 경우가 있는데 대부분 휴식으로 없어진다.
- 대퇴골두 무혈성 괴사가 일반 아동에 비해서 더 흔히 발생하는 것으로 보인다.
- 외반슬, 내반슬 등의 각변형이 나타날 수 있다.
- 방사선 검사 상 장관골 골단의 골화 지연, 저형성, 불규칙하거나 분절된 형태 등이 특징적인 소견이다. 손과 발의 단골 표면도 뾰족하고 불규칙하다. 척추에는 이상소견이 없다.
- 아동기 이전이나 골 성숙 이후에는 방사선 검사 상 특이 소견이 나타나지 않아 진단할 수 없을 수도 있다.

(1) MATN3-MED Fig 15A
- 한국인에서 가장 흔한 유전자형이다.
- 비교적 증상이 가볍다. 신장도 대부분 정상 범위에서 약간 작은 편이다.
- 골 성숙 이후에는 장관골 골단이 완전히 골화되어 정상 골격 형태를 보이며, 일상 생활이나 운동 시에도 증상이 없다.
- 성장기 방사선 검사에서 대퇴골두와 슬관절 주변 골단의 저형성, 불규칙한 모양이 관찰되며 슬관절 주변 골간단부의 수직 골주(vertical striation)가 뚜렷한 반면, 비구(acetabulum)는 매끈하고 잘 발달되어 있다.
- 대퇴골두 무혈성 괴사나 하지 각변형이 없으면 특별한 치료가 필요하지 않다.

(2) COMP-MED Fig 15B-E
- 한국인에서 두 번째로 흔한 유전자형이다.
- MATN3형에 비해서 키가 더 작으며, 심한 경우에는 가성연골무형성증과의 구분이 어려울 정도일 수도 있다. 척추체의 wedging 등이 일부 관찰될 수도 있다.
- 비구 표면이 불규칙하고 이형성증이 있다.
- 성장기에 관절통증을 더 자주, 더 심하게 호소하며, 성

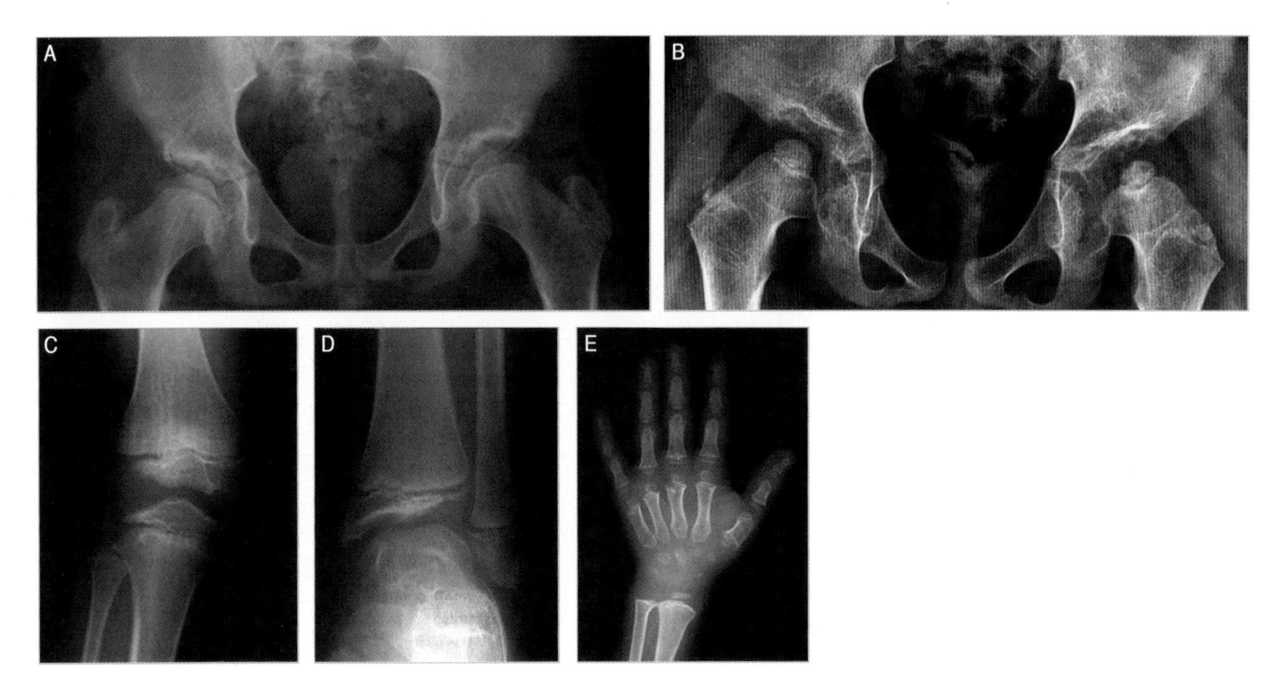

Fig 15. **MED의 방사선 소견.**
A: 12세 여자. MATN3-MED에서는 근위 대퇴골 골단이 얇은 초생달 모양이며 비구가 깨끗하다. B: 9세 여자. COMP-MED에서는 근위 대퇴골 골단이 작고 동그란 모양이며 비구가 불규칙하다. 나이가 들면서 대퇴골두 변형이 발생하기 쉽다. C,D: 슬관절 및 족근관절부골단의 저형성과 불규칙한 형상. E: 수족지골 단축은 COMP-MED에서 흔히 관찰된다.

인이 되어도 관절 통증이 지속되는 경우가 흔하다. 조기 퇴행성 관절염으로 진행되는 경우가 대부분이다.
- 손발이 짤막하다.

(3) Type 9 collagen MED
- 국내에 돌연변이가 확인된 례는 아직 10례 미만이다
- 정상 신장이며 방사선 검사 상 고관절은 정상이고 슬관절 주변에 주로 MED 소견이 관찰된다.
- 외반슬 등의 하지 각변형이 흔하다.

(4) 열성유전 MED (rMED; SLC26A2-MED)
- 약간 키가 작고, 하지 각변형, 족부 변형, 내반고 변형 등이 관찰되며, 슬관절 측면 방사선 검사 상 슬개골이 두 겹으로 보이는 double patella 소견이 특징적이지만, 이는 COMP-MED에서 관찰되는 경우도 있다.

다발성 골단 이형성증에서 발생하는 대퇴골두 무혈성 괴사에 합당하는 소견들(Mackenzie 1989)Fig 16
- 양측 고관절 소견이 비대칭적
- 방사선 검사 상 골 경화, 골 흡수, 재골화 등의 일련의 과정을 거치는 양상이 관찰
- 임상적으로 고관절의 통증과 운동 제한, 특히 외전 및 내회전 제한, 그리고 슬관절의 연관통
- 초기 골 주사검사로 허혈성 변화 관찰
- MRI에서 무혈성 괴사에 합당한 소견

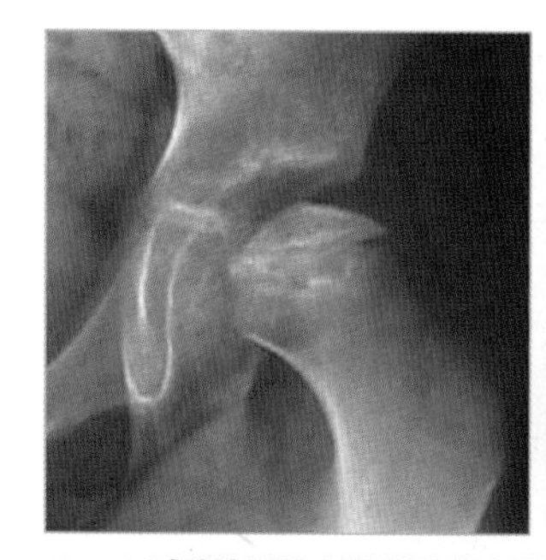
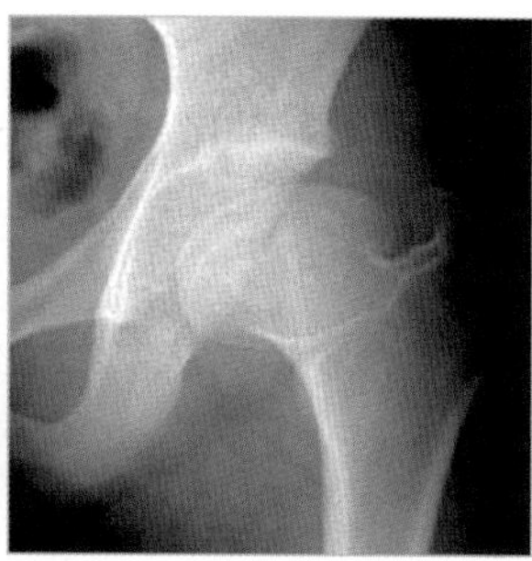

Fig 16. **다발성 골단 이형성증에서 발생한 대퇴골두 무혈성 괴사.** Stulberg type III의 변형을 남기고 재골화되었다.

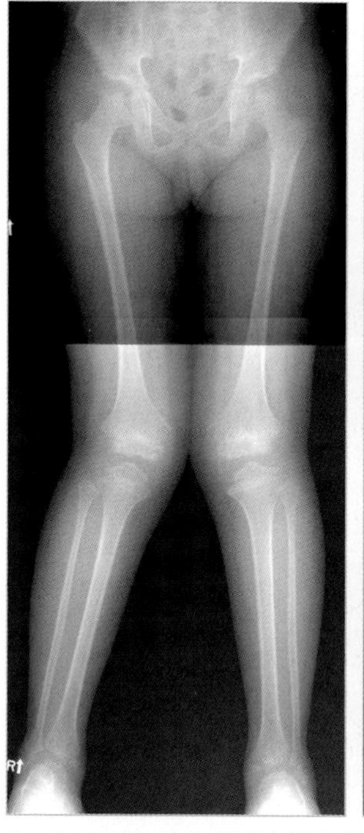
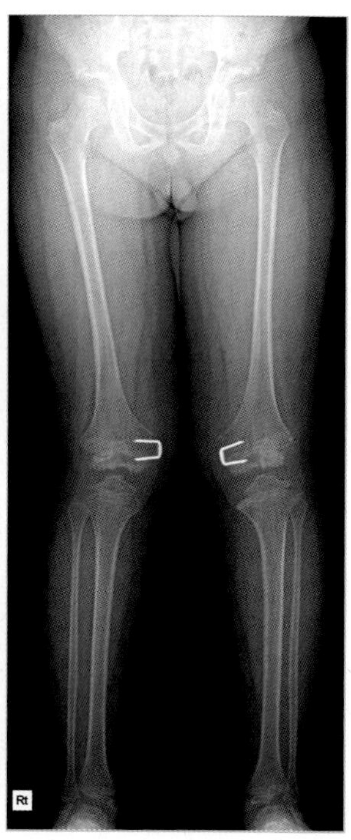

Fig 17. **COMP-MED 환자로 원위 대퇴골 내측 반골단판 stapling을 사용하여 외반슬 변형을 교정한 례.**

3) 치료

(1) 슬관절 주위 각변형
- 성장기에는 반골단판 스테이플 삽입술(hemiepiphyseal stapling), transphyseal screw 또는 tension-band plating 등으로 골단판의 성장을 비대칭적으로 억제함으로써 교정을 얻을 수 있다Fig 17. 정상 아동에 비해서 골단판에서의 길이성장 속도, 골단판이 폐쇄되는 나이, 일시적 반골단판 유합술로 인한 영구적 골단판 폐쇄 등 골단판의 반응에 대한 예측이 확실하지 않아서 주의 깊은 추시가 필요하다.
- 골 성숙 이후에는 절골술 또는 외고정장치를 이용한 점진적 교정(gradual correction)으로 치료한다.
- 각변형 교정은 슬관절 주변 생역학과 미용 개선 효과가 있으나 관절 연골 자체의 결함은 잔존하므로 조기 퇴행성 관절염을 완전히 예방할 수는 없다.

(2) 고관절 변형
- COMP에 의한 MED에서는 비구이형성증이 흔히 발생하는데, 사춘기부터 통증이 지속되면 퇴행성 변화의 속도를 늦추기 위해서 선반성형술(shelf acetabuloplasty), 무명골 절골술 등을 시도해 볼 만하다Fig 18.

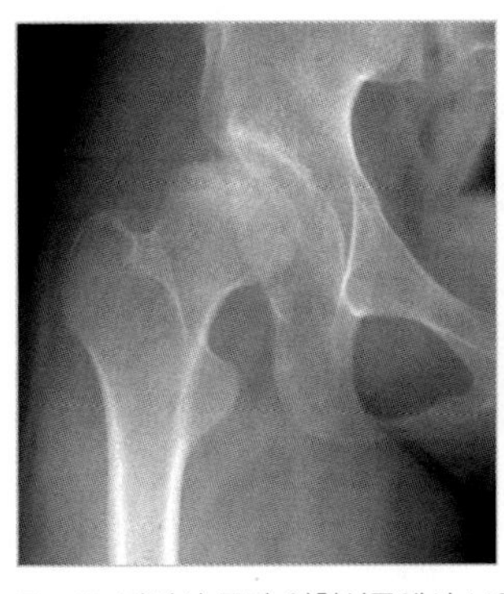
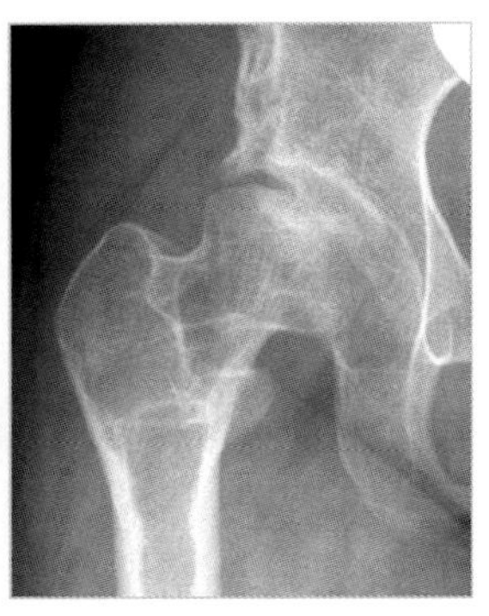

Fig 18. 다발성 골단 이형성증에서 보이는 고관절 이형성증에 대해서 선반 성형술을 시행하였다.

- 일반인에 비해서 대퇴골두 무혈성괴사가 발생하는 빈도가 높으며 관절 조화를 개선하고 대퇴골두 피복을 증진시키는 수술이 필요할 수 있다.

(3) 사지 연장술을 이용한 신장 확대
- 조기 퇴행성 관절염의 문제가 있기 때문에 바람직하지 않다.

7. 골간단 연골이형성증 (metaphyseal chondrodysplasia)

골단과 척추에는 이상이 없고 골간단이 넓어지고 불규칙하며 변형을 보이는 질환군이다. 칼슘-인 대사 이상으로 발생하는 구루병과의 감별이 필요하다.

* 구루병과의 감별
- 영유아기 영양 결핍성 구루병(nutritional rickets)의 회복 과정 중에 혈액, 소변 검사는 정상이지만 방사선학적 소견은 계속 남아있는 기간이 있는데 이때에 골간단 연골이형성증으로 오진되는 경우가 있다.
- 영양 결핍성 구루병을 초래할 수 있는 병력에 대한 자세한 문진이 필요하고, 3–6개월 후에 추시 방사선 검사로 확인하고 나서 확진하는 것이 바람직하다. 영양 결핍성 구루병은 칼슘과 비타민D를 보충해 줄 경우 3–6개월 후 추시 방사선 검사에서 호전 소견이 뚜렷하다.
- Schmid 형 골간단 연골이형성증에서는 대퇴골두 골단이 유난히 큰 것도 구루병과의 감별점이다.

1) Schmid형 골간단 이형성증
- 상염색체 우성 유전
- 골단판의 비후연골세포(hypertrophic chondrocyte)에서만 선택적으로 발현하는 제10형 교원질 유전자 COL10A1의 돌연변이에 의해서 발병한다.
- 칼슘-인 대사는 정상이다.

- **임상적 소견**
  - 정상 얼굴, 정상 지능, 출생 시 정상 신장
  - 경도에서 중등도의 사지가 더 심한 단신
  - 내반슬, waddling gait가 주 증상
- **방사선학적 소견**Fig 19
  - 하지 장관골 골간단 확대, 골간부 만곡
  - 골단판 폭 증가, 불규칙한 골단판
  - 골단 크기가 크지만 형태는 정상
  - 내반고 변형
  - 척추, 수부, 족부 정상

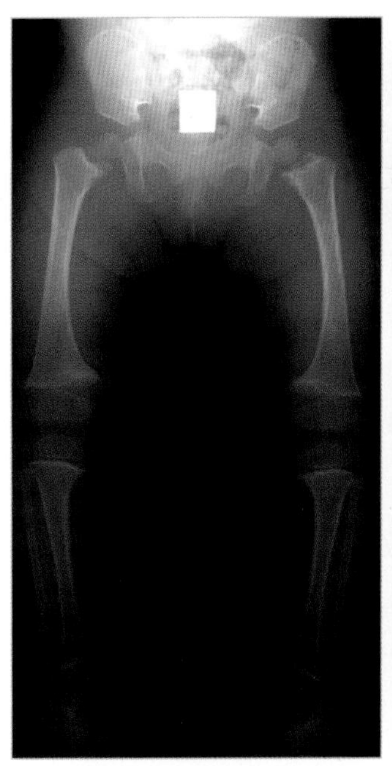
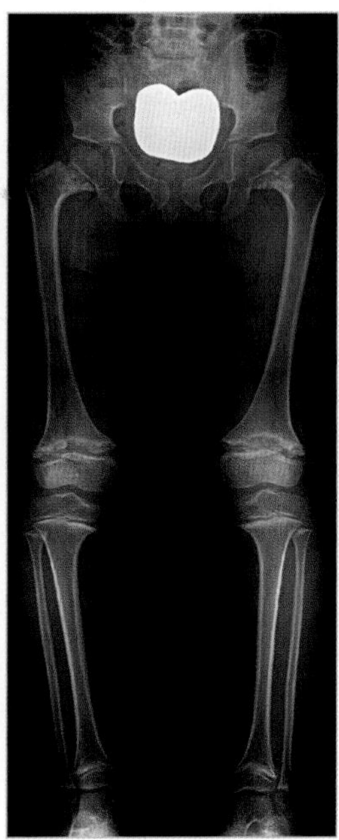

Fig 19. **Schmid 형 골간단 연골이형성증.**
A: 2세. 골단이 전체 골격에 비해서 크다. B: 8세. 골단판 간격이 넓고 근위 대퇴골 골간단 골편을 동반한 내반고 변형이 관찰된다. 비타민 D 결핍성 구루병과의 감별이 중요하다.

- **정형외과적 치료**
  - 하지 각변형에 대한 반골단판 유합술 또는 교정 절골술
  - 사지 연장술로 신장을 늘리는 술식의 대상이 된다.

2) 연골 모발 이형성증
(cartilage hair hypoplasia; McKusick형)

- 상염색체 열성 유전하며 mitochondrial RNA-processing endoribonuclease (RMRP) 유전자 돌연변이에 의해서 발병한다.
- 단신, 가늘고 숱이 적은 모발, 하지 각변형
- T-cell immunity 장애로 대상포진 등의 바이러스 감염 위험, 빈혈
- 동반 질환: 장 흡수장애, Hirschsprung 병, 림프종, 육종, 피부암 같은 악성 종양(8%)
- 인대 이완, Schmid형보다 장관골의 심한 단축, 슬내반 변형.
- 일반인보다 고관절 탈구와 환축추 불안정성의 빈도가 높다.

3) Shwachman-Diamond 증후군

- 상염색체 열성 유전을 하며, SBDS와 ELF1 유전자 돌연변이에 의한 두 가지 형이 알려져 있다.
- 췌장의 소화효소 부전(exocrine pancreatic insufficiency)으로 인한 흡수장애, 골수 기능장애로 인한 호중구 감소증, 골간단 이형성증, 단신 등을 보인다.
- 하지 각변형에 대한 수술적 치료가 필요할 수 있다.

8. 제2형 교원질병증(type II collagenopathy)

초자연골(hyaline cartilage)의 주요 기질 단백질인 제2형 교원질의 유전자 돌연변이에 의해서 발병하는 다양한 질환군이다. Achondrogenesis type II와 같이 사산하는 심한 질병부터 Legg-Calvé-Perthes 병처럼 발현하는 경미한 질환까지 다양한 스펙트럼을 보인다. 제2형 교원질은 vitreous body의 주요 성분이기 때문에 고도근시, 망막박리 등의 안과적 문제를 초래할 수 있어 주기적 안과 검진이 필수적이며, 구개열 등의 기형을 동반하는 경우가 많다(Spranger 1993). Heterozygous 돌연변이로 발병하기 때문에 상염색체 우성 유전 양상을 보인다.

1) 선천성 척추골단 이형성증
(spondyloepiphyseal dysplasia congenita, SEDC)

상염색체 우성으로 유전하며, 심한 단신과 척추 변형, 고관절 병변뿐 아니라 안과 질환과 구순/구개열 등이 동반되는 경우가 흔하다.

(1) 임상 양상

- 체간이 더 심한 불균형 단신으로 출생 시 진단 가능하며, 출산 전에 초음파검사로 관찰될 수도 있다.
- 목이 짧고 흉강의 앞뒤가 긴 체형을 보인다Fig 20.
- 새가슴(pectus carinatum), 척추 후측만증, 요추 전만증이 흔하다.
- 심한 내반고, 고관절 굴곡 구축 및 외전 제한, 조기 퇴행성 관절염 등이 흔하다.
- 외반슬, 내반슬 등의 하지 각변형과 슬관절운동 제한이 흔한다.
- 출생 시 첨내반족 변형을 보일 수 있다.
- 정상 지능

(2) 방사선학적 소견Fig 20

- 전신의 골 성숙이 연령에 비해서 뒤떨어진다.
- 척추와 고관절/견관절 등 근위 관절을 주로 이환하고, 말단부는 덜 이환된다.
- 치상돌기 저형성증, 환축추 불안정성이 흔하다.
- 편평척추와 후방쐐기(posterior wedging)로 배모양의 척추
- 대퇴골두 골화가 지연되어서 내반고(coxa vara) 변형이 발생하기도 하고, 대퇴골두가 변형되면서 일부분만 비구 내에 잔존하고 변형된 다른 부분은 비구외로 삐져나오기도 한다.
- 수근골의 골화 지연이 있으나 중수골과 수지골은 정상이다.

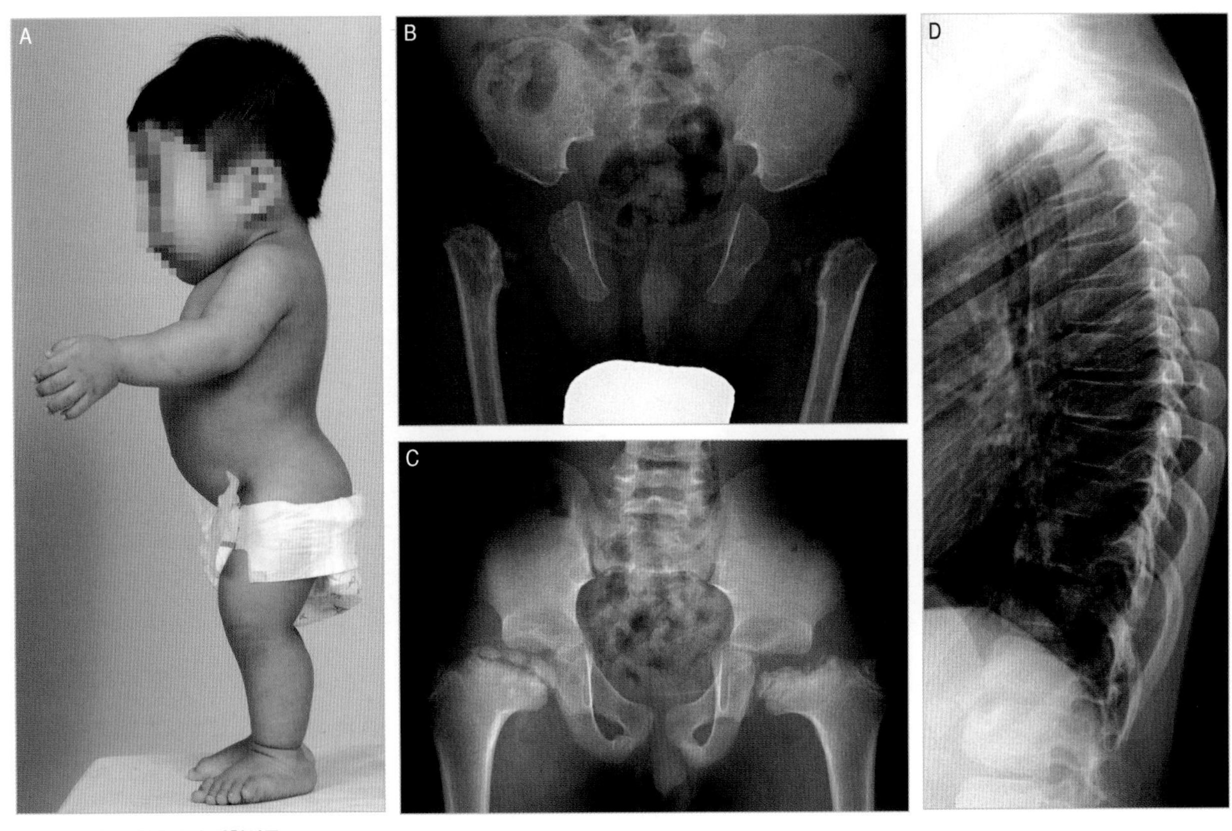

Fig 20. **선천성 척추골단 이형성증.**
A,B: 2세의 체형과 고관절. C,D: 10세에서 보이는 대퇴골두 골화지연 및 변형과 편평척추.

(3) 정형외과적 치료

- 환축추 불안정성에 대해서 환축추 또는 후두-축추 유합술
- 척추 변형에 대한 교정유합술
- 대퇴골 외반 절골술, 선반 비구성형술(shelf acetabuloplasty), 외반-신전 절골술(pelvic support osteotomy) 등
- 슬관절 교정 절골술
- 인공관절 치환술: 고관절이 강직이 있고, 작기 때문에 쉽지 않다. 주문 제작한 임플란트(custom component)가 필요할 수 있다.
- 족부 변형 교정술

2) Kniest 이형성증

SEDC보다 더 심한 임상적/방사선학적 소견을 보이며, 고관절, 슬관절, 주관절에 심한 굴곡 구축이 있고, 팔다리의 장관골은 더 짧고 양끝이 넓어서 dumbbell 모양인 것이 특징적이다.

(1) 임상 소견Fig 21

- 체간이 더 심한 불균형 왜소증: 성인 106-145 cm
- 특징적인 얼굴 모양: 납작한 얼굴 중간 부분, 안구와 이마 돌출
- 넓고 종 모양(bell-shaped)의 체간
- 녹내장, 고도 근시 및 망막박리
- 구개열, 기관연화증(tracheomalacia)으로 인한 호흡곤란
- 중이염으로 인한 만성 청력 소실
- 관절 비후, 관절구축
- 척추 후측만증
- 운동 발달 지연, 정상 지능

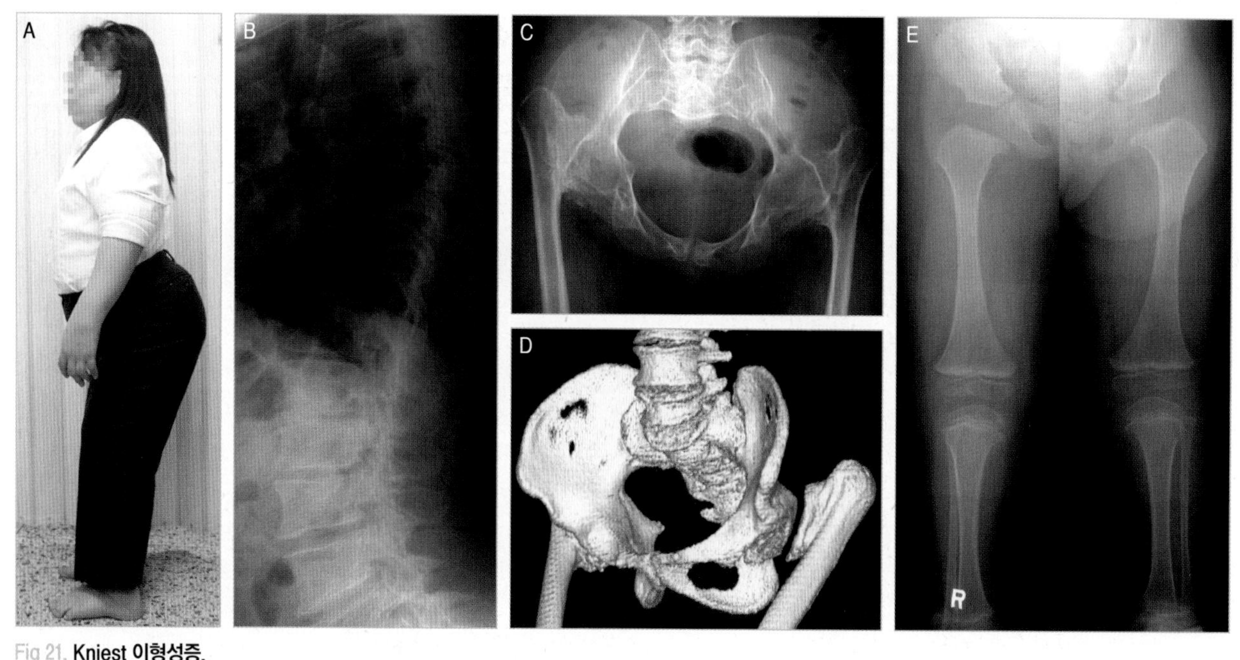

Fig 21. **Kniest 이형성증.**
A-D: 38세 여자. 대퇴골두가 심하게 변형되어 후방탈구되어 있어 고관절 굴곡과 요추전만이 심하다. 편평 척추가 뚜렷하다. E: 6세 여아. 대퇴골두가 골화되어 있지 않다. 장관골이 짧고 양단이 두툼한 이른바 아령형태(dumbbell shape)를 보인다.

(2) 방사선학적 소견Fig 21

- 치상돌기 저형성증과 환축추 불안정성
- 편평척추
- 골간단이 짧고 넓어져 있으며 골단부가 비후되어 장관골이 dumbbell 모양인데 어릴수록 더욱 뚜렷하다.
- 대퇴골두 골화가 지연되면서 연골골단은 납작해지면서 대부분이 비구 바깥으로 밀려난다.
- 보행 시 통증과 척수병증 등으로 인한 무용성(disuse) 골감소증이 흔하다.

(3) 정형외과적 치료

- 환축추 유합술
- 대퇴골두의 함몰과 탈구를 방지하기 위해서 근위대퇴골 절골술, 선반비구성형술, Chiari 절골술 등을 고려할 수 있으며, 대퇴골두가 비구내에 유지되면 고관절 인공관절 치환술이 보다 용이할 수 있다.

3) Stickler 이형성증

(hereditary progressive arthro-opthalmopathy)

- 고도근시, 초자망막 퇴행성변화, 망막박리, 백내장 등 안과적 문제가 뚜렷하고 청력 소실이 흔하다.
- 턱이 작고 얼굴 가운데가 납작한 특징적인 얼굴을 하고 유년기부터 관절병증(arthropathy)을 보인다.
- 골격계는 경도의 척추골단 이형성증을 보이는데 척추체가 약간 납작하고 종판이 살짝 불규칙할 수 있다. 신장도 정상범위이다.
- COL2A1뿐 아니라 COL11A1, COL9A1, COL9A2의 돌연변이에 의해서도 같은 임상양상을 보이며, 각각 type I, II, IV, V 등으로 분류된다.

4) 기타

(1) Spondyloepimetaphyseal dysplasia, Strudwick type

- 선천성 척추골단 이형성증과 유사한 임상적, 방사선학적 소견을 보이며, 장관골의 골간단이 분절된 소견(dappled metaphysis)가 특징적이다.

(2) Spondyloepiphyseal dysplasia, Stanescu type

- 고관절, 슬관절 등의 관절간격이 급속히 좁아지면서 심한 관절 강직이 나타난다.

(3) Mild SED with premature onset arthrosis

- 젊은 나이에 퇴행성 관절염이 진행하는 일부 가족성 환자들이 COL2A1 돌연변이에 의한 것으로 확인되었다.

(4) 가족성 대퇴골두 무혈성 괴사

- 성장기 아동에서는 Legg-Calvé-Perthes 병과 유사하고, 성인에서는 대퇴골두 무혈성 괴사아 유사한 소견을 보이는 일부 가족에서 COL2A1 돌연변이가 확인되었다.
- 상염색체 우성으로 유전되는 조기 퇴행성관절염과 대퇴골두 무혈성 괴사 가계에서 COL2A1의 돌연변이가 각각 확인되어 이로 인하여 발병하는 것으로 생각된다 (Knowlton 1990, Miyamoto 2008).

9. TRPV4 병증(TRPV4-pathy)

- Transient receptor potential cation channel, member 4(TRPV4)는 세포막에 존재하는 칼슘이 통과할 수 있는 이온채널로서 여러 가지 물리적 및 화학적 자극에 반응하여 칼슘의 이동을 조절한다.
- 다양한 스펙트럼의 임상소견을 보이는 일련의 척추골간단 이형성증들이 TRPV4 유전자 돌연변이에 의해서 발생하는 것으로 밝혀졌으며, Charcot-Marie-Tooth병 제IIC형 등 일련의 유전성 말초신경병증을 일으키기도 한다. 환자 중에는 골이형성증과 말초신경병증이 동반되기도 하므로 C1-2 instability에 의한 척수병증과의 감별이 필요하다.
- 상염색체 우성 유전한다.

1) 변형성 이형성증(metatropic dysplasia)

출생 시에는 팔다리가 짧은 불균형 왜소증이었다가, 성장하면서 체간이 짧은 불균형 왜소증으로 변하는 특징에 따라 병명을 붙인 질환이다.

- 미추꼬리(coccygeal tail): 일부에서 천미부(sacrococcygeal area)에 이중 피부 주름이 있다.
- 심한 척추 변형과 환축추 불안정성이 있으며Fig 5, 척추 협착증은 경추부에 흔하지만 어느 수준에서도 발생할 수 있고, 신경학적 증상이 나타나면 수술적 치료가 흔히 필요하다.
- 장관골은 짧고 골간단이 확대되어 있다.
- 사지의 굴곡 구축, 내반슬 혹은 외반슬이 있을 수 있다.
- 영유아기 심한 편평척추를 보일 수 있고, 골단의 골화가 지연되어 있거나 불규칙하며, 돌출 비구(protrusio acetabuli)가 있을 수 있다.
- TRPV4 병증 중 가장 심한 경우로 호흡기 문제로 출산 직후 사망하기도 한다.

2) 척추골간단 이형성증, Kozlowski 형(spondylometaphyseal dysplasia, Kozlowski type)

편평척추(platyspondyly), 척추 변형과 장관골 골간단의 이형성증을 특징으로 한다.

(1) 임상적/방사선학적 소견Fig 22

- 체간이 짧은 단신이다.
- Waddling gait를 보이며 관절운동 제한이 관찰된다.
- 척추 후측만증이 아동기에 진행하며, 전반적 편평척추와 척추체 전방 설상변형이 관찰된다.
- 장골 기저부가 넓고 비구개(acetabular roof)가 수평이다.
- 골간단 골화가 불규칙하다. 근위 대퇴골에서 가장 심하고 내반고 변형이 흔하다.
- 외반슬이 흔하다.

(2) 정형외과적 치료

- 척추유합술: 심한 척추 후측만증이 진행하는 경우 필요하다. 유합 부위 이외의 부위에서 만곡이 진행하는 경우가 흔하기 때문에 유합 범위를 특발성 변형보다 더 넓게 잡는 것이 바람직하다.
- 심한 하지 각변형에 대해서 반골단판 유합술, 절골술, Ilizarov 수술 등이 필요할 수 있다.

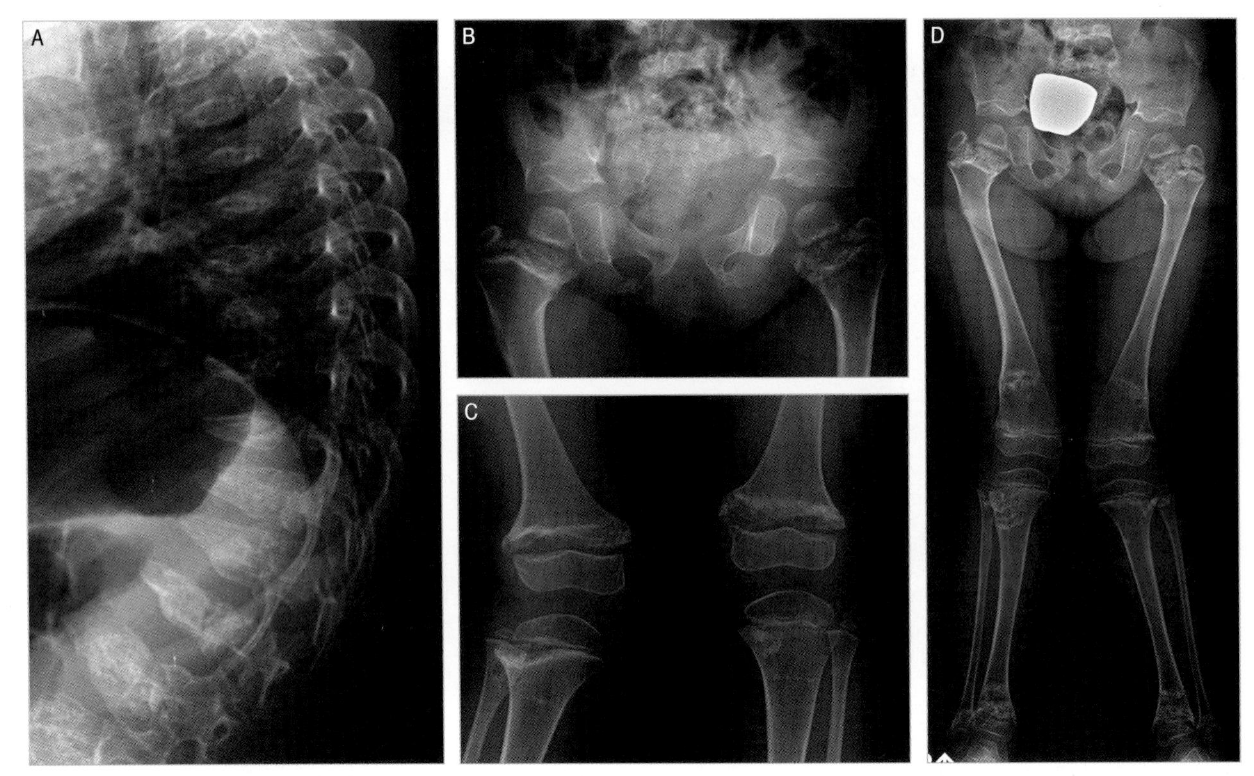

Fig 22. **Kozlowski 형 척추골간단 이형성증.**
A-C: 4세. 척추체가 납작하고 장관골의 골간단이 넓고 불규칙하다. D: 6세. 슬관절 주변 골간단의 골화가 진행되었으나 심한 외반슬 변형이 남아있다.

3) 다른 TRPV4병증

- Parastremmatic dysplasia
- Spondyloepiphyseal dysplasia Maroteaux type
- AD brachyolmia
- Familial digital arthropathy with brachydactyly

10. 지연성 척추골단 이형성증, X-linked (spondyloepiphyseal dysplasia tarda, X-linked)

지연성 척추골단 이형성증은 여러 가지 질병의 집합이며 이들을 감별하여 각각의 임상 양상과 자연 경과를 파악하는 것이 필요하다. 선천성 척추골단 이형성증보다 늦은 나이에 진단되고, 더 경한 임상양상을 보인다. 이들 중 비교적 흔한 형태는 X-linked형이다.

- X 염색체에 위치하는 TRAPPC2 유전자 돌연변이에 의해서 발병하며 반성 열성 유전한다.
- 아동기 후반에 단신이나 요통 등의 증상이 발현한다.

• **임상 증상 및 방사선학적 소견**Fig 23
- 대개 5-10세 경 진단된다.
- 가족 내에서도 다양한 증세를 보인다.
- 체간이 더 심한 단신: 성인 신장이 125-157 cm
- 경도의 편평척추(platyspondyly), 척추후만증이 있다. 측면 척추 방사선 검사에서 보이는 척추체의 모양이 특징적이다. 치상돌기 저형성 및 환축추 불안정성이 있을 수 있다.
- 대고(coxa magna), 대퇴골두의 불규칙 골화 및 함몰, 내반고(coxa vara)
- 관절 변형은 드물지만 고관절, 슬관절, 견관절 같은 대관절에 조기 퇴행성 관절염이 발생할 수 있다.

• **감별 진단:**
- Legg-Calvé-Perthes병, 척추, 고관절 및 슬관절의 일차성 퇴행성 관절염

• **정형외과적 치료**
- 비구확장술, 고관절 절골술, 인공관절 치환술

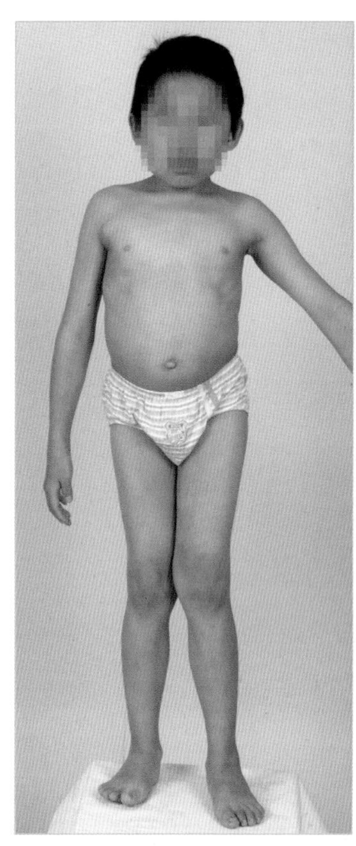

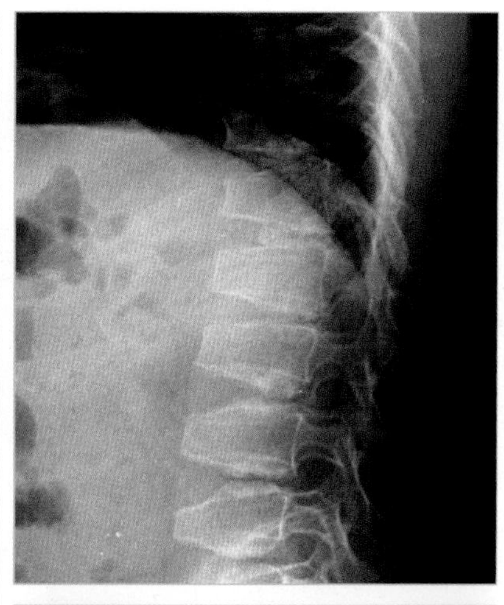

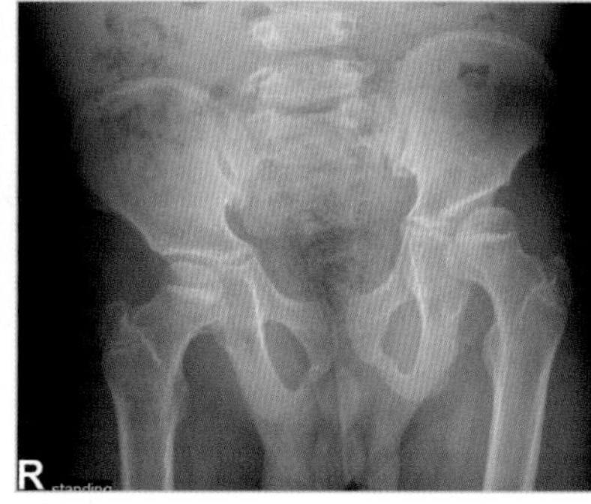

Fig 23. **X-linked 지연성 척추골단 이형성증.**
14세 때 전신과 척추 측면, 그리고 12세 때의 고관절 영상 소견. 척추가 짧고 상대적으로 팔다리가 길다. 척추체가 납작하지만 상하 종판의 후방에 hump 모양으로 튀어 나와있는 것이 특징적이다.

11. 쇄골두개 이형성증(cleidocranial dysplasia)Table 4

- 상염색체 우성 유전
- 골모세포 분화에 가장 중요한 전사인자(transcription factor)인 Runx2 유전자 돌연변이로 막내 골화에 장해가 있지만, 연골내 골화에도 영향이 있다.

- **임상 증상 및 방사선학적 소견**Fig 24
  - 두개봉합(cranial suture)의 지연 폐쇄, 충양골(wormian bone), 두정부(parietal) 및 후두부(occipital) 돌출
  - 치아 과다(supernumerary teeth), 구개열
  - 경도의 단신
  - 쇄골 저형성 또는 무형성
  - 치골지(pubic ramus) 저형성 및 벌어진 치골 결합, 장골익 저형성
  - 외반고(coxa valga) 또는 내반고(coxa vara): 간혹 Trendelenburg 보행
  - 척추측만증, 척추분리증
  - 중수지 또는 중족지에 가성골단(pseudoepiphysis), 중위지골 이형성, 원위지골 단축
  - 조기 퇴행성 관절염이 호발한다.
- **정형외과적 치료**
  - 쇄골에 대해서는 특별한 치료가 필요 없다.
  - 내반고(coxa vara)가 진행하면 외반 절골술을 시행한다.
  - 조기 퇴행성 관절염이 특히 고관절에 발생할 수 있다.

12. Dyschondrosteosis (Leri-Weill syndrome)

- SHOX (short stature homeobox) 유전자의 결손 또는 돌연변이에 의해서 발병한다(Goodman 1998).
- SHOX는 X 염색체에 존재하지만 Y 염색체 중 pseudo-autosomal region (PAR)에도 있기 때문에 상염색체 우성유전과 같은 양상으로 유전되며, 이를 가성 상염색

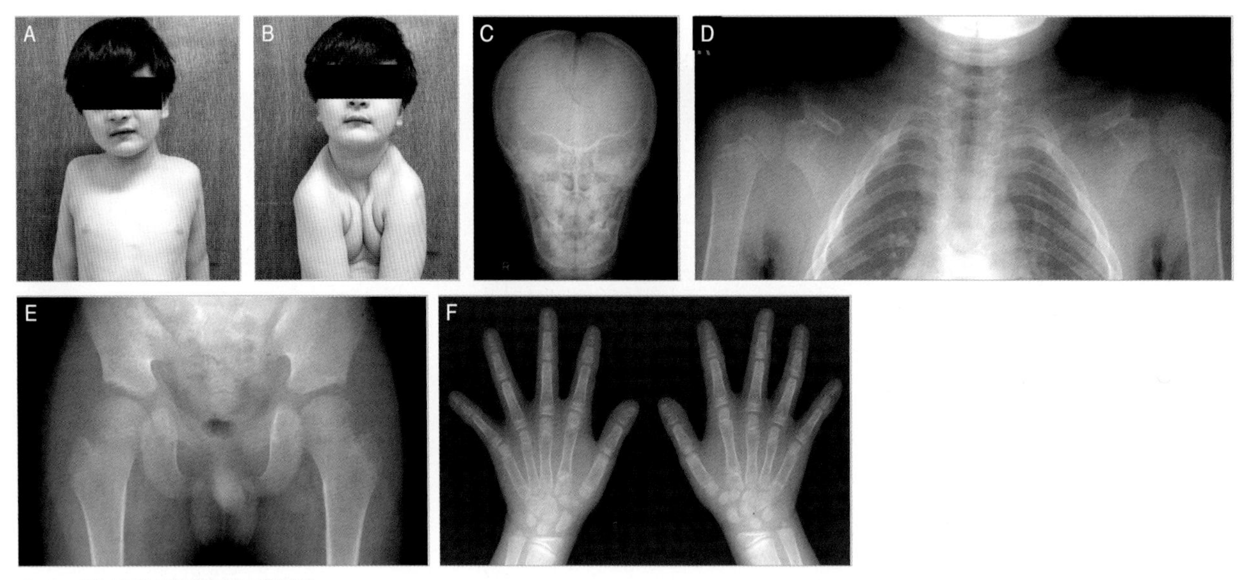

Fig 24. **쇄골두개 이형성증의 9세 남아.**
A,B: 쇄골 결손으로 양쪽 어깨를 서로 맞부딪히게 할 수 있다. C: 천문이 아직 열려있다. D: 쇄골 저형성. E: 치골결합 결손, 장골익 저형성. F: 제2, 5중수골 가성 골단. 제2수지 중위지골 이형성. 원위지골 단축이 관찰된다.

체 우성(pseudoautosomal dominant) 유전이라 한다.

- 여성에서 4:1로 흔하고 더 심한 증상을 보인다. Turner 증후군에서 보이는 단신도 이 유전자 결손에 의한 것으로 생각된다.
- 중간 지절(하퇴부, 전완부)이 주로 이환되는(mesomelic) 불균형 단신의 대표적인 경우이다.
- 양측성 Madelung 변형이 가장 대표적인 증상이며(Nielsen 1992), 그 외에 요척골 단축, 경비골 단축, 외반주, 상완골두 저형성, 외반고 등이 동반될 수 있다Fig 25.
- 성장호르몬 결핍이 동반된 경우도 있다.
- 대부분의 환자는 수술이 필요하지 않고, 일부 환자에서 Madelung 변형, 내반슬에 대한 교정술이 필요하다.

13. 유전성 다발성 골연골종증
(hereditary multiple exostoses, HME; mutiple cartilaginous exostoses; osteochondromatosis; diaphyseal aclasis)

연골내 골화가 진행되는 연골 조직에서 aberrant하게 자라난 연골세포가 연골 종괴를 형성하고, 종괴 내에서 연골내 골화를 통해서 연골 종괴가 골 조직으로 치환되어 골연골종을 형성하는 질환이다. 전신 연골내 골화가 진행되는 모든 부위에서 발병할 수 있는데, 장관골의 골간단에서 가장 흔하고Fig 26, 그 외에도 견갑골의 척추연, 오구돌기, 견봉, 늑골-늑연골 연결부, 장골릉, 장골-치골 연골결합(synchondrosis), 척추 횡돌기(transverse process)나 극돌기(spinous process), 수근골이나 족근골, 중수족지골, 수족지골에도 발생할 수 있다Fig 27. 종괴 형성뿐 아니라 해당 골의 성장 장애, 각변형 등이 흔히 발생하며 이로 인하여 인접 관절운동 제한을 초래한다.

1) 발병 기전

- 상염색체 우성 유전한다. 약 70%의 환자는 EXT1 또는 EXT2 유전자 돌연변이로 발생하며, 나머지는 또 다른 유전자 돌연변이가 원인일 것으로 생각된다.
- EXT1 또는 EXT2 유전자 돌연변이는 전신에 존재하지만 골연골종은 일부의 골에서만 발생하는 기전은 아직 설명되지 않고 있다.
- EXT1 또는 EXT2 유전자는 heparan sulfate 합성에 중요한 Golgi-resident glycosyltransferase를 코딩한다. 돌연변이에 의해서 heparan sulfate chain의 길이가 늘어나지

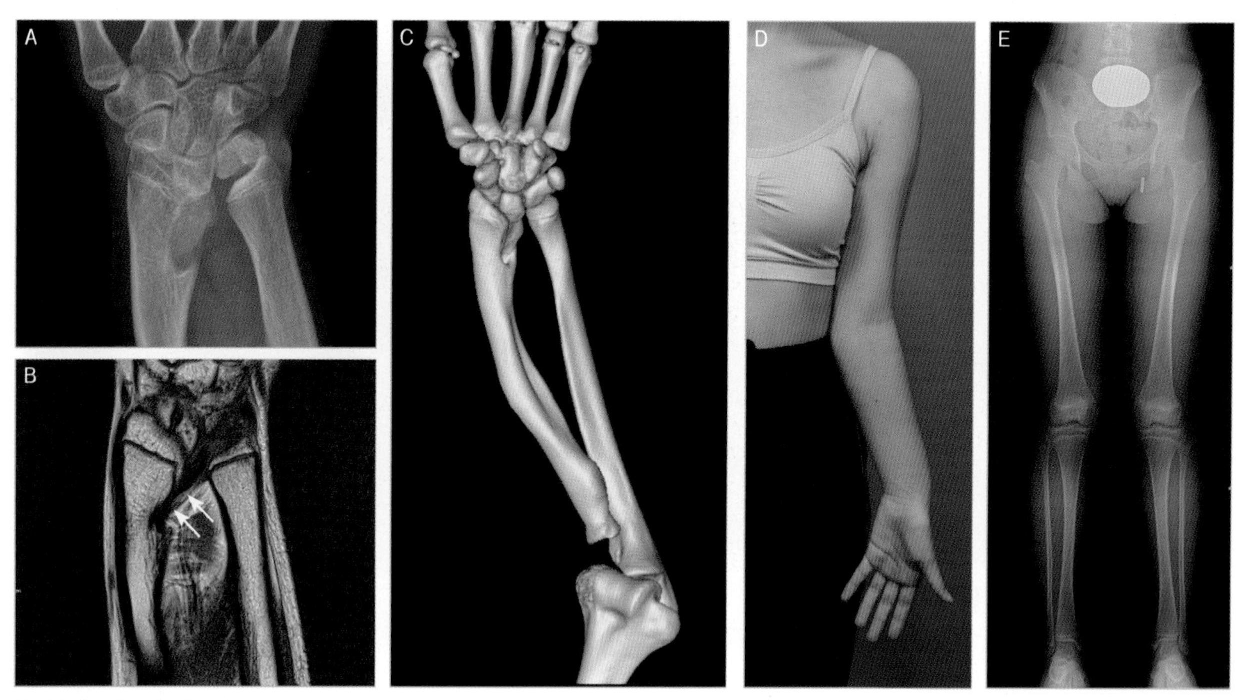

Fig 25. **Dyschondrosteosis.**
A,B: 양측 Madelung 변형이 있고, 원위 요골 골단은 삼각화되었으며(triangularization), 월상골이 쐐기 같이 원위 요척관절쪽으로 함입되었다. C: Madelung 변형에서 흔히 관찰되는 Vickers 인대(화살표). D: 외반주와 완관절의 척측변위가 관찰된다. E: 외반슬과 함께 경골 길이가 대퇴골의 72%에 불과하여 하퇴부의 상대적인 단축이 관찰된다(mesomelic).

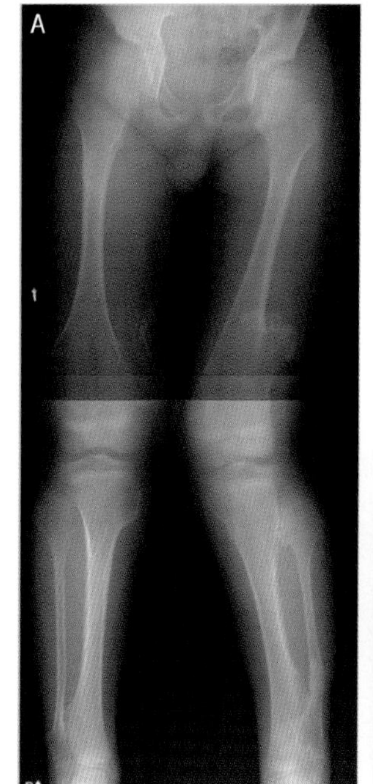

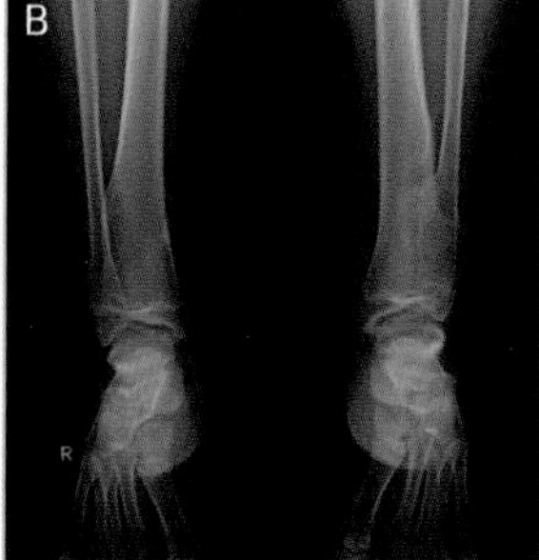

Fig 26. **장관골 골간단에 발생한 골연골종들.**
축후성(postaxial) 저성장이 흔히 관찰되는데 비골뿐 아니라 대퇴골과 경골의 외측 저성장으로 외반슬(A)과 양측 족근관절 외반(B)이 발생한 례.

못하는 현상이 골단판의 가장자리 연골세포에서 발생하면 극성(polarity)을 상실하여 증식을 계속하면서 주변 정상세포를 함께 끌고 골간단 쪽으로 이동하여 골연골종을 형성하는 것으로 추정하고 있다(Jones 2011).

2) 병리 소견

- 골 조직 종괴를 연골모(cartilage cap)가 덮고 있고, 연골모와 골 조직 경계부에서는 연골내 골화가 진행되면서 종괴가 커진다.
- 골 성숙에 이르면 연골모와 골 조직 사이의 연골내 골화 현상이 사라지고 연골 조직이 모두 사라질 수도 있다. 골 조직만 남으면 재형성(remodeling) 과정을 통해서 종괴가 흡수되어 소멸하는 경우도 있다.
- 골연골종은 골단판의 연골세포가 골단판의 범위 바깥으로 유출되면서 종괴를 형성하므로 골단판에서 연골세포 일부가 소실되어 성장 여력이 줄어들기 때문에 장

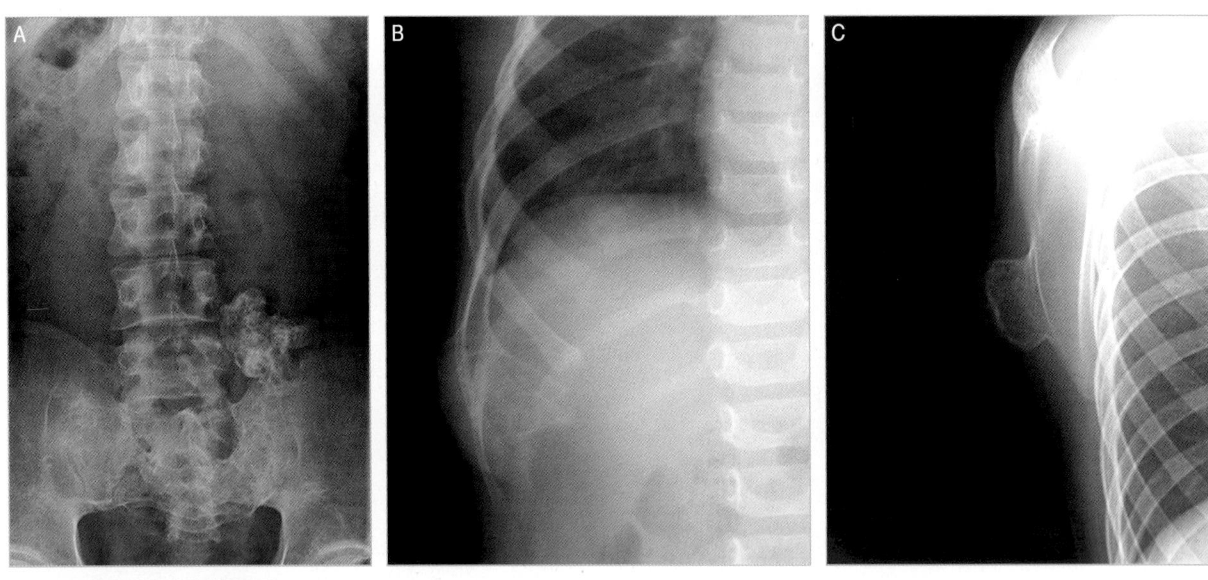

Fig 27. **유전성 다발성 골연골종증.**
장관골의 골간단에서 흔히 발견되나 드물지만 연골내 골화가 진행되는 중심성 골격(axial skeleton)에서도 발생한다. A: 장골릉(iliac crest). B: 늑골. C: 견갑골척추연에 각각 발생한 골연골종.

관골의 길이 성장이 부분적 또는 전체적으로 저하되는 것으로 생각된다.

- 한편, 장관골의 골간단 종괴가 골막을 포착(tethering)하여 길이성장이 저해된다는 설도 있다.
- 장관골의 성장 저하는 요골, 비골, 대퇴골 원위부 외측 등 후축성(post-axial) 부위에 더 심한 경우가 많다.

3) 방사선학적 소견

- 종괴와 원발 골의 골수강이 연결되어 있다.
- 단순 방사선검사를 통해서 종괴의 위치와 크기를 확인할 수 있다. 종괴는 유경성(pedunculated)이거나, sessile 하거나, cauliflower 모양일 수 있다. 유경성 종괴는 골단판의 반대방향을 향한다. 이환된 골간단이 확장되어 trumphet-shaped deformity 보일 수 있다.
- 연골모가 두꺼운 종괴는 단순 방사선검사에서 보이는 것 보다 더 크다. MRI 검사를 통해서 연골모를 포함한 종괴 전체를 평가할 수 있다.

4) 임상적 소견과 치료

(1) 일반적 임상양상

- 종괴의 수와 크기, 모양은 환자마다 다양하다. 종괴는 출생 시에는 발견되지 않다가 대개 2세 이후에 발견된다. 남자 환자, EXT1 돌연변이가 있는 환자에서 증상이 더 심하다(Pedrini 2011).
- 대부분 신장이 평균보다 작은데 척추보다는 사지가 더 짧다.
- 종괴 자체로 인한 증상뿐 아니라 골격계의 성장장애 및 변형에 따른 증상도 중요하다.

(2) 치료에서의 고려 사항

- 종괴 제거에만 관심을 기울이기 쉬우나 골격계의 각종 변형은 성장기 중 적절한 시기에 교정해야 하기 때문에 이에 대한 관심을 가지고 추시하다가 수술적 개입을 결정하는 것이 중요하다.
- 일시적 반골단판 유합술 등 성장기에 간단한 수술로 교정할 수 있는 변형도 골 성숙에 이르면 절골술 등 크고 합병증의 위험이 많은 수술로 교정할 수밖에 없다.
- 모든 종괴를 수술적으로 제거하는 것은 불가능하다.

골연골종 절제술이 필요한 경우
- 인접 근/건 또는 근막 자극, 피부 자극 등으로 통증이나 불편감을 유발할 때
- 인접 관절운동을 제한하여 기능적 제한을 초래할 때
- 주변 신경이나 혈관을 압박하여 증상을 초래할 때
- 종괴가 골절되어 통증을 유발할 때
- 종괴의 악성화가 의심될 때

(3) 슬관절 주변Fig 26

- 종괴가 가장 흔하게 발생한다.
- 외반슬(genu valgum) 변형이 흔하며 내반슬은 아주 드물다.
- 경골 후방경사(tibial plateau posterior slope)가 증가되어 슬관절 굴곡구축이 나타날 수 있다.
- 슬관절 후방의 종괴를 제거할 때에는 슬와동맥과 주요 신경 손상에 주의하여야 하며, 3D-CT-angiography가 수술적 계획 수립에 도움이 된다.
- 성장기에는 반골단판 억제술로 교정하고 골 성숙 후에는 교정 절골술이 필요하다. 경골 후방경사가 심하면 경골 조면 양 옆에서 전후방으로 장력대 금속판을 삽입하여 교정할 수 있다.
- 외반슬에 대하여 근위 경골 내반절골술을 시행할 때에 총비골신경이 견인되어 마비가 발생할 위험이 대단히 높다. 근위 비골 주위에서의 예방적 총비골신경 유리술이 필수적이며 심한 변형은 외고정 장치를 이용한 점진적 변형교정이 바람직하다.

(4) 고관절 주변

- 외반고(coxa valga) 변형이 흔하며 이로 인한 비구 이형성증, 아탈구 등이 초래될 수 있다. 비구 지수가 크거나 관절조영술 상 아탈구가 발견되면 8세 이전에는 근위 대퇴골 내반절골술을 시행하며, 사춘기나 성인기에는 삼중 골반골 절골술 또는 Ganz 비구주위 절골술이 필요하다.
- 대퇴골 경부에 sessile 종괴들이 흔히 발생하며 hump형 대퇴비구충돌 증후군을 초래하는 경우가 많다. 고관절 굴곡 제한, 고관절 충돌 징후 등이 관찰되면 frog-leg 측면 촬영을 해서 평가해야 한다. 3D-CT를 통해서 보다 자세한 병변을 확인할 수 있다Fig 28.
- 종괴가 광범위하게 발달하는 경우가 많으며 Ganz의 고관절 수술적 탈구 접근법(surgical hip dislocation approach)을 통해서 종괴를 절제하여 골연골성형술(osteochondroplasty)을 시행하는 것이 필요하다. 고관절 충돌 현상은 대퇴골 경부 외측보다는 내측 종괴가 더 심하게 유발하므로 내측 경부의 contouring을 철저하게 하는 것이 중요하다.

(5) 전완부Fig 29, 30

방사선 검사 상 관찰되는 종괴의 크기와 변형 정도에 비해서 기능적 제한이 상대적을 크기 않다. 따라서 발견되는 변형 모두를 교정할 필요는 없다(Akita 2007).

- **척골 저성장**
  - 성장 장애는 주로 척골 특히 원위부에서 주로 일어나서 요골에 비해서 척골이 짧은 경우가 흔하다. 드물게 요골이 단축되는 경우도 있다.
  - 원위 요척관절의 해리, 원위 요골 관절면이 척측 사위(ulnar inclination), 요골 간부의 만곡을 초래하며, 수근관절의 요측 사위가 제한된다.
  - 근위 척골이 만곡되면 외관상 내반주 변형(cubitus varus) 같은 모양을 보일 수도 있다.
  - 척골 단축을 이유로 척골 연장술을 시행할 필요는 없다. 오히려 척골 연장술로 원위 요척관절을 맞추어 놓으면 전완부 회전 운동이 제한될 위험이 있다.
  - 원위 요골 관절면의 척측 사위가 심하면 성장기에는 staple을 이용한 외측 반골단판 유합술로 교정하며, 골 성숙 이후에는 요골 절골술을 고려한다.
- **요골두 탈구**
  - 척골 단축으로 인하여 상대적으로 요골이 길고, 근위 척골의 만곡이 있으며, 근위 요척골 관절 주위 종괴가 형성되어 있는 경우 등에 요골두가 탈구될 수 있다.
  - 원인 요소를 분석하여 필요한 만큼 척골 연장술Fig 30, 각변형 교정술, 종괴 절제술 등을 통해서 요골

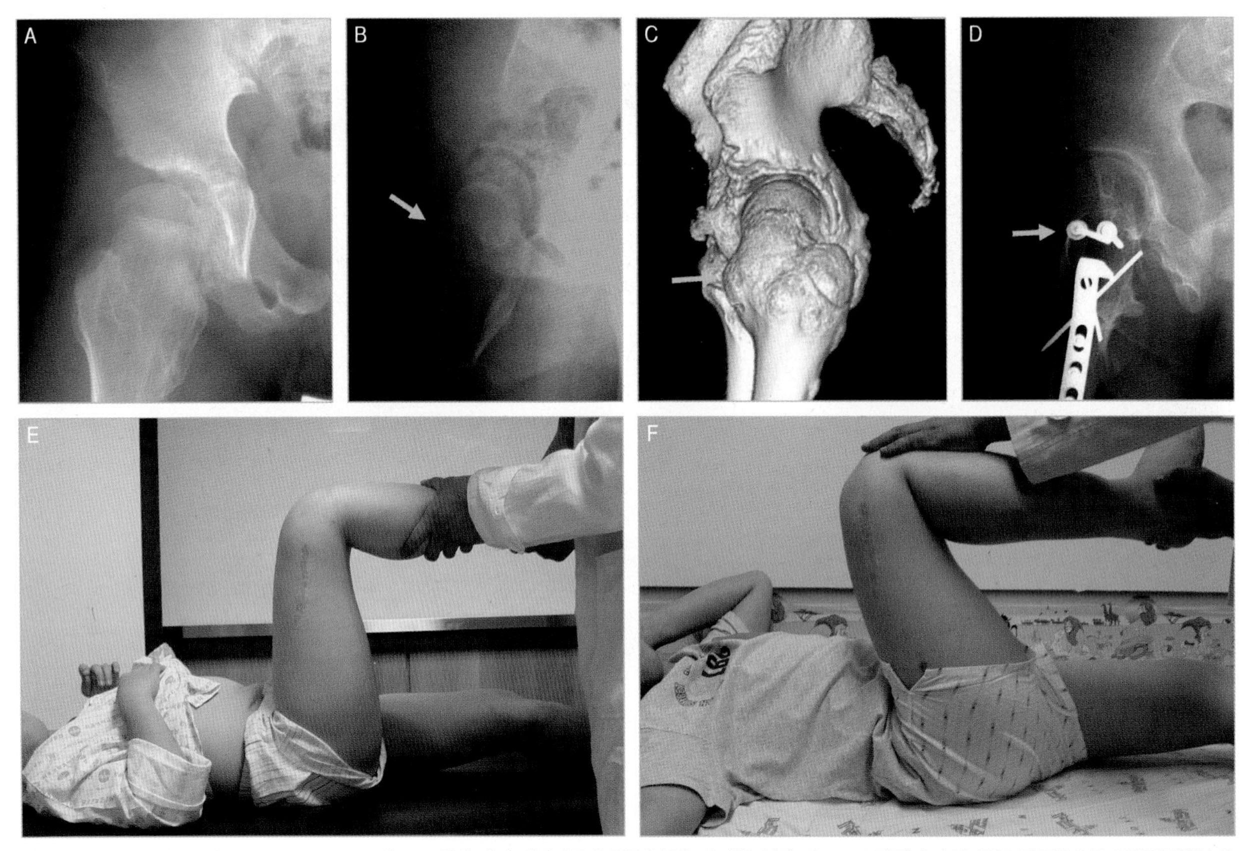

Fig 28. 대퇴경부의 sessile osteochondroma(A-C, 화살표)가 대퇴비구충돌증후군을 초래한다(E). Ganz 고관절 수술적 탈구 접근법으로 골연골성형술을 시행한 후 head-neck offset이 형성되었고(D), 고관절 굴곡이 증가되었다(E,F).

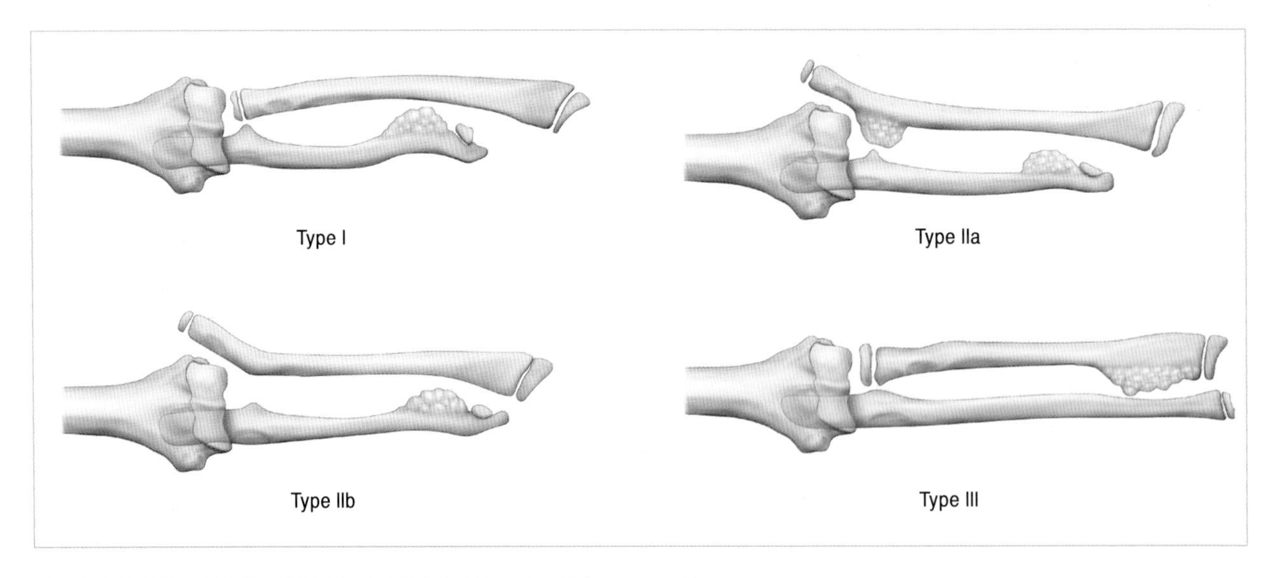

Fig 29. 유전성 다발성 골연골종증의 전완부 변형에 대한 Masada 분류(Masada 1989).

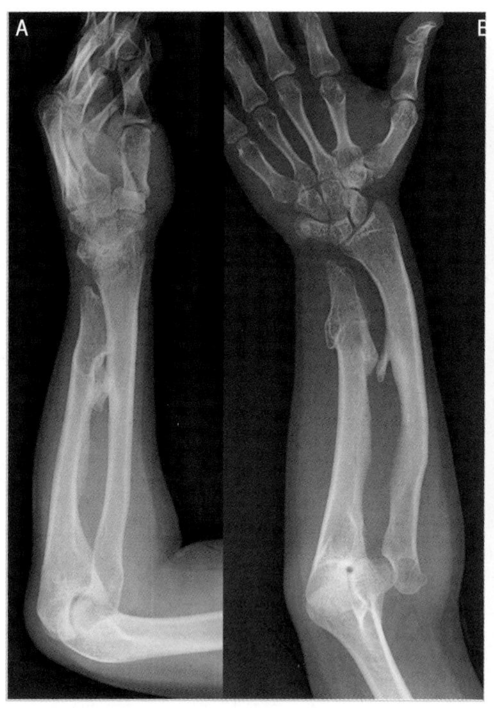

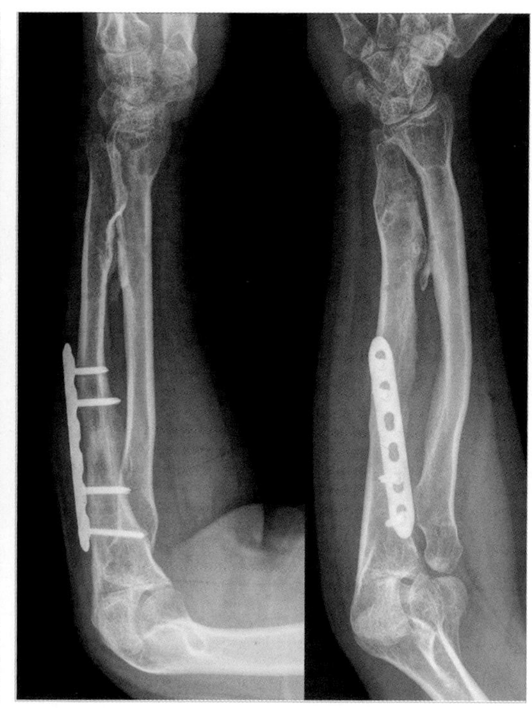

Fig 30. **유전성 다발성 골연골종증의 전완부 변형.**
A: 심한 척골 단축과 요골두 탈구. B: Ilizarov를 이용하여 변형 교정 및 척골 연장술을 시행하여 요골두를 정복하였다. 척골 지연유합에 대하여 locking plate로 내고정을 시행하였다.

두 정복을 도모한다. 척골 연장술 시에는 요골을 원위 척골과 함께 원위측으로 견인하도록 외고정 장치를 설치하는 것이 탈구 정복에 효과적이다.

- **종괴에 의한 회전 운동 제한**
  - 원위 요골과 척골에서 발생한 종괴들이 전완부의 회전 운동을 제한하면 종괴 절제술을 고려한다.

(6) 족근관절 주변Fig 26, 31

- 비골의 저상장으로 인하여 족근관절 외반변형이 흔하며 심한 비골 단축은 족근관절 격자(mortise)의 외측 결손으로 거골의 내외측으로 이전하는 불안정성이 발생하며 이로 인하여 운동 후 통증을 호소하기도 한다.
- 10도 이상의 외반변형에 대해서는 원위 경골 내측 반골단판 유합술로 교정한다. 비골 단축이 심하면 비골연장술을 통해서 족근관절 격자를 재건하는 것을 고려한다.
- 원위 경골 또는 비골에서 자라난 종괴가 원위 경비골 관절 이개를 초래하는 경우, 또는 종괴로 인하여 통증이 발생하는 경우 수술적 절제가 필요하다. 마주보는 양측에서 종괴 절제술을 시행한 후 골 유합을 방지하기 위해서 지방조직을 개재하는 것이 필요하다.

(7) 수부 및 족부

- 중족골, 중수골, 수족지골 단축 및 변형이 흔히 발생한다.
- 필요에 따라 종괴 제거술, 중족골-중수골 연장술, 변형 교정술 등을 시행한다.
- 수근골이나 족근골에서도 골연골종이 발생할 수 있으며 증상에 따라 필요하면 절제술을 시행한다.

(8) 기타 부위

- 견갑골 전방으로 자라난 종괴는 견갑골-흉벽 운동 시 증상을 초래하며, 후방으로 자라난 종괴는 누울 때에 등이 배기는 증상을 초래하여 절제술이 필요하다.
- 늑골-늑연골 이행부에서도 종괴가 발행할 수 있으며, 겉으로 돌출하거나 커지면 간이나 폐와 같은 내부 장

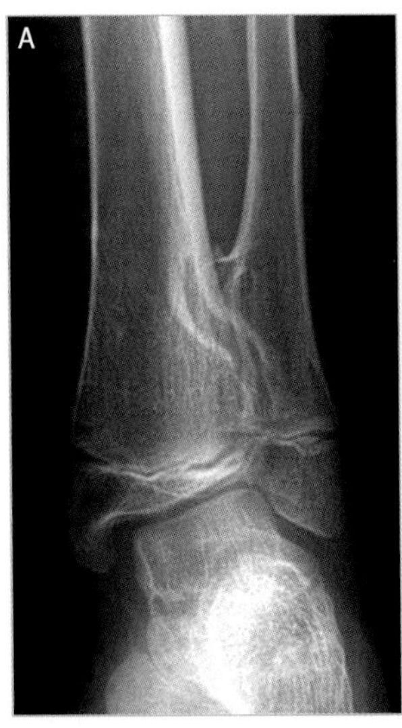

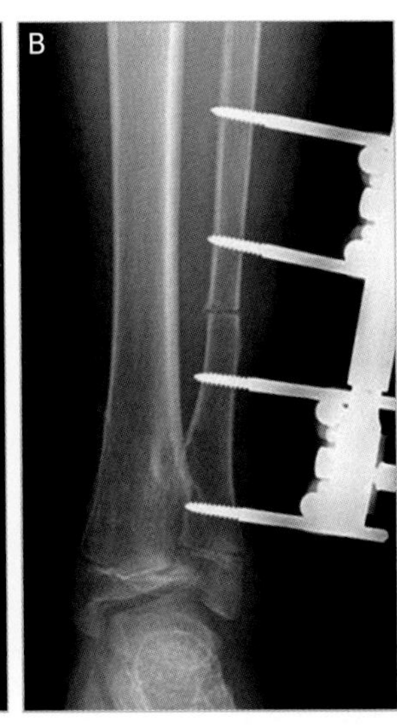

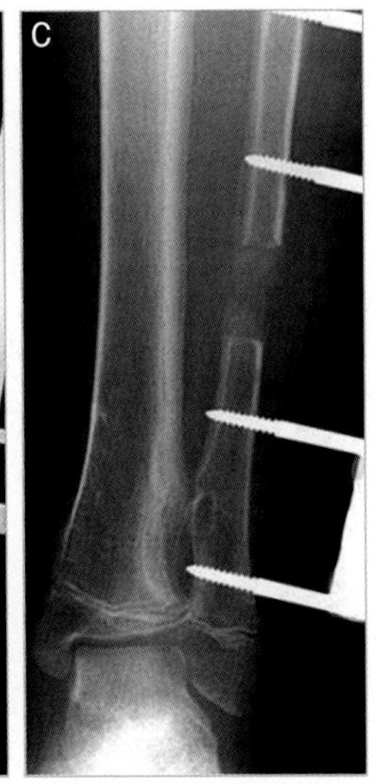

Fig 31. **Translational talus instability**
A: 수술 전 족근골 격자 방사선 검사에서 외반 변형, 경골 및 비골 골연골종, 비골 단축, 그리고 전위성 거골 불안정증이 관절된다. B: 골연골종을 절제하여 원위 비골골편이 수월하게 원위 이동하도록 한다. C: 외고정장치로 비골연장술을 시행하여 족근격자의 외측 지지대를 복구하여 거골을 안정화하였다. 수술 전에 비해서 내측 관절간격이 감소하였다(Cho et al. J Pediatr Orthop 2014에서 허가받고 전재함).

기를 압박할 수도 있다.

- 척추에서도 연골내골화가 진행되는 부분에 발생할 수 있다.

5) 종괴의 악성화

- 골연골종은 연골육종으로 악성화 할 수 있다. 악성화가 되는 비율은 연구마다 차이가 크나, 최근 소셜 미디어를 통한 웹 기반 연구에서 악성 종괴의 발생률은 2.7%였고, 가장 흔한 부위는 골반과 견갑골이었다 (Czajka 2015).
- 성인기에 발생하며 드물게 청소년기에 발생할 수도 있다.
- 이유 없이 종괴 부위의 통증이 있거나 골 성숙 이후에 종괴가 커지는 증상이 나타난다.
- MRI 검사로 종괴의 연골 모(cartilage cap)가 두껍고 모양이 변화하며 광범위한 석회화가 관찰된다.

Dysplasia epiphysealis hemimelica; Trevor's disease

- 골단(epiphysis) 또는 단골(short bone)에서 기시하는 골연골종으로 Fig 32, 조직병리 소견 상 유전성 다발성 골연골종증의 병변과 구분되지 않지만 별개의 질환이다.
- 하나의 골 또는 동측 하지의 여러 부위에 발병하는 경우가 대부분이다.
- 성장함에 따라 종괴끼리 유합되기도 하고, 정상 골단과 유합되기도 한다.
- 관절내 병변을 형성하기 때문에 관절 변형과 운동 제한 등이 나타난다. 대부분 관절면을 포함하기 때문에 절제하면 관절 연골이 소실되고 골수강이 노출되기 때문에 완전히 정상적인 관절 구조를 회복할 수 없다.
- 종괴의 절제는 이러한 문제를 고려하여 더 이상의 변형을 막기 위해 꼭 필요한 경우에 시행한다.
- 슬관절에서는 방사선 검사 상 관찰되는 것에 비해서 관절운동 제한은 심하지 않고 슬관절 각변형이 주로 나타나는데, 이런 경우에는 추시하다가 적당한 시점에 각변형만 교정하는 것이 바람직하다.

14. 점액다당체증(mucopolysaccharidoses)

- 연골의 기질 물질 중 하나인 점액다당체(mucopolysaccharide)의 대사에 관여하는 특정 효소의 결함으로 연골내 골화의 장애를 비롯하여 각종 기관계에 이상을 초래하는 질환군이다.
- Lysosomal storage disease라는 보다 넓은 범주의 질환군에 속한다. 또 다른 lysosomal storage disease로는 mucolipidosis, gangliosidosis, sialidosis, galactosialidosis, mannosidosis, fucosidosis 등이 있다.
- Lysosomal enzyme은 거대분자 복합체의 세포내 분해를 담당한다. 완전히 분해되지 않은 복합체가 세포내

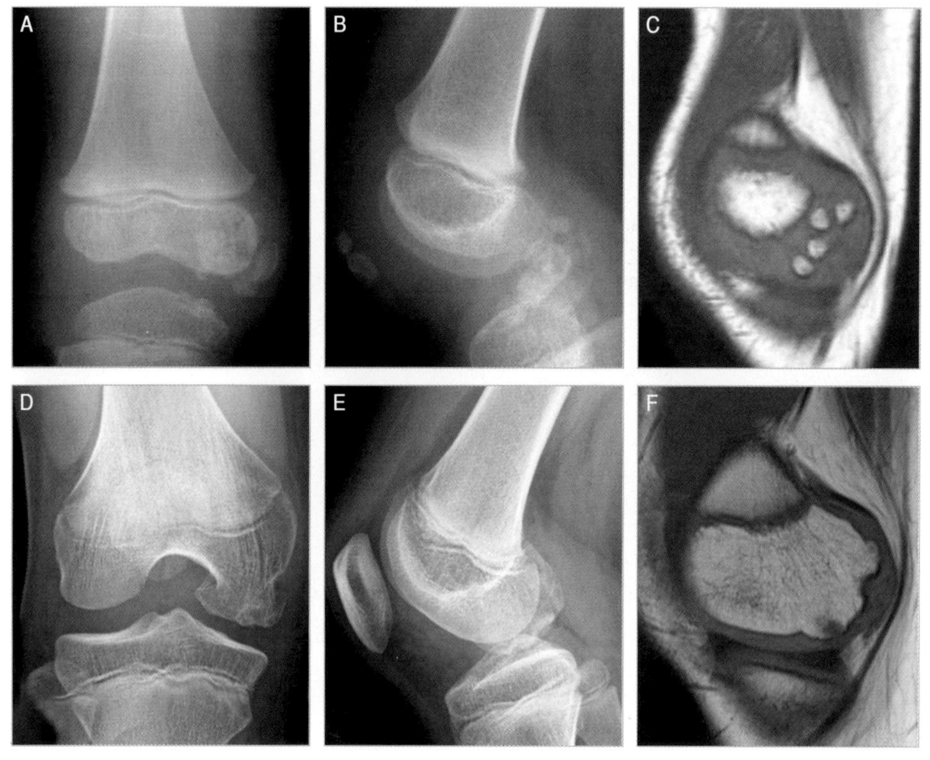

Fig 32. **Dysplasia epiphysealis hemimelica.**
A,B,C: 4세 남아의 대퇴골 원위 골단 연골 내에 여러 개의 작은 골성 종괴가 존재한다. D,E,F: 11세에 종괴끼리 서로 유합되었고, 정상 골단과도 유합 되었다.

에 축적되어 병을 일으키기 때문에, 출생 시에는 축적된 복합체의 양이 별로 없어 증상이 나타나지 않으나, 점차 질병이 진행하게 된다.

- 대부분 상염색체 열성으로 유전하며 X 염색체에 원인 유전자가 있는 Hunter 증후군은 반성유전을 한다.
- 임상 양상, 방사선학적 소견, 소변의 생화학적 검사, 혈중 백혈구 또는 섬유모세포 배양에서 다당류 대사의 생화학적 분석, 유전자 돌연변이 검사 등을 통해서 확정 진단을 한다Table 2.
- 제1, 2, 4, 6, 7형 등에 대한 효소 치료법(enzyme replacement therapy)이 개발되었거나 개발 중에 있으며 보행 능력과 호흡 기능 등을 개선하여 생활의 질을 개선하는 효과를 기대할 수 있다. 또 골수 이식술을 통해서 지능 개선과 수명 연장 효과를 얻을 수 있다. 그러나, 이러한 치료들로 골격계 변형에는 뚜렷한 효과를 기대할 수 없다.
- 같은 질병이라도 돌연변이에 따라서 증상이 가볍게 나타나는 attenuated form도 있다.
- 전신 마취 시 기도 유지, 심장병증, 경척추 병증 등으로 인하여 고위험 군이다.

Dysostosis multiplex

점액다당체 침착증을 포함하여 lysosomal enzyme 결핍에 의해서 연골 이상을 초래하는 질환들은 유사한 방사선학적 소견Fig 33

- 두꺼운 두개골과 확장된 터키안(sella turcica)
- 넓은 쇄골 내측단
- 늑골 후방이 좁아져있고 전방으로는 확장되어 노(oar) 처럼 보인다.
- 측면 사진에서 달걀 모양으로 편평척추(platyspondyly)가 보이고, 척추체의 anterior beak
- 경사가 급한 비구개(acetabular roof), 외반고(coxa valga), 넓게 펼쳐진 장골익(iliac wing), 대퇴골두 골단의 저형성과 변형
- 골간부 재형성 저하로 인하여 비후된 장관골의 피질골
- 지연된 수근골 골화, 중수골의 근위부가 좁아져서 총알처럼 보인다.

Table 2. **점액다당체 침착증**

Type	병명	결함 효소	축적되는 물질	유전 양상
IH	Hurler	α-L-iduronidase	HS+DS	AR
IH/S	Hurler/Scheie	α-L-iduronidase	HS+DS	AR
IS*	Scheie	α-L-iduronidase	HS+DS	AR
II	Hunter	Iduronate-2-sulfatase	HS+DS	XR
IIIA	Sanfilippo A	Heparan-N-sulfatase (sulfamidase)	HS	AR
IIIB	Sanfilippo B	α-N-acetylglucosamidase	HS	AR
IIIC	Sanfilippo C	Acetyl-CoA: α-glucosaminide-N-acetyltransferase	HS	AR
IIID	Sanfilippo D	Glucosamine-6-sulfatase	HS	AR
IVA	Morquio A	N-acetyl galactosamine-6-sulfate sulfatase	KS, CS	AR
IVB	Morquio B	α-D-galactosidase	KS	AR
IVC	Morquio C	Unknown	KS	AR
VI	Moroteux-Lamy	Arylsulfatase B, N-acetylgalactosamine-4-sulfatase	DS, CS	AR
VII	Sly	α-D-glucuronidase	CS, HS, DS	AR

* Scheie disease는 전에 type V로 분류되었으나 type I과 allelic disease이고 임상 증상이 가벼운 질환으로 알려졌음. 그 중간 단계의 환자도 발견되어, 최근에는 α-L-iduronidase 결함에 의하여 발병하는 질환을 증상이 심한 것부터 IH, IH/S, IS로 표기하고 있음.
HS, heparan sulfate; DS, dermatan sulfate; KS, keratin sulfate; CS, chondroitin sulfate; AR, autosomal recessive; XR, X-linked recessive

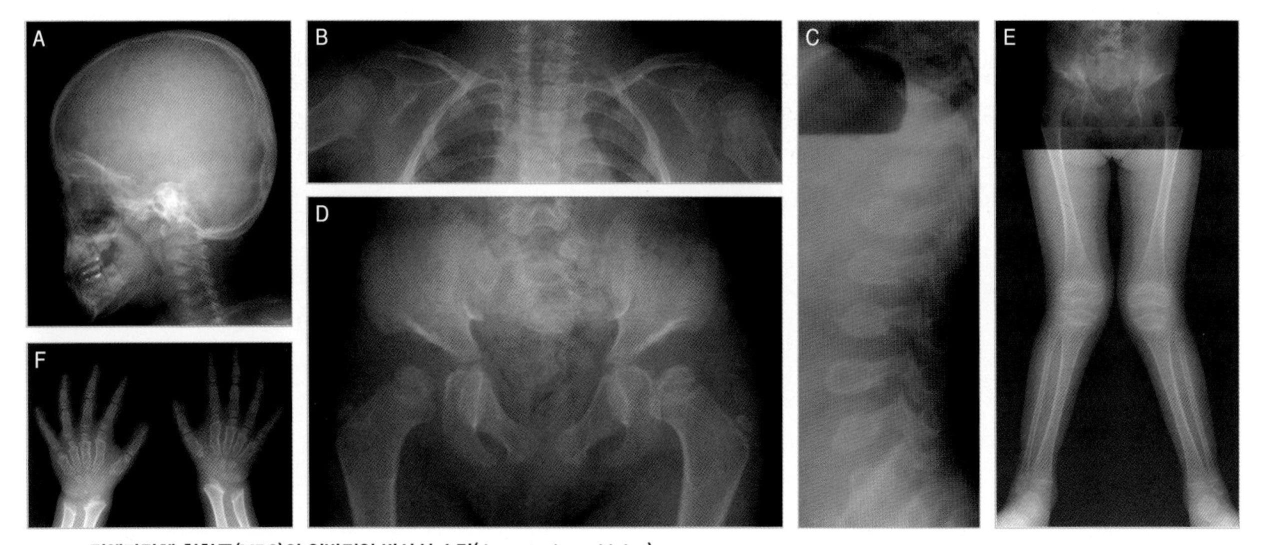

Fig 33. **점액다당체 침착증(MPS)의 일반적인 방사선 소견(dysostosis multiplex).**
A: 두개골은 두껍고 터키안(sella turcica)은 확장되어 있다. B: 쇄골의 내측단이 넓어져 있다. 늑골 후방이 좁아져 있고 전방으로는 확장되며, 종종 척추측만증이 동반된다. C: 척추 측면상에서는 central beak (Morquio)나 inferior beak가 관찰된다. D: 비구개(acetabular roof)의 경사가 급하고 외반고(coxa valga)가 있으며 장골익(iliac wing)은 넓게 펼쳐져 있다. E: 장관골의 골간부 재형성(diaphyseal remodelling)이 잘 안되어 피질골이 비후되어 있고 외반슬이 흔하다. F: 수부에서는 수근골의 골화가 지연되고 지골(phalanx)이 총알모양(bullet)을 보인다.

유전성 다발성 골연골종증에서 흔히 관찰되는 변형들

- 전완부: 척골 단축, 전완부 내반변형, 요골두 탈구
- 고관절: 외반고, 비구이형성증
- 슬관절: 외반슬, 굴곡구축
- 족근관절: 외반변형
- 그 외: 하지길이부동, 비골 단축, (중)수지 및 (중)족지골 단축 및 각변형

1) 제4형 점액다당체 침착증 MPS IV; Morquio 증후군

점액다당체증의 대부분은 정신 지체, 신경학적 이상, 간-비장 종대 등이 주 증상이어서 정형외과 보다는 소아청소년과에서 먼저 진단하게 된다. 그러나 제4형 Morquio 증후군은 다른 장기 이상은 거의 없고 단신, 사지 변형, 척수병증 등 골격계 이상이 주요 문제이다.

- 정상 지능
- 체간이 짧은 불균형 왜소증. 생후 2-3년이면 확실히 나타나고 점차 진행한다.
- 새가슴(pectus carinatum), platybasia
- 경추부 척수 압박: 치상돌기 저형성과 인대 이완으로 나타나는 환축추 불안정성뿐 아니라 축적된 glycosaminoglycan (GAG)이 척수를 압박하며 경추의 여러 분절에 걸쳐서 일어난다. 대개 10세 이전에 발병하며 건반사 증가, 근력 약화 등으로 보행 능력이 점진적으로 상실된다. 고위험 운동을 삼가 해야 하며 예방적 감압술 및 고정술을 주장하는 저자도 있다.
- 비구 외측 골단이 잘 발달하지 못하여 비구 이형성증이 초래되며, 체중 부하 관절의 조기 퇴행성 관절염이 흔하다. 비구 이형성증을 수술적으로 교정해도 조기 퇴행성관절염을 방지할 수 있을지 확실하지 않다. 성인이 되어 척수병증 등 여러 가지 장애로 보행이 불가능하게 될 가능성이 높기 때문에 고관절 이형성증에 대한 적극적인 수술적 치료가 바람직한 지에 대해서 회의적인 의견이 많다.
- 외반슬 등의 하지 변형이 흔한데 보조기는 효과 없다. 심한 단신을 보이는 환자에서는 골단판에서의 길이 성장이 저조하기 때문에 반 골단판 억제술의 효과를 기대할 수 없다. 성장기에 교정 절골술을 시행하면 재발의 가능성이 높다.
- 최근 효소치료법이 개발되어 적용되고 있지만 골격계에 대한 효과는 불분명하다.

15. 점상 연골이형성증 (chondrodysplasia punctata)

신생아기에 장관골 연골 골단, 수근골 및 족근골, 척추 횡돌기와 극돌기, 장골(ischium)과 치골(pubis) 등에 점상 석회화 소견이 관찰되는 일련이 질환들이다.

1) 점상 연골이형성증 Conradi-Hünermann 형

- X 염색체에 존재하는 EBP 유전자 돌연변이에 의해서 발병하며 성염색체 우성 유전을 보인다. 돌연변이의 종류 또는 돌연변이가 있는 X 염색체가 불활성화되는 정도에 따라서 증상이 크게 차이 난다.
- 중증은 사산하거나 출생 직후 사망한다.
- 약 20%에서 신생아기에 백내장이 발생한다.
- 신생아기만 넘기면 수명이나 지능 발달에는 문제가 없다.
- 단신, 척추 변형, 비대칭적 사지 단축이 발생한다. 점상 석회화 소견은 2-4세 이후 소멸한다.

16. Larsen 증후군

다발성 관절 탈구, 심한 족부 변형, 척추 변형 등을 보이는 유전성 질환이다.

1) 원인

- 대부분은 상염색체 우성으로 유전하며 filamin B 유전자인 FLNB 돌연변이에 의해서 발생한다.
- 상염색체 열성 유전을 보이는 subtype은 CHST3 돌연변이에 의하며 recessive type Larsen 또는 spondyloepiphyseal dysplasia with congenital joint dislocations으로 불린다. 그 외에 B3GAT3, GZF1, B4GALT7 등의 돌연변이에 의한 질병들로 Larsen 증후군과 유사한 관절 탈구를 보인다(부록 25).

2) 임상 양상 및 방사선학적 소견Fig 34

- 저긴장증(hypotonia)
- 낮은 콧잔등, 튀어나온 이마, 넓은 눈 간격(hypertelorism)
- 경추부 후만증, 조기 발현 척추측만증(early-onset scoliosis)
- 선천성 고관절 탈구(teratologic type)
- 선천성 슬관절 탈구 또는 과신전
- 심한 첨내반족 또는 첨외반족
- 선천성 요골두 또는 주관절 탈구
- 길고 원통 모양의 손가락, 짧은 중수골, 끝이 넓적한 엄지손가락
- 전신적 인대이완으로 탈구된 관절의 운동 범위는 예상보다 크다.
- Laryngomalacia, 승모판 또는 대동맥 병변 등이 있을 수 있어 수술 전 검사가 필요하다.
- 본래의 종골 골화중심(ossification center)과 분리된 추가적인 종골 골화중심이 있을 수 있다.
- 추가적인 수근골 골화중심이 관찰될 수 있다.

3) 치료

여러 부위에 병변이 있을 수 있으므로 이들을 충분히 평가하고 우선 순위에 따라서 단계적으로 치료하는 것이 필요하다. 일반적으로 경추 후만증 > 슬관절 탈구 > 고관절 탈구 > 족부 변형의 순으로 우선 순위를 둔다. 요골두 탈구는 거의 치료의 대상이 되지 않는다.

- **경추 후만증**
  - 전신 마취 시 이 병변을 고려하여야 하며 척수병증이 관찰되면 다른 병변에 우선해서 치료해야 한다.

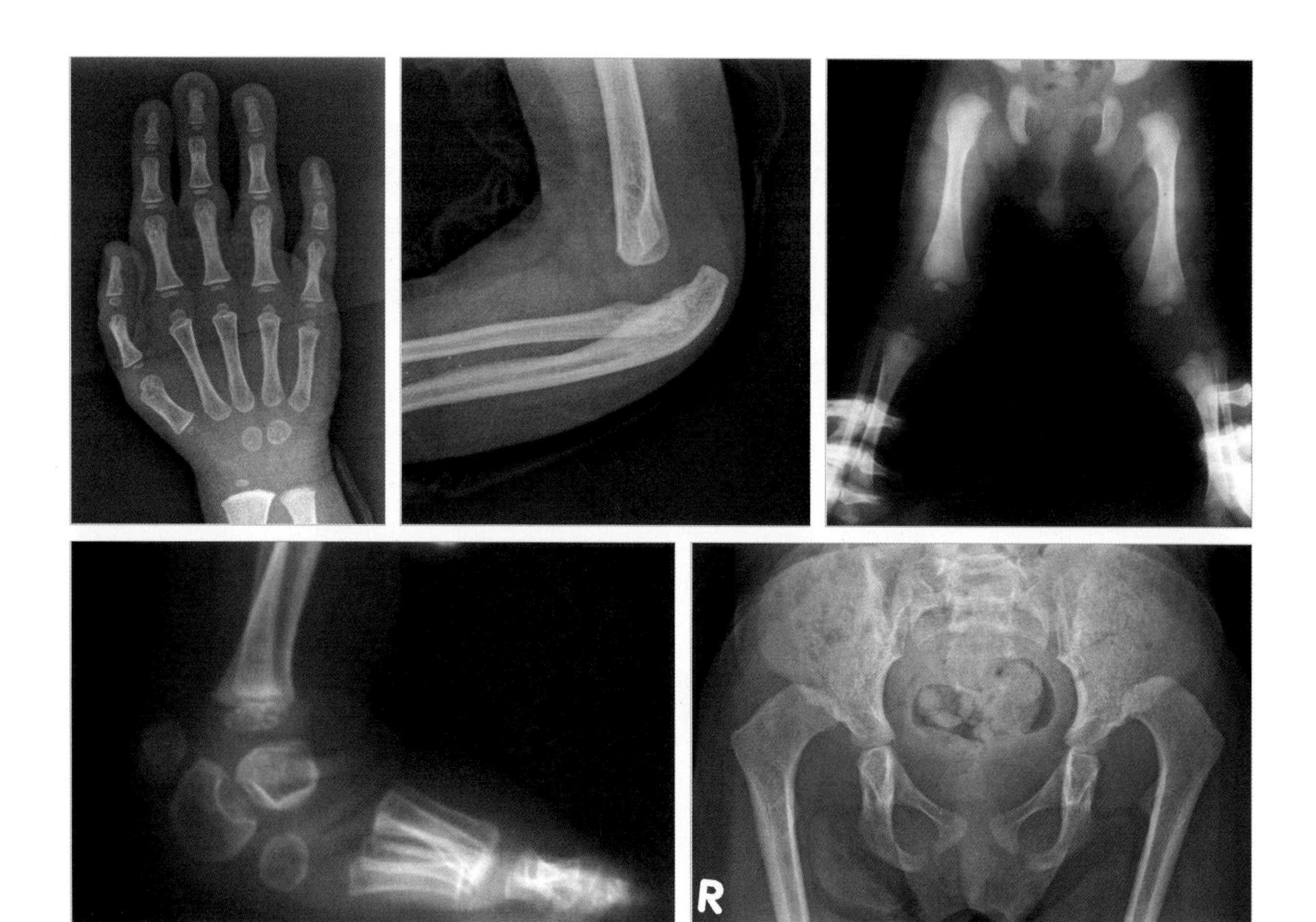

Fig 34. **Larsen 증후군의 방사선 검사 소견.**

- 후방유합술으로 후만증의 진행을 예방하거나 교정을 기대할 수 있으며 18개월 이후 시행한다.
- 척추 전방 및 후방 구조물이 분리되어 있는 경우에는 전후방을 광범위하게 유합하여야 한다.

• **선천성 슬관절 탈구**
- 신생아에서 과신전, 아탈구 등에는 연속적 석고고정 후 Pavlik 보장구 등으로 치료할 수도 있다.
- 대퇴사두근 구축을 동반한 탈구에서는 대퇴사두근 연장술을 하면서 수술적 정복을 시행하나, 근력 저하와 슬관절 인대 불안정성이 동반되기 때문에 슬관절의 기능 저하가 불가피하다. 이럴 경우 환자의 여러 부위 중 슬관절이 가장 심한 장애를 보이게 된다.
- 대퇴사두근을 연장하지 않고 수술적 정복 시 대퇴골 단축술을 시행하는 술식도 보고되고 있다(Johnston 2006).

III. 비정상적인 골 조직을 형성하는 질환
(disorders forming abnormal bone tissue)

1. 골형성부전증(osteogenesis imperfecta)

선천적인 골 결함으로 인하여 골 결핍, 빈번한 골절, 척추와 사지의 변형을 특징으로 하는 질환군이다. 임상 양상이 환자마다 대단히 다양하다.

1) 분류
- 원인유전자를 기준으로 분류하는 방법도 소개되고 있지만 임상 양상이 동일한 환자를 원인 유전자에 따라서 별개의 형으로 구분하는 것은 진단과 치료에 의미가 없어서 널리 사용되지 않는다.
- 임상 양상에 따른 분류는 Sillence 분류법(1978)을 기반으로 하고Table 3 특징적인 소견을 보이는 제5형만을 추가한 것이 널리 사용되고 있다.

2) 유전 양상과 원인 유전자Fig 35
- 약 75-90%의 환자는 제1형 교원질 유전자(COL1A1/COL1A2) 돌연변이에 의해서 발생하며, 이들은 상염색체 우성 유전한다. COL1A1/COL2A1에서만 100가지 이상의 돌연변이가 보고되어 있다.
- 제1형 교원질의 생합성이 저하되면 골 조직내 총량이 부족하여 골 결핍이 되며, 생합성은 정상이어도 결함이 있는 교원질을 생성하면 더욱 골 결핍이 심하게 된다. 결함이 있는 골기질은 더 빠른 속도로 흡수되어 골 결핍을 심화하는 원인이 된다.
- 상염색체 우성 유전하면서 COL1A1/COL1A2 돌연변이가 없는 제5형은 골모세포에 작용하는 IFITM5 유전자의 단 한 가지 돌연변이에 의해서 발병한다.
- 5-10% 정도의 환자는 상염색체 열성 유전 양상을 보이며, 제1형 교원질 생성에 관여하는 유전자 또는 골모세포 분화에 작용하는 유전자 등이 원인 유전자이다. 이들은 대부분 심한 증상을 보인다.

3) 임상 양상
- 중증인 경우 역삼각형의 얼굴에 턱이 돌출되는 특징적인 모양을 하지만, 특징적인 얼굴이 아닌 경우도 많다.

Table 3. **골형성부전증의 Sillence 분류(1978)**

	I	II	III	IV
Severity	Mild	Lethal	Severe	Moderate
Sclera	Distinctly blue	Dark blue	Bluish at birth becomes faint	White or faintly blue
Teeth	A: normal B: DI	-	DI	A: normal B: DI
Hearing loss	40%	-	rare	rare

* DI : dentinogenesis imperfecta

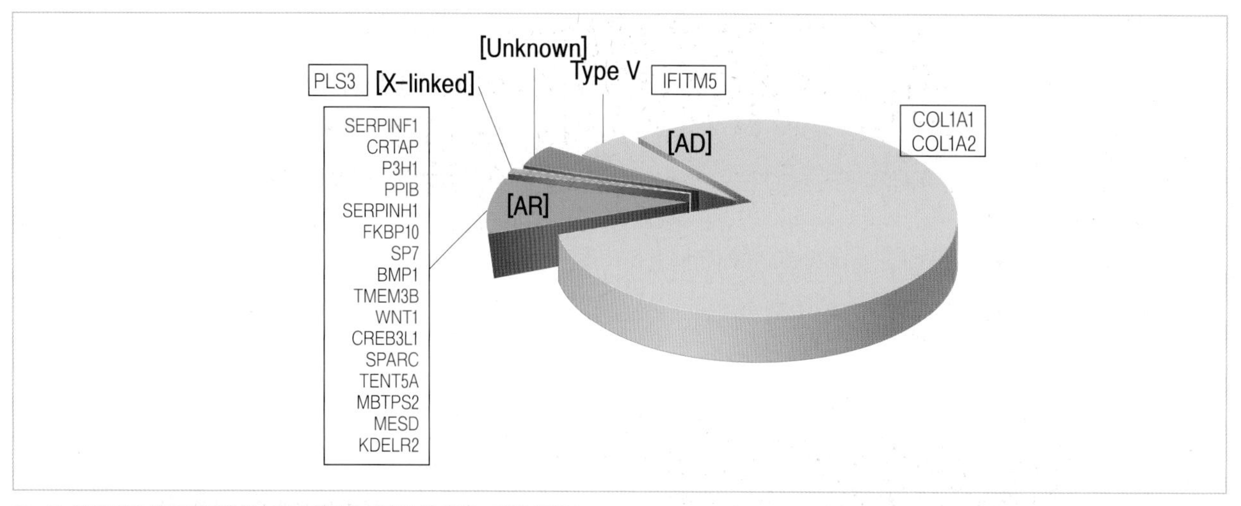

Fig 35. **골형성부전증을 초래하는 유전자들과 그들이 차지하는 대략적 빈도.**
한국인에서는 열성유전 환자가 더 적은 것으로 보인다. AD: autosomal dominant (푸른색), AR: autosomal recessive (주황색).

- 단신: 중증도에 따라 아주 심한 단신에서 정상 범위까지 다양하다.
- 전신적인 골질의 결핍이 있고 작은 충격에 쉽게 골절된다.

- **장관골의 변형**
  - 골절 후 생성되는 가골도 결함 있는 골 조직이기 때문에 쉽게 휘면서 각변형이 발생한다.
  - 뚜렷한 골절 없이도 서서히 만곡 변형이 진행하기도 한다.
  - 대퇴골 전방 각형성, 경골 전내방 각형성, 상완골 내반 변형, 척골 후방 각형성이 흔하다.
  - 골절 불유합 또는 체중 부하에 따라 대퇴경부가 후방으로 휘면서 후염전(retroversion) 변형이 흔한데, 심하면 고관절 외회전 변형으로 휠체어에 앉기가 어려워질 수도 있다.
- **척추 변형** Fig 36
  - 전체 환자의 40-80% 정도에서 척추측만증이 발생하는데 심한 형일수록 더 흔히 동반된다.
  - 흉추 만곡이 가장 흔한 패턴이다.
  - 특발성보다 진행하기 쉽고, 성인이 된 이후에도 만곡이 진행하는 경우가 있는데 심한 형일수록 더 많이 진행한다.
  - 일반적으로 비스포스포네이트 치료가 척추측만증의 진행을 억제하는 데에 도움이 된다고 인정되지는 않지만, 6세 이전의 제3형의 척추 측만증에서 진행 속도를 늦추는 효과가 있다는 보고도 있다.
  - 60도 이상의 만곡으로 진행한 경우 40% 이상의 폐활량 감소와 제한성 폐기능 장애가 발생한다.
- **골절 유합**
  - 어린 나이에는 유합에 큰 문제가 없다.
  - 심한 환자에서는 너무 빈발하는 골절을 방치하여 불유합/가관절증이 발생할 수 있다.
  - 10대 이후에는 신체 크기에 비해 골이 가늘어서 충분한 내고정을 얻기 어렵다. 골수강내 금속정은 회전 안정성을 제공하기 어려운 데다가 체구에 비해서 아주 가는 금속정밖에 사용할 수 없어 충분한 내고정을 제공하지 못한다.
- **척추 압박 골절**
  - 심한 경우에는 앉지도 못하는 영아에서도 근육 수축에 의해서 발생할 수 있다.
- **골반내 비구돌출(protrusio acetabuli)**
  - 실제로 비구가 골반내로 돌출된 경우도 있지만, 편측 골반이 우그러들며, 비구개(acetabular roof)가 위쪽 및 안쪽으로 회전하여 방사선 상 골반내 비구돌출처럼 보이는 경우도 있다(pseudo-protrusio ace-

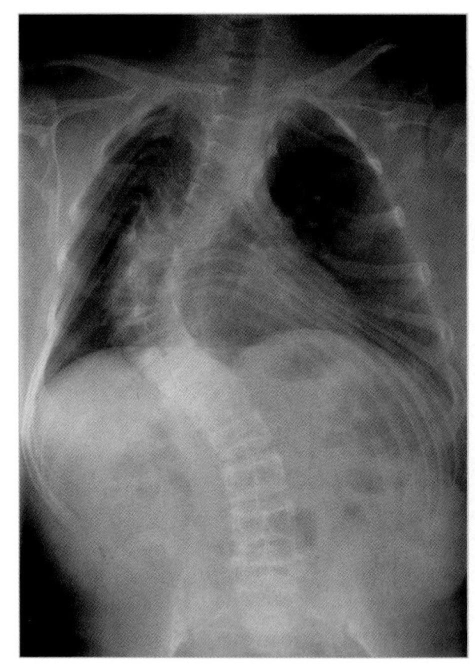
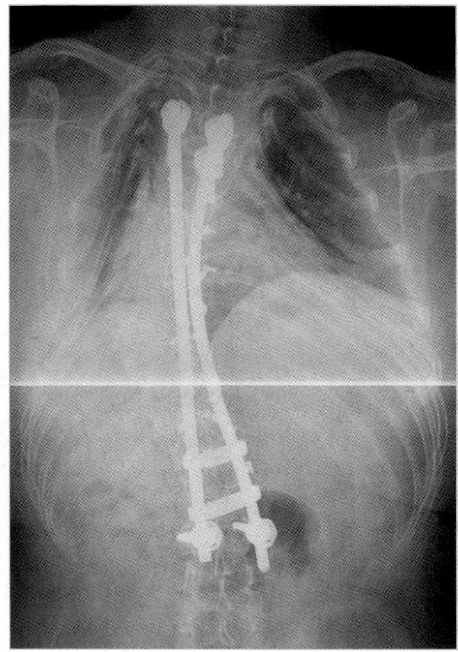

Fig 36. **골형성부전증 척추측만증.** 척추경나사와 추궁하강선을 이용한 분절간 고정술로 후방 유합술을 시행하고 4년 추시 사진에서 만곡 진행이 없고 척추는 균형을 이루고 있다.

tabular deformity)(Song 2021). 이 둘은 CT를 통해 쉽게 감별이 가능하다. 실제 골반내 비구돌출인 경우 femoroacetabular impingement로 인해 고관절운동 장애를 초래하며, 심한 양측성인 경우에는 골반 내부 장기를 압박하여 변비 등을 초래할 수도 있다. Pseudo-protrusio acetabular deformity인 경우에는 대퇴골두가 상방 전위하며 오히려 비구에 의한 피복(coverage)이 감소한다.

- **대퇴경부 골절**
  - 뚜렷한 외상력 없이 발생할 수 있으며, 비전위 골절이나 각형성을 만들면서 안정적인(angulated-stable) 골절로 나타날 수 있기 때문에, 의심을 하여야만 진단을 할 수 있는 경우가 많다(Hong 2021).
- **상아질형성부전증(dentinogenesis imperfecta)**
  - 치아가 투명하거나 갈색이고 쉽게 충치에 걸린다 Fig 37.
- **청색 공막**
  - 영유아들의 생리적 청색 공막과 감별이 필요하다. 모든 환자에서 있는 것이 아니므로 진단 기준이 될 수는 없다.

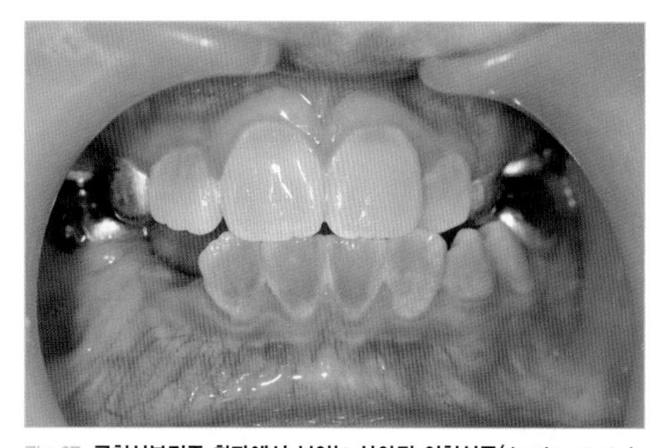

Fig 37. **골형성부전증 환자에서 보이는 상아질 이형성증(dentinogenesis imperfecta)**(서울치대 김정욱 교수 제공).

- **청력 상실**
  - 10대 이후에 주로 발생하며, 주기적인 검진을 통해서 조기 발견이 필요하다. 골절력이 적은 제1형에서 오히려 더 흔하다.
- **과비후성 가골(hyperplastic callus) 형성**
  - 제5형 대퇴골에서 주로 관찰되는 현상으로 골절 유합 과정에서 원발골 단면적의 수배 이상 큰 가골을 형성하기도 한다. 골육종(osteosarcoma)과의 감별이

중요하다.

- **기타 임상 증상**
  - 일반적으로 인대들이 느슨하고, 피부가 잘 늘어나며 쉽게 멍이 든다.
  - 유연성 편평족
  - 다한증, 빈맥, 빈호흡, 마취 시 고열

4) 임상적으로 구분되는 아형들(subtypes)

장관골과 척추의 골절과 변형에 대한 치료는 다른 골형성부전증에 준한다.

- **제5형 골형성부전증** Fig 38
  - 요척골의 골간막 골화, 요골두 탈구, 과비후성 가골(hyperplastic callus) 형성 등을 특징으로 한다.
  - 그 외에 영유아기 장관골의 골간단측 연골하골의 경화, 골막하 신생골 형성, 근막 이소성 골화, 치아 결손 등의 특징적인 소견이 관찰된다.
  - 상염색체 우성 유전하며 가족간에도 증상 정도의 차이가 크다.
  - 이소성 골화 형성에 따른 골 통증과 관절 구축으로 심한 장애가 초래될 수도 있다.
  - 과비후성 가골은 주로 대퇴골에서 발생하는데, 골절 또는 절골술 후 일시적으로 비스테로이드성 소염진통제 또는 COX-2 억제제 등으로 예방하는 것이 권장되고 있다. 간혹 제5형 골형성부전증이 진단되지 않은 상태에서 발생하면 골육종(osteosarcoma)으로 오인될 수도 있다.
- **Bruck 증후군**
  - 다발성 구축증과 골형성부전증의 증상이 함께 나타난다.
  - FKBP10(type I) 또는 PLOD2(type II) 유전자 돌연변이에 의해서 발병하는데 증상은 서로 구분되지 않는다. 상염색체 열성 유전한다.
- **Osteoporosis-pseudoglioma 증후군**
  - 골형성부전증의 증상과 함께 안구 유리체(vitreous body) 과증식을 보이는 pseudoglioma로 결국 실명하게 된다.
  - Wnt signaling의 수용체인 LRP5 유전자의 기능상실 돌연변이에 의해서 발병하며 상염색체 열성 유전한다.

  Cf. LRP5의 기능항진 돌연변이는 골화석증을 초래한다(본장 골화석증 참조).

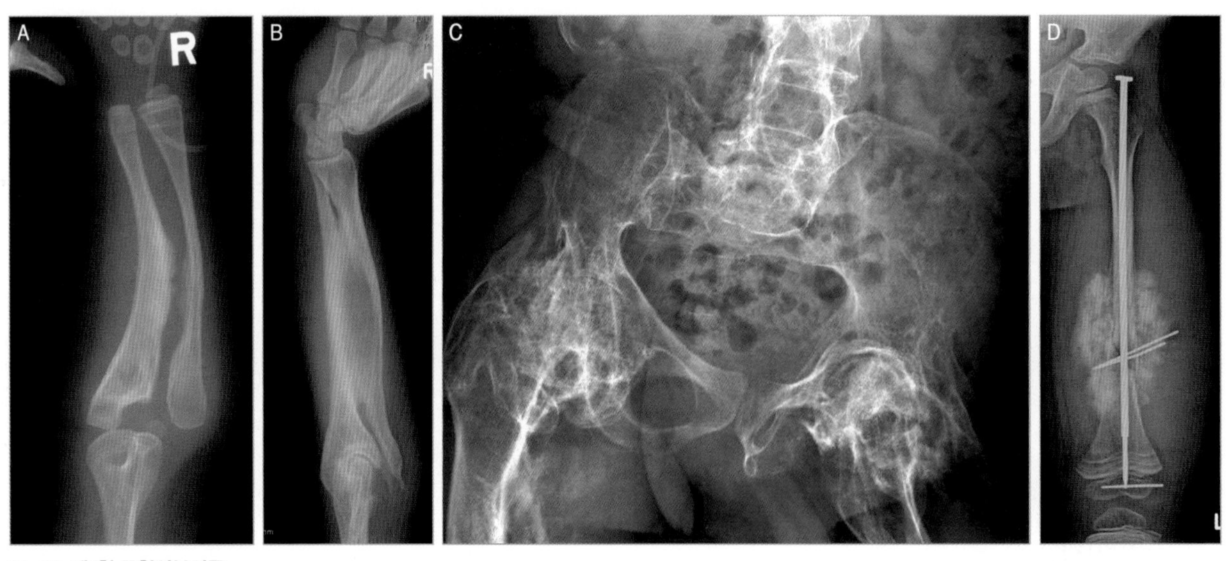

Fig 38. **제5형 골형성부전증.**

A,B: 동일 환자 2세와 9세의 전완부 방사선 검사 소견. 골간막 골화와 요골두 탈구가 관찰된다. C: 46세 남자에서 고관절 주위 이소성 골화로 관절 강직이 되어 있다. D: 5세 남아에서 대퇴골 골절에 대한 수술적 정복 및 내고정술 후 발생한 과비후성 가골 형성.

5) 방사선학적 소견Fig 39

- 전신적인 골결핍, 장관골의 다발성 골절과 변형이 있지만 진단적 가치가 있는 소견(pathognomonic sign)은 뚜렷한 것이 없다.
- 장관골이 길이에 비해서 가늘고 특히 골단이나 골간단부에 비해서 골간부가 가늘다. 골수강이 폐쇄되어 있을 수도 있으며 이런 경우 골수강내 금속정을 삽입하기는 거의 불가능하다.
- 다발성 척추체 함몰이나 여러 분절에 걸쳐서 cod-fish 모양이 척추체가 관찰되기도 한다.
- 두개골의 충양골(wormian bone): 봉합선에 존재하는 다발성 골편. Cleidocranial dysplasia, 심한 구루병 등에서도 관찰되는 소견이나 골형성부전증이 의심될 때 충양골이 관찰되면 진단에 도움이 된다.

6) 진단

- 뚜렷하고 전형적인 심한 증상을 보일 때에는 쉽게 진단할 수 있으나, 비전형적이고 경한 증상을 보일 때에는 병력을 자세히 청취해야 하며, 가족력, 임상 양상 및 방사선학적 소견을 종합해서 판단하여야 한다. 특정 기준에 의해서 골형성부전증 여부를 확진할 수는 없다.
- 설명하기 어려운 다발성 골절은 아동학대(child abuse)와의 감별을 어렵게 한다. 어느 쪽으로든 오진을 하게 되면 모두 심각한 결과를 초래하기 때문에 신중하게 판단하여야 한다.
- Next generation sequencing 기술이 보편화되면서 gene panel test 또는 whole exome sequenccing을 통해서 알려진 여러 가지 원인 유전자들을 한꺼번에 검사하는 방법으로 유전자 돌연변이를 검사한다. 10% 정도의 환자에서는 아직도 원인 유전자 돌연변이가 발견되지 않으며, 유전자 검사에서 돌연변이를 발견하지 못했다고 해서 골형성부전증이 아니라고 단정할 수는 없다.

7) 치료

골절을 줄이고 변형을 예방하며 가능한 한 최대의 활동능력을 유지하는 것이 치료의 목표이다. 골 결핍 예방을 위해서 가능한 범위 내에서의 지속적인 운동과 적절한 영양섭취가 필요하다.

(1) 약물 치료

VitD는 골형성부전증에 대한 특별한 약효가 있는 것은 아니지만 결핍이 되면 증상을 더 악화시킬 수가 있으므로, 결핍 여부를 검사해서 필요하면 보충하는 것이 좋다.

- Bisphosphonate
  - 1998년 최초 임상보고 이후 골형성부전증에 대한 약물치료의 기준이다.
  - 파골세포의 활성을 억제하여 전체적인 골량을 증가

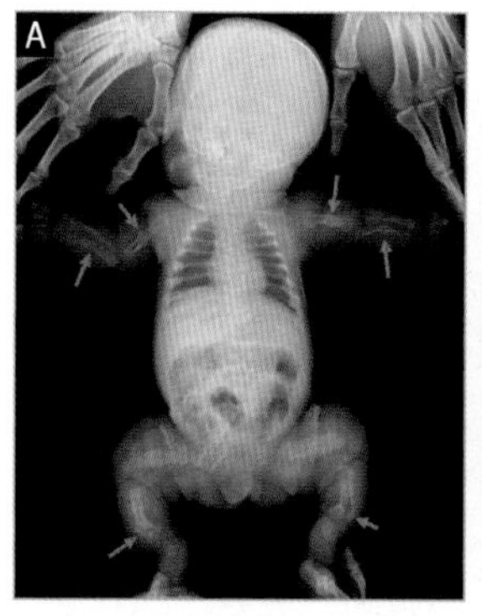

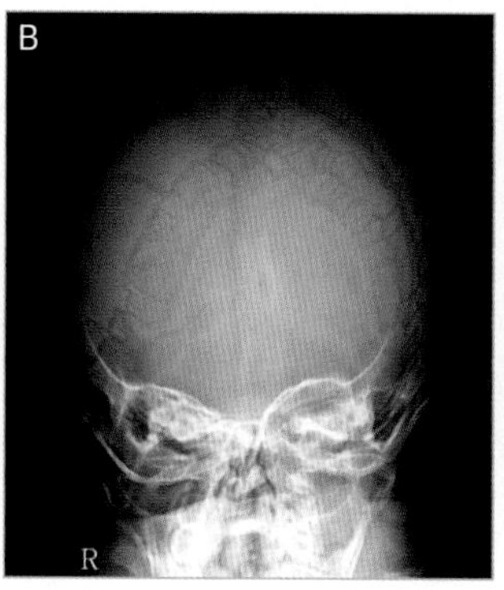

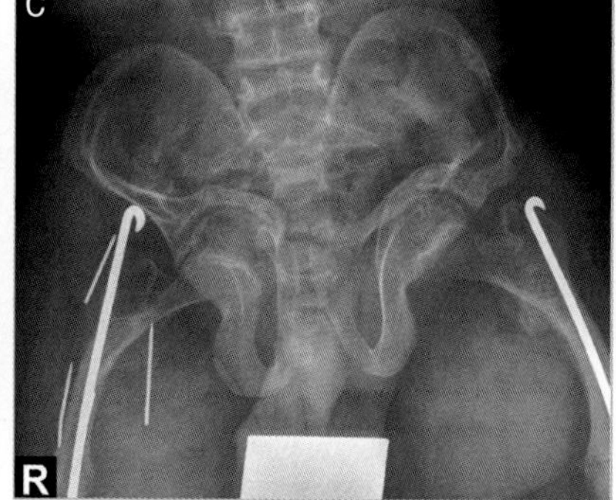

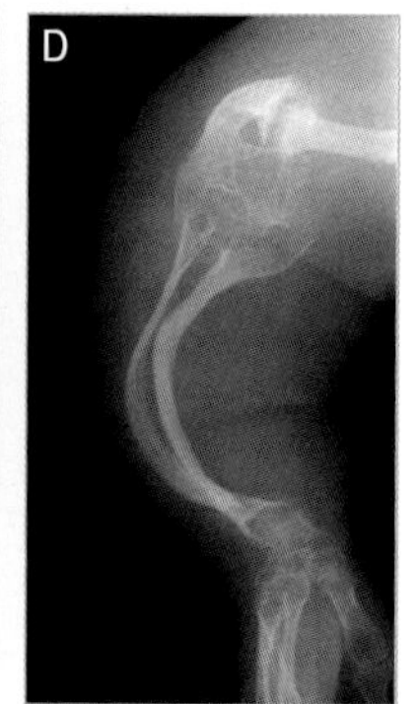

Fig 39. **골형성부전증의 방사선 소견들.**
A: 출생 시 발견된 다발성 골절. 일부는 태내에서 골절되어 이미 유합되었다. B: 두개골의 충양골. C: 골반내 비구돌출(protrusio acetabuli). D: 가느다란 장관골과 폐쇄된 골수강. 심한 각변형도 동반되어 있다.

시킴으로써 골절 감소, 동통 감소 등의 효과를 기대할 수 있다.

- 심하고 어린 환자에서 효과가 더욱 뚜렷하다Fig 40. 성인이나 경증의 환자에서는 효과가 입증되어 있지 않았기 때문에 사용하지 않는 것이 바람직하다.
- 2-3년 투여 후 골밀도 증가와 활동 능력 향상이 정점에 도달하면 투약을 중단하고 경과 관찰하거나, 용량을 반으로 줄이고 성장 종료 시까지 투여하는 방법 등이 사용된다.
- 골 기질로 함입된 약물은 수년간에 걸쳐서 서서히 배출되기 때문에 투약을 중단한 후에도 상당 기간 체내에 잔존한다.
- 골 재형성이 저하되므로 골수강이 뼈로 채워지는 현상, 골절 또는 절골 부위가 완전히 재형성되지 않는 현상 등이 발생할 수 있다. 성인의 비정형 골절(atypical fracture)과 같은 양상의 골절을 초래할 수 있다.

• **새로 개발되는 약물**

- RANKL blocking Ab, sclerostin inhibiting Ab 등이 임상시험 중이며 bisphosphonate의 효과가 없는 유전형 또는 성인에서 사용할 수 있을 것으로 기대된다.
- 골다공증에 사용되는 PTH analogue는 골성숙 이전에는 금기로 되어 있고, 성인에서 고려해 볼 수 있다.

(2) 골절에 대한 치료

- 보존적 치료 시에는 불용성 위축을 최소화하기 위하여 조기에 해당 사지를 사용하도록 하는것이 바람직하나, 골절부에 형성되는 가골(callus)도 결함이 있는 골 조직이므로 오랜 기간 동안 기능적 보조기로 보호하여 부정 유합이나 재골절의 발생을 방지하여야 한다. 즉, "보호 하에 조기 가동"이 원칙이다.
- 내고정이 필요한 경우에는 골수강내 금속정이 바람직하다. 금속판과 나사못으로 고정하면 금속판 끝 쪽의 나사 부위에서 재골절 또는 각변형이 발생할 수 있기 때문에 사용을 지양하여야 한다.
- 골간단부 골절에는 긴장대강선 고정술(tension band wiring)을 사용한다. 뼈가 약해 핀이 뒤로 빠져나올 수 있으므로 끝 부분에 나사 부분이 있는 핀을 사용하는 것을 고려해야 한다.
- 주두 또는 슬개골 등의 견열골절은 전위가 거의 없더라도 치유 과정 중 인장력에 대한 가골이 취약하여 골절편이 점차 벌어지면서 유합이 되는 현상이 발생할 수 있다. 긴장대강선 고정 등으로 내고정을 하는 것이 안

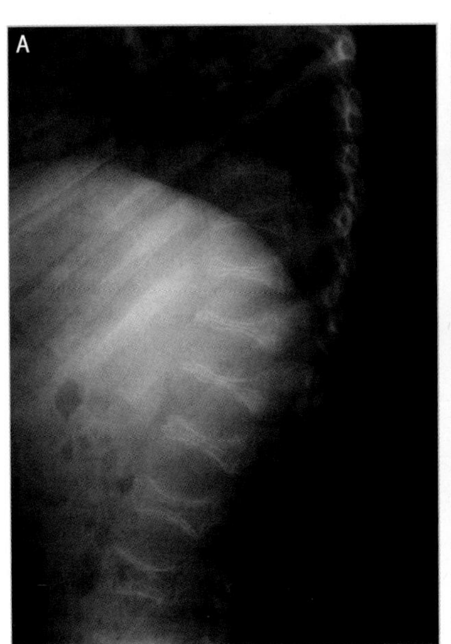

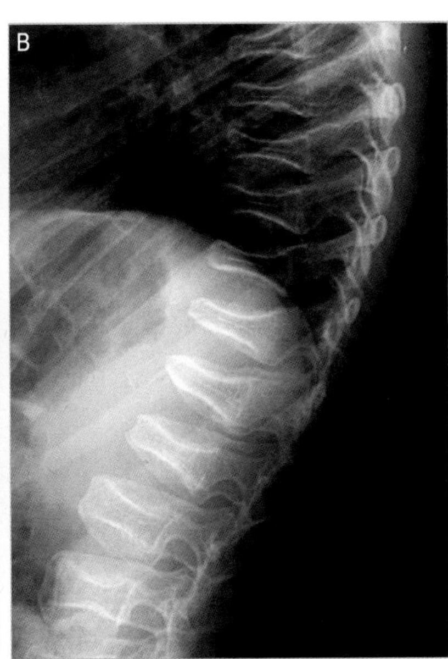

Fig 40. 골형성부전증 환아에서 보이는 심한 척추체 압박골절(A)이 2년간의 bisphosphonate 경구 투여 후 호전된 양상을 보인다(B).

전하다.

- 아동기에는 골절 치유에 큰 문제가 없지만 사춘기 이후에는 체구에 비해서 뼈가 가늘어서 가는 골수정 밖에 삽입할 수 없고, 나이에 따라 골 유합능도 저하하기 때문에 불유합의 위험이 크다. 일시적으로 외고정 장치 또는 locking plate 등으로 추가 고정이 필요할 수도 있다. 골 유합을 얻으면 골수정 이외의 고정 장치는 제거한다.

(3) 사지 변형 교정술

- 심한 환자일수록 반복되는 골절 또는 골 결핍으로 인한 자연적인 만곡 형성으로 미만성 및 다발성 각변형 및 회전변형이 흔하다. 각변형 자체는 골절의 위험인자로 작용한다.
- 변형에 의한 기능 장애를 해소하고 골절의 위험을 감소시키기 위해서 다발성 절골술로 장관골을 직선화하고 골수강내 금속정으로 고정하는 것이 표준 치료 방법이다(Sofield 1959).
- 대부분 성장기에 수술이 필요하며 골의 길이 성장에 따라서 함께 길이가 늘어나도록 고안된 확장성 금속정(telescopic rod; elongating rod)을 사용하여 재수술 횟수를 줄일 수 있다Fig 41.
- 확장성 금속정을 삽입할 만큼 장관골이 굵어져야 하고 성장에 따른 확장성 금속정 교체 횟수를 줄이기 위해서 통상 3-4세 이후에 시행한다. 그러나 잦은 골절로 인하여 조기 사지 안정화가 필요한 경우에는 그 이전에도 비확장성 금속정을 이용한 골수강내 금속정 고정술을 고려한다.
- 금속정이 삽입된 상태에서도 재골절은 발생할 수 있는데, 골 재형정 저하로 인한 지속적인 피질골 결손이 있

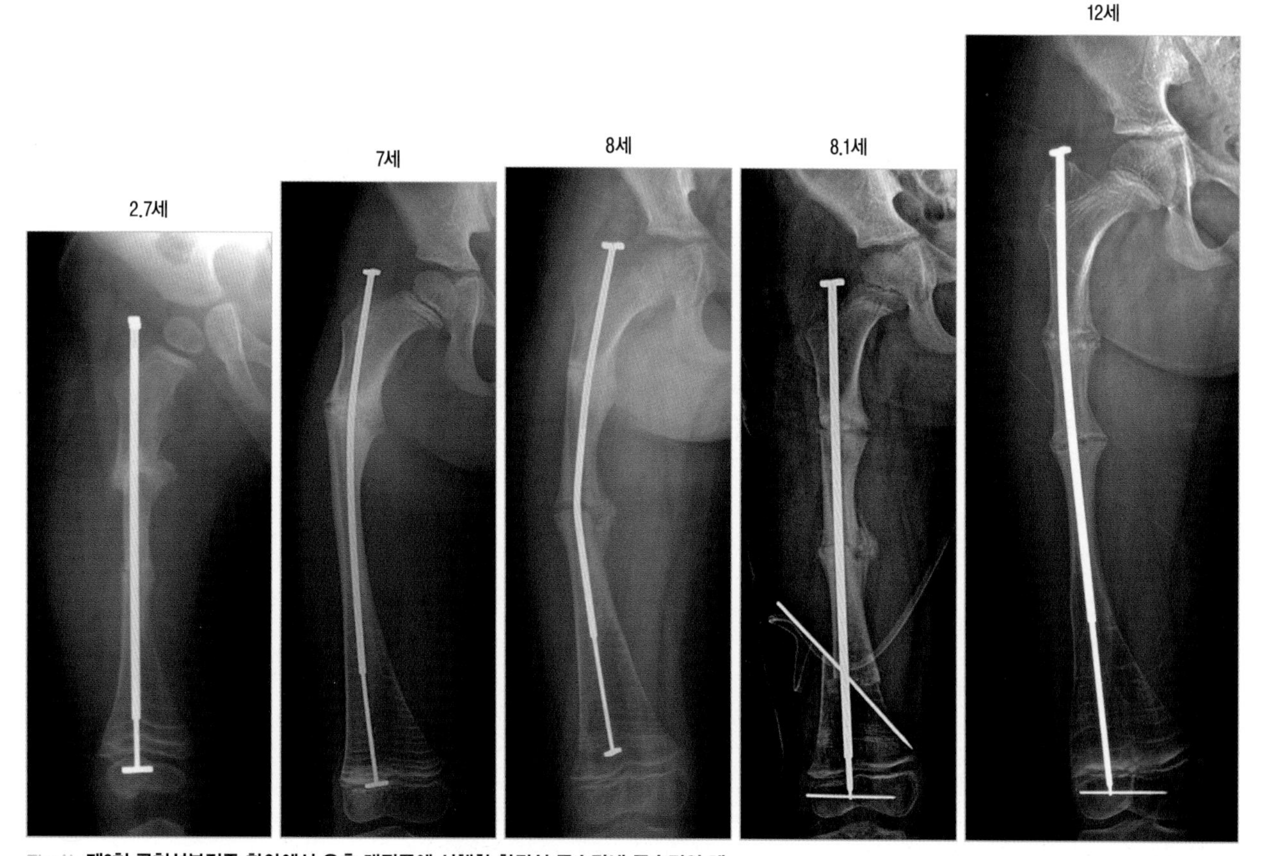

Fig 41. **제3형 골형성부전증 환아에서 우측 대퇴골에 시행한 확장성 골수강내 금속정의 례.**
2.7세에 최소로 삽입하였고 성장 중 굴곡되고 확장이 멈추어서 8세에 재수술한 후 12세까지 유지되고 있다.

는 부위, 내부 금속정(inner obturator)의 근위 부분 등 이 골절에 취약한 부위이다.

- 금속정 삽입 상태에서 골절되어도, 금속정의 각변형이 발생하지 않았으면 보존적 치료를 하며, 금속정의 각변형으로 확장(telescoping)이 불가능하게 되었을 때에는 금속정을 교체하면서 새로 내고정술을 시행하여야 한다.
- 골 결핍으로 인하여 금속정이 근위 또는 원위 이동하거나, 확장성 금속정이 골수강내로 감입하거나, 외측 피질골을 뚫고 이탈하는 등의 합병증이 발생할 수 있다.

• **대퇴골 후염전 변형**

- 골절 또는 절골술 이후의 부정유합, 골 결핍으로 인한 점진적 변형으로 대퇴골 전염각 감소 또는 후염전 변형이 흔하다.
- 외족지 보행의 원인이 되며 심하면 효율적인 보행에 장애가 된다. 아주 심한 후염전 변형이 있으면 종아리를 아래로 늘어뜨려 앉지 못하고 항상 양반다리를 해야해서 휠체어 사용에 어려움이 있다.
- 골절 치료 또는 절골술 시 후염전 변형이 발생하지 않도록 주의한다. 기능제한을 초래하는 심한 변형에 대해서는 회전 절골술을 고려한다.

• **상지 변형**

- 보행이 어려운 심한 환자일수록 상지에 의존하게 되므로 변형을 교정하여 기능을 향상시키는 것이 요구된다.
- 해부학적 구조상 상완골에 부분적 적용 이외에는 확장성 골수강내 금속적을 삽입하는 것은 불가능하다.

*** 확장성 금속정의 종류** Fig 42

– Rush pin을 교차 삽입: 골단에서의 고정이 불충분하고, pin이 교차되지 않은 부분에서 각변형이 잘 발생한다. 좁은 골수강에 두 개를 교차 삽입할 수 있는 pin의 직경이 너무 가늘다.
– Bailey–Dubow nail과 Sheffield modification: T–piece를 골단에 anchor시킨다. 삽입할 때나 제거할 때에 관절을 개방해야 하고 관절면 손상이 크다.
– Fassier–Duval nail: antegrade 방향으로 삽입하여 원위부 관절 손상이 없다. 나사못으로 골단에 anchor한다.
– Interlocking telescopic rod (SNUCH): Antegrade 방향으로 삽입하여 원위부 관절 손상이 없다. interlocking pin으로 골단에 anchor하기 때문에 male rod 제거 시 최소 침습적으로 제거할 수 있다(Cho 2007). 경골에서는 근위 및 원위부 모두를 interlocking pin으로 anchor하는 dual interlocking telescopic rod을 사용하여 개선된 결과를 보이고 있다(Shin 2018).

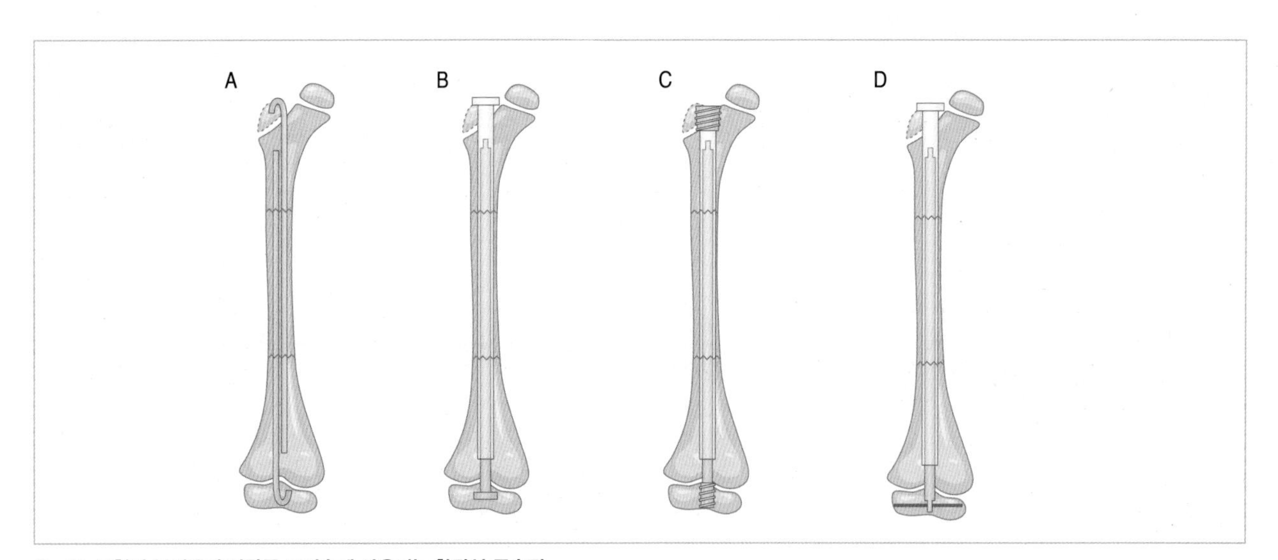

Fig 42. **골형성 부전증의 장관골 고정술에 사용되는 확장성 금속정.**
A: 교차 Rush 핀. B: Bailey–Dubow nail 또는 Sheffield 변형기기. C: Fassier–Duval 정. D: Interlocking telescopic rod (SNUCH).

(4) 척추 변형의 치료Fig 36

- 보조기 치료는 늑골도 약하기 때문에 효과를 기대하기 어렵고 오히려 골절 발생 위험이 있다.
- 35-45도 이상 진행한 8세 이상의 환자에서는 수술적 치료가 권장된다
- 수술 시 골 조직이 약하여 내고정 기기가 골 조직을 강력하게 장악하기 어렵기 때문에 교정 변형을 많이 하기 곤란하며, 여러 분절에 교정력 또는 고정력을 분산하기 위하여 분절간 고정을 하는 내고정 기기를 사용하는 것이 바람직하다.

2. 골화석증(osteopetrosis)Table 4

파골세포의 기능 장애를 초래하는 여러 가지 기전에 의해서 발생하는 질환군이다. 심한 경우에는 골수가 형성되지 못하고 이로 인하여 혈구세포가 생산되지 못하여 사망할 수도 있다.

- 유전 양상
  - 상염색체 우성 유전하는 비교적 증상이 가벼운 형은 LRP5 또는 CLCN7의 heterozygous 돌연변이에 의해서 발병한다. CLCN7 돌연변이가 가장 흔하다.
  - 심한 증상을 보이는 환자들은 CLCN7, RANK, RANKL, TCIRG1, CAII, OSTM1, PLEKHM1 등 파골세포 기능에 관여하는 유전자 돌연변이에 의해서 발병하며 상염색체 열성 유전한다.

LRP5 돌연변이에 의한 골화석증(AD osteopetrosis type 1)

- LRP5는 Wnt 신호전달 수용체로 골모세포의 분화에 중요한 역할을 한다.
- LRP5의 기능항진 돌연변이는 골모세포에서 골 조직을 과도하게 생산한다.
- 파골세포의 기능은 정상이어서 재형성 과정은 진행된다.
- 파골세포 기능저하를 보이는 다른 골화석증과 달리 골절의 위험이 증가하지 않는다.
- 척추골 경화는 뚜렷하지 않고 두개골 경화 소견이 뚜렷하다.

- 방사선학적 소견Fig 43
  - 전신의 골 경화 소견

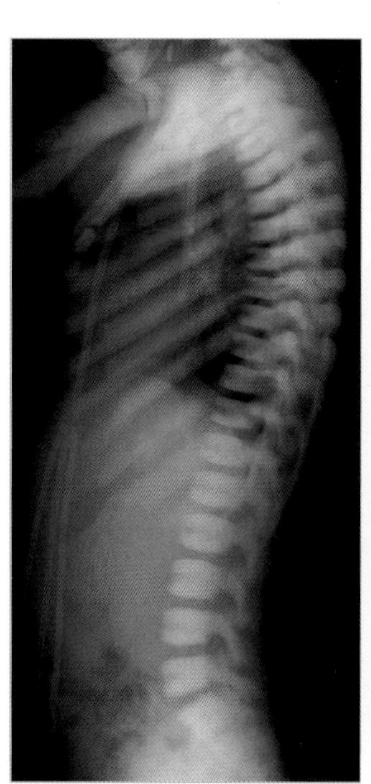
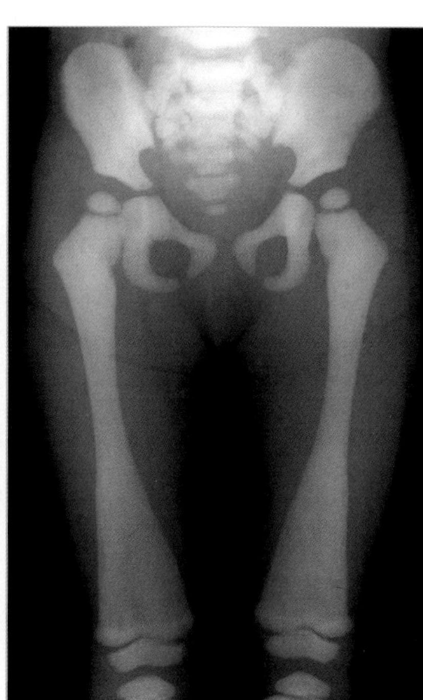
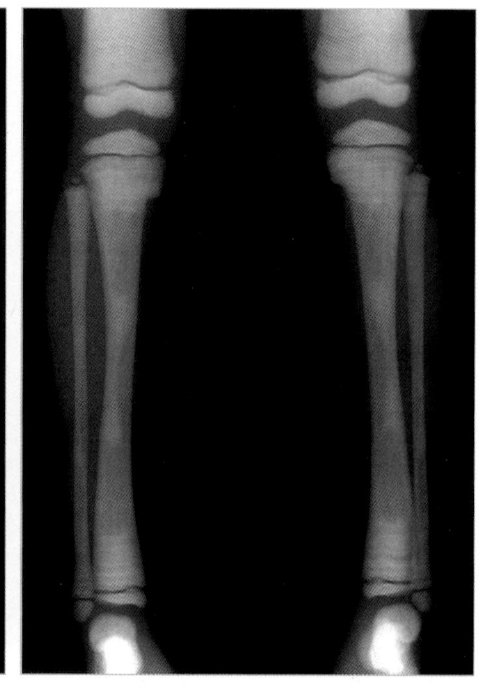

Fig 43. **골화석증(osteopetrosis)의 방사선 소견.**

- Erlenmyer flask 모양의 대퇴골 원위 골간단
- 장관골 및 골반골에 "bone within a bone"
- 척추체 상하단의 골경화 및 중간 부위의 상대적인 골음영 감소로 rugger jersey 모양의 척추체

- **정형외과적 문제**
  - 골절: 골조직의 재형성이 억제되어 경화되어 보이지만 강도는 저하되어 있기 때문에 쉽게 골절되며, 근위 대퇴골에 호발한다. 골절 부위에 가골이 형성되어도 하버시안 관(Haversian canal)을 포함하는 성숙된 골조직으로의 재형성이 일어나지 않으며, 치유가 오래 걸린다. 내고정 시에는 금속 내고정물 삽입이 기술적으로 어렵다.
  - 골수염: 하악골(mandible)과 장관골에서 호발한다.
  - 반복적인 대퇴경부의 스트레스 골절로 인한 내반고가 발생할 수 있다.
  - 요통
- **골격계 이외의 문제**
  - 중증 질환에서는 정형외과적 문제보다 더 심각하며 치명적일 수도 있다.
  - 빈혈, 범혈구 감소증으로 인한 간-비장 종대, 출혈, 감염
  - 두개골 신경공 폐색으로 인한 뇌신경 마비. 특히 시신경 마비
- **골수 이식술**
  - 파골세포는 조혈세포에서 분화하여 생성되며 골수 이식술을 통해서 정상 파골세포를 생산할 수 있다. 중증의 골화석증에서 적응된다.

3. Pyknodysostosis

"thick" 혹은 "dense"의 의미를 갖고 있는 그리스어 pycnos에서 유래된 병명이다. 팔다리가 상대적으로 짧은 단신(성인 키 약 150 cm)을 보이는 질환으로 방사선 검사상 전반적인 골 경화 소견이 관찰된다. 상염색체 열성 유전하며, 파골세포에서 생산되어 골 흡수 과정에 작용하는 단백질 분해 효소인 cathepsin K 유전자 돌연변이에 의해서 발생한다.

Cf. 19세기 후반 파리에서 활동한 화가 Henri de Toulouse-Lautrec의 여러 가지 외모로 보아 이 질병을 가지고 있었던 것으로 추정된다.

1) 방사선학적 소견 Fig 44

- 쇄골 저형성, 특히, 외측단
- 천문 비폐쇄(open fontanel), 넓어진 두개봉합(cranial suture)
- 원위 지골 골 흡수(acro-osteolysis)
- 장관골의 골 경화상이 있지만, 골수강은 유지된다.

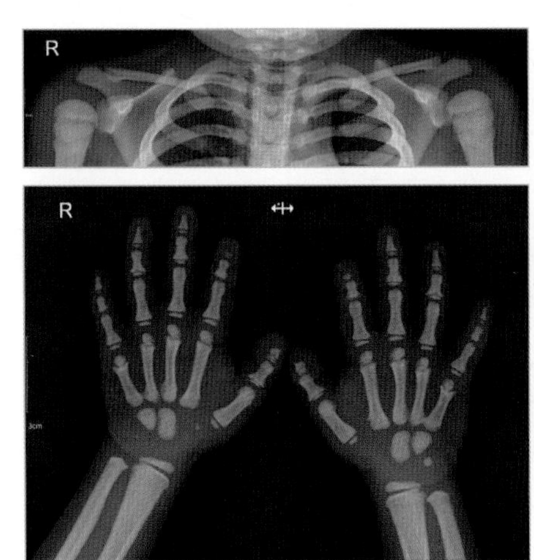

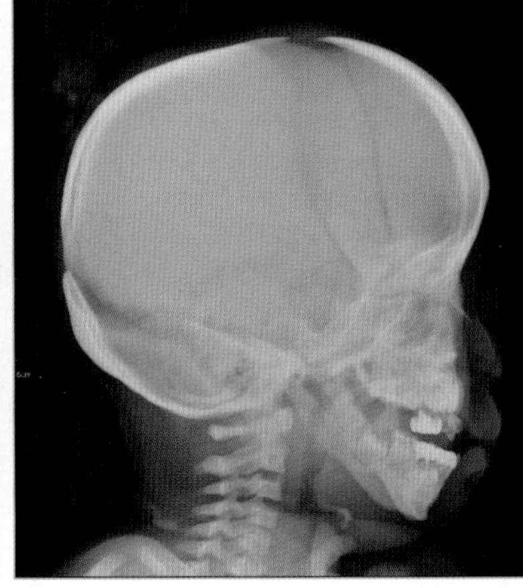
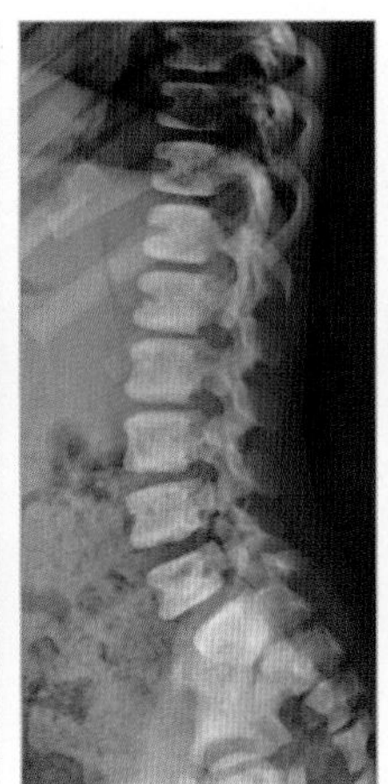
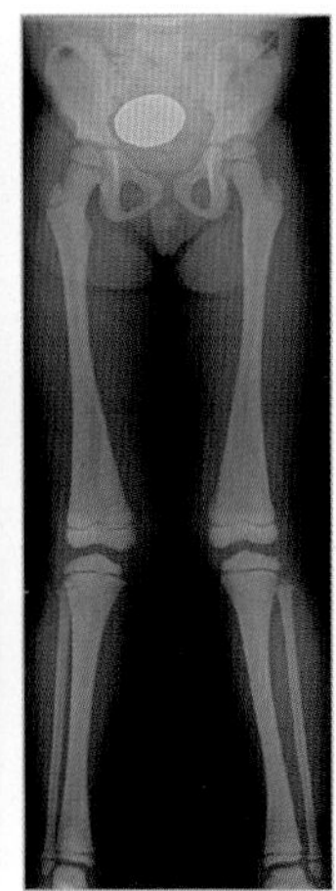

Fig 44. **Pyknodysostosis 방사선학적 소견.**

2) 임상 소견

- 키가 약간 작고 손가락이 짧고 통통하다.
- 턱뼈가 작다.
- 장관골 간부가 골절 되기 쉽다.

3) 감별진단Table 4

- 골화석증(osteopetrosis)과 다르게 골수강이 좁아져도 보존되기 때문에, 재생불량성 빈혈(aplastic anemia)이 발생하지 않는다.
- 쇄골 저형성으로 인해 쇄골두개 이형성증(cleidocranial dysplsia)과 혼동될 수 있지만, 쇄골두개 이형성증에서는 골경화가 관찰되지 않는다.
- 진행성 골간 이형성증이나 다른 원인의 acro-osteolysis 와의 감별이 필요하다.

4. 진행성 골간 이형성증(progressive diaphyseal dysplasia; Camurati-Engelmann disease)

골막하 및 골수강내 신생골이 형성되면서 장관골 간부가 방추형(fusiform)으로 굵어지고, 근육 위축이 동반되는 드문 유전 질환이다. 상염색체 우성 유전하며, TGFβ1 유전자 돌연변이에 의해서 발병한다. 일부의 환자에서는 TGFβ1 유전자에 돌연변이가 없어서 다른 유전자 이상에 의한 것으로 추정된다.

Table 4. **Pyknodysostosis, osteopetrosis, cleidocranial dysplasia의 감별점**

	Pyknodysostosis	Osteopetrosis	Cleidocranial dysplasia
유전	AR	AD (mild), AR (severe)	AD
신장	팔다리가 짧은 저신장	증증형: 단신 경증형: 정상	보통 정상, 가끔 조금 작다.
유병률	백만 명 당 1인 이하	백만 명 당 3인	백만 명 당 1인 이하
얼굴모양	Micrognathia with obtuse mandible, small maxilla; delayed eruption of disorganized teeth	정상	Low nasal bridge with bulging frontal and parietal regions Disordered eruption of teeth Failure of fusion of mandibular symphysis
두개골	Dysplasia with widened sutures; wormian bones Persistent open fontanelles No cranial foramina impingement No cranial nerve palsy	Thickened vault, base Cranial foramina impingment with bone overgrowth Cranial nerve palsy	Wormian bones open fontanelles in childhood No cranial nerve palsy
쇄골	Hypoplastic, sometimes absent in lateral portion	Normal	Partially or completely absent
손, 발	Hypoplasia or absence of terminal phalanges of digits	Normal	Normal
골반, 고관절	Flattened femoral heads, short and deformed femoral necks	Endobones and transverse bands of increased and decreased radiopacity; coxa vara may be present	Wide symphysis pubis Triradite cartilages and sacroiliac joints wide
Bone texture	Osteosclerosis without obliteration of intramedullary canals	Osteosclerosis with obliteration of intramedullary canals (severe)	Normal
Hematologic picture	Normal	Aplastic anemia	Normal
Liver, spleen	Normal	Hepatosplenomegaly	Normal

1) 방사선학적 소견

- 병이 진행함에 따라 방사선학적 소견이 더 뚜렷해진다.
- 피질골 재형성 시 골흡수 감소 → 대퇴골과 경골의 피질골 비후Fig 45
- 비후는 골간부에서 시작하여 골간단부를 향해 위아래로 확장된다.
- 골간부 직경 증가 및 골수강 감소

2) 임상증상

- 양측성으로 이환하며, 대칭적이다. 경골이 가장 흔하게 이환되나, 병이 진행함에 따라 두개골, 골반, 척추도 이환 가능하다.
- 이환된 사지의 동통, 사지 각변형, 하지길이부동
- 근위약으로 인한 달리기나 보행 제한, 오리 걸음, Gower 징후를 첫 증상으로 진단되기도 한다.
- 두개골 침범 시 뇌신경 압박, 두개내 압력 증가

3) 치료

- 통증에 대해서는 진통소염제 사용
- 하지길이부동에 대한 수술, 교정 절골술

5. 유년기 피질골 과골증(infantile cortical hyperostosis; Caffey disease)

대개 6개월 이전의 환자가 보채면서 팔다리가 붓고 만지면 아파하는 증상으로 발현한다. 방사선 검사 상 심한 골막 반응이 관찰되나 특별한 치료 없이 저절로 병변이 소멸되며 대부분 후유증이 남지 않는다Fig 46.

- 대부분 제1형 교원질 α-1 chain 유전자(COL1A1)의 단일 돌연변이에 의해서 발병하는데 해당 돌연변이를 가지고 있는 부모는 이 질환의 병력이 없는 경우가 많다. 발병이 안 되었을 수도 있고, 발병하였으나 진단 없이 지나쳤을 수도 있다. 일부 환자에서는 해당 돌연변이가 발견되지 않는다.
- 경골, 대퇴골, 척골, 요골 등에 대칭적 또는 비대칭적으로 이환하며 하악골(mandible)을 자주 이환한다. 골막 주위 신생골이 골간부를 감싸듯이 형성되나, 골단은 침범하지 않는다.
- 골수염, 선천성 매독, 아동학대, 악성 종양, 비타민A 과다증 등과의 감별이 중요하며, 유전자 검사가 감별 진단에 도움이 될 수 있다.
- 통증에 대해 진통소염제로 조절한다.

6. 진행성 골화성 섬유이형성증(fibrodysplasia ossificans progressive, FOP)

족무지에 선천성 기형을 보이며 근육 등 연부조직에 다발성 이소성 골형성이 점진적으로 진행하는 질환으로, 결국 전신의 관절이 굳어버리는 심한 장애를 초래하게 된다.

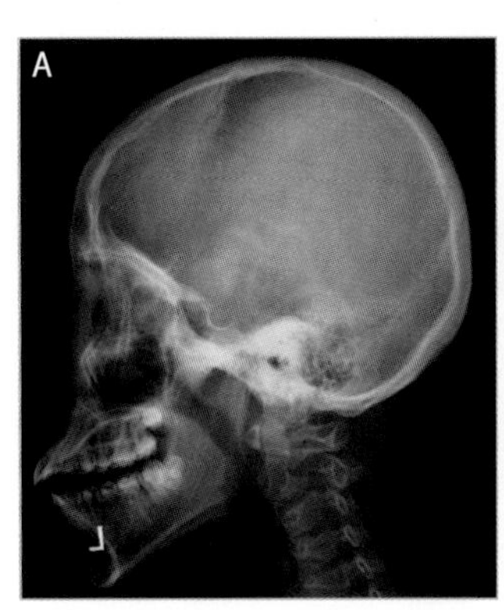

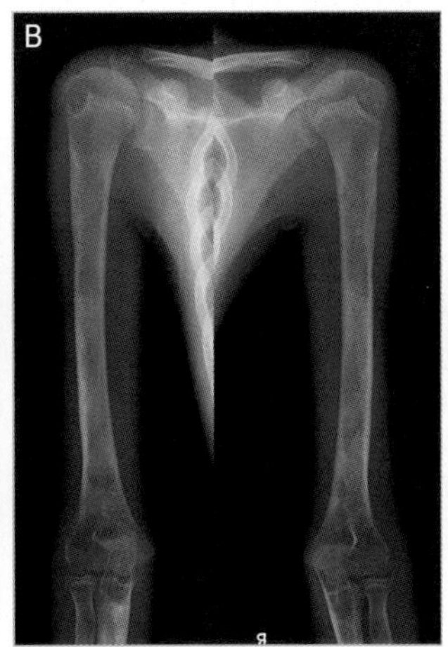

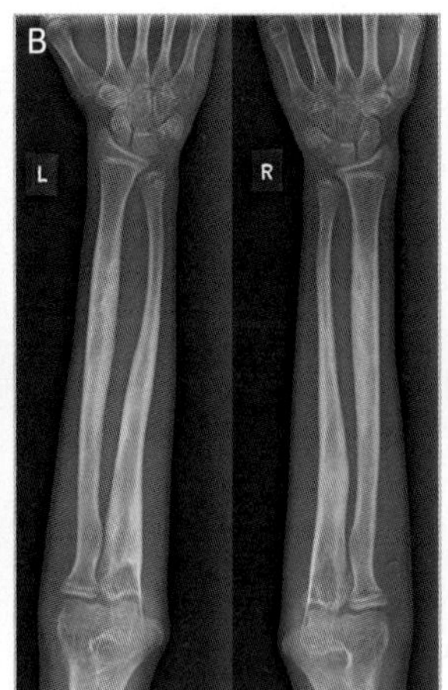

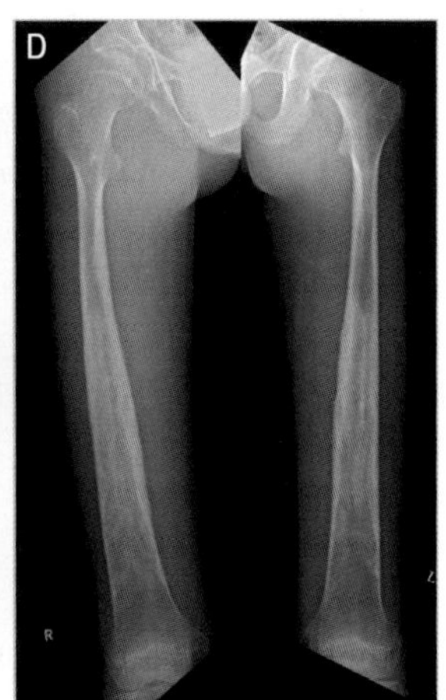

Fig 45. **진행성 골간 이형성증의 방사선 소견.**
A: 비후된 두개골 기저부. B-D: 장관골의 골막하 및 골내막의 신생골 형성과 골간부 비후.

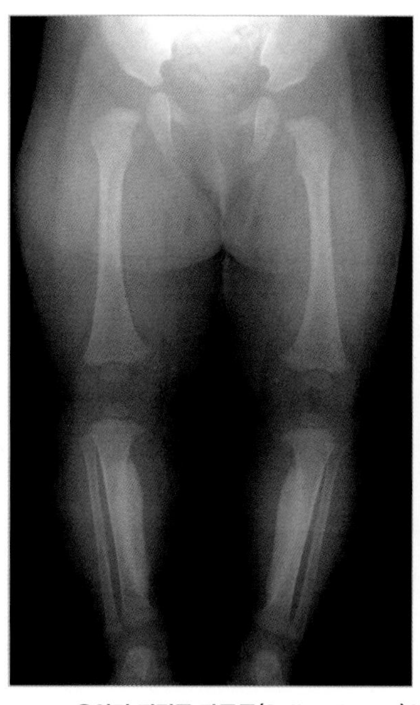

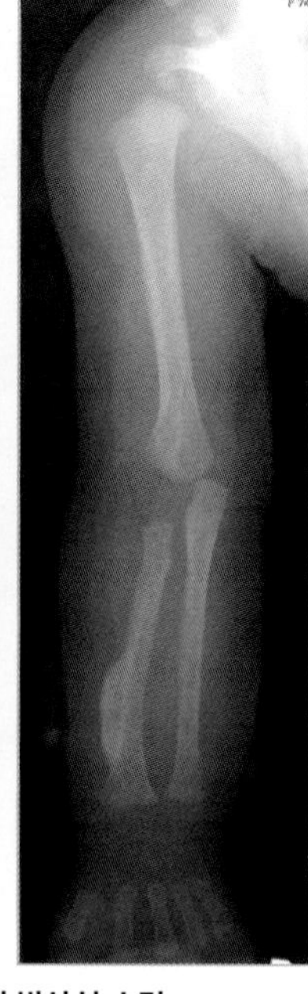

Fig 46. **유아기 피질골 과골증(Caffey disease)의 방사선 소견.**
양측 경골과 우측 요골이 이환되었다.

1) 원인

- BMP를 포함하는 TGFβ 계열 성장인자들의 제1형 수용체인 ACVR1 유전자 기능항진 돌연변이에 의해서 발병한다.
- 상염색체 우성 유전하지만 결혼하여 자녀를 갖기 힘들 정도의 장애를 초래하기 때문에 대부분 산발성으로 발생한다.

2) 임상 소견 및 방사선학적 소견Fig 47

- 선천적인 수, 족지 기형: 족무지 외반 및 단축이 가장 흔하며 진단의 단초가 될 수 있다.
- 유아기 때 두피나 경부에 다발성, 이동성 종괴가 발생한다.
- 아동기에 외상 후 또는 외상의 병력 없이 턱, 목, 등, 사지 등에 통증과 부종을 보이는 "flare-up (급성악화)"이 발생한다. 수 일에서 수 주 후에 부종이 가라앉으면서 근육, 근막, 건, 인대 등이 골 조직으로 metaplasia가 일어나면서 인접 관절운동이 제한 또는 상실된다.

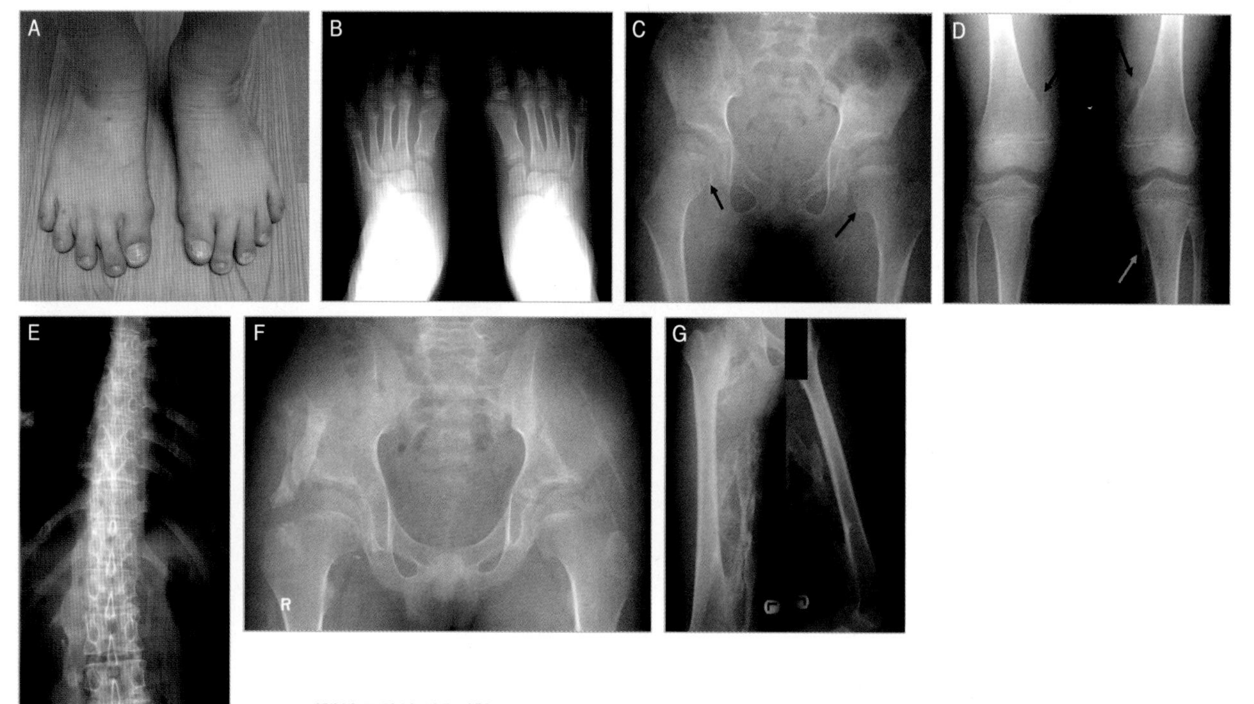

Fig 47. **진행성 골화성 섬유이형성증.**
A,B: 족무지 선천성 기형. C,D: 본격적인 증상 발현 이전에도 외골종 모양의 종괴가 대퇴경부 내측, 슬관절 내측에서 관찰된다. E: 척추의 paraspinal muscle이 골화된 소견. F: 고관절 주변의 이소성 골화. G: 슬관절 주변의 이소성 골화.

- 경추, 흉요추에서 시작해서 근위 관절에서 원위 관절로 진행하는 경향이 있다.
- 점차 사지 관절의 운동 제한으로 진행하고 호흡기 감염이나 개구 장애까지 초래한다.
- 그 외에 원형 탈모증, 청각 이상, 흉곽 운동의 제한, 드물게 지능 저하 등이 동반될 수 있다.
- 증상 발현 이전에 관절 주변에 외골종 모양의 종괴가 관찰되어서 골연골종증으로 오진될 수 있으며, 족무지 기형은 단순 delta phalanx로 오진되어 불필요하고 오히려 이소성 골화를 유발할 수 있는 수술을 받게 될 수도 있으니 질병에 대한 인식을 가지고 있는 것이 중요하다.

3) 치료

- 급성 flare-up 시기에는 전신적 고용량 스테로이드 투여가 대증적인 효과를 보인다(Glaser & Kaplan 2005). 병의 진행을 억제하는 각종 약물들이 임상시험 중이다.
- 수술적 조작은 이소성 골 형성을 더욱 촉진하므로 관절운동을 증진시키는 목적으로는 적당하지 않다.
- 질병에 대한 인식을 통해서 정확한 진단을 하여야 불필요한 수술적 치료를 피할 수 있다. 급성 flare-up에 대한 약물치료과 대증적 재활 치료가 현재로서는 최선의 대책이다.

Flare-up에 대한 치료 원칙

- 증상 발현 24시간 이내에 시작된다.
- 고용량 corticosteroid (Prednisone 2 mg/kg/day 또는 Methylprednisolone 1.6 mg/kg/day)를 4일간 투여한다.
- 그 이후에는 증상에 따라서 NSAID나 COX-2 억제제를 leukotriene 억제제[예: Singulair (Montelukast)]와 병용하여 투여한다.
- Submandibular area의 flare-up은 심각한 후유증을 초래할 수 있기 때문에 더욱 적극적으로 치료하여야 하고 corticosteroid를 조금 더 오래 투여하는 것을 고려한다.

IV. 골용해 증후군(osteolysis syndromes)

후천적으로 골 조직이 흡수되어 사지 변형, 관절 불안정성 및 탈구 등이 발생하는 질환군이다.

1. 다발성 수근-족근 골용해증(multicentric carpal-tarsal osteolysis)Fig 48

- 파골세포 형성을 억제하는 전사인자인 MafB 유전자의 돌연변이에 의해서 발병하며 상염색체 우성 유전한다. MafB는 신장 발생에도 중요한 역할을 한다.
- 수근골과 족근골이 점차 납작하며 각진 형태로 변하면서 고리 모양이 되다가 결국 완전히 흡수된다. 관절 유합은 발생하지 않는다.
- 류마티스성 관절염과 유사한 임상 양상을 보여서 이와의 감별이 중요하다.
- 만성 사구체신염 형태의 신장병증이 동반될 수 있으며 같은 돌연변이라도 환자에 따라서 신장병증이 있을 수도 있고 없을 수도 있다.

2. Hajdu-Cheney 증후군Fig 49

- 세포간 신호전달 수용체인 NOTCH2 유전자의 기능항진 돌연변이에 의해서 발병하며, 상염색체 우성 유전한다. 원위 수지골 골용해증 없는 serpentine-fibula-polycystic kidney 증후군과는 allelic disease 관계이다.
- 원위 수족지골 말단의 골용해증(acroosteolysis)과 함께 전신적인 골 결핍, hypertelorism 등의 특징적인 얼굴 모양 등을 보인다.
- 단신, 열려있는 두개 봉합선, 충양골(wormian bone), S-자로 휜 비골, 두개골 기저함입(basilar impression), 뇌수종, Arnold-Chiari 기형, 청력 상실, 치아 소실, 다낭신 등이 동반될 수 있다.
- 골모세포의 활성이 저하되기 때문에 골절 불유합이 흔하고 골 결핍으로 인한 병적 골절, 관절 이완, 두개저 기저함입에 따른 신경압박 증상 등이 발생할 수 있다.

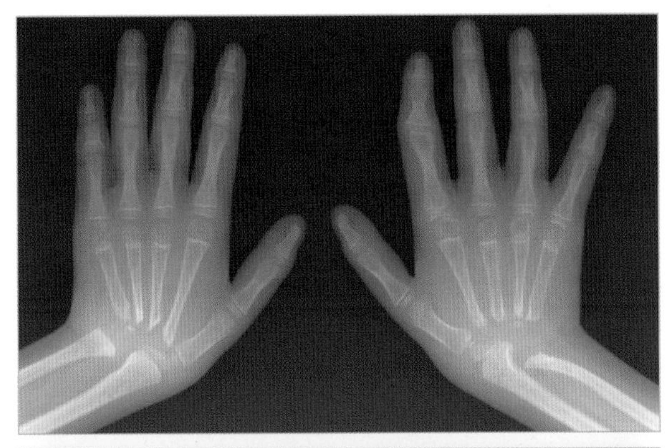

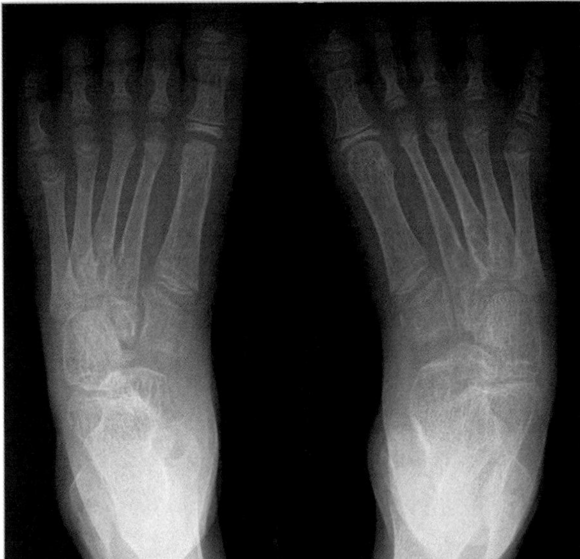

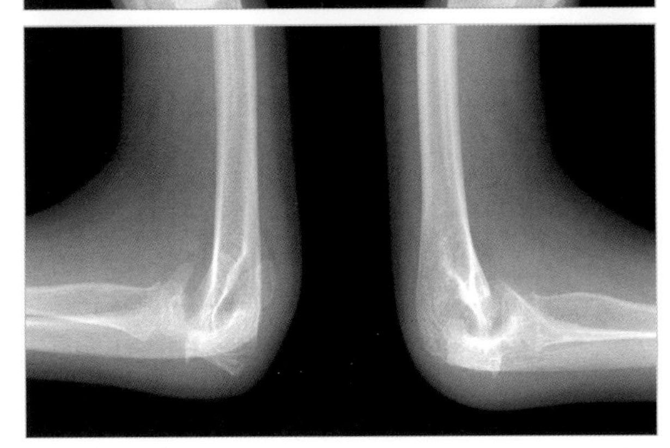

Fig 48. **신장병증이 동반된 수근-족근 골용해증.**
주관절도 골용해로 파괴되었다.

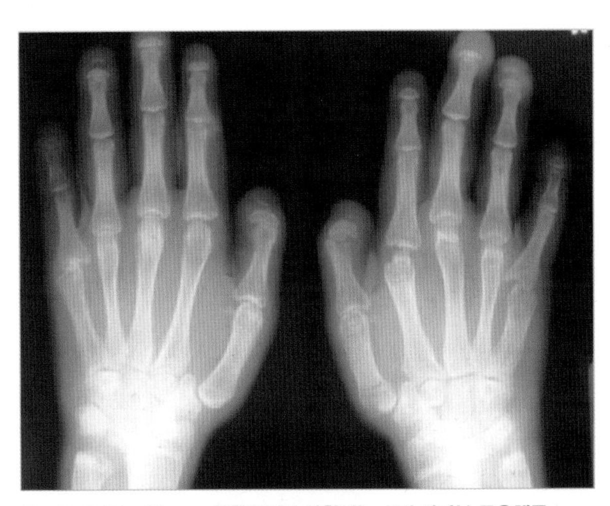

Fig 49. **Hajdu-Cheney 증후군에서 관찰되는 수지 말단부 골용해증.**

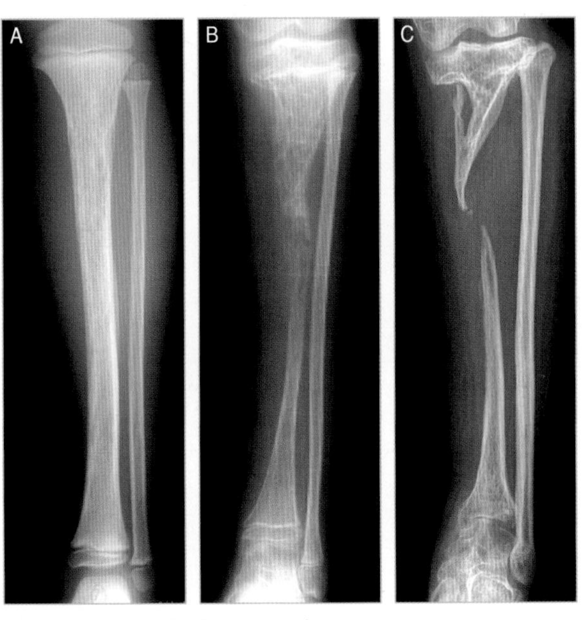

Fig 50. **좌측 경골을 침범한 Gorham 병.**
A: 7세에 선상골절되면서 발견된 경골 병변. B: 수 차례 골절이 반복되면서 12세에 골 흡수가 진행된 상태. C: 21세 때 소견.

3. Gorham(-Stout) 병 Fig 50

- 혈관 또는 림프관의 증식으로 주변 골 조직이 빠르게 흡수되는 원인 미상의 질병이다. 유전된 례는 보고된 바 없다.
- 발병 연령이 다양하며, 발병 부위도 대단히 다양하고 다발성으로 발생하기도 한다.
- 이식골도 빠르게 흡수되어 수술적 재건술이 곤란하다. 장기 추시 후 혈관-림프조직이 섬유조직으로 대치된 이후에 재건술을 하는 것이 바람직하다.
- 약 1/5 환자에서 유미흉(chylothorax)과 흉막 삼출이 발생하는데, 이 경우 예후가 좋지 않다.

- 방사선 치료 또는 bisphosphonate, interferon 등으로 증상 호전을 보고하는 증례들이 있고(Kuriya ma 2010), 면역억제제인 sirolimus (rapamycin)로 호전을 보고한 증례들도 있다(Cramer 2016).

V. 염색체 이상(chromosomal anomaly)

염색체 수준에서 결손, 중복, 전위되어 발병하는 질환은 단일 유전자 질환에 비하며 대단히 큰 유전자 변화가 있는 것이며, 대개 여러 가지 기형이나 증상이 여러 기관계에 걸쳐서 발생하게 된다. 진단에는 전통적으로 karyotyping 방법이 사용되었으나 genomic DNA에서 유전체 전장에 걸쳐서 미세한 부분의 중복이나 결손을 검사하는 유전체 마이크로 어레이(chromosomal microarray)가 현재 널리 사용되고 있다.

1. Down 증후군

가장 흔한 기형-정신지체 증후군(1/660 출생)으로 대부분 trisomy 21이지만 나머지 환자들은 일부 세포에만 trisomy 21이 있는 모자이씨즘(mosaicism)이거나 21번 염색체 일부분의 전위(translocation)에 의해서도 발병한다.

1) 임상 소견

- 전신적 성장 지체: 평균 신장 남 154 cm, 여 145 cm으로 사지가 짧은 불균형 저신장을 보인다.
- 특징적인 얼굴: 눈꼬리가 치켜 올라가고, epicanthal fold, 전체적으로 납작한 얼굴
- 정신 지체(IQ 25-50)가 있지만 행동 능력은 지능에 비해서 양호하다.
- 선천성 심장 질환(30-50%), 십이지장 폐색(초기 유아기의 흔한 사망 원인), 청력상실(50%), 백혈병(1%), 간질 발작, 갑상선 저하증이나 유년기 당뇨병 등의 내분비 이상, 감염 감수성 등의 전신적 문제가 있다. 그 외에 조기 노화, Alzheimer 병과 유사한 진행성 치매가 나타난다.
- 산모 연령이 증가할수록 발병률이 증가한다.

2) 정형외과적 문제

관절 과운동성, 근 저장성(hypotonia), 골격계의 구조적인 기형 등이 원인으로 생각된다.

- **발달 지체**
  - 독자 보행은 평균 2-3세에 시작하고 다리를 넓게 벌리고, waddling, 외족지 보행 등을 보인다.
- **경추 이상**

① 환축추 불안정성Fig 51: 단순 방사선검사 상 환축추 불안정성이 의심되는 소견이 흔하지만 신경학적 증상이 발생하지 않는다면 '관절 과운동성(hypermobility)'으로 봐야 하고, 불필요한 환축추 유합술을 경계해야 한다(Pizzutillo 2005).

② 환추 후반원의 저형성, spina bifida occulta

③ Occipitoatlantal hypermobility: 신전 시 후두가 환추에 대해서 후방 아탈구

④ 치상돌기 저형성(odontoid hypoplasia), ossiculum terminale persistens

⑤ 중부 경추의 척추분리증

⑥ 경추의 조기 퇴행성 관절염, 제4경추에서 제6경추까지 등의 이상이 발견될 수 있다.

- 모든 Down 증후군 환자는 경추부에 대한 방사선학적 검사가 필요한데, 걸음마를 시작하고 정확한 측정에 필요한 척추 골화가 충분히 이루어진 후에 하는 것이 바람직하다.
- 환추-치상돌기간 간격(ADI)이 증가되어 있는 환자들은 척수병증(myelopathy)이 없더라도 목 부위에 부하가 많이 걸리는 체조, 다이빙 등의 운동을 삼가 하여야 한다.

- **흉요추 이상**
  - 척추측만증(50%): 특발성 흉추 만곡의 형태이며 특발성 척추측만증에 준해서 치료한다.
  - 요추 척추분리증 및 척추전방전위증이 흔하다.
- **고관절 탈구**Fig 52
  - 약 5%에서 dislocated or dislocatable hip이 발생하는데 아동기에 점진적으로 탈구되며 성장 완료 후에도 진행할 수 있다. 습관성 탈구, 재발성 탈구 형태

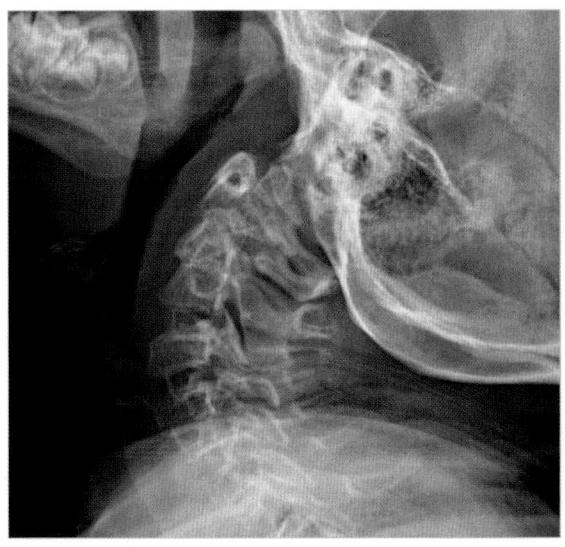
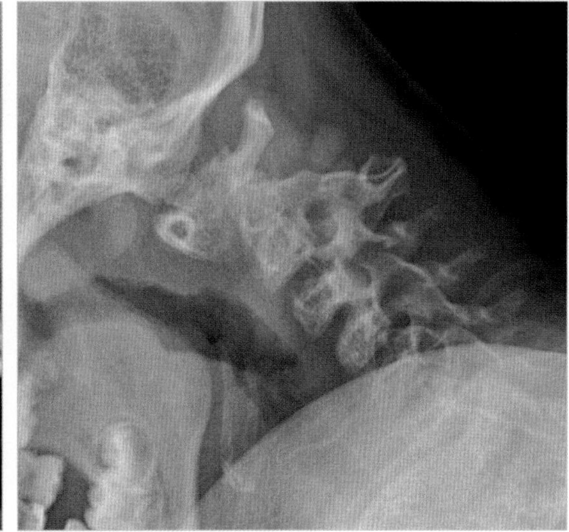

Fig 51. **Down 증후군 6세 여아에서 관찰되는 제1-2경추간 불안정성.**

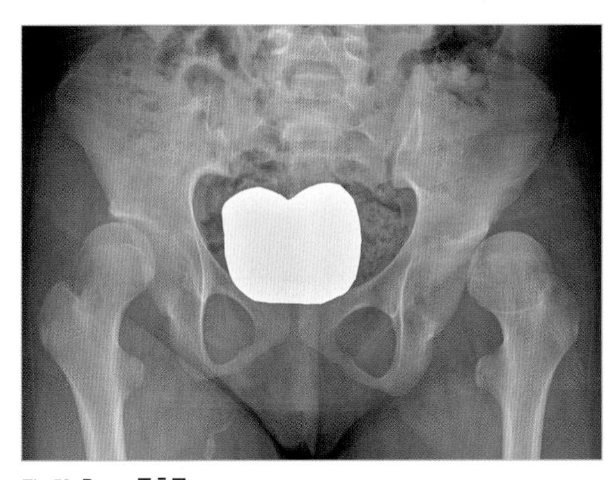

Fig 52. **Down 증후군.**
13세 여아에서 발생한 고관절 우측 아탈구 및 좌측 탈구.

로 나타날 수도 있다.

- 발달성 고관절 탈구보다 치료에 실패할 가능성이 더 높다. 관절막 이완이 심하기 때문에 골 변형을 교정하여 안정성을 얻는 것이 필요하다. Dega 절골술 혹은 선반 비구성형술보다는 보다 비구 이형성증을 충분히 교정할 수 있는 비구 주위 절골술(periacetabular osteotomy)이나 삼중 무명골 절골술(triple innominate osteotomy)이 더 많은 환자에서 고관절 안정화에 효과적이다(Sankar 2011).

- **대퇴골두 골단분리증**
  - 일반 아동에 비해서 발병률이 높으며 급성 분리, 무혈성 괴사 등이 흔하다.
  - 갑상선 기능저하증과 동반되었는지 검사할 필요가 있다.
- **슬관절**
  - 외반슬
  - 슬개골 탈구/아탈구
- **족부**
  - 선천성 만곡족
  - 편평족, 무지 외반증
- **다발성 관절병증(polyarticular arthropathy)**
  연소기 특발성 관절염과 유사하며 특히 족부 소관절에 이환된다.

2. Turner 증후군

1) 유전자형(genotype)

X 염색체, 특히 Xp11.2-p22.1 부분의 결손으로 발병한다. 전체 X염색체 하나가 모두 결손된 45, XO 핵형이 약 2/3,

정상세포와 X염색체 결손 세포가 섞여있는 모자이씨즘(XO/XX)이 약 1/3, 그리고 X 염색체의 p11.2-p22.1 부분 결손이 약 1%를 차지한다.

2) 임상 소견

① 단신
- 8-9세까지는 골 성숙이 정상적이지만 그 이후 골 성숙이나 성장 폭발이 일어나지 않는다.
- 최종 신장은 평균 140 cm이며 성장 호르몬 요법의 대상이 된다.

② 성적 미성숙
- 난소가 섬유화되고 성호르몬 분비가 없어서 2차 성징이 발달하지 않는다.

③ 짧고 넓은 목(webbed neck)

④ 기타
- 유아기의 수족부 부종
- 지능은 정상이나 학습 장애가 흔하다.
- 선천성 심장 및 신장 기형, 당뇨

3) 정형외과적 문제와 그 치료

① 골다공증
- 에스트로젠 결핍과 vitamin D 대사 이상으로 발생
- 손목 부위 골절이 흔하다.
- 성장 호르몬과 성호르몬 요법으로 개선 가능하다.

② 특발성 척추측만증
- 가장 심각한 정형외과적 문제이다.
- 골성숙이 지연되므로 만곡이 진행할 기간이 길다.

③ 기타
- 외반주(80%), 외반슬: 기능적 장애는 드물다.
- Madelung 변형
- 제4, 제5중수골 단축
- 단신은 양측 하지에 대해서 신장 확대를 위한 골 연장술의 대상이 된다.

• **Turner 증후군과 Leri-Weill 증후군의 관계**
Leri-Weill 증후군의 원인 유전자인 SHOX가 X 염색체 상에 존재하며 haploinsufficiency로 발병하기 때문에, Turner 증후군에서 단신, 외반주, Madelung 변형과 같은 Leri-Weill 증후군의 증상들이 나타난다.

3. Prader-Willi 증후군

1) 유전학적 특징

15번째 염색체 15q11-q13 부분의 결손으로 이 부위에 존재하는 SNRPN 및 NECDIN 유전자가 함께 결손되어 발병하는 contiguous gene syndrome이다. 부계 염색체에 결손이 있을 때에 발병하는 genomic imprinting disease이다.

2) 임상 소견

- 유아기: 근 저장성(hypotonic), 축 처짐, 섭식 장애(feeding difficulty)
- 성인기: 심한 비만증
- 발달 과정이 상당히 지연되나 결국은 독자 보행이 가능하다.
- 체중이 계속적으로 증가한다.
- 손발이 작다.
- 정신 지체가 있으나 그 정도는 다양하며, 비만의 정도와 비례한다.
- 생식기 저형성: 아동기 이상 지나야 나타난다.
- 척추측만증(50-90%): 연소기(juvenile) 발병. 척추체의 구조적 기형은 드물다.
- 선천성 고관절 탈구(10%)
- 외반슬, 내반슬, 사지길이부동

참고문헌

질병관리청 2017 소아청소년 성장도표. https://knhanes.kdca.go.kr/knhanes/sub08/sub08_02.do

최인호, 정진엽, 조태준 등. 진행성 골화성 섬유이형성증. 대한정형외과학회지. 1998;33:1069.

Aichroth PM, Buchanan JA, Copplemans MG. Bone marrow transplantation in Hurler syndrome. Effect on skeletal development. J Bone Joint Surg Br, 76:975;1994.

Ain MC, Shirley ED. Spinal fusion for kyphosis in achondroplasia. J Pediatr Orthop. 2004;24:541.

Akhmedov B, Sung KH, Chung CY, et al. Reliability of lower-limb alignment measurements in patients with multiple epiphyseal dysplasia. Clin Orthop Relat Res. 2012;470:3566.

Akita S, Murase T, Yonenobu K, et al. Long-term results of surgery for forearm deformities in patients with multiple cartilaginous exostoses. J Bone Joint Surg Am. 2007;89:1993.

Aldegheri R, Trivella G, Renzi-Brivio L, et al. Lengthening of the lower limbs in achondroplastic patients: A comparative study of four techniques. J Bone Joint Surg Br. 1988;70:69.

August CS, Fallon MD, Kaplan FS, et al. Successful treatment of infantile malignant osteopetrosis by bone-marrow transplantation. J Bone Joint Surg Am. 1988;70:617.

Babat LB, Ehrlich MG. A paradigm for the age-related treatment of knee dislocations in Larsen's syndrome. J Pediatr Orthop. 2000;20:396.

Bankier A, Jensen FO, Trable NJ, et al. Development of the hip in multiple epiphyseal dysplasia: Natural history and susceptibility to premature osteoarthritis. J Bone Joint Surg Br. 1990;72:1061.

Briggs MD, Hoffman SMG, King LM, et al. Pseudoachondroplasia and multiple epiphyseal dysplasia due to mutations in the cartilage oligomeric matrix protein gene. Nat Genet. 1995;10:330.

Cho TJ, Choi IH, Chung CY, et al. Efficacy of oral alendronate in chidlren with osteogenesis imperfecta. J Pediatr Orthop. 2005;25:607.

Cho TJ, Choi IH, Chung CY, et al. Hemiepiphyseal stapling for angular deformity correction around the knee joint in children with multiple epiphyseal dysplasia. J Pediatr Orthop. 2009;29:52.

Cho TJ, Choi IH, Chung CY, et al. Interlocking telescopic rod for patients with osteogenesis imperfecta. J Bone Joint Surg Am. 2007;89:1028.

Cho TJ, Kim JB, Lee JW, et al. Fracture in long bones stabilised by telescopic intramedullary rods in patients with osteogenesis imperfecta. J Bone Joint Surg Br. 2011;93(5):634-638.

Cho TJ, Ko JM, Kim H, et al. Management of Osteogenesis Imperfecta: A Multidisciplinary Comprehensive Approach. Clin Orthop Surg. 2020;12:417.

Cho TJ, Lee KE, Lee SK, et al. A single recurrent mutation in the 5'-UTR of IFITM5 causes osteogenesis imperfecta type V. Am J Hum Genet. 2012;91:343.

Cho TJ, Matsumoto K, Fano V, et al. TRPV4-pathy manifesting both skeletal dysplasia and peripheral neuropathy: a report of three patients. Am J Med Genet A. 2012;158:795.

Cho TJ, Moon HJ, Cho DY, et al. The c.3040C 〉 T mutation in COL1A1 is recurrent in Korean patients with infantile cortical hyperostosis (Caffey disease). J Hum Genet. 2008;53:947.

Cho TJ, Seo SG, Song HR, et al. Comparison of orthopaedic manifestations of multiple epiphyseal dysplasia caused by MATN3 versus COMP mutations. Triannual Conference of IFPOS, Toronto, 2013.

Choi IH, Lee DY, Nam KS, et al. Carpal and tarsal osteolysis: an MRI, angiographic and histopathologic study. Pediatr Radiol. 1993;23:553.

Cohen RB, Hanh GV, Tabas JA, et al. The natural history of heterotopic ossification in patients who have fibrodysplasia ossificans progressiva. J Bone Joint Surg Am. 1993;75:215.

Cole WG. Abnormal skeletal growth in Kniest dysplasia caused by type II collagen mutations. Clin Orthop Relat Res. 1997;169:341.

Cramer SL, Wei S, Merrow AC, et al. Gorham-Stout Disease Successfully Treated With Sirolimus and Zoledronic Acid Therapy. J Pediatr Hematol Oncol. 2016;38:e129.

Crowder E, Hecht JT, Nelson LD, et al. Mutations in exon 17B of cartilage oligomeric matrix protein (COMP) cause pseudoachondroplasia. Nat Genet. 1995;10:325.

Czajka CM, DiCaprio MR. What is the proportion of patients with multiple hereditary exostoses who undergo malignant degeneration?. Clin Orthop Relat Res. 2015;473:2355.

Dai J, Kim OH, Cho TJ, et al. Novel and recurrent TRPV4 mutations and their association with distinct phenotypes within the TRPV4 dysplasia family. J Med Genet. 2010;47:704.

Dugdale, TW, Renshaw, TS. Instability of the patellofemoral joint in Down syndrome. J Bone Joint Surg Am. 1986;68:405.

Ginebreda I, Jimeno E, Vilarrubias JM, et al. Lengthening of the lower limbs and correction of lumbar hyperlordosis in achondroplasia. Clin Orthop Relat Res. 1990;250:143.

Glaser DL, Kaplan FS. Treatment considerations for the management of fibrodysplasia ossificans progressive. Clin

Rev Bone Miner Metab. 2005;3:243.

Glorieux FH, Bishop NJ, Plotkin H, et al. Cyclic administration of pamidronate in children with severe osteogenesis imperfecta. N Engl J Med. 1998;339:947.

Goodman FR, Shears DJ, Vassal HJ, et al. Mutation and deletion of them pseudoautosomal gene SHOX cause Leri-Weill dyschondrosteosis. Nature Genetics. 1998;19:70.

Haddad FS, Hill RA, Jones DH, et al. Triggering in the mucopolysaccharidoses. J Pediatr Orthop B. 1998;7:138.

Haddad FS, Jones DH, Vellodi A, et al. Carpal tunnel syndrome in the mucopolysaccharidoses and mucolipidoses. J Bone Joint Surg Br. 1997;79:576.

Hall C, Wynne-Davies R. Two clinical variants of spondyloepiphysial dysplasia congenita. J Bone Joint Surg Br. 1982;64:435.

Han MS, Ko JM, Cho TJ et al. A novel NOTCH2 mutation identified in a Korean family with Hajdu-Cheney syndrome showing phenotypic diversity. Ann Clin Lab Sci. 2015;45:110.

Hecht JT, McKeand J, Rotta J, et al. Natural history study of pseudoachondroplasia. Am J Med Genet. 1996;63:406.

Hong WK, Lee DJ, Chung H, et al. Patterns of femoral neck fracture and its treatment methods in patients with osteogenesis imperfecta [published online ahead of print]. J Pediatr Orthop B. 2021.

Horne G, Iceton JA. Spondyloepiphyseal dysplasia tarda: The X-linked variety in three brothers. J Bone Joint Surg Br. 1986;68:616.

Houston CS, Wasylenko MJ, Wedge JH, et al. Metaphyseal chondrodysplasia, Schmid type. J Bone Joint Surg Am. 1980;62:660.

Hresko MT, McCarthy JC, Goldberg MJ. Hip disease in adults with Down syndrome. J Bone Joint Surg Br. 1993;75:604.

Jones KB. Glycobiology and the growth plate: current concepts in multiple hereditary exostoses. J Pediatr Orthop. 2011;31:577.

Jurgens J, Sobreira N, Modaff P, et al. Novel COL2A1 variant (c.619G>A, p.Gly207Arg) manifesting as a phenotype similar to progressive pseudorheumatoid dysplasia and spondyloepiphyseal dysplasia, Stanescu type. Hum Mutat. 2015;36:1004.

Kashiwagi N, Suzuki S, Seto Y, et al. Bilateral humeral lengthening in achondroplasia. Clin Orthop Relat Res. 2001;391:251.

Kim JY, Rosenfeld SR, Keyak JH, et al. Increased prevalence of scoliosis in Turner syndrome. J Pediatr Orthop. 2001;21:765.

Kim OH, Jin DK, Kosaki K, et al. Osteogenesis imperfecta type V: clinical and radiographic manifestations in mutation confirmed patients. Am J Med Genet A. 2013;161A:1972.

Kim OH, Park H, Seong MW, et al. Revisit of multiple epiphyseal dysplasia: ethnic difference in genotypes and comparison of radiographic features linked to the COMP and MATN3 genes. Am J Med Genet A. 2011;155:2669.

Knowlton RG, Katzenstein PL, Moskowitz RW, et al. Genetic linkage of a polymorphism in the type II procollagen gene (COL2A1) to primary osteoarthritis associated with mild chondrodysplasia. N Engl J Med. 1990;22;322:526.

Kosho T, Muroya K, Nagai T, et al. Skeletal features and growth patterns in 14 patients with haploinsufficiency of SHOX: implications for the development of Turner syndrome. J Clin Endocrinol Metab. 1999;84:4613.

Kuriyama DK, McElligott SC, Glaser DW, et al. Treatment of Gorham-Stout disease with zoledronic acid and interferon-α: a case report and literature review. J Pediatr Hematol Oncol. 2010;32:579.

Laville JM, Lakermance P, Limouzy F. Larsen's syndrome: review of the literature and analysis of thirty-eight cases. J Pediatr Orthop. 1994;14:63.

Lee DY, Cho TJ, Choi IH, et al. Clinical and radiological manifestations of osteogenesis imperfecta type V. J Korean Med Sci. 2006;21:709.

Lee DY, Cho TJ, Lee HR, et al. ACVR1 gene mutation in sporadic Korean patients with fibrodysplasia ossificans progressiva. J Kor Med Sci. 2009;24:433.

Lee DY, Kim JI, Song MH, et al. Fibular lengthening for the management of translational talus instability in hereditary multiple exostoses patients. J Pediatr Orthop. 2014;34:726.

Mackenzie WG, Bassett GS, Mandell GA, et al. Avascular necrosis of the hip multiple epiphyseal dysplasia. J Pediatr Orthop. 1989;9:666.

Masada K, Tsuyuguchi Y, Kawai H, et al. Operations for forearm deformity caused by multiple osteochondromas. J Bone Joint Surg Br. 1989;71:24.

McClure PK, Kilinc E, Birch JG. Growth Modulation in Achondroplasia. J Pediatr Orthop. 2017;37:e384.

McKusick VA. Metaphyseal dysostosis and thin hair; a new recessively inherited syndrome. Lancet. 1964;1:832.

Mendez AA, Keret D, Robertson W, et al. Massive osteolysis of the femur (Gorham's disease): a case report and review of the literature. J Pediatr Orthop. 1989;9:604.

Michou L, Brown JP. Genetics of bone diseases: Paget's disease, fibrous dysplasia, osteopetrosis, and osteogenesis imperfecta. Joint Bone Spine. 2011;78:252.

Miyamoto Y, Matsuda T, Kitoh H, et al. A recurrent mutation in type II collagen gene causes Legg-Calvé-Perthes disease in a Japanese family. Hum Genet. 2007;121:625.

Mortier GR, Cohn DH, Cormier-Daire V, et al. Nosology and classification of genetic skeletal disorders: 2019 revision. Am J Med Genet A. 2019;179:2393.

Nielsen G, Vickers D. Madelung deformity: surgical prophylaxis (physiolysis) during the late growth period by resection of the dyschondrosteosislesion. J Hand Surg B. 1992;17:401.

Nishimura G, Lausch E, Savarirayan R, et al. TRPV4-associated skeletal dysplasias. Am J Med Genet C Semin Med Genet. 2012;160C:190.

Noonan KJ, Levenda A, Snead J, et al. Evaluation of the forearm in untreated adult subjects with multiple hereditary osteochondromatosis. J Bone Joint Surg Am. 2002;84:397.

Online Mendelian Inheritance in ManTM available at https://omim.org/.

Park HW, Kim HS, Hahn SB, et al. Correction of lumbosacral hyperlordosis in achondroplasia. Clin Orthop Relat Res. 2003;414:242.

Pauli RM, Breed A, Horton VK, et al. Prevention of fixed, angular kyphosis in achondroplasia. J Pediatr Orthop. 1997;17:726.

Pedrini E, Jennes I, Tremosini M, et al. Genotype-phenotype correlation study in 529 patients with multiple hereditary exostoses: identification of "protective" and "risk" factors. J Bone Joint Surg Am. 2011;93:2294.

Peterson HA. Deformities and problems of the forearm in children with multiple hereditary osteochondromata. J Pediatr Orthop. 1994;14:92.

Pizzutillo PD, Herman MJ. Cervical spine issues in Down syndrome. J Pediatr Orthop. 2005;25:253.

Porter DE, Benson MK, Hosney GA, et al. The hip in hereditary multiple exostoses. J Bone Joint Surg Br. 2001;83:988.

Pueschel SM, Scola FH, Tupper TB, et al. Skeletal anomalies of the upper cervical spine in children with Down syndrome. J Pediatr Orthop. 1990;10:607.

Rubin K. Turner syndrome and osteoporosis: mechanisms and prognosis. Pediatrics. 1998;102:481.

Sankar WN, Millis MB, Kim YJ. Instability of the hip in patients with Down Syndrome: improved results with complete redirectional acetabular osteotomy. J Bone Joint Surg Am. 2011;93:1924.

Savarirayan R, Tofts L, Irving M, et al. Once-daily, subcutaneous vosoritide therapy in children with achondroplasia: a randomised, double-blind, phase 3, placebo-controlled, multicentre trial. Lancet. 2020;396:684.

Schkrohowsky JG, Hoernschemeyer DG, Carson BS, et al. Early presentation of spinal stenosis in achondroplasia. J Pediatr Orthop. 2007;27:119.

Shapiro F, Simon S, Glimcher MJ, et al. Hereditary multiple exostoses. Anthropometric, roentgenographic, and clinical aspects. J Bone Joint Surg Am. 1979;61:815.

Shapiro F. Osteopetrosis: current clinical considerations. Clin Orthop Relat Res. 1993;34:294.

Shim Y, Ko JM, Cho TJ, et al. Predictors of cervical myelopathy and hydrocephalus in young children with achondroplasia. Orphanet J Rare Dis. 2021;16:81.

Shin CH, Lee DJ, Yoo WJ, et al. Dual Interlocking Telescopic Rod Provides Effective Tibial Stabilization in Children With Osteogenesis Imperfecta. Clin Orthop Relat Res. 2018;476:2238.

Shore EM, Xu M, Feldman GJ, et al. A recurrent mutation in the BMP type I receptor ACVR1 causes inherited and sporadic fibrodysplasia ossificans progressiva. Nat Genet. 2006;38:525.

Sillence DO, Senn A, Danks DM, et al. Genetic heterogeneity in osteogenesis imperfecta. J Med Genet. 1979;16:101.

Sofield HA, Millar EA. Fragmentation, realignment, and intramedullary rod fixation of deformities of the long bones in children. A ten-year appraisal. J Bone Joint Surg Am. 1959;41:1371.

Song MH, Kamisan N, Lim C, et al. Pseudo-Protrusio Acetabular Deformity in Osteogenesis Imperfecta Patients. J Pediatr Orthop. 2021;41:e285.

Song SH, Kim SE, Agashe MV, et al. Growth disturbance after lengthening of the lower limb and quantitative assessment of physeal closure in skeletally immature patients with achondroplasia. J Bone Joint Surg Br. 2012;94:556.

Spranger J, Winterpacht A, Zabel B. The type II collagenopathies: a spectrum of chondrodysplasias. Eur J Pediatr. 1994;153:56.

Stieber JR, Dormans JP. Manifestations of hereditary multiple exostoses. J Am Acad Orthop Surg. 2005;13:110.

Unger S, Bonafé L, Superti-Furga A. Multiple epiphyseal dysplasia: clinical and radiographic features, differential diagnosis and molecular basis. Best Pract Res Clin Rheumatol. 2008;22:19.

Unger S, Lausch E, Rossi A, et al. Phenotypic features of carbohydrate sulfotransferase 3 (CHST3) deficiency in 24 patients: congenital dislocations and vertebral changes as principal diagnostic features. Am J Med Genet A. 2010;152:2543.

Vaidya SV, Song HR, Lee SH, et al. Bifocal tibial corrective osteotomy with lengthening in achondroplasia: an analysis of results and complications. J Pediatr Orthop. 2006;26:788.

Valayannopoulos V, Wijburg FA. Therapy for the mucopolysaccharidoses. Rheumatology (Oxford). 2011;50:49.

Weisstein JS, Delgado E, Steinbach LS, et al. Musculoskeletal manifestations of Hurler syndrome: long-term follow-up after bone marrow transplantation. J Pediatr Orthop. 2004; 24:97.

White KK, Bompadre V, Goldberg MJ, et al. Best practices in peri-operative management of patients with skeletal dysplasias. Am J Med Genet A. 2017;173:2584.

White KK, Bompadre V, Goldberg MJ, et al. Best practices in the evaluation and treatment of foramen magnum stenosis in achondroplasia during infancy. Am J Med Genet A. 2016; 170A:42.

White KK. Orthopaedic aspects of mucopolysaccharidoses. Rheumatology (Oxford). 2011;50:26.

Wilkinson JM, Scott BW, Clarke AM, et al. Surgical stabilisation of the lower limb in osteogenesis imperfecta using the Sheffield Telescopic Intramedullary Rod System. J Bone Joint Surg Br. 1998;80:999.

Yuldashev AJ, Shin CH, Kim YS, et al. Orthopedic Manifestations of Type I Camurati-Engelmann Disease. Clin Orthop Surg. 2017;9:109.

소아정형외과학

6

골격계를 이환하는 대사성/내분비성 질환 및 증후군

Metabolic/Endocrine Diseases and Syndromes Affecting Skeletal System

PEDIATRIC ORTHOPAEDICS

골격계를 이환하는 대사성/내분비성 질환 및 증후군

Metabolic/Endocrine Diseases and Syndromes Affecting Skeletal System

목차

I. 칼슘과 인의 대사관련 질환(disorders of calcium & phosphorus metabolism)

성장기 아동에서 칼슘과 인의 부족으로 인하여 나타나는 골격계의 병적 상태를 구루병(rickets)이라고 한다. 골조직에 무기질화가 부족해서 유골(osteoid) 상태인 부분이 많아지며, 특히 활발히 신생골 형성이 일어나는 골단판에서 뚜렷한 방사선학적 변화가 관찰된다. Vitamin D 또는 칼슘의 섭취가 부족해서 발생하는 영양결핍성 구루병과 혈중 인산염의 항상성에 관여하는 유전자들의 결함에 의해서 발생하는 저인산혈증성 구루병 등이 정형외과적 진단과 치료의 대상이 되며, 만성 신장질환이 있는 경우에도 유사한 골격계 병변이 발생하게 된다. 골단판이 없는 성인의 vitamin D/칼슘 결핍은 골 조직의 변화만 있으며 골연화증(osteomalacia)이라고 한다.

1. 칼슘과 인의 항상성 기전 (homeostasis of calcium and phosphorus)

골 조직의 세포외 기질(extracellular matrix)은 제1형 교원질(collagen) 섬유를 주성분으로 하는 비교적 불용성(insoluble)의 유기(organic) 성분과 그 안에 hydroxyapatite [$Ca10(PO_4)_6(OH)_2$]의 구조식을 갖는 무기(inorganic) 성분으로 나눌 수 있다. 골 기질의 무기 성분은 골의 강도를 결정짓는 중요한 요소이다. 골 기질은 인체에서 칼슘과 인의 가장 큰 저장소이며 기타 나트륨, 마그네슘, 납, 스트론튬 등 여러 가지 무기 물질을 많이 함유하고 있다.

1) 칼슘 및 인산의 항상성Fig 1

- 골모세포는 제1형 교원질 생성과 함께 골 무기화에 중요한 역할을 한다. 골모세포의 세포막에는 세포막에서 솟아나온 망 소체(matrix vesicle)가 존재하는데, 망 소체에는 비무기질 피로인산(inorganic pyrophosphate)으로부터 비무기질 인산(inorganic phosphate)을 유리시키는데 필요한 TNAP (tissue-nonspecific alkaline phosphatase)가 풍부하다. 비무기질 인산이 칼슘과 결합하여 hydroxyapatite micro-crystal을 형성하고, 이것들이 합쳐져 제1형 교원질에 침착하여 단단하고 무기질화된 뼈가 된다.

Cf. 혈중 alkaline phosphatase는 intestinal, tissue-non-specific, placental, germ cell 기원 등이 있는데 성장기에는 골 조직에서 유래한 TNAP가 가장 큰 부분을 차지한다.

- 체액 내 칼슘과 인산(PO_4)은 임계 용해도를 초과하여 녹아 있어서 혈장 단백(plasma protein)에 의한 석회 침착을 억제하는 기전이 작용하지 않으면 이소성(ectopic) 석회화가 발생하기 쉬운 상태이다.
- 세포외 체액(extracellular fluid, ECF) 내 칼슘 이온의 농도에 따라서 신경, 평활근 및 골격근의 자극 감수성

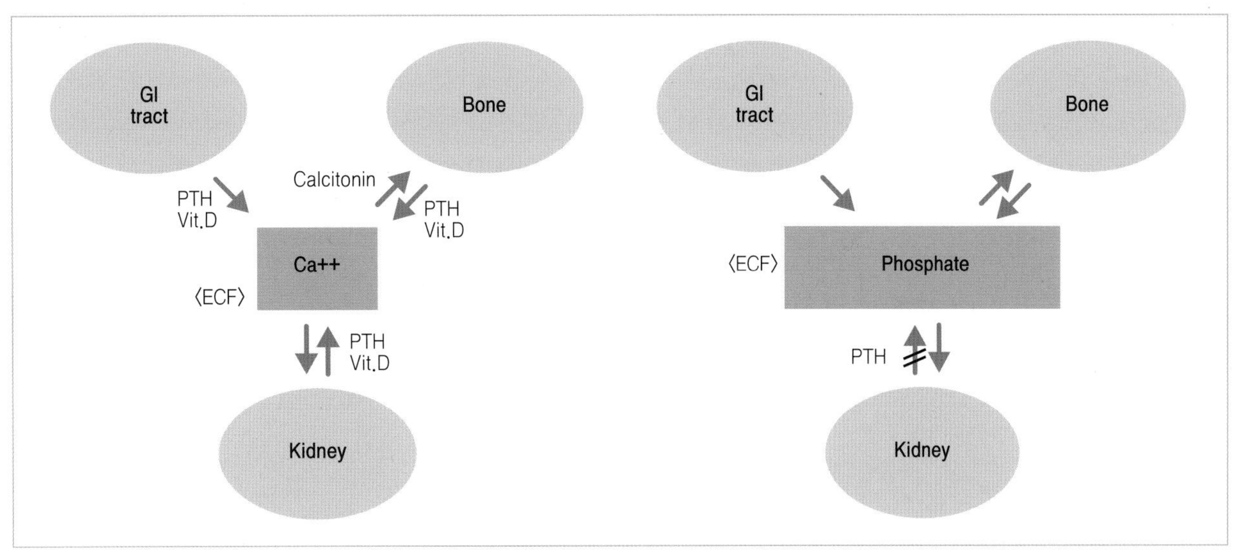

Fig 1. **칼슘과 인의 항상성 유지.**
PTH와 vitamin D는 세포외 체액 내 칼슘 농도를 유지하는 것이 주된 기능이다.

과 자극 전도도가 민감하게 변화하며, 칼슘 이온의 농도가 너무 높거나 낮으면 생명을 위협할 수도 있는 상태를 초래한다.

- 부갑상샘호르몬(parathyroid hormone, PTH)이나 vitamin D 등은 세포외 체액 내 칼슘 이온 농도를 유지하는 기능을 담당한다. 부갑상샘, 갑상샘의 C-세포, 신장의 신세뇨관 세포 등에는 세포외 체액 내 칼슘 이온 농도를 감지하는 CaSR (calcium sensing receptor)이 존재하여 칼슘 이온 농도 변화에 따라 호르몬을 배출하거나 칼슘 이온 재 흡수율을 조절한다.
- 칼슘 이온을 능동적으로 세포내외로 이동시키는 데에는 "pump"에 해당하는 세포막내 특정 단백질이 필요하다. 소장, 신장, 골 조직 등에 있는 세포에 이러한 pump들이 활발하게 작용한다.

(1) 소장에서의 칼슘과 인의 흡수

- 칼슘은 음식물의 형태로 체내에 섭취된다. 소장 상피세포의 칼슘 pump가 소화관 내에서 세포질로 칼슘 이온을 능동적으로 흡수하고 이를 ECF로 배출한다.
- 1,25-$(OH)_2$ vitamin D와 PTH는 소장 상피세포의 칼슘 흡수를 촉진하며 세포질내 인산 농도가 높으면 흡수가 억제된다. PTH는 세포막내 수용체와 결합하여 세포내 cAMP의 농도를 증가시켜서 즉각적인 효과를 보이는 반면, 1,25-$(OH)_2$ vitamin D는 세포내 수용체와 결합하여 칼슘 흡수에 필요한 특정 단백질의 합성을 증가시키는 방법으로 작용한다.
- 소화관 내 pH가 낮으면 칼슘 이온이 더 많이 용해되고 더 많이 흡수된다. 반면, 칼슘의 용해도를 떨어뜨리는 인산이나 chelating agent 등이 소화관 내에 다량 존재하면 칼슘 흡수가 저하된다.
- 인산의 흡수는 ion pump 없이 농도 차이에 따라서 수동적으로 이루어진다.

(2) 신장에서의 칼슘과 인의 배출

- 신사구체에서 여과된 칼슘과 인의 약 98%와 85%가 신세뇨관에서 재흡수되며, 이를 통해서 혈중 칼슘 및 인 농도의 항상성을 유지하게 된다.
- PTH는 신세뇨관에서 칼슘 재흡수를 촉진하는 반면, 인의 재흡수는 억제한다.
- 골세포(osteocyte)에서 분비되는 FGF23은 신세뇨관에서 인의 재흡수를 억제한다.
- 그 외에 pH, 체액 과다/부족, 각종 이뇨제 등이 칼슘과 인의 재흡수에 관여한다.

(3) 골 조직에서의 칼슘과 인의 저장 및 배출

- PTH와 1,25-$(OH)_2$ vitamin D에 대한 수용체는 골모세포에 존재하며 이들은 일단 골모세포에서 RANKL의 발현을 증가시켜 이를 통하여 파골세포를 활성화하게 되고, 항진된 파골세포는 골 흡수를 촉진함으로써 세포외 체액 내 칼슘 이온 농도를 증가시킨다.
- 그러나, 골모세포 자체에 대해서는 PTH와 1,25-$(OH)_2$ vitamin D가 anabolic 효과를 주는 것으로 알려져 있다.

파골세포 분화와 활성 조절 기전 Fig 2

- 단핵세포(monocyte) 계열에서 파골세포 전구세포로의 분화에는 M-CSF (macrophage-colony stimulating factor)가 중요한 역할을 한다.
- 파골세포 전구세포의 세포막에는 수용체 RANK (receptor activator of NF-κB)가 발현되는데, 이것에 골모세포나 간질세포에서 생산되는 RANK ligand (RANKL)이 결합하면 전구세포가 파골세포로 분화한다.
- RANKL이 결합된 RANK는 세포융합과 파골세포 활성화를 촉진하고, 파골세포의 apoptosis를 억제한다.
- 골, 연골을 비롯한 다양한 조직에서 생산되는 osteoprotegerin (OPG)은 RANKL에 결합하여 그 작용을 방해함으로써 파골세포 활성을 억제한다.
- 파골세포에는 PTH receptor가 없어서 PTH가 직접적으로 작용하지 않지만, PTH는 골모세포의 RANKL 발현을 유도하여 파골세포를 활성화한다.
- Vitamin D, IL-11 등도 골모세포나 stromal cell의 RANKL을 통해서 파골세포에 영향을 미친다.
- RANKL을 억제하는 human monoclonal antibody인 Denosumab은 다양한 골 질환 치료에 적용되고 있다.

(4) Vitamin D의 합성과 작용 Fig 3

- Vitamin D 전구체는 음식으로 섭취되거나(ergosterol) 간에서 생성되며(7-dehydrocholesterol), 피부에 저장되었다가 자외선에 의해서 활성화되어 각각 calciferol (D2)과 cholecalciferol (D3)로 전환된다.
- 간(liver)을 통과하면서 25(OH)D가 된 후, 신장에서 추가로 hydroxylation이 되어 1,25$(OH)_2$D나 24,25$(OH)_2$D가 된다. 1,25$(OH)_2$D가 칼슘 수준 조절에 활성형인 반면 24,25(OH)2D는 비활성형이다. Vitamin D의 기능이 많이 필요로 할 때에는 1,25$(OH)_2$D이 더 많이 생성되고, 그 반대의 상황에서는 24,25$(OH)_2$D이 더 많이 생성되어 전체 vitamin D 활성이 조절된다.
- 저칼슘혈증, 저인산혈증이 있거나 PTH의 농도가 높으면 1,25-$(OH)_2$D의 합성이 촉진되고, 고칼슘혈증, 고인산혈증이 있거나 PTH의 농도가 낮으면 24,25-$(OH)_2$D의 합성이 촉진된다.
- 1,25-$(OH)_2$D는 스테로이드 호르몬과 유사하게 세포내로 녹아 들어가서 세포핵 내의 특이 수용체(vitamin D-receptor, VDR)와 결합하고 세포핵으로 이동하여 특정 단백질들의 발현을 촉진한다.
- FGF23은 1α-hydroxylase activities의 활성을 억제하여, vitamin D 활성을 억제한다.

(5) PTH (parathyroid hormone)의 합성과 작용

- PTH는 부갑상샘에서 생산되는 polypeptide hormone으로, CaSR에 의해서 감지된 혈중 칼슘 농도에 의해서 시시각각 그 분비가 조절된다. 고칼슘혈증이나 혈중 1,25-$(OH)_2$D 농도가 증가하면 PTH의 합성이 억제된다.
- 세포막에 존재하는 PTH/PTHrP receptor에 결합하며, 다양한 signaling pathway를 활성화 시킨다. Adenylate cyclase를 통해서 cAMP의 세포내 농도를 높이고, cAMP는 세포막의 이온화 칼슘에 대한 투과성을 증대시키며, 세포내 칼슘 축적 장소인 미토콘드리아의 칼슘 배출을 증가시킨다. 이렇게 세포내 칼슘 농도가 증가하면 vitamin D의 도움으로 칼슘을 세포외 기질로 방출한다.

- **PTHrP (PTH-related protein)와 PTH/PTHrP receptor**
  - PTHrP는 PTH와 유사한 구조를 갖지만 별도의 polypeptide로서 골단판 연골세포를 포함한 여러 가지 조직에서 생성된다.
  - PTH와 PTHrP는 동일한 수용체(PTH/PTHrP receptor)에 작용한다.

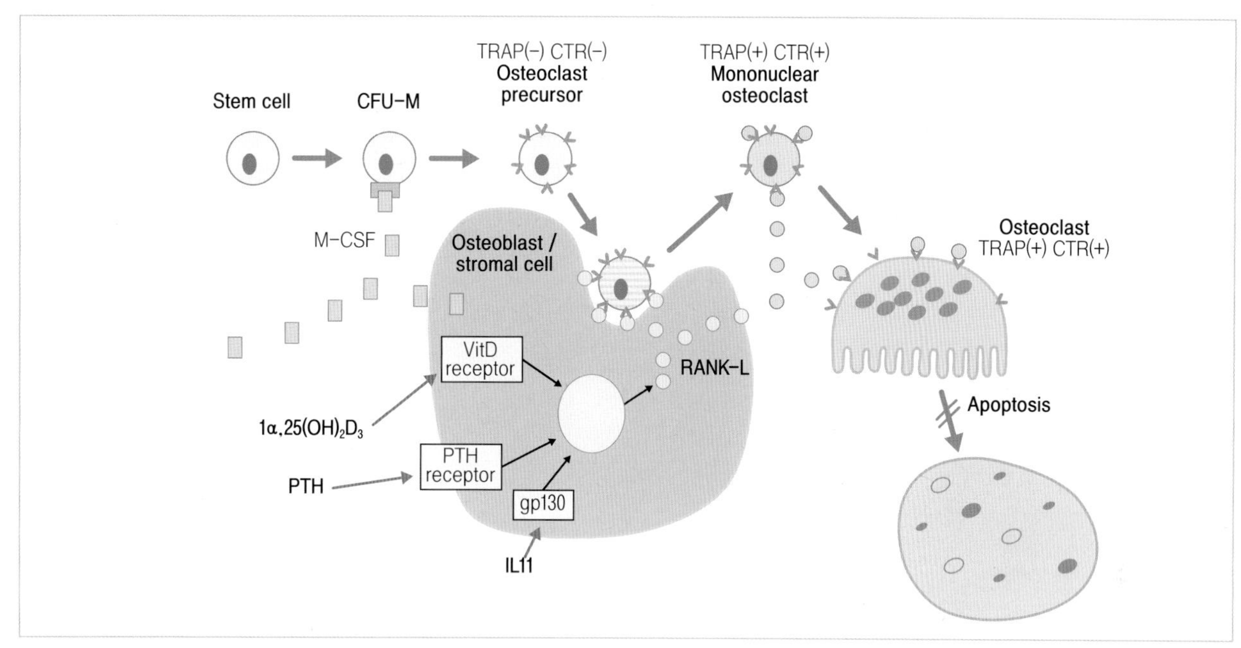

Fig 2. **파골세포의 분화와 활성화 조절 기전.**
M-CSF, macrophage colony stimulating factor; RANK, receptor activator nuclear factor-κB; RANK-L, RANK ligand; TRAP, tartrate resistant alkaline phosphatase; CTR, calcitonin receptor; OPG, osteoprotegerin; PTH, parathyroid hormone; IL, interleukin.

- PTH는 소장, 골 조직, 신장 등에 endocrine 작용을, PTHrP는 골단판 연골세포 등 대부분의 다른 조직에서 autocrine 또는 paracrine 작용을 한다.

Endocrine: 생성된 기관에서 혈행을 타고 먼 기관으로 이동하여 작용하는 기전
Paracrine: 생성된 세포의 인접 세포에 작용하는 기전
Autocrine: 생성된 세포 자신에 작용하는 기전

(6) Calcitonin의 작용

- 갑상선 C 세포에서 분비되는 polypeptide hormone으로서 파골세포의 활성을 억제한다.
- Calcitonin의 합성은 혈중 칼슘 농도에 의해서 조절되며 혈중 칼슘 농도를 저하시키는 작용을 한다.
- 파골세포 내에 존재하는 calcitonin receptor (CTR)에 결합하여 작용하며, 중추신경계와 같이 CTR이 존재하는 다른 조직에서의 역할은 아직 충분히 알려져 있지 않다.

2. 영양결핍성 구루병(nutritional rickets)

칼슘과 vitamin D의 섭취가 부족하여 발병하는 구루병으로 주로 vitamin D 결핍으로 발생하는 경우가 많다.

1) 발병 기전

- 저칼슘혈증으로 인하여 유골조직의 무기질화가 저해되며, PTH 분비가 촉진되어 골 조직에서의 칼슘 유리가 항진된다.

2) 임상 양상

- 내반슬을 비롯한 하지 변형이 가장 흔하며, 장기간 심한 결핍 상태가 지속되면 저신장, 관절부 팽창, 골절, 길고 완만한 척추 후만증, 납작한 머리통, 튀어나온 앞이마, 발치 지연, rachitic rosary, Harrison's groove, 복부팽만 등의 소견이 나타날 수도 있다.
- 심하면 무기력, 근력 약화, 보채기, 무관심과 같은 저칼슘혈증 증상도 나타난다.

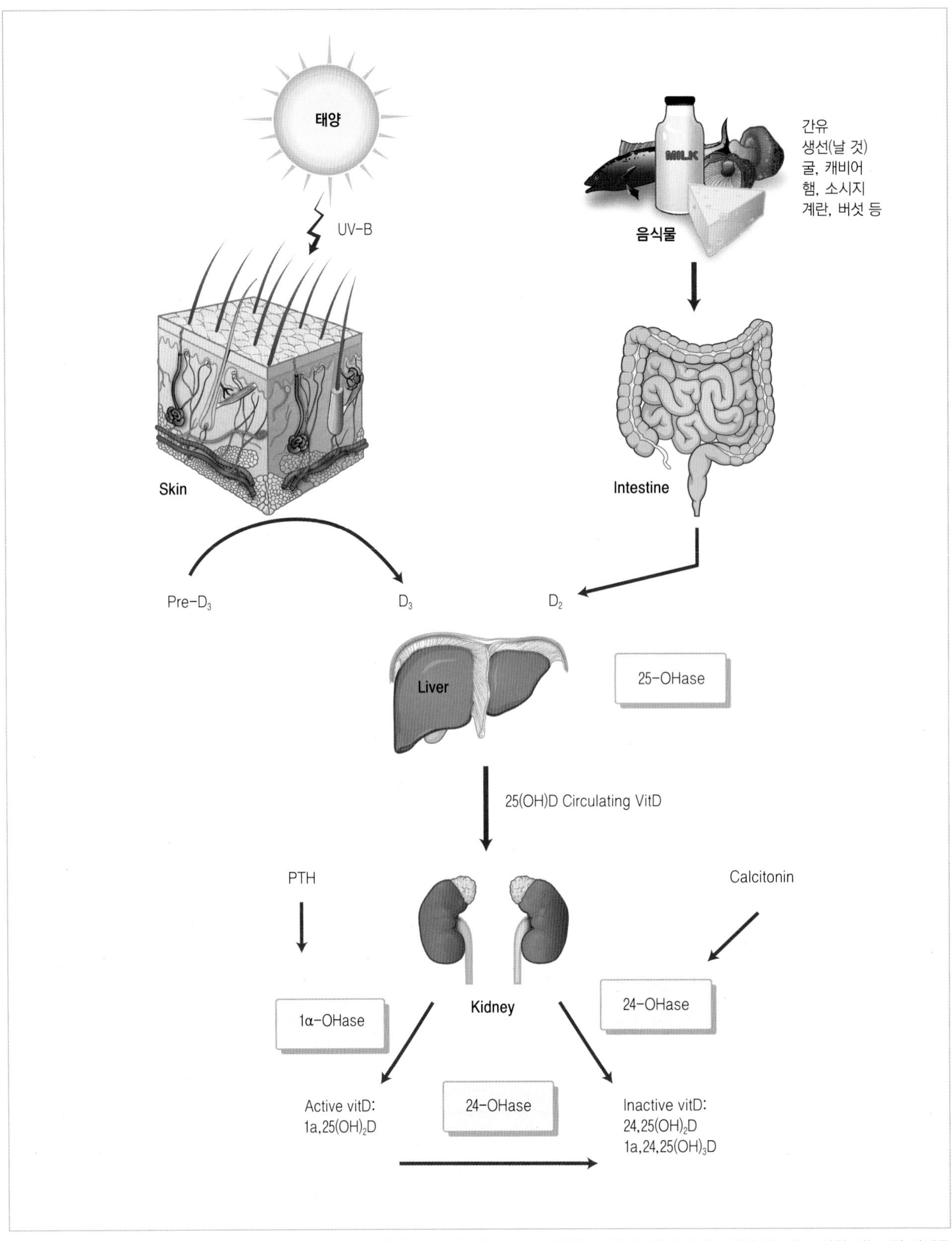

Fig 3. Vitamin D는 자외선에 의해서 체내의 전구체로부터 전환되는 D3 또는 음식으로 섭취되는 D2와 D3가 간에서 25번째 탄소가 수산화 되는 1차 단계를 거친 이후, 신장에서 1번째 탄소에 수산화 되어 활성도가 높은 1,25$(OH)_2D_3$가 되던가 24번째 탄소가 수산화 되어 비활성의 24,25$(OH)_2D_3$가 된다. Vitamin D 합성 과정에는 자외선, 영양 섭취, 간, 신장, PTH, calcitonin 등이 복합적으로 작용한다.

3) 검사 소견

- 25(OH)D가 혈중 또는 저장된 vitamin D의 대부분을 차지하며 결핍 상태에서는 그 농도가 현저히 감소한다. 반면, $1,25(OH)_2D$는 vitamin D 부족 상태를 보상하기 위해서 상대적으로 많이 생산되기 때문에 혈중 농도가 크게 저하하지는 않는다.
- Vitamin D 부족은 칼슘 흡수 저하를 초래하며 이를 극복하기 위해서 PTH의 분비가 항진된다. 그 결과 혈중 칼슘 농도는 낮은 정상 범위 또는 조금 저하되고 PTH의 혈중 농도가 증가하며, 이로 인하여 신장에서의 인산 재흡수가 억제되어 혈중 인산 농도는 저하된다.
- 따라서 혈중 칼슘과 $1,25(OH)_2D$ 농도는 정상일 수 있으나, 25(OH)D 농도가 감소하고 PTH는 증가한다.
- 칼슘, vitamin D가 보충되면 혈액 검사 소견은 빠르게 정상화된 후 시간을 두고 골단판의 이상 소견이 소멸되고 각변형은 더 늦게 해소된다. 혈액 검사가 정상화되었지만 골격계 이상은 남아있는 시기에 검사를 하면 다른 질병으로 오해할 수도 있다.

영양결핍성 구루병 발병의 위험 인자

① 생후 6개월 이상 모유만으로 수유하는 경우 또는 산모가 vitamin D 결핍이 있는 경우
② 아토피 등으로 극단적인 편식을 하는 경우
③ 불충분한 태양광 조사
④ Total parenteral nutrition
⑤ Phytate와 같이 칼슘 흡수 억제 물질을 많이 섭취하는 경우
Cf. 최근 모유 수유에 대한 선호도가 과도하여 ①의 경우가 빈발하므로 적절한 육아 지도가 필요하다.

4) 방사선 소견

- 골단판의 폭이 넓어지고 골간단 쪽 경계가 물에 씻겨 내려간 소견(washed-out appearance)Fig 4
- 전반적인 골 결핍(osteopenia): 피질골이 얇고 망상골이 적다.
- 가성 골절(pseudofracture, Looser's line)이 발견될 수 있다.

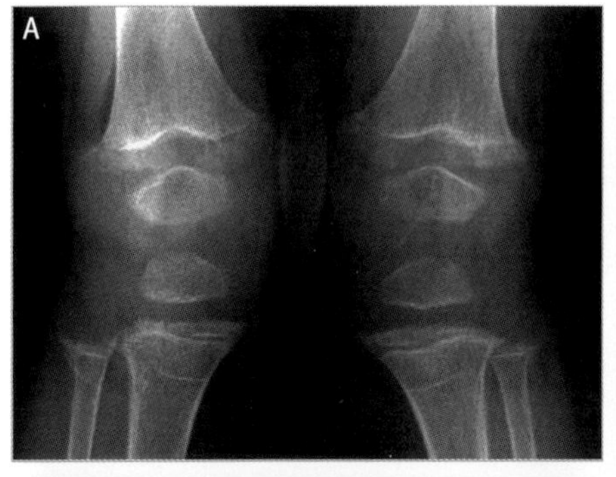

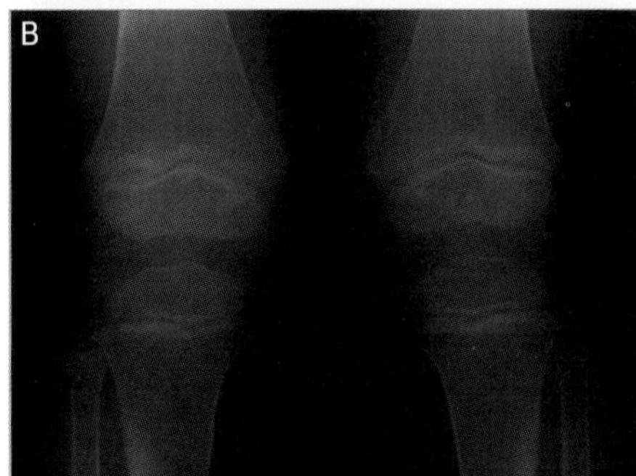

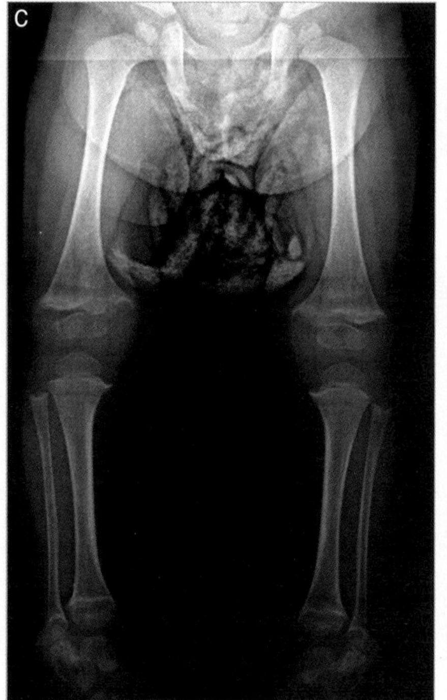

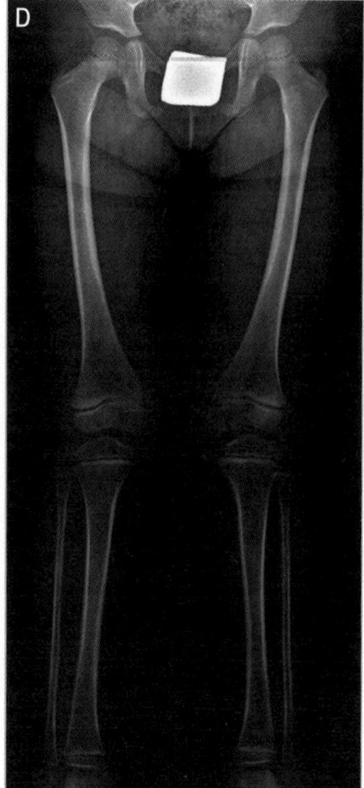

Fig 4. **영양 결핍성 구루병의 증례.**
A: 심한 음식물 알레르기로 발병한 남자 3세. 골단판의 폭이 넓어지고 골간단 쪽 경계가 거칠고 흐트러진 소견이 관찰된다. B: 약물 치료 12개월 후 정상화된 소견. C: 생후 14개월까지 모유 수유만 하고 2개월 전부터 이유식을 시작한 환아로 골간단에 구루병의 흔적과 내반슬 변형이 관찰된다. D: 3년 후 자연 교정되었다.

5) 치료

- 칼슘과 vitamin D를 보충하면서 원인이 되는 결핍 상태를 해소한다.
- 적절한 시기에 결핍 상태가 해소되면 하지 각변형은 대부분 해소된다.
- 심한 각변형이 결핍 상태 해소 후에도 잔존하면 하지 보조기를 고려해 볼 수 있다. 수술적 교정술이 필요한 경우는 대단히 드물다.

미숙아 골대사질환(metabolic bone disease of prematurity; osteopenia of prematurity)
- 미숙아, 특히 1,500 g 이하의 극소 저체중아에서 발견된다.
- 골 조직의 무기질화가 덜 되어 골절의 위험이 높다.
- 골절 예방과 치료에 유의해야 하며 골형성부전증과의 감별이 필요하다.

3. 저인산혈증성 구루병 (hypophosphatemic rickets)

저인산혈증성 구루병은 다양한 유전자 이상에 의해서 발병하지만 그 발병 기전은 모두 fibroblast growth factor 23(FGF23)의 항진이라는 공통적인 경로를 통한다. FGF23은 골모세포 계열 세포들에서 주로 발현하는데 신 세뇨관에서 인산을 재흡수하지 못하도록 하는 역할을 한다Fig 5. 과거에 영양결핍성 구루병에 비해서 vitamin D를 충분히 공급해도 증상 개선이 없기 때문에 vitD 저항성 구루병(vitamin D-resistant rickets, VDRR)이라고도 불렸다.

1) 유전자 결함에 따른 분류

(1) X-linked dominant 형(XLH)

- 가장 흔하며 PHEX 유전자의 기능이 저하되는 돌연변이에 의해서 발병하며, 알려지지 않은 기전에 의해서 FGF23이 증가하게 된다.

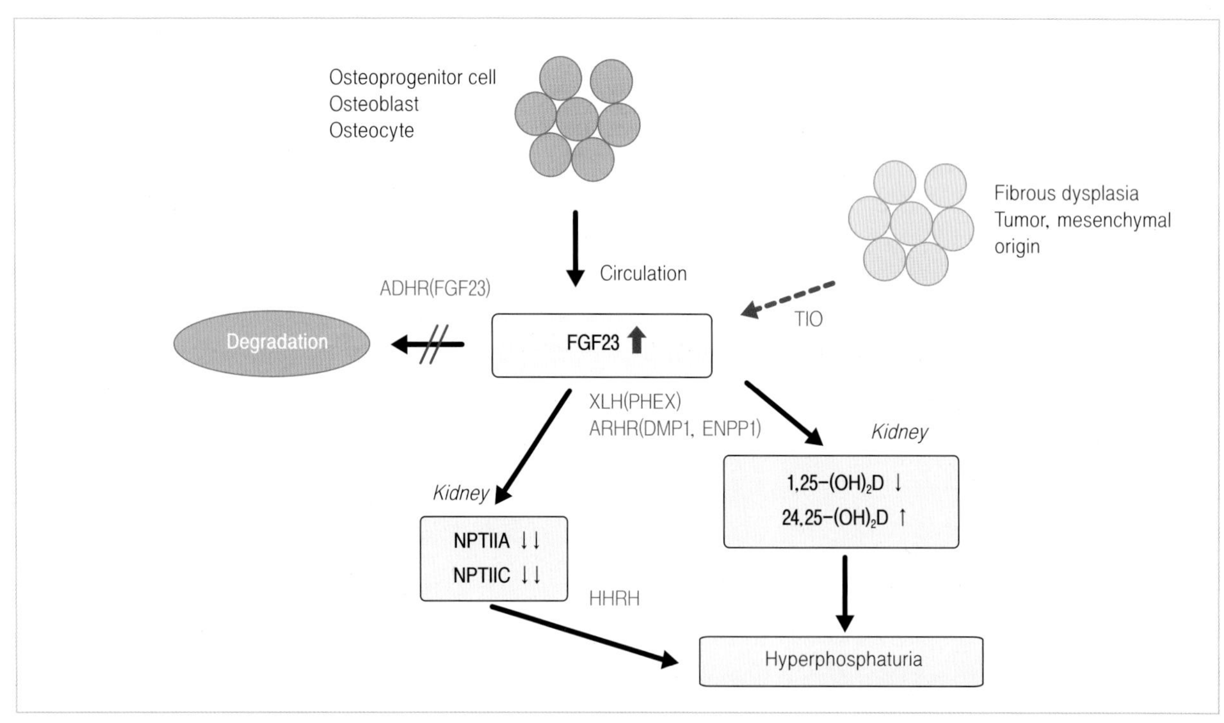

Fig 5. **저인산염혈성 구루병의 발병 기전.**
FGF23이 과다해지면 신장에서 인산염의 재흡수가 억제된다. 각 질병들은 FGF23이 신세뇨관에 작용하는 pathway에 서로 다른 기전으로 이상을 초래한다. XLH: X-linked type, ARHR: autosomal recessive type, ADHR: autosomal dominant type, TIO: tumor induced osteomalacia (oncogenic rickets), HHRH: hereditary hypophosphatemic rickets with hypercalciuria.

- PHEX 유전자는 X-염색체에 위치하여 반성유전을 한다. 남녀 모두에게 발병하지만 남자에서 더 심한 증상을 보인다. 아버지가 이환되어 있으면 아들에게 유전되지 않으나 딸들에게는 모두 유전되며, 어머니에게서는 50% 확률로 자녀들에게 유전하게 된다.

(2) Autosomal dominant 형(ADHR)

- XLH와 임상적으로 구별되지 않으나 증상의 정도가 환자마다 크게 차이가 난다. 증상이 없는 경우도 있고 신장에서의 인산 재흡수가 정상인 경우도 있다.
- FGF23 유전자 돌연변이로 인하여 분해가 잘 되지 않는 FGF23가 생산되며 이로 인한 FGF23 과다 상태가 신장에서의 인산 과다 배출을 초래한다.

(3) Autosomal recessive 형(ARHR)

- 임상적으로는 XLH나 ADHR과 구분되지 않는다.
- Dentin matrix protein 1(DMP1) 또는 ectonucleotide pyrophosphatase/phosphodiesterase 1(ENPP1) 유전자 돌연변이에 의해서 발병한다.
- 혈중 FGF23 농도가 증가된다.

(4) Hereditary hypophosphatemic rickets with hypercalciuria (HHRH)

- Na-P co-transporter인 NPTIIC (SLC34A3)의 유전자 돌연변이에 의해서 발병하며 상염색체 열성 유전한다.
- 신장에서 인산의 재흡수가 저하되며 hypercalciuria가 특징적이다. 혈중 FGF23은 상승하지 않는다.
- 인산을 투여하면 잘 조절된다.

(5) 기타

- Vitamin D-dependent rickets, type IA: 25(OH)D를 $1,25(OH)_2D$로 전환하는 CYP27B1 유전자 돌연변이로 인한 1 alpha-hydroxylase 결핍으로 발병한다. 검사소견 상 혈중 25(OH)D은 정상이지만, $1,25(OH)_2D$가 매우 감소되어 있다.
- Vitamin D-dependent rickets, type IB: CYP2R1 유전자 돌연변이로 인한 25-hydroxylase결핍으로 인해 발병한다.
- Vitamin D-dependent rickets, type II: Vitamin D receptor (VDR) 유전자 돌연변이로 end organ들이 $1,25(OH)_2D$에 반응하지 않으며 가장 치료가 어렵다.
- Renal tubular acidosis
- Tumor induced osteomalacia (oncogenic rickets): paraneoplastic syndrome의 일환으로, 중배엽 기원 종양들에서 FGF23 또는 다른 "phosphatonins"들이 생산되어서 인산의 요 배출이 증가한다. McCune-Albright 증후군의 섬유이형성증 조직에서 FGF23이 대량 생산되어 저인산혈증성 구루병을 초래하는 것도 같은 현상이다.

2) 임상 양상

- 하지 각변형 및 회전 변형: 내반슬, 경골 내염전이 흔하다. 체중 부하를 시작하면서 발생하며 만성적인 경과를 밟기 때문에 아주 심한 변형이 나타날 수 있다Fig 6.
- 단신: 정상 평균보다 2SD 이상 작다.
- 치아: Enamel은 정상이지만 dentin에 결함이 있어서 치주 농양과 충치가 흔하다.
- 성인기에는 enthesopathy 양상을 보여서 관절운동 제한이 심해진다. 방사선 검사상 ankylosing spondylitis와 유사한 양상을 보이기 때문에 이를 감별하여 불필요한 약물 치료를 피해야 한다Fig 7.

3) 검사 소견

- 저인산혈증: 정상 혈중 인산염 농도는 나이가 어릴수록 더 높기 때문에, 연령에 따른 정상값을 기준으로 저인산혈증 여부를 판단하여야 한다부록27-2.
- 혈중 칼슘은 정상 범위 또는 약간 저하되어 있고 alkaline phosphatase는 상승되어 있다.
- 고인산뇨증: 혈중 인산 농도보다 혈중 농도에 비해서 요 배출이 과다한 것이 가장 중요한 소견이다. 인산의 신세관 재흡수율로 계산한다.

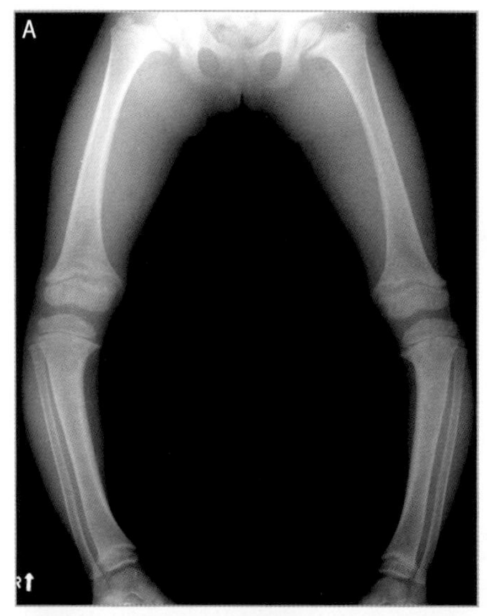

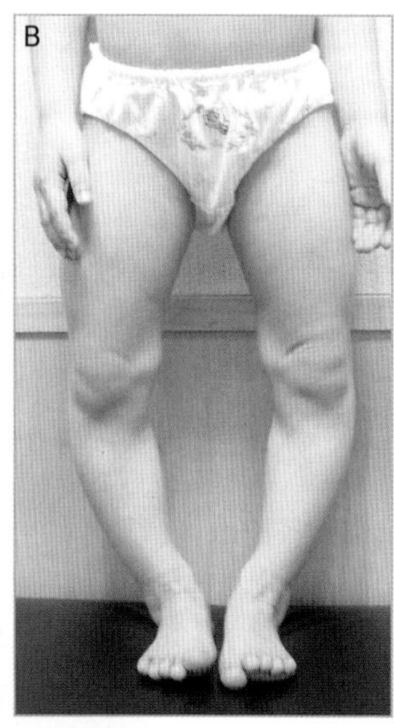

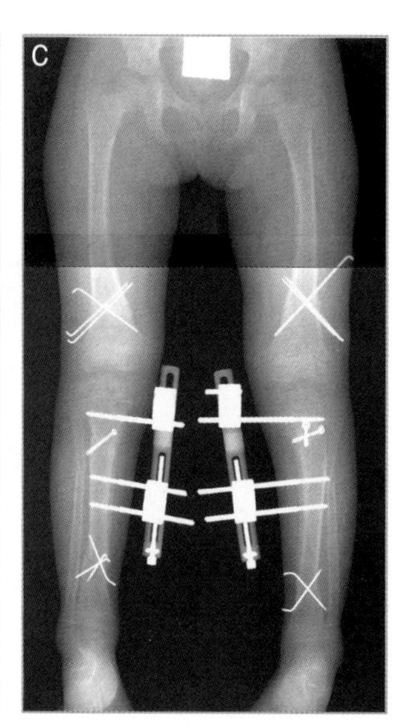

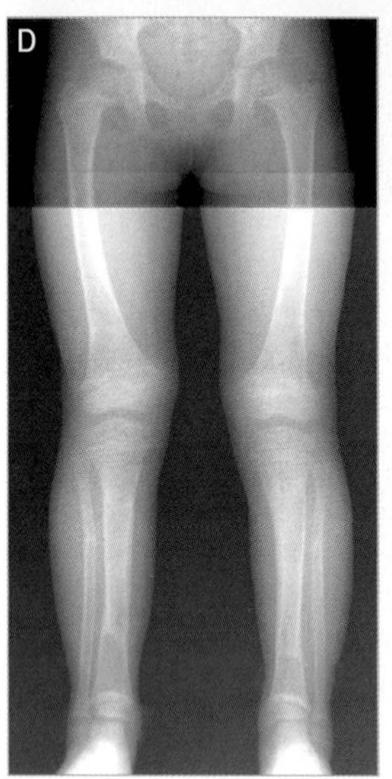

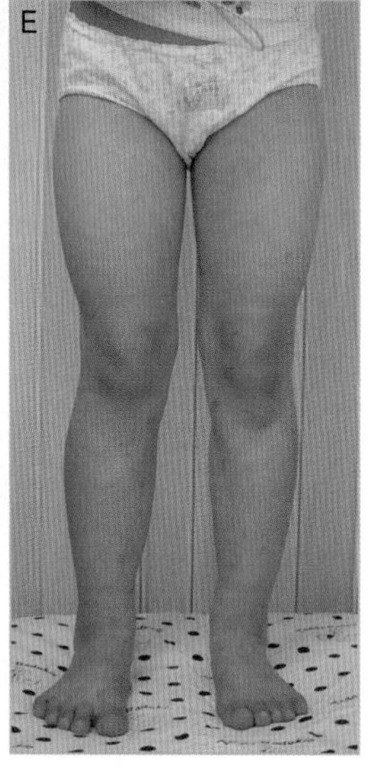

Fig 6. A,B: 저인산혈증 구루병인 5세 여아의 슬내반. 원위 대퇴골, 근위 경골에서 각변형 교정, 원위 경골에서 회전변형 교정술을 시행하였고(C), 추시 소견(D,E).

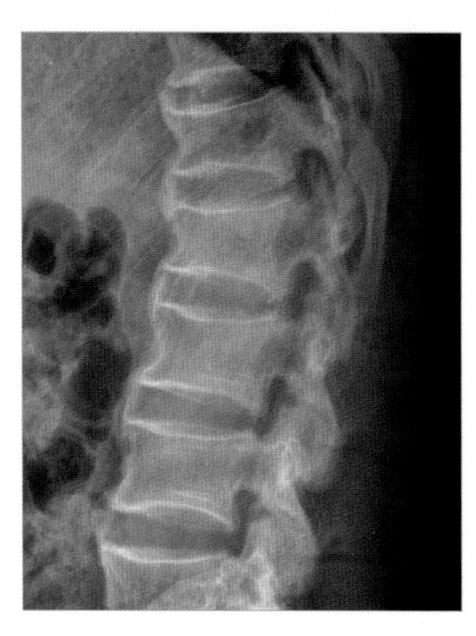

Fig 7. 중년기 이후에 저인산혈증 구루병 환자에서는 enthesopathy 소견이 발견된다. 43세 ADHR 환자에서 보이는 척추 전방종주인대 골화 소견. 강직성 척추염과의 감별이 필요하다.

- 인산의 신세관 재흡수율(renal tubular reabsorption of phosphate, TRP)

$$\left[1-\frac{uP \times pC}{uC \times pP}\right] \times 100\ (\%)$$

u: urine, p: plasma, P: phosphate, C: creatinine
정상은 > 90%, XLH에서는 < 60%

- Maximal tubual reabsorption of phosphate ($TmPO_4$) phosphate diabetes에서 < 85%

– $TmPO_4$/GFR: < 0.8이면 phosphate diabetes

4) 치료

(1) 약물 치료

- 과량의 인산 용액(Joulie's solution)을 경구 투여하되 이로 인한 저칼슘혈증에 따른 2차성 부갑상샘 항진증이 발생하는 것을 억제하기 위해서 vitamin D를 함께 투여한다(Glorieux 1980).
- 신석회화증(nephrocalcinosis) 등의 합병증이 발생할 수 있다.
- 병리기전에 직접 작용하는 anti-FGF23 antibody 제제가 현재 임상시험 중이며, 보다 효과적인 결과가 기대된다.
- 대사 이상이 적절하게 교정되면 하지 각변형이 재형성되면서 호전되는 경우도 있으나, 많은 경우 완전한 대사 이상 교정이 되지 않기 때문에 각변형이 지속되고 수술적 치료가 필요하다.

(2) 하지 각변형에 대한 수술적 치료

- 원위 대퇴골 및 근위 경골 각변형에 의한 내반슬 또는 외반슬, 원위 경골내반 변형, 대퇴골 및 경골의 염전 변형 등에 대한 절골술이 필요한 경우가 많다. 다평면(multiplanar)-다중변형(multifocal deformity)으로 다발성 절골술이 필요할 수 있다Fig 6.
- 하지의 기계적 축을 정확하게 정상에 맞추지 않으면 성장기 동안에는 약간의 잔존 변형이 점차 진행할 수도 있으므로 추시 관찰이 필요하다Fig 8.
- 변형 교정과 함께 골 연장술을 통해서 키를 크게 하는 수술도 적응증이 된다. 신연 골형성술에 의한 신생골

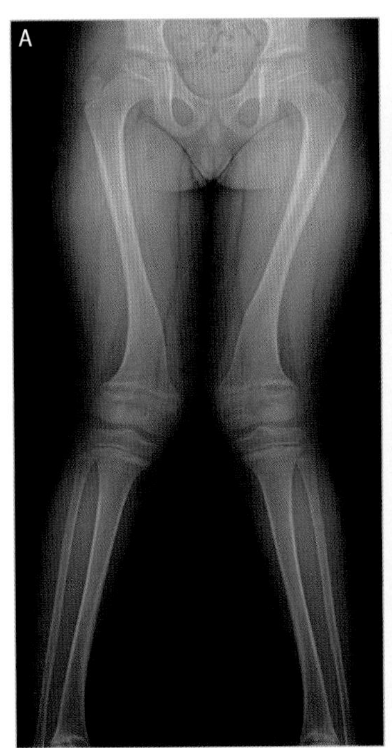

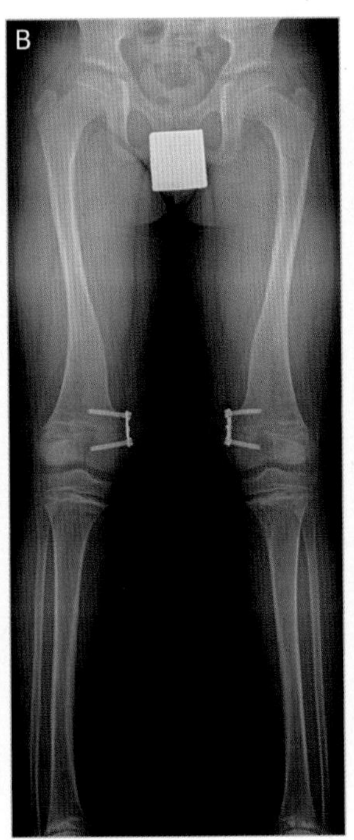

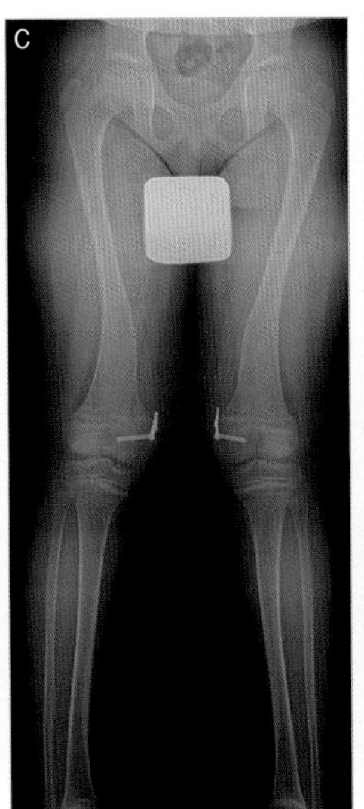

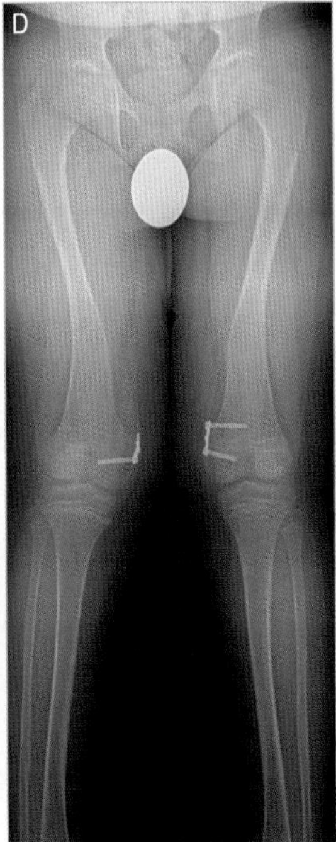

Fig 8. **저인산혈증성 구루병.**

A: 8세 남아가 외반슬에 대해 장력대 금속판을 이용한 유도 성장술을 받았다. B: 변형이 교정되어 골간단쪽 나사를 제거하였다. C: 나사 제거 후 외반슬이 재발하였다. D: 좌측 외반슬에 대해 골간단쪽 나사를 재삽입하였다.

형성 효율은 약물 치료로 혈중 인산 농도가 상승하는 정도와 연관되어 있다. 약물 치료로 인산 혈중 농도를 2.5 mg/dL 이상 올릴 수 있는 환자에서 유의하게 신생골 형성이 잘 된다(Choi 2002).

4. 저인산효소증(hypophosphatasia)

유골조직의 무기질화에 필수적인 TNAP (tissue-nonspecific alkaline phosphatase)의 유전자 기능상실 돌연변이로 인하여 발생한다. 증상이 심한 경우에는 태생기 또는 출산 직후에 심한 골격계 저무기질화가 뚜렷하고Fig 9 대부분 사망한다. 영유아기 형은 구루병과 유사한 영상 소견, 잦은 골절, 발육부진, 경기 등이 나타나며 골형성부전증과의 감별도 필요하다. 아동기 형은 운동 발달 부진, 근력 부진, 조기 유치 소실 등이 보이며 구루병과 유사한 방사선 소견이 발견된다. 경증은 비특이적 근골격계 증상와 함께 중족골 골절, 대퇴골 전자하 불완전 골절 등으로 나타나며 골절 유합이 느리다. 저하된 혈중 alkaline phosphatase 농도, 고칼슘혈증, 고인산혈증, 고칼슘뇨증 등이 보이며 유전자 검사로 확인할 수 있다. 효과적인 효소 치환 치료(enzyme replacement therapy)가 사용되고 있다.

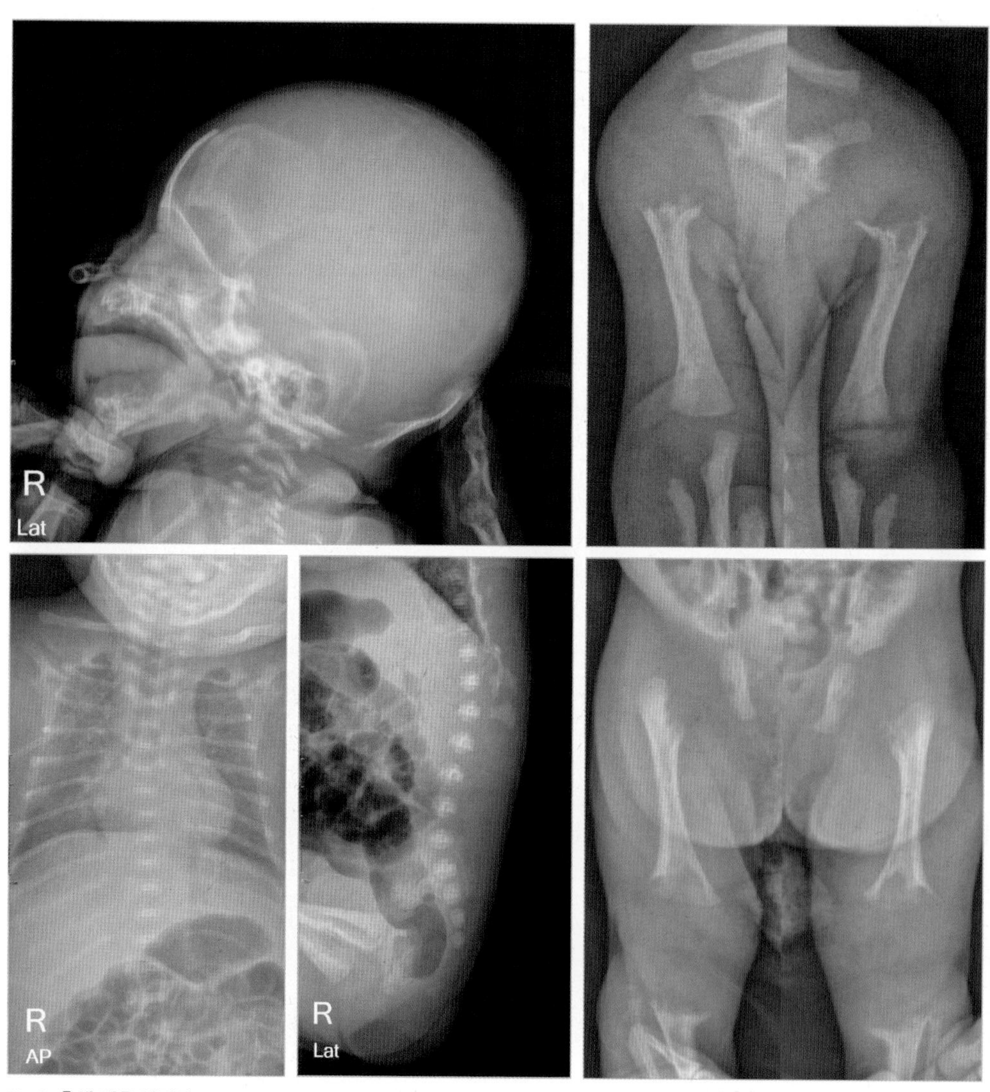

Fig 9. **출생 직후 발견된 hypophosphatasia.**
두개골, 장관골의 저무기질화와 골간단 변화가 뚜렷하다.

5. 신성 골이영양증(renal osteodystrophy)

말기 신장질환에 동반되는 골성 변화를 의미하며, 투석을 하는 환자에서 흔히 관찰된다. 신부전은 콩팥 기능이 저하되어 혈중 인산을 충분히 제거하지 못하는 상태이기 때문에 고인산혈증을 일으키고, 고인산혈증은 혈중 용해도 평형을 변화시켜 저칼슘혈증을 유발한다. 저칼슘혈증으로 인해 부갑상샘에서 PTH를 생성한다. 또, 신장에서 활성 vitamin D를 충분히 합성하지 못하여 구루병도 나타난다. 만성 신장질환의 생존이 늘어나면서 신성 골이영양증 환아도 증가하는 추세이다. 만성 신부전 환아의 약 2/3에서 신성 골이영양증이 발생하며 선천성 또는 유전성 신질환에 의한 만성 신부전일 때에 더 흔하다.

1) 검사 소견 및 임상 양상

- 부갑상샘기능항진증과 구루병의 소견이 조합된 것 같은 임상양상을 보인다.
- 고인산혈증
- 2차성 부갑상샘기능항진증
- 소장에서의 칼슘 흡수 저하
- 활성 vitamin D 합성 저하
- 이소성 칼슘 침착
- Osteitis fibrosa

• **소아에서의 신성 골이영양증**Fig 10
- 단신
- 골 통증, 골절
- 장관골의 각변형: 외반슬
- 대퇴골두 골단 분리증

2) 정형외과적 치료

(1) 하지 각변형
- 보조기는 효과 없다.
- 적절한 내과적 치료에도 각변형이 개선되지 않고 증상이 있는 경우 수술적 교정술의 대상이 된다Fig 11.

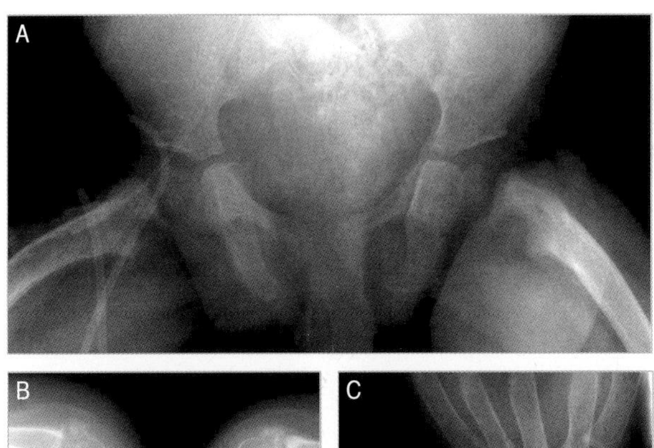
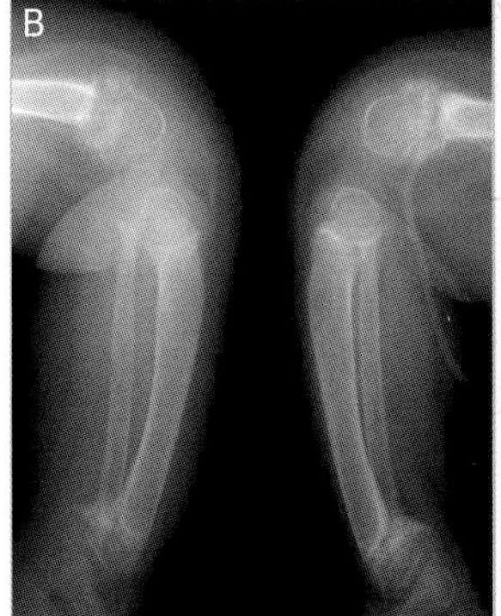
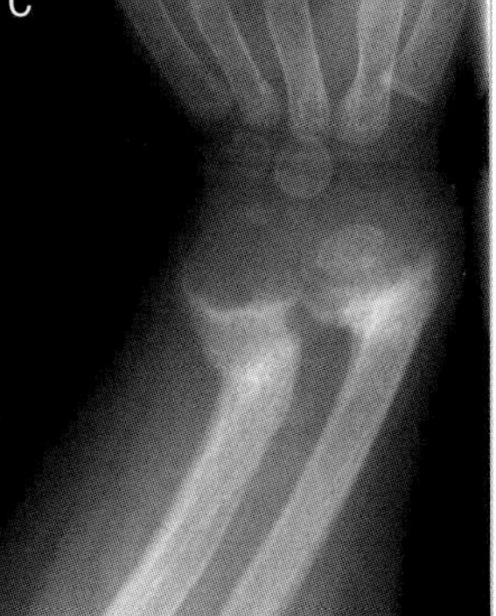

Fig 10. **만성 신부전인 4세 남아.**
전반적인 골 결핍과 함께 골단판이 넓어져 있고 변형되어 있다. 원위 대퇴골 골단판 분리 소견도 관찰된다.

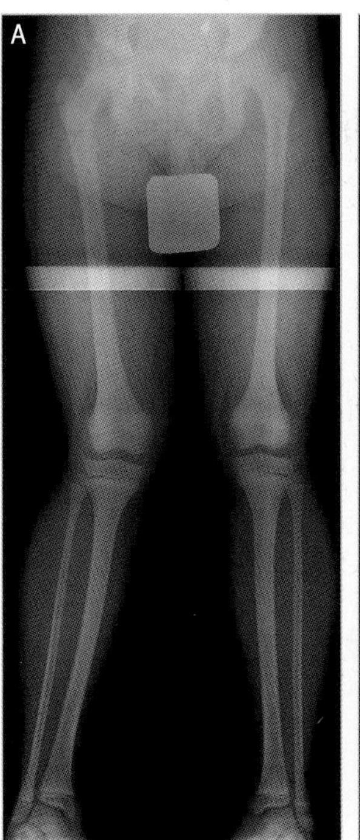
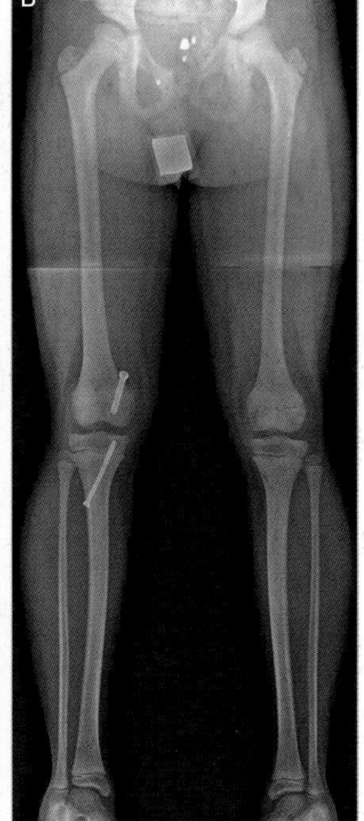

Fig 11. A: 만성 신부전으로 복막 투석 중인 9세 남아의 우측 외반슬 변형.
B: 반골단판 나사못 고정술로 교정하였다.

- 일부 외반슬 환아에서 근위 경골 골단판 외측의 Blount 병과 같은 성장장애가 있을 수 있다(Oppenheim 1992).

(2) 대퇴골두 골단분리증

- **신성 이영양증에 동반된 대퇴골두 골단분리증의 특징 (Loder 1997)**
  - 골단판 비후연골대가 아닌 골간단에서 분리
  - 어린 나이에 발생
  - 양측성
  - 무혈성 괴사 위험이 더 높다.
- **치료**

  신부전에 대한 내과적 치료 하에 골단분리에 대해서 in-situ fixation을 하며, 어린 나이인 경우에는 골단판을 유지하는 나사못을 사용한다(19장 참조). 뼈가 약하기 때문에 나사못이나 핀이 관절내로 들어가거나, 뼈에서 빠져나올 수 있다.

(3) 기타 골단 분리증Fig 10B

원위 대퇴골, 근위 상완골, 원위 요골, 원위 척골 등에서 보고되어 있으며 석고붕대 고정을 시행한다.

(4) 무혈성 괴사

신장 이식 후 steroid 사용으로 많이 발생하며 신장 이식을 받지 않은 환아에서도 발생한다.

II. 내분비 이상에 따른 골 질환

1. 성장호르몬 결핍증(growth hormone deficiency)

뇌하수체 기능저하증(hypopituitarism)의 약 2/3에서 성장호르몬 결핍으로 인한 성장 지체가 나타난다. 골 성숙이 지연되며 2-4세부터 저신장이 나타나는데 사지와 체간의 균형은 유지되며 지능은 정상이다. 골밀도가 감소하고 지방 질량은 증가하며, 골절의 위험도가 상승한다. 성선 기능저하증이 동반될 수도 있다. 호르몬 치료가 필요하므로 저신장 환아의 감별 진단이 중요하다. 갑상샘 기능저하증 다음으로 흔한 대퇴골두 골단분리증의 내분비적 위험인자이다. 성장호르몬 결핍증이 없는 정상 환아에서도 성장호르몬 투여 시에는 대퇴골두 골단분리증의 위험이 일반인에 비해서 높아지기 때문에 고관절 통증을 호소하는 경우 이에 대한 검사가 필요하다.

2. 갑상샘 기능저하증(hypothyroidism)

선천성 갑상샘 기능저하증은 신생아 4,000명당 1명 꼴로 발생하는 비교적 흔한 질환으로 왜소증과 정신 지체를 특징으로 한다. 조기 발견과 호르몬 요법으로 정신 지체를 예방할 수 있다. 2차 골화중심의 출현이 지연되는데, 발달성 고관절 이형성증에 대한 선별검사에서 대퇴골두 골화중심 형성이 지연되는 것이 발견되기도 하며, 대퇴골두 골화중심이 형성되더라도 분절 양상으로 관찰되어 Legg-Calvé-Perthes 병과의 감별을 요한다.

갑상샘 기능저하증에서의 대퇴골두 골단분리증 (Loder 1995)Fig 12

- 갑상샘 기능저하증은 대퇴골두 골단분리증의 중요한 위험 인자 중 하나이다.
- 갑상샘 기능저하증의 첫 번째 증상으로 발현할 수도 있다.
- 대퇴골두 골단분리증 환자 중 11세 이하, 갑상샘 기능저하증의 가족력, 전형적인 비만형 체질이 아닌 경우에는 갑상샘 기능 검사로 screening하는 것이 권장된다.
- 건측에 대한 예방적 핀 삽입술이 권장된다.

3. 일차성 부갑상샘 기능항진증 (primary hyperparathyroidism)

1) 병인

- 부갑상샘의 과증식(hyperplasia)
- 양성 종양 또는 드물게 악성 종양

2) 병리생리학

PTH의 생산 증가 → 신장에서의 1,25$(OH)_2$D 합성 증가와 신 세뇨관에서 인산의 재흡수(tubular reabsorption of phosphate, TRP로 측정) 감소 → 고칼슘혈증, 고인산뇨증,

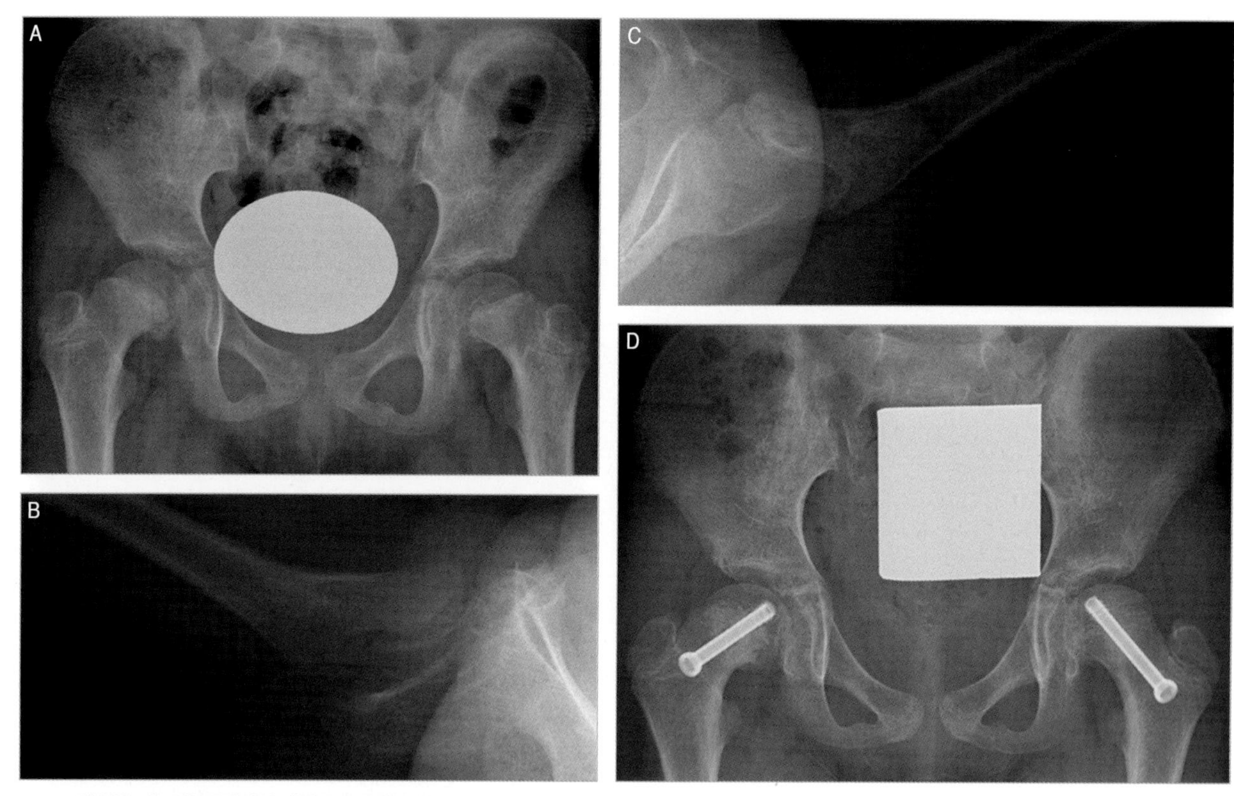

Fig 12. **갑상샘 기능저하증에서의 대퇴골두 골단분리증.**
A,B,C: 10세 여아가 한달 전 시작된 양측 고관절 통증으로 양측 대퇴골두 골단분리증이 확인되었다. 혈중 TSH 166 uIU/ml (정상: 0.4-4.1), free T4 0.6 ng/dl (정상: 0.7-1.8)이었고, 일차성 갑상샘 기능저하증으로 진단되었다. D: 경피적 in-situ 나사못 고정술로 치료하였다.

저인산혈증, 고인산효소증(hyperphosphatasia)(골형성의 증가를 반영), 고칼슘뇨증

3) 임상적 소견과 방사선 소견

- 중추신경계 변화
- 신석증(nephrolithiasis)
- 위장관 장애
- 미만성 골결핍: 수부, 두개골, 원위 쇄골, 근위 경골 등의 골막하 골 흡수, 치아의 경판(lamina dura) 소실

4) 조직학적 소견

- 섬유성 골염(osteitis fibrosa): 골수의 섬유성 대치, 대단히 활발한 골 흡수와 골형성
- 갈색종(brown tumor): 섬유아세포, 거대 세포, 염증성 세포, hemosiderin을 함유한 대식세포 등이 있는 육아 조직

III. 골격계를 주로 이환하는 증후군

1. Marfan 증후군

키가 크고 팔다리, 손가락 등이 가늘고 길며 안과, 심혈관계 문제를 동반하는 질환으로 환자마다 임상 양상의 편차가 크다. 원인 유전자로 알려진 FBN1은 탄성 및 비탄성 세포외 기질을 구성하는 microfibril의 핵심 당단백(glycoprotein)인 fibrillin-1을 만드는데, 이는 elastin이 탄성섬유를 합성하는 데에 중요한 역할을 하며 TGFβ 신호를 조절하는 데에도 관여한다.

1) 진단

여러 가지 특징적인 증상들이 있지만 증상 발현 정도가 다양하기 때문에 질병 특유의(pathognomonic) 증상은 없고 다음과 같은 진단 기준에 따른다.

Marfan 증후군에 대한 Ghent 진단 기준(Loeys 2010)

- 가족력이 없을 때 다음 경우에 Marfan 증후군으로 진단
  - 대동맥 Valsalva sinus 직경 ≥ 2SD이고 ectopia lentis
  - 대동맥 Valsalva sinus 직경 ≥ 2SD이고 FBN1 돌연변이 양성
  - 대동맥 Valsalva sinus 직경 ≥ 2SD이고 전신적 증상 점수 ≥ 7
  - Ectopia lentis, FBN1 돌연변이 양성 및 대동맥 root dissection
- 가족력이 있을 때 다음 경우에 Marfan 증후군으로 진단
  - Ectopia lentis
  - 전신적 증상 점수 ≥ 7
  - 대동맥 Valsalva sinus 직경(20세 이상, ≥ 2SD; 20세 미만, ≥ 3SD)

전신 증상 점수표

- Wrist sign + Thumb sign: 3점(하나만 있으면 1점)
- 새가슴(pectus carinatum): 2점(오목가슴이나 흉곽 비대칭은 1점)
- 후족부 변형: 2점(단순 편평족은 1점)
- 기흉(pneumothorax): 2점
- 경막 확장증(dural ectasia): 2점
- protrusio acetabuli: 2점
- 척추측만증은 없고 상절/하절 비율 감소와 팔길이/신장 비율 증가: 1점
- 척추측만증 또는 흉요추 후만증: 1점
- 주관절(elbow) 굴곡 구축: 1점
- 다섯 가지 독특한 얼굴 모양 중 3가지가 있는 경우: 1점(dolichocephaly, enophthalmos, 아래로 처진 palpebral fissures, 납작한 광대뼈, retrognathia)
- 피부 줄무늬(skin striae): 1점
- 3 디옵터 이상의 근시: 1점
- 이첨판(mitral valve) prolapse: 1점

* Thumb sign: 엄지손가락을 구부려 주먹 안에 넣었을 때 엄지손가락 끝이 손의 척측 경계보다 더 밖으로 튀어나오면 양성

* Wrist sign: 엄지와 새끼손가락으로 반대편 손목을 둥글게 감싸 쥘 수 있으며, 새끼손가락의 원위지골이 엄지와 중첩(overlapping)되면 양성

2) 골격계 임상 증상 Fig 13

- 체간에 비해서 사지가 길어서 상절에 비해서 하절이 더 길고, 벌린 팔 길이(arm span)가 신장보다 더 길다.
- 다양한 관절 이완: 슬개골, 견관절, 흉쇄관절, 중수지 관절 등에서 만성-재발성 아탈구가 흔히 관찰된다. 외반슬(genu valgum) 및 전반슬(genu recurvatum)도 발생한다. 연부 조직을 이용한 수술은 그 연부 조직 자체도 이완되기 때문에 효과가 적고 근력 강화를 통한 치료가 최상의 방법이다.
- 편평외반족(pes planovalgus): 발가락은 불균형하게 길고, 발 자체도 길면서 얇아서 일반 신발을 신기 불편하다. 대개 보조기로 치료하며 가끔 관절고정술(arthrodesis)이 필요하기도 하다.
- 골반내 돌출비구(protrusio acetabuli): 많은 환자에서 발견되며 진행하면서 증상을 유발하고 연골용해증(chondrolysis)을 동반할 수 있다.
- 발달성 고관절 이형성증이 일반인보다 호발한다. 관절 이완이 동반되므로 Pavlik 보장구로 치료가 어려워 도수 정복 또는 수술적 정복이 필요할 수 있다.

- **척추 이환**

- 경추후만증(16%), 환축추불안정성(54%), 기저부함몰(basilar impression, 36%) 등의 경추 변형이 나타날 수 있고 요추부에서도 측만, 후만 변형을 동반한 아탈구(subluxation)가 나타나기도 한다.
- 40-70%에서 척추측만증이 나타나며 그 중 절반 가까이가 수술적 치료를 요할 정도로 변형이 진행한다.
- 만곡은 우 흉추 만곡, 좌 요추 만곡, 우 흉추-좌 요추 이중만곡 등 특발성 척추측만증의 만곡과 비슷한 패턴으로 나타나지만 특징적으로 이중 흉추 만곡 및 삼중주만곡의 상대적으로 더욱 많다.
- 시상면상 정상 인구에 비해 심한 흉추 전만 또는 후만을 보이는 경우가 많으며 약 40%에서 50도 이상의 후만이 나타난다.
- 동반되어 있는 골감소증(osteopenia), 경막확장(dural ectasia) 및 척추경 및 후궁 이형성(dysplastic pedicle

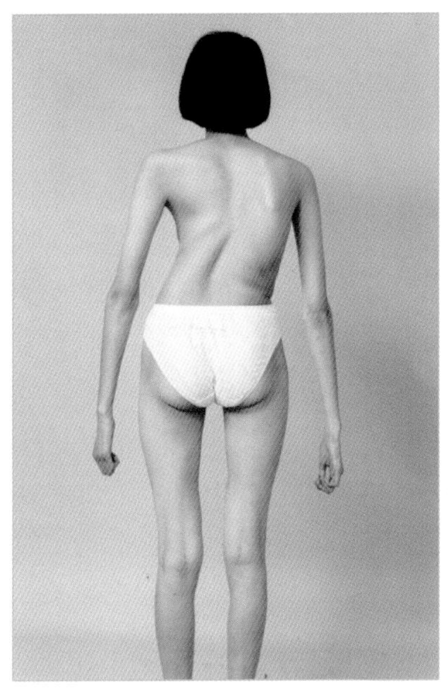
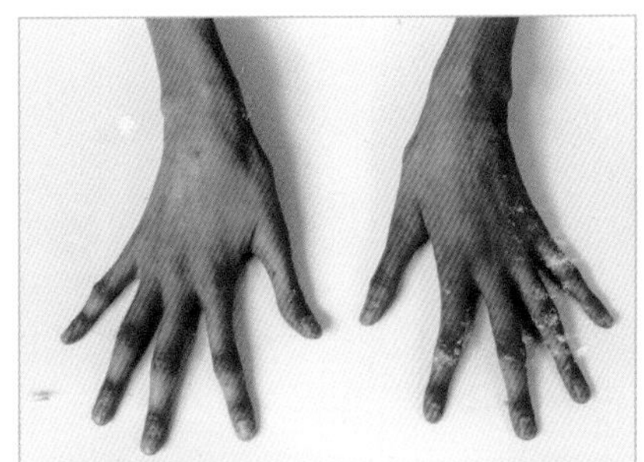
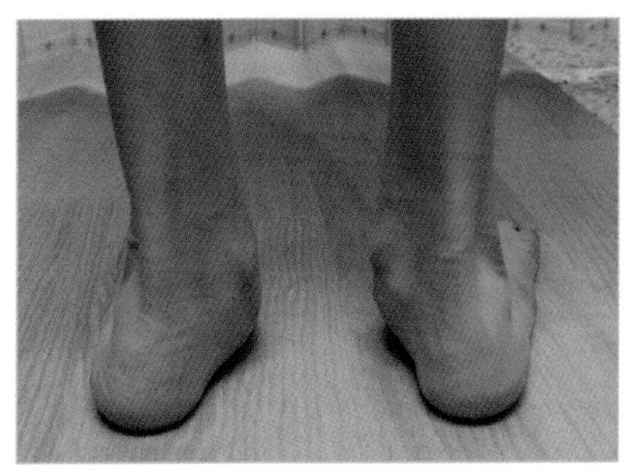
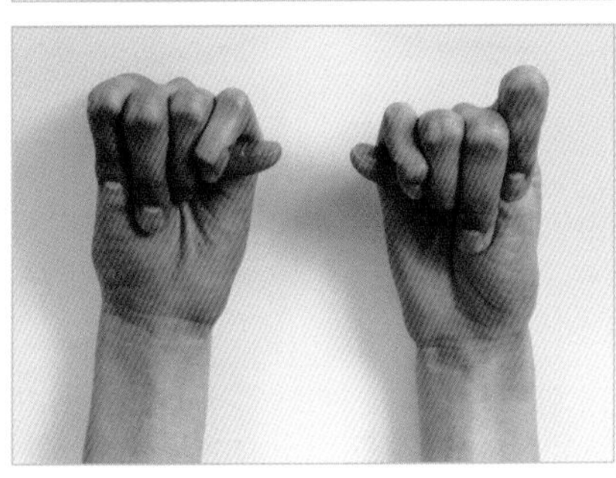

Fig 13. **Marfan 증후군.**
척추측만증, 거미지증(arachnodactyly), 편평족, thumb sign.

and lamina) 등과 관련한 수술 후 기기 관련 합병증이 나 추가 변형(adding-on deformtiy) 등으로 재수술률이 특발성 척추측만증보다 높은 것으로 알려져 있다.
- 고도의 척추 전방전위증(spondylolisthesis)이 발생할 수 있다.

3) 치료

- 정기적인 순환기 및 안과 진료를 꼭 보아야 한다.
- 진행하는 골반내 돌출비구에 대해서는 삼방연골을 유합술로 진행을 억제하는 방법이 소개되었다(Steel 1996).

- **척추 변형에 대한 치료**

성장기에 20도 이상, 성숙 이후 30-40도 이상의 만곡은 진행하는 경향이 있으므로 적극적인 치료를 요한다.

* 보조기 치료
- 45도 이하의 성장기 환아에서는 Milwaukee 보조기 치료를 시도한다.
- 흉추 전만이나 요추 후만이 있는 경우에는 금기

* 수술적 치료 적응증

① 45-50도 이상의 만곡
② 통증을 동반한 만곡
③ 진행하는 만곡

* 수술적 치료 시 고려사항
- 심장이나 대동맥의 문제를 먼저 해결한다.
- 시상면 변형의 교정에 유의하며, 이행부 후만증(junctional kyphosis) 및 근위부 만곡의 진행 가능성, 골반 경사 유무 등을 고려한다.
- 수술 후 기기고정 실패 및 불유합의 위험이 크므로 충분한 범위를 유합술에 포함하여야 한다.

2. 기타 과성장 증후군

1) Roeys-Dietz 증후군

- 대동맥류, 안와이개증(hypertelorism), 구개수열(bifid uvula)의 삼주징을 특징으로 하며, Marfan 증후군의 골격계 증상을 보일 수 있다.
- TGFβ수용체인 TGFBR1(LDS1A/2A) 또는 TGFBR2 (LDS1B/2B) 유전자 돌연변이에 의해서 발병하며 상염색체 우성 유전한다.

2) 선천성 구축성 거미지증(congenital contractural arachnodactyly; Beals' syndrome)

Marfan 증후군처럼 사지와 손가락이 길지만, 관절 이완 대신 관절 구축을 보인다.

3) 유전성 유년기 안관절병증(hereditary juvenile ophthalmoarthropathy; Stickler's syndrome)

(5장 골이형성증 제2형 교원질병증 참조)

4) CNP-NPR2 신호과잉에 의한 과성장 증후군(Miura 2013)

장신, 척추측만증, 대퇴골두 골단분리증 등이 동반되며 족무지 과성장이 특징적이다.

5) Homocysteinuria

Marfan 증후군의 증상 외에 정신지체를 동반한다.

3. 신경섬유종증, 제1형(Neurofibromatosis type 1; von Recklinghausen disease)

신경 조직에서 다양한 종양이 발생하는 질환군이다. 그 중 제1형은 피부 반점, 여러 가지 말초신경 종양, 골격계 이상 등을 초래하며 NF1 유전자 돌연변이에 의해서 발생하는 질환이다. 제2형 신경섬유종증은 청신경세포종을 비롯한 중추신경계 종양이 주로 나타나며 다른 유전자 변이에 의해서 발병하는 별도의 질병이다.

1) 원인

- 상염색체 우성 유전을 하며, Ras 활성을 조절하여 종양 억제자로 작용하는 Neurofibromin 유전자 NF1의 돌연변이에 의해서 발병한다.
- 신경계를 침범하는 가장 흔한 단일 유전자 질환으로, 2,500-4,000명 중 1명에서 발생한다.
- 임상적으로 다양한 발현 양상을 보이지만, 투과도가 100%이어서, 유전자 이상이 있는 사람은 모두 증상을 나타낸다
- 약 50% 환자는 산발성이며, 아버지 연령이 많은 것과 연관되어 있다.

2) 진단

신경섬유종증 진단기준(Legius et al. 2021)

① 밀크커피색 반점(café-au-lait spot): 성인 15 mm, 소아 5 mm 이상 크기로 6개 이상일 때
② 겨드랑이 또는 서혜부의 주근깨
③ 두 개 이상의 신경섬유종 또는 한 개 이상의 총상 신경섬유종
④ 시신경교종(optic pathway glioma)
⑤ 두 개 이상의 홍채 과오종(Lisch nodule)
⑥ 전형적인 골병변: Sphenoid dysplasia, 선천성 경골이형성증 또는 선천성 가관절증
⑦ NF1 유전자 병적 변이
* 부모 중 신경섬유종증이 없으면 위 기준 중 두 가지 이상일 때 NF1으로 진단
* 부모 중 신경섬유종증이 있으면 위 기준 중 한 가지 이상일 때 NF1으로 진단

3) 골격계 임상 증상

(1) 척추 병변

척추측만증은 신경섬유종증 환자의 21-49%에서 발생한다.

- **신경섬유종증 척추측만증의 분류**
  - 비이영양성 만곡(non-dystrophic curve): 특발성 척추측만증과 유사한 만곡을 보이나 진행은 특발성보다 훨씬 빠를 수 있다.
  - 영양성 만곡(dystrophic curve): 특징적인 형태를 보이는 만곡으로 신경섬유종증 척추변형의 약 80%에 달한다(Winter 1979).
- **이영양성(dystrophic) 만곡의 특징** Fig 14
  ① 짧고 급격한 만곡(4-6개의 척추체)
  ② 척추체의 scalloping
  ③ 신경동(neural foramina)의 확대
  ④ 첨단 추체(apical vertebra)의 심한 회전 변형
  ⑤ 늑골과 횡돌기(transverse process)가 연필 끝처럼 가늘어진다(rib penciling).
- **신경섬유종증 척추측만증의 치료**
  - 비이영양성 만곡은 특발성 척추측만증에 준하여 치

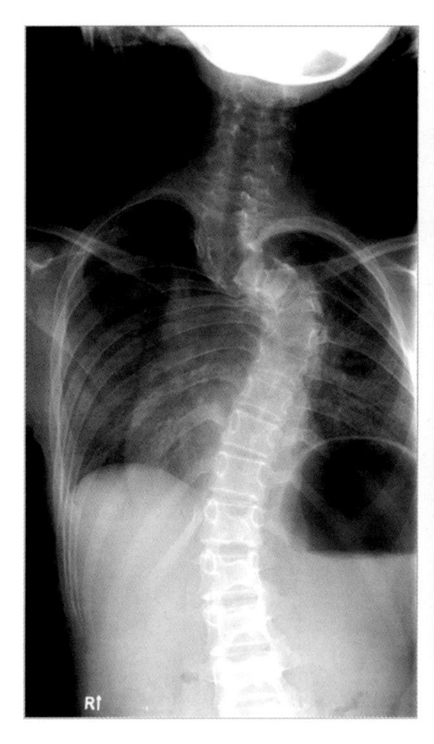

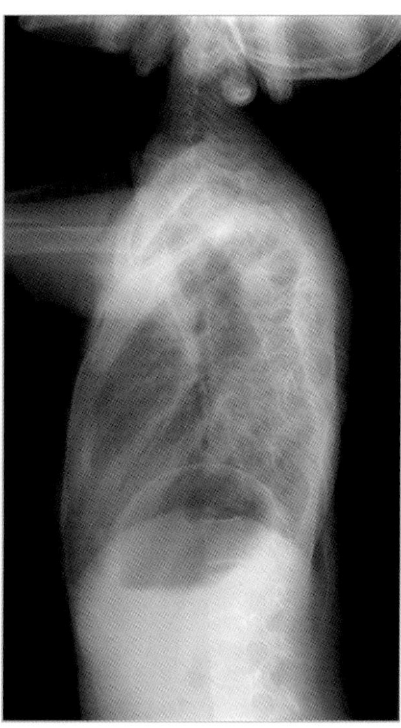

Fig 14. **신경섬유종증(neurofibromatosis)의 이영양성(dystrophic) 후측만곡(kyphoscoliosis).** 짧고 급격한 만곡을 보이며 추체의 심한 회전 변형, 척추체의 scalloping, 늑골의 pencilling 등이 관찰된다.

료하는 반면, 이영양성 만곡은 성장이 끝난 이후에도 계속 증가하므로 적극적인 치료를 요한다.

- 20-35도의 non-dystrophic curve는 보조기 치료를 시도할 수 있으나 dystrophic curve 보조기 치료가 도움이 되지 않는다.
- 20도 이상의 dystrophic curve, 35-40도 이상의 non-dystrophic curve는 후방 유합술의 대상이 된다.
- 10-12세 이전이거나 50도 이상의 후만 또는 전만이 있는 경우에는 전후방 유합술의 대상이 된다.
- 골 유합이 지연되고 가관절증의 발생률도 높으므로 많은 양의 자가골 이식이 필요하며 수술 후 방사선학적으로 완전한 골 유합이 이루어질 때까지 석고나 보조기 착용이 필수적이다. 골 유합이 이루어진 후에도 종양에 의한 미란(erosion)으로 유합 분절에 가관절증이 발생할 수 있으므로 1년 주기의 정기적 추시가 필요하다(Chaglassian 1976).

• **흔히 발생하는 경추부 변형**

① 경추후만증(cervical kyphosis)
② 진행성 경추 전만(cervical lordosis)
③ 환축추 불안정(atlantoaxial instability)
④ 아탈구(subaxial subluxation)

- 변형 및 불안정성의 정도에 따라 후방 또는 전후방 유합술을 시행한다. 변형이 심하면 halo 견인을 수술 전 먼저 시행하기도 한다.

• **경막 확장증(dural ectasia)**

아령모양의 신경섬유종이나 경막확장(dural ectasia)에 의해 신경공이 넓어지거나 추체가 scalloping 되기도 한다. 신경학적 이상은 병변이 심하게 진행되기 전까지는 비교적 잘 나타나지 않으나 척추의 각변형, 특히 후만 변형이 심할 경우 척수 압박에 의한 하지 마비 증상이 나타난다.

(2) 장관골의 선천성 만곡과 가관절증

- 경골/비골에서 가장 많고(20장 기타 하지 질환 참조) 척골, 요골에 드물게 있으며(16장 기타상지질환 참조) 대퇴골, 쇄골, 상완골 등에도 증례 보고가 있다.

(3) 인접한 신경종에 의한 골 미란(erosion)

- 신경섬유종의 가장 특징적인 소견
- 결손은 추간공의 확대로부터 경골이나 대퇴골의 외인성 낭성 병변(cystic lesion)까지 다양하다.

(4) 골 성장의 이상

- 골 변형은 혈관종, 림프종, 상피증, 구슬 모양의 총상(plexiform) 신경섬유종 등 연부 조직의 변화와 흔히 관련 있다.
- 하지나 두경부를 편측으로만 침범하여 편측비대(hemi-hypertrophy)를 일으킬 수 있으며, 이때 외반슬을 동반하기도 한다Fig 15.
- 골성 변화는 특징적으로, 피질골이 파형의 불규칙한 모양(wavy irregularity)을 가지면서 뼈가 길어지거나(elongated) 두꺼워질 수 있다.

(5) 골막하 신생골(골막하 석회화하는 혈종)

- 작은 골절에 의해 골막하 출혈이 일어난 후 골막하 혈종이 골성 이형성(osseous dysplasia)을 형성한다.
- 출혈은 혈관의 내인성 이상에 의해서가 아니라 골막을 포함하는 중배엽성 이형성에 기인한다.

4) 피부의 임상 증상

(1) 밀크커피색 반점(café-au-lait spot)Fig 16A

- 가장 흔한 피부 소견
- 특징적 병변: 갈색의 반점으로 표피(epidermis)의 기저층(basal layer)내 혹은 그 주변에 위치한다.
- 흔히 태양에 노출되지 않는 부위의 피부에서 많이 발견된다.
- 신생아에서는 거의 발견되지 않다가 나이 들면서 크기와 수가 증가하여, 2세쯤 명확해진다.
- 건강한 사람의 피부와 비교해서 단위 면적 당 멜라닌세포(melanocyte) 수가 많다.
- 밀크커피색 반점 자체로는 신경섬유종증으로 진단하기에 불충분하다.

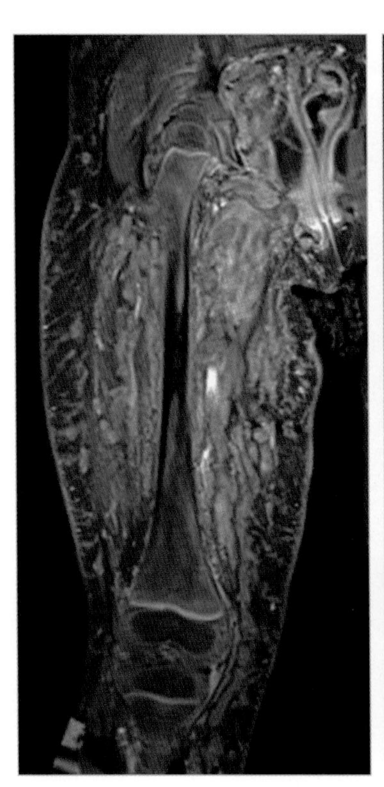
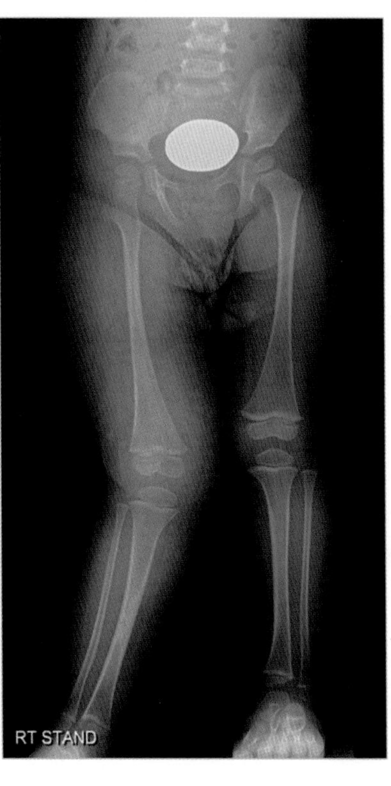

Fig 15. **신경섬유종증에서 발생한 총상 섬유종증과 이로 인한 우측 하지 과성장과 외반슬.**

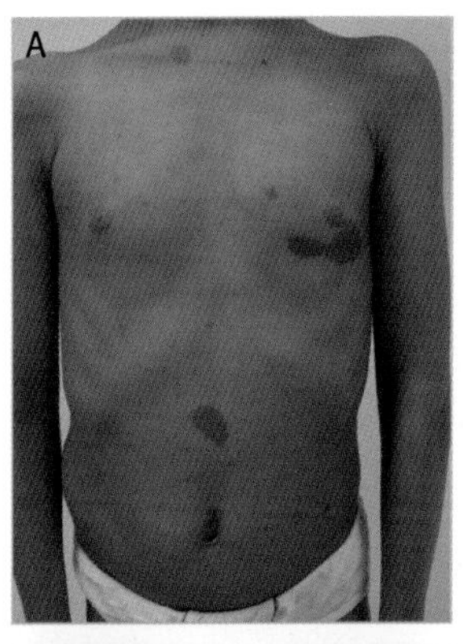

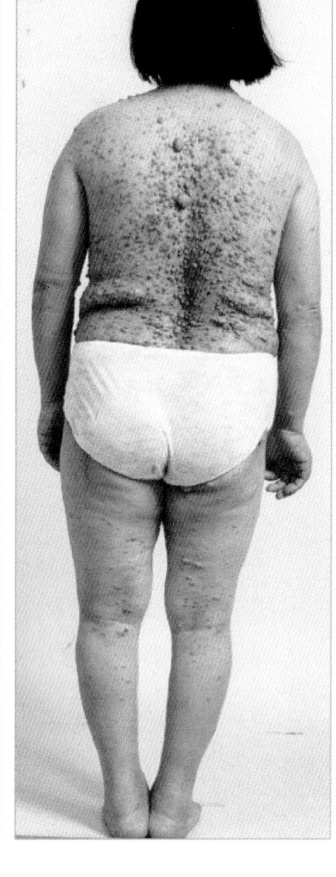

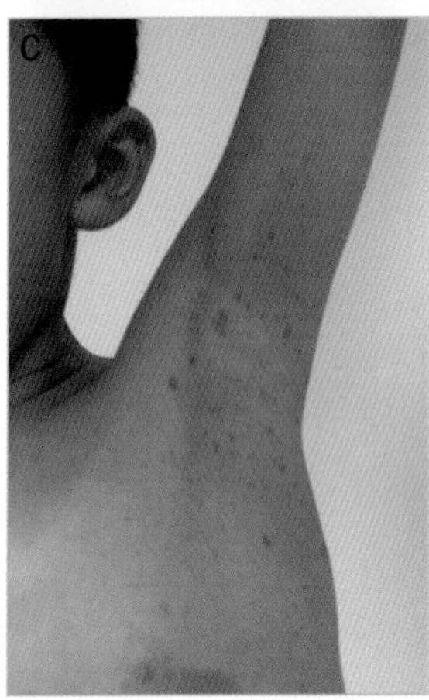

Fig 16. **신경섬유종증의 피부 증상.**
A: café-au-lait 반점. B: 피부 신경섬유종. C: 겨드랑이 주근깨.

Café-au-lait 반점의 감별
- 신경섬유종증에서는 경계가 매끈하다(round borders).
- McCune-Albright 증후군에서는 경계가 복잡하다 (irregular borders).

(2) 액와주근깨(axillary freckling)Fig 16C

두번째로 흔한 소견으로 겨드랑이에 있는 미만성의 작은 점들을 말한다.

(3) 피부 신경섬유종(cutaneous neurofibroma)Fig 16B

- 축색돌기(axon)와 Schwann 세포로 이루어져 있으며 사춘기 이전에 생기기 시작해서 나이가 들면서 많아진다.
- 악성 종양으로 전환되지 않는다.
- 드물게 중추 신경계 병변과 연관되거나 골격 침범을 하는 경우도 있다.

(4) 총상 신경섬유종(plexiform neurofibroma)

- 피하에 구슬다발처럼 만져지고, 예민하거나 압통이 있을 수 있다.
- 덮고 있는 피부에 모반이 있는 경우가 많다.
- 사지의 과성장을 일으킬 수 있다Fig 15.
- 1-4%에서 악성 종양으로 전환되기 때문에, 통증이 있거나 크기가 크거나 급격하게 증가하면 제거를 고려해야 한다.

총상 신경섬유종의 육종 변성 징후
- 붉고 따뜻하게 되며 매우 아프다.
- 급격히 커지며 원위 부위 근력 약화, 위축, 지각 이상을 일으킨다.
- 인접한 주요 장기(vital organ)를 침범한다.

(5) 모반(nevus)

- 종종 몸의 편측으로 치우치는 경향이 있으며, 접촉에 예민하다.
- 모반 아래에는 대개 총상 신경섬유종(plexiform neurofibroma)이 있다.
- 10%에서 악성 변성을 보인다.

(6) 상피증(elephantiasis)

- 피부이완증(pachydermatocele) 또는 신경종성상피병(elephantiasis neuromatosa)
- 거칠고 솟아오른 융모(villous) 형태의 피부 비후를 보인다.
- 어린이 중 10%에서 발생하며 다양한 정도로 침범한다.
- 이환 지역의 골내에 이형성이 있을 수 있다.

(7) 우췌상 과형성(verrucous hyperplasia)

- 드물지만 비미용적인(noncosmetic) 피부 병변
- 엄청난 과성장을 하지만 그것에 비해 벨벳같이 부드럽고 유두상 촉감(papillary quality)을 지닌다.
- 병변 부위 피부 표면이 흔히 감염되고, 대개 한쪽에서만 생긴다.

5) 눈의 임상 증상

(1) 홍채 과오종(Lisch nodule)

- 홍채 표면 위가 돔(dome) 형태로 솟아오른 것으로 안과에서 slit lamp로 확인할 수 있다.
- 제1형 신경섬유종증에 특유하다(pathognomonic).
- 5, 6세 경 22-81%에서 발견되고, 20세가 되면 거의 100%의 환자에서 발견된다.

(2) 시신경교종(optic glioma)

- 저 악성도(low-grade)의 모양세포성 성상세포종(pilocytic astrocytoma)으로 50% 미만에서 시력 저하 등의 증상을 일으킨다.

6) 기타

- 성적 조숙이나 성 발달 지연
- 신동맥 협착증(renal artery stenosis)과 몇몇 작은 혈관들의 변화에 따른 악성 고혈압, 지능 박약, 학습 장애, 언어 장애
- 왜소증, 대두증(macrocrania), 경기(seizure), 내분비 장애
- 중추신경계의 종양, Wilms 종양, 비뇨생식기의 횡문근육종(rhabdomyosarcoma), 비림프구성 백혈병 등이 발생할 수 있다.

4. Ehlers-Danlos 증후군

관절이완, 잘 늘어나는 피부, 비정상적인 반흔 등을 특징으로 하는 결체조직의 유전적 결함을 보이는 다양한 질환군이다. 임상적 소견, 유전 양상, 특정한 생화학적 이상 등에 따라서 13가지 형태로 분류한다Table 1. 제2형과 제3형이 가장 흔하고 가장 경한 증상을 보인다.

1) 임상적 소견

- **피부**
  - 연하고 velvety하며, 손발에서는 넉넉하다.
  - 과신전이 되지만 탄력이 있어서 제 모양으로 쉽게 돌아간다.
  - 작은 외상에도 대단히 쉽게 찢어진다.
  - 창상은 출혈이 적고, 잘 벌어지며, 봉합사가 뽑혀 빠진다. → cigarette paper 또는 papyrus 모양의 상흔이 남는다. 철저한 창상 봉합을 해야 하며, 더 오랜 기간 창상을 보호해야 한다. 환자에게 수술 흉터가 보기 좋지 않을 수 있음을 미리 설명하는 것이 좋다.
- **제대 또는 서혜부 탈장(umbilical or inguinal hernia)**
- **얼굴 형태**
  - Epicanthal folds
  - A high, arched palate
  - Hyperextensible oral mucous membranes
  - Friable gums
- **소장, 대장, 방광, 자궁의 게실염(diverticulitis)**
- **방광 및 자궁 탈출:** 폐경기 이후 여성
- **내장의 자발적 파열 또는 기흉**
- **심혈관계**
  - 약한 혈관 → 정맥류, 동맥류
  - 동맥 파열, 특히 제 4형
  - 승모판 탈출증
  - 대동맥 확장증 또는 박리성 동맥류
- **골격계 증상**
  - 척추측만증
  - 관절통과 관절 삼출액: 연소기 류마티스성 관절염과의 감별 필요
  - 다방향성 견관절 탈구(multidirectional shoulder dislocation)
  - 슬개골 탈구 및 아탈구
  - 요골두, 내측 흉쇄관절 이개
  - 지절간 관절, 중수지 관절, 수근중수지 관절 탈구

2) 치료

- 연부 조직을 이용한 관절 안정화 술식: 모든 결체조직의 교원질 이상이 있으므로 재건된 인대도 결국 다시 이완된다. → 물리치료 및 적절한 보조기, 소수의 환자에서 관절 유합술
- 만곡족 변형: 흔하다. 치료가 힘들고 수술이 필요한 경

Table 1. **Ehlers-Danlos 증후군의 임상 분류, 유전 양상 및 유전자 이상**

	임상적 아형	약자	유전 양상	원인 유전자	단백질
1	Classical EDS	cEDS	AD	Major: *COL5A1, COL5A1* Rare: *COL1A1* c.934C>T, P-(Arg312Cys)	Type V collagen Type I collagen
2	Classical-like EDS	cIEDS	AR	*TNXB*	Tenascin XB
3	Cardiac-valvular EDS	cvEDS	AR	*COL1A2* (biallelic mutations that lead to *COL1A2* NMD and absence of pro a2(I) collagen chains)	Type I collagen
4	Vascular EDS	vEDS	AD	Major: *COL3A1* Rare: *COL1A1* c.934C > T, p.(Arg312Cys) c.1720C > T, P-(Arg574Cys) c.3227C > T, P (Arg1093Cys)	Type III collagen Type I collagen
5	Hypermobile EDS	hEDS	AD	Unknown	Unknown
6	Arthrochalasia EDS	aEDS	AD	*COL1A1, COL1A2*	Type I collagen
7	Dermatosparaxis EDS	dEDS	AR	*ADAMTS2*	ADAMTS-2
8	Kyphoscoliotic EDS	KEDS	AR	*PLOD1* *FKBP14*	LH1 FKBP22
9	Brittle Cornea syndrome	BCS	AR	*ZNF469* *PRDM5*	ZNF469 PRDM5
10	Spondylodysplastic EDS	spEDS	AR	*B4GALT7* *B3GALTO* *SLC39A13*	β4Gal17 β3GalT6 ZIP13
11	Musculocontractural EDS	mcEDS	AR	*CHST 14* *DSE*	D4ST1 DSE
12	Myopathic EDS	mEDS	AD or AR	*COL12A1*	Type XII collagen
13	Periodontal EDS	pEDS	AD	*CIR* *CIS*	Cir C1s

IP: inheritance pattern, AD: autosomal dominant, AR: autosomal recessive, NMD: nonsense-mediated mRNA decay. (Malfait et al. 2017)

우가 많다.

- 척추측만증: 특발성에 준하는 치료 → 척추의 유연성이 높아서 진행성 척추측만증의 빈도가 높고 조기 골유합을 요한다.

5. Noonan 증후군

독특한 얼굴, 단신, 선천성 심장기형, 출혈 문제와 골격계 이상을 동반하는 질환으로, Turner 증후군과 유사하지만 상염색체 우성 유전하며 양성에서 모두 발생하는 질환이다.

1) 원인

- RAS-MAPK 신호전달체계에 관여하는 여러 가지 단백질의 유전자 돌연변이에 의해서 발병하며, 유사한 발병 기전을 가지는 CFC (cardiofaciocutaneous) 증후군, Costello 증후군, Leopard 증후군 등과 함께 RAS 병증(RASopathy)로 분류된다.

2) 임상 양상

- 1,000-2,500명당 1명의 빈도로 발병하므로 아주 드물지는 않다.
- 선천성 심장 기형
- 식욕 부진, 발육 부진, 단신

- 잠복 고환
- 지능 저하, 운동 및 언어 발달 지연
- Hypertelorism 등의 독특한 얼굴 모양
- 다양한 혈액응고 장애

3) 정형외과적 문제

- 경추 문제: 경추 척추협착증, Arnold-Chiari 기형, 척수 공동증(syringomyelia)
- 외반슬, 외반주, 만성 사지 통증, 편평족, 고관절 구축, 고관절 이형성증, 수부 기능장애

6. 비대칭성 과성장을 보이는 질환

1) 특발성 편측증식(Idiopathic hemihyperplasia)

비대(hypertrophy)는 세포 크기의 증가를 지칭하고, 증식(hyperplasia)은 세포 수의 증가를 지칭한다. 과거에 특발성 편측비대로 불렸으나, 세포 수의 증가가 원인으로 생각되고 있기 때문에 특발성 편측증식으로 용어가 변경되고 있다. 비증후군성(nonsyndromic) 편측증식, 단독(isolated) 편측증식, 선천성 편측증식 등의 다양한 용어가 사용되고 있는데, 어떤 증후군의 진단기준을 만족시키지 못하면서 편측증식이 존재하는 경우를 비증후군성 편측증식, 다른 임상 증상 없이 편측증식 하나만 임상증상으로 나타날 때를 단독 편측증식이라고 한다. 특발성 편측증식 환자의 일부는 Beckwith-Wiedemann 증후군의 스펙트럼으로 생각된다. Beckwith-Wiedemann 증후군 환자가 체세포 모자이크(somatic mosaicism) 돌연변이 기전으로 편측증식만을 단독적인 표현형으로 갖는 경우 임상상은 특발성 편측증식으로 나타날 수 있다. 이 경우에는 거의 유전되지 않는다.

(1) 임상 양상

- 사지뿐 아니라 체간과 얼굴에도 편측증식이 나타날 수 있다. 상하지에서 서로 반대측으로 교차하여 나타날 수도 있다(crossed hemihyperplasia). 일부 환자는 한쪽 발만 커지기도 한다.
- 출생 시에는 하지 부동이 심하지 않을 수 있다. 성장 완료 시의 하지 부동 정도는 환자마다 다양하다.
- 하지 부동에 의한 보상성 척추측만증뿐 아니라 척추체 자체의 편측증식으로 구조적 만곡이 발생할 수도 있다.
- 지능은 정상이다.

(2) 악성 종양의 위험

- Wilms 종양, 부신암, 간모세포종, 평활근 육종 등이 5.9%에서 발견되었다(Hoyme 1998).
- 7-8세까지는 주기적인 복부 초음파검사를 시행하도록 권고되고 있다.

(3) 하지길이부동(Pappas 1979)Fig 17

- 대개 성장에 따라 하지길이부동은 비례적으로 증가한다.
- 5 cm 이상의 하지길이부동은 드물며, 적절한 시기에 골단판 유합술 또는 사지 연장술을 시행한다.
- 사지 둘레의 차이는 교정할 수 없다.

특발성 편측저형성(idiopathic hemihypoplasia)

양쪽 사지의 크기 차이가 있는 경우 다른 신체부위와의 균형을 고려하여 큰 쪽이 편측증식인지 작은 쪽이 편측저형성인지를 판단한다. 뚜렷하게 구별되는 경우도 있지만 감별이 어려운 경우가 많다. 편측저형성은 편측증식의 약 50% 정도로 추정된다.

- 특발성 편측저형성 환자의 일부는 Silver-Russell 증후군의 스펙트럼으로 생각된다.
- 악성 종양과의 연관 관계는 없어, 주기적인 초음파검사는 권고되지 않는다.

2) Klippel-Trenaunay (-Weber) 증후군

사지 비대(limb hypertrophy), 피부 혈관종(cutaneous hemangioma)과 정맥 또는 임파선 기형의 삼주징(triad of signs)을 보이는 증후군Fig 18이며 산발성(sporadic)으로 발생한다.

(1) 임상양상

① 혈관종

- 주로 port-wine 형, 간혹 해면상(cavernous) 또는 모세혈관 형 또는 기형의 임파선도 존재한다. 변색 부위

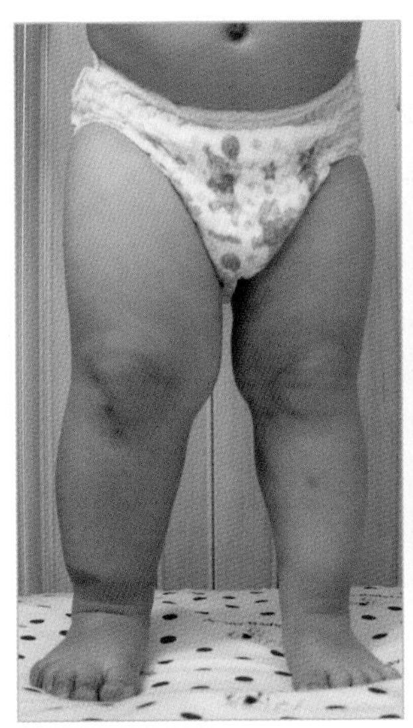
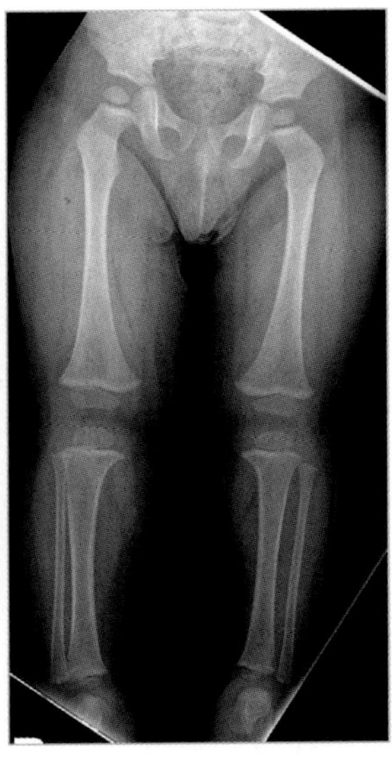

Fig 17. **특발성 편측비대.**
우측 하지가 2 cm 더 길고 굵다. 신체 다른 부분과 비교하면 좌측이 정상임을 알 수 있다.

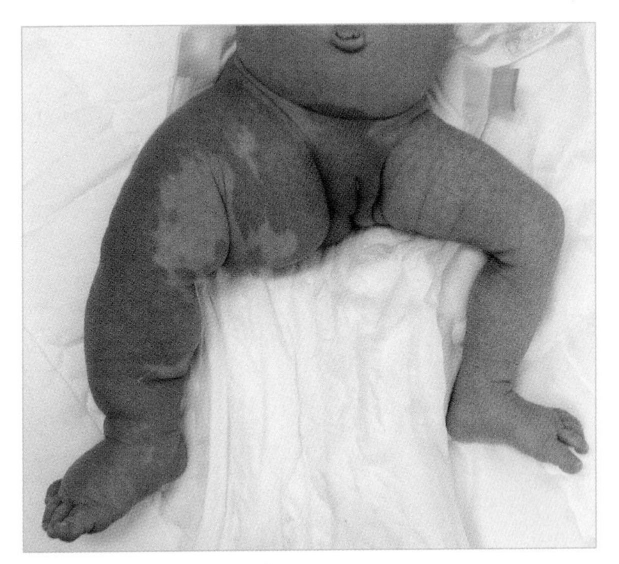

Fig 18. **Klippel-Trenaunay 증후군.**

가 거의 항상 출생 시부터 존재하고, 성장함에 따라 옅어지기는 해도 완전히 사라지는 경우는 드물다.
- 종종 피판(dermatome)을 따라서 분포한다.
- 혈액 저류, 피부 궤양, 국소적 혈전정맥염이 있을 수 있다.

② 혈관 기형
- Cavernous hemangioma, varicose vein 또는 임파선 기형 등으로 나타난다.
- 임상적 예후에 중요한 인자
- 너무 심하면 고출력 심부전을 초래하고, 생명을 구하기 위해서 절단술이 필요할 수도 있다.
- 사지비대가 심한 환자에서 볼 수 있다.

③ 과성장
- 다양한 형태: 단일 수지, 팔 또는 다리 전체, 또는 모든 사지에 이환. 편측성, 또는 반대편 팔-다리에 이환될 수도 있다.
- 혈관 기형과 멀리 떨어져 있는 해부학적 구조에 발생할 수 있다.
- 관절운동 제한을 동반할 수 있고, 이 경우 치료가 어렵다.

④ 기타 발생 가능한 골격계 문제
- 염전 부정정렬(torsional malalignment)
- 발달성 고관절 이형성증
- 합지증
- 선천성 내반족, 중족골 내전증
- 척추측만증

3) Beckwith-Wiedemann 증후군

비교적 흔한 과성장 증후군의 하나로서 Wilms' tumor나 hepatoblastoma와 같은 태아성 악성 종양이 발생할 위험이 있기 때문에 조기에 진단하여 종양에 대한 검진을 시행하는 것이 중요하다(Weksberg 2010).

(1) 원인과 유전
- 약 85%는 산발성으로 발생하며 15%의 가족성도 보고되어 있다.
- 11번 염색체 11p15.5 부위의 유전성 혹은 후생유전성(epigenetic) 결함에 의해 여러 가지 유전자의 발현 조절이 와해되면서 Beckwith-Wiedemann 증후군이 발생한다.

(2) 임상 양상: 다음과 같은 증상이 다양한 조합으로 존재한다Fig 19.

- 편측증식
- 거대설(macroglossia)
- 복벽 결함(omphalocele 또는 umbilical hernia)
- 모체의 양수과다증(polyhydramnios)
- 출생 체중 > 2SD
- 1주 이상 지속되는 인슐린과다증(hyperinsulinism)
- 외이 전방 주름 또는 후방 나선형 구멍(ear creases and/or pits)
- Beckwith-Wiedemann 증후군에서 발생하는 종양들: Wilms tumor, hepatoblastoma, neuroblastoma, rhabdomyosarcoma, adrenocortical carcinoma 혹은 phaeochromocytoma
- 안면 화염성 모반(facial nevus flammeus): 나이가 들며 색이 옅어지는 경우가 많다.
- 체세포 모자이크(somatic mosaicism)으로 인해 증상의 정도가 다양해서 종양으로 사망에 이르는 심한 환자에서부터 facial nevus flammeus가 동반된 편측증식만 있거나 외이에 특징적인 주름만 있는 경한 환자까지 있을 수 있다.

Silver-Russell 증후군

- Beckwith-Wiedemann 증후군의 원인 유전자 결함과 같은 위치인 11번 염색체 11p15.5 부위의 유전성 혹은 후생유전성 결함으로 반대되는 형태로 유전자가 발현되어 발생한다. 이 외에 7번 염색체의 결함으로도 발생할 수 있다.
- 임상증상은 편측저형성, 모체의 양수과소증, 출생 체중 < 2SD 등 Beckwith-Wiedemann 증후군과 정반대이다.
- 태아성 악성 종양 발생 위험이 없다.

4) Proteus 증후군

혈관 기형, 거대지, 비대칭적 사지 비대, 피하 종양, 척추측만증 등이 특징적인 혈관, 골격계 및 연부 조직의 복합적인 질환이다. Proteus는 그리스 신화에 나오는 신으로 자기 모습을 어떤 모습으로도 바꿀 수 있어 적으로부터 쉽게 탈출할 수 있었다고 한다. Proteus 증후군 환자들도 다양한 임상 양상으로 나타나 진단을 어렵게 하기 때문에 Proteus 증후군으로 명명되었다.

- 다양한 세포의 성장, 증식, 생존, 분화 등에 관여하는 AKT1 유전자의 기능항진 돌연변이가 모자이씨즘 형태로 존재하는 것이 원인으로 생각된다(Lindhurst 2011).
- Klippel-Trenaunay 증후군과 함께 CLOVES (congenital lipomatous asymmetric overgrowth with vascular malformations, epidermal nevi, and skeletal or spinal anom-

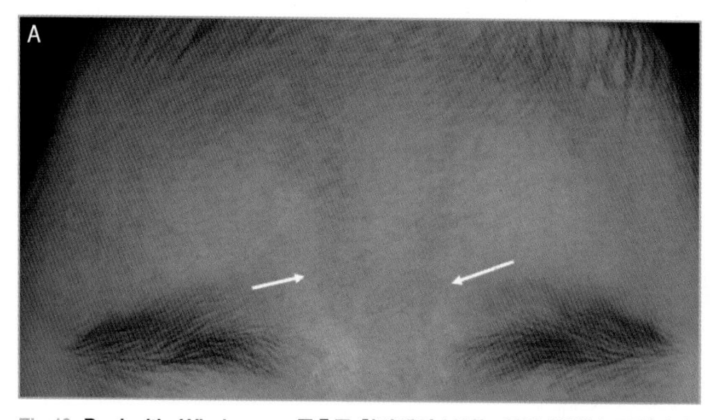

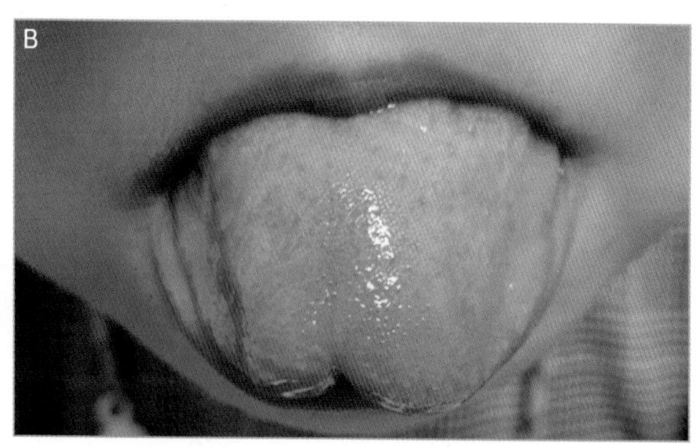

Fig 19. **Beckwith-Wiedemann 증후군 환자에서 보이는 안면 화염성 모반(A)과 좌측에만 나타난 거대설(B).**

alies) 증후군의 한 spectrum으로 여겨지고 있으며, 체세포 모자이크(somatic mosaicism) 형태로 돌연변이가 존재하여 임상양상이 다양한 것으로 생각된다.

Proteus 증후군의 진단 기준(Biesecker 2019)

- 다음 모든 소견이 있고
  - 모자이크 양상의 병변 분포
  - 가족력이 없이 발병
  - 진행하는 양상
- 다음 중 A범주 중 하나 또는 B 범주 중 둘 또는 C 범부 중 세 가지 소견이 있을 때

  A 범주
  - Cerebriform connective tissue nevus

  B 범주
  - Linear epidermal nevus
  - Asymmetric, disproportionate overgrowth: limbs, hyperostosis of the skull, hyperostosis of the external auditory canal, megaspondylodysplasia, viscera such as spleen/thymus
  - 10세 이전에 발병하는 양측성 ovarian cystadenoma 또는 parotid monomorphic adenoma

  C 범주
  - Lipomatous overgrowth 또는 regional lipoatrophy와 같은 dysregulated adipose tissue
  - Vascular malformations: capillary malformation, venous malformation, 또는 lymphatic malformation
  - Bullous pulmonary degeneration
  - 다음과 같은 얼굴 모양: dolichocephaly, long face, downslanting palpebral fissures and/or minor ptosis, depressed nasal bridge, wide or anteverted nares, open mouth at rest

(1) 골격계 문제
- 거대지(macrodactyly): 가장 흔한 증상
- 족저 비대증(plantar hyperplasia)
- 편측 비대: 성장이 불규칙하기 때문에 골단판 유합술의 시기를 결정하는 데에 어려움이 있다.
- 사지 각변형
- 척추 측만증 또는 후측만증
- 피하 연부조직 종양: 대개 림프관종(lymphangioma)

(2) 감별 진단
- 특발성 편측비대
- Klippel-Trenaunay 증후군
- Ollier 병, Maffucci 증후군
- 신경섬유종증

6. 조갑슬개골 증후군(nail-patella syndrome; hereditary onycho-osteodysplasia)

슬개골 저형성 및 탈구, 요골두 탈구 등의 골격계 변형과 함께 손톱 발톱의 이형성을 초래하는 질환이다. 상염색체 우성 유전을 하며 LMX1B 유전자 돌연변이에 의해서 발생한다. LMX1B 유전자 산물은 태아 발생 시 사지의 배측-장측(dorsoventral)간 축의 발생 양상을 조절하며, 태아 신장 사구체 기저막(basement membrane)의 초기 형성에도 관여한다.

1) 임상 양상

- 손톱, 발톱이 없거나, 둘로 갈라져 있거나, 크기가 작고 종적인 주름이 있어서 쭈글쭈글하다. 무지에서 더 심하고 소지 쪽으로 갈수록 덜 이환되어 있다. 발톱보다는 손톱의 이상이 더 흔하다Fig 20A.
- 슬개골은 없거나 저형성되어 있고 슬개골의 골화가 지연된다. 여러 골화중심에서 발생하기도 한다.
- 원위 대퇴골 외과의 저형성이 있으며 습관성 슬개골 탈구가 흔하다. 대퇴골 활차 구(trochlear groove)가 좁고 깊은 경우도 있다.
- 주관절에서는 외반주 변형, 외측 저형성, 요골두 아탈구/탈구, cubital pterygium 등이 동반될 수 있다.
- 선천성 만곡족, 고관절 탈구, 척추측만증, 견갑와와 견봉 기형, 제5수지 구축 등이 동반될 수 있다.
- 약 40% 환자에서 단백뇨, 신병증, 만성 신부전 등이 발생할 수 있으며, 녹내장의 발병율도 일반인보다 높기 때문에 이들에 대한 선별검사가 필요하다.

2) 방사선 소견

- 골반골 후방 중둔근 기시부 근처에서 후방외측으로 돌출해 있는 외골종(exostosis)을 iliac horn이라 하는데 약

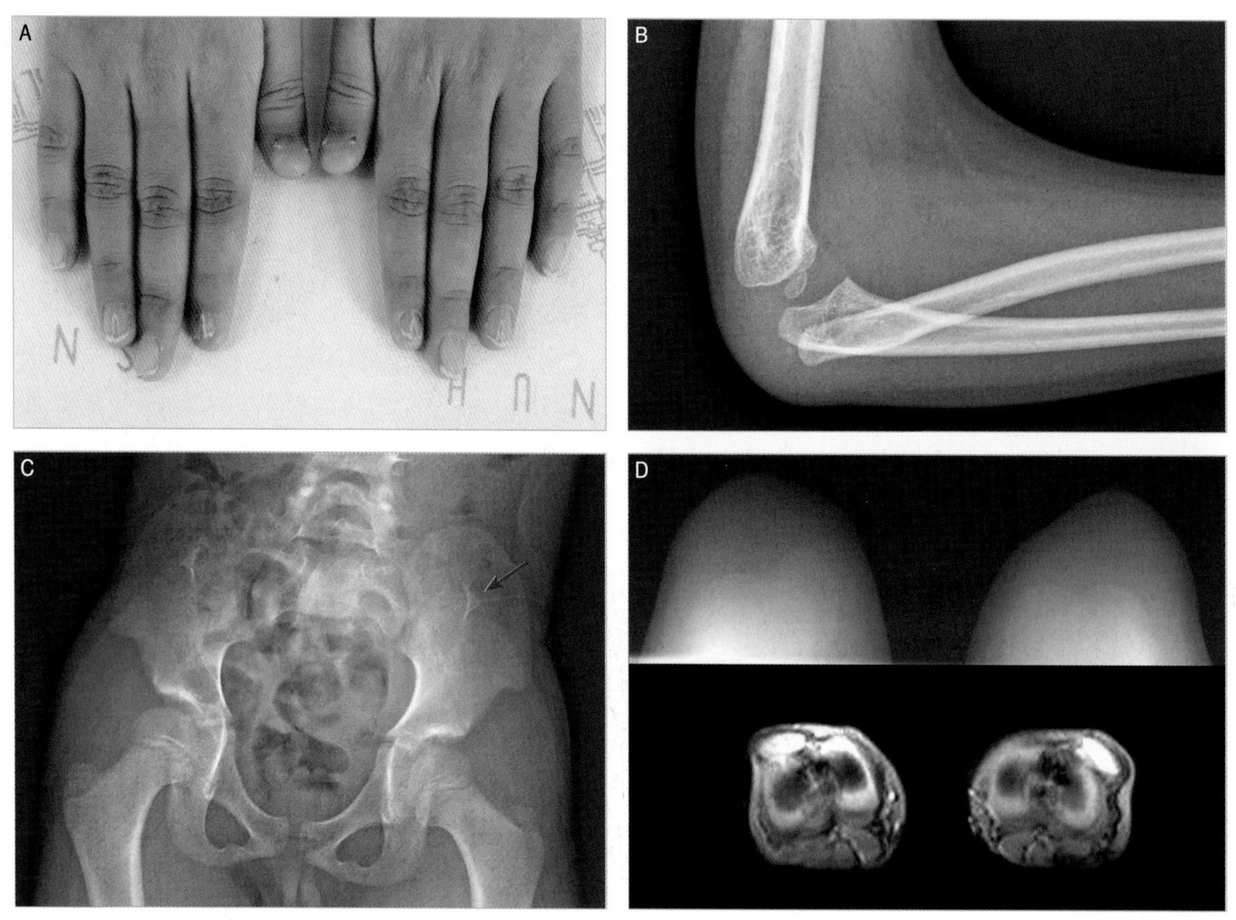

Fig 20. **조갑슬개골 증후군의 소견들.**
A: 손톱의 이형성. 둘로 갈라지거나 크기가 매우 작다. 요골측으로 갈수록 더 심하다. B: 요골두 탈구와 cubital pterygium. C: iliac horn (화살표). D: 비골화된 슬개골 연골원기의 외측 탈구.

80%의 환자에서 양측성으로 발생한다Fig 20C.

3) 치료

- 습관성 슬개골 탈구는 근위 재정렬술, 원위 재정렬수 또는 그 조합을 시행한다.

7. 선천성 윤상 수축대 증후군(congenital constriction band syndrome, Streeter 이형성증)

양막대(amniotic band)에 의한 압박으로 발생한다는 설과 태아의 내재적 결함에 의해서 발생한다는 설이 제시되어 왔다. 유전자 결함 보다는 외적, 기계적 압박에 의한 것이라는 가설이 더 많은 지지를 얻고 있지만 선천성 만곡족과 같은 증상은 외적 요인으로만 설명하기 어려운 면이 있다.

1) 임상 양상

- 사지의 윤상 수축대: 정도가 다양하다. 심한 경우 원위부에 신경혈관 압박 소견이 나타날 수 있다. 체간은 드물고 하지보다는 상지에, 근위보다는 원위부에 더 흔하다.
- 선단합지증(acrosyndactyly): 근위부는 분리되어 있지만 수지(또는 족지)의 원위부만 합지되어 있는 상태Fig 21A
- 태내 사지절단: 절단단 근위부의 발달은 정상이다. 절단단 과성장이 발생할 수도 있다.
- 내반족: 12-56%에서 동반되며, 구축이 심하고 치료에 덜 반응한다Fig 21C.
- 사지 장관골의 각변형, 골 이형성, 가관절증 등이 윤상

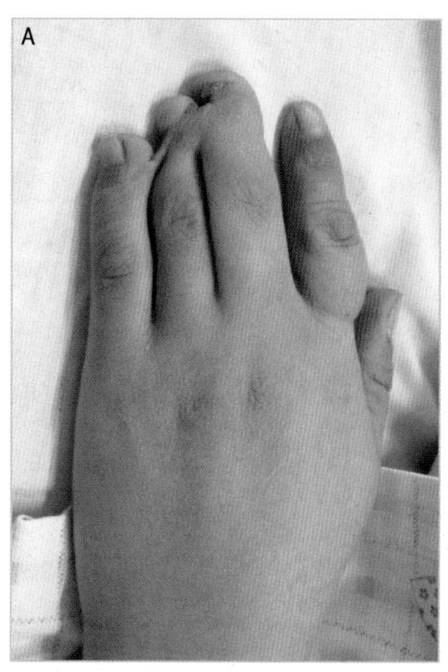

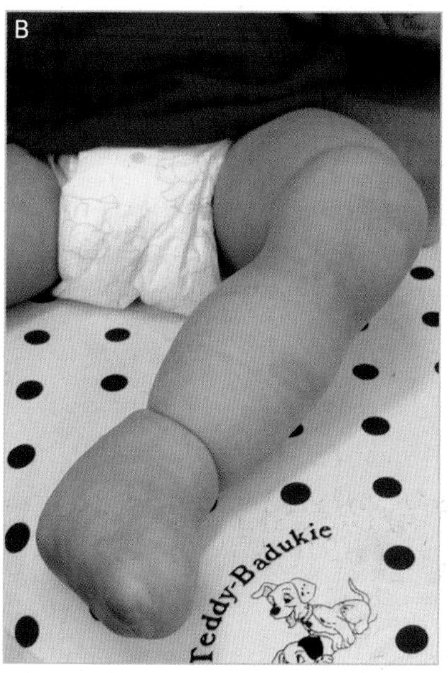

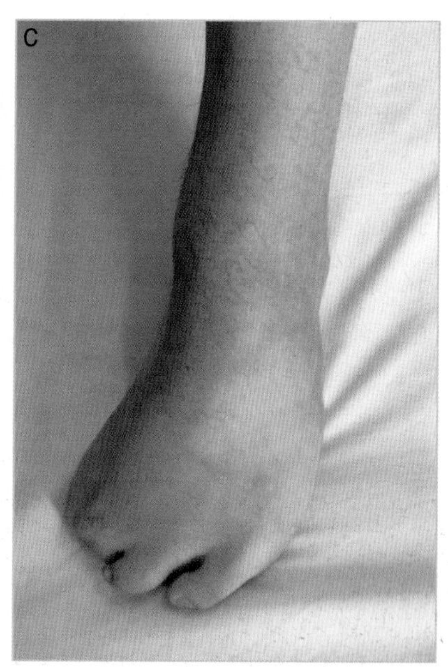

Fig 21. **선천성 윤상 수축대 증후군.**
A: 선단합지증. B: 족지의 태내 절단과 족근관절부의 윤상 수축대. C: 족지 태내 절단과 동반된 선천성 만곡족.

대 직하부에 발생할 수 있다.

- 하지길이부동: 25%에서 2.5 cm 이상

2) 치료

- **수축대 유리술의 적응증**
  - 수축대 원위부에 부종이 발생
  - 신경이나 혈관 압박 증상
  - 심해지는 수축대
- **수지 분리술**(15장 참조)

8. 유년기 특발성 골다공증 (juvenile idiopathic osteoporosis)

건강하던 환아가 갑자기 골다공증을 보이다가 2-4년에 걸쳐서 저절로 호전되는 자한성(self-limited) 질환이다. 발병 원인은 아직 밝혀져 있지 않으며, 소아에서 골다공증을 보일 수 있는 다른 질환과의 감별을 요한다.

1) 임상 양상

- 사춘기 시작 2-3년 전에 호발하나, 평균 발병 나이가 7세라는 보고도 있다.
- 주 증상: 장관골 골절, 요통, 보행 장애
- 일부 환자에서는 성장이 일시적으로 정지된다.
- 척추에만 국한될 수도 있으며 척추체 압박 골절이 발생한다.
- 장관골에도 이환되는 경우에는 대개 골간단부가 심하게 이환되며 골절되기 쉽다.
- 발병 2-4년 후, 대개 사춘기를 전후하여 호전된다.
- 골밀도 저하 이외에는 혈액, 소변 검사 상 특이 소견이 없다.

2) 진단

다른 원인을 감별하는 것이 중요하다Table 2. 특히 경도의 골형성부전증과의 감별이 어려울 수 있다.

3) 치료

- 다발성 척추 압박 골절에 의한 척추 후만증: 보조기는 변형교정 보다는 통증 완화의 목적으로 일시적으로 사용한다.
- 자한성 질환이지만 bisphosphonate로 통증 완화와 빠른 골밀도 개선에 효과를 기대할 수 있다.

Table 2. **소아에서 골다공증(osteoporosis)의 원인들**

Endocrine disorders
Hyperthyroidism Hyperparathyroidism Hypogonadism Glucocorticoid excess-Cushing syndrome, steroid therapy
Metabolic disorders
Homocystinuria Gastrointestinal malabsorption Idiopathic hypoproteinemia Vitamin C deficiency Rickets-osteomalacia Liver disease
Renal disease
Chronic tubular acidosis Idiopathic hypercalciuria Lowe syndrome Uremia and regular hemodialysis
Bone affections
Osteogenesis imperfecta Idiopathic juvenile osteoporosis Idiopathic osteolysis Turner syndrome (XO chromosome anomaly)
Malignant diseases
Leukemia Lymphoma
Miscellaneous causes
Disuse osteoporosis of paralyzed limbs as in myelomeningocele Generalized osteoporosis of Still's disease, especially after steroid therapy
Heparin therapy
Anticonvulsant drug therapy
Zinc, Fe deficiency

9. Albright 유전성 골이영양증 (albright hereditary osteodystrophy, AHO)

부갑상샘 호르몬(parathyroid hormone)에 대해 조직세포가 반응하지 않는 가성 부갑상샘 기능저하증(pseudohypoparathyroidism, PHP)에서 발생하는 다양한 골격계 변화를 통칭한다.

1) 증상

- 단신과 비만: 최종 신장 137-152 cm
- 둥근 얼굴과 납작한 콧 잔등
- 피하 이소성 칼슘침착
- 중수(족)골 단축증: 비대칭적일 수도 있으며 제4, 5 수족지에 흔하다Fig 22.
- 무지 원위지골 단축증
- 척추경간 간격(interpediculate distance) 감소

2) 가성 부갑상샘 기능저하증(PHP)

- G-단백의 구성 성분인 GNAS1 유전자의 기능상실 돌연변이에 의해서 부갑상샘 호르몬에 대한 반응이 저하되는 질환이다.
- 저칼슘혈증, 고인산혈증으로 아동기에 경기를 일으켜 의학적 관심을 끌게되는 경우가 많다. 혈중 부갑상샘 농도는 정상이거나 상승되어 있다.
- 정신 지체, 갑상샘 기능저하증, 성선 기능저하증이 동반될 수 있다.
- 생화학적 검사, 호르몬 반응, 골격계 이상 여부 등에 따라서 IA, IB, II, pseudopseudohypoparathy-

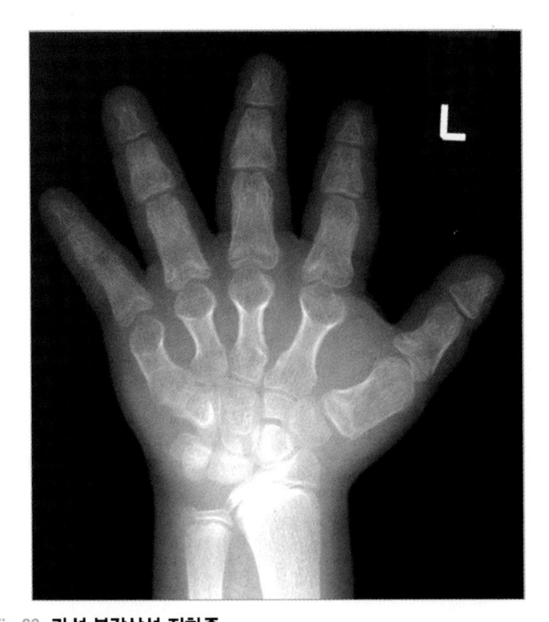

Fig 22. **가성 부갑상선 저하증.**
대개 제4, 5중수지골의 단축을 보이나, 이 환자에서는 모든 중수지골과 중족지골의 단축이 관찰된다.

roidism (PPHP) 등으로 분류하는데, AHO는 IA와 PPHP에서 관찰된다.

- 상염색체 우성 유전 양상을 보이지만 imprinting 효과 때문에 모친에게서 유전 받은 경우와 부친에게서 유전 받은 경우 증상이 차이 난다Table 3.

3) Progressive osseous heteroplasia (POH)

- 부친에게서 물려받은 allele의 GNAS 유전자 기능저하 돌연변이에 의해서 발병하며 상염색제 우성 유전한다.
- 영유아기부터 피부에 이소성 골조직(osteoma cutis)이 형성되어 심부 근육과 건막까지 진행하여 심각한 장애를 초래한다.

GNAS1(guanine nucleotide-binding protein alpha-stimulating activity polypeptide 1)

- 세포 내에서 다양한 화학적 신호를 전달하는 체계 중 하나인 G-protein을 구성하는 alpha subunit이다.
- PTH를 비롯하여 TSH, LH/FSH 등 수많은 호르몬의 신호 전달에 관여한다.
- GNAS의 기능항진 돌연변이는 섬유이형성증/McCune-Albright 증후군(11장 참조)에서 모자이크 패턴으로 발견되며, 기능저하 돌연변이는 PHP/PPHP/POH 등의 원인이다.

10. Trichorhinophalangeal 증후군(TRPS)

특징적인 얼굴 모양을 보이며 고관절, 손가락 등의 이상을 보이는 질환이다. 연골세포와 연골막 발달을 조절하는 zinc finger transcriptional repressor인 TRPS1 유전자 돌연변이에 의해서 발생한다. 상염색체 우성으로 유전하지만 증상은 같은 가족 간에도 큰 차이가 있을 수 있다.

1) 임상 양상Fig 23

- 특징적인 얼굴: 서양배 모양의 주먹코, 돌출된 귓밥
- 머리카락이 가늘고, 천천히 자라며, 머리 숱이 적다.
- 손톱이 잘 부서진다.
- 하나 또는 그 이상 손가락의 중수골 또는 수지골 단축(brachydactyly)
- 경도의 단신, 성장 지체
- 대퇴골두 무혈성괴사
- 골단판 부분 조기 폐쇄

2) 방사선 소견

- 원뿔모양의 수지골 골단, 원위 지골 골단판의 조기 폐쇄
- 내반고(coxa vara), 편평고(coxa plana), 거대고(coxa magna) 등 Legg-Calvé-Pethes 병에서의 대퇴골두 골단과 유사한 소견을 보일 수 있다.

제2형 trichorhinophalangeal 증후군(Lanager-Giedion 증후군)

- TRPS1와 EXT1 유전자가 존재하는 8q24.11-q24.13 부위의 염색체 결손으로 TRPS와 다발성 골연골종증이 함께 발생하는 contiguous gene syndrome
- 그 외에 소두증, 지능 저하, 청각 상실, 관절 이완, 단신 등의 소견을 보일 수 있다.

Table 3. **가성 부갑상샘 기능저하증의 분류**

	AHO	PTH resistance	Serum Ca level	Serum Phosphate	Urine cAMP	Genotype
PHP type 1A	+	+	Low	High	Low	GNAS1 mutation on maternal allele
PHP type 1B	-	Only in renal tissue	Low	High	Low	Deletion of maternal GNAS1 or STX16 (absence of maternal Gs-a1)
PHP type 2	-	+	Low	High	Normal	Unknown
PPHP*	+	-	Normal	Normal	Normal	GNAS1 mutation on paternal allele

* PPHP: pseudopseudohypoparathyroidism

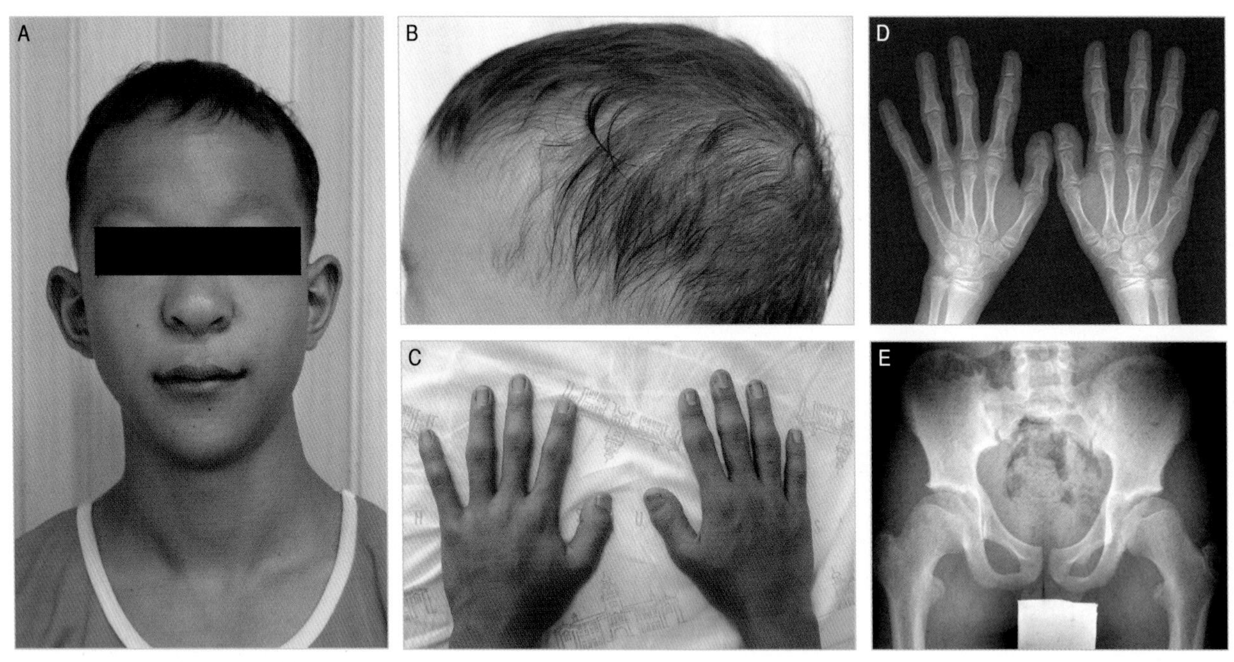

Fig 23. **Trichorhinophalangeal 증후군.**
A: 제1형의 얼굴. B: 듬성듬성한 머리카락. C: 짧은 손가락. D: 원뿔 모양의 수지골 골단. E: 대퇴골두 골단의 저형성.

11. Cornelia de Lange 증후군

특징적인 얼굴 모양과 성장 지체를 특징으로 하는 증후군. 세포 분열에 작용하는 cohesion 복합체를 구성하는 단백질들의 유전자 돌연변이에 의해서 발병한다. 50-60%는 NIPBL, 약 5%는 SMC1A, 그리고 보다 경한 증상을 보이는 SMC3, RAD21 유전자 등의 돌연변이가 발견된다. 이들 유전자의 위치에 따라서 상염색체 우성 또는 X-linked 유전 양상을 보인다.

1) 임상 양상

- 얼굴 모양: 양쪽이 연결된 눈썹, 긴 속눈썹, 콧 잔등이 납작하고 끝이 올라감, 인중이 길고 입술 양끝이 아래로 처진다.
- 정신 지체: 평균 IQ 53
- 자폐증이 흔하고, 말을 하지 못하며, 감각신경(sensory-neural) 난청이 흔하다.

2) 정형외과적 문제

- Legg-Calvé-Perthes 병의 빈도가 높고 예후가 불량하다.
- 고관절 이형성증이 있을 수 있다 Fig 24.
- 각종 수부 기형, 슬관절과 주관절의 굴곡 구축, 아킬레스건 경직, 저성장이 동반될 수 있다.

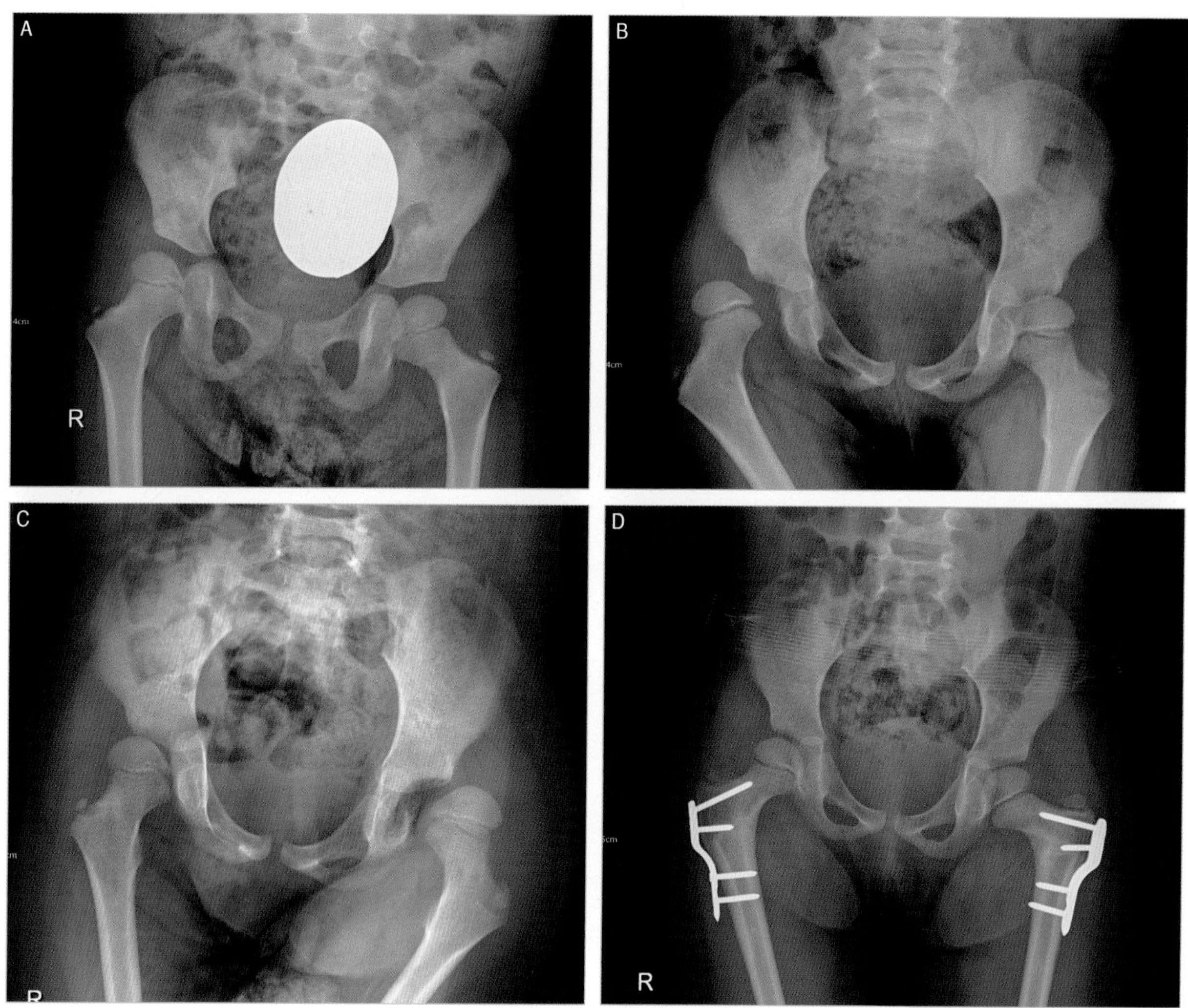

Fig 24. **Cornelia de Lange 증후군이 있는 4세 여아의 양측성 습관성 고관절 탈구.**
A: 고관절 중립 위에서는 탈구가 없다. B,C: 환아가 고관절을 내전하여 의도적으로 탈구를 일으킬 수 있다. D: 고관절 내반 절골술로 고관절 내전을 하여도 탈구가 일어나지 않도록 치료하였다.

참고문헌

이덕용, 최인호, 문형로 등 Cornelia de Lange 증후군에 동반된 Legg-Perthes씨 병의 치험 - 1례 보고. 대한정형외과학회지. 1990;25:591.

Akbarnia BA, Gabriel KR, Bechman E, et al. Prevalence of scoliosis in neurofibromatosis. Spine. 1992;17:244.

Allington NF, Jay Kumar S, et al. Clubfeet associated with congenital constriction bands of the ipsilateral lower extremity. J Pediatr Orthop. 1995;15:599.

Askins G, Ger E. Congenital constriction band syndrome. J Pediatr Orthop. 1988;8:461.

Baroncelli GI, Vierucci F, Bertelloni S, et al. Pamidronate treatment stimulates the onset of recovery phase reducing fracture rate and skeletal deformities in patients with idiopathic juvenile osteoporosis: comparison with untreated patients. J Bone Miner Metab. J Bone Miner Metab. 2013;31:533.

Bastepe M, Juppner H. Inherited hypophosphatemic disorders in children and the evolving mechanisms of phosphate regulation. Rev Endocr Metab Disord. 2008;9:171.

Bauermeister S, Letts M. The orthopaedic manifestations of the Langer-Giedion syndrome. Orthop Rev. 1992;21:31.

Biesecker LG, Sapp JC. Proteus Syndrome. 2012 Aug 9

[Updated 2019 Jan 10]. In: Adam MP, Ardinger HH, Pagon RA, et al., editors. GeneReviews®. Seattle (WA): University of Washington, Seattle; 1993-2021. Available from: https://www.ncbi.nlm.nih.gov/books/NBK99495/

Bowen JR, Joseph KN, Kane HA, et al. Orthopedic aspects of the Marfan phenotype. Clin Orthop Relat Res. 1992;277:251.

Brioude F, Kalish JM, Mussa A, et al. Clinical and molecular diagnosis, screening and management of Beckwith-Wiedemann syndrome: an international consensus statement. Nat Rev Endocrinol. 2018;14:229.

Calvert PT, Edgar MA, Webb PJ. Scoliosis in neurofibromatosis: The natural history with without operation. J Bone Joint Surg Br. 1989;71:246.

Chaglassian JH, Riseborough EJ, Hall JL. Neurofibromatous scoliosis. Natural history and results of treatment in thirty seven cases. J Bone Joint Surg Am. 1976;58:695.

Chlebna-Sokół D, Loba-Jakubowska E, Sikora A. Clinical evaluation of patients with idiopathic juvenile osteoporosis. J Pediatr Orthop B. 2001;10:259.

Choi IH, Kim JK, Chung CY, et al. Deformity correction of knee and leg lengthening by Ilizarov method in hypophosphatemic rickets: outcomes and significance of serum phosphate level. J Pediatr Orthop. 2002;22:626.

Crawford AH Jr, Bagamery N. Osseous manifestations of neurofibromatosis in childhood. J Pediatr Orthop. 1986;6:72.

Crawford AH, Schorry EK. Neurofibromatosis update. J Pediatr Orthop. 2006;26:413.

Crawford AH. Pitfalls of spinal deformities associated with neurofibromatosis in children. Clin Orthop Relat Res. 1989;245:29.

Demetriades D, Hager J, Nikolaides N, et al. Proteus syndrome: musculoskeletal manifestations and management: a report of two cases. J Pediatr Orthop. 1992;12:106.

Gjolaj JP, Sponseller PD, Shah SA, et al. Spinal deformity correction in Marfan syndrome versus adolescent idiopathic scoliosis: learning from the differences. Spine (Phila Pa 1976). 2012;37:1558.

Glorieux FH, Marie PJ, Pettifor JM, et al. Bone response to phosphate salts, ergocalciferol, and calcitriol in hypophosphatemic vitamin D-resistant rickets. N Engl J Med. 1980;30:1023.

Guidera KJ, Brinker MR, Kousseff BG, et al. Overgrowth management in Klippel-Trenaunay- Weber and Proteus syndromes. J Pediatr Orthop. 1993;13:459.

Guidera KJ, Satterwhite Y, Ogden JA, et al. Nail patella syndrome: a review of 44 orthopaedic patients. J Pediatr Orthop. 1991;11:737.

Hoyme HE, Seaver LH, Jones KL, et al. Isolated hemihyperplasia (hemihypertrophy): report of a prospective multicenter study of the incidence of neoplasia and review. Am J Med Genet. 1998;79:274.

Jacobsen ST, Hull CK, Crawford AH. Nutritional rickets. J Pediatr Orthop. 1986;6:713.

Jones KB, Erkula G, Sponseller PD, et al. Spine deformity correction in Marfan syndrome. Spine (Phila Pa 1976). 2002;27:2003.

Joubin J, Pettrone CF, Pettrone FA. Cornelia de Lange's syndrome. A review article (with emphasis on orthopedic significance). Clin Orthop Relat Res. 1982;171:180.

Kim SY, Shin CH, Lee YA, et al. Clinical Application of Sequential epigenetic analysis for diagnosis of Silver-Russell syndrome. Ann Lab Med. 2021;1:401.

Koo WW, Sherman R, Succop P, et al. Fractures and rickets in very low birth weight infants: conservative management and outcome. J Pediatr Orthop. 1989;9:326.

Lee CK, Chang BS, Hong YM, et al. Spinal deformities in Noonan syndrome: a clinical review of sixty cases. J Bone Joint Surg Am. 2001;83:1495.

Lee DY, Choi IH, Lee CK, et al. Acquired vitamin D-resistant rickets caused by aggressive osteoblastoma in the pelvis: a case report with ten years' follow-up and review of the literature. J Pediatr Orthop. 1994;14:793.

Legius E, Messiaen L, Wolkenstein P, et al. Revised diagnostic criteria for neurofibromatosis type 1 and Legius syndrome: an international consensus recommendation. Genet Med. 2021, Epub ahead of print.

Lindhurst MJ, Sapp JC, Teer JK, et al. A mosaic activating mutation in AKT1 associated with the Proteus syndrome. N Engl J Med. 2011;365:611.

Lindsey JM, MacWilliams BA, Michelson JD, et al. The foot in Marfan syndrome: clinical findings and weight-distribution patterns. J Pediatr Orthop. 1998;18:755.

Loder RT, Hensinger RN. Slipped capital femoral epiphysis associated withrenal failure osteodystrophy. J Pediatr Orthop. 1997;17:205.

Loder RT, Wittenberg B, DeSilva G. Slipped capital femoral epiphysis associated with endocrine disorders. J Pediatr Orthop. 1995;15:349.

Loeys BL, Dietz HC, Braverman AC, et al. The revised Ghent nosology for the Marfan syndrome. J Med Genet. 2010;47:476.

Malfait F, Francomano C, Byers P, et al. The 2017 international classification of the Ehlers-Danlos syndromes. Am J Med Genet C Semin Med Genet. 2017;175:8.

Miura K, Kim OH, Lee HR, et al. Overgrowth syndrome

associated with a gain-of-function mutation of the natriuretic peptide receptor 2 (NPR2) gene. Am J Med Genet A. 2014;164A:156.

Oppenheim WL, Shayestehfar S, Salusky IB. Tibial physeal changes in renal osteodystrophy: lateral Blount's disease. J Pediatr Orthop. 1992;12:774.

Pappas AM, Nehme AE. Leg length discrepancy associated with hypertrophy. Clin Orthop Relat Res. 1979;144:198.

Pyertiz RE, Sponseller PD, Tomek IM. Developmental dysplasia of the hip in Marfan syndrome. J Pediatr Orthop B. 1997;6:255.

Reinker KA, Stevenson DA, Tsung A. Orthopaedic conditions in Ras/MAPK related disorders. J Pediatr Orthop. 2011;31:599.

Roberts AE, Allanson JE, Tartaglia M, et al. Noonan syndrome. Lancet. 2013;381:333.

Sponseller PD, Hobbs W, Riley LH 3rd, et al. The thoracolumbar spine in Marfan syndrome. J Bone Joint Surg Am. 1995; 77:867.

Steel HH. Protrusio acetabuli: its occurrence in the completely expressed Marfan syndrome and its musculoskeletal component and a procedure to arrest the course of protrusion in the growing pelvis. J Pediatr Orthop. 1996;16:704.

Sticker S. Musculoskeletal manifestations of Proteus syndrome: report of two cases with literature review. J Pediatr Orthop. 1992;12:667.

Weksberg R, Shuman C, Beckwith JB. Beckwith-Wiedemann syndrome. Eur J Hum Genet. 2010;18:8.

Winter RB, Lonstein JE, Anderson M. Neurofibromatosis hyperkyphosis: A review of 33 patients with kyphosis of 80 degrees or greater. J Spinal Disorders. 1988;1:39.

Winter RB, Moe JH, Bradford DS, et al. Spine deformity in neurofibromatosis: A review of one hundred and two patients. J Bone Joint Surg Am. 1979;61:677.

Winter RB. Thoracic lordoscoliosis in Marfan's syndrome; Surgical correction using rods and sublaminar wires. Spine. 1990;15:233.

소아정형외과학

70

뇌성마비

Cerebral Palsy

PEDIATRIC
ORTHOPAEDICS

뇌성마비

Cerebral Palsy

목차

I. 서론

1. 정의

뇌성마비는 골절이나 변형처럼 직관적으로 진단을 내릴 수 있는 질환이 아닌 일종의 질환군이다. 즉, 뇌성마비의 정의가 진단에 영향을 미치게 된다. 뇌성마비는 원인에 의해 정의되지는 않는다. 그래서 뇌성마비는 다양한 원인이 존재하고 뇌성마비라 불리는 환자의 반 이상에서 원인을 알지 못한다.

현재는 2007년 Rosenbaum에 의한 정의가 가장 널리 쓰이고 있다. 이에 따르면 뇌성마비란 발달 과정의 태아 또는 영유아기의 뇌에서 발생한 비진행성 병변으로 인하여, 초래되는 일련의 운동 및 자세 발달의 영구적인 장애를 말한다. 뇌성마비는 운동 장애뿐 아니라 감각, 인지, 의사소통, 간질, 그리고 이차적인 근골격계 문제를 흔히 동반한다. 또한 뇌의 병변은 진행하지 않지만, 뇌의 병변으로 인한 이차적인 근골격계 문제는 환자의 발달과 성장과 맞물려 진행을 하게 된다. 즉 정형외과 의사로 환자를 보게 되면 근골격계의 이차 병변은 진행한다는 것을 이해하는 것이 치료 및 수술 계획을 세우는 대 중요하다.

2. 역학과 원인

뇌성마비의 진단은 정의에 맞추어 내려지기 때문에, 조사되는 유병률도 그 정의에 따라 달라진다. 따라서, 각 지역의 뇌성마비 유병률을 상대적으로 비교하는 것은 사실 의미가 없다. 다만, 동일한 조사방법 및 진단 기준으로 기간에 따른 유병률의 변화를 조사하였다면 시기에 따른 변화를 상대적으로 평가하기에 유용할 것이다Table 1. 우리나라의 뇌성마비 유병률은 신생아 1,000명당 3.2명 수준이며

Table 1. **뇌성마비의 유병률.**

뇌성마비의 유병률은 뇌성마비를 어떻게 정의하였는가, 어떻게 자료를 얻었는가에 따라 달라지기에 일률적인 비교는 힘들다. 또한 국가 보험 등 국가 레지스트리에서 자료를 얻는 경우가 사적인 데이터 베이스를 구축하여 자료를 얻는 것보다 정확할 수 있다. 표에 제시한 유병률로 대략적인 경향만 파악하면 될 것이다.

국가	조사기간	유병률(신생아 1,000명당)
미국	1985-1987	2.4
	2002	3.6
노르웨이	1996-1998	2.1
중국	1997	1.6
캐나다	1991-1995	2.7
스웨덴	1999-2002	2.2
	1995-1998	1.9
	1991-1994	2.1
	1987-1990	2.4
	1983-1986	2.5
대한민국	2003	3.2
	2002	2.8
	2001	2.4
	2000	2.3
	1999	2.2

남아가 여아보다 많다. 뇌성마비 유병률은 큰 변화가 없다는 보고와 조산 생존율의 증가에 따라 뇌성마비 유병률도 증가하는 추세를 보인다는 보고가 모두 있다.

뇌성마비는 출산 전후에 발생하는 여러 원인에 의한 신생아 뇌손상의 결과로 알려져 있다. 역학적으로 조산(prematurity)과 저체중이 가장 중요한 위험인자이다. 미성숙뇌의 경우 뇌혈관도 미성숙하여 뇌혈류가 혈압의 변동에 취약하다. 따라서 약간의 혈압 변화에도 경색이나 출혈이 쉽게 발생한다고 설명하고 있다. 뇌혈류 저하로 인해 특징적으로 나타나는 영상소견을 뇌실주변 백질연화증(periventricular leukomalaia)이라 하고 대칭적으로 생기는 것이 특징이다. 반면에 뇌출혈이 생기는 경우는 뇌실주변 출혈경색(periventricular hemorrhagic infarction)이라 하고 대부분 일측성으로 나타난다Fig 1.

과거에는 분만 시(perinatal) 저산소혈증(hypoxemia)이 가장 중요한 원인으로 지목되었다. 그러나, 현재는 주산기가사(birth asphyxia)와 같은 분만 시의 손상은 전체 뇌성마비의 10% 정도에만 관여하고, 80%의 뇌성마비는 다양한 원인에 의하여 출생 전(prenatal) 이미 뇌손상이 일어나는 것으로 이해되고 있다. 이외에도 두경부 손상이나 중추신경계 감염 등 출생 후(postnatal) 발생하는 손상에 의한 것이 약 10% 정도로 알려져 있다. 신생아 처치에 대한 발달로 핵황달로 인해 뇌성마비가 발생하는 경우는 드물어졌다.

3. 분류 및 임상증상

뇌성마비의 치료는 원인에 의한 치료가 아니라, 증상에 대한 치료이다. 따라서, 뇌성마비의 치료를 하는 데 있어, 원인에 의한 분류보다는 생리학적 유형에 따른 분류, 이환(involvement)된 해부학적 부위에 따른 분류, 그리고 기능에 따른 분류가 치료 계획을 수립하는 데에 도움이 된다.

1) 생리학적 유형에 따른 분류 및 임상증상

경직형(spastic), 근긴장이상형(dystonic), 운동실조형(ataxic), 혼합형(mixed) 등으로 나눈다. 경직형이 70% 정도로 가장 많으면 근긴장이상형이 그 다음이며 운동실조형은 1% 정도이다.

경직형(spastic type) 뇌성마비는 경직성을 특징적으로 보이는 형태이다. 경직성 뇌성마비는 사지 및 척추에 특징적인 변형을 초래한다. 치료의 결과가 예측 가능하여 정형외과 수술의 주요 적응이 된다. 경직형과 근긴장이상형이 혼재되어 있는 경우는 경직형 요소(spastic component)에 대해 경직형 뇌성마비에 준하여 치료한다.

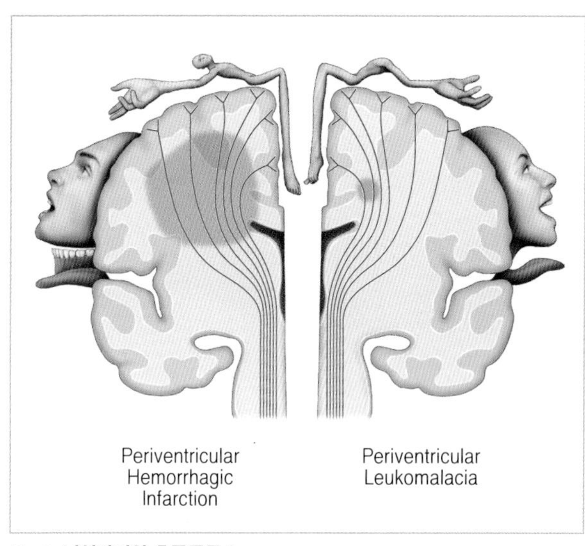

Fig 1. **뇌성마비와 호문쿨루스.**
좌측은 뇌실주변 출혈경색(periventricular hemorrahgic infaction)을 나타낸다. 호문쿨루스를 보면 상지와 하지에 광범위하게 영향을 미치는 것을 알 수 있다. 우측은 뇌실주변 백질연화증(periventricular leukomalasia)을 나타낸다. 주로 하지에 영향을 미치는 것을 알 수 있다.

경직성(spasticity)
- 중추 신경의 억제 기능이 소실되어, 운동신경세포가 구심성 감각신경의 자극에 민감해져 발생하는 것으로 이해되고 있다Fig 2.
- 근육의 긴장성이 증가되는 것으로 근육의 신전반사(stretch reflex)의 항진이 원인이다.
- 근육의 수동적 신전에 대해 근육의 속도-의존적인 저항이 발생한다. 즉 빠른 신전에는 저항이 발생하고, 느린 신전에는 저항이 발생하지 않는다.
- 상부 운동신경원 증후군(upper motor neuron syndrome) 형태로 나타나며 바빈스키(Babinski) 반응이 양성, 반사항진(hyperreflexia), 간대성 경련(clonus) 등이 관찰된다.
- 경직성이 있는 근육은 초기에는 역동적 단축을 보인다. 그러나, 근육의 성장이 골의 성장에 미치지 못하고 마침내 근육의 구축(contracture)을 야기한다Fig 3. 결과적으로 경직성은 근육의 구축, 골의 변형, 관절의 탈구 등 근골격계의 이차적 문제를 초래한다.

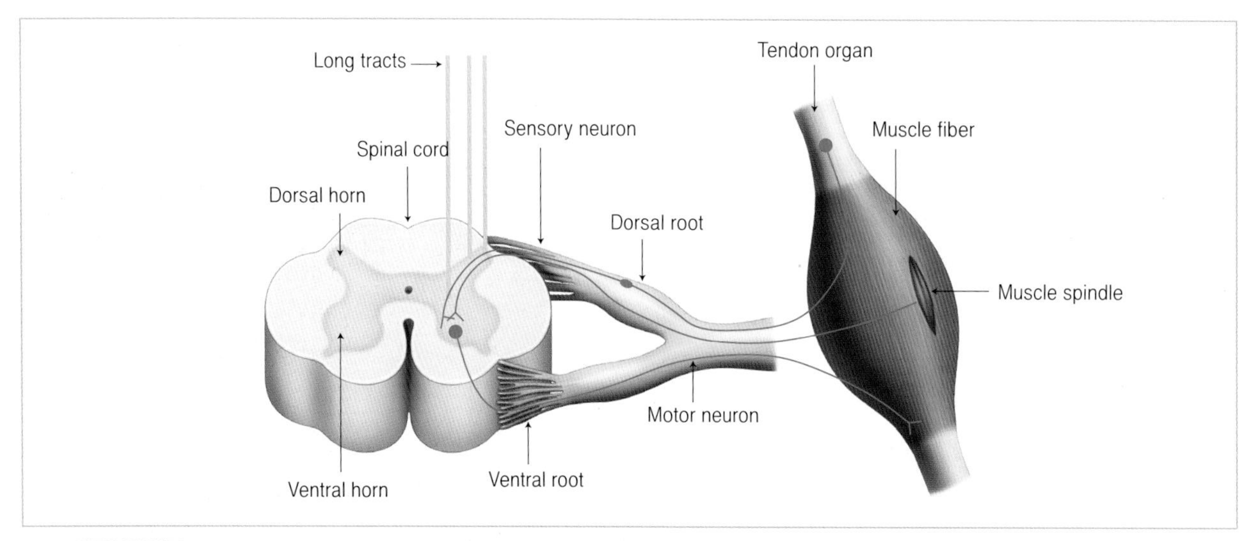

Fig 2. **경직성의 병리.**
피질척수 신경로(corticospinal tract)의 억제 신호가 소실되어 근육의 신전 반사가 항진되는 것을 경직성(spasticity)이라고 한다.

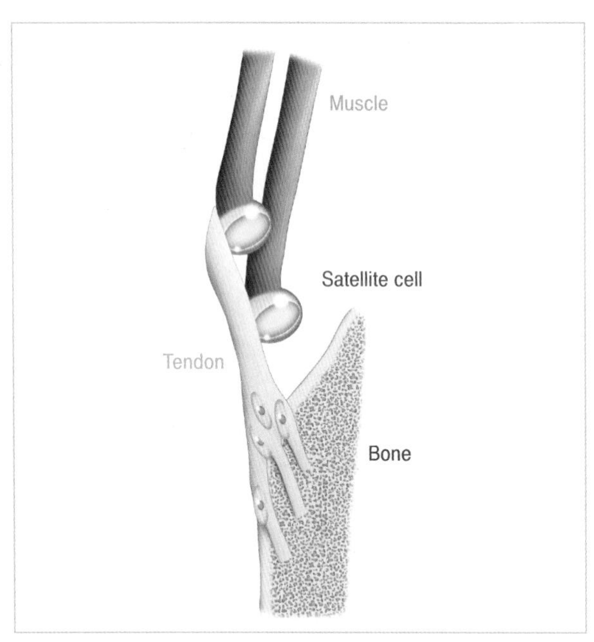

Fig 3. **근육의 성장.**
근육의 성장은 musculotendinous junction의 위성 세포에서 일어나는 것으로 알려져 있다. 다만 근 성장을 위해서는 지속적인 신전 자극이 필요하다. 뇌성마비에서는 신전 자극이 적어서 근성장이 골성장에 비해 상대적으로 적게 일어나서 구축을 일으키는 것으로 이해하고 있다.

근긴장이상형(dystonic type) 뇌성마비는 대뇌기저핵(basal ganglia)의 이상이 주된 병변으로 불수의 운동(involuntary movement)을 억제하지 못하는 형태이다. 수의 운동(voluntary movement)이나 자세 유지 시 사지, 목, 안면 등을 지속적이며 불규칙하게 뒤틀거나 꿈틀거리는 불수의 운동이 발생한다. 특징적으로 수면 시에는 불수의 운동이 소실된다. 심부 건 반사는 대개 정상이고, 구축이나 관절 변형은 드문 편이나 연하장애가 흔하게 발생한다. 근긴장이상형은 경직형에 비해 수술 결과가 일정하지 않아서, 수술적 치료는 필요한 경우에 최소한으로 한다. 근긴장이상형 뇌성마비 중 핵황달로 인한 불수의 운동형(athetoid) 뇌성마비는 과거에 흔했으나, 핵황달이 줄어들면서 발병률이 감소하였다.

운동실조형(ataxic type) 뇌성마비는 소뇌의 기능장애에 기인하여 보행 시 평형감각장애와 협동운동장애가 특징적으로 나타나는 형태이다. 운동실조형 뇌성마비는 성장에 따라 증상이 어느 정도 호전되기도 하며, 수술적 치료가 필요한 경우는 드물다.

2) 이환된 해부학적 부위에 따른 분류 및 임상증상

환자의 전반적인 상태와 함께 중증도(severity)에 대한 정보를 일부 제공하기 때문에 뇌성마비를 치료하는 의사에게 가장 널리 사용되는 분류 방법이다. 주로 경직형에 적용하며 근긴장이상형이나 운동실조형의 경우 전신에 이환되기 때문에 해부학적 분류를 잘 적용하지 않는다. 이환된 부위에 따라 편마비(hemiplegia), 양측마비(diplegia), 사지마비(quadriplegia)로 분류를 많이 한다. 사지 중 하나만 이환된 단마비(monoplegia), 삼지가 이환된 삼지마비(triplegia)를 추가하기도 한다. 사지마비에 목을 가누지 못할 경우 오지마비(pentaplegia)라는 용어를 쓰기도 한다. 사지 모두에서 마비를 보이나 양쪽 상지가 더 심하게 이환된 경우를 편마비가 양측에 있는 경우로 생각하여 양측 편마비(double hemiplegia)라는 용어를 쓰기도 한다.

(1) 편마비(hemiplegia)

뇌성마비의 경우, 뇌의 병변이 일정한 양상을 띠는 경우가 많기 때문에, 말단 혹은 사지의 변형도 일정한 패턴을 띠게 된다. 편마비는 일측의 상지와 하지가 이환되는 형태로 뇌성마비 환자의 약 30%를 차지한다. 이환된 편측에서는 상지가 하지에 비해 더 심하게 이환한다. 뇌실주변 출혈경색(periventricular hemorrhagic infarction)이 일측으로 잘 발생하고 그 범위가 호문쿨루스에서 보면 상지 쪽을 더 이환하기에 편마비를 뇌실주변 출혈경색과 연관지을 수 있다 Fig 1. 근위부보다 원위부에서 심하게 이환되는 양상을 보이기에 견관절과 고관절보다는 수부와 족부의 변형이 더 심하게 나타난다.

대개 GMFCS I-II단계로 발달은 정상 아동보다 같거나 약간 늦어서 진단은 대부분 보행기 이후에 이루어진다. 대부분 정상지능을 가지며 비교적 정상적인 사회생활을 기대할 수 있다. 국소적 뇌병변으로 인한 다양한 정도의 사시, 반맹증, 전간증 등을 동반할 수 있다. 정형외과 치료는 대부분 보행의 향상, 손 기능의 향상을 목표로 한다.

경직성 편마비 환자에서의 전형적 변형

편마비 환자들이 모두 같은 변형을 가지고 있는 것은 아니지만 일정한 패턴을 가지는 경우가 많다.

- 족부 변형: 첨족(equinus), 후족부 내반(hindfoot varus), 전족부 내전(forefoot adduction)이 주로 나타난다. 나이가 들면서 요족(cavus)을 동반하기도 한다. 경한 경우 고착된 변형 없이 족하수(footdrop)를 보이는 경우도 있다. 환측 족부가 작은 경향을 보인다. 하퇴 삼두근의 구축으로 첨족이 생긴다. 후경골근의 경직 및 구축이 후족부 내반, 중족부 회외(supination), 전족부 내전을 야기한다.
- 슬관절 굴곡 변형: 다양한 정도의 슬관절 굴곡 구축, 슬괵근 구축, 대퇴직근 구축을 보일 수 있다. 양측마비에 비해 슬관절 굴곡 구축의 정도는 덜하다.
- 고관절 굴곡 변형: 장요근에 의한 굴곡 구축을 보일 수 있다.
- 대퇴골 전염: 대퇴골 전염과 전족부 내전이 흔하여, 결과적으로 환측의 내족지 보행을 보이는 경우가 많다.
- 경골 외염전: 나이가 들면서 경골 외염전이 증가되는 양상을 보인다. 이를 간과하면 대퇴골 감염 절골술, 족부 변형에 대한 교정술을 시행한 후에 외족지 보행을 보이는 경우가 많다.
- 골반 외회전: 대퇴골 전염과 전족부 내전에 의한 내족지 보행을 보상하기 위하여, 동측으로 동적 외회전을 보인다. 대퇴골 전염과 전족부 내전을 해결하면 어느 정도 해소가 된다.
- 하지 부동: 이환된 하지가 경도로 단축되어 있다. 또한 이환된 하지 크기가 작다. 하지 부동이 기능상 문제가 되는 경우는 거의 없어 수술적 적응이 되는 경우도 별로 없다. 그러나, 환자 보호자가 신경을 쓰는 경우가 많기에 이에 대한 설명과 의사소통이 필요하다.
- 견관절의 내회전
- 주관절의 굴곡: 실제 기능의 문제라기 보다는 사회적 낙인으로 인해 수술적 치료를 하게 된다.
- 전완부의 회내전
- 수근관절의 굴곡 및 척측변위(ulnar deviation): 척수굴근(flexor carpi ulnaris)의 경직과 단축이 흔하다.
- 수장부의 수지굴곡과 thumb-in-palm 변형

① 시상면 변형과 Winters의 분류

다양한 방법으로 편마비를 세부 분류하려는 시도가 있어 왔다. 가장 쉽게 볼 수 있는 시상면의 보행 양상으로 분류한 것이 Winters의 편마비 분류이다 Fig 4. 뇌성마비의 보행에서 족근관절의 첨족이 가장 쉽게 확인할 수 있기에, 과거의 치료는 족부 변형의 치료가 주로 이루어져 왔다. Winters의 분류는 슬관절, 고관절에도 변형이 동반될 수 있다는 것을 강조한 분류로서의 의의가 있다.

상기 분류법을 익히면서 우리가 유의해야 할 점이 있

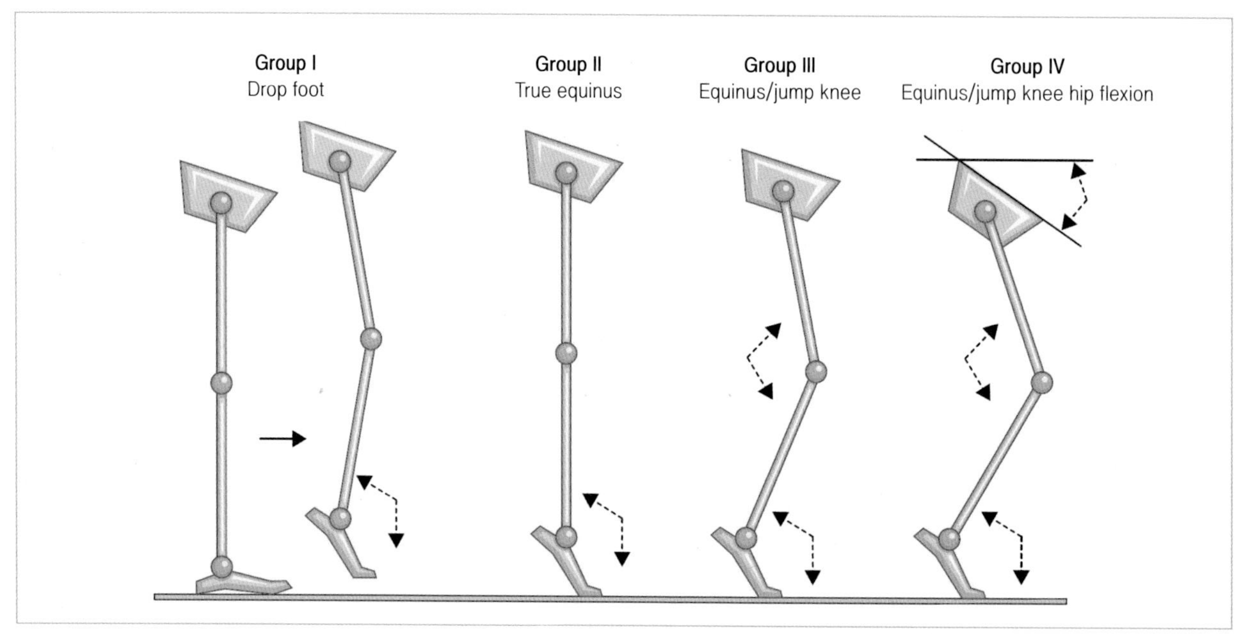

Fig 4. **Winters의 편마비 분류.**
편마비의 시상면만으로 분류를 하였다. 족근관절, 슬관절, 고관절만을 이용하였다.

다. 첫째, 편마비의 변형이 원위부터 시작하고, 심해질수록 근위로 진행한다는 개념이다. 물론 편마비는 대부분 이런 경향을 보이지만, 안 그런 경우도 있다. 둘째, 보행은 삼차원으로 보아야 하는데, 상기 분류의 한계는 편마비에서 흔히 동반하는 횡단면(염전변형)과 관상면에 대한 고려가 없다는 것이다. 뇌성마비 보행을 삼차원으로 나누어 보면 시상면, 관상면, 횡단면 변형으로 볼 수 있다. 관상면 변형은 Trendelenburg 보행이나 가위보행이 있을 수 있고, 횡단면 변형으로 내족지, 외족지 보행이 나타날 수 있다.

Winters의 시상면 변형에 대한 구분은 다음과 같다. 1-2형은 족부, 3형은 족부와 슬관절, 4형은 족부, 슬관절, 고관절의 변형이 있는 경우로 구분하였다. 1형이 가장 경한 형태이고 4형이 가장 심한 형태이다.

a. 제1형

시상면에서 족하수(footdrop)가 있는 경미한 편마비를 의미한다. 경직성과 근위약에 의한 족하수로 구축(contracture)이 경미할 경우 이로 분류한다. 즉, 신체 검진 시에 하퇴 삼두근의 구축(contracture)은 없지만, 족저굴곡근의 경직성이 있고 족배굴곡근의 위약이 있어 보행 시에만 족하수가 나타나는 경우이다.

보행 분석을 보면 유각기에 첨족/족하수가 있으며, 초기 접지기에 발바닥 혹은 족지로 접지한다. 따라서 제1요람(first rocker)은 소실된다. 그러나 중간 입각기부터는 첨족이 없으며 족배굴곡은 정상이다. 족하수의 보상작용으로 말기 유각기부터 하중 반응기 동안 슬관절과 고관절 굴곡이 증가한다.

하퇴삼두근(triceps surae)의 경직과 상대적인 전경골근의 약화가 원인으로 생각한다. 대부분 환측하지가 약간 짧아 큰 문제가 없는 경우가 대부분이라, 수술적 치료 없이 추시하거나 일부 보조기를 쓴다. 족하수가 일상 생활에 방해가 되는 경우, 아킬레스건 연장술과 족무지굴근 이전술(FHL to dorsum)을 고려해 볼 수도 있다.

b. 제2형

보행의 전주기를 걸쳐 첨족변형이 보이는 형태이다. 중증도가 1형보다 심하므로 보행속도가 1형보다 느리다. 하퇴삼두근, 후경골근, 족저굴곡근의 다양한 경직성과 구축을 보인다. 이에 족부의 변형은 첨족과 더불어 전족부 내전, 후족부 내반이 흔히 동반한다. 또한 전경골근 등 족배굴곡근의 약화를 동반할 수 있다. 그래서 첨족변형에 대한 수술적 치료를 시행한 이후에 족하수가 나타나는 경우도 있다. 또한 심한 첨족변형의 경우, 경골 외염전을 정확하게 측정하기가 힘들기에, 첨족변형의 수술적 치료 이후에 외족지 보행이 나타나는 경우도 있다.

c. 제3형

족근관절과 슬관절을 이환하는 형태로 슬관절은 굴곡 보행(flexed knee gait) 혹은 stiff knee gait를 보인다. 슬관절 굴곡 보행(flexed knee gait)은 입각기에 슬관절 시상면을 보고 판단한다. 초기 접지기에 슬관절 굴곡을 보이고, 심한 경우 입각기에 지속적인 슬관절 굴곡을 보인다. Stiff knee gait은 유각기의 슬관절 시상면을 보고 판단한다. 유각기에 최대 슬관절 굴곡(decreased amplitude of peak knee flexion)이 감소되어 있고, 최대 슬관절 굴곡에 다다르는 시간이 늦어진다(delayed timing of peak knee flexion). 즉 유각기에 슬관절이 덜 굴곡되어 foot clearance를 힘들게 한다.

슬관절 굴곡 보행은 슬근(hamstring)의 경직 혹은 구축, 슬관절 굴곡 구축, 고위 슬개골 등 다양한 변형 동반할 수 있다. 다만 양측마비의 crouch gait보다는 중증도가 덜한 경향을 보인다. Stiff knee gait는 대퇴직근의 경직성 혹은 구축으로 인한다.

d. 제4형

족근관절의 첨족변형, 슬관절 굴곡 보행/Stiff knee gait과 더불어 고관절의 굴곡 보행, 골반의 전경사를 동반한다. 장근(iliacus)과 요근(psoas)의 구축에 의하여 생기며, 특히 요근의 구축이 더 심한 경향을 보인다. 관상면에 영향을 미치는 내전근의 구축도 동반할 수 있으며 대퇴골 전염의 증가를 흔히 동반하므로 관상면, 시상면의 고려도 같이하여야 한다.

Thomas test와 Staheli test에서 굴곡 구축을 보인다. 이 중 고관절 신전 정도를 확인할 수 있는 Staheli test가 굴곡 구축을 확인하는 대는 더 민감하다. 보행 시 고관절의 운동 범위는 말기 유각기에 10도 이상 신전이 되어야 한다. 고관절 굴곡 구축이 있는 경우, 말기 유각기에 몸의 진행을 위하여 골반의 전경사가 증가하는 현상이 보이게 된다. 편마비의 경우 한 번의 전경사 증가가 보이기에 이를 single bump pattern이라고 한다.

② 횡단면 변형에 대한 고려

Winters에 의한 분류는 시상면만을 기준으로 하였기 때문에, 내족지 보행와 외족지 보행 등 횡단면 변형에 대한 고려가 치료 계획 수립을 위해 추가적으로 필요하다.

편마비의 경우, 내족지 보행이 주로 보이며, 대퇴골 염전의 증가를 흔히 보인다. Winters 분류가 높을수록, 즉 중증도가 증가할수록 대퇴골 염전이 더욱 증가하는 양상을 보인다. 대퇴골 염전의 증가는 내족지 보행으로 나타나며 이에 대해서는 3가지 현상이 임상적으로 중요하다.

첫째, 대퇴골 전염의 정상치는 약 20도이다. 비장애인에서 대퇴골의 내회전, 외회전은 각각 40도 정도로 대략 내회전, 외회전은 대칭이다. 고관절은 횡단면 운동의 범위가 넓기 때문에 비장애인에서는 어느 정도 보상이 되어서 전염이 좀 증가되었다고 해서 바로 내족지 보행으로 나타나지는 않는다. 그러나 뇌성마비는 이런 보상이 비장애인보다는 용이하지 않기 때문에 전염의 증가가 내족지 보행으로 더 잘 나타난다. 경험적으로 대퇴골 전염 증가의 반 정도로 대퇴골의 내회전이 증가한다. 예를 들어 전염이 20도 증가하면 내족지 보행이 10도 정도 증가한다.

둘째, 대퇴골의 내회전은 골반의 동측 외회전으로 보상을 하는 현상이 있다. 즉 대퇴골의 내회전이 10도 증가하였다면, 골반이 동측으로 외회전 10도하여 족부 진행각을 중립으로 유지하려고 한다. 이를 골반 보상(pelvic compensation)이라고 하며 골반 보상은 하지의 내회전을 교정하였을 경우 해소된다Fig 5. 다만 골반 보상/외회전은 입각기에 첨족에 의한 하지의 유효길이(apparent limb length)를 줄이기 위하여 일어나기도 한다. 그러므로 골반 보상이 대퇴골 내회전에 대한 보상인지 첨족에 대한 보상인지 감별이 필요한 경우도 있다.

셋째, 대퇴골 전염의 증가가 지속되면, 나이가 들면서

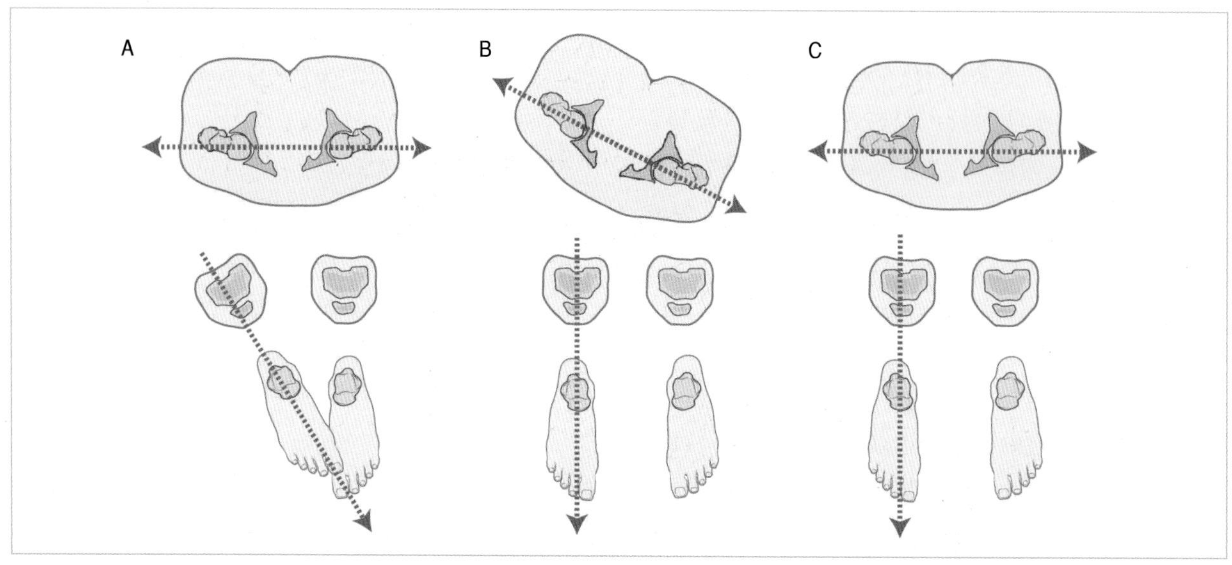

Fig 5. **일측 대퇴골 내회전에 대한 동측 골반의 외회전 보상(pelvic compensation).**
A: 한쪽만 대퇴골 염전이 증가되었을 경우, 일측 내족지 보행을 하게된다. B: 신체는 가능하면 족부진행각을 중립으로 하려는 경향이 있기에 동측의 골반을 보상으로 외회전해서 중립 족부진행각을 유지하려고 한다. 이를 골반 보상(pelvic compensation)이라고 하기도 한다. C: 대퇴 전염에 대한 감염(derotation)을 하면 다시 골반 보상이 없어진다.

발달 과정에서 경골의 외염전(external tibial torsion)을 야기한다. 실제로 뇌성마비 경골 외염전의 위험인자는 편마비, 나이(old age), 동측 대퇴골 전염의 증가이다.

족부 진행각에 영향을 미칠 수 있는 요인은 대퇴골, 경골, 족부의 회전 변형뿐만 아니라, 골반 보상(pelvic compensation)과 같은 동적 요인이 있을 수 있다. 즉 족부 진행각은 변형의 결과이므로, 족부 진행각으로 치료를 결정할 수는 있지만, 족부 진행각으로 수술의 위치나 정도를 판단할 수는 없다.

③ 관상면 변형에 대한 고려

편마비의 경우, 중증도가 심할수록 고관절 탈구가 없더라도 외전근 약화 혹은 부조화로 Trendelenburg 보행을 하는 경우가 많다. 이는 수술이나 재활로 호전이 없는 경우가 많으므로 유의하여야 한다. 또한 하지부동으로 인해 trunk shift가 없는 short limb gait을 하기도 한다.

④ 편마비 보행에서 추가 고려 사항

편마비 등에서 편측으로 족하수가 있거나 족근관절의 첨족을 보일 경우, 또는 stiff knee가 있으면 발을 끌게 되거나 foot clearance에 문제가 있으면, 신체는 크게 세 가지로 보상(compensation)을 한다. 이는 동적인 보상이기에 일차 원인을 제거하면 해소된다.

첫째, 반대쪽 입각기에 반대쪽 족근관절이 첨족을 함으로써 환측의 foot clearance를 도와줄 수 있다. 이를 도약 보행(Vaulting gait)이라고 한다. 이 경우, 반대쪽 첨족 보행이 전적으로 동적 보상이라면 수술을 해서는 안될 것이다.

둘째, 환측 족부를 원회전(circumduction)함으로써 하지의 유효 길이(apparent limb length)를 줄여 foot clearance를 도와줄 수 있다.

셋째, 유각기에 환측 슬관절의 굴곡이 증가하여 foot cleanrance를 도와줄 수 있다. 이는 경직성 편마비보다는 비골 신경마비 등 이완성 마비에 흔히 나타난다.

(2) 양측마비(diplegia)

양측마비(diplegia)는 뇌성마비에서 주로 쓰이는 용어이다. 상지와 하지가 이환되어 있으나 주로 하지를 침범하며 양측이 대칭적인 특징을 가지고 있다. 뇌성마비 분류에서는 척수의 이환을 뜻하는 하반신 마비(paraplegia)라는 용어는 쓰이지 않는다. 양측마비는 가장 큰 위험인자는 조산(prematurity)이다. 제3뇌실(third ventricle) 주위의 허혈과 관련되어 있다고 생각하며, MRI에서의이 부위의 MRI의 특징적 소견을 백질연화증(periventricular leukomalacia)이라고 한다. 호문쿨루스로 보면 하지의 이환이 상지보다 더 많다는 것을 이해할 수 있다Fig 1. 편마비에 비해 전간증이나 지능 저하의 빈도가 낮다.

일반적으로 독립 보행이 가능한 GMFCS level I-III의 환자를 의미한다. 다만 사지마비와 경계가 애매한 경우도 있어 사지마비를 포함하여 bilateral involvement라고 하기도 한다. 정형외과에서의 치료는 대부분 보행 기능의 향상을 목표로 한다.

경직성 양측마비 환자에서의 전형적 변형

양측마비 환자들이 모두 같은 변형을 가지고 있는 것은 아니지만 일정한 패턴을 가지는 경우가 많다.

- 족부 변형: 첨족(equinus), 후족부 외반(hindfoot valgus), 중족부 편평족(planus), 전족부 외전(forefoot adduction)이 주로 나타난다. 즉 편평외반족이 특징적이다. 비골근의 경직이 있는 경우가 흔하다.
- 슬관절 굴곡 변형: 다양한 정도의 슬관절 굴곡 구축, 슬괵근 구축, 대퇴직근 구축을 보일 수 있다. 슬관절 굴곡 변형의 경중에 따라 중증도가 결정이 된다.
- 고관절 굴곡 변형: 장요근에 의한 굴곡 구축을 보일 수 있다.
- 대퇴골 전염: 양측 대퇴골 전염이 흔하여, 양측 내족지 보행을 보이는 경우가 많다. 양측에 고관절 내회전이 증가하므로 골반 보상이 없는 경우가 많다.
- 경골 외염전: 나이가 들면서 경골 외염전이 증가되는 양상을 보인다. 편마비에 비해 경골 외염전은 덜 심하다.
- 상지는 큰 문제가 없는 경우가 많다.

① 시상면 변형과 Rodda의 분류

양측마비에서도 시상면을 쉽게 볼 수 있기에, Rodda의 시상면에 의한 분류가 가장 먼저 대중화되었다. Rodda의 분류는 까치발 보행(tip toeing)의 원인이 아킬레스건의 구축뿐만 아니라 슬관절의 굴곡 때문일 수도 있다는 것을 강조한 것에 의의가 있다. 슬관절 굴곡 보행에서 하퇴삼두근의 길이에 따라, crouch gait, apparent equinus gait, jump gait으로 구분을 하였다Fig 6.

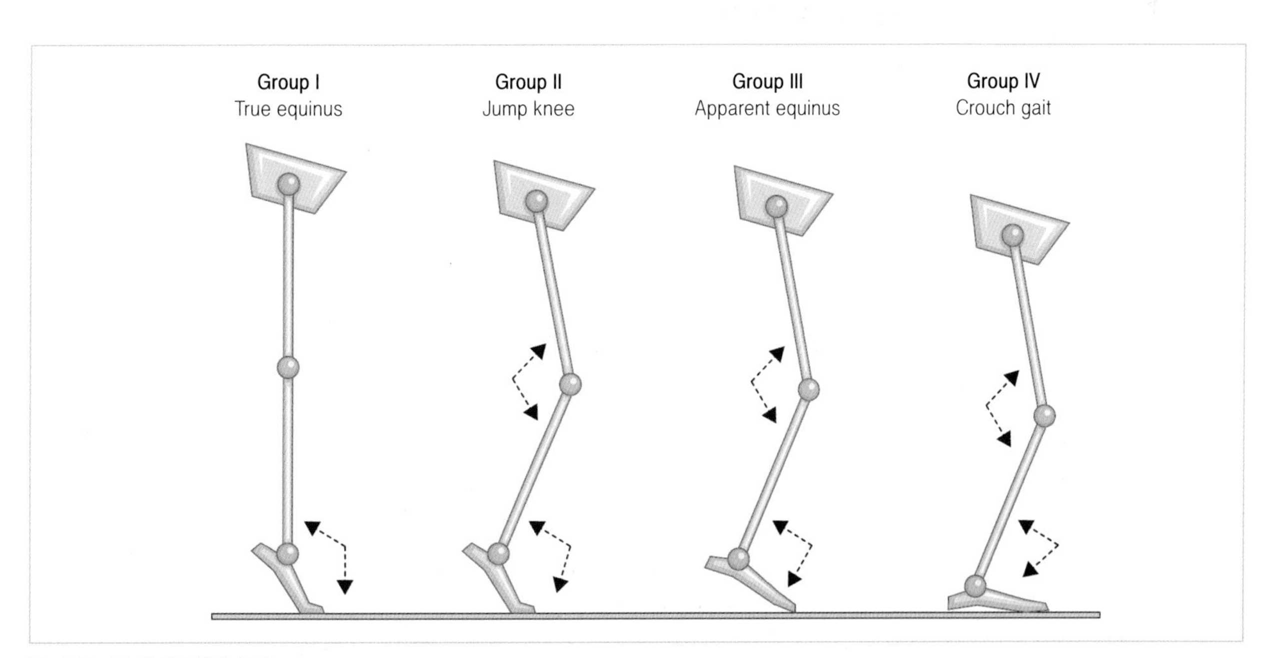

Fig 6. **Rodda의 양측마비 분류.**
양측마비의 시상면만으로 분류하였다. 족근관절, 슬관절만으로 구별을 하였다.

상기 분류법에도 우리가 유의해야 할 점이 있다.

첫째, 족근관절과 슬관절만으로 분류를 하였기에 시상면의 변형을 너무 단순화하였다. 특히 양측마비에는 편평외반족(planovalgus) 변형이 매우 흔하고, 시상면에서 거주상 관절(Talo-navicular joint)의 족배굴곡(dorsiflexion)이 과다한 경우가 많지만 이에 대한 고려는 없다. 즉 아킬레스건이 짧더라도 거주상 관절의 과다한 족배굴곡으로 crouch gait의 형태를 보일 수 있다. 물론 양측마비 환자에서 iatrogenic하게 아킬레스건 연장을 과다하게 하여 crouch gait가 생긴 경우도 있다. 그러나 과거 수술 병력 없이 crouch gait를 하는 환자들은 대부분 아킬레스건의 연장이나 위약이 있지는 않고, 심한 편평외반족으로 인하여 족부가 족배굴곡이 된다.

둘째, 보행은 삼차원으로 보아야 하는데, 횡단면(염전 변형)과 관상면에 대한 고려가 없다. 양측마비에서 관상면 변형은 오리 보행(waddling gait)이나 가위보행이 있을 수 있고, 횡단면 변형으로 내족지 보행이 흔하다.

셋째, 슬관절 굴곡 보행을 구분한 것은 의미가 있으나, 환자 보행의 중증도에 영향을 미치는 것은 단순한 패턴이 아니라, 슬관절 굴곡 정도와 관련이 많다. 이에 대한 고려도 해야 한다. 즉 약간의 굴곡 보행은 큰 문제가 안될 수도 있다.

넷째, Rodda의 분류에서는 골반의 시상면에 대한 고려도 없다. 양측마비에서 고관절 굴곡 구축이 양측으로 있는 경우에도 말기 입각기에 몸의 진행을 위하여 골반의 전경사가 증가하는 현상이 보이게 된다. 양측마비의 경우 양쪽 다리 각각의 말기 입각기에 한번씩 총두 번 전경사 증가가 보이기에 이를 double bump pattern이라고 한다.

a. 제1형 진성 첨족(true equinus)

슬관절 굴곡 보행(flexed knee gait)이 없으면서 족근관절의 첨족만 있는 형태이다. 진성 첨족(true equinus) 보행이라고 명명한다. 하퇴 삼두근의 구축이 있고, 슬근의 구축은 없는 매우 경미한 형태이다.

b. 제2형 점프 보행(jump knee)

슬관절 굴곡과 족근관절의 첨족이 있는 보행이다. 하퇴 삼두근의 구축과 슬근의 구축을 동반한다.

c. 제3형 현성 첨족(apparent equinus)

보행 시 슬관절이 굴곡이 되면 실제로 아킬레스건의 구축이 없다고 하더라도 까치발 보행을 하게 된다. 이런 경우, 첨족이 없는데 첨족처럼 보인다해서 현성 첨족(apparent equinus)라고 한다. 보행 분석이 없었던 시기에 까치발에 대한 치료로 아킬레스건 연장술을 하였고, 과다한 아킬레스건 연장으로 인한 족저굴곡력의 약화로 crouch gait가 생겼던 경우가 많아 이를 경계하는 의미에서 나온 분류이다.

d. 제4형 웅크림 보행(crouch gait)

보행의 전주기를 걸쳐 슬관절의 굴곡을 보이며, 족근관절의 족배굴곡을 동반하는 보행을 뜻한다. 슬관절 굴곡이 있으면 보행 시 시상면에서 지면 반발력이 슬관절 회전 축의 후방 그리고 족근관절 회전 축의 전방에 위치하게 된다. 그래서, 보행 시 대퇴 사두근의 힘과 하퇴 삼두근의 힘으로 기립을 유지하게 된다. 이때 다양한 이유로 하퇴 삼두근의 근력 약화가 동반할 경우, 보행 시 족배굴곡이 심해지고 기립을 위하여 대퇴 사두근의 힘이 더 필요하게 된다. 이론적으로 웅크림 보행이 지속되면, 웅크림 보행이 더 심해질 것을 예상할 수 있다.

특징적으로 보행 시 골반의 전경사 증가, 고관절의 굴곡 증가, 슬관절의 굴곡 증가, 족근관절의 족배굴곡의 증가를 보인다. 양측마비에서 처음부터 웅크림 보행을 하는 환자 보다는 나이가 들면서 서서히 진행하는 환자가 대부분이기에 심한 양측마비의 자연 경과(natural history)로 본다. 과거에는 과도한 아킬레스건 연장으로 인한다고 보았으나 현 시점에는 그런 경우는 보기 힘들다.

② 횡단면 변형에 대한 고려

Rodda에 의한 분류도 시상면 만을 기준으로 하였기 때문에, 내족지 보행와 외족지 보행 등 횡단면 변형에 대한 고려가 치료 계획 수립을 위해 추가적으로 필요하다.

양측마비의 경우, 내족지 보행이 주로 보이며, 대퇴골 염전의 증가를 흔히 보인다. 대퇴골 염전의 증가는 양측이 비슷하기에 편마비와는 다른 보행양상을 보인다. 특히 양쪽 대퇴골 염전 증가의 경우, 골반이 보상/외회전이 일어나지 않는다. 양측마비도 대퇴골 전염의 증가가 지속되면, 나이가 들면서 발달 과정에서 경골의 외염전(external tibial torsion)을 야기한다. 경골의 외염전은 편마비보다는 덜한 양상을 보인다. 족부의 편평외반족은 횡단면에서 전족부 외전으로 인한 외족지 보행으로 나타날 수 있다.

③ 관상면 변형에 대한 고려

양측마비의 경우, 중증도가 심할수록 고관절 탈구가 없더라도 외전근 약화 혹은 부조화로 오리(waddling) 보행을 하는 경우가 많다. 이는 수술이나 재활로 호전이 없는 경우가 많으므로 유의하여야 한다. 특히 중증도가 심할수록 오리 보행이 심해진다.

④ 지렛대 질환(lever arm disease/dysfuction)

특히 양측마비의 보행에서 지렛대 질환을 많이 언급한다. 양측마비 환자의 근력이 편마비 혹은 비장애인의 근력보다 약하기에 지렛대의 이상이 보행에 더 영향을 미칠 수 있기 때문이다.

Gage는 지렛대 질환을 다섯가지로 분류를 하였다. Gage의 지렛대 질환 분류는 양측마비에서 체계적으로 정형외과 수술을 계획하는데 도움이 된다. 다만 이 분류는 임의로 분류한 것이기에 각각의 지렛대 질환이 동등한 중요도를 지닌 것이 아니며, 보행에 미치는 영향의 경중은 매우 다르다.

지렛대가 길면 길수록 더 적은 힘으로 관절을 회전시킬 수 있다. 이에 대한 기본 조건은 지렛대도 단단하고 지렛점도 단단히 고정되어 있어야 한다는 것이다.

a. 불안정 지렛점(unstable fulcrum)

관절에 탈구나 아탈구가 있으면, 지렛점(fulcrum)이 잘 고정이 되지 않는다. 고관절 탈구 시 적절한 기립이 어려운 이유이다.

b. 지렛대 단축(short lever)

지렛대의 길이가 짧아지면, 같은 회전운동을 하는데 힘이 더 많이 들게 된다. 직관적인 예로 단축고(coxa breva)가 있다. 외반고(coxa valga)의 경우, 실제 길이는 단축되어 있지 않지만, 유효 길이가 짧아지기에 지렛대 단축이라고 한다Fig 7. 주로 관상면의 변형에 대한 지렛대 단축을 이 분류에 넣는다.

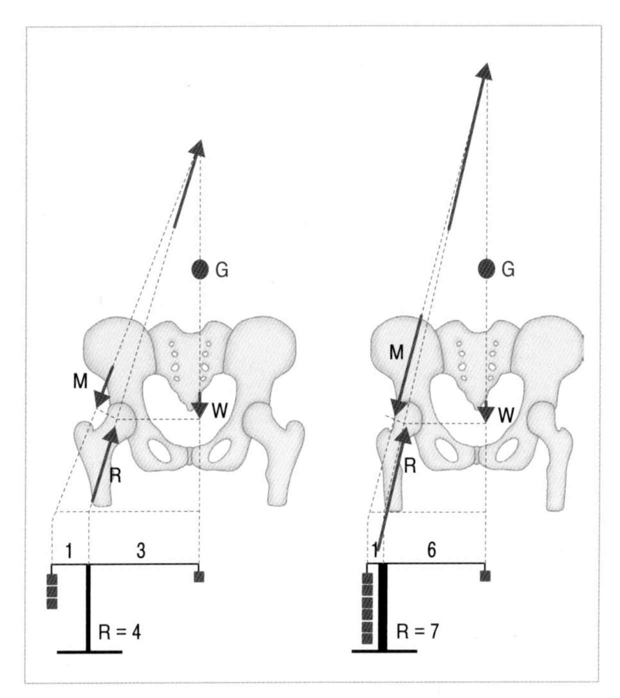

Fig 7. **지렛대 단축(short lever).**
외전근 힘의 직각 방향으로 지렛대가 작용하기 때문에 외반고가 있을 경우 지렛대 길이는 단축이 된다.

c. 유연 지렛대(flexible lever)

지렛대가 단단하지 않으면, 지렛점으로 힘이 잘 전달되지 않아 더욱 많은 힘이 필요하다. 편평외반족의 경우 시상면에서 거주상 관절에서 한번 더 족배굴곡이 되기에 하퇴삼두근의 힘이 지면으로 잘 전달이 되지 않는다Fig 8.

d. 불량 회전 지렛대(malrotated lever)

지렛대 단축과 같은 개념이다. 횡단면 변형으로 인한 유효 지렛대 길이의 단축을 의미한다. 족부는 신체가 진행하는 방향에 평행하여야 지면에 가장 많은 힘을 전달한다. 만약 내족지 보행을 하게 되면, 신체가 진행하는 방향으로 보면 지렛대 길이가 상대적으로 짧아진다Fig 9.

e. 자세성 지렛대(positional lever)

자세 혹은 일정한 관절운동 범위에 따라 유효 지렛대의 길이가 변하기 때문에 생기는 지렛대 질환을 의미

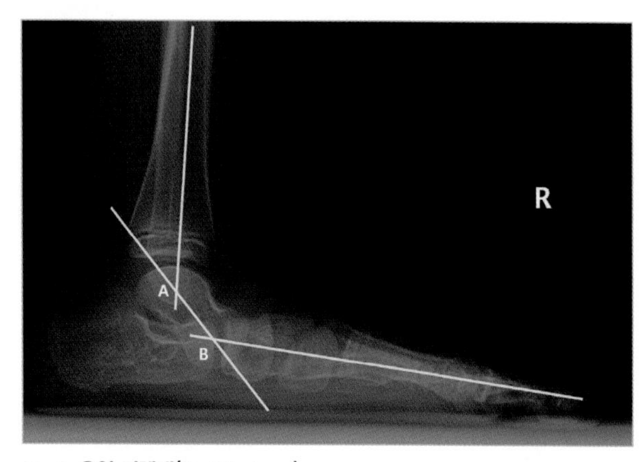

Fig 8. **유연 지렛대(flexible lever).**
편평외반족의 경우 족근관절의 족저굴곡 시 거주상관절이 족배굴곡되므로 지면으로 가는 힘이 줄어 들게 된다.

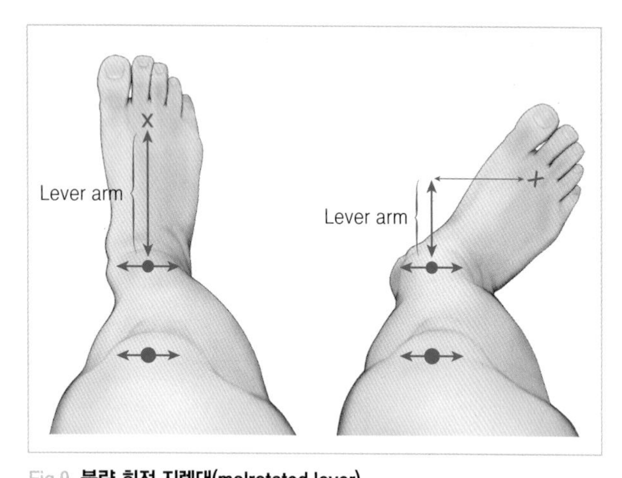

Fig 9. **불량 회전 지렛대(malrotated lever).**
편평외반족의 경우 횡단면에서 외족지 보행을 하게 되고 신체의 진행 방향에 비해 외전이 되기 때문에 유효 지렛대의 길이가 짧아진다.

한다. 이도 지렛대 단축과 같은 의미이다. 슬근(hamstring)은 슬관절 굴곡근인 동시에 고관절 신전근인 two joint muscle이다. 웅크림 자세(crouch position)에서는 슬관절 굴곡에 대한 지렛대가 길어지고, 반대로 해부학적 기립자세에서는 슬관절 굴곡에 대한 지렛대가 짧아진다. 웅크린 자세에서 슬근이 수축을 하면 슬관절 굴곡에 더 영향을 미치게 된다는 것을 설명할 때 자세성 지렛대로 설명을 한다. 일부 연구자들이 웅크림 자세를 제거하는 것이 중요하고 슬근 연장술은 피해야 한다고 주장할 때 쓰는 논리이다. 이에 대해서는 여러 의견(controversy)이 있을 수 있다.

(3) 사지마비(quadriplegia)

양측 상지와 하지 모두에서 이환된 가장 심한 형태이다. 경한 사지마비는 고도의 양측마비의 스펙트럼으로 생각할 수 있다. 그렇기에 양측마비(diplegia)와 같이 bilateral involvement라고 하기도 한다. 통상적으로 독립 보행이 불가능한 GMFCS level IV-V를 사지마비라고 한다. 목을 못 가누는 경우 오지마비(tetraplegia) 혹은 total body involvement의 용어를 쓰기도 한다.

조산, 주산기 저산소증 등의 원인으로 발생한다. 양측마비보다 중증도가 심해서 진단이 빠르고 원인이 확실한 편이다. 전간증(epilepsy), 지능저하를 동반한 경우가 많으며, 연수기능장애(medulla oblongata dysfunction)로 인하여 침 흘림(drooling), 연하장애, 발음장애 등을 동반하는 경우가 많다.

연하장애, 위식도역류(gastroesophageal reflex disease), 이로 인한 흡인성 폐렴, 심한 경직성 등으로 인하여 이차적인 영양 결핍과 성장지연이 흔하다. 또한 보행 및 기립이 힘들기에 체중부하가 일상생활에서 부족하여 나이가 들면서 고관절 탈구, 척추 측만증, 심한 골다공증이 발생한다. 또한 이런 고관절 탈구에 의한 통증, 심한 척추 측만증, 골다공증으로 인한 골절은 다시 체중부하를 힘들게 하기에 삶의 질이 더욱 악화된다.

정형외과 치료는 첫째는 통증의 완화이며, 둘째는 최소한 치료적 기립이 가능하게 해주는 것이다. 치료적 기립이 되게 하기 위해서 정형외과의 수술적 목표는 통증이 없이 잘 정복된 고관절, 밸런스가 맞는 척추, 충분한 신전이 가능한 슬관절, 보조기 착용이 가능한 족부이다.

특히 사지마비에서 고관절 탈구가 많이 발생하고 삶의 질에 많은 영향을 미치기에 이에 대한 이해가 필요하다. 뇌성마비 고관절 탈구는 발달성 고관절 탈구와는 달리, 처음에는 탈구가 없다가 나이가 들면서 탈구로 진행한다. 따라서 고관절 탈구를 발견하기 위해서는 정기적인 모니터링이 필요하다. 그러기에 고관절 탈구의 위험인자를 알고 적절히 추시를 하여야 할 것이다. GMFCS level I-III 환자에서 고관절 탈구가 발생하기도 하지만, V가 가장 많이 발생하고, IV가 그 다음으로 발생한다.

또한 고관절 탈구가 발생했을 경우, 치료의 목표는 통증의 완화와 치료적 기립이다. 고관절 탈구는 점진적으로 발생하고 초기에는 통증이 심하지 않다. 탈구 이후 점진적인 골두의 파괴와 더불어 매우 극심한 통증으로 진행한다. 고관절 탈구가 일단 발생을 하면 다시 완화되지 않기 때문에 적절한 정형외과 치료가 필요하다.

3) 기능에 따른 임상 분류

뇌성마비의 중증도(severity)를 나누는 시도는 오래 전부터 시도되었지만 변형 자체를 측정하는 것에 비해 기능을 측정하는 것은 더 어렵다. 막연하게 경도, 중등도, 고도로 나누던 것에서 발전하여, 현재는 보행 및 이동 정도로 분류하는 Gross Motor Function Classification System (GMFCS)와 손의 기능을 분류하는 Manual Ability Classification System (MACS)가 널리 사용되고 있다.

(1) Gross Motor Function Classification System (GMFCS) (Palisano 1997, 2007)

환자의 보행기능에 기반한 분류로 1997년 발표 이후 적용 연령을 확대시키고 문제점을 보완한 'GMFCS-Expanded and Revised'을 발표하였다. GMFCS는 다년간 신뢰도, 타당도에 대한 검증이 이루어져 왔으며, 현재 뇌성마비 기능적 분류의 근간을 이루고 있다. 환자를 5개의 연령군으로 나누고(< 2세, 2-4세, 4-6세, 6-12세, 12-18세) 5개의 level로 분류하는 상세한 기준을 제시하였다Fig 10.

GMFCS를 구분하는 큰 틀은 다음과 같다. 각 level의 차이는 환자의 최대 능력치가 아닌 일상의 활동을 평가하는 것이다. 즉 일상 생활을 할 때 어떻게 하는 지로 평가를 한다.

① Level I: 특별한 제한 없이 보행이 가능하다. 달리기, 점프 등 고기능 운동이 가능하다.

② Level II: 달리기, 뛰기 등에 제한이 있는 보행이 가능하다.

③ Level III: 손으로 잡고 사용하는 보행보조기(목발, 워커 등)를 사용하여 보행이 가능하다. 단하지 보조기는 포함하지 않는다.

④ Level IV: 보행은 가능하지 않으나, 신체적 보조나 전동장치를 이용한 능동적 이동 가능. 앉기가 가능하다.

⑤ Level V: 타인에 의한 수동적 이동만 가능

GMFCS level은 생리학적 분류와 해부학적 분류에 비해 자연 경과와 예후와 연관이 많다. 예를 들어 고관절 탈구의 발생률은 GMFCS level V에서 가장 많으며, 각종 수술의 결과도 GMFCS level에 연관이 많다.

GMFCS level은 환자의 상태를 분류한 것으로 나이가 들어도 크게 변하지 않는 비교적 안정적인 분류법(stable classification)이다. 그러기에 GMFCS level의 변화로 결과 분석을 하는 것은 적절하지 않다.

(2) Manual Ability Classification System (MACS) (Eliasson 2006)

뇌성마비 환자의 상지 기능을 분류하는 지표로서 GMFCS와 마찬가지로 환자의 최대 능력이 아닌 일상생활에서의 기능을 분류한다. 유의할 점은 상지는 하지와 달리 우세수가 있다는 것이다. 하지의 경우 GMFCS level로 보행이나 이동기능을 전체적으로 보는 것이 큰 문제가 없다. 그러나, 상지의 경우, 한 손만 마비가 있고, 반대 손이 자유로운 경우 이를 적절히 분류할 수 없다는 한계를 가진다. 한쪽 손의 마비가 아무리 심한 편마비라도 양손으로 보면 대부분 MACS level I-II로 분류된다.

MACS의 5단계 분류하는 큰 틀은 다음과 같다.

① Level I: 사물을 쉽고 성공적으로 조작한다. 속도나 정확성을 요구하는 조작을 수행하는 경우 제한이 따른다. 그러나, 이런 제한은 독립적인 일상생활을 하는데 문제가 없다.

② Level II: 대부분의 사물을 조작하나 잘 조작하지 못하고 속도가 떨어진다. 특정 활동은 피하거나 약간의 어려움을 겪으며 대체수단을 사용하기도 하나 일상생활을 하는데 문제가 없다.

③ Level III: 사물을 조작하는데 어려움이 있고 동작이 느리다. 활동을 준비해주거나 조정해주는 도움이 필요하다. 만일 환자가 준비되거나 적응되어 있다면 독립적으로 수행할 수 있다.

④ Level IV: 미리 적응된 상황에서 쉽게 다룰 수 있는 사물만 조작할 수 있다. 동작의 일부분을 힘들고 제한적으로 수행한다. 일상생활의 부분적인 수행을 위해 지속적인 지지와 도움이 필요하고 보조장치가 필요하다.

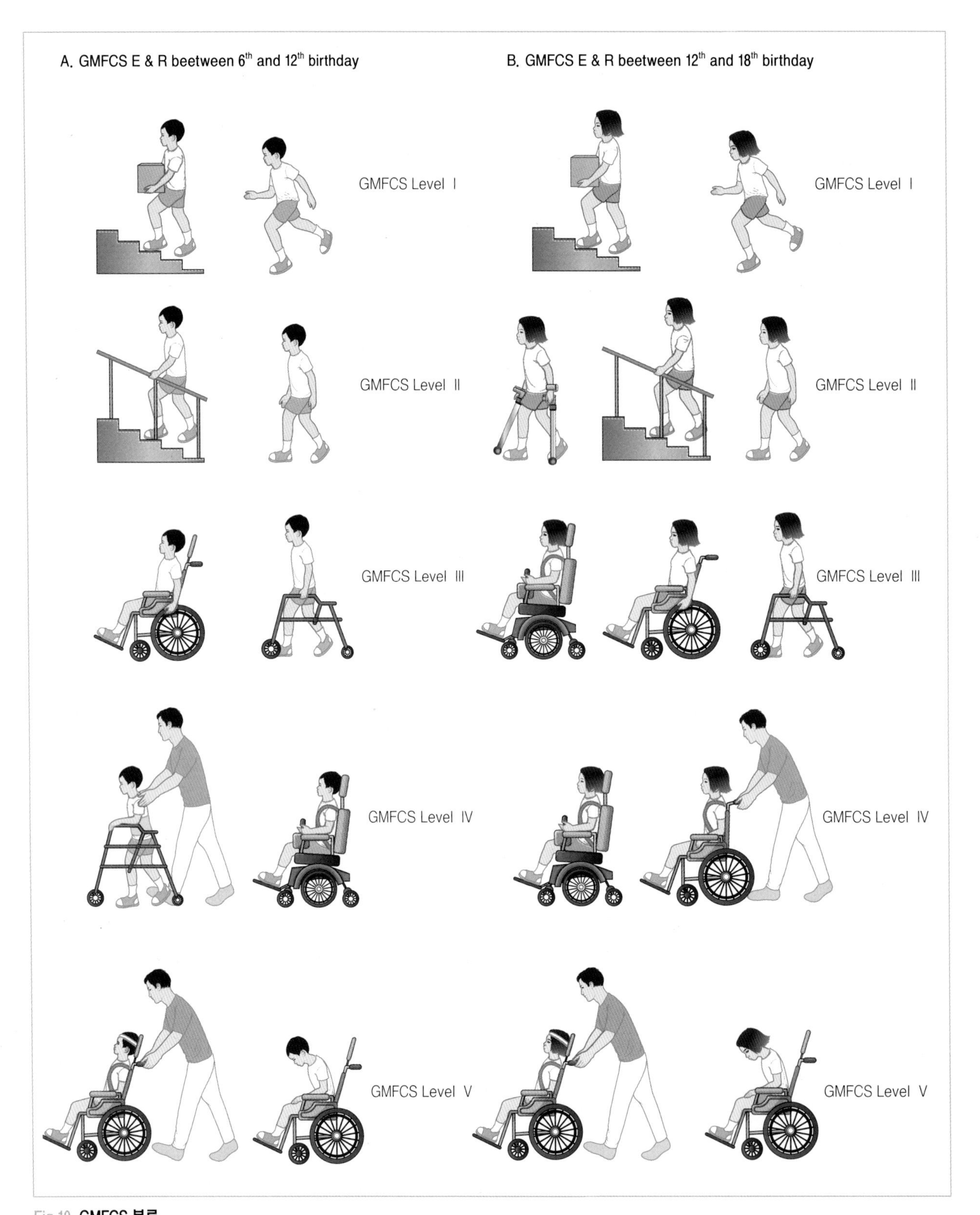

Fig 10. **GMFCS 분류.**
독립보행이 가능하면 I–III, 독립보행이 불가능하면 IV–V로 이해한다.

⑤ Level V: 사물을 다루지 못하고 단순한 동작조차 수행이 매우 어려워, 전반적인 도움이 필요하다.

4. 감별진단

서론에 언급하였듯이 뇌성마비는 골절이나 변형처럼 직관적으로 진단을 내릴 수 있는 질환이 아닌 일종의 질환군이다. 즉, 뇌성마비는 정의에 따라 진단을 하는 우산 용어(umbrella term)의 질환이다. 뇌성마비는 다양한 원인이 존재하나 뇌성마비라 불리는 환자의 반 이상에서 원인을 알지 못한다.

정형외과 외래에 오기 전 소아청소년 신생아분과 혹은 재활의학과에서 대부분의 환자들은 MRI를 촬영하게 되고 영상에서 감별이 되는 질환은 감별을 하게 된다. 영상에 뇌성마비에 합당한 소견이 보이고, 환자의 임상 양상이 뇌성마비의 정의에 합당한 경우 뇌성마비로 진단을 한다.

뇌성마비의 정의에는 맞지만, 전형적인 임상 경과를 취하지 않는 경우, 뇌성마비 유사 증후군(CP like syndrome)이라는 용어를 쓰고, 뇌성마비에 준하여 치료를 하게 된다. 예를 들어 경직성에 의한 고관절 탈구는 뇌성마비 고관절 탈구에 준하여 치료를 한다. 대부분의 감별진단의 경우 치료 방침에 영향을 주지는 않기에 추가적인 고가 검사의 실행 여부는 임상의의 철학에 따라 다르다.

다만 정형외과의가 염두해야 할 질환은 다음과 같다.

1) 도파 반응성 근긴장이상(dopa responsive dystonia)

양측마비, 편마비의 양상으로 나타나며, 경직성보다는 근긴장이상의 형태로 나타난다. 특징적으로 오후에 심해지는 양상을 보여서 뇌성마비와는 다른 양상을 보인다. 도파민 투여로 호전되는 것으로 진단을 할 수 있다.

도파 반응성 근긴장이상의 경우도 발달 과정에서 근구축이나 변형이 나타날 수 있으며, 이런 이차 변형은 정형외과 치료의 적응이 된다.

2) 가족성 경직성 하지마비(hereditary spastic paraparesis)

경직성 양측마비와 비슷한 양상으로 나타난다. 다만 보행 양상이 양측마비와 조금 다른 경과를 취한다. 첨족 보행이 좀 더 심하고, 역동적 전반슬(back knee)가 주로 나타난다. 일단계 다수준 수술을 할 경우, 첨족의 재발이 흔한 편이다. 가족력이 확실하기에 유전자 검사를 하게 된다.

II. 뇌성마비 고관절 탈구 (CP hip displacement/dislocation)

1. 서론

뇌성마비에서 생기는 고관절 탈구를 흔히 뇌성마비 고관절 탈구로 명명한다. 그러나, 뇌성마비에서 고관절 탈구가 선천적이거나 급성으로 생기는 것이 아니고, 점진적으로 불안정성(instability, subluxable), 아탈구(subluxation)를 거쳐 탈구(dislocation)가 되기 때문에 이를 통칭하여 뇌성마비 고관절 전위(displacement)라고도 부르기도 한다. 본 챕터에서는 한글로는 좀 더 직관적인 "뇌성마비 고관절 탈구"로, 영어로는 "CP hip displacement"로 통일하여 부르기로 한다.

뇌성마비 고관절 탈구는 비보행자, 즉 GMFCS IV-V단계의 환자에서 많이 발생한다. 출생 시에는 탈구가 없다가 환자가 성장하면서 여러 원인들에 의하여 발생되는데, 대략 5-7세경에 발생한다. 그러므로, 위험인자를 가진 뇌성마비 환자의 고관절에 대해 지속적인 추시 관찰이 중요하며, 이를 고관절 감시/모니터링(hip surveillance)이라고 한다Fig 11.

고관절 탈구가 진행하면, 극심한 통증, 고관절 외전 감소에 따른 회음부 청결 문제, 불안정한 착석 자세 등의 문제가 발생한다. 또한 치료적 기립이 힘들어져서 골격계의 정상적인 발달에 영향을 미치고, 이차적으로 골다공증, 연하장애, 위식도역류, 척추측만 등을 야기한다.

발생 원인과 위험인자는 기능과 형태 측면으로 설명할 수 있다. 기능 측면의 원인은 내전근, 굴곡근의 경직과 고관절 주위 근력의 불균형이다. 이는 GMFCS 단계가 안 좋을수록 고관절 탈구의 가능성이 높아지고, 예후가 좋지 않음을 설명한다. 뇌성마비 고관절 탈구의 형태를 보면, 대퇴골의 외반고(coxa valga)와 전염각의 증가, 그리고 비구 이형성을 확인할 수 있다. 이는 고관절 주위 근의 경직과 불

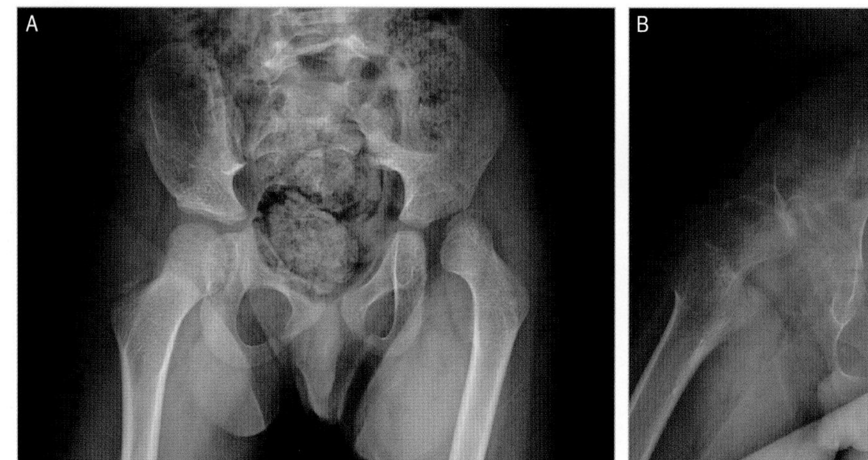

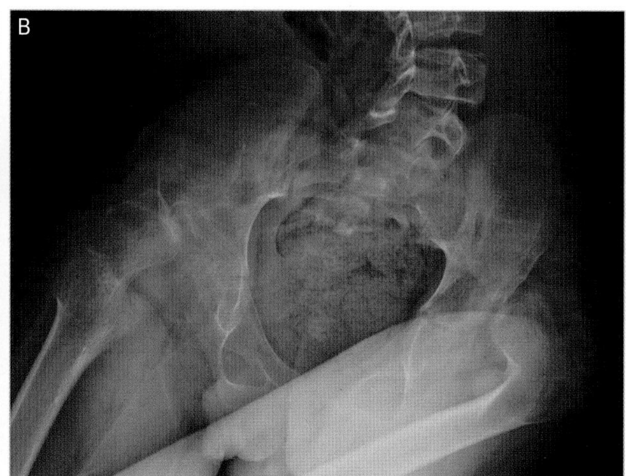

Fig 11. GMFCS 5단계 뇌성마비 여아이다. A:. 6세 뇌성마비 환아로 좌측에 경도의 아탈구를 보이고 있다. B: 추시 소실 이후에 14세에 다시 내원하였다. 심한 양측 고관절 탈구, 척추 측만증이 진행한 것을 볼 수 있다. 특히 탈구된 골두의 파괴가 진행된 것을 확인할 수 있다. 뇌성마비 GMFCS 4-5단계의 환자는 5-7세 경에 고관절 탈구가 생기고 진행할 수 있으므로, 모니터링하는 것이 필수이다.

균형, 그리고 기립에 의한 체중 부하의 지연 등의 이차 변화로 설명한다. 뇌성마비 경직성은 대부분 양쪽에 모두 영향을 준다. 그러므로 한쪽에 탈구가 있으면, 반대쪽의 탈구 가능성도 높다. 한쪽만 탈구가 된 환자의 경우에도 탈구의 위험인자인 외반고, 전염각 증가는 양쪽 대퇴골이 비슷하다Fig 12.

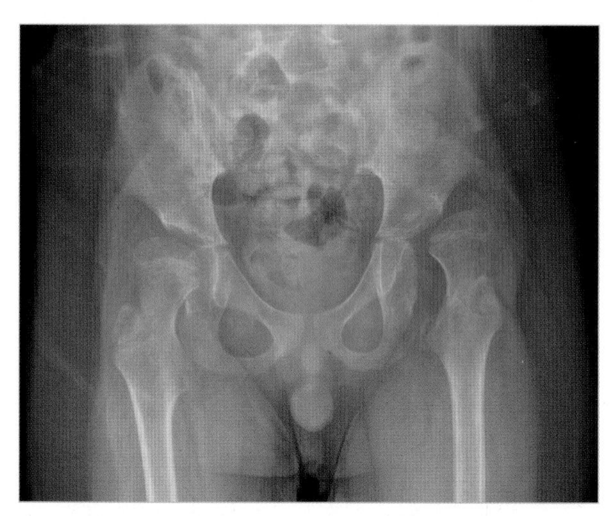

Fig 12. 9세 GMFCS 4단계 뇌성마비 남아이다. 좌측 고관절의 전이 지수가 70%가 넘는 뇌성마비 고관절 탈구를 보인다. 우측 고관절의 경우 전이 지수는 상대적으로 적지만, 대퇴골의 형태는 비슷한 것을 볼 수 있다. 향후 우측 고관절의 탈구도 진행할 것을 예상할 수 있으므로 양측에 고관절 재건 수술을 시행한다.

2. 고관절 탈구의 평가

고관절 탈구의 정도를 평가하는 것은 고관절 탈구를 모니터링하거나 임상의 간의 의사소통과 치료를 계획하고 결과를 평가할 때 매우 중요하다. 고관절 탈구의 정도를 표현할 때 외측 전이율(migration percentage)이 가장 중요하다. 고관절 모니터링(hip surveillance)의 추시 간격은 6개월에서 1년으로 하고 전후면 고관절 방사선 사진이 기본 검사이다.

1) 외측 전위율(migration percentage/index)

외측 전위율은 대퇴골두가 비구에서 어느정도 외측으로 탈구가 되어 있는지 보여주는 정량적인 지표이다. 전후면 고관절 방사선 사진에서 판단한다. 분모는 대퇴골두의 지름이고, 분자는 비구의 가장 외연(acetabular margin)과 대퇴골두의 가장 외연이다Fig 13. 외측 전위율을 모니터링 지표로 쓰는 이유는 다음과 같다. 첫째, 고관절의 내회전, 내전 등 자세에 상관없이 일정하다. 또한 고관절의 굴곡 구축 등이 있는 경우도 크게 문제없이 측정할 수 있다. 둘째, 외측 전위율의 정도와 비구 이형성과는 양의 상관관계가 있어 비구 이형성의 정도의 대리지표로 쓸 수 있다. 셋째, 지표를 측정할 때 쓰는 랜드마크가 비교적 명확하여 신뢰도가 높다.

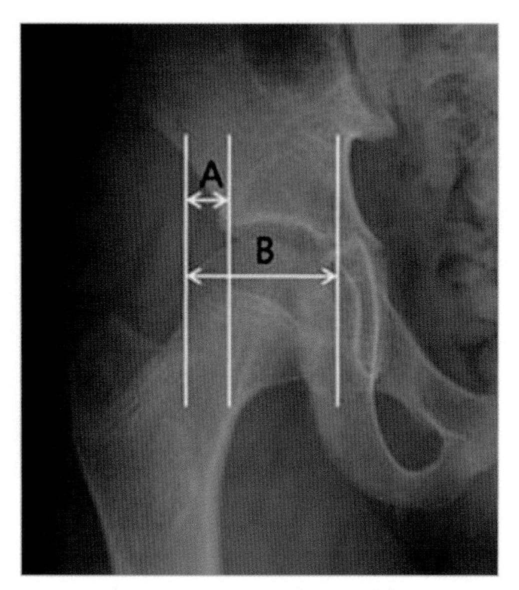

Fig 13. 전이 지수(migration percentage/index, A/B)의 B 분모는 대퇴골두의 지름, A 분자는 비구 외연에서 대퇴골두 외연까지의 거리이다.

단점으로는 대퇴골두의 크기에 지표가 영향을 받기에, 대퇴골두가 큰 경우(coxa magna) 아탈구가 없더라도 외측 전위율이 높을 수 있다. 그러기에, 절대적인 외측 전위율의 수치로 고관절 아탈구, 탈구를 구분하는 것에 한계는 있다. 통상적으로 30% 이상을 "CP hip displacement"라고 정의하고, 임상의에 따라 30% 혹은 33% 이상을 아탈구(subluxation), 70% 혹은 100% 이상을 탈구(dislocation)로 정의한다. 고관절 모니터링 중 전이율이 25% 이상으로 진행하면, 내측 연부조직 유리술(medial soft tissue release)을 고려할 수 있다. 보툴리눔 독소 A 주사 등 비수술적 방법은 효과가 제한적인 것으로 알려져 있다. 전이율이 30%가 넘어가면 고관절 재건 수술을 고려하여 추가 평가를 한다.

2) 대퇴 경간각(neck-shaft angle)

뇌성마비 환자는 외반고 변형(coxa valga)이 흔하다Fig 11. 외반고가 심할수록 고관절 탈구의 경향이 증가하고, 뇌성마비의 경우 양쪽이 비슷한 외반고를 보인다. 이론상 대퇴 전염만큼 고관절을 내회전해야 정확한 측정이 가능하지만, 모니터링을 위하여는 추가로 내회전 촬영을 할 필요는 없다. 다만, 고관절 수술을 예정하였을 때 경간각의 정확한 측정을 위하여 필요하다.

3) 골두 외반 변형(caput valgum deformity)과 기타 골두 변형

대퇴골두 골단이 대칭적인 반원이 아니고 외측으로 전위된 골두 외반 변형(caput valgum)을 보이는 경우가 많다Fig 14. 만약 대퇴 내반절골술을 대퇴경간각 기준으로 시행하였을 경우, 충분히 교정이 안될 가능성이 있음을 고려하여야 한다.

골두가 장기간 탈구되어 있을 경우, 외측부터 골 파괴가 일어난다. 골 파괴는 정복 후 수술의 예후에 영향을 미치므로, 가능하면 골 파괴가 발생하기 전에 수술을 계획한다.

4) 기타지표 및 분류

발달성 고관절 이형성증(DDH)에서 비구 이형성을 측정하는 비구 지수(acetabular index)는 뇌성마비에서는 임상적 의미가 제한적이어서 쓰이지 않는다. 발달성 고관절 이형성증(DDH)의 경우 비구의 변형이 주가 되고 골두의 골화가 진행되기 전에 판단을 해야 하기 때문에 비구 지수(acetabular index)를 많이 사용한다. 그러나, 뇌성마비 고관절 탈구의 경우 어느 정도 골두의 골화가 진행된 이후에 탈구가 되고, 비구의 결손도 후방 결손이 주이기에 비구 지수를 측정하기 어렵고, 비구 지수로 측정하면 비구 결손이 저평가될 수 있다Fig 14.

이외에 멜버른 고관절 분류(Melbourne CP hip Classification Scale)라는 정성적 분류법이 있으나 복잡하고 분류가 임의적이라 임상에서 별로 쓰이지는 않는다.

3. 수술적 치료의 목적과 목표

뇌성마비 고관절 탈구의 수술적 치료의 목적은 환자의 기능, 즉 GMFCS 단계에 따라 다를 수 있다. GMFCS III-V 단계 환자에서는 통증의 경감, 외전의 증가, 치료적 기립, 재발의 방지가 목적이다Table 2. 발달성 고관절 이형성증(DDH)과 비교를 하면, DDH는 이환된 고관절 이외에는 환자의 기능이 정상이다. 그러므로 DDH의 고관절 치료는 파행의 감소, 이차 관절염의 감소 등이 목적이 될 것이다.

치료의 목적이 다르므로, 수술적 치료의 목표(surgical goal)를 정할 때 이를 고려해야 한다. 뇌성마비 고관절 탈구를 치료하였다고 해서 뇌성마비 자체, 즉 탈구를 야기하

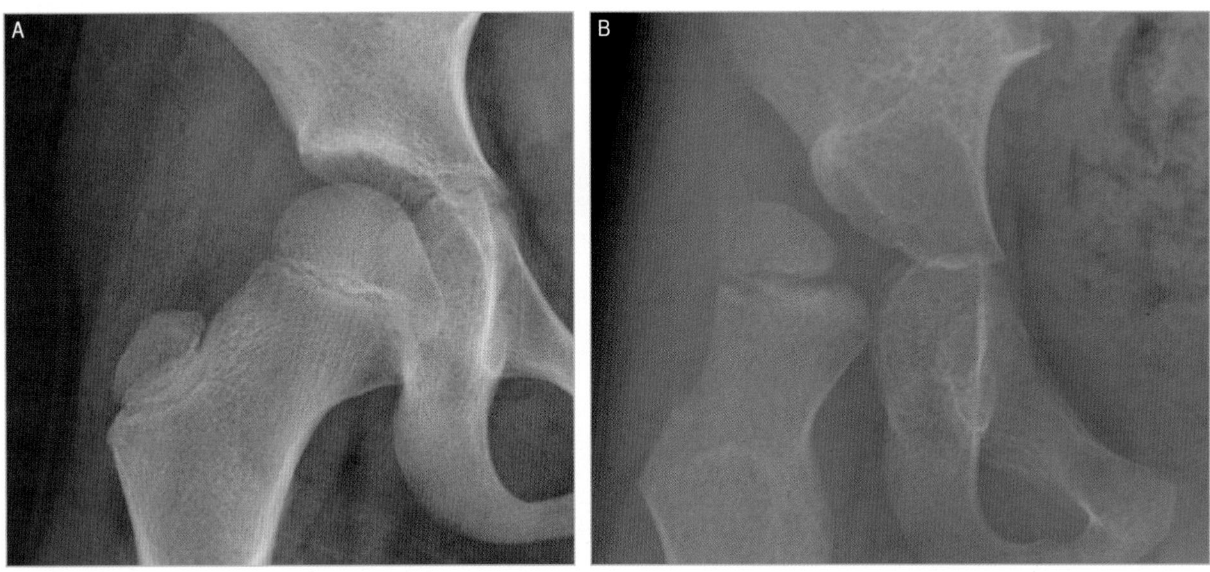

Fig 14. A: 7세 정상 우측 고관절의 소견이다. 골두가 대략 구형으로 형성이 되어 있으며, 비구의 상방 음영(sourcil)이 진한 것을 볼 수 있다. B: 7세 우측 뇌성마비 고관절 탈구의 소견이다. 외측 전이율은 70% 이상이며, 외반고와 더불어 골두가 외측으로 치우쳐 있는 골두 외반 변형(caput valgum)의 소견이 보인다. 비구는 후방 결손이 있기에, 전후방 비구가 겹쳐서 보이는 음영(sourcil)이 보이지 않는 것을 알 수 있다. 그러기에 비구 지표(acetabular index)는 뇌성마비 고관절 탈구에서는 의미가 제한적이다.

Table 2. **뇌성마비 고관절 탈구(CP hip displacement)와 발달성 고관절 이형성증의 치료 목표**

	CP hip displacement	Developmental dysplasia of hip
Cosiderations	CP not resolved after surgery	Normal function except hip
	Pain	Limping
	Caregiving	Pain d/t instability
	Therapeutic standing	Sports activity
	Avoid recurrence	Avoid future osteoarthritis
Practical Goal	Painless stable hip without recurrence	Stable, mobile, painless, endurable, and functional hip Hip capable of sports activity

는 원인이 없어지는 것이 아니다. 재발의 위험이 있기에 다음과 같은 치료 목표를 가진다. GMFCS III-V의 환자의 활동성이 대퇴비구 충돌(femoroacetabular impingement)이나 하지길이부동, 파행을 우려해야 할 정도가 아니다. 그렇기 때문에 뇌성마비에서 고관절 재건을 할 때는 첫째, 대퇴 내반 절골술의 경우 최대한 내반을 한다. 둘째, 비구 성형술을 적극적으로 하며, 비구의 피복은 가능한 많이 한다. 셋째, 필요한 경우 개방성 정복술을 적극적으로 하여 수술 시 깊은 정복을 얻는다. 넷째, 탈구를 야기하는 근육의 구축을 최대한 유리한다. 마지막으로 뇌성마비 고관절 탈구가 일측으로 발생하더라도, 양쪽의 대퇴골은 비슷한 탈구의 위험 인자를 가지고 있다. 그러기에 반대쪽에는 예방적 수술(contralateral prophylactic surgery)을 같이 시행한다 Table 3.

오래된 탈구로 인한 대퇴골두가 변형, 파괴된 경우도 정복 후에 어느 정도 회복되기에 재건 수술의 적응의 금기가 되지 않는다. 매우 적지만 GMFCS I단계 환자의 고관절 탈구의 경우는 파행의 감소, 이차 관절염의 감소 등 발달성 고관절 이형성증(DDH)과 비슷한 치료 목표를 설정할 수도 있을 것이다.

Table 3. **뇌성마비 고관절 탈구와 발달성 고관절 이형성증의 수술 목표 (surgical goal)의 차이**

CP hip displacement	Developmental dysplasia of hip
Aggressive soft tissue release	Adequate NSA
Maximal Varization	Adequate Coverage to avoid FAI
Generous Coverage (MP=0)	Consider limb length
Bilateral surgery	Affected limb only

4. 고관절 재건 수술(hip reconstructive surgery)

상술한 바와 같이 고관절 모니터링 중 전이율이 25% 이상으로 진행하면, 내측 연부조직 유리술(medial soft tissue release)을 고려할 수 있다. 전이율이 30% 이상으로 진행하면, 고관절 재건 수술(hip reconstructive surgery)을 고려하게 된다. 전이율이 30% 이상이 되더라도 바로 통증이 발생하는 것이 아니므로 응급 수술은 아니나, 탈구와 골두 파괴가 진행하기에 고관절 재건 수술은 고관절 전위 발견 이후 1년 이내에 시행하는 것을 권장한다. 통증 등 증상이 있는 전이율 30% 이상의 환자의 경우는 가능한 빨리 수술을 시행한다. 고관절 재건 수술은 내측 연부조직 유리술, 원위 슬근 연장술, 장요근 연장술, 개방성 정복술, 대퇴 내반 감염 절골술(femoral varus derotation osteotomy), 골반 절골술(pelvic osteotomy)의 조합으로 이루어진다. 또한 일측 탈구의 경우에도 반대쪽의 예방적 수술을 한다. 즉, 양측 수술(bilateral surgery)을 시행한다.

1) 내측 연부조직 유리술(medial soft tissue release)

고관절 외전 정도를 확인하며, 장내전근(adductor longus), 단내전근(adductor brevis), 치골근(pectineus), 박근(gracilis)을 포함한 근위 슬근을 순차적으로 절개한다. 주로 전이율 30% 이상에서 고관절 재건수술의 한 부분으로 이용하지만, 전이율 25-30%에서 고관절 탈구를 예방하는 목적에서 사용하기도 한다.

2) 원위 슬근 연장술(distal hamstring lengthening, DHL)

고관절 탈구와 슬관절의 굴곡 구축이 있는 경우, 원위 슬근 연장술을 같이 시행한다. 원위 슬근 연장술은 여러가지 방법이 있으며, 반건양근 이전술, 반막양근, 박근, 대퇴이두근의 연장을 포함한다.

3) 장요근 연장술(iliopsoas lengthening)/근내요근 연장술 (intramuscular psoas lengthening, IMPL)

고관절 탈구 시 장요근의 구축은 항시 동반한다. 장요근의 연장술은 정도에 따라 먼저 전방 전달법을 이용하여 근내요근 연장술(intramuscular psoas lengthening, IMPL)을 시행하고, 부족한 경우 장요근을 소전자에서 연장할 수 있다.

4) 대퇴골 내반 감염 절골술 (femoral varus derotational osteotomy)

외반고는 탈구의 형태적 원인이며, 향후 재발의 위험인자이기도 하다. GMFCS III-V단계에서는 고관절의 안정적 정복과 재발 방지를 위하여 가능한 많이 내반(varization)을 한다Fig 15. 고정 방법으로는 칼날 금속판과 잠김 금속판이 있다. 칼날 금속판(blade plate)은 근위 대퇴 절골술에 많이 사용되어 좋은 결과를 보였으나, 골질이 약한 경우(osteoporotic)에 근위 고정력이 약한 단점이 있다. 잠김 금속판(pediatric locking compressing plate)은 골다공증이 심한 환자에서도 고정력이 우수하나 대퇴골 쪽의 피로 골절의 위험이 있을 수 있다.

5) 고관절 관혈적 정복술과 관절낭 성형술

정복이 만족스럽지 않으면, 전방 도달법을 이용하는 관혈적 정복술을 고려한다. 정복을 방해하는 비후된 원인대(ligamentum teres), pulvinar를 제거하고, 비구 횡인대(transverse acetabular ligament)를 절개한다. 탈구가 오래된 경우 하방의 관절낭(inferior capsule)의 용적이 줄어들어 정복을 방해하기에 충분한 절개가 필요한 경우가 많다. 또한 심한 장요근 구축이 있는 경우, 장요근을 고관절 앞쪽에서 추가 연장을 한다. 발달성 고관절 이형성증과는 달리, 역전 비구순(inverted labrum)이 관찰되지 않는다. 상방 관절낭(superior capsule)이 대부분 필요없이 크기 때문에 적절히 절개하여 관절낭 성형술을 시행한다.

6) 골반 절골술

뇌성마비 환자의 비구 결손은 전이율이 증가함에 따라 후방 결손에서 전반적인 결손으로 그 범위가 증가한다. 또한 GMFCS 단계가 안 좋을수록 결손이 증가한다. 비구의 상태를 정확하게 파악하기 위하여는 수술 전 3차원 전산화 단층촬영(3D-CT)이 도움이 된다. 비구 결손이 심하면, Dega 절골술 등 비구 성형술을 추천한다Fig 15, 16. Dega 절골술의 경우 전상방, 후상방의 결손을 충분히 피복하고 비구의 모양을 정복에 용이하게 변화시켜 뇌성마비 환자의 고관절 탈구에 적합한 술식으로 알려져 있다. 고관절 재건술 중에 고관절의 관혈적 정복술 및 대퇴골 내반 감염 절골술 후 비구의 피복이 충분하지 않을 경우 시행하며, 관혈적 정복술 시 사용하였던 피부 절개를 이용한다. 뇌성마비 환자의 경우 재발의 방지가 중요하기 때문에 비구결손이 있으면 적극적으로 골반 절골술을 시행한다. Dega 절골술은 삼방연골이 개방되어 있는 경우에 삼방연골을 경첩(hinge)으로 교정이 된다. 삼방연골이 폐쇄되어 있는 경우도 골다공증이 심한 경우는 내측 피질골의 불완절 골절이 경첩이 되고 Dega 절골술을 시행할 수 있다Fig 17. 골질이 좋고 삼방연골이 폐쇄된 성인의 경우 Chiari 절골술을 고려한다Fig 18. Dega 절골술의 경우 절골 부위에는 적당한 크기의 동종골을 이식하고, 내고정은 특별히 하지 않는다.

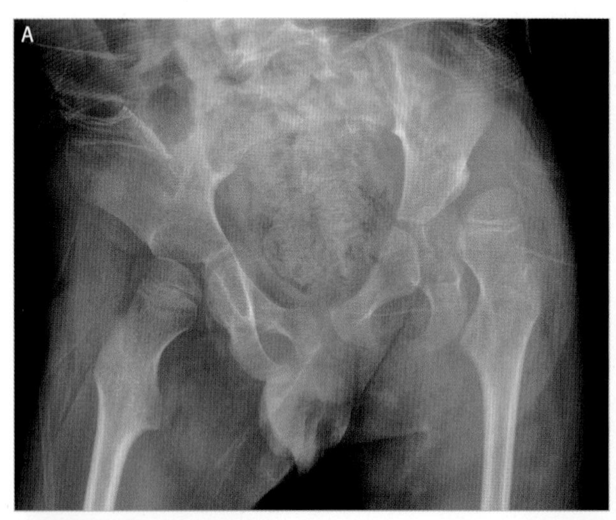

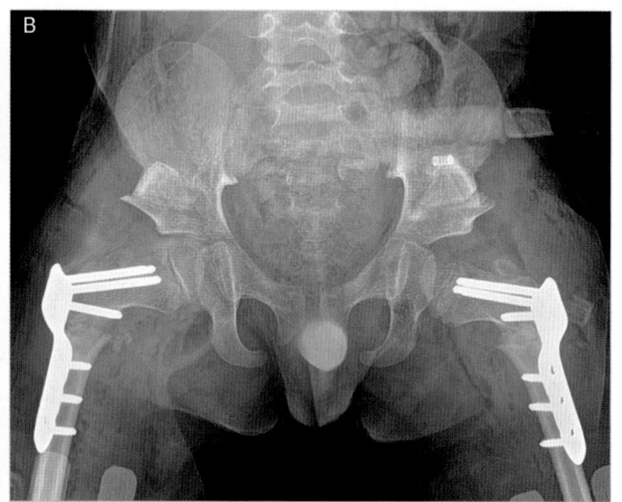

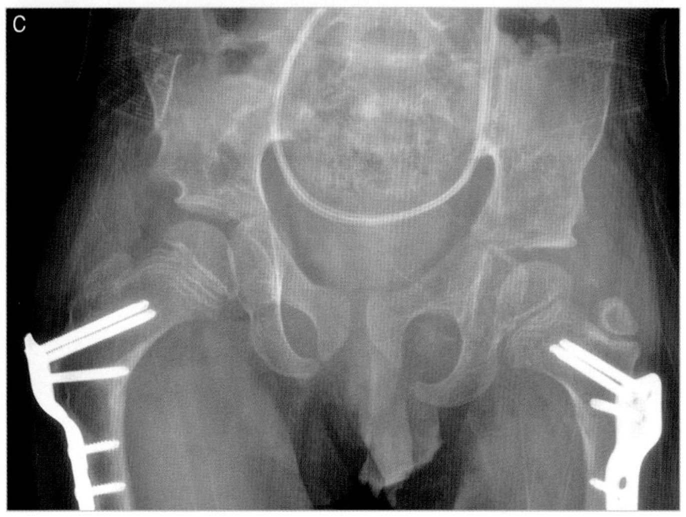

Fig 15. 6세 GMFCS 5단계 남아이다. A: 좌측 고관절 전이 지수가 80% 이상이고, 양측에 심한 외반고, 비구 이형성을 보이고 있다. 골반의 측경사(pelvic obliquity)가 있으며 이차적인 측만이 있다. 이는 좌측의 일측 탈구로 인해 우측의 장요근이 상대적으로 더 작용하기 때문으로 생각할 수 있다. B: 양측에 고관절 재건 수술을 시행하였다. 양측 원위 슬근 연장술(DHL), 양측 내측 연부조직 유리술, 양측 근내요근 연장술(IMPL), 양측 대퇴골 내반 절골술, 양측 Dega 골반 절골술, 좌측 고관절 관혈적 정복술을 시행하였다. 양쪽 대퇴골의 내반은 가능한 최대로 하고, 양쪽 비구의 피복을 충분히 하여 수술 후 만족스러운 고관절 정복을 얻었고, 전이 지수가 0%에 도달하였다. 골반의 측경사와 이차적인 측만증도 소실된 것을 확인할 수 있다. C: 수술 후 1년 고관절 정복은 잘 유지되고 있으며, 골반 측경사도 없는 것을 확인할 수 있다. 환자는 치료적 기립을 충실히 수행하고 있다.

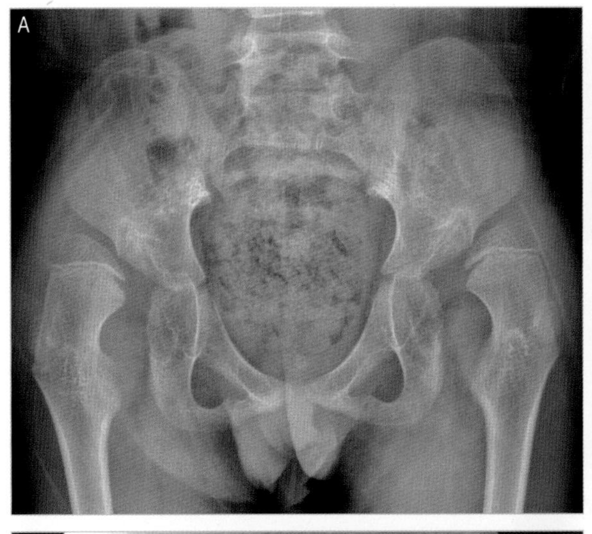

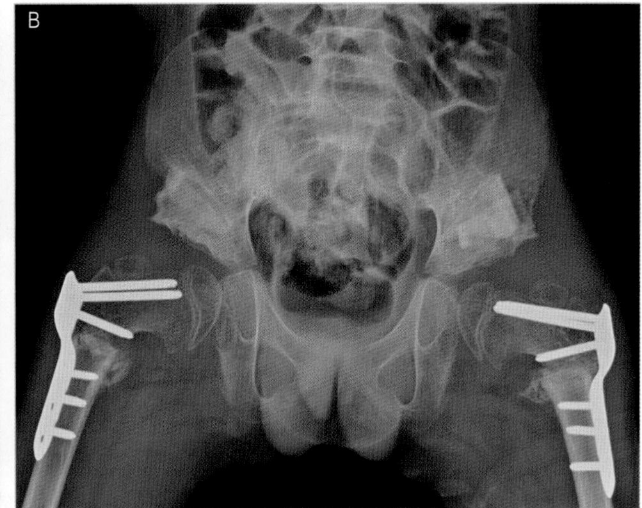

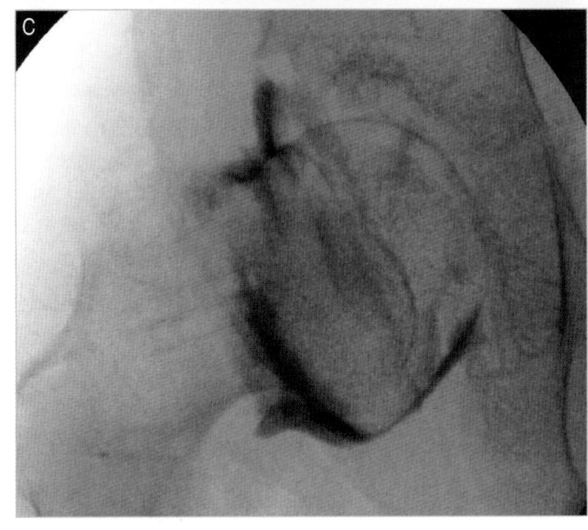

Fig 16. 10세 GMFCS 5단계 남아이다. A: 양측 뇌성마비 고관절 탈구로 양측 Dega 절골술을 포함한 고관절 재건 수술을 시행하였다. 아직 삼방연골이 열려 있는 것을 확인할 수 있다. B: 수술 후 만족스러운 정복을 얻었고 전이 지수 0%에 도달하였다. C: 1년 후 금속판 제거술 시 시행한 관절 조영술이다. 비구순의 재형성이 잘 이루어져 있고, 관절이 congruent한 것을 확인할 수 있다.

7) 예방적 고관절 재건 수술 (prophylactic hip reconstructive surgery)

뇌성마비 고관절의 경우, 양쪽 고관절은 비슷한 형태를 보이게 된다. 뇌성마비 고관절 탈구가 일측으로 발생하더라도 향후 반대쪽 고관절에 전위가 일어날 가능성이 높기에 반대쪽에 예방적 수술(contralateral prophylactic surgery)을 하는 것이 더 좋은 결과를 보이는 것으로 알려져 있다 Fig 15-18, 21.

예방적 수술은 내측 연부 조직 유리술, 원위 슬근 연장술, 장요근 연장술, 대퇴 내반 감염 절골술을 시행하며, 절골술 후 비구 피복이 모자라면 골반 절골술을 추가한다.

8) 구제술(salvage operation)

대부분의 경우 정복을 원칙으로 고관절 재건술을 시행하나, 재건이 실패한 경우 고려할 수 있다. 다만 구제술의 경우 향후 통증의 재발, 치료적 기립의 불가 등 많은 문제가 있기에 최후의 수단으로 생각하여야 한다. 특히 대퇴골두의 파괴 및 변형은 구제술의 적응증이 아님을 기억해야 한다 Fig 19. 구제술로는 근위 대퇴골 절제술, 대퇴골두 절제 및 전자하 외반 절골술이 있다. 구제술을 하여도 근위 이동(proximal migration)과 이소성 골염으로 통증이 재발하는 경우가 많고, 잔존하는 대퇴 간부가 협소화(thining)되어 이차적인 인공관절치환술이 불가능함을 염두에 두어야 한다 Fig 20.

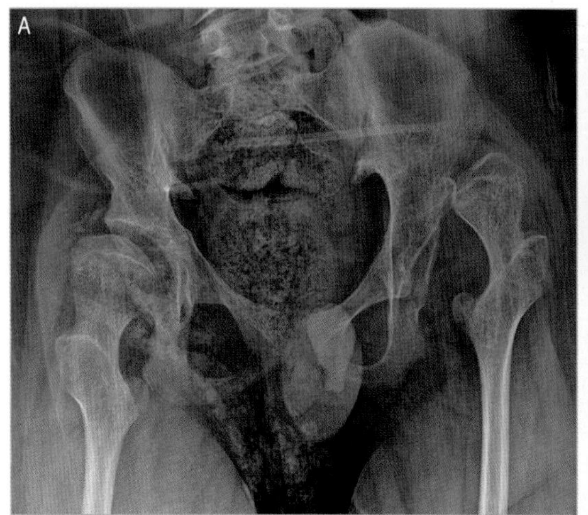

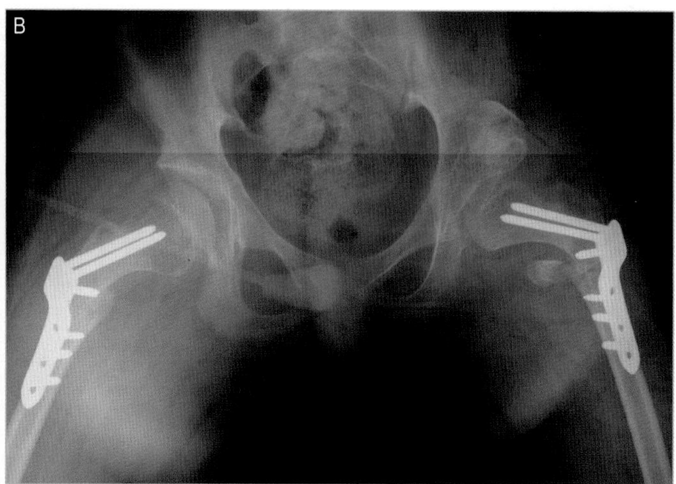

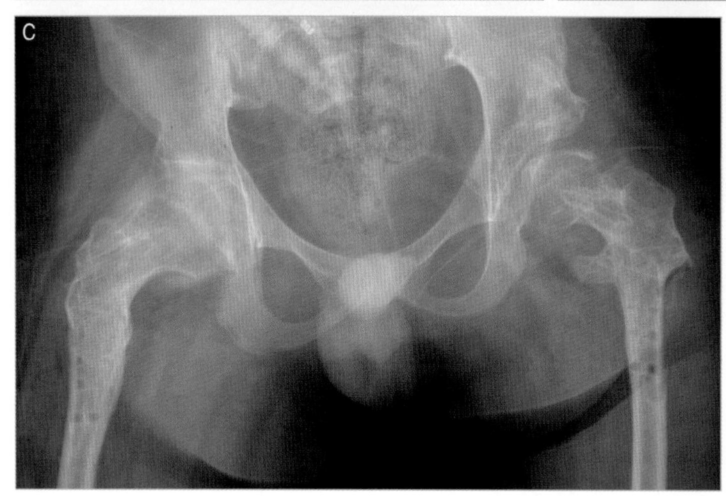

Fig 17. 19세 GMFCS 5단계 남아이다. A: 상당히 오랜 기간 치료가 되지 않은 뇌성마비 고관절 탈구이다. 좌측의 경우 탈구가 오래되어, 골두의 파괴 소견이 보인다. 삼방연골은 폐쇄되어 있고, 심한 비구 결손과 심한 골다공증 소견을 보이고 있다. B: 양측 고관절 재건 수술을 시행하였다. 삼방연골이 폐쇄되어 있지만, 골다공증이 심하기에 장골의 내측 피질골을 경첩으로 하여 개방성 쐐기 절골을 시행하였다. 수술 후 만족스러운 정복과 전이 지수 0%에 도달하였다. C: 수술 1년 후 좌측 고관절의 정복과 피복은 잘 유지되고 있다. 환자는 통증이 없는 상태이고 치료적 기립을 하고 있다. Dega 절골술은 삼방연골이 개방되어 있는 경우 결과가 더 좋지만, 뇌성마비에서는 치료 목표를 생각하였을 때, 삼방연골이 폐쇄된 경우에도 고려할 수 있는 치료법이다.

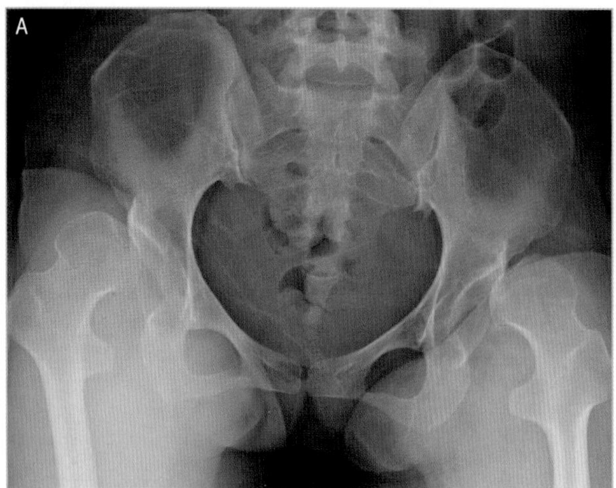

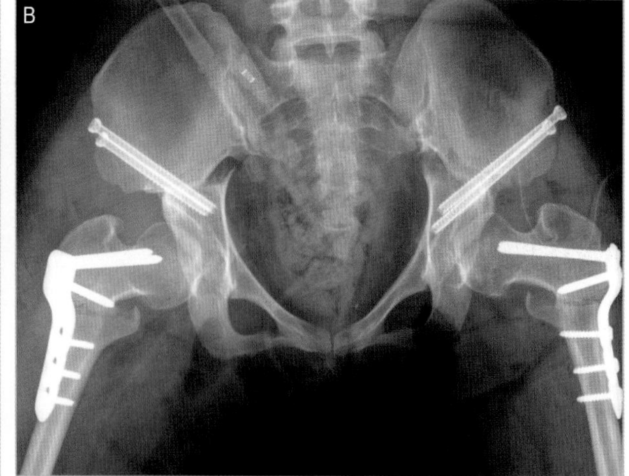

Fig 18. 38세 GMFCS 4단계 여자 환자이다. 조절되지 않는 심한 양측 고관절 통증(intractable pain)으로 내원하였다. A: 오랜 시간 치료가 되지 않은 양측 뇌성마비 고관절 탈구이다. 환자는 휠체어 등으로 이동이 가능한 상태로 골다공증이 심하지 않았다. 이런 경우는 비구 피복을 위해서는 Chiari 절골술이 더 적합하다. B: 양측 뇌성마비 고관절 재건 수술을 시행하였고, 골반골에 대해서는 양측 Chiari 절골술을 시행하였다. 수술 후 관절운동 범위과 회복되고 통증이 감소하여, 치료적 기립이 가능하게 되었다.

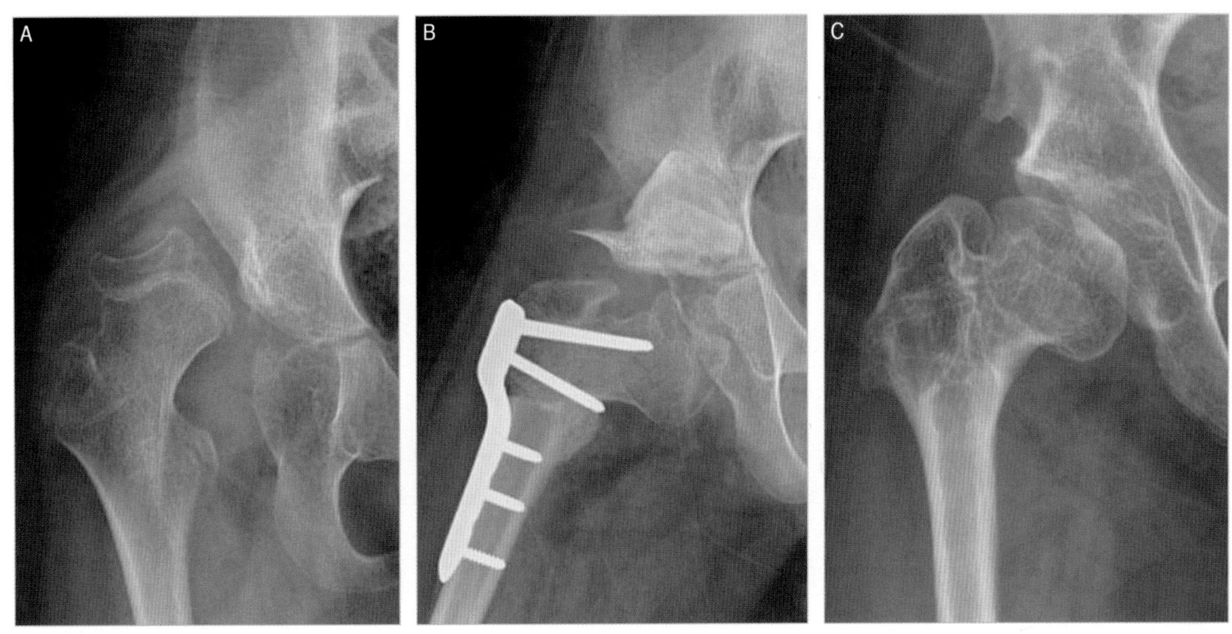

Fig 19. A: 대퇴골두 파괴가 있는 뇌성마비 고관절 탈구에서 고관절 재건 수술을 시행하였다. B: 수술 후 만족스러운 정복과 비구 피복을 얻었다. C: 대퇴골의 구형(sphericity)이 어느 정도 회복된 것을 확인할 수 있다. 환자는 통증이 없으며 치료적 기립이 가능하다. 대퇴골두의 재형성은 수술 전에 탈구가 적고, 수술 후 정복이 만족스럽고, 비구 피복이 충분한 경우 잘 되는 것으로 알려져 있다.

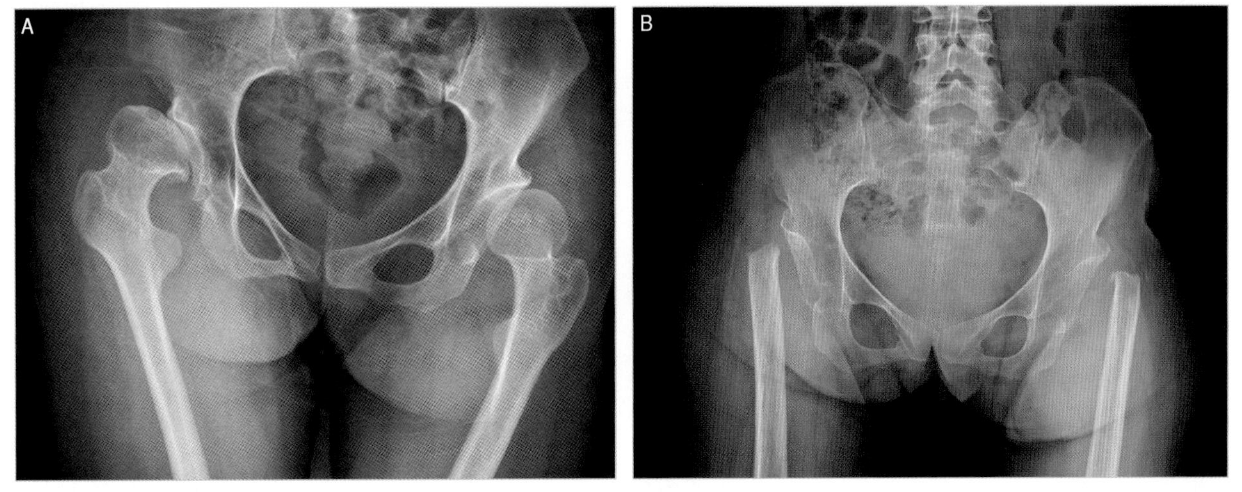

Fig 20. 26세 GMFCS 4단계 여자 환자이다. A: 양측 뇌성마비 고관절 탈구가 있고, 양측 고관절 재건 수술이 가능한 상태이다. B: 타원에서 양측 근위대퇴골 절제술을 시행하였고, 7년이 경과하였다. 대퇴골의 근위 이동(proximal migration)으로 양측 고관절의 극심한 통증을 호소한다. 대퇴골 간부가 협소화된 것을 볼 수 있다. 이 경우 인공관절치환술도 불가능하다.

9) 인공관절치환술

구제술이 필요할 정도의 고관절 탈구에 대해 고려할 수 있다. 다만 뇌성마비 환자의 경우 인공관절 치환술 시 내측 연부 조직 유리술, 원위 슬근 연장술, 장요근 연장술 등 구축이 있는 근육의 유리가 선행되어야 하며 골다공증이 심하고 골질이 좋지 않음을 고려해야 한다.

5. 수술 후 관리 및 예후

고관절 재건 수술 후에는 양측에 단하지 석고 부목을 적용하고, 고관절의 외전, 내회전을 유지한 상태에서 지지대(bar)를 이용하여 6주간 고정한다. 적절한 골유합을 얻으면 치료적 기립을 적극적으로 시행한다.

중증도가 높을수록 재발의 가능성이 있다는 것을 염두해 둔다. 즉 GMFCS 5단계에서 가장 재발 위험이 높다. 수술과 연관하여 무혈성 괴사가 1% 미만에서 나타날 수 있다. 다만 일부 연구자는 더 많은 무혈성 괴사를 보고하기도 한다. 발달과 성장이 끝나면, 더 이상 탈구가 진행하지 않는 것으로 알려져 있다Fig 21.

III. 뇌성마비 척추 변형

뇌성마비 환자의 상당수에서 척추측만증이 발생한다. 척추측만증은 보행이 가능한 환자(ambulator)보다는 보행이 불가능한 환자(non-ambulator), 특히 경직성 사지마비(spastic quadriplegia), GMFCS level 5에서 흔히 발생한다. 일단 만곡이 발생하며 진행을 잘 하는데, 특히 50도 이상의 만곡은 골 성숙(skeletal maturity) 후에도 계속 진행하는

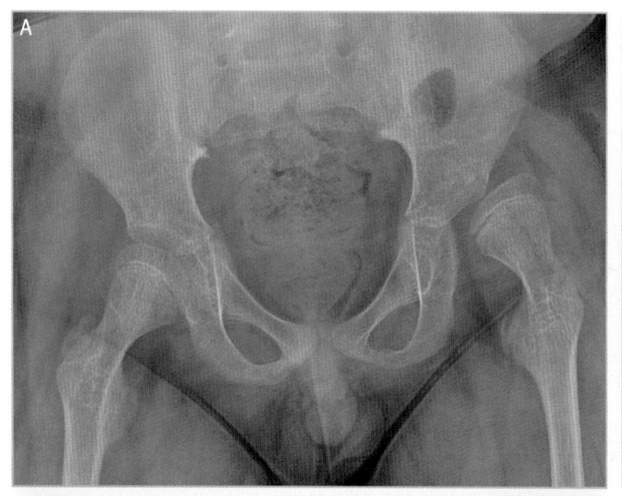

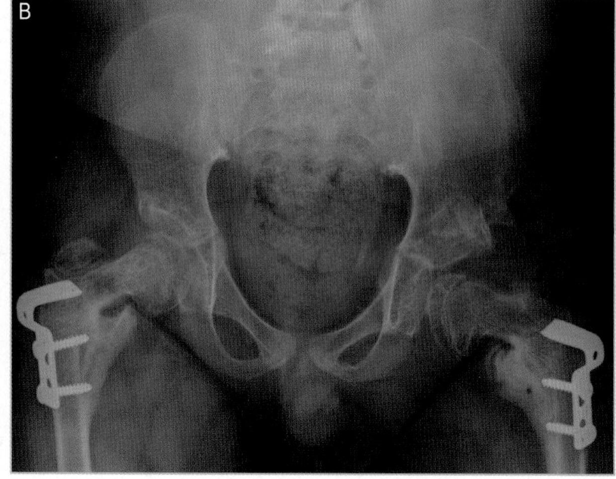

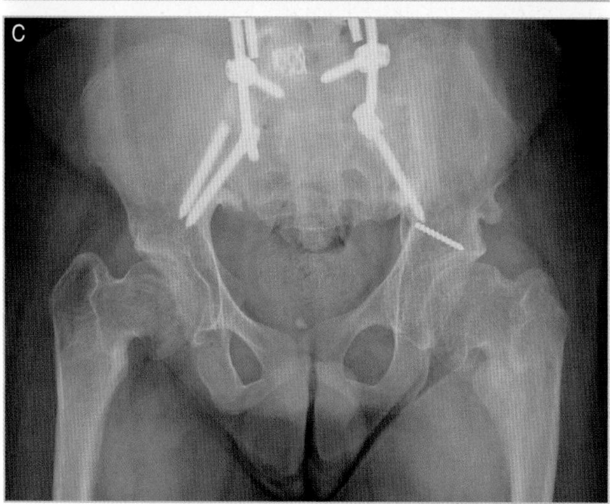

Fig 21. 9세 GMFCS 5단계 남아이다. A: 우측 뇌성마비 고관절 탈구로, 양측 고관절 재건 수술을 시행하였다. B: 광범위한 연부 조직 유리술, 최대한의 대퇴골 내반, Dega 골반골 절골술, 관혈적 정복술을 통하여 만족스러운 정복과 비구 피복을 얻었다. C: 19세 수술 10년 후 통증 없는 안정적인 고관절(painless stable hip)을 달성하였다. 치료적 기립을 포함한 재활을 지속하고 있으며, 향후 탈구의 진행은 없을 것으로 판단한다.

경향이 있다. 크게 특발성 측만증과 비슷한 양상을 보이는 형태와 신경근육형 측만증의 형태로 나뉜다.

1. Type I: double S-type

이중 흉추 만곡으로 아래 만곡은 요추 분절도 일부 포함한다. 골반 경사는 거의 없고, 특발성 측만증와 치료 방법이 같다.

2. Type II: collapsing C-type

흉요추 혹은 요추 만곡의 긴 만곡이 있으며, 심한 골반 경사를 동반한다. 골반을 포함하여 고정을 고려한다.

3. 뇌성마비 척추 측만증의 치료

수술이 가능해지는 시기까지 측만의 진행 방지를 목적으로 보조기를 실행할 수 있다. 협조가 안되는 환자에서는 효과를 기대하기는 힘들다.

뇌성마비 척추 측만증은 1) 만곡이 심해서 호흡 기능 장애가 있거나, 2) 골반과 늑골의 충돌에 의한 심한 통증, 3) 좌위 불균형, 4) 심한 골반 경사로 고관절 탈구를 조장할 위험이 있을 경우, 5) 심한 진행성 만곡일 경우 수술의 적응이 된다.

수술은 Luque 강선 결박술 등을 사용한 분절간 고정술이 가장 좋은 결과를 보여 표준 수술법으로 자리 잡고 있다. 최근 척추경 나사못을 사용하는 방법이 우수한 고정력을 줄 수 있어 각광받고 있다. 만곡의 교정을 많이 얻고 불유합을 줄이기 위하여 전방 수술(anterior surgery)을 병합하기도 하지만 3/16-inch rod 대신 1/4-inch rod를 사용할 경우 후방 수술만으로 좋은 결과를 얻기도 한다. 특히 환자의 체중이 36 kg 이상인 경우에는 1/4-inch의 굵은 rod를 사용하여야 한다.

뇌성마비 환자의 경우 다른 수술과 마찬가지로 척추 측만증 수술에서도 다양한 합병증이 발생할 수 있다. 특히 위식도 역류(gastroesophageal reflux)에 의한 흡인 폐렴(aspiration pneumonia)을 일으킬 수 있으므로 주의하여야 한다. 불수의 운동형(dystonic type)에서는 지속적 불수의 운동으로 내고정물의 파손이나 불유합이 더 많이 생기므로 유의해야 한다.

IV. 보행의 평가

정형외과에서의 뇌성마비의 평가는 외래에서 시작하여, 수술전 평가로 이어진다. 본 장에서는 GMFCS 1-3단계를 중심으로 보행 향상을 위한 일단계 다수준 수술(single event multilevel)을 준비하면서 필요한 평가를 중심으로 기술한다. 또한 고관절 재건 수술을 준비할 때도 비슷한 방식을 취하게 된다. 일단계 다수준 수술의 수술 전 평가로는 병력 청취, 영상검사, 체계적 신체검사, 삼차원 보행 분석을 시행하게 된다.

1. 임상 환경(clinical setting)

일반적으로 경직성이 심한 중증의 뇌성마비 환자의 경우, 소아청소년과와 소아재활의학과에서 처음 진단을 받고 재활 치료를 시작하며, 고관절 탈구, 심한 측만증, 수술이 필요한 병적 보행이나 수부 변형 등 소아정형외과적 문제가 있을 경우 소아정형외과로 의뢰가 된다. 비교적 경한 양측마비나 편마비의 경우에는 보행이 늦어져서, 또는 병적 보행으로 소아정형외과로 처음 방문하기도 한다.

2. 외래에서의 병력 청취와 신체검사

먼저 출생력과 발달력을 확인한다. 재태 연령과 출생 체중으로 조산과 저체중 출생 여부를 판단한다. 난산, 저산소증, 핵황달 등 주산기 위험 요인을 확인한다. 발달 지연은 뇌성마비의 대표적인 초기 증상이다. 발달 이정표(developmental milestone)와 비교하여 지연을 판단한다 Table 4. 중증도가 높을수록 발달 지연이 심하고, 중증도가 높을수록 일찍 진단이 된다. 중증 환자의 경우 전간증 동

Table 4. **발달 이정표(developmental milestones)**

뒤집기	4개월
혼자 앉기	6개월
배밀이	7개월
일어나 앉기	8개월
네발기기	8개월
잡고서기	8개월
한 손 잡고 걷기	11개월
혼자 걷기	12개월

반 여부, 영양 상태, 흡인성 폐렴, 골절력 등의 병력을 자세히 조사한다. 또한 중증 환자의 경우 의사소통이 잘 안될 수 있기에, 통증 등의 증상이 저평가 될 수 있음을 주의하여야 한다.

신경학적 검사로 경직성 여부를 확인한다. 심부 건 반사와 Clonus를 검사하고, 족근관절의 족배굴곡을 통한 하퇴 삼두근의 경직성, 슬와 각도 등 기본적인 검사를 시행하고 주소(chief complaint)에 따라 추가 신체검사를 시행한다. 자세와 보행을 육안으로 확인하여 뇌성마비에 대한 추정 진단을 한다.

3. 영상의학적 검사

감별 진단을 위해, 대뇌 자기공명영상(brain MRI)을 촬영한다. 대부분 초기 진단 시에 촬영하기에, 정형외과에서 촬영하는 경우는 드물다. 과거에 촬영을 하지 않은 경우에는 정형외과로 처음 온 뇌성마비 환자의 경우 감별을 위해 시행한다.

1) 고관절 및 골반

골반 혹은 고관절의 전후면 방사선 영상으로 뇌성마비 고관절 탈구 여부를 확인한다. 전이 지수(migration percentage), 경간각(neck shaft angle)을 측정한다.

2) 척추

척추측만증은 확인을 위하여 척추 전장에 대한 전후 단순 방사선 영상(whole spine AP)이 필요하다. 수술 전 검사로는 EOS® 등을 활영 할 수 있다.

3) 슬관절

뇌성마비에서 고위 슬개골이 흔히 발견된다. 고위 슬개골은 슬개골의 위치가 높아지는 것으로, 보행 시 슬개골이 대퇴골에 적절히 관절 조화(articulation)를 이루지 못하면 문제를 일으키게 된다.

추시와 정량화를 위하여 슬개골 높이(patellar height)를 측정할 수 있다. 슬개골 높이를 측정할 때, 분자는 슬개골 높이를 대변하는 길이이고 이를 환자 신체의 크기를 표준화하기 위해서, 신체 크기의 기준이 되는 길이를 분모로 나누어준다. 가장 많이 쓰이는 지표는 Insall-Salvati 방법(IS method)으로 슬개건의 길이가 분자이고, 슬개골의 길이가 분모이다. 즉 슬개건의 길이가 슬개골 높이를 대변하고, 슬개골의 길이는 환자의 신체 크기를 대변한다고 보는 것이다Fig 22. 그런데 IS 지표는 슬개건의 길이를 측정할 때, 경골조면을 landmark로 하는데 경골조면은 13세 정도에 골화가 되기에 소아 환자는 측정할 수가 없다.

Koshino-Sugimoto 방법(KS method, Fig 23)은 슬개골 중점과 경골 골단판의 중점 사이의 거리를 슬개건의 길이로 생각하고, 대퇴 골단판의 중점과 경골 골단판의 중점의 거리를 신체 크기를 대변한다고 보는 것이다. 슬개골 골화가 시작되는 5세 이후부터 골단판이 닫히기 전까지 모든 시기에 측정 가능하므로 Insall-Salvati 방법과 상보적으로 사용한다. 두 지표 모두 대략 1이 정상이고, 크면 클수록 슬개골 높이가 증가되어 있다고 본다.

4) 족부

족부 변형의 평가를 위해서는 체중 부하 전후방, 측방 단순 방사선 영상을 촬영한다. 측정이 필요한 주요 지표로는 AP talo-1st metatarsal angle, Lateral talo-1st metatarsal angle, Hallux valgus angle 등이 있다.

5) 염전(torsional deformity)

전염도와 경골 염전 측정을 위해서는 3D CT, EOS, 통계 형상모형 앱(Femora®, 디딤 제공) 등을 이용할 수 있다Fig 24.

6) 하지 정렬 및 하지 부동

Teleradiogram, 혹은 EOS를 이용하여 하지 정렬, 하지 부동을 측정한다.

4. 체계적 신체검사(systematic PE)

뇌성마비는 다른 정형외과 질환과 달리 전신적인 질환이므로 환자의 신체검사는 체계적으로 이루어져야 한다. 그래서, 수술 전 신체검사를 할 때는 뇌성마비 환자 이학적 검사지를 체크리스트 형식Fig 25으로 구성하며, 누락되는 부분이 없도록 하여야 한다.

뇌성마비의 체계적 신체검사의 경우, 관절 범위, 구축,

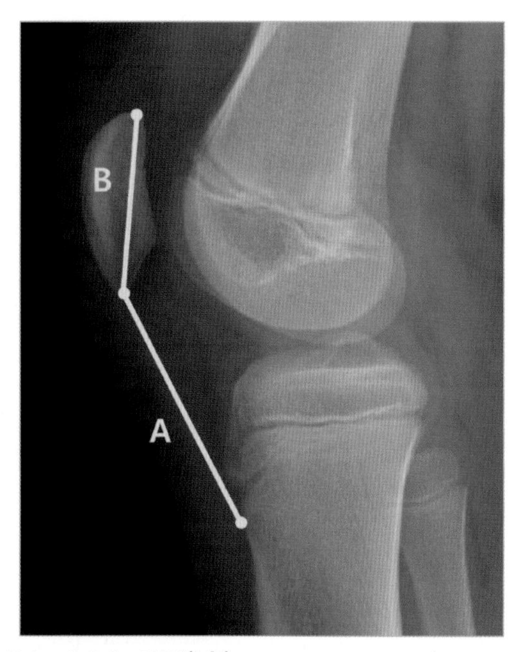

Fig 22. **Insall-Salvati 방법(A/B).**
경골조면(tibial tuberosity)에서 슬개골 하극까지의 슬개건의 길이(A)를 슬개골의 길이(B)로 나누어 사용한다. 소아의 경우 경골조면의 골화가 안 되어 있는 경우 측정이 부정확해지는 한계를 가지고 있다.

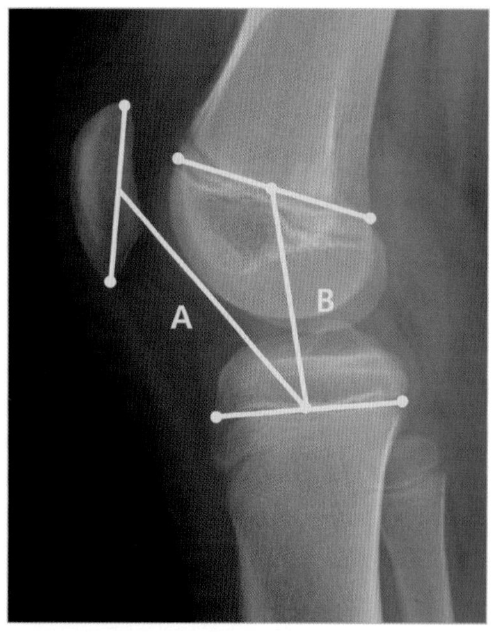

Fig 23. **Koshino-Sugimoto 방법(A/B).**
슬개골 중점과 경골 골단판의 중점 사이의 거리(A)를 대퇴 골단판의 중점과 경골 골단판의 중점의 거리(B)로 나누어 사용한다. 슬개골이 골화가 되는 모든 연령에서 사용할 수 있다.

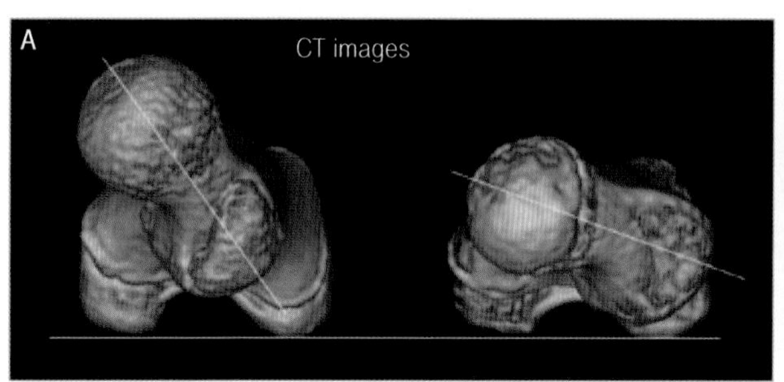

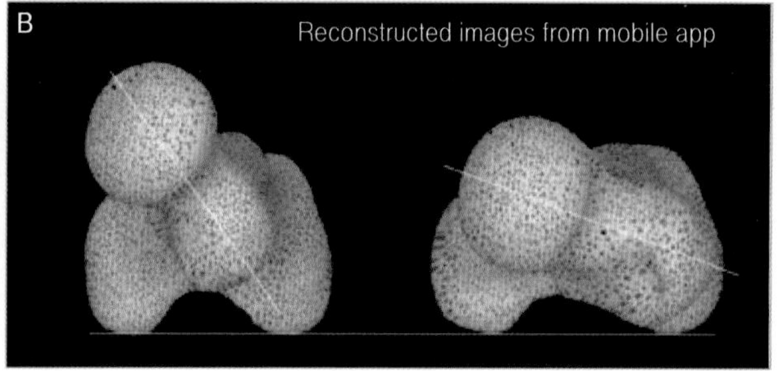

Fig 24. 대퇴골 염전은 3차원 영상으로 보았을 때, 직관적으로 측정하기 쉽다. CT를 삼차원으로 재건하는 방법을 많이 쓰고 있으며(A), 단순 방사선 영상을 통계형상모형(Femora®)을 이용하여 재건하는 방법도 개발되어 있다(B).

염전 변형, 발 변형의 측정이 주를 이루게 된다. 뇌성마비 환자에서는 두 관절을 지나는 근육(two joint muscle)의 구축이 흔히 일어날 수 있다. 그리고, 근위약을 동반하는 경우가 많기 때문에, 구축이 있는 근육만 선별적 연장을 하는 것이 원칙이다. 그렇기 때문에 구축이 있는 근육을 선별하는 검사가 중요하다. 또한 지렛대 병의 원리에 따라 염전 변형을 치료해야 하는 경우가 많아 회전 개요의 측정이 중요하다. 뇌성마비 체계적 신체검사에서 중요한 주제는 다음과 같다.

1) 고관절 굴곡 구축(2장 소아청소년 근골격계 질환의 진단 참조)

고관절 굴곡 구축의 평가를 위해서는 두 가지 검사(토마스 검사 및 스타헬리 검사)를 같이 측정을 하고, 상보적으로 이용하는 것을 권장한다.

동작분석실 '디딤'
Motion Analysis Laboratory 'DiDim'

병록번호	이 름	성 별	생년월일	검사일자
		남 / 여	년 월 일	년 월 일

* 의뢰과 : * 의뢰의 :
* 임상진단명 :
* 임상소견 / 병력 / 수술력 :
* 검사환경 :
* 검사자 :

GMFCS Level
I / II / III / IV / V

RIGHT			JOINT MOTION	LEFT		
Strength	ROM			ROM		Strength
	R1 (fast)	R2	*HIP*	R1 (fast)	R2	
			Further Flexion			
			Extension (Thomas test) = FC			
			Extension (Staheli test)			
			Abduction_hip extension			
			Abduction_hip flexed 90°			
			Adduction			
			External Rotation (Prone)			
			Internal Rotation (Prone)			
			Anteversion (Prone)			
			Thigh-Foot angle (Prone)			
			KNEE			
			Flexion Contracture			
			Ext. lag			
			Further Flexion			
			Popliteal angle_Unilateral			
			Popliteal angle_Bilateral			
			Duncan_Ely			
			ANKLE			
			Plantarflexion			
			Dorsiflexion_knee_90°			
			Dorsiflexion_knee_0°			
			FOOT			

RIGHT			LEFT
Y / N	Hindfoot	Valgus	Y / N
Y / N		Varus	Y / N
Y / N		Flexibility	Y / N
Y / N	Midfoot	TN Subluxation (pronation)	Y / N
Y / N		TN Subluxation (supination)	Y / N
Y / N		Flexibility	Y / N
Y / N	Forefoot	Adduction	Y / N
Y / N		Abduction	Y / N
Y / N		Flexibility	Y / N

Muscle Tone	Rt	Lt
Quadriceps		
EPH		

Other Test	Rt	Lt
Clonus	Y / N	Y / N
Babinski	Y / N	Y / N

Other Test	Rt	Lt
Confusion Test	Y / N	Y / N

* 기타 *

SNUH
분당서울대학교병원

Fig 25. 체계적 신체검사(systematic physical examination)는 뇌성마비 환자에게 필요한 이학적 검사를 체크리스트 형식으로 구성한다.

2) 고관절 내전 구축

고관절 외전 범위를 평가하여 내전 구축 여부를 판단할 수 있다. 외전각이 30도가 넘어가면 기능상 큰 문제가 없는 것으로 생각을 한다. 내전근은 대퇴골에 부착(insertion)하는 장내전근, 단내전근, 대내전근이 있다. 또한 경골에 부착하는 박근 등 내측 슬근(medial hamstring)도 고관절 내전의 역할을 한다. 그렇게 때문에 슬관절을 굴곡 여부에 따라 내전 구축의 차이가 생길 수 있다. 즉, 슬관절 굴곡시에는 내전 구축이 없는데, 슬관절 굴곡 시 내전 구축이 생긴다면 박근 등 내측 슬근의 구축으로 판단할 수 있다. 이를 phelps test라고 한다.

3) 슬근 구축(hamstring contracture)

슬근은 뇌성마비에서 대표적으로 문제가 되는 이관절 근육(biarticular muscle)이다. 구축이 된 경우가 많기 때문에 구축 정도의 측정이 매우 중요하다.

(1) 편측 슬와 각도(unilateral popliteal angle)

고관절을 90도 굴곡시킨 상태에서 반대쪽 고관절을 완전히 신전하고, 슬관절 굴곡 구축을 측정하는 방법을 편측 슬와각도라고 한다Fig 26. 슬관절을 빠르게 신전시켜서 저항을 느끼는 지점(grap)을 측정하면 경직성(spasticity)을 가늠할 수 있다.

(2) 양측 슬와 각도(bilateral popliteal angle)

슬근은 좌골 결절(ischial tuberosity)에서 기시한다. 그러므로 슬와 각도를 측정할 때, 골반의 위치에 따라 그 값이 달라질 수 있다. 골반의 전방 경사(anterior tilt) 혹은 척추의 전만이 있다면 슬와 각도는 더 커질 것이다. 특히 요근(psoas) 구축이 있는 경우가 이런 예이다. 그래서, 골반을 중립위로 유지하면서 측정하는 것이 좀 더 슬근의 실제 길이를 대변한다. 골반 중립을 위하여 반대측 고관절을 충분히 굴곡한 상태에서 슬와 각도를 측정하는 것을 양측 슬와 각도이라고 한다Fig 27.

(3) Hamstring shift

고관절의 굴곡 구축이 있는 경우 복와위에서는 고관절 굴곡 구축을 보상하기 위해 골반의 전경사가 증가된다. 이 경우, 편측 슬와 각도와 양측 슬와 각도의 차이가 발생한다. 이론적으로 이 차이는 고관절의 굴곡 구축이다. 이를 Hamstring shift라고 하고, Hamstring shift가 보이면 고관절 굴곡 구축을 의심한다.

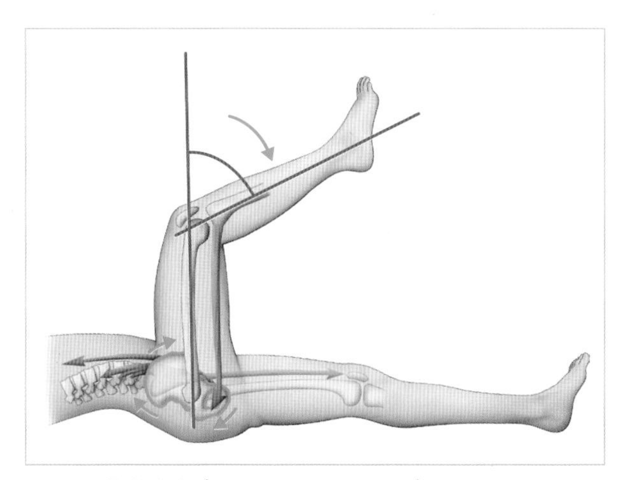

Fig 26. **편측 슬와 각도(unilateral popliteal angle).**
고관절을 90도 굴곡시킨 상태에서 반대쪽 고관절을 완전히 신전하고, 슬관절 굴곡 구축을 측정하는 방법으로, 슬근(hamstring)의 구축 정도를 파악할 수 있다. 정상 성인에서 평균 30도이다.

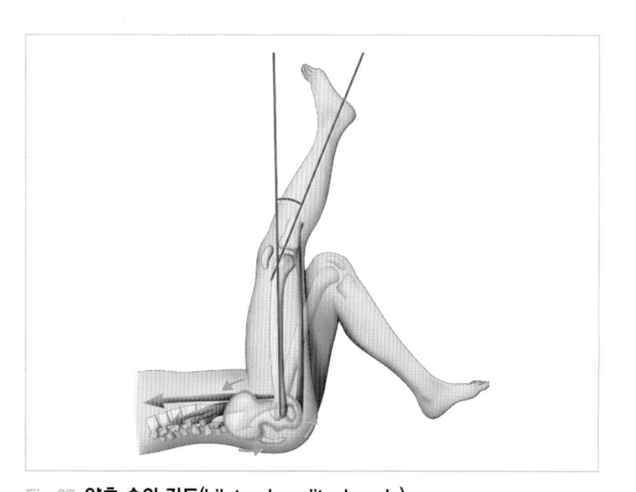

Fig 27. **양측 슬와 각도(bilateral popliteal angle).**
반대쪽 고관절의 굴곡 구축이 같이 있는 경우, 슬와 각도를 정확히 측정하려면 반대쪽 고관절을 굴곡시켜 골반을 중립으로 위치하여야 한다.

(4) 슬관절 굴곡 구축과 능동적 신전 제한(extension lag)

슬관절 굴곡 구축은 웅크림 보행을 야기한다. 그런데, 수동적인 굴곡 구축이 적더라도, 신전 메커니즘이 부실하면 능동적 신전에 제한이 생길 수 있다. 이를 extension lag 라고도 하며, 앉은 자세에서 능동적으로 슬관절을 신전하게 한 후 굴곡 정도를 측정한다.

4) 하퇴삼두근 구축과 실버스키올드 검사(Silverskiold test)

(2장 소아청소년 근골격계 질환의 진단 참조)

뇌성마비 환자에서 하퇴삼두근의 구축은 두 가지 경우가 있다. 비복근만 구축이 된 경우와 비복근과 가자미근이 모두 구축된 경우이다. 실버스키올드 검사를 통해 이를 감별한다.

5) 대퇴직근의 구축과 던컨 일리 검사(Duncan-Ely test)

(2장 소아청소년 근골격계 질환의 진단 참조)

6) 대퇴 전염(femoral anteversion)

(2장 소아청소년 근골격계 질환의 진단 참조)

대퇴 전염은 복와위(prone)에서 고관절 내회전 및 외회전과 대전자 촉지법을 이용하여 측정한다.

7) 경골 염전

(2장 소아청소년 근골격계 질환의 진단 참조)

경골 염전은 성인에서 평균 20도 외회전되어 있다. 신체검사를 이용한 경골 염전의 측정은 주로 두 가지 방법(대퇴-족부각, 횡과각)을 이용한다.

8) 근력의 측정

근력 측정에는 두 가지 가정이 필요하다. 첫째, 자발 운동(voluntary movement)이 가능해야 한다. 둘째, 관절운동 범위가 확보가 되어 있어야 한다.

즉, 뇌성마비에서 자발적 관절운동이 잘 안되는 경우 근력 측정에 한계가 있다. 대상자의 의사소통 능력과도 연관이 된다. 또한, 심한 첨내반족과 같이 관절 구축으로 인해 관절운동 범위가 매우 좁은 경우에도 근력 측정은 불가능하다Table 5.

Table 5. **근력의 단계**

근력의 단계
5 = 충분히 강한 저항을 극복하면서 자발적 관절운동 가능
4 = 중력 및 어느 정도의 저항을 극복하면서 자발적 관절운동 가능
3 = 중력을 극복하면서 자발적 관절운동 가능
2 = 중력이 작용하지 않는 방향으로 자발적 관절운동 가능
1 = 관절의 운동은 없으나 약간의 근육의 수축이 촉지 또는 관찰됨
0 = 근육의 수축이 없음

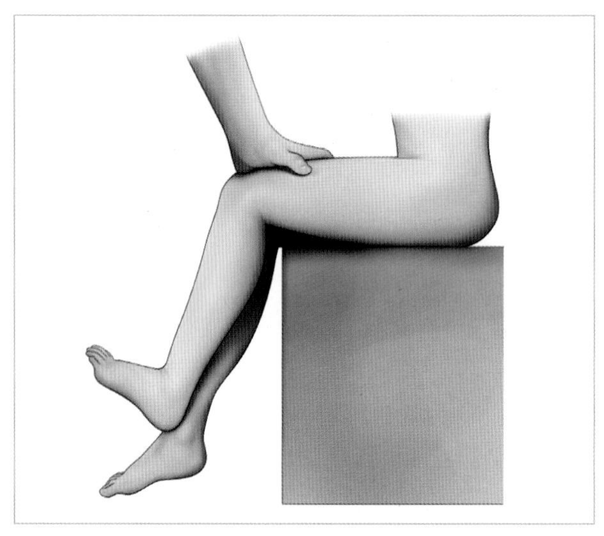

Fig 28. **혼란 검사(confusion test).**
뇌성마비 환자에서 해당 근육을 독립적으로 움직이지 못하는 경우에 근력 검사가 힘들다. 그러나 패턴으로 움직이는 것을 이용하면, 근력을 측정할 수 있다. 고관절을 굴곡하면, 족근관절의 족배굴곡을 같이 하는 환자는 이를 이용하여 근력을 측정한다.

그래서, 자발 운동 가능여부와 근력을 병기하고, 임상적으로 필요한 근력 평가에 집중하는 것을 권유한다.

특히 족하수를 확인하기 위한, 족배굴곡력을 평가하는 것은 매우 중요하다. 자발적으로 족근관절의 족배굴곡을 못 하는 대상자에게 족배굴곡력을 평가하는 방법으로 혼란 검사(confusion test)가 있다. 대상자에게 고관절 굴곡을 지시하고 검사자 고관절 굴곡에 저항하는 힘을 가한다. 그러면 패턴 동작으로 족배굴곡곡이 나타날 수 있다. 이런 경우 족배굴곡 근력이 3단계는 되는 것으로 판단할 수 있다Fig 28. 특히 수술이 예정되어 있다면, 수술 후 구획증후군, 신경 마비 등을 감별하기 위해서라도, 무지, 족지, 족근관절의 족배굴곡 가능 여부를 수술 전에 확인하여야 한다.

5. 보행분석

뇌성마비에서의 보행 분석은 이차원 비디오 분석, 마커를 이용한 삼차원 동작분석, 역동적 근전도 등을 포함한다. 정상인의 보행 분석 방법과 전형적 보행에 대한 내용은 2장을 참조한다.

1) 뇌성마비에 보행 분석을 적용 시 고려 사항

(1) 일차 변형과 보상

보행 병리를 일으키는 변형이 있고, 해당 변형으로 인한 보상 작용(compensation)이 있다. 수술은 일차 변형의 치료를 목표로 하게 되고, 보상은 일차 변형을 치료하면 없어지므로, 원인과 보상의 구별이 중요하다.

(2) 대퇴 전염, 고관절 내회전 그리고 족부진행각

대퇴 전염(femoral anteversion)은 원위 대퇴골이 근위 대퇴골에 비하여 얼마나 내측으로 틀어져 있냐는 지표이다. 즉 해부학적인 지표이고, 고관절 내회전과 족부진행각은 동적으로 보행 시 측정하는 지표이다. 그렇기에 대퇴 전염과 고관절 내회전을 동일시하면 안된다. 즉 대퇴 전염이 20도 증가했다고 보행 시 고관절 내회전 혹은 족부진행각이 내측으로 20도 증가하는 것이 아니며, 보행 시 고관절 내회전과 족부진행각이 내측으로 20도 증가했다고 전염이 20도 증가한 것은 아니다. 즉 해부학적 변형(정적 변형)과 동적 보행을 구별하여야 한다.

(3) 보행 분석과 족부 변형

보행 분석에 쓰이는 헬렌 헤이즈 마커 세트는 족부를 두 개의 마커로 표현을 한다. 그래서, 족근관절(ankle joint)의 시상면(족배굴곡, 족저굴곡)과 횡단면(내회전, 외회전)만 표현을 할 수 있고, 족부내의 관절운동은 모두 무시를 하게 된다. 이를 유념하여 판단을 하여야 한다. 예를 들어 편평 외반족이 있는 경우, 거주상 관절의 족배굴곡과 족근관절의 족배굴곡을 합쳐서 족근관절의 족배굴곡으로 나타나게 된다. 그렇기 때문에, 아킬레스건 구축과 족부의 변형을 보행 분석으로 파악하는 것은 한계가 있다.

(4) 동작 분석의 임상적 의의

동작 분석은 뇌성마비 수술을 계획할 때 많은 정보를 준다. 다만 동작 분석도 하나의 검사이고, 상당히 많은 정보를 준다. 이 중에 임상적을 중요한 것도 있고, 큰 의미가 없는 것도 있다. 보행/동작 분석은 임상의가 환자의 병력, 신체검진, 영상검사 등을 종합하여서 판단을 하여야 의미가 있다는 것을 염두해야 한다.

2) 뇌성마비에서 대표적인 병적 보행

뇌성마비에서 보이는 대표적인 병적 보행으로 첨족 보행, 웅크림 보행, 내족지/외족지 보행, 강직 슬관절 보행(crouch gait), 가위 보행(scissoring)이 있다. 뇌성마비에서 트렌델렌버그 보행, 오리 보행(waddling gait), 단하지 보행(short limb giat)도 흔히 보이며 이는 2장을 참조하기를 바란다.

(1) 첨족 보행과 족저굴곡-슬관절 신전 조합 (ankle plantar flexion-knee extension couple)

첨족 보행은 뇌성마비에서 가장 흔하게 볼 수 있는 보행 병리 중 하나이다. 흔히 까치발(tip-toeing)이라고 부르지만 첨족 보행과 까치발의 정의는 다르다. 까치발의 정의는 보행 시 발뒤꿈치가 지면에 닿지 않는 경우이다. 이에 반해 첨족은 하퇴 삼두근의 구축 등으로 족근관절이 족저굴곡한 상태를 뜻한다. 즉, 슬관절을 굴곡하면 첨족이 없더라도 까치발 보행을 할 수 있다. Rodda 등은 이를 구별하는 분류법을 제시하였다.

하퇴 삼두근의 구축으로 족저굴곡이 과도한 경우, 족저굴곡-슬관절 신전 조합으로 슬관절의 과신전 현상이 발생하기도 한다(recurvatum, back knee).

정상 보행에서 중기 입각기에 족근관절의 수동적 족배굴곡을 조절하여, 지면 반발력을 슬관절 전방에 위치하려고 한다. 즉 족저굴곡근인 하퇴 삼두근이 편심성 수축을 하여 족배굴곡력을 상쇄시키고 지면 반발력의 위치를 슬관절 전방에 위치시킨다. 이를 족저굴곡-슬관절 신전 조합이라고 한다 Fig 29. 이때 족저굴곡근의 구축이나 경직이 있어 족저굴곡이 과도하면 지면 반발력이 슬관절의 전방으로 과도하게 위치하고 중기 입각기에 슬관절의 과신전이 발생한다(mid-stance hyperextension).

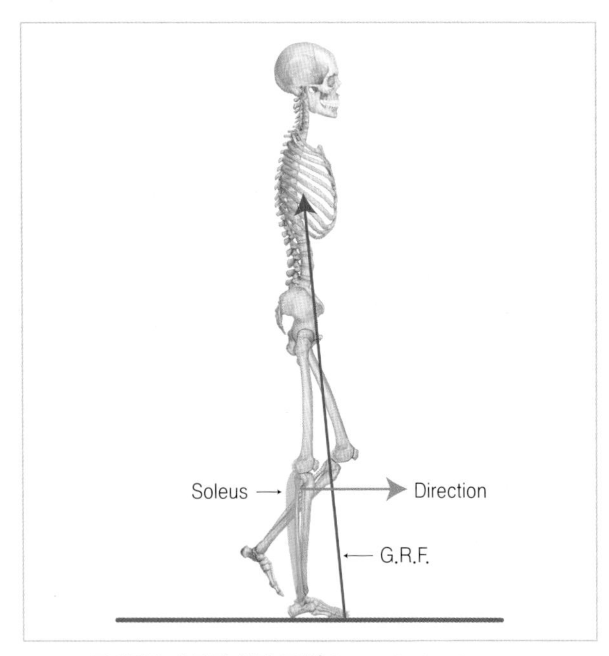

Fig 29. **족저굴곡-슬관절 신전 조합(plantar flexion-knee extension couple).**
정상 보행에서 중기 입각기에 족근관절의 수동적 족배굴곡을 조절하여, 지면 반발력을 슬관절 전방에 위치하려고 한다. 그러면 슬관절의 외부 신전 모멘트가 작용하여 슬관절의 신전이 유지된다.

족저굴곡-슬관절 신전 조합은 세가지 의미가 있다. 첫째, 뇌성마비에서 중기 입각기 슬관전 과신전이 발생하는 경우, 하퇴 삼두근 연장술(아킬레스건 연장술 혹은 비복근 선택 연장술)로 과신전 현상을 어느 정도 해소할 수 있다. 즉 과신전은 슬관절의 문제가 아니고, 족근관절의 문제이다. 둘째, 하퇴 삼두근의 과도한 위약은 정상적인 족저굴곡-슬관절 신전 작용이 되지 않아, 슬관절 굴곡 보행 즉 웅크림 보행(crouch gait) 보행을 일으키게 된다. 수술은 정상적인 족저굴곡-슬관절 신전 작용을 회복하는 방향으로 목표를 잡게 된다. 셋째, 족저굴곡-슬관절 신전 조합이 잘 작동하면 중기 입각기에 대퇴 사두근 등 슬관절 신전근의 근력이 필요가 없다. 즉, 대퇴 사두근의 이완성 마비가 있는 경우, 인위적으로 족저굴곡-슬관절 신전 작용을 만들어 슬관절 굴곡 보행을 없앨 수 있다. 소아마비 환자의 경우 대퇴 사두근 위약이 있는 경우, 보행 시 슬관절 신전 보조기가 필요하거나, 중기 입각기에 슬관절에 손을 짚어 슬관절 신전을 보조하는 현상을 보인다(hand on thigh). 이때, 아킬레스건 구축은 남겨 놓고, 대퇴 과상부 신전 절골술을 하면, 족저굴곡-슬관절 신전 작용으로 대퇴 사두근의 근력 없어도 보조기나 hand on thigh 현상 없이 보행을 할 수 있게 된다.

(2) 웅크림 보행(crouch gait)

슬관절과 족근관절 시상면에서 판단하는 병적 보행이다. 입각기의 슬관절 신전이 충분하지 않으면, 슬관절의 회전축보다 후방에 지면 반발력이 위치하며 발생하게 된다. 지면 반발력에 의해서 슬관절의 외부 굴곡 모멘트가 발생을 하고 이를 상쇄하기 위해 대퇴 사두근 수축이 더욱 필요하게 된다. 그래서 정상 보행보다 에너지 소모가 더 크게 되며, 대퇴 사두근의 피로가 발생하면 슬관절 굴곡이 더욱 증가하게 된다.

뇌성마비에서는 웅크림 보행이 급속 성장기 이후에 생기며, 장기간 지속되면 슬관절 굴곡 구축과 슬관절 신전 메커니즘의 손상, 슬개건 연장으로 인한 고위 슬개골, 슬개골 골절 등이 발생하게 된다Fig 30.

뇌성마비 웅크림 보행에서 흔히 슬근의 단축을 동반한

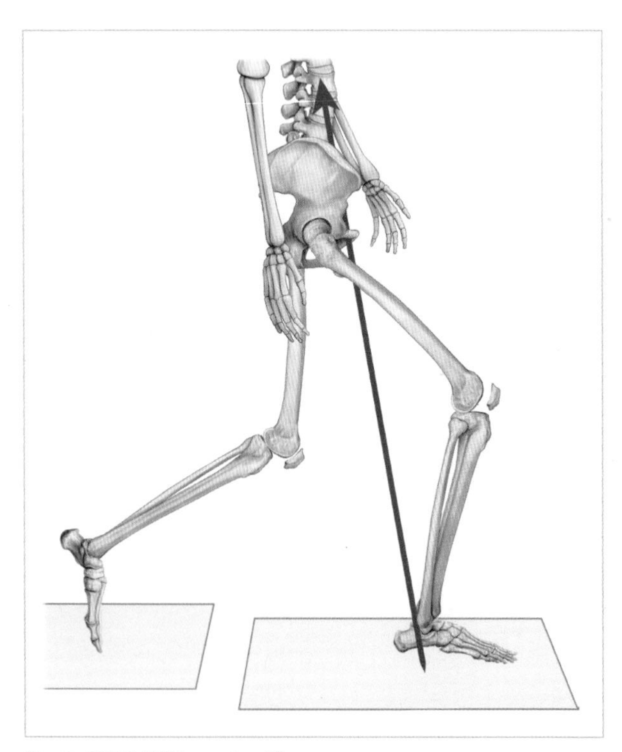

Fig 30. **웅크림 보행(crouch gait).**
지면 반발력이 슬관절 회전축의 후방에 위치하면, 외부 굴곡 모멘트가 발생하고, 결국 웅크림이 더욱 심해지게 된다.

다. 슬근은 이관절 근육이므로 단축되어 있으면, 고관절의 위치에 따라 동적인 슬관절 과다 굴곡이 발생한다. 초기 입각기에는 최대로 고관절이 굴곡되기에 슬근이 짧다면 슬관절의 굴곡이 증가되게 된다. 슬근이 더 짧다면 전 입각기에 슬관절 굴곡이 유지되기도 한다. 이에 따라, 슬근의 구축 정도를 유추할 수 있으며, 슬와각, 슬관절 굴곡 구축 등 신체검사를 조합하여 판단하게 된다.

뇌성마비의 웅크림 보행은 슬관절 굴곡 구축, 슬근 단축, 족저굴곡근의 약화가 동시에 있는 경우가 많아, 무엇이 먼저인지는 결론지을 수는 없다. 웅크림 보행을 정의하는 슬관절 굴곡 정도에 대한 절대적인 기준이 있지는 않다. 보행 시 슬관절 굴곡은 어느 정도 있으면, 보행의 안정성에 도움이 된다. 즉 완전히 신전되어 있을 경우보다, 약간 굴곡되어 있는 것이 외측 외력에 대해 역학적으로 잘 저항을 한다. 따라서, 수술 계획을 세울 때 환자에 따라 어느 정도의 굴곡 구축은 허용할 수도 있다.

(3) 내족지 보행과 외족지 보행

뇌성마비에서 내족지 보행과 외족지 보행은 흔하게 보인다. 비장애인에 비해 근력이 약하고 지렛대 병에 영향을 상대적으로 많이 받기 때문에, 좀 더 적극적인 수술적 치료의 대상이 된다. 내족지 보행과 외족지 보행은 흔히 불량 회전 지렛대(mal-rotated lever)라고 분류한다.

횡단면에서 골반 회전, 고관절 회전, 경골 회전, 족부진행각으로 내족지/외족지 보행의 여부와 원인을 파악한다. 고관절 회전의 경우, 상술한 바와 같이 전염도와 1:1로 매치되는 것은 아니다Fig 31. 경골 회전의 경우 이론상 해부학적 염전과 비슷하지만, 슬관절 마커의 신뢰성 문제로 임상적 의의가 높지는 않다.

고관절 내회전 증가에 따른 골반의 외회전 보상은 편마비에서 매우 흔하게 볼 수 있으며 골반 외회전 보상은 대퇴 감염 수술 이후에 대부분 없어진다Fig 32.

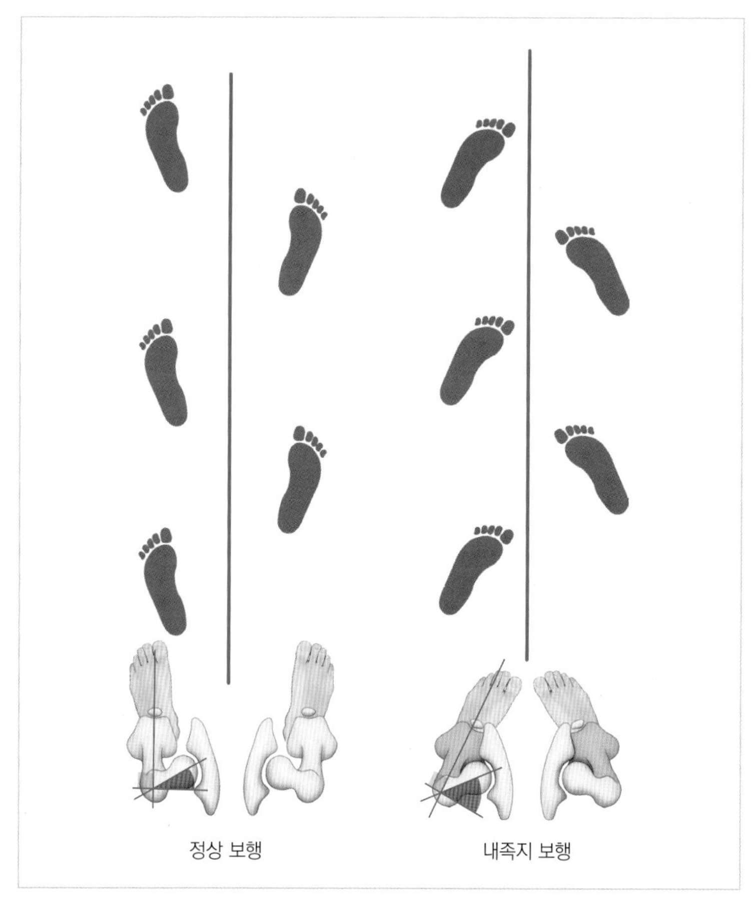

Fig 31. 대퇴 전염이 증가하면, 내족지 보행을 하게 된다. 그러나, 대퇴 전염과 족부진행각의 내회전 정도는 1:1로 비례하는 것이 아니다. 고관절은 관절운동범위가 넓기 때문에 어느 정도 보상을 한다. 경험적으로 대퇴 전염 증가의 반(half) 정도 족부진행각이 내회전한다.

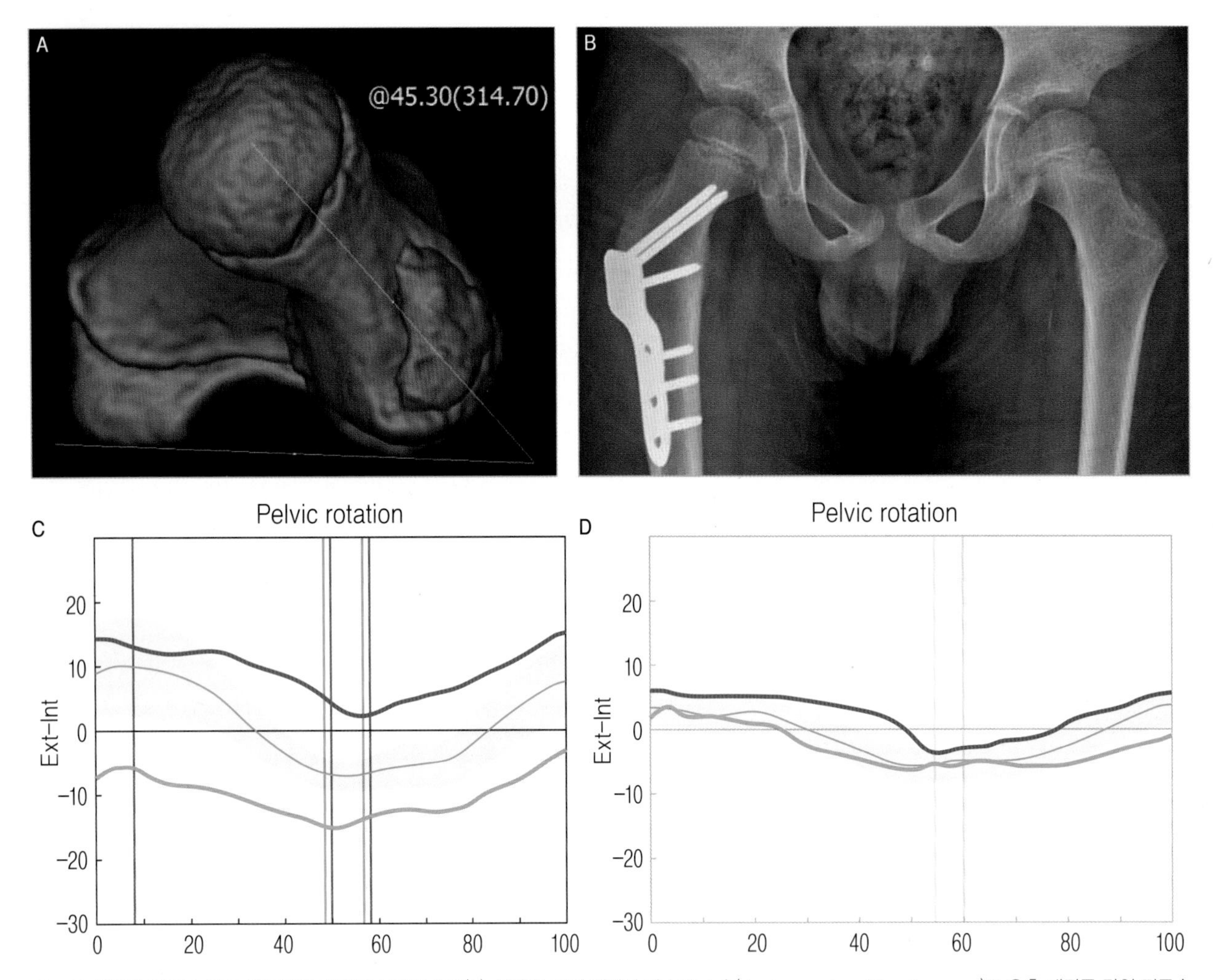

Fig 32. 편마비 환자로 우측 대퇴 전염 증가를 보이고 있다(A). 우측에 대해 일단계 다수준 수술(single event multilevel surgery)로 우측 대퇴골 감염 절골술(FDO), 아킬레스건 연장술(TAL), 원위 슬근 연장술(DHL), 대퇴직근 이전술(RFT)을 시행하였다(B). 수술 전 우측 전염 증가에 대한 골반 보상으로 골반이 우측으로 외회전되는 것을 볼 수 있다(C)(blue-right/red-left/green-normal). 수술 후 골반의 우측 외회전이 호전된 것을 확인할 수 있다(D).

(4) 강직 슬관절 보행(stiff knee gait)

유각기에 슬관절이 충분히 굴곡되어야 족부 클리어런스가 원활하다. 대퇴 직근의 구축이나 경직성으로 인하여, 유각기에 슬관절이 충분히 굴곡되지 않거나, 굴곡하는 시기가 늦어지는 경우 발끌림이 일어나게 되고, 이를 강직 슬관절 보행이라고 한다. 슬관절의 시상면에서 유각기에 최대 굴곡의 크기가 감소하고, 최대 굴곡의 시기가 지연되는 특징을 보인다. 유각기에 대퇴직근과 슬근의 동시 경직성(co-spasiticity)으로 흔히 설명한다Fig 33.

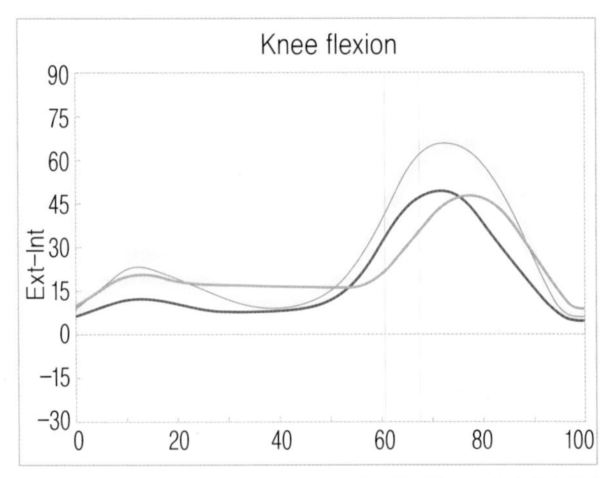

Fig 33. 양측마비 환자의 슬관절의 시상면 운동형상학으로 유각기의 최대 굴곡이 정상에 비해 감소된 것을 확인할 수 있다. 이를 강직 슬관절 보행(stiff knee gait)이라고 한다.

V. 보행 향상을 위한 수술, 일단계 다수준 수술(single event multilevel surgery)

보행이 가능한 GMFCS 1-3단계 환자와 기립이 가능한 GMFCS 4단계 환자의 일부는 보행 향상을 위한 수술을 계획할 수 있다. 보행 향상을 위한 구체적인 목표는 환자 상태에 따라 다를 것이며, 부모가 생각하는 목표와 임상의가 생각하는 목표가 다를 수 있다. 수술 전에 부모와 환자와 수술로 기대할 수 있는 실질적인 결과를 공유하고, 비현실적인 치료의 목표는 지양하여야 할 것이다.

1. 일단계 다수준 수술의 목표

GMFCS 1단계 환자와 보호자는 걷는 모양(gait appearance)의 향상이 목적이 될 수 있다. 물론 걷는 모양을 좋게 하는 것, 예를 들어 첨족과 내족지 보행 등을 치료하는 것은 기능에도 도움이 된다. GMFCS 2-3단계 환자는 적극적인 보행 기능 향상을 치료 목표로 잡을 수 있다. GMFCS 4-5단계 환자는 독립적인 기립이나 치료적 기립을 용이하게 하는 것이 목표가 될 것이다. 물론 GMFCS 4-5단계 환자는 고관절 탈구가 많기에, 고관절 탈구의 치료가 먼저이다.

2. 적응증

경직형 뇌성마비가 일단계 다수준 수술의 적응증이 된다. 근긴장 이상형(dystonia)이나 운동실조형은 수술적 치료로 좋아지지 않는다. 약간의 근긴장 이상(dystonia)을 동반하고 경직성이 주인 혼합형 뇌성마비도 수술이 가능하다. 다만, 경직성에 의한 부분만 수술로 좋아진다고 설명하여야 한다.

3. 수술의 시기

뇌성마비 환자에게 수술을 고려해야 할 시기에 대해서는 논란이 있으나 일반적인 개념은 환자의 최대 보행 기능이 완성되는 시기까지 수술을 늦추는 것이다. 따라서 뇌성마비 환자의 보행기능이 거의 완성되는 시기인 생후 5세 이후에 수술을 시행한다. 일반적으로 매년 추시를 하며 수술의 시기를 가늠하게 된다. 일부 뇌성마비 환자는 사춘기가 시작되면 보행 능력이 감소하게 된다. 보행 악화의 이유를 체중의 증가를 근력이 따라가지 못하기 때문으로 설명하기도 한다.

그래서, 보행 향상을 위한 일단계 다수준 수술의 경우, 5세 이후 환자에게 기대되는 보행 기능에 최대로 도달하였을 때부터 수술을 고려하고, 늦어도 사춘기, 즉 성장 가속기 이전에 수술을 시행한다. 물론, 고관절 탈구는 다른 문제이며, 고관절 탈구가 발견되면 최대한 빨리 고관절 재건 수술을 하여야 한다.

4. 일단계 다수준 수술의 장점

뇌성마비 환자에서 보행이 성숙된 시점에서 가능한 한 번에 모든 병변에 대해 수술을 실시하는 수술법이다. 과거에는 보행에 대한 수술을 여러 번에 나누어 했는데, 한번에 하는 것이 수술의 결과가 더 좋기 때문에 수술의 방식이 바뀌게 된 것이다.

일단계 다수준 수술은 상술하였듯이 경직형 뇌성마비 환자 중 보행이 가능한 환자에게서 보행능력을 향상시키는 표준적인 수술방법이다. 족부, 족근관절, 슬관절, 고관절 주변의 근건 연장술(muscle tendon lengthening)과 건 이전술(tendon transfer), 족부, 경골, 대퇴골의 교정 절골술(corrective osteotomy) 등을 조합하여 시행한다. 이를 위해서는 보행 병리를 정확하게 파악할 필요가 있고, 3차원 보행 분석이 필수이다. 과거의 다단계(staged operation) 수술에 비해 전체 재원기간, 추후 시행되는 수술, 변형의 재발을 줄이고 수술 후 재활의 효율을 극대화시키는 장점이 있다.

5. 일단계 다수준 수술 시 고려 사항

일단계 다수준 수술은 뇌성마비 환자와 보호자에게 상당한 스트레스를 주는 수술이고, 수술의 결과가 상당히 오랜 시간 후에 나타난다. 그래서 수술 후 경과와 현실적 목표에 대한 충분한 상의가 필요하다. 환자와 환자 보호자와의 면담에서 아래의 내용이 도움이 된다.

- 수술만으로 치료가 끝나는 것이 아니라, 보행의 재활이 중요하다. 수술 후 재활 치료에 대해 가이드를 제시할 수 있어야 한다.
- 흉터가 많이 생기는 수술이므로, 이에 대한 고려가 필요하다.

- 편마비의 경우, 하지 부동, 하지 크기의 차이 해소에 대한 기대가 있다. 하지 크기에 대해서는 치료를 하지 않으므로 이에 대한 설명이 필요하다.
- 수술 전 기능이 좋은 환자의 수술 만족도가 더 좋다. 즉 GMFCS 1단계의 경우 만족도가 매우 높다.

6. 주요 변형과 주요 술기

사춘기/급속 성장기 이전에 뇌성마비 보행 장애를 야기하는 주요 변형에 대해 일단계 다수준 수술에서 시행하는 술기는 다양하다Table 6. 보행이 가능한 환자도 드믈지만 고관절 탈구가 있을 수 있다. 고관절 탈구에 대한 수술은 고관절 재건 수술을 참조하고, 성장기 이후에 생기는 심한 웅크림 보행(crouch gait)의 경우는 뒷장에서 추가 설명하도록 한다. 일단계 다수준 수술 시에는 편평외반족, 첨내반족, 무지외반족, 기타 족지 변형 등 족부의 변형도 같이 수술한다. 이에 대해서는 뇌성마비 족부 변형 챕터에서 자세히 설명하기로 한다.

1) 고관절 내전 변형(hip adduction deformity)과 내전근 유리술(adductor release)

장, 단 내전근, 대내전근, 박근(gracilis) 및 내측 슬근의 경직성에서 기인하는데, 이로 인하여 환자는 가위 보행(scissoring gait)을 하며 보행 시 유각기의 다리를 앞으로 전진시키는데 어려움이 발생한다.

고관절 외전은 성인에서 고관절 신전 시 45-50도, 고관절 90도 굴곡 시 50-55도이다. 그리고, 보행 시에는 최소 15도의 고관절 외전이 필요하다. 수술로는 고관절 고관절 외전이 40도 이상을 목표로 한다. Phelps 검사를 통해, 내전근과 내측 슬근 구축을 감별할 수 있다. 고관절의 굴곡 구축과 대퇴 전염이 증가되어 있으면 가위 보행처럼 보일 수 있다. 이는 신체검사를 통해서 쉽게 감별할 수 있다.

GMFCS 1-3단계 환자의 가위 보행을 일으키는 고관절 내전 변형은 원위 슬근 연장술(distal hamstring lengthening, DHL)과 장 내전근(adductor longus) 연장으로 대부분 해결이 된다. 그러므로, GMFCS 1-3단계 환자는 원위 슬근

Table 6. **일단계 다수준 수술의 주요 술기**

수술명	신체검사	보행 분석	기준 목표
근내 요근 연장술 (intramuscular psoas lengthening, IMPL)	고관절 굴곡 구측	고관절의 최대 신전 감소 골반 전경사의 증가	
내전근 유리술 (adductor Release)	고관절 외전 제한	가위 보행 고관절의 외전 감소	고관절 외전 > 40도
원위 슬근 연장술 (distal hamstring lengthening)	슬와각의 증가	초기 접지기와 말기 유각기에서 슬관절의 굴곡 증가	슬와각 < 30도
대퇴직근 이전술 (rectus femoris transfer)	Duncan-Ely test (+)	유각기에 슬관절 최대굴곡 감소 및 최대 굴곡 시기 지연	
아킬레스건 연장술 (achilles tendon lengthening)	첨족 Silverskilod test (-) 가자미근과 비복근 구축	입각기에 족저굴곡 증가, 1st Rocker의 소실	슬관절 신전 시 족배굴곡 10도
스트레이어 술식 (strayer operation)	첨족 Silverskilod test (+) 비복근 구축	입각기에 족저굴곡 증가, 1st Rocker의 소실	슬관절 신전 시 족배굴곡 10도
대퇴골 감염 절골술	대퇴 전염 증가	고관절 내회전 증가 내족지 보행 족부 진행각 감소	전염 15-20도
경골 감염 절골술	경골 염전의 이상	경골 염전의 이상 족부 진행각 이상	경골 외염전 15-20도

연장술을 한다면, 내전근 유리술은 가능하면 장내전근의 연장만 시행한다. 장 내전근 절개 후 고관절 외전이 부족한 경우 종종 단내전근(adductor brevis)이나 박근(gracilis)의 연장을 고려한다. 뇌성마비 고관절 탈구의 경우 이와 다르게 광범위 유리술을 하는 것을 유의하자.

2) 고관절 굴곡 변형(hip flexion deformity)과 근내 요근 연장술(intramuscular psoas lengthening, IMPL)

주로 장요근(iliopsoas)의 구축이 문제이며, 주로 이관절 근육인 요근이 구축되는 경우가 많다. 보행이 가능한 뇌성마비 환자의 경우 고관절 굴곡 변형이 확인되면 요근 연장술을 시행한다. 육안으로는 감별이 잘 안될 수 있다. 측방에서 보았을 때 요추 전만이 증가되어 있으면 고관절 굴곡 구축을 의심한다. 3D 보행분석 시 고관절의 굴곡이 증가되며, 골반의 전경사가 증가한다. 편측의 고관절 굴곡 구축이 있는 경우 골반의 전경사는 single bump pattern을 보이며, 양측의 굴곡 구축이 있는 경우는 double bump pattern을 보인다Fig 34. 구축이 매우 심한 경우는 지속적인 골반 전경사를 보일 수 있다. 토마스 검사가 정상이더라도, 굴곡 구축이 존재할 수 있다는 것을 유의해야 한다. 스타헬리 검사와 보행분석을 확인하여 요근 연장술을 결정한다.

근내 요근 연장술(IMPL)은 전방 도달법을 통해 pelvic brim 수준에서 시행하며, 요근만 연장한 경우 고관절 굴곡력 약화는 없는 것으로 알려져 있다.

3) 고관절 회전 변형(hip rotation deformity)과 대퇴골 감염 절골술

대퇴골 전염의 증가는 편마비, 양측마비에서 매우 흔한 변형이다. 내족지 보행을 야기하고 지렛대 기능 부전으로 효율적인 보행을 방해한다. 대퇴 전염은 신생아 때에는 증가해 있지만, 정상아에서는 발달과 함께 감소한다. 그러나, 뇌성마비 환자에서는 잔존하는 것으로 알려져 있다.

내족지 보행을 보이고, 3차원 보행 분석에서 족부진행각의 내측 회전, 고관절 내회전이 증가되어 있으면 대퇴 감염 절골술의 적응이 된다Fig 35.

대퇴골 감염 절골술은 일반적으로 전자간(intertrochanteric)에서 시행을 한다. 전자간 절골술은 변형의 위치와 가깝고, 견고한 고정과 함께 빠른 골유합을 얻을 수 있다. 복와위에서 수술을 하면, 수술 중에 고관절의 회전 정도를 고관절을 신전한 상태에서 측정 가능하고 시야 확보가 용이하다는 장점이 있다.

대퇴골 감염(derotation)의 수술 목표(surgical goal)는 해부학적인 정상 전염의 회복으로 15-20도이다. 감염(derotation)은 저교정이 되지 않도록 주의한다. 상술한 바와 같이

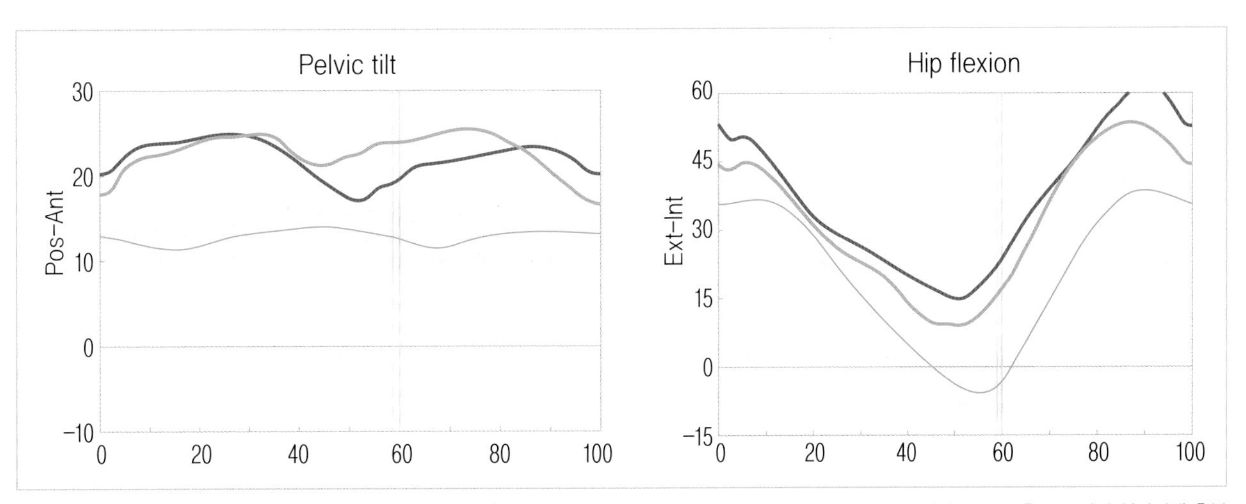

Fig 34. 양측 고관절 굴곡 구축이 있는 8세 양측마비(diplegia) 환자의 골반과 고관절의 시상면 운동형상학이다. 고관절의 굴곡 구축으로 말기 입각기에 충분히 신전이 되지 않는 것을 볼 수 있다. 이를 보상하기 위하여 말기 입각기와 전유각기에 걸쳐서 골반의 전경사가 증가한다. 양쪽 고관절에 모두 굴곡 구축이 있는 경우 두 번 전경사가 증가하는 쌍봉 패턴(double bump pattern)을 보인다.

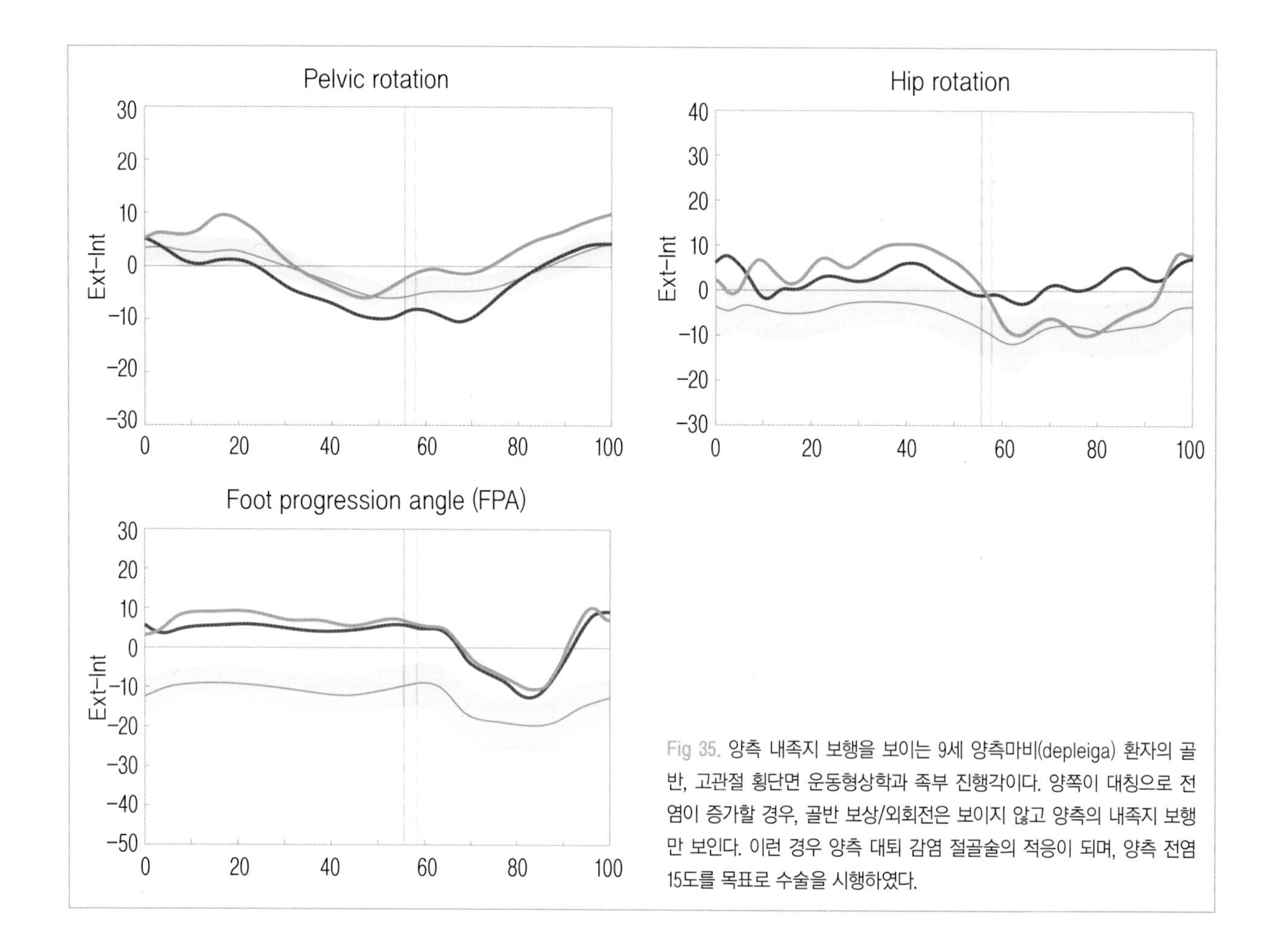

Fig 35. 양측 내족지 보행을 보이는 9세 양측마비(depleiga) 환자의 골반, 고관절 횡단면 운동형상학과 족부 진행각이다. 양쪽이 대칭으로 전염이 증가할 경우, 골반 보상/외회전은 보이지 않고 양측의 내족지 보행만 보인다. 이런 경우 양측 대퇴 감염 절골술의 적응이 되며, 양측 전염 15도를 목표로 수술을 시행하였다.

대퇴 내회전이나 족부 진행각을 기준으로 교정을 하면 저교정(undercorrection)되게 되고 수술 후에 내족지 보행이 남는다. 편마비에서 전염을 저교정하면 골반 외회전이 잔존하게 된다.

대퇴골 감염 절골술의 장기 추시 결과로 내족지 보행의 재발은 상대적으로 적다. 재발을 많이 보고하는 술자도 있으나 이는 수술 시 전염의 저교정이 큰 원인으로 판단한다.

4) 슬관절 굴곡 보행(flexed knee gait)과 원위 슬근 연장술 (distal hamstring lengthening, DHL)

슬관절 굴곡 보행을 보이는 경우, 슬근의 경직성과 구축에 의한 경우가 많다. 굴곡 변형이 오래되어 슬관절 굴곡 구축(knee flexion contracture)와 고위 슬개골을 보이는 경우는 crouch gait의 치료에서 설명한다.

슬관절 굴곡 구축이 없고, 슬와각(popliteal angle)이 30도 이상으로 증가되어 있으며, 3D 보행 분석에서 초기 접지기에 슬관절 굴곡이 증가되어 있는 경우, 원위 슬근 연장술의 적응이 된다Fig 36. 심해지면 중간 입각기까지 슬관절 굴곡이 증가될 수 있다.

원위 슬근 연장술은 뇌성마비 환자에서 가장 흔히 적용되는 수술 중 하나로 경직성 양측마비 환자에서 슬관절의 신전을 향상시킨다. 원위 슬근 연장술은 반건양근의 대내전근 이전술(semitendinosus transfer to adductor magnus), 반막양근 연장술(semimebranosus lengthening), 박근 연장술(gracilis lengthening)으로 구성이 된다. 슬관절 굴곡 보행에 가장 큰 영향을 미치는 근육은 반건양근으로 원위 슬근 연장술에서 가장 중요한 술식은 반건양근 이전술이다. 반건양근은 고관절 신전, 슬관절 굴곡의 역할을 하며, 이전술을 통하여 고관절 신전의 역할만 남기게 된다. 고관절 신전력의 보존하기 위하여, 가능하면 대퇴 이두근은 보존한다.

Fig 36. 슬관절 굴곡 보행을 보이는 8세 양측마비(diplegia) 환자의 슬관절 시상면 운동형상학으로 환자의 슬와각은 50/50도이다. 슬근 경직/구축의 경우 초기 입각기에 슬관절 굴곡이 증가하는 것을 볼 수 있다. 이는 슬근은 슬관절 굴곡근인 동시에 고관절 신전근이기 때문이다. 초기 접지기에는 고관절이 굴곡되어 있기에 슬근의 경직/구축이 있으면 슬관절 굴곡도 증가한다. 중간 입각기에는 고관절이 신전되므로, 슬관절 굴곡이 해소되는 것을 볼 수 있다.

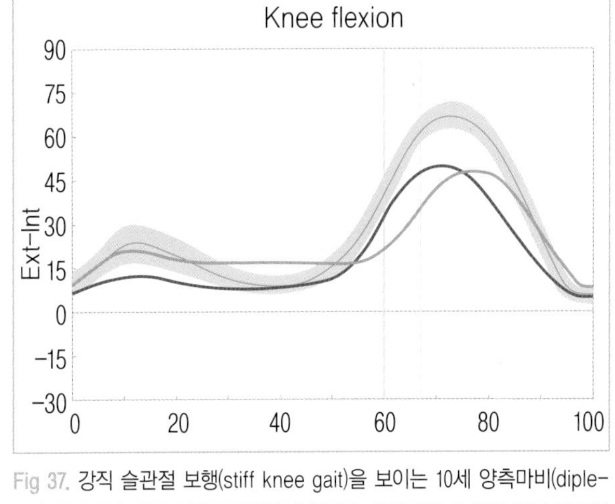

Fig 37. 강직 슬관절 보행(stiff knee gait)을 보이는 10세 양측마비(diplegia) 환자의 슬관절 시상면 운동형상학이다. 유각기에 슬관절 최대 굴곡이 감소되어 있으며, 우측(blue)의 경우 최대 굴곡의 시기(timing)가 지연된 것을 볼 수 있다. 유각기에 슬관절 굴곡이 감소하면 발을 끌게 된다.

슬근이 슬관절 굴곡과 고관절 신전의 두 가지 역할을 하기 때문에 슬근 연장술이 골반의 전경사를 증가시킨다는 염려도 있다. 그러나, 가장 강한 고관절 신전근은 대둔근이다. 또한 반건양근은 연장을 하지 않고 이전술로 고관절 신전력을 보존하는 내측 슬근 연장술만 하면 골반 전경사의 증가는 미미하다. 추가로 대퇴직근 이전술과 함께 시행하면 골반 전경사는 증가하지 않는 것으로 알려져 있다. 대부분의 연구에서 원위 슬근 연장술의 좋은 효과에 대해 보고하고 있어, 원위 슬근 연장술은 일단계 다수준 수술의 하나로서 뇌성마비 환자의 표준치료가 되어가고 있다.

5) 강직 슬관절 보행(stiff knee gait)과 대퇴직근 이전술 (rectus femoris transfer)

슬근 경직과 더불어 대퇴직근의 경직이 동반되면 강직 슬관절 보행(stiff knee gait)이 발생한다Fig 37. "무릎을 뻣뻣하게 걷는다", "신발의 앞부분이 많이 닳는다"라고 호소하며, 보행 시 발가락 끌림(toe dragging)이 있다. 신체검사 상 Duncan-Ely 검사가 양성이고, 3D 보행분석 상 유각기에 최대 슬관절 굴곡이 줄어들며 그 시기도 늦어지면 대퇴직근 이전술을 시행한다.

대퇴직근 이전술(rectus femoris transfer)은 유각기의 최대 슬관절 굴곡 증가, 최대 슬관절 굴곡이 일어나는 시기가 빨리지는 효과를 보인다.

대퇴직근 이전술의 원리는 슬관절 신전근인 대퇴 직근의 부착부(insertion)을 슬관절 회전축의 뒤로 이전하여, 슬관절 굴곡근으로 역할을 하도록 하는 것이다. 단순 대퇴직근 연장술보다 효과가 좋은 것으로 알려져 있으며, 대퇴직근의 이전 부위로는 반건양근, 봉공근(sartorius) 등을 쓸 수가 있다Fig 38.

6) 경골의 회전변형(tibial torsional deformity)과 경골 감염 절골술(tibial derotation osteotomy)

뇌성마비 환자에서는 경골의 염전 변형은 대퇴골 전염의 증가에 비해서는 적다. 그리고 측정 방법이 대퇴골 전염에 비해서는 부정확하여, 간과하기가 쉽다. 경골의 외염전은 환자의 나이가 많을수록, 대퇴 전염이 증가할수록, 그리고 편마비에서 좀 더 많으니 이를 유의해야 할 것이다.

경골의 염전의 수술적 치료는 크게 두 가지 적응증을 가지고 있다. 첫째, 경골 염전 변형이 단독으로 있어 내족지 혹은 외족지 보행을 보이는 경우, 둘째, 내족지 보행에서

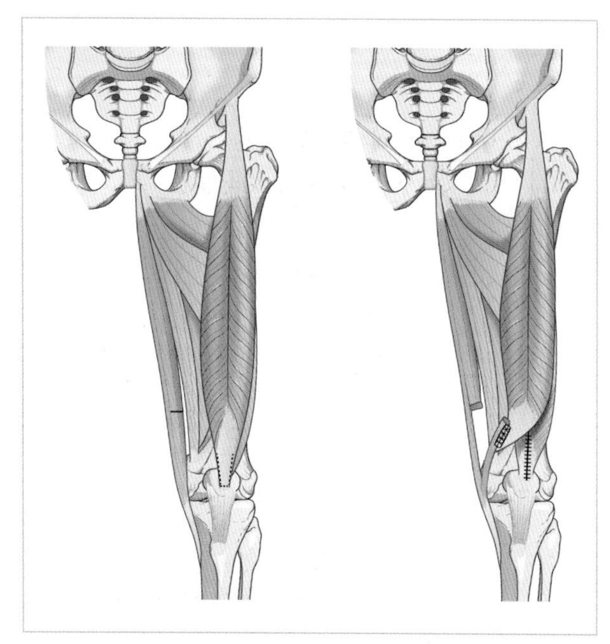

Fig 38. 대퇴 직근 이전술(rectus femoris transfer)은 대퇴 직근을 박근, 봉공근 등에 이전을 하게 된다. 그림은 박근에 이전을 하는 모식도이다. 대퇴 직근 이전술은 슬관절 신전근을 슬관절 굴곡근의 역할을 하도록 고안이 되었다.

대퇴골 전염의 증가와 경골 외염전이 동반된 경우이다. 즉, 족부 진행각이 정상인 경우는 경골 염전은 어느 정도 있더라도 수술의 적응이 되지 않는다. 내족지 보행이 있어 대퇴골 감염 절골술을 할 경우는 경골 외염전을 철저히 확인하여 같이 교정해 주어야 한다.

경골의 염전은 신체검사에서 대퇴-족부각(thigh-foot angle)과 횡과각(transmalleolar angle) 등으로 측정한다. 두 가지 검사를 상보적으로 사용하여, 변형을 파악한다. 횡과각 측정이 후족부 변형에 영향을 받지 않고, 횡과각은 20도, 대퇴-족부각은 10-15도 정도이다. 3D 보행 분석의 경골 회전은 마커 문제로 정확하지 않은 경우가 있으니 유의하여야 하며, 골반 회전, 고관절 회전, 족부 진행각으로 간접적으로 파악해야 할 수 있다. 수술을 결정하였으면, 3D CT으로 염전을 확인하여 경골 외염전 15-20도를 목표(surgical goal)로 경골 감염 절골술을 시행한다.

경골 감염 절골술은 앙와위 혹은 복와위로 과상부(supramalleolar)에서 시행하며 견고한 내고정을 한다. 대부분의 경우 비골 절골술 없이 원하는 교정을 얻게 된다. 나이가 많은 경우, 교정 정도가 큰 경우는 비골 절골술도 함께 고려할 수 있다.

7) 첨족 변형(equinus deformity)과 하퇴 삼두근 연장술

보행분석 상 초기 접지기에 족저부 전체 혹은 족지로 접지한다Fig 39. 중간 입각기에 족근관절 족저굴곡-슬관절 신전 복합체(ankle plantar flexion-knee extension couple)의 과도한 작용에 의하여 슬관절이 과신전되는 경우(back knee)도 있다. 슬관절 과신전의 경우, 하퇴 삼두근 연장술로 해소가 되기도 하지만, 잔존하는 경우도 있음을 유의한다.

가자미근은 중간 입각기에 중요한 역할을 하기에, 과교정되지 않게 하는 것이 중요하다. 그래서, 하퇴 삼두근 연장술을 할 때, 가자미근(soleus)의 단독 구축인지 가자미근과 비복근(gastrocnemius)의 동반 구축인지를 확인하여야 한다. Silfverskiold 검사로 구별할 수 있는데 수술 전 마취된 상태에서 더욱 정확한 검사를 시행할 수 있다. 족부의 변형이 있는 경우, 신체검사에 영향을 줄 수 있음을 유의하여야 한다. 편평 외반족이 있는 경우, 거주상관절의 족배굴곡으로 하퇴 삼두근의 구축이 저평가 될 수 있다.

가자미근만 구축되어 있을 때에는 Strayer 술식을 사용하며, 가자미근과 비복근의 동반 구축이 있는 경우 아킬레스건 연장술(achilles tendon lengthening, TAL)을 시행한다.

Fig 39. 양측 첨족 보행을 보이는 7세 양측마비(diplegia) 환자의 족근관절 시상면 운동형상학이다. 첨족의 경우, 1st rocker가 소실되고, 족저굴곡이 증가되는 것을 볼 수 있다. 이 환자의 경우 왼쪽(red)이 오른쪽(blue)보다 첨족이 심한 것을 확인할 수 있다.

Strayer 술식은 비복근을 가자미근으로 이전(gastrocnemius transfer to soleus)하며, 아킬레스건 연장술은 가능하면 개방성 Z-연장술을 하여 과도한 연장이 되지 않도록 주의한다. 하퇴 삼두근 연장 시 족저근(plantaris) 연장술은 같이 시행한다. 심한 첨족 변형의 경우 아킬레스건 연장 후에, 첨족이 충분히 교정되지 않는 경우, 족근관절 후방 관절낭의 절개 등 추가 연부 조직 유리술을 시행한다. 아킬레스건 연장 술 이후에 상대적으로 장무지굴근과 장족지굴근이 단축이 되어 checkrein deformity가 생길 수 있다. 아킬레스건 연장 후에 이를 확인하여 장무지굴근과 장족지굴근의 연장을 필요하면 시행한다.

하퇴 삼두근 연장술은 뇌성마비 환자에서 가장 많이 하는 수술 중의 하나이다. 또한 재발을 많이 해서 20% 정도까지 재발을 보고하기도 한다. 또한 과연장으로 인해 웅크림 보행을 야기하기도 하기에 수술 시 주의를 요한다.

일단계 다수준 수술 시에는 편평외반족, 첨내반족, 무지외반족, 기타 족지 변형 등 족부의 변형도 같이 수술한다. 이에 대해서는 뇌성마비 족부 변형 챕터에서 자세히 설명하기로 한다.

VI. 웅크림 보행(crouch gait)의 치료

웅크림 보행(crouch gait)은 급성 성장기 이후에 뇌성마비 환자에게서 보일 수 있는 보행 병리 중 하나이다. 입각기의 슬관절 신전이 충분하지 않아서, 슬관절의 회전축보다 후방으로 지면 반발력이 이동하면서 생기게 된다. 지면 반발력에 의한 슬관절 굴곡 외부 모멘트가 발생하고, 이를 상쇄하기 위하여 대퇴 사두근 수축이 필요하게 된다Fig 40. 정상 보행에 비해 에너지 소모가 크고, 한번 웅크림 보행(crouch gait)이 생기면 체중 증가에 따라 굴곡이 더 심해져서 진행하는 양상을 보이게 된다. 적절한 치료를 하지 않으면 보행 능력이 급격히 감소할 수 있어서 임상의의 주의를 요한다. 대부분 GMFCS 3단계의 환자로 수술 후 좋은 결과를 위해서는 세심한 치료 계획과 수술, 적절한 재활이 필요하다.

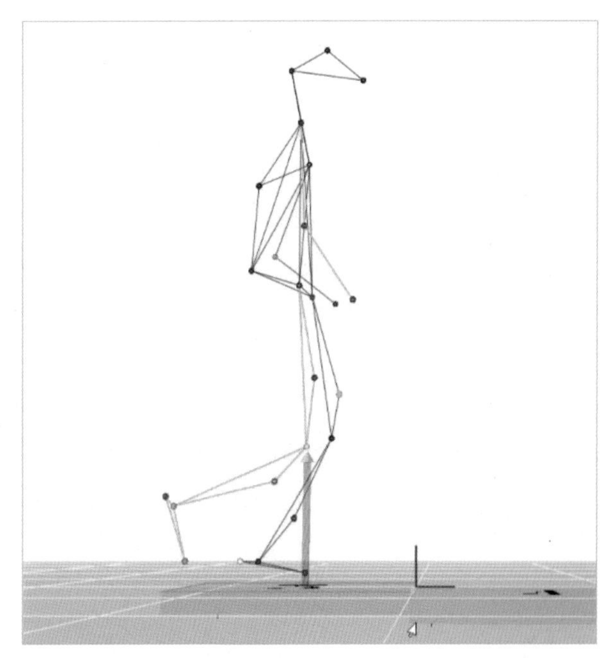

Fig 40. **웅크림 보행의 중간 입각기.**
지면 반발력(red arrow)이 우측 하지(red) 슬관절 회전축의 후방을 지나고 있다.

1. 웅크림 보행 치료의 원칙

웅크림 보행의 치료의 원칙으로 Gage는 지렛대 기능 부전(lever arm dysfunction/disease)의 교정, 구축된 근육의 연장, 관절 구축의 치료, 연장된 근육 및 건의 단축, 지면 반발형 단하지 보조기의 이용을 제시하였다. 웅크림 보행은 보행 시 슬관절의 신전 메커니즘(extensor mechanism)이 가장 중요하며, 상기 치료 원리는 결국은 슬관절 신전 메커니즘을 복구하여 중간 입각기에 지면 반발력이 슬관절 회전축 전방으로 위치하게 하는 것이다Fig 41.

웅크림 보행을 하는 뇌성마비 환자에게는 슬관절 굴곡 구축, 고관절 굴곡 구축, 족근관절의 과도한 족배굴곡, 슬개건 연장으로 인한 슬관절의 신전 장애와 근력약화, 슬개골 이상고위(patella alta)를 동반하고 결국 이를 원리에 맞게 치료하는 것이 수술 목표(surgical goal)가 된다Table 7.

2. 슬관절 신전 메커니즘의 복구를 위한 수술

웅크림 보행에서 슬관절에는 슬근의 단축, 슬관절 굴곡 구축, 고위 슬개골이 보인다. 따라서 슬관절 신전 메커니즘을 복구하려면, 원위 슬근 연장술, 원위 대퇴 신전 절골술,

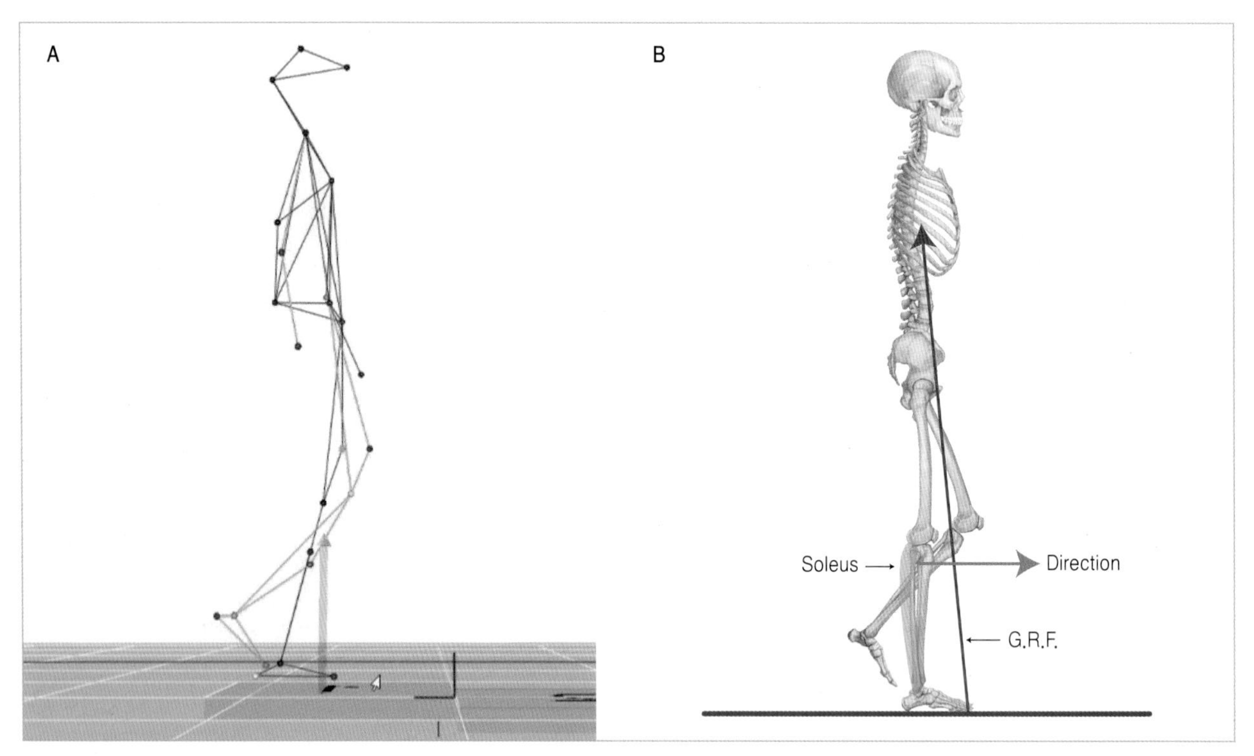

Fig 41. **정상 보행의 중간 입각기.**
지면 반발력(red arrow)이 우측 하지(red) 슬관절 회전축의 약간 앞쪽을 향하고 있다(A). 중간 입각기에는 외부 슬관절 신전 모멘트가 작용한다(B). 이때 가자미근의 편심성 수축이 하퇴의 위치를 조절하여, 결과적으로 슬관절이 신전이 되고, 이를 족저굴곡-슬관절 신전 메커니즘(plantar flexion knee extension couple)이라고 한다.

Table 7. **웅크림 보행(crouch gait)에서 시행하는 주요 수술과 부가 수술**

	주요수술	부가수술
슬관절	원위 슬근 연장술 원위 대퇴 신전 절골술 슬개건 전진술	대퇴 직근 이전술
족부	거주상 관절 유합술 이중 관절 고정술 삼중 관절 고정술	중족-무지 유합술
고관절	근내 요근 연장술	
염전변형		대퇴 감염 절골술 경골 감염 절골술

슬개건 전진술을 시행한다. 심한 웅크림 보행의 경우, 슬근 구축과 대퇴 직근의 구축은 대부분 동반하고 있다. 그래서, 원위 슬근 연장술과 대퇴 직근 이전술은 대부분 같이 시행한다.

1) 원위 대퇴 신전 절골술 (distal femur extension osteotomy)

웅크림 보행에서 원위 슬근 연장술(distal hamstring lengthening, DHL) 후 슬관절 구축이 5도 이상 잔존하면 과상부에서 원위 대퇴 신전 절골술을 시행한다Fig 42. 대부분 GMFCS 3단계이고 급속 성장기이거나 성장이 끝난 환자로 근력이 약해 재활이 늦어지면 곤란하기에, 견고한 고정과 조기 재활을 한다.

성장 여력이 많이 남아 있는 환자에게 원위 대퇴 전방 골단유합술도 보완하여 시행할 수 있다. 이 경우 향후의 절골술의 범위를 줄이는 것을 목표로 한다. 골단 유합술 단독으로는 완전한 호전을 기대하기는 어렵다.

2) 슬개건 전진술

고위 슬개골Fig 43은 많은 뇌성마비 환자가 가지고 있으나, 고위 슬개골이 있다고 모두 수술의 적응이 되는 것은

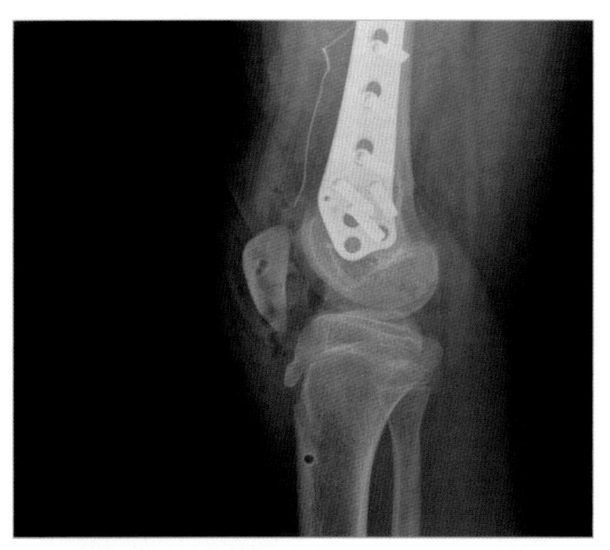

Fig 42. **원위 대퇴 신전 절골술(distal femur extension osteotomy)과 슬개건 전진술.**
조기 재활을 위해 견고한 고정을 한다. 골단판이 열려있어 슬개건 전진술은 슬개건 중첩을 통하여 시행하였다.

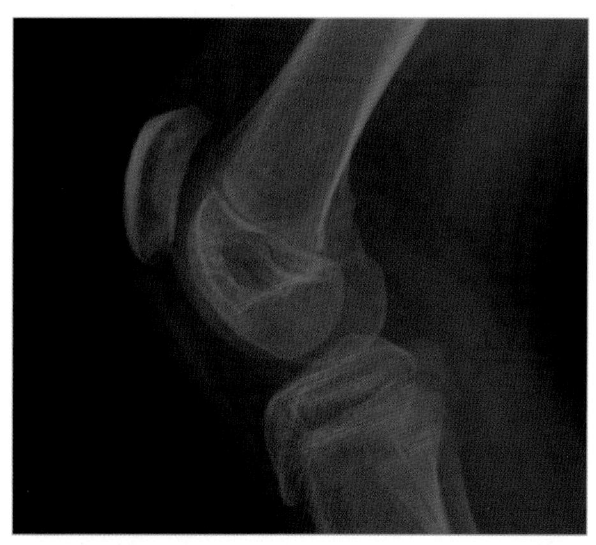

Fig 43. 고위 슬개골은 뇌성마비 환자에서 흔하지만, 모든 고위 슬개골을 치료하는 것은 아니다.

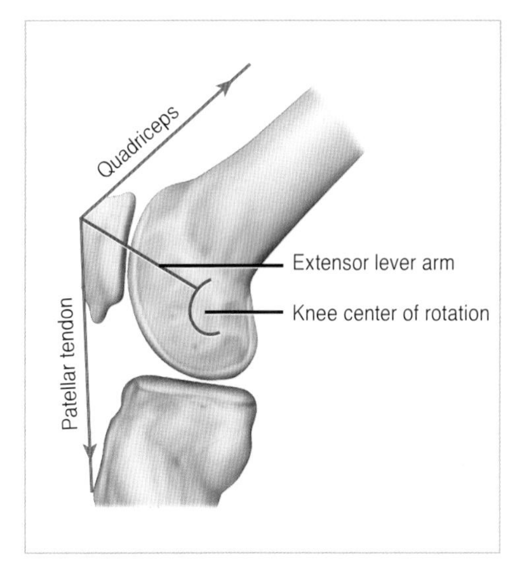

Fig 44. 슬개골은 신전 지렛대를 길게 해주는 역할을 한다.

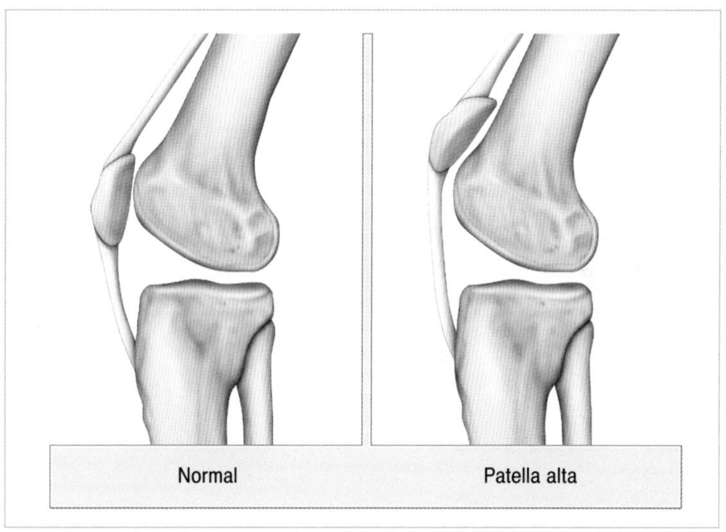

Fig 45. 고위 슬개골로 인하여 슬개-대퇴 관절의 탈구가 있는 경우, 신전 지렛대가 짧아진다(short lever).

아니다. 웅크림 보행(crouch gait)을 할 때, 고위 슬개골이 있으면 수술의 적응이 된다. 슬관절의 굴곡 구축이 없다면, 능동적 슬관절 신전을 확인하여 extension lag가 있으면 고위 슬개골에 대해 슬개건 전진술을 시행한다. 슬관절 굴곡 구축이 있어서 원위 대퇴 신전 절골술을 시행하는 경우는 동시에 슬개건 전진술을 시행한다. 원위 대퇴 신전 절골술은 고위 슬개골을 필연적으로 야기하게 되기 때문이다.

고위 슬개골에 의한 슬관절 신전 메커니즘의 파괴를 복구하는 슬개건 전진술의 기전은 크게 두 가지로 설명한다. 첫째, 연장된 슬개건을 단축시켜 사두근의 길이를 적절하게 유지(optimal length)하여 최대 근력을 낼 수 있게 한다. 둘째, 슬개-대퇴 관절을 복원하여 슬개골으로 인한 지렛대를 회복한다Fig 44, 45. 슬개건 전진술은 성장이 끝난 경우는 경골 조면 전진술(tibial tuberosity advancement)을 시행하고Fig 46, 경골 조면의 골화가 덜 끝난 경우는 슬개건 중첩 봉합을 한다Fig 47. 슬개건 전진술은 추시 시 경도의 재발을 보이기에, 수술 시에는 약간 과교정한다.

3. 족부의 과도한 족배굴곡의 해소를 위한 수술

족저굴곡력의 향상을 위하여, 편평 외반족에 대한 수술, 무지 외반족에 대한 수술이 필요하고, 족저굴곡력이 회복될 때까지는 단하지 보조기의 도움이 필요하다.

1) 평편 외반족에 대한 관절 유합술

족부의 과도한 족배굴곡은 평편 외반족의 유연 지렛대(flexible lever)에 의한 경우가 많다. 과거에는 아킬레스건의 과도한 연장에 의한 의인성 원인을 중요하게 생각하였다. 그러나, 수술력이 없는 웅크림 보행 환자들의 대부분은 아킬레스건의 연장이 없어도 족부의 족배굴곡이 과도하게 발생한다. 이는 심한 평편 외반족에 의한 과도한 거주상 관절의 족배굴곡에 기인한다Fig 48. 또한 심한 평편 외반족은 전족부 외전(forefoot abduction)으로 인해 불량 회전 지렛대(malrotated lever)로 작용을 한다.

그래서, 족저굴곡력의 회복을 위해 평편 외반족의 수술적 치료가 중요하다. 웅크림 보행 환자는 대부분 GMFCS III단계로 경직성이 중등도 이상이기에 관절을 유지하였을 경우, 견고한 지렛대를 얻기 힘들고, 재발과 저교정이 흔하다. 그래서, 거주상 관절 유합술(talonavicular fusion)이나

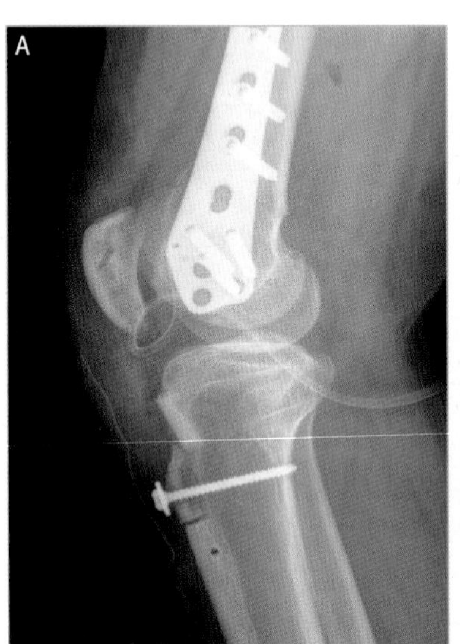

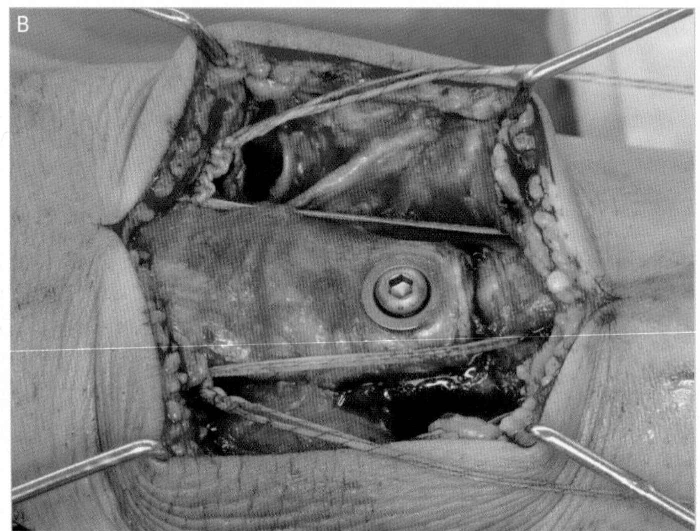

Fig 46. 성장이 끝난 경우 슬개건 전진술은 경골 조면 전진술을 이용한다(A). Pull-out에 의한 조기 실패를 방지하기 위하여, non-absorbable tape으로 슬개건을 보강한다(B).

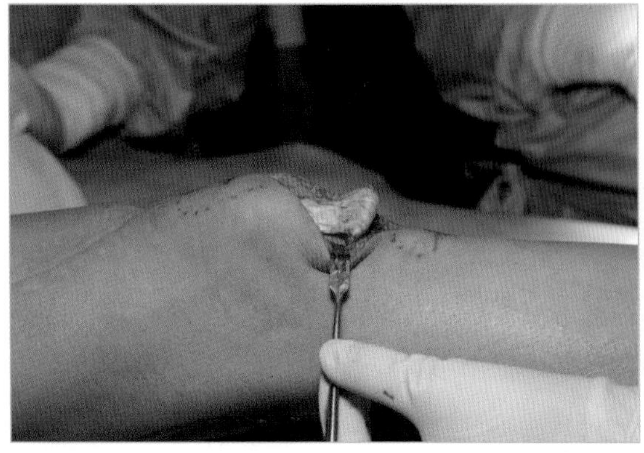

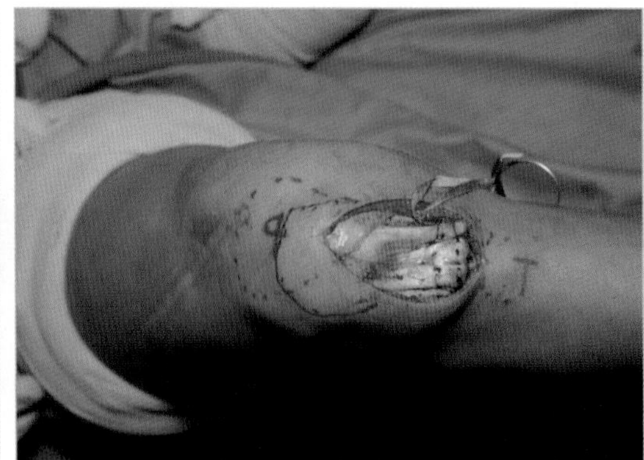

Fig 47. 경골 조면의 골단판이 열려 있는 경우, 슬개건 전진술을 슬개건을 중첩하여 시행한다.

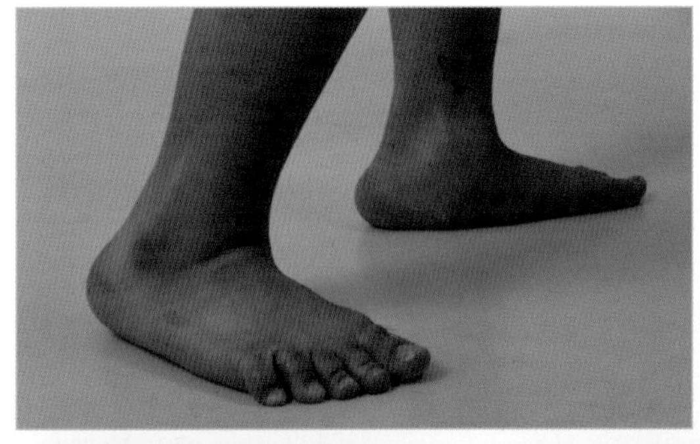
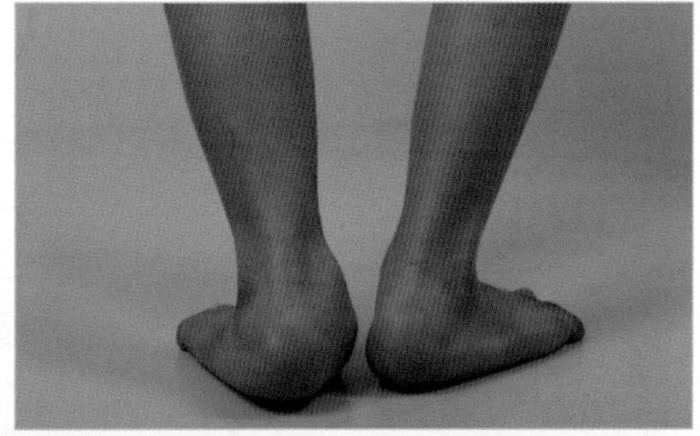
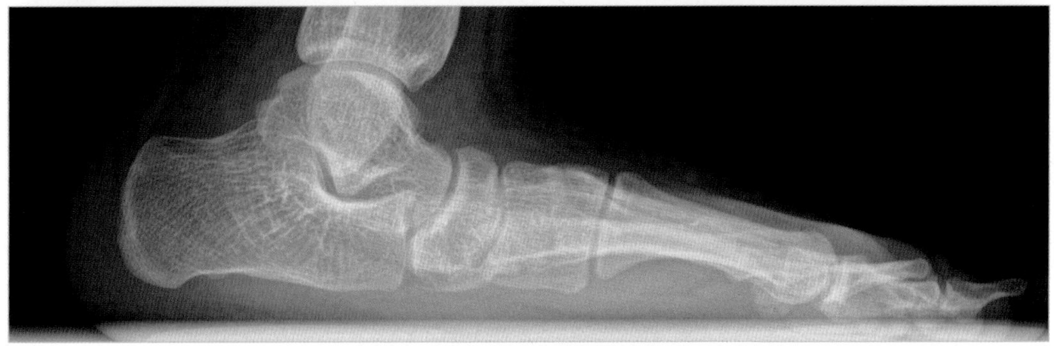

Fig 48. 심한 편평 외반족은 유연 지렛대(flexible lever)와 불량 회전 지렛대(mal-rotated lever)로 작용하여 효율적인 보행을 방해한다. 아래 방사선 영상에서 거주상 관절의 과도한 족배굴곡을 볼 수 있다.

이중 관절 고정술(double arthrodesis), 삼중 관절 고정술(triple arthrodesis) 등 관절 고정술을 하여 중립위의 견고한 지렛대(rigid lever)를 만들어 준다.

2) 무지 외반

심한 평편 외반족과 동반하여 무지 외반이 있는 경우, 견고한 지렛대를 위해 중족-무지 유합술을 시행할 수 있다. 마찬가지의 이유로 웅크림 보행 환자는 GMFCS 3단계이고 경직성이 중등도 이상이어서 관절을 유지하였을 경우, 견고한 지렛대를 얻기 힘들고, 재발과 저교정이 흔하기 때문이다.

3) 단하지 보조기(ankle-foot orthosis)와 지면 반발형 보조기(floor reaction type AFO)

견고한 족부 지렛대를 만들더라도 족저굴곡력이 충분하지 않기에, 단하지 보조기를 보행 시 보조로 사용한다. 단하지 보조기는 주로 rigid type을 이용하고, 지면 반발형 단하지 보조기를 이용하기도 한다. 지면 반발형 보조기는 족근관절 족저굴곡-슬관절 신전 메커니즘(ankle plantar flexion-knee extension couple)을 이용한 것으로 좋은 결과를 보고하기도 한다Fig 49.

4. 고관절 굴곡 구축과 근내 요근 연장술

웅크림 보행에서 고관절 굴곡 구축은 대부분 동반하고 있다. 신체 검진과 보행 분석으로 확인하고, 근내 요근 연장술(intramuscular psoas lengthening)을 시행한다.

5. 염전 변형의 해소와 감염 절골술

일부 환자 중에 대퇴 전염의 증가와 경골의 외염전을 동반하는 경우가 있다. 이때는 지렛대의 회복을 위해 대퇴 감염 절골술과 경골 감염 절골술을 시행한다.

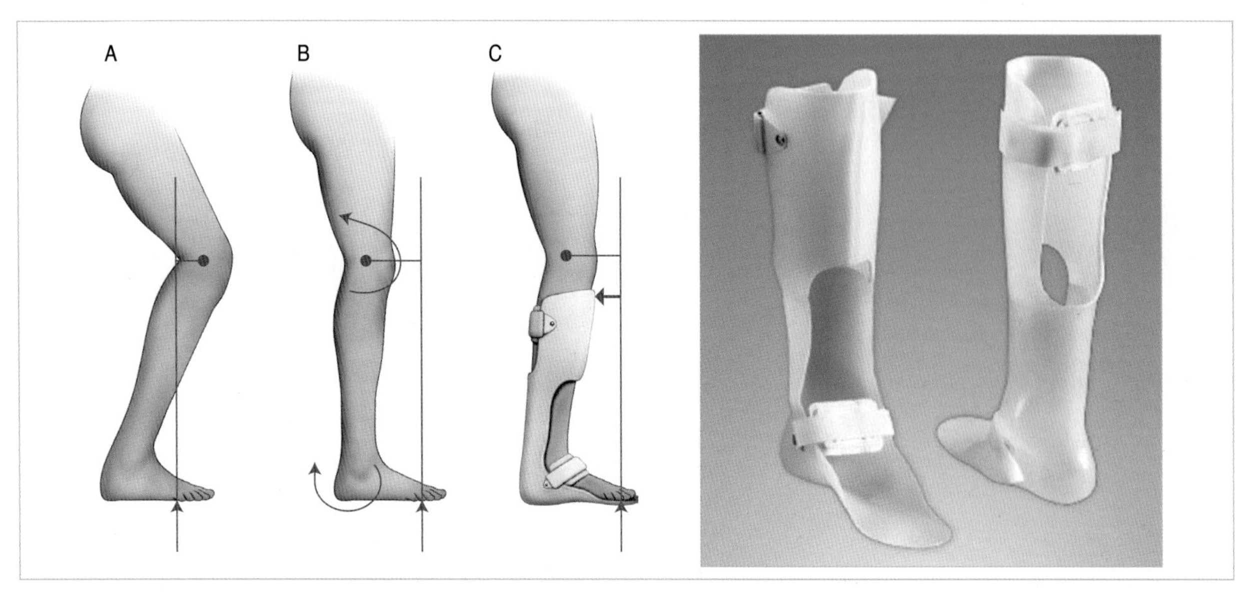

Fig 49. 지면 반발력 단하지 보조기는 웅크림 보행에서 족저굴곡력이 약할 때, 족저굴곡력을 보조하여 슬관절 신전을 보조하도록 고안된 보조기이다.

VII. 뇌성마비 족부 변형의 치료

뇌성마비에서 가장 많은 족부의 변형은 첨족 변형이다. 이외에도 편평 외반족, 첨내반족, 무지 외반 등 다양한 족부의 변형을 동반할 수 있으며, 일단계 다수준 수술(single event multilevel surgery) 시행 시 같이 수술을 하여 교정하게 된다.

뇌성마비 족부의 변형에 대해 수술적 치료를 계획할 때 뇌성마비의 특징으로 인하여 고려해야 할 내용이 있다. 뇌성마비의 족부 변형을 교정하더라도, 뇌성마비라는 기저 원인이 제거되는 것은 아니다. 첫째, 경직성 등 환자의 병리는 남아 있기 때문에 재발(recurrence)과 저교정(under-correction)의 가능성을 고려해야 한다. 환자의 중증도에 따라, 수술 술식을 선택할 필요가 있다. 예를 들어, 운동 능력이 좋은 GMFCS 1단계 환자는 관절을 유지하는 것이 좋지만, 경직성이 심한 GMFCS 3단계의 환자는 재발 등을 고려해서 관절 고정술을 적극적으로 고려해야 한다Fig 50. 둘째, 수술 시 골 변형의 교정뿐만 아니라 근육의 균형(balancing)을 고려해야 한다. 근력의 불균형에 대한 건 이전술 등 연부조직 수술이 같이 시행되어야 한다.

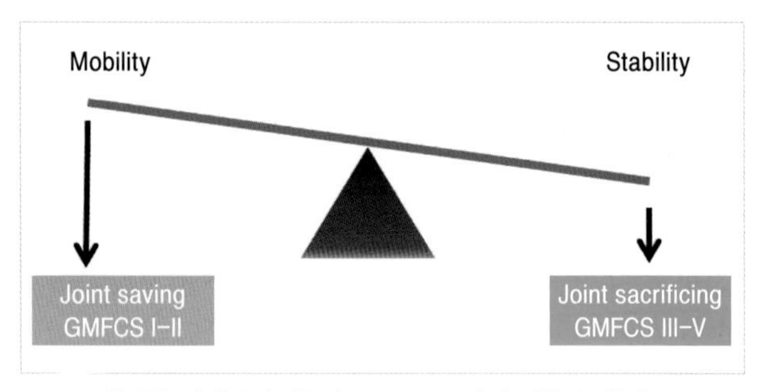

Fig 50. 환자에 따라 수술 목표(surgical goal)가 다를 수 있다. GMFCS 1-2단계 환자는 높은 기능을 하는 족부가 필요할 수 있고, GMFCS 3-4단계 환자는 견고한 지렛대로서의 족부가 필요할 수 있다.

1. 편평 외반족 변형(planovalgus deformity)

후족부 외반(hindfoot valgus), 거주상 관절의 족배굴곡/내측 아치의 소실(midfoot planus), 전족부의 외전(forefoot abduction)의 삼주징을 보이는 편평 외반족은 양측 마비(diplegia, bilateral involvement)에서 흔히 관찰된다Fig 51. 뇌성마비 환아에서는 하퇴삼두근의 경직 및 단축, 단비골근(peroneus brevis) 경직성, 후경골근(tibialis posterior) 약화를 동반하여 저절로 호전되는 것을 기대할 수 없다.

뇌성마비 편평 외반족 변형은 모양(appearance)과 통증 유발의 문제와 더불어 지렛대 병으로 인하여 보행의 효율

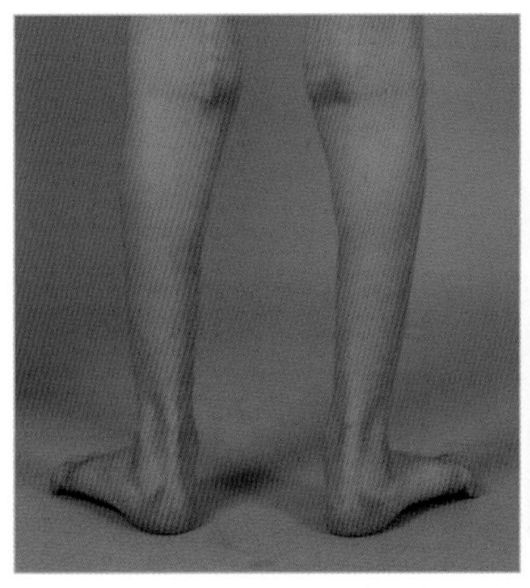
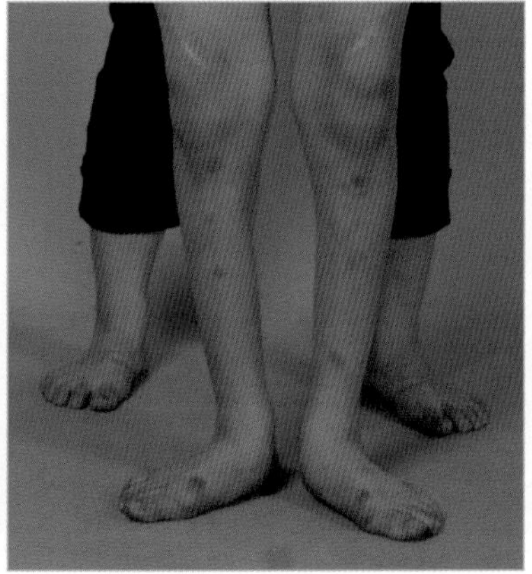
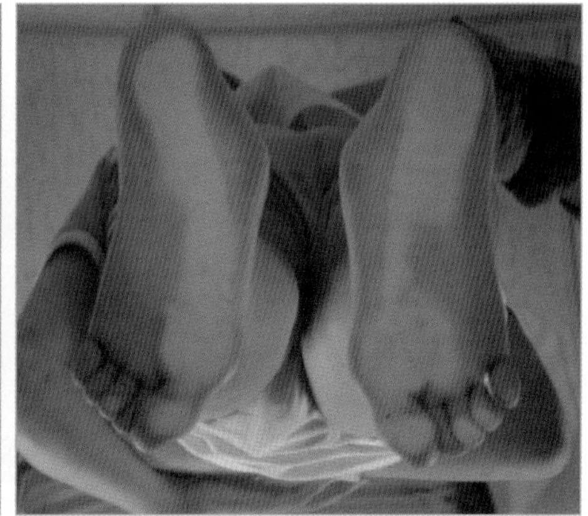

Fig 51. 편평 외반족을 가지고 있는 양측마비 환자이다. 경도의 후족부 외반에 비해 내측 아치의 소실과 전족부 외반은 매우 심하다.

을 저하시킨다. 거주상 관절의 과도한 족배굴곡에 의한 유연성 지렛대(flexible lever)와 과도한 전족부 외반에 의한 불량 회전 지렛대(mal-rotated lever)는 근력이 약한 뇌성마비 환자의 보행을 더욱 힘들게 한다. 이는 족근관절 족저굴곡-슬관절 신전 메카니즘(ankle plantar flexion-knee extension couple)의 기능을 감소시켜 뇌성마비 환자에서 치료가 매우 어려운 웅크림(crouch) 보행을 초래할 수 있다.

1) 하퇴 삼두근 연장술

하퇴 삼두근의 구축은 뇌성마비에서 편평 외반족을 야기하는 원인 중의 하나이다. 편평 외반족과 동반한 하퇴 삼두근의 구축은 구축된 근육에 따라 감별하여, 아킬레스 건 연장술(tendo-Achilles lengthening) 혹은 비복근 연장술(strayer procedure)을 시행한다. 특히 편평 외반족이 있는 경우, 거주상 관절에서 족배굴곡이 될 수 있기에, 족근관절의 족배굴곡을 검사할 때, 전족부를 회외(supination)하여 거주상 관절을 locking하고 측정을 해야 하퇴 삼두근 구축을 정확히 측정할 수 있다.

2) 단비골근 연장술

단비골근은 제5중족골 기저에 부착을 하고, 장비골근은 제1중종골 기저에 부착을 한다. 따라서 단비골근은 후족부 외반의 역할을 하고, 장비골근은 내측궁(medial arch)을 유지하는 역할을 하는 것으로 알려져 있다. 대부분의 뇌성마비 편평 외반족의 경우 단비골근의 경직을 동반하고 있기에, 필요하면 Z-성형술을 통하여 단비골근 연장술을 시행한다.

3) 관절 구제 술식(joint saving procedures)과 종골 연장술(calcaneal lengthening)

운동 능력이 좋은 GMFCS 1-2단계로 족부의 경직성이 심하지 않은 환자의 경우, 가능하면 거골하(subtalar) 관절의 가동성(mobility)을 보존하는 것이 바람직 할 것이다. 보행 시 족근관절(ankle joint)은 시상면 운동을, 거골하 관절은 관상면 운동을 제공한다. 그래서, 보행이나 주행시 거골하 관절의 움직임이 없으면 족근관절의 내반/외반력이 과도하게 작용하여 문제를 일으킨다. 따라서, 수술 술기를 정할 때는 환자가 거골하 관절의 움직임을 어느 정도 필요로 하는지 고려해야 할 것이다. GMFCS 1단계의 스포츠 활동까지 가능한 환자는 거골하 관절이 필요할 것이고, GMFCS 3단계의 웅크림 보행(crouch gait)을 하는 환자는 거골하 관절의 가동성보다는 견고한 지렛대(rigid lever)가 더 보행에 도움이 될 것이다.

뇌성마비에서 쓰이는 관절 구제 술식에는 대표적으로 종골 연장술(calcaneal lengthening)이 쓰인다. 종골 연장술은 외측주를 연장시켜, 거주상 관절을 정복하는 술식이다 Fig 52. 전족부 외반, 거주상 족배굴곡, 후족부 외반을 효과적으로 치료하며, 많은 연구에서 좋은 결과를 보이고 있다. 다만 상술했던 것과 같이 GMFCS 3-4단계 환자에서는 편평 외반족의 저교정(undercorrection)과 재발을 보고하고

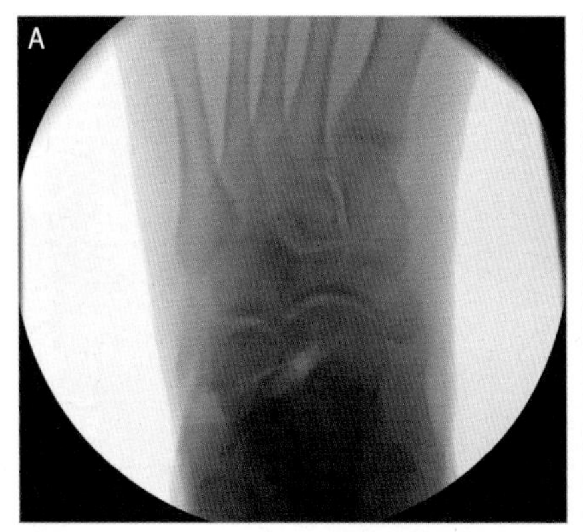

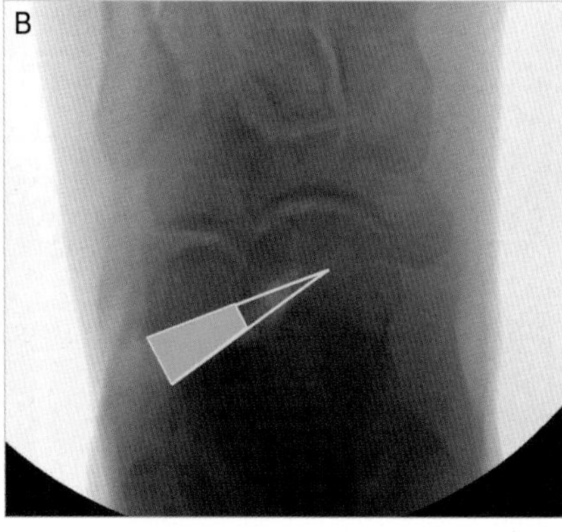

Fig 52. 편평 외반족에서 종골 연장술을 시행하여 거주상 관절의 아탈구를 효과적으로 정복하였다(A). 편평 외반족의 CORA는 거골두의 중심에 있기에, 종골 연장술의 개방 쐐기는 사다리꼴이며 꼭지점(apex)는 거골두 중심으로 향한다(B).

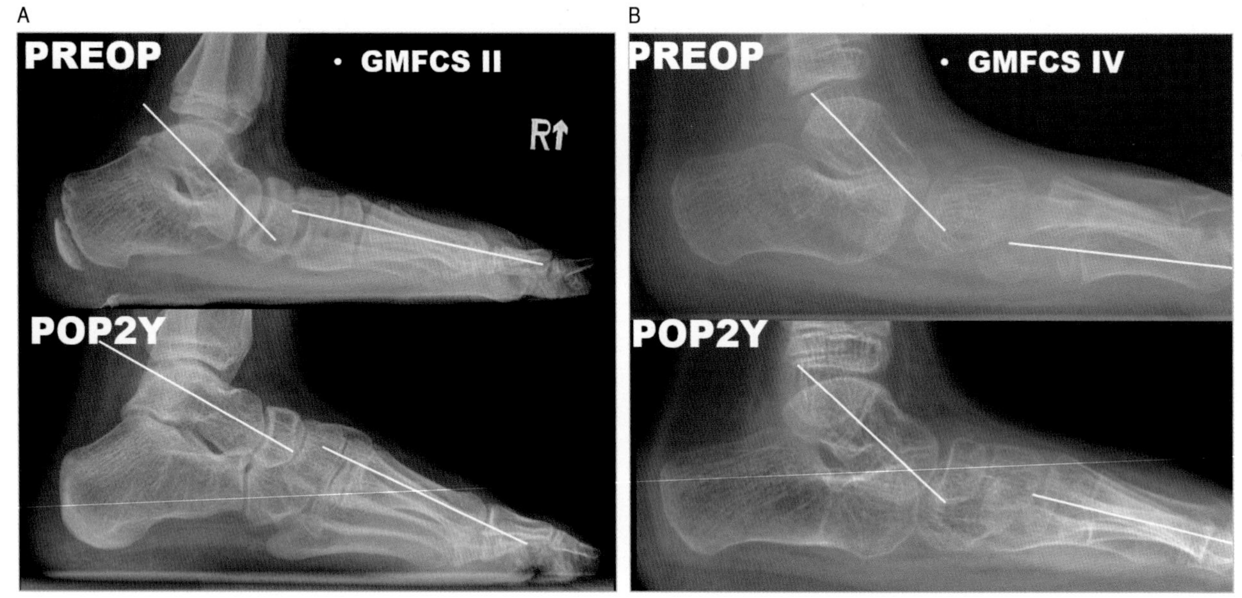

Fig 53. GMFCS 2단계 환자에서 종골 연장술 이후, 편평족이 교정되고 잘 유지되고 있는 것을 확인할 수 있다(A). GMFCS 4단계 환자에서 종골 연장술 후 편평족이 재발한 것을 볼 수 있다(B).

있다Fig 53. 동종골을 이용하며 1% 정도의 불유합이 발생한다.

4) 후경골근 전진술

외주(lateral column)에 대한 종골 연잘술 이후에 종골 연장술을 시행 후 만족스러운 거주상 관절의 정복을 얻지 못하면 후경골근 전진술과 쐐기골 절골술을 고려한다. 거주상 관절의 오랜 아탈구로 인해 후경골건의 부전이나 후경골근의 위약이 있을 수 있다. 후경골근 전진술은 내측 절개를 통하여 거주상 관절의 아탈구를 직접 정복할 수 있는 장점이 있다.

5) 쐐기골 절골술

종골 연장술 이후에 거주상 관절의 시상면에서의 족배굴곡(planus)이 만족스럽게 교정되지 않는 경우, 쐐기골(cuneiform)의 족저굴곡(plantar flexion) 절골술을 추가할 수 있다. 개방성 혹은 폐쇄성 절골술이 모두 가능하다.

6) 관절 유합술

GMFCS 3-4단계 환자 혹은 경직성이 심한 환자의 경우,

관절 유합술을 고려한다. 후족부를 구성하는 3개의 관절, 즉 거주상(talo-navicular), 거골하(subtalar), 종입방(calcaneo-cuboid) 관절은 서로 연결이 되어 같이 움직인다. 이중에 가장 가동성이 큰 관절은 거주상 관절이며, 다음이 거골하, 그리고 종입방 관절이다. 그렇기 때문에 관절을 단독으로 유합할 때 가장 효율적인 것은 거주상 관절을 유합하는 것이다. 거주상 관절 유합술은 수술장 내에서 영상으로 쉽게 정확한 위치를 잡을 수 있다는 장점이 있다. 심한 변형에는 거주상 관절 유합술에 추가로 종골 연장술을 시행할 수도 있다. 또는 이중 혹은 삼중 관절 유합술도 필요에 따라 시행할 수 있다. 심한 경직성이 있는 환자의 경우 관절 유합술을 하더라도 원위 관절에서 외전 변형이 발생할 수 있다.

2. 첨내반족 변형

족근관절의 첨족, 후족부 내반, 거주상 관절의 족저굴곡 혹은 요족, 전족부 내전의 복합 변형이다. 각각의 요소의 변형 정도는 다양하다. 편마비 환자에서 주로 발생하지만, 양측 마비 환자에게 발생하는 경우도 있다. 후경골근(tibialis posterior) 또는 전경골근(tibialis anterior) 경직성, 하퇴 삼두근 구축을 동반한다.

편마비 환자는 GMFCS 1-2단계이기에 관절 유합보다는 관절 구제(Joint saving) 술식을 적극적으로 고려해야 할 것이다. 다만 심한 변형의 경우, 거골하 관절의 유연성이 저하되어 있어서, 관절 구제를 하더라도 적절한 거골하 관절 운동이 이루어지지 않을 수 있음을 유의한다. 양측마비 환자의 양쪽 첨내반족 변형은 기립과 보행에 심각한 영향을 끼칠 수 있다. GMFCS 3단계 환자의 경우, 발바닥이 지면에 잘 닿고(plantigrade), 견고한 지렛대(rigid lever)의 역할을 하고, 단하지 보조기를 착용할 수 있는(brace-able) 족부를 목표로 치료를 한다.

1) 족저 근막 유리술

경도의 요족 변형의 경우, 족저 근막을 절개하여 거주상 관절의 족배굴곡을 도모할 수 있다. 대부분 경피적으로 시행하면 족저 근막 절개 후에도 요족이 해결되지 않는 경우, 절골술 등을 고려할 수 있다.

2) 하퇴 삼두근 연장술

하퇴 삼두근의 구축은 뇌성마비에서 편평 외반족뿐만 아니라 첨내반족에도 동반된다. 후족부의 내반과 외반이 있는 상태에서 하퇴 삼두근의 구축은 내반과 외반을 모두 악화시키는 벡터로 작용한다.

첨내반족 변형에서도 비복근 구축과 비복근/가자미근 구축을 구별하여 연장을 한다. 첨내반족의 경우 비복근/가자미근 동시 구축이 많아 아킬레스건 Z-성형술을 시행하는 경우가 많다.

첨내반족에서 요족 즉 거주상 관절의 족저굴곡이 있을 경우, 하퇴 삼두근 구축을 과대 평가할 가능성이 있다. 요족 변형은 유연하지 않기 때문에, 하퇴 삼두근의 구축 정도와 요족의 정도를 신체 검진만으로 구별하기는 어렵다. 수술 전에 요족을 파악하고, 아킬레스건 Z-성형술 시 요족의 변형을 교정한 후에 아킬레스건을 적절한 길이로 봉합하여야 한다.

3) 종골 절골술

요족이 있으면 후족부에 이상이 없더라도 체중 부하시 후족부 내반이 생길 수 있다. 고착된 후족부 내반과 유연한 후족부 내반을 구별하려면, 수동적으로 후족부 외반이 가능한지 확인하여야 한다. 또한 콜만 블록 검사(Coleman block test)를 시행하여 후족부 내반이 거골하 관절의 고착된 내반(fixed heel varus) 때문인지, 요족(cavus)에 의한 것인지 감별할 수 있다.

후족부 내반이 고착되어 있는 경우(fixed heel varus), 외반 활강 절골술(valgus sliding osteotomy, Dwyer osteotomy)을 시행할 수 있다. CORA가 거골하 관절이기에, 원위인 종골에서 절골을 하려면 외반과 동시에 외측 전이(lateral translation)가 필요하다.

4) 후경골근 및 전경골근 분리 이전술

전경골근 족배굴곡근으로 유각기(swing phase)에 족부 클리어런스를 위하여 작용을 하고, 후경골근은 족저굴곡근으로 입각기(stance phase)에 작용을 한다. 따라서, 이론상 유각기에 중족부의 동적 회외(dynamic supination/inversion/varus)가 있으면 전경골근의 경직일 가능성이 높고, 입각기에 후족부의 내반이 있으면 후경골의 경직이 문제일 수 있다.

신체검사와 동작 분석에서 근육의 구축/경직이 확인되면, 경도의 경직일 경우, 연장술(lengthening)을 시행할 수 있고, 중등도 이상이면 분리 이전술을 통하여 근육의 balancing을 시행한다. 전경골근 분리 이전(tibialis anterior split transfer)은 입방골로, 후경골근 분리 이전(tibialis posterior split transfer)은 단비골근으로 부착한다. 뇌성마비 첨내반족의 경우 후경골근에 의한 문제인 경우가 더 많다.

5) 제1중족골 절골술

후족부가 유연하고, 전족부에 의해 후족부의 내반이 초래되는 경우는 전족부의 변형을 치료한다. 관절을 구제하는 방법으로는 제1중족골 족배굴곡 절골술(1st metatarsal dorsal wedge osteotomy)이 많이 이용된다. 요족의 CORA 위치는 거주상 관절일 경우가 많기에, 약간의 지그재그 변형은 남게 된다. 지그재그 변형을 줄이기 위해서, CORA와 가까이 쐐기골에서 절골할 수도 있고 변형이 심한 경우는 거주상 관절 유합을 고려할 수 있다.

6) 이중 절골술, 삼중 절골술, 사중 절골술

전족부 내전(forefoot adduction)이 있을 경우, 쐐기골 개방 절골술과 입방골 폐쇄 절골술로 교정할 수 있다. 후족부 내반에 대한 종골 절골술과 같이 할 때 삼중 절골술(triple osteotomy)의 용어를 쓰고, 제1중족골 족배굴곡 절골술과 같이 시행할 때는 사중 절골술이라는 용어를 쓴다.

7) 첨내반족 변형에 대한 순차적 접근법(stepwise approach)에 의한 수술

첨내반족은 첨족, 후족부 내반, 중족부 요족, 전족부 내전의 복합 변형으로 각각의 요소의 정도는 다양하다. 그러기에 변형 교정을 위해 수술을 체계적으로 하여야 한다. 후족부부터 전족부로 순차적으로 변형에 따라 교정을 하고 근육의 적절한 balancing이 필요하다Fig 54.

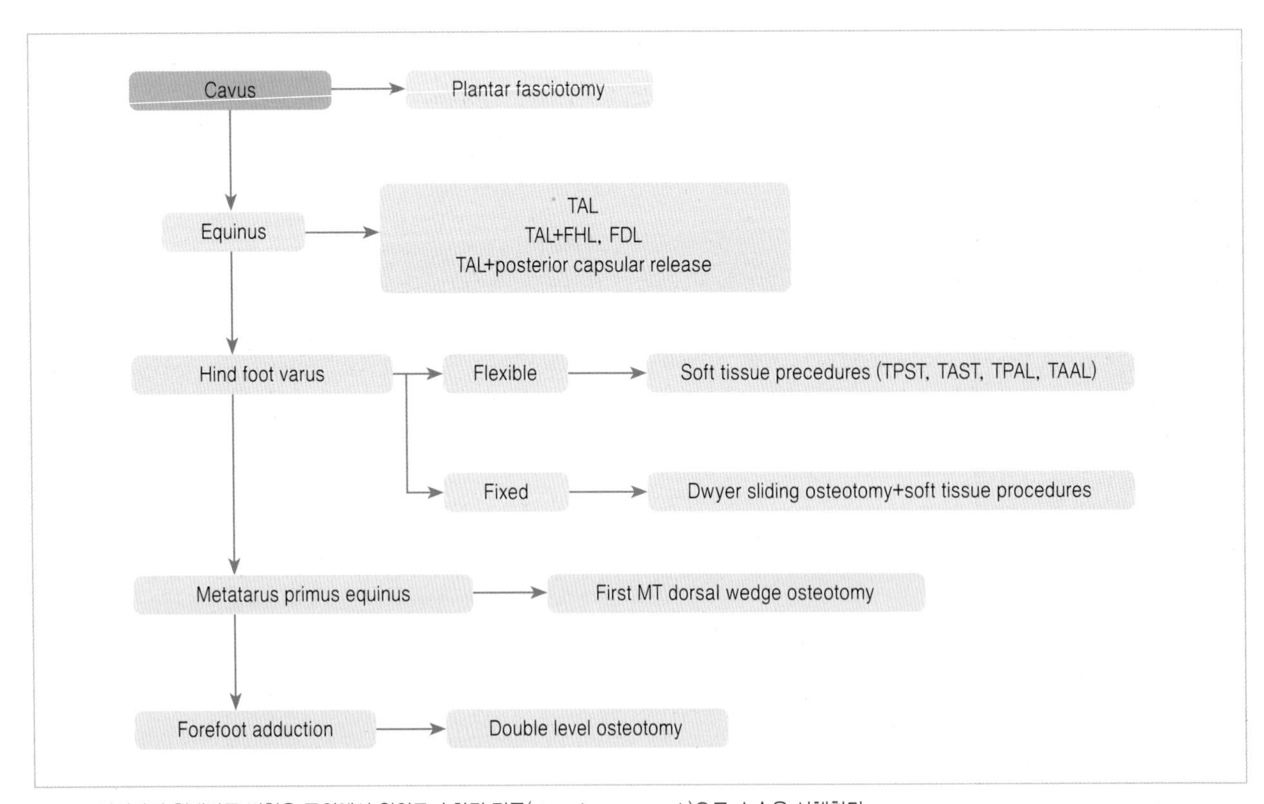

Fig 54. 뇌성마비 첨내반족 변형은 근위에서 원위로 순차적 접근(stepwise approach)으로 수술을 시행한다.

8) 관절 유합술

GMFCS 3-4단계 환자로 견고한 지렛대가 필요하고 경직성이 심해 재발이나 저교정이 예상되는 경우, 관절 구제술 이외에 관절 유합술을 고려할 수 있다. 거주상 관절 유합술, 이중 관절 유합술, 삼중 관절 유합술 등을 환자의 상황에 맞게 적용한다Fig 55.

3. 무지 외반

양측 마비에서 편평 외반족과 더불어 병발하는 경우가 많다. 평편 외반족의 치료와 치료 원칙은 같다.

운동 능력이 좋은 GMFCS 1-2단계로 족부의 경직성이 심하지 않은 환자의 경우, 가능하면 무지-중족 관절의 가동성(mobility)을 보존하는 것이 바람직 할 것이다Fig 56. GMFCS 3-4단계로 웅크림 보행(crouch gait)을 하거나 경직성이 심해서 저교정이 예상되는 환자는 견고한 지렛대(rigid lever)를 위하여 관절 유합을 고려한다Fig 57.

VIII. 뇌성마비 수부 변형의 치료

뇌성마비 상지 수술의 목표는 손의 기능을 향상시키는 것이다. 수술로 정상적으로 손을 사용하게 되는 것은 아니며, 수술전보다 용이하게 손을 사용하게 하는 것이 현실적인 목표가 된다. 환자의 임상적 형태, 연령, 지능, 감각, 능동적 조절 여부 등이 수술의 결과에 영향을 줄 수 있다. 그렇기 때문에 손의 기능 향상을 위한 수술의 대상으로는 경직형의 편마비, 의사소통이 되고 지능과 감각이 적절한 환자, 수술 전 손을 어느 정도 사용하였던 환자가 적절하다. 더불어 심한 변형이나 강직이 있는 환자도 수술로 상당한 미용적 개선 효과를 기대할 수 있다.

1. 주관절 굴곡 변형(elbow flexion deformity)

굴곡 변형 또는 구축은 가장 전형적인 주관절 변형이다. 이는 상완 이두근(biceps brachii), 상완근(brachialis), 상완

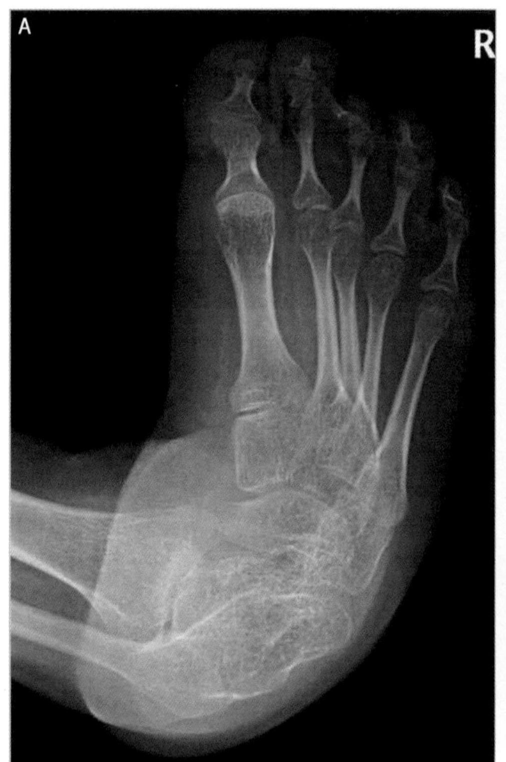

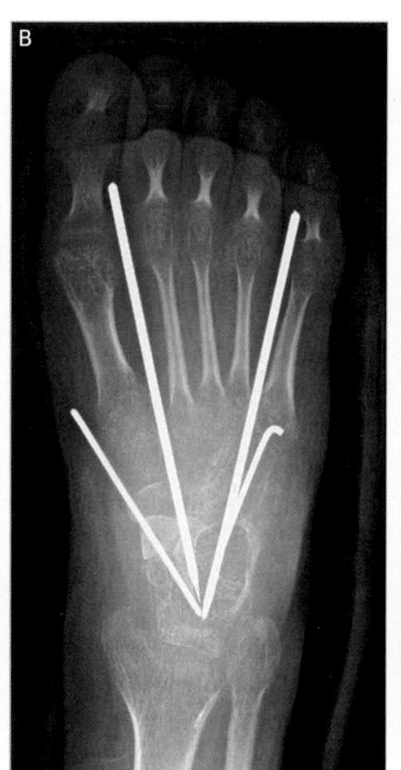

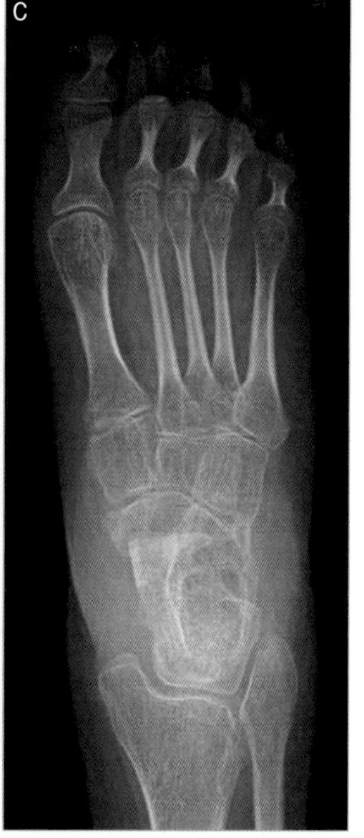

Fig 55. GMFCS 4 단계 양측마비 환자의 심한 첨내반족 변형(A)에 대해 거주상 관절과 종입방 관절의 이중 유합술과 연부 조직 수술을 시행하였다(B,C).

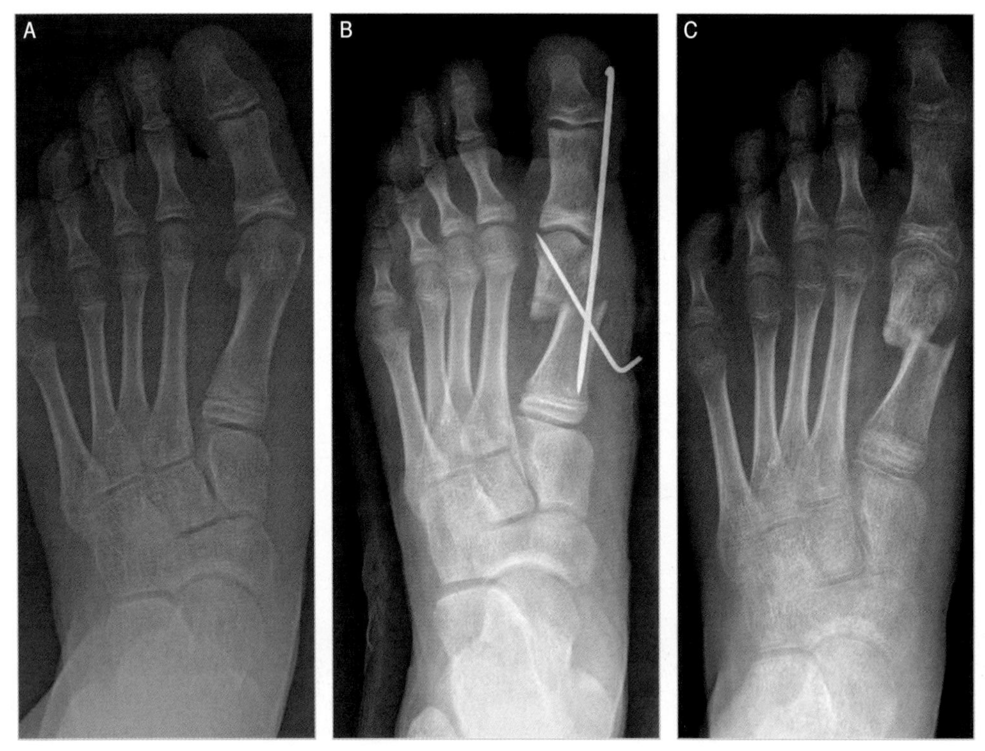

Fig 56. 무지 외반(hallux valgus)은 다양한 수술 방법이 존재한다. 어느 수술 방법이나 변형 교정의 원칙을 지키면 양호한 결과를 볼 수 있다. 10세 GMFCS 1단계 환자의 무지 외반(A)에 대해 원위 중족골 절골술(SERI procedure)을 시행하였다(B,C). 일단계 다수준 수술은 수술 시간이 길기 때문에, 수술 시간이 짧은 SERI는 큰 장점이 있다.

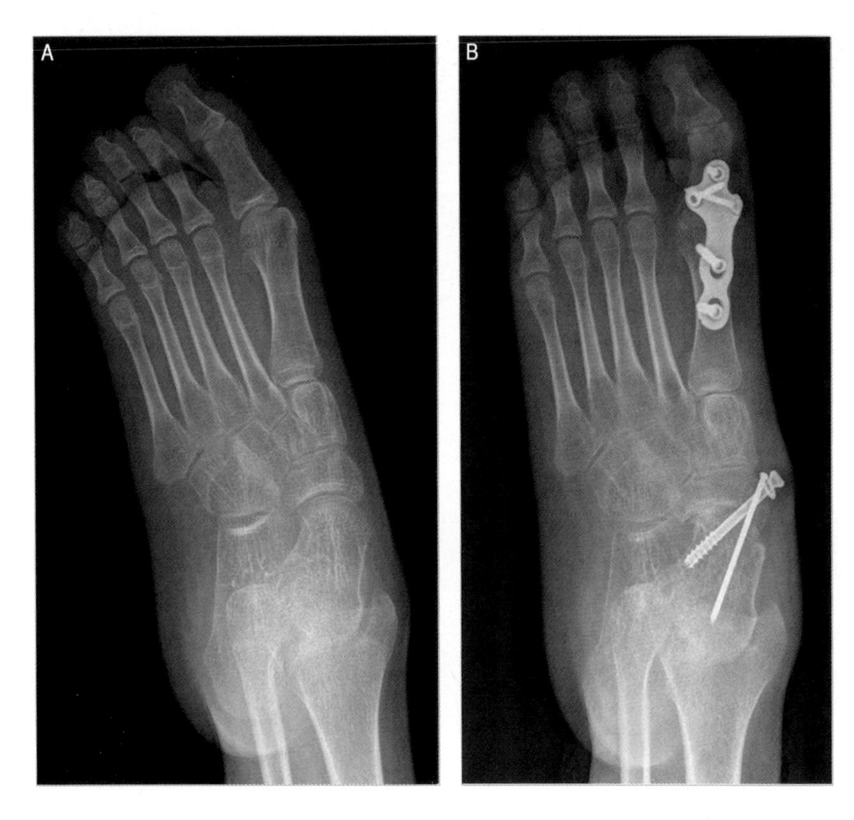

Fig 57. 14세 GMFCS 4단계의 웅크림 보행(crouch gait) 환자의 편평 외반족과 무지 외반에 대해(A) 견고한 지렛대의 복구를 위해 거주상 관절 유합과 중족-무지 유합술을 시행하였다(B).

요근(brachioradialis)의 경직성이 신전근에 비해 상대적으로 심해서 발생하는 것으로 알려져 있다. 보통 걷거나 뛸 때 팔꿈치가 굽혀지는 자세가 되어 미용적 문제를 호소하는 경우가 많다. 심하면 굴곡 구축과 신전 장해로 기능상 불편을 호소하기도 한다. 굴곡 구축이 생기지 않도록 꾸준히 수동적 신전 운동을 해 주고, 90도 이상 주관절이 굴곡된 자세로 걷는 경우는 상완 이두근과 상완근의 근막 연장술 혹은 건의 Z-성형식 연장술을 통하여 45도 정도의 호전을 기대할 수 있다(Gong 2014).

2. 전완부 회내 및 완관절 굴곡 변형 (forearm pronation and wrist flexion deformity)

경직형 편마비에서 전완부의 회내전 변형과 완관절 굴곡 변형은 매우 흔하게 볼 수 있다. 주로 회내원근(pronator teres)의 경직 때문에 발생한다. 이에 대한 수술적 치료로는 회내원근의 근위부 근막 연장술과 회내원근을 외회전시키는 기능으로 전환시키는 회내원근 전환술(pronator teres rerouting)이 있다.

완관절 굴곡 변형은 주로 척수근굴근(flexor carpi ulnaris, FCU)이 변형을 일으키는 주된 근육이다. 더불어, 손목을 신전시키는 장/단요수근신근(extensor carpi radialis longus/brevis, ECRL/ECRB)의 약화가 동반되어 있을 수 있다. 능동적인 완관절 신전력이 있으나 굴곡근이 경직된 경우는 척수근굴근의 근막 연장술을 시행할 수 있다. 능동적인 완관절 신전력이 없거나 약하면서 척수근굴근의 능동적 조절이 가능하면 척수근굴근을 단요수근신근으로 옮기는 Green과 Banks의 건 이전술(FCU to ECRB transfer)을 시행한다. Green-Banks의 건 이전술은 회외전 작용을 하여 회내변형의 교정에도 도움이 된다Fig 58. 완관절 굴곡 변형이 극심하여, 건 이전술 후에도 능동적인 조절을 기대하기 힘들 경우에는 완관절 고정술을 시행하면 미용적으로 도움이 된다. 손가락의 신전이 전혀 되지 않는 경우는 척수근굴근을 총지신근(extensor digitorum communis)으로 이전시킬 수 있지만, 보통은 아래 기술된 수지 굴곡 변형 치료로 신전력이 좋아지므로, 이전술이 필요한 경우는 드물다.

3. 수지 굴곡 변형(finger flexion deformity)

수지 굴곡 변형은 대개 완관절 굴곡 변형과 동반된다. 변형이 심하지 않은 경우는 수지 및 완관절 굴근의 분할 근막 연장술(fractional aponeurotic lengthening)로 치료한다. 변형이 심한 경우는 Z-성형식 연장술, 또는 표재수지굴근을 심부수지굴근에 이전하는 수술(flexor digitorum superficialis to profundus transfer)을 할 수 있다.

4. 수장내 무지 변형(thumb-in-palm deformity)

무지가 수장부 안에 위치하여 인지나 중지와의 집게 동작이 불가능하게 되는 것을 수장내 무지 변형이라고 한다. 변형의 원인이 되는 근육으로는 장무지굴근(flexor pollicis longus), 단무지굴근(flexor pollicis brevis), 제1배측골간근(1st dorsal interossei), 무지내전근(adductor pollicis)이 있다.

원인근에 대한 유리술로 장무지굴근에 대해 근막 연장술이나 Z-성형식 연장술을, 제1배측골간근과 무지내전근에 대해서 근막 연장술이나 절단술, 근위부 이전술을 시행

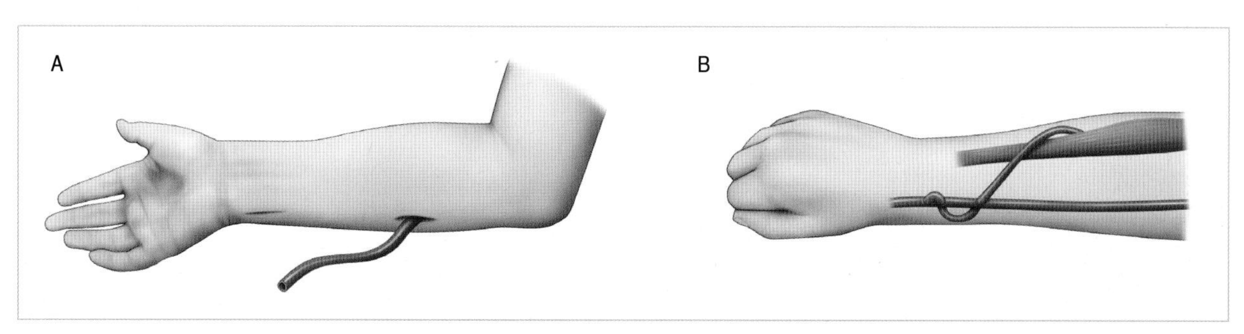

Fig 58. 손목의 굴곡 변형에 대한 Green과 Banks의 건이전술.

한다. 약한 근육의 근력 강화를 위해 상완요근을 단무지신근으로의 건 이전술을 할 수 있으며, 장무지신근(extensor pollicis longus, EPL)의 주행을 요측으로 바꾸어 외전 기능을 강화하는 장무지신근 전환술(EPL rerouting)을 시행할 수 있다. 무지 중수지 관절이 과신전되는 경우는 전방관절막 고정술(volar capsulodesis)을 통해 교정한다.

Table 8. **뇌성마비 골다공증의 원인 인자**

Correctable	Not correctable
Lack of weight bearing (hip dislocation, knee flexion contracture, foot deformity, etc.) Poor nutritional status Feeding difficulty Limited sun light exposure Low Vit. D and Ca intake	Severity of cerebral palsy History of previous fracture Chronic medication (anti-seizure drug, etc.)

IX. 병발 질환 및 합병증

뇌성마비는 전신질환으로 여러 가지 질환이 병발할 수 있다. 운동성의 감소로 인한 골다공증과 이로 인한 골절, 사시 및 망막 질환, 흡인성 폐렴 등 호흡 문제, 연하 장애, 위식도역류, 영양 장애, 전간증, 지적 장애, 발달 장애 등에 대해 임상의는 충분히 인지하고 있어야 한다. 본 장에서는 특히 정형외과 영역에서 다루어야 하는 골절과 골다공증에 중점을 두도록 한다.

1. 뇌성마비 환자의 골절과 골다공증

뇌성마비 환자 특히 보행이 힘든 GMFCS 4-5단계에서 골다공증으로 인한 골절은 삶의 질을 하락시키는 매우 중요한 문제이다. GMFCS 4-5단계의 환자들은 고관절 탈구, 척추 측만, 체중의 증가에 비해 상대적인 근력 약화으로 나이가 들면서 운동성(mobility)이 감소하고, 이는 골다공증을 야기한다.

뇌성마비 환자는 슬관절과 고관절의 구축, 상지 기능의 저하 등으로 낙상에 취약하여, 골다공증에 의한 골절이 발생한다. 골절은 주로 하지에 발생을 하고 발생할 당시 상황을 잘 인지하지 못하는 경우가 많아 지연 진단이 된다. 그래서 자발 골절(spontaneous fracture)이라는 용어를 쓰기도 한다. 뇌성마비 환자의 골절의 위험인자로는 상술한 골다공증, 과거 골절력, 석고고정, 항경련제, 영양 부족 등이 있다Table 8. 골절 부위는 하지에서 흔하며, 원위 대퇴골이 가장 많고, 그 다음은 근위 대퇴골이다Fig 59.

2. 골다공증의 진단

뇌성마비 환자는 어릴 때 골다공증 여부를 파악하여야 BMD를 측정한다. 성인과는 다르게 t-score를 사용하지 않고, 같은 나이의 정상 소아와 비교를 하는 Z-score를 이용한다Fig 60. 뇌성마비 환자는 GMFCS 단계가 높을수록(기

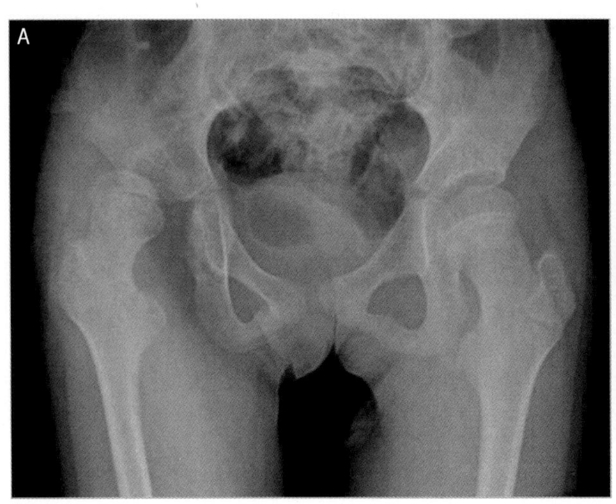

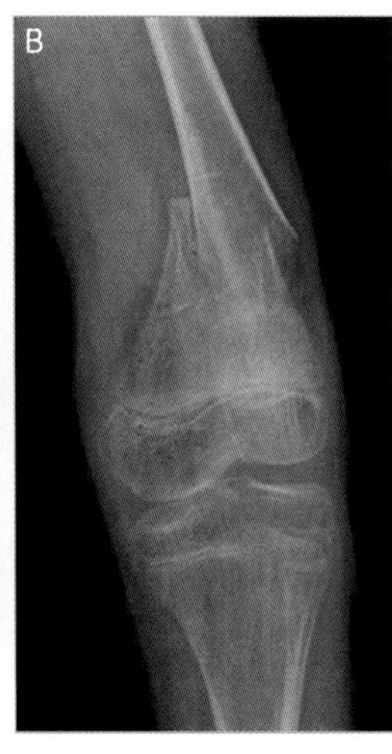

Fig 59. GMFCS 5 단계 환자로 우측 고관절 탈구 소견을 보이고 있다(A). 추시 중에 우측 원위 대퇴골의 골절이 발생하였다(B). 뇌성마비에서는 고관절 탈구된 쪽이 골밀도가 감소된다. 고관절 재건 수술을 통하여 치료적 기립이 가능하게 하는 것이 중요하다.

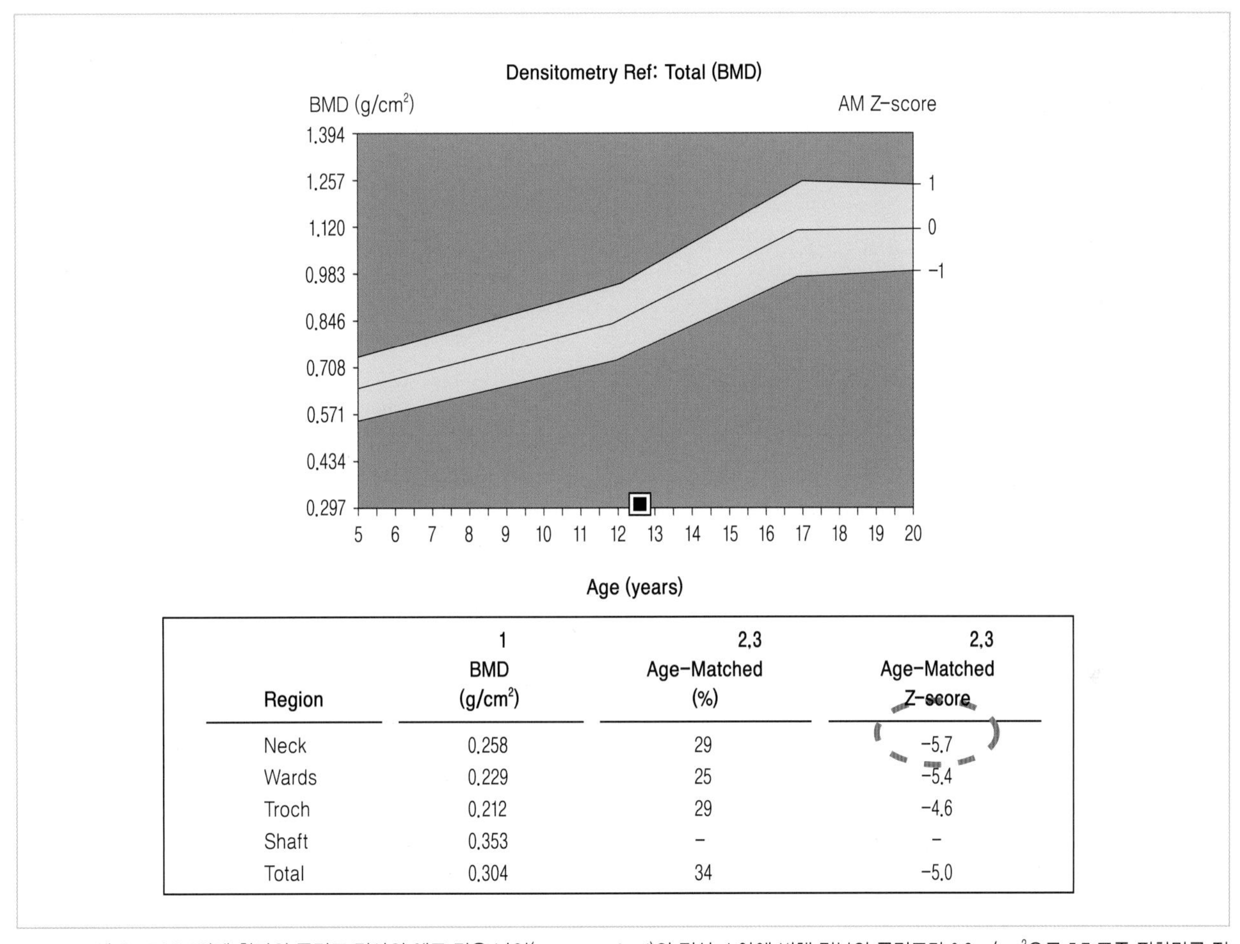

Region	1 BMD (g/cm²)	2,3 Age-Matched (%)	2,3 Age-Matched Z-score
Neck	0.258	29	−5.7
Wards	0.229	25	−5.4
Troch	0.212	29	−4.6
Shaft	0.353	-	-
Total	0.304	34	−5.0

Fig 60. 12세 GMFCS 5단계 환자의 골밀도 검사의 예로 같은 나이(age-matched)의 정상 소아에 비해 경부의 골밀도가 0.3 g/cm^{2}으로 5.7 표준 편차만큼 적은 것을 확인할 수 있다. 같은 나이의 정상 소아를 기준으로 하는 것을 Z-score라고 한다.

능이 낮을 수록) 골다공증이 심한 경향을 보이며, 고관절 탈구가 있을 경우, 외부 활동이 없을수록 더 낮은 골밀도를 보인다. 이는 운동성 저하로 골의 기계적 자극의 감소가 골밀도 감소에 원인 인자임을 간접적으로 보여준다.

3. 골절과 골다공증의 치료

골절은 골다공증 골절에 준하여 치료를 한다. 가능하면 견고한 고정을 하여 조기에 기립을 하여, 장기간 석고 고정으로 인한 추가적인 골다공증의 악화를 피해야 한다.

뇌성마비 골다공증의 치료의 원칙은 치료 가능한 원인 인자를 제거하고, 가능한 약물 치료를 하는 것이다. 먼저, 치료적 기립이 가능하도록 하는 것이 중요하다. 고관절 탈구, 측만증, 슬관절 구축, 발 변형 등 치료적 기립을 방해하는 인자를 제거한다. 수술, 자세 보조 도구, 재활을 통하여 치료적 기립으로 골에 정상적인 자극이 가해지도록 한다. 뇌성마비 환자에서 영양 부족은 상당히 흔한 문제이고 외부 활동 저하로 인해 비타민 D 부족을 거의 항상 동반한다. 이를 꼭 인지하고 비타민 D와 칼슘 보충을 한다. 골다공증이 있고 골절력이 있으면 비스포스포네이트 치료를 동반한다. 파미드로네이트(pamidronate)와 졸레드로네이트(zoledronate)가 쓰여왔으며, 최근 데노수맙(denosumab)의 이용도 보고되고 있다. 골절력은 없으나 환자의 중증도가 심하고(GMFCS 5단계) 골다공증이 심해, 골절의 위험이 높으면 임상의가 판단(physician's preference)하여 비스포스포네이트 치료를 할 수 있다.

참고문헌

정진엽, 박문석. 동작분석입문, 1판, 서울: 영창출판사; 2019.

Bayusentono S, Choi Y, Chung CY, et al. Recurrence of hip instability after reconstructive surgery in patients with cerebral palsy. J Bone Joint Surg Am. 2014;96:1527.

Beach WR, Strecker WB, Coe J, et al. Use of the Green transfer in treatment of patients with spastic cerebral palsy: 17-year experience. J Pediatr Orthop. 1991;11:731.

Cho BC, Lee IH, Chung CY, et al. Undercorrection of planovalgus deformity after calcaneal lengthening in patients with cerebral palsy. J Pediatr Orthop B. 2018;27:206.

Choi SJ, Chung CY, Lee KM, et al. Validity of gait parameters for hip flexor contracture in patients with cerebral palsy. J Neuroeng Rehabil. 2011;8:4.

Choi Y, Lee SH, Chung CY, et al. Anterior knee pain in patients with cerebral palsy. Clin Orthop Surg. 2014;6:426.

Chung CY, Choi IH, Cho TJ, et al. Morphometric changes in the acetabulum after Dega osteotomy in patients with cerebral palsy. J Bone Joint Surg Br. 2008;90:88.

Chung CY, Kwon SS, Park MS, et al. Surgical outcomes after single event multilevel surgery in cerebral palsy patients with mid-stance knee hyperextension. Gait Posture. 2020;77:1.

Chung CY, Lee KM, Park MS, et al. Validity and reliability of measuring femoral anteversion and neck-shaft angle in patients with cerebral palsy. J Bone Joint Surg Am. 2010;92:1195.

Chung CY, Lee SH, Choi IH, et al. Residual pelvic rotation after single event multilevel surgery in spastic hemiplegia. J Bone Joint Surg Br. 2008;90:1234.

Chung CY, Park MS, Choi IH, et al. Morphometric analysis of acetabular dysplasia in cerebral palsy. J Bone Joint Surg Br. 2006;88:243.

Chung CY, Sung KH, Lee KM, et al. Recurrence of equinus foot deformity after tendo-achilles lengthening in patients with cerebral palsy. J Pediatr Orthop. 2015;35:419.

Chung CY, Wang KC, Bang MS, et al. Introduction to cerebral palsy, 1st ed. Seoul: Koonja; 2013.

Chung MK, Kwon SS, Cho BC, et al. Incidence and risk factors of hardware-related complications after proximal femoral osteotomy in children and adolescents. J Pediatr Orthop B. 2018;27:264.

Chung MK, Zulkarnain A, Lee JB, et al. Functional status and amount of hip displacement independently affect acetabular dysplasia in cerebral palsy. Dev Med Child Neurol. 2017;59:743.

Duquette SP, Adkinson JM. Surgical management of spasticity of the forearm and wrist. Hand Clin. 2018;34:487.

Eliasson AC, Krumlinde-Sundholm L, Rosblad B, et al. The Manual Ability Classification System (MACS) for children with cerebral palsy: scale development and evidence of validity and reliability. Dev Med Child Neurol. 2006;48:549.

Gersoff WK, Renshaw TS. The treatment of scoliosis in cerebral palsy by posterior spinal fusion with Luque-rod segmental instrumentation. J Bone Joint Surg Am. 1988;70:41.

Gong HS, Cho HE, Chung CY, et al. Early results of anterior elbow release with and without biceps lengthening in patients with cerebral palsy. J Hand Surg Am. 2014;39:902.

Gong HS, Chung CY, Park MS, et al. Functional outcomes after upper extremity surgery for cerebral palsy: comparison of high and low manual ability classification system levels. J Hand Surg AM. 2010;35:277.

House JH, Gwarthmey FW, Fidler MO. A dynamic approach to the thumb in palm deformity in cerebral palsy. J Bone Joint Surg Am. 1981;63:226.

Insall J, Salvati E. Patella position in the normal knee joint. Radiology. 1971;101:101.

Jung KJ, Chung CY, Park MS, et al. Different reference BMDs affect the prevalence of osteoporosis. J Bone Miner Metab. 2016;34:347.

Jung KJ, Kwon SS, Chung CY, et al. Association of Gross Motor Function Classification System Level and School Attendance with Bone Mineral Density in Patients With Cerebral Palsy. J Clin Densitom. 2018;21:501.

Koshino T, Sugimoto K. New measurement of patellar height in the knees of children using the epiphyseal line midpoint. J Pediatr Orthop. 1989;9:216.

Kwon DG, Lee SY, Kim TW, et al. Short-term effects of proximal femoral derotation osteotomy on kinematics in ambulatory patients with spastic diplegia. J Pediatr Orthop B. 2013;22:189.

Lee IH, Chung CY, Lee KM, et al. Incidence and risk factors of allograft bone failure after calcaneal lengthening. Clin Orthop Relat Res. 2015;473:1765.

Lee KM, Ahn S, Chung CY, et al. Reliability and relationship of radiographic measurements in hallux valgus. Clin Orthop Relat Res. 2012;470:2613.

Lee KM, Chung CY, Kwon DG, et al. Reliability of physical examination in the measurement of hip flexion contracture and correlation with gait parameters in cerebral palsy. J Bone Joint Surg Am. 2011;93:150.

Lee KM, Chung CY, Park MS, et al. Analysis of three-dimensional computed tomography talar morphology in relation to pediatric pes planovalgus deformity. J Pediatr Orthop B. 2019;28:591.

Lee KM, Chung CY, Park MS, et al. Reliability and validity of radiographic measurements in hindfoot varus and valgus. J Bone Joint Surg Am. 2010;92:2319.

Lee KM, Chung CY, Sung KH, et al. Femoral anteversion and tibial torsion only explain 25% of variance in regression analysis of foot progression angle in children with diplegic cerebral palsy. J Neuroeng Rehabil. 2013;10:56.

Lee KM, Kang JY, Chung CY, et al. Clinical relevance of valgus deformity of proximal femur in cerebral palsy. J Pediatr Orthop. 2010;30:720.

Lee SH, Chung CY, Park MS, et al. Parental satisfaction after single-event multilevel surgery in ambulatory children with cerebral palsy. J Pediatr Orthop. 2009;29:398.

Lee SH, Chung CY, Park MS, et al. Tibial torsion in cerebral palsy: validity and reliability of measurement. Clin Orthop Relat Res. 2009;467:2098.

Lee SY, Chung CY, Lee KM, et al. Annual changes in radiographic indices of the spine in cerebral palsy patients. Eur Spine J. 2016;25:679.

Lee SY, Chung CY, Park MS, et al. Radiographic Measurements Associated With the Natural Progression of the Hallux Valgus During at Least 2 Years of Follow-up. Foot Ankle Int. 2018;39:463.

Lee SY, Kwon SS, Chung CY, et al. Influence of surgery involving tendons around the knee joint on ankle motion during gait in patients with cerebral palsy. BMC Musculoskelet Disord. 2018;19:82.

Lee SY, Sohn HM, Chung CY, et al. Perioperative complications of orthopedic surgery for lower extremity in patients with cerebral palsy. J Korean Med Sci. 2015;30:489.

Lee SY, Sung KH, Chung CY, et al. Reliability and validity of the Duncan-Ely test for assessing rectus femoris spasticity in patients with cerebral palsy. Dev Med Child Neurol. 2015;57:963.

Lonstein JE, Akbarnia A. Operative treatment of spinal deformities in patients with cerebral palsy or mental retardation: An analysis of one hundred and seven cases. J Bone Joint Surg Am. 1983;65:43.

Louwers A, Warnink-Kavelaars J, Obdeijn M, et al. Effects of upper-extremity surgery on manual performance of children and adolescents with cerebral palsy: a multidisciplinary approach using shared decision-making. J Bone Joint Surg Am. 2018;100:1416.

Min BC, Chung CY, Park MS, et al. Dynamic First Tarsometatarsal Instability During Gait Evaluated by Pedobarographic Examination in Patients With Hallux Valgus. Foot Ankle Int. 2019;40:1104.

Min JJ, Kwon SS, Sung KH, et al. Factors affecting GDI improvement after single event multilevel surgery in patients with cerebral palsy. Gait Posture. 2020;80:101.

Min JJ, Kwon SS, Sung KH, et al. Factors Affecting Subjective Symptoms in Children with Pes Planovalgus Deformity: A Study Using the Oxford Ankle Foot Questionnaire. J Bone Joint Surg Am. 2020;102:1479.

Min JJ, Kwon SS, Sung KH, et al. Progression of planovalgus deformity in patients with cerebral palsy. BMC Musculoskelet Disord. 2020;21:141.

Min JJ, Kwon SS, Sung KH, et al. Remodelling of femoral head deformity after hip reconstructive surgery in patients with cerebral palsy. Bone Joint J. 2021;103:198.

Moon SJ, Choi Y, Chung CY, et al. Normative Values of Physical Examinations Commonly Used for Cerebral Palsy. Yonsei Med J. 2017;58:1170.

Moon SY, Kwon SS, Cho BC, et al. Osteopenic features of the hip joint in patients with cerebral palsy: a hospital-based study. Dev Med Child Neurol. 2016;58:1153.

Novacheck TF, Stout JL, Gage JR, et al. Distal femoral extension osteotomy and patellar tendon advancement to treat persistent crouch gait in cerebral palsy. J Bone Joint Surg Am. 2009;91:271.

Novacheck TF, Trost JP, Schwartz MH. Intramuscular psoas lengthening improves dynamic hip function in children with cerebral palsy. J Pediatr Orthop. 2002;22:158.

Palisano R, Rosenbaum, Bartlett D, et al. GMFCS-E&R Gross Motor Function Classification System expanded and revised. Ontario (Canada): CanChild Centre for Childhood Disability Research;2007.

Park BS, Chung CY, Park MS, et al. Effects of soft tissue surgery on transverse kinematics in patients with cerebral palsy. BMC Musculoskelet Disord. 2019;20:566.

Park JY, Choi Y, Cho BC, et al. Progression of Hip Displacement during Radiographic Surveillance in Patients with Cerebral Palsy. J Korean Med Sci. 2016;31:1143.

Park MS, Chung CY, Kwon DG, et al. Prophylactic femoral varization osteotomy for contralateral stable hips in non-ambulant individuals with cerebral palsy undergoing hip surgery: decision analysis. Dev Med Child Neurol. 2012;54:231.

Park MS, Chung CY, Lee KM, et al. Issues of concern before single event multilevel surgery in patients with cerebral palsy. J Pediatr Orthop. 2010;30:489.

Park MS, Chung CY, Lee KM, et al. Parenting stress in parents of children with cerebral palsy and its association with physical function. J Pediatr Orthop B. 2012;21:452.

Park MS, Chung CY, Lee KM, et al. Which is the best method to determine the patellar height in children and adolescents? Clin Orthop Relat Res. 2010;468:1344.

Park MS, Chung CY, Lee SH, et al. Effects of distal hamstring lengthening on sagittal motion in patients with diplegia: hamstring length and its clinical use. Gait Posture. 2009;30: 487.

Park MS, Chung CY, Lee SH, et al. Issues of concern after a single-event multilevel surgery in ambulatory children with cerebral palsy. J Pediatr Orthop. 2009;29(7):765-70.

Park MS, Kim SJ, Chung CY, et al. Prevalence and lifetime healthcare cost of cerebral palsy in South Korea. Health Policy 2010.

Rhie TY, Sung KH, Park MS, et al. Hamstring and psoas length of crouch gait in cerebral palsy: a comparison with induced crouch gait in age- and sex-matched controls. J Neuroeng Rehabil. 2013;10:10.

Rodda J, Graham HK. Classification of gait patterns in spastic hemiplegia and spastic diplegia: a basis for a management algorithm. Eur J Neurol. 2001;8:98.

Rosenbaum P, Paneth N, Leviton A, et al. A report: the definition and classification of cerebral palsy. Dev Med Child Neurol Suppl. 2007;109:8.

Soo B, Howard JJ, Boyd RN, et al. Hip displacement in cerebral palsy. J Bone Joint Surg Am. 2006;88:121.

Sponseller PD, Whiffen JR, Drummond DS. Interspinous process segmental spinal instrumentation for scoliosis in cerebral palsy. J Pediatr Orthop. 1986;6:559.

Sung KH, Chung CY, Lee KM, et al. Calcaneal lengthening for planovalgus foot deformity in patients with cerebral palsy. Clin Orthop Relat Res. 2013;471:1682.

Sung KH, Chung CY, Lee KM, et al. Discrepancy between true ankle dorsiflexion and gait kinematics and its association with severity of planovalgus foot deformity. BMC Musculoskelet Disord. 2020;21:250.

Sung KH, Chung CY, Lee KM, et al. Long term outcome of single event multilevel surgery in spastic diplegia with flexed knee gait. Gait Posture. 2013;37:536.

Sung KH, Kwon SS, Chung CY, et al. Fate of stable hips after prophylactic femoral varization osteotomy in patients with cerebral palsy. BMC Musculoskelet Disord. 2018;19:130.

Sung KH, Kwon SS, Chung CY, et al. Long-term outcomes over 10 years after femoral derotation osteotomy in ambulatory children with cerebral palsy. Gait Posture. 2018;64:119.

Sung KH, Kwon SS, Chung CY, et al. Radiographic changes of the mid-tarsal joint after calcaneal lengthening for planovalgus foot deformity. Foot Ankle Surg. 2020;26:110.

Sung KH, Kwon SS, Chung CY, et al. Use of iliac crest allograft for Dega pelvic osteotomy in patients with cerebral palsy. BMC Musculoskelet Disord. 2018;19:375.

Sung KH, Lee J, Chung CY, et al. Factors influencing outcomes after medial hamstring lengthening with semitendinosus transfer in patients with cerebral palsy. J Neuroeng Rehabil. 2017;14:83.

Sung KH, Youn K, Chung CY, et al. Development and Validation of a Mobile Application for Measuring Femoral Anteversion in Patients With Cerebral Palsy. J Pediatr Orthop. 2020;40:e516.

Tranchida GV, Heest AV. Preferred options and evidence for upper limb surgery for spasticity in cerebral palsy, stroke, and brain injury. J Hand Surg Eur Vol. 2020;45:34.

Won SH, Kwon SS, Chung CY, et al. Stepwise surgical approach to equinocavovarus in patients with cerebral palsy. J Pediatr Orthop B. 2016;25:112.

Woo SJ, Ahn J, Park MS, et al. Ocular findings in cerebral palsy patients undergoing orthopedic surgery. Optom Vis Sci. 2011;88:1520.

8

척수수막류

Myelomeningocele

PEDIATRIC
ORTHOPAEDICS

Chapter

8 척수수막류

Myelomeningocele

목차

I. 총론

척수이형성(myelodysplasia)은 척추 유합 부전(spinal dysraphia), 이분 척추증(spina bifida aperta), 신경관 결손증(neural tube defects) 등의 다양한 용어로 혼용되는데, 대표적으로 척수수막류라고 불린다. 일반적으로 척수수막류는 폐쇄술(sac closure)이나 뇌실-복막(ventriculoperitoneal) shunt 등 신경외과 수술을 받은 후 동반된 근골격계 문제로 정형외과에 의뢰된다. 만곡족 등 출생 시부터 동반 변형이 있는 경우에는 신생아 시기부터 치료가 시작된다.

척수이형성에 속하는 질환

- 수막류(meningocele): 수막만을 침범하는 낭종으로 척수 신경은 정상이다. 절제 후 봉합만 하면 된다.
- 척수수막류(myelomeningocele): 수막류의 낭종뿐만 아니라 신경 조직의 이상이 동반된 경우로서, 항상 신경 증상을 동반한다.
- 지방수막류(lipomeningocele): 천추신경(sacral nerve) 부위를 주로 침범한 지방종이다. 대개 Arnold-Chiari 변형이나 뇌수종증(hydrocephalus) 등의 중추 신경계 이상을 동반하지 않는다. 출생 시의 신경학적 기능은 정상이나, 성장하면서 신경 증상이 악화된다. 유피낭포(dermoid cyst), 유피루(dermoid sinus), 척수이분증(diastematomyelia) 등과의 감별이 필요하다.
- 척수분리증(rachischisis): 근육이 노출된 채 피부의 완전 결손이 있어, 이형성된 척수는 피복되어 있지 않다.

1. 정의

일종의 신경관 결손으로, 척추궁(vertebral arches)은 융합되지 않고 수막의 낭포성 확장이 있다. 척수 신경이나 신경근이 낭 내부에 존재하게 되어, 비정상적인 신경 증상을 보이게 된다.

2. 발생학, 발병 원인 및 병리

1) 발생학

(1) 신경관의 형성

지아(limb bud)가 발생하기도 전인 임신 3주에서 4주 사이에 외배엽에서 형성된 신경구(neural fold)의 융합으로 인한 관 형성으로 이루어진다. 이러한 융합은 배아(embryo)의 중앙에서 시작하여 위, 아래로 진행한다. 이때 표재성 외배엽(ectoderm)은 내부의 신경성 외배엽과 분리가 일어난다. 두 가지 외배엽 사이로는 간엽세포(mesenchymal cells)가 들어와 척추 신경궁(neural arch)과 척추 근육을 형성한다. 신경관이 형성되고 간엽세포가 들어오는 시기가 척수수막류의 발생에 중요한 시기이다Fig 1.

(2) 척수수막류의 발생기전

척수수막류의 발생기전에 대하여는 두 가지 설이 있다. 첫째는 신경관의 형성이 다 이루어지지 않아서 발생한다는 설이고, 둘째는 이미 형성된 신경관의 파열로 발생한다는

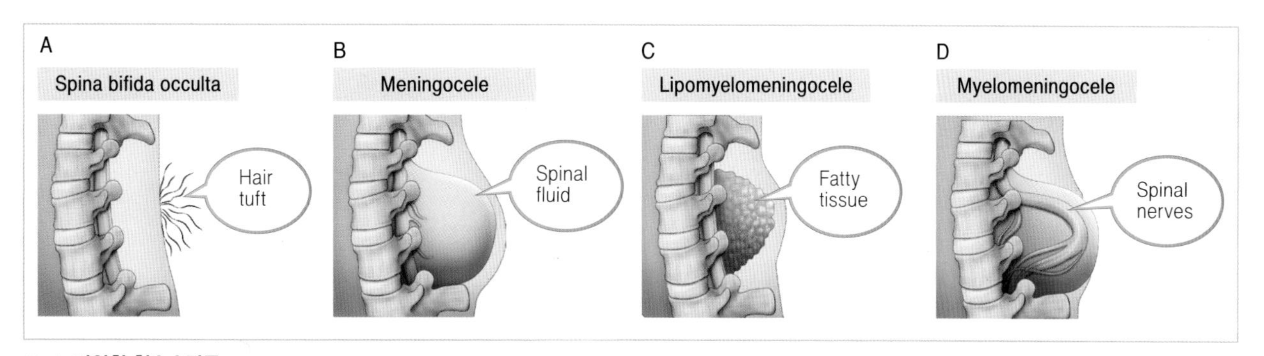

Fig 1. **다양한 척수수막류.**
A: 잠재 이분 척수. B: 수막류. C: 지방수막류. D: 척수수막류.

설이다. 혹자는 두 가지 모두가 원인이라고 주장하기도 한다.

(3) 신경계 동반 변형

정상적으로 태아 12주까지는 척추와 척수가 같은 위치에 있다. 이후 척추의 성장이 더 커, 발달에 따라 척수는 위로 올라가서 척수의 끝이 제12흉추 혹은 제1요추 부위(T12/L1)에 위치한다. 척수수막류나 지방수막류의 경우, 척수가 척수막에 유착되어 발달에 따른 척수의 상방 이동이 안 되는 경우가 발생한다. 이런 현상과 이로 인한 증상을 통칭 척수사슬증(tethered cord syndrome)이라고 한다. 또한 이로 인해 Arnold-Chiari 변형과 뇌수종이 발생하기도 한다. 척수사슬증(tethered cord syndrome)은 척수수막류와 지방수막류의 수술적 박리 이후에도 재유착으로 흔하게 재발한다.

2) 발병원인

척수수막류의 원인은 아직 확실하지 않다. 유전적 요소와 환경적 요소가 모두 작용할 것으로 생각되지만 모든 환자가 동일한 유전적 또는 환경적 요인에 의해서 발병하는 것은 아니다.

(1) 유전적 소인

멘델 유전 양상을 따르지는 않으므로 특정 유전자 결함에 의해 척수수막류가 발생하는 것은 아니라고 생각한다. 그러나, 환자의 약 6-8%에서 가족력이 있으며, 첫째 아이에 척수수막류가 있을 때 둘째 아이에서 척수수막류가 발생할 가능성은 1/30 정도로 보고되고 있다. 척수수막류 환자의 동생에서 중추신경계의 이형성이 발생할 확률도 5-6%이다.

(2) 산모의 엽산(folic acid) 부족

임신 전 또는 임신 초기에 산모가 엽산 섭취가 결핍되어 있거나, 엽산 대사 장애가 있는 경우에 척수수막류의 발병 가능성이 높은 것으로 알려져 있다. 그래서, 산모에 대한 엽산 섭취를 권장하는 프로그램으로 척수수막류의 발병률을 줄일 수 있다. 미국 FDA는 모든 가임 여성이 하루 0.4 mg의 엽산을 섭취할 것을 권유하고 있으며, 첫째 아이에 척수수막류가 있는 고위험군에서는 하루 4.0 mg의 엽산 섭취를 권유한다.

(3) 기형 발생원(teratogen)

항경련제인 valproic acid도 척수수막류 발병과 관련된 것으로 알려져 있다.

3) 병리

척수수막류의 노출된 윗부분은 척수로 이루어진다. 중앙 관(central canal)에서 척수의 뒤쪽이 열리므로, 척수의 전주(anterior column)보다 후주(posterior column)가 주로 침범된다. 따라서 후방 신경근(posterior nerve root)이 전방 신경근보다 더 많은 손상을 받게 되고, 운동 신경 기능 장애보다 고유 감각(proprioception) 신경 기능의 장애가 더 심하게 된다. 감각 기능의 되먹임(feedback)의 이상으로 인해 근육의 경직성도 발생할 수 있다. 또한, 중앙 관 주위의 신경 교차의 이상으로 상호 조화 운동(coordinated reciprocal movement)의 장애를 일으키게 된다.

(1) 척수수막류에서 신경학적 이상

환자 및 보호자가 초기 진단 시 가장 궁금해하는 예후는 성장 후 보행 가능성이다. 가장 중요한 예후 인자는 신경학적 결손의 위치(neurological level)이다. 결손 위치의 하부는 마비 등 다양한 증상이 나타나므로, 환자의 예후와 이에 따른 치료 방침을 결정할 때는 척수수막류의 신경학적 결손이 어느 위치(level)인지가 가장 중요하다.

척수수막류으로 인한 이차 변형은 골의 길이 성장과 신경 증상으로 인한 근육 발달의 불균형 및 신경적 퇴화로 인하여 나이가 듦에 따라 진행한다. 정형외과적 치료를 계획할 때에는 척수수막류에 의한 변형이 진행할 수 있다는 점을 고려하여야 한다.

(2) 신경학적 결손 위치의 정의

척수수막류 환자의 신경학적 결손의 위치(level)은 정상 기능 범위까지를 지칭한다. 예를 들어 "제3요추 척수수막류"라는 것은 제3요추 신경근까지는 정상이고 그 이하 부위는 마비되었다는 의미이다. 물론, 중추신경계의 여러 가지 동반 손상으로 인하여 결손 위치(level)를 특정하기 어려운 경우도 많다.

일반적으로 척수 손상과 같이 근육의 운동 기능으로 결손 위치를 분류한다. 척수수막류에서는 감각 신경 마비가 더 심하므로, 감각 신경으로 분류를 해야 한다는 주장도 있다. 근력 검사와 더불어 근전도 검사는 결손의 위치(level)를 결정하는 데 도움이 된다.

임상적으로 결손의 위치에 따른 분류는 주로 Swaroop와 Dias의 분류를 쓴다. 과거에는 Asher의 분류를 이용하였는데, 이는 하지에서 적어도 근력 3 이상을 보이는 근육군의 기능을 기준으로 분류하였다. 그런데, 좌우가 다를 수가 있고, 요추 수준(lumbar level)의 구별이 힘든 경우가 많고 천추 수준(sacral level)의 구별이 없다는 단점이 있다. 천추 수준의 상위와 하위는 보행 능력에 차이가 있어서 구분하는 것이 의미가 있다. Swaroop와 Dias의 분류는 대퇴 사두근, 대둔근, 중둔근, 하퇴삼두근력을 이용하여 분류를 단순화하였지만, 실제 보행 능력에 대한 예후 판정에는 더 직관적이다.

Asher의 분류(Asher 1983)

- 흉추: 하지의 모든 근육이 근력 3 이하
- 제1-2요추: 고관절 굴곡 및 내전근력만이 근력 3 이상
- 제3요추: 슬관절 신전근력이 3 이상
- 제4요추: 슬관절 굴곡근력이 3 이상
- 제5요추: 족근관절 족배굴곡 근력이 3 이상
- 천추 수준: 족근관절 족저굴곡 근력이 3 이상

Swaroop와 Dias의 분류(Swaroop 2009)

- 흉추 및 상위 요추(thoracic/high lumbar): 대퇴사두근력의 결여
- 하위 요추(low lumbar): 대퇴사두근과 내측 슬곽근력은 유지되나 대둔근과 중둔근력의 결여
- 상위 천추(high sacral): 대퇴사두근과 중둔근력은 유지되나 하퇴삼두근력의 결여
- 하위 천추(low sacral): 대퇴사두근과 중둔근력 및 하퇴삼두근력이 유지

3. 출생 전 진단

제태 16-18주에 MSAFP (maternal serum α-fetoprotein)에 대한 선별검사를 시행하고, 이상소견이 있으면 고해상도 초음파검사, MRI, 양수천자(amniocentesis)를 통해서 양수 내 α-fetoprotein과 acetylcholinesterase (AChE)를 검사하여 척수수막류를 확진하고 뇌수종 혹은 Arnold-Chiari 변형을 확인한다.

4. 임상적 소견

1) 역학

발병률은 같은 지역 내에서도 인종에 따라 차이가 난다. 1980년대 미국에서는 출생 10,000명당 4.6명의 발병을 보고하였다. 척수수막류 선별검사와 산모의 엽산 복용 등으로 발생 빈도가 감소하는 추세이다. 이분 척추의 낭형 형태(cystic form of spina bifida)의 94%에서 척수수막류가 관찰

된다. 뇌수종(hydrocephalus)은 출생 시 기준으로 척수수막류 환자의 15-25%에서 동반된다. 7%만이 배뇨 조절이 가능하다.

2) 자연 경과

영아기의 척수수막류를 치료받지 않을 경우, 수막뇌실염(meningoventriculitis)으로 영아기 초기에 사망한다. 조기 사망의 주요 원인으로는 중추신경계 감염, 심폐계의 문제이며 지연 사망의 주요 원인은 수두증, 신부전증, 신경계 감염이다. 조기에 척수수막류를 봉합하고 뇌실-복막 shunt를 할 경우에 25년 생존율은 52%로 증가한다. 척수수막류 성인 환자의 25%는 직업을 가지며, 39%는 결혼하거나 혼자라도 독립적으로 살며, 61%는 다른 가족이나 친구의 도움을 받으며 살고, 여자의 27%에서 아이를 낳는다. 척수수막류는 진행하는 병으로서 점진적인 신경의 퇴화로 인하여 마비의 수준이 올라가며 상지의 기능도 저하된다. 이러한 변화는 서서히 진행될 수도 혹은 급격한 변화를 보이는 경우도 있다. 급격한 신경 증상의 악화 시에는 아래의 원인을 꼭 의심하여야 한다.

신경 증상 악화 원인

* 뇌수종: 제4뇌실과 척수의 중앙관이 연결되어 있기 때문에 증가된 뇌압에 의하여 뇌척수액이 중앙관으로 흘러 들어가 이 관이 팽창되면서 수두척수공동증(hydrosyringomyelia)을 야기하게 되며, 이로 인하여 진행성 하지 마비, 척추측만증, 상지의 위약감 등의 증상을 유발한다. Shunt를 가지고 있는 환자에서 Shunt의 폐쇄로 뇌압이 증가할 경우 신경 증상의 악화를 보인다.
* Arnold-Chiari 변형: 제2형이 가장 흔하며, medulla oblongata가 foramen magnum을 통하여 경추부 척수강 쪽으로 전위되는 것이다. Arnold-Chiari 변형으로 인하여 발생되는 증상으로는 주기적 무호흡증, 천명, 안구 진탕, 우는 것이 약하거나 없고, 연하 곤란, 기침 반사의 소실, 상지 경련이나 약화 등이 나타난다.
* 척수사슬증(tethered cord syndrome): 활동과 연관된 요추부 혹은 둔부 및 대퇴부 후방의 통증이 주 증상이고, 하지의 경직성이 증가하면서 기능이 감소한다. 유리술이 필요할 수 있다Fig 2. 척수사슬증은 소아정형외과 외래에서 정기 추시 시에 신경학적 퇴행이 관찰 되거나 배뇨 기능이 떨어질 경우 의심하여야 한다. 그러므로 매번 신경학적 검사를 시행하고 기록을 해 두는 것이 중요하다.

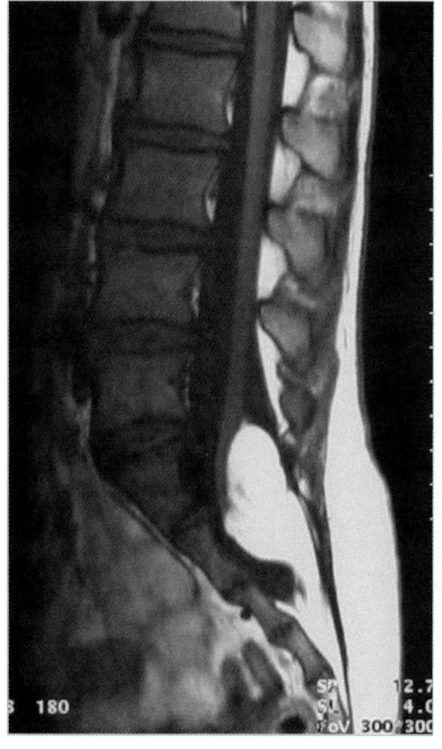

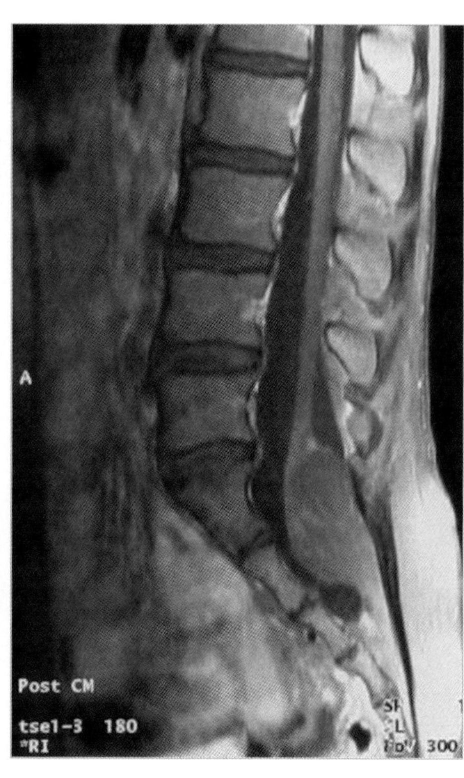

Fig 2. **지방수막류에 의한 포착 척수 증후군 환아의 자기공명영상.**
정상의 경우 척수는 제1요추 정도의 위치에서 끝난다.

3) 이환되는 기관계

척수수막류 치료에는 다학제적 접근법(multidisciplinary approach)이 필수적이다. 소아정형외과, 소아신경외과, 소아비뇨기과에서 주로 치료를 하지만, 소아청소년과, 소아재활의학과의 도움이 필요할 수 있다.

(1) 척수수막류

영아기에 신경외과 수술이 필요하다Fig 3.

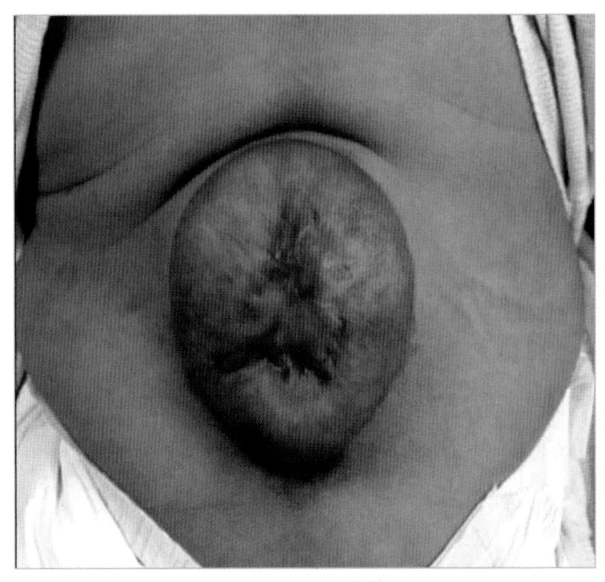

Fig 3. **요천추부 척수수막류를 보이는 신생아 환자.**

(2) 뇌수종

신경외과 추시를 통해서 뇌척수액의 순환이 잘 되는지를 검사하여 필요하면 shunt 수술을 시행한다.

(3) 배뇨 및 배변 장애

유아기 배뇨 및 배변 조절 능력의 발달이 지연되거나 발달되지 않게 된다. 비뇨기과의 지속적인 추시와 적절한 수술적/비수술적 치료가 필수적이다.

(4) 척수수막류의 신경 결손 부위에 따른 하지 변형Table 1

정형외과적 치료를 요하는 분야이다.

4) 감염

척수수막류 환자는 세균 감염률이 높다. 척추 수술 후 감염률이 3-25% 정도, 경골 절골술 후 약 20% 정도까지 보고되고 있다. 이와 같이 감염률이 높은 이유는 방광 기능 장애로 인한 반복적인 비뇨기계 감염이 원인이 되며, 척수수막류 봉합 부위의 경우 불안정한 피부 상태 때문이기도

Table 1. **척수수막류 신경 결손 수준(level)에 따른 대략적인 하지 변형**

신경 결손 수준*	이환된 관절 및 변형
제12흉추 신경근 원위부	하지의 위치는 중력에 의해서 결정됨 고관절: 외회전, 슬관절 : 굴곡, 족근관절 : 첨족 변형
제1요추 신경근 원위부	고관절: 봉공근 및 장요근에 의한 굴곡 및 외회전 변형
제2요추 신경근 원위부	고관절: 굴곡 및 내전 변형
제3요추 신경근 원위부	고관절: 굴곡근 및 내전근 정상, 대퇴사두근 근력 저하
제4요추 신경근 원위부	고관절: 굴곡, 내전, 약간의 외회전 슬관절: 신전 혹은 과신전 변형 족근관절: 내번 변형
제5요추 신경근 원위부	고관절: 굴곡 변형 슬관절: 내측 슬괵근으로 인한 굴곡 변형 족근관절: 종골 변형, 첨족 변형, 수직성 거골 변형 등 다양한 변형
제1천추 신경근 원위부	고관절: 약간의 굴곡 변형 슬관절: 대퇴 이두근으로 인한 약간의 굴곡 변형 족근관절: 요족 변형, 갈퀴족지 변형
제2천추 신경근 원위부	고관절, 슬관절: 정상 족근관절 및 족부: 갈퀴족지 변형

* 해당 척수 수준까지는 정상이며 그 원위부 수준부터 마비된 것을 의미함.

하다. 특히 감각 저하도 높은 감염률의 원인이 된다고 생각한다.

5) 골절

척수수막류 환자는 골절률이 높다. 보행 능력의 저하되기에, 체중 부하 감소에 따른 골감소증이 주 원인이다. 신장 기능의 장애로 인한 칼슘과 인 대사 장애가 일부 기여할 수도 있다. 8-9세 이전에 전체 골절의 약 85%가 발생한다. 신경학적 결손 수준(level)이 높을수록 골절률이 높아진다. 슬관절 주위가 전체 골절의 50%를 차지하며, 골단판 손상도 약 10%에서 발생한다. 수술 후 석고 고정할 경우 빈도가 높아진다. 재발을 막기 위해서는 골절 치료 시 석고 고정기간을 짧게 하고 보조기를 착용하여 빨리 움직이게 한다.

6) Latex 과민반응

Latex 과민반응은 정상 성인에서 약 1%, 수술실 근무자에서 7.5% 보고되고 있는데, 척수수막류 환자에서는 18-40% 보고되었다. IgE-mediated 과민반응으로 나타나는데, 선별검사로는 피부 반응 검사, RAST (radioallergosorbent test), Latex-specific IgE assay (fluoroenzyme immunoassay, FEIA, immunoCAP®)가 있으며 두드러기, 기관지 경련, anaphylactic shock, 사망 등 다양하게 나타날 수 있다. 수술 전 스테로이드 및 항히스타민제 투여 등 전처치를 하고 수술 시에는 Latex가 없는 환경을 만든 상태에서 수술을 하여야 한다.

7) 보행

척수수막류 환자의 보행 수준에 대해서는 Hoffer (1973)가 4단계로 분류하였다.

보행 상태의 분류(Hoffer 1973)

- Community ambulator: 일상 보행이나 활동에 제한이 없거나 제한이 경미한 상태이다.
- Household ambulator: 평지에서만 보행이 가능하며, 보행 시 보행 보조도구가 필요하다.
- Non-functional ambulator: 물리치료 시에만 보행이 가능하고, 이외의 장소에서는 휠체어가 필요하다.
- Non-ambulator: 이동 시 항상 휠체어가 필요하다.

보행 가능성을 결정하는 가장 중요한 요인은 신경학적 결손의 위치(level)이며, 그 외 변형의 정도, 비만, 환자 및 부모의 동기, 지능, 근육의 경직성 등이 영향을 미칠 수 있다. 근력을 기준으로 하면 장요근의 근력이 grade 3 미만일 경우 휠체어 보행을 하게 되는 반면, 대/중둔근 및 족근관절 족배굴곡력이 grade 4 이상일 경우 독립 사회(community ambulation) 보행이 가능하다.

신경 결손 위치가 흉추 및 상위 요추(thoracic/high lumbar)일 경우 RGO (reciprocal gait orthosis), HKAFO (hip knee ankle foot orthosis)와 같은 보행 보조 기구가 필요하나, 성인이 되면 결국 휠체어에 의지하게 된다. 하위 요추(low lumbar)일 경우 목발과 AFO (ankle foot orthosis)가 필요하다. 상위 천추(high sacral)일 경우 AFO를 이용하여 보행하며, 하위 천추(low sacral)의 경우 보조기구 없이 보행이 가능하다.

II. 정형외과적 치료의 원칙 및 고려 사항

신경 결손의 위치(level)와 실제 보행 능력에 따라 치료의 목표가 다를 것이다. 흉추 또는 상위 요추 수준의 환자에서는 기립 및 좌위 균형(standing and sitting balance)을 유지하는 데 중점을 두어야 한다. 하위 요추 또는 천추 수준의 경우에는 족부 변형의 교정 등 보행 능력의 향상을 위하여 치료를 하게 된다.

1. 정형외과적 수술 시 주의할 점

- 정형외과적 치료의 시기는 자연 경과 상 환자의 보행 능력이 충분히 발달하였을 때 시행한다.
- 골의 구조적 변형은 치료의 목표에 맞추어, 수술 시 최대한 교정을 한다. 고정된 변형이 있으면, 석고 교정 등의 보존적인 방법보다 수술적 방법이 선호되는데, 이는 감각 저하로 인한 욕창의 위험이 있기 때문이다.
- 변형이 진행하는 것을 고려해서, 근육의 불균형을 교정하도록 한다. 예를 들어, 족부 변형 교정 시 건 절제술이나 건 이전술로 근육의 불균형을 함께 교정하지 않으면 교정 절골술로 교정된 하퇴 및 족부 변형은 재

발되거나 오히려 반대 방향으로의 변형(deformity in opposite direction)을 유발한다.

- 수술 후 고정은 가능하면 짧게 하여 병적 골절의 빈도를 최소화해야 한다. 한 번의 마취 시 가능하면 많은 수술을 시행하거나, 단기간 내에 2차 수술을 시행하여 1회의 석고 고정이 가능할 수 있게 한다.
- 수술로 모든 문제를 해결 못하는 경우가 많다. 수술로 관절의 안정성과 근육의 조절 능력을 제공할 수 없으면, 보조기의 도움을 받게 된다. 즉 수술로 기능적 관절운동 범위를 유지시켜 보조기 착용을 용이하게 할 수 있게 한다.
- 수술 시 Latex 알레르기에 대한 전처치를 하여야 한다.

2. 신경 결손 위치(level)에 따른 치료 목표

1) 상 흉추부

85%에서 척추측만증 혹은 후만증이 발생하며 앉았을 때의 균형이 좋아야 한다. 상지의 기능이 좋다면 휠체어 이동 및 사회적 적응성(social acceptability)에 목적을 둔다.

2) 하 흉추부

대개 휠체어에 의존하며 약 2세 경에 환자의 앉는 자세가 안정되면 하지의 안정성을 부여하는 보조기를 사용하여 서거나 걷는 것을 시도할 수 있으나 대개 성장함에 따라 걷지 못하게 되고 휠체어에 의존하게 된다. 보행을 위하여 시도되는 보조기는 약 3세 이후에 착용할 수 있다(reciprocating orthosis, hip guidance orthosis).

3) 상 요추부

대퇴사두근이 약하고 고관절 굴곡근과 내전근은 활동적이다. Household ambulator가 목표일 경우, 고관절과 슬관절의 굴곡 변형을 선택적 수술로 치료한다.

4) 중간 혹은 하 요추부

상요추부의 근력 외에 슬관절 신전근력이 활동적이며, 고관절의 외전근과 신전근의 약화가 동반된 고관절 탈구 등이 있을 경우 수술이 필요할 수 있다. community ambulator가 목표이다.

5) 천추부

대개의 경우 고관절, 슬관절 및 족근관절을 움직이는 충분한 근력이 있고 보조기 없는 community ambulation이 목표이며 흔히 족부 변형에 대한 수술이 필요하다.

3. 정형외과 수술 전 치료

뇌수막류의 경우, 신생아 시기부터 발견되게 되어, 치료 일정과 예후에 대하여 보호자들과 충분한 상담이 이루어져야 한다. 신생아에서 영유아 시기까지는 수술적 치료를 하지 않고, 보존적 치료를 하게 된다. 보존적 치료 시 욕창, 병적 골절 및 창상 감염 등이 생길 수 있음을 유의해야 한다.

- 고관절의 변형: 보조기나 harness 등을 이용하여 자세를 유지하기도 하지만 고관절 이형성증과는 달리 근육 불균형이 있기 때문에, 정복을 기대하기는 힘들다. 단지 아기의 자세를 바로잡아 변형을 최소화하는 것이 목적이다.
- 슬관절 변형: 슬관절 구축의 경우, passive stretching을 시행한다.
- 족부의 변형: 출생 시부터 존재하는 첨내반족, 수직거골 등은 석고 고정이나 passive stretching에 대한 치료 반응이 좋지 않아 결국 수술을 필요로 하는 경우가 대부분이다.
- 동반된 선천성 기형이 아닌 근육의 불균형이나 사지의 변형으로 유발되는 기형은 환아의 신경학적 결손 수준(level)을 비교적 정확히 알 수 있게 되는 만 4세경까지 추시하고 궁극적 보행 능력의 목표를 설정한 이후에 시행하는 것을 추천한다.

III. 각 부위별 변형 및 정형외과적 치료

각 부위의 문제에 대한 정형외과 치료는 신경 결손에 따른 치료 목표에 따라 다르다. 운동 저하와 더불어 감각 저하도 동반하기 때문에, 통증이 없다는 것을 고려해야 한다. 즉 기능적 운동 범위가 중요하다. 흉추, 상위 요추 척수수막류에 의한 고관절 탈구 등은 통증이 없고, 정복 유지를 위한 적절한 근력이 없기 때문에 수술적 정복의 적응이 되지 않는다.

1. 고관절

1) 구축 및 변형

흉추 수준의 척수수막류에서 고관절은 수술적 치료로 관절의 안정성을 이룰 수 없다. 수술적 치료의 목표는 관절 구축 없이 기능적인 운동 범위를 얻어 휠체어에 앉거나 눕기 편하게 하는 것이다. 다만, 진행하는 질환이기에, 관절 구축에 대한 연부 조직 유리술은 재발률이 높다. 건 절단술 후 지속적인 재활치료와 보조기의 착용이 필요하다.

상위 요추 수준의 척수수막류에는 고관절의 굴곡 및 내전 변형이 흔하다. 장요근 및 내전근 등에 대한 연부 조직 유리술을 실시하고 적절한 관절운동 범위를 얻게 한다.

하위 요추 수준의 척수수막류에서는 대퇴 전염전과 굴곡 구축이 있을 수 있다. 보행을 목표로 하기에 이에 대한 수술을 시행할 수 있다.

2) 탈구

대부분 출생 시에는 탈구가 없는데 척수수막류의 폐쇄수술 후 앙와위(supine position)로 눕히지 못하고 옆으로 눕힐 경우 위쪽에 있는 고관절이 내전되면서 탈구될 수 있다. 따라서 척수수막류 봉합 수술 후에는 가능한 한 복와위(prone position)로 눕히고 고관절을 human position으로 하는 것이 권장되며, 필요에 따라서는 보조기를 착용시킨다. 탈구에 대한 치료는 신경학적 결손의 수준에 따라서 달라진다.

흉추/상위 요추 수준의 척수수막류에서는 탈구에 대하여 치료하지 않는다. 하위 요추 수준의 척수수막류에서는 고관절의 굴곡력과 내전력이 상대적으로 강하므로 보행 시에 고관절의 안정을 위하여 유각기 대신에 입각기에 굴곡근과 내전근이 작용하게 되며, 고관절의 굴곡 및 내전 구축으로 점차적으로 고관절 이형성이 발생되며, 약 3-4세경에 고관절의 탈구가 발생된다. 탈구 시 관혈적 정복을 시행하며, 필요에 따라 대퇴골 내반 감염 절골술 및 Dega 비구 절골술을 병행한다Fig 4. 고관절의 정복을 유지하기 위해서는 고관절 주위의 근력 불균형을 치료를 위하여 근 이전술을 고려할 수 있다. 하위 요추 수준의 척수수막류에서도

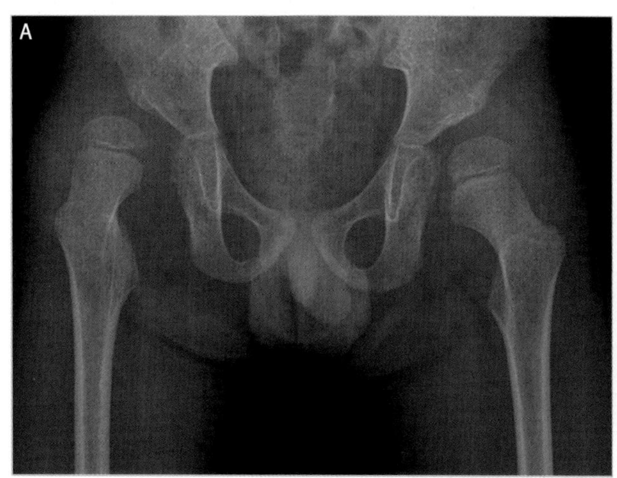

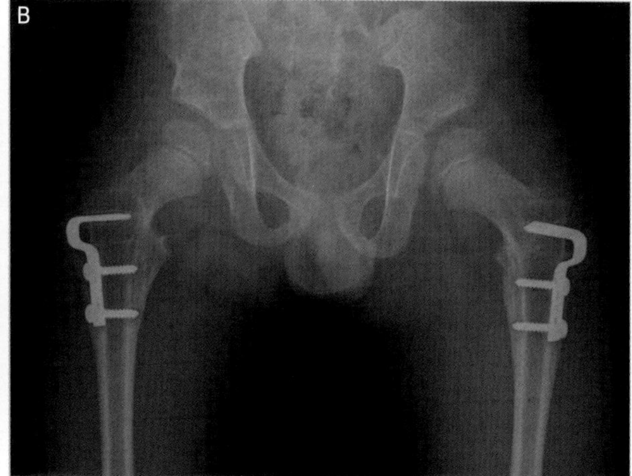

Fig 4. **척수수막류 환자에서의 고관절 탈구.**
A: 근육 불균형에 따른 고관절 탈구가 관찰된다. B: 대퇴골 내반 감염술 및 골반 절골술을 병행한 관혈적 정복술을 시행하였다.

탈구를 치료할 필요는 없다는 의견도 있으며, 특히 양측성일 경우 고관절 외전근의 근력을 고려하여 조심스럽게 수술의 적응 여부를 결정한다. 천추 수준의 척수수막류의 고관절 탈구의 경우, 뇌성마비 고관절 탈구에 준하여 치료한다.

2. 슬관절

슬관절은 입각기에는 충분한 신전과 안정성, 유각기에는 충분한 굴곡 범위가 필요하다. 수술은 이를 목표로 시행한다.

1) 굴곡 구축

비교적 흔하게 발생하며 정상적인 대퇴사두근의 기능을 가진 경우에도 발생할 수 있다. 슬관절 굴곡 구축이 20도 이하일 때에는 적응할 수도 있으나, 30도 이상이 되면 보행하기 어려워진다. 후방 관절낭 구축과 슬와부 근육군의 경직성이 가장 흔한 원인이다. 20도 이하의 굴곡 구축은 보조기 또는 물리 치료로 조절이 가능할 수 있다. 20도 이상의 굴곡 구축은 수술적 치료를 고려한다. 슬와부 근육군에 대한 연장술과 관절낭에 대한 유리술, 대퇴골 과상부 신전 절골술 등을 시행할 수 있고, 추후 재발을 고려하여 원위 대퇴골 전방 골단판 반유합술로 치료하기도 한다.

2) 신전 구축

비교적 드물게 발생하고, 발생하면 태어날 때 존재하는 경우가 많다. 동측 고관절의 탈구와 첨내반족이 동반되는 경우도 있다. 심할 경우 슬괵근은 전방으로 전이되어 슬관절 신전력으로 작용하기도 한다. 신전 구축의 경우, 보행의 가능성이 떨어지며 앉는 자세에도 문제가 생긴다.

60-90도의 슬관절 굴곡을 위해 연속적인 석고붕대를 시도하고 생후 6-10개월 때에도 호전이 없으면 대퇴사두근 연장술을 실시할 수 있다. V-Y 연장술 시행 시 수술 중 적어도 90도 굴곡까지 도달한 다음 60도 굴곡 위치에서 대퇴사두근을 봉합한다. 전방으로 전이된 슬괵근은 원래의 위치로 되돌린다.

3) 외반슬 변형

외반슬 변형의 경우, 장경대(iliotibial band) 구축을 동반하는 경우가 많다. 장경대 유리술(Yount 수술)과 교정 절골술로 치료한다.

3. 족근관절(ankle joint)

1) 족근관절 외반

흔히 발생하는 변형으로 거골하 관절 외반과 동반해서

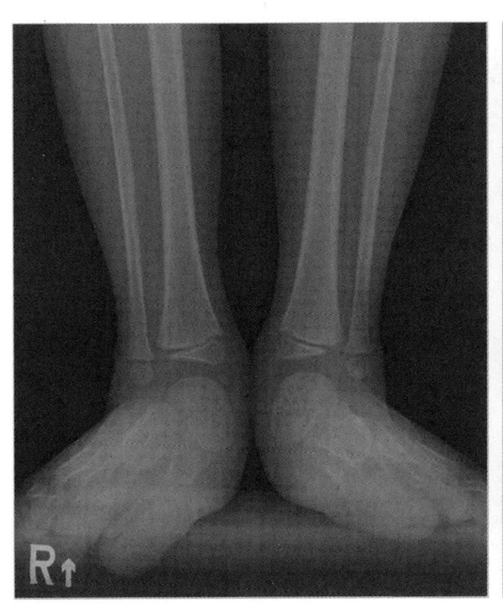

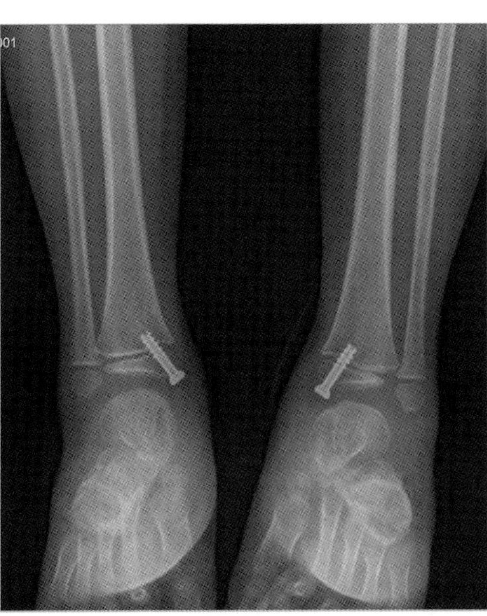

Fig 5. **족근관절 외반을 반골단판 나사못 고정으로 치료한 예.**

발생할 수 있다. 비골 성장은 후하퇴부 근력, 특히 가자미근, 비복근, 비골의 근력에 비례한다고 설명한다. 80%에서 비골 단축이 나타난다. 원위 경골에 쐐기 골단이 나타나고 경골 외염전이 흔히 동반된다.

변형이 심하지 않고 성장이 충분히 남아 있으면 경골 내측 골단판 반유합술을 시행할 수 있다(Burkus 1983)Fig 5. 변형이 심하고 주로 원위 경골에 있으면 과상부 절골술(supramalleolar osteotomy)Fig 6로 교정한다.

변형이 주로 거골하 관절에 있으면 종골 연장술, 종골 내측 활주 절골술(medial sliding osteotomy)이 적응되며, 매우 경직된 변형의 경우 종주상골 유합 등의 관절 고정술을 시행할 수 있으나 되도록 해당 관절의 유동성을 유지하도록 하여야 한다.

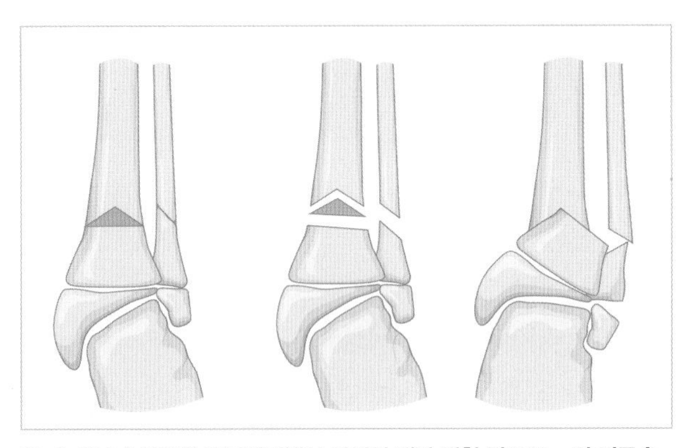

Fig 6. **척수수막류의 족근관절에서 발생된 외반 변형 및 Wiltse의 절골술.**

2) 경골 외염전 변형(external tibial torsion)

경골의 외측 염전이 외반족과 동반되는 경우가 흔하며 이로 인해 심한 외족지 보행을 유발한다. 족부의 외반족과 동시에 치료하며, 하퇴 삼두근의 작용 지렛대를 회복시켜 보행이 용이해지도록 한다. 원위 경골 감염 절골술을 흔히 이용한다Fig 7.

4. 족부

족부 변형이 심하면 발이 지면에 접촉 시 쇽의 흡수, 지면 반발력(ground reaction force)의 조절 및 체중의 전달 등 주요 기능을 상실하게 된다. 척수수막류 환자의 대부분에서 다양한 족부의 변형이 관찰된다Fig 8.

1) 수술적 치료의 목표와 원칙

보조기나 신발을 신고 피부의 궤양이Fig 9 발생하지 않고 체중을 부하하고 힘을 전달할 수 있는 plantigrade 발을 만드는 것이 목표이다. 그러나, plantigrade하며 강직된(stiff) 발보다는 plantigrade하지 않더라도 보조기 착용 시 유연한 발(braceable feet)이 더 낫기에 이를 잘 고려하여서 치료 목표를 설정해야 한다.

비보행자는 신발을 신을 수 있고 휠체어의 발판에 발을 편히 놓을 수 있으며 압박성 궤양을 예방하는 것이 목표이다.

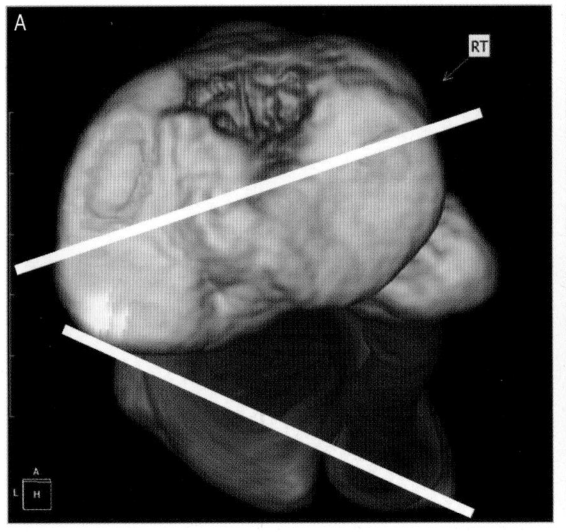

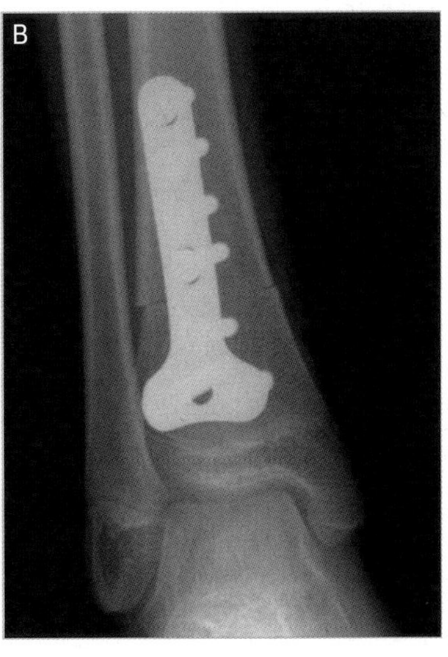

Fig 7. **외족지 보행을 보였던 환아.**
A: 3D CT 소견상 경골의 외회전이 증가되어 있다. B: 경골 감염 절골술로 치료하였다.

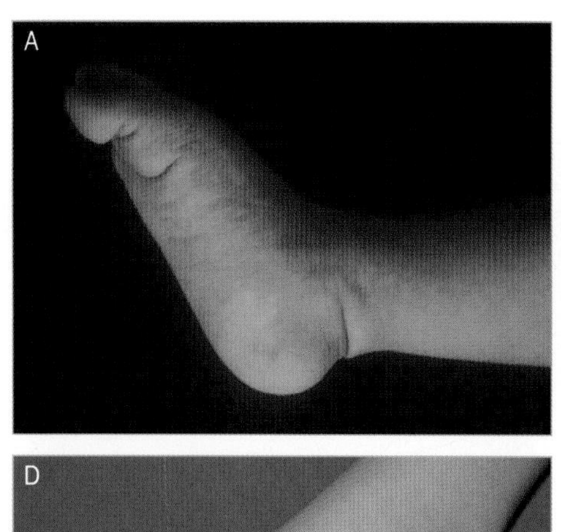

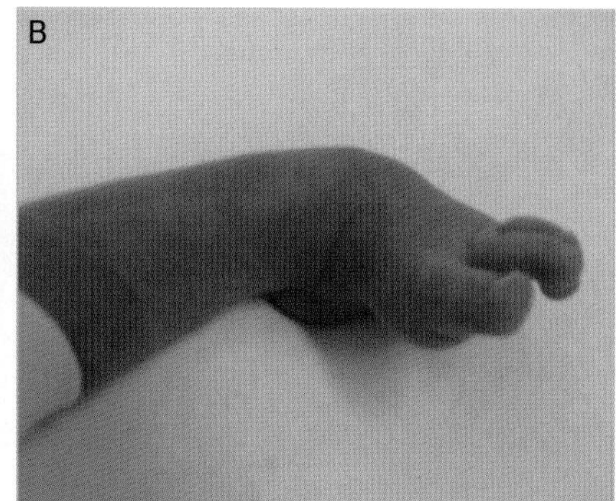

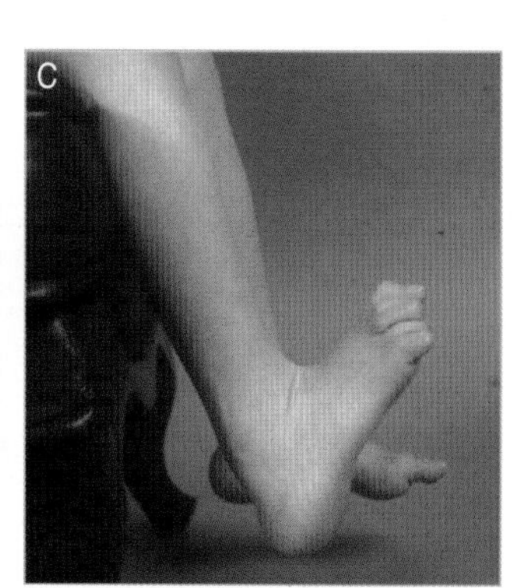

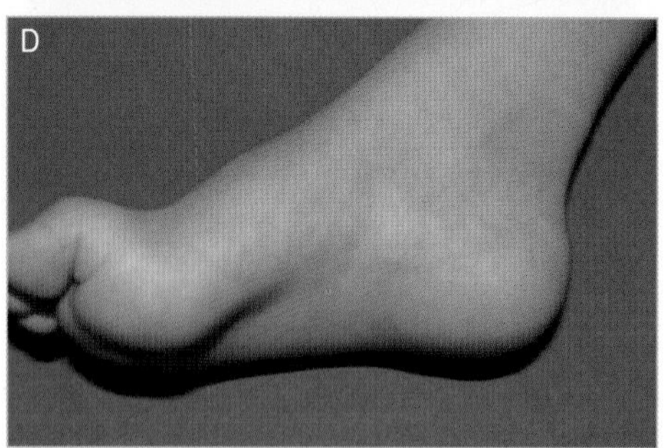

Fig 8. **이분척추증에서 발견되는 다양한 형태의 족부 변형.**
A: 첨족. B: 첨내반족. C: 종족. D: 요내반족.

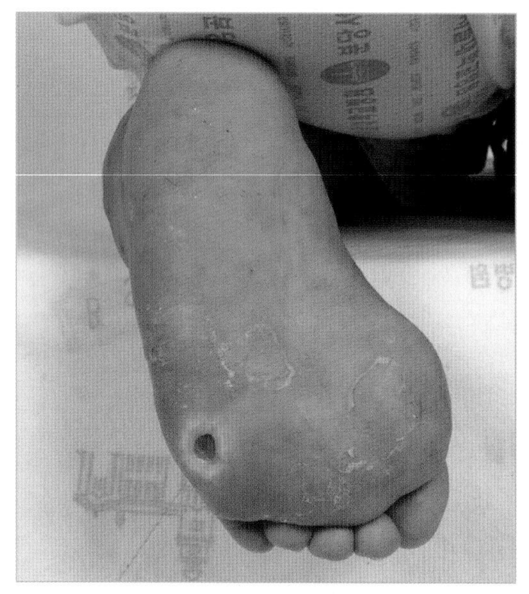

Fig 9. **족저부의 욕창은 매우 흔한 증상이다.**

수술적 치료의 원칙은 구조적 변형을 교정하고 근육의 불균형을 교정하는 것이다. 근력이 약하여 보조기 착용이 필요하지만 변형을 야기하는 근건은 유리(release)시키며, 근력이 충분히 강하며 보조기의 착용이 필요 없는 경우에는 근육 이전술로 불균형을 교정한다.

2) 첨내반족 변형

첨내반족의 경우 흔한 변형으로 모든 수준의 척수수막류에서 나타날 수 있다.

신생아 시기에 발견된 첨내반족 즉 만곡족은 선천성 만곡족 치료에 준하여 치료한다. 폰세티 방법(ponseti method)을 먼저 시도하게 된다. 일반적으로 다발성 관절 구축증과 마찬가지로 매우 강직되어 있으며 치료가 어렵다.

3-4세 이후의 잔여 변형 혹은 재발성 변형의 경우도 선천성 만곡족 치료에 준하면 된다. 다만 감각이 없기에 가능하면 관절 고정술을 피해야 하고, 진행할 수 있다는 것을 염두하여서 근육의 조화(balancing)를 이루는 술식을 추가하여야 한다Fig 10.

3) 종족 변형(pes calcaneus)

척수수막류에 특징적인 병변이다. 전경골근은 하퇴 삼두근에 비해 상위 신경의 지배를 받는다. 이 때문에 하퇴 삼두근의 마비와 상대적인 전경골근의 과활동성에 때문에 종족 변형, 즉 족근관절의 족배굴곡 변형이 발생하게 된다. 종족 변형은 성장함에 따라 변형이 악화된다.

하퇴 삼두근의 약화로 인해 결국 crouch 보행을 하게 된

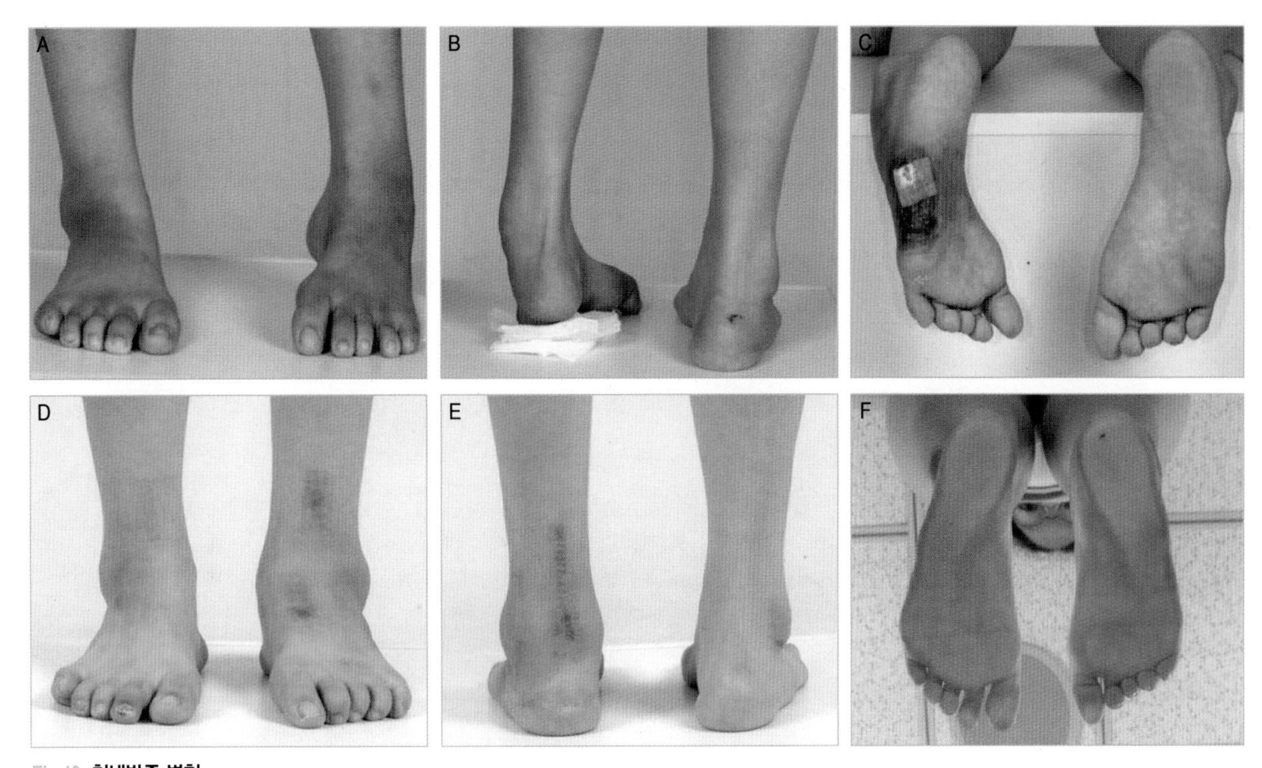

Fig 10. **첨내반족 변형.**
A,B,C: 첨내반족 변형으로 족저부에 욕창이 있는 상태이다. D,E,F: 삼중 절골술 및 후 경골근, 전경골근 분리 이전술, 아킬레스건 연장술을 시행하여 치료하였다.

다. 감각이 없기 때문에 발뒤꿈치에 피부 궤양도 쉽게 발생한다. 변형의 정도 및 연령에 따라, 전방 족근관절 유리술, 전경골근 이전술(tibialis anterior transfer to heel)Fig 11, 아킬레스건 후방 고정술(tenodesis) 등을 시행할 수 있다.

4) 요족 변형(pes cavus)

천추부 마비의 환자에서 주로 나타나며, 심하면 갈퀴 족지 변형이 동반하고 대부분 진행한다. 보행 시 약화된 하퇴 삼두근의 기능을 보상하기 위하여 장 족지 굴근을 사용함에 따라서 갈퀴 족지, 내반, 요족이 같이 나타나는 것으로 설명한다. 감각이 없어, 중족골두의 족저부나 후족저부에 피부 궤양이 발생하기도 한다. 사춘기에 서서히 발생하는 요족 변형은 척추사슬증에 의해 발생하는 경우가 많기에 유의하여야 한다. 변형이 심하지 않으면, 족저 유리술 후 보조기 착용을 하고, 심한 강직과 변형이 있으면 중족골 절골술, 종골 절골술을 추가한다. 재발을 고려하여, 건 이전술과 건 연장술로 근력 불균형을 교정한다.

5) 수직거골(vertical talus)

주로 출생 시 선천성 기형으로 발견되나 출생 후 외반족 변형이 심해지면서 점차 발생하기도 한다. 항상 내재근과 후경골근의 근력 약화가 있으며, 족배굴곡근의 근력은 정상적인 경우가 흔하다. 치료는 수직거골 치료에 준하며, 근력 불균형의 해소가 추가로 필요하다.

5. 척추

1) 척추측만증(scoliosis)

척수 수막류의 척추측만증은 대개 C-자형 측만곡을 보이고 후만증이 전만증에 비해 빈도가 많다. 어린 연령에서 발생하고 대부분 진행한다. 심한 측만곡은 앉은 자세를 불안정하게 하여 몸통의 균형 유지를 위하여 양손을 사용하여야 한다.

30도 이하의 균형(balanced) 만곡은 추시 관찰한다. 30도 이상의 불균형(unbalanced) 만곡의 경우 유연하면 7세까지

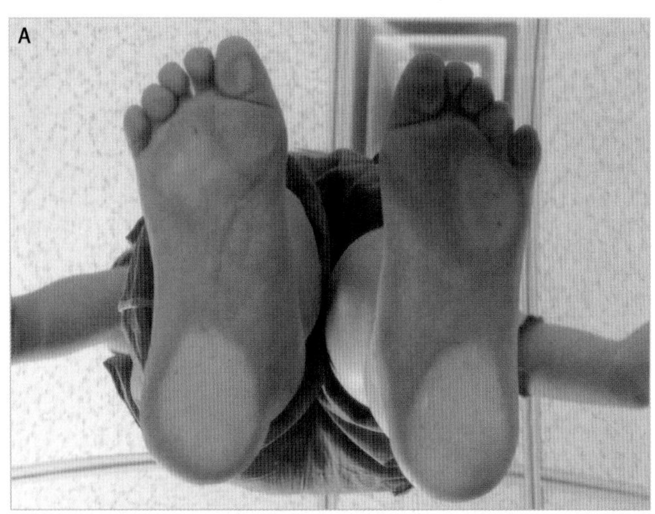

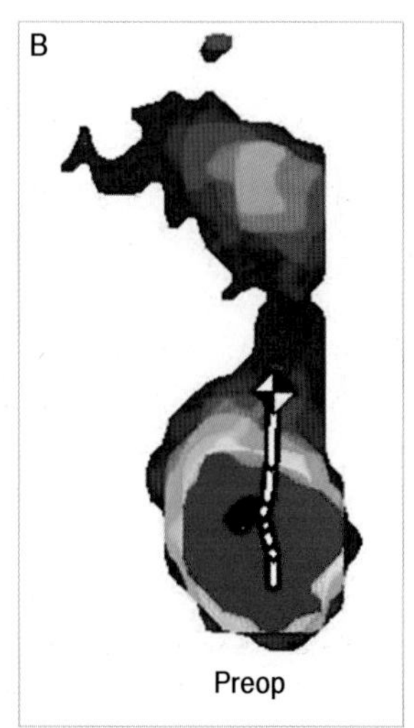

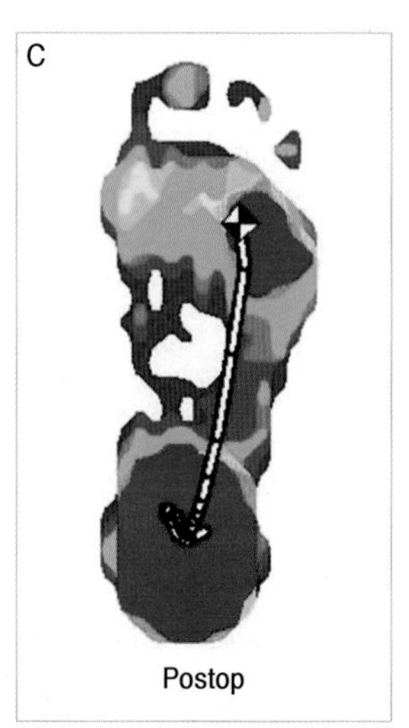

Fig 11. **종족변형.**
A,B: 수술 전 종족 변형으로 인해 족부 압력이 발꿈치에 치중되어 있는 것을 확인할 수 있다. C: 전경골근 이전술을 통하여 족저 근력이 약간 회복되었다.

보조기를 하며 8세 이후는 수술적 치료를 시행한다. 척수수막류의 척추측만증은 자연 경과가 불분명하여 보조기의 효과를 정확하게 판정하기는 어렵다. 다만, 수술시기까지 측만증의 진행을 지연시키는 정도의 효과는 기대된다. 보조기를 시행하려면, 도수 압박에 쉽게 교정이 가능한 유연한 측만증이어야 하며, 피부의 관리가 가능한 환경이어야 한다. 보조기는 TLSO, Milwaukee 보조기 혹은 휠체어 사용자를 위한 suspension jacket이 있다. 심한 척추측만증으로 앉기, 서기, 또는 걷기를 방해하는 불균형 만곡은 수술이 필요하다.

2) 척추후만증(kyphosis)

척수수막류의 척추후만증은 대부분이 진행성이다. 심한 척추 후만은 앉는 자세의 불균형을 야기하고, 피부 궤양, 호흡 장해, 요로 전환술 시의 문제 등을 일으킨다. 따라서, 치료의 목적은 복부의 높이를 증가시켜 복부 내 장기의 공간을 확보하여 주고, 폐의 압력을 줄이며, 돌출부의 압박성 피부 궤양을 완화하고, 무게 중심을 후방으로 이동시켜 앉는 자세의 안전성을 확보하는 것이다.

3) 척추 수술의 합병증

척수수막류의 척추 수술은 합병증의 빈도가 높은 편이다. 수술 후 가관절이 10% 정도 보고되고, 감염도 10% 정도 보고되고 있다. 수술 중 사망률도 연구에 따라, 10%까지 보고될 정도로 수술 중 위험성이 높다.

참고문헌

Asher M, Olson J. Factors affecting the ambulatory status of patients with spina bifida cystica. J Bone Joint Surg Am, 1983;65:350.

Asher M, Olson J. Factors affecting the ambulatory status of patients with spina bifida cystica. J Bone Joint Surg Am. 1983;65:350.

Burkus JK, Moore DW, Raycroft JF. Valgus deformity of the ankle in myelodysplastic patients. Correction of stapling of the medial part of the distal tibial physis. J Bone Joint Surg Am, 1983;65:1157.

Dias L. Myelomeningocele: a new functional classification. J Child Orthop, 2021;15:1.

Dias LS. Ankle valgus in children with myelomeningocele. J Pediatr Orthop, 1982;2:127.

Gabrieli AP, Vankoski SJ, Dias LS, et al. Gait analysis in low lumbar myelomeningocele patients with unilateral hip dislocation or subluxation. J Pediatr Orthop, 2003;23:330.

Hoffer MM, Feiwell E, Perry J, et al. Functional ambulation inpatients with myelomeningocele. J Bone Joint Surg Am, 1973;55:137.

Hoffer MM, Feiwell E, Perry J, et al. Functional ambulation inpatients with myelomeningocele. J Bone Joint Surg Am, 1973;55:137.

Hoffer MM, Feiwell E, Perry R, et al. Functional ambulation in patients with meningomyelocele. J Bone Joint Surg Am, 1973;55:137.

Ingraham FD, Swam H. Spina bifida and cranium bifida. I: A survey of five hundred forty six cases. N Engl J Med, 1943;228:559.

Lindseth RE, Slezer L. Vertebral excision for kyphosis in children with myelomeningocele. J Bone Joint Surg Am, 1979;61:699.

Lober J. Incidence and epidemiology of myelomeningocele. Clin Orthop Relat Res, 1966;45:81.

Lock TR, Aronson DD. Fractures in patients who have myelomeningocele. J Bone Joint Surg Am. 1989;71:1153.

Mazur J, Melenaus MB, Dicksen DR, et al. Efficacy of surgical management for scoliosis in myelomeningocele: Correction of deformity and alteration of functional status. J Pediatr Orthop, 1986;6:568.

McMaster MJ. Anterior and posterior instrumentation and fusion of thoracolumbar scoliosis due to myelomeningocele. J Bone Joint Surg Am, 1986;68:88.

Swaroop VT, Dias L. Orthopedic management of spina bifida. Part I: hip, knee, and rotational deformities. J Child Orthop 2009;3:441.

Swaroop VT, Dias L. Orthopaedic management of spina bifida-part II: foot and ankle deformities. J Child Orthop 2011;5:403.

소아정형외과학

9

기타 신경근육성 질환

Other Neuromuscular Diseases

PEDIATRIC ORTHOPAEDICS

기타 신경근육성 질환

Other Neuromuscular Diseases

목차

척수근육계 병변을 초래하는 질환은 영유아, 소아 또는 청소년기에 보행 이상, 근력 약화 등을 주소로 정형외과를 방문하게 되는 경우가 많다. 그러나 이러한 증상은 중추신경계 이상, 근육 이상, 그리고 말초 신경계 이상에 이르기까지 광범위한 질환을 감별하여야 한다. 질환의 진단과 치료가 소아정형외과 영역에만 국한된 것이 아니기에, 소아신경 전문의와의 협진이 필요한 경우가 많다.

신경근육계 병변은 추체계 혹은 피질척수계의 병변(corticospinal or pyramidal level), 추체외계의 병변(extrapyramidal level), 소뇌계의 병변(cerebellar level), 그리고 척수근육계의 병변(spinomuscular level) 등으로 분류되는데Fig 1 본 장에서는 주로 척수근육계의 병변을 다루게 된다.

I. 척수 근육계 병변의 특징

척수 근육계에서 운동신경의 자극 전도 과정은 척수 전각 세포(anterior horn cell)로부터 말초 신경을 거쳐 신경-근 접합부(neuromuscular junction)를 통하여 근육에 이르게 된다. 척수 근육계 병변은 특징적으로 이완성 마비(flaccid paralysis)를 보이게 된다. 이환된 근육은 세동(fibrillation), 속상구축(fasciculation), 위축을 보인다. 근육 이외에도 해당 영역의 피부, 손톱/발톱 등의 연부 조직과 골조직에는 신경 자극의 감소로 인해 영양성 변화(trophic change)를 보일 수 있다. 통칭 영양성 변화는 피부가 얇아지거나, 손톱이 부스러지거나 하는 형태로 나타날 수 있다. 골의 영양성 변화는 주로 해당 부위의 골다공증을 뜻한다. 이 용어는 환아의 발달과 맞물려 생기는 이차변형과 흔히 혼동되어 사용되기도 한다.

척수근육계 병변의 부위에 따른 분류

- 척수 병변: 소아마비, 척수성 근위축증(spinal muscular atrophy), 진행성 연수마비 및 척수공동증 등
- 말초신경 병변: 분만 마비, Charcot-Marie-Tooth 병 등. 감각 신경에도 영향을 미치므로 감각 장애가 동반된 이완성 근육 마비의 소견을 보인다.
- 신경근 접합부 병변: 근무력증(myasthenia gravis), 이튼램버트 증후군(Eaten-Lambert syndrome) 등
- 근육 병변: 근디스트로피(muscular dystrophy)가 대표적인 질환이다. 근육은 변성되면서 섬유지방 조직으로 대체되고 이완성 마비를 보이게 된다. 말초 신경이나 척수에는 병변이 없기 때문에 여러 반사 반응은 병의 말기까지 보존된다.

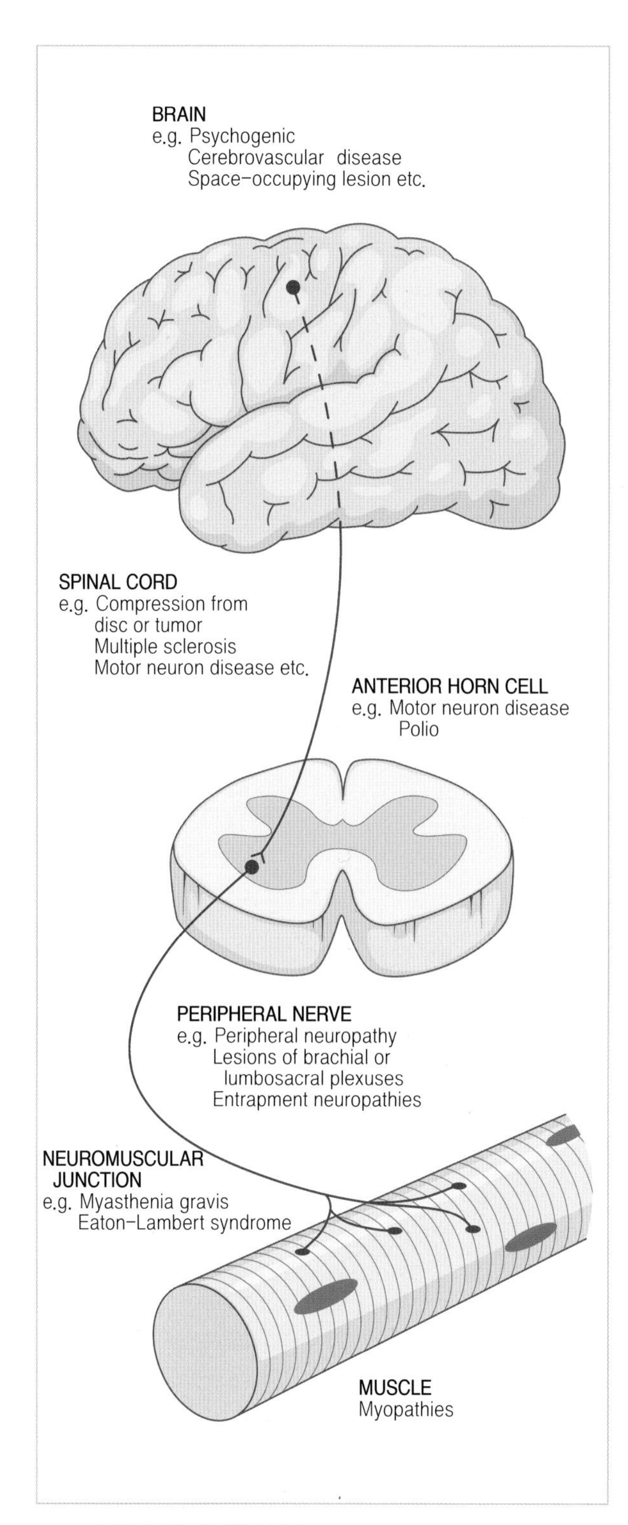

Fig 1. **신경근육계의 해부학적 분류.**
신경근육계 중추 신경인 추체계, 추체외계, 소뇌계와 말초 신경계인 척수계(전각세포), 신경계, 신경-근접합부, 근육계로 분류된다.

II. 선천성 다발성 관절구축증
(arthrogryposis multiplex congenita)

선천성 다발성 관절구축증은 비진행성, 선천성, 다발성 관절 구축이 특징인 질환이다. Otto (1841)가 처음 기술했으며, Stern (1923)이 선천성 다발성 관절구축증(arthrogryposis multiplex congenital, AMC)이라는 용어를 처음 사용하였다. 관절구축증(arthrogryposis)은 여러 질환에서 관절이 구축되었을 때 쓰는 용어이다. 선천성 다발성 관절구축증은 발병률이 신생아 3,000명에 한 명 정도이다. 이중 근형성부전형(amyoplasia, classic arthrogryposis)이 가장 흔한 유형이며, 이는 전체 선천성 다발성 관절구축증의 30%를 차지한다.

1. 병인과 병리 기전

태아의 무활동성이 주요 발생 원인으로 알려져 있다. 태아의 활동성이 감소하면 관절막의 비후, 근육의 섬유화가 생기고, 궁극적으로 다수 관절의 구축이 발생한다. 태아의 무활동성의 원인은 신경계 질환, 근육계 질환, 결합조직 질환, 태아 활동 공간 감소, 태아나 태반의 혈관장애, 모체 질환 등이 제시되고 있다.

가장 흔한 근형성부전형 관절구축증(amyoplasia)은 비유전성으로 산발적(sporadic)으로 발생한다. 원위부 관절구축증(distal arthrogryposis)은 상염색체 우성유전(autosomal dominant)으로 발생한다. 이외에 상염색체 열성 유전(autosomal recessive)이나 반성 열성 유전(X-linked recessive), 염색체장애 등이 발견되기도 한다. 드물게 미토콘드리아성 유전이 발견되기도 한다.

2. 분류

장기와 중추 신경계의 침범 여부에 따라 세 군으로 분류하였고, 1, 2군이 주로 정형외과 치료의 대상이 된다(Hall 1985).

1) 제1군

사지를 주로 침범하며 전형적인 관절구축증인 근형성부전형 관절구축증(amyoplasia)과 원위부 관절구축증(distal arthrogryposis)으로 나뉜다. 본 장에서는 정형외과 치료의 대상이 되는 근형성부전형 관절구축증과 원위부 관절구축증에 대한 내용을 주로 설명한다.

2) 제2군

사지와 더불어 내장 또는 안면부의 이상을 동반한다.

3) 제3군

사지와 함께 중추신경계의 이상을 동반한다.

3. 임상적 소견Fig 2

1) 근형성부전형 관절구축증(amyoplasia)

특징적인 자세는 주관절의 신전, 수근관절의 굴곡 및 척측 편위, 슬관절의 신전 또는 굴곡, 족부의 첨내반족이다. 팔과 다리는 가늘고 위축되어 있으며 관절의 피부 주름이 형성되어 있지 않고 dimpling이 발생한다. 사지의 대칭적인 구축이 나타나며 사지에는 지방조직이 축적되어 있어 sausage-like appearance를 보인다. 사지를 모두 이환된 경우가 가장 흔하며, 사지 중에 둘만 마비되는 경우에는 하지(lower extremity)만 주로 이환된다. 근육은 위축되어 관절이 방추상으로 보이고 피하 연부 조직이 얇아 긴장되고 빛나 보인다. 능동적 및 수동적 관절운동은 현저히 감소되어 있으며 약간의 운동만 통증 없이 가능하다. 머리와 목의 움직임은 대개 정상이다. 지능은 정상이거나 평균 이상이며, 이마의 중앙부에 피부 혈관종을 흔히 동반한다.

(1) 상지의 변형

특징적 자세(pathognomonic posture)는 “waiter's tip” posture (견관절의 내전 및 내회전, 주관절의 신전, 전완부의 회내전 및 수근관절의 굴곡 변형)이다. 수근관절과 수지의 운동범위는 현저히 감소되어 있고, 수지의 척측 편위 및 굴곡 구축을 흔히 동반한다.

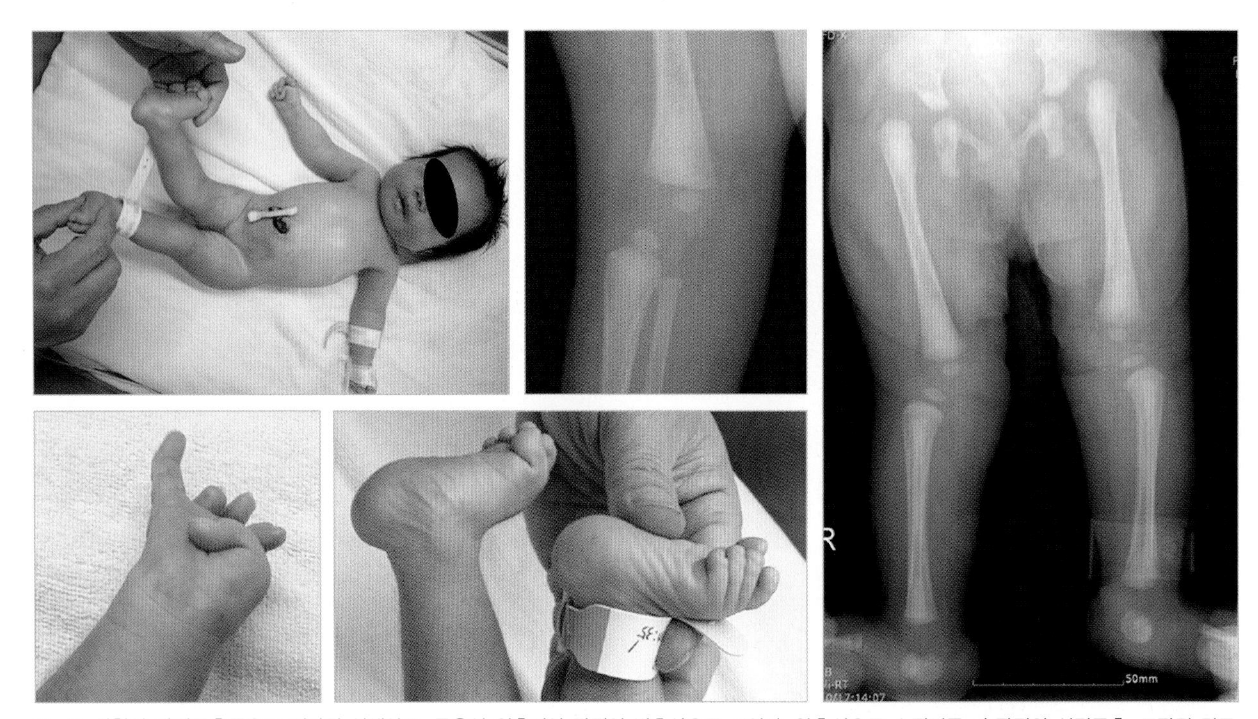

Fig 2. 선천성 관절구축증으로 진단된 신생아로, 근육이 위축되어 관절이 방추상으로 보이며, 양측성으로 수직거골, 슬관절의 신전구축, 고관절 탈구, thumb-in-palm 변형을 보인다.

(2) 하지의 변형

고관절의 구축이 흔히 나타나며 고관절 탈구를 동반하는 경우도 있다. 슬관절에서는 굴곡 구축(flexion contracture)이 가장 흔하며 신전 구축(extension contracture), 과신전, 탈구 등이 발생한다. 족부의 변형을 흔히 동반하며 첨내반족(talipes equinovarus), 수직거골(vertical talus), 중족골 내전증(metatarsus adductus), 종외반족(calcaneovalgus) 등이 나타난다. 일부에서는 골반 경사를 동반한 C-curve 형태의 척추측만증이 발생한다.

2) 원위 관절구축증(distal arthrogryposis)Table 1

주로 원위부 관절인 족부와 수부를 침범하고 때로는 슬관절을 침범한다(Bamshad 1996, Beals 2005). 수부에서는 수지의 척측 변위, 굴곡 변형+피부 주름 소실, 무지의 내전 변형을 동반한다. 족부에서는 첨내반족(talipes equinovarus), 수직거골(vertical talus), 종외반족(calcaneovalgus), 중족골 내전증(metatarsus adductus) 등을 동반한다. 원위 관절구축증 환자에서의 수술의 결과는 대개 양호한 것으로 알려져 있다.

3) 자연 경과

중추신경계를 침범한 환아의 50%가 신생아기에 사망하는 것으로 알려져 있다. 다른 기관의 침범이 없는 근형성부전형 관절구축증 환자(amyoplasia)도 수명은 정상인에 비해 감소되는 것으로 알려져 있다. 원위 관절구축증 환자의 수명은 정상인과 비교하여 차이가 없다.

4) 수술 시 고려해야 할 사항

관절구축증 환자에서는 작고 뻣뻣한 턱으로 인해 기관삽관이 어려울 수 있다. 수술 중 악성 고열증이 발생할 가능성이 있으므로 이를 대비해야 한다. 또한, 영양성 변화로 인해 혈관 확보가 어려울 수 있다. 수술 후에도 상기도 감염과 흡인성 폐렴의 위험이 크다. 구강 섭취량이 부족할 수 있고, 변비 등 위장관 문제도 빈번하다. 근형성부전형 관절구축증 환자에서 언어 장애 및 인지 장애를 동반하는 경우도 있기에, 수술 후 재활 치료에 어려움이 있을 수 있다.

4. 감별 진단

선천성 다발성 관절구축증은 관절 구축을 동반하는 다른 질환과 감별이 필요할 수 있다.

Table 1. 원위 관절구축증의 분류(Bamshad 1996)

	병명	특징적 소견
Type 1	Digitotalar dysmorphism	중수지관절의 척측편위 및 굴곡변형, 무지 내전변형, 정상 얼굴
Type 2A	Freeman-Sheldon syndrome, whistling face syndrome, craniocarpal tarsal dystrophy, windmill hand	특징적 얼굴, 수지의 굴곡 및 척측편위
Type 2B	None	특징적 얼굴, 수지의 굴곡 및 척측편위, 수직거골
Type 3	Gordon syndrome	구개열(cleft palate), 수지의 구축, 첨내반족
Type 4	None	척추측만증, 수지의 구축
Type 5	None	안근마비(ophthalmoplegia), 안검하수(ptosis), 수지의 구축
Type 6	None	청각장애(hearing loss), 수지의 구축
Type 7	Trismus-pseudocamptylodactyly syndrome, Hecht syndrome	개구장애(trismus), 굴지증(camptodactyly)
Type 8	Dominant pterygium syndrome	다발성 익상편(pterygium), 수지의 구축
Type 9	Congenital contractual arachnodactyly, Beals syndrome	귀의 변형, 수지의 구축

선천성 다발성 관절구축증과 감별이 필요한 대표적 질환

- Freeman–Sheldon syndrome or "whistling face" syndrome
- Spondyloepimetaphyseal dysplasia with joint laxity
- Myelomeningocele
- Larsen syndrome
- Multiple petrygium (Escobar) syndrome
- Lethal multiple pterygium syndrome
- Popliteal pterygium syndrome
- Congenital contractural arachnodactyly (Beals' syndrome)
- Arthrogryposis–Renal dysfunction–Cholestasis (ARC) syndrome
- Diastrophic dysplasia
- Parastremmatic dysplasia
- Kniest dysplasia
- Metatropic dysplasia
- Campomelic dysplasia
- Sacral agenesis
- Thrombocytopenia–Absent Radius (TAR) syndrome
- Steinert myotonic dystrophy
- Spinal muscular atrophy
- Congenital muscular dystrophy
- Moebius syndrome
- Antecubital webbing syndrome
- Schwartz syndrome

5. 치료

정형외과 치료의 궁극적인 목표는 보행을 포함한 기능의 향상이다. 가능하면 치료를 통해 정상 발달을 할 수 있도록 도와준다. 정형외과 치료의 방법은 근본적으로 변형의 교정이고, 정상 발달과 변형의 교정을 위해서는 수술적 치료와 병행하여 보조기 사용이 필요할 수 있다.

치료는 신생아기에 발견 즉시 시작한다. 신생아 시기에는 반복적인 스트레칭, 수동적 관절운동과 연속적 석고 고정을 시행한다.

1) 고관절

근형성부전형 관절구축증 환자(amyoplasia)의 약 80%에서 고관절 구축을 동반하며, 고관절 탈구를 동반하는 경우도 있다.

(1) 고관절 탈구

편측의 기형적(teratologic) 고관절 탈구가 있는 경우는 골반 경사, 좌위 시 불균형 및 척추측만증을 예방하기 위해서 반드시 치료가 필요하다. 대개 비관혈적 정복술은 실패하며, 일반적으로 6개월에서 12개월 사이에 관혈적 정복술을 시행한다.

양측 기형적 고관절 탈구의 치료에 대해서는 논란의 여지가 많다. 상지의 이환이 심하고 고관절의 운동 범위가 제한된 환자에서는 보행을 기대하기 힘들고 치료를 할수록 고관절의 경직이 증가하므로 치료를 하지 않는 편이 나을 수 있다. 상지의 이환이 심하지 않고 고관절의 구축이 심하지 않은 환자에서는 관혈적 정복술을 시행해 볼 수 있다.

(2) 고관절 구축

고관절의 구축이 심하지 않을 경우 연부조직 유리술을 시행할 수 있다. 구축이 심할 경우 절골술이 필요할 수 있다.

2) 슬관절(knee)

근형성부전형 관절구축증 환자의 약 70%에서 슬관절을 침범한다. 굴곡 구축(flexion contracture)이 가장 흔하고, 과신전(hyperextension), 탈구 등이 발생할 수 있다.

(1) 슬관절 과신전 및 탈구

과신전 변형은 신생아 초기부터 연속적 도수 교정 및 석고 고정(serial cast)으로 치료한다. 심한 과신전 변형으로 보존적 치료가 실패한 경우 수술적 치료를 요한다. 슬관절의 완전 탈구는 대퇴사두근의 심한 섬유화로 인하여 보존적 치료에 대개 반응하지 않아 수술적 치료를 요하는 경우가 많다. 수술은 전방 관절낭 유리술, 대퇴사두근 절단술(quadriceps tenotomy), 대퇴사두근 성형술(quadriceps V-Y plasty) 등을 시행할 수 있다.

(2) 슬관절 굴곡 구축

보행 기능에 가장 영향을 미치는 변형으로 보존적 치료에 잘 반응하지 않는다. 절골술 등 수술적 교정을 시행할 경우, 성장에 따라 재발을 하는 경우가 많은 것을 고려해야 한다. 특히, 대퇴사두근의 근력이 약한 경우는 재발을 많이 한다. 따라서, 성장 중에는 전방 골단판 유합술을 이용한 유도 성장(guided growth)을 적극적으로 고려해야 한다. 이외 수술적 치료로 후방관절낭 유리술, 원위 슬괵근 연장술, 원위 대퇴골 신전 절골술, 원형 외고정 장치를 이용한 점진적 교정술 등을 시행할 수 있다.

3) 족부(foot)

근형성부전형 관절구축증 및 원위부 관절구축증 환자는 흔히 족부 변형을 동반한다. 가장 흔한 변형은 첨내반족(equinovarus)으로 대개 특발성 첨내반족(idiopathic clubfoot)에 비해 변형의 정도가 심하고 Ponseti 방법 등의 보존적 치료에 잘 반응하지 않는다. 그 외에 수직거골(vertical talus), 첨외반족(equinovalgus), 중족골 내전증(metatarsus adductus), 요족(cavus) 등을 동반할 수 있다. 치료의 목적은 발바닥으로 땅을 딛게 하고 보조기의 착용이 가능하도록 하는 것이다.

(1) 첨내반족(talipes equinovarus)

신생아 시기에 Ponseti 방법을 이용한 연속적 도수교정 및 석고 고정과 경피적 아킬레스건 연장술을 시행해 볼 수 있으나, 강직이 심하여 완전한 교정을 얻기 힘든 것으로 알려져 있다. Ponseti 방법 이후에 경피적 아킬레스건 연장술과 더불어 경피적 후경골건 연장술 등 구축된 부위에 대해 선택적 수술을 추가할 수 있다(A La Carte approach). Ponseti 방법이 실패한 경우 환형 유리술(circumferential release)을 통한 연부조직 유리술을 시행할 수 있다. 이후 성장에 따라 추가 절골술, 관절 유합술이 필요할 수 있다. 연부조직 유리술 후 재발한 첨내반족의 치료에 원형 외고정 장치를 이용한 점진적 교정술을 할 수도 있다.

(2) 수직거골(vertical talus)

(22장 기타 족부질환 참조)

4) 견관절

내전 및 내회전 변형을 주로 동반한다. 이로 인하여 주관절과 수부의 기능에 장애가 심하면 상완골의 외회전 절골술(external rotational osteotomy)을 고려한다.

5) 주관절

신생아 시기에는 수동적 스트레칭을 시행한다. 신전 구축을 주로 동반하여 주관절 굴곡이 90도 이하로 제한될 경우 기능적 운동범위 회복을 위해 상완삼두근성형술(tricepsplasty)을 고려한다. 능동적 주관절 굴곡을 얻기 위하여 근 이전술을 시행할 수도 있다. 이에는 대흉근이전술, 상완삼두근이전술, 광배근이전술, Steindler 굴곡근성형술, 박근이전술 등이 있다.

6) 수근관절

주로 굴곡 변형 및 척측 편위(ulnar deviation)를 동반하며 신생아 시기에 수동적 스트레칭 및 석고고정을 시도해 볼 수 있으나 결과는 만족스럽지 못하다. 수근관절을 중립위치로 교정하기 위해서 건 이전술과 중수근골 쐐기절제술(mid-carpal wedge resection)을 시행할 수 있다.

7) 수부

수지의 굴곡구축은 신생아 시기에 수동적 스트레칭을 시작한다. 석고고정 등 보존적 치료도 큰 효과를 기대하기 힘들며, 수술적 연부조직 유리술의 결과도 만족스럽지 못하다. thumb-in-palm 변형이 심한 경우, 무지내전근 유리술 및 제1물갈퀴부 유리 피판술을 시행할 수 있다.

8) 척추

척추측만증의 빈도는 20-30%로 보고되고 있다. 주로 긴 흉요추(thoracolumbar) 또는 흉추(thoracic) 만곡의 양상이며, 많은 환자에서 과전만(hyperlordosis), 골반 경사를 동반한다. 40도 이하의 유연한 만곡에서는 보조기 치료를 시도해 볼 수 있으나, 진행을 막지 못하는 경우가 많고, 특발성 척추측만증에 비해 효과가 좋지 않다. 수술은 후방 기기술 및 유합술을 시행하는 것이 좋으나, 피하 조직이나 근육 조직이 결핍되어 있는 경우 기기가 돌출되는 것을 피해야하기에 전방 유리술 및 유합술과 함께 시행하기도 한다. 골반 경사가 15도 이상인 경우는 Galveston 술식 등을 이용하여 골반 경사를 교정한다.

III. Charcot-Marie-Tooth 병(CMTD)

감각 및 운동신경계의 말초신경 부위에 유전적 결함에 의한 질환이다. 감각이상과 근력 약화가 서서히 진행하는 여러 가지 신경병증을 통칭한다. 유전성 운동 및 감각 신경병증(hereditary motor and sensory neuropathy, HMSN)의 용어와 혼용해서 사용한다. 사지 원위 근육, 특히 비골 신경 지배 근력 저하, 근위축이 특징적이다. 원위부 감각장애, 수부 및 족부 변형을 초래한다. CMTD는 신경의 병증이기에 상대적으로 긴 신경(long nerve)부터 문제가 생기므로, 원위부, 하지부터 증상이 시작한다고 설명한다.

CMTD는 임상적으로나 유전학적으로 매우 다양한 질환군이다. 신경전달 속도(nerve conduction velocity)가 저하되는 비후형 탈수초 신경병증(hypertrophic demyelinating neuropathy)의 1형과 신경전달 속도가 감소하지 않는 축색 퇴행성 신경병증(axonal degeneration neuropathy)의 2형으로 나눈다. 통상 그 기준을 신경전도 속도 38 m/sec로 둔다. 그러나, 신경전달 속도가 25-45 m/sec 범주에 있는 중간형도 존재하는데 이를 dominant intermediate CMT라 한다. 또, 상염색체 우성 유전하는 경우가 많으며, 반성유전하는 형을 CMTX, 상염색체 열성 유전하는 형을 CMT4로 분류한다Table 2.

1. 제1형 Charcot Marie Tooth 병, 제1형 유전성 운동 및 감각 신경병증(HMSN type I)

특징적으로 족부와 하퇴부의 근육 위축과 촉각 감소를 초래하는 질환으로 심한 경우에는 손과 상지를 이환할 수도 있다. 상염색체 우성으로 유전되는 비교적 흔한 신경계 유전성 질환이다.

1) 유전학적 이상

CMT1은 유전자 이상이 밝혀지면서 많은 아형들로 다시 나뉘고 있어서 유전학적 이상에 따른 복잡한 분류들이 새로이 나오고 있다. PMP22 유전자 중복 등의 결함에 의해서 발병하는 CMT1A가 가장 대표적인 아형이다. PMP22는 수초의 주요 구성 성분이다. 다른 아형의 원인 유전자도 말초 신경의 축색(axon) 혹은 수초(myelin sheath)의 구조나 기능에 관여하는 단백질을 생산한다고 알려져 있다.

2) 병리 소견

신경은 비후되어 있고 특징적으로 onion bulb formation을 보인다. 이는 각각의 axon을 싸고 있는 Schwann cell의 탈수초화와 수초화가 반복해서 일어난 결과로 알려져 있다.

3) 임상 양상

대부분 가족력이 있으며 평균 발병 시기는 약 10세 경으로, 대부분 20세 이전에 발병한다. 발병은 사춘기 시기, 즉 유년기 말부터 초기 성인기에 시작한다. 돌이켜 보면 어렸을 때부터 운동을 잘 못하는 아이였다고 표현하는 경우가 많다. 초기 증상은 첨족 변형으로 나타나기에 특발성 첨족(idiopathic toe walker)으로 오인되는 경우도 있다. 대칭적이 침범이 특징이다. 원위부부터 천천히 진행하는 근위약을 보인다. 전형적으로 상지보다 하지를 먼저 이환한다. 족부/수부의 근력 약화, 심부 건 반사의 소실, 원위부 감각 소실, 특징적인 족부 변형을 동반하고, 척추 변형을 동반하기도 한다.

(1) 하지Fig 3

특징적으로 원위 근육은 위축되고, 근위 근육은 이에 비해 유지된다. 이를 묘사할 때, 황새 다리(stork leg) 혹은 샴페인 병을 거꾸로 세워 놓은 모양이라고 하여 inverted champagne bottle appearance라고 한다.

근육은 먼저 비골근과 내재근의 위약이 발생하고, 이후 전경골 근과 족지 신전근이 약화된다. 이후 하퇴 삼두근이 약화되게 된다. 족부 변형은 요족, 갈퀴 족지, 첨족, 첨내반족으로 진행한다. 즉 근육의 위약 순서에 따라 영향을 받아 족부 변형이 생긴다. 먼저 상대적인 비골근와 내재근의 약화로 인해 요족이 발생한다. 이후 전경골 근의 약화가 족지 신전근의 약화보다 심하기에 갈퀴 족지 변형이 생기는 것으로 알려져 있다. 이는 전경골 근의 위약으로 인한 족근관절의 족배굴곡력의 약화를 족지 신전근이 보상하기 때문으로 설명한다. 족배굴곡력 약화가 더 진행하면서 첨족 변형이 생기게 된다. 감각 소실도 동반하기에 족부에 굳은 살, 티눈, 궤양 등이 생길 수 있다.

Table 2. **Charcot-Marie-Tooth 병의 분류(modified from Li, 2012)**

유형	유전자와 그 위치	특징
CMT1:		
CMT1A	17p11.2/PMP22 duplication	Prototype of CMT1
CMT1B	1q21-23/MPZ	May present as an axonal neuropathy
CMT1C	16p12-13/SIMPLE/LITAF	Almost indistinguishable from CMT1A
CMT1D	10q21-22/EGR2	Severe dysmyelination with cranial nerve involvement
CMT1F	8p21/NEFL	Lacks de/dysmyelination, but CV is in the range of CMT1
CMT with nerve susceptibility to mechanical stress:		
HNPP	17p11.2/PMP22 deletion	Focal sensory loss and weakness; tomacula
Others		
CMTX:		
CMTX1	X-chromosome/GJB1	Intermediate range of CV
CMT2:		
CMT2A	1p36/MFN2	Early & late onset; optic atrophy/hearing loss
CMT2B	3q21/RAB7	Prominent sensory loss and foot ulcers
CMT2C	12q23/TRPV4	Vocal cord paralysis; skeletal deformities
CMT2D	7p15/GARS	Motor deficits in upper limbs
CMT2E	8p21/NEFL	Lacks de/dysmyelination, but CV is in the range of CMT1
CMT2F	7q/HSP27	Classical CMT2 or distal SMA
CMT2G	12q12-13/unknown	
CMT2L	12q24/HSP27	Classical CMT2 or distal SMA
CMT4:		
CMT4A	8q13/GDAP1	Demyelination or axonal; vocal cord paralysis
CMT4B1	11q22/MTMR2	Myelin folding
CMT4B2	11p15/MTMR13	Myelin folding
CMT4C	5q32/SH3TC2(KIAA1985)	
CMT4D	8q24/NDRG1	Severe; hearing loss; CNS involvement
CMT4E	10q21/EGR2	Severe dysmyelination or amyelination
CMT4F	19q13/PRX	Myelin folding tomacula
CMT4H	12q11/FGD4	
CMT4J	6q21/FIG4	Rapidly progressive asymmetric weakness
ARCMT2A	1q21/LMNA	Proximal muscle weakness; muscular dystrophy; cardiomyopathy
DI-CMT:		
DI-CMTA	10q24	
DI-CMTB	19q12/DNM2	
DI-CMTC	1p34/YARS	
Inherited brachial plexopathy		
HNPP	17p11.2/PMP22 deletion	No pain/unilateral arm weakness
HNA	17q25/SEPT9	Severe pain/arm weakness & atrophy

CNS: Central nervous system; SMA: spinal muscular dystrophy; CV: conduction velocity
CMT4: autosomal recessively inherited
DI-CMT: dominant intermediate-CMT
HNPP: hereditary neuropathy with liability to pressure palsies

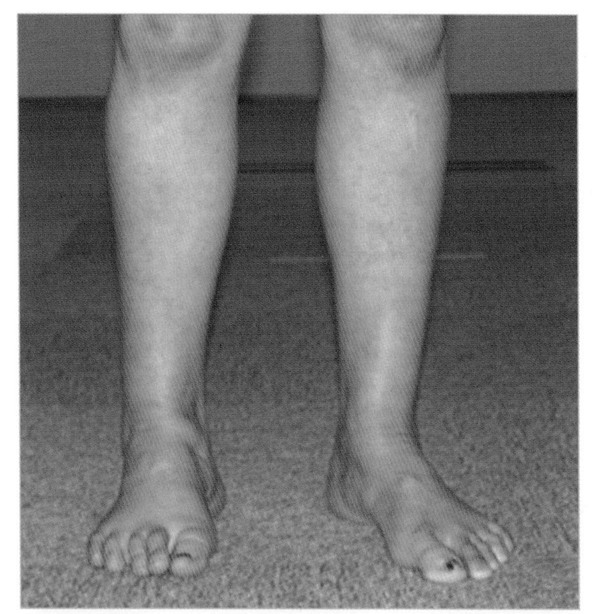

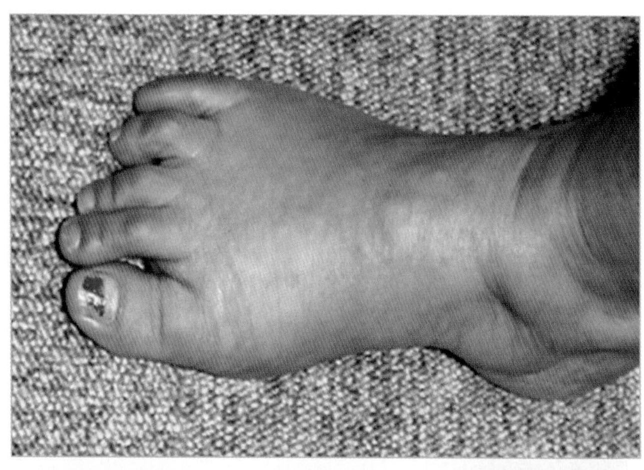

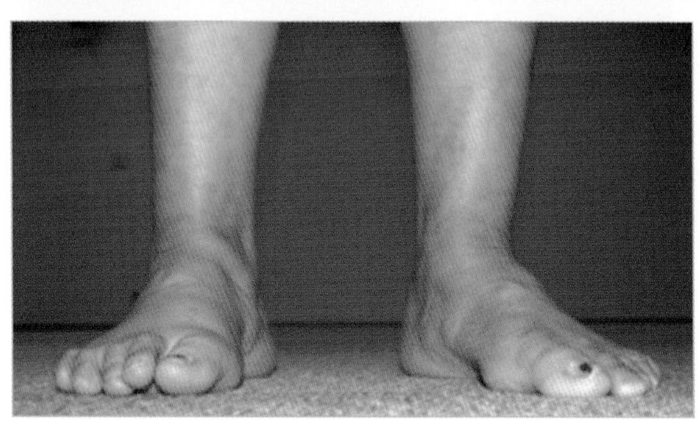

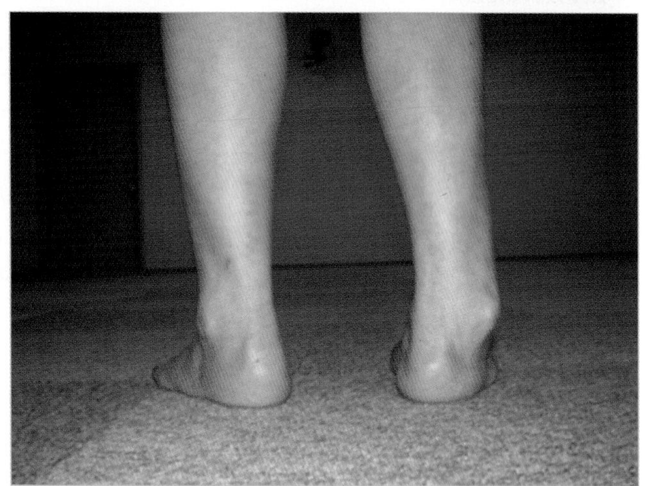

Fig 3. 제1형 유전성 운동 및 감각 신경병증에서 관찰되는 요내반족(pes cavovarus).

정상 보행에서는 유각기에 5-10도 정도의 족배굴곡이 필요하다. 족배굴곡력이 약화되면, 유각기에 족하수(foot drop)가 발생하게 된다. 이런 보행을 족하수 보행(foot drop gait) 혹은 steppage gait이라고 한다. Steppage gait는 계단 등 높은 곳을 오를 때, 족부를 높이 드는 것과 같이 걷는 것을 묘사한 것이다. 즉 유각기에 슬관절 굴곡을 많이 하여 발 끌림을 막으려는 보행 형태이다.

고관절 이형성증은 약 6-8%에서 발생하며, 제1, 2형에서 빈발하는 것으로 알려져 있다.

(2) 척추

제1형 환자의 30-50%에서 척추 변형이 발생하지만 대개 치료를 필요로 하지 않는다.

(3) 상지

상대적으로 하지 이환 이후에 진행한다Fig 4. 전완부의 요골 신경 지배 근육의 위축 및 내재근 위축으로 인한 갈퀴손 변형을 볼 수 있다. 수부를 이환하면, 손가락의 조절이 어려워진다. 바르게 글씨 쓰기, 지퍼 올리기, 단추 채우기 작은 물건 다루기가 힘들어진다.

(4) 감각

대개 주관적으로 감각 이상을 호소하지는 않지만, 실제로는 감각이 저하되어 있다. 실조형 보행(ataxic gait)을 보일 수 있다. 이는 감각 저하로 인한 감각 실조(sensory ataxia)이므로 소뇌 문제로 인한 소뇌 실조(cerebellar ataxia)와 구별된다. 즉 눈을 감으면 보행 균형이 무너지며, 이를 Rom-

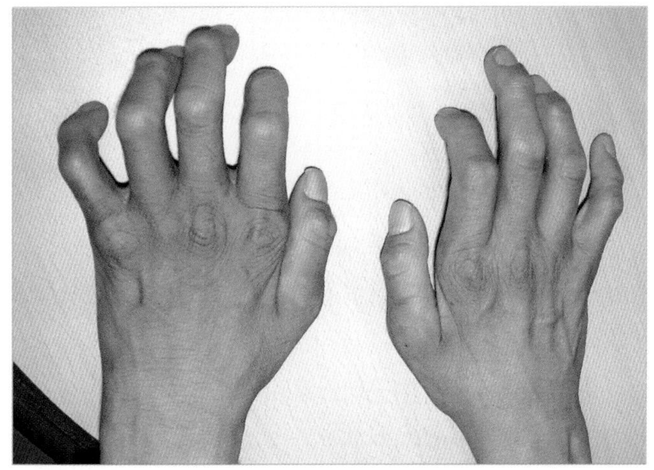

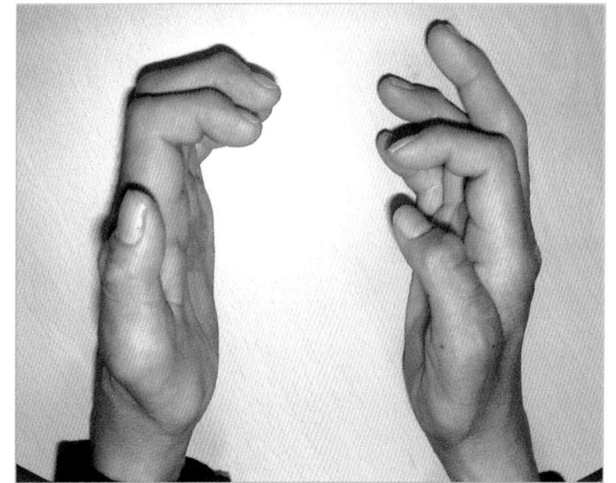

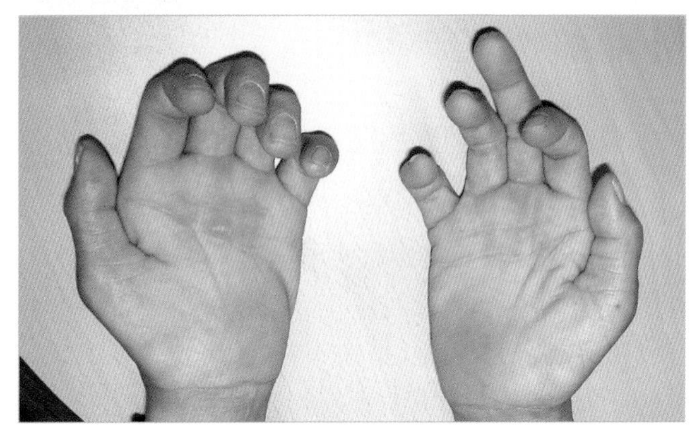

Fig 4. **제1형 유전성 운동 및 감각신경병증 환자의 상지 변형.**

berg test 양성이라고 한다.

심부건 반사는 감소 혹은 소실되는데 특히 족근관절 반사의 소실이 뚜렷하다.

4) 검사 소견

(1) 운동신경 전도 속도

부분적 혹은 완전한 탈수초로 인해 신경전도 속도(NCV)가 감소된 demyelinating neuropathy의 특징을 보인다.

(2) 신경 생검

비골신경, 비복신경에서 시행하며, 반복적인 탈수초화와 재수초화로 인해 특징적인 양파 껍질 형상을 보인다(Hagberg 1983).

(3) 유전학적 검사

확진과 감별 진단을 위해 가장 중요한 검사이다.

2. 반성 유전형 Charcot-Marie-Tooth 병

X 염색체에 존재하는 connexin32 유전자 돌연변이에 의해서 발병하므로 반성 유전을 한다. 제1형에 이어서 두 번째로 흔한 CMTD이다. 남성이 여성보다 더 심한 증상을 보인다. 십대 후반이나 청년기에 증상이 나타나며 천천히 진행하는데 원위 하지와 수부에만 국한되고 수명에는 지장이 없다.

3. 제2형 Charcot-Marie-Tooth 병, 제2형 유전성 운동 및 감각 신경병증

상염색체 우성으로 유전하는 CMTD의 약 1/3을 차지한다. 원위부 근력저하, 근육 위축, 감각 소실, 족부 변형 등은 제1형과 유사하나 심부 건반사가 유지되는 경우가 더 많다. 제1형보다 증상이 가볍다. 임상적으로 제1형과 2형을 정확히 구분할 수는 없고 신경전달 속도가 기준이 된다.

4. Hereditary neuropathy with liability to pressure palsy (HNPP)

제1형 CMTD의 원인 유전자인 PMP22의 결손에 의해서 발병한다. 말초신경의 수초가 비후되어 소시지 같이 두꺼워지는 모양이 특징적이어서 tomaculous neuropathy라고 한다. Tomacula는 소시지의 라틴어이다. 신경전도 속도가 저하되어 있으나 근력 약화나 족부 변형은 없다. 그러나, 신경병증으로 인해 쉽게 압박신경증의 증상이 초래되기에 HNPP라고 명명이 되었다. 즉, 수근관 증후군과 유사한 증상을 보이거나, 실제로 수근관 증후군에 걸리기 쉽다. 상완신경총 마비로 나타나기도 한다. 대개 성인기에 증상이 나타난다.

5. 상염색체 열성 유전형 Charcot-Marie-Tooth 병(CMT4)

CMT1/2에 비해 심한 증상을 보이는 특징이 있다. 백내장 혹은 난청(deafness)을 일으킬 수 있다. 다양한 원인 유전자가 발견된다.

6. Dejerine-Sottas 병(CMT3)

2세 이전에 발병하여, 운동 발달이 지연되는 심한 운동감각 신경병증을 보이는 질병군이다. PMP22를 비롯한 여러 원인 유전자의 돌연변이에 의해서 발생이 가능하다. 탈수초 말초신경병증이다.

IV. 근디스트로피(muscular dystrophy)

골격근의 진행성 변성과 약화를 특징으로 하는 유전성 질환군이다. 대부분 말초 신경계나 중추 신경계의 이상은 없다. 대표적인 유전 질환이며 예후가 위중한 경우가 많아, 치료 및 예후 판단을 위해서 뿐 아니라, 가족에 대한 유전상담을 위해서도 정확한 진단이 필수적이다.

- **근디스트로피의 분류**

근디스트로피는 유전 양상, 근 약화 정도, 약화된 근력의 분포, 결함 단백질 및 이상 유전자에 따라 분류된다 Table 3. 유전자 결함이 대부분 밝혀짐에 따라 새로운 분류법이 소개되고 있다.

1. Duchenne형 근디스트로피 (Duchenne muscular dystrophy, DMD)

1) 역학

성염색체 열성으로 유전되기에 대부분의 환자는 남아이다. 아주 드물게 터너 증후군 등의 염색체 이상에서 증상성 여자 환자를 볼 수 있다. 가장 흔한 유형으로, 생존 출생(live birth) 남아 3,500-5,000명당 1명의 비율로 발생한다.

2) 원인 유전자 결함

Xp 21.2에 존재하는 Dystrohpin 유전자의 다양한 결함에 의해서 발병한다. Dystrophin 유전자는 약 200만 염기로 이루어져 있으며 79개의 exon으로 구성되어 근육 내에서 actin과 결합하는 단백질인 dystrophin을 생산하는 유전자이다. Duchenne형 근디스트로피에서는 Dystrohpin 유전자의 결함으로 인해 dystrophin이 3% 이하로 생산된다 (Dietz 1996, Shapiro 1993, Sprecht 1991).

Table 3. **Classification of Muscular Dystrophies (MD)**

유전 양상	대표적인 질환
Sex-linked MD	Duchenne type (severe)
	Becker type (benign)
	Emery-Dreifuss type (benign with early contracture)
Autosomal recessive MD	Limb girdle type
	Infantile Facioscapulohumeral type
Autosomal dominant MD	Facioscapulohumeral type
	Distal type
	Ocular type
	Oculopharyngeal type

3) 임상 소견

대부분 생후 18-36개월 사이에 발병하며, 소수는 3세에서 6세 사이에, 극히 드물게는 그 이후에 발병한다. 최근에는 감기 등의 가벼운 병으로 혈액검사를 하던 중 우연하게 발견된 간기능 수치의 증가 또는 creatine kinase의 증가 등의 무증상 혈액 이상 소견으로 병원을 찾는 경우도 드물지 않다

초기에는 운동 발달 과정이 지연되며, 오리걸음을 보이고 자주 넘어지며 계단 오르기 힘들어하는 등의 증세를 보인다. 근력 약화는 대칭적이다. 근육병증이기에 감각은 정상이다. 근력 약화는 고관절 신전근을 가장 먼저 침범하여 요추 전만과 골반의 전경사가 증가한다. 감각 기능은 정상이다. 병이 진행하면서 분속수(cadence)와 유각기 족근관절 족배굴곡은 감소되고, 골반의 전방 경사는 증가한다(Sutherland 1981). 장경인대 구축으로 체간의 관상 운동이 커지는 오리 걸음(waddling gait)을 보이며, 횡보폭(base of support)이 커지는 wide-based gait을 보인다. 아킬레스건 단축으로 인해 첨족 보행을 하며, 족근관절 족저굴곡-슬관절 과신전 복합(ankle PF/knee hyperextension couple)으로 인해, 입각기에 슬관절 과신전이 발생한다. 또한, 양측 첨족을 보상하기 위하여, 유각기에 양측 circumduction 보행을 보인다. 가장 일정하게 보이는 변형은 아킬레스건과 장경인대(iliotibial band)의 구축이다. 병이 더욱 진행하면 후경골근 구축으로 족부는 첨내반되고 체중 부하를 발끝으로만 하므로 서있는 자세가 점점 불안해진다.

하퇴부 근육의 지방 축적으로 인한 가성 근비대(pseudo-hypertrophy)가 상당수 환자에서 관찰된다Fig 5. Gower 징후Fig 6는 바닥에 앉았다 일어설 때 대퇴사두근과 대둔근의 약화로 나타나는데 5세경이면 뚜렷해진다. Gower 징후는 DMD뿐만 아니라, 선천성 근육병증과 척수성 근위축증 환자 등 하지 근위부의 근력이 약화되는 환자에서도 보일 수 있다. Meryon 징후는 견관절 근력의 약화를 뜻한다. 환아의 겨드랑이 아래에 손을 넣어 위로 들 때, 견관절 근력 약화로 인하여 검사자의 손에서 미끄러져 나가는 경우를 양성으로 판단한다.

대부분의 환자가 평균 10세경에 보행 능력을 상실한다.

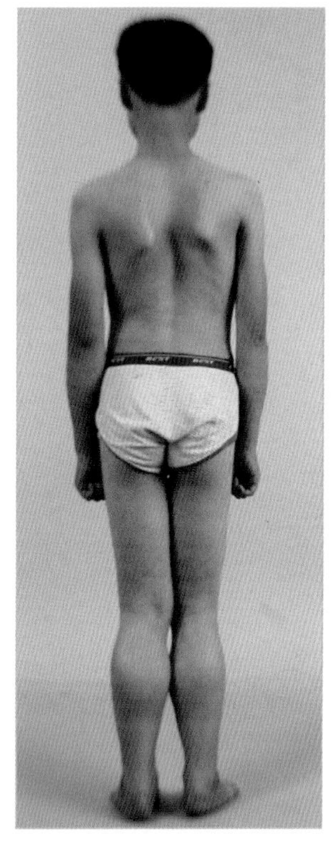
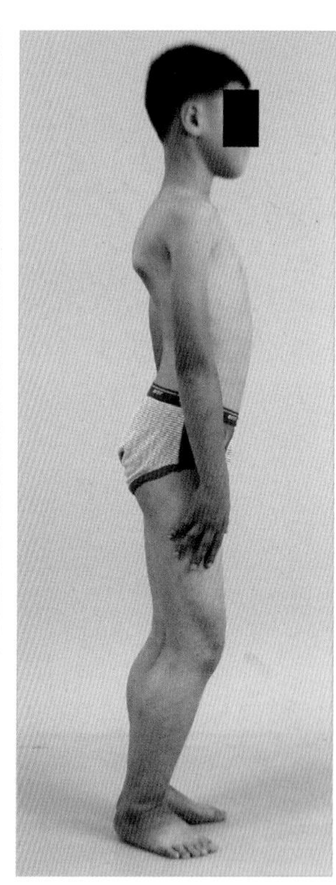

Fig 5. **진행성 근디스트로피 환자의 독특한 자세와 하퇴부의 가성비대 (pseudohypertrophy).**

보행 능력 상실의 가장 중요한 원인은 족근관절 배굴근과 고관절 신전근의 약화이다. 근력 약화는 보통 천천히 그리고 꾸준하게 진행되지만, 골절이나 수술 등의 이유로 침상에 단기간이라도 누워 있으면 근력 약화가 급격히 진행될 수 있다. 그렇기 때문에 수술 이후에는 가능한 조기 재활을 통해 보행을 유지하기 위하여 최선을 다하여야 한다.

상지 근육은 하지보다 3-5년 늦게 약화되며, 처음에는 견갑대(shoulder girdle) 근육을 침범하고, 나중에는 상완이두근과 상완 요골근을 침범하여 목발 보행이 힘들게 된다. 척추측만증은 서서히 진행하는데 보조기는 효과가 없으며 분절간 기구로 후방 유합술을 시행해야 효과적으로 안정화된다.

심근의 퇴행성 변화가 항상 있으며, 약 90%에서 심전도상의 변화가 있다. 대부분 환자에서 지능은 정상이지만 약 15%의 환자가 지적 장애를 동반한다.

Fig 6. **Gower 징후.**
Duchenne 근디스트로피의 특징적인 소견으로서 바닥에 앉았다가 일어설 때, 하지의 아래서부터 짚어 올라오면서 일어난다.

4) 검사 소견

(1) 혈중 근육 유래 효소의 증가

Creatine phosphokinase (CPK)는 질병 초기에 정상치의 200-300배까지 상승하며 병이 진행되면서 근육량이 감소하면 혈중 농도도 서서히 감소한다. 여성 보인자(carrier)의 약 40% 정도에서 정상치의 2-3배 정도로 증가한다. 그 외에 aldolase, SGOT 등도 증가한다.

(2) 근전도 검사

근육 질환과 말초신경 질환을 감별하는 데에 도움이 된다. 낮은 진폭, 짧은 지속 시간, 다상성 운동 활동 전위 등의 특징적인 근육 질환 소견을 보인다.

(3) 근육 생검

퇴행성 변화, 근섬유 소실, 다양한 크기의 근섬유, 결체조직 및 지방 조직의 증식, 제1형 근섬유가 주가 된다.

- **근육 생검의 원칙**
  - 분자유전학 기술의 발달로 혈액검사를 통한 유전자 분석으로 약 90%의 환자에서 진단할 수 있으므로 DMD가 의심될 경우 일차적으로 Dystrophin 유전자 검사를 시행하는 것이 일반적이다. 유전자 검사에서 유전자 이상을 찾을 수 없을 경우 또는 유전자 변이의 해석이 애매하거나 임상 양상이 비특이적인 경우 다른 유형의 근디스트로피와의 감별을 위해 근육 생검을 시행하는 것이 합리적이다.
  - 근육 생검 시 Duchenne 형 근디스트로피와 같은 만성 질환에서는 상대적으로 가장 덜 침범된 근육을 선택하며, 급성 질환의 경우에는 더 심하게 침범한 근육을 선택한다. DMD에서는 복직근(rectus abdominis), 대퇴직근, 외측 광근, 상완이두근 등에서 실시한다. 근육 겸자(muscle clamp)를 이용하여, 근육의 휴지기의 길이를 유지한 채로 3개의 조직을 채취하여야 하며, 하나는 즉시 액체 질소(-160℃)에 동결시켜 근육 내 효소의 손실을 방지하며, 나머지 두 개로는 일반적인 조직 검사와 전자현미경적 검사를 시행한다.

- 근육 질환의 조직학적 변화
  - 개개 근섬유 크기의 다양화, 근섬유 분지의 forking
  - 식작용 현상 및 단일 근섬유 또는 근섬유군의 괴사
  - 현저한 핵화 및 근섬유초 핵 크기의 증가
  - 근내막으로부터 근섬유가 위축, 근내막 결체 조직의 증가
  - 지방 조직 과성장
  - 근육병에서는 제1형 근섬유가 50% 이상을 차지한다 Table 4.

5) 감별 진단

기타 유형의 근디스트로피, 척수성 근위축증, 다발성 근염, 피부근염, 선천성 근병증 등의 타 유전성 근병증 등과 감별을 요한다.

6) 치료

치료의 목적은 이환된 아동의 기능을 최대한 오래 유지하고 향상시키는 것이다.

(1) 영양 관리

이환된 아동은 비만과 영양 결핍이 모두 나타날 수 있어 정기적인 영양 상태의 평가가 필요하다. 영양 결핍은 주로 병의 진행 말기에 나타나는 저작과 삼킴 근육의 약화에 기인하며 이 시기에는 약 3분의 1의 환자에서 삼킬 때 음식물이 기도로 넘어가는 흡인 증상을 호소한다.

(2) 약물 치료

스테로이드 약물 요법은 근력을 유지하고, 보행 기간을 연장시키며, 측만증의 진행을 늦추는 효과가 있어, 현재 Deflazacort 또는 Prednisolone 등이 표준적인 약물 치료로 널리 사용되고 있다. 이외에도 최근 들어 유전자의 치환, exon skipping, read through 등의 원리를 이용한 유전자 치료에 대한 연구 및 임상시험이 활발히 진행되고 있다.

(3) 재활 치료

재활 치료는 기능적인 근력을 유지하고, 수동적 근 신장으로 근육 구축을 예방하며, 보조기를 이용한 보행 및 이동이 용이하게 도와주는 것이 목표다. 그러나, 중력을 이길 수 없을 정도로 근력이 약화된 경우 근력 강화 운동은 오히려 근력의 손실을 촉진시킨다.

(4) 보조기

경량의 플라스틱 주형 AFO나 KAFO 등이 관절 구축의 예방 목적으로 사용되는데, 그 적응증은 보행이 불안정해져 가는 독립 보행자, 슬관절과 족근관절의 초기 연부 조직 구축, 이들 변형에 대한 수술 후 재발 방지 등이다.

Table 4. **조직화학 염색 특성에 따른 근섬유의 분류**

	Type I	Type IIa	Type IIb
Other names	Red, slow twitch	White, fast twitch	Fast twitch
	Slow oxidative	Fast oxidative	Fast glycolytic
Metabolism	Oxidative phosphorylation	Both	Glycolysis
Speed of contraction	Slow	Fast	Fast
Strength of contraction	Low High	High	
Fatigability	Fatigue-resistant	Fatigable	Most fatigable
Aerobic capacity	High	Medium	Low
Anaerobic capacity	Low	Medium	High
ATPase staining	Dark	Light	Intermediate
Motor unit size	Small	Large	Largest
Capillary density	High	High	Low

(5) 골절에 대한 치료

불용성 골다공증(disuse osteoporosis)과 스테로이드 등의 약물 치료에 의한 골 결핍이 있을 뿐 아니라 근력 약화로 자주 넘어지기 때문에 하지 골절이 빈번히 발생한다. 골절은 환아의 보행 기능을 영구히 상실시킬 수 있다. 환아가 수상 전에 보행이 가능하였다면, 조기에 체중 부하를 하도록 하는 것이 매우 중요하다. 골유합의 증거가 보이면 가능한 조기에 KAFO 등을 이용해서 체중 부하 및 보행을 시작하여야 한다.

(6) 정형외과적 치료

변형에 의해서 독립 보행이 불안정해지거나 통증과 일상생활의 제한이 생기면 고려한다. 족근관절 첨족 변형, 슬관절 굴곡 구축, 고관절 굴곡-외전 구축 등이 주된 치료 대상이며, 체형이 마른 환자에서는 경피적 유리술이 권장된다. 구축에 대한 연부 조직 유리술로 최소한 1-3년간의 보행의 연장이 기대된다. 일반적으로 환자가 보행을 하지 못한 지 3-6개월이 경과한 후에는 변형을 교정하여도 다시 보행이 가능하도록 할 수는 없다. 수술의 금기로는 비만, 급속히 진행하는 근 약화, 수술에 대한 동기가 약한 경우 등이다.

① 첨족 변형

초기에 아킬레스건의 구축으로 첨족 변형이 발생한다. 시간이 경과함에 따라 첨족 변형은 후경골근이 비교적 말기까지 유지되므로 첨내반족으로 변한다. 첨족 변형의 경우, 아킬레스건에 대한 삼중 반절단술(triple hemisection)을 시행하고 보행 석고(walking cast)를 한 후 조기 보행을 시켜서 보행능력이 상실되지 않도록 한다.

② 고관절 굴곡 외전 구축

요추 전만곡의 증가로 인하여 통증을 유발할 수도 있다. 장경 인대 유리술(Yount 혹은 Soutter 술식), 장요근 유리술 등을 고려할 수 있다.

③ 척추측만증

척추측만증은 대부분의 환자에서 발생하며 시작 시기는 wheelchair-bound되는 시기와 대략 일치한다. 척추측만증의 발생 기전에 대해서 혹자는 골반경사, 장경대 구축 등이 관계가 있다고 주장한다. 시상면상 전만(lordosis)이 있는 경우보다는 후만(kyphosis)이 있는 경우에 잘 발생한다. 일단 척추측만증이 생기면 빨리 진행하는 경향이 있어 1년에 10-24도까지 진행한다. 거의 대부분 진행하고 진행속도도 빨라서 앙와위 20-30도 이상 각도에서는 수술적 치료를 고려한다. 거의 모든 환자에서 호흡 장애가 있고 1년에 폐활량이 약 4% 정도 감소한다. 따라서, 수술 시에는 흉강을 통하는 전방 수술법은 가능한 한 피하고 후방 유합술을 시행한다. 심근 병증(cardiomyopathy)이 있는 경우가 많으므로 수술 시 주의를 요한다. 마취 시에는 rhabdomyolysis, 고칼륨혈증의 위험성이 있는 succinylcholine 사용은 금한다.

2. Becker 형 근디스트로피

임상 증상은 Duchenne 형과 유사하나 증상이 덜 심하다. 증상의 시작은 7세 이후이고 진행도 Duchenne 형보다 늦어서, 보행 능력이 사춘기 혹은 이른 성년기까지 유지된다. Duchenne 형 근디스트로피와 동일한 유전자인 dystrophin 유전자의 이상에 의해서 발병하며 반성 열성 유전한다. Duchenne 형보다 dystrophin 결핍이 덜 심해서(3% 이상) 증상이 가벼운 것으로 생각된다.

근위축이 진행하면, Gower 징후가 나타날 수 있으며, 하퇴부의 가성 근비대는 흔하다. 순차적으로 첨족 및 요족 변형이 오고 정형외과적 치료에 대해선 결과가 좋다. 근병증의 중중도에 비해 조기에 심장을 침범하는 경우가 드물지 않으며, 폐 질환은 경하다.

3. 안견갑상완형 근디스트로피(facioscapulo-humeral muscular dystrophy, FSHMD)

주로 소아 후기나 초기 성인기에 발병하며, 안면, 견갑대, 상완의 근육 약화가 특징인데 근육의 침범 정도는 다양하며 비대칭적으로 침범하는 경우가 흔하다. 안면 근육의 이환으로 근육 운동이 제한되어, 눈을 꼭 감을 수 없고, 입을 오므려 휘파람을 불 수 없으며, 눈가와 이마의 주름을 만들 수 없다Fig 7.

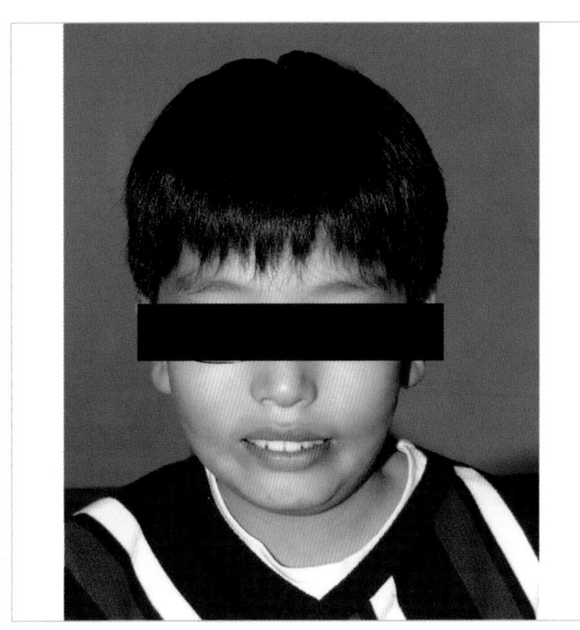

Fig 7. **FSHMD의 안면 근육 침범 징후.**
눈을 찡그리며 '이-'를 해보라고 했을 때 안면 근육의 이환으로 근육 운동이 제한되며, 눈가와 입 주위의 주름을 만들 수 없다.

견갑대 근육이 이환되나, 삼각근, 대흉근의 원위부와 척추 기립근은 선택적으로 이환되지 않는다. 결과적으로 익상견갑(scapular winging)을 보이며, 견관절의 굴곡과 외전이 심하게 제한된다. 견갑흉부 운동(scapulothoracic motion)이 감소하나 상완와 관절의 운동(glenohumeral motion)은 보존된다. 후기에는 골반 근육과 전경골근(tibialis anterior)이 침범될 수 있다. 심장과 중추 신경계는 이환되지 않으며, 정상적인 수명을 누릴 수 있다.

CPK는 대부분 정상이거나 경미한 정도의 상승을 보인다. 따라서 진단은 이학적 검사와 유전자 검사를 통한다. 상염색체 우성 유전하는 제1형은 4번 염색체에 존재하는 D4Z4 반복서열의 결손에 의해서 발병하며, 임상적으로 구별되지 않는 제2형은 SMCHD1, DNMT3B 등의 유전자의 이상 또는 4번 염색체에 존재하는 D4Z4 영역의 저메틸화(hypomethylation) 등에 의해 발병하는 것으로 생각되고 있다.

4. Emery Dreifuss 형 근디스트로피

조기 관절 구축과 심근병증이 특징적이다. 병의 초기에 상완, 비골부에 분포하는 근육의 약화가 나타난다. 10세가 되기 전에는 toe walking을 보이며, 뚜렷한 임상 징후는 10대에 나타난다. 근육 약화는 서서히 진행하여 성년이 되면 안정화되는 경향을 보여서 적절한 치료로 40-50대까지 보행이 가능하다.

3대 징후로는 주관절 굴곡 구축, 족근관절 첨족 구축, 항인대(ligamentum nuchae) 구축에 의한 경추 신전 구축이다. 심근병증으로는 심방 심실 차단이 발생할 수 있으며 이 경우 pacemaker 삽입이 필요하다.

X 염색체에 있는 Emerin 또는 FHL1 유전자 돌연변이에 의해서 발병하는 제1형과 6형은 반성유전을 하며, 상염색체 상에 있는 LMNA, SYNE1, SYNE2, TMEM43 유전자 돌연변이에 의한 제2, 4, 5, 7형은 상염색체 우성 유전을 한다. 상염색체 열성유전형도 보고되어 있다.

5. 지대형 근디스트로피
(limb girdle type muscular dystrophy, LGMD)

비교적 흔한 근디스트로피로, 다른 유형보다 증세가 덜 심하다. LGMD는 단일 질환이 아닌, 복합 질환군으로 발병시기와 근 위축의 진행도 다양하다. 유전 양상 및 원인 유전자에 따라 여러 가지 분류 체계가 제시되고 있으며, 대개 10대 혹은 20대에 발병하며, 중년에 발생하기도 한다. 발병은 골반 또는 견관절 근력 약화로 시작되며, 병의 진행은 늦어서 연부 조직 구축과 장애는 발병 20년 후에 나타난다. 근 이환의 분포는 Duchenne 형과 유사하다.

CPK는 경도 또는 중등도로 상승하며, 다른 유형의 근디스트로피와의 감별을 위해 유전자 검사가 필요하다. 최근 분자생물학 기술의 발달로 차세대 염기서열 분석에 의한 유전자 패널 검사 등을 통해 진단하는 것이 일반적이다.

6. 기타 근디스트로피

1) 영아형 안견갑상완 근디스트로피(IFSHMD)

안견갑상완형 근디스트로피(FSHMD)와 유사하나 증세가 심하게 나타난다. 안면 근육의 마비와 감각 신경성 청력 소실이 평균 5세에 나타나며, 보행 시작 시기는 정상이지만, 근력의 약화로 결국은 10대에 휠체어에 의존하게 된다. 매우 심한 요추부 전만곡이 특징적으로 진단적 의미를 지닌다 Fig 8.

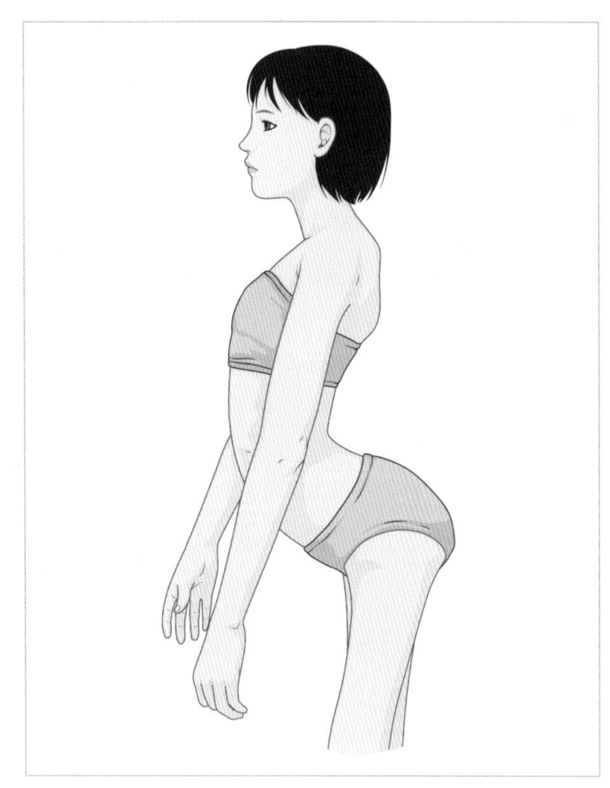

Fig 8. 심한 요추부 전만곡이 IFSHMD의 진단적 의미를 지닌다.

2) 원위 근디스트로피(distal muscular dystrophy)

상염색체 우성으로 유전되며 젊은 성인기에 발병한다. 초기에는 수부의 작은 근육을 침범하며, 점차 근위부가 침범되어 하퇴근과 전경골근을 침범한다. 감각은 정상인 것이 Charcot-Marie-Tooth 병과 감별된다.

3) 안 근디스트로피(ocular muscular dystrophy)

10대에 발생하는데 외안근 침범으로 복시, 안검 하수, 구운동 장애 등을 초래한다. 근육 이환은 서서히 진행하며 안면근의 상부, 상지의 근위부 및 골반 근육도 침범할 수 있다.

V. 유전성 감각자율신경병증(hereditary sensory and autonomic neuropathy, HSAN)

주로 말초 감각 신경을 이환하여 통각, 온도 변화를 느끼지 못하고, 자율 신경계 이상을 보이는 선천성 질환이다. Charcot-Marie-Tooth 병에 비해서 훨씬 드문 질환이다. 감각 저하로 인하여 사지에 손상을 쉽게 당하고 그에 따른 피부 궤양, 골절, 골수염 등이 흔하다Table 5.

1. 선천성 무통증과 무한증(congenital insensitivity to pain with anhidrosis, CIPA)

상염색체 열성으로 유전되는 드문 질환이다. 원인 유전자인 NTRK1은 신경성장인자(NGF)의 수용체로 HSAN IV 환자는 신경성장인자에 의한 신경세포의 발육 생존 유지 기능이 감소되어 있다(Mardy 1999, Indo 2002).

Table 5. **유전성 감각자율신경병증(HSAN)의 분류**

HSAN with AD inheritance		
HSAN-I	HPTLC1 or HPTLC2 or ATL1	Neuropathic pain; loss of pain/temperature sensation ulcerative mutilations; ±distal muscle atrophy
HSAN-I with dementia	DNMT1	Neuropathic pain; loss of all sensory modalities; ulcerative mutilations; dementia; hearing loss
HSAN with AR inheritance		
HSAN-II	WNK1 or FAM134B or KIF1A	Loss of sensory functions; mutilating ulcers
HSAN-III	IKBKAP	Congenital sensory loss; absence of tongue fungiform Papillae; hyperhidrosis (Riley-Day syndrome)
HSAN-IV	NTRK1	Congenital sensory loss; anhidrosis; fever; skin lesions; joint deformities (CIPA)
HSAN-V	NGFB	Congenital sensory loss (pain); bone fracture; joint deformities
HSAN-VI	DST	Neonatal hypotonia, respiratory and feeding difficulty, lack of psychomotor development

1) 임상 증상

출생 시부터 전신에 통증 감각만 없을 뿐 다른 이상은 없다. 중추 및 말초 신경계의 이상 없이 통증에 대한 주관적, 객관적 반응이 없다. 이환된 영아는 주위 온도에 영향을 받지 않는 반복된 고열, 무한증(anhidrosis), 그리고 통증 불감증을 보인다. 온도 및 접촉 감각은 보존되고 지능은 정상이다. 치아가 나면서 혀, 입술 등에 상처가 발생하고 화상이나 멍들어도 울지 않는다. 일부 환자에서 경한 정신 지체와 각막 손상을 보이고 수장부 피부가 두껍고, 신경병성 관절증(Charcot joint)이 흔하게 발생한다Fig 9. 따라서, 아동학대와 감별이 필요하다.

2) 정형외과 치료

재발성 골절과 이에 따른 외형상 변형 및 가관절증, 신경병성 관절증(Charcot joint), 골수염, 고관절 이형성 및 탈구, 무혈성 괴사(거골, 대퇴골두), 척추 불안정성으로 인한 신경학적 이상 등을 보인다.

약간의 정신 지체와 무통증으로 인하여 환자의 협조를 기대할 수 없기 때문에 내고정술 또는 외고정술이 실패하는 경우가 많다. 석고 고정을 하면 욕창이 발생하기 쉬우며 석고 안에서 무리한 힘을 주어서 골절이 발생할 수도 있다.

고관절 이형성/탈구, 무혈성괴사, 신경병성 관절증 등에 대해서는 기술적인 방치(skillful neglect)를 적절하게 구사하는 것이 적극적인 치료보다 환자에게 더 이로울 수도 있다. 다만, 패혈증으로 전개될 가능성이 있기 때문에 감염에 대해서는 적극적으로 치료하는 것이 필요하다.

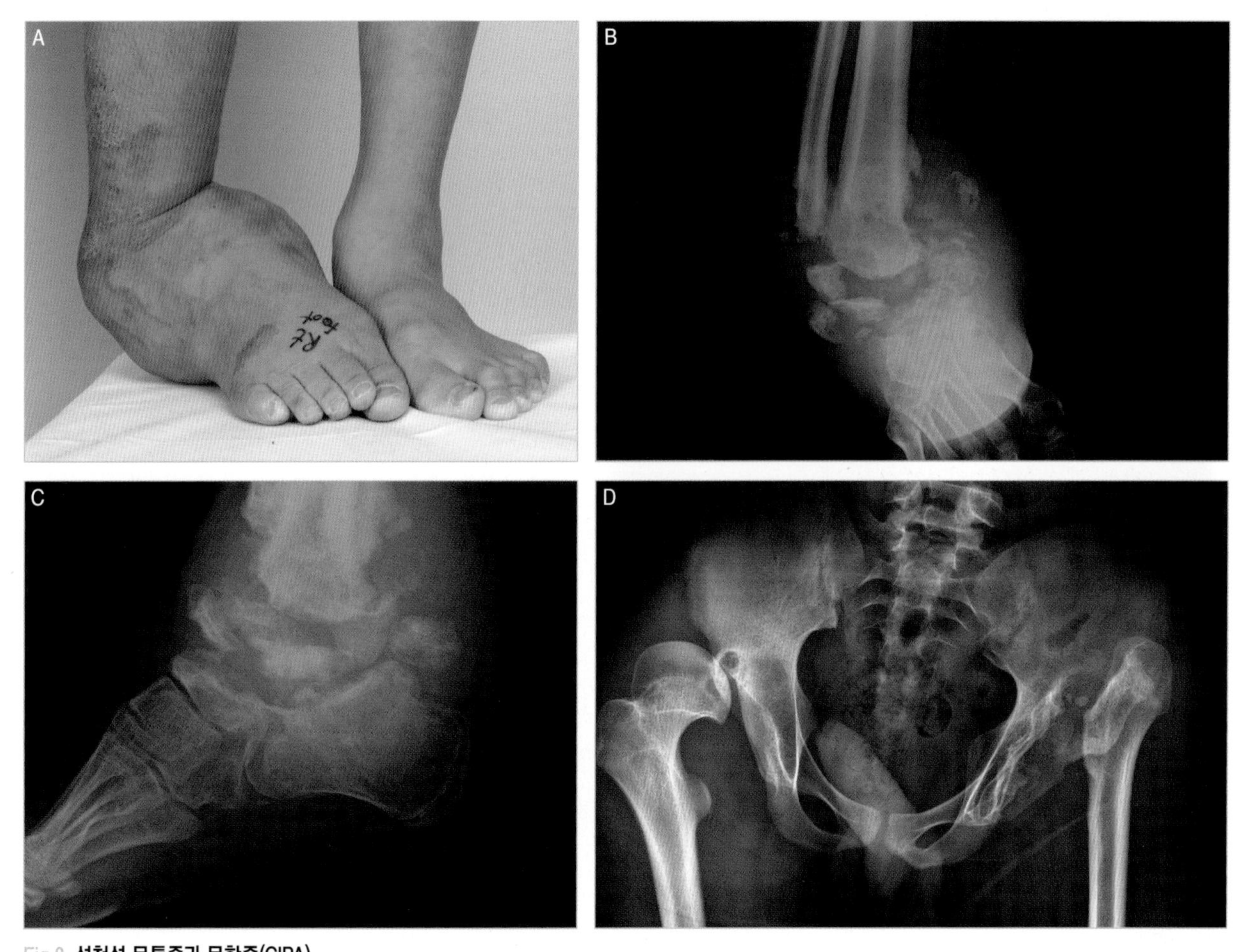

Fig 9. **선천성 무통증과 무한증(CIPA).**
A,B,C: 우측 족근관절. Charcot 관절증. D: 양측 고관절 이형성증과 탈구. 좌측은 대퇴골두가 파괴되고 흡수되었다.

VI. 선천성 근병증(congenital myopathies)

출생 시 또는 매우 드물게는 영아기에 floppy baby 증상을 보이는 질환이다. 근긴장 저하가 견관절 및 고관절 주위 근육에 주로 발생하며, 근력 약화는 일반적으로 비진행성이라고 알려져 있다. 다양한 유전 양상을 보인다. 근병증이므로 수술 시 전신 마취에 따른 악성 고열증에 대한 대비가 필요하다.

1. 중심핵병(central core disease, CCD)

상염색체 우성으로 유전되는 비진행성 근병증이다. 영아기에 저긴장증을 보이며 운동 발달이 지연되어 4세경까지 독립 보행이 어려울 수 있다. 체간과 하지를 상지보다 더 침범하며, 원위부 근육보다 근위부 근육을 더 침범한다. 하지만 이환된 근육의 근력 약화는 비진행성이다. Gower 징후를 보이며, DTR은 감소하고 감각은 정상이다.

고관절 아탈구 및 탈구, 첨내반족 및 편평족, 슬개골의 과운동성, 연부조직 구축변형, 척추측만증이 흔한 문제로 치료가 필요하다. 척추측만증은 특발성 척추측만증과 비슷한 유형을 보이나, 급격히 진행하고 유연성이 없어지는 경향(rigid curve)이 있다.

2. Nemaline 근병증(Nemaline myopathy; Rod myopathy; Nemaline rod myopathy, NM)

상염색체 열성 혹은 우성으로 유전되는 다양환 유전 양상을 보이는 질환이다. 지금까지 12개의 유전자 이상(ACTA1, NEB, TPM3, TPM2, KBTBD13, CFL-2, KLHL40, KLHL41, LMOD3, TNNT1, TNNT3, MYO18B)이 밝혀져 있다.

영아기나 초기 유년기에 발병하고 전체 골격계 근육에 저긴장증을 보이며, 특히 안면, 경부 굴곡근, 지체 근위부 근육이 심하게 이환된다. 심장은 이환되지 않는 경우가 흔하다. 척추측만증과 요추 전만증으로 수술적 치료가 필요할 수 있다.

3. 근관성 근병증(myotubular myopathy; centronuclear myopathy, CNM)

성염색체 열성, 상염색체 열성 및 우성 유전 등 다양한 유전 패턴을 보이는 매우 드문 질환이다. 근 생검에서 태아에서 보이는 myotube가 관찰되는 것을 특징으로 질환이 명명되었다. 성염색체 열성 유전형은 대개 영아기에 사망한다. 상염색체 열성 유전형은 영아기에 비진행의 저긴장증을 보이며, 시간이 지날수록 근육의 긴장도는 좋아진다. 요내반족 척추측만증, 요추 전만증, 익상 견갑 등을 보이며, 일부에서는 사춘기 말 성년기 초기에 보행 능력을 상실하기도 한다.

4. 선천성 근섬유 불균형 (congenital fiber type disproportion, CFTD)

출생 시, 혹은 출생 1년 이내에 저긴장증과 다양한 정도로 이환된 전반적인 근육의 약화가 특징적이다. 대부분은 독립 보행이 가능하며, 90% 환자에서는 근육 약화가 비진행적이거나 점차 좋아진다. 일부 환자에서 심한 척추측만증을 보일 수 있으며, 수술적 치료가 필요하다.

VII. 선천성 근디스트로피 (congenital muscular dystrophy, CMD)

영아기에 호흡근과 안면근을 포함한 전반적인 근력 약화를 보이는 매우 드문 질환으로, 남아와 여아에서 모두 발생한다. 관련 유전자의 이상에 따라 다양하게 분류한다. Merosin 음성형 근디스트로피, Fukuyama 형 선천성 근디스트로피 등은 뇌백질의 이상 및 뇌피질의 이상을 동반하기도 한다. 임상 증상은 몇 가지 유형에 따라서 달라지나, 선천성 구축을 보이고 변형은 진행성이며, 치료 후에 재발을 잘한다. 일부는 증상이 급격히 진행하여 1세 이후에 사망하기도 하나 대부분은 성인까지 생존할 수 있기 때문에, 고관절 탈구, 관절 구축 변형 및 첨내반족 같은 근골격계 변형에 대한 적극적인 치료가 필요하다.

VIII. 척수 근위축증
(spinal muscular atrophy, SMA)

소아기에 사망을 일으키는 가장 흔한 상염색체 열성 유전 질환이다. 발병 연령, 최고 기능, 기대수명 등에 따라서 네 가지 아형으로 나누지만 모두 SMN1 유전자 돌연변이에 의해서 발병한다Table 6. 발병 연령이 어릴수록 예후는 불량하다.

척수 전각 세포의 퇴행성 변화로, 이들 신경에 지배를 받는 근육이 위축되고 약화된다(Russman 1983). 전각 세포의 소실은 진행성이라기보다는 급성 소실로 발생하며, 이후 신경학적 악화는 안정화되지만, 환자의 골격이 성장함에 따라 근력의 약화는 진행한다. 무기폐와 폐렴이 가장 흔한 사인이다.

상당수의 환아에서 척추측만증이 발생하며 앉을 때의 균형을 위해서 수술적 안정화가 필요할 수 있다. 대개 긴 흉요추 만곡의 형태를 취한다. 보조기 치료는 효과가 없으며 수술이 가장 좋은 방법으로 되어있다. 40-60도 이상의 만곡에서 수술을 하는데 골 결핍이 심해서 척추경 나사못으로 충분한 고정력을 얻지 못할 경우 추궁하 강선(sublaminar wiring) 등의 방법을 고려하여야 한다. 마비성 고관절 탈구도 발생할 수 있는데 전신 상태와 기대수명을 고려하여 치료 여부를 결정한다(Sporer 2003).

IX. 근긴장성 질환(myotonia)

근긴장증(myotonia)은 최대 근육 수축 상태에서 자의적으로 이완하려 할 때 이완되지 않고, 근육이 계속 구축 상태를 유지하는 근육의 운동 장애이다.

1. 근긴장성 디스트로피 (myotonic dystrophy: Steinert 병)

상염색체 우성으로 유전된다. 근긴장증과 근육 위축은 진행하며 근육을 전반적으로 침범한다. 19번 염색체의 myotonic dystrophy protein kinase (DMPK gene) 유전자 인근의 비코드 영역에서 CTG의 염기 반복 서열이 증가하여(Bruxton 1992), 생산되는 단백의 기능이 저하되는 것이 원인이다. 세대가 아래로 내려감에 따라 증상이 심해지고, 발병 연령이 어려진다. 모계를 통해 유전되었을 때, 증세가 더 심하다.

1) 선천성 근긴장성 디스트로피 (congenital myotonic dystrophy)

상염색체 우성으로 유전되지만, 대부분의 경우 어머니에서 자식에게로 유전된다. 출생 시에는 심한 저 긴장(hypotonic)을 보여 인공호흡기가 필요할 수 있다. 점차 근육 긴장도를 회복하여 약 75% 정도의 환자가 생존한다. 점차 근력은 회복되지만, 발달력은 지연되어 5세 무렵에 보행이 가능해지고 대부분의 환자에서 정신지체가 동반된다. 환자들은 최소 성년기 초반까지 생존하므로, 적극적인 정형외과 치료가 삶의 질을 향상시킬 수 있다. 마비성 고관절 탈구, 만곡족, 하지 관절의 연부 조직 구축, 척추측만증 등에 대한 치료가 필요하다.

2) 전형적 근긴장성 디스트로피 (classic congenital myotonic dystrophy)

아동기에 발달력의 지연을 호소할 수 있다. 원위부 근위축과 인지 발달의 지연을 함께 보이며, 특발성 첨족 변형과 감별이 필요하다.

Table 6. **척수 근위축증의 네 가지 아형**

Subtype	Other name	Age of onset (mo)	Highest level of function	Life expectancy (yr)
Type I	Severe infantile acute or Werdnig-Hoffman	0 - 6	Sits with support	<2
Type II	Infantile chronic	6 - 24	Sits unassisted	15+
Type III	Juvenile or Wohlfart-Kugelberg-Welander	> 24	Independent walking	15 to normal
Type IV	Adult-onset	> 20 yrs	-	-

2. 선천성 근긴장증(myotonia congenita; Thomsen 병)

출생 시에 이미 발병하나, 대게 10세경에 임상적으로 뚜렷해진다. 근경직의 정도는 큰 차이를 보인다. 근의 긴장도는 하지에서 더 현저하며, 운동 시작 단계에서 심하게 나타나나 반복된 동작 후에는 근 긴장도가 감소하여, 3-4분 후면 강직은 사라져 달리기 등의 정상적인 활동을 할 수 있다.

1) 원인

CLCN1 gene (skeletal muscle voltage gated chloride channel gene)의 여러 돌연변이에 의한 염소 채널병증(chloride channelopathy)이 원인이다. 현재까지 7q35 염색체에 위치한 ClCN1 gene의 네 가지 돌연변이가 보고되었다(Lehman Horn 1999).

2) 임상 양상

일부 환자는 전반적인 근육의 과발육, 특히 둔부, 대퇴부, 하퇴부 근육이 과발육하여 헤라클레스 같은 모습(Herculean appearance)을 보인다. 전반적 근육의 비대가 관찰되나 근력 약화, 내분비계 이상 및 전신 질환이 동반되지는 않는다. 정형외과적 변형이 발생하지 않으며, 경한 장애를 가지며, 정상 수명을 누린다.

3) 치료

증세가 심한 경우 sodium channel blocker인 mexilentine, lamotrigine, phenytoin 등으로 증세를 완화시킬 수 있다.

X. 피부근염(dermatomyositis)

다발성 근염에 피부 증상이 혼합된 자가 면역성 질환으로, 2-15세 사이에 호발하며 남자보다 여자에 더 많다. 급성 혹은 잠재성으로 시작하여 빠르게 진행하며 근력 감퇴를 유발한다. 초기에는 전신적인 위약감, 통증 등의 증세를 보일 수 있다.

안면과 관절 주변에 특징적인 나비모양 피부 발진(heliotropic rash)이나 Gottron 병변이 발생한다. 무릎, 손목, 손가락 등에 관절염이 생길 수 있으며 호흡근 침범 또는 십이지장의 석회화에 의한 천공이 치명적일 수 있다. 연부 조직 내 심부 석회 종괴, 표층 석회 종괴, 심부에 선상의 침전물, 피하층에 끈 모양의 망상형 칼슘 침전 등이 생기며, 압력을 받는 부위에 궤양이 생길 수 있다.

근력 약화가 초기 증세로 나타나므로 Duchenne 형 근디스트로피와 감별을 요한다. 혈중 CPK, aldolase, LDH, CRP, ESR 등이 상승한다. 근전도 검사상 탈신경 속상수축 전위 및 근병증 소견을 보이며, 근생검상 비후된 근섬유는 없고 dystrophin은 정상이며 염증성 변화를 보인다.

관절 구축, 하지길이부동에 대한 정형외과적 치료가 필요할 수 있다Fig 10.

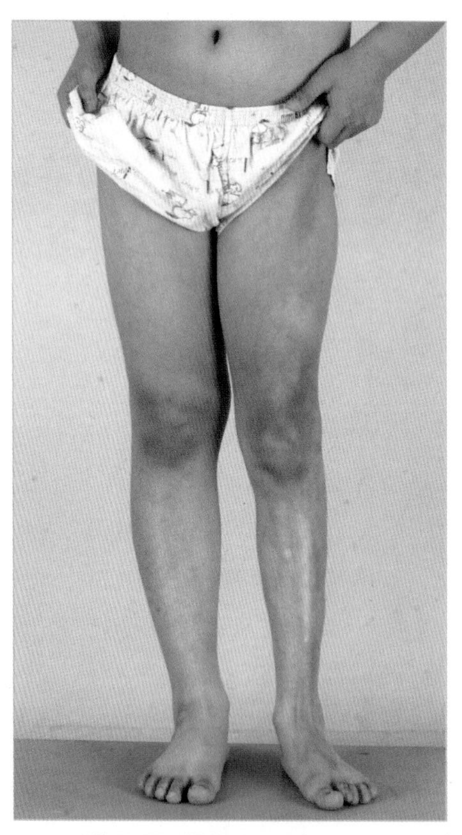

Fig 10. **좌측 하지를 이환한 피부근염(dermatomyositis).**
하지길이부동을 초래하여 골 연장술로 치료하였다.

XI. 급성 특발성 감염후 다발성 신경병증 (acute polyradiculoneuritis: Guillain-Barré-Strohl syndrome, GBS)

자가면역 기전에 의하여 말초신경에 급성 염증성 손상이 발생하여 발생한다. 사지를 대칭적으로 침범하는 이완형 마비(flaccid paralysis)가 구심성으로 진행하는 다발성 말초 신경병증이다. 운동신경에 주로 이환 된다.

15세 미만의 연령층에서도 발병하지만 성인에 비해서는 드물다. 전구 증상으로 열, 기침, 인후통 등을 보일 수 있고 이환된 환아는 마비에 의한 보행의 어려움이나 사지의 통증으로 내원한다. 마비는 먼저 하지 원위부 근육이 대칭적으로 오게 되고 감각 이상도 올 수 있다. 회복 기간은 병형에 따라 차이를 보이나 소아에서 일반적으로 빠른 회복을 보인다.

소아마비(poliomyelitis)가 백신으로 인해서 거의 소멸되었기 때문에, GBS는 급성 이완성 마비를 일으키는 가장 흔한 질환이 되었다. 후유증도 소아 마비 후유증과 비슷한 양상을 보이나, 소아마비가 일측성이 많지만, GBS는 양측성이라는 점이 다르다. 정형외과적 치료는 소아 마비의 후유증에 준해서 한다.

XII. 소아마비 후유증(residual poliomyelitis)

Enterovirus에 속하는 소아마비 바이러스는 경구 장내점막 세포에 이환되어 7-10일간 지속되는 발열, 두통, 위 장관 증세 등을 보이는 급성 감염을 일으킨다. 질병의 진행 과정 중 바이러스가 척수의 전각 세포를 침범하여 해당 근육의 마비를 초래한다. 주로 요추부를 침범하며 심하면 근위부로 경추부까지 침범하기도 한다.

마비된 근육은 6개월에서 2년에 걸쳐서 서서히 회복되나 2년 이후에는 더 이상의 마비의 회복은 없다. 이후에는 근육의 불균형적인 성장, 비정상적인 체위, 연부 조직의 구축 등으로 사지 및 체간에 변형이 발생하는 잔류기(residual stage)에 접어든다.

소아마비로 인한 이완성 근육 마비는 척수전각세포 파괴에 의한 것으로 전형적인 하운동신경 병변(lower motor neuron lesion)이며 경직성이 없고 반사가 소실되며 근육은 위축된다.

급성 소아마비에 대한 경구용 예방 접종이 보편화되면서 1960년대 초반 이후 국내에서는 공식적인 유행(epidemicity)은 없다. 그러나 소아마비와 비슷한 증상을 보이는 환자가 종종 있으면, 이는 유사한 enterovirus로 인한 것으로 판단한다.

1. 잔류기(residual poliomyelitis)의 변형 및 치료

근육마비가 잔존하게 되는 2년 이후의 치료 목표는 가능한 최대의 기능을 얻는 것이다. 주로 수술 치료와 물리 치료가 주된 치료 방법이다. 소아마비 후유증에 의한 사지 변형에 대한 치료는 정형외과의 발전의 중심적인 역할을 한 역사적 의의가 있으며 이완성 마비(flaccid paralysis)를 보이는 다른 신경근육성 질환에 의한 변형 치료에 응용되고 있다.

새로 생기는 소아마비는 없지만, 급성 소아마비 환자의 잔류 변형은 남기 때문에, 현재도 정형외과 치료가 필요한 잔류기(residual poliomyelitis)의 환자는 상당히 많다.

1) 하지 부동

부분 또는 전부 마비된 하지의 장관골은 길이 및 두께 성장이 억제되어 하지길이부동이 초래된다. 성장과정 중에 적당한 시기에 골단판 유합술을 시행하여 하지길이부동을 교정한다. 대부분의 환자가 잔류기의 성인이기에 심한 하지 부동에는 골연장술을 고려할 수 있다.

단 소아마비에서 신연 골형성술을 이용하여 마비된 지절의 장관골의 골연장술을 시행하는 때 다음을 고려하여야 한다.

- 마비된 지절의 장관골은 저형성되어 있고 골 결핍이 있다.
- 골 형성 효율이 저하되어 있다.
- 주변 근육 마비로 인접 관절의 변형을 초래할 가능성이 높다.

2) 족부 및 족근관절의 변형과 치료

흔한 족부 변형으로는 첨족 변형, 첨외반족, 첨내반족 변형이 있다.

(1) 첨족 변형(equinus deformity)

첨족 변형은 전형적인 전경골근의 약화와 이로 인한 이차적인 하퇴 삼두근의 구축으로 발생한다. 보행 주기중 초기 접지 시 족저부 전체 혹은 족지로 접지하여 보행을 한다. 슬관절의 수동 신전이 충분한 상태에서는 족근관절 족저굴곡-슬관절 과신전 복합(ankle PF/knee extension couple)의 작용으로 중간 입각기에 슬관절이 과신전될 수 있다. 따라서, 대퇴사두근 마비가 동반되어 있을 경우에는, 첨족 변형이 슬관절 신전에 도움을 줄 수 있기 때문에 첨족 변형을 과교정하지 않도록 주의하여야 한다.

전경골근의 약화를 보상하기 위하여, 장족지신전건이 과활동하여 족근관절의 족배굴곡을 돕게 되며, 이로 인하여, 근위지골의 과신전과 중족골두의 족저 전위, 즉 clawing이 생기게 된다.

첨족변형에 흔히 사용되는 수술적 치료 방법으로는 Z-성형식 아킬레스건 연장술, 경피적(percutaneous) 연장술 등이 있다. 첨족 변형이 오래된 경우 아킬레스건 연장술로 첨족 변형을 교정하면 거골 경부의 골 변형으로 인하여 족근관절 전방에서 경골과 거골의 충돌로 통증이 발생할 수 있으며 이에 대한 치료를 동시에 시행하여야 할 경우도 있다(Sung 2013)Fig 11. 또한 요족이 있는 경우, 첨족 보행이 족근관절의 첨족인지, 전족부의 첨족인지 감별하여 치료하여야 한다.

(2) 첨외반족 변형(equinovalgus deformity)

전경골근 및 후 경골근의 약화가 주원인으로 편평족이 있으면서 하퇴 삼두근의 구축이 동반된 경우에 발생한다. 아킬레스건 연장술과 더불어, 외반 변형의 정도에 따라 종골 연장술 등의 절골술, 거주상 관절 유합술 등의 유합술을 고려할 수 있다.

(3) 첨내반족 변형(equinovarus deformity)

첨족, 요족, 내반족의 요소가 다양하게 혼재되어 있다. 변형이 오래되면, 심한 족근관절 불안정성, 족근관절 관절염을 유발하기도 한다.

수술은 각각의 변형의 정도에 따라 순차적으로 시행한다. 먼저 족저근막절개술, 아킬레스건 연장술을 시행한 후, 후족부에 고착된 내반 변형이 있으며, Coleman block 검사가 음성일 경우에 Dwyer 종골 절골술을 시행한다. 후경골근의 구축이 있는 경우, 후경골근 근막연장술, 또는 후경골근 분리이전술(posterior tibialis split transfer to peroneus brevis)을 시행한다. 후족부의 교정 이후, 제1중족골의 첨족변형이 있는 경우, 중족골 절골술을 시행한다. 변형이 심한 경우 삼중 관절 고정술(triple arthrodesis)이 구제술로 사용되기도 한다.

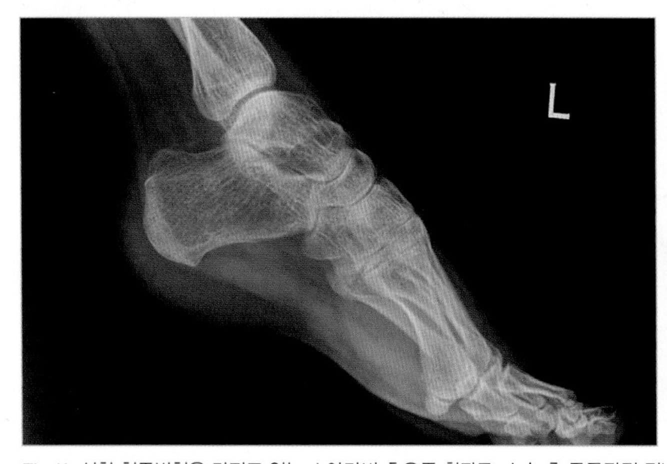

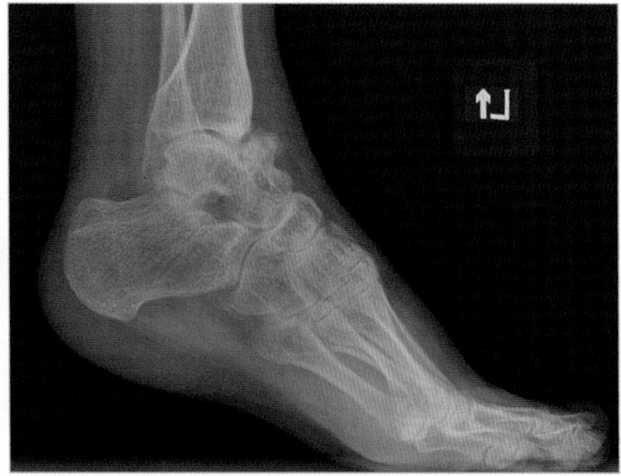

Fig 11. 심한 첨족변형을 가지고 있는 소아마비 후유증 환자로, 수술 후 족근관절 전방 포착(anterior impingement)이 발생하였다.

3) 슬관절

슬관절의 변형은 굴곡 구축, 전반슬, 동요 슬관절 등이 있으며, 심한 동요 슬관절(flail knee)의 경우, 모든 방향으로 불안정하기에 대부분 보조기를 이용한다.

슬관절 굴곡 구축은 장경인대의 구축 또는 대퇴 사두근의 마비로 인하여 발생한다. 대퇴 사두근 마비에 슬관절 굴곡 구축이 복합되면 체중부하를 할 수 없다. 특징적으로 손을 무릎 위에 대고 부축하면서 걷는 hand on thigh 보행을 하게 된다. 따라서 어느 정도의 아킬레스건 구축 있고, 굴곡 구축으로 hand on thigh 보행을 할 경우, 슬관절 굴곡 구축을 치료하면 hand on thigh 보행을 제거할 수 있다. 이를 위해 원위 대퇴골 과상부 신전 절골술(supracondylar extension osteotomy)을 시행할 수 있다.

반면에, 첨족 변형으로 인한 슬관절 과신전이 오랜 기간 지속되면, 전반슬(genu recurvatum)이 생길 수 있기에 양날의 검이 되기도 한다. 전반슬의 경우, 골성 변화에 대해 절골술과 첨족 변형의 치료를 동시에 하게 된다. 그러나, 슬관절 후방의 연부 조직 이완으로 발생한 경우 이전할 마땅한 근육이 없어 재발의 위험이 높으며 보조기가 필요할 가능성이 높다.

4) 고관절

중둔근 및 대둔근의 마비(gluteus medius paralysis)에 의해 Trendelenburg 보행/둔근 파행(gluteal lurch)을 보일 수 있다.

5) 고관절의 마비성 탈구

고관절 내전근 절단술 및 고관절 정복술(비관혈적 및 관혈적 정복), 대퇴골 내전 및 회전 절골술(femoral varization and derotational osteotomy), 대퇴골 단축술(femoral shortening), 골반 절골술 등을 시행한다. 관절 정복과 절골술 후에는 탈구의 원인인 관절 근육 불균형을 교정하는 수술을 시행하기도 하며 고령인 경우 고관절 인공 관절 치환술을 시행한다.

6) 골반 경사

성인이 된 소아마비 환자의 상당 수에서 고착된 골반 경사가 관찰되며 이는 앉거나 서거나 보행하는 데에 기능적 장애를 초래한다.

소아마비 후유증에서 골반 경사의 원인(Lee 1997) Fig 12

* 골반 상부(above pelvis)의 원인
- 척추와 복부 근육의 비대칭성 근력 약화
- 척추측만증

* 골반 하부(below pelvis)의 원인
- 고정된 고관절의 외전 구축
- 고관절의 내전 구축
- 하지 부동 및 변형

골반 경사는 그 원인에 따라 요배부 근막절제술(lumbodorsal fasciotomy), 외전 근막절제술(abductor fasciotomy), 장골을 통한 골 연장술을 동반하거나 혹은 단독의 삼중 골반 절골술 등과 같은 고관절 안정술 등의 술식으로 교정이 가능하며 제IA 혹은 제IIA형의 경우에는 척추 고정술이 필요하다.

7) 척추 변형

소아마비환자의 20%에서 척추측만증 발생하는데, 남아있는 근력 정도와 관련이 있다. 상지와 체간이 침범된 경우는 측만의 발생 빈도가 높고 하지에 국한된 경우는 낮다. 40도 이상 진행하는 경우 수술적 치료를 고려하고, 골반경사가 있는 C형 만곡의 경우 골반까지 고정한다.

2. 소아마비 후 증후군 (postpoliomyelitis syndrome, PPS)

소아마비를 앓았던 성인이 15-30년간의 신경학적 안정기를 거친 후, 35-60세 무렵에 이환 되었던 부위 혹은 이환되지 않았다고 생각되었던 부위에 근 위축, 근력 약화, 통증 그리고 피로감 등의 새로운 증상이 나타나는, 일종의 근육의 과사용 증후군(overuse syndrome)이다. 소아마비 후 증후군은 10세 이상에서 소아마비가 발병했던 환자들에서 더 잘 발생한다. 증상은 매우 서서히 진행하는 경향을 보이며, 원인은 "neural fatigue" 설, 자가면역설 등이 제시되고 있지만 정확히는 밝혀진 바 없다.

치료는 근육 강화 운동이나 보조기 같은 보존적 치료가 원칙이며, 수술은 적응증이 아니다.

소아마비 후 증후군 진단 기준

- 이전의 소아마비를 앓은 과거력
- 부분적 또는 거의 완전한 신경학적, 기능적 회복
- 적어도 약 15년 이상의 신경학적, 기능적 안정 기간
- 안정 기간 경과 후 다음의 사항 중 적어도 두 가지 이상의 건강 문제 발생: 평소와 다른 피로 및 근육과 관절의 통증, 이환되었던 근육의 근력 감소 혹은 정상이라고 생각되었던 근육의 새로운 근육의 약화, 기능 손실 및 새로운 근위축, 추위에 불내성
- 앞의 건강 문제를 설명할 수 있는 다른 질환이 없음

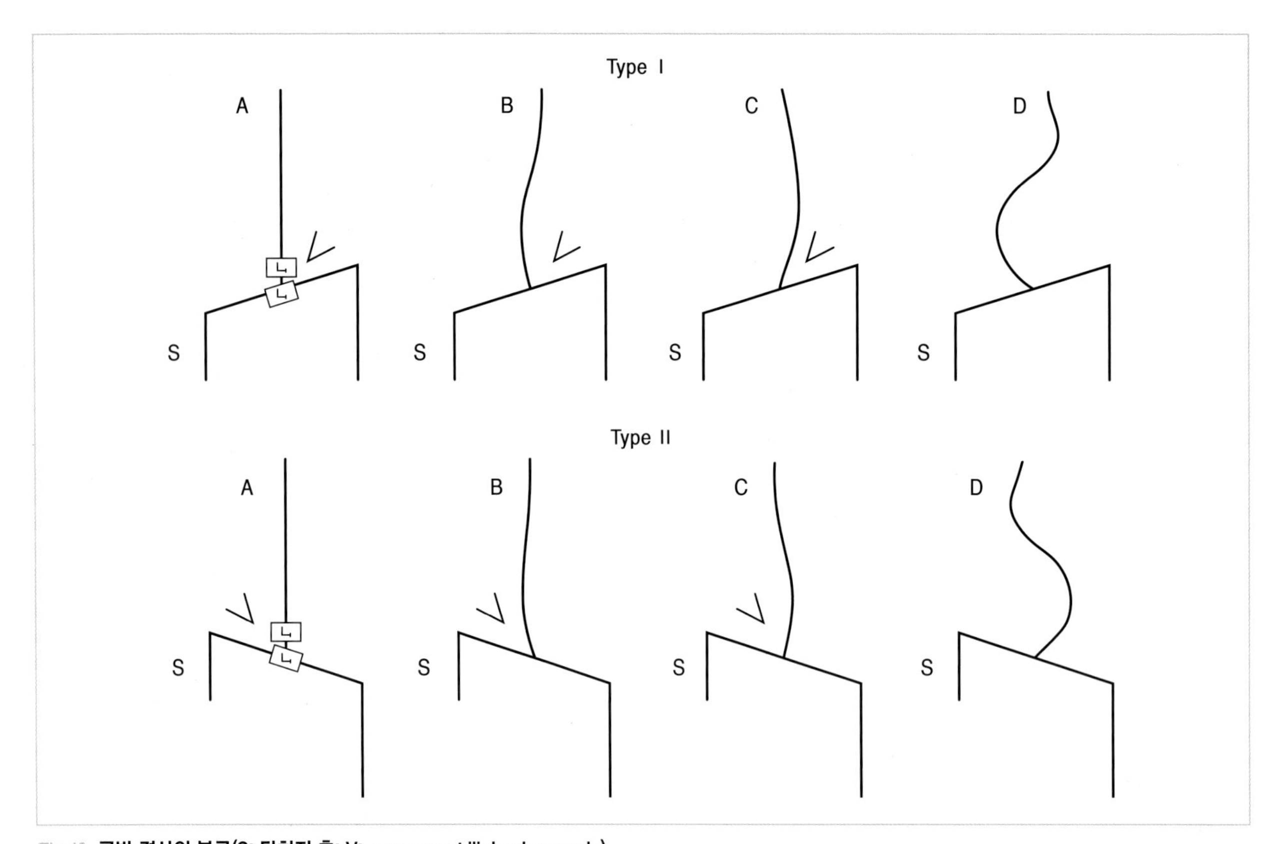

Fig 12. **골반 경사의 분류(S: 단하지 측; V: convergent iliolumbar angle).**
제1형: 골반의 단하지측이 낮다. 제2형: 골반의 단하지측이 높다. 아형 A: 척추는 곧고 국소적인 하요추부의 보상성 만곡(주로 L4-5)이 있다. 아형 B: 경도의 긴 만곡이 단하지측으로 휘어있다. 아형 C: 경도의 만곡이 단하지측의 반대쪽으로 휘어있다. 아형 D: 심한 마비성 만곡이 있으며 침강된 골반 쪽으로 휘어있다(즉 제1형에서는 단하지측, 제2형에서는 반대쪽)(Lee 1997).

참고문헌

한태륜, 방문석. 재활의학 제3판. 서울, 군자출판사, 2008.

Abell JM, Hayes JT. Charcot knee due to congenital insensitivity to pain. J Bone Joint Surg Am. 1964;46:1287.

Albanese SA, Bobechko WP. Spine deformity in familial dysautonomia(Riley Day Syndrome). J Pediatr Orthop. 1987;7:179.

Asif S, Umer M, Beg R, et al. Operative treatment of bilateral hip dislocation in children with arthrogryposis multiplex congenital. J Orthop Surg. 2004;12:4.

Bamshas M, Jorde LB, Carey JC. A revised and extended classification of the distal arthrogryposes. Am J Med Genet. 1996;65:277.

Beals RK. The distal arthrogryposes: a new classification of peripheral contractures. Clin Orthop Relat Res. 2005;435:203.

Bell DB, Smith DW. Myotonic dystrophy in the neonate. J Pediatr. 1972;81:83.

Berman AT, Tom L. The Guillain Barre syndrome in children. Orthopedic management and pattern of recovery. Clin Orthop Relat Res. 1976;116:61.

Bernstein RM. Arthrogryposis and amyoplasia. J Am Acad Orthop Surg. 2002;10:417.

Bevan WP, Hall JG, Bamshad M, et al. Arthrogryposis multiples congenital (Amyoplasia): an orthopaedic perspective. J Pediatr Orthop. 2007;27:594.

Bowen RS, Jr Marks HG. Foot deformities in myotonic dystrophy. Foot Ankle. 1984;5:125.

Bowyer SL, Clark RA, Ragsdale CG, et al. Juvenile dermatomyositis: histologic findings and pathogenetic hypothesis for the associated skin changes. J Rheumatol. 1986;13:753.

Bradbury J. Antiprogesterone hope for inherited neuropathy. Lancet Neurol. 2004;3:6.

Carroll JE, Ilrooke MH, Kaiser K. Diagnosis of infantile myotonic dystrophy. Lancet. 1975;2:608.

Choi IH, Yang MS, Chung CY, et al. The treatment of recurrent arthrogrypotic club foot in children by the Ilizarov method. A preliminary report. J Bone Joint Surg Br. 2001;83:731.

Denny Brown D. Hereditary sensory radicular neuropathy. J Neurol Neurosurg Psychiatry. 1954;14:237.

Dhillon MS, Sandhu HS. Surgical options in the management of residual foot problems of poliomyelitis. Foot Ankle Clin. 2000;5:327.

Dietz FR, Mathews KD. Current concept review. Update on genetic bases of disorders with orthopedic manifestations. J Bone Joint Surg Am. 1996;78:1583.

Eberle CF. Pelvic obliquity and the unstable hip after poliomyelitis. J Bone Joint Surg Br. 1982;64:300.

Fucs PM, Svartman C, de Assumpcao RM, et al. Quadricepsplasty in arthrogryposis (amyoplasia): long-term follow-up. J Pediatr Orthop B. 2005;14:219.

Gamble IG, Rinsky LA, Lee JH. Orthopaedic aspects of central core disease. J Bone Joint Surg Am. 1988;70:1061.

GeneReview; Last Update 2019

Geschwind N, Simpson JA. Procaine amide in the treatment of myotonia. Brain. 1955;78:81.

Goebel Ill I. Congenital myopathies. In: Adachi M, Ser JH, eds. Neuromuscular disorders. New York: Igaku Shoin Medical Publishers, p197, 1990.

Goldfarb CA, Burke MS, Strecker WB, et al. The Steindler flexorplasty for the arthrogrypotic elbow. J Hand Surg Am. 2004;29:462.

Gordon N. Arthrogryposis multiplex congenital. Brain Dev. 1998;20:507.

Gordon SL, Morris WT, Stoner MA, et al. Residual of Guillian-Barre polyneuritis in children. J Bone Joint Surg Am. 1977;59:193.

Gould N. Surgery in advanced Charcot Marie Tooth disease. Foot Ankle. 1984;4:267.

Green AD, Fixsen JA, Lloyd Roberts GC. Talectomy for arthrogryposis multiplex congenita. J Bone Joint Surg Br. 1984;66:697.

Greidner TD. Orthopedic aspects of congenital insensitivity to pain. Clin Orthop Relat Res. 1983;172:177.

Grice DS. An extraarticular arthrodesis of the subastragalar joint for correction of paralytic flat feet in children. J Bone Joint Surg Am. 1952;34:927.

Haig A. The complex interactions of myotonic dystrophy in low back pain. Spine. 1991;16:580.

Hall JG, Reed SD, Driscoll EP. Part I. Amyoplasia: a common, sporadic condition with congenital contractures. Am J Med Genet. 1983;15:571.

Hall JG. Genetic aspects of arthrogryposis. Clin Orthop Relat Res. 1985;194:44.

Hanson PA. Myotonic dystrophy in infancy and childhood. Pediatr Ann. 1984;13:123.

Sallum AM, Kiss MH, Sachetti S, et al. Juvenile dermatomyositis: clinical, laboratorial, histological, therapeutical and evolutive parameters of 35 patients. Arq Neuropsiquiatr. 2002;60:889.

I.eyten QH, Gabreels FJ, Renier WO, et al. Congenital muscular dystrophy: a review of the literature. Clin Neurol Neurosurg. 1996;98:267.

Jang WY, Cho TJ, Bae JY, et al. Orthopaedic manifestations of arthrogryposis-renaldysfunction-cholestasis syndrome. J Pediatr Orthop. 2011;31:107.

Johnson JTH. Neuropathic fractures and joint injuries. J Bone Joint Surg Am. 1967;49:1.

Jones R, Kahn R, Hughes S, et al. Congenital muscular dystrophy. The importance of early diagnosis and orthopaedic management in the long term prognosis. J Bone Joint Surg Br. 1979;61:13.

Ketenjian AY. Scapulocostal stabilization for scapular winging in facioscapulaohumeral dystrophy. J Bone Joint Surg Am. 1978;60:476.

Kowalczyk B, Lejman T. Short-term experience with Ponseti casting and the achilles tenotomy method for clubfeet treatment in arthrogryposis multiplex congenital. J Child Orthop. 2008;2:365.

Kubisch C, Schmidt-Rose T, Fontaine B, et al. ClC-1 chloride channel mutations in myotonia congenita: variable penetrance of mutations shifting the voltage dependence. Hum Mol Genet. 1998;7:1753.

Kucukkaya M, Kabukcuogulu Y, Kuzgun U. Management of the neuromuscular foot deformities with the Ilizarov method. Foot Ankle Int. 2002;23:135.

Kumar SJ, Marks HG, Bowen JR, et al. Hip dysplasia associated with Charcot Marie Tooth Disease in the older children and adolescent. J Pediatr Orthop. 1985;5:511.

Laporte J, Biancalana V, Tanner SM, et al. MTM I mutations in Xlinked myotubular myopathy. Hum Mutat. 2000;15:393.

Lee DY, Choi IH, Chung CY, et al. Triple inniminate osteotomy for hip stabilisation and transiliac leg lengthening after poliomyelitis. J Bone Joint Surg Br. 1993;75:858.

Lee DY, Choi IH, Chung CY, et al. Fixed pelvic obliquity after poliomyeltis: Classification and management. J Bone Joint Surg Br. 1997;79:190.

Lehmann Horn F, Jurkatt Rott K. Voltage gated ion channels and hereditary disease. Physiol Rev. 1999;79:1317.

Li J. Inherited neuropathies. Semin Neurol. 2012;32:204.

Logigian E, Moxley R IV, Blood C, et al. Leukocyte CTG repeat length correlates with severity of myotonia in myotonic dystrophy type I. Neurology. 2004;62:1081.

MacEwen GD, Floyd GC. Congenital insensitivity to pain and its orthopedic implications. Clin Orthop Relat Res. 1970;68:100.

Martinez BA, Lake BD. Childhood nemaline myopathy: a review of clinical presentation in relation to prognosis. Dev Med Child Neurol. 1987;29:815.

McManamin JB, Becker LE, Murphy EG. Congenital muscular dystrophy: a clinicopathologic report of 24 cases. J Pediatr. 1982;100:692.

Mitchell GP. Posterior displacement osteotomy of the calcaneus. J Bone Joint Surg Br. 1977;59:233.

O'Brien TA, Harper PS. Course, prognosis and complications of childhood onset myotonic dystrophy. Dev Med Child Neurol. 1984;26:62.

Olney B. Teatment of the cavus foot. Deformity in the pediatric patient with Charcot Marie Tooth. Foot Ankle Clin. 2000;5:305.

Parikh SN, Crawford AH, Do TT, et al. Popliteal pterygium syndrome: Implications for orthopaedic management. J Pediatr Orthop B. 2004;13:197.

Plassart Schiss E, Gervais A, Eymard B, et al. Novel muscle chloride channel (CICN1) mutations in myotonia congenita with various modes of inheritance including incomplete dominance and penetrance. Neurology. 1998;50:1176.

Ramsey PL, Flensinger RN. Congenital dislocation of the hip associated with central core disease. J Bone Joint Surg Am. 1975;57:648.

Riggs JE, Bodensteiner JB, Schochet SS Jr. Congenital myopathies/dystrophies. Neurol Clin. 2003;21:779.

Sallum AM, Kiss MH, Sachetti S, et al. Juvenile dermatomyositis: clinical, laboratorial, histological, therapeutical and evolutive parameters of 35 patients. Arq Neuropsiquiatr. 2002;60:889.

Saltzman CL, Fehrle MI, Cooper RR, et al. Triple arthrodesis: twenty five and forty four year average follow up of the same patients. J Bone Joint Surg Am. 1999;81:1391.

Schwend RM, Drennan JC. Cavus foot deformity in children. J Am Acad Orthop Surg. 2003;11:201.

Shapiro F, Specht L. Current concept review. The diagnosis and orthopedic treatment of inherited muscular diseases of childhood. J Bone Joint Surg Am. 1993;75:439.

Shimomura C, Nonaka J. Nemaline myopathy: comparative muscle histochemistry in the severe neonatal, moderate congenital and adult?onset forms. Pediatr Neural. 1989;5:25.

Shuaib A, Paasuke RT, Brownell KW. Central core disease. Clinical features in 13 patients. Medicine. 1987;66:389.

Siegelman SS, Heimann WG, Manin MC. Congenital indifference to pain. Am J Roentgenol. 1966;97:242.

Smith DW, Drennan JC. Arthrogryposis wrist deformities: Results of infantile serial casting. J Pediatr Orthop. 2002;22:44.

Spencer GE. Orthopedic care of progressive muscular dystrophy. J Bone Joint Surg Am. 1967;49:1201.

Sprecht LA. Molecular basis and clinical applications of neuromuscular disease in children. Curr Opin Pediatr. 1991;3:966.

Staheli LT, Chew DE, Elliot JS, et al. Management of hip

dislocation in children with arthrogryposis. J Pediatr Orthop. 1987;7:681.

Sung KH, Chung CY, Lee KM, et al. Anterior ankle impingement after tendo-Achilles lengthening for long-standing equinus deformity in residual poliomyelitis. Foot Ankle Int. 2013;34:1233.

Sutherland DH, Olshen R, Cooper L, et al. The pathomechanics of gait in Duchenne muscular dystrophy. Dev Med Child Neurol. 1981;23:3.

Thomas CI, Thompson TC, Straub CR. Transplantation of the external oblique muscle for abductor paralysis. J Bone Joint Surg Am. 1950;32:207.

Vanier TM. Dystrophia myotonica in childhood. Br Med J. 1960;2(5208):1284.

Winer JB, Hughes RA, Greenwood RJ, et al. Prognosis in Guillian-Barre syndrome. Lancet. 1985;1:1202.

Winters JL, McLaughlin LA. Myotonia congenita. J Bone Joint Surg Am. 1970;52:1345.

Yang SS, Dahan-Oliel N, Montpetit K, et al. Ambulation gains after knee surgery in children with arthrogryposis. J Pediatr Orthop. 2010;30:863.

Yau PW, Chow W, Li YH, et al. Twenty year follow up of hip problems in arthrogryposis multiplex congenital. J Pediatr Orthop. 2002;22:359.

소아정형외과학

10

감염성, 류마티스성, 조혈계 관련 질환

Infectious, Rheumatic, Diseases Related to Hematopoietic System

PEDIATRIC ORTHOPAEDICS

Chapter

감염성, 류마티스성, 조혈계 관련 질환

Infectious, Rheumatic, Diseases Related to Hematopoietic System

목차

I. 총론

성장기 아동에서 발열을 동반하며 근골격계 통증(musculoskeletal pain with fever)이 나타나는 질병으로는 감염성 질환, 류마티스성 질환, 조혈계 질환 등 다양한 질환이 있고 때로는 응급 상황일 수 있기에 임상의에게는 감별 진단의 어려움과 부담이 있다. 발열을 동반한 근골격계 통증을 보는 임상적인 환경은 신생아 중환자실을 포함한 소아청소년과에서의 의뢰, 응급실에서의 의뢰, 그리고 정형외과 외래로 직접 방문하는 경우 등으로 나눌 수 있다.

1. 소아청소년과로부터의 의뢰(신생아 중환자실 포함)

신생아 중환자실에서 발열(fever)에 대한 의뢰는 주로 국소 종창(swelling)을 동반한 경우가 많다. 신생아와 소아의 경우, 의사 소통을 못하기 때문에 통증을 호소한다기보다는 잘 먹지 않고, 움직임이 적어지고, 보채는 등의 비특이적 증상으로 나타난다. 기관 삽관이 되어 있는 경우는 통증에 대한 단서가 더욱 제한된다. 또한 신체검사 자체도 제약이 있을 수 있고, 염증에 대한 혈액 검사 등도 비특이적인 경우가 많다. 그리고 신생아에서는 감염에 따른 발열 반응도 뚜렷하지 않을 수 있기 때문에 응급 상황에 대해서 진단이 늦어지지 않도록 더 적극적인 의심(high index of suspicion)을 하고, 초음파, MRI 등 가능한 영상검사를 적극적으로 이용하는 것이 필요하다.

먼저, 감별해야 할 질환은 응급 수술이 필요한 화농성 관절염Fig 1이며, 그 외에 연부 조직 농양, 급성 혈행성 골수염 등이 있다. 특히 신생아 중환자실에서 의뢰된 경우, 기저 질환이 있는 경우가 많기에, 뇌수막염 등에 의한 이차 감염도 고려해야 한다. 이차 감염의 경우 병소가 다발성(multifocal)일 수도 있음을 인지해야 한다. 다발성 화농성 관절염의 경우, 각 병소에 대한 수술이 필요할 수도 있는데 영상검사를 통해 의심되는 관절들의 이환여부를 적극적으로 확인하여야 한다. 특히 화농성 관절염의 경우, 고관절이 가장 많으며 응급 수술이 필요하다.

2. 응급실로부터의 의뢰

응급실로 오는 발열을 동반한 근골격계 통증(musculoskeletal pain with fever) 소아 환자는 증상의 급성 발현을 특징으로 한다. 먼저 골절 등 외상에 의한 통증이 아닌지 감별을 해야 한다. 또한, 전신 질환(systemic disease)의 초기 증상(initial presentation)으로 급성 근골격계 통증과 발열을 보이는 경우가 종종 있기 때문에 임상의는 이에 대해 충분히 인지해야 한다.

감별해야 할 질환으로는 화농성 관절염, 급성 혈행성 골수염, BCG 골수염, 악성 종양, 연부 조직의 농양Fig 2, 연소기 특발성 관절염 등이 있다. 골수염 등 대부분의 해당 질환을 감별하기 위해서는 MRI 영상이 필요한 경우가 많다.

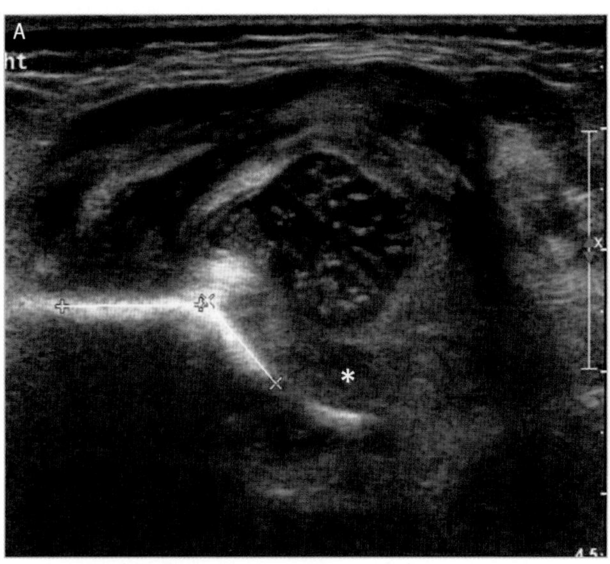

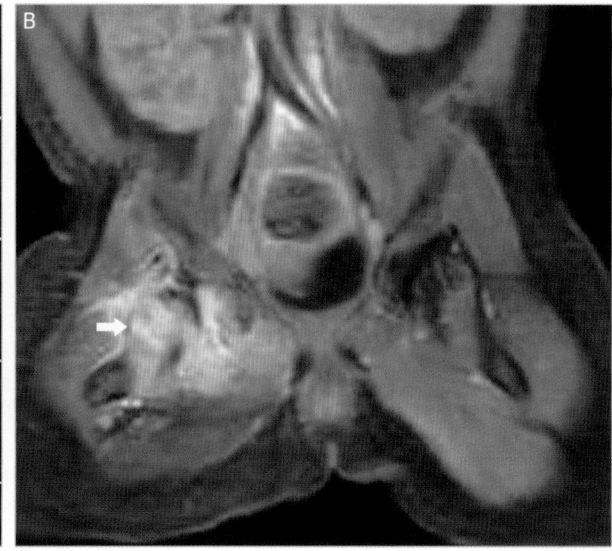

Fig 1. **신생아에서 발생한 화농성 고관절염.**
고관절 관상면 초음파검사에서 관절 삼출액(*)과 관절의 아탈구를 확인할 수 있고(A), MRI 조영증강 T1 강조영상에서 근위 대퇴골에 비균질한 조영증강(화살표)이 관찰되어 골수염이 병발한 것을 확인할 수 있다(B).

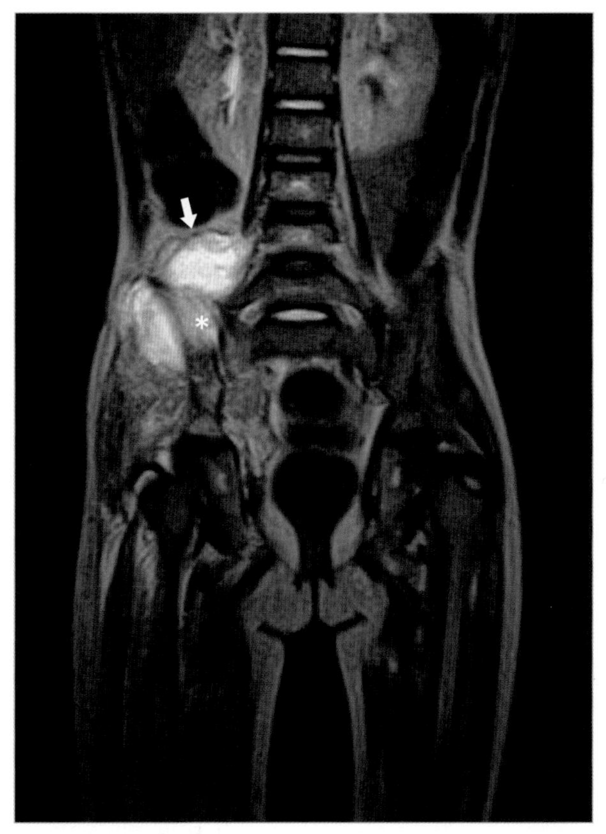

Fig 2. 발열과 우측 고관절 통증을 보이나 고관절 초음파에서 이상 소견이 없어서 MRI를 촬영하였다. 장골의 골수염(*) 및 장요근과 외전근의 근육내 농양(화살표)이 관찰되었다.

화농성 관절염과 달리 급성 혈행성 골수염은 생활 환경의 위생 수준과 연관이 많아서 후진국병으로 알려져 있다. 따라서 우리나라의 응급실에서 급성 혈행성 골수염이 진단되면 숙주의 면역 저하가 있을 가능성을 확인해야 한다. 즉, 백혈병 등 악성 종양의 골 이환(bone involvement)이나 이차 감염을 꼭 감별해야 한다.

연소기 특발성 관절염의 초기 증상(initial presentation)으로 관절통과 발열이 있을 수 있고, 이로 인해 응급실을 내원하는 경우가 있다. 화농성 관절염과 감별을 요하며, 애매한 경우에는 화농성 관절염이 배제될 때까지는 화농성 관절염에 준해서 치료하는 것이 바람직하다.

3. 정형외과 외래 방문 경우

만성으로 발현하는 경우가 많은데 감염성 질환과 연소기 특발성 관절염(juvenile idiopathic arthritis), 비세균성 골수염 등을 감별하여야 한다.

II. 화농성 관절염과 그 후유증
(septic arthritis and its sequelae)

1. 화농성 관절염(septic arthritis)

1) 역학 및 병태 생리

- 대부분 생후 1개월-5세 사이에 발생한다. 고관절, 슬관절, 족근관절, 주관절의 순서로 호발한다 Table 1.
- 원인균은 Staphylococcus aureus가 가장 흔하지만, 상황에 따라 차이가 난다 Table 2.
- 특정 박테리아는 골수염을 일으키는 것보다 화농성 관절염을 일으킬 가능성이 더 높은 것으로 보이는데, 이들은 Brucella melitensis, Haemophilus influenzae, Kingella kingae, Neisseria meningitidis, 장내 세균과 Neisseria gonorrhoeae가 포함된다. Mycobacterium tuberculosis는 천장관절염을 일으킬 수 있다.
- 혈행성 감염이 가장 흔하며, 주변 골의 세균성 골수염

Table 1. 소아에서 발생한 화농성 관절염의 호발 부위

Joints	NO.	%
Knee	213	41
Hip	114	23
Ankle	70	14
Elbow	64	12
Wrist	22	4
Shoulder	18	4
Interphalangeal	4	
Metatarsal	3	
Acromioclavicular	1	

From Jackson MA and Nelson JD. JPO 2:313,1982.

Table 2. 국내 소아 급성골수염 및 화농성관절염에서 흔한 세균종과 권장되는 경험적 항생제 요법

면역상태	종류	흔한 원인균	추천 항생제	추가(병합) 항생제
정상 면역	혈행성	*S. aureus*[1] *S. pyogenes* (GAS)	Cefazolin or Nafcillin[2]	
	국소전파(복강 내 농양, 수술부위 감염 등)	*S. aureus* CoNS GNB *(E. coli, KPN)*	Vancomycin[3]	3rd Cephlosporin[4]
	직접전파(외상, 창상)	*P. aeruginosa* *S. aureus*	Vancomycin[3]	Ceftazidime or PIP-TAZ
	성-매개	*N. gonorrhoeae*	Ceftriaxone	
면역 저하	면역결핍(질환/약물)	*S. aureus* GNB *(E. coli, KPN)* *P. aeruginosa*	Vancomycin[3]	Ceftazidime or PIP-TAZ
	PCV, Hib백신 미접종	*S. pneumoniae* *Hib*	3rd Cephlosporin[4]	
	Sickle-cell disease	*Salmonella* *S. aureus1*	3rd Cephlosporin[4]	
	신생아	*S. aureus* *E. coli* *S. agalactiae* (GBS)	Vancomycin[3]	Cefotaxime

1. 내성균 획득의 위험 인자(항생제 사용력, 입원력, 이전 균 동정력 등)들을 통해 community acquired (CA) MRSA 감염 가능성을 평가하고 질환의 중증도를 고려해서 Cefazolin/Nafcillin 대신 혹은 추가로 Vancomycin을 사용한다.
2. MSSA (methicillin-susceptible *S. aureus*), GAS에 대한 항균력은 cefazolin과 nafcillin이 동일하다.
3. 우리나라에서는 *S. aureus*의 clindamycin (유도) 내성률이 비교적 높아 경험적 항생제로서는 추천하지 않는다.
4. Cefotaxime 혹은 Ceftriaxone. 두 항생제 모두 사용할 수 있으나 신생아에서는 황달 악화 등 간부작용을 고려해서 Cefotaxime을 선호한다.

Abbreviation: *S. aureus, Staphylococcus aureus; S. pyogenes, Streptococcus pyogenes;* GAS, group A streptococcus; CoNS, coagulase-negative staphylococcus; GNB, gram-negative bacilli; *E. coli, Escherichia coli; KPN, Klebsiella pneumoniae; P. aeruginosa, Pseudomonas aeruginosa;* PIP-TAZ, piperacillin-tazobactam; PCV, pneumococcal conjugate vaccine; Hib, *Haemophilus influenza* type b; *S. agalactiae, Streptococcus agalactiae;* GBS, group B streptococcus
(서울대학교 어린이병원 소아청소년과 윤기욱 교수 자문)

이 관절로 전파되기도 하는데 슬관절, 고관절, 족근관절, 견관절과 같이 골간단부가 관절강 내에 위치하는 관절에서 흔하다Fig 3. 영아에서 대퇴동맥 천자 시 무균조작이 불충분하여 주사바늘에 의한 고관절 내 세균 침투가 발생하지 않도록 유의해야 한다.

- 화농성 관절염을 조기에 치료하지 않으면 염증 반응의 cascade가 작동(acute inflammatory phase)되면서 연골이 파괴되어 정상적인 관절 기능 상실로 이어질 수 있다Fig 4. 염증 반응은 대식세포, 다핵성 백혈구 및 활액 세포가 사이토카인(IL-1β, IL-6, TNF-α), 면역 글로불린 G 및 리소좀 효소를 관절 공간으로 방출하면서 진행된다. 이 과정은 연골 기질에서 프로테오글리칸 서브 유닛의 조기 손실을 초래하며, 이는 가시적인 연골 퇴행이 없음에도 불구하고 감염 발병 후 2–5일 이내에 심각한 손상으로 이어질 수 있다.

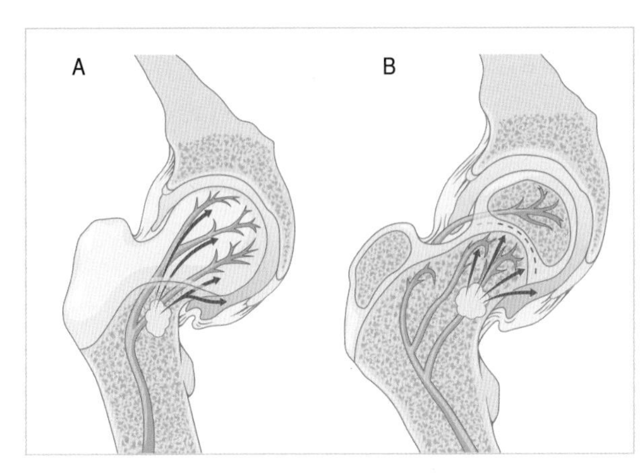

Fig 3. **주변 골의 골수염이 화농성 관절염으로 전파되는 기전.**
근위 요골, 근위 상완골, 근위 대퇴골 및 원위 경비골의 골간단부는 관절강 내에 위치하여 이 부위에 생긴 골수염이 관절 내로 전파되어 화농성 관절염이 발생할 확률이 높아진다. A: 골단의 골화가 시작되기 전에는 transphyseal vessel을 통해 골간단의 골수염이 골단으로 전파되거나 화농성 관절염을 일으킨다. B: Transphyseal vessel이 사라지는 12–16개월 이후에는 골단판 연골이 골간단 골수염의 골단 전파에 방벽으로 작용한다. 농양은 얇은 피질골을 뚫고 관절 내로 전파될 수 있다.

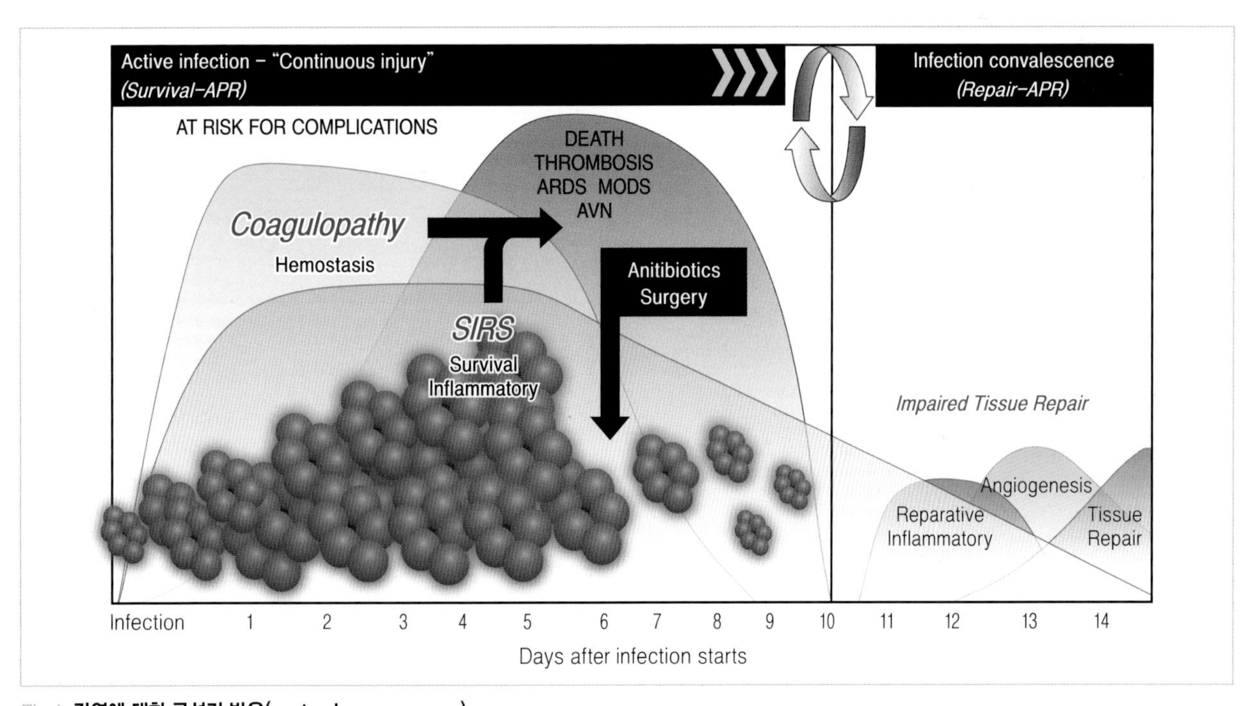

Fig 4. **감염에 대한 급성기 반응(acute phase response).**
외상이나 감염 후에 급성기 반응은 필수적이나, 이로 인해 합병증이 발생할 수 있다. 과한 응고와 염증 반응은 혈전 합병증, 장기 손상, 심한 경우 사망을 초래할 수 있다. 항생제와 수술적 치료는 세균을 제거하고 적절한 급성기 반응을 유도하며 조직 치유를 위해 필요하다.

2) 진단

(1) 임상 증상

- 발열, 전신 권태감을 보이며, 이환된 관절 부위의 열감, 부종, 발적이 관찰된다. 심한 통증으로 능동적 및 수동적 관절운동이 극히 제한된다. 간혹 외상력이 있는 부위에 화농성 관절염이 발생하는 경우도 있으므로 외상력이 있다고 해서 감염을 배제할 수는 없다.
- 고관절 화농성 관절염에서는 쭉뻗은 다리를 굴리듯 내회전-외회전하였을 때 심한 통증을 호소한다(Log rolling 검사).
- 신생아에서는 화농성 고관절염이 발생하여도 임상 증상이나 검사 소견이 제대로 나타나지 않을 수 있다. 다리를 잘 움직이지 않으려고 하는 것이 유일한 증상일 수 있다는 점을 유념해야 한다.

(2) 혈액 검사

백혈구의 증가(> 12,000 /mm^3), 혈구침강속도 상승, CRP 상승이 관찰된다.

(3) 영상의학적 검사

- 방사선 검사: 진행되어 골결핍 또는 골수염이 병발하여 골파괴 소견이 관찰될 수 있으나, 적절한 치료가 필요한 초기에는 특징적인 소견이 없다.
- 초음파검사: 관절내 삼출액의 존재를 확인하는 데에 가장 중요한 검사이다Fig 1A. 그러나 일과성 활액막염과의 감별은 불가능하다.
- MRI: 골수염이 동반되었는지, 근육 등 관절외 화농 여부 및 위치를 확인하는 데에 필요한 검사이다Fig 1B. 수술적 배농술을 지연시키지 않는 범위에서 수술 전 평가로 포함하는 것이 바람직하다.

(4) 관절 천자부록 27-3 참조

화농성 관절염 진단 및 감별진단에 가장 중요한 검사이다.

화농성 관절염을 시사하는 관절액 검사 소견

- 백혈구 > 50,000 /mm^3
- 다핵형 백혈구 90 - 100%
- 포도당: 혈중 농도의 50% 이하
- 단백질: > 20 mg/dL
- Gram 염색: 세균 관찰됨

cf. 일부 rheumatic condition에서 백혈구 50,000 /mm^3도 관찰될 수 있기 때문에 세포수로만 감별하기 어렵다.

(5) 균배양검사

- 세균성 관절염의 결정적 진단을 제공하지만 관절액 균배양 시 일부의 세균은 관절액에 의해 배양이 억제되어, 배양검사 상 원인균이 동정되는 경우는 20-50%에 불과하다.
- 특히 6개월에서 3세 사이에 발생하는 Kingella kingae 감염은 동정하기 어려운 경우가 많다.
- 관절액 천자 시 혈액배양 용기에 바로 주입하여 배양하면 균동정의 성공률을 높일 수 있다(Shin 2020).

관절액 또는 조직에서의 세균 배양 검사 음성일 때의 화농성 관절염 진단(Morrey 1976)

(1) 주요 기준(major criteria): 혈액 세균 배양 양성 또는 아래 4가지 중 2가지 이상이 있을 때
  ① ESR의 상승
  ② 방사선 검사 상의 변화
  ③ 관절에서 육안적 또는 현미경적 화농의 관찰
  ④ 활막 생검상 급성 염증성 변화 소견
(2) 부수 기준(minor criteria): 6가지 중 5가지 있을 때
  ① 38도 이상의 발열
  ② 관절 부종(joint swelling)
  ③ 관절 자극 증상(irritability)
  ④ 배농술 및 경험적인(empiric) 항생제 투여에 반응하는 경우
  ⑤ 증상의 다른 원인이 발견되지 않을 때
  ⑥ 전신 권태감(malaise)과 기면성(lethargy)

- **화농성 관절염과 감별해야 할 질환**
  - 관절 주변의 골수염Fig 5
  - 골조직이 아닌 연부조직 부위 등의 감염(장요근 농양 등)Fig 2

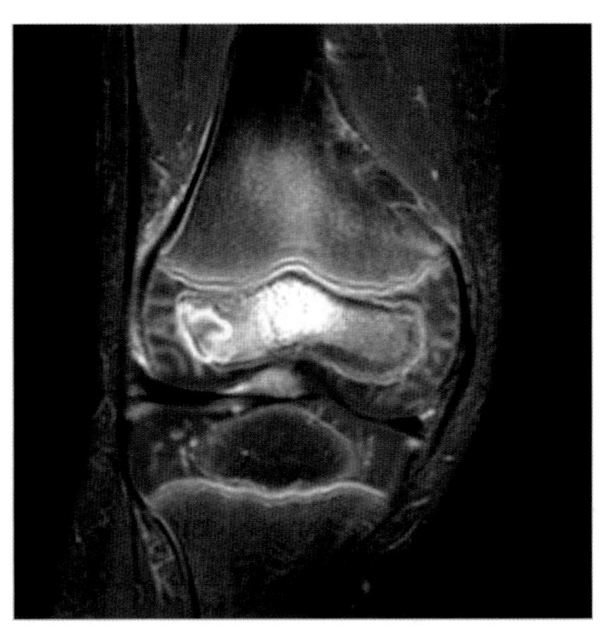

Fig 5. 4세 남아 우측 대퇴골 원위 골단의 급성 혈행성 골수염은 화농성 관절염과 같은 증상을 보였다.

- 일과성 고관절 활액막염(transient synovitis), 반응성 관절염(reactive arthritis)
- 연소기 특발성 관절염, Kawasaki 병, 자발성 홍반성 낭창(Henoch-Sch-nlein purpura)
- 외상, 종양, LCP 병
- 급성 림프구성 백혈병: 근골격계 증상이 가장 먼저 나타난 증상인 경우도 흔하다.

화농성 고관절염과 일과성 활액막염의 감별에 도움이 되는 지표들(Kocher 1999)

① 발열의 병력(구강 온도 > 38.5도)
② 비 체중부하(non-weight-bearing)
③ ESR > 40 mm/h
④ WBC > 12,000/mm^3

* 독립적인 지표로서, 네 가지가 모두 있으면 화농성 관절염일 가능성이 높으나 해당 항목의 수가 적을수록 그 가능성은 떨어진다.
* 환아를 경과 관찰할 것인지 고관절 천자 검사를 시행할 것인지 판단하는 기준이 된다.

3) 치료

- 화농성 관절염의 치료는 가능한 빠른 시기에 수술적 배농술(반복적인 흡인 및 세척, 관절경 또는 개방 관절 절제술을 통한 배농술) 후 효과적인 항생제를 투여하는 것이다.
- 치료 지연은 예후에 영향을 미치는 가장 중요한 단일 요인이다. 치료 지연은 급성 염증성 반응으로 관절 연골의 파괴, 활막염 그리고 감염 지속과 추가 수술 및 장기 입원으로 이어질 수 있다.

(1) 수술적 배농

- 진단이 되면 즉시 관절절개술(arthrotomy)을 시행하여 관절내 농과 괴사조직을 제거하고 생리 식염수로 충분히 관류한 후 효과적인 배농을 위한 드레인을 삽입한다. 관절내 골수염이 동반된 경우에는 골수염 부위에 대한 배농술 또는 변연절제술을 함께 시행한다.
- 슬관절과 같은 천부 관절(superficial joint)은 반복적인 관절 천자(aspiration) 또는 관류(irrigation)를 고려할 수도 있으나, 소아 환자에서는 반복적으로 전신마취하에 관절 천자하는 것보다는 작은 절개를 통한 관절 절개술이 더 바람직하다.
- 관절경적 세척(lavage)은 최소 침습 치료의 이점이 있으며 최근 들어 고관절, 슬관절, 족근관절, 견관절 및 주관절의 화농성 관절염 치료에 관절경적 치료의 우수한 결과가 보고되고 있다. 특히 큰 관절인 슬관절에서는 관절경을 통해서 더욱 효과적인 변연절제술을 할 수 있는 장점이 있다. 그러나, 변연절제술이 화농성 관절염 치료에 필요한지에 대해 논란의 여지가 있고, 영유아 또는 학동기에는 기술적인 한계와 골수염을 동반한 경우가 많아서 불충분한 치료가 될 위험도 있다.
- 드레인은 임상증상이 소실되고 CRP가 정상화된 후에 제거한다.

(2) 항생제 요법과 수술 후 처치

- 수술 직후부터 정맥주사로 항생제를 투여한다. 기간은 임상 증상 소실 및 CRP가 정상화된 이후에도 수일 간 더 투여하는 것이 안전하다.

- 균이 동정되기 전이나 동정되지 않았을 때에는 상황에 따른 경험적 항생제를 선택한다Table 2.
- 드레인을 제거하고 항생제를 중단한 후에도 염증 수치가 정상으로 유지되는지 일정기간 추시하는 것이 필요하다.

4) 예후

화농성 관절염의 치료 시 알려진 예후 인자들

① 진단과 치료의 지연이 불량한 결과를 초래하는 가장 중요한 요인이다.

② 골수염에 속발한 화농성 관절염이 혈행성 화농성 관절염보다 예후가 더 불량하다.

③ 신생아에서 예후가 더 불량하다.

④ 다른 관절보다 고관절에서 예후가 더 불량하다.

2. 영유아기 화농성 고관절염과 그 후유증 (neonatal and infantile septic hip arthritis and its sequelae)

영유아기 화농성 고관절염이 적절한 시기에 적절하게 치료되지 않으면 관절연골 파괴에 의한 감염 후 관절염(postinfectious arthritis), 연골골단(chondroepiphysis)의 파괴에 의한 골 소실이 발생할 수 있으며, 동반된 골수염에 의한 골단판 파괴는 골단판 성장 장애를 초래하여 심각한 관절 변형, 단축을 초래할 수 있다Fig 6.

영아기 패혈증(neonatal sepsis)의 일환으로 화농성 고관절염이 발생할 수 있는데, 영아기 패혈증이 진단되고 치료 중인 환아에서는 사지 관절의 능동적 운동이 활발한지, 수동적 운동에 대한 저항이 없는지 면밀한 관찰이 필요하며, 의심되면 초음파검사, MRI 검사 등을 통해서 가능한 조기에 발견하는 것이 중요하다.

1) 불량 예후 인자

- 생후 22개월 이전의 발병
- 미숙아(prematurity)
- 증상이 4일 이상 지속된 후 치료가 시작되었을 때

2) 후유증의 분류와 치료 방침(Choi 1990)Fig 7, 부록 24 참조

(1) 제형

일시적인 대퇴골두 무혈성(ischemic) 손상의 소견이 관찰되었으나 거의 정상으로 회복되었거나 경도의 대고(coxa magna)변형만 있는 경우로, 재골화가 될 때까지 대퇴골두를 유치(containment)시키지만 그 이후에는 특별한 치료가 필요 없으며 양호한 예후를 보인다.

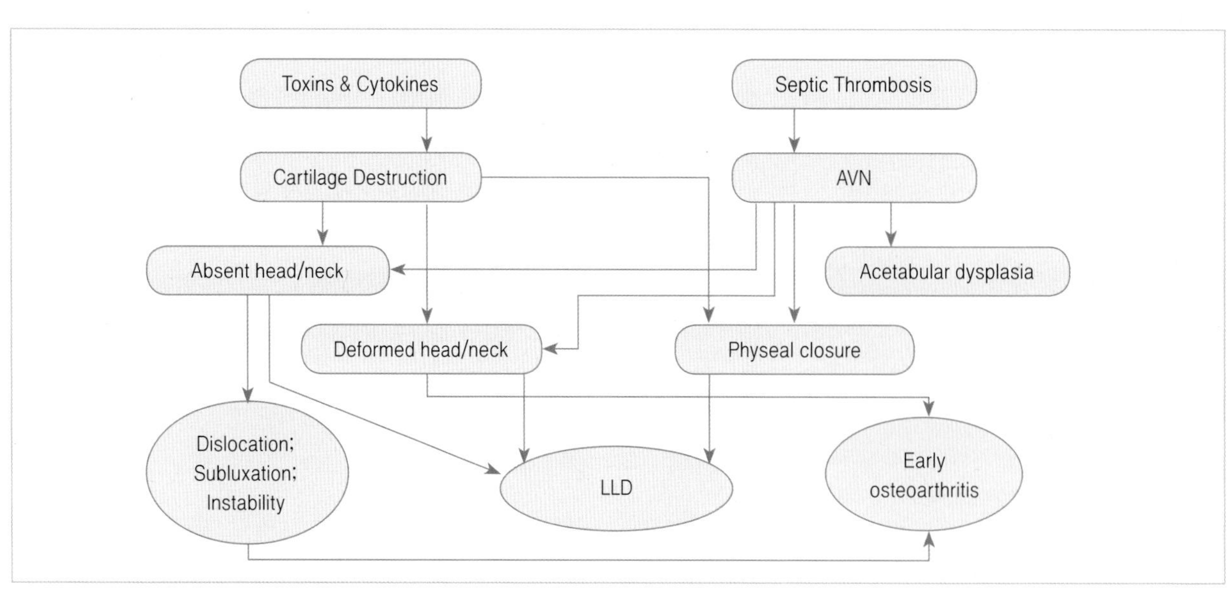

Fig 6. **유아기 화농성 고관절염 후유증의 발병 기전.**

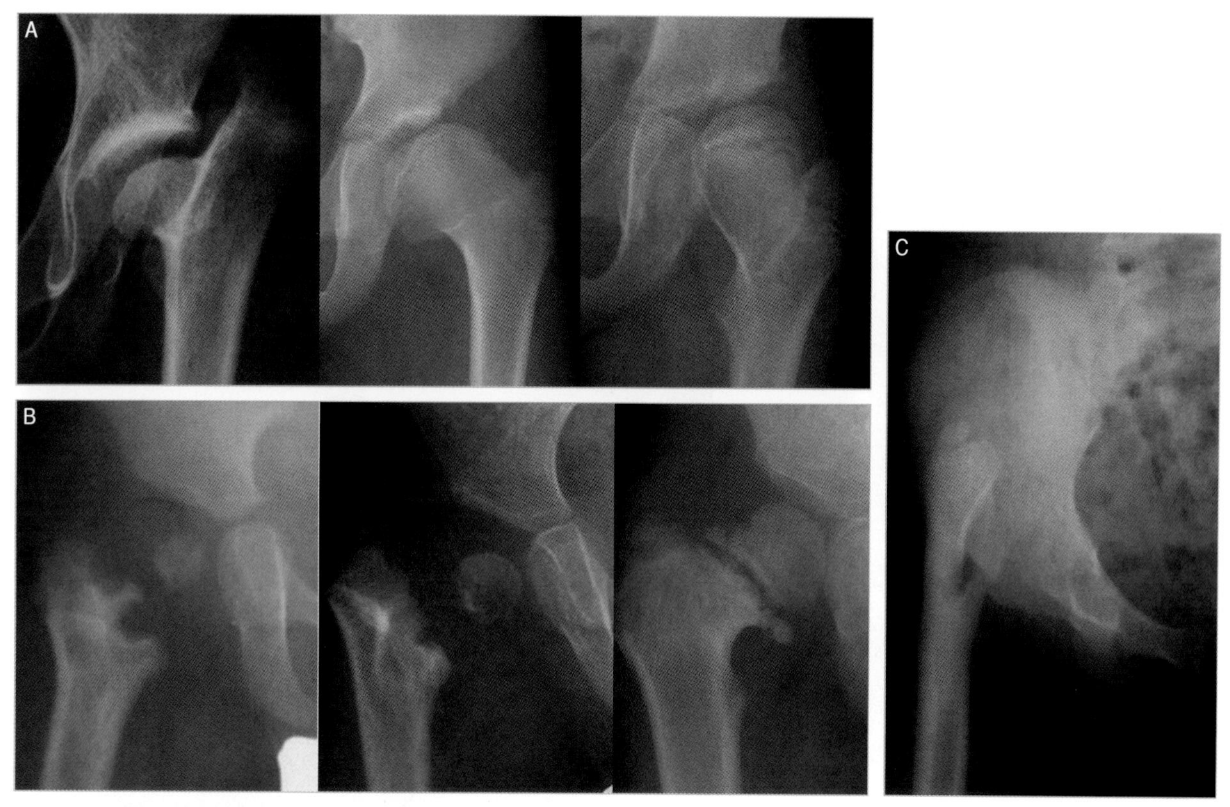

Fig 7. **유아기 화농성 고관절염 후유증의 Choi 분류(1990).**
A: 제II형. B: 제III형. C: 제IV형.

(2) 제II형

심한 무혈성 손상으로 골단(epiphysis), 골단판(physis), 골간단(metaphysis)에 제한적이지만 직접적인 파괴를 초래한 경우로, 단고(coxa breva) 변형과 함께 대퇴골두 파괴 소견이 관찰되거나, 점진적인 외반고 또는 내반고 변형을 보인다.

재골화 중에는 대퇴골두 유치 요법을 지속하며, 대퇴골두가 재골화된 이후에 치료에 사용되는 option들은 다음과 같다.

① 대퇴골 방향전환 절골술
② 골반골 절골술
③ 대전자 골단유합술 또는 이전술
④ Cheilectomy
⑤ 건측 하지의 골단판 유합술로 하지길이부동 개선

(3) 제III형

대퇴경부의 collapse 또는 slipping을 보이는 경우로, 대퇴경부의 과도한 전염(anteversion), 후염전(retroversion) 등 부정정열을 초래하거나, 가관절 형성으로 진행성 내반고 등을 초래한다. 수술적 치료로 근위 대퇴골 재정렬 절골술, 대퇴 경부 골이식술을 시행할 수 있다.

(4) 제IV형

대퇴 경부와 골두가 파괴된 경우로 가장 예후가 불량하다. 대퇴골두 또는 대퇴경부의 잔여 조직이 어느 정도 있는 경우에는 이 조직을 Harmon 술식 등을 이용하여 비구내로 수술적 정복을 시행하고, 대전자 이전술이나 비구 성형술 등을 시도할 수 있다. 대퇴골두나 경부의 잔여 조직이 전혀 없는 경우에는 아래의 두 가지 option을 고려한다.

① 대전자 관절성형술: 외전근을 대전자에서 더 원위부로 전이하고 대전자를 대퇴골두처럼 비구내로 정복시킨 후 전자간에서 내반 절골술을 시행하며, 필요에 따라서 비구성형술을 함께 시행한다Fig 8. 성장함에 따라 수술로 형성한 대퇴 경간각이 증가하면서 대전

자-골두가 비구에서 탈구되는 경향이 있다. 전이된 외전근의 근력 약화가 초래되면 관절 구축 등의 문제가 발생한다.

② 골반 지지 절골술(pelvic support osteotomy)(Choi 2013): 근위 대퇴골에서 외반 절골술을 하여 절골술 부위가 비구에서 골반을 지지하게 하면서 외전근의 강화를 도모하는 술식이다. Ilizarov 방법을 통해서 원위 대퇴골에서 내반 절골술과 대퇴골 연장술을 시행하면, Trendelenburg 파행을 해소하면서 하지길이부동도 동시에 치료할 수 있다Fig 9. 장기적 예후에 대해서는 추시 관찰이 필요하다.

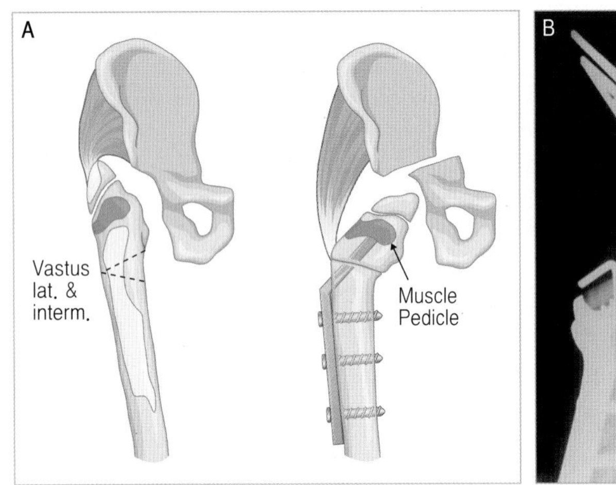

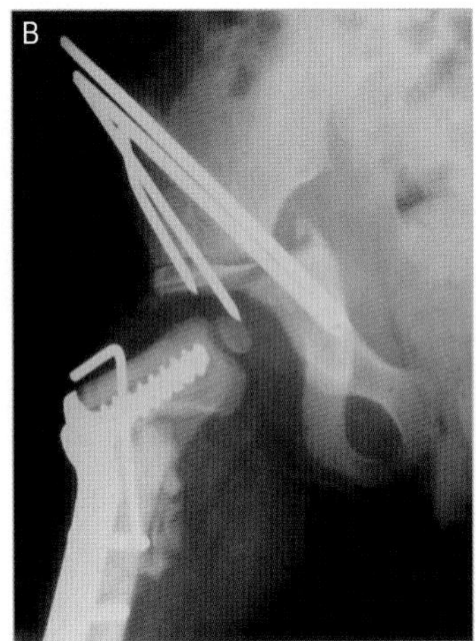

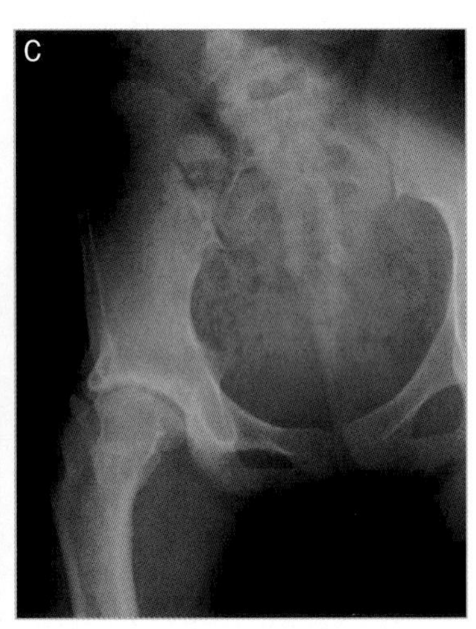

Fig 8. **대전자 관절성형술.**
A: 모식도(Choi's modification of Westin stick operation). B: 3세 환아의 수술 직후 소견. C: 13년 추시 후 소견.

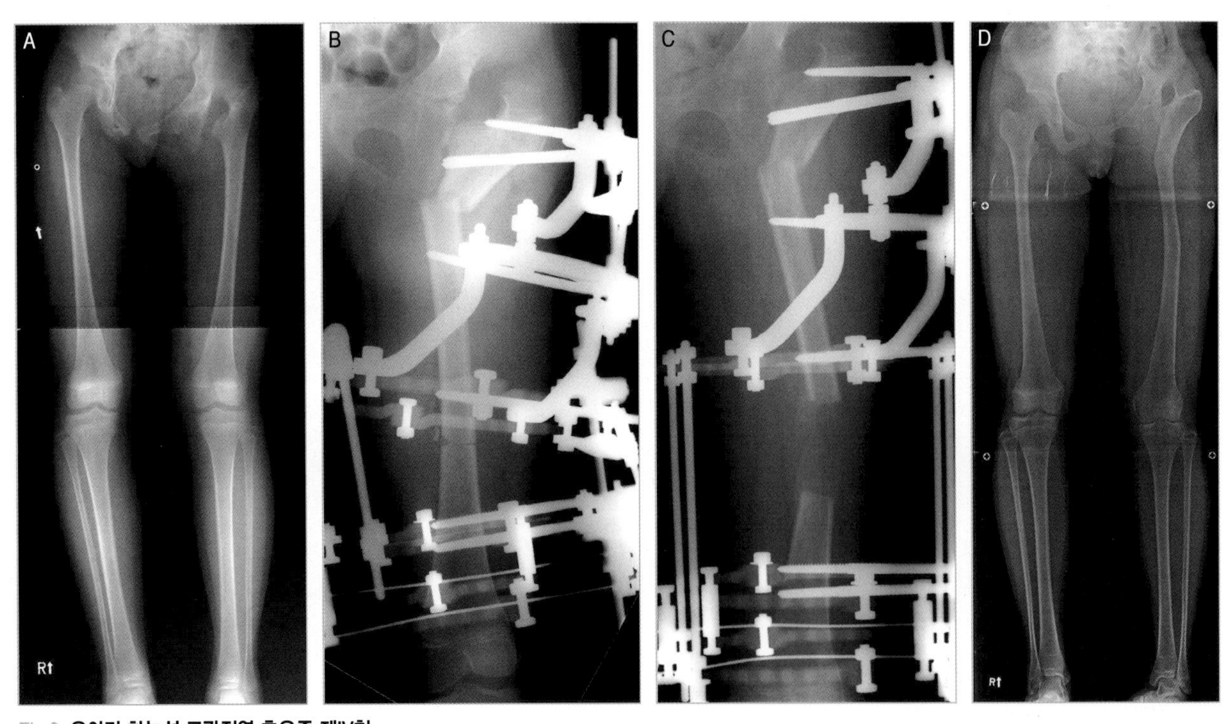

Fig 9. **유아기 화농성 고관절염 후유증 제IV형.**
A: 11세. 수술 전. B: 골반 지지 절골술. 근위 외반 절골술과 원위 피질골 절골술을 시행하였다. C: 원위부에서 내반 및 골 연장술을 시행하였다. D: 수술 후 3년 추시 사진으로 골반이 수평이 되었고 파행이 전혀 없다.

III. 세균성 골수염(bacterial osteomyelitis)

세균성 골수염은 골조직내 세균이 파종되어 증식하면서 조직 파괴와 염증 반응을 일으키는 상태를 말한다. 골수염은 병인, 해부학적 위치, 범위, 유병 기간 및 숙주 상태에 따라 분류될 수 있다.

1. 급성 혈행성 골수염 (acute hematogenous osteomyelitis)

뚜렷한 발열과 통증 등의 증상이 나타나며 대개 증상 발현 2주 이내에 진단하게 된다. 아급성 골수염은 증상 발현 기간뿐 아니라 임상 양상에서도 구별된다.

1) 역학 및 병태 생리

- 장관골에 호발(75%)하며 특히 하지, 골간단부에 더 호발한다.
- 골간단부에서 골수염이 호발하는 이유는 골간단부의 종말 동맥은 골단판 바로 아래에서 꺾이면서 정맥동으로 연결되며, 이때 혈류 속도가 느려져 혈관 주위 공간으로 세균의 침투가 용이하게 된다Fig 10.

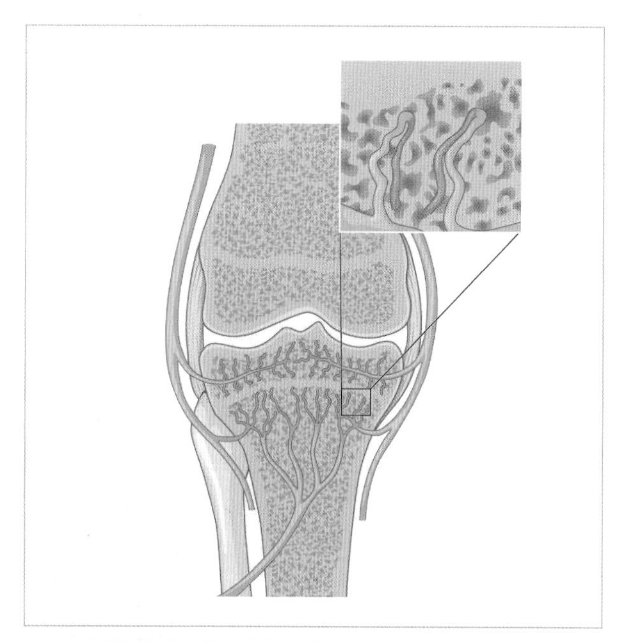

Fig 10. **소아 장골에서의 골간단부의 혈액 순환 구조.**
영양 동맥은 종말 동맥이 되어 골단판 부근에서 급격하게 방향을 전환하여 정맥동으로 전환되게 되며 이때 발생하는 와류(turbulent circulation)가 세균의 혈액외 공간으로의 누출을 용이하게 한다.

- 외상에 의해서 골조직의 손상이 동반된 경우, 골수염의 발생이 용이해질 수 있다.
- 하지에서는 대퇴골(27%), 경골(22%), 비골(5%) 순으로, 상지에서는 상완골(12%), 요골(4%), 척골(3%) 순으로 호발한다. 근위 상완골과 대퇴골에서 발생 시 화농성 관절염이 동반될 수 있다.
- 소아에서 급성 골수염의 원인은 혈행성 감염이 대부분이다. 일시적 균혈증(bacteremia)은 청소년기 비교적 흔하게 나타날 수 있으며 중이염, 인두염, 축농증 등의 원인이 선행될 수 있다.
- 근위 대퇴골과 상완골의 골수염은 화농성 관절염으로 진행되어 관절 파괴를 초래할 수 있어서 신생아의 대관절 감염이 의심되면 관절 천자를 신속히 진행해야 하며 감염 양성인 경우 외과적 배액을 해야 한다.

2) 진단

(1) 임상 증상

- 통증이 가장 흔한 증상이고, 압통이 가장 흔한 신체검사 소견이다.
- 발열, 부종, 발적 등이 갑자기 나타난다.
- 이환된 사지의 운동제한이 관찰될 수 있어 화농성 관절염과의 감별은 쉽지 않다.
- 약 1/3에서 선행하는 외상의 병력이 있으며, 외상이 있었던 경우 증상의 원인을 외상으로 치부하여 진단을 놓치기 쉬우므로 주의해야 한다.

(2) 혈액 검사

- 백혈구: 간혹 left shift를 보이지만 환자 2/3에서는 정상이어서 급성 골관절 감염에서는 믿을만한 지표가 아니다.
- CRP: 감염에 의해서 신속하게 증가하고, 치료되면서 신속하게 감소하므로 유용한 지표이다. 근골격계 감염이 있는 경우 CRP는 발병 6시간 내에 증가하며, 36-50시간 내에 최고점에 도달한다. CRP의 짧은 반감기(24시간)와 일정한 청소율때문에 효과적인 치료가 된 경우에는 7일 이내에 빠르게 정상 수치에 도달한다. 경구 항생제로의 전환을 위한 지침으로 사용하고 있다.

- 혈구침강속도(ESR): 감염된 후 48-72시간에 상승, 염증이 없어진 후 2-4주에 정상화되며 적절한 치료를 하더라도 초기 3-5일간은 지속적으로 상승하므로 첫 1주간은 치료의 지표로 삼기 어렵다.
- 기타 APR (acute phase reactants): IL-6나 procalcitonin의 검사도 이용되는데, 특히 procalcitonin은 CRP보다 더 특이적이며 조기에 증가하여, 감염 진단에 도움을 줄 수 있다.

(3) 세균 배양 검사

- 확진과 항생제 선택 등을 위해서는 원인 세균의 배양 및 분리 동정이 중요하다. 항생제 치료 시작 전에 시행하여야 한다.
- 감염된 골간단부에서 천자-흡입한 검체, 혈액, 그리고 수술 시 국소 조직 또는 농에서 배양을 시행한다.
- 조직과 농을 이용한 배양에서 균이 동정되는 경우는 약 40-60% 정도이다.
- 골수염의 농은 주사기에 잘 흡인되지 않지만, 바늘 끝에 농을 묻히고 혈액배양 용기에 바로 주입하여 배양하면 균 동정의 성공률을 높이고 동정까지의 시간을 줄일 수 있다(Shin 2020).

(4) 영상의학적 검사

① 방사선 검사

- 초기에는 골 변화가 없는 경우가 많아서 크게 도움이 되지 않는다. 일반 방사선 검사의 가장 큰 가치는 감염이 의심되는 소아에서 종양이나 골절과 같은 국소 질환을 배제하는 것으로, 이런 감별 진단을 위해 필수적으로 시행해야 한다.
- 골수염에 의한 이차적인 골 변화는 감염 발병 후 10-14일 정도 경과 후에나 관찰된다. 병의 경과에 따라 골용해 또는 경화성 병변, 골막 반응, 석회화, 골감소증, 관절 삼출 및 피질골 파괴 등을 관찰할 수 있다.
- PACS에서 화상의 대비와 강도를 조절하여 깊은 연조직과 골격 세부 형태를 보다 명확하게 시각화 할 수 있다. 연부조직 변화로 근육층의 부종, 지방층의 부종이 관찰될 수 있다.

② 자기 공명 영상(MRI)

- 급성 골수염을 조기에 진단하는데 90% 이상의 높은 민감도와 특이도를 보이는 가장 좋은 검사법이다. 특히, 골수와 연부조직의 변화를 관찰하는 데 유용하다. 환부의 위치는 분명하나 진단이 불확실한 경우 도움이 된다.
- 골수염과 골절 및 종양의 비교 진단이 가능하고, 골주사 검사에서 발견되기 어려운 골내 농양, 관절내 삼출, 근염의 발견이 가능하여, 수술 전 감염의 범위를 평가하는 데 도움이 된다.
- T1 강조영상에서 정상 골수가 염증세포와 부종으로 인하여 신호가 저하된다Fig 11. T2 강조영상에서 고강도를 나타내며 연부조직 주위 염증 구조물은 조영증강 T1 강조영상에서 가장 잘 보인다.

③ 골주사 검사

- 골수염 부위와 골 구조를 파악하는데 초기 검사로 유용하다. 현재는 MRI의 이용이 증가함에 따라 급성 감염이 의심되는 소아의 1차 검사로는 잘 이용되지 않는다. Technetium phosphate는 민감도가 대단히 높지만 특이도는 낮다. 병변의 위치가 명확하지 않거나 다발성 병변이 의심되는 경우 유용하다.
- 삼상 골주사(three phasic bone scan) 검사에서 급성 혈행성 골수염은 모든 시기에서 증가된 흡수를 보인다.
- 성장기 아동에서는 골단판에서의 흡수가 증가되어 있어서 pin hole view를 촬영하지 않으면 병변을 놓칠 수 있다.

④ 초음파검사

- 급성 골수염에서 골막을 포함한 주위 연부 조직의 변화 및 골막하 농양을 확인할 수 있다(Howard 1993).

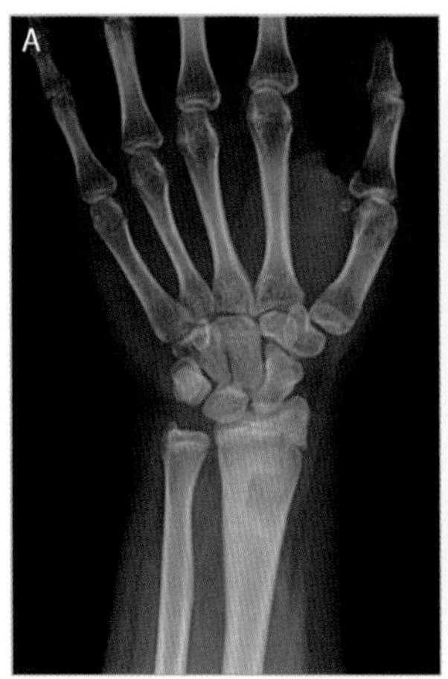

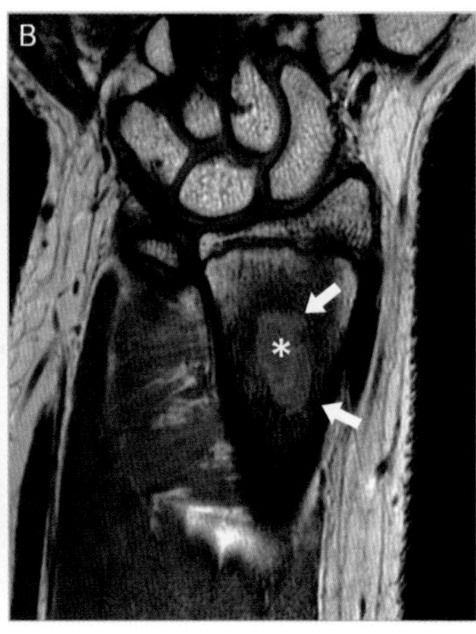

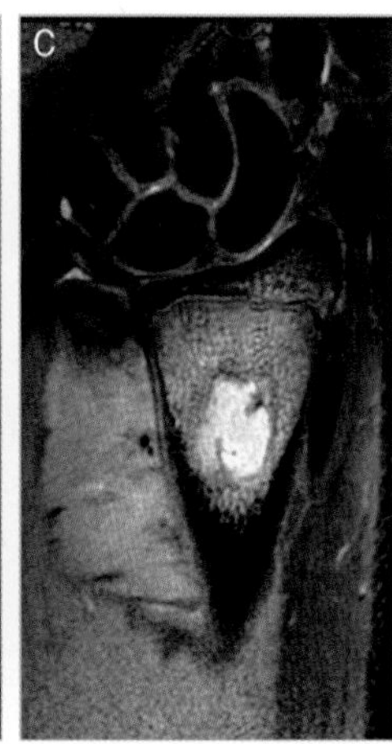

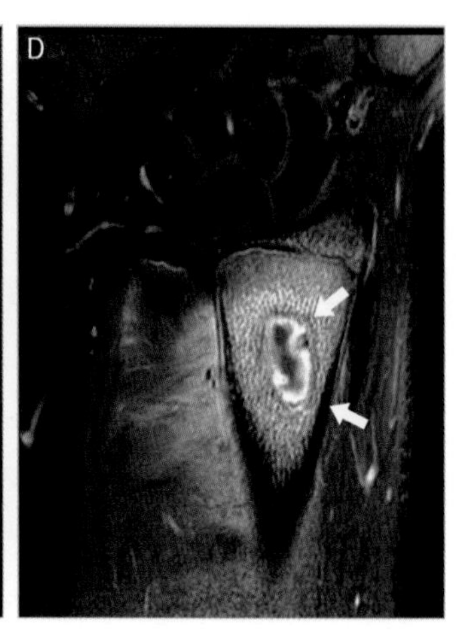

Fig 11. **14세 여아 골 농양의 MRI 소견.**
A: 방사선 검사 상 좌측 요골 원위부 골간단에 불규칙한 골음영 감소 병변. B: 관상면 T1 강조영상에서 높은 신호 강도의 얇은 테(화살표)(penumbra sign; rim sign)에 둘러싸인 저신호 강도의 골농양(*)이 있고, 주변 골수 부종이 관찰된다. C: 관상면 양자밀도영상에서 골농양 내부에 고신호 강도가 관찰되며, 주변 골수부종에 의한 고신호 강도가 보인다. D: 조영증강 시 골농양의 벽(화살표)을 따라 조영증강이 보인다.

급성 혈행성 골수염과 감별해야 할 질환
- 골조직이 아닌 연부조직부위 등의 감염(장요근 농양 등)
- 외상으로 인한 조직 반응
- 일과성 고관절 활액막염
- 화농성 관절염
- 연소기 특발성 관절염
- 급성 림프구성 백혈병(ALL)
- 유잉 육종 등의 종양

3) 치료

- 조기에 진단하여 효과적인 항생제 치료를 시행하면 수술없이 치료할 수 있는 내과적 질환이다. 단, 진단이 늦어지거나 효과적인 항생제가 투여되지 않아 화농(pus formation)하게 되면 수술적 배농이 필요하다.
- 병원균의 동정과 적절한 항생제의 선택이 가장 중요하다. 원인 균주가 확인되기 전 또는 규명되지 못할 때에는 가장 흔한 원인균에 대해서 항생제를 선택한다 Table 2.
- 초기에는 정맥주사로 항생제를 투여하여야 한다. 기간은 임상 증상 소실 및 CRP가 정상화된 후 적어도 1주일 이상 유지하되, 환아 연령, 화농 여부, 증상 발현 후 수술까지의 경과, 병원균의 항생제 내성 또는 독성 등을 고려하여 통상 3-6주간 투여한다.
- 최근에는 항생제 치료 기간을 단축시키기 위한 연구가 진행되고 있으나, 환자마다 급성 혈행성 골수염의 질병 중증도와 치료에 대한 반응이 크게 다르기 때문에 항생제 치료 종결 시점의 표준화에 어려움이 있다.

* 수술적 치료를 고려해야 하는 경우
① 골막하 농양이나 골내 농양이 존재하는 경우
② 방사선 검사 상 골 파괴 소견이 관찰되는 경우
③ 항생제 요법을 시작한 지 36-48시간이 경과하여도 임상적 증상이나 혈액 검사 결과의 호전이 제한되는 경우
④ 환아의 증상이 발생하고 적절한 항생제 투여까지 4-5일 이상 지연된 경우
⑤ 근위 대퇴골에 발생한 경우: 화농성 관절염이 발생할 가능성이 높고, 예후가 좋지 않으므로 적극적인 치료를 요한다.

- 수술은 골막하 또는 골수내 농양의 배농을 위해서 골막 절개술 및 다발성 천공술을 시행하고 드레인을 삽입하여 수술 후 배농을 원활하게 한다.
- 괴사된 조직의 제거와 관류는 균주 부하(load)를 감소시켜 수술 결과를 향상시키는데 도움이 된다.
- 수술 시에는 항생제가 도달하는데 문제를 일으킬 혈행 장애가 발생하지 않도록 주의해야 한다.

- 영아기에 뇌수막구균(meningococcus)에 의한 패혈증은 전신에 다발성 골단판 손상을 초래할 수 있다Fig 12.

2. 아급성 혈행성 골수염 (subacute hematogenous osteomyelitis)

발열 등 전신 증상없이 국소 임상 증상이 점진적으로 발현하며 단순 방사선검사 상 국소적 골 병변이 관찰되는 상태이다. 급성 골수염이 불완전하게 치료되었거나, 병인성이 약한 균주에 의해서 서서히 발병하여 의학적 관심을 끌기 전에 골 병변을 형성하는 것으로 생각된다. 통상 증상 발현 2주에서 3개월 사이에 진단하게 된다.

1) 역학 및 병태생리

- 급성 혈행성 골수염에서 보이는 증상, 징후와 달라 진단이 어려운 경우가 많고Table 3, 급성 혈행성 골수염보다 발생 빈도가 적으나, 빈도가 증가하는 양상이고, 보다 더 다양한 부위에 발생할 수 있다. 이런 이유로 진단이 지연되는 경우가 흔하며, 발병의 평균 연령은 7.5세 정도이다.
- 숙주의 저항력이 강하거나, 병원균의 독성이 약하거나 또는 부분적으로 치료된 급성 혈행성 골수염 등 숙주-병원균 관계가 급성 혈생성 골수염과는 다를 것으로 생각된다.
- 해부학적 위치(골간단부, 골간부, 골단부, 척추), 병변과 그 주변 조직의 모양, 병변과 유사한 모양을 보이는 종양에 따라 방사선학적으로 분류할 수 있다Fig 13 (Roberts 1982)

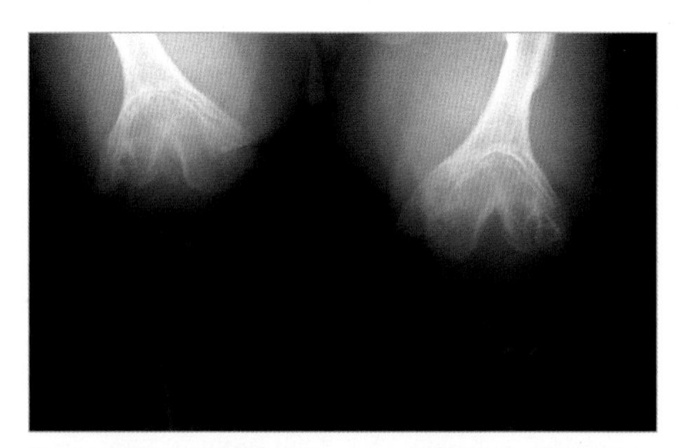

Fig 12. **신생아 뇌수막구균(meningococcus) 패혈증으로 인하여 전신 골단판 손상을 입은 4세 남아의 슬관절.**
원위 대퇴골과 근위 경골 골단판의 중심성 성장정지가 관찰된다.

2) 진단

- 모호하고 경미한 증상으로 2-3주간 치료를 받다가 방사선 검사에서 병변이 발견되는 경우가 일반적이다 Fig 14. 혈액 검사 소견은 정상이거나 염증 소견이 약간 증가할 수 있으며, 배양으로 원인균을 식별할 수 있는 정도는 29-61%로 보고되고 있으며, 가장 흔한 원인균은 S. aureus이다.
- 방사선 검사 상 종종 양성 또는 악성 골격 신생물과 혼동될 수 있어 종양과의 감별진단이 가장 중요하다.
- MRI는 질환 발병을 진단하는 유용한 검사로 아급성 골수염 진단 이외에 관절과 주위 연부 조직의 침범 범위를 파악, 특히 종양과의 감별진단을 하는데 많은 정보를 제공한다.

Table 3. **급성 골수염과 아급성 골수염의 감별**

	Subacute	Acute
WBC	Frequently normal	Frequently elevated
ESR	Frequently elevated	Frequently elevated
Localization	Diaphysis, metaphysis, epiphysis, cross-physis	Metaphysis
Pain	Mild to moderate	Severe
Systemic illness	No	Fever, malaise
Loss of function	No or minimal	Marked
Prior antibiotics	30-40%	Occasional
Initial X-rays	Frequently abnormal	Bone normal

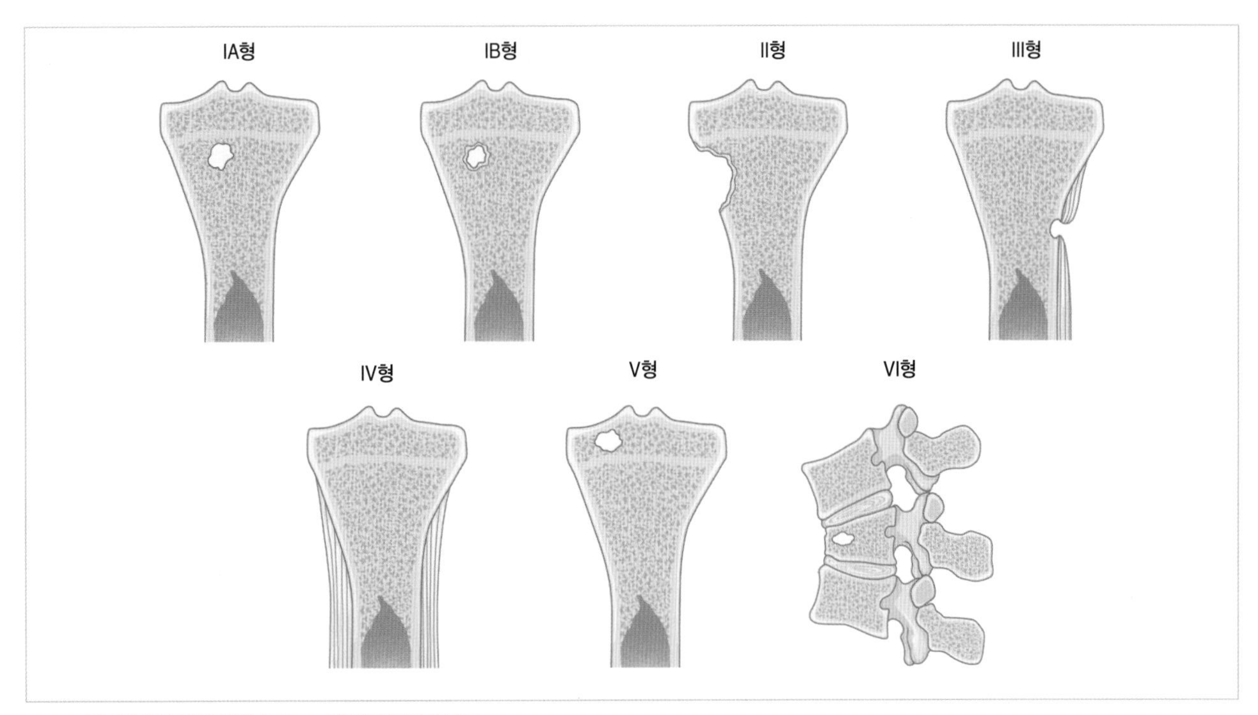

Fig 13. **아급성 골수염에 대한 Roberts의 방사선학적 분류.**

IA형: 병변 주위에 골경화상 없이 골간단에 음영이 감소한 병변, 호산구성 육아종(eosinophilic granuloma)과 유사한 소견.

IB형: 병변 주위 골경화상을 동반한 골간단의 병변으로 전형적인 Brodie 농양의 소견.

II형: 주위 피질골 파괴를 동반하는 골간단 병변, 골육종(osteosarcoma)과 감별이 어려울 수 있음.

III형: 골간부의 골막 반응을 동반하는 유골 골종을 닮은 병변.

IV형: 양파껍질(onion skin) 모양의 골막 반응을 동반하는 Ewing 육종을 닮은 병변.

V형: 골단의 음영이 감소한 병변, 연골모세포종(chondroblastoma)과 감별이 필요.

VI형: 추체의 파괴를 동반하는 척추 병변. 호산구성 육아종이나 결핵에서 보이는 소견과 유사.

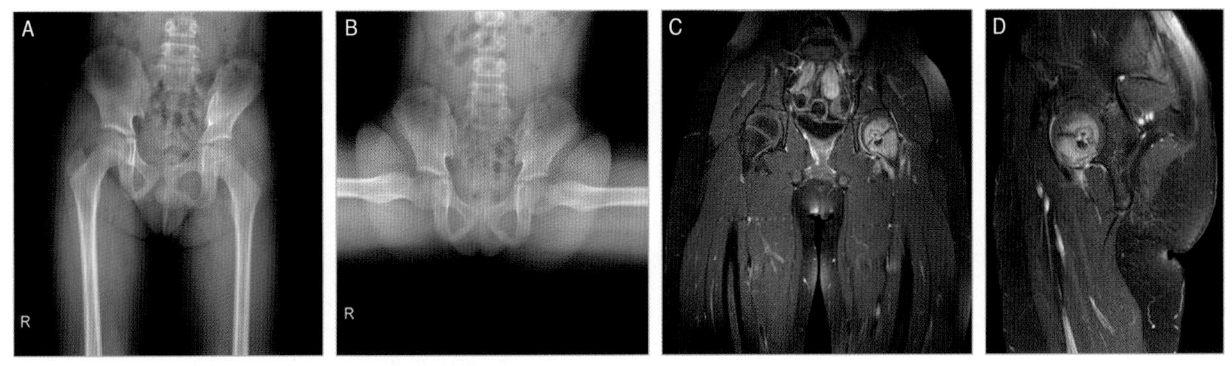

Fig 14. **10세 환아로 1개월전부터 왼쪽 고관절에 통증을 호소하였다.**

A,B: 방사선 검사에서 좌측 대퇴골 경부와 골두에 걸쳐 골 용해성 변화가 관찰된다. C,D: MRI에서 좌측 대퇴골두와 근위부 골간단의 부종과 골단판을 가로지르는 골병변이 확인되었다. 수술적 생검에서 아급성 골수염이 확진되었다.

- 방사선 검사 상 특징은 종양의 위치와 피질골 파괴 등에 따라 양성 또는 악성 골격 신생물과의 감별을 필요로 한다. 종양과의 감별 진단을 위해 삼상 골주사 검사, CT, MRI 등의 영상검사가 필요할 수 있으며, 이를 통해서도 진단이 불명확한 경우에는 수술적 생검이 필요하다.

3) 치료

- 아급성 골수염은 수술 없이 항생제 투여만으로도 치료할 수 있으나, 종양과의 감별이 어렵거나 일정 기간 항생제 투여 후에 병변이 호전되는 소견이 확인되지 않으면, 정확한 진단을 위해서 골생검/소파술을 고려하여야 한다.
- 아급성 골수염에서 원인균을 배양으로 확인할 수 있는 경우는 30-60% 정도이며 원인균을 확인하지 못하는 경우에는 포도상구균(staphylococcus)을 대상으로 하여 6주간의 경구 항생제 요법을 시행한다. 아급성 골수염에서 적절한 치료를 시행한 경우에는 합병증이 남는 경우는 매우 드물다.

3. 만성 골수염(chronic osteomyelitis)

감염으로 인하여 괴사된 골 조직(부골; sequestrum)이 존재하는 병변을 지칭한다. 부골을 제거하여야 치료가 가능하기 때문에 외과적 질환에 해당한다.

1) 역학 및 병태생리

- 급성 골수염이 불완전하게 치료되었거나 방치되었을 때에 발생할 수 있으며, 그 외에 개방성 골절 후유증으로도 발생할 수 있다.
- S. aureus가 가장 흔한 원인균이며, 경골이 가장 흔하게 이환된다.
- 소아에서는 골간단부의 피질골이 얇으며, 골막이 골로부터 쉽게 분리되어 골막하 공간에 농이 모이기 쉽고, 결과적으로 골 조직으로의 혈액 순환에 지장이 생겨 골 괴사가 발생하고 만성 골수염으로 진행한다.

2) 진단 및 치료

- 부골과 괴사 조직을 제거하고 효과적인 배농을 하며 충분한 기간 항생제를 투여하여 원인균을 박멸하면서 국소 조직의 기능을 재건하는 종합적인 접근을 요한다.
- 수술적으로 부골을 제거할 때에는 균일한 출혈 양상(paprika sign)을 보이는 건강한 골 조직이 노출될 때까지 제거하는 것이 원칙이나, 골 조직의 연속성을 깨뜨리거나 골절의 위험성이 과도하게 높아지지 않도록 유념하여야 한다. 소아는 성인에 비해서 골 대사가 활발하여 부골의 일부는 치료 과정 중에 흡수되기도 한다.
- 부골의 형태에 따라 광범위한 괴사 조직 제거가 필요할 수 있으며, 이 경우 사강(dead space)이 형성되고 골 구조에 불안정성이 유발되어, 복잡한 뼈와 연조직의 재건술을 필요로 한다. 초기 괴사조직 제거 후에 골시멘트에 항생제를 혼합하여, 염주알 형태로 만들어 임시적으로 사강을 채워 둘 수 있다. 질병 자체 또는 부골 절제술로 결손된 골 조직을 보강하기 위해서는 자가 해면골 이식술을 시행할 수도 있으나, 이식골 자체가 부골이 될 위험이 있기 때문에 국소 감염을 충분히 박멸한 후에 시행하는 것이 바람직하다.
- 광범위한 부골 절제술 후에 Ilizarov 방법을 응용한 골 이동술(bone transport)은 치료 기간이 오래 걸리고 그 기간 동안 morbidity가 크지만 치료 종료 후에는 골 결손 부위가 살아있는 신생골로 채워지기 때문에 재발의 가능성이 적다는 장점이 있다.

4. 화농성 감염성 척추염 (pyogenic infectious spondylitis)

애매한 증상으로 인하여 초기 진단에 어려움이 있기 때문에 소아 환자의 진료 시 염두에 두어야 한다. 비교적 항생제 치료에 잘 반응하여 대부분 수술까지는 필요하지 않다.

1) 역학 및 병태 생리

- 척추의 골수염과 추간판 감염(discitis)은 연골성 척추 종판(vertebral end plate)에 인접한 골조직에서 시작되는 혈행성 감염에 의한 결과이다.

- 소아에서는 연골성 척추 종판을 가로질러 환상 인대로 공급되는 혈관이 존재하며 약 8세 이후에는 대부분 사라지나 추간판 주변부의 풍부한 혈관성 문합은 약 30세까지 존재한다.
- 디스크 공간이나 인접한 척추 종판의 감염, 척추 골수염은 소아의 전체 골수염 중 1-2% 정도를 차지한다.

2) 임상 양상

- 막연하고 비특이적 신체증상으로 나타난다. 이 병변을 의심하여 척추부 타진 등에 의한 통증을 확인할 필요가 있다.
- 3세 이하에서는 보행 회피, 7-15세에는 복통으로 나타나기도 하며, 고관절운동 제한으로 고관절 병변으로 오인되기도 한다.
- 골수염 없이 추간판 감염만 있는 경우는 보다 어린 나이(3세 전후)에 발생하며, 발열이 없는 경우도 많다.
- L3-4, L4-5에 가장 호발하며, S. aureus가 주된 원인균이다. 척추감염과 관련된 다른 원인 균주로는 K. Kingae, M. tuberculosis, B. henselae, Salmonella 종 등이 있다.

3) 진단

- 백혈구수는 정상 또는 경도의 상승, CRP나 혈구침강속도(ESR)의 상승이 관찰된다.
- 단순 방사선검사에서 추간판 공간이 좁아지고 척추체 종판의 불규칙상이 관찰된다. MRI 검사에서 보다 확실한 병변을 확인할 수 있다.

4) 치료

- 포도상구균(staphylococcus)에 작용하는 항생제를 투여한다. 항생제 정맥 주사 요법으로 시작하고 증상 완화되면 경구 제제로 전환한다(Ring 1995).
- 증상 완화를 위하여 일시적으로 보조기 사용을 고려하기도 한다.

Ⅳ. 미코박테리움에 의한 골관절염

미코박테리움 감염증은 결핵과 비결핵성 감염증으로 나뉜다. 결핵균(M. tuberculosis)과 나병균(M. leprae)을 제외한 비결핵성 항산균(nontuberculous mycobacteria, NTM)에 의한 비결핵성 미코박테리움 감염증은 과거에는 비정형 결핵(atypical tuberculosis) 또는 mycobacterium other than tuberculosis (MOTT) 감염증으로 부르기도 했는데 전세계적으로 점차 증가하고 있으며 현재 150종 이상의 병원균이 알려져 있다. 결핵균과 비결핵성 항산균은 주로 폐를 침범하며 폐외 감염(extrapulmonary mycobacteriosis)은 전체 감염의 약 20-30% 정도를 차지하고, 근골격계 감염은 폐외 감염의 약 10-20% 정도를 차지한다. 결핵균의 근골격계 감염 경로는 주로 폐를 통해 침범한 병원균이 혈행성으로 근골격계에 도달하는 것이지만, 비결핵성 항산균은 외상, 주사, 침 시술, 복강경이나 지방흡인술 같은 외과적 시술 부위를 통해 직접 국소 감염 부위로 침투하는 경우가 많다. 면역학적 이상이 있는 환자에서는 전신적인 감염으로 나타나는 경우가 흔하다. 치료를 위해서는 6개월 이상의 복합약제 투여가 필요하며 수술적 치료가 필요한 경우가 많은데 특히 비결핵성 감염증에서는 대부분 수술이 필요하다. 미코박테리움 감염증은 mycobacterium bovis를 약독화한 BCG 백신 접종 후에도 발생할 수 있다.

1. 결핵성 척추염 (tuberculous spondylitis/Pott's disease)

1) 역학 및 병태 생리

- 뼈와 관절의 결핵은 M. tuberculosis로 인한 육아종성 염증이다.
- 결핵성 척추염은 결핵성 골관절염 중 가장 흔하며(50%), 가장 중한 감염이다. 척추의 어느 부위에나 생길 수 있으며, 보통 한 개 이상의 분절을 침범하며, 하위 흉추나 상위 요추에 가장 호발한다.
- 감염은 주로 장기의 결핵감염에서 비롯하여 척추에는 혈행성으로 2차적인 감염을 일으키며, 그 시작은 주로 척추 종판에 가까운 척추체 전방 1/3 부위이며, 소아에

서는 성인과 달리 추간판에 직접 혈액이 공급되므로 추간판이 감염의 시작 부위가 될 수 있다. 감염이 진행하면 추간판 및 인접한 주변 조직으로 확산되어 추간판 간격이 좁아지고 전방 피질이 붕괴되어 후만 변형이 진행되며, 추간판 또는 경막 종괴(냉농양, cold abscess)를 형성하여 척수압박을 유발할 수 있다Fig 15.

2) 임상 양상 및 진단

- 병력 상 결핵의 가족력이나 식욕 부진, 체중 감소가 양성일 수 있으며, 높지 않은 발열, 특히 밤에 심해지는 불편감(night cries) 등을 호소한다. 척추에 대한 임상 양상은 병의 진행 정도에 따라 다양하며, 수개월 전부터 시작된 요통 및 운동 제한이 흔하고, 진행된 경우에는 척추체의 붕괴로 인한 척추 후만증(kyphosis)이나 마비(Pott's paralysis) 등을 보일 수 있다. 신체검사에는 척추의 정렬 평가와 신경학적 검사를 하여야 한다.
- 검사실 소견은 일반적인 만성 질환과 유사하여, 가벼운 빈혈은 흔하며 백혈구 수치는 정상이거나 약간 증가할 수 있다. ESR 및 CRP 수준은 거의 항상 상승되며, 80-90%의 환자에서 피부검사(tuberculin skin test)에서 양성이다.
- 농양 형성이 매우 특징적이어서 MRI 검사가 감별 진단에 도움이 된다. 또한 MRI는 신경학적 압박 부위를 평가하는데 필수적이다.
- 감별진단: 화농성 척추염, 종양(다발성 골수종, 백혈병, 호지킨병, 호산구 과립종 등) 등과 감별이 필요하다.

3) 치료

주된 치료는 항결핵제 요법으로 12개월간의 복합화학 요법이 추천된다(미국 소아과학회). 처음 2개월은 isoniazid, rifampin, pyrazinamide, streptomycin, 다음 10개월은 isoniazid, rifampin을 복용한다. 항생제 내성 세균의 출현으로 치료 프로토콜의 재평가를 촉발시켰다. 조기 배농술과 골이식으로 골유합이 일찍 일어나고 후만 변형을 줄일 수 있다는 보고도 있으나, 대체적으로는 신경 마비 증상이 발생하거나, 척추 불안정성이 있는 경우, 약물 치료에 반응하지 않는 경우에만 수술적 치료를 시행하는 경향이다.

2. BCG 골수염(BCG osteomyelitis)

Mycobacterum bovis를 계대 배양하여 제조하는 BCG 백신 접종의 후유증으로 발생한다.

1) 발생률

유럽 일부 나라에서는 10만 명당 300명의 발생률을 보고

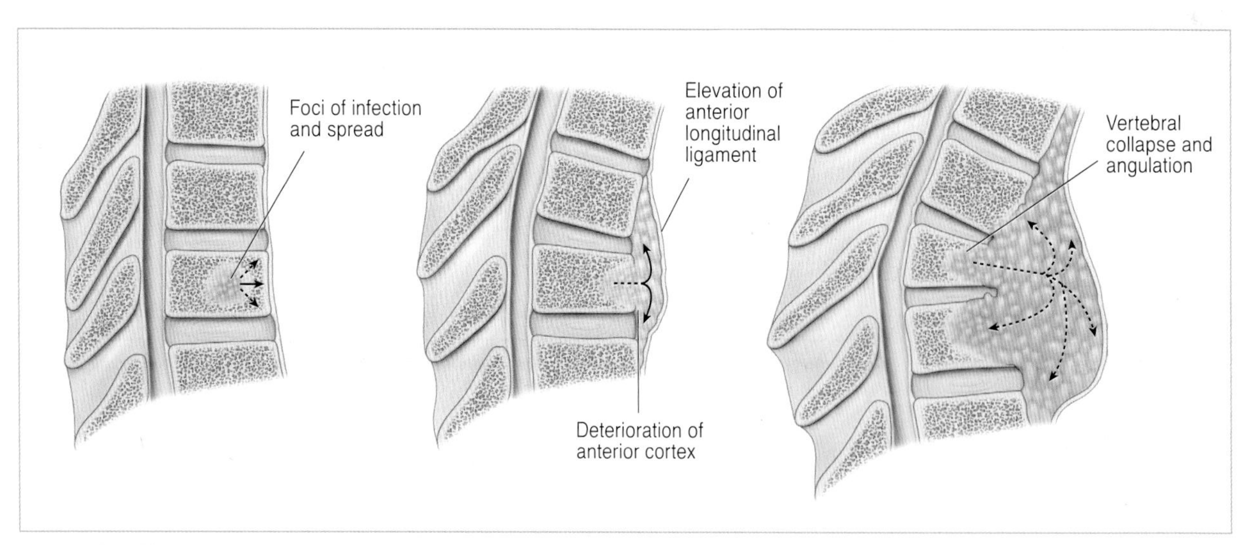

Fig 15. **결핵성 척추염의 병인.**

하기도 하나 일본에서는 10만 명당 0.1명으로 매우 드물다고 알려져 있어 편차가 크다. 우리나라에서는 발생률이 알려져 있지 않으나 결핵 감염이 여전히 많고 영유아기의 95% 이상이 BCG 예방 접종을 시행받고 있으므로 드물지 않게 발생할 것으로 추정된다.

2) 임상 양상 및 진단

BCG 예방 접종 후 약 14개월(범위, 6-33개월) 후 증상이 발생한다(Choi 2019). 따라서 주로 영유아기에 증상이 발생하며 드물게 학령기 이전의 소아에 발생하기도 한다. 주로 아급성 골수염의 양상으로 2주 이상 서서히 시작된 부종, 국소 통증, 관절운동 제한 및 열감 등의 소견을 보인다. 발열 등의 전신 증상은 없는 경우가 많고 혈액 검사에서도 ESR과 CRP의 경한 상승만을 보이는 경우가 많다. 하지만 드물게는 급성 골수염의 양상을 보일 수도 있다. 대퇴골과 족근골을 침범하는 경우가 가장 흔하다. 주로 골간단을 침범하나 골단을 일차적으로 침범하기도 하며 이 경우 진단이 늦어지거나 골종양으로 오인되기도 한다Fig 16. 진단은 원인균 유전자에 대한 polymerase chain reaction (PCR)으로 확진할 수 있다. 학령기 이전 특히 영유아에서 결핵에 대한 PCR 검사가 양성인 경우에는 BCG 골수염의 가능성을 고려해야 한다.

3) 치료

항결핵제를 사용한 복합화학 요법을 시행한다. 다만 Pyrazinamide는 효과가 없다고 알려져 있다. 일반적인 예후는 세균성 골수염에 비해 좋다는 보고들이 있으나 대규모 환자를 대상으로 한 연구가 없어 아직 명확하지 않다.

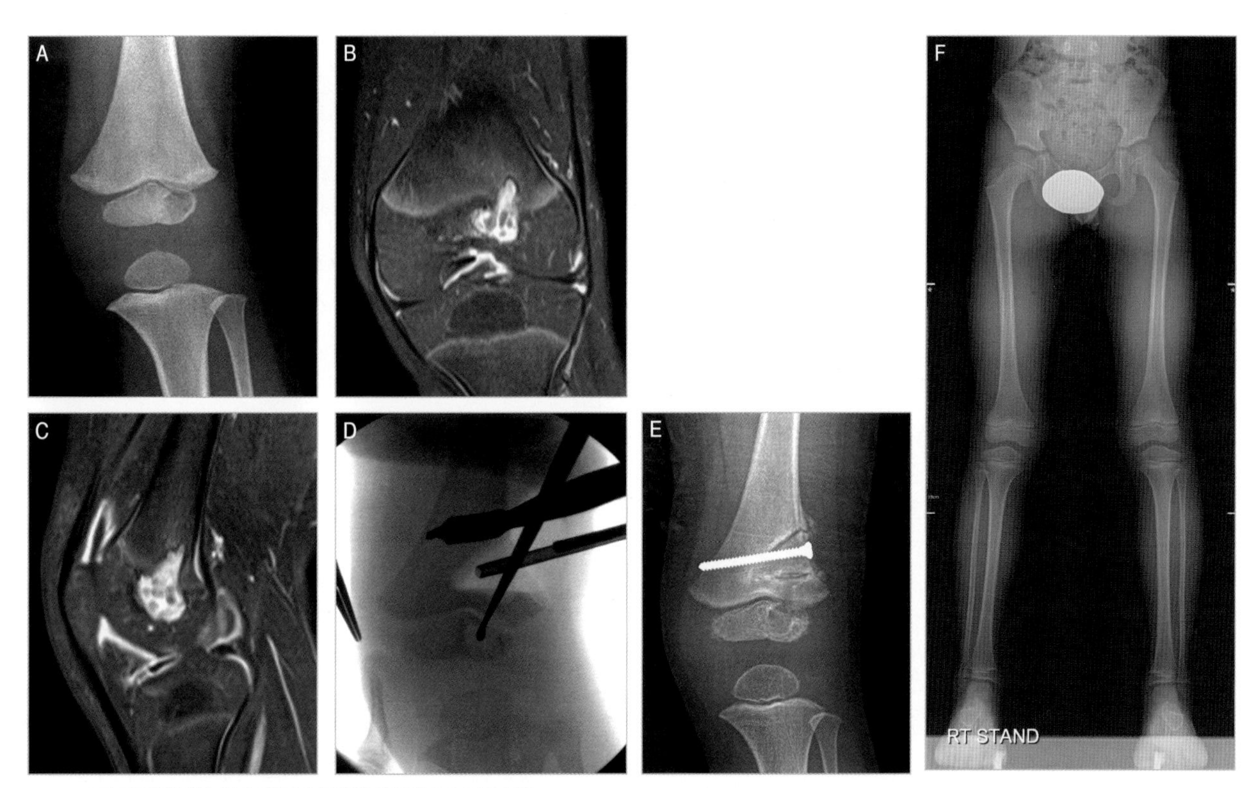

Fig 16. **2세 환아의 좌측 원위 대퇴골 골단에 발생한 BCG 골수염.**
A: 골단 외측에 골용해성 병변이 관찰된다. B,C: MRI 상 병변은 골단판을 뚫고 골간단 부위를 침범하고 있다. D,E: 배농술을 시행하고 항미코박테리움 화학요법을 1년 동안 시행하였다. F: 6년 추시 후 8세에 촬영한 방사선 사진 상 정상적인 골단판 성장이 이루어지고 있다.

V. 류마티스성 질환 및 유사 질환

1. 연소기 특발성 관절염 (juvenile idiopathic arthritis, JIA)

6주 이상 지속되는 원인 불명의 만성 염증성 관절염(chronic inflammatory arthritis)인 연소기 특발성 관절염(JIA)은 16세 이하에서 가장 흔히 발생하는 만성 류마티스 질환으로 1,000명당 1명의 발병 빈도를 보인다. 아침 시간에 관절 강직 증상이나 통증을 호소하기보다 첫 체중 부하를 꺼려 하고 절룩거리는 증상을 보이다가 오후가 되면 증상이 저절로 호전되는 비 특이적인 양상을 보이기도 한다. 단순히 성인의 류마티스 관절염(rheumatoid arthritis, RA)이 소아 연령에서 발생한 것이 아니고 별개의 질환으로 생각하는 것이 타당하다.

류마티스 관절염과의 차이

- 성인에서는 5개 이상의 관절이 침범되는 다수관절염(polyarthritis) 형의 류마티스 관절염이 대부분이고 수지 관절과 같은 작은 관절을 주로 침범하나, 소아에서는 4개 이하의 관절이 침범되는 소수관절염(oligoarthritis) 형태의 관절염이 흔하고 슬관절이나 족근관절 같은 큰 관절을 주로 침범한다.
- 류마티스 인자(rheumatoid factor)는 성인에서는 약 80%에서 양성이지만, 연소기 특발성 관절염 환자에서 양성을 보이는 경우는 25% 미만이다.
- 성인에서는 피하 결절이 약 25%의 환자에서 관찰되나, 소아에서는 드물다.
- 예후는 연소기 특발성 관절염의 경우가 성인에 비해 더 좋은 것으로 알려져 있으나, 만성 포도막염과 같은 심각한 합병증 발생에 대한 정기 검진이 꼭 필요하다.

- 국제 류마티스 학회(International League of Associations of Rheumatology, ILAR)에서는 소아 만성 관절염의 정의, 용어 및 분류법에 대한 혼란을 피하기 위하여 소아 특발성 관절염(idiopathic arthritis of childhood)이라는 개념을 제안하여 연소기 특발성 관절염(JIA)을 통일된 용어로 사용하고 있다.
- 발병 6개월 이내의 병형에 따라서 전신형, 소수관절형, 다수관절형, 건선 관절염, 부착부염 연관성 관절염 등으로 분류한다Table 4.

1) 소수관절염(oligoarthritis)

(1) 임상양상

- 가장 흔하며 연소기 특발성 관절염의 50%를 차지한다.
- 발병 6개월 이내에 관절염이 4개 이하의 관절에 국한된 형이다.
- 호발 연령은 6세 이전으로 남:여 비율은 1:4 정도이다.
  * Persistent type: 병의 경과 과정 중 1-4개의 관절에 국한되며 50%에서 병의 완화를 기대할 수 있다.
  * Extended type: 6개월 이후 5개 이상 관절에 이환되어 다수 관절염의 경과로 변화하는 형태이다.
- 대부분 서서히 시작되며 경하고 반복적인 증상을 호소한다. 관절 부종은 지속되고 압통은 경미하고 체중 부하에 문제가 없다.
- 발열 등 전신 증상이 없다.
- 50% 이상의 환자에서 단일 관절에 발생한다. 슬관절에 주로 발생하며 족근관절, 완관절 등에도 발생하나 고관절이 침범되는 경우는 드물고 수지나 족지 등의 작은 관절이 침범되는 경우도 매우 드물다.
- 증상은 수개월 내지 수년 지속되며 경과 중에 약 20%는 다수관절염으로 이행된다. 다수관절염으로 이행하는 확장형의 경우 예후가 좋지 않은데, 처음부터 여러 관절에서 시작하거나, ESR이 상승되어 있거나, 상지 관절에서 발생한 경우에 빈도가 더 많은 것으로 보고된다.

(2) 검사 소견Table 4

(3) 예후

- 다수관절염에 비해 양호하여 대부분은 경한 경과를 거치나 약 15%의 환자에서 관절파괴 등 후유증이 발생한다.
- 만성 포도막염, 각막변성, 백내장, 녹내장 등의 안과적 합병증이 약 10-30%에서 발생 가능하고 실명의 위험성도 있으므로 증상이 없는 경우라도 3-4개월마다 주기적인 안과적 검사가 필요하다.

Table 4. **연소기 특발성 관절염의 임상 특징**

	Oligoarthritis (50%)	Polyarthritis		Systemic arthritis (11%)	Psoriatic arthritis (7%)
		RF (-): 17%	RF (+): 3%		
연령	< 6세	1-3세, 아동기 후기-사춘기	9-11세	< 6세	6-10세
성별(여:남)	4:1	3:1	1:1	1:1	2:1
발병 관절수	4개 이하	5개 이상	5개 이상	무관	무관
건염증(enthesitis)	-	-	-	-	+
포도막염(uveitis)	10-30%	5%, 드물다	드물다	드물다	+, 치료에 반응하지 않을 수 있다
ESR	정상-약간 상승	정상-중등도 상승	중등도-고도 상승	중등도-고도 상승	unremarkable
ANA	40-80%	40-50%	?	8%	50%
RF	< 5%	음성	양성	7%	-
전신증상	-	-	+	++	-
예후	우수, 만성 포도막염으로 실명 가능	우수	양호	다양	만성 경과
관절 파괴형 관절염	15%	10-15%	25-30%	25-50%	?

2) 다수관절염(polyarthritis)

(1) 임상양상

- 연소기 특발성 관절염의 약 20% 정도를 차지하며, 남:여 비율은 약 1:3 정도로 여아에 호발한다.
- 발병 6개월 이내에 5개 이상의 관절이 침범된다.
- 성인 류마티스 관절염과 유사하여 조조 강직을 수반하고 수지관절, 손목관절에 초발하는 예가 많고 이 시기에 치료가 잘 되지 않으면 주관절, 슬관절, 족근관절 등으로 염증이 파급되기도 한다.
- 경추, 견관절 및 측두악관절(temporomandibular joint) 침범도 드물지 않게 발생한다.

• **류마티스 인자 양성형**
  - 8세 이상의 여아에서 비교적 흔히 발생한다.
  - 관절염의 예후가 나쁘고 발병 5년 이내에 약 반수에서 관절의 기능 장애가 발생한다.
  - 피로감과 낮은 정도의 발열이 나타나는 등 경도의 전신증상을 보일 수 있다. 여러 면에서 성인형 류마티스 관절염과 유사하여 류마티스 결절, 관절 파손의 징후를 보이면서 성인형 류마티스 관절염으로 진행한다.
  - HLA-DRw8인 경우가 많다.

• **류마티스 인자 음성형**
  - 어떤 연령에서도 발생 가능한데 평균 발병 연령은 6.5세이다.
  - 발병 7년 이내에 약 15%에서 관절의 기능 장애가 발생한다. 소관절 침범이 드물고 류마티스 결절도 보이지 않는다.
  - HLA-DR4인 경우가 많다.

(2) 예후

- 10년 추시 완치율에서 류마티스 인자 음성형과 양성형은 각각 50%와 15%를 보여 예후에 차이를 보인다.
- 고관절 침범 시 예후가 좋지 않다.
- 만성 포도막염(chronic uveitis): 소수관절형에 비해 드물며, 특히 류마티스 인자 양성형에선 거의 발생하지 않는다.

3) 전신관절염(systemic arthritis)

(1) 임상양상

- 연소기 특발성 관절염의 약 10%를 차지한다. 여아와 남아에서 비슷한 비율로 발병한다.
- 어떤 연령에서도 발생 가능하나 6세 이전에 호발하는 경향이 있다.
- 약 90%에서 특징적인 spiking fever 형태의 고열로 발병하고 비스테로이드성 항염제(NSAIDs)나 아스피린에 반응하지 않는 경우가 많다. 만약 적절한 치료가 시작되지 않으면 고열은 2주 정도 지속된다.
- 류마티스 발진: 고열이 발생할 때 약 50% 환자의 체간부와 사지에서 관찰되는 직경 2-5 mm의 발진이다. 순간적으로 나타나 소실되는 가렵지 않은 분홍 반점으로, 경계가 분명하며 반점 가운데는 깨끗한 원의 형태를 유지하고, 몸통, 특히 액와부에 가장 흔하다.
- 초기부터 관절염의 증상을 보이는 증례의 대부분은 다수관절염의 형태를 보이며 비교적 조기에 관절 파괴가 진행하기 때문에 예후가 나쁘다.
- 반면 관절 증상이 가볍고 발열이 주증상일 경우 관절의 예후는 비교적 양호한 경우가 많다.
- 경추 경직이 흔한데 수막염과 유사한 양상을 보인다.

* 관절 외 증상: 다음 중 한 가지 이상을 동반하는데 대개 저절로 호전되며 steroid에 잘 반응한다.
  - 심낭염(pericarditis)
  - 흉막염(pleuritis)
  - 임파선병증(lymphadenopathy)
  - 간비장비대(hepatosplenomegaly)
  - 복부통증(abdominal pain)

(2) 예후

- 약 50%의 환자는 소수관절염 형태와 같은 경한 경과를 보이고 나머지 50%는 다수관절염 형태의 경과를 보이는데, 그 중 약 반수는 심한 관절 파괴 등 후유증을 가진다.
- 약 8%의 환자는 amyloidosis 등 생명에 위협이 되는 합병증을 가질 수 있다.
- 만성 전방 포도막염(chronic anterior uveitis)은 매우 드물다.
- 가장 위중한 합병증은 대식구 활성화 증후군(macrophage activation syndrome, MAS)으로 지속적 고열과 범혈구 감소증, 간부전이 발생하여 치사율이 8%에 이르는 상태이며, 과거에 amyloidosis의 합병증으로 인식되었다. 전신형 관절염 환자가 발열이 있는 상태에서 백혈구와 염증 지수가 정상이라면 MAS의 발병을 의심해야 한다. 최근에는 IL-1, IL-6 차단제의 사용으로 발병율이 크게 감소하였다.

4) 건선 관절염(psoriatic arthritis)

건선과 관련하여 발생하는 소아의 만성 관절염으로 연소기 특발성 관절염의 약 7%를 차지한다. 일반적으로 건선피부염의 약 5%에서 관절염이 발생한다. 호발 연령은 6-10세이며 남:여 비율은 약 1:2 정도이다.

- 비대칭적인 소수 또는 다수관절염의 형태로 나타난다.
- 건선과 연관되는 관절염이나 건선 증상이 없다면 손발가락염(dactylitis), 손발톱이상(nail pitting or onycholysis), 피부과 의사에 의해 확진된 건선피부염의 직계가족 병력 중 최소 2가지 이상의 증상이 동반되면 진단할 수 있다.
- 부착부염 연관성 관절염과 유사한 점은 대관절, 천장관절염, 부착부염의 소견을 보이고 포도막염도 동반될 수 있다는 점이며, 차이점은 손발가락염이며 굴곡건 윤활막염의 형태로 소시지 모양의 부종을 보인다는 점이다.
- 호전과 재발을 반복하는 만성적인 임상 경과를 보인다.

5) 부착부염 연관성 관절염(enthesitis-related arthritis)

- 강직성 척추염(ankylosing spondylitis), 염증성 장질환과 연관된 관절염(inflammatory bowel disease-associated arthritis), 미분화된 척추관절염(undifferentiated spondyloarthritis) 등이 이 범주에 속한다. 관절염은 있고 SEA 증후군(아래 box 참조)으로 진단되었던 많은 환자들도 포함된다.

Seronegative enthesopathy-arthropathy (SEA) 증후군
- 혈청검사에서 ANA와 RF 음성, 건/인대 부착부위 통증과 염증 소견, 그리고 주로 하지 관절을 침범하는 관절 병증이다.
- 약 70% 이상이 HLA-B27 양성이다.
- 소아 SEA 증후군은 염증성 장 증후군이나 건선성 관절염, 강직성 척추염으로 발전할 수 있으나, 일부는 SEA 증후군으로 머물러 있기도 한다.

- 슬개골 주위, 경골 결절, 장골능, 또는 아킬레스건이나 족저근막 부착부의 압통을 보일 때 진단에 도움이 되며 가끔 발 뒤꿈치의 심한 부착부염이나 아킬레스건염이 유일한 증상으로 나타날 수 있다.
- 방사선 검사에서 천장관절이 초기에는 활막염으로 인하여 벌어져 보이고 병의 진행에 따라 협소해지는 소견을 보인다. 최근에는 치료약이 개선되어 조기 치료를 강조하고 있으며, 이를 위하여 MRI를 통한 조기 진단이 권장된다. MRI에서는 천장 관절부 관절액 증가와 장골내 부종 증가의 소견을 볼 수 있다.
- 일차적인 관절 외 증상으로 급성 전방 포도막염(acute anterior uveitis)이 나타날 수 있는데 강직성 척추염 환아의 약 27%에서 나타나고 HLA-B27과 50% 정도의 높은 연관성이 있는 것으로 알려져 있다.
- 성인에서 발병한 경우에 비하여 인공 고관절 치환술까지 시행해야 할 가능성이 더 높고, 포도막염의 발생률도 2배 더 높다.

(1) 연소기 강직성 척추염(juvenile ankylosing spondylitis)
- 82-95%의 환자에서 HLA-B27 양성이다. 남아와 여아의 비가 2.7:1 정도로 남아에게서 많이 발생하는 것으로 알려져 왔으나, 여아에서는 증상이 경하고 말단 관절에 주로 발생하는 양상을 보여 덜 진단되는 것으로 알려졌다.
- 강직성 척추염으로 진단되었던 환아들의 초기 증상으로 하지의 대관절(large joints)과 족근골(tarsal bones) 관절염을 보인 예가 많아 SEA 증후군이 연소기 강직성 척추염의 전구 증상으로 나타날 수 있음을 알 수 있다.
- 질병 초기 연소기 강직성 척추염은 주로 말초 관절염이나 건부착염의 형태로 발현하고, 천장관절이나 요천추 관절 등 중심 골격(axial skeleton)을 침범하는 경우는 드물어 초기 진단이 어려울 수 있다. 말단부 증상이 발생한 후 평균 7년이 경과한 후에 중심축 관절염이 발생한다.
- 증상의 호전과 악화를 반복하는 특징이 있으며 성인 강직성 척추염과 비교한 예후는 엇갈리나 성인에 비해 말초 관절에 이환되는 경우가 더 흔하다고 알려져 있다.
- 약물 치료 이외에도 척추 신전 운동으로 후만변형을 예방할 필요가 있다.

(2) 염증성 장질환 연관성 관절염
(inflammatory bowel disease-associated arthritis)
- Crohn 병과 궤양성 대장염(ulcerative colitis) 같은 염증성 장질환을 앓고 있는 환아 중 약 10-30% 정도에서 만성 관절염이 발생한다.
- 관절염은 흔히 말단에서 시작되며 일차적으로 하지를 침범한다. 그러나 소아에서 일부는 조금 더 심각한 형태의 관절염을 나타내는데 위장질환의 해소 후 천장관절과 중심 골격을 침범하는 형태를 띄기도 한다.
- 경결 홍반(erythema nodosum)과 괴저 농피증(pyoderma gangrenosum)은 염증성 장질환의 피부 증상으로 이러한 피부 증상이 나타날 때 진단을 내리는 데 도움이 된다.
- 염증성 장질환이 호전되어도 관절 질환은 지속될 수 있으며 부착부염 연관성 관절염과 유사한 임상 경과를 거치는 경우가 많다.

6) 방사선 검사 소견
- 발병 6개월 이전에는 특이한 소견이 없는 경우가 많으며, 애매할 수도 있지만 다음과 같은 소견이 관찰될 수 있다.
  * 관절 주위 골 감소
  * 국소적 연부조직 종창
  * 골단의 크기 증가(ballooning)
  * 관절 간격 증가: 관절액 증가 또는 관절막 비후

- 질병이 진행되면서 관절 간격 감소, 관절면 미란, 관절 아탈구 및 관절 강직 등이 관찰된다.
- 경추에서는 환축추 불안정성이나 골성 유합이 관찰될 수 있다.
- 건선 관절염에서는 미란성 변화(erosion)와 골막 신생골(periosteal new bone formation)이 동시에 관찰될 수도 있다.

7) 감별진단

연소기 특발성 관절염과 감별질환을 요하는 질병들
- 화농성 관절염
- 백혈병
- 급성 류마티스 열
- 색소융모결절성 활액막염
- Henoch-Schönlein 자반증
- 연쇄상구균 감염 후 관절염
- Kawasaki 증후군 후 관절염
- 일과성 활액막염
- Lyme 병

8) 치료

- 활막염이 진행되면서 판누스(pannus)에 의해 연골과 골 조직이 파괴되어 관절장애를 남기기 때문에 조기에 질병의 활동성을 억제하여 염증의 진행을 방지하고 관절 파괴를 예방하거나 최소화하는 것을 치료의 목표로 한다.
- 관절뿐 아니라 동반 증상이 나타날 수 있는 안과 등의 검진을 의뢰하여야 한다.
- 소아 환자에서는 성장장애, 학교 수업, 취직, 결혼, 임신, 육아 등 여러 가지 문제가 발생할 수 있으므로 환아, 가족 및 교사를 대상으로 병에 대한 교육과 함께 정신적인 지원을 해주는 것도 중요하다.

(1) 약물치료

- 경증에서는 NSAIDs 만으로도 충분한 경우가 많다.
- 관절파괴가 예상되는 중증에서는 조기부터 항류마티스 약물(disease-modifying antirheumatic drugs, DMARDs)이나 면역억제제를 투여한다.

① 비스테로이드성 항염제(NSAIDs)
- 소아에서 사용가능한 약물로는 naproxen, ibuprofen 등이 있다.
- 장기간 복용 시 매 3-6개월마다 혈액 검사, 간 기능, 신 기능, 소변 검사 등을 시행하는 것이 좋다.
- 약물치료의 효과를 판정하기 위해서는 최소한 6주간의 치료가 필요하며 만일 부작용이 있거나 효과가 없어서 약물을 교체할 경우에는 화학적 분류군이 다른 약물로 교체하는 것이 좋다.

- **소아환자에서 비스테로이드 항염제의 부작용**
  - 소화 장애는 드물다.
  - 이명(tinnitus)(+): 어린 소아는 귀에 벌레가 있는 것 같다고 호소한다.
  - 중추신경계 후유증: 과다 운동성, 기면, 두통, 우울증
  - 혈액검사 상 bleeding time 증가: 수술 시 고려해야 한다.

② 스테로이드(corticosteroid)
- 전신관절염에서 중증인 관절 외 증상, 특히 심낭염, 흉막염, 심근염 등의 합병증을 동반한 증례나 NSAIDs에 반응하지 않는 경우에 사용된다. 장기간 사용시 의인성 쿠싱 증후군이나 성장 저해의 합병증 발생 위험이 있다.
- 포도막염에 대하여 스테로이드 안약을 사용할 수 있다.
- 심하게 이환된 관절염(특히 체중부하관절)에서 6-8주간 NSAIDs를 사용한 후 염증이 지속되는 경우에는 관절내 스테로이드 주사요법(intraarticular stреroid injection)이 도움이 된다.

③ 항류마티스 약물(disease-modifying antirheumatic drugs, DMARDs)
- Methotrexate (MTX): JIA에서 가장 널리 사용되는 DMARD이다.
- Sulfasalazine: 다수관절염에서 유효하며 전신관절염에서는 심각한 부작용이 나타날 수 있어 피해야 한다.
- 생물학적 제제로는 etanercept/adalimumab (TNFα

억제제), abatacept (T-임파구 억제제), anakinra/canakimumab (IL-1 억제제), tocilizumab (IL-6 억제제) 등이 사용된다.

(2) 물리치료

- 진단과 동시에 물리치료를 시작하고 통증과 종창이 동반된 활동성 관절염의 경우 염증을 줄이고 기능적 자세를 유지하기 위해 부목(splint)을 적용해야 한다.
- 또한 굴곡 구축을 예방하고 관절운동 범위를 유지하기 위해 지속적으로 수동 및 능동적 관절운동을 하도록 지도, 관리하여야 하며 근력을 유지하기 위한 저항 운동도 지속적으로 해야 한다.
- 야간 부목 보조기: 수부 및 완관절, 슬관절, 주관절 등의 관절 변형 방지를 위해 사용한다.

9) 병의 관해(remission)

- **관해 판정 기준: 임상적인 증상과 검사실 소견을 종합하여 판단한다.**
  ① 염증반응 소실
  ② 관절 통증 및 압통 소실
  ③ 조조 강직(morning stiffness): 15분 이하
  ④ ESR, CRP: 정상 범위
  - 포도막염(uveitis) 위험이 있는 소아는 나중에 포도막염이 발생할 수도 있기 때문에 remission이 온 이후라도 주기적인 안과 검진을 요한다.

10) 수술적 치료

- 수술의 목적: 관절 변형을 예방하거나 교정하고 통증을 완화하며 관절운동 범위를 호전시키기 위함이다.

- **수술 전 고려 사항**
- 장기간 운동을 제한했던 경우나 부신피질호르몬을 투여한 경우: 골다공증의 위험성이 있다.
- 조직 주위의 혈류 증가: 수술 시 심각한 출혈이 가능하다.
- 마취 시 주의 사항: 축추-환추간 불안정성(atlantoaxial instability) 및 측두하악 관절(temporomandibular joint) 강직으로 인한 마취 위험성을 고려해야 한다.
- 수술 후 지속적인 물리치료가 필요하기 때문에 수술은 6세 이상에서 수술하는 것이 예후가 좋다.

(1) 활액막 절제술(synovectomy)

- 최소 6개월의 약물 치료와 물리치료를 하였음에도 지속적인 종창(swelling), 통증, 악화되는 관절 구축을 동반하고 6세 이상의 단관절 또는 소수관절염일 때 적응된다. 활액막 절제술 후 재생된 활액막 조직이 비교적 정상에 가까웠다는 보고도 있으나 대체로 질병의 재발로 인하여 관절 파손이 진행되기 때문에 급성기 증상 완화에 도움을 줄 수 있으나 장기적 예후에는 영향을 주지 않는다.
- 방사선 검사 상 관절의 파괴가 없을 때, 술 후 물리치료에 잘 협조할 수 있는 상태일 때 효과가 있다.
- 운동 범위를 증가시키지는 못하고 오히려 악화시킬 가능성도 있어, 굴곡 구축이 심할 때에는 다른 수술도 병행하여야 한다.
- 최근 관절경하 활액막 절제술 및 dysprosium 등의 방사선 동위원소를 이용한 radiation synovectomy도 시도되고 있다.

(2) 연부 조직 유리술(soft tissue release)

- 보조기나 교정석고에 효과가 없는 심한 관절 구축증에 적응이 되나 효과는 만족스럽지 못하다.
- 슬관절 구축이 15도 이상인 경우 보행 효율이 크게 낮아지므로 수술 적응증이 되며, 슬괵근 건 연장술, 장경대 이완술을 시행하고, 필요시 비복근 기시부, 후방 관절낭 이완술을 추가하며 가장 심한 경우 구축 완화로 인한 슬관절 후방 아탈구를 교정하기 위하여 전방십자인대 절제술이 필요한 경우도 있다. 이후 재발을 방지하기 위하여 6개월간 야간 부목을 착용한다.
- 고관절 구축에 대한 이완술은 장요근과 내전근 절개술을 시행하며 3년 추시에서 일부 구축의 재발이 발생하였으나 기능적 보행으로 회복하였다는 보고가 공통적이다.

(3) 관절 유합술(arthrodesis)

- 족근관절이 심하게 파괴되어 변형이 심한 경우에 삼중 관절유합술(triple arthrodesis)로 변형 교정을 시도할 수 있다.

(4) 척추

- 경추의 환축추간 불안정이 심해져 신경 증상이 악화될 경우 경추 유합술(cervical fusion)이 필요할 수도 있다.

(5) 기타 수술적 치료

- 절골술(osteotomy): 연부조직 이완술로 관절 구축이 해소되지 않는 경우, 특히 슬관절에서 절골술을 고려하기도 한다.
- 골단판 유합술(epiphysiodesis): 성장지연에 의한 외반슬이 동반될 수 있어 나사못이나 금속판을 이용한 성장 억제술을 시행한다.
- 인공관절 전치환술(total joint arthroplasty): 청소년기라도 관절 파손이 심한 경우에 인공 관절 치환술을 고려할 수 있다. 수술 후 통증 호전은 고관절에서 더 효과적이다. 하지길이부동의 합병증을 피하기 위해서 2년 이내에 성장 종료가 예상될 때 시행할 것을 권고한다. 하지만 관절염으로 인한 골감소증, 구축, 내과적 문제가 있는 환아에 대하여 인공관절 치환술을 시행하는 경우 합병증의 발생 빈도가 더 높으며, 재치환술 후에는 합병증이 더 높다는 점을 고려해야 한다.

2. 비세균성 골수염 (non-bacterial osteomyelitis, NBO)

비세균성 염증성 골병변(non-bacterial inflammatory bony lesion)이 장골의 골간단부나 척추체에 단발성 혹은 다발성으로 발생하며 관절염이 동반되지 않아 연소기 특발성 관절염과 구분이 되는 질환군이다. 약 20%에서 자가 면역 질환과 동반되어 나타나기 때문에 골조직에 이환되는 자가면역성 질환의 한 형태로 추정된다.

1) 분류

임상 증상의 지속 기간 및 양상에 따라 3가지 형태로 나눌 수 있다.

- 급성 비세균성 골수염(acute non-bacterial osteomyelitis): 발병 6개월 미만
- 만성 비세균성 골수염(chronic non-bacterial osteomyelitis): 발병한 지 6개월 이상 지속된 병변
- 만성 재발성 다발성 골수염(chronic recurrent multifocal osteomyelitis, CRMO): 만성 비세균성 골수염 병변이 다발성과 함께 손/발바닥 농포증(palmoplantar pustulosis, PPP)이 재발과 호전을 반복

2) 임상적 특징 및 검사 소견

- 10세 전후의 소아에서 주로 발병하며 여아에서 약간 호발하는 것으로 알려져 있다.
- 이환 골의 국소 통증이 주된 증상으로 약 30%의 환자에서 농포증(PPP), 염증성 장질환(inflammatory bowel disease)이나 피부 건선(psoriasis) 등의 자가 면역 질환이 동반된다.
- 조직 검사상 비특이적인 염증 소견을 보이며 균 동정 검사에서는 음성으로 나타난다. 혈액 검사상 염증 지수가 증가된 소견을 보이나 HLA-B27이나 HLA-DR 검사에서는 정상 군과 차이가 없다.
- 방사선 검사 상 골 용해성(osteolytic) 및 골 경화성(osteosclerotic) 병변이 골단판에 가까운 골간단부에 관찰되며 시간이 경과함에 따라 골 경화가 심해질 수도 있고 일부에서는 완전히 관해되는 소견을 얻을 수도 있다Fig 17.
- 골 병변으로 인한 병적 골절이 척추체에서 발생할 수도 있으며 이차성 척추 측만증을 초래할 수 있다.
- 합병증으로는 조기 골단판 폐쇄, 골 변형, 척추 후만증, 만성적인 통증, 흉곽 출구 증후군(thoracic outlet syndrome) 등이 있을 수 있다.

3) 진단

아래의 진단 기준 중 2개의 주 진단 요소 혹은 1개의 주 진단 요소와 3개의 부 진단 요소가 있으면 진단할 수 있다.

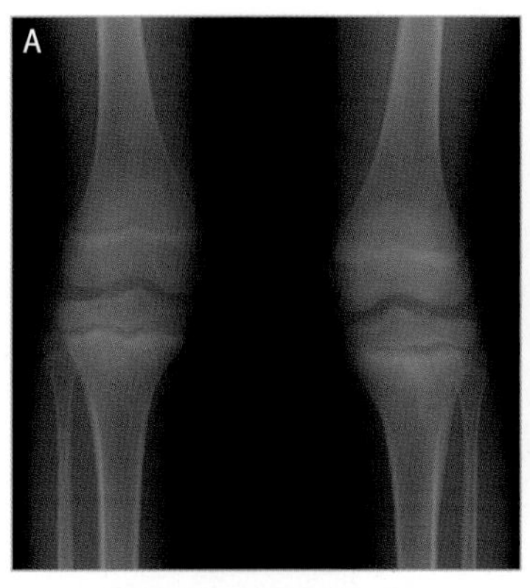

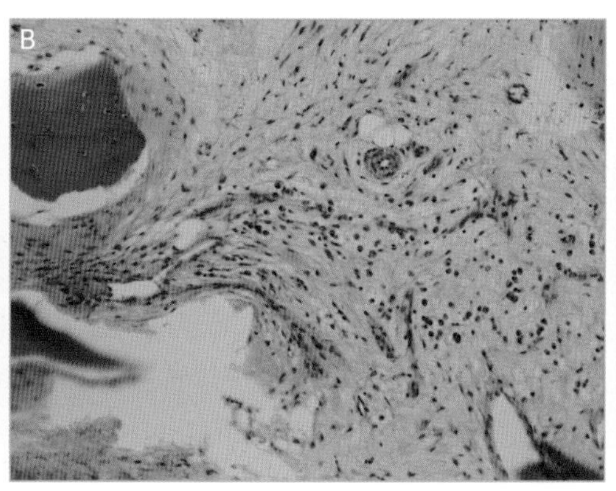

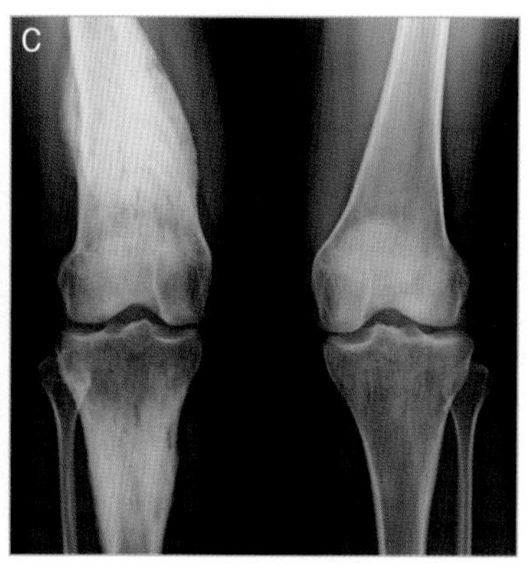

Fig 17. **만성 비세균성 골수염.**
A: 1년 전부터 시작된 양측 슬관절 통증을 주소로 내원한 12세 여아로 단순 방사선 소견상 골 용해성 및 골경화성 병변이 골단판에 가까운 경골 골간단부에서 관찰되고 있다. ESR 61 mm/hr, CRP 0.9 mg/dL으로 증가된 소견을 보였다. B: 조직 검사상 비 특이적인 염증 소견이 관찰되며 균 동정 검사에서는 음성으로 naproxen 투약에 의한 보존적 치료를 시행하였다. C: 10년 추시 방사선 소견으로 좌측은 회복된 소견이나 우측은 골 경화가 악화된 소견을 보인다.

(1) 주 진단 기준(major diagnostic criteria)

- 단순 방사선검사 상 골 흡수 및 골 경화 병변
- 다발성 골 병변
  - 손/발바닥 농포 또는 건선
  - 골 조직검사 상 비세균성 염증, 섬유화 또는 경화 소견

(2) 부 진단 기준(minor diagnostic criteria)

- 정상 일반혈액검사 소견 및 양호한 전반적 건강상태
- CRP와 ESR의 경도 또는 중등도 상승
- 6개월 이상의 증상 지속
- 과골화 현상
- 손/발바닥 농포 또는 건선 이외의 자가면역 질환 동반
- 친족에서 자가면역질환 또는 비세균성 골수염 발병

4) 치료

조기에 정확한 진단을 통하여 불필요한 수술이나 항생제 치료를 피하며 naproxen과 같은 NSAID가 일차적으로 사용되는 선택 약물로 대부분 증상 호전을 얻을 수 있으나 호전이 없을 경우 sulfasalazine과 steroid를 단기간 사용한다. 이외에 TNF-α neutralizing agents나 bisphosphonate를 사용하기도 한다.

3. 일과성 고관절 활액막염(transient synovitis of the hip, toxic synovitis, hypersensitive hip)

학동기 이전부터 학동기에 걸쳐서 외상 없이 고관절 혹은 슬관절 통증과 파행, 그리고 고관절운동 장애를 초래하는 질환으로, 자한성(self-limited) 경과를 보이고 후유증을 남기지 않는 질환이다.

1) 병인

- 상기도 감염 후에 오는 경우가 많아서 세균성 또는 바이러스성 감염에 따른 후유증으로 생각되기도 하나 관절 자체에 원인균이 침입한 것은 아니다.
- 골주사 검사를 통한 연구에서 초기에 1/4 정도의 환자에서 대퇴골두 혈류가 저하되었다가 1달 후에 반동성 과혈류 소견이 관찰되었다고 하며 이중 1명에서 LCP가 발병되었다는 보고로 인하여 LCP 발병 연관성이 제기되기도 하였지만 불명확하다.
- 생검 소견에서는 비특이적 염증성 변화와 활액막 증식만이 관찰된다.

2) 역학

- 10세 이하 소아의 고관절 통증과 파행의 가장 흔한 원인으로 응급실에 내원한 고관절 통증 환아의 약 85% 정도를 차지할 정도로 흔하다.

- 발생 빈도는 매년 전체 소아의 0.2%에서 발생할 정도로 흔하고 결국 전체 인구의 3%는 한 번쯤 앓고 지나는 질병이다.
- 평균 발병연령은 5-6세(범위: 3-12세)이고, 남아가 여아보다 2-3배 많으며, 양측의 빈도는 동일한데, 95%가 편측성으로 발생한다.
- 약 5%에서 재발할 수도 있다.

3) 임상적 소견

- 대부분 경도의 통증을 호소하지만 간혹 중등도 내지 중증인 경우도 있고, 일부에서는 야간통(night pain)을 호소한다. 통증없이 파행만 보이는 경우도 있다.
- 통증은 서혜부 또는 대퇴 내측부나 슬관절에 연관통을 호소한다.
- 상기도 감염이 선행하는 경우가 흔하다. 외상, 중이염, 연쇄상구균 후두 감염 등이 선행하기도 한다.

4) 신체검사

- 하지 통증이 고관절운동 시, 특히 외전 및 내회전 시 관찰되나 화농성 고관절염보다는 훨씬 덜 심하다.
- Patrick 검사와 log rolling 검사 상 고관절 통증이 유발되는 양성 소견을 보인다.

5) 검사 소견

- 백혈구수(WBC)는 정상, CRP와 혈구침강 속도(ESR)는 정상 또는 약간 상승한다.
- 방사선 검사 상 특이 소견이 없으며, LCP 병을 감별하는 데에 의의가 있다.
- 초음파검사 상 관절 삼출액이 관찰되는 경우가 많으나 초기나 회복기에는 없을 수도 있다.

6) 진단

- 화농성 고관절염 또는 기타 고관절 주변 연부조직 감염과의 감별이 가장 중요하며, 그 외에 LCP 병, 연소기 특발성 관절염 등 다른 질환을 배제함으로써 진단하게 된다.
- 화농성 관절염은 전형적으로 극심한 통증으로 인하여 관절운동이 심하게 제한된다는 감별점이 있지만, 저강도 균에 의한 염증에서는 통증과 운동제한이 덜 심할 수도 있으며, 불충분하지만 투여된 항생제 때문에 증상이 완화되어 진단에 혼선을 가져올 수도 있다.
- 일부 일과성 활액막염 환자는 극심한 통증을 호소하기도 하는데, 혈액 검사 상 뚜렷한 염증 소견이 없으면 대증 치료하면서 관찰한다. 이런 경우 화농성 관절염과의 감별을 위해서 관절 천자 검사가 필요할 수도 있다.
- 연소기 특발성 관절염의 최초 증상이 고관절로 나타나는 경우 일과성 활액막염과 감별할 수 없으며, 이환 기간이 길고 다발성, 재발성 증상이 나타나면 구분이 될 수 있다. 일과성 활액막염 증상이 2-3주 이상 지속되면 연소기 특발성 관절염의 가능성을 고려하여야 한다.
- LCP 병 초기에 방사선 검사 상 변화가 나타나기 전에는 일과성 활액막염과 구분할 수 없으나, 고관절운동범위 제한이, 특히 외전 및 내회전이 심하게 감소하는 양상을 보이는 경우가 흔하다. 증상이 1개월 이상 지속되면 추시 방사선 검사를 고려해 본다.

7) 치료

- 증상이 호전될 때까지 운동을 피하고 안정을 취하는 것이 빠른 증상 호전에 도움이 될 것으로 기대한다.
- 증상이 심하면 비스테로이드성 진통소염제로 대증 치료를 하거나 단기간 견인 치료 등으로 증상 완화를 할 수 있다.
- 항생제 투여는 필요하지 않다. 화농성 관절염 가능성을 진단과정에서 확실하게 배제하고 항생제를 투여하지 않거나, 화농성 관절염으로 판단되면 그에 합당한 수술적 배농 및 적극적인 항생제 치료를 해야 한다. 진단에 자신이 없어서 항생제를 투여하는 태도는 바람직하지 않다. 만약 화농성 관절염이라면 섣부른 항생제 투여로 감염을 박멸하지 못하면서 세균 배양을 불가능하게 하고 증상을 완화시켜 진단에 혼동을 야기할 수도 있다.

VI. 조혈계 관련질환

1. 백혈병(leukemia)

소아에서 가장 흔한 악성 종양으로서, 조혈 기관에서 기원하여 인체의 모든 장기를 침범한다. 1세에서 5세에 많이 발생하며, 급성 임파구 백혈병이 가장 흔하다(80%). 급성 질환에서 골격계의 증상이 흔하게 나타나는데, 골 병변은 주로 소아에서 발생한다.

1) 임상 소견

발열, 감염, 골관절계 통증, 출혈 소견, 식욕 부진, 복통, 중추 신경계 증상 등이 나타난다.

2) 골격계 소견

- 급성 백혈병 첫 번째 증상이 골격계 증상으로 나타날 수 있기 때문에 이에 대한 관심이 중요하다.
- 종양세포가 골수 내에서 급격히 증식하여 초래되는 미만성 골 및 관절의 통증이 가장 흔한 골격계 증상이다. 40-62%의 환아에서 초기 증상으로 근골격계 통증이 나타나며, 약 50%의 환아에서 내원 당시 통증으로 인한 파행이나 보행 거부 양상을 보인다. 요통도 흔한 증상으로 척추체의 병적 골절이나 심한 골다공증과 관계가 있다.
- 관절의 통증과 부종은 그 양상이 연소기 특발성 관절염과 비슷하며, 11-13%의 ALL 환아에서 내원 당시 호소하는 증상이 된다. 특징적으로 1개 이상의 관절이 이환되며, 흔히 이환되는 관절은 슬관절, 족근관절, 주관절 등이다. 혈중 백혈구 수도 증가하기 때문에 화농성 관절염과의 감별이 어려울 수 있다.
- 환아는 불안, 식욕부진, low-grade fever 등의 전신적 증상을 동반하며, 요통과 관절통이 동반되어 있을 경우 백혈병의 가능성을 더 의심해 보아야 한다. 큰 관절을 비대칭적으로 침범하는 것이 특징적이다.

3) 영상의학적 소견Fig 18

- **범발성 골다공증과 골 용해 병변**(osteolytic area)
  - 21-30%의 급성 임파구 백혈병 환아에서 진단 당시 골밀도가 Z<-1.654(5%)인 것으로 보고된 바 있다.
  - 백혈병으로 인한 골 대사 이상으로 골 결핍이 유발되며, 항암화학요법 기간 중에 골밀도는 더욱 감소하게 된다.
  - 주로 장관골의 골간단부, 두개골, 골반, 척추체의 상, 하부, 수부나 족부의 관상골(tubular bone)에서 발생된다. 골막하 반응(subperiosteal reaction)이 동반될 수 있다.
  - 치료 도중에 발생된 골 용해 병변은 골수의 아세포 위기(blast crisis)의 발생을 시사한다.
- **백혈병성 선형성(leukemic line, metaphyseal band)**
  - 골단판 주위에 방사선 투과성 띠가 횡으로 나타나는 소견은 급성 백혈병에서 흔한 초기 증상으로 백혈병 세포의 침윤 보다는 석회화 이상 때문인 것으로 생각되고 있다.
- **장관골의 골간을 따라 생기는 골막하 신생골 형성도 흔한 소견이다.**
- **피질골에 방사선 투과성 병변을 보일 수 있으며, 이는 백혈병 세포의 침윤에 의한 것으로 생각되고 있다. 수부나 족부의 단골, 장관골의 골간단이나 두개골에서 관찰할 수 있다.**
- **골 경화 병변:** 드물게 종양세포의 침윤으로 골 용해 병변 대신 골 경화가 나타날 수 있다.
- **병적 골절**
  - 백혈병 환아에서 골절의 위험이 더 증가되며, 이는 골 결핍과 관련되어 있다.
  - 대부분 가벼운 외상 후에 사지에 발생하며, 급성 임파구 백혈병 환아에서의 골절 빈도는 항암화학요법 중에 더 증가하여 12-38%에 이른다.
- **골주사 검사 소견**
  - 방사선 검사나 임상 증상과 일치하지 않고, 증상이 심한 부위의 흡수는 정상으로 발현되는 반면, 증상이 없는 부위에는 흡수가 증가하는 양상을 보일 수 있다.

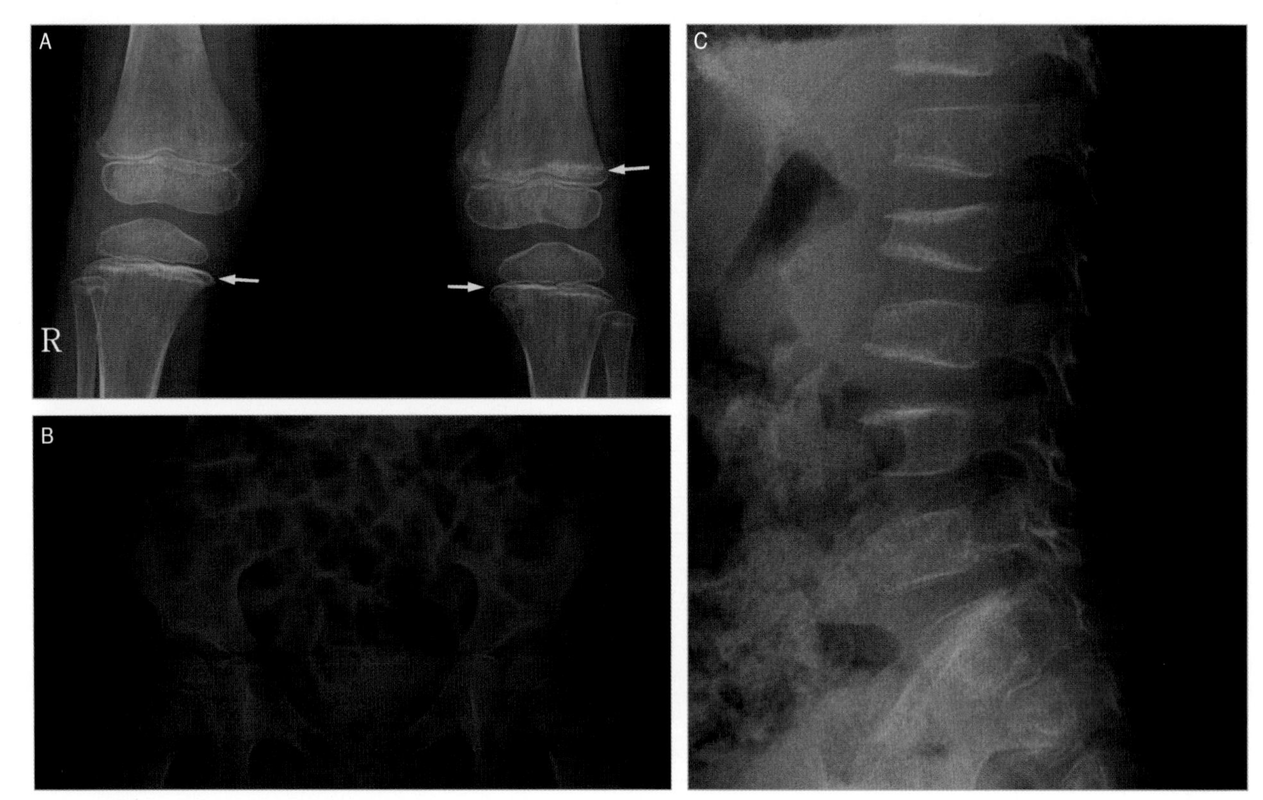

Fig 18. **백혈병에서 볼 수 있는 방사선 소견.**
A: leukemic line (노란 화살표). B: 범발성 골조송증. C: 병적 골절.

- MRI
  - 악성종양세포의 골수 침윤이 보이며, 조영 증강 검사에서 세포가 밀집된 덩어리나 괴사 조직 모두 조영 증강이 되지 않는 소견을 보여 골수염이나 기타 원발성 종양과 감별된다.
  - 골수 생검 시행한 부위에는 조영 증강이 되지 않는 특징적 소견이 변화되어 진단을 어렵게 한다.

4) 진단

급성 백혈병에는 질병 특이성 병력이나 신체검사 소견이 없기 때문에 이 질병을 의심하고 그에 필요한 진단적 검사를 시행하여야 한다. 전신 증상을 동반한 근골격계 통증을 달리 설명할 방법이 없거나 방사선 검사 상 의심되는 소견이 발견되면 항상 급성 백혈병을 염두에 두어야 한다. 확진을 위해서는 골수천자 또는 골수 생검이 필수적이다.

5) 골격계 문제에 대한 치료

- 병적 골절이 발생할 수 있는데 감염의 가능성이 매우 높으므로 골절 치료에 세심한 주의를 요한다.
- 고용량의 스테로이드나 골수이식술에 의한 골 괴사가 발생하는 경우가 있다. 대퇴골두가 가장 흔하고 원위 대퇴골, 근위 경골 등에도 발생한다. 급성 임파구 백혈병 진단에서 골 괴사 진단까지 평균 17개월이 소요된다. 골 괴사에 대한 치료로는 다발성 천공술이 증상완화를 가져올 수 있으며, 관절면 함몰에 대해서는 백혈병 치료 경과에 따라서 치료 방침을 결정해야 한다.

2. 혈우병(hemophilia)

혈우병은 혈액응고인자 결핍에 의한 지혈 장애이다. 14가지의 혈액응고인자Fig 19 중 어떤 것이든 기능적 결여가 있으면 나타날 수 있는데 주로 혈액 응고인자 VIII이나 IX 등의 기능적 결여로 인한 유전적 질환이다. 영국 Victoria 여왕의 자손을 통하여 유럽의 왕가에 전파된 것으로 유명하다.

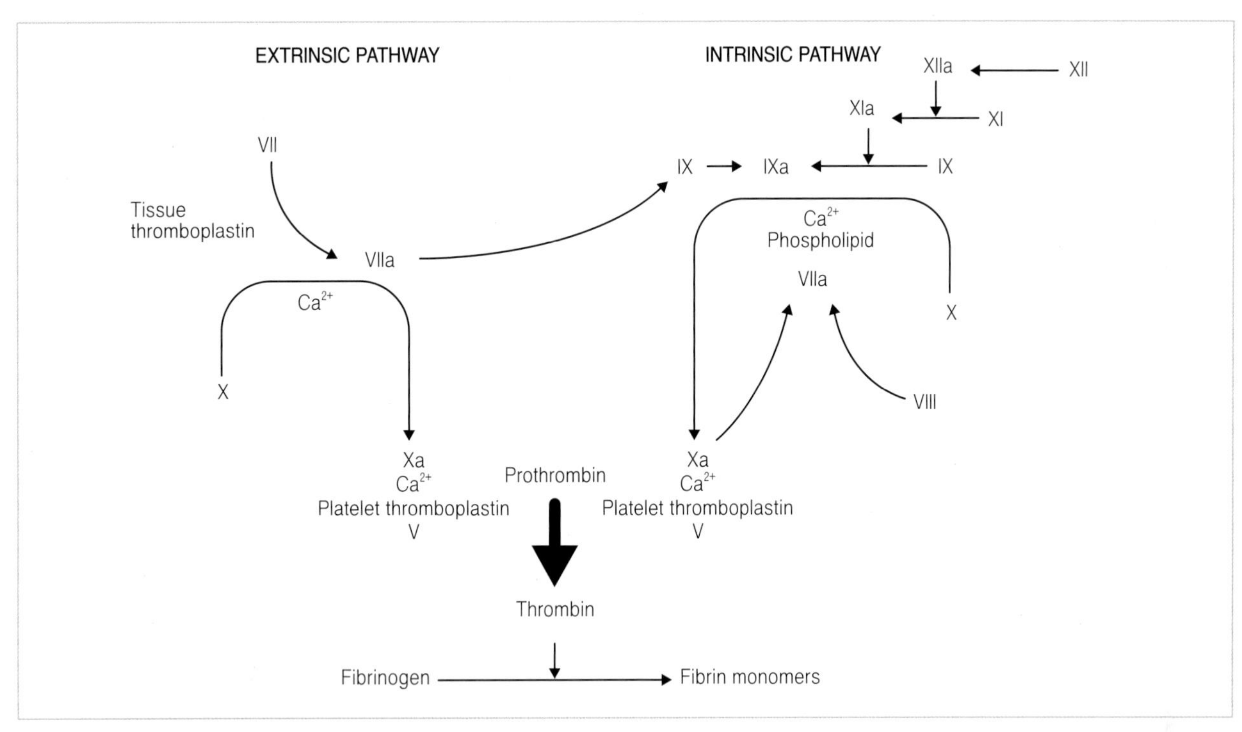

Fig 19. **정상적인 응고 연쇄반응(coagulation cascade).**

1) 분류 및 유전성

세부 분류에서 응고인자의 농도에 따라 경증, 중등도, 중등 중증, 중증으로 나뉜다Table 5. A형과 B형 모두 X-linked recessive pattern으로 유전되며, 대개 남자에 한정되어 발병하나 보인자인 여자에서 증상을 보이는 경우도 있는데, 이는 X 염색체의 불활성화가 무작위로 되지 않고 정상 유전자를 가진 쪽이 더 많이 불활성화 되었기 때문으로 생각된다. A형과 B형은 임상적으로 구분되지 않는다. A, B형은 성염색체 열성 유전을 하는 반면, C형과 von Willebrand 병은 상염색체 유전을 한다.

Table 5. **응고인자 농도에 따른 중증도**

Severity	Factor Level (/mm^3) (Percentage of Normal)
Mild	>50
Moderate	25–50
Moderately severe	1–24
Severe	<1

2) 임상 증상

조절이 힘든 출혈과 반복적인 출혈이 특징적인 증상이다. 호발 부위는 관절, 근육, 연부 조직의 순이다. 증상은 응고인자의 혈중 농도에 따라서 결정된다(McFarlane 1966). 응고인자가 정상의 50%까지만 유지되어도 지혈은 정상적으로 가능한데, 응고인자 농도가 25-50%인 경우는 경증이며 심한 외상이나 수술 중 출혈이 지혈되지 않는 정도이고, 응고인자 농도가 5-25%인 경우는 중등도 질병 상태로서 작은 손상이나 수술 중 출혈도 지혈되지 않는 정도이다. 응고인자 농도가 1-5%인 경우는 중등 중증 상태로서 인지하지 못하는 정도의 외력으로도 심각한 출혈이 발생하고, 응고인자가 1% 미만인 경우에는 위중한 상태로서 관절이나 심부 연부조직 내 자발 출혈이 발생한다. 출혈은 어느 부위나 발생할 수 있으나 관절내 출혈이 가장 흔하고, 심부 근육내 출혈이 그 다음 빈도로 발생한다.

3) 혈우병성 관절증(hemophilic arthropathy)

반복적인 관절내 출혈로 인하여 발생하는 진행성 관절 파괴 현상이다. 체중부하 관절인 슬관절, 주관절, 족근관절에 호발한다.

(1) 급성 혈관절증(acute hemarthrosis)

- 통증, 종창 및 팽창, 국소 압통, 발열 등의 증상이 있으며, 관절은 관절내압을 최소화할 수 있는 위치를 유지한다.
- 관절의 증상은 응고인자의 투여로 신속하게 호전된다.

(2) 아급성 혈관절증(subacute hemarthrosis)

- 몇 번의 출혈이 있은 후에 발생하며, 통증은 심하지 않다. 활액막이 비후되며, 관절운동 장애가 나타나며, 응고인자의 투여에도 불구하고 신속한 반응을 보이지는 않는다.

(3) 만성 혈관절증(chronic hemarthrosis)

- 6개월 정도 경과 후에 발생되며 관절의 파괴가 진행하여 결국은 관절 강직과 함께 관절이 완전히 파괴된다(Arnold 1977). 급성 혈관절증에 대한 적절한 조치가 미흡하여 발생한 결과이며 강직, 연골 파손, 변형에 이르게 된 상태이다.

(4) 방사선 검사 소견

(Arnold & Hilgartner's classification 1977)

- 혈우병 관절증의 방사선학적 병기(staging)Table 6, Fig 20
- MRI는 급성기 환자에 대하여 화농성 관절염 등의 감별진단에 중요한 역할을 한다.

Table 6. 혈우병성 관절증의 방사선적 병기

Stage	Findings
Stage I	Soft tissue swelling
	No skeletal abnormality
Stage II	Overgrowth and osteoporosis of epiphysis Integrity of joint maintained
Stage III	Mild to moderate joint narrowing
	Subchondral cysts
	Patellar squaring
	Widening of intercondylar notch of knee and trochlear notch of elbow
Stage IV	Severe narrowing of joint space with cartilage destruction
Stage V	Total loss of joint space with fibrous ankylosis Severe incongruity of articular structures with marked irregular epiphyseal overgrowth

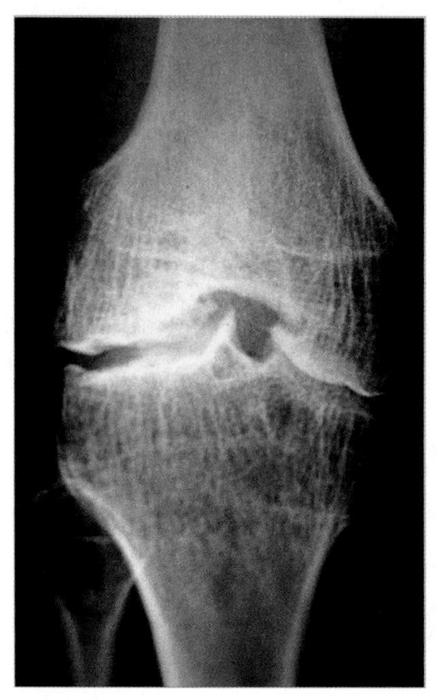

Fig 20. 혈우병성 관절염의 방사선적 소견.

4) 연부 조직 출혈

(1) 피하부 출혈(subcutaneous bleeding)

- 출혈된 피는 자연히 흡수되고 액체만 남는다. 종종 이마, 슬개골 앞의 피부, 팔꿈치 부위 등의 피부에 궤양이 동반된다.

(2) 근육 내 혹은 근육 간 출혈

(intramuscular or intermuscular hemorrhage)

- 하지에서는 대퇴 사두근, 하퇴 삼두근, 고관절 내전근 등에 호발하고 상지에서는 삼각근, 전완부 굴곡근, 상완요근, 이두박근, 전완부 신전근, 삼두박근 등의 순서로 발생한다.
- 근육의 위약감, 관절운동 장애, 종창, 압통 등이 나타

날 수 있으며, 장요근의 출혈은 충수염이나 신결석과 비슷한 증상을 나타내기도 한다.

- 근 섬유화에 의한 구축은 관절의 변형을 초래할 수 있으며, 전완부 굴곡근의 출혈은 Volkmann 허혈성 구축을 초래할 수 있다. 비복근 및 가자미근 내 출혈이 있는 경우, 첨족 변형을 유발할 수 있다. 근육 내 출혈이 있는 경우에 화골성 근염도 발생할 수 있다.
- 초음파검사로 쉽게 진단할 수 있는데, 혈종의 음영은 출혈 후 증가하다가 3-4일이 지난 후에는 상대적으로 음영이 줄어들고, 10일 후에는 주변 근육이 섬유조직의 결을 보이는 것과 대비하여 동질 음영으로 보이면서 근육과 경계가 모호하게 섞여 있는 양상을 보인다. 관절내 혈종은 음영이 없는 관절액과 음영이 보이는 혈종이 부유하는 상태로 보이며, 급성기에는 혈종만으로 가득하기 때문에 음영이 높은 상태로 보여서 단순히 관절액만 증가하여 음영이 낮은 반응성 활액막염이나 화농성 관절염과는 차이를 보인다.

5) 신경 마비

- 혈종의 압박에 의한 neuropraxia가 발생할 수 있는데, 대퇴신경, 정중신경, 요골신경, 좌골신경, 비골신경의 순으로 흔하다.
- 장근에서 발생한 혈종으로 대퇴 신경에 손상이 발생한 경우 고관절 신전, 내회전이 제한되고 피부분절에서 감각이 없어지거나 이상 감각이 나타나고 대퇴사두근의 근력이 저하된다.

6) 혈우병성 위종양

- 매우 심한 혈우병에서 국한된 공간에 발생한 심한 출혈에 의하여 발생된 진행성 낭종으로 크기가 커짐에 따라서 주위 조직에 압궤에 의한 침식을 유발한다.
- 근막 내에 위치하며 골의 변화를 초래하지는 않는 단순 낭종, 골막에 넓게 부착하는 근육에서 발생하며 피질골을 침식하는 제2형 낭종이 있고, 가장 흔한 제3형 낭종은 골막하 출혈에서 시작되어 골막을 벗겨내면서 팽창하다가 건막이나 건 부착부까지 이르는 거대 혈종으로 골막에 붙어있는 근육에 괴사가 발생하는 형태이다. 심한 경우에는 골내 출혈에서 시작하기도 한다.
- 대퇴사두근이 가장 흔하며, 복부, 골반(장요근, 대둔근), 하퇴부(하퇴삼두근), 수부의 순이다.
- 발생한 경우 응고인자 보충과 함께 경과 관찰을 시행하는 것이 일반적이며, 수술적 치료를 시행할 경우 CT, MRI, 관절 조영술을 통하여 연관 혈관의 세부구조까지 파악해야 하며 수술 전 색전술을 미리 시행하기도 한다.
- 관절 변형과 강직이 너무 심하여 사지를 사용할 수 없는 경우에 절단술이 필요할 수도 있다.

7) 골절 및 탈구

- 골절은 하지에서 많이 발생하며, 특히 슬관절 강직이 있는 경우에 과상부 골절이 잘 발생한다. 골절 합병증으로 Volkmann 허혈성 구축이 발생할 수 있다. 따라서 응고인자 보충이 우선적으로 이루어져야 한다. 정상의 40-60%까지 응고인자를 보충한 후 7일까지 20-30%까지 유지하도록 하며 가능한 한 석고를 이용한 보존적 치료를 한다. 핀고정을 이용한 골 견인으로만 치료하거나 외고정을 시행하는 것은 장기간 응고인자를 보충해야 하기 때문에 지양한다. 수술적 치료가 필요한 경우 관혈적 정복 후 내고정술을 시행하며 3주까지 응고인자를 보충한다.
- 반복되는 관절 내 출혈로 관절막이 팽윤되고 이로 인해 관절의 아탈구 및 탈구가 발생할 수 있다. 예후는 극히 나쁜데, 특히 고관절의 경우는 발생 빈도는 낮으나, 일단 발생하면 대퇴골두의 무혈성 괴사와 고관절의 완전 파괴를 유발한다.

8) 비수술적 치료

관절 내 출혈을 예방하거나 줄여서 활액막염의 감소를 도모하는 것이 목적이며 다학제적 접근(multidisciplinary approach)이 필수적이다.

(1) 급성 출혈에 대한 일반적 치료

- 통증 관리는 혈소판에 영향을 줄 수 있는 NSAID보다는 opioid 계통이 권장된다.

- 냉찜질이 통증, 부종 조절에 도움이 되며, 석고 부목 등으로 사지를 고정하는 것은 통증이 있는 혈관절증에는 도움이 될 수 있으나, 관절 강직의 위험이 있으므로 1-2일 정도로 한정한다.
- 적절한 수준의 응고인자 투여가 필요하다.

(2) 근육 및 연부조직의 급성 출혈의 치료

- 인자를 주입하여 정상의 30%까지 인자의 혈중 농도를 올린다.
- 중립위에서 부목을 댄다.
- 체중 부하를 금하며, 활동도 제한한다.
- 증세가 완화된 후에 인자를 투여하면서 점차적으로 운동을 시작한다.

(3) 관절내 출혈에 대한 치료

- 응급 치료를 요하며 응고인자를 주입하여 정상의 40%까지 인자의 혈중 농도를 올린다.
- 관절 내 압력이 최소화되는 위치에서 부목을 댄다.
- 냉찜질 및 압박 드레싱을 실시한다.

(4) 관절천자

- 혈관절증을 천자할 것인가에 대해서는 논란이 있다. 어떤 저자는 통증이 있거나 주요 혈관절증에서는 꼭 시행해야 하는 것으로 추천하지만, 다른 저자는 AIDS가 병발한 환자에서 세균성 관절염과 감별하고자 할 때에만 시행하고 그 외에는 시행하지 말 것을 주장하고 있다.
- 시행하고자 할 때에는 응고인자 투여 후 20-30분이 지나서 인자의 혈중농도가 최대에 도달한 후에 실시한다. 너무 늦게 천자를 시도한다면 관절내 응고가 진행되어 천자와 세척이 효과적으로 시행되지 못한다.
- 가급적 한 개 이상의 천자를 하지 않으며 생리식염수로 깨끗해질 때까지 세척한다.
- 천자 후 3-7일간 혈액응고인자를 투여한다. 이후에 능동적 관절운동을 시작하고, 등척성 운동을 시행한다. 관절운동 간에는 부목 고정을 유지하고 목발을 이용한 보행을 시작한다. 2주가 지나서 전 체중 부하를 허용한다.

(5) 아급성 혈우병성 관절증

- 혈액 응고를 제거하려 하지 않는다.
- 응고인자를 투여 후 부목을 대며 이때에는 pad를 잘 대어야 한다. 등장성 운동은 계속적으로 실시하며, 수동적 운동은 삼간한다.
- 3-4주 후에는 대부분 호전되며, 활액막염이나 관절 팽윤이 없어지면 정상 생활을 시작하며, 반응이 없는 경우에는 steroid 요법을 사용할 수 있다.
- 근력 약화가 호전되지 않아 안정적인 체중부하를 못하고 넘어질 우려가 있을 경우에는 보조기를 착용하고 체중부하를 유지한다.

(6) 만성 혈우병성 관절증

- 급성 및 아급성기에 만성으로 진행되는 것을 예방하는 것이 가장 중요하다.
- 만성기의 치료 방법으로는 물리치료, 보조기 착용, 견인 요법, 수술적 치료 등의 방법이 사용된다.

9) 수술적 치료

(1) 수술 시 응고인자의 투여

수술 전에는 결핍된 응고인자의 혈중 농도를 측정하여야 하며, 이전에 투여된 인자에 대하여 면역학적으로 형성된 인자억제물(factor inhibitors)이 있는지에 대하여 검사를 시행하여야 한다.

- **수술 시기 및 수술 후 필요한 응고인자 혈중 농도**
  - 수술 당일 및 술 후 제1일: 100%
  - 이후 1주일: 50%
  - 이후 1개월: 30-40%

(2) 활액막 제거술(synovectomy)

- **활액막 제거술의 이론적 근거**
  - 혈관이 많아서 출혈을 유발할 수 있는 활액막을 제거한다.
  - 혈우병의 활액막은 섬유소용해(fibrinolytic) 기능이 있다.
  - 비후된 활액막에는 산인산효소(acid phosphatase)와

cathepsin D가 존재하며 혈관절증의 재발과 연골 파괴로 인한 관절증의 진행을 야기한다.
- 혈철소(hemosiderin)의 침착은 collagenase의 합성을 방해하여 연골세포를 파괴시킨다.

- **적응증**
  - 1개월에 2-3회 정도의 심한 재발성 혈성관절
  - 적어도 6개월 이상의 집중적인 내과적 치료에 반응을 하지 않는 경우
  - 방사선 검사 상 제II병기 혹은 제III병기

- **활액막 제거술 방법**
  - 개방성 활액막 제거술(open synovectomy): 관절운동 장애의 발생 가능성이 있다.
  - 관절경적 활액막 제거술: 수술 후 수동적 관절운동이 강조되고 있다.
  - 화학적 혹은 방사선 동위원소(radioactive gold, Ahlberg 1979)를 이용한 활액막 제거술: 활액막의 섬유화를 유발하나 관절운동은 유지된다.
  - Isotope 종류

  ① Dysprosium: 짧은 반감기(2.3시간)로 인하여 많이 사용되지는 않는다.

  ② Gold, rhenium: 비교적 짧은 반감기(2.7 내지 3.7일).

  ③ Yttrium: 비교적 짧은 반감기(2.7일)와 강한 침투력으로 좋은 치료 결과가 보고되고 있다.

- **수술 후 처치**

  수술 직후에 등척성 운동을 시작하고 7-10일 후부터 능동 관절운동을 시작하고 2주 후부터 지속적 수동 관절운동(CPM)을 시작한다. 운동을 시작하면서 혈관절증의 재발이 없는지 확인해야 한다. 수술 직후에 재출혈이 발생하는 경우에는 급성 혈관절증의 치료와 동일하게 세척을 동반한 혈종 제거를 시행한다.

- **합병증**
  - 관절 유착에 의한 운동 장애
  - 과다한 출혈

(3) 관절 전치환술 및 관절 유합술

- 방사선 검사 상 제IV병기 혹은 제V병기에서 적응이 된다.
- 편측인 경우에는 관절유합술이 적응이 되며, 양측성이면서 관절운동 범위가 45도 이상 유지되는 경우에는 전치환술을 고려할 수 있으나 아직 수술 후의 결과에 대하여는 논란이 많다.

참고문헌

Agarwal A, Qureshi NA, Khan SA, et al. Tuberculosis of the foot and ankle in children. J Orthop Surg. 2011;19:213.

Arnold WD, Hilgartner MW. Hemophilic arthropathy. Current concepts of pathogenesis and management. J Bone Joint Surg Am, 1977;59:287.

Aronstram A, Browne RS, Wassef M, et al. The clinical features of early bleeding into the muscles of the lower limb in severe hemophiliacs.J Bone Joint Surg Br. 1983;65:19.

Barbosa CM, Nakamura C, Terreri MT, et al. Musculoskeletal manifestations as the onset of acute leukemias in childhood. J Pediatr. 2002;78:481.

Betz RR, Cooperman DR, Wopperer JM, et al. Late sequelae of septic arthritis of the hip in infancy and childhood. J Pediatr Orthop. 1990;10:365.

Caviglia H, LandroME, Galatro G, et al. Epidemiology of fractures in patients with haemophilia. Injury. 2015;46:1885.

Cheng JC, Aguilar J, Leung PC. Hip reconstruction for femoral head loss from septic arthritis in children: a preliminary report. Clin Orthop Relat Res. 1995;314:214.

Choi IH, Cho TJ, Yoo WJ, et al. Recurrent dislocations and complete necrosis: the role of pelvic support osteotomy. J Pediatr Orthop. 2013;Suppl 1:S45.

Choi IH, Pizzutillo PD, Bowen JR, et al. Sequelae and reconstruction after septic arthritis of the hip in infants. J

Bone Joint Surg Am. 1990;72:1150.

Choi YY, Han MS, Lee HJ, et al. Mycobacterium bovis Osteitis Following Immunization with Bacille Calmette-Guérin (BCG) in Korea. J Korean Med Sci. 2019;34:e3.

Chou AC, Mahadev A. The use of C-reactive protein as a guide for transitioning to oral antibiotics in pediatric osteoarticular infections. J Pediatr Orthop. 2016;36:173.

Cimaz R, Marino A, Martini A. How I treat juvenile idiopathic arthritis: a state of the art review. Autoimmun Rev 2017;16:1008.

Cushing AH. Diskitis in children. Clin Infect Dis. 1993;17:1.

Darville T, Jacobs RF. Management of acute hematogenous osteomyelitis in children. Pediatr Infect Dis J. 2004;23:255.

De Vuyst D, Vanhoenacker F, Gielen J, et al. Imaging features of musculoskeletal tuberculosis. Eur Radiol. 2003;13:1809.

Erdman WA, Tamburro F, Jayson HT, et al. Osteomyelitis: characteristics and pitfalls of diagnosis with MR imaging. Radiology. 1991;180:533.

Fantini F, Gerloni V, Gattinara M, et. al. Remission in juvenile chronic arthritis: a cohort study of 683 consecutive cases with a mean 10 year follow-up. J Rheumatol 2003;30:579.

Ferguson PJ, Sandu M. Current understanding of the pathogenesis and management of chronic recurrent multifocal osteomyelitis. Curr Rheumatol Rep. 2012;14:130.

Fernandez M, Carrol CL, Baker CJ. Discitis and vertebral osteomyelitis in children: An 18-year review. Pediatrics. 2000;105:1299.

Garron E, Viehweger E, Launay F, et al. Nontuberculous spondylodiscitis in children. J Pediatr Orthop. 2002;22:321.

Guinto-Ocampo H, Friedland LR. Disseminated gonococcal infection in three adolescents. Pediatr Emerg Care. 2001;17:441.

Hamdy RC, Lawton L, Carey T, et al. Subacute hematogenous osteomyelitis: Are biopsy and surgery always indicated J Pediatr Orthop. 1996;16:220.

Haueisen DC, Weiner DS, Weiner SD. The characterization of transient synovitis of the hip in children. J Pediatr Orthop. 1986;6:11.

Hong SH, Kim SM, Ahn JM, et al. Tuberculous versus pyogenic arthritis: MR imaging evaluation. Radiology. 2001;218:848.

Howard AW, Viskontas D, Sabbagh C. Reduction in osteomyelitis and septic arthritis related to Haemophilus influenzae type B vaccination. J Pediatr Orthop. 1999;19:705.

Howard CB, Einhorn M, Dagan R, et al. Ultrasound in diagnosis and management of acute haematoge-nous osteomyelitis in children. J Bone Joint Surg Br. 1993;75:79.

Huber AM, Lam PY, Duffy CM, et al. Chronic recurrent multifocal osteomyelitis: clinical outcomes after more than five years of follow-up. J Pediatr. 2002;141:198.

Ibia EO, Imoisili M, Pikis A. Group A beta-hemolytic streptococcal osteomyelitis in children. Pediatrics. 2003;112:e22.

Ish-Horowicz MR, McIntyre P, Nade S. Bone and joint infections caused by multiply resistant Staphylococcus aureus in a neonatal intensive care unit. Pediatr Infect Dis J. 1992;11:82.

Jacobsen ST, Levinson JE, Crawford AH. Late results of synovectomy in juvenile rheumatoid arthritis. J Bone Joint Surg Am,1985;67:8.

Jansson A, Renner ED, Ramser J, et al. Classification of non-bacterial osteitis: retrospective study of clinical, immunological and genetic aspects in 89 patients. Rheumatology 2007;46:154.

Khachatourians AG, Patzakis MJ, Roidis N, et al. Laboratory monitoring in pediatric acute osteomyelitis and septic arthritis. Clin Orthop Relat Res. 2003;409:186.

Kocher MS, Mandiga R, Zurakowski D, et al. Validation of a clinical prediction rule for the differentiation between septic arthritis and transient synovitis of the hip in children. J Bone Joint Surg Am. 2004;86:1629.

Kocher MS, Zurakowski D, Kasser JR. Differentiating between septic arthritis and transient synovitis of the hip in children: an evidence-based clinical prediction algorithm. J Bone Joint Surg Am. 1999;81:1662.

Kucukkaya M, Kabukcuoglu Y, Tezer M, et al. Management of childhood chronic tibial osteomyelitis with the Ilizarov method. J Pediatr Orthop. 2002;22:632.

Lovell DJ, Giannini EH, Reiff A, et. al. Long-term efficacy and safety of etanercept in children with polyarticular-course juvenile rheumatoid arthritis: interim results from an ongoing multicenter, open-label, extended-treatment trial. Arthritis Rheum 2003;48:218.

Luhmann SJ, Jones A, Schootman M, et al. Differentiation between septic arthritis and transient synovitis of the hip in children with clinical prediction algorithms. J Bone Joint Surg Am. 2004;86:956.

Luhmann SJ, Jones A, Schootman M, et al. Differentiation between septic arthritis and transient synovitis of the hip in children with clinical prediction algorithms. J Bone Joint Surg Am. 2004;86:956.

Manco-Johnson MJ, Abshire TC, Shapiro AD, et. al. Prophylaxis versus episodic treatment to prevent joint disease in boys with severe hemophilia. N Engl J Med 2007;357:535.

Mankin HJ, Lange TA, Spanier SS. The hazards of biopsy in patients with malignant primary bone and soft-tissue tumors. J Bone Joint Surg Am. 1982;64:1121.

Mankin HJ, Mankin CJ, Simon MA. The hazards of the biopsy, revisited. Members of the Musculoskeletal Tumor Society. J Bone Joint Surg Am. 1996;78:656.

Morrey BF, Bianco AJ, Rhodes KH, Septic arthritis in children. Orthop Clin N Am, 1975;6:923.

Mousa HA. Evaluation of sinus-track cultures in chronic bone infection. J Bone Joint Surg Br. 1997;79:567.

Museru LM, McHaro CN. Chronic osteomyelitis: a continuing orthopaedic challenge in developing countries. Int Orthop. 2001;25:127.

Nguyen A, Kan JH, Bisset G, et. al. Kocher criteria Revisited in the Era of MRI: How often does the Kocher criteria identify underlying osteomyelitis?. J Pediatr Orthop 2017;37:114.

Osman AA, Govender S. Septic sacroiliitis. Clin Orthop Relat Res. 1995;313:214.

Parmar H, Shah J, Patkar D, et al. Tuberculous arthritis of the appendicular skeleton: MR imaging appearances. Eur J Radiol. 2004;52:300.

Petty RE, Southwood TR, Baum J, et. al. Revision of the proposed classification criteria for juvenile idiopathic arthritis: Durban, J Rheumatol, 1997;25:1991.

Poyhia T, Azouz EM. MR imaging evaluation of subacute and chronic bone abscesses in children. Pediatr Radiol. 2000;30: 763.

Ramos OM. Chronic osteomyelitis in children. Pediatr Infect Dis J. 2002;21:431.

Reinehr T, Burk G, Michel E, et al. Chronic osteomyelitis in childhood: is surgery always indicated? Infection. 2000;28: 282.

Ribbans WJ, Giangrande P, Beeton K. Conservative treatment of hemarthrosis for prevention of hemophilic synovitis. Clin Orthop Relat Res 1997;343:12.

Ring D, Johnston CE II, Wenger DR. Pyogenic infectious spondylitis in children: the convergence of discitis and vertebral osteomyelitis. J Pediatr Orthop. 1995;15:652.

Roberts JM, Drummond DS, Breed AL, et al. Subacute hematogenous osteomyelitis in children: a retros-pective study. J Pediatr Orthop. 1982;2:249.

Rosenberg AM, Petty RE. A syndrome of seronegative enthesopathy and arthropathy in children. Arthritis Rheum, 1982;25:1041.

Sachs BL, Shaffer JW. A staged Papineau protocol for chronic osteomyelitis. Clin Orthop Relat Res. 1984;184:256.

Segev E, Hayek S, Lokiec F, et al. Primary chronic sclerosing (Garre's) osteomyelitis in children. J Pediatr Orthop Br. 2001;10:360.

Shin CH, Lim C, Kim TS, et al. Effective and Rapid Microbial Identification in Pediatric Osteoarticular Infections Using Blood Culture Bottles. J Bone Joint Surg Am. 2020;102:1792

Song KM, Sloboda JF. Acute hematogenous osteomyelitis in children. J Am Acad Orthop Surg. 2001;9:166.

Sonnen GM, Henry NK. Pediatric bone and joint infections: Diagnosis and antimicrobial management. Pediatr Clin North Am 1996;43:933.

Suh JS, Lee JD, Cho JH, et al. MR imaging of tuberculous arthritis: clinical and experimental studies. J Magn Reson Imaging. 1996;6:185.

Teo HE, Peh WC. Skeletal tuberculosis in children. Pediatr Radiol. 2004;34:853.

Terjesen T, Osthus P. Ultrasound in the diagnosis and follow-up of transient synovitis of the hip. J Pediatr Orthop. 1991; 11:608.

Umans H, Haramati N, Flusser G. The diagnostic role of gadolinium enhanced MRI in distinguishing between acute medullary bone infarct and osteomyelitis. Magn Reson Imaging. 2000;18:255.

Unkila-Kallio L, Kallio MJ, Peltola H. The usefulness of C-reactive protein levels in the identification of concurrent septic arthritis in children who have acute hematogenous osteomyelitis: A comparison with the usefulness of the erythrocyte sedimentation rate and the white blood-cell count. J Bone Joint Surg Am. 1994;76:848.

Wilson DJ, McLardy-Smith PD, Woodham CH, et al. Diagnostic ultrasound in hemophilia. J Bone Joint Surg Br. 1987;69:103

Yagupsky P, Dagan R. Kingella kingae: an emerging cause of invasive infections in young children. Clin Infect Dis. 1997; 24:860.

Yeargan 3rd SA, Nakasone CK, Shaieb MD, et al. Treatment of chronic osteomyelitis in children resistant to previous therapy. J Pediatr Orthop. 2004;24:109.

Yoo WJ, Choi IH, Yun YH, et al. Primary epiphyseal osteomyelitis caused by mycobacterium species in otherwise healthy toddlers. J Bone Joint Surg Am. 2014;96: e145.

Zaoutis T, Localio AR, Leckerman K, et al. Prolonged intravenous therapy versus early transition to oral antimicrobial therapy for acute osteomyelitis in children. Pediatrics. 2009;123:636.

소아정형외과학

11

소아청소년 골격계 종양성 질환

Neoplastic Diseases of Skeletal System in Children and Adolescents

PEDIATRIC ORTHOPAEDICS

소아청소년 골격계 종양성 질환

Neoplastic Diseases of Skeletal System in Children and Adolescents

목차

I. 일반적 고찰

1. 분류

1) 골종양의 분류

WHO에서 발표한 골종양의 분류(2019년)는 (1) 연골형성 종양(chondrogenic tumors), (2) 골형성종양(osteogenic tumors), (3) 섬유성종양(fibrogenic tumors), (4) 혈관 종양(vascular tumors of bone), (5) 파골세포형 거대세포-풍부 종양(osteoclastic giant cell-rich tumors), (6) 척색 종양(notochordal tumors), (7) 기타 중배엽 종양(other mesenchymal tumors of bone), (8) 조혈세포종양(hematopoietic neoplasms of bone) 등으로 구분하였다.

여기서는 이해를 쉽게 하기 위하여 골형성종양, 연골형성종양, 섬유성 종양, 그리고 기타 종양으로 분류하였고, 소아에 호발하는 종양에 대해서 설명한다.

2. 발생빈도

1) 소아에서 호발하는 골종양

- 양성 종양은 골연골종, 악성 종양은 골육종이 가장 흔하다.
- 종양유사병변을 포함한다면 비골화성 섬유종(nonossifying fibroma)이 가장 흔하다.

2) 부위에 따라 호발하는 종양Fig 1

(1) 장관골

- 골간: 섬유성 이형성증(fibrous dysplasia), Langerhans 세포 조직구증(langerhans cell histiocytosis, LCH), 유잉육종(ewing's sarcoma)
- 골간단: 골연골종(osteochondroma), 골육종(osteosarcoma), 골낭종(bone cyst), 비골화성 섬유종(nonossify-

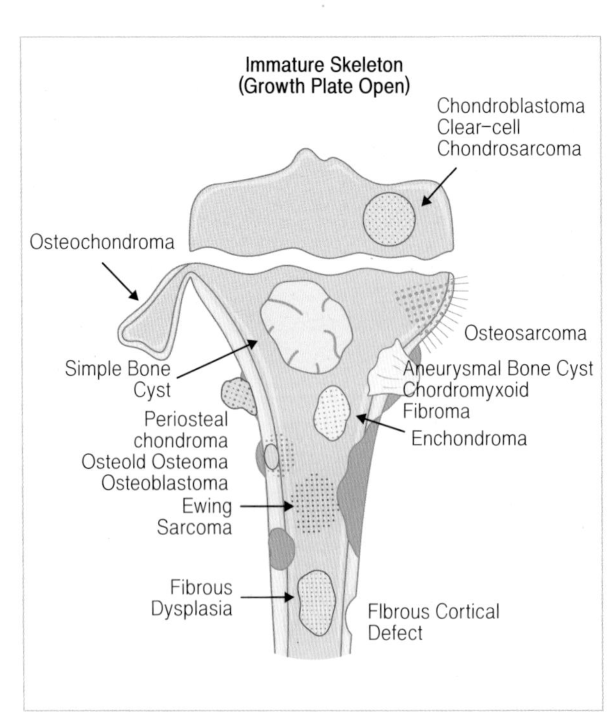

Fig 1. **골종양의 호발 부위.**

ing fibroma) 등 대부분의 종양

- 골단: 연골모세포종(chondroblastoma), 거대세포종(giant cell tumor), 투명세포 연골육종(clear cell chondrosarcoma)

(2) 척추

- 전방부: Langerhans 세포 조직구증(LCH), 혈관종(hemangioma)
- 후방부: 유골골종(osteoid osteoma), 동맥류성 골낭종(aneurysmal bone cyst), 골모세포종(osteoblastoma)

(3) 골반골

- 전이성 골종양(metastatic bone tumor), 유잉육종, 연골육종(chondrosarcoma)

3. 진단 방법

1) 병력과 이학적 검사

소아에서 양성 골종양은 통증이나 병적 골절(pathologic fracture)로 발견되기도 하지만, 증상 없이 지내다가 우연히 방사선 검사에서 발견되는 경우가 더 많다. 골연골종은 종괴(palpable mass)를 주소로 내원하기도 한다. 악성 골종양에 비하여 빈도는 훨씬 많고, 저절로 좋아지는 종양도 있으며, 성장이 끝나면 더 이상 자라지 않는 종양이 있어서 통증이 없고, 골절 위험이 작으면 굳이 수술이 필요 없는 경우도 많다. 증상 없는 단발성 섬유성 이형성증이나 골연골종 등은 경과를 관찰하며 치료 여부를 판단해도 된다. 유골골종은 야간통이 특징이고, 연골모세포종은 통증과 함께 염증 반응을 동반하여 인접 관절 삼출로 관절운동까지 제한되는 경우가 많다.

거의 모든 악성 종양 환자는 점차 심해지는 통증을 호소한다. 적어도 한 쪽 다리 동일 부위에서 한 달 이상 지속적인 통증이 있다면 성장통이라고 생각하지 말고 방사선 검사를 해야 하며, 여기에서 이상 소견이 없더라도 MRI까지 해서 확인하는 것이 중요하다. 또, 운동 중 가벼운 부상을 당한 다음부터 통증이 생겼다고 하더라도 3주 이상 통증이 가라앉지 않으면 반드시 종양과 관련한 통증이 아닌지 확인이 필요하다. 대표적인 세 가지 악성 골종양 중에서 성인에서 주로 생기는 연골육종은 대개 통증이 없는 경우가 많으며 여기서는 생략하도록 한다. 대표적인 악성 종양인 골육종과 유잉 육종은 항암치료와 수술이 반드시 필요하다. 암이 완치되더라도 평생 기능적인 측면에서 수차례 재수술이 필요한 만큼 최초 재건수술 방법을 선정할 때에 얼마나 오래 재건 상태를 유지할 수 있는지 고려해야 한다.

골종양은 각 종양마다 전형적인 발생 위치와 연령, 그리고 특징적인 방사선 소견이 있다. 연골모세포종은 성장기 골단에서 호발하며 유골골종은 피질골 내부에서 주로 발생한다. 또한, 청소년에서 연골세포가 많이 있는 악성 종양이 보인다면 그것은 연골육종보다는 연골모세포형 골육종이 아닌지 고려해야 한다. 즉, 골종양의 진단은 병력, 신체검사, 발생 위치, 방사선 소견, 그리고 병리소견까지 종합해야만 올바른 진단을 내릴 수 있는 경우가 많으므로 신중하게 접근해야 한다.

2) 단순 방사선검사 Fig 2

- 골질의 40% 이상 파괴되어야 병변이 관찰된다.
- 조직학적 진단을 추정하기에 간단하면서 많은 정보를 준다.
- 관찰해야 할 방사선적 특징

① 해부학적 위치: 장관골 vs. 편평골, 골간-골간단-골단

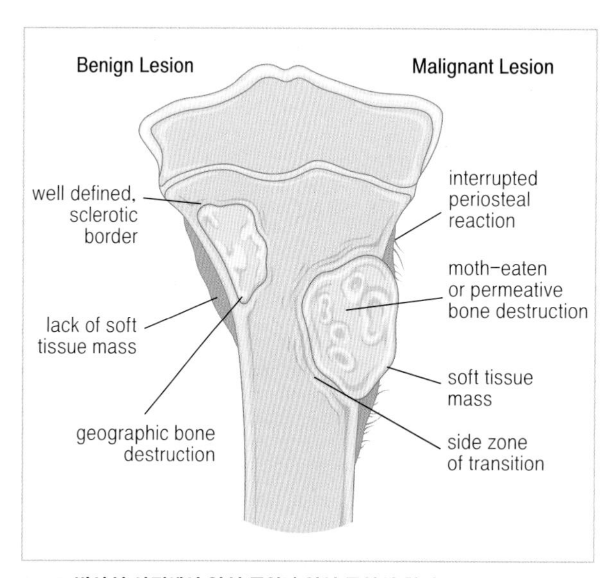

Fig 2. **방사선 사진에서 양성 종양과 악성 종양의 차이.**

② 병변 자체의 특징: 경화성(osteosclerotic) vs 흡수성(osteolytic), 석회화, 간유리(ground glass) 패턴 등
③ 병변에 대한 골의 반응: 피질골의 팽창(cortical expansion), 병변 경계부 형성(sclerotic rim), 골막 반응(periosteal reaction) 등
④ 병변이 주위 골에 미치는 영향: 피질골 파괴 등

3) 화학적 검사

- 골종양에서 특이적인 지표는 없다.
- 칼슘, 인산, alkaline phosphatase (ALP), lactate dehydrogenase (LDH)
- ALP와 LDH는 골육종에서 종양의 활성도, 전이 등과 상관 관계가 있다.
- ESR, CRP: Ewing sarcoma, lymphoma, 전이성 종양 등에서 상승할 수 있으나 비특이적이다.

4) 골주사 검사(Tc-99m Bone scan)

- 양성, 악성의 구별이나 종양 진단에 특이적이지 않으며, 감염, 골절 같은 비종양성 상황에도 음영 증가(hot uptake)로 나오고, 섬유성 이형성증과 같은 양성 종양에서도 강한 음영 증가로 보일 수도 있다.
- 악성 종양에서 전이 병소의 screening, 다발성 병변의 위치 확인, 종양 자체의 활성도 변화 등의 관찰 Table 1.
- 다발성 골수종(multiple myeloma)이나 림프종(lymphoma) 같은 악성 종양에서는 음성(cold spot)으로 나오는 경우가 많다.

5) 컴퓨터 단층촬영(CT)

- 피질골 파괴나 골절, 석회화 등을 예민하게 볼 수 있으나 대부분은 MRI로 볼 수 있으므로 추가로 할 경우는 많지 않다.
- 유골골종에서 피질골 안의 핵(nidus)을 확인할 수 있다.

Table 1. **다발성 병변**

다발성 병변
다발성 섬유성 이형성증(polyostotic fibrous dysplasia)
내연골종증(enchondromatosis)
혈관종증(hemangiomatosis)
랑게르한스 조직구증(Langerhans cell histiocytosis)
골연골종증(osteochondromatosis, hereditary multiple exotosis)
부갑상선항진증(hyperparathyroidism)
전이성 종양(metastastic tumor)

6) 자기공명 영상(MRI)

- 골 종양의 내부 외부의 모양과 범위를 가장 자세하고 정확하게 알 수 있다.
- 종양 내부의 성질(섬유성, 낭종, 지방종, 골화, 석회화, 괴사 등), 종양의 골수강 및 골 밖 연부조직으로의 침범 정도, 주위 혈관, 신경 및 다른 인접 구조물들과의 관계, 도약(skip) 병변 또는 위성(satellite) 병변을 확인할 수 있다.
- 연부조직 종양의 평가에는 더욱 절대적이다.
- 수술 전 항암치료의 효과를 평가하는 데에도 쓰인다.

7) 혈관 조영술(angiography)

- 항상 필요하지는 않다. 종양과 혈관 조직과의 관계, 종양성 혈전 등의 확인이 가능하다.
- 혈관종에서 혈관경화요법(sclerotherapy), 혈관이 풍부한 악성 종양에서 수술 중의 출혈 감소를 위한 전처치로서 시행한다(preoperative embolization).

8) 흉부 CT

- 폐 전이를 검사하는 가장 예민한 방법이며, PET에서 보이지 않는 작은 병변도 찾을 수 있다.
- 악성 골종양에서 병기 결정에 필수적이며, 치료 후에도 폐 전이 여부 판단을 위하여 정기 검사가 필요하다.

9) 양성자 방출 단층촬영 (positron emission tomography CT, PET/CT)

- 뼈 전이와 임파선 전이까지도 민감하게 찾아낼 수 있어서 악성 종양에서 전이를 확인하는 데에 좋다. 그러나 악성 골 종양은 임파선 전이를 자주 하지는 않는다.
- 항암치료의 효과를 판단하는 데에도 유용하며, bone scan의 역할을 대신할 수 있다.
- 악성 골 종양에서 자주 발생하는 폐 전이에 대한 PET

검사의 위음성률이 높기 때문에 폐 전이를 진단하는 가치에 있어서는 CT보다 우월하지 않다.

10) 조직 생검

- 조직검사는 MRI검사 같은 모든 영상 검사를 마친 후에 시행하며, 최종 진단에 가장 중요하다.
- 악성 종양이 의심되어 조직검사(생검)를 할 때는 나중에 종양 제거 수술에서 사용할 절개선 상에서 하는 것이 바람직하므로 가급적 최종 수술을 할 종양전문의가 하는 것이 좋다.
- 생검 후 거대한 혈종이 발생하거나 사지에 긴 횡절개에 의한 조직 생검 후에는 사지구제술이 불가능해질 수도 있으므로, 생검 후에는 철저히 지혈을 해야 하며 생검은 가장 적절한 도달법와 절개선을 통해 이루어져야 한다.

(1) 침 생검(needle biopsy)

- Trucut needle (core needle)과 같이 굵은 needle을 사용한다. 병변이 크거나, 균질한 병변, 전신 상태나 병변의 위치 등으로 수술적 생검이 곤란하거나 재발 여부의 확인이 필요할 때 시행한다.
- 침이 통과하는 부위는 종양에 오염될 수 있으므로 최종 수술 시에 제거되어야 한다.
- 충분한 조직을 채취하기 어려워 성공률이 높지 않은 것이 가장 큰 단점이다.

(2) 절개 생검법(incisional biopsy)

- 가장 정확하며 높은 진단율을 보인다.
- 사지에서는 반드시 종방향으로 피부 절개(longitudinal incision)를 한다.
- 근육과 근육 사이를 박리하지 않고 한 근육을 관통하여 접근한다.
- 철저한 지혈이 중요하며, 시술 후에 혈종이 생겨서는 안 된다.
- 확진 후 시행할 수술을 염두에 두고 피부 절개선을 결정한다.
- 출혈, 괴사, 궤양 형성 부위를 피하여 채취한다. 종양 중심부보다는 변연부가 바람직하다.
- 충분한 크기의 종양을 채취한다(5 mm×5 mm×5 mm 이상).
- 동결 검사를 통해서 종양이 확실히 채취되었는지 확인 후 닫는다.

(3) 절제 생검법(excisional biopsy)

- 임상적, 방사선학적으로 양성이 확실한 경우에만 시행
- 종양 전체를 피막과 같이 적출한다.

4. 병기 결정 staging

- 양성 골종양

① Stage 1: 잠복성(latent 또는 quiescent)

② Stage 2: 활동성(active)

③ Stage 3: 침윤성(aggressive), 피질골을 깨고 주위 연부조직으로 파급

- 악성 골 종양의 staging Table 2, 3
- 악성 연부조직 종양의 staging Table 4

Table 2. **악성 골 종양의 surgical staging (Enneking staging system)**

Stage	Grade	Site	Metastasis
IA	Low	Intracompartmental	None
IB	Low	Extracompartmental	None
IIA	High	Intracompartmental	None
IIB	High	Extracompartmental	None
III	Any	Any	Regional or distant

Table 3. **악성 골 종양의 staging (American Joint Committee on Cancer System (AJCC) for Staging Bone Sarcomas)**

Stage	Grade	Site	Metastasis
I-A	Low	≤8 cm	None
I-B	Low	>8 cm	None
II-A	High	≤8 cm	None
II-B	High	>8 cm	None
III	Any	Any	Skip metastasis
IV-A	Any	Any	Pulmonary metastases
IV-B	Any	Any	Nonpulmonary metastases

Table 4. **악성 연부조직 종양의 staging (American Joint Committee on Cancer System (AJCC) for Staging Soft-tissue Sarcomas)**

Stage	Grade	Site	Depth	Metastasis
I	Low	Any	Any	None
II	High	≤5 cm	Any	None
	High	>5 cm	Superficial	None
III	High	>5 cm	Deep	None
IV	Any	Any	Any	Regional or Distant

II. 치료

1. 양성 종양

- 소아의 양성 종양은 증상이 없으면 치료를 하지 않아도 되거나 또는 추시하면서 성장이 끝난 후에 치료를 해도 되는 경우가 많다. 또 같은 진단이라도 연령에 따라 적극적인 치료가 필요한 경우와 관찰만 해도 되는 경우가 있을 수 있다. 가령 단순골낭종의 경우 10세 이하에서 골단판 근처의 큰 병변은 치료가 필요하지만, 10대 후반의 환자에서 피질골이 얇지 않은 무증상의 병변이라면 관찰만 해도 된다. 비골화성 섬유종이나 무증상의 단골성 섬유성 이형성증은 정기적으로 성장에 따른 경과를 관찰하면 되는 경우가 많고, 단발성 골연골종도 불편하거나 아픈 증상이 없으면 굳이 수술할 필요가 없다. 유골골종은 통증이 심하지 않다면 NSAID를 쓰면서 경과 관찰을 하다가 호전되지 않으면 nidus를 없애는 수술을 하면 된다.
- 반면, 연골모세포종은 재발을 잘할 뿐만 아니라 골단판을 손상시키므로 적극적인 수술을 해야 한다. 연골유점액성 섬유종도 비교적 적극적인 치료가 필요하다. 다발성 골연골종증은 성장하면서 슬관절이나 족근관절에 변형이 생기고, 고관절의 아탈구, 비구 이형성 및 충돌증후군으로 인한 통증 및 장기적인 고관절 문제가 발생할 수 있으므로 어릴 때부터 면밀히 관찰하면서 필요한 시기에 종양 제거 및 골단판 부분유합술과 같은 수술을 하여 변형 예방 및 운동 범위 확보에 도움을 주어야 한다(4장 골격계 유전성 질환 참조).
- 연부조직 다발성 종양인 혈관종증이나 신경섬유종증과 같은 종양은 근치적 제거가 어렵지만 소아 연령에서 악성화는 흔치 않으므로 통증 위주로 치료 여부를 고려하는 경우가 많고, 하지길이부동이 있으면 적당한 시기에 골단판의 성장을 막는 치료를 고려하여야 한다. 갑작스런 크기 증가나 통증의 악화가 있으면 악성화를 의심해야 한다.
- stage 2,3 양성종양에서 소파술 시행 후 재발 억제를 위하여, 액화질소(cryosurgery), 100% 알콜 세척, 전기소작, burr 등의 보조요법을 시행한다. 골결손은 골시멘트로 채울 수도 있으나 소아에서는 가급적 골 이식을 하는 것이 바람직하다.

2. 악성 골종양의 수술적 치료

1) 절제연(surgical margin)

- 병소내 절제연(intralesional margin): 육안적으로 종양이 노출된다(소파술, debulking).
- 변연부 절제연(marginal margin): 병소 주위의 pseudocapsule (reactive zone)을 통해 절제한다.
- 광범위 절제연(wide margin): 병소 주위 충분한 양의 정상조직 포함하여 en bloc 절제. 적절한 광범위 절제(adequate wide margin)는 2 cm 이상의 거리이며, 5 cm 거리를 확보 시 근치적 절제연(curative margin)으로 간주한다.
- 근치적 절제연(radical margin): 병소가 있는 한 구획을 모두 절제한다.

2) 사지구제술

- 광범위 절제연만 확보가 된다면 절단하지 않아도 환자의 생존율이 절단술을 했을 경우와 다르지 않다는 연구 결과들을 근거로 1980년대 중반부터 악성 골종양 수술 치료의 원칙으로 인정되었다.
- 광범위 절제술 + 골격 재건술 + 연부조직 재건술
- 광범위 절제연은 골수강내 종방향으로 MRI에서 보이는 경계보다 적어도 3 cm 이상 정상 부분을 포함하여 절제한다. 횡방향으로는 뼈 밖으로 종양이 나간 경우(extracompartmental)에는 정상 근육을 최소한 1 cm

이상의 두께로 종양에 붙인 채 제거해야 한다. 관절 연골은 어느 정도 종양 확산에 장벽(barrier) 역할을 하므로, 골단 부분에 악성 종양이 있다면 거리에 상관없이 관절 연골까지만 포함하여 제거하면 되고, MRI에서 종양이 관절강 내로 침투한 것으로 의심되면 관절외 절제술(extraarticular resection)을 시행하여 수술 도중 관절액이 터져 나오지 않게 하여야 한다.

- 조직검사 경로에 종양세포의 잔존 가능성 때문에 절제술에서는 반흔 주위 2 cm 이상을 포함하여 조직검사 경로를 종양과 함께 제거한다.

3) 사지구제술의 상대적 금기증

- 주요 신경혈관계 침범: 혈관은 이식으로 극복이 되나, 신경은 이식으로 완전 기능회복을 기대하기 어렵다.
- 전위가 심한 병적 골절: 종양에 의한 주위조직 오염이 광범위한 경우
- 부적절한 부위 또는 큰 횡절개로 생검을 한 경우
- 심부 감염 동반
- 10세 이하 성장기의 환자: 확장 가능 종양대치물도 10세 이하에서는 권장하지 않는다.
- 주변 근육을 광범위하게 침범하여 광범위 절제연을 얻기가 불가능하거나, 너무 많은 근육을 제거하는 것이 불가피하여 절단하고 의족을 착용하는 것이 더 나은 기능적 결과가 예상되는 경우

4) 골격 재건술의 방법(skeletal reconstruction)

① 종양대치물(prosthetic reconstruction)Fig 3: 잔여 성장이 얼마 남지 않은 연령에서는 성인용 modular type의 종양대치물을 사용할 수 있고, 성장 종료까지 3-4 cm 이상 남은 경우엔 확장형을 쓸 수 있다. 그러나 10세 이하에선 뼈가 작아서 stem이 너무 가늘게 되어 장기간 쓸 수 있는 종양대치물을 제작하기가 어려우며, 제작하여 쓰더라도 이른 시기에 재치환술의 가능성이 높아진다.

② 재활용 자가골 이식술(recycled autogenous bone graft): 골간부에서는 최종적인 재건 목적으로도 쓸 수 있지만, 나이가 어린 환자에서는 관절을 포함하는

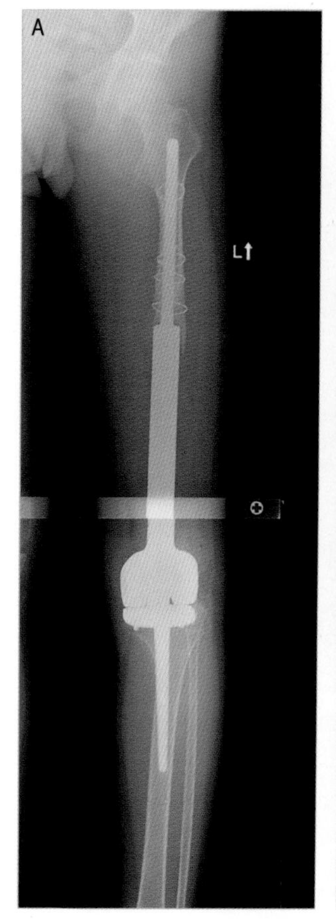

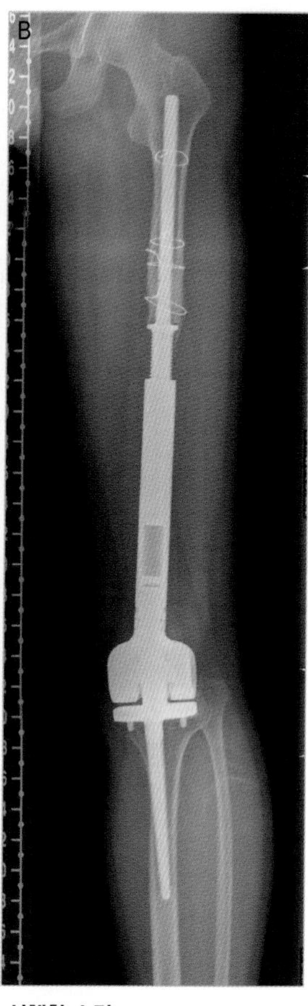

Fig 3. **종양대치물을 이용하여 재건술을 시행한 소견.**
A: 골육종 절제 후 확장 가능형 종양대치물(expandable tumor prosthesis)로 재건한 소견. B: 길이를 늘인 후의 확장 가능형 종양대치물.

골간단부의 결손에 일종의 spacer로 사용하여 성장이 끝난 뒤 종양대치물을 할 때까지 두기도 한다.

- 저온열처리 후 재삽입술(low heat treatment autograft, Pasteurization): 65도 생리식염수에서 30분
- 방사선조사 후 재삽입술(irradiated autograft)
- 액화질소 처리 후 삽입술(liquid nitrogen treatment)

③ 골 이전 및 신연골형성술(distraction osteogenesis and bone transport)Fig 4

- 골간부에 국한된 종양의 절제 후에 외고정장치를 달고, 병소의 근위부 혹은 원위부의 뼈를 이동시켜 결손 부위를 채운다.
- 양끝의 관절과 골간단부와 골단부에 충분한 정상 부분이 있어야 한다.
- 악성 종양뿐만 아니라 경골 간부의 골화성 섬유종

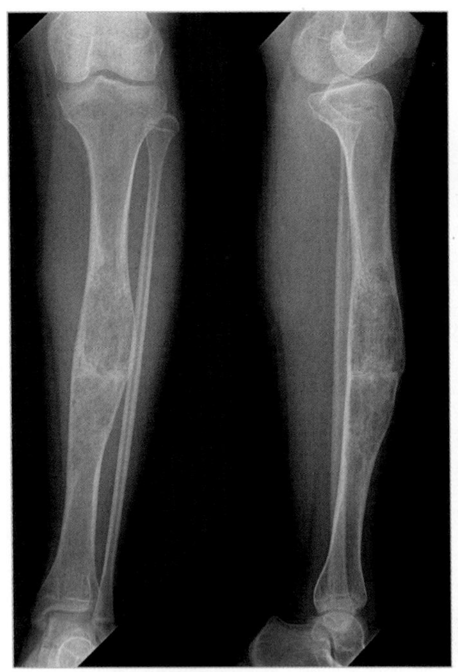
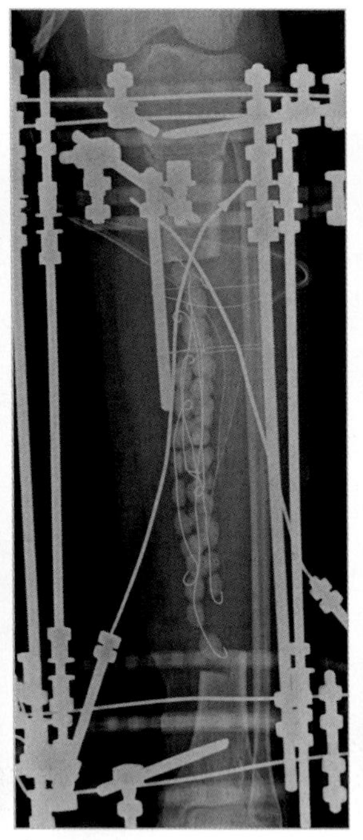
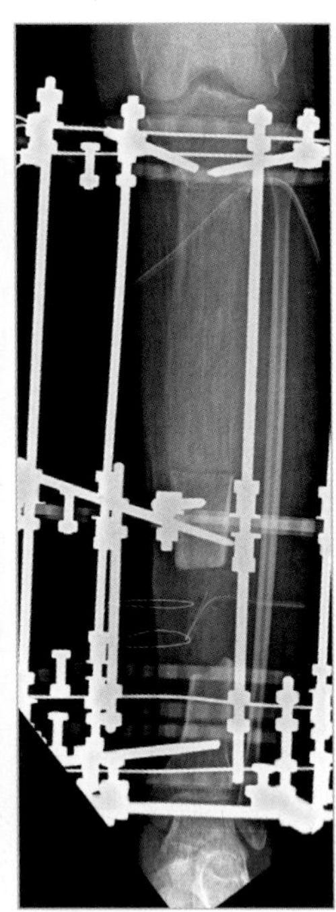
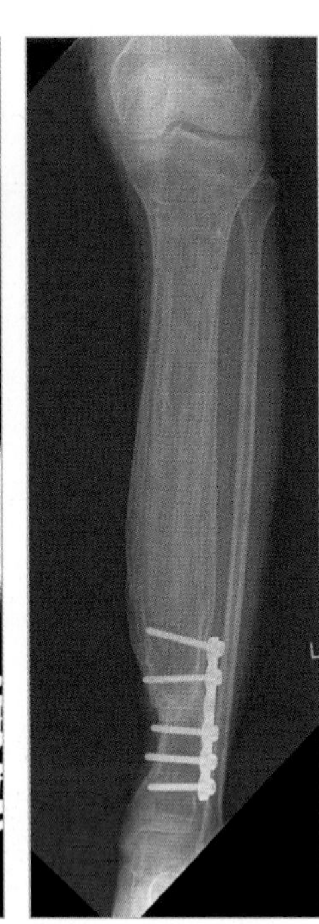

Fig 4. **골화성 섬유종 환자에서 광범위 절제술 후 골이동술로 치료한 례.**

의 치료에도 유용하다.

- 수술 후 항암화학요법을 해야 하는 환자에서는 감염의 위험 때문에 바람직하지 않다.

④ 혈관부착 생비골 이식술(vascularized fibular graft)

- 원위요골을 광범위하게 제거한 후 이식하여 비골의 근위부로 손목 관절을 이루게 한다.
- 상완골 근위부의 악성 종양에서 종양 제거 후 견관절 유합에 이용한다.

⑤ 동종골 이식술(allograft)Fig 5

- 골간부 결손의 재건에 가장 효과적이다.
- 관절 부위에서는 동종골-인공관절 복합체(composite)로 사용하거나 관절을 포함하는 골관절 동종골(osteoarticular allograft)로 사용할 수 있다.

5) 사지구제술 후 발생하는 하지길이부동에 대한 대책

- 확장가능형 종양대치물(expandable prosthesis): 10세 이하는 이 방법만으로 하지길이부동을 해결할 수 없다. 기계적인 문제 해결이 필요하다.
- 성장이 거의 끝날 무렵이면 1-2 cm 긴 종양대치물을

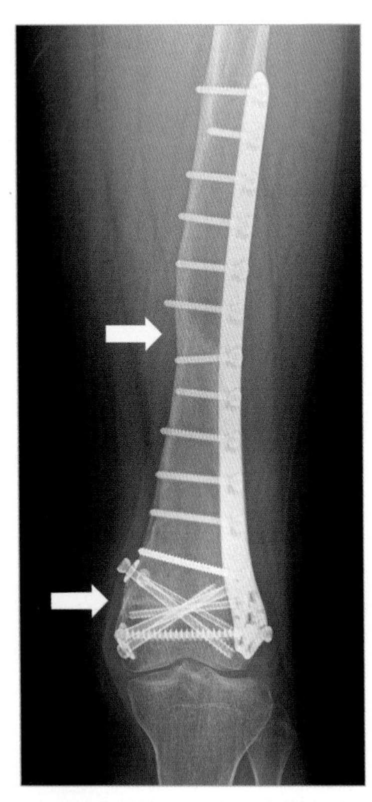

Fig 5. **분절 절제술 시행 후 동종골 이식술로 재건한 소견.**
화살표는 각각 근위부 및 원위부의 host-allograft junction 부위로 골유합이 이루어졌음을 확인할 수 있다.

삽입한다.
- 굽 높은 신발을 착용한다.
- 정상측 골단유합술
- 골연장술
- 사지연장술 대신 회전성형술을 고려한다.

6) 회전성형술(rotationplasty; Van Ness plasty)

- 슬관절 주변 악성 골종양, 7-8세 이하로 사지구제술 후 하지길이부동이 15 cm 이상으로 예상될 때 절제 부위의 주요 신경과 혈관만을 남긴 채 피부와 모든 근육을 제거한 다음 원위부를 180도 앞뒤로 돌려서 근위부에 연결하여 발바닥이 전방을 향하게 한다. 여기에 의족을 하여 원래의 족근관절을 슬관절로 사용하게 하는 수술이다.
- 대퇴 절단이나 슬관절 이단술에 비해서 수술 후 기능이 좋다.
- 기묘한 하지 형태로 인한 미용적, 정서적 문제로 인하여 우리나라에서는 현실적으로 자주 사용되지 않는다.

3. 항암화학요법

- 골육종과 유잉육종, 그리고 연부조직육종인 횡문근육종의 치료에서 수술과 함께 필수적인 치료이다.

1) 수술 전 화학요법(neoadjuvant chemotherapy)의 이론적 근거

- 전신적인 미세 전이에 대한 조기 치료
- 종양의 크기를 감소시켜 사지구제술을 용이하게 한다.
- 절제한 종양으로 술전 화학요법의 효과를 평가하여 술 후 화학요법의 종류와 용량을 결정한다.
- 수술 전 항암치료를 하는 동안, 종양 제거 후 생긴 골 결손을 채울 재료(종양대치물 등)를 제작할 수 있다.

2) Osteosarcoma의 항암요법에 이용되는 약제

- High-dose methotrexate, Adriamycin, Cisplatin, Ifosfamide 등이 주로 쓰인다.

4. 방사선치료

- 유잉육종이나 횡문근육종 등에서 보조적인 국소 치료 방법으로 이용된다.

III. 연골 형성 종양(cartilage forming tumors)

1. 골연골종(osteochondroma)

- 가장 흔한 양성 골종양으로 장관골의 골간단부에 위치. 슬관절 부위가 가장 흔하며 다음은 상완골 근위부이다.
- 유경성(pedunculated) type과 무경성(sessile) type이 있으며Fig 6, 성장기 동안 관절에서 멀어지는 방향으로 자란다.
- 숙주골(host bone)의 피질골과 골수강이 그대로 종양의 피질골과 골수강으로 연결되어 돌출되는 소견이 진단에 중요하며, 종양의 돌출되는 부분은 연골모(cartilage cap)로 덮여 있다.
- 연골모의 두께는 대개 1 cm 이하이며(소아에서는 2-3 cm까지도 가능), 종양은 정상적인 연골내 골화와 같은 과정으로 자란다. 조직학적으로 정상적인 골의 소견이며 특유의 종양 세포가 존재하는 것이 아니다.
- 대개 통증 없는 종괴로 발견되나, 종양을 덮고 있는 연부조직의 자극으로 통증이 있을 수 있다.
- 악성화 가능성은 1% 정도이며 갑작스러운 크기와 통증의 증가, 소아에서 3 cm 이상(성인은 1 cm 이상) 두꺼워진 연골모 등의 소견이 있으면 악성화를 의심한다.
- 악성화가 의심되거나 통증, 인접 관절운동 제한, 혈관이나 신경 압박 증상이 있으면 제거하며, 연골모를 남기지 않아야 재발하지 않는다.

2. 골연골종증(osteochondromatosis)

(4장 골격계 유전성 질환 참조)

3. 내연골종(enchondroma)

- 수지골에 주로 생기는 비교적 흔한 양성 골종양이다.
- 수부(또는 족부)의 short tubular bones에 40-60%가 발

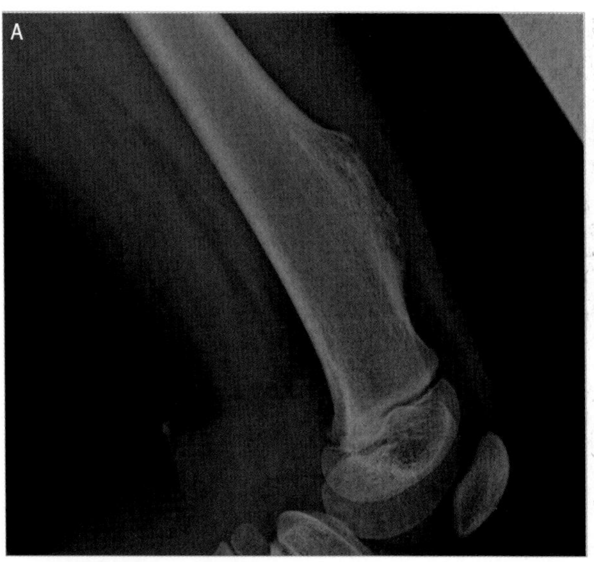

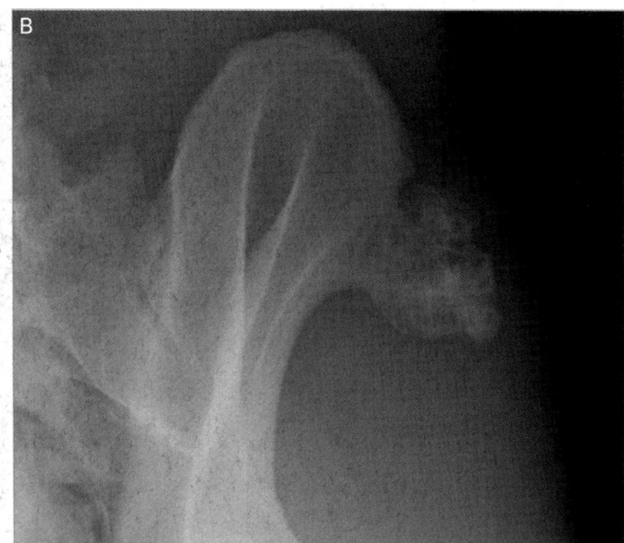

Fig 6. **골연골종의 두 가지 형태.**
A: 무경성(sessile type). B: 유경성(pedunculated type).

생한다. 대퇴골이나 상완골의 골수강 내에도 발생한다 Fig 7.

- 성숙한 초자연골(hyaline cartilage)로 구성되며 lobule을 형성한다.
- 골연골종의 발생은 골단판의 가장자리에서 dysplastic cartilage proliferation에 의한 것으로 생각되는 반면, 내연골종은 골단판의 중심부에서 연골내골화의 실패로 인하여 초래되는 dysplastic cartilage proliferation으로 이해되고 있다.
- 손, 발의 병변은 대개 골수강내 음영 감소, 피질골 팽창 등의 소견을 보이며, 장관골에서는 연골 형성 종양 특유의 점상의 석회화가 골수강 내에 관찰된다.
- 통증 없이 우연히 발견되거나 손, 발의 병변은 병적 골절로 발견되기도 한다. 대퇴골, 상완골의 병변은 대개 증상이 없고 골절 위험이 거의 없어서 수술 없이 관찰한다.
- 증상이 있거나 골절의 위험이 있는 손, 발의 병변은 소파술과 골이식술로 치료한다.
- 2% 이하에서 연골육종으로 악성화한다.

4. 내연골종증(enchondromatosis, Ollier's disease, dyschondroplasia)

- 비유전성인 발달성 병변으로 수지골에만 국한된 경우에서부터 사지에 모두 이환된 경우까지 이환 정도의 차이가 심하다. 병변들은 일측성으로 편재하는 경향이 있다.
- 병리학적 소견은 단발성 병변과 유사하나, 세포밀도가 조금 더 높다.
- 단발성에 비하여 이환된 골에는 각변형, 골단판 침범으로 인한 단축, 골간단 확장 등의 다양한 변형이 발생할 수 있고, 인접 관절운동 범위의 감소를 초래하여 손 기능 장애가 동반된다.
- 치료: 병적골절 위험이 있거나 크기가 증가하는 부분은 소파술 및 골이식술로 치료하고, 하지길이부동이나 변형에 대해서는 교정절골술, 길이 연장술 등을 시행한다.
- 악성화는 대개 성인에서 발생하고 10-25% 정도로 보고된다.
- 다발성 혈관종증과 동반된 경우를 Maffucci 증후군이라 하며, 이 경우 연골종의 육종 변화가 흔하여 25% 이상에서 발생하는 것으로 알려져 있으며 거의 100%라는 보고도 있다.

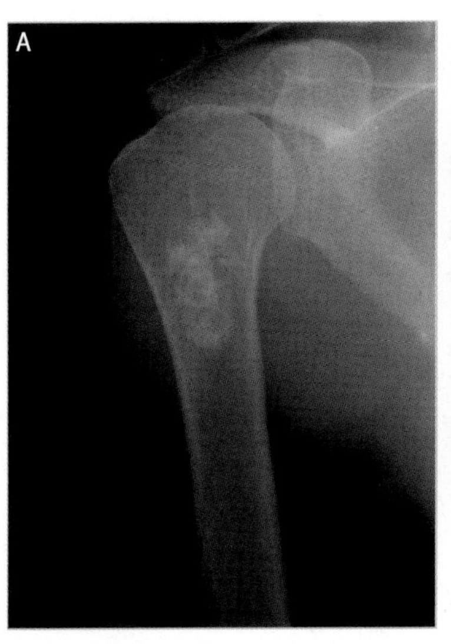

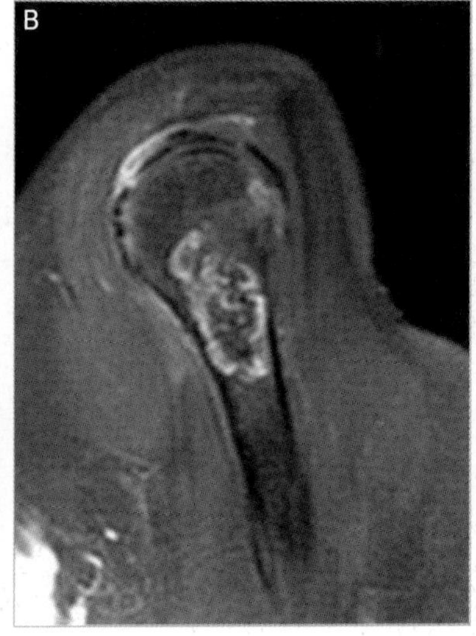

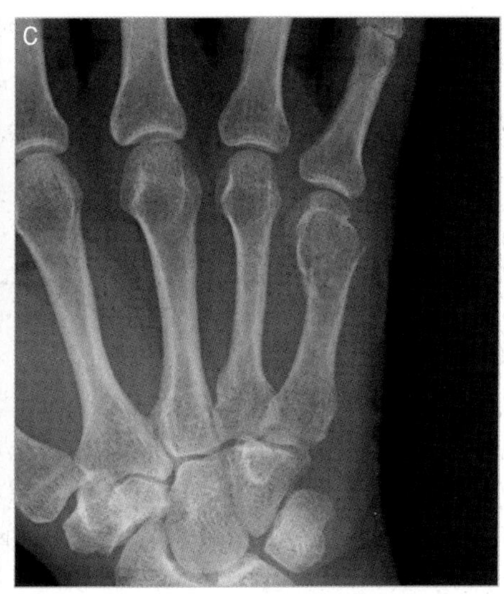

Fig 7. **내연골종.**
A,B: 근위 상완골의 병변. C: 내연골종에 의한 제5중수골 병적 골절.

5. 연골모세포종(chondroblastoma)

1) 빈도 및 증상

- 골단판이 아직 열려있는 소아의 골단부에 발생하는 대표적인 종양이나 20대에서도 드물지 않게 발생한다.
- 경골 근위부, 상완골 근위부에서 가장 흔하며Fig 8, 대퇴골두, 대퇴골 대전자부의 견인골단(apophysis), 슬개골, 거골, 종골 등에 발생하며 남자에서 호발한다.
- 골단판이 닫힌 환자에서 거대세포종과 감별해야 한다.
- 대개 통증이 있고, 인접 관절운동의 제한, 종창, 파행 등이 관찰된다.

2) 방사선 소견

장관골의 골단에 편심성(eccentric)으로 위치하며 음영이

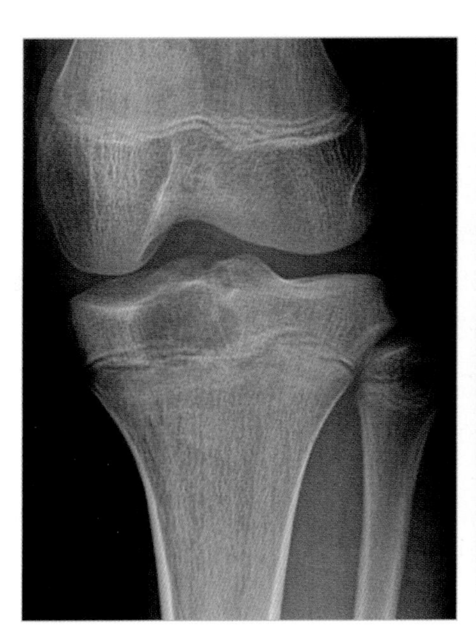

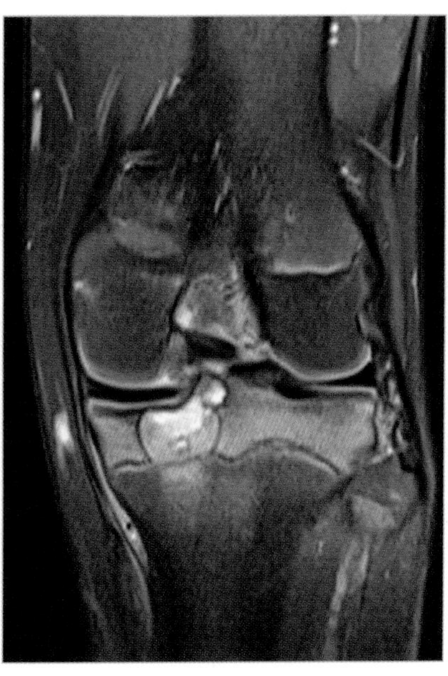

Fig 8. **근위 경골의 연골모세포종.**

감소된 둥근 형태의 골용해성 병변(osteolytic lesion)을 보인다. MRI에서는 병변 주위로 골수 부종과 염증 반응이 강하게 보인다.

3) 병리 소견

비교적 큰 핵을 가진 원형의 연골모세포가 관찰되며, 연골모세포들 사이를 잇는 망사 모양의 석회화 소견이 마치 닭장 모양(chicken wire calcification)으로 보인다.

4) 치료

연골모세포종은 대부분 병기2에서 발견되며, 철저한 소파술 및 골이식술을 시행하거나 골시멘트 충전술을 시행하며, 재발은 약 10-20%에서 발생한다.

6. 연골 유점액 섬유종(chondromyxoid fibroma)

연골 형성 결체 조직에서 발생하는 종양으로 잠재적인 악성을 가지고 있다.

1) 빈도 및 증상

- 10-30세, 하지, 특히 경골 근위부와 대퇴골 원위부의 골간단부에 호발한다.
- 장기간의 지속된 동통과 종창

2) 병리 소견

- 유점액성 세포 간질에 방추형 또는 다극형 종양세포의 엉성한 분포를 볼 수 있다.
- 가성소엽(pseudolobule)으로 기질은 분엽된다.
- 유점액성 조직과 교원질 조직이 보이고 그 사이에 세포가 밀집된 가성소엽 형성이 보이면 진단이 가능하다.

3) 방사선 소견

- 원형 또는 타원형의 음영이 감소된 병변이 편심성으로 위치하고 주위의 피질골은 팽대되어 있다.
- 경화된 골선으로 격막을 이루고, 뭉게구름처럼 보인다.

4) 치료

완전 소파술 또는 변연부 절제술이 필요하다.

Ⅳ. 골 형성 종양

1. 유골 골종(osteoid osteoma)

- 10-30세 사이 남자에서 호발한다.

1) 발병 부위

- 대퇴골과 경골의 골간부나 골간단부, 대퇴골 경부 등에 호발하며 상완골, 비골에도 발생한다. 척추에서는 추궁판, 척추경(pedicle), 후관절 등 후방 구조물에서 발생한다.
- 대부분 피질골에서 발생하나 드물게 골수강이나 골막하에서도 생긴다.

2) 병리 소견

- 핵(nidus): 골모세포에 둘러싸인 미성숙골과 혈관이 풍부한 결합조직으로 구성된다.
- 핵 주위에 경화된 골로 인하여 피질골이 두꺼워진다.

3) 임상적 소견

- 통증과 압통, 국소 종창, 특히 야간통이 특징적이다.
- 대체로 심하고 지속적이다.
- 척추 병변인 경우 통증으로 이차성 측만증이 초래되기도 한다.

4) 방사선 소견Fig 9A, B

- 뚜렷한 골경화의 중심부에 직경 5-1.5 cm의 원형 내지 타원형의, 음영이 감소한 nidus가 보인다.
- CT나 MRI로 nidus의 존재를 확인하여 진단한다.
- 양성 골모세포종은 조직학적으로 유골골종과 같으나 병변이 크고 해면골에 호발하며, 주위골의 경화상이 뚜렷하지 않다.

5) 치료

- 아스피린, 이부프로펜 및 기타 비스테로이드성 진통소염제(NSAIDs) 투여 등의 보존적 치료를 하여 증상이 감소하고 저절로 없어지기도 한다.
- 보존적 치료에 반응하지 않는 경우 핵을 완전히 제거하

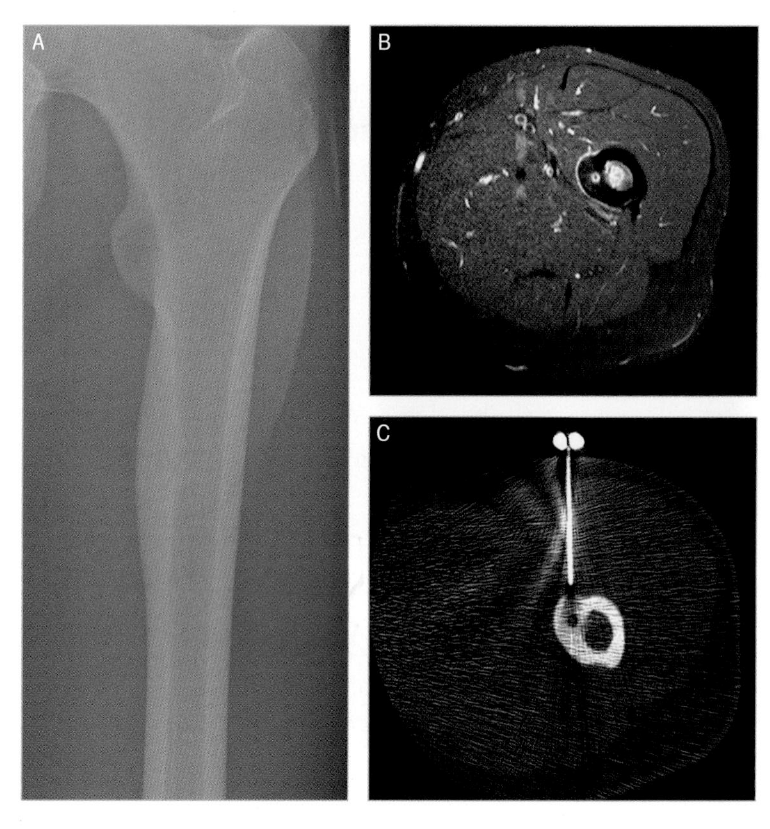

Fig 9. **유골골종.**
A: 두꺼워진 피질골. B: nidus가 보이는 MRI 소견.
C: Radiofrequency로 nidus를 제거하는 소견.

여야 통증이 소실되며, 주위 경화골까지 제거할 필요는 없다.

- 최근에는 CT 유도(guide) 하에 고주파 소작술(radiofrequency ablation, RFA)을 이용하여 핵을 제거하기도 한다Fig 9C.

2. 골육종(osteosarcoma)

1) 빈도 및 병인

- 미분화된 간엽조직에서 기원한 악성 기질세포(malignant stromal cell)가 유골(osteoid matrix)을 형성하는 악성 골종양
- 원발성 악성 골종양의 40-50%를 차지하는 가장 흔한 원발성 악성 골종양
- 75%가 15-20세에 발생하고 5세 이하나 70세 이상에서는 드물다.
- 10만 명당 약 0.5명의 발병률로, 남자에서 약 1.5배 더 높은 발병률을 보인다.
- 원인인자는 밝혀진 것이 없으며, Rb 유전자나 p53 유전자 이상이 비교적 흔히 발견된다.
- 위험인자로서 망막세포종(retinoblastoma) 환자의 30% 이상에서 2차 악성 종양으로 골육종이 발생하며, Li-Fraumeni syndrome에서 속발하는 이차 암으로 발생하기도 한다.
- 원발성(primary)과 이차성(sencondary)으로 분류하며, 원발성은 성장 양상에 따라 중심성과 표재성으로 나눌수 있다.
- 중심성은 전형적 골육종(conventional osteosarcoma), 모세혈관 확장성 골육종(telangiectatic osteosarcoma), 골내 저등급 골육종(low grade intramedullary osteosarcoma) 등이 있으며, 표재성으로는 방골성 골육종(parosteal osteosarcoma), 골막성 골육종(periosteal osteosarcoma), 고등급 표재성 골육종(high-grade surface osteosarcoma) 등이 있다.
- 속발성 골육종은 파제트병(Paget's disease), 다발성 섬유성이형성증 같은 양성 골종양, 골경색(bone infarct)

에서 발생하거나 다른 암에 대한 방사선 치료 후에 발생할 수 있다.

2) 임상 소견

- 90%에서 장관골의 골간단부에 생기며 슬관절 주위에 60% 정도 발생한다.
- 대퇴골 원위부, 경골 근위부, 상완골 근위부, 대퇴골 근위부, 골반골 등의 순서이다.
- 주 증상은 통증 또는 통증을 동반한 종괴이며 종창, 압통, 인접 관절운동 제한 및 병적 골절이 발생할 수 있다.
- 80%에서 혈중 알카리성 인산 효소(alkaline phosphatase)의 증가가 관찰된다.
- 폐나 다른 뼈로 혈행성 전이를 주로 하며, 10-15%에서 진단 당시 이미 폐 전이가 관찰되며, 사망 시 90% 이상에서 폐 전이 소견을 보인다.

3) 영상 소견Fig 10

- 골간단부에서 심한 골파괴와 골형성이 불규칙하게 혼재되어 있으며 병변의 범위가 불분명하다.
- 피질골을 파괴하며 주위 연부조직으로 침범한다.
- 골막 반응: 코드만 삼각(Codman's triangle), sunburst 소견 등이 보일 수 있다. 악성 종양에 공통적인 비특이적 소견이다.
- MRI: 골수강내 병변의 범위 및 연부 조직으로의 침범 범위, 병변 내부의 성질이다(괴사, 석회화, 혈관 형성 정도, 조영증강 정도 등).
- 원격 전이 검사: 흉부 CT와 Bone scan (또는 PET/CT)이 MRI와 더불어 병기 결정에 필수적이다.

4) 병리 조직학적 소견

- 분류: 골모세포성, 연골모세포성, 섬유모세포성으로 구분하며, 골모세포성이 가장 흔하다.
- 악성 간질세포와 여기서 형성되는 종양 유골(tumor osteoid)의 존재가 진단에 필수적이다Fig 11.

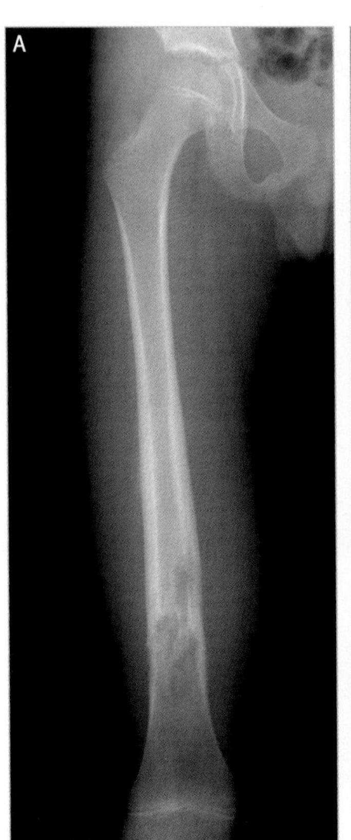

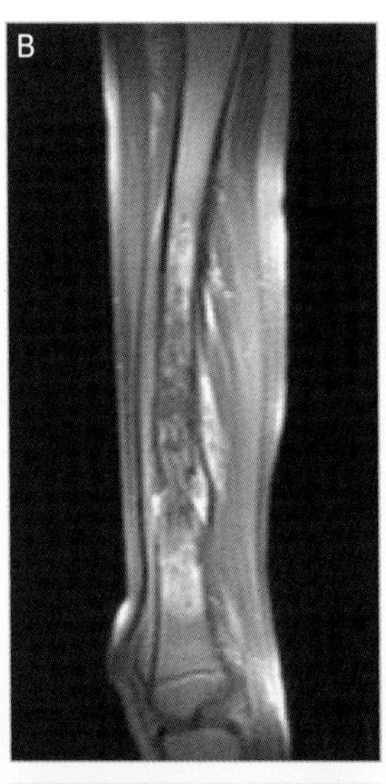

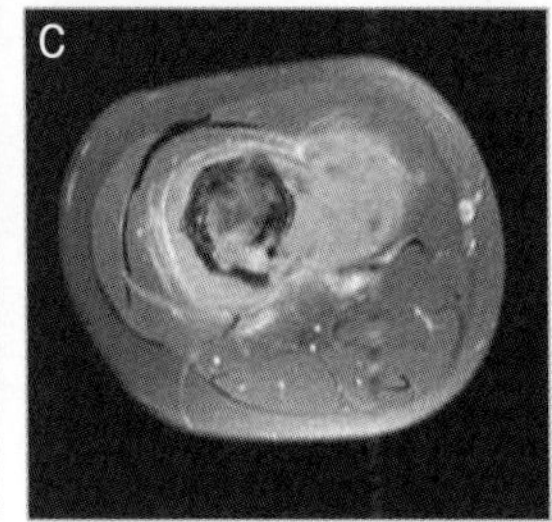

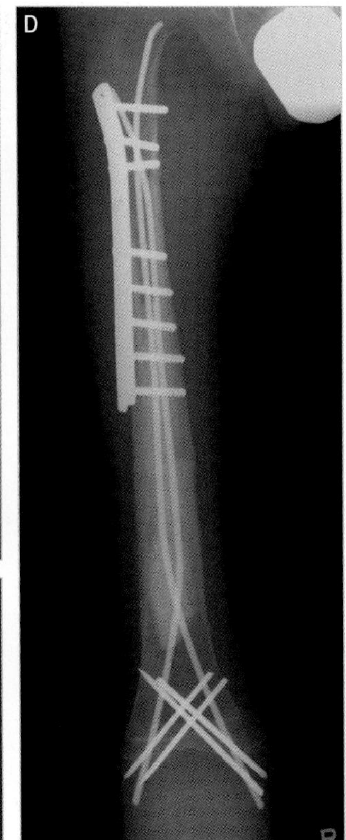

Fig 10. **대퇴골 골간과 원위 골간단의 골육종.**
A: 단순 방사선검사 소견. B,C: MRI 검사 상 병변이 골수강의 안과 밖에 걸쳐있는 소견. D: 광범위 절제술 후 저온 열처리 자가골 이식술로 재건하였다.

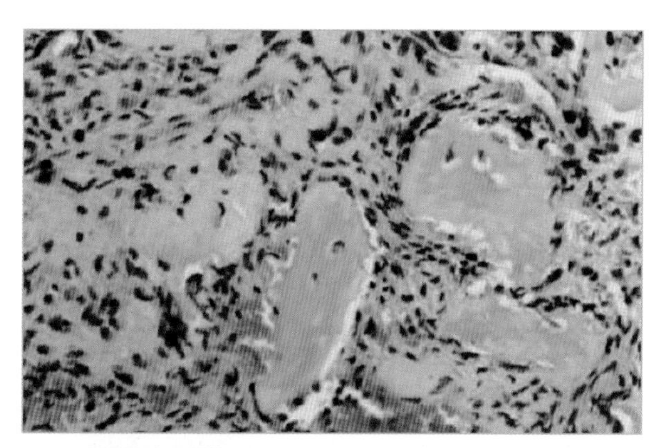

Fig 11. **골육종의 조직학 소견.**
악성 기질세포가 형성한 osteoid가 관찰된다.

5) 치료

- 골육종은 수술적 치료(local control)와 화학요법(systemic treatment)을 모두 시행하여야 완치를 기대할 수 있다. 방사선 치료는 효과가 거의 없어서 일차적인 국소 조절을 위해서는 사용하지 않는다.
- 전이가 있는 경우에는 화학요법을 하며 경과를 보면서 사지 수술과 폐 전이에 대한 수술을 하며, 이후 술후 화학요법을 지속한다. 다발성 척추 전이 같은 경우에는 증상 완화를 위하여 드물게 방사선 치료를 사용할 수도 있다.

(1) 수술적 치료

- 수술적 치료는 골육종의 치료에서 가장 확실한 국소조절(local control) 방법이다. 외과적 절제연(surgical margin)은 반드시 광범위 절제연(wide margin)을 확보해야 한다. 부분적으로 변연부 절제연(marginal margin)이 되었다고 하여도 방사선 치료는 시행하지 않는다.
- 성장기에 대퇴골 원위부나 경골 근위부의 종양을 제거하면 성장이 끝날 때까지 하지길이부동이 초래된다.
- 재건술(reconstruction)
  - ① 10세 이전
    - 장관골의 골수강이 너무 작아서 종양대치물을 사용하기 곤란하며 맞는 크기로 제작하여 사용하여도 장기적으로 좋은 결과를 기대하기 어렵다.
    - 회전성형술: 종양이 있는 분획을 주요신경혈관만 제외하고 모두 제거하고 원위부 하지의 앞뒤를 바꾸어 근위 절제연에 연결하는 회전성형술을 구미에서는 권장하고 있으나 우리나라에선 미용적, 정서적으로 받아들여지기 어려워 자주 시행하지 않고 있다.
    - 성장이 끝날 때까지 한시적으로 사용한다는 개념으로 동종골(allograft) 또는 재활용 자가골 이식술(recycled autograft)을 이용할 수 있으며, 성장이 끝나면 고하지길이부동을 해결하면서 성인용 임플란트를 이용하여 재건할 수 있다.
  - ② 10세 이후 청소년기
    - 하지 부동이 5-6 cm 이상 예상되지 않을 경우에는 확장형 종양 대치물을 제작하여 사용할 수도 있으며, 동종골이나 재활용 자가골을 사용하거나 여기에 관절면은 인공관절을 적용하는 복합체 형태를 이용하기도 한다.
    - 하지 부동이 2-3 cm 이하가 예상되거나 성장 종료 이후의 연령에서는 확장형 대신 일반적인 modular type의 종양대치물을 사용할 수 있으나, 역시 장기적인 추시 결과가 좋지 않고 몇 차례 재치환술을 반복해야 하는 문제점이 있다. 동종골이나 자가골 이식술처럼 골 조직을 이용한 생물학적인(biological) 재건술도 사용할 수 있다.
  - ③ 성인
    - 관절을 포함하여 재건이 필요한 경우에 종양대치물이 비교적 가장 많이 사용된다.
    - 나이와 관계없이 장관골의 골간부만 침범되고 양쪽 끝의 관절을 보존할 수 있다면 동종골이나 자가골(재활용 또는 신연골 형성술 등)의 결과가 비교적 좋다.

(2) 화학요법

- 수술 전 및 수술 후에 시행하고, 고용량 메토트렉세이트(high dose-MTX), 아드리아마이신(adriamycin, ADR), 시스플라틴(cisplatin)의 복합 사용이 가장 전형적인 방법이며 여기에 ifosfamide (IFO)를 추가하기도 한다.
- 광범위 절제술 후 조직을 mapping하여 술전화학요법의

효과를 분석하며, 종양 괴사 정도를 평가하여 괴사된 세포의 비율이 90% 이상인 경우를 양호 반응자(good responder)라 하고 90% 미만인 경우를 불량 반응자(poor responder)로 구분하여 불량 반응자인 경우 술후 화학요법의 약제 선택을 변경한다.

6) 치료 결과 및 예후 인자

- 절단술을 시행하고 화학요법을 하지 않은 70년대의 경우 5년 생존율이 20% 미만이다.
- 2000년대 5년 생존율이 75% 정도까지 향상되었다.
- 술전 화학요법을 시행한 경우, 종양의 괴사 정도가 클수록(90% 이상) 예후가 좋다.
- 최초 종양의 크기와 범위(전이 여부)가 중요한 예후 인자이며, 이외에 40대 이상의 연령, 골반뼈와 같은 중심성 골격(axial skeleton)인 경우에도 예후가 나쁘다.

7) 표면 골육종(surface osteosarcoma)

(1) 방골성 골육종(parosteal osteosarcoma) Fig 12

- 20, 30대 여자 환자에서 주로 장관골의 골막(periosteum)으로부터 바깥쪽으로 자라는 골육종이다.
- 대퇴골 원위부가 가장 흔하며 다음으로 상완골 근위부에 호발한다.
- 조직학적으로 섬유모세포 위주의 기질에 성숙한 직골 형성을 보이며, 섬유성 이형성증과 유사해 보인다.
- 저등급의 악성도이므로 수술(광범위 절제술)만으로 치료하며 화학요법과 방사선치료는 필요없다.
- 5년 생존률이 90% 이상이다.

(2) 골막성 골육종(periosteal osteosarcoma)

- 대퇴골이나 경골의 골간부에서 매우 드물게 발생하는 골육종의 한 종류이다.
- 조직학적으로 방골성 골육종과 달리 비교적 성숙해 보이는 연골 조직들 사이에 유골 조직이 섞여있다. 전형적 골육종보다는 예후가 좋으며 방골성 골육종보다는 나쁜 편이다.

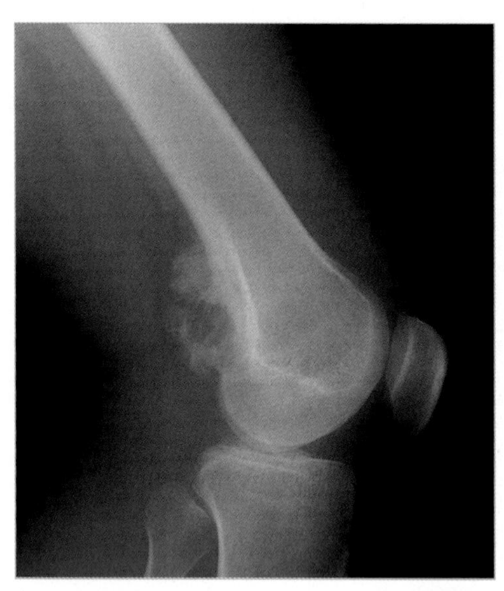

Fig 12. 원위 대퇴골 후방에 발생한 방골성 골육종(parosteal osteosarcoma).

V. 섬유성 종양

1. 비골화성 섬유종(nonossifying fibroma)

- 장관골 골간단부 피질골에 생기는 섬유성 결체조직으로 된 병변으로 섬유성 피질골 결손(fibrous cortical defect), metaphyseal fibrous defect라고 하는 병변들과 조직학적으로 같으며, 저절로 치유되는 병변이다.

1) 부위 및 임상소견

- 정상 소아의 30%에서 방사선 사진에 보일 정도로 흔하다.
- 대퇴골 원위부가 가장 흔한 부위이고, 경골 근위부, 경골 원위부의 순으로 호발한다.
- 10세 전후의 성장기에 발생하며, 대부분은 아무 증상이 없다.

2) 병리 소견

- 얇은 피질골로 둘러싸인 섬유조직으로 섬유모세포, 교원섬유가 주를 이루고 소수의 거대세포가 있다.

3) 방사선 소견Fig 13

- 골간단부에 경계가 명확한 편심성의 음영이 감소된 병변

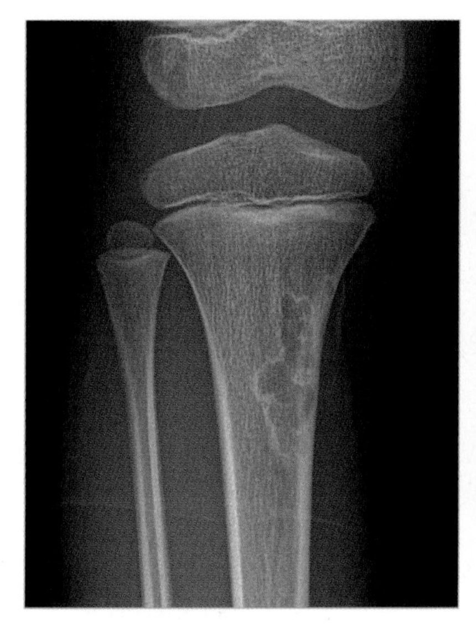
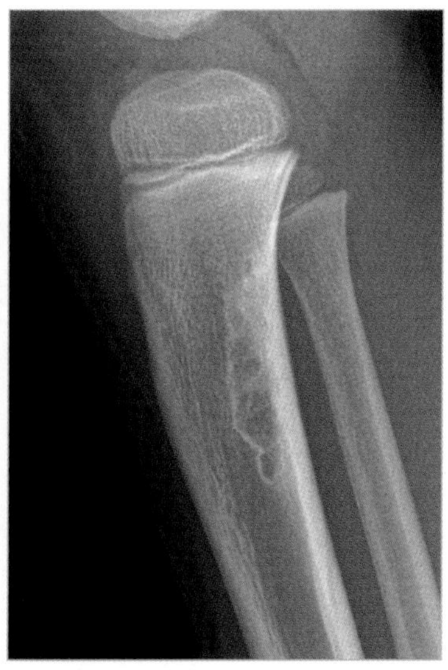
Fig 13. **비골화성 섬유종.**

- 병변 가장자리는 경화된 피질골, 내부에는 얇은 격막에 의한 거품 모양
- 시간 경과에 따라 감소된 음영을 보이던 병변은 점차 경화상으로 변화하고 대개 20대 이전에 소멸된다.

4) 치료

- 증상이 없고 저절로 소멸되는 병변으로 치료가 필요 없으며 몇 차례 방사선 사진으로 추시만 한다.
- 병변이 골수강 지름의 50% 이상으로 커지면 골절 위험이 높아지며 다른 부위보다 특히 경골 원위부에서 골절이 발생하기 쉽다. 골절은 보존적 방법으로 쉽게 유합된다.
- 통증이 있거나 골절 위험이 크면 소파술과 골이식술을 할 수 있다.

2. 골화성 섬유종 (ossifying fibroma, osteofibrous dysplasia)

1) 부위 및 임상 소견

- 10세 이전부터 보이는 경우가 대부분이며, 20세 이후에는 새로 발생하지 않는다.
- 대부분의 병변이 경골 골간부, 다음으로 비골이고, 다른 뼈에서는 거의 발생하지 않는다.
- 병변이 자라며 경골의 전방 각변형이 발생할 수 있고, 볼록 부위에서 병적 골절이 발생하기 쉽다.
- 통증은 없거나 심하지 않은 둔한 통증을 호소하며, 경골의 전방 돌출을 주소로 내원하기도 한다.

2) 방사선 소견Fig 14

- 전방 피질골에 연하여 편심성의 음영감소 부위가 있고 다발성 낭포 모양으로 보이기도 하며, 주변에 경화성 경계가 있다.

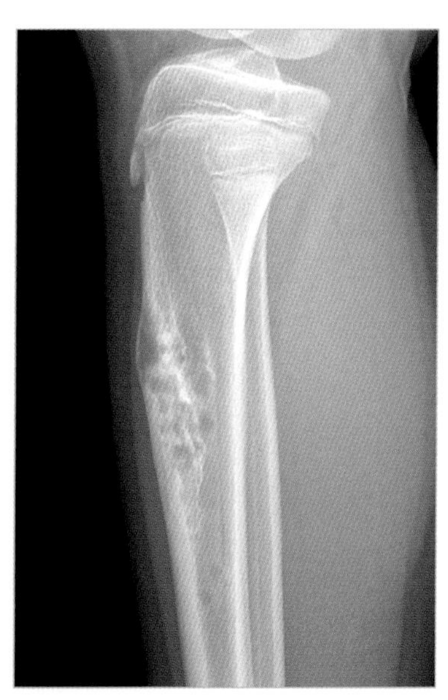
Fig 14. **골화성 섬유종.**

- 섬유성 이형성증, 비골화성 섬유종, 법랑종과 항상 감별해야 한다. 특히 병변의 성장 속도가 빠르면 법랑종과의 감별을 위해서 조직 검사를 하는 것이 좋다.

3) 병리 소견

- 섬유성이형성증과 유사하며 섬유성 결체조직 안에 다양한 모양의 직골들이 골모세포에 둘러싸여 있다.

4) 치료

- 자연 경과가 매우 다양하지만 사춘기 이후에는 안정화되는 경향을 보인다. 간혹 저절로 작아지는 경우도 있다. 경골의 전방 돌출로 외부 충격에 노출되기 쉬우면 전방에 보호대를 착용하기도 한다.
- 병변이 커지지 않거나 매우 서서히 자라며 통증이 없으면 경과를 관찰하며 골격 성장이 끝날 때까지 지켜보고, 이후 증상과 골절 위험을 고려하여 수술 여부를 결정한다.
- 10세 이하의 소아에서 비록 병변이 지속적으로 커지더라도 소파술과 같은 수술은 재발의 가능성이 많으므로 바람직하지 않고, 가능하면 골격 성장이 거의 끝날 때까지 기다린 후 치료하는 것이 좋다.
- 성장 종료 이전이라도 통증, 심한 변형, 반복되는 골절 등으로 반드시 치료가 필요한 상황이라면 골막을 포함하여 광범위 절제술을 시행하고 외고정장치를 이용하여 골 이전술, 또는 생비골 이식술, 또는 동종골 이식술과 같은 방법으로 골 결손 부위를 재건하는 것이 효과적이다.

3. 섬유성 이형성증(fibrous dysplasia)

- 뼈가 직골을 포함한 섬유성 조직(fibroosseous tissue)으로 대치되는 병변으로 단골성(monostotic)이 다골성(polyostotic)보다 7-8배 정도 많다.
- McCune-Albright 증후군: 다골성 섬유성 이형성증(polyostotic fibrous dysplasia), 피부 색소침착(cafe-au-lait spot), 성 조숙(sexual precocity)을 동반한 내분비계통 이상(부갑상선 항진, 갑상선 항진증 등)의 소견을 보인다.
- 병인의 하나로 골모세포로의 분화(osteoblastic differentiation)에 관여하는 GNAS gene의 결함이 알려져 있다.

1) 호발 부위

- 단골성: 대퇴골, 경골, 두개골, 늑골
- 다골성: monomelic type은 한쪽 팔, 골반, 다리에서 다발성 병변을 보이며, polymelic type은 두개골 포함하여 양측에서 모두 나타난다.
- 장관골의 골간부와 골간단부에 주로 발생한다.

2) 임상 소견

- 단골성 병변은 무증상으로 우연히 발견되는 수도 있고, 통증과 파행, 골절 등이 나타나기도 한다.
- 다골성 병변은 전반적으로 단골성보다 증상이 심하며, 피질골의 팽창, 반복되는 골절 등에 의하여 여러 가지 변형을 초래할 수 있다. 대퇴골 내반고가 더 진행하여 shepherd crook deformity과 같은 심한 사지 변형이 나타날 수 있다Fig 15.
- 병적 골절: 체중 부하 뼈인 대퇴골과 경골에서 호발한다. 통증이 거의 없던 뼈에 미세골절(microfracture)이 발생하면 갑자기 통증이 발생하여 2-3주 지속된 후 서서히 감소한다. 골절이 없어도 어느 정도의 통증이 호전과 악화를 반복할 수 있다.

3) 병리학적 소견

- 육안적으로는 거친 모래를 만지는 듯한 느낌을 주는 회백색의 조직이다. 이차적으로 낭종 변화를 할 수 있고, 동맥류성 골낭종을 동반하는 경우에는 그렇지 않은 경우보다 재발의 위험이 조금 더 높다.
- 섬유모세포 같은 방추형 세포 조직과 그로부터 형성된 독특한 모양의 골소주들(trabeculae)이 널려 있으며(chinese letter appearance) 정상적인 골모세포로 둘러싸여 있지 않다.

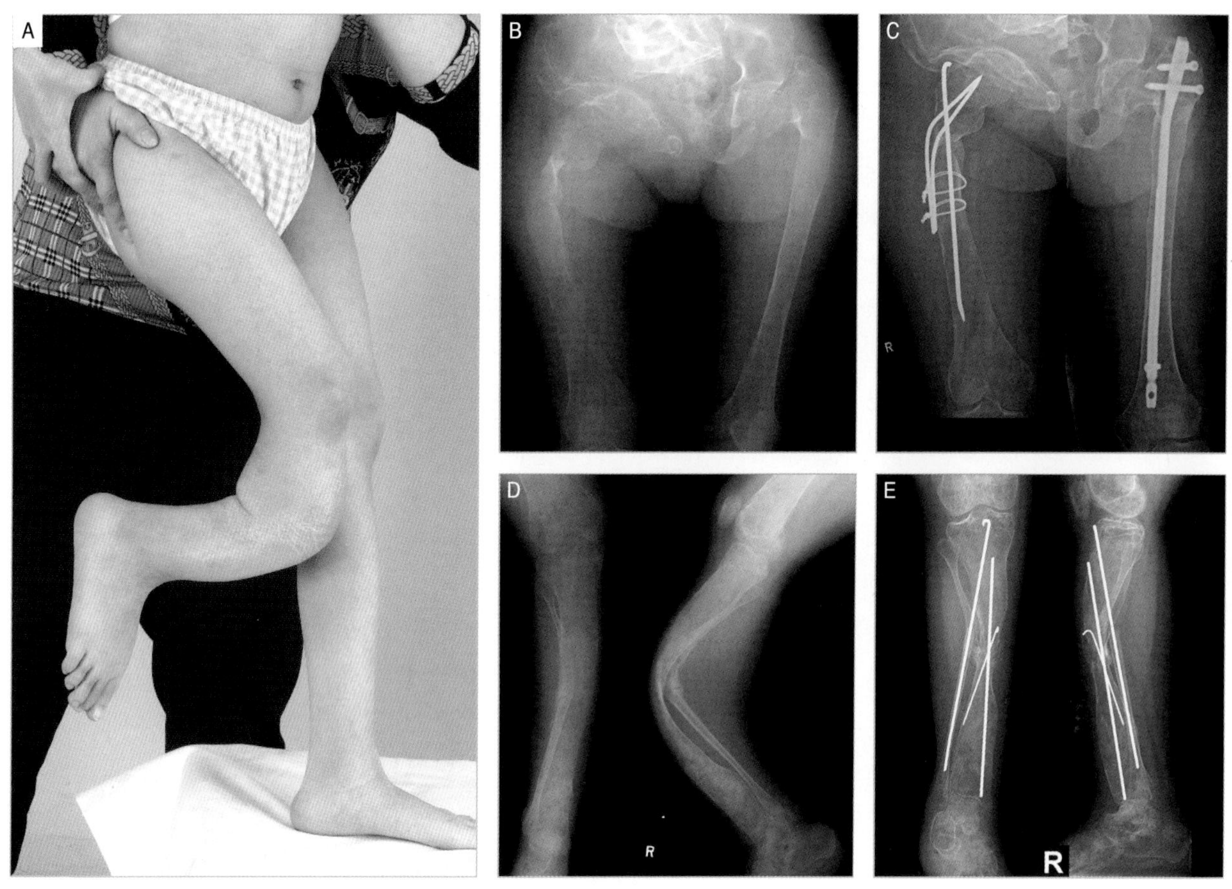

Fig 15. McCune-Albright 증후군 환아로 심한 하지변형으로 인하여 휠체어에 의존해 있다(A). 양측 근위 대퇴골의 shepherd crook 변형을 교정 절골술로 교정하였다(B,C). 심한 경골 전방 각변형을 교정 절골술로 교정하였다(D,E).

4) 방사선 소견

- 간유리 소견(ground-glass appearance)이 특징적으로 정상적인 골소주 패턴이 소실되고 비교적 균질하게 뿌옇게 보이는 경계가 좋은 병변이 골수강 내에 있으며 피질골을 얇게 만들며 팽창하기도 한다Fig 16.
- 병변 주위는 얇거나 두꺼운 경화 골의 밴드가 둘러싸듯이 보이기도 한다.
- 낭종 변화가 있는 부분은 더 균일한 음영 감소 소견이 관찰된다.

5) 골주사 검사(technetium-99m bone scan)

- 다골성 병변의 부위를 screen할 수 있다. 다른 양성 골 종양에 비하여 매우 강한 흡수 증가(hot uptake)를 보인다.

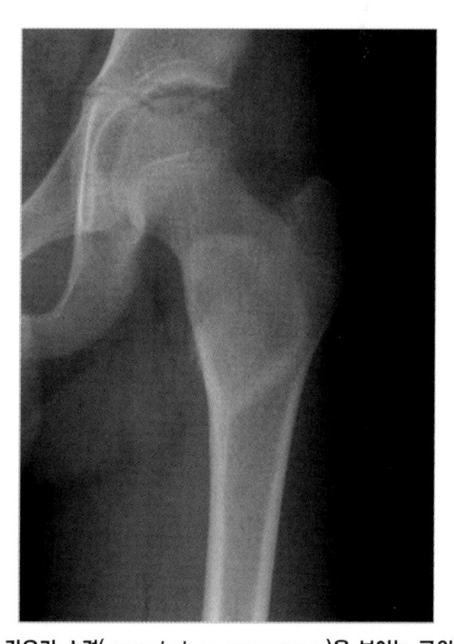

Fig 16. **간유리 소견(ground glass appearance)을 보이는 근위 대퇴골 섬유성 이형성증.**

6) 치료 및 예후

- 성인에서는 특히 단골성 병변은 안정화하여 진행하지 않는 경우가 많다.
- 무증상의 진행하지 않는 병변은 수술하지 않는다.
- 체중 부하 뼈에서 통증이 심하거나 골절 위험이 높으면 소파술과 골이식술을 하며 내고정을 할 수도 있다. 단골성보다 다골성 병변에서 골절 위험이 더 높은 경우가 많다.
- 대퇴골 내반고 변형, 내, 외반슬 등의 변형은 교정 절골술 등을 시행하며 병소를 완전히 긁어내고 골이식술을 한다. 골반뼈에 병변이 있는 다골성 환자에서는 동종골을 이용이 바람직하다.
- 단골성보다 다골성에서 재발률이 높다.
- Bisphosphonate 치료: 여러 성분의 비스포스포네이트 제제들을 투약하여 통증 감소와 골 형성의 효과를 기대할 수 있다. 정맥주사나 경구 복용 등 여러 경로를 이용하며 비교적 장기간 사용해야 하고 뚜렷한 효과가 없는 환자들도 있기 때문에 수술로 치료하기 곤란한 다골성 환자에서 주로 시도하고 있다.
- 육종성 변화는 0.5% 이하이며 다골성에서 더 많고, 골육종, 섬유육종, 연골육종 등이 발생한다.

VI. 기타 종양

1. 고립성 골낭종(solitary bone cyst)

1) 빈도 및 증상

- 진정한 종양은 아니지만 임상적으로 골종양과 유사하며, 단순 골낭종(simple bone cyst)이라고도 부른다.
- 전체 골종양의 약 3%, 10세 전후 연령에 호발하며, 남자보다 여자에서 2배 호발한다.
- 장관골의 골간단부에 호발: 상완골의 근위부에 가장 호발한다.
- 무증상이 대부분이며, 병적 골절로 발견된다. 병소가 커지면 둔통을 호소하기도 한다.

2) 방사선 소견

- 골간단부에 중심성 골 결핍상. 골골단판으로 확장되는 소견Fig 17
- 병적 골절: fallen leaf sign (작은 피질골편이 병소 내에 가라앉은 모양)

3) 병리학적 소견

- 얇은 피질골과 얇은 섬유성 결체조직막의 내벽
- 투명한 볏짚색의 액체

4) 치료

- 낭종을 통과하는 병적 골절 시 골절 치유와 동시에 자연 치유되기도 한다.
- 병소의 액체를 모두 흡입하고 씻어낸 후, 부신 피질 호르몬제나 자가 골수(autogenous bone marrow)를 주사한다.
- 각종 뼈 대체제(calcium sulfate, calcium phosphate, demineralized bone matrix 등)를 같이 주입하기도 한다.
- 인접한 정상 골수강과 통하도록 확공(reaming)하거나 골수강내 금속정을 삽입하여 골절을 예방하기도 한다.
- 어떠한 시술이나 수술을 하더라도, 낭종 벽에 다발성 드릴링을 하든지 하여 낭종을 막힌 공간이 아니라 외

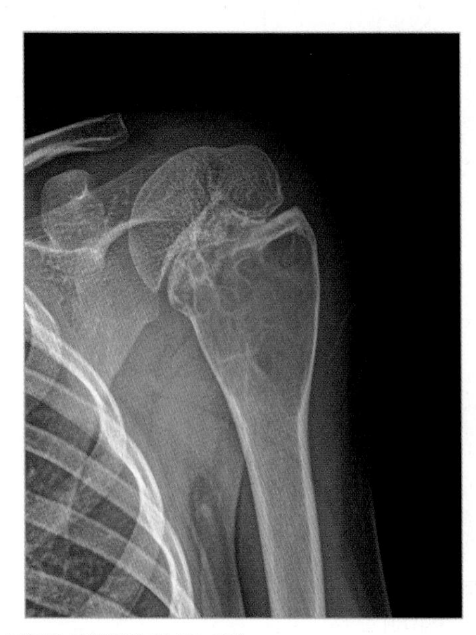

Fig 17. **상완골 근위부의 골낭종 소견.**

부와 통하는 공간으로 만든다는 개념이 재발 방지에 중요하다.

- 수차례 재발했거나 대퇴골 근위부의 큰 병변으로 골절이 발생한 경우는 소파술과 골이식술 및 금속판 고정술을 시행한다.
- 25%의 재발률: 나이가 10세 이하로 어리고, 골단판에 가까울수록 재발이 흔하다.

2. 동맥류성 골낭종(aneurysmal bone cyst)

양성 낭종으로 원발성으로 발생하나, 섬유성 이형성증이나 골육종, 거대세포종 등의 종양에서 이차적으로 발생하기도 한다. 종양으로 혈액으로 충만되어 있고, 확장된 혈관과 혈관 강이 산재하여 있다.

1) 빈도 및 증상

- 10-20세 사이의 청소년기에 호발한다.
- 장관골의 골간단에 호발하고 (대퇴골 원위부, 경골 근위부, 상완골 근위부) 척추후궁이나 골반뼈, 수족골에서도 드물게 발생한다.
- 환부의 국소 동통과 종창이 주된 증상이다.

2) 방사선 소견Fig 18

- 풍선처럼 팽대된 원형 또는 타원형의 감소된 음영, 얇은 달걀껍질 같은 피질골
- 자기공명영상 소견: multiple fluid-fluid level 관찰 가능

3) 병리학적 소견

- 얇은 골 껍질로 둘러싸여 있고 안쪽은 불규칙한 모양의 다방성 구조로 정맥성 혈액으로 채워져 있다.
- 대소 혈관과 혈관 강, 결체조직 격막, 거대세포, 혈철소를 함유한 조직구, 수복성 유골조직 및 골조직이 관찰된다.

4) 치료

- 양성 종양 중에서 비교적 재발을 잘 하므로 완전한 소파술이 중요하고 골이식을 한다.

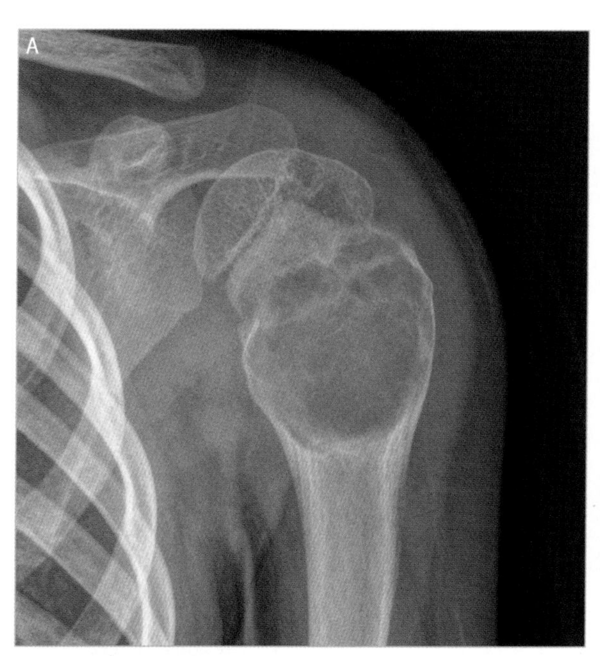

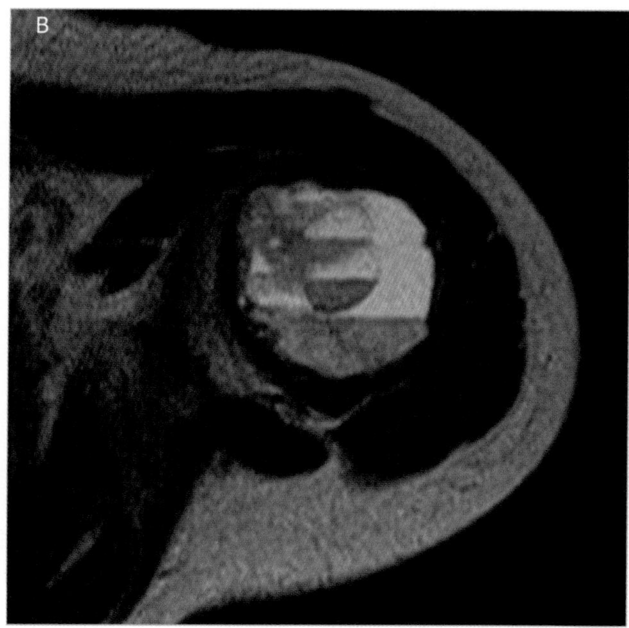

Fig 18. **동맥류성 골 낭종.**
A: 상완골 근위부에 발생한 병변으로 단순 방사선 사진 상 풍선처럼 팽대된 타원형의 감소된 음영을 보이고 있다. B: 동일 환자의 자기공명영상에서 multiple fluid-fluid level이 관찰된다.

- 소파술로 종양을 완전 제거가 어려우면 절제술을 한다.
- 수술로 제거하기 어렵거나 심각한 기능손상이 우려되면, 알코올 성분의 약물을 반복 주입하는 혈관경화술(sclerotherapy)로 종양 성장을 지속적으로 억제하는 방법을 하기도 한다.

3. 유잉 육종(Ewing's sarcoma)

- 골수강 내에서 기원하는 미분화성 소원형세포(undifferentiated small round cell)로 구성된 원발성 악성 골종양
- 조직학적으로 매우 유사한 원시 외배엽성 세포종(primitive neuroectodermal tumor, PNET)을 포함하여 Ewing family tumor (EFT)라는 이름으로 부른다.

1) 빈도 및 임상 소견

- 서양에서는 원발성 악성 골종양의 약 6-7%이나 우리나라에서는 이보다 매우 적을 것으로 추정한다.
- 20대 이전에서는 골육종 다음으로 흔한 악성 골종양이며, 성인을 포함하면 연골육종 다음으로 세 번째로 흔히 발생한다.
- 남자에 다소 많다.
- 골간단부뿐만 아니라 골간부에서도 흔히 발생한다.
- 60%가 장관골의 간부에 발생: 대퇴골, 골반골, 경골, 상완골
- 동통과 종창이 가장 현저한 증상, 압통과 국소 온열감이 있는 연부조직 종괴로 만져지기도 한다.
- EWS 유전자의 전위가 95% 이상에서 나타나며, 그 중 FLI1 유전자와 융합한 EWS-FLI1의 형태가 가장 흔하다(85%).

2) 방사선 소견Fig 19

- moth eaten 또는 permeative 형태의 악성 종양에서 보이는 전형적인 골파괴 소견
- 다양한 골막 반응(sunburst, onion-peel, Codman's triangle 등)을 보이며, 연부조직 종괴 형성

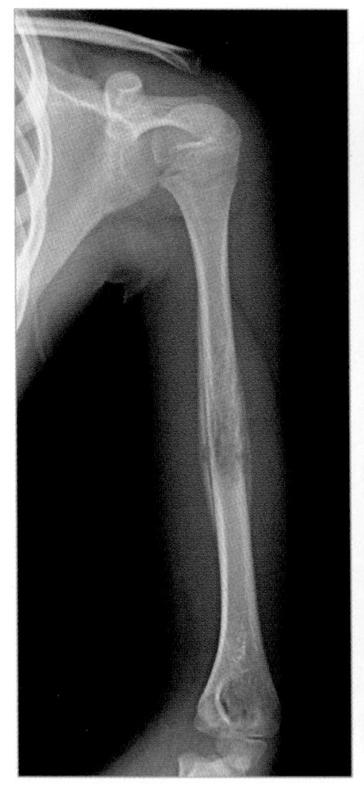
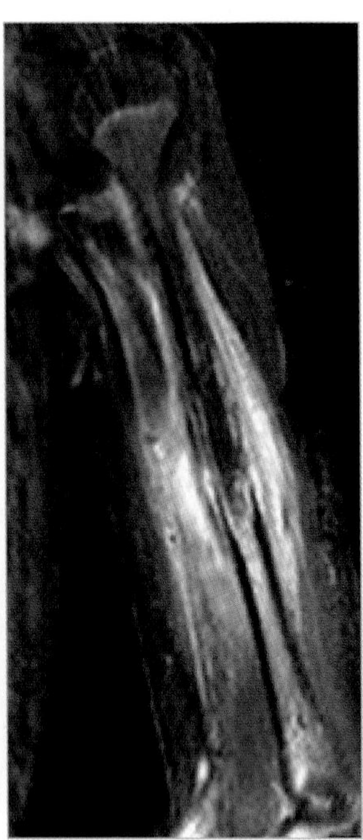

Fig 19. **유잉육종.**

3) 병리 소견

- 작은 원형의 세포(small round cell)가 균일하게 퍼져 있으며 세포질의 경계가 명확하지 않고 세포 간질이 매우 적다. 핵은 둥글고 glycogen granule을 함유한다. 로제트(rosette) 양상을 보이기도 한다.

4) 치료

- 술전 화학요법 후에 수술을 하고 술후 화학요법을 한다. vincristine, actinomycin-D, adriamycin, cyclophosphamide, ifosfamide, etoposide 등의 약물을 사용한다.
- 방사선 치료에도 반응을 하기 때문에 수술이 불가능하거나 수술을 하면 기능적 결손이 심각해지는 부위에는 수술을 대신하여 방사선 치료를 할 수 있으나 예후는 수술을 했을 때보다 좋지 못하다. 또한 수술로써 광범위 절제연을 확보하지 못한 경우에는 수술 후 보조적으로 방사선치료를 추가하기도 한다. 5년 생존율은 50-70% 정도이며, 골반골 종양의 예후가 사지 종양보다 좋지 않다.

4. 랑게르한스세포 조직구증 (Langerhans cell histiocytosis)

피부 조직내 위치하는 대식세포(macrophage)인 Langerhans 세포와 유사한 세포들의 비정상적인 증식으로 발생하는 질환이다. 골 조직이 가장 흔히 침범하며 피부, 임파선, 폐, 뇌하수체 등에도 침범할 수 있다.

1) 종류

- 단발성: 호산구 육아종(eosinophilic granuloma)이라고도 불린다.
- 다발성: 한 기관계에 다발성을 발생하는 경우 Hand-Schüller-Christian 병, 여러 기관계에 걸쳐 다발성으로 발생하는 경우 Letterer-Siwe 병이라고도 한다.

2) 빈도

- 5-15세에 호발. 두개골, 대퇴골, 골반골, 늑골, 척추
- 장관골에서는 간부의 골수강 내에 호발

3) 임상소견

- 국소 통증, 미열, ESR 증가

4) 방사선 소견

- 초기에는 경계가 불분명한 moth-eaten pattern이다가 빠르게 진행하는 punched-out appearance의 골 용해성 병변. 대개 골막 반응(periosteal reaction)을 동반하여 악성 종양이나 골수염과 감별을 요한다.
- 질병 특유의 징후(pathognomonic sign): vertebra plana Fig 20, skull lesion
- Bone scan으로 다발성 여부 판단하지만, 30%에서 위음성으로 나타난다.

5) 병리 소견

- Eosinophil, plasma cell, histiocyte, Langerhans cell (Birbeck granule)

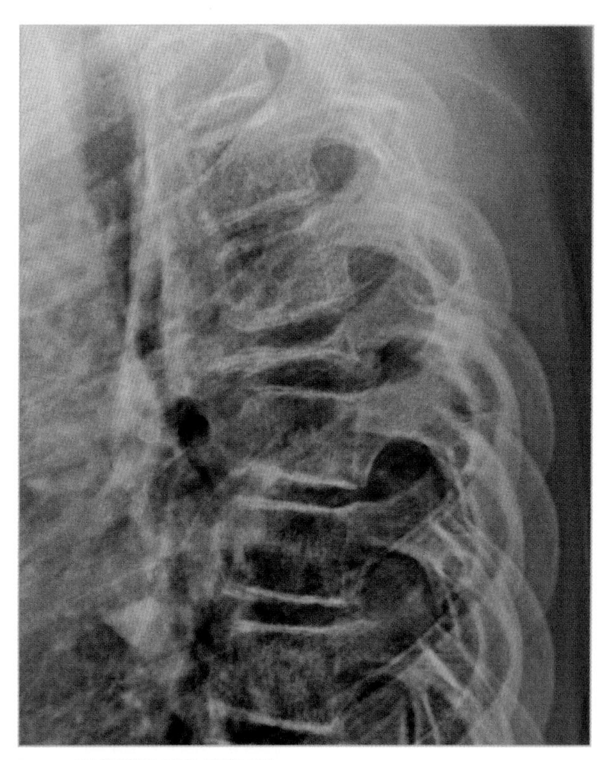

Fig 20. **랑게르한스세포 조직구증.**
흉추 측면 방사선 사진 상 T5에 vertebra plana가 관찰된다.

6) 감별진단

- 골수염, Ewing 육종, 악성 림프종 등
- 특징적인 영상 소견이 보이지 않는 경우 반드시 조직 생검이 필요하다.

7) 치료

(1) 단발성 병변

- 대부분 시간이 지나면 저절로 치유된다. 조직 생검 이외의 치료는 불필요하다.
- 병적 골절의 위험이 높은 경우에만 소파술 및 골 이식을 시행할 수도 있으나 대부분 이런 경우도 수술하지 않고 조심스럽게 추적해 보면 자연 치유되는 경우가 많다.
- Vertebra plana는 관찰한다. 일반적으로 척추체의 높이가 상당히 복원된다.

(2) 전신적 병변

- 이환 부위나 상태에 따라 항암화학요법을 사용하기도 한다.

VII. 연부조직 종양(soft tissue tumors)

1. 양성 종양

1) 낭종(cyst)

- Baker's cyst (무릎 뒤), ganglion cyst (손등, 발등, 손 굴곡건 주위)
- 1세 이하부터 청소년기까지 다양하다.
- 진정한 종양이 아니고 대부분 저절로 소실되기 때문에 수술까지 하게 되는 경우는 거의 없다.
- 초음파검사로 낭종임을 확인한 후 부모를 안심시키고 경과를 관찰하면 된다.

2) 혈관종(hemangioma) Fig 21

- 근육내, 피부 등 어디에나 발생하고 대부분 선천성이다.
- 단발성 혈관종은 7-8세 이전에 저절로 작아지기도 하며, 작아지지 않더라도 대개 성장기 이후에는 커지는 경우가 적다.
- 전이를 하지 않고 악성화하지 않는다.
- 사지에 있는 혈관종은 신체 활동 정도에 비례하여 통증의 악화와 완화가 반복되고 혈관 확장 및 축소에 따라 크기도 증가와 감소를 반복하는 것이 특징이다.
- 치료는 수술로 제거할 수 있으나 종종 재발한다. 수술로 인하여 근육 기능 소실이 많을 것으로 예상된다면 혈관경화요법(sclerotherapy)을 반복하여 통증 완화를 위주로 치료한다. 특히 다발성 혈관종은 반복되는 통증으로 이환된 상지 또는 하지의 기능을 상당히 감소시키기 때문에 완전 제거는 어렵더라도 수술 또는 경화요법을 적극적으로 시행하여 기능 저하를 최소화하는 것이 바람직하다.
- 척추 발생 혈관종은 제14장 참조

2. 악성 종양(연부조직육종)

1) 횡문근 육종(rhabdomyosarcoma) Fig 22

- 연부조직 종양 중 악성도가 가장 높다.

① 배아성(embryonal): 소아기 또는 어린 청소년기, 두경

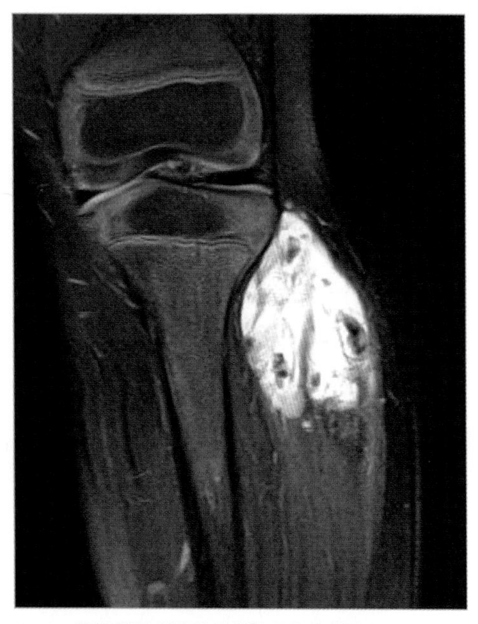

Fig 21. **근위 경골 외측에 위치한 근육내 혈관종.**
부풀어 오른 혈관과 그 내부의 혈전이 관찰된다.

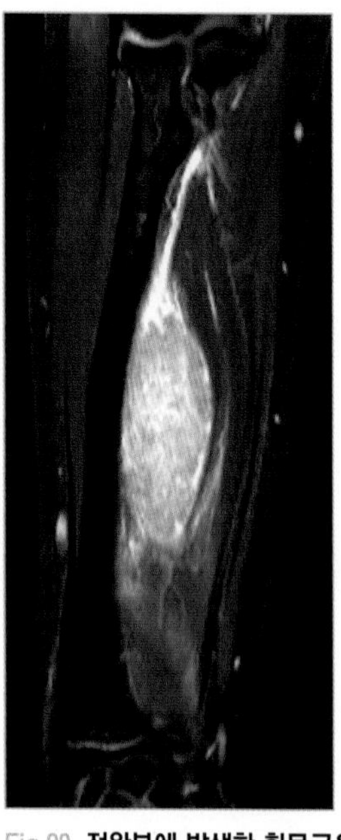

Fig 22. **전완부에 발생한 횡문근육종 자기공명영상.**

부, 비뇨기계, 예후가 나쁘다.

② 폐포성(alveolar): 소아기 또는 청소년기, 두경부, 사지. 비교적 예후가 좋다.

2) 치료

- 항암화학요법과 광범위 절제술이 필수적이며 방사선요법이 보조치료로 사용된다.
- 재발 또는 조기에 폐나 림프선에 잘 전이된다.

참고문헌

이한구. 골관절종양학. 최신의학. 1996.

대한정형외과학회. 정형외과학. 제8판. 2020

Azar FM, Beaty JH, Canale ST. Campbell's operative orthopaedics. 13th edition. Elsevier. 2017

WHO classification of soft tissue and bone tumors. 5th edition, World health organization, 2019

Unni KK, Inwards CY. Dahlin's Bone Tumors 6th ed., Philadelphia, Lippincott, 2010.

Simon MA, Springfield D. Surgery for bone and soft tissue tumors. Philadelphia, Lippincott, 1998.

Schwartz HS. Orthopaedic knowledge update, Musculoskeletal tumors 2.

Rosemont, American Academy of Orthopaedic Surgeons, 2007.

12

선천성 척추 기형 및 조기 발현 척추측만증

Congenital Spinal Anomaly and Early Onset Scoliosis

12 선천성 척추 기형 및 조기 발현 척추측만증

Congenital Spinal Anomaly and Early Onset Scoliosis

목차

I. 경추의 선천성 이상

1. 치상돌기 부골(os odontoideum)

제2경추 치상돌기가 체부와 분리되어 있는 상태이며, 환축추간 불안정성(atlantoaxial instability)을 초래할 수 있다. 정상 아동에서도 발견될 수 있지만 Down 증후군, Klippel-Feil 증후군, Morquio 증후군, 척추 골단 이형성증(spondyloepiphyseal dysplasia) 등에서 흔히 발생한다.

1) 감별해야 할 정상 구조물

- 치상돌기-축추 간의 골단판은 축추 체부에 중간쯤에 "cork in a bottle" 모양으로 있어서Fig 1 os odontoideum과 감별된다.
- Ossiculum terminale persistens: ossiculum terminale는 치상돌기 말단(dens bicornis)에 나타나는 이차 골화중심으로, occipital sclerotome의 가장 꼬리 쪽에 해당하는 proatlas로부터 발생하는데 3세에 골화되어 12세경에 치상돌기와 유합한다Fig 1. 성인이 되어서도 치상돌기와 유합되지 않은 경우를 ossiculum terminale persistens라고 한다. 환축추간 불안정성을 일으키지 않기 때문에 별다른 증상이 없다.

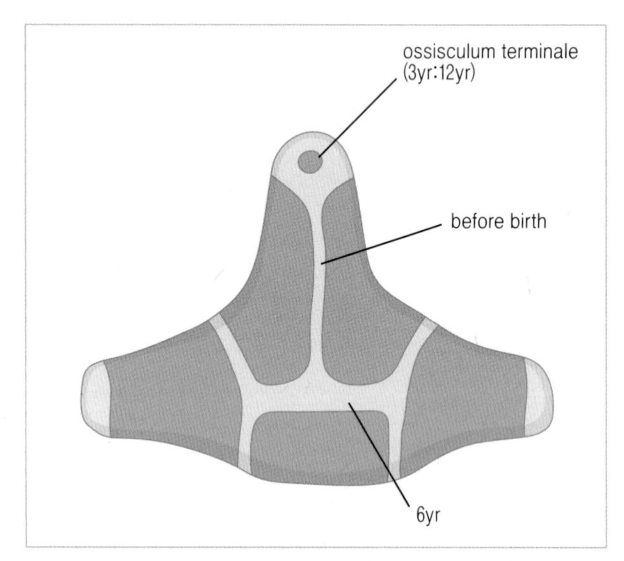

Fig 1. **축추(axis)의 골화(ossification) 과정.**
치상돌기와 추체(body)의 경계부는 외측 종괴(lateral mass)의 상면보다 아래에 있어서 "cork-inbottle" 형태이며 6세경에 유합된다. 출생 시 치상돌기의 상단은 양분되어 있는(bifurcated) 모양이며 2차 골화중심인 ossiculum terminale는 3세경에 출현하여 12세에 치상돌기와 유합한다.

2) 병인

- 발생과정에서 환추의 mesenchyme에서 발생한 후 환추로부터 분리되어 축추체와 유합되어야 하는 치상돌기가 축추체와 정상적으로 유합되지 못하여 발생하는 선천성 기형이라는 설이 지배적이다.
- 그러나 생후 수년 이내에 외상으로 인한 치상돌기 골단판의 성장 장애나 무혈성 괴사(osteonecrosis)로 인하여 저형성 치상돌기 또는 치상돌기 부골이 된다는 설도 제기되고 있다.

3) 임상적 소견

- 환축추간 불안정성에 의하여 압박성 척수증(compressive myelopathy)이 발생할 수 있으며, 드물게 척추동맥 압박(vertebral artery compression)도 초래할 수 있다.
- 평생 무증상으로 살 수도 있으나, 특별한 이상이 없이 지내다가 가벼운 외상으로 인하여 척추증이 발생하여 심각한 마비를 일으키거나 급사할 수 있다.
- 치상돌기 저형성증 또는 무형성증에서도 유사한 기전에 의해서 환축추 불안정성이 발생할 수 있다Fig 2.

4) 방사선학적 소견

(1) 굴곡/신전 경추 측면 단순 방사선검사Fig 3

- PADI (posterior atlantodental interval)
  - 치상돌기 부골을 포함한 모든 환축추 불안정성에서 ADI보다 중요한 의미를 가진다.
  - 성인에서는 13-14 mm 이하인 경우 수술을 요한다. 그러나 소아에서는 일률적인 수치가 제시되지 않은 상태이다.
- SAC (space available for the cord)
  - 상당수에서 PADI와 같으나, 경우에 따라서는 PADI와 다를 수 있다Fig 3.
  - 치상돌기 부골을 포함한 모든 환축추 불안정증에서 PADI와 같거나 보다 중요한 의미를 가진다.
  - 성인에서는 13-14 mm 이하인 경우 수술을 요한다. 소아에서는 일률적인 수치가 제시되지 않은 상태이다.
- ADI (atlantodental interval)
  - 굴곡 시 4 mm 이하가 정상이다(성인은 3 mm 이하).

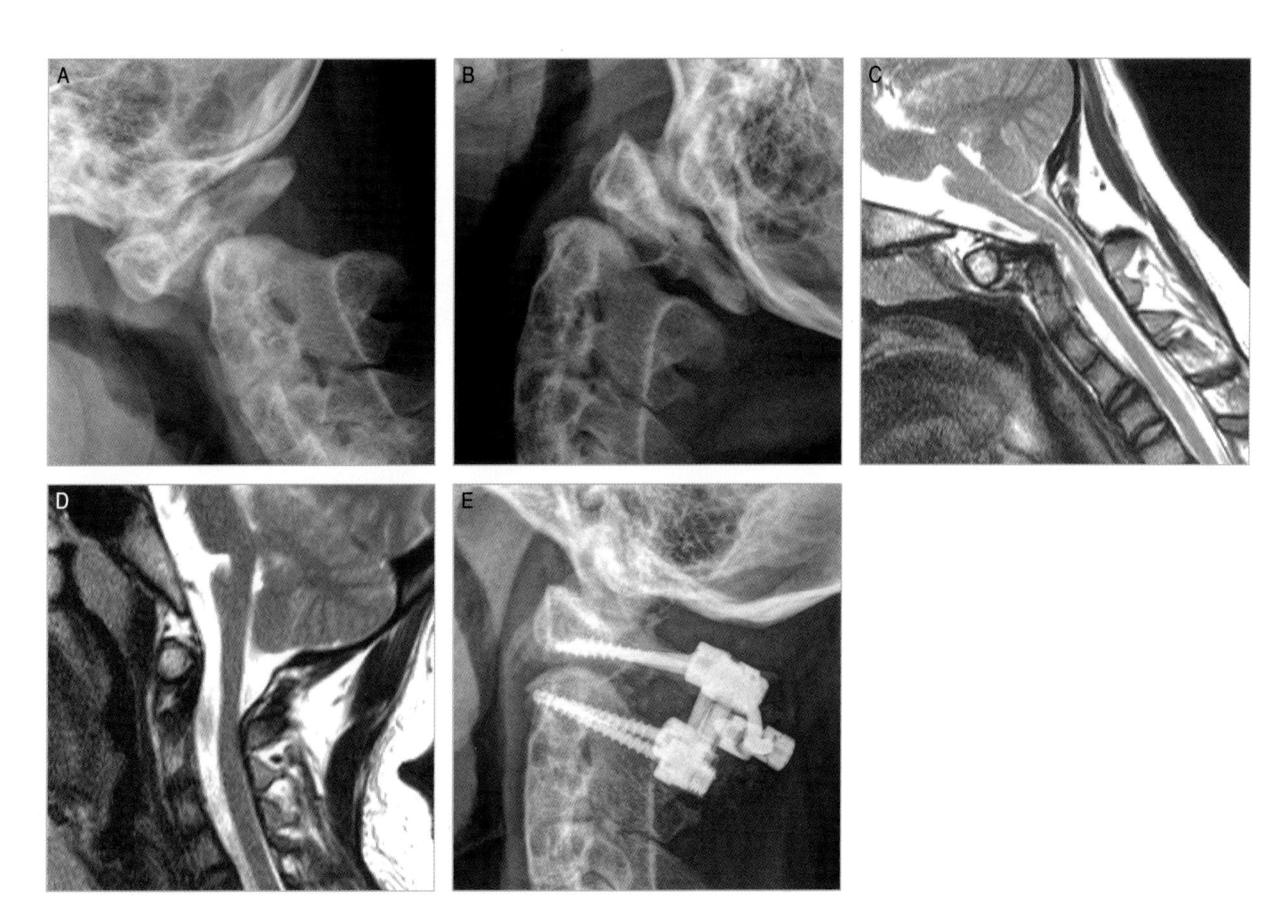

Fig 2. **치상돌기 무형성으로 인한 환축추 불안정성 환자.**
A,B: 방사선 측면 굴곡/신전 영상에서 환축추 불안정성이 확인된다. C: 경추 굴곡 자세에서 촬영한 MRI 상 flexion type 환축추 불안정성에 의한 척수 압박이 확인된다. D: 그러나 경추 신전 자세에서 촬영한 MRI에서는 척수가 압박 받지 않음을 확인할 수 있다. E: 수술(환축추간 분절 나사 고정술 및 후방유합술) 시행 후 만족스러운 정복을 얻을 수 있었다.

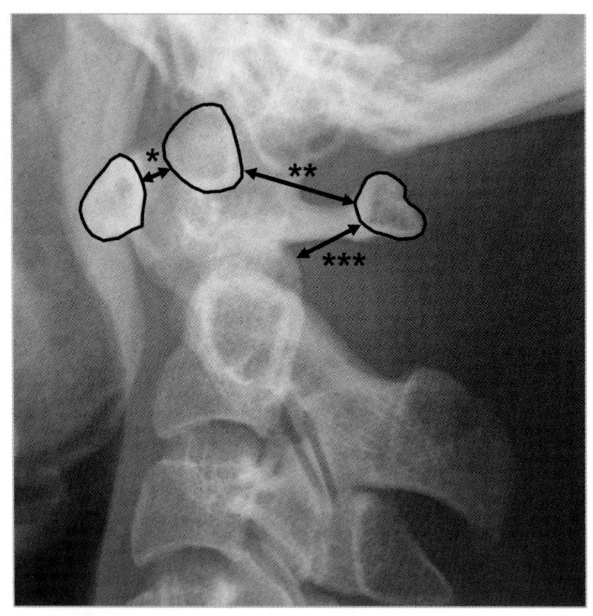

Fig 3. **환축추 불안정성을 평가하는 방사선학적 지표.**
*: atlantodental interval (ADI).
**: posterior antlantodental interval (PADI).
***: space available for the spinal cord (SAC).

- 횡축추인대 손상을 비롯한 다른 질환으로 인한 환축추간 불안정성의 평가에 어느 정도 도움이 되나, 치상돌기 부골에서는 대부분 도움이 되지 않는다. 치상돌기 부골은 많은 경우에서 환추 전궁(anterior arch)과 함께 움직이기 때문에, 심한 불안정성이 있음에도 불구하고 ADI는 정상인 경우가 많기 때문이다.

(2) 치상돌기 부골의 2가지 위치
- Orthotopic: 정상 치상돌기의 위치에 존재
- Dystopic: 보다 상부인 대후두공(foramen magnum) 근처에 위치

(3) 치상돌기 부골에 의한 불안정성의 분류
- Flexion type: 굴곡 시에 환추가 전방 전위 되면서 척수를 압박한다.
- Extension type: 신전 시에 환추가 후방 전위 되면서 척수를 압박한다.
- Mixed type

(4) MRI
- 척수 압박의 진단에 가장 유용하다.
- T2 sagittal in flexion/extension을 추가 촬영하면, 여러 가지 자세에서 척수가 얼마나 압박되는지를 알 수 있다Fig 2C, D.

- **치상돌기 부골은 치상돌기 골절 불유합과의 감별이 필요하다**Table 1.

5) 치료
- 치료의 목표는 마비와 사망을 예방하고 치료하는 데에 있다.
- 따라서 증상이 없고 불안정성이 없는 경우에는 치료를 요하지 않는다.
- 마비 증상이 있는 경우에는 반드시 수술적 고정을 요한다.
- 마비 증상이 없고 경도의 불안정성(굴곡-신전 검사상 불안정성이 5 mm 미만)만 있는 경우 예방적 고정술(prophylactic stabilization)의 필요성과 적응증에 대해서는 논란이 있다.

(1) 수술적 치료 적응증
① 일시적이더라도 신경학적 증상이 있을 때
② 굴곡-신전 검사 상 불안정성: PADI나 SAC의 차이가 5 mm 이상
③ 진행하는 불안정성
④ 지속적인 심한 경부 통증
⑤ PADI가 13-14 mm 이하인 경우(성인 기준)

(2) 수술방법
① 환축추간 후방 유합술

Table 1. **치상돌기 부골과 치상돌기 불유합의 감별**

Os odontoideum	Odontoid nonunion
Round surface	Irregular surface
Wide gap	Narrow gap
Gap at the middle	Gap at the base

- 강선 고정술(posterior wiring): Gallie 술식과 Brooks-Jenkins 술식이 대표적이다. 나사 고정이 불가능할 만큼 작은 소아를 제외하고는 최근에는 사용되지 않는다.
- 환축추간 경관절 나사 고정술(atlantoaxial transarticular screw fixation)
- 환축추간 분절나사 고정술(atlantoaxial segmental screw fixation): 수술 결과가 가장 우수한 최신 기법이나, 나사 삽입 과정에서 기술적인 어려움이 있다 Fig 4.

② 후두-경추간 유합술(occipito-cervical fusion)
- 과거에 사용되던 방법으로, 환축추간 분절나사 고정술의 등장으로 인해 그 사용이 매우 감소했다.

2. 뇌저 편평기형 (basilar impression/basilar invagination)

대후두공(foramen magnum) 주위의 두개골 저변이 상부 경추(upper cervical spine)에 의하여 함몰되는 기형으로, 심한 경우 치상돌기(odontoid) 상단이 대후두공보다 위로 올라오는 atlantoaxial impaction으로 뇌간(brain stem)과 척수를 압박하여 치명적인 증상을 일으킬 수 있다.

1) 병인

- 일차성: 선천성 기형으로, 치상돌기 기형이나 Klippel-Feil 증후군, Arnold-Chiari malformation 등을 동반한다.
- 이차성: 두개골 기저부의 골 연화로 인해 발생한다(구루병, Paget 병, 류마티스성 관절염, 신성 골이영양증, 골형성 부전증(osteogenesis imperfecta) 등).

2) 임상적 소견

- 무증상에서부터 급사까지 다양한 증상을 일으킬 수 있다.
- 증상이 있는 경우, 대개 10대 이후에 증상이 발현한다.
- 신경(뇌간 및 척수) 압박과 척추 동맥 압박(어지러움, 간질 등)이 증상의 원인이다.

3) 방사선학적 소견

(1) 단순 방사선검사 Figs 5, 6

여러 측정 방법을 사용하나, MRI만큼 중요한 의미를 가지지는 않는다.

① McGregor line
- 경구개(hard palate)의 후연(posterior edge)과 후두의 최하점(most caudal point)을 잇는 선이다.
- 정상적으로 치상돌기(odontoid process)의 상연(tip)은 이 선보다 4.5 mm 상방 이내에 있어야 한다.
- 단순방사선 사진에서의 식별이 비교적 용이하기 때문에, routine screening에 가장 흔히 사용되는 지표이다.

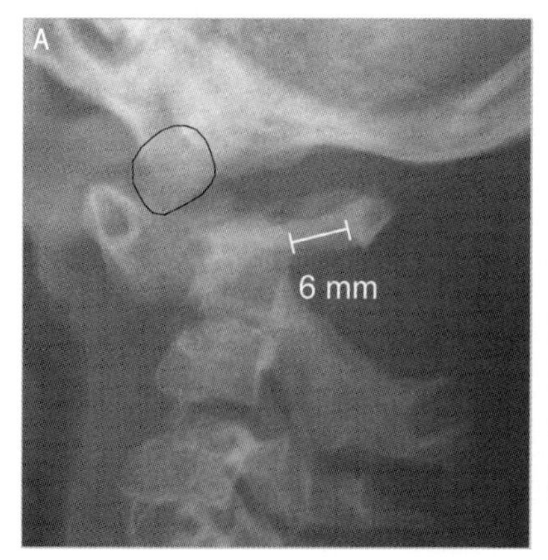

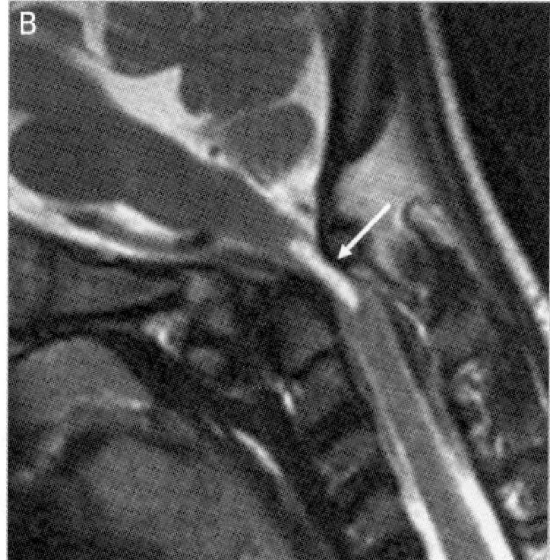

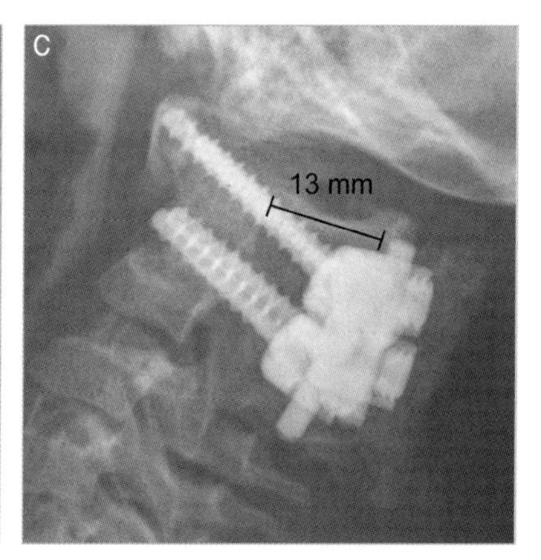

Fig 4. **치상돌기 부골로 인한 환축추 불안정성 환자.**
A: ADI나 PADI는 이상 소견 없으나 SAC는 6 mm로 감소되어 있다. B: MRI상 심한 척수 압박과 척수공동증(syringomyelia)의 소견을 보인다. C: 수술(환축추간 분절 나사 고정술 및 후방 유합술) 후 SAC는 13 mm로 증가하였다.

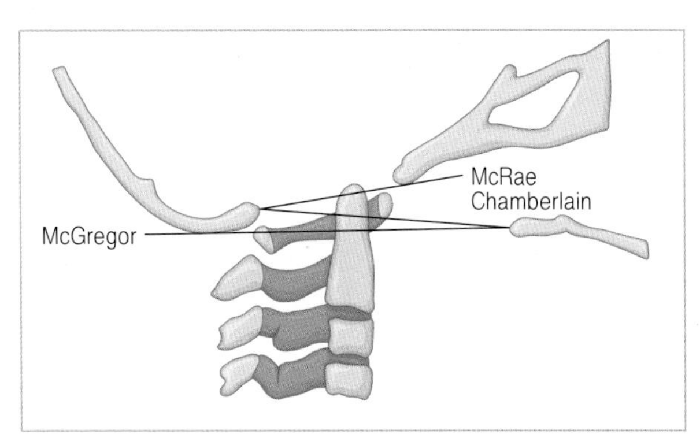

Fig 5. **뇌저 편평 기형(basilar impression)에 대한 방사선학적 평가 방법.**

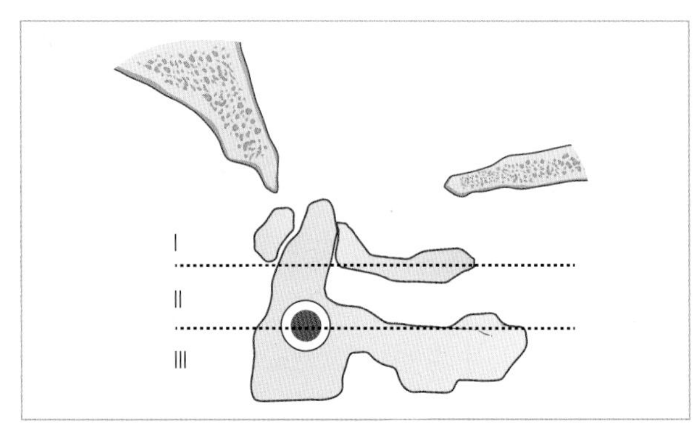

Fig 6. **Clark station. 뇌저 편평 기형(basilar impression)에 대한 방사선학적 평가 방법.**

② McRae line
- 대후두공의 전연과 후연을 잇는 선이다.
- 치상돌기(odontoid process) 상연은 이 선보다 아래에 있어야 한다.
- 치상돌기의 상연이 이 선보다 상방에 있는 경우 신경학적 증상의 발생 가능성이 높아 임상적으로 가장 의미가 있는 지표이다. 그러나 단순방사선 사진에서 잘 보이지 않는 경우가 많다.

③ Chamberlain line
- 경구개의 후연과 대후두공의 후연을 잇는 선이다.
- 치상돌기의 상연이 이 선보다 위에 위치할 경우 증상성 뇌저 편평 기형의 발생이 흔하다.
- 대후두공의 후연을 단순방사선 사진에서 식별하는 것이 불분명한 경우가 많으므로 잘 사용되지 않는다.

④ Clark station Fig 6
- 시상면에서 치상돌기를 균등하게 3등분한다.
- 환추 전궁이 치상돌기의 상부 1/3(station Ⅰ)에 위치할 때가 정상이며, 중, 하부(station Ⅱ, Ⅲ)에 위치한 경우에 뇌저 편평 기형으로 진단한다.

(2) MRI

척수 및 뇌간 압박의 진단에는 MRI가 가장 좋다.

4) 치료

증상이 없는 환자는 정기적 관찰이 원칙이나, 증상이 나타나기 시작하면 진행하는 경우가 많기 때문에 수술을 시행해주는 것이 좋다. 뇌저편평 기형은 환축추간 상하 불안정성으로 이해할 수 있으며, 따라서 환축추간 불안정성에 준해서 치료한다고 생각하면 된다. 다만, 강선 고정술과 같은 구식방법으로는 적절한 치료가 힘들어서 나사 고정술이 필요한 경우가 좀 더 많고, 전방(odontoid excision via transoral approach) 또는 후방(suboccipital craniectomy) 감압술을 유합술과 함께 해야 하는 경우가 좀 더 많으며, 후두-경추간 유합술을 요하는 경우(환축추만을 유합하는 것으로는 부족한 경우)가 좀 더 많다 Fig 7.

3. 환추-후두 유합(atlanto-occipital assimilation/atlanto-occipital fusion/occipitocervical synostosis/assimilation of the atlas/occipitalization of the atlas)

- 환추와 후두골 기저가 선천적으로 유합된 상태이다.
- 골성 유합부터 부분적인 섬유성 유합까지 다양한 양상을 보인다.
- 뇌저 편평 기형(basilar impression), Klippel-Feil 증후군 등이 자주 동반된다.

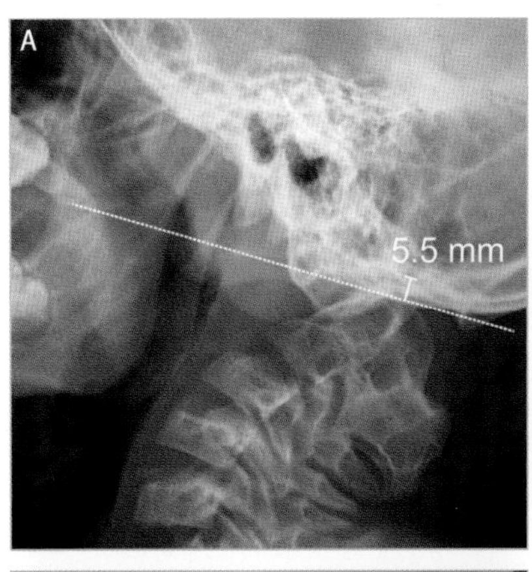

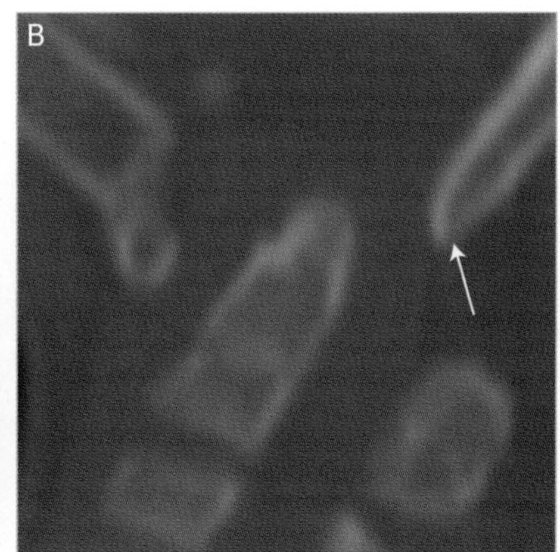

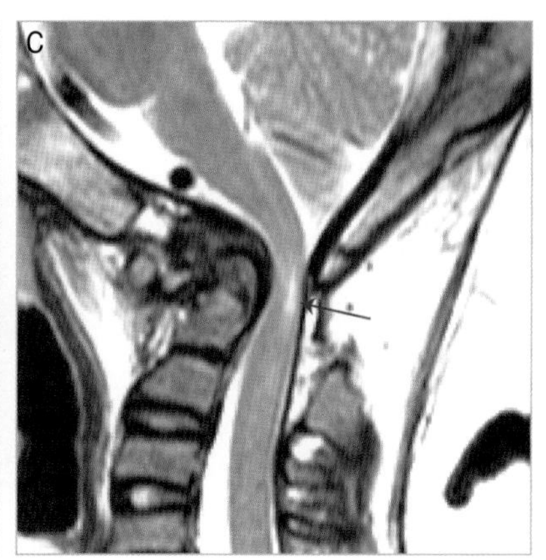

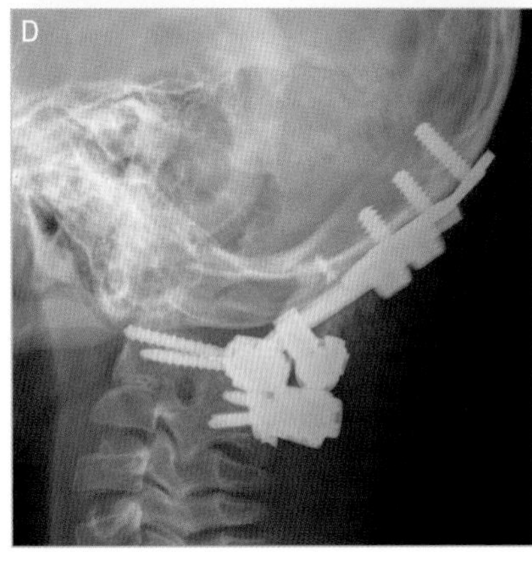

Fig 7. **뇌저 편평기형의 예.**
A: 치상돌기 상연이 McGregor line의 5.5 mm 상방에 위치하고 있다. B: CT 영상에서 환추-후두 유합도 동반되어 있는 것을 확인할 수 있다. C: T2 강조 MRI 상 심한 척수 압박 함께 척수 내에 고신호 강도의 병변이 보인다. D: 후두-경추 유합술을 시행하여 만족스러운 정복을 얻을 수 있었다.

1) 병인

- 후두 기저부와 환추의 측부(lateral mass)와 후궁(posterior arch)은 occipital sclerotome의 가장 아래쪽에 위치하는 primitive mesenchyme인 proatlas로부터 분화하여 발생한다Fig 8. 따라서 이 기형을 분리부전(failure of segmentation)으로 보기도 한다.

2) 임상적 소견

그 자체보다는 동반 질환의 유무에 따라 증상이 발현될 수 있다. 특히 환축추간 불안정성과 뇌저 편평 기형(basilar invagination)이 동반된 경우, 이 두 질환의 증상 발현 여부가 임상적으로 중요하다Fig 9. 이들 증상은 대개 성인이 된 후에 발현된다.

- 환축추간 불안정성이 동반된 경우, 이에 따른 척수 압박 증상과 척추 동맥(vertebral artery) 압박 증상이 발현될 수 있다.
- 뇌저 편평 기형이 동반된 경우, 상방으로 돌출된 치상돌기에 의한 뇌간(brain stem) 및 척수 압박 증상과 척추 동맥(vertebral artery) 압박 증상이 발현될 수 있다.
- Klippel-Feil syndrome이 동반된 경우, 짧고 넓은 목, 낮은 모발선(hairline), 사경(torticollis), 고위 견갑골(high scapula), 경부 운동 장애, 제2-3경추간 선천성 유합과 같은 증상이 발현된다.

3) 치료

- 환추-후두 유합 자체는 치료를 요하지 않으나, 동반된 환축추간 불안정성이나 뇌저 편평 기형의 증상 발현 시에 이에 대한 치료를 요하게 된다.

- **수술적 치료**
  - 수술 적응증과 방법은 상기 두 질환에 준하게 된다.
  - 환축추 유합술을 시행해야 하는 경우, 환추는 이미 선천성으로 후두와 유합되어 있으므로, 실제로는 후두-경추 유합술을 시행하게 된다.

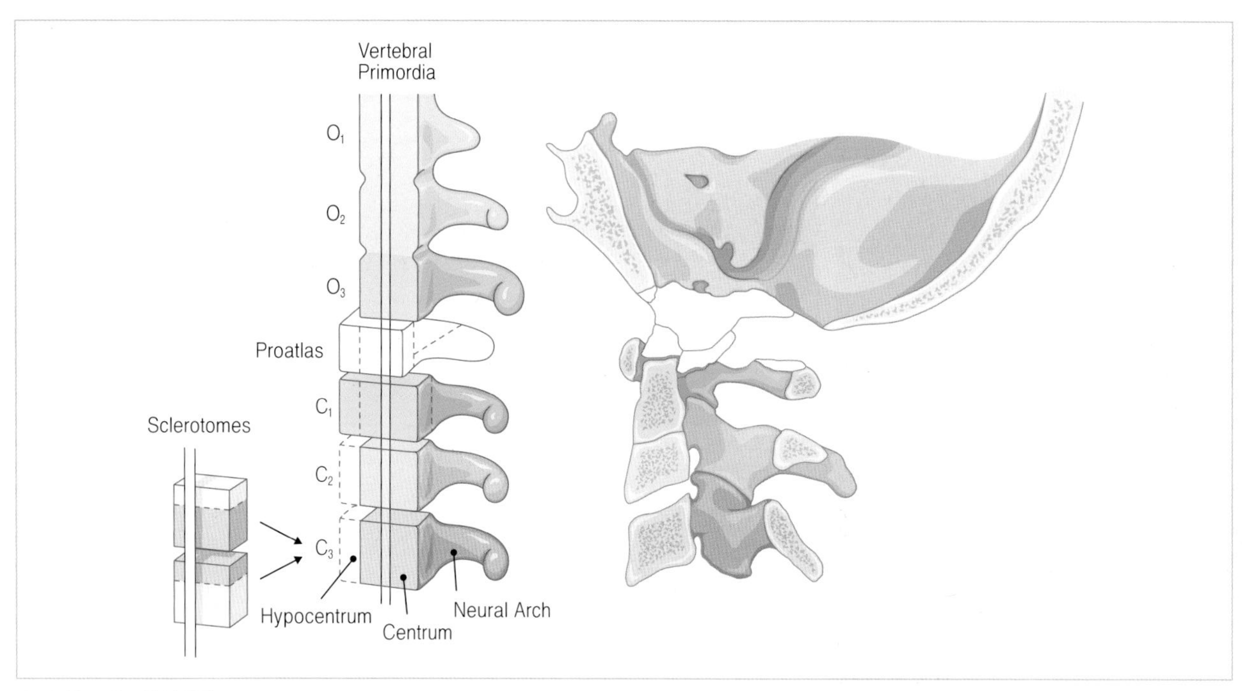

Fig 8. **Proatlas의 모식도.**
두개골 하부를 이루게 되는 O1-3과 환추와 축추의 상부를 이루는 C1 사이에 두개골 대공 주변과 환축추 상부로 나뉘어 발생하게 되는 proatlas가 위치한다. 환추-후두 부위의 유합은 이러한 proatlas의 분리 부전으로 이해된다.

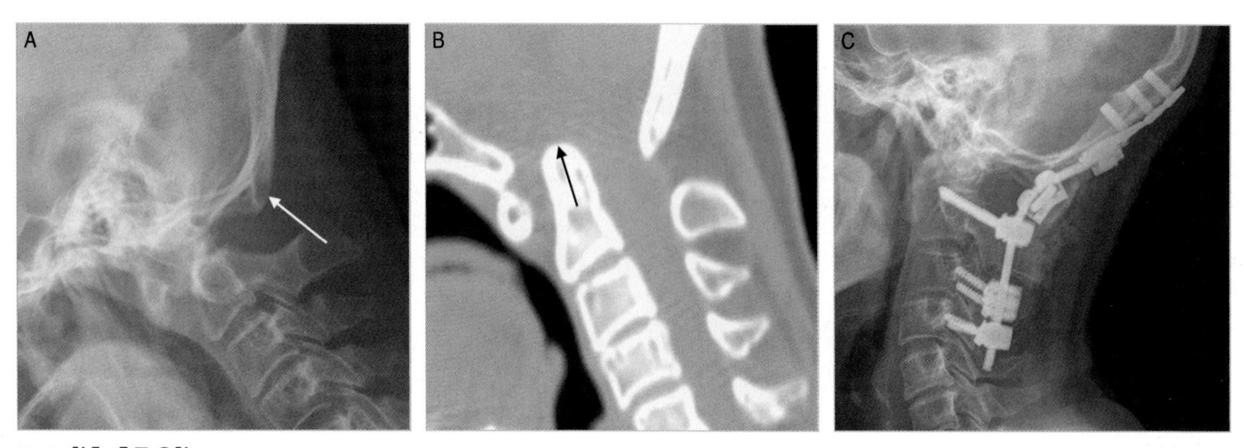

Fig 9. **환추-후두 유합.**
A, B: 성년기까지 발견되지 않다가, 성년기에 환축추 불안정성 및 atlantoaxial impaction으로 인한 척수증(myelopathy)을 주소로 내원하였다. C: 수술(후두-경추 유합술) 후 척수증 증상이 사라졌다.

- Klippel-Feil syndrome이 동반된 경우, 유합 범위가 자동적으로 더 넓어지게 될 수 있다.

4. Klippel-Feil 증후군

과거에는 경추 유합이 있으면서 임상적 삼주징을 보이는 환자들을 지칭하였으나, 최근에는 선천성 경추 유합이 있는 모든 환자들을 이 병명의 범주 내에 포함시켜 증상이 없이 두세 개 경추분절의 선천성 유합도 Klippel-Feil 증후군이라고 부르기도 한다.

1) 병인

- 태생 3-8주 사이에 발생하는 분절 부전으로 발생하는데, 대개는 원인 미상이며 소수의 환자에서 유전적 요인이 관찰된다.

2) 임상적 소견

(1) 삼주징(triad)

① 짧은 목(short neck)

② 낮은 후방 모발선(low hair line)

③ 심한 경부 운동 제한: 굴곡-신전은 잘 유지되기도 한다.

(2) 동반 기형

① 척추측만증: 만곡이 빠른 진행을 보일 수 있으며, 주 만곡뿐 아니라 보상성 만곡도 빠르게 진행하므로 추시에 주의를 요한다.

② 경추 기형: 환추-후두 유합, 뇌저 편평 기형, 반척추가 동반될 수 있다Fig 10.

③ 신경학적 증상: 두 가지 형태가 있다.

- 동반된 뇌저 편평 기형이나 인접 경추 관절(유합되지 않은 관절)들에서 후천적으로 발생하는 불안정성(특히 환축추간 불안정성)에 의한 신경 압박
- Synkinesis (mirror movements): 약 20%에서 발생. 상경추부에서 추체로(pyramidal tract)의 선천적인 incomplete decussation이 원인이다.

④ Sprengel 변형

⑤ 비뇨기계 기형: 약 30%에서 발생

⑥ 선천성 심장 기형: 약 4%-14%에서 발생

⑦ 난청(deafness): 약 30%에서 발생

⑧ 호흡기계 기형

(3) 임상 증상

- 경부 자체의 증상보다 동반 기형이 전반적인 예후를 결정하는데 더욱 중요하다.
- 경부에서의 증상은 크게 두 가지이다.

① 10대 이후에 인접 경추 관절(유합되지 않은 관절)의 퇴행성 변화로 인한 증상(동통)

② 동반된 뇌저 편평 기형이나 인접 분절의 불안정성(특히 환축추 불안정성)에 의한 신경학적 증상. 심한 경우 사지마비나 급사가 발생할 수 있다.

3) 진단

(1) 소아에서 경추 유합의 확인

- 굴곡-신전 촬영에서 확인할 수 있다.
- 척추체보다 후궁(lamina)에서의 유합이 더 뚜렷하게 관찰된다.

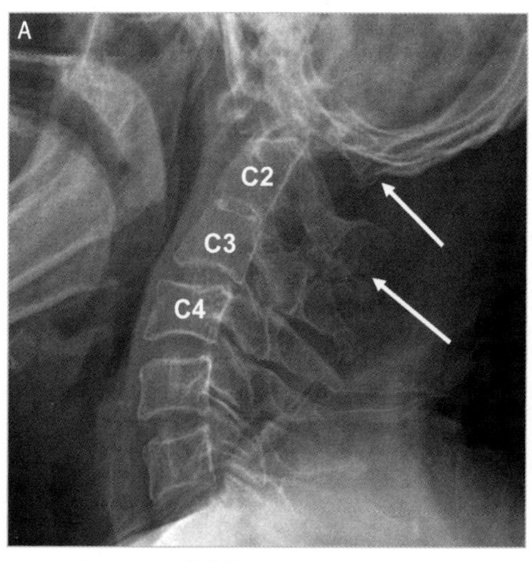

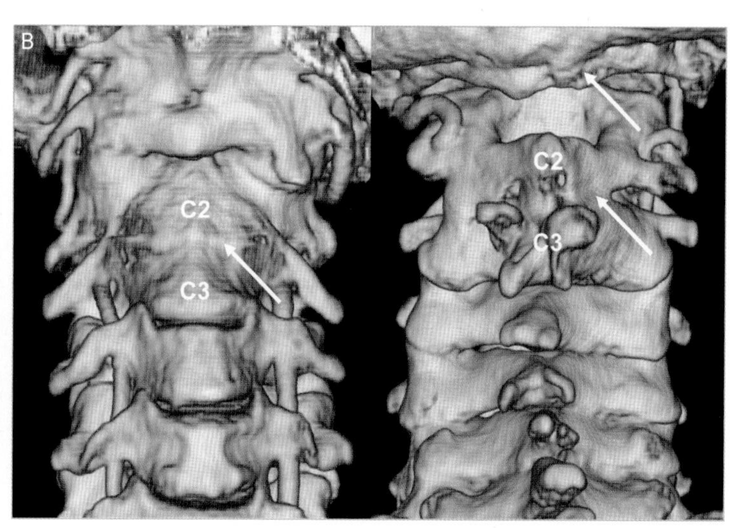

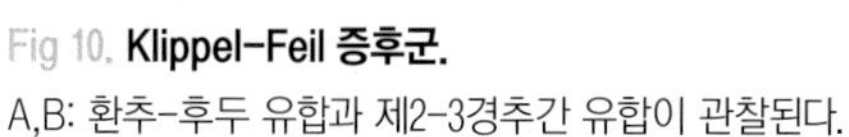
Fig 10. **Klippel-Feil 증후군.**
A,B: 환추-후두 유합과 제2-3경추간 유합이 관찰된다.

(2) 경추 유합 양상

예후와 밀접한 관련이 있다. 하부 경추에만 유합되거나, 여러 부위에 유합이 되어도 유합부 사이에 2개 이상의 관절 간격이 유지되면 위험성은 높지 않다.

4) 치료

- 환자의 전반적인 예후와 관계가 깊은 것은 동반된 기형들과 신경학적 증상의 발현 여부이다.
- 신경학적 증상이 있는 환자의 경우, 그 원인(환축추간 불안정성, 뇌저 편평 기형 등)에 따라 적절한 수술적 치료를 요한다.

II. 선천성 척추측만증과 선천성 척추후만증(congenital scoliosis and congenital kyphosis)

정상 척추 발달에 필요한 체절(somite) 형성의 이상이나 간엽기(mesenchymal stage)에 이루어지는 연골화(chondrification)와 골화(ossification) 과정에 이상이 일어나면 척추의 기형, 즉 척추의 분절 결손(segmental defect of vertebrae, SDV)이 발생한다. 척추 기형으로 인한 좌우 성장 비대칭은 선천성 척추측만증을 초래하고Fig 11, 전후 성장 비대칭은 선천성 척추후만증을 초래한다. 두 가지 평면에 동시에 나타나는 변형은 측후만증(kyphoscoliosis)이라고 한다.

1. 병인

- 척추 기형의 발생원인은 정확히 알려져 있지는 않지만, 다양한 유전적, 환경적 요인이 복합적으로 작용하는 것으로 생각되며, 대부분의 경우 산발적(sporadic)으로 발생하므로 환경적 요인이 보다 중요하게 생각되지만, 일부 다발성 기형에서는 가족력이 보고되고 있다.
- 임신 중 일산화탄소 중독, 항간질약제 복용, 알코올 섭취, 레틴산 섭취, 엽산 결핍, 고체온증, 임신성 당뇨 및 산모의 인슐린 의존형 당뇨병 등이 태아의 선천성 척추 기형 발생의 위험인자로 알려져 있다.

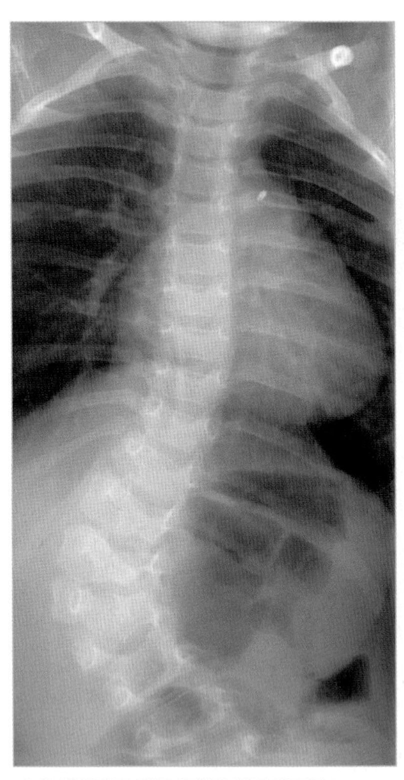

Fig 11. **제1, 2요추 반척추로 인한 선천성 척추측만증.**

2. 임상적 소견

- 선천성 척추측만증은 보고에 따라 전체 척추측만증의 8.9%-20% 정도를 차지하는데, 여아에게서 남아에 비해 호발하고(2.5:1), 일반 인구에서 발생률은 1,000명당 0.1명에서 1명 정도로 보고되고 있다.
- 척추의 기형은 출생 시부터 존재하지만 이로 인한 척추 변형은 출생 시부터 관찰될 수도 있고 성장하면서 점차 나타날 수도 있다.
- 매우 다양한 임상경과를 보이는데, 다발성 척추 기형이 있음에도 불구하고 성장과정 중에 척추 균형이 잘 유지되어 문제없이 지내는 경우도 많지만Fig 12, 일부는 성장하면서 급속도로 변형이 진행하여 심폐 기능을 악화 시키고 제대로 발육하지 못하는 경우도 있다Fig 13.
- 다른 조기발현 척추측만증과 마찬가지로 성장속도가 빠른 시기인, 5세 이전 그리고 10세 이후에 변형이 진행하는 경우가 많다.

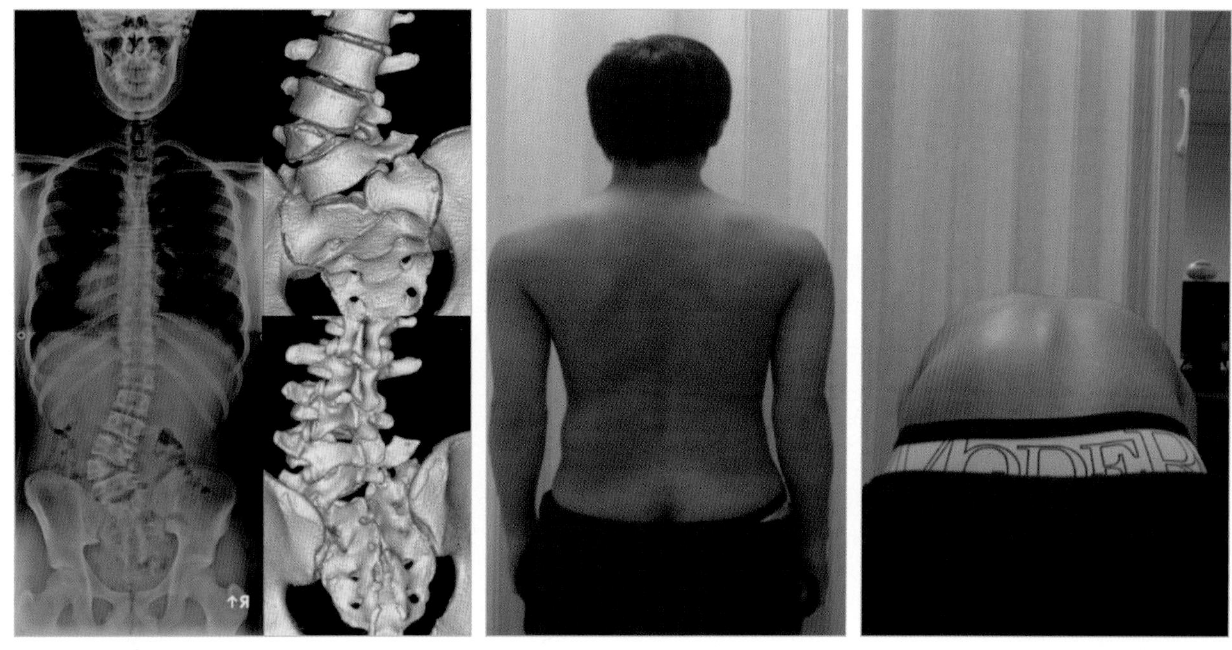

Fig 12. 요천추 이행 부위에 선천성 척추 기형이 있었으나, 측만증 및 후만증의 변형을 만들지 않고 척추의 균형을 잘 유지하며 성장하여 특별한 치료 없이 경과 관찰만 한 예이다.

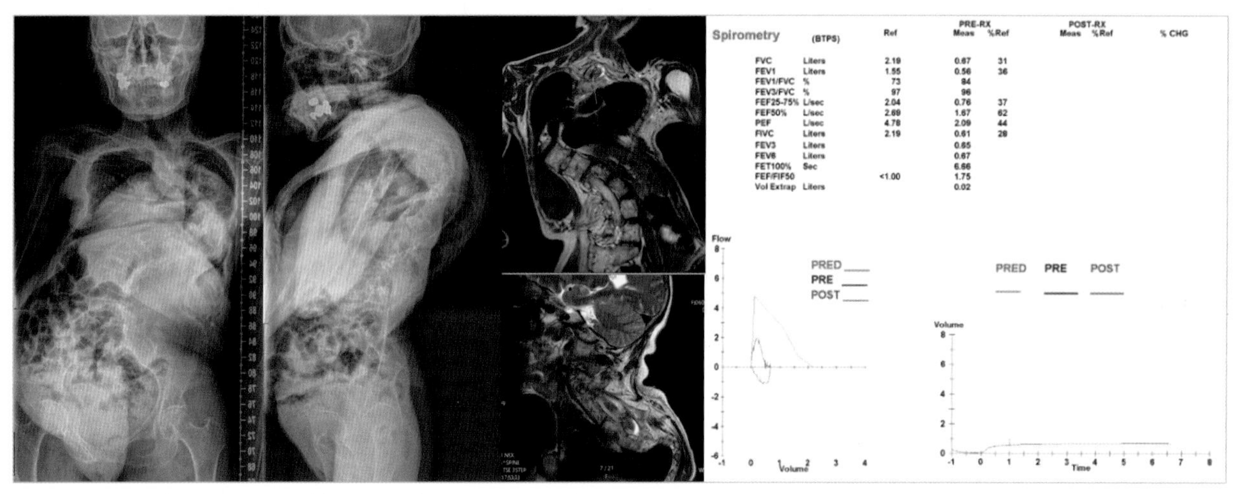

Fig 13. 척수이분증(diastematomyelia)(빨간 화살표)가 동반된 65세 선천성 후측만증 환자로 고도로 진행된 척추 변형으로 흉곽 변형으로 인해 폐기능 검사에서 심한 제한성 환기장애 소견이 관찰된다.

- 척수, 비뇨기, 심장 등의 동반 기형이 흔하므로 이들에 대한 평가도 병행해야 한다.
- 척추의 기형이 없이 유아기에 측만증이 나타나는 유아기형 측만증(infantile scoliosis)을 포함한 조기발현 척추측만증(early onset scoliosis)과의 감별이 필요하다.

1) 해부병리에 따른 분류

(1) 선천성 척추측만증의 분류 Fig 14

① 분절 부전(defects of segmentation)

- 미분절 척추봉(unsegmented bar)
- 척추 융합(block vertebra): 척추만곡은 심하지 않고

분절운동(segmental motion)과 길이 성장 소실 유발

② 형성 부전(defects of formation)

- 반척추(hemivertebra): 편측 척추경(pedicle)과 후관절의 완전 형성 부전
- 설상 척추(wedge vertebra): 부분 형성 부전

③ 복잡 기형(complex malformation)

- 같은 환자에서 분리 부전과 형성 부전 기형이 함께 있는 경우
- 대표적으로 반척추 기형이 있으면서 반대측에 미분절봉이 있는 형태

(2) 선천성 척추후만증의 분류Fig 15

① 제1형: 척추체 형성 부전

- 후측방 4분척추(posterolateral quadrant vertebrae)

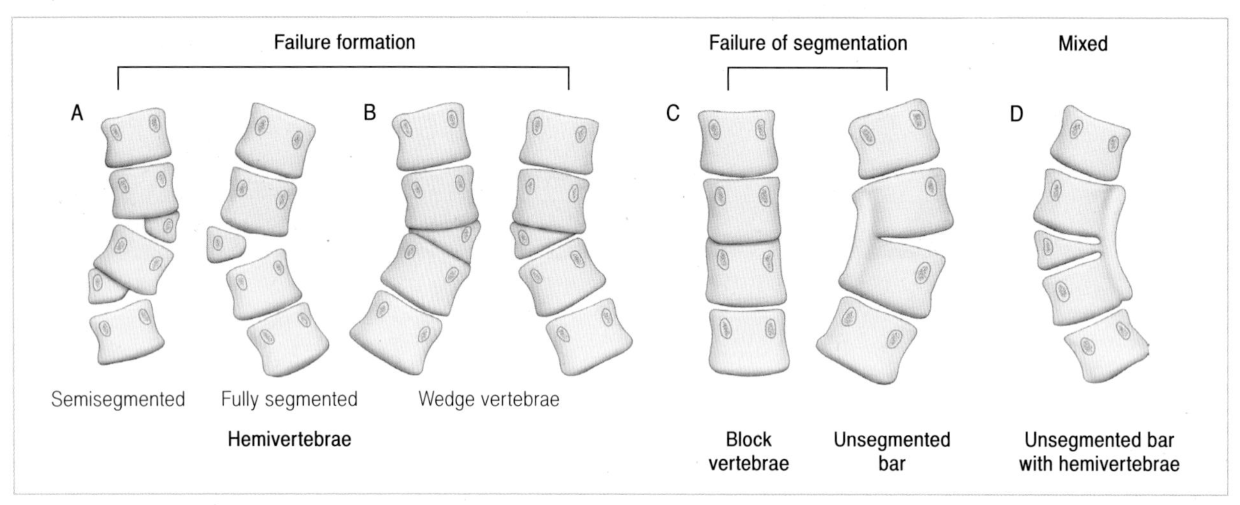

Fig 14. **선천성 척추 측만증의 분류.**

A: Nonincarcerated fully-segmented hemivertebra. B: Nonincarcerated nonsegmented hemivertebra. C: Incarcerated fully-segmented hemivertebra. D: Unilateral unsegmented bar.

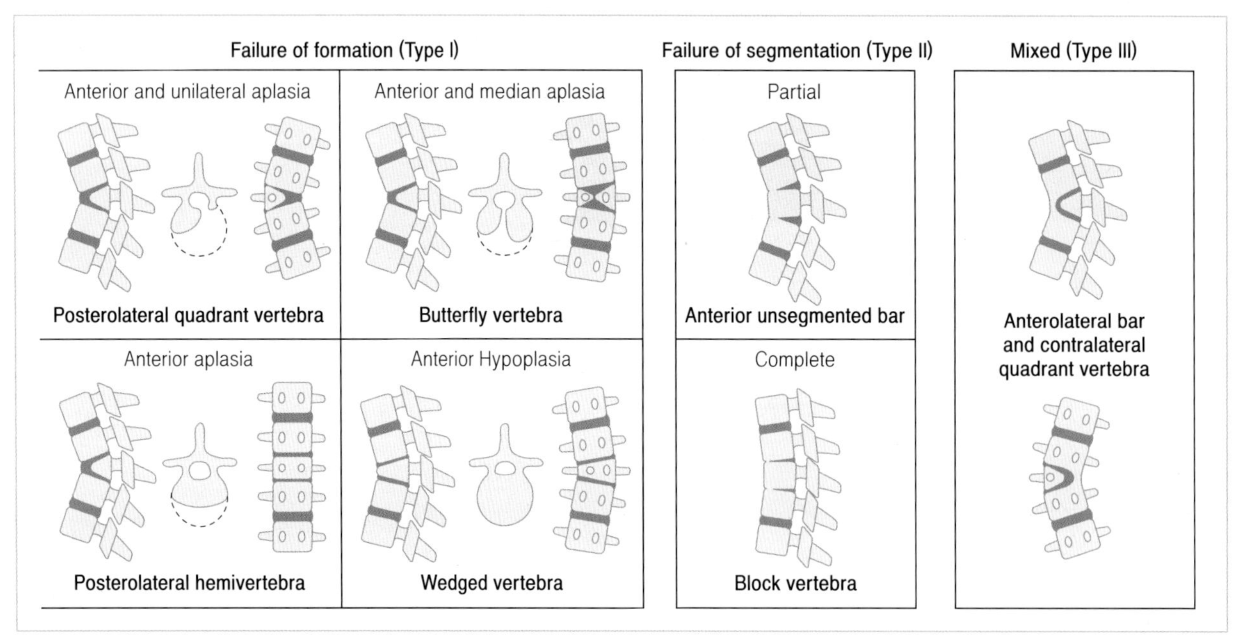

Fig 15. **선천성 척추 후만증의 분류.**

- 후방 반척추(posterior hemivertebrae)
- 나비 척추(butterfly vertebrae)
- 전방 및 전측방 쐐기 척추(anterior and anterolateral wedged vertebrae)

② 제2형: 척추체 분절 부전(failure of vertebral body segmentation)
- 전방 미분절봉(anterior unsegmented bar)
- 선천성 척추 유합(block vertebrae)

③ 제3형: 척추체 형성 부전과 분절 부전 기형이 함께 동반된 경우
- 제3-A형: 시상면 변형만 있는 경우
- 제3-B형: 시상면 변형뿐만 아니라 축상면의 회전 변형이 동반되어 있는 경우

2) 동반기형

(1) 척추내 기형(intraspinal anomaly)

- 약 18-38%까지 동반되며, 경추/흉추 기형인 경우, 복잡 기형이 있는 경우, 후만증이 있는 경우 등에 더욱 호발하는 것으로 알려져 있다.
- 신경학적 이상 징후가 있거나, spinal dysraphism을 암시하는 피부 징후가 있는 경우Table 2, 또, 척추 변형에 대한 수술을 고려할 경우에는 신경학적 평가와 MRI 검사를 통하여 반드시 확인하여야 한다.
- 폐쇄형 척추유합부전이 있는 경우에는 외관상 들어나지 않기 때문에 동반되어 있을 수 있는 신경학적 선천성 이상에 대한 의심과 평가가 필요하다.

Table 2. **척추이형성을 의심할 수 있는 피부 징후**

Skin Stigmata	Associated Condition
Sacral dimple	Dermal sinus tract
Hairy patch	Diastematomyelia
Nevus	*
Capillary hemangioma	*
Central sacral mass of lipoma	Lipomyelomeningocele
Dermal sinus tract above gluteal crease	*
Absent or asymmetric gluteal cleft	Sacral agenesis
Skin tag or tail-like appendage	*
Atretic myelomeningocele scar ("cigarette burn")	*

*Nonspecific occult tethered cord.

- **종류**
  - diastematomyelia
  - intraspinal lipoma
  - tethered cord syndrome
  - Chiari malformation
  - dermoid/epidermoid cyst

(2) 척추외 기형(extraspinal anomaly)

- **비뇨기계 기형**
  - 선천성 척추 기형 환자의 약 1/3(약 23-40%)에서 동반된다.
  - 일측 신장 무형성, 요로 중복, 이소성 신장, 말발굽 신장, 폐쇄요로증 등이 있을 수 있다.
- **심장기형**
  - 약 10-13%에서 동반되며, 심장 문제가 동반된 척추 기형 환자의 약 2/3에서 심장 문제가 먼저 발견된다.
  - 심방 및 심실 중격 결손, 대혈관 전위, 팔로씨 4징 등 다양한 형태로 동반되며 많은 경우 무증상이거나 가벼운 이상이다. 하지만 척추 수술을 고려하는 경우 무증상이라 하더라도 심장에 대한 평가를 받는 것이 바람직하다.
- **기타 동반 기형**
  - 구개열, 식도기관루, 항문직장기형, VACTERL 증후군 등
  - 내반족, Sprengel 변형, 발달성 고관절 이형성증 등 근골격계 이상
  - Goldenhar 증후군, Klippel-Feil 증후군, Alagille 증후군, Jarcho-Levin 증후군 등

3. 방사선학적 소견

주만곡(primary curve)뿐 아니라 보상 만곡(compensatory curve)에 대해서도 주의를 기울여야 하는데, 간혹은 보상 만곡이 주만곡보다 더 진행하고 변형을 보일 수 있기 때문이다.

- **반척추(hemivertebra)의 종류**
  - 감돈형(incarcerated type): 반척추에 의한 기형을 상쇄하는 주변 척추 변형이 동반되어 만곡을 유발하지 않는 경우
  - 비감돈형(nonincarcerated type): 주변 척추는 정상, 심한 변형 초래
- **주변 척추와의 분절**
  - 비분절(nonsegmented), 반분절(semisegmented), 완전분절(fully segmented)형으로 나눈다. 반분절 반척추는 완전 분절 반척추보다 만곡의 진행이 느리고 비분절 반척추는 그 자체로는 만곡을 진행시키지 않는다.
  - 늑골 유합이 관찰되는 경우 동측에 미분절봉이 동반되어 있는 경우가 많다.

4. 치료

척추 기형이 환자의 성장 과정 중에 문제가 될 정도의 척추 변형을 일으키는지 여부가 치료 결정에 중요하므로, 일정 기간의 추시를 통해 변형의 진행 양상을 관찰하는 과정이 적절한 치료 방법을 결정하는데 필수적이다. 성장 과정 중에 척추 변형이 문제가 될 정도로 진행하지 않고, 척추의 기능(체간을 지탱하고 균형을 유지와 신경을 보호)도 잘 유지될 경우, 척추 기형은 특별한 치료가 필요하지 않다 Fig 12. 수술적 치료의 결정은 특히 치료 결과가 환자의 자연경과보다 유리하다는 확신이 있을 때 시행하는 것이 바람직하다.

- **기형의 종류와 부위에 따른 진행 정도** 부록 30 참조
  - 흉추에서 특히, unilateral unsegmented bar, contralateral hemivertebra가 같이 있는 경우에 예후가 가장 나쁜데 1년에 약 5도씩 진행된다고 한다(MacMaster 1982).
  - unilateral unsegmented bar에 의한 경우 변형이 진행하는 경우가 많으므로 주의 깊게 관찰하여 수술적 치료 시점을 결정하여야 한다.
- **반척추(hemivertebra)에서 만곡의 진행 가능성**
  - 단일 반척추 < 다발성 반척추
  - 균형척추 < 불균형척추
  - 비분절 < 반분절 또는 완전분절
  - 감돈(incarcerated) < 비감돈(nonincarcerated)
- **선천성 후만증에서 만곡의 진행 가능성**
  - 제III형 > 제I형 > 제II형
  - 기형 분절이 여러 개 인접해 있는 경우 진행 속도가 더 빠르다
- **선천성 후만증에서 신경학적 이상 발생 가능성**
  - 제I형의 약 25%에서 신경학적 이상이 발생하며 제II형에서는 드물다.
  - 만곡 첨주가 상부 흉추에 있는 경우 신경학적 이상이 흔히 나타나며, 제12흉추 원위부에 있는 경우에는 신경학적 이상이 동반되는 경우는 드물다.
  - 전방 척추체 형성 부전에서 날카로운 후만각변형(angular kyphosis)과 함께 신경학적 이상을 동반하는 경우가 흔하다 Fig 16.

1) 비수술적 치료

만곡 자체가 매우 경직되어 있으므로 보조기의 효과는 제한되어 있고, 사용 중에 효과가 없다고 판정이 되는 경우에는 즉시 사용을 중단한다.

2) 수술적 치료

선천성 측만증의 치료 목적은 척추 변형의 교정 또는 진행을 억제하고 동시에 가능한 정상 척추 길이까지 성장을 확보하는데 있다. 수술적 치료 시 동원되는 유합술은 변형의 교정 또는 진행 억제를 얻을 수 있지만 성장을 억제하는 점에 주의를 기울여야 한다.

- **영유아기 척추 유합술이 초래할 수 있는 문제**
  - 흉곽 성장을 제한하여 폐기능 발달 저해(thoracic insufficiency syndrome)
  - 후방 유합된 상태에서 전방 척주 성장이 지속되어 새로운 척추변형이 발생하는 crankshaft 현상
  - 성장과 함께 발생할 수 있는 변형 범위의 확대(adding-on)

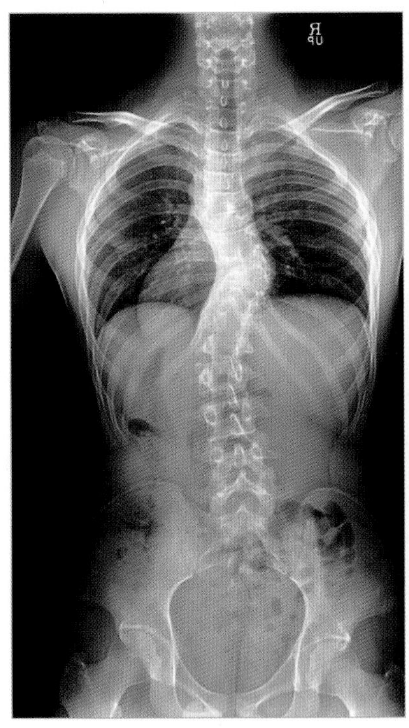
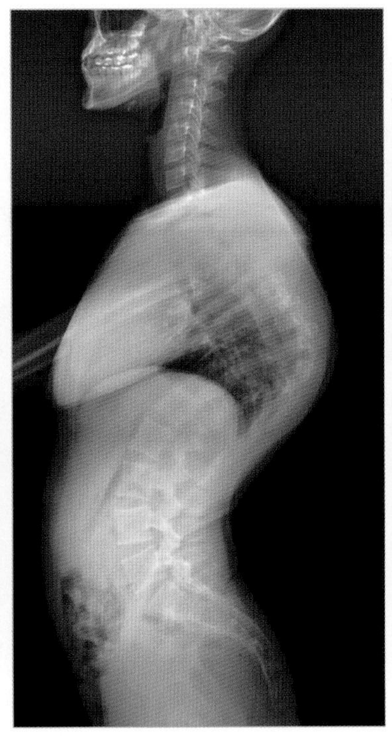
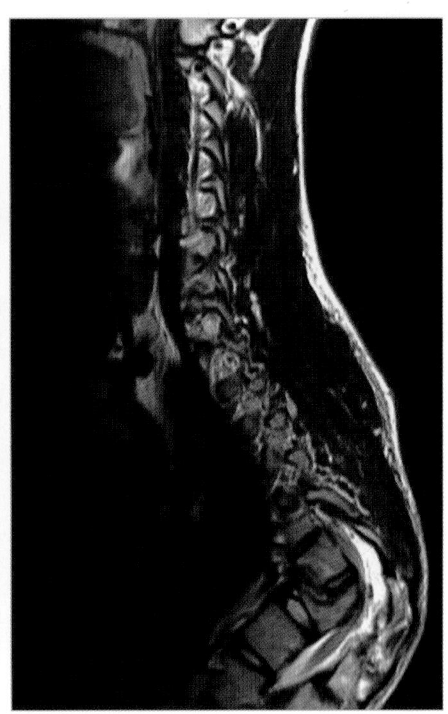

Fig 16. **흉추 척수증 증상으로 보행 장애를 주소로 내원한 16세 남자 환자의 영상 검사.**
선천성 후만증으로 인한 흉추 척수 압박이 관찰된다.

- **견인 교정**(correction by traction)
  - 중등도 이상 진행되어 강직되어, 내고정술 또는 석고붕대 교정술만으로 충분한 변형의 교정을 얻을 수 없거나, 내고정술을 이용한 갑작스러운 변형 교정이 척수 기능에 영향을 미칠 수 있다고 판단될 때, 수술에 앞서 점진적인 교정을 얻을 목적으로 사용하며, 주로 halo-gravity traction이 많이 사용된다.

(1) 유합술 및 석고붕대교정술
(fusion with cast correction)

- 척추경 나사못 및 기타 내고정술을 시행할 수 없는 영유아에서 수술적 치료를 고려할 때는 유합술과 함께 석고붕대교정술을 사용할 수 있지만, 내고정술을 시행하는 경우에 비해 변형 교정 효과가 열등하므로 내고정술을 시행할 수 없는 경우에 제한적으로 사용하는 추세이다.
- crankshaft phenomenon을 막기 위해 전후방 유합술을 시행할지 여부, 흉곽부전증후군을 막기 위해서는 유합분절을 최소화하는 것 등에 대한 고려가 필요하다.
- 변형 정도가 심하지 않은 영유아에서 시행했을 때 제한적으로 성공적인 치료가 가능하며(Winter 1982), 내고정술을 하지 않으므로 추후 변형 진행 억제에 실패하는 경우가 많음을 유념하여, 술후 추시 관찰을 잘 하여야 한다.

(2) 내고정 기기를 이용한 교정과 후방 유합술
(posterior fusion with correction by instrumentation)

- 척추경 나사못을 이용하는 후방유합술을 이용하며, Risser 2등급 이상이어서 후방 유합술만 시행하여도 crankshaft 현상이 일어나지 않을 환자에서는 고려되는 방법이나, 최근에는 단분절 유합으로 가능한 경우 보다 어린 나이에서도 고려한다.
- 내고정술을 이용한 선천성 만곡의 교정에서 신경학적 합병증 발생 위험이 높으므로 이를 고려하여 교정 정도를 결정해야 하고, 수술 전 신경학적 검진 및 MRI로 척수 기형 존재 여부에 대한 평가가 필요하다.

(3) 척추절골술을 이용한 변형 교정
(deformity correction by spinal osteotomy)

- 강직된 변형에서 내고정술만으로 충분한 변형 교정을 얻을 수 없다고 판단되는 경우, 또 과거 유합술에도 불구하고 진행한 척추 변형에서 교정이 필요한 경우 등에 시행할 수 있다.
- 반척추 제거술(hemivertebra excision), 해면골 제거 절골술(decancellation osteotomy), 척추절제술(vertebral column resection) 등이 사용되며 내고정술과 함께 진행된다.
- 변형의 정도 및 술자의 경험에 따라 수술 시간 및 출혈량, 신경학적 합병증 발생 위험도가 다르므로 신중한 판단이 요구된다.

III. 조기발현 척추측만증
(early onset scoliosis)

10세 이전에 발생한 척추측만증을 모두 통칭하여 조기발현 척추측만증으로 일컫는다. 5세 이전에 발현하는 제1형과 5-10세에 발현하는 제2형으로 구분한다. 척추의 성장은 4세까지 약 60%, 10세까지 약 80% 이루어지며, 흉곽 용적의 성장을 위해서는 흉추의 정상적인 성장이 요구된다. 폐용적은 5세까지 성인 폐용적의 30%, 10세까지 50% 이루어지고, 폐포의 발달은 8세까지 성인 수준의 폐포 숫자 정도로 형성되며 그 이후에는 폐포 크기 성장만 이루어진다.

- **흉곽부전증후군(thoracic insufficiency syndrome)**
  - 흉곽 성장이 정상적으로 이루어지지 못하여 정상적인 호흡 기능에 필요한 폐성장을 제한하는 경우로 정의된다.
  - 흉곽 저형성을 초래하는 Jeune 증후군, Jarcho-Levin 증후군이 흉곽부전 증후군의 대표적인 예이지만, 모든 제1형 조기발현 척추측만증 환자의 진료 시에는 흉곽부전증후군이 발생 가능성을 염두에 두어야 한다.
  - 청소년기 특발성 척추측만증의 경우와 달리, 조기발현 척추측만증이 있는 환자의 경우 정상인에 비해서 사망률이 증가하는 것으로 알려져 있고 호흡부전이 주된 원인이다.
  - 4세 이전에 상부흉추를 포함하는 장분절 척추유합술을 받을 경우 의인성 흉곽부전증후군이 발생할 수 있는 점에 유의하여야 한다.

1. 유아기 특발성 척추측만증
(infantile idiopathic scoliosis)

3세 이전에 발생하는 특발성 척추측만증으로, 남아에서 호발하고 주로 좌측 첨부 만곡이 보다 흔하며, 고전적으로는 편평두와 함께 발생하는 경우가 많고 지능 장애(13%), 서혜부 탈장(남아의 경우 약 7.4%), 심장 기형(2.5%) 고관절 탈구(3.5%)가 동반된다고 알려져 있다. Fetal molded baby syndrome (17장 발달성 고관절 이형성증 참조)의 일환으로 발생하는 경우는 태내 자세 때문에 생기는 것으로 특별한 치료 없이 자연 치유되지만, 이 연령대에 진행하는 척추측만증은 다른 질병으로 생각되며 빠른 속도로 매우 심한 변형으로 진행하여 치료하기 힘든 경우가 많고 심폐기능에 악영향을 미치게 되어 성인으로 건강하게 성장하지 못하고 사망에 이르게 된다. 유아기에는 진단되지 못한 증후군이나 유전자 이상 등이 이 부류로 간주될 수도 있다.

유아기 척추측만증에서 진행성과 자연 치유성(resolving) 만곡의 감별은 흉추 전후방 방사선 검사 소견을 phase I과 II로 나누어 만곡 진행 가능성을 예측한다 (Mehta 1973)Fig 17.

① Phase I: 전후면상에서 척추체(vertebral body)와 늑골두(rib head)가 겹쳐지지 않는 상태로서 다음과 같은 경우에는 만곡 진행가능성이 높다.
- 초기 양쪽 RVA (rib-vertebral angle) 차이가 20도 이상이거나
- 3개월 추시 시 RVA 차이에 변화 없거나 증가하거나
- Phase II로 변화한 경우

② Phase II: 전후면상에서 척추체와 늑골두가 겹쳐지는 상태로 만곡 진행 가능성이 높다.

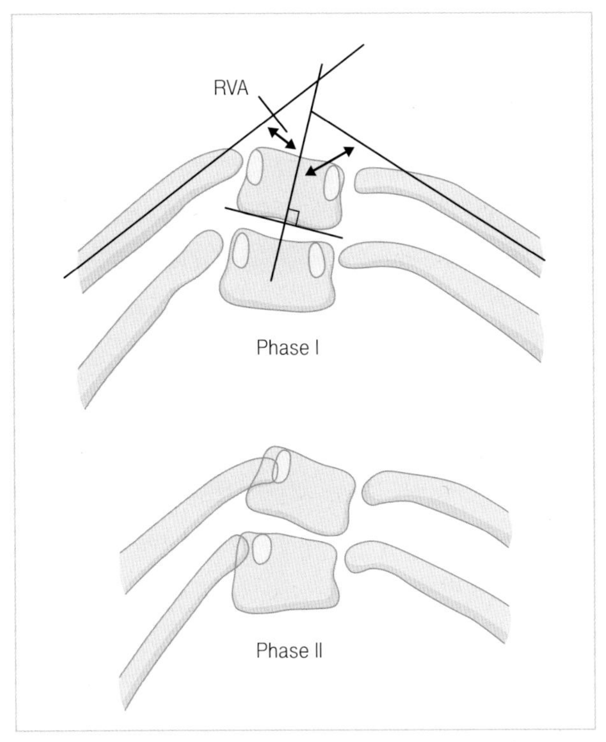

Fig 17. 유아기 특발성 척추측만증(infantile idiopathic scoliosis)의 진행성을 예측하기 위한 rib-vertebral angle (RVA)과 phase 구분.

1) 치료

- 자연치유형(resolving) 만곡: 특별한 치료가 필요하지 않다.
- 진행성(progressive) 만곡: 연속적인 체간 석고붕대(serial body cast)로 교정 후 Milwaukee 보조기를 착용한다.
- 석고붕대 고정이나 보조기로 조절되지 않는 만곡에 대한 수술적 치료를 고려하며 치료의 이상적 목표는 심폐기능 발달을 최대한 돕고 정상 길이 성장을 얻는 것이다.
- 수술적 치료의 고려 사항으로는 ① 유합없이 내고정 기기술만 시행하거나(예: 성장 강봉 기기술이나 VEPR 기기술 등) ② 유합술을 한다면 가능한 늦게, 가능한 단분절 유합술을 시행하여 흉곽부전 증후군 발생을 예방하고, ③ 영유아기 유합술 고려 시에는 특히 crankshaft 변형 악화를 주의하여야 한다.

2. 연소기 특발성 척추측만증 (juvenile idiopathic scoliosis)

4세에서 10세 사이에 발생하는 경우로, 특발성 척추측만증의 12-21%를 차지하며, 자연치유형과 진행형으로 나누어진다. 특발성으로 보이지만 척수내 병변(intraspinal pathology)이 있을 가능성이 높은데, 11세 이하 측만증에서 MRI 검사상 약 27%에서 비정상적인 소견을 보인다.

1) 치료

- 25도 이하의 만곡은 경과 관찰만 한다(약 1/3에 해당).
- 25도 이상의 만곡은 보조기로 치료한다(약 1/3에 해당). TLSO는 흉벽의 발육을 억제할 수 있으므로 피하고, Milwaukee 보조기를 사용한다.
- 보조기로 조절되지 않는 만곡(약 1/3에 해당)은 수술적 치료가 필요하다.

① 유합술 없이 내고정 기기술(instrumentation without fusion)

② 전후방 유합술(anterior and posterior fusion)

③ 성장형 강봉 고정술(growing rod instrumentation)

- **유아기 또는 유년기에서의 광범위 척추유합술의 문제점**

① Crankshaft 현상: 전후방 유합술로 예방

② 체간(trunk)의 단축 및 흉곽부전증후군(thoracic insufficiency syndrome)

- 체간 단축=0.07 cm×(유합된 척추분절의 수)×(잔여 성장 기간; yr) (Winter)
- 만곡이 펴지면서 effective length는 증가할 수도 있다.
- 척추 유합술로 하지에서 보상성 과성장
- 흉곽의 성장을 제한하여 폐의 성숙을 방해하여 폐기능을 저해시키는 흉곽부전증후군(thoracic insufficiency syndrome)을 일으킬 수 있다(Campbell 2003).
- 체간 성장을 유지하면서 내고정장치의 강력한 교정력을 이용하기 위하여 Akbarnia 등이 성장형 강봉기 기술(growing rod instrumentation)의 사용하였으나 강봉의 길이를 늘려 주기 위한 수술이 정기적으

로 필요하고 창상 감염 등의 문제가 많이 발생하며 아직 장기적인 결과가 확인되어 있지 않다.

- Crankshaft 현상
  - 잔여 성장이 많이 남은 측만증 환아에서 후방 유합술만 시행한 경우 척추전방 요소는 계속 성장하고 후방 유합체(fusion mass)는 tether으로 작용한다.
  - 전만이 증가하면서 후방 유합된 만곡이 후방 유합체(fusion body)를 축으로 회전하여 측만곡이 증가하는 현상이다.
  - Sanders 등(1995)은 10세 이하, Risser 0등급 이하, 삼방연골(triradiate cartilage)이 개방되어 있는 환아에서 crankshaft 현상의 위험성이 높으므로 전후방 유합술을 동시에 실시할 것을 권유하였다.

3. 척수공동증을 동반한 척추측만증(syringomyelia)

- MRI 검사를 많이 시행하면서 특발성 척추측만증으로 간주될 수도 있던 환자들의 상당수에서 척수의 이상, 특히 척수공동증이 많이 발견되어 그 중요성이 강조되고 있다.
- Hydromyelia는 central canal이 확장된 것으로 ependyma로 lining 되어 있다. Syringomyelia는 척추 내에 생긴 모든 종류의 공동(cavity)을 말하며 glial cell로 lining되어 있다. 하지만 이 두 가지 용어는 혼동되어 사용되며, 이 두 가지를 모두 지칭하기 위하여 hydrosyringomyelia라는 용어도 사용된다. Communicating type과 non-communicating type으로 나눌 수도 있다.
- Communicating type으로는 Chiari malformation이 제일 흔하고 basal arachnoditis, cyst at foramen magnum이 드물게 있다. Noncommunicating type으로는 intramedullary spinal cord tumor, posttaumatic, spinal arachnoditis, idiopathic 순으로 보고되어 있다.
- 약 20-25%의 환자에서 척추측만증이 나타나는데 다른 측만증에서 잘 나타나지 않는 좌흉추만곡이 비교적 많이 나타난다. 특발성 척추측만증이라고 생각되는 환자에서 복부 반사(abdominal reflex)가 비대칭이거나 소실되는 등 약간의 신경학적 이상이 있거나, 척추만곡이 빠른 속도로 진행하거나 또는 좌 흉추 만곡이 있는 경우에는 MRI 검사를 통하여 척수공동증을 확인하여야 한다Fig 18.
- 측만각이 크지 않은 경우에는 척수공동(syrinx)을 수술적으로 배액하여 척추측만증의 진행을 막을 수 있

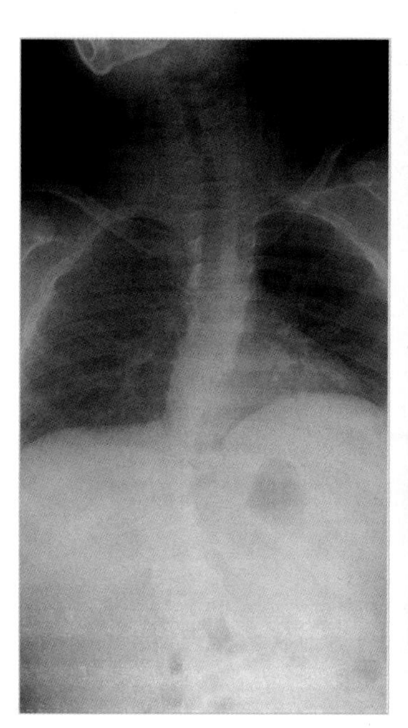

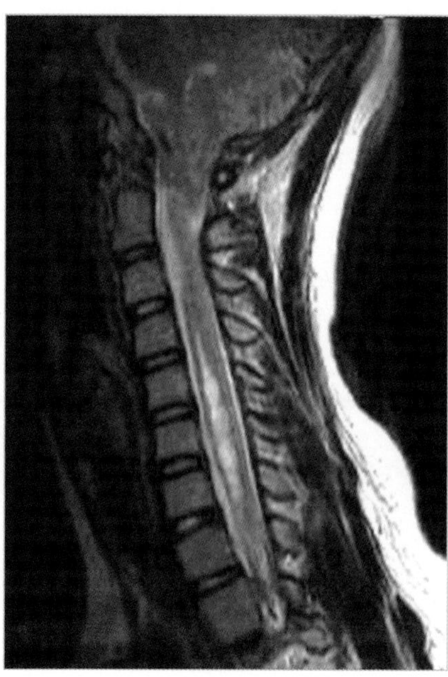

Fig 18. 특발성 만곡으로 생각되었으나 복부 반사의 손실을 보였던 환자로서 MRI 검사로 척수공동증(syringomyelia)을 발견할 수 있었다.

다. 40도 이상의 만곡에서는 수술적 고정술이 필요하고 수술 시에는 증상을 가지는 누공의 배액이 선행되어야 하며 척추 교정 시 신경학적 합병증의 발생률이 높으므로 과도한 교정을 하지 않도록 각별한 주의를 요한다(Gurr 1988, Nordwall 1979).

4. 소아기 척수 손상 후 척추측만증 (spine deformity after spinal cord injury)

성장이 완료되지 않은 소아에서 척수 손상으로 하지마비나 사지마비가 생기는 경우 거의 모든 환자에서 척추 변형이 발생하며 이들의 대부분은 추시 중에 척추 유합을 요한다. 이와 같은 척추 변형은 경직성(spasticity)이 심할수록 더욱 발생 가능성이 높다. 하지만 가장 중요한 요인은 수상 당시 환아의 나이인데, 나이가 어릴수록 변형이 생길 가능성이 높아 청소년기 growth spurt 이전에 생긴 마비 환자에서는 척추 변형이 발생한다고 생각하면 된다. 변형은 후만증을 동반한 긴 흉요추 만곡의 형태로 나타난다. 어린 나이에는 진행을 늦추고 수술 시기를 지연시키기 위하여 예방적 보조기 착용을 시행한다. 후만이나 측만이 견고할 때는 전방 유리술을 시행해야 하며 변형의 진행을 막고 견고한 유합을 얻기 위해서는 전후방 유합술을 병행하는 것이 권장된다(DeWald 1988). 후방 분절간 척추 유합술이 최선이며 척추경 나사못을 사용하면 더욱 견고한 고정을 얻을 수 있다(Stevens 1989).

5. 추궁판 절제술 후의 척추 변형 (post-laminectomy spine deformity)

소아 연령에서의 추궁판 절제술은 흔히 척추관내 종양의 절제를 위해 필요한 경우가 대부분이다. 후만증이 가장 흔한 변형이며Fig 19, 측만증도 발생할 수 있으나 전만증은 매우 드물다.

1) 부위에 따른 발생 빈도

- 요추: 거의 발생하지 않는다.
- 경추 또는 경흉추: 거의 모든 경우에 발생한다.
- 흉추: 약 35%에서 발생한다.

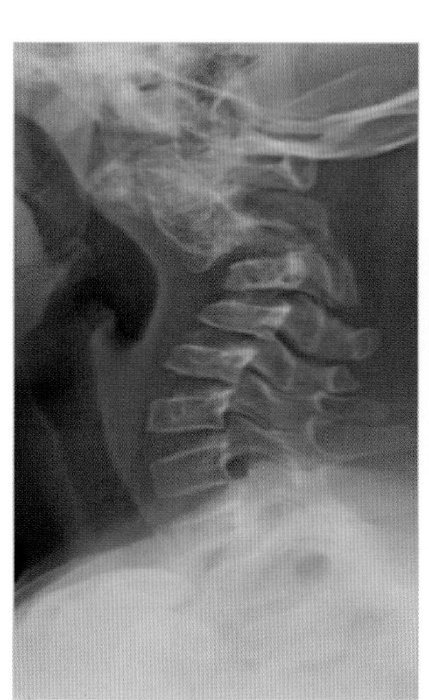
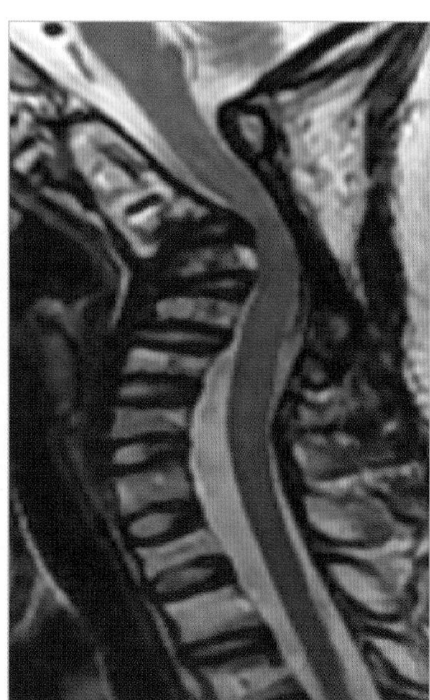
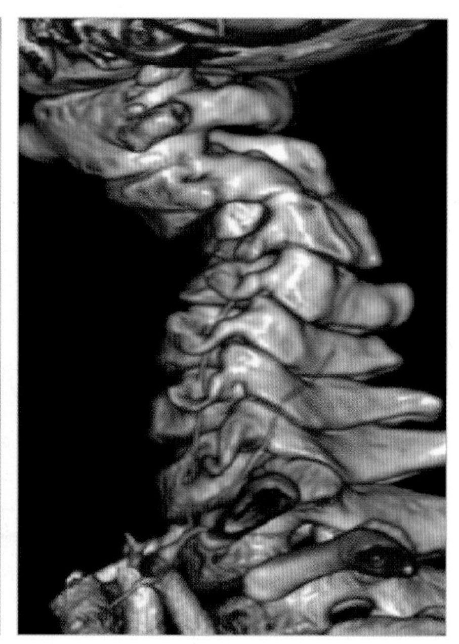

Fig 19. **추궁판 절제술 및 방사선 치료 후 발생한 경추 후만증.**
11세 남자 환아로 3년 6개월 전 제2경추에 발생한 척색종(chordoma) 절제술을 위해 제2, 3경추 추궁판 절제술을 시행하였다. 잔존한 종양 조직 치료를 위해 24차례의 반복적 방사선 치료를 시행하였다. 이후 제2, 3, 4경추간 후만 변형이 점차 진행되었다. 또한 제2, 3경추간 전방전위가 발생하였고 이 부위에서 척수가 압박되어 내원 시에는 보행이상 등 척수증(myelopathy) 증상을 보였다.

- 흉요추 이행부: 향후 유합술이 필요할 정도의 후만 변형이 자주 발생한다.

2) 추궁판 절제술 시의 연령에 따른 발생 빈도

- 15세 미만: 약 50%에서 발생한다.
- 15세 이상: 드물다.

3) 후관절 절제(facet resection)에 따른 불안정성 및 후만증의 위험성

- 추궁판 절제술 시 50% 이상의 후관절 절제술은 굴곡과 회전 운동의 안정성에 유의할 만한 저하를 가져온다.
- 양측 후관절 절제술 시 약 25%의 환자에서 후궁 절제술 후 후만증이 발생한다.

4) 후방 경추 신전근의 중요성

- 경추 후방 수술 시 후방 신전근(extensor musculature)을 과도하게 박리할 경우 후만증 발생 증가의 위험성이 있다.
- 특히 제2경추의 극돌기에 부착되는 경반극근(semispinalis cervicis)과 두반극근(semispinalis capitis)은 경추 전만 유지에 매우 중요한 근육이므로 가능한 한 보존하여야 하며, 손상 시 최대한 복원시켜 주어야 한다.

5) 추궁판 절제술의 범위

- 3개 이상 추궁판 절제술 후(특히 흉요추 이행부에서) 변형이 발생하기 쉬우므로 이의 예방을 위해 후방 유합술을 함께 해주는 것을 고려해야 한다.

- **경추 추궁판 절제술 후 후만증 발생의 다음과 같은 위험군 환자에서는 감압술 후 예방적 후방 고정술 및 유합술이 필요하다.**
  - 다분절 감압술(multiple-level decompression)
  - 후관절의 광범위한 절제
  - 수술 전 시상면상 불안정성, 수술 전 후만 변형이 있는 경우
  - 전방 가관절증
  - 골격계 미성숙

6) 변형의 방지

- 가능한 한 추궁판 절제술보다는 변형 유발 가능성이 적다고 알려진 추궁판 성형술(laminoplasty)을 시행한다. Laminectomy fragment를 다시 덮어주는 recapping technique이 필요한다.
- 후관절 관절낭, 극상 인대(supraspinous ligament), 극간 인대(interspinous ligament)를 보존하고 과도한 후 관절 절제를 피한다.
- 술 후 불안정성이나 후만증 가능성이 높은 경우 유합술을 동시에 시행한다.

6. 방사선 조사 후 발생하는 척추 변형

Wilms 종양이나 신경아세포종(neuroblastoma) 환자에서 어린 나이에 강한 방사선 치료를 받으면, 척추의 골단판이 방사선 조사에 의하여 길이 성장과 재형성(remodelling)의 장애를 일으킨다.

- 만곡의 정도를 결정하는 요인으로는 큰 방사선 조사량, 2세 이전의 어린 연령 등이 중요하다.
- 좌우 대칭적 조사를 받으면 척추후만증, 비대칭적 조사를 받으면 척추측만증이 발생할 수 있다.
- 변형은 대개 10세 이후 growth spurt 때 발견되고 진행된다.
- 보조기의 효과는 확실하지 않으며, 수술적 치료는 40도 이상의 측만증, 20도 이상의 흉요추후만증에서 필요하다. 수술 후 불유합, 감염 등의 빈도가 높으며 골 유합도 지연되므로 주의를 요한다.

참고문헌

Bertran SL, Dravaric DM, Roberts JM. Scoliosis in syringomyelia. Orthopedics. 1989;2:335.

Brown HP, Bonnett CC. Spine deformity subsequent to spinal cord injury. J Bone Joint Surg Am. 1973; 5:441.

Campbell RM Jr, Smith MD, Mayes TC, et al. The characteristics of thoracic insufficiency syndrome associated with fused ribs and congenital scoliosis, J Bone Joint Surg. 2003; 85:399.

Curtis JR, Bizhan A, Sanjay SD, et al. Os odontoideum. Neurosurgery, 2013;72 Suppl 2:159.

Dietrich U, Schirmer M, Veltrup K, et al. Postlaminectomy kyphosis and scoliosis in children with spinal tumors. Neuro Orthop. 1989;7:36.

Fielding JW, Hensinger RN, Hawkins RJ. Os Odontoideum. J Bone Joint Surg Am, 1980;62:376.

Guille JT, Sherk HH. Congenital osseous anomalies of the upper and lower cervical spine in children. J Bone Joint Surg Am, 2002;84A:277.

Gurr KR, Taylor TKF, Stobo P. Syringomyelia and scoliosis in childhood and adolescence. J Bone Joint Surg Br. 1988;70: 159.

Hell AK, Campbell RM, Hefti F. The vertical expandable prosthetic titanium rib implant for the treatment of thoracic insufficiency syndrome associated with congenital and neuromuscular scoliosis in young children, J Pediatr Orthop, 2005;14:287.

Hensinger RN, Fielding JW, Hawkins RJ. Congenital anomalies of the odontoid process. Orthop Clin North Am, 1978;9:901.

Hensinger RN, Lang JE, MacEwen GD. Klippel-Feil syndrome; a constellation of associated anomalies. J Bone Joint Surg Am, 1974;56:1246.

Ilkka H, Jennifer MB, Bram V. Os Odontoideum in Children: Treatment Outcomes and Neurological Risk Factors. J Bone Joint Surg Am, 2019;101:1750.

Justin S, Christopher S. Basilar invagination. Neurosurgery, 2010;66(3 Suppl):39.

King J, Stowe S. Results of spine fusion for radiation scoliosis. Spine. 1982;7:574.

Lancourt JE, Dickson JH, Carter RE. Paralytic spinal deformity following traumatic spinal cord injury in children and adolescents. J Bone Joint Surg Am. 1981;63:471.

Matsumoto M, Cho JL, Lonstein JE, et al. Postlaminectomy spine deformity. Orthop Trans. 1993;17:125.

McMaster MJ, Ohtsuka AK. The natural history of congenital scoliosis: a study of two hundred and fifty-one patients, J Bone Joint Surg 64A:1128, 1982.

Mehta MH. The rib-vertebra angle in the early diagnosis between resolving and progressive infantile scoliosis. J Bone Joint Surg Br, 1973;54:230.

Menendez JA, Wright NM. Techniques of posterior C1-C2 stabilization. Neurosurgery, 2007;60: 103.

Pizzutillo PD, Woods M, Nicholson L, et al. Risk factors in Klippel-Feil syndrome. Spine, 1994;19:2110.

Riew KD, Hilibrand AS, Palumbo MA, et al. Diagnosing basilar invagination in the rheumatoid patient. The reliability of radiographic criteria. J Bone Joint Surg Am. 2001;83-A:194.

Sasso RC. C1 lateral screws and C2 pedicle/pars screws. Instr Course Lect, 56:311, 2007.

Stock GH, Vaccaro AR, Brown AK, et al. Contemporary posterior occipital fixation. J Bone Joint Surg Am, 2006;88: 1642.

Thompson GH, Akbarnia BA, Campbell RM Jr. Growing rod techniques in early-onset scoliosis, J Pediatr Orthop 27:354, 2007.

Watanabe M, Toyama Y, Fujimura Y. Atlantoaxial instability in os odontoideum with myelopathy. Spine, 1996;21:1435.

Yasuoka S, Peterson HA, MacCarty CS. The incidence of spinal column deformity after multiple level laminectomy in children and adults. J Neurosurg. 1982;57:441.

13

청소년기 척추 변형

Adolescent Spinal Deformities

Chapter

13 청소년기 척추 변형

Adolescent Spinal Deformities

목차

용어설명

- 주 만곡(major curve): 직립 관상면 사진에서 가장 큰 Cobb 각을 보이는 만곡
- 부 만곡(minor curve): 주 만곡이 아닌 다른 모든 만곡
- 일차성 만곡(primary curve): 처음 또는 가장 먼저 나타난 만곡
- 대상성 만곡(compensatory curve): 구조성 만곡의 상부 또는 하부에 나타나는 이차성 만곡(정상적인 신체 선열을 유지하기 위한 만곡)
- 구조성 만곡(structural curve): 고정된 측만증을 갖고 있는 만곡(앙와위 측굴곡 방사선 촬영에서 만곡이 반대쪽으로 과교정되는 분절간 운동이 보이지 않을 경우)
- 비구조성 만곡(nonstructural curve): 고정된 잔존 변형이 없는 만곡
- 첨부 척추(apical vertebra): 환자의 수직 축에서 가장 벗어난 척추체
- 첨부 추간판(apical disc): 환자의 수직 축에서 가장 벗어난 추간판
- 끝 척추(end vertebra): 만곡의 요면(concavity)으로 가장 기울어진 상부 및 하부 척추체
- 만곡 측정(curve measurement); Cobb의 방법: 먼저 주 만곡을 측정하며, 상부 끝 척추(end vertebra)의 상부 종판(end plate)과 하부 끝 척추의 하부 종판을 선택하여 이의 횡축에 대하여 직각인 선을 그어 두 선이 이루는 각을 측정한다. 부 만곡의 측정은 기왕에 이용한 종판을 포함하여 같은 방법으로 측정한다. 만일 척추의 종판이 잘 보이지 않으면 척추경의 하부 경계를 이용한다. 선천성 만곡에서는 끝 척추를 찾기 위해 척추체의 측면에 수직선을 그리는 방법이 필요할 수 있다.
- 중립 척추(neutral vertebra): 회전이 동반되지 않은 척추체
- 안정 척추(stable vertebra): 중앙 천골선(central sacral line)에 의해 가장 가깝게 양분되는 근위 척추체로 시상면에서는 천추의 후상 연(posterosuperior edge)에서의 수선을 기준으로 한다.
- 대상(compensation): 제7경추 중앙에서 내린 수선이 시상면에서 천골 중앙부를 지나는 경우, 시상면 균형(coronal balance)이라고도 한다.
- 대상실조(decompensation): 척추측만증에서 머리와 어깨, 흉곽이 골반 위에서 위치하지 못하고 균형이 깨진 상태
- 시상면 균형(sagittal balance): 서서 촬영한 긴 방사선 사진(long cassette radiograph)에서 천추의 후상방부에 대한 제7경추의 위치
- 첨부 척추/추간판 평행이동(apical vertebra/disc translation): 중앙 천골선에서 첨부 척추/추간판 중앙까지의 거리(mm). 대상 실조인 경우 흉추 부분은 제7경추 수선으로부터 거리를 측정한다.
- 골반 경사(pelvic obliquity): 관상면상에서 골반의 수평으로부터의 사위(deviation)
- 천골 경사(sacral obliquity): 앙와위 촬영 시 양측 대퇴골두를 잇는 선에 대한 천골의 각도 사위
- 장골능 골단(iliac apophysis): 장골능을 따라 존재하는 골단으로 척추의 성장을 가늠할 수 있는 지표(Risser

sign)로 사용한다.
- 척추 종판(vertebral end plates): 척추체의 상하 추간판과 인접한 부위의 피질골판
- 척추 골단판(vertebral growth plate): 척추체의 상하를 덮고 있는 연골판으로서 척추체의 길이 성장을 일으킨다.
- 척추 환골단(vertebral ring apophysis): 척추의 성숙도를 측정할 수 있는 신뢰성 있는 지표로서 측방 방사선 사진이나 요추부의 측굴곡 전후면 사진에서 가장 잘 보인다.
- 밀크 커피색 색소 침착(cafe au lait spots): 연갈색의 불규칙한 피부 침착 부위. 수가 충분하고(어른은 1.5 cm 크기 6개 이상, 소아는 0.5 cm 크기 5개 이상) 부드러운 경계를 가지면 신경섬유종증을 의심할 수 있다.
- 육봉(gibbus): 예각 척추후만증
- 반척추(hemivertebra): 한 척추체의 불완전 발달로 인한 쐐기 모양의 선천성 척추 기형

Scoliosis Research Society (SRS) 제정(1999)

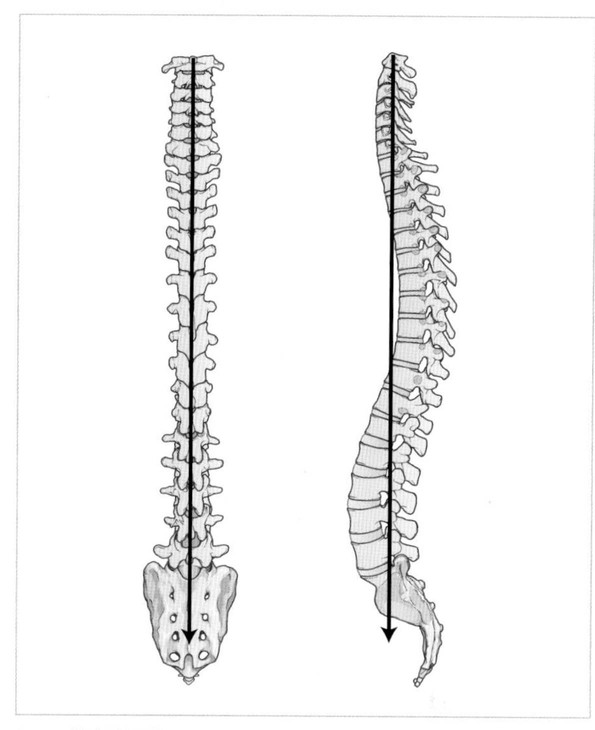

Fig 1. **척추의 균형.**
제7경추 중심에서 내린 수선이 관상면에서는 제1천추의 중앙을, 시상면에서는 후연을 통과한다.

I. 척추 변형의 전반적 고찰

- 척주(spinal column)는 체간을 지탱하는 기둥으로 몸의 중심에 위치하며, 몸통의 균형을 유지하고, 척수(spinal cord) 및 척추신경(spinal nerve root)을 보호하는 역할을 한다.
- 정상적인 척추는 관상면(coronal plane)에서는 일직선으로 곧고, 시상면(sagittal plane)에서는 경추와 요추의 전만(lordosis)과 흉추의 후만(kyphosis)으로 이루어진 이중 'S'형 곡선을 이룬다. 척추가 균형을 유지하는 상태에서 머리와 몸통의 무게 중심이 골반의 중앙에 위치하며 이때 제7경추에서 내린 수선(plumb line)은 관상면에서는 천추의 중앙을 통과하며 시상면에서는 제1천추 후연을 통과한다Fig 1.
- 척추 균형(spinal balance)이 유지되어야 기립 및 보행 시 요구되는 근육의 에너지 소모량이 최소화된다. 선천성, 발달성 및 외상, 감염, 퇴행성 등의 다양한 이유로 측만증, 후만증, 복합 형태의 다양한 척추 변형(spinal deformity)이 발생하여 척추가 균형을 유지하지 못하는 상태인 대상 실조(decompensation)가 되면, 몸통 윤곽의 비대칭 및 늑골 돌출 등의 미용상의 문제뿐만 아니라 체간의 중심으로 몸통을 지탱하고 자세와 균형을 유지하는 기능에도 장애가 발생하며, 고도의 변형이 있는 경우 폐기능 등 내장 기관의 기능에도 영향을 미칠 수 있다.
- 심한 후만증이 있는 경우 압박성 척수증(compressive myelopathy)을 일으켜 마비를 초래하기도 한다.
- 변형을 초래하는 원인 질환의 종류에 따라 변형 및 기능의 장애 정도 및 임상 양상이 매우 다양하다. 따라서 척추 변형의 치료는 원인 질환의 자연 경과에 대한 연구를 바탕으로 적절한 시점에 수술적 및 비수술적 치료를 시행하여 척추의 균형 및 신경 보호 기능을 유지, 회복시키는 것을 목표로 한다.

1. 척추 변형의 분류

척추 변형의 세 가지 기본적인 유형은 측만, 후만과 전만

이며 이들은 단독 또는 복합적으로 나타난다. SRS (scoliosis research society)는 전후면 기립 방사선 사진에서 Cobb 각Fig 2이 10도 이상일 때를 측만증이 있다고 정의한다. 그리고 이러한 변형이 있더라도 다른 부위의 보상성 만곡(compensatory curve)에 의해 척추 균형이 유지되는 경우를 대상이라고 하며 변형에 의해 척추 균형이 유지되지 못하는 경우를 대상실조라고 한다. 척추의 변형은 크기, 부위, 방향, 원인 등에 의해 분류될 수 있다. 척추측만증 및 전만증의 원인에 의한 분류는 다음과 같으며 척추후만증의 분류도 척추측만증과 유사하다.

1. 구조성 측만증(structural scoliosis)
   - A. 특발성(idiopathic)
   - B. 신경근육성(neuromuscular)
   - C. 선천성(congenital)
   - D. 신경섬유종증(neurofibromatosis)
   - E. 간엽조직성(mesenchymal disorders): Marfan 증후군, Ehlers-Danlos 증후군, 기타
   - F. 류마토이드 질환(rheumatoid disease): 연소기 류마토이드 관절염, 기타
   - G. 외상(trauma): 골절 이후, 수술 후(추궁절제술 후, 흉곽 성형술 후 등), 방사선 조사 후
   - H. 척추외 구축(extraspinal contractures): 폐농양 후, 화상 후 등
   - I. 골연골이영양증(osteochondrodysplasia): diastrophic dwarfism, mucopolysaccharidosis, 척추골단이형성증(spondylometaphyseal dysplasia), 기타
   - J. 골 감염(bone infection, spondylitis)
   - K. 대사성 질환(metabolic disorder): 구루병(rickets), 골형성부전증(osteogenesis imperfecta), homocystinuria, 기타
   - L. 요천추 관절성(related to lumbosacral joint)
     - 척추분리증과 척추전방전위증(spondylolysis and spondylolisthesis)
     - 요천추부 선천성 기형(congenital anomalies of lumbosacral region)
   - M. 종양(tumor): 척추종양, 척수종양

2. 비구조성 측만증(nonstructural scoliosis)
   - A. 자세성 측만증(postural scoliosis)
   - B. 히스테리성 측만증(hysterical scoliosis)
   - C. 신경근 자극(nerve root irritation): 수핵 탈출증, 종양 등
   - D. 염증성(inflammatory)
   - E. 하지길이부동성(related to leg length discrepancy)
   - F. 고관절 구축성(related to contracture around the hip)
3. 후만증(kyphosis)
4. 전만증
   - A. 자세성
   - B. 선천성
   - C. 신경근육성
   - D. 추궁절제술 후
   - E. 고관절 구축에 따른 변형
   - F. 기타

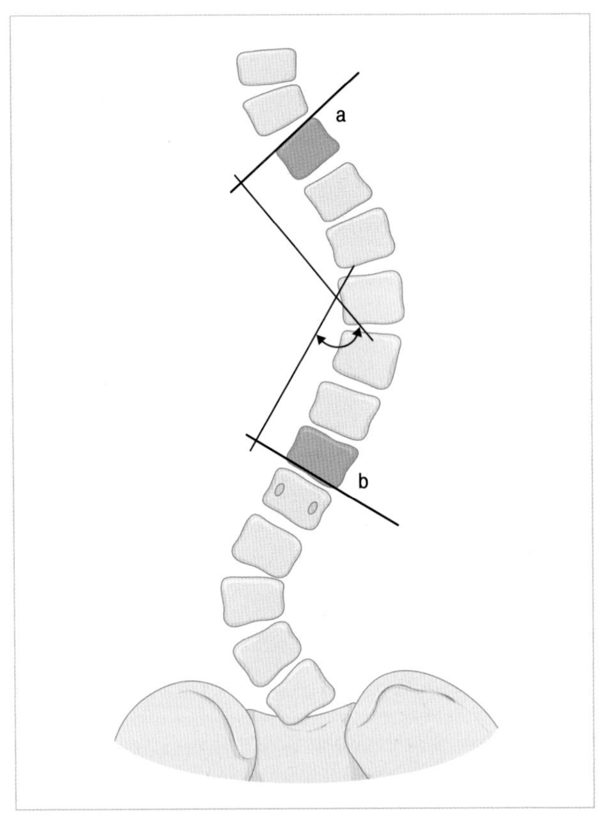

Fig 2. **Cobb 각 측정 방법.**
만곡 내에서 가장 기울어진 상단 추체(upper end vertebra, a)와 하단 추체(lower end vertebra, b)를 정하고, 상단 추체의 상면과 하단 추체의 하면이 이루는 각도로 측정한다.

II. 청소년기 특발성 척추측만증

1. 특발성 척추측만증에 대한 전반적 고찰

- 소아 및 청소년기에 가장 흔한 척추 변형의 형태로 전체 측만증의 약 85%를 차지하며 청소년기 집단 전체 인구의 약 1.5-3%에서 발견된다. 우리나라에서는 Suh 등(2011)이 10-14세 사이의 청소년 113만 명을 대상으로 조사한 연구에서 3.26%로 확인된 적이 있다.
- 건강하고 측만증과 관련된 다른 질환이 없으며, 측만증 발생의 원인도 밝힐 수 없는 경우 특발성 측만증으로 분류한다.
- 특발성 측만증에서 가장 흔한 만곡의 형태는 우측 첨부를 가진 흉부 만곡(thoracic curve with right apex)으로, 특별한 증상이 없기 때문에 대개 몸통의 좌우 비대칭(trunk asymmetry)이나 늑골 돌출(rib hump)을 주소로 내원하거나 흉부방사선 사진 등에서 우연히 발견되어 내원한다.
- 늑골 돌출고는 추체의 회전 변형에 의해 늑골이 함께 회전되어 나타나는 변형으로 기립 상태에서는 잘 확인되지 않더라도 전방 굴곡 시 잘 관찰될 수 있는데 이를 Adam's forward bending test라고 하며 늑골 돌출고의 높이 및 경사각을 전방 굴곡 상태에서 측정한다Fig 3.
- 측만증에 대한 그 외의 신체 검사로서 기립 상태에서 제7경추 극돌기에서 내린 수선이 엉덩이 주름(gluteal fold)를 통과하는지를 보고 척추의 관상면 균형이 유지되는지 확인하는 것이 중요하며, 역시 기립 상태에서 어깨 높이의 차이, 어깨선 비대칭 또는 승모근의 두드러짐(trapezius fullness), 허리선의 비대칭 등을 관찰해야 한다.
- 특발성 측만증을 의심하는 경우라도 처음 내원 시에는 신경학적 검사를 철저히 하고 통증의 수반 여부, 피부의 비정상적인 체모나 함몰, 밀크 커피색 반점(cafe au lait spot), 연부 조직 종괴, 운동 기능, 심폐 기능 등에 대한 소견도 확인하여 다른 원인이 있는 속발성 측만증의 가능성을 배제하여야 한다.

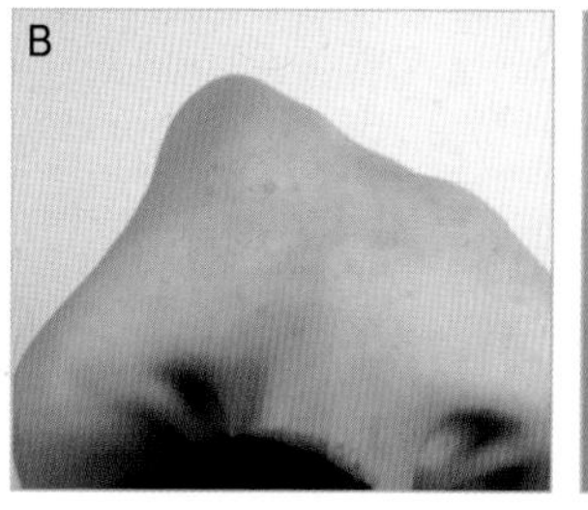

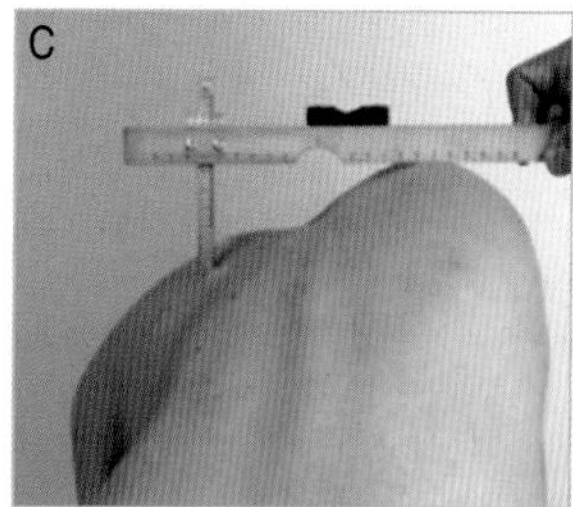

Fig 3. **Adam's forward bending test.**
A: 환자의 후방과 전방에서 늑골 돌출고(rib hump)를 관찰한다. B: 전방에서 관찰하면 상부 흉추 만곡에 의한 늑골 돌출고를 관찰하기 적합하다. C: 후방에서 관찰하면서 돌출고의 높이를 측정하고 있다.

1) 분류

(1) 진단 연령에 따른 분류

- 유아기형(infantile): 3세 이전에 발견
- 연소기형(juvenile): 3-10세 사이에 발견
- 청소년기형(adolescent): 10-18세 사이에 발견
- 성인형(adult): 18세 이후에 발견

2) 병인

특발성 척추측만증의 병인에 대하여서 아직 명확하게 밝혀진 것은 없으며 다인자성(multifactorial) 유전, 성장, 생화학적 및 신경 근육성 요인들이 모두 관여할 것으로 생각된다.

* 유전자 관련: 부모가 모두 특발성 척추측만증이 있는 경우 자식에서 척추측만증의 발병률은 50배 증가하는 것으로 알려져 있으며, 일란성 쌍둥이 환자에 대한 연구에서 유전자의 영향을 38%, 환경의 영향을 62%로 보고하고 있다. 최근에는 유전체 서열 분석 방법을 동원하여 관련 유전자들을 찾고자 하는 연구가 시도되고 있다.

* 내분비설(Lowe 2000)

- 성장호르몬: 성장호르몬 치료 환자의 일부에서 급격한 척추측만증이 발생한다.
- Melatonin: 진행성 측만증 환자군에서 안정성 측만증 및 정상군에 비해 야간에 melatonin 수치가 35% 감소. melatonin의 작용은 성장호르몬에 의해 중재된다.
- Calmodulin: 칼슘 결합 수용체 단백질로 근육의 수축성 조절. 진행성 측만증 환자군에서 혈소판 내 calmodulin 수치가 증가되어 있다. 최근 melatonin이 calmodulin의 작용을 조절한다고 알려졌다.

* 태아 때의 이상 자세: 유아기 척추측만증에서 사두증(plagiocephaly)의 빈도가 높고, fetal moulded baby syndrome (17장 발달성 고관절 이형성증 참조)의 일환으로 나타날 수 있다.

* 기타: 추간판이나 근육 내의 glycosaminoglycans의 이상, 인대 내의 교원질 대사 이상, 자세와 평형 감각의 이상 등이 있다.

* 만곡의 진행: Heuter-Volkmann의 법칙에 따라 철측(convex side)에서는 신연력에 의하여 성장이 더욱 촉진되고 요측(concave side)에서는 압박력에 의하여 성장이 억제된다.

3) 치료받지 않은 측만증의 자연경과Fig 4

- 1968-1969년 Nilsonnoe, Nachemson, Collis 등은 각각 독립적인 연구에서 척추측만증 환자를 치료하지 않고 방치할 경우, 정상인에 비하여 약 2배의 사망률을 보이며 요통의 빈도도 상당히 높고 노동 능력, 결혼 생활이나 일상 생활에서의 적응도 등에서 심각한 문제를 나타낸다고 보고하였다.
- 2003년 Weinstein 등이 청소년기 특발성 척추측만증이 있지만 치료받지 않은 환자를 50년 이상 추시한 연구

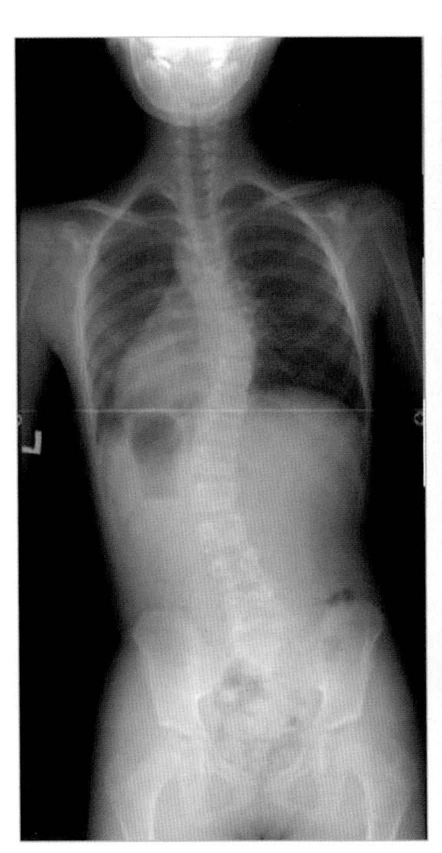
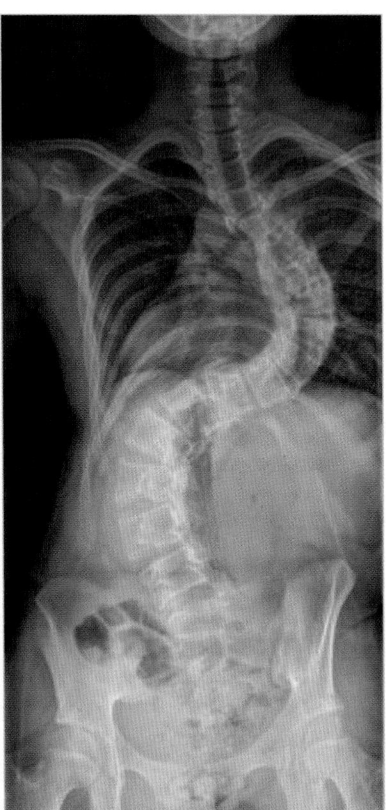
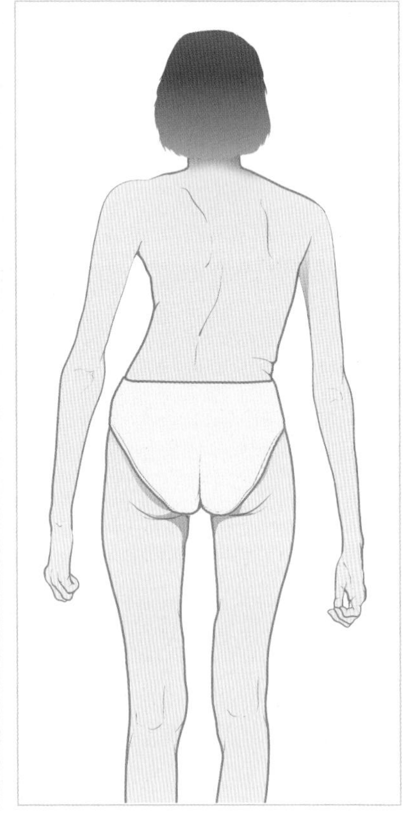

Fig 4. **청소년기 특발성 척추측만증 환자가 치료받지 않은 경우에서 측만증이 진행된 예.**

에 따르면 골성숙 이전에 40-50도 이상의 변형 발생시 일생 동안 연평균 1도씩 만곡이 증가하며, 만성 요통의 발생이 높지만(62%:17%) 요통의 정도는 특별히 더 심하지는 않다. 흉추 만곡이 80도 이상 있는 경우 호흡 기능에도 영향을 미친다고 하였다. 하지만 생존율, 일상 생활 기능 등의 측면에 있어 일반인과 큰 차이가 없는 것으로 보고하였다.

4) 척추측만증으로 초래되는 문제들

(1) 요통

- 척추측만증 환자에서 가장 흔한 증상이나 일반인에서도 흔한 증상이므로 척추측만증과의 인과 관계를 확인하기 어렵다.
- 요통의 발병률이나 정도는 만곡의 위치, 크기, 퇴행성 변화 등과 상관 관계가 적다.
- 요추 또는 흉요추 만곡에서 하단 척추(lower vertebra)에 측방전위(lateral spondylolithesis)가 있을 때에는 요통이 심하다.
- 치료받지 않은 특발성 측만증(neglected idiopathic scoliosis)과 퇴행성 척추측만증(degenerative scoliosis)의 감별이 필요하며, 후자에서 요통이 더 심하다.

(2) 만곡의 진행

- 흉추 만곡은 50도, 요추 만곡은 30도 이상인 경우 골성숙 이후에도 진행할 가능성이 있다.

(3) 폐기능 저하

- 중등도 이하의 특발성 척추측만증에서 폐기능 저하가 문제가 되는 경우는 드물지만, 심한 흉추 만곡에서는 Cobb 각과 PaO2 사이에 관련이 있고, 흉추 만곡이 80도 이상인 경우 숨이 차는 증상과 관련이 있다고 보고된다. 90도 이상의 흉추 만곡이 있는 경우 폐활량이 현저하게 감소되며 폐성심(cor pulmonale)에 의한 사망률도 정상인의 2배에 이른다고 알려져 있다.
- 폐포(pulmonary alveoli)나 폐 혈관계의 발달은 태어난 이후에도 5세 무렵까지 계속된다. 따라서 5세 이전에 측만증이 생기면 호흡기 계통이 제대로 발육하지 못하여 호흡 기능 장애가 발생할 수 있다(Dickson 1985).
- 흉추 저후만(thoracic hypokyphosis) 또는 흉추 전만(thoracic lordosis)이 같이 있는 척추측만증에서는 폐기능이 심하게 저하될 수 있으므로 흉추 후만을 회복시키는 것이 수술의 목적 중 하나이다.

(4) 심리적 문제

- 척추측만증은 부정적 신체상(body image), 심리사회적 기능(psychosocial function) 및 건강 관련 삶의 질(health-related quality of life)의 저하를 초래한다.
- 청소년기 척추측만증 환자의 심리적 문제는 늦은 치료시기, 보조기 착용, 내향적 혹은 신경증적 성격, 가정문제 등에 의해 악화될 수 있으며 적절한 심리적 개입, 운동 등에 의해 호전될 수 있다.
- 성인의 척추측만증은 심리적인 문제를 동반하는 경우가 드물지만 청소년기 척추측만증은 심리적인 문제를 동반하는 경우가 많다.

(5) 신경학적 증상

- 특발성 측만증에서는 문제가 되는 경우는 드물며 신경학적 증상이 있는 경우 신경계통의 이상을 동반한 속발성 측만증을 의심하고 MRI 등의 검사를 시행해야 한다.

5) 만곡의 진행

척추측만증이라는 용어는 관상면에서의 이차원적인 변형을 지칭하지만 모든 구조적 측만증은 시상면과 수평면 모두에서 변형이 있는 삼차원적인 변형이다. 많은 환자에서 늑골 돌출고(rib hump)가 있어서 척추 후만이 동반된 것처럼 보이지만, 측만곡 내의 척추체들은 회전변형이 되어 있으므로 각 척추체의 시상면 상에서 보면 전만 변형을 가지고 있다. 삼차원적인 관점에서 보면 척추측만증은 전만된 척추가 회전 변형해서 측만 변형이 나타난 것으로 볼 수 있으며, 만곡이 진행하는 것은 전만 변형이 점점 커지면서 회전되는 것이다.

(1) 정의

- 작은 만곡은 6-8개월마다 추시하고, 큰 만곡은 3-4개월마다 추시한다. 작은 만곡은 10도, 큰 만곡은 5도 이상 증가할 때 진행하였다고 한다.
- Cobb의 방법은 측정하는 사람에 따라 5-7도 정도의 차이가 날 수 있으며, 방사선 사진을 찍은 시간에 따라 아침과 저녁 사이에도 5-10도의 차이가 날 수 있다는 점을 유념해야 한다.

성장에 관한 요소

① 환자의 나이가 어릴수록 진행을 잘 한다.
② 초경(menarche) 이전에 진행을 잘 한다.
③ Risser 등급이 낮을수록 진행을 잘 한다.
④ 여자에서 남자보다 10배 정도 진행을 잘 한다.

(2) 만곡 진행에 관여하는 요소

- Tanner 지표(Tanner scale)
  - 남자의 경우 성기와 치모의 발육 상태를, 여자의 경우 유방과 치모의 발육 상태를 단계별로 나누어 성장의 지표로 삼은 것으로 성장이 왕성한 사춘기의 발육 상태를 잘 나타내 준다(부록 13 참조).
- **만곡에 관한 요소**
  - 이중 만곡(double curve)이 단일 만곡보다 잘 진행한다.
  - Cobb 각이 클수록 잘 진행한다.
  - 흉추 저후만(hypokyphosis) 또는 전만이 있을 때 잘 진행한다.

(3) 만곡 진행의 예측(Lonstein 1984)

- Risser 등급Fig 5과 Cobb 각을 이용하여 만곡이 진행할 확률을 계산하였다Table 1. Cobb 각도가 20도 이상이고 Risser 0-1 등급인 환자들은 만곡 진행 가능성이 68%이므로 주의 깊은 관찰과 치료를 요한다.
- Little 등(2000)은 특발성 측만증 여아의 최대 성장 속도(peak height velocity)가 다른 성숙 지표 즉, 역연령, 초경연령, 그리고 Risser 등급보다 만곡의 진행 예측에 보다 정확한 지표가 될 수 있으며 척추 유합술 등의 수술

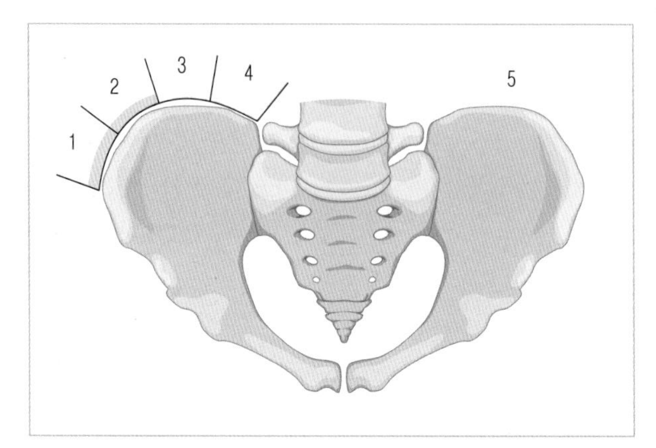

Fig 5. **Risser 등급.**
장골익 골단(iliac crest apophysis)이 형성되지 않았으면 0등급, 완전히 유합되면 5등급이고, 부분적으로 골화되었을 때는 장골능을 4등분하여 1부터 4등급 사이로 평가한다.

Table 1. **만곡이 진행할 확률(Lonstein 1984)**

Risser grade Curve	Magnitude (degrees)	
	5-19	20-29
0-1	22%	68%
2-4	1.6%	23%

시기 결정에도 도움을 줄 수 있을 것이라 하였다. Song 등(2000)은 보조기로 치료한 특발성 측만증 남아에서 최대 성장 속도 시 만곡의 크기가 30도 이상인 경우 전례가 45도 이상의 진행을 보인 반면, 30도 이하인 경우 약 14%만이 45도 이상의 만곡을 나타내었다고 하여 Little 등의 연구를 뒷받침하였고, 남아에서는 삼방연골(triradiate cartilage)의 유합이 최대 성장 속도와 일치한다고 주장하였다.

(4) 성장 완료 후의 만곡 진행

약 68%에서 만곡이 진행되며, 골성숙 이전에 40-50도 이상의 변형 발생시 일생 동안 연 평균 1도씩 만곡이 증가한다(Weinstein 1986, 2003).

성장 완료 후 만곡 진행의 위험인자

① 50도 이상의 흉추만곡
② 30도 이상이며 첨단 추체(apical vertebra)가 30% 이상 회전

6) 영상의학적 검사

측만증을 진단하기 위하여 사용되는 방법 중에는 단순 방사선검사, 입체적인 광학 시스템과 컴퓨터 등을 이용한 Moire topography, Raster stereophotography, integrated shape investigation system (ISIS), thermography 등이 있다.

(1) 단순 방사선검사

- 가장 중요한 검사로 척추 변형의 원인을 어느 정도 파악할 수 있으며 변형의 종류, 부위, 크기, 만곡의 유연성, 환자의 성장 상태들을 알 수 있다.
- 방사선 노출을 줄이기 위해 매 환자마다 꼭 필요한 최소한의 사진을 촬영해야 한다. 생식기에 방사선 조사(irradiation)를 받았을 경우, 방사선은 축적되지 않으며 약 4-6개월이 지나면 그 효과는 없어진다. 이에 반하여 생식기 이외의 신체 장기에 방사선 조사가 반복될 경우 축적되는 효과(cumulative effect)를 보이며 유방이 가장 민감한 장기이고 골수와 갑상선도 민감한 장기이다.
- 전후방 사진(anteroposterior view)보다는 유방에의 방사선 조사를 줄이기 위하여 후전방 사진(posteroanterior view)이 더 많이 사용되며 삼차원적인 평가를 위하여 측방 사진도 같이 촬영한다.
- 측만증의 초진을 위해서는 기립 사진(standing radiograph)을 찍어야 한다.
- 정확한 각도를 알기 위해서는 기립 상태에서 척추 전장사진(whole spine radiograph)을 찍는 것이 필수적이다. 일어서지 못하는 환자에서는 앉은 상태에서 검사를 한다.
- 기립 사진은 2미터의 거리에서 찍는데 척추 전장을 포함하기 위하여 보통 14×36 인치의 필름을 사용하며 소아에서는 14×17 인치를 사용하기도 한다.
- 측만증에서는 단순 방사선 사진을 환자의 등 쪽에서 본 것과 같이, 즉 환자의 오른쪽이 사진의 오른쪽에 오게 하여 촬영을 한다.
- 보조기 착용이나 수술이 필요한 경우 굴곡(bending) 후전방 사진으로 만곡의 유연성을 판정한다.
- 신경근육성 환자에서 근육의 힘이 약하여 능동적으로 만곡을 교정하지 못할 때에는 견인을 한 상태에서 만곡의 유연성을 알아본다.

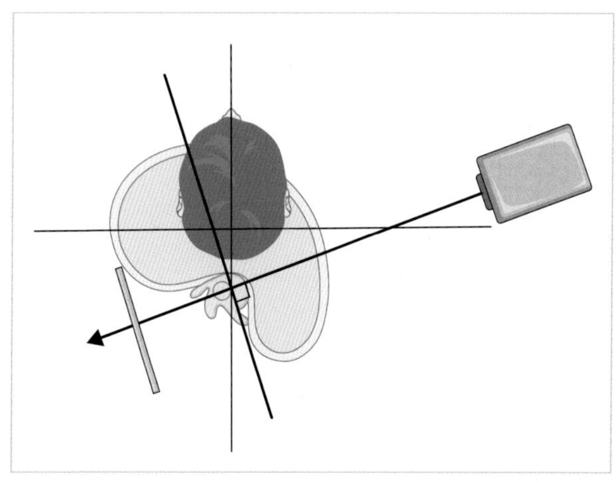

Fig 6. **Stagnara 반회전 영상 촬영법.**
필름 카세트를 늑골 돌출고(rib prominence)의 내측면에 평행하게 위치하고 X-ray 광선이 이에 직각으로 조사되도록 촬영한다.

(2) 특수 촬영법

① Ferguson 영상: X-ray tube를 환자의 다리에서 머리쪽으로 30도(남자) 혹은 35도(여자)로 기울여서 촬영한다. 요천추(lumbosacral) 이행부를 잘 볼 수 있다.

② Stagnara 반회전 영상(derotated view)Fig 6: 100도 이상의 큰 만곡에서는 회전 변형 때문에 후전방 촬영 시 진성 기형(true deformity)을 관찰하기 어려우므로 이러한 회전 변형 효과를 제거하는 촬영이 필요하다. 첨부 척추의 진정한 관상면상(coronal view)으로 정점 부위 추체의 구조를 잘 파악할 수 있다.

* 회전변형의 측정방법
- Nash & Moe 방법Fig 7
- Pedriolle 방법Fig 8

척추측만증에서 MRI 검사의 적응증

① 통증의 기왕력
② 조기 발생한 만곡
③ 신경학적 이상
④ 희귀한 만곡 형태: 좌흉추 만곡
⑤ 빠른 만곡의 진행

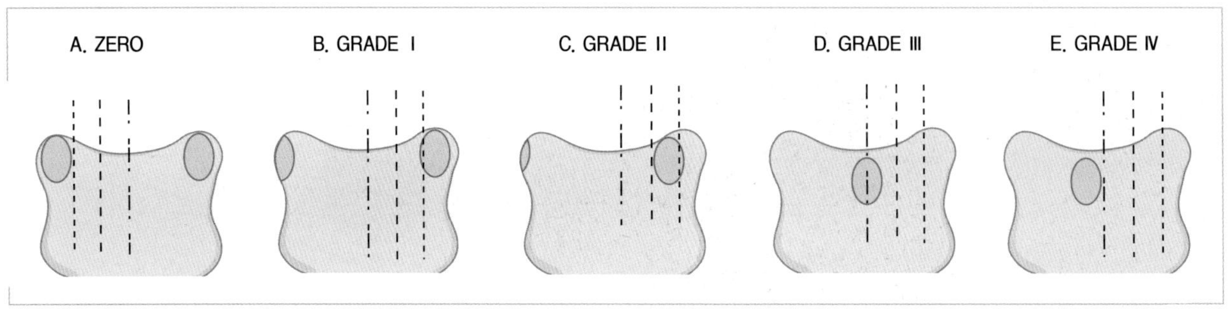

Fig 7. **추체의 회전을 평가하기 위한 Nash와 Moe의 방법.**
A: Zero rotation. 척추경 음영은 추체의 양측에서 같은 거리에 위치한다. B: Grade I rotation. convexity의 척추경 음영이 척추체의 말단으로부터 멀어진다. C: Grade II rotation. grade I과 grade III의 중간 단계. D: Grade III rotation. 척추경 음영이 추체의 중심선에 근접한다. E: Grade IV rotation. 척추경 음영이 추체의 중심선을 건너간다.

2. 청소년기 특발성 척추측만증의 치료

- 치료에 앞서서 비특발성(nonidiopathic) 만곡이 아닌지 확인한다. 특히, 좌흉추 만곡에서는 약 20%에서 척수 내 병변(intraspinal pathology)이 있으므로 MRI 검사를 통한 추가적인 확인이 필요하다Fig 9.
- 초경의 의의(1장 성장기 근골격계의 기초지식 참조): 척추변형 진행 위험성이 가장 큰 시기이다. Risser 1 등급은 대체로 초경의 시기와 일치하며 초경 후 6개월 경과마다 Risser 등급이 대략 한 단계 진전한다. 남자에서는 액와모(axillary hair)가 나타나고 면도를 시작하는 시기가 여자의 초경과 일치한다.

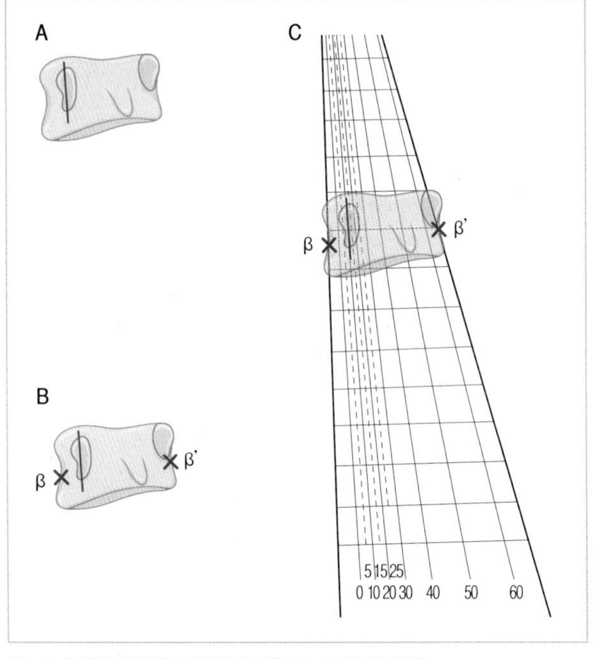

Fig 8. **추체의 회전을 평가하기 위한 Pedriolle의 방법.**
첨부 추체의 convexity에 위치한 척추경이 기준이 된다. 척추경의 최대 직경α를 표시하고(A), 추체의 양측 경계부의 오목한 부위(β와 β')를 표시한 후(B), torsiometer를 추체 위에 겹쳐서 두 개의 두꺼운 기준선이 β와 β'를 통과하도록 하고 척추경선 α가 통과하는 눈금을 측정하면 된다(C). 그림의 추체는 약 10도의 회전을 보인다.

1) 보조기 치료

(1) 적응증

적어도 6개월에서 1년의 잔여 성장이 남아 있을 때 적응이 된다. 따라서 가능하면 Risser 2 등급 이내이며 초경 이전(premenarche) 혹은 초경 후 1년 이내인 환자여야 한다.

- 성장기의 30-40도 만곡
- 25-29도의 진행성 만곡

(2) 금기증

- 성장 완료 또는 완료에 임박한 환아
- 45도 이상의 만곡
- 진행하지 않는 25도 이하의 만곡
- 흉추 전만(thoracic lordosis)이 동반된 경우
- 보조기 착용하기에 부적절한 가정 환경

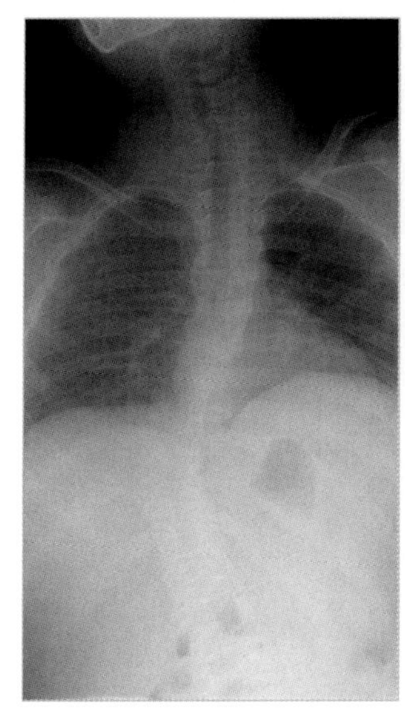
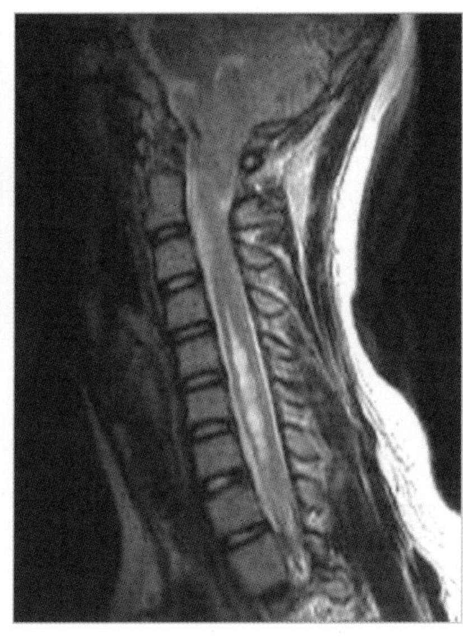

Fig 9. 특발성 만곡으로 생각되었으나 복부 반사의 손실을 보였던 환자로서 MRI 검사로 척수공동증(syringomyelia)을 발견할 수 있었다.

(3) 보조기의 종류

- Milwaukee 보조기: 첨단 추체(apical vertebra)가 제8흉추 이상인 흉추 만곡 또는 흉추 이중만곡
- TLSO: 첨단 추체가 제8흉추 이하인 흉추 만곡, 흉요추 만곡, 요추 만곡

(4) 보조기 착용 시 주의할 점

- 굴곡 검사에서 만곡 교정이 50% 이하인 만곡에서는 예후가 좋지 않다.
- 보조기 착용 6개월 내에 50% 이상의 만곡 교정이 있을 때는 좋은 결과가 기대된다.
- 추시는 4개월마다 하며 시상면에서 흉추 저후만(thoracic hypokyphosis)이 생기는지 주의한다.

(5) 보조기 치료의 중단

- 키가 더 이상 크지 않고
- Risser 4등급이며
- 초경으로부터 12-18개월 경과한 후

(6) 보조기 치료의 결과

- 대개 보조기 착용 6개월 이내 만곡 교정이 가장 크며 평균 50% 정도 교정된다.
- 이후 차차 교정 소실되어 보조기 치료 종료 시 약 15% 정도의 만곡 교정이 유지된다.
- 치료 종료 후 2년에 원래 각도로 돌아간다.
- 결국 보조기 치료는 만곡 진행 억제 목적이며 교정 효과는 기대할 수 없다(Carr 1980).

2) 수술적 치료

수술 결정은 Cobb 각뿐 아니라 잔여성장(growth potential), 만곡 진행의 가능성 등을 함께 고려하여야 한다. 청소년기 척추측만증에 대한 수술적 치료는 근본적으로 내고정 기기를 이용한 유합술이며 유합의 범위를 결정하는 것이 중요하다. 흉추는 유합하여도 운동 범위의 손실이 적지만 요추에서는 유합술로 전체 척추 운동 범위가 크게 감소하므로 가능한 한 유합 범위를 최소화하여야 한다.

(1) 수술적 치료의 적응증

- 미성숙 환아에서 40-45도 이상의 만곡
- 보조기 치료에도 불구하고 계속 진행하는 만곡
- 성숙이 완료된 청소년에서 50-60도 이상의 만곡

(2) 유합 범위를 결정하는 원칙

* Moe & Goldstein은 Harrington 기기를 이용하여 수술을 할 때 유합 범위를 결정하는 원칙을 다음과 같이 제시하였다.

① 모든 주만곡을 유합한다. 주만곡 내의 모든 척추분절을 유합한다.
② 만곡 상단의 중립 회전된(neutrally rotated) 분절에서 하단의 중립 회전 분절까지 유합한다.
③ 유합 범위의 하단(lower end) 분절은 천추(sacrum) 위에서 균형 있게 있으며 안정대(stable zone) 안에 위치하여야 한다Fig 10.

* 안정 척추 분절(stable vertebra)과 안정대(stable zone)

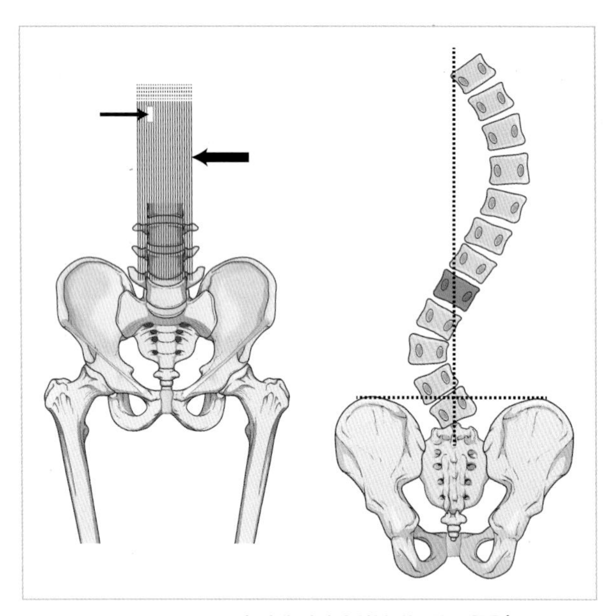

Fig 10. **Center sacral line과 이에 의해서 양분되는 안정 척추(stable vertebra).**

천추(sacrum)의 중간에서 수직으로 올린 선(center sacral vertical line)이 추체를 양분(bisect)하는 척추 분절이 안정 분절이다Fig 10. 이 안정 척추 분절(stable vertebra)이 유합 범위의 하단에 포함되도록 하여야 하며, 이에 미치지 못하는 경우 유합 범위 밖의 분절이 만곡의 일부로 편입되어 만곡이 길어지는 adding-on 현상이 생길 위험이 있다.

* 흉추 만곡(thoracic curve)에 대한 King의 분류(1983) Fig 11

King & Moe는 척추 만곡의 형태에 따라 분류하고 구조적 만곡(structural curve)은 유합하고 보상성 만곡(compensatory curve)은 유합하지 않는 선택적 유합술(selective fusion)의 개념을 도입하였다.

① 제1형
- 흉부 만곡과 요부 만곡으로 이루어진 이중 만곡
- 두 개 모두 주 만곡(major curve)으로 진성 이중 만곡(true double curve)이라 한다.
- 두 개의 만곡 모두 유연성이 적지만 요부 만곡이 더 경직된 소견을 보이고 만곡의 각도도 더 크고, 두 만곡 모두 정중선을 벗어난다.
- 두 만곡 모두 유합한다.

② 제2형
- 정중선을 벗어나는 흉부 만곡과 요부 만곡으로 이루

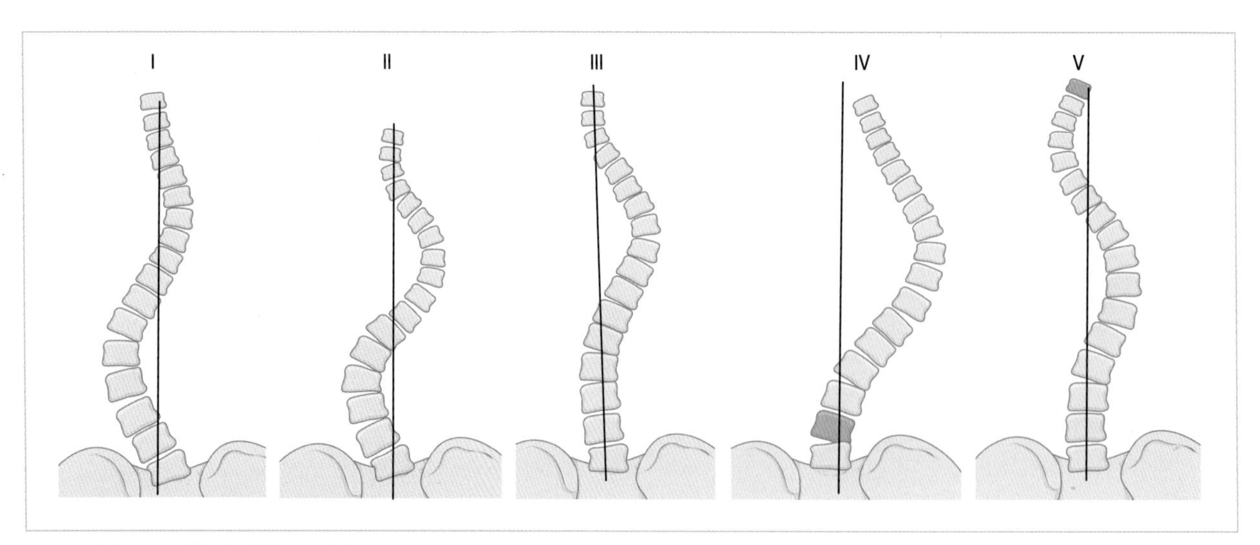

Fig 11. **특발성 흉추 만곡에 대한 King의 분류.**

어진 이중 만곡이지만 제1형과는 달리 흉부 만곡의 각도가 더 크고 유연성이 떨어지는 주된 만곡

- 요부 만곡은 주 만곡이 아니라 흉부 만곡에 대한 보상 만곡(compensatory curve)으로서 흉부 만곡을 교정하는 경우 저절로 교정이 되는 경우가 많아 가성 이중 만곡(false double curve)이라고 부르기도 한다.
- 흉추 만곡만 선택적으로 유합한다.

③ 제3형

- 단일 흉부 만곡으로 대상실조가 별로 없는 상태이며 요추 만곡이 정중선을 벗어나지 않는다.
- 흉추 만곡만 유합한다.

④ 제4형

- 긴 흉부 만곡으로 제4요추가 만곡의 볼록한 방향으로 기울여져 있으며 대상실조가 흔히 나타난다.
- 안정분절까지 유합하는데 대개 제4요추까지 유합한다.

⑤ 제5형

- 이중 흉부 만곡(double thoracic curve)
- 하부 흉추에서는 우측 만곡, 상부 흉추에서는 좌측 만곡의 형태를 취하고, 제1흉추가 상부 만곡의 볼록한 방향으로 기울어져 있다(positive T1 tilt).
- 상부 흉추 만곡의 유연성이 더 적고, 좌측 어깨 혹은 승모근이 두드러져 보인다(trapezius fullness). 이외에도 좌측 견관절부와 제1늑골이 우측보다 높고, 회전이 동반된 만곡이 35도 이상이며 굴곡 사진에서 20도 이상의 만곡을 보인다. 견관절부의 높이보다 제1늑골의 기울기와 승모근(trapezius)의 두드러짐이 보다 민감한 요인이므로 잘 관찰해야 한다.
- 두 개의 흉추 만곡을 모두 유합한다.

* King 분류의 문제점

- 제1형과 제2형을 구별하는 것이 중요하지만 그 구분이 쉽지 않은 경우가 있다.
- 제5형 만곡에서 제1흉추 경사(positive T1 tilt) 자체보다는 좌측 어깨 상승(left shoulder elevation)이 더 중요하다. Lee 등(1993)은 positive T1 tilt가 좌측 어깨 상승과 연관 관계가 없으며 이중 흉추 만곡을 가진 환자 중 좌측 어깨 상승이 있거나, 양측 어깨 높이가 균형을 이루더라도 상부 흉추 만곡이 견고한 경우 상부 흉추 만곡의 유합이 필요하다고 하였다.
- Lenke 등(1994)은 상부 흉추 만곡 교정 및 유합의 기준으로 상부 흉추 만곡의 크기가 30도 이상이며 굴곡 검사에서 20도 이상 남는 경우, 1 등급 이상의 회전 혹은 만곡 첨부의 1 cm 이상 전이(translation), 좌측 어깨 상승이나 T1 tilt가 있는 경우, 전이 척추(transitional vertebra)가 T6 이하인 경우를 들었다.
- King(-Moe) 분류는 흉추 만곡만을 대상으로 하여 흉요추(thoracolumbar curve), 요추(lumbar curve), 삼중 만곡(triple curve) 등이 포함되어 있지 않고, 시상 만곡(sagittal curve)을 고려하지 않은 문제가 있으며, 관찰자내 및 관찰자 간의 일치도가 낮은 것으로 보고되고 있지만, 간단하여 아직도 많이 사용되고 있다.

* 특발성 척추측만증의 흉추 만곡에 대한 Lenke 분류

① 만곡 유형에 따라 총 6개의 군으로 나눈다Table 2.

② 요추 변형에 따라서(lumbar spine modifier) A, B, C형을 구분한다.

- 2 cm 이상의 하지길이부동은 wood block으로 교정하고 척추 전후방을 촬영한다.
- 천추(sacrum) 중심에서 상방으로 수직선을 긋는다(center sacral vertical line, CSVL).
- CSVL이 요추 첨부 추체를 지나가는 양상에 따라서 A, B, C로 구분한다Fig 12.

③ T5-T12의 흉추 시상면상 변형(thoracic sagittal profile)에 따라서

- 10도 미만을 "-"
- 10도-40도 범위를 "normal"
- 40도 초과를 "+"로 표시한다.

* 예시: 이중 흉부 만곡을 가지고(curve type 2), 중심 천추 수직선(CSVL)이 요추 첨부 추체에 대해 완전히 내측을 지나며(lumbar spine modifier C), T5-T12까지의 후만각이 50도(thoracic sagittal profile +)인 경우 "2C+"로 표시한다.

Table 2. **Lenke 분류에서의 만곡 유형**

Curve type	Description	Charactieristic curve patterns		
		Proximal thoracic	Main Thoracic	Thoracolumbar or lumbar
1	Main thoracic	Non-structural	Structural (major)	Non-structural
2	Double thoracic	Structural	Structural (major)	Non-structural
3	Double major	Non-structural	Structural (major)	Structural
4	Triple major	Structural	Structural (major)	Structural
5	Thoracolumbar or lumbar	Non-structural	Non-structural	Structural (major)
6	Thoracolumbar or lumbar, main thoracic	Non-structural	Structural	Structural (major)

* Criteria of "structural": side bending Cobb ≥ 25°/ kyphosis ≥ +20° at T2-T5 (proximal thoracic) or at T10-L2 (main thoracic/thoracolumbar/lumbar).
* Major: largest Cobb measurement, always structural.

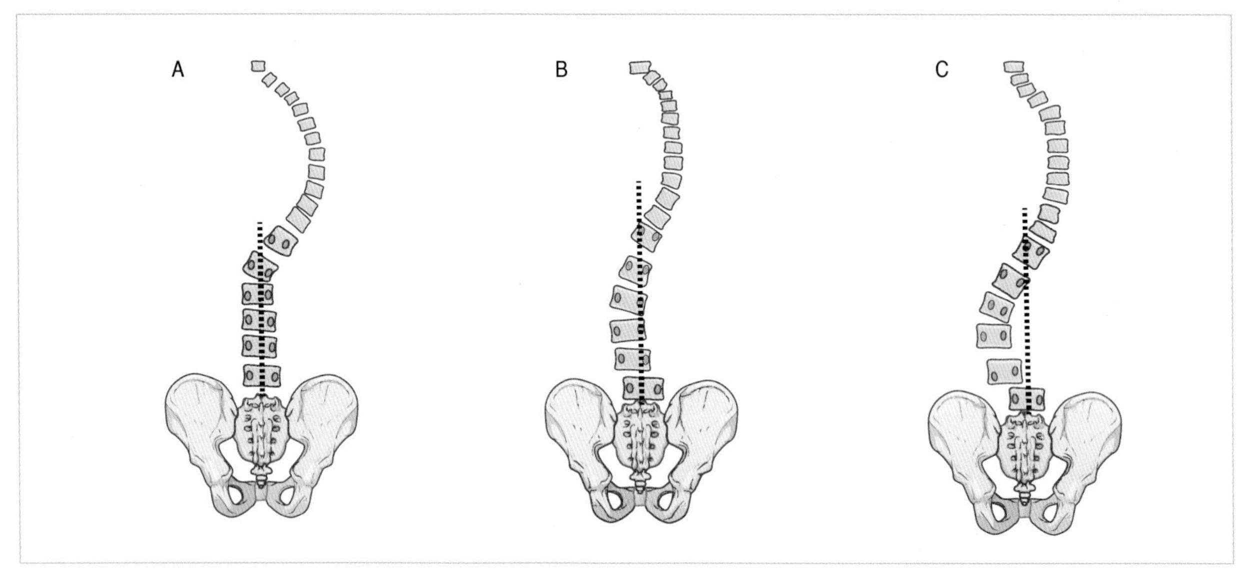

Fig 12. **Lenke 분류의 lumbar spine modifier.**
A: CSVL이 천추에서 안정 척추분절까지 척추경(pedicle) 사이를 통과한다. B: CSVL이 요척추의 요측(concave side) 척추경과 요추 만곡 첨단 척추체의 요측 경계 사이를 통과한다. C: CSVL이 요추 만곡 첨단 척추체보다 안쪽으로 통과하여 접촉하지 않는다.

* King 등의 분류보다 포괄적이고 관찰자 내 및 관찰자 간 신뢰도가 비교적 높은 것으로 평가되나, 지나치게 많은 아형으로 분류하여 복잡하다는 비판을 받고 있다.

(3) 시상면 변형(sagittal deformity)에 대한 고려

최근 시상면 변형의 교정에 많은 관심이 집중되고 있다. 특히 흉추 전만은 다른 변형과 달리 흉곽(chest cage)의 부피를 작게 만들어 직접적으로 호흡 장애를 일으킬 수 있다는 점 때문에 그 심각성이 인식되고 있다. 수술적인 치료도 용이하지 않아 현재로서는 가장 효과적인 방법은 전방 유리술(anterior release)을 시행하고서 후방 기기술과 유합술을 시행하는 것이다.

(4) 수술적 치료의 결과와 합병증

- 수술을 통한 Cobb 각의 교정 정도는 술전 Cobb 각의 40-70%의 교정을 얻는다. 그러나 척추측만증에서 치료의 목적은 단순히 Cobb 각을 적게 만들어 주는 것이 아니며, 3차원적 변형을 관상면, 시상면, 수평면 모

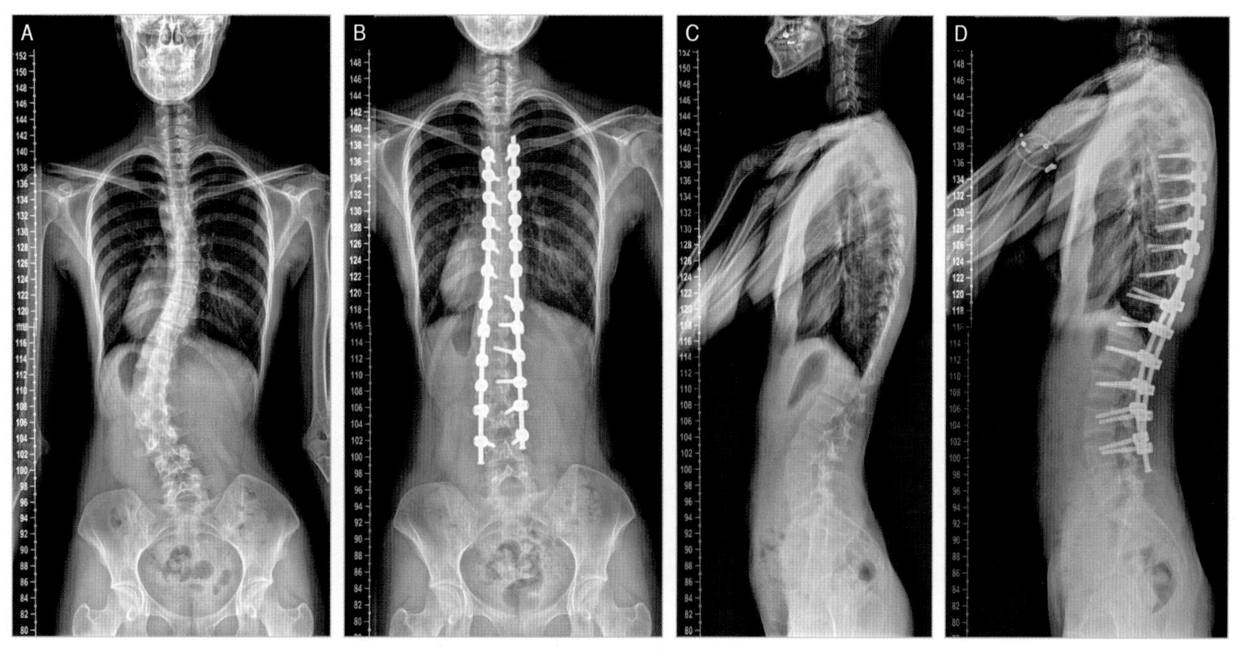

Fig 13. King 제1형 흉추-요추 이중 만곡인 특발성 척추측만증을 CD 기기술과 후방 유합술로 교정하였다. 측만증을 완전히 교정하지 않았지만 관상면(A,B)과 시상면(C,D)에서 균형 잡힌 척추로 교정되었다.

두에서 최상의 균형을 얻는 것이 더욱 중요하다Fig 13.

- 관상면 상의 대상(compensation)이란 양 어깨가 수평을 유지하며, 제7경추가 중심 천추 수직선(CSVL) 상에 위치하는 상태를 말하며, 대상실조(decompensation)란 제7경추가 중심 천추 수직선(CSVL)의 좌측 또는 우측으로 벗어난 상태를 말한다.
- 시상면에서는 대상-대상실조라는 용어보다는 균형(balance)-불균형(imbalance)이라는 용어가 더 많이 사용된다. 기립 측면 방사선에서 제7경추체의 중심에서 내린 수직선(C7 plumb line)이 제1천추 후상부 모서리에서 2.5 cm 이내를 통과하는 것이 정상적인 균형 상태이다.
- Cotrel-Dubousset (CD) 기기 및 흉추 척추경 나사와 같은 강력한 교정력을 제공하는 기기들이 많이 사용됨에 따라 교정력 부족보다는 오히려 관상면 상에서 의인성(iatrogenic) 대상실조가 더 문제가 되고 있다. 이들 기기들은 derotation maneuver를 통하여 척추측만증의 첨단(apex)에서 흉추 후만을 만들어 준다는 장점이 있지만, 이러한 derotation maneuver는, 특히 King 제2형 만곡에서, 대상실조를 초래할 수 있다는 단점이 있다.
- King 제2형 만곡에서는 흉추 만곡만을 교정-유합하여도 요추 만곡은 어느 정도 자연 교정이 되므로 선택적 흉추 유합(selective thoracic fusion)을 하는데, 강력한 기기를 이용하여 흉추 만곡을 거의 완전히 교정하면 요추 만곡의 자연 교정은 이에 미치지 못하여 수술 후에는 요추 만곡이 더 크게 남아 있게 된다.
- 흉추 만곡과 요추 만곡의 추체 회전 방향이 서로 반대로 되어있는데, 흉추를 과도하게 derotation하게 되면 그 회전력이 요추에 미쳐 회전 변형을 오히려 악화시켜 수술 전과는 반대의 변형이 생기게 된다.
- 제5형 만곡에서 하부 흉추 만곡만을 교정하는 경우 또는 제2, 3, 4형에서 안정 척추 분절에 못 미치거나, 이보다 너무 많이 유합하는 경우도 대상실조의 원인이 될 수 있다.
- 척추측만증의 치료에 있어서 무엇보다 중요한 것은 신경학적 합병증을 만들지 않고 안전하게 치료하는 것이다. 강력하고 복잡한 기기들을 많이 사용하게 됨에 따라 만곡의 교정이나 균형을 잘 치료할 수 있게 되었으나 이에 반하여 신경학적 합병증의 발생도 증가하게 되었다. 수술 방법을 결정하는데 기기의 선택에 따른 신

경 합병증의 발생 가능성도 고려하여야 한다. SRS의 보고에 따르면 Harrington system 0.23%, sublaminar wiring 0.86%, CD system 0.60%, 전체적으로는 0.26%의 신경학적 합병증이 발생한다고 한다.

III. 청소년기 척추후만증

- 흉추(thoracic spine)의 정상 후만각(kyphosis angle)의 범위에 대해서는 이견이 많지만 성장기 소아에서는 20-45도가 정상 범위이며 45-50도 이상은 비정상적인 후만이라고 생각된다. 또한 흉요추 이행부(thoraco-lumbar junction)나 요추부(lumbar area)에서는 어떠한 후만도 비정상이다.
- 흉추 후만각은 기립 측방 방사선에서 T1의 상부 종판과 T12의 하부 종판의 Cobb 각을 측정하나 어깨에 가려 상부 흉추가 잘 보이지 않으므로, T2부터 T5 중 잘 보이는 흉추부터 T12 사이의 Cobb 각으로 측정할 수 있다.

1. 자세성 척추후만증(postural kyphosis)

청소년기 가장 흔한 척추후만증의 유형으로 불량한 자세가 원인이다. 컴퓨터 사용 시 구부정한 자세, 큰 키나 유방의 발달을 감추려는 자세 등에서 기인하며 자세 교정으로 회복된다. 변형은 유연(flexible deformity)하며 방사선 사진에서 척추체의 쐐기 변형(vertebral wedging) 등의 구조적인 이상 소견은 대개 관찰되지 않는다.

2. 청소년기 척추후만증(Scheuermann disease)

- 요추부 과전만을 동반한 흉추부의 후만증을 특징으로 하는 발달성 척추후만증의 형태로 남녀 간 유병률의 큰 차이는 없으나 남성에서 약간 더 흔하다.
- 흉추부의 후만이 관찰되는 제1형 및 흉요추부 및 요추부의 후만이 관찰되는 제2형으로 나뉘며 제1형에 비해 제2형에서 변형의 진행 및 통증의 동반이 흔하다.
- 통증이 흔히 동반되며 흉추부 변형의 첨부나 하부 요추의 통증을 호소한다. 하지 방사통은 대개 동반하지 않는다.
- 신경학적 증상은 매우 드물다.
- 전방 굴곡 검사(Adam's forward bending test) 시 흉부 후만 및 첨부의 돌출이 잘 관찰되며, 신전 시에도 변형이 교정되지 않는다.
- 고관절 굴곡근(hip flexors), 슬근(hamstrings)의 구축이 흔히 동반된다.

1) 병인

여러 가설이 있지만 정확한 원인은 아직 밝혀지지 않았다. 유전적 요인, 내분비 이상, 영양 결핍, 외상, 감염 등 다양한 요인들이 관여할 것으로 생각된다.

- Scheuermann에 의해 처음 기술되었으며 척추 환골단(vertebral ring apophysis)의 무혈성 괴사로 인한 척추체 전방의 성장 저하를 쐐기 변형을 원인으로 제시하였으나, Bick과 Copel의 연구에서 척추 환골단은 척추체의 길이 성장에 관여하지 않는다고 밝혀졌다.
- Schmorl과 Junghans는 연골 종판의 선천적 약화로 인한 추간판의 추체 내부로의 탈출(Schmorl 결절)이 연골 종판의 성장 저하 및 후만 변형의 원인이라 제시하였으나 Schmorl 결절은 척추후만증이 없는 정상 척추에서도 관찰된다.
- 불완전 침투율(incomplete penetrance) 및 다양한 표현형(variable expression)을 나타내는 상염색체 우성 유전 양식의 발현, 일란성 쌍생아에서의 발현 등 유전적 요인을 시사하는 연구가 보고되었다.

2) 영상의학적 검사

- 단순 방사선검사가 가장 중요하며 기립 측방 방사선 사진에서 진단할 수 있다.
- 받침대(bolster)를 사용한 과신전 앙와위 측방 방사선 촬영으로 만곡의 유연성을 평가하여 자세성 척추후만증과 감별할 수 있다.
- 빠르게 진행하는 척추후만증, 신경학적 이상, 선천성 척추후만증이 의심되는 경우에서는 MRI 검사가 필요하다.

* Sorensen의 진단 기준(제1형의 진단 기준)
3개 이상의 인접 척추가 각각 5도 이상의 쐐기 변형이 있는 경우 혹은 첨부의 3개 이상 척추의 Cobb 각이 15도 이상인 경우에서 다음과 같은 이상을 동반할 때
① 불규칙한 척추 종판
② Schmorl 결절
③ 추간판 간격 협소

3) 치료

후만 변형의 정도와 진행 여부, 통증 및 신경학적 증상의 동반 여부, 환자의 나이 및 잔여 성장에 따라 치료 방법을 결정한다.

(1) 보존적 치료

- 50도 이하의 경미한 변형에서 성장이 남아 있는 경우 성장 종료 시까지 6개월 간격으로 추시한다.
- 운동과 물리치료는 통증 및 자세 개선에 유용하다고 알려져 있으나 변형의 교정에는 도움을 주지 못 한다.
- 50-75도 사이의 변형에서 성장이 남아 있으며 신전 시 40% 이상 변형이 교정되는 경우 보조기 착용을 고려한다.

(2) 수술적 치료

- 진행하는 75도 이상의 흉추부 후만 변형이나 50도 이상의 흉요추부 후만 변형이 통증과 동반되는 경우 수술을 고려한다. 신경학적 증상, 폐 기능 이상 등을 동반할 때에도 수술을 고려하지만 100도 미만의 변형에서는 증상이 나타나는 경우가 드물다.
- 변형이 유연(flexible deformity)한 경우 척추경 나사를 이용한 후방 고정 및 유합술이 효과적이며 변형이 고정(fixed deformity)된 경우에는 전방 유리술 및 유합술이나 후방 절골술이 필요하다.
- 흉추 후만의 과교정은 신경학적 합병증 및 인접 부위 후만증(junctional kyphosis)을 초래할 수 있으므로 40-50도 정도를 목표로 교정한다.
- 변형의 양쪽 끝 척추를 유합 범위에 포함시키며, 전통적으로는 하부 끝 척추 원위에서 전만을 이루는 첫 번째 추간판까지 유합하는 것이 선호되었으나, 최근 제1 천추 후연에서 수직으로 올린 선(posterior sacral vertical line)이 닿는 근위 척추인 시상 안정 척추(sagittal stable vertebra)까지 유합하는 것이 원위 인접 부위 후만증(distal junctional kyphosis)을 줄인다고 보고되고 있다.

3. 결핵성 척추후만증(tuberculosis kyphosis)

- 소아 및 청소년기 척추후만증의 원인 중 후천적인 것으로 가장 흔한 것은 결핵성 척추염(tuberculosis spondylitis)으로 특히 개발도상국(developing country)에서 문제가 된다.
- 결핵성 척추염은 화학요법으로 잘 조절되지만 3-5%의 환자에서 60도 이상의 후만 변형을 유발할 수 있다.
- 소아 척추 결핵은 성인에서와 달리 질환 초기에 더 심한 변형을 보이고, 질환의 활성기(active stage)에 척추체가 붕괴되는 경향이 심하며, 감염이 완치되고 성장이 종료된 후에도 변형이 진행되는 경우가 많으므로 조기에 보다 적극적인 치료가 필요하다.
- 흉추 및 흉요추 이행부의 병변은 요추 및 요천추 이행부에 비해 질환 초기에 변형이 심하고 진행도 더 심하게 나타난다.

참고문헌

Cho KJ, Lenke LG, Bridwell KH, et al. Selection of the optimal distal fusion level in posterior instrumentation and fusion for thoracic hyperkyphosis: the sagittal stable vertebra concept. Spine. 2009;34:765.

Hanfy HM, Awad MA, Allah AH. Prevalence of thoracic kyphosis in girl after puberty in cairo governate. Bull Fac Ph Th Cairo Univ. 2012;1:1.

King HA, Moe JH, Bradford DS, et al. The selection of fusion levels in thoracic idiopathic scoliosis. J Bone Joint Surg Am. 1983;65:1302.

Klockner C, Velencia R. Sagittal alignment after anterior debridement and fusion with or without additional posterior instrumentation in the treatment of pyogenic and tuberculosis spondylodiscitis. Spine. 2003;28:1036.

Lee CK, Denis F, Winter RB, et al. Analysis of the upper thoracic curve in surgically treated idiopathic scoliosis. Spine. 1993;18:1599.

Lee SS, Lenke LG, Kuklo TR, et al. Comparison of Scheuermann kyphosis correction by posterior-only thoracic pedicle screw ixation versus combined anterior/posterior fusion. Spine. 2006;31:2316.

Lenke LG, Betz RB, Harms J, et al. Adolescent idiopahtic scoliosis; A new calssification to determine extent of spinal arthrodesis. J Bone Joint Surg Am. 2001;83:1169.

Little DG, Song KM, Katz D, et al. Relationship of peak height velocity to other maturity indicators in idiopathic scoliosis in girls. J Bone Joint Surg Am. 2000;82:685.

Lowe TG, Edgar M, Margulies JY, et al. Etiology of idiopathic scoliosis: current trends in research. J Bone Joint Surg Am. 2000;82:1157.

Lowe TG. Kyphosis of the thoracic and thoracolumbar spine in the pediatric patient: surgical treatment. Instr Course Lect. 2004;53:493.

Lundine K, Turner P, Johnson M. horacic hyperkyphosis: assessment of the distal fusion level. Glob spine J. 2012;2:65.

Mikhaylovskiy MV, Sorokin AN, Novikov VV, et al. Selection of the optimal level of distal fixation for correction of Scheuermann's hyperkyphosis. Folia Med (Plovdiv). 2015;57:29.

Moon MS. Tuberculosis of the spine, controversies and a new challenge. Spine. 1997;22:1791.

Rajasekaran S. Kyphotic deformity in spinal tuberculosis and its management. Int Orthop. 2012;36:359.

Rajasekaran S. The natural history of post-tubercular kyphosis in children: radiological signs which predict late increase in deformity. J Bone Joint Surg Br. 2001;83:954.

Richasrds BS, Birch JG, Herring JA, et al. Frontal plane and sagittal plane balance following Cotrel-Du-bousset instrumentation for idiopathic scoliosis. Spine. 1989;14:733.

Sanders JO, Herring JA, Browne RH. Posterior arthrodesis and instrumentation in the immature spine in idiopathic scoliosis. J Bone Joint Surg Am. 1995;77:39.

Song KM, Little DG. Peak height velocity as a maturity indicator for males with idiopathic scoliosis. Spine. 2000;20:286.

Suh SW, Modi HN, Yang JH, et al. Idiopathic scoliosis in Korean schoolchildren: a prospective screening study of over 1 million children. Eur Spine J. 2011;20:1087.

Suk SI, Lee SM, Kim JH, et al. Decompensation in selective thoracic fusion by segmental pedicle screw fixation in King type II adolescent idiopathic scoliosis-Causative factors and its prevention. J Korean Spine Surg.2000;7:571.

Terminology Committee. Glossary of spinal deformity biomechanical terms (Selected and adapted from Panjabi MM and White AA: Appendix: Glossary, in: Clinical Biomechanics of the spine). 2nd ed. Panjabi MM and White AA. Philadelphia: J.B. Lippincott; 1990.) Proposed by SRS. 1999.

Tones M, Moss N, Polly D. A review of quality of life and psychosocial issues in scoliosis. Spine. 2006;31:3027.

Weinstein SL. Idiopathic scoliosis: Natural history. Spine. 1986;11:780.

Weinstein SL, Dolan LA, Spratt KF, et al. Health and function of patients with untreated idiopathic scoliosis: a 50-year natural history study. JAMA. 2003;289:559.

14

기타 소아 척추 질환

Other Pediatric Spinal Disorders

기타 소아 척추 질환

Other Pediatric Spinal Disorders

목차

Ⅰ. 환축추 회전 아탈구 (atlantoaxial rotatory subluxation)

소아 사경(torticollis)의 흔한 원인으로, 뚜렷한 외상없이 발생하였다가 저절로 좋아지는 경우가 대부분이다. 드물게는 지속되어 환축추 회전 고정(atlantoaxial rotatory fixation) 상태가 되기도 한다. 때로는 기형의 정도가 심하고 지속되어 신경 증상을 유발할 수도 있다.

1. 병인

특별한 이유 없이 저절로 발생하기도 하며, 사소한 외상이나 상기도 감염 후에 발생하기도 한다.

2. 해부병리

- 이 병변의 원인은 염증이나 외상으로 인한 환축추 관절(atlantoaxial joint)의 인대와 관절낭의 이완(laxity)이 주원인인 것으로 생각된다.
- 이것이 통증과 근육 경축을 유발하여 사경(torticollis)을 일으킨다고 생각된다.

3. Fielding-Hawkins 분류 Table 1, Fig 1

- 제I형이 가장 흔하며 예후도 양호하다.
- 제II형은 두 번째로 흔하며, 제I형보다 신경 증상이 발

Table 1. **환축추 회전 아탈구: Fielding과 Hawkins의 분류(1977)**

Type I	Simple rotatory displacement without anterior shift of C1.
Type II	Rotatory displacement with an anterior shift of C1 on C2 of 5mm or less.
Type III	Rotatory displacement with an anterior shift of C1 on C2 greater than 5 mm.
Type IV	Rotatory displacement with a posterior shift.

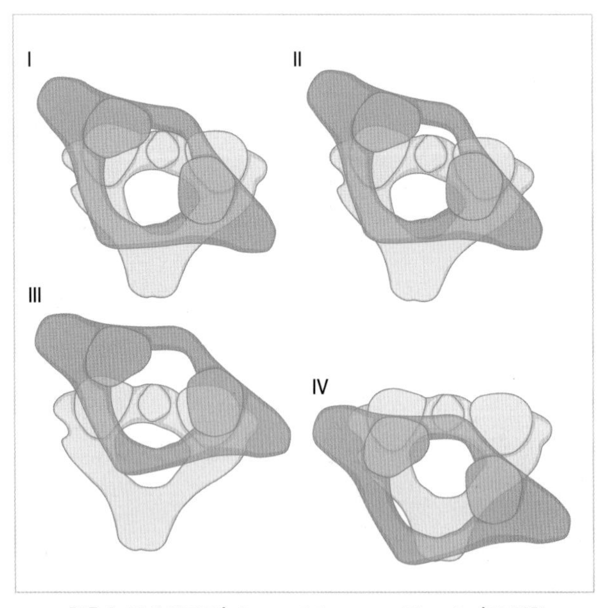

Fig 1. **환축추 회전 아탈구(atlantoaxial rotary subluxation)에 대한 Fielding-Hawkins 분류.**

생할 위험성이 높다.
- 제III, IV형은 드물지만 신경 증상이 발생할 위험이 보다 크므로 치료에 특별히 주의를 요한다.

4. 임상적 소견

- Cock robin position: 두부가 한쪽으로 기울고(head tilt) 반대쪽으로 회전되며, 경부가 약간 굴곡된 상태이다.
- 초기에는 고개를 기울이는 쪽의 반대편 흉쇄유돌근(sternocleidomastoid)이 자세를 교정하기 위해서 구축된다. 선천성 근성 사경에서는 고개를 기울이는 쪽 근육이 구축되어 있는 것과 대비되어 감별에 도움이 된다. 만성화되면 구축은 사라지고 통증도 사라진다.

5. 방사선학적 소견

- Open mouth view에서는 앞쪽으로 회전된 환추(atlas)의 측괴(lateral condyle)가 반대쪽보다 더 넓고 중심선(midline)에 가깝게 보이며(medial offset), 한쪽 환축추 관절이 겹쳐서(overlap) 불명확하게 보인다(wink sign: Fig 2).
- 환축추 불안정성의 동반 여부를 확인하기 위한 굴곡-신연 측면상을 촬영하여야 한다.
- 단순 촬영은 정상인이 목을 약간 돌리고 촬영하였을 때와 감별이 잘 안되어 확진이 어렵다.
- 과거에는 cineradiography를 이용하여 확진하였으나, 방사선 조사량이 많아서 최근에는 잘 사용하지 않는다.
- 최근에는 3D CT나 좌측 및 우측으로 최대한 회전한 상태에서 촬영한 CT를 이용하여 확진한다.

6. 치료

* 발병 1주 이내: 연성 보조기(soft collar), 침상 안정, 근육 이완제와 진통제로 거의 대부분 자연적으로 좋아진다. 이 방법으로 정복되지 않으면 Halter 견인을 시행한다.
* 발병 1주 이상 1개월 이내: Halter 견인으로 정복 후 연성 보조기를 4-6주간 착용한다.
* 발병 1개월 이상 된 경우
- Halter 견인 또는 골 견인을 시도하여 정복되면 연성 보조기를 4-6주간 착용한다.
- 골 견인을 3주 이상 사용해도 정복이 잘 안되는 경우가 많으며, 이때 무리한 정복은 위험하므로 시도하지 말아야 하고, 환축추 유합술(C1-C2 fusion)을 고려한다.

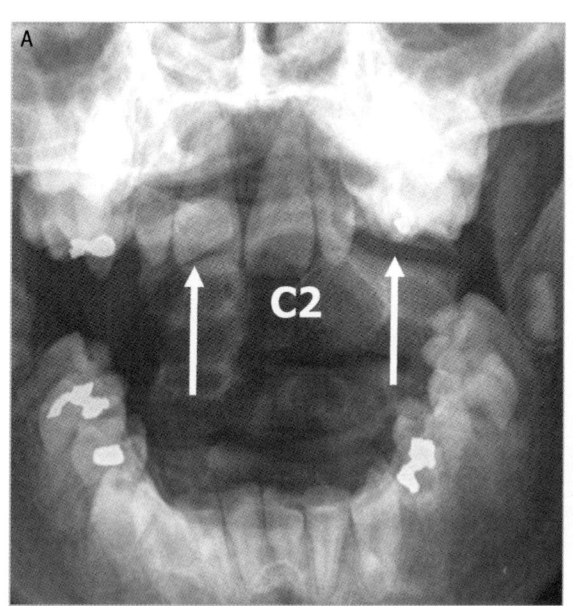

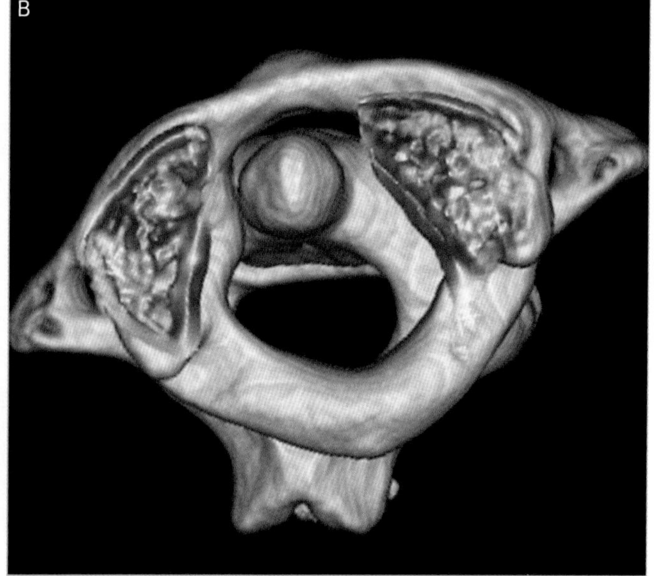

Fig 2. **Fielding-Hawkins II형 환축추 회전 아탈구.**
A: Open mouth view상 wink sign이 관찰된다. B: 3D-CT 소견.

- 환축추 유합술의 적응증
  - 신경 증상
  - 전방 전위
  - 정복을 얻을 수 없거나 유지할 수 없을 때
  - 충분한 고정(6주 이상) 후에 재발한 경우

  : 유합술 전에 견인하여 최대한 정복을 한 후에 수술을 시행하는 것을 고려한다.

II. 요통과 배부통, 경부통

1. 소아기 척추의 특징

- 척추는 만 4세경까지 60%, 만 10세경까지 80%의 성장이 이루어진다.
- 소아기 척추 질환은 성장 및 발달의 문제로 인해 발생하는 각종 변형이 주를 이루며, 변형이 주소인 경우에는 대부분 통증을 동반하지 않는다.
- 하지만 청소년기에는 요통이 드물지 않고, 소아-청소년기에 요통, 경부통, 배부통을 호소할 경우, 진단을 위해 감별해야 할 질환들은 성인의 경우와 차이가 있다 Table 2.
- 소아기 수핵은 성인에 비해 친수성(hydrophilic)이어서 충격 흡수에 더 효과적이며 이로 인해 부하가 좀 더 중심부에 집중되어 인접한 척추로 전달된다. 또한 소아기에는 척추 종판(vertebral end plate)이 성인에 비해 상대적으로 약하다. 따라서 추간판이 종판을 뚫고 척추체 쪽으로 돌출되는 현상, 즉 Schmorl's node가 더 흔하게 발생할 수 있다.
- 각 척추에는 세 개의 일차 골핵(primary ossification center)이 있는데 척추체 중심에 하나, 양측 추궁판에 각각 하나씩 위치한다. 양측 추궁판의 골핵은 2-6세경에 유합되는데 만약 이것이 정상적으로 이루어지지 않으면 spina bifida occulta가 발생한다.
- 척추 골단판(vertebral end plate)은 수핵과 인접한 초자연골과 척추체에 인접한 physeal cartilage로 이루어지고, physeal cartilage는 다시 ring apophysis와 end plate physis로 구성된다.
- Ring apophysis (윤상 골단)는 척추체의 가장자리를 둘러싸고 있으며 척추체의 너비를 성장시키는 역할을 하며 7-8세경에 골화되기 시작한다.
- End plate physis는 척추체의 종방향 성장(vertical growth)을 일으키며 14-15세경에 척추체와 유합되고 21-25세경에 최종적으로 폐쇄된다.
- Physis는 성장기에 약하기 때문에 소아기에는 apophyseal ring 골절이 발생하기 쉽다.
- 소아기에는 인접 척추체에 대한 추간판의 강도가 상대

Table 2. **소아 청소년기 요통의 감별 진단**

Presentation	Possible diagnosis	Associated symptoms
(Nighttime) pain with fever or other generalized symptoms	Tumor, infection	Fever, malaise, weight loss
Acute pain	Herniated disk, slipped apophysis, spondylolysis, Vertebral fracture, Muscle strain	Radicular pain, positive straight leg raising test (SLRT) Other injuries, neurologic deficit Muscle tenderness
Chronic pain	Scheuermann's kyphosis Inflammatory spondylolarthropathies Psychological problems	Rigid kyphosis Morning stiffness, sacroiliac joint tenderness
Pain on flexion	Herniated disk, slipped apophysis	Radicular pain, positive SLRT
Pain on extension	Spondylolysis, or other lesion in the pedicle or lamina (posterior arch)	Hamstring tightness
Pain with recent-onset scoliosis	Tumor, infection, herniated disk, scoliosis with neural axis anomaly	Fever, malaise, weight loss, positive SLRT, pathologic reflexes
Other	Pyelonephritis	Abnormal urinalysis, dysuria, fever

Table 3. **소아 요통의 원인 질환**

Spondylolysis and spondylolisthesis	
Disk problems	Diskitis
	Disk herniation
	Slipped vertebral apophysis
	Disk space calcification
Kyphosis	Scheuermann's disease
Benign neoplasm	Osteoid osteoma
	Osteoblastoma
	Eosinophilic granuloma
	Aneurysmal bone cyst
Malignant neoplasm	Primary: Ewing's sarcoma, leukemia, lymphoma
	Metastatic: neuroblastoma, rhabdomyosarcoma teratocarcinoma, Wilm's tumor osteogenic sarcoma

적으로 높아 추간판 손상이 성인에 비해 드물다.

- 추궁판 골의 불완전한 성숙도로 인해 협부 골절(isthmic fracture)이 더 흔하게 발생할 수 있다.

* 청소년기의 요통은 드물지 않고 특히 스포츠 활동에 참여하는 청소년들에서는 더 흔한 문제가 될 수 있다. 10대 중반에 한 번 이상 요통을 경험할 확률은 50% 이상이고, 최근 1년 이내 요통을 경험한 유병률도 17-50%에 달한다. 소아기 급성 요통은 대부분 보존적 치료에 잘 반응한다. 소아기 요통의 위험 징후가 있을 때, 원인으로 가능한 질환은 Table 3과 같다.

소아기 요통, 경부통, 배부통에서 위험 징후들(red flag signs)

- 안정이나 고정을 해도 해소되지 않는 통증
- 점점 심해지는 통증
- 원인 불명의 발열(fever) 동반
- 전신 질환의 증상과 체중 감소, 전신적 쇠약 등
- 상하지 운동 기능 이상이나 배뇨 · 배변 장애 등의 신경학적 이상을 동반하는 경우
- 4세 이하에서 발생하는 통증

* 4세 이하의 소아에서는 척수내 종양(intraspinal tumor)을 고려하여야 한다.
* 척추측만증(scoliosis) 자체가 요통의 원인이 되는 경우는 드물기 때문에, 종양, 감염, 척추분리증 또는 전방전위증 등을 감별하여야 한다.

Ⅲ. 척추분리증과 척추전방전위증 (spondylolysis and spondylolisthesis)

1. 척추전방전위증의 분류(Wiltse 1976)

- 이형성형(dysplastic type)
- 협부형(isthmic type)
- 외상형(traumatic type)
- 퇴행성형(degenerative type)
- 병적(pathologic type)

이 중 소아에서는 척추분리증이 포함된 협부형과 관절의 형성부전으로 발생하는 이형성형이 가장 흔한 원인들이다.

2. 척추분리증(spondylolysis) 및 협부형 척추전방전위증(isthmic spondylolisthesis) Fig 3

- 제5요추에서 가장 많이 나타난다.
- 유병률은 보고에 따라 3-10% 정도이며 일반적으로 6% 전후로 알려져 있다.
- 하지만 CT 영상을 기준으로 조사한 최근의 연구에서 유병률은 그보다 더 높은 11.5%로 보고되었다(Kalichman 2009).
- 척추분리증을 가진 약 70%의 환자가 척추전방전위증으로 진행한다.
- 척추분리증은 남성에서 더 흔하지만 척추전방전위증으로 진행하는 것은 여성에서 더 흔하다.

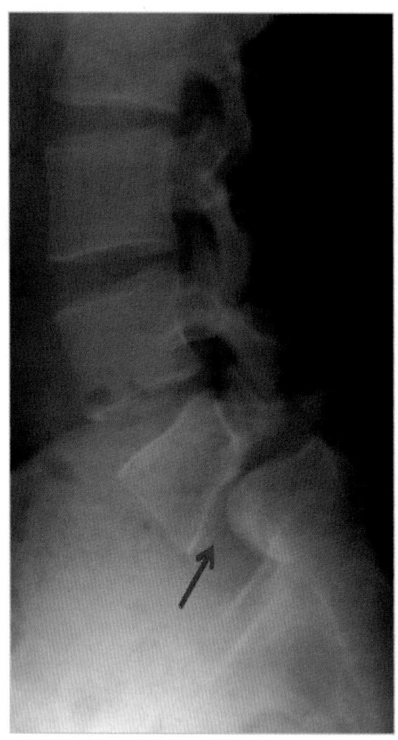
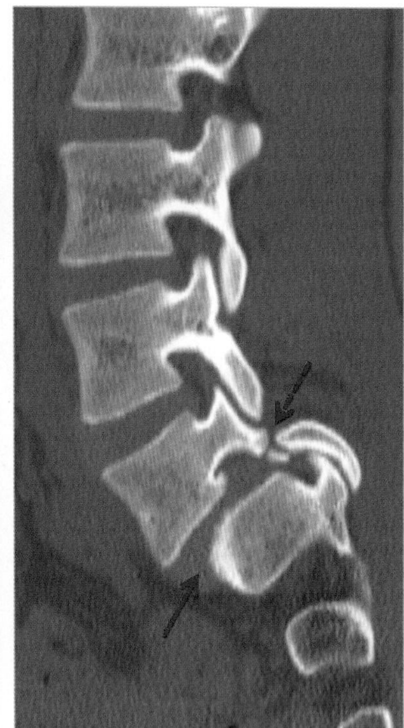
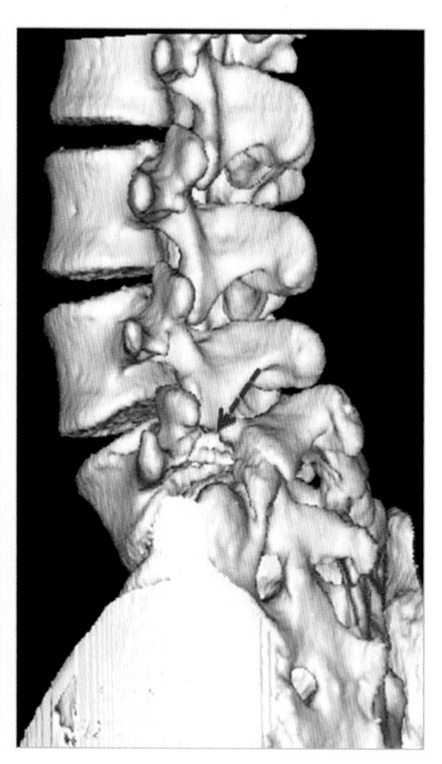

Fig 3. **협부형 척추전방전위증.**
제5요추가 제1천추에 대해 전방으로 전위되어 있고(실선 화살표), 시상면상 및 3차원 CT에서 협부의 골결손(점선 화살표)이 명확히 관찰된다.

- 원인은 아직 명확하지는 않으나 선천적인 소인과 외상이 모두 관계가 있을 것으로 생각된다.
- 일반인에서의 척추전방전위증의 빈도는 6% 전후인데 반해서 가족력이 있는 사람에서는 23-63%까지 보고되었다.
- 반복적인 굴곡/신전이나 과도한 신전 자세를 취하는 체조, 역도, 다이빙, 조정 선수에서 호발하는 것으로 보아 소아기 외상과 관계가 있을 것으로 생각된다.
- 생역학적인 측면에서 보면 요추 전만(lumbar lordosis)의 증가와 회전 응력(rotational stress)이 interarticularis defect의 발생에 관계가 있다고 생각되는데 이는 Scheuermann 병에서 척추분리증과 척추전방전위증의 빈도가 높은 것으로도 알 수 있다.

3. 이형성형 척추전방전위증 (dysplastic spondylolisthesis)Fig 4

- 제5요추-천추간의 관절돌기와 추간판 등의 형성 부전으로 제5요추가 전방 전위된다.
- 여아에 많고, 잠복성 척추이분증(spina bifida occulta)의 빈도가 높다.
- 제5요추의 후궁(lamina)은 유지되어 있으므로 전방 전위가 심하지 않더라도 신경증상이 나타날 수 있으며 주로 제1천추 신경근과 마미총(cauda equina)의 증상으로 나타난다.

4. 임상 소견

* 통증보다는 요부 전만(lumbar lordosis)이 증가하는 등 자세 이상, 보행 이상이 주 증상이다.
* 증상과 전위(slippage)의 정도는 비례하지는 않는다.
* 통증은 10세 이후에 서서히 증가하며 전위된 요추의 불안정성으로 인한 요통과 신경근 압박으로 인한 방사통이 생길 수 있다.
* 보행 이상
- Stiff-legged, short-strided pelvic waddle gait (Phalen-Dixon sign)
- Hamstring tightness

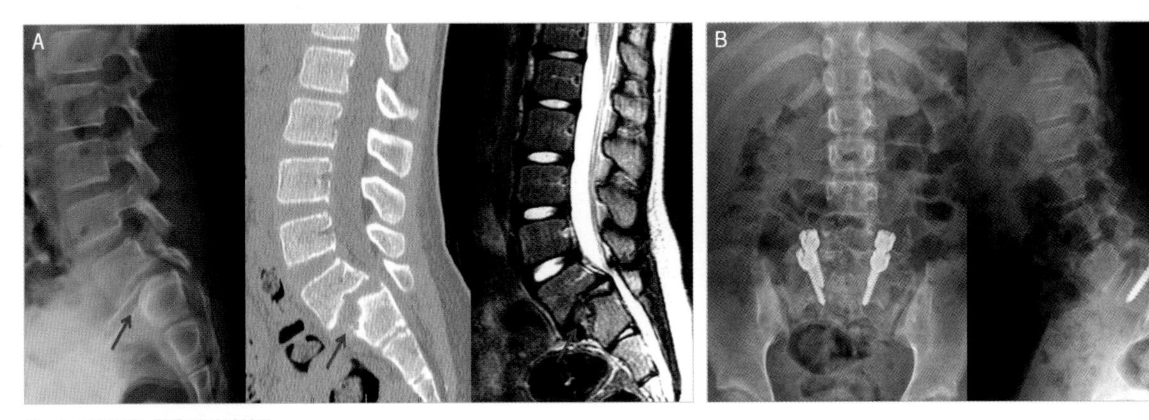

Fig 4. **이형성형 척추전방전위증.**
A: 천추의 상관절 돌기가 보이지 않고 추간판이 심하게 변성되어 있으며, 천추 전방의 골결손이 관찰된다(실선 화살표). 반면에 제5요추 추궁판은 정상이므로 심하지 않은 전위에도 척추관 협착이 나타날 수 있다(점선 화살표). B: 척추경 나사못 기기술을 통한 정복 및 후방 추체간 유합술을 시행하였다.

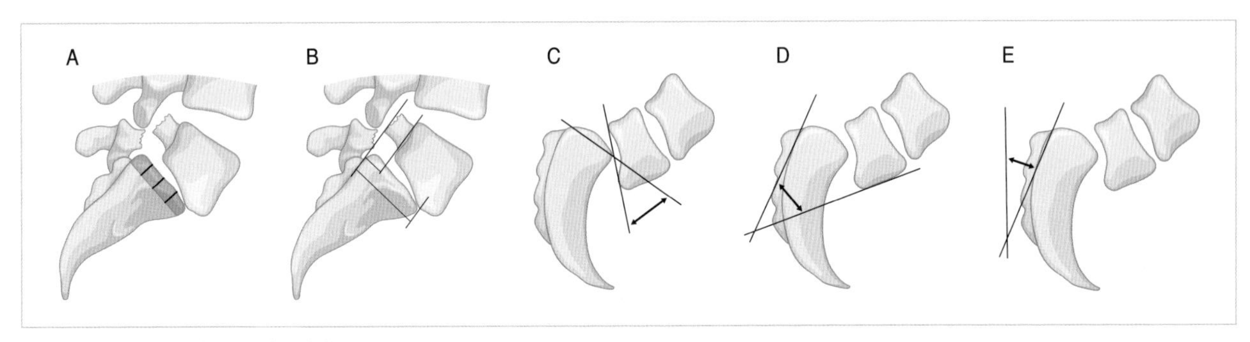

Fig 5. **척추전방전위증을 평가하는 방법들.**
A: Meyerding grading system. B: % slippage(=a/b×100). C: slip angle. D: sagittal rotation. E: sacral inclination.

- Lumbosacral kyphosis

5. 방사선학적 소견

* 전위의 정도를 측정하는 방법Fig 5

- Meyerding의 grading system
- % slippage
- Slip angle: 요천추 후만 정도를 측정
- Sagittal rotation
- Sacral inclination

6. 치료

1) 척추분리증(spondylolysis)의 치료

- 척추분리증 자체는 거의 대부분 증상이 없거나, 있어도 보존적인 치료로 호전이 된다.
- 척추전방전위가 일어나는지 정기적인 추시가 필요하다.
- 보존적인 치료에 반응하지 않는 환자에서는 드물게 수술적 치료를 시도하지만 결과는 확실하지 않다.
- 일부 저자들은 협부 결손의 직접적 복원 및 골유합술을 시도하여 보고하였는데 이들에 따르면 30세 이하의 환자, 협부 결손의 폭이 3-4 mm 이하인 경우 예후가 좋다고 한다.

2) 척추전방전위증의 치료

* grade II 이하의 척추전방전위증을 가진 환자의 2/3에서는 보존적인 치료로 통증 조절이 가능하다.

* 전위(slippage)가 발견되면 진행 여부를 주기적으로 관찰한다. → Grade II 이상 진행하지 않도록 한다Table 4.

Table 4. **척추전방전위증에서 전위가 진행할 위험 요인**

Clinical
Age: young child under 10 yr
Sex: female
Symptom: with backache
Excessive ligament hyperlaxity
Radiologic
Type of spondylolisthesis : dysplastic
Degree of slip: greater olisthesis
High slip angle: over 40-50 degrees
Mobility at L5-S1
Anatomical instability: wedge-shaped L5: dome-shaped S1 top

* 전위 정도에 따른 방침
- Grade I: 보존적인 치료, 주기적 관찰
- Grade II(>30%): 정복 없이 외측 후외방 유합술(insitu posterolateral fusion)
- Grade III(>50%): 제4요추에서 천추까지 유합술

* 유합술 후의 문제점
- 불유합
- 유합체(fusion mass)가 신장되면서 전위가 진행: 50% 이상의 전위가 있거나 55도 이상의 slip angle이 있는 환자에서는 견고한 골 유합이 되었어도 전위가 증가할 수 있다.
- 전방 유합술: 요천추 교감 신경망(lumbosacral sympathetic plexus: sup. hypogastric plexus)의 손상에 따른 역행성 사정(retrograde ejaculation)으로 불임(infertility)이 문제가 되므로 소아에서는 적응되지 않는다.

* 전위의 정복(reduction)
- Grade III, IV 또는 요천추 후만(lumbosacral kyphosis)과 같은 시상면 상의 부정정렬이 심하거나, 감압술(decompression)이 필요한 경우 등에서는 정복을 시도하는 것이 좋은 것으로 알려져 있다. 하지만 최근 기존 보고들을 evidence-based medicine analysis한 논문에서는 고도 전위된 척추전방전위증의 정복 필요성에 대한 객관적인 증거가 아직 부족한 것으로 보고되었다. 하지만 기기 정복을 시행한 경우 가관절증의 발생률이 낮고, 정복을 하였다 하여 신경학적 합병증이 증가하지는 않는다는 점을 고려해볼 때 가능하면 정복을 시도하는 것이 바람직할 것으로 생각된다.
- Spondyloptosis와 같은 심한 전위에서는 제5요추추체 절제술(corpectomy)을 고려한다.

Ⅳ. 추간판탈출증과 윤상 골단환 골절

1. 소아 추간판탈출증의 병리학적 특징

- 성인 추간판탈출증에서 추간판의 변성이 흔히 관찰되는 것과는 달리 소아에서는 돌출된 추간판의 수분 함량이 높고 탄성이 잘 유지되어 있다.
- 이러한 특성으로 인해 보존적인 치료에 호전되는 경우가 상대적으로 적어 수술적 치료를 요하는 경우가 많다.
- 변성되지 않은 추간판이 돌출되려면 충격이 필요한 경우가 많을 것으로 짐작되는데 실제로 30-60%에서 직접적인 외상 혹은 스포츠 관련 손상이 선행된다.

2. 분류

- 단순 추간판탈출증(simple HIVD)
- Slipped vertebral apophysis
- Vertebral rim lesion

3. 임상적 소견

- 소아의 추간판탈출증은 성인에 비해 매우 드물며 전체 추간판탈출증의 약 5%가 18세 이하에서 발생한다.
- 소아의 추간판탈출증은 성인에서와 같은 전형적인 하지 방사통을 호소하지 않고, 슬괵근 단축(hamstring tightness)이나 sciatic list 형태로 발현하는 경우가 많고, 하지직거상 검사(straight leg raising test)가 심하게 제한되나 신경학적 증상은 심하지 않다.
- 성인 추간판탈출증에 비해 진단이 늦어지거나, 효과적이지 못한 부적절한 치료에 의존하는 경우가 흔하다.

4. 요추체 윤상 골단 골절(slipped vertebral apophysis, lumbar apophyseal ring fracture, LARF)Fig 6

- 소아 추간판탈출증 환자의 10-15%에서 윤상 골단의 견열 골절(avulsion fracture of ring apophysis)이 발견된다.
- 제5요추 후상방연(posterocephalad margin)에서 가장 호발한다.
- 임상 증상 발생 시기는 20대(44%), 30대(31%), 10대(25%) 순으로 호발한다.
- 성장 시 척추 단판의 골-연골 결합이 상대적으로 약하기 때문에 이 부위에 외상이 가해지는 경우 결합이 분리되어 발생하는 것으로 생각되기도 하였으나 실제로 외상 병력이 선행되는 경우는 16% 정도에 불과하다.
- 수술 시, 골편의 움직임이 없는 경우(immobile)에는 추간판 절제술만(discectomy alone), 골편의 움직임이 있는 경우(mobile)에는 골편의 제거를 함께 해주는 것이 바람직하다.
- 추간판과 골편을 함께 제거하기 위해 광범위한 절제술을 시행하여 분절간 불안정성이 우려되는 경우에는 유합술을 추가로 시행한다.
- Vertebral rim lesion: LARF가 치유되어 골극으로 남은 양상을 말한다.

V. 척추 종양(spine tumors)

척추 종양의 임상적 소견은 통증, 변형 그리고 신경학적 증상 등이다. 통증은 지속적이며, 천천히 진행하고 침상 안정을 취해도 해소되지 않는다. 소아에서 발생하는 척추 종양은 성인에서 보다 양성 종양이 많고 원발성 종양이 더 많다.

1. 원발성 양성 종양(primary benign tumors)

1) 유골 골종(osteoid osteoma)(11장 참조)

- 혈관성, 골 생성(vascular, bone-producing) 양성 종양이다.

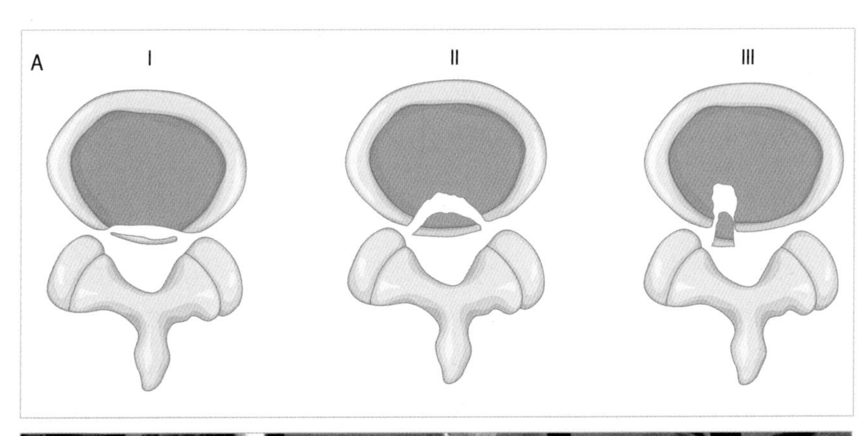

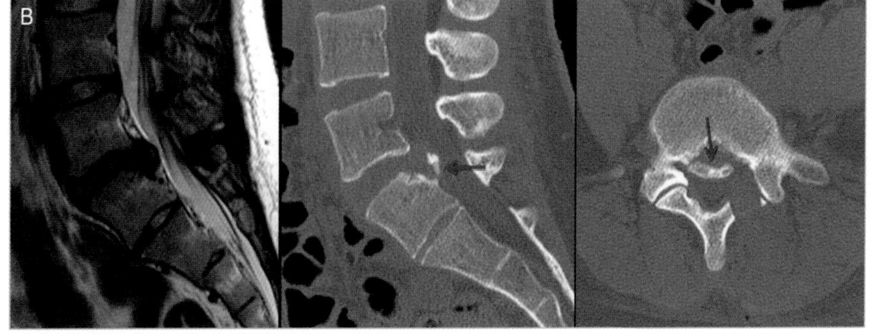

Fig 6. **Lumbar apophyseal ring fracture (LARF).**
A: Takata 분류. B: MRI에서는 단순한 추간판 탈출증으로 보이나 CT에서는 제1천추 후상부에서 떨어져 나온 골성 절편이 잘 관찰된다.

- nidus의 크기는 5-20 mm이며, 약 10%가 척추에 발생한다.
- 10대 남아에서 호발, 주로 추궁판(lamina), 척추경(pedicle), 후관절(facet) 등 후방 구조물(posterior element)을 이환한다.
- 증상은 장관골의 유골 골종과 마찬가지로 밤에 심해지는 국소 통증이 주증상이다.
- 경추를 이환할 경우 사경(torticollis)과 후두통(occipital pain)이 흔하고, 흉요추부를 이환하는 경우 통증성 척추측만증(painful scoliosis)이 많이 나타난다. 강직된 척추 만곡을 보이며 병변은 첨단 추체(apical vertebra)의 요측(concave side)에 위치하는 경우가 많다. 병변을 제거하면 척추측만증도 소실된다.
- Radiofrequency thermal ablation (RFA)이나 laser photocoagulation 등의 최소침습적 방법으로 병변을 파괴할 수 있었다는 보고도 있으나 척추에서는 인접한 신경조직에 손상을 줄 수 있음을 고려해야 한다.
- 비수술적 치료로 30-40개월 후 증상이 소실될 수 있다고 알려져 있으나 도중에 심한 증상이 나타나는 경우에는 수술적 치료의 적응이 된다.

2) 골모세포종(osteoblastoma)(11장 참조)

- 유골 골종과 유사한 병변이나 크기가 더 크고 침습적이어서 추궁판을 지나 경막외 공간으로 성장하여 척수를 압박하기도 한다.
- 골모세포종의 28-38%가 척추에 발생하며, 요추에 호발한다.
- 증상은 유골 골종에서와는 달리 밤에 더 심해지지 않고 비스테로이드성 소염제에 잘 반응하지 않는다.
- 척추측만증이 발생할 수 있으나 유골 골종에서보다는 드물다.
- 조직학적으로 약 15%에서 동맥류성 골낭종(aneurysmal bone cyst) 부위가 보인다.
- 통증, 골파괴, 신경 압박, 척추 변형, 불안정성을 초래하는 경우가 많아 수술적 치료가 필요하며 가능한 한 en bloc 절제를 한다.

3) 골연골종(osteochondroma)(5장 참조)

- 양성 종양 중 가장 흔하나 척추에 발생하는 경우는 약 1-4%뿐이며, 10대 남아에서 호발한다.
- 후방 구조물에 호발하며 약 50%가 경추 그 중에서도 제2경추에 발생한다.
- 신경을 압박하는 경우는 드물지만 유전성 다발성 외골증(hereditary multiple exostoses) 환자에서 상대적으로 흔하며, 이 경우는 수술적 절제술이 원칙이다.
- 단발성인 경우 1% 내외, 다발성인 경우 5% 정도에서 악성 전환하며, 골 성장이 완료된 후에도 자라나는 골연골종은 악성을 의심하여 철저한 검사를 시행해야 한다.
- cartilage cap이 3 cm 이상인 경우 악성 전환을 의심해야 한다.

4) 동맥류성 골낭종(aneurysmal bone cyst)Fig 7 (11장 참조)

- 혈액으로 가득 찬 얇은 벽의 낭성 공간을 갖는 유사 종양 병변이다.
- 원발성 척추 종양의 15%를 차지하는 척추에서는 호발하는 병변이다.
- 60-70%가 후방 구조물, 특히 척추경을 최초로 이환한다.
- 심한 통증을 일으키며 신경근 압박 증상도 나타난다.
- 방사선 검사 상 척추체에 진행성 골흡수(osteolysis)와 피질골이 얇아지고 부풀어오르는 소견을 보인다.
- CT에서 다발성 골흡수성 병변(multilocular osteolytic lesion)을 보이고 MRI에서는 fluid-fluid level을 보이기도 한다.
- 20-30%에서는 골아세포종, 혈관종, 섬유성 이형성증(fibrous dysplasia), 거대세포종(giant cell tumor) 등의 기저 병변이 동반된다.
- 동맥류성 골낭종은 저절로 없어지지 않기 때문에 완전한 수술적 절제술이 원칙이며, 수술 시 출혈이 심할 수 있으므로 광범위한 병변인 경우 수술 전 색전술을 시행하는 것이 좋다.
- 신경 조직을 압박하고 있어 광범위한 절제술이 필요한 경우, 척추 변형을 동반하는 경우에서는 기기 고정 및 유합술을 시행할 수 있다.

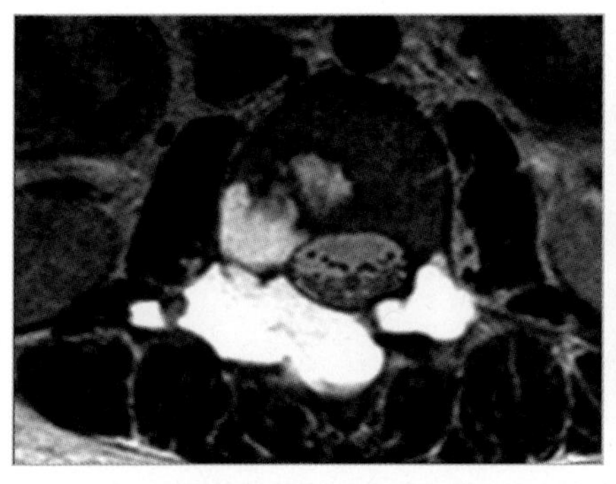
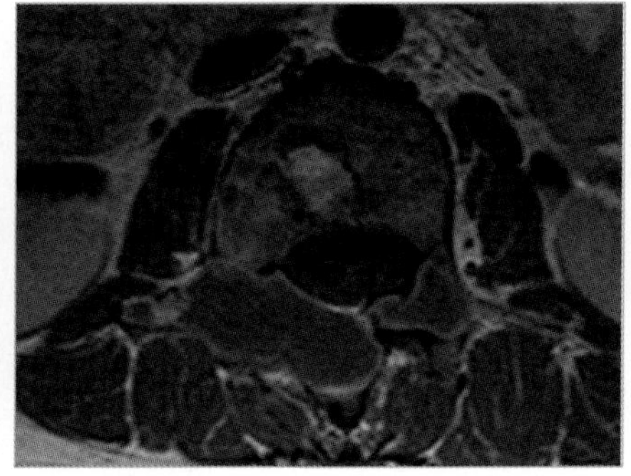
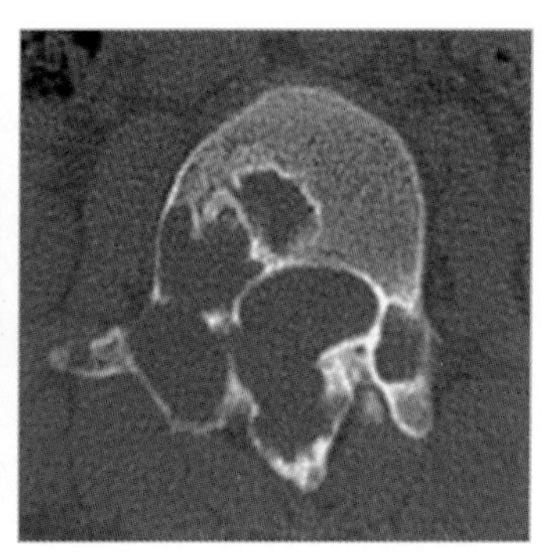

Fig 7. **요추에 발생한 동맥류성 골낭종의 방사선 소견.**
MRI에서 T2에 high, T1에 low signal intensity를 보이며 Gd에 enhance되지 않는 낭성 병변이 관찰된다. CT에서 병변 내 septation이 잘 보인다.

- 방사선 치료는 수술적 도달이 어려운 잔재 병소에 대해서만 시행한다.
- 수술 후에도 재발이 흔한 종양으로 대부분 수술 후 2년 이내에 재발한다[병변내 절제술(intralesional resection) 시 30%, 완전한 경계부 절제(marginal resection) 시 10% 이상].

5) 혈관종(hemangioma)(11장 참조)

- 여아에서 3배 호발, 제12흉추와 제4요추 사이에 많다. 단일 병소의 경우 척추가 가장 많으며, 다음으로 두개골에서 많이 생긴다.
- 대부분은 통증이 없으므로, 통증이 있을 경우에는 다른 원인을 찾아보는 것이 중요하다. 대부분 특별한 치료 없이 경과관찰을 한다.
- CT 상에 punctuate sclerotic foci를 특징적으로 보여 진단이 가능하다. 드물게 aggressive hemangioma인 경우에는 병적골절, 통증 등이 나타날 수 있고, 신경학적 증상을 유발하기도 한다. 이런 경우는 정도에 따라 색전술, 방사선 치료, 척추체 성형술, 전방감압술 및 유합술 등을 시행한다.

- **타 종양과의 감별점**
  - 거대세포종은 소아에서는 드물고 주로 천추(sacrum)를 이환한다.
  - 해면성 혈관종은 주로 척추체(vertebral body)만을 침범하는 반면에 동맥류성 골낭종은 신경궁(neural arch) 또는 신경궁과 척추체를 같이 이환한다.
  - 동맥류성 골낭종은 추간판을 건너서 주위의 척추체를 침범하기도 한다.

6) Langerhans 세포 조직구증 (Langerhans cell histiocytosis)(11장 참조)

- 호산성 육아종(eosinophilic granuloma)이라고도 하며, 세망내피에서 기시하는(reticuloendothelial origin) 드문 종양이다.
- 10세 이전 남아에서 호발한다.
- 흉추를 가장 흔히 이환하며, 경추, 요추 순으로 호발하며 1/3 이상에서 척추의 다발성 병변을 보인다.
- 배부통, 운동범위 감소, 후만, 측만 등 척추 변형, 사경(torticollis) 등의 증상을 보이며 신경 증상은 드물다.
- 뇌하수체 이환 시 다뇨증(diabetes insipidus)이 동반되기도 한다.
- 방사선상 척추체를 이환하는 골 용해성 병변으로 나타나며, 40%에서는 척추체가 함몰되는 편평추(vertebra plana) 소견을 보인다.
- 다발성 골병변이 흔하므로 Tc-99m 골주사 검사로 확인하는 것이 좋다.
- 백혈병, 림프종, 감염, Ewing 육종, 골육종, 동맥류성 골 낭종 등과 감별해야 하며 확진을 위해서는 생검이 필요하다.

- 연령이 어린 소아에서는 편평추가 있다고 하더라도 척추체 높이가 거의 정상으로 회복될 수 있으므로 수술이 필요한 경우는 드물다.
- 단발성인 경우에는 대부분 저절로 호전된다. 지속적 통증, 변형, 신경 압박이 있는 경우에는 수술적 치료를 고려할 수 있다.

2. 원발성 악성 종양(primary malignant tumors)

1) 골육종(osteosarcoma)Fig 8 (11장 참조)

- 전체 골육종의 약 2%가 척추에서 원발성으로 발생하며, 다른 부위에서 발생하여 척추로 전이된 경우가 더욱 흔하다.
- Paget 병이 악성화한 경우나 방사선 조사에 따른 이차성 골육종은 악성도가 더 높다.
- 수술적 치료, 항암 화학 요법, 방사선 치료를 조합하여 사용할 수 있으나 생존율이 낮다.

2) Ewing 육종Fig 9(11장 참조)

- 후신경절 부교감 신경세포계(postganglionic parasympathetic cell lineage)의 신경 외배엽(neuroectoderm)에서 기인하는 소형 원형 세포 육종이다(small round-cell sarcoma).
- 척추에 발생하는 원발성 악성 골종양 중 가장 흔하다.
- 원발성으로 척추에 이환하는 경우는 전체의 3.5-10% 정도이며, 척추 이외의 부위에 발생하여 척추에 다발성으로 전이되는 경우가 더 흔하다.
- 척추의 골 자체에 발생하는 경우 이외에 경막외(extradural), 방척추 공간(paraspinal space)에 발생하여 이차적으로 척추를 이환하는 경우도 있다.
- 천추(sacrum)에 잘 생긴다. 척추체에 이환하는 경우는 편평추(vertebra plana)와 비슷한 소견을 보이며, 경막외 공간에 발생한 경우는 추간판탈출증과 감별이 어렵다.
- 항암화학요법이 필요하며, 국소치료로는 방사선 치료와 수술적 제거술 중에서 완전 제거 가능성 및 기능적인 장애 정도를 고려하여 선택한다.

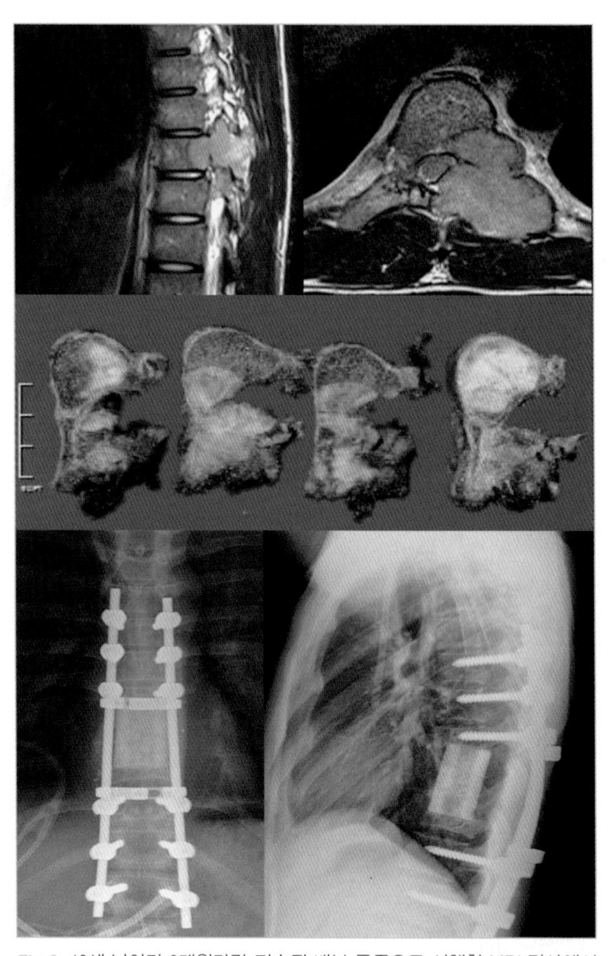

Fig 8. 16세 남아가 3개월가량 지속된 배부 통증으로 시행한 MRI 검사에서 흉추 부위의 전방, 후방 척추 구획 및 늑골과 연부조직을 침범한 종괴가 관찰되었고, 조직 생검에서 골육종으로 확인되었다. 수술 전 항암 치료 후 절제연을 확보하기 위하여 근위부 및 원위부 척추체와 늑골 및 연부조직을 포함하여 일괄 절제 시행하였고, 수술 후 항암 치료를 시행하였다. 수술 후 5년까지 재발 및 전이 없는 상태로 추시 관찰 중인 상태로 완치한 증례로 판단된다.

3. 신경원성 종양(neurogenic tumors)

- **척추에 발생하는 신경원성 종양의 분류**
  - 경막외(extradural)
  - 경막내, 척수외(intradural, extramedullary)
  - 척수내(intramedullary)

1) 경막외 종양(extradural tumor)

(1) 신경아세포종(neuroblastoma)

- 소아의 두개골외 악성 종양 중 가장 흔하며, 약 50%에서 2세 이하에 발생한다.

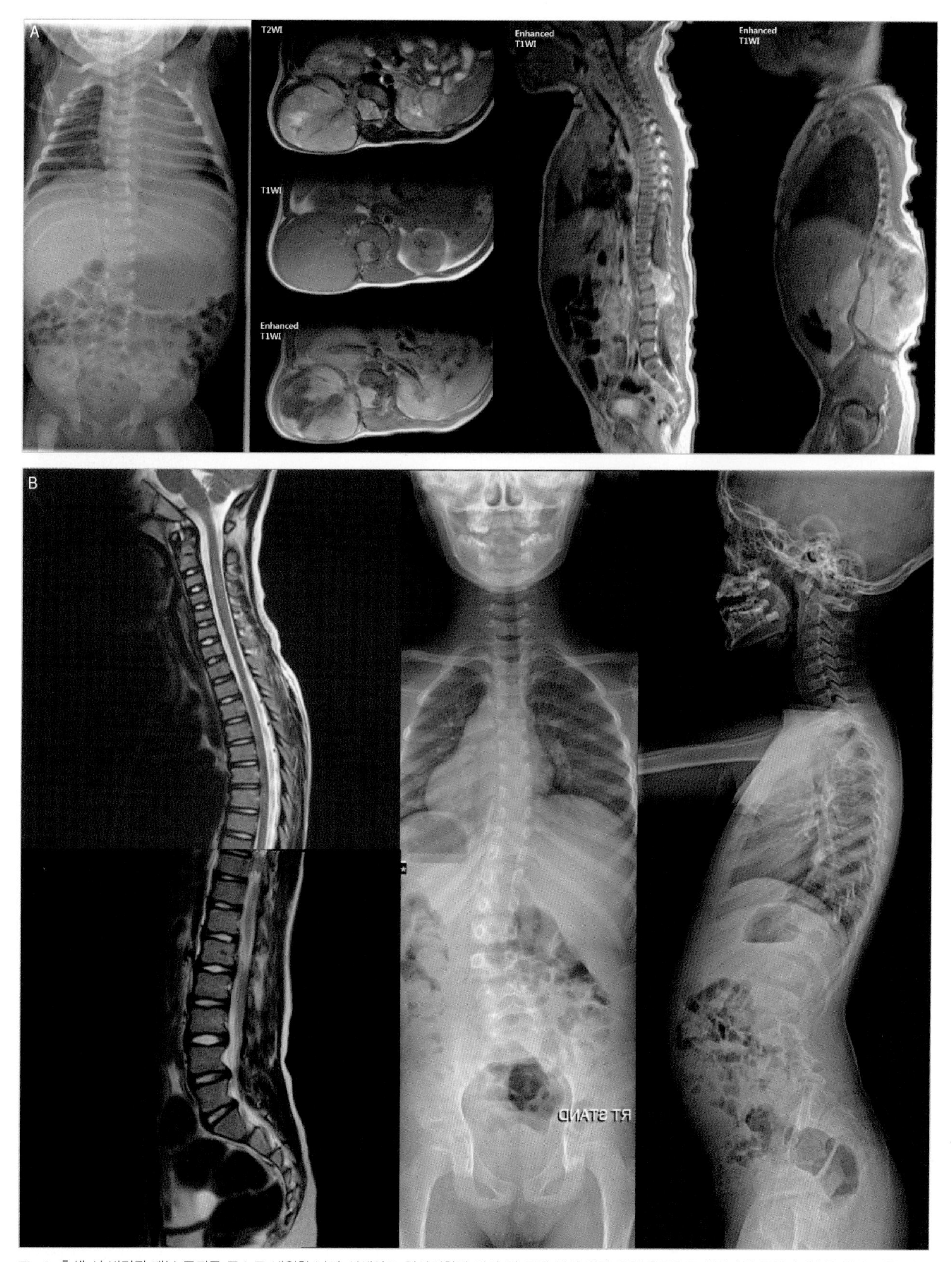

Fig 9. 출생 시 발견된 배부 종괴를 주소로 내원한 남자 신생아로 영상의학적 검사 및 조직 검사 결과 유잉 육종으로 확진되어 종양제거술후 항암 화학 치료 시행하였다. 9년째 추시 중인 환자로 종양은 완치되었으며, 경도의 측만 변형 발생하여 이에 대해 경과 관찰 중이다.

- 교감 신경계의 신경아세포에서 기원한 악성 배아 종양(embryonal malignancy)이다.
- 5-15%의 환자에서 척수 압박 소견을 보인다.
- 영아에서는 흉추와 경추부, 연령이 많은 소아에서는 복강 내에 호발한다.
- 항암 화학 요법, 방사선 치료를 하며, 척수 압박이 있는 환자에서는 추궁판 절제술을 통한 후방 감압술을 시행한다.

(2) 신경절 신경종(ganglioneuroma)

- 신경아세포종의 성숙한 형태이나 신경아세포종과는 달리 다수의 환자에서 증상이 없다.
- 화학 요법에 반응하지 않아 수술적 치료가 필요하다.

2) 경막내, 척수외 종양(intradural extramedullary tumor)

- 소아에서 발생하는 척추내 종양(intraspinal tumor) 중 약 1/4이 이 부위를 이환한다.

(1) 수막종(meningioma)

- 소아에서는 경추와 흉추 부위에 호발하며, 제2형 신경섬유종증과 연관된 경우가 많아 반드시 진단적 검사를 해야 한다.
- 성인에서는 5% 이하에서 낭성 변화(cystic change)를 보이는데 반해 소아에서는 50% 이상에서 나타난다.
- 수술적으로 완전 절제하며, 불완전 절제 시 90%에서 재발한다.

(2) 신경초종(schwannoma), 신경섬유종(neurofibroma)

- 대부분의 말초 신경초 종양(peripheral nerve sheath tumor)은 신경섬유종증 환자에서 발생한다.
- 흔히 감각 신경에 발생하며 이차적으로 운동 신경을 압박하지 않는 한 운동 약화는 일으키지 않는다.
- 진단이 늦은 경우 성장한 종양이 경추 및 흉추 부위에서 척수를 압박하여 척수증(myelopathy)을 유발하기도 한다.
- 수술적 절제술을 요한다.

(3) 척수 내 종양

- 소아에서 드물며 전체 소아 CNS 종양의 4-6%를 차지한다. 하지만 소아의 경막내 종양 중에서는 약 35-55%에 달한다.
- 경추 및 경추부 척수에 위치하는 것이 46%에 달하며 종종 다발성 병변을 보인다.
- 성상세포종(astrocytoma)과 상의세포종(ependymoma)이 대부분이며, 성상세포종은 어린 연령의 소아에서 더 흔하고 연령이 증가하여 성인이 될수록 상의세포종이 증가한다.
- 절제술 시 척수 손상에 주의해야 한다.

참고문헌

이춘성, 김영태, 박수성. 10대의 요추 추간판탈출증. 대한정형외과 학회지, 1994;29:1376.

Auguste KI, Gupta N. Pediatric intramedullary spinal cord tumors. Neurosurg Clin N Am. 2006;17:51.

Bavbek M, Atalay B, Altinors N, et al. Spontaneous resolution of lumbar vertebral eosinophilic granuloma. Acta Neurochir(Wien). 2004;146:165.

Boxall D, Bradford DS, Winter RB, et al. Management of severe spondylolisthesis in children and adolescents. J Bone Joint Surg Am. 1979;61:479.

Clarke NMP, Cleak DK. Intervertebral lumbar disc prolapse in children and adolescents. J Pediatr Orthop. 1983;3:202.

De Bernardi B, Pianca C, Pistamiglio P, et al. Neuroblastoma with symptomatic spinal cord compression at diagnosis: treatment and results with 76 cases. J Clin Oncol. 2001;19: 183.

Durham SR, Sun PP, Sutton LN. Surgically treated lumbar disc disease in the pediatric population: an outcome study. J Neurosurg. 2000;92:1.

Fielding JW, Hawkins RJ. Atlantoaxial rotatory fixation (fixed rotatory subluxation of the atlantoaxial joint). J Bone Joint Surg Am, 1977;59:37.

Foreman P, Christoph J, Koichi W, et al. L5 spondylosis/ spondylolisthesis: a comprehensive review with an anatomic focus. Childs Nerve Syst. 2013;29:209.

Freeman BL III, Donati NL. Spinal arthrodesis for severe spondylolisthesis in children and adolescents: A long-term follow-up study. J Bone Joint Surg Am. 1989;71:594.

Frennered AK, Danielson BI, Nachemson AL. Natural history of symptomatic isthmic low grade spondylolisthesis in children and adolescents: A seven-year follow-up study. J Pediatr Orthop. 1991;11:209.

Gennuso R, Humphreys RP, Hoffman HJ, et al. Lumbar intervertebral disc disease in the pediatric population. Pediatr Neurosurg. 1992;18:282.

Hadfield MG, Quezado MM, Williams RL, et al. Ewing's family of tumors involving structures related to the central nervous system: a review. Pediatr Dev Pathol. 2000;3:203.

Hensinger RN. Current concepts review: Spondylolysis and spondylolisthesis in children and adolescents. J Bone Joint Surg Am. 1987;71:1098.

Kalichman L, Kim DH, Li L, et al. Spondylolysis and spondylolisthesis: prevalence and association with low back pain in the adult communitybased population. Spine. 2009;34:199.

Mankin HJ, Horniccek FJ, Ortiz-Cruz E, et al. Aneurysmal bone cyst: a review of 150 patients J Clin Oncol. 2005;23: 6756.

Ozaki T, Liljenqvist U, Hillmann A, et al. Osteoid osteoma and osteoblastoma of the spine: experiences with 22 patients. Clin Orthop Relat Res. 2002;397:394.

Pang D, Li V. Atlantoaxial rotatory fixation: part 2-new diagnostic paradigm and a new classification based on motion analysis using computed tomographic imaging. Neurosurgery. 2005;57:941.

Phillips WA, Hensinger RN. The management of rotatory atlantoaxial subluxation in children. J Bone Joint Surg Am, 1989;71:664.

Pizzutillo PD, Hummer CD. Nonoperative treatment for painful adolescent spondylolysis or spondylisthesis. J Pediatr Orthop. 1989;9:538.

Robest N, Hensinger. Acute back pain in children. AAOS Inst Course Lect. 1995;44:111.

Seitsalo S. Operative and conservative treatment of moderate spondylolisthesis in young patients. J Bone Joint Surg Br. 1990;72:908.

Shirado O, yamazaki Y, Takeda N, et al. Lumbar disc herniation associated with separation of the ring apophysis. Clin Orthop Relat Res. 2005;431:120.

Standaert CJ. Low back pain in the adolescent athlete. Phys Med Rehabil Clin N Am. 2008;19;287.

Takeshima T, Kambara K, Miyata S, et al. Clinical and radiographic evaluation of disc excision for lumbar disc herniation with and without posterolateral fusion. Spine. 2000;25:450.

Thakur NA, Daniels AH, Schiller J, et al. Benign tumors of the spine. J Am Acad Orthop Surg. 2012;20:715.

Transfeldt EE, Mehbod AA. Evidence-based medicine analysis of isthmic spondylolisthesis treatment including reduction versus fusion in situ for high-grade slips. Spine. 2007;32: S126.

Wiltse LL, Newman PH, Macnab I. Classification of spondylolysis and spondylolisthesis. Clin Orthop Relat Res. 1976;117:23.

15

선천성 및 영유아기 수부 질환

Congenital and Infantile Hand Disorders

15 선천성 및 영유아기 수부 질환

Congenital and Infantile Hand Disorders

목차

I. 분류

최근까지 널리 사용되었던 선천성 상지 이상(difference)에 대한 분류법은 IFSSH (국제수부외과학회연맹) 분류법으로 선천성 상지 이상을 분화 부전, 형성 부전, 중복, 과성장, 선천성 환형 수축대 증후군 및 전신성 골 이상의 7개의 질환군으로 나누었다. 이 분류법이 이해가 쉬운 장점이 있지만, 일부 복잡 기형의 경우 분류할 수 없기 때문에 여러 저자들로부터 비판을 받아왔다.

상지의 발생은 근위-원위, 요측-척측 및 전방-후방 방향의 세 개의 축 방향으로 진행된다. 근위-원위부 방향의 발달은 첨부 외배엽 능선(apical ectodermal ridge, AER)과 주변의 중배엽이 섬유모세포 성장 인자와 Wnt 단백질을 통해 조절하며, 분극 활성도 구역(zone of polarizing activity, ZPA)은 상지 중배엽의 후방에 위치하는데, 이는 SHH (sonic hedgehog)를 통해 요측-척측 방향의 발달을 조절한다. 후방 외배역은 Wnt7a 분비 및 후방 중배엽에서의 Lmx1b 유도를 통해 지(limb)의 후방화(dorsallization)를 조절한다. 이러한 첨부 외배엽 능선(apical ectodermal ridge), 분극 활성도 구역(zone of polarizing activity) 및 후방 외배엽과 같은 성장 및 발달을 조절하는 조직이나 분자 경로에 문제가 생기게 되면 선천성 상지 이상이 발생하게 된다.

Oberg, Manske, Tonkin은 이러한 병리유전학적 기전에 근거한 새로운 분류법인 OMT 분류법을 제시하였다Table 1. 이 분류법은 선천성 사지 이상(congenital limb anomalies)을 형성이상(malformation), 변형(deformation) 및 이형성(dysplasia)으로 분류한다. 형성이상(malformation)은 신체의 한 부분이나 복잡한 조직이 비정상적으로 형성되는 상태를 의미하며, 변형(deformation)이 형성이상(malformation)과 다른 점은 정상적인 형성이 일어난 이후에 문제가 발생한다는 점이다. 이형성(dysplasia)은 한 조직 내에서 크기, 모양, 세포의 구성 등이 비정상적인 상태를 의미한다. 형성이상(malformation)은 형성 및 분화 과정의 문제가 발생한 범위 및 문제가 발생한 발생 축 방향에 따라 다시 재분류된다.

II. 수부판 형성 및 분화 부전

1. 단지증(수지골 및 중수골)

1) 종류

형성부전 부위에 따라 지골이 짧은 경우를 brachyphalangia (bracyphalangy, brachyphalangism)라고 부른다. 특히 원위 지골이 짧은 경우를 brachytelephalangia, 중위 지골이 짧은 경우를 brachymesophalangia, 근위 지골이 짧은 경우를 brachybasophalangia라고 하며, 중수골이 짧은 경우를 brachymetacarpia라고 한다. 중위 지골이 짧은

Table 1. **OMT classification of congenital hand and upper limb anomalies**

I. Malformations
A. Entire upper limb: abnormal asix formation (early limb patterning)
1. Proximodistal axis
i. Brachymelia
ii. Symbrachydactyly spectrum (with ectodermal elements)
a) Poland syndrome
b) Whole limb excluding Poland syndrome (various levels: humeral to phalangeal)
iii. Transverse deficiency (without ectodermal elements)
a) Amelia
b) Segmental (various levels: humeral to phalangeal)
iv. Intersegmental deficiency (phocomelia)
v. Whole limb duplication/triplication
2. Radioulnar (anteriposterior) axis
i. Radial longitudinal deficiency
ii. Ulnar longitudinal deficiency
iii. Ulnar dimelia
iv. Radiohumeral synostosis
v. Radioulnar synostosis
vi. Congenital dislocation of radial head
vii. Forearm hemiphyseal dysplasia, radial (Madelung deformity), or ulnar
3. Dorsoventral axis
i. Ventral dimelia
ii. Dorsal dimelia
4. Unspecified axis
i. Shoulder
a) Undescended (Sprengel)
b) Abnormal shoulder muscles
ii. Upper to lower limb transformation
B. Hand plate: abnormal axis differentiation (late limb patterning/differentiation)
1. Proximodistal axis
i. Brachydactyly
ii. Symbrachydactyly (with ectodermal elements)
iii. Transverse deficiency (without ectodermal elements)
iv. Cleft hand (split hand foot malformation)
2. Radioulnar (anteroposterior) axis
i. Radial longitudinal deficiency, hypoplastic thumb
ii. Ulnar longitudinal deficiency, hypoplastic ulnar ray
iii. Radial polydactyly
iv. Triphalangeal thumb
a) Five-finger hand
v. Ulnar dimelia (mirro hand)
vi. Ulnar polydactyly
3. Dorsoventral axis
i. Dorsal dimelia (palmar nail)
ii. Ventral dimelia (hypoplastic/aplastic nail)
4. Unspecified axis)
i. Soft tissue
a) Cutaneous (simple) syndactyly
ii. Skeletal
a) Osseous (complex) syndactyly
b) Clinodactyly
c) Kirner deformity
d) Synostosis/symphalangism
iii. Complex
a) Syndromic syndactyly (eg. Apert hand)
b) Synpolydactyly
c) Not otherwise specified

II. Deformations
A. Constriction ring sequence
B. Not otherwise specified

III. Dysplasias
A. Variant growth
1. Diffuse (whole limb)
i. Hemihypertrophy
ii. Aberrant flexor/extensor/intrinsic muscle
2. Isolated
i. Macrodactyly
ii. Aberrant intrinsic muscles of hand
B. Tumorous conditions
1. Vascular
i. Hemangioma
ii. Malformation
iii. Others
2. Neurological
i. Neurofibromatosis
ii. Others
3. Connective tissue
i. Juvenile aponeurotic fibroma
ii. Infantile digital fibroma
iii. Others
4. Skeletal
i. Osteochondromatosis
ii. Enchodromatosis
iii. Fibrous dysplasia
iv. Epiphyseal abnormalities
v. Pseudoarthrosis
vi. Other
C. Congenital contracture
i. Arthrogryposis multiplex congenita
a) Amyoplasia
b) Distal arthrogryposis
c) Other
ii. Isolated
a) Camptodactyly
b) Thumb in palm deformity
c) Other

V. Syndromes
A. Specified
1. Acrofacial dysostosis 1 (Nager type) (MIM 154400)
2. Apert (MIM #101200)
3. Al-Awadi/Raas-Rothschild/Schinzel phocomelia (MIM 276820)
4. Baller-Gerold (MIM #218600)
5. Bardet-Bie이 (21 types)
6. Beals (MIM 121050)
7. CLOVES (MIM 612918)
8. Carpenter (MIM 201000)
9. Catel-Manzke (MIM 616145)
10. Cornelia de Lange (5 types)
11. Crouzon (MIM 123500)
12. Down (MIM 190685)
13. Ectrodactyly-ectodermal dysplasia-clefting (MIM 129900)
14. Fanconi pancytopenia (MIM 227650)
15. Freeman Sheldon (MIM 193700)
16. Fuhrmann (MIM 228930)
17. Goltz (focal dermal hypoplasia) (MIM 305600)
18. Gorlin (basal cell nevus syndrome) (MIM 109400)
19. Greig cephalopolysyndactyly (MIM 305600)
20. Hajdu-Cheney (MIM 102500)
21. Hemifacial microsomia (Goldenhar syndrome) (MIM 164210)
22. Holt-Oram (MIM 142900)
23. Lacrimoauriculodentodigital (Levy-Hollister) (MIM 149730)
24. Larsen (MIM 150250)
25. Laurin-Sandrow (MIM 135750)
26. Leri-Weill dyschondrosteosis (MIM 127300)
27. Liebenberg syndrome (MIM #186550)
28. Moebius sequence (MIM 157900)
29. Multiple synostoses (4 types)
30. Nail-patella (MIM 161200)
31. Noonan (2 types)
32. Oculodentodigital dysplasia AD (MIM 164200); AR (MIM 257850)
33. Orofaciodigital (18 types)
34. Otopalatodigital spectrum (filamin A)
35. Pallister-Hall (MIM 146510)
36. Pfeiffer (MIM 101600)
37. Pierre Robin (4 subtypes)
38. Poland (MIM 173800)
39. Proteus (MIM 176920)
40. Roberts (MIM 268300)
41. SC phocomelia (MIM 26900)
42. Rothmund-Thomson (MIM 268400)
43. Rubinstein-Taybi (2 types)
44. Saethre-Chotzen (MIM 101400)
45. Split hand-foot malformation (7 types)
46. Thrombocytopenia absent radius (MIM 274000)
47. Townes-Brock (2 types)
48. Trichorhinophalangeal (3 types)
49. Ulnar-mammary (MIM 181450)
50. VACTERLS association (3 types)
B. Others

* Specified syndromes are those considered most relevant; however, many other syndromes have a limb component categorized under "B. Others".

brachymesophalangy는 소지에 흔히 나타나며, 중수골이 짧은 brachymetacarpia는 제4, 5중수골에 흔히 나타난다.

2) 치료

손의 기능은 정상에 가까우므로 수술이 필요한 경우는 드물다. 수지골이 짧은 단지증의 경우 골연장술을 거의 시행하진 않지만, 중수골 단축증의 경우 외고정 장치를 이용하여, 중수골 연장술을 시행해 볼 수 있다Fig 1. 중수골 연장술에는 해당 골의 횡절골술 후 장골(iliac bone)을 삽입하는 방법과 외고정기구(external fixator)를 이용하여 연장하는 방법이 있다. 하지만, 손등은 얼굴만큼이나 남에게 자주 보이는 부분이라, 흉터가 눈에 잘 띌 수 있다는 것을 수술 전 충분히 설명해야 한다.

2. 선천성 무지 저형성증 (congenital hypoplasia of the thumb)

무지(엄지, thumb)는 수부 전체 기능의 40-50% 이상을 차지하여, 무지의 결손은 수부의 현저한 기능 저하를 초래한다. 무지는 각종 pinch (precision, pulp, key, chuck pinch)와 grasp (span, power) 등에 매우 중요한 역할을 한다. 무지의 저형성은 단순히 크기가 작은 경우부터 아예 무지가 없는 경우까지 다양하게 나타날 수 있다.

1) 분류 및 치료

무지 저형성증은 선천성 관절구축증(arthrogryposis) 등과 같이 증후군의 일환으로 나타나는 증후군형(syndromic type)과 동반 증후군 없이 나타나는 단순형(simple type)으로 나눌 수 있다. 증후군형의 경우, 지관절유합증(symphalangism)이나 심한 근육의 저형성 및 구축으로 인해 수술 결과가 대부분 불량하다. 그러나, 수술적 치료를 하는 경우가 하지 않는 경우보다는 결과가 좋아 선별적 수술이 권장된다.

선천성 무지 저형성증의 분류는 Muller가 가장 먼저 분류하였지만, Blauth의 분류법이 현재 가장 흔히 사용되며 아래와 같다. Lister는 II형 무지 저형성증을 중수 수지 관절의 안정성에 따라 IIA와 IIB로 분류하였고, Manske와 McCarroll은 III형 무지 저형성증을 수근 중수 관절의 안정성에 따라 IIIA와 IIIB로 분류하였다.

(1) Type I

엄지가 정상보다 짧고 작지만, 모든 해부학적 구조물들을 갖추고 있으며, 비교적 정상적인 기능을 하는 엄지이다.

(2) Type II

골격이 덜 발달하였으며, 중수 수지 관절은 불안정하고, 제1지간은 좁으며, 무지구근의 저형성이 관찰된다. 필요에 따라, 제1물갈퀴 공간 심화술, 척측 측부 인대 재건술, 대립성형술(opponensplasty) 등으로 재건한다Fig 2.

① A형: 중수 수지 관절이 한 방향으로만 불안정하다. 척측 불안정성이 흔하다.

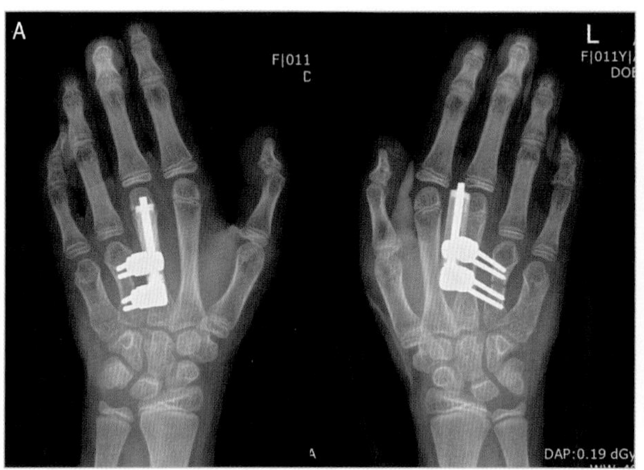

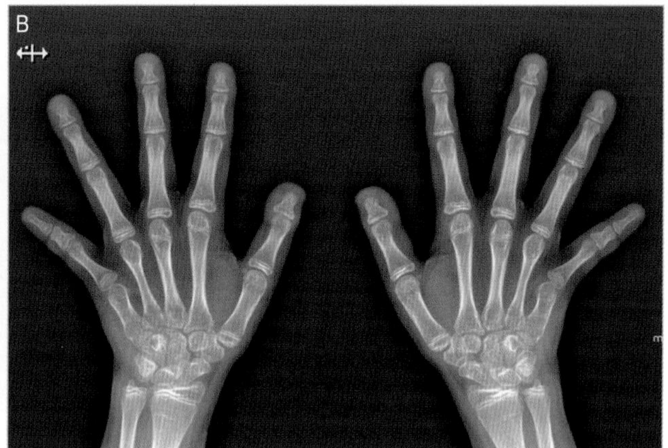

Fig 1. A: 11세 여자 환아로 양측 제4, 5중수골의 중수골 단축증이 관찰되어, 양측 제4중수골에 대해 중수골 연장술을 시행하였다. B: 수술 후 양측 제4중수골이 성공적으로 연장되었다.

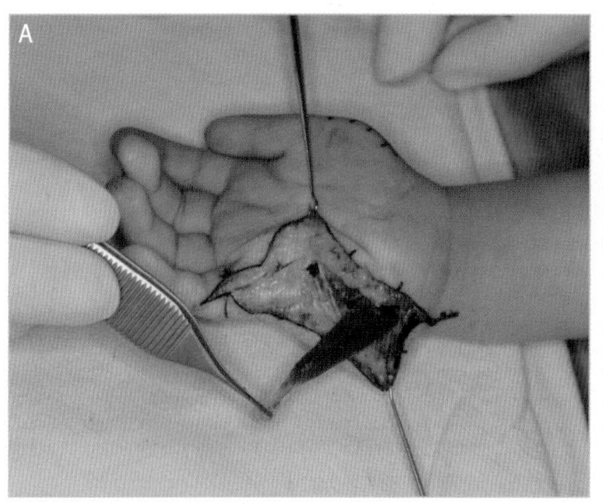

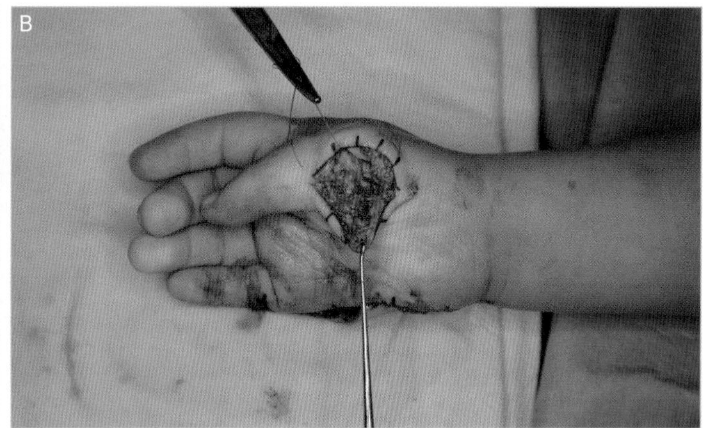

Fig 2. A: 30개월 여아로 우측 무지 저형성증에 대해 소지 외전근을 이용하여, 무지 대립성형술을 시행하였다(Huber 술식). B: 소지 외전근의 원위부는 무지 근위 지골 요측에 재부착시킨다.

② B형: 중수 수지 관절이 여러 방향에서 전반적으로 불안정하다.

(3) Type III

II형의 상태에 외재근 결손이 함께 관찰되는 상태로 두 번째로 흔하다.

① A형: 제1수근중수 관절(1st carpometacarpal joint)은 비교적 안정적이며, type II에 필요한 수술 및 결손이 심한 건의 이식술로 무지를 재건할 수 있으며, 무지형성술(pollicization)을 할 수도 있다.

② B형: 제1중수골의 기저부가 없어, 제1수근중수 관절이 매우 불안정하다. 무지형성술이 일반적인 치료법이지만, 제2족지의 중족 족지 관절(metatarsophalangeal joint)을 이식하여 제1수근 중수 관절을 재건한 뒤, 수차례의 건이식술을 통해 재건하기도 한다.

(4) Type IV (floating thumb, pouce flottant)

제1중수골과 무지의 근육이 전혀 형성되지 않고, 달랑달랑한 피부 덩어리만 존재하는 형태이다. 피부 덩어리 속에는 연골의 조각이나, 골 조각이 있는 경우도 있다. 무지 형성술로 치료하지만, 수차례의 수술을 통해 무지를 재건한 보고도 있다.

(5) Type V

아예 무지가 형성되지 않은 형태이다. 무지형성술로 치료한다Fig 3.

2) 수술 시기

선천성 무지 저형성증에서 인지의 무지형성술(pollicization)은 매우 효과적인 수술 방법이긴 하지만, 미세수술에 준하므로 기술적으로 어려운 단점이 있다. 환아의 대뇌에는 엄지에 대한 영역이 없으므로 무지형성술은 조기에 할 것이 권장된다. 두 살 전에 무지형성술을 시행하면, 대뇌에 새로운 무지에 대한 영역이 신속히 신설됨이 알려져 있다. 따라서, 두 살이 되기 전에 수술하는 것이 가장 바람직하지만, 두 살 이후에 수술하더라도 손의 기능을 향상시킬 수 있다.

3. 요측 다지증(radial polydactyly)

축전성 다지증(preaxial polydactyly)라고도 하며, 수부에 발생하는 선천성 이상 중 가장 흔한 형태로 전체 다지증의 85% 이상을 차지한다. 한국인의 손에 발생하는 다지증은 거의 대부분 요측 다지증이다. 대부분 산발성으로 발생하나 가족력이 있는 경우가 10% 이내로 알려져 있다. 대개 편측성이며 약 20%에서 양측성으로 발생한다.

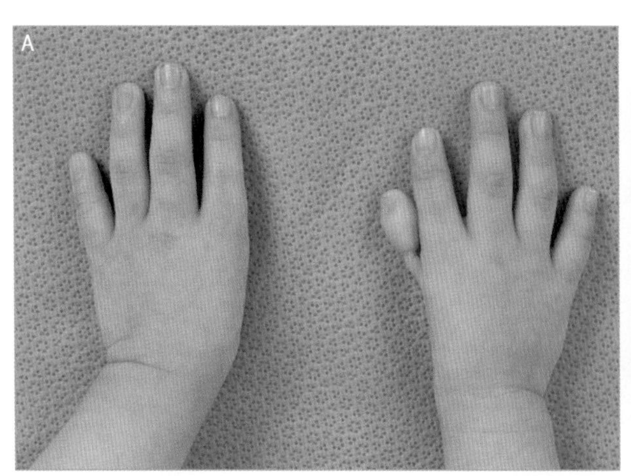

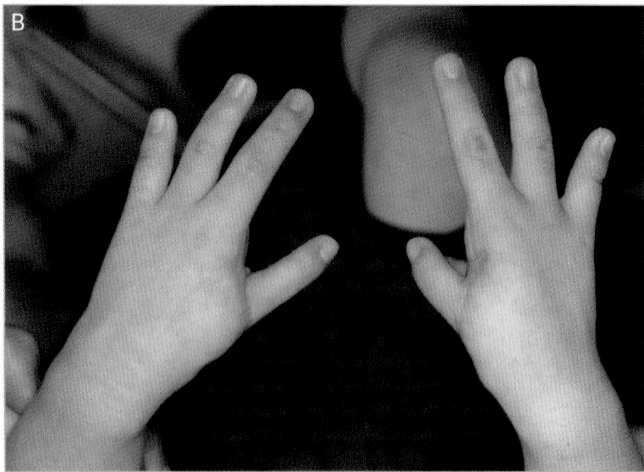

Fig 3. A: 31개월 여아로 우측 무지는 부유 무지(floating thumb)이며, 좌측은 무지가 발생하지 않았다. B: 양측 무지 형성술을 시행하였고, 많은 기능 호전을 보였다.

1) 분류

일반적으로 Wassel이 고안한 Iowa system (1967)으로 분류한다Fig 4. 그러나, 이 분류는 단순히 수지 중복의 위치만으로 분류하므로 변형의 정도나 예후, 수술 방법 등의 정보를 제공하기에는 부족한 부분이 있다. Wassel VII형은 삼지골, 무지의 중복을 의미하며, 제IV형이 가장 흔하다.

2) 임상 소견

지골의 중복뿐만 아니라 관절면의 불균형, 관절낭의 이상, 굴신건의 중복 및 이상 부위 부착, 측부 인대의 이상, 굴곡 기형 등으로 인한 관절의 운동 범위 제한을 보일 수 있다.

3) 치료 원칙

- 기본적인 치료 원칙은 장축을 따라 무지의 축을 맞춰 주고 관절의 안정화 및 굴신건의 조화, 조갑과 조갑 주름 교정, 그리고 적절한 무지의 크기로 만들어 주는 것이다.
- 무지의 구성 요소에는 뼈 이외에도 관절막, 무지 외전건(abductor pollicis), 단무지 굴곡건과 장무지 및 단무지 신전건(extensor pollicis longus and brevis)과 같은 건, 신경, 혈관, 피부, 조갑 등이 포함되기 때문에 단순 절제로 만족스러운 결과를 초래하는 경우는 매우 드물다.
- 수술 시기에 대해서는 아직 논란이 있으며 다지증의 복잡성과 관련 있다. 신생아의 손의 기능의 발달은 생후 6개월에 쥐는 힘이 생기고, 무지와 인지의 기능은 12개월, 자의적 펴는 기능은 18개월, 그리고 기능적 손가락의 조화는 2-3세경에 완성되고 더불어 전신 마취가 필요한 수술인만큼 성인의 간과 폐기능의 약 80% 정도가 완성되는 생후 12개월 전후가 적정하다. 만족스러운 미용적, 기능적 결과를 얻기 위해서 보통 1세 미만에서 수술을 권한다. 그러나 복잡한 무지 다지증의 경우 일찍 수술을 하는 경우 정확한 교정이 어려울 수 있다.

4) 수술 술기

수술 방법은 크게 절제술과 융합술(combination)로 구분할 수 있다. 융합술에는 대칭적으로 갈라져 있는 경우 각각의 내측 반쪽을 제거하고 외측 반쪽을 중앙에 모아 하나로 만드는 Bilhaut-Cloquet 술식(대칭융합술)과 비대칭으로 융합시키는 modified Bilhaut-Cloquet 술식(비대칭융합술)이 있다Fig 5.

- 건측의 손톱과 비교하여 다지증 무지의 손톱 면적이 70-80%가 되면 상대적으로 작은 잉여 무지를 절제하

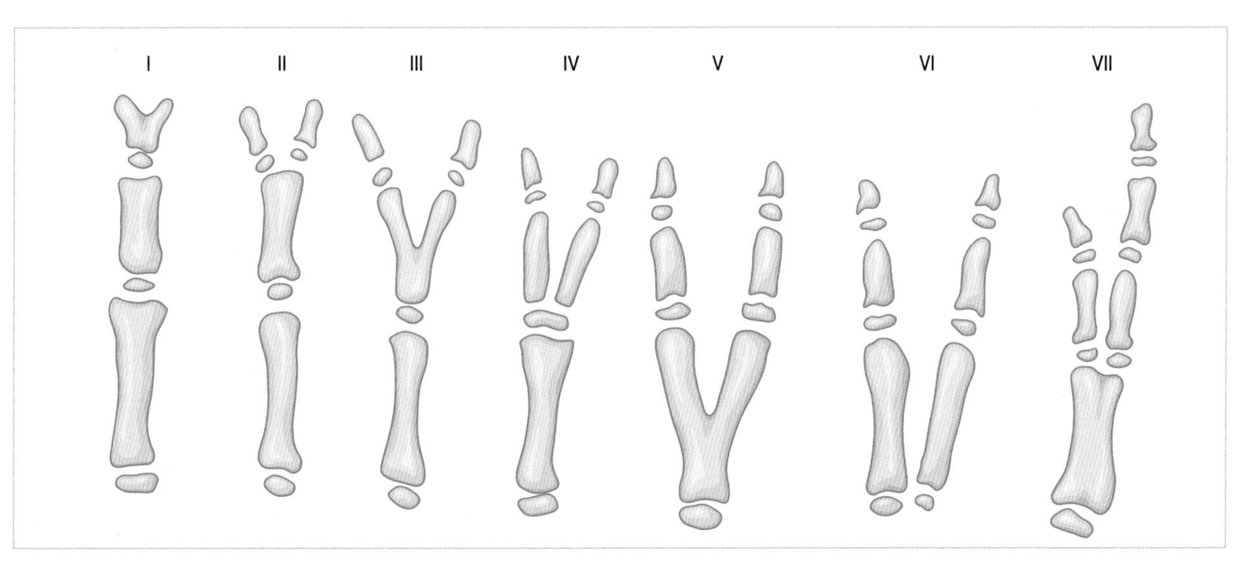

Fig 4. **전축성 다지증에 대한 Wassel 분류법.**

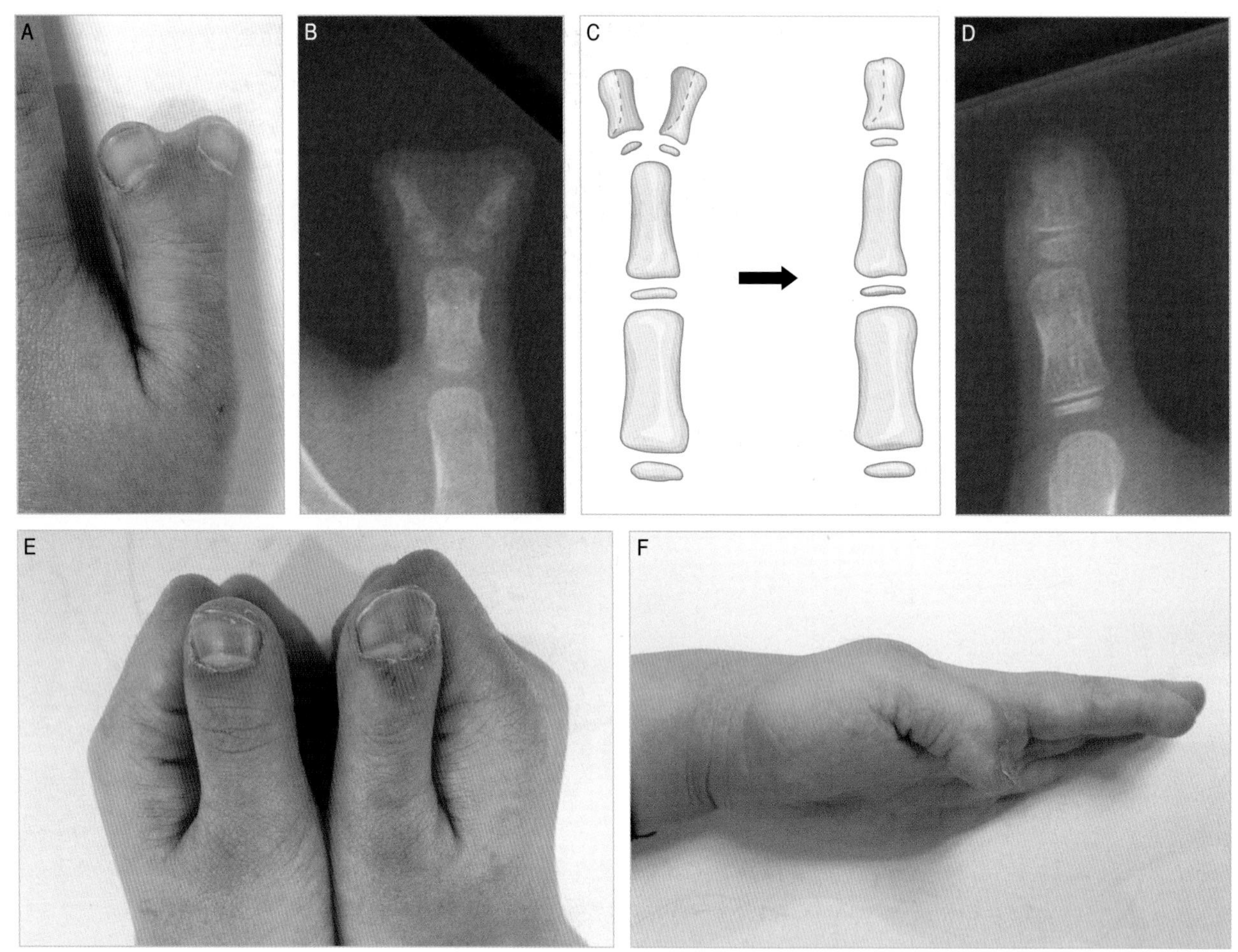

Fig 5. **Modified Bilhaut-Cloquet 술식.**

A: 거의 대칭적이고 저형성된 무지 다지증. B: Wassel II형 다지증으로 원위 지골의 저형성증이 관찰된다. C: 원위 지간 관절의 운동을 보존하기 위한 modified Bilhaut-Cloquet 술식의 모식도. D: 수술 후 2년째 사진으로 원위 지골의 Hypertrophy와 잘 발달된 원위 지간 관절을 볼 수 있다. E,F: 수술 후의 모양과 관절운동이 매우 좋다.

는데, 이때 필요한 조직은 반드시 보존하면서 절개를 한다. 무지의 원위 지골 반흔 구축을 최소화하도록 봉합선을 설정하고, 남을 엄지에 연부 조직이 부족하면 절제할 부분의 연부조직으로 국소 피판(local flap)을 만들어 이용한다. 일반적으로 저형성된 열성인 요측 무지를 절제하고 요측 무지에 붙어있었던 단무지 외전근(abductor pollicis brevis)을 척측 무지의 요측으로 이전해 준다. 수술전 무지 후전면 X-ray에서 제1중수골과 척측 무지의 해부학적 축 사이각이 10.8도를 넘게 되면 중수골 경부에서 교정 절골술을 하는 것이 추천된다 Fig 6.

- 양측성이면서 남을 무지의 손톱 횡 직경(transverse diameter)이 인지의 그것보다 작은 경우, 그리고 단측성이면서 건측의 엄지 손톱 횡 직경에 비해 70% 이하일 때는 Bilhaut-Cloquet 술식의 modification을 이용한다.
- 삼지골 무지(triphalangeal thumb)를 동반한 다지증은 일반적인 축전성 다지증과 달리, 70% 정도가 양측성이다. 대부분 산발성으로 발생하나 상염색체 우성 유전되기도 한다. 삼각골 등에 의한 측만과 내재근 및 외재근의 저형성 등이 흔히 동반되는 복잡 기형으로, 수술이 단계적으로 2회 이상 시행되기도 한다.

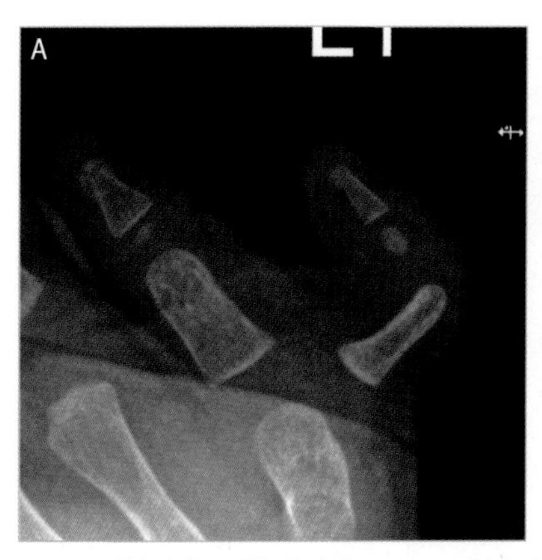
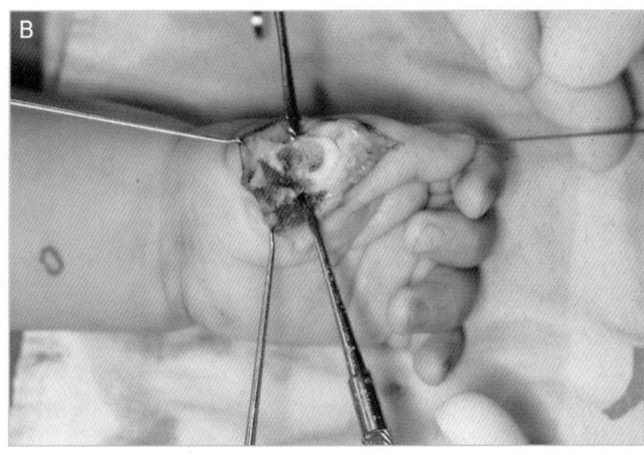
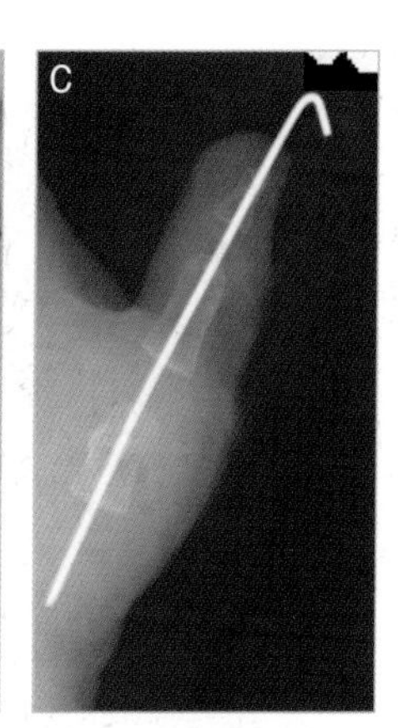

Fig 6. 8개월 남아로 좌측 무지의 Wassel Ⅳ형의 다지증이 관찰된다. A: 중수-수지 관절에서 척측 무지가 내전된 소견이 관찰된다. B: 중수골 경부에서 교정 절골술을 시행하였다. C: 수술 후 X-ray로 중수-수지 관절에서의 각변형이 잘 교정되었다.

5) 수술 후 합병증

가장 무서운 합병증은 잔여 수지의 괴사이다. 그 밖에 각형성, 회전 변형, 관절 강직이나 이완, 근육이나 건손상, 환부의 혈종이나 감염, 핀 주위 감염, 조갑 기형, 신경 손상에 의한 감각의 감소 등이 합병증으로 발생할 수 있다.

4. 삼지골 무지(triphalangeal thumb)

무지의 정상적인 두 개의 지골 사이에 다양한 형태의 잉여지(extraphalanx)가 존재하는 형태이다. 상염색체 우성 유전되기도 하며, 임신 1기에 thalidomide 복용과도 관련되어 발생하기도 하였다. 비정상적인 모양의 잉여 지골 및 그 골단판으로 인하여 잉여 지골이 성장함에 따라 무지에는 여러 형태의 각변형이 초래된다. 따라서 미관상 좋지 않을 뿐만 아니라 수부의 정밀 기능에도 장애를 초래하여 대부분 수술적 교정이 필요하다.

1) 동반 기형

무지의 다지증이 가장 흔하다. 그 외 족지 다지증, 파열수, 선천성 경골 결손, 선천성 수근골 결손, 선천성 대흉근 결손, 경골 결손, 폐쇄 항문(imperforate anus), 구개열 등이 있을 수 있다. Holt-Oram 증후군, Black-fan-Diamond 빈혈, Fanconi 빈혈 등의 한 증상으로 나타나기도 한다. 따라서 혈액학적 검사와 소아청소년과와의 협진이 필요한 경우가 많다.

2) 분류 및 치료

(1) I형(삼각지골 형, delta bone type) Fig 7A

삼각 지골이 동반되어, 무지가 길고 각변형을 나타낸다. 삼각형이 아닌 사다리꼴(rectangular type)의 잉여 지골이 들어 있는 경우도 있다. 아주 작은 경우 단순 절제하기도 한다. 절골술이 가능한 크기이면, 삼각 지골의 인접 관절 중 움직임이 좋은 것은 보존한다. 움직임이 나쁜 쪽은 절제 관절고정술(resection arthrodesis)을 하면서 각변형을 교정한다.

(2) II형(오수지 수부 형, five-fingered hand type) Fig 7B

무지구 근육(thenar muscles) 등의 결손과 물갈퀴 공간(web space)의 결손으로 대립(opposition)이 잘 되지 않는다. 표재 수지 굴근(flexor digitorum superficialis) 또는 소지 외전근(abductor digiti minimi)의 건 이전술, 무지형성술(pollicization)을 시행한다.

5. 축성 다지증(axial polydactyly)

1) 유전

합지증을 동반한 중심성 다지증(환지 중복)의 경우 유전되며 제2염색체의 HOXD13 유전자와 관련이 있다. 상염색체 우성으로 나타나는 경우가 많다.

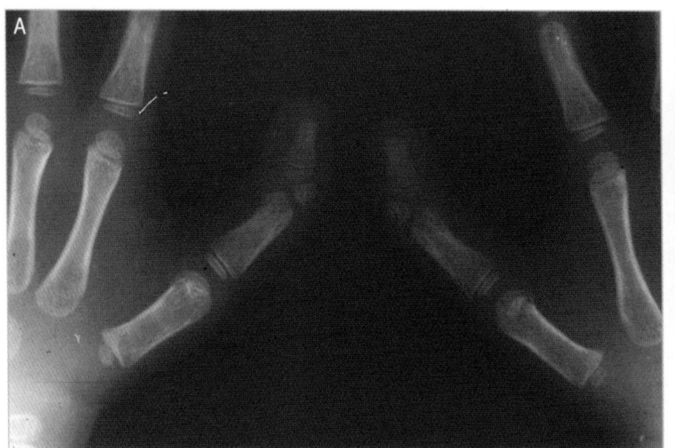

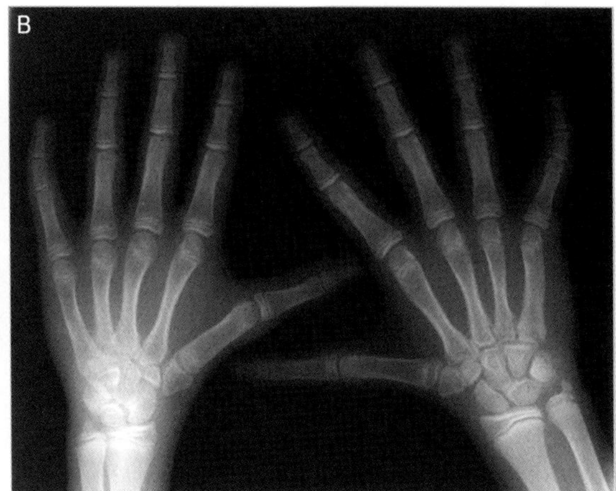

Fig 7. **삼지골 무지.**
A: I형(delta bone type). B: II형(five-fingered hand type).

2) 임상 소견

양측성이 많고 환지, 중지, 인지의 순서로 흔히 나타난다. 파열수 및 합지증과 흔히 동반되는데Fig 8 동반된 합지증으로 잉여지가 수지간 물갈퀴 공간(web space)에 은닉되기도 한다. 잉여지의 신경, 혈관, 건, 수지골 골단판이 비정상인 경우가 흔하며 Grebes' chondrodysplasia와 같은 증후군의 임상 소견으로 나타나기도 한다.

3) 치료

잉여지의 상태 및 합지증과 같은 동반 기형의 유무에 따라 결정된다.

- 합지증과 동반된 경우 수지를 먼저 분리한 다음 잉여지를 절제해 준다.
- 잉여지의 형태가 온전하고 기능 상 문제가 없다면 제거할 필요는 없다.
- 무리하게 손가락 개수를 맞추는 것보다는, 기형이 심한 부분을 절제하는 것이 기능적인 경우도 있다.
- 제한된 관절운동 범위를 보이는 하나의 중심성 다지증(isolated central polydactyly)의 경우 수지 열 절제술(resection of the ray)로 치료될 수 있다.
- 부분 중심성 다지증(partial central polydactyly)의 치료는 무지 중복에서의 재건술식과 유사하다.

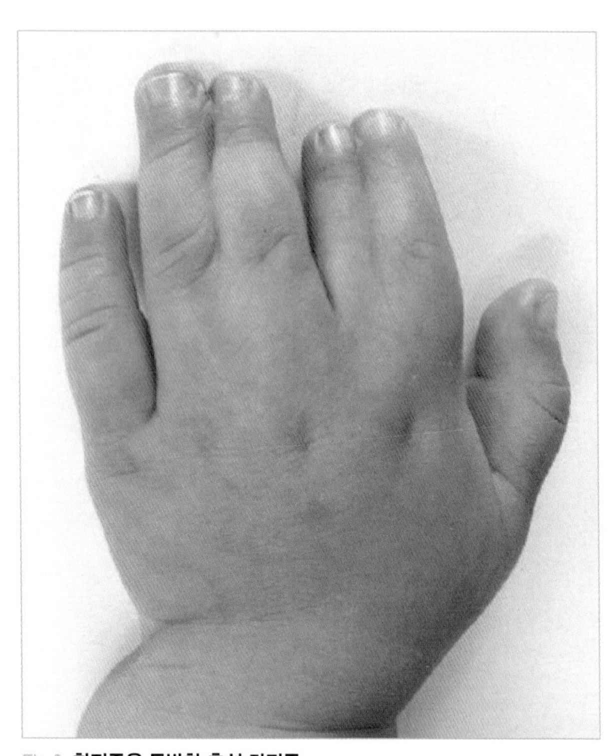

Fig 8. **합지증을 동반한 축성 다지증.**

6. 축후성 다지증(postaxial polydactyly), 척측 다지증(ulnar polydactyly)Fig 9

- 흑인에서 가장 흔한 수부 기형이며, 우리나라에는 매우 드물다. 흑인의 경우 요측 및 중심성 다지증을 합친 것

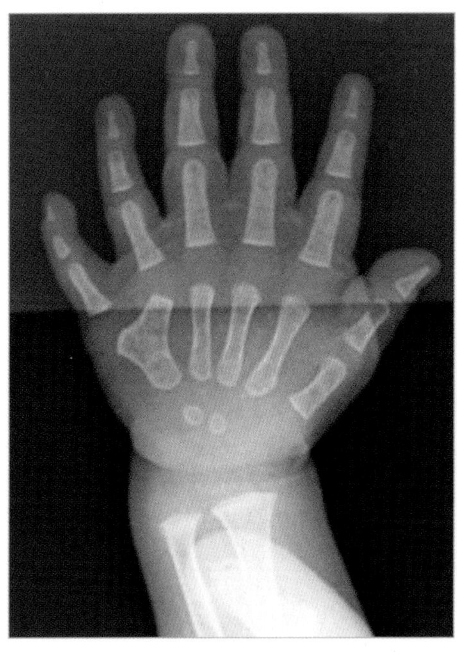
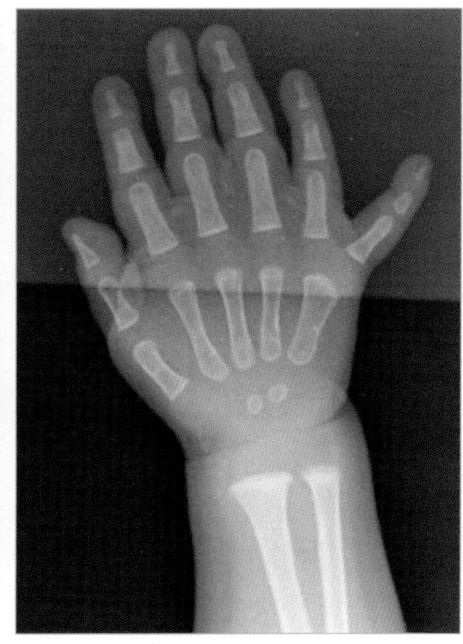

Fig 9. **축후성 다지증.**

의 약 8배 빈도로 흔하며, 우성 유전되는 경우가 많다.

- 중복의 형태는 완전히 형성된 수지의 중복에서 한 개의 지골 중복 또는 피부조각의 형태까지 다양하다. 연골외배엽 이형성증(chondroectodermal dysplasia) 또는 Ellis-van Creveld 증후군에서 나타날 수 있다.

1) 분류 및 치료

(1) Type A (well developed)

잉여지는 제거하고 척측 측부 인대(ulnar collateral ligament)와 소지 외전근(abductor digiti quinti) 같은 중요 구조물은 인접 수지로의 이전술을 시행한다.

(2) Type B (rudimentary and pedunculated)

기저부를 tying 또는 clipping하여 괴사시켜 제거한다.

7. 거울손

주관절 이하의 요측 구조물들이 없고 대신 척측 구조물들이 중복되어 있는 형태이다. 즉, 요골은 없고 척골이 두 개, 엄지는 없고 손가락만 7-8개이다Fig 10. 지난 300년간 세계적으로 약 60례가 보고되었을 정도로 희귀하다. 이중 척골(ulnar dimelia)이라고 부르기도 하며 팔에서 볼 수 있는 가장 완벽한 중복의 형태이다. 대부분 편측성이고 가족력은 없으며 동반 기형은 없다.

1) 병인

지아(limb bud)의 극성화 구역(the zone of polarizing activity, ZPA)에서 Shh (sonic hedgehog) 단백을 통해 사지의 전후(요-척) 방향성을 조절하는데, 극성화 구역의 복제에 의해 거울손이 발생하게 된다.

2) 병리 소견

- 전완부: 요골 대신 두 개의 척골이 존재한다.
- 주관절부: 두 개의 주두와(olecranon fossa)끼리 마주보는 양상을 보인다.
- 수근부: 주상골(scaphoid), 소능형골(trapezoid), 대능형골(trapezium)이 없고, 무지도 없으며 대신 7-8개의 수지가 있다.

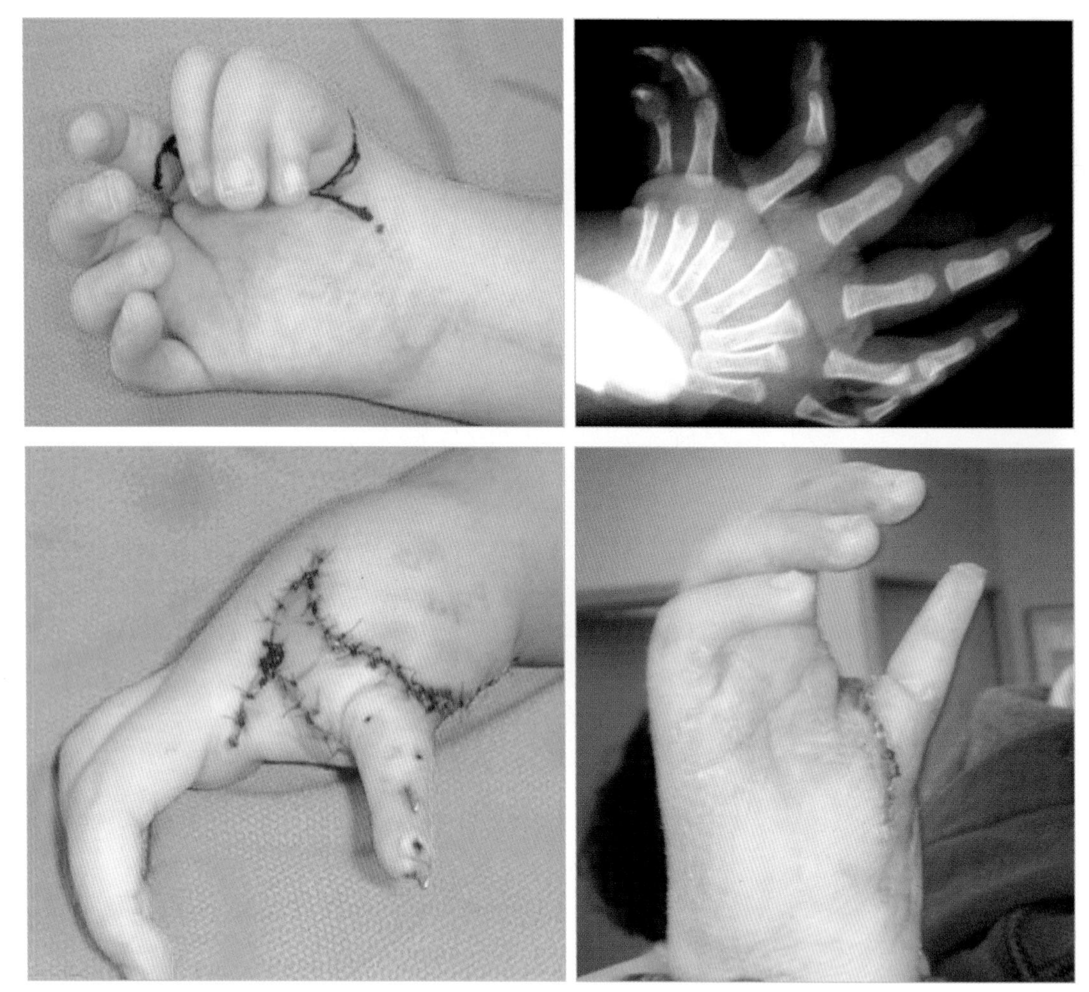

Fig 10. **Mirror hand.**
무지는 없이 7개의 수지를 보인다(A). 무지 형성술을 시행하였다(B).

3) 임상 양상

- 대개 편측성으로 수근부와 주관절부가 넓적하고 운동 제한이 있다.
- 손목과 주관절은 굴곡 구축을 보이기도 한다.
- 하지의 경골측 구조물이 없고 비골측 구조물이 중복되는 수도 있다.

4) 치료

- 기능이 가장 좋은 축전성 수지를 무지형성술(pollicization)을 시행하며, 여분의 수지들은 절제하고 그에 따라 발생한 피판으로 무지 물갈퀴 공간(web space)을 재건한다.
- 수근관절과 전완부는 필요에 따라 연부 조직 유리술, 관절 고정술, 교정 절골술을 시행할 수 있다.

8. 합지증(syndactyly)

1) 병인

태생기에 hand plate에서 수지가 갈라지는 것은 apoptosis (programmed cell death)에 의한다. 분리는 원위부에서 근위부로 진행된다. 합지증은 이 수지 분리의 부전으로 발생한다 Fig 11.

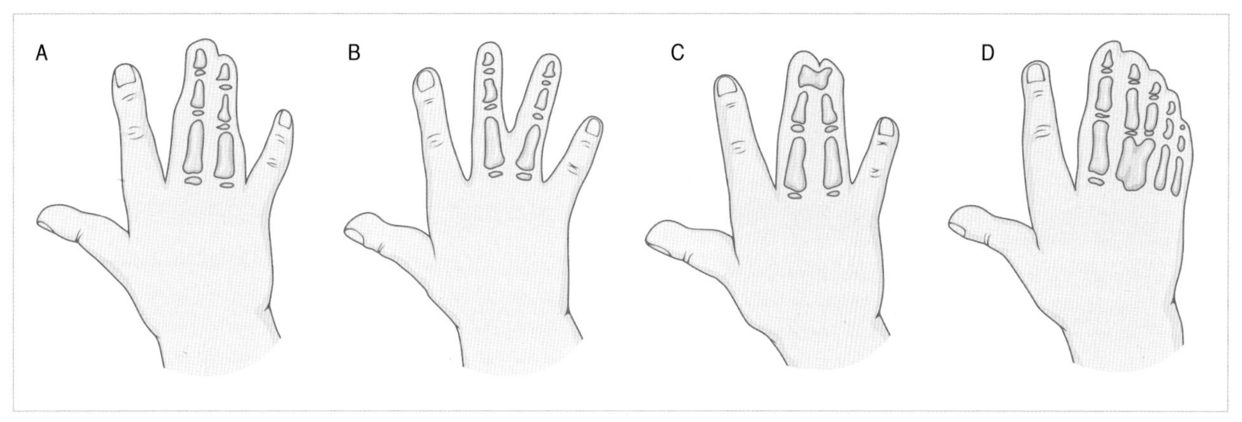

Fig 11. **합지증의 형태.**
A: 단순 완전 합지증. B: 단순 불완전 합지증. C,D: 복합형 합지증.

2) 역학

- 다지증과 함께, 두 번째로 흔한 수부의 선천성 기형이다.
- 50%에서 양측성으로 발생하며, 남녀 성비는 약 2 : 1로 발생한다.
- 발생 빈도는 중지-환지, 환지-소지, 인지-중지, 무지-인지 순이다.
- 10-40%에서 가족력이 있는데, 특히 중지-환지 또는 환지-소지 사이의 복잡형 합지증 중 원위 지골의 tuft가 붙은 경우는 유전성이 강하다.
- 수지나 족지의 저형성, 다지증 등과 흔히 동반된다. 그 외 측만지(clinodactyly), 굴지증(camptodactyly), 지절 유합증(symphalangism), 단지증(brachydactyly), 삼각지골(delta phalanx) 등과 동반되기도 한다. 특정 증후군이나 염색체 이상의 한 증상으로 발견되는 경우도 있다.

3) 분류

(1) 합지된 범위에 따른 분류

- 완전 합지증(complete syndactyly): 수지 전장 합지 Fig 12
- 불완전 합지증(incomplete syndactyly): 수지 일부분만 합지 Fig 13

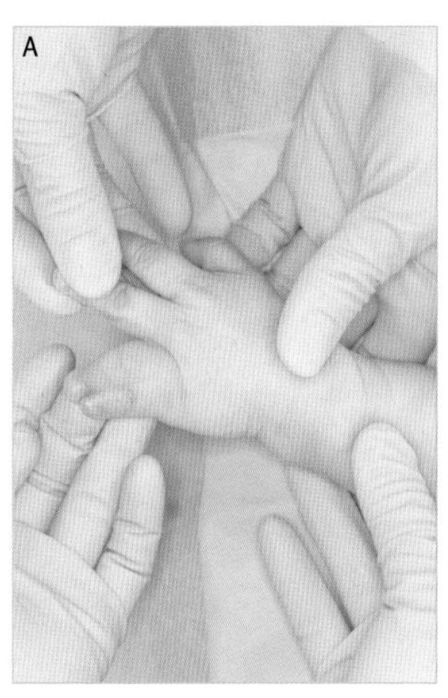

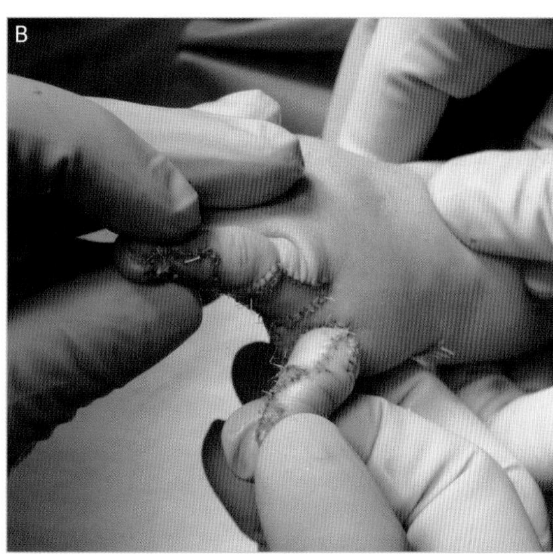

Fig 12. A: 10개월 남자 환아로 좌측 제4, 5수지간 완전 합지증이 관찰된다. B: 손목 전방의 피부를 이용한 전층 피부 이식술을 이용하여 합지증 분리술을 시행하였다.

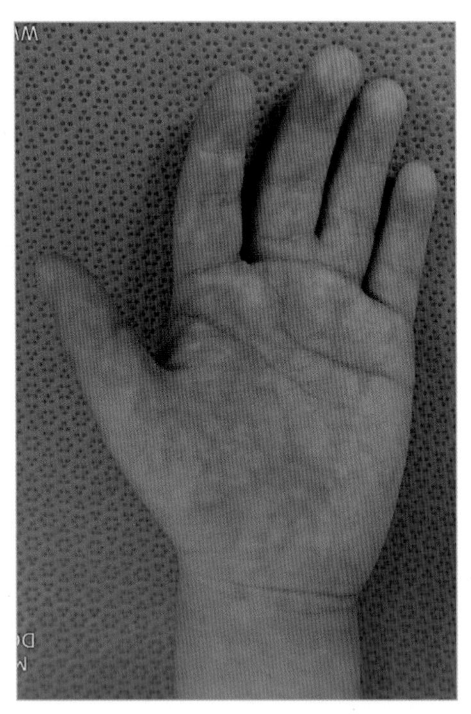

Fig 13. 4세 남아로 좌측 제3, 4수지간 부분 합지증이 관찰된다.

(2) 합지된 정도에 따른 분류

- 단순형(simple): 연부 조직만 합지된 형태이다.
- 복잡형(complex): 골 조직까지 합지된 형태로, 골, 신경, 혈관 및 건 등의 이상 동반이 흔하다.

4) 치료 원칙

- 수술 시기는 합지증에 의해 성장 장애가 발생할 수 있는 경우에는 빨리 분리해 주는 것이 좋다. 하지만, 환아가 성장함에 따라 물갈퀴 공간이 다시 좁아지고, 합지증이 재발하는 creeping 현상이 나타날 수 있기 때문에 수술 전에 이에 대한 설명을 충분히 잘 해야 한다. Creeping 현상은 18개월 이후 현격하게 감소하므로 이를 고려하여 수술 시기를 결정할 수 있다.
- 3개 이상 수지가 합지된 경우에는 최소한 3개월 이상의 간격을 두고 분리 수술을 진행한다.
- 정교한 피판 설계가 필요하며, 대부분의 경우 전층 피부 이식이 필요하다.
- 수지 동맥과 신경이 손상되지 않게 조심해야 한다.

9. 굴지증(camptodactyly)

그리이스어로 굽은 손가락(bent finger)을 의미하는, 근위지간 관절의 선천성 굴곡 구축을 말한다. 이 질환에서 발견되는 비정상적인 해부학적 구조는 여러 가지가 가능하며, 천수지굴근(flexor digitorum superficialis)과 피부 지지대(retinacula cutis)의 구축이 가장 흔히 관찰된다. 그 외 측부 인대와 수장판(volar plate)의 구축, 수부 내재근(intrinsic muscle)의 이상 저형성 및 골관절의 이상 등이 보고된 바 있다.

1) 분류

(1) 단순형(simple type)

단순형은 소지와 중지에 호발한다. 구축이 경미한 경우, 부모가 수동적 신전 운동을 해주면 호전되는 경우가 흔하다. 신전 운동으로 호전되지 않을 경우 수술적 치료가 필요하다. 수술 결과는 대부분 좋다.

(2) 증후군형(syndromic type)

관절 구축증(arthrogryposis), 여러 종류의 골격 이형성증, 또는 Marfan 증후군 등과 동반되어 나타나는 증후군형은 수동적 신전 운동의 효과가 그리 좋지 않다. 수술적 치료의 결과도 만족스럽지 못한 경우가 많다. 단순형보다 변형된 구조물이 많고 수부 내재근 및 외재근의 저형성 또한 심하기 때문이다. 그래도 수술적 치료는 증상을 호전시킨다. 수술이 성공적인 경우에도 폭발적으로 성장하는 사춘기에는 재발하는 경우가 흔하다. 이 경우 재수술이 필요할 수 있다.

2) 수술적 치료

이 질환의 수술적 치료에는 구축을 유발하는 모든 원인을 제거하는 총체적 접근의 개념이 매우 중요하다. 즉, 많은 경우 구축된 전방의 피부는 Z-plasty를 통해 늘려 주고, 비정상적인 천 수지 굴곡건은 건 절단술을 시행한다Fig 14. 또한, 구축된 측부 인대와 수장판 유리술, 약한 수지 신전건 보강술, 근위 지간 관절 후방의 늘어진 피부를 없애는 dermodesis와 같은 술식이 필요할 수도 있다.

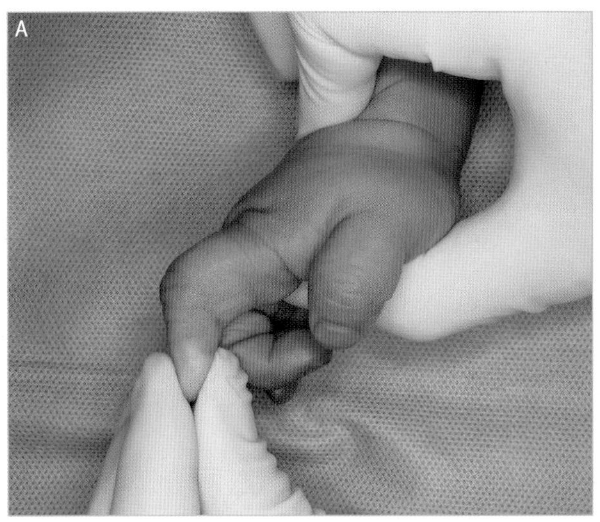

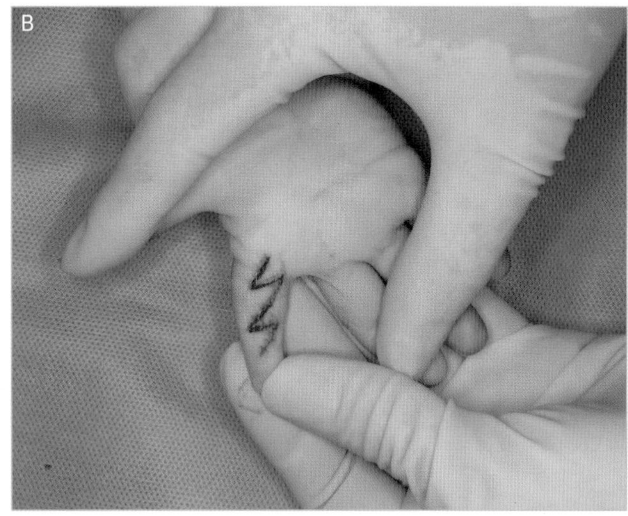

Fig 14. A: 15개월 남자 환아로 우측 제2수지의 굴지증이 관찰된다. B: 우측 제2수지의 천 수지 굴곡건 절제술 및 Z-plasty를 이용한 전방 피부 연장술을 시행하였다.

10. 측만지(clinodactyly)

수지가 요척 방향으로 굽은(radioulnar curvature) 변형으로, 소지 근위 지간 관절에 호발한다.

1) 분류

(1) Familial clinodactyly

상염색체 우성 유전 경향을 보이며 가장 흔하다. 흔히 brachymesophalangism과 동반되나 다른 기형은 없다.

(2) 다른 선천성 이상과 동반된 측만지

Down 증후군, Klinefelter 증후군, Turner 증후군, Apert 증후군(무지) 등에서 나타난다.

(3) 외상성

골절, 동상 등으로 인해 골단판 부분이 손상된다.

(4) I형 삼지골 무지

2) 치료

소지에 발생한 경우 대부분 기능이 좋아 치료가 필요 없다. 소지를 제외한 수지, 특히 무지에 발생하거나 30도 이상의 심한 변형이 있으면 교정 절골술을 시행할 수 있다Fig 15.

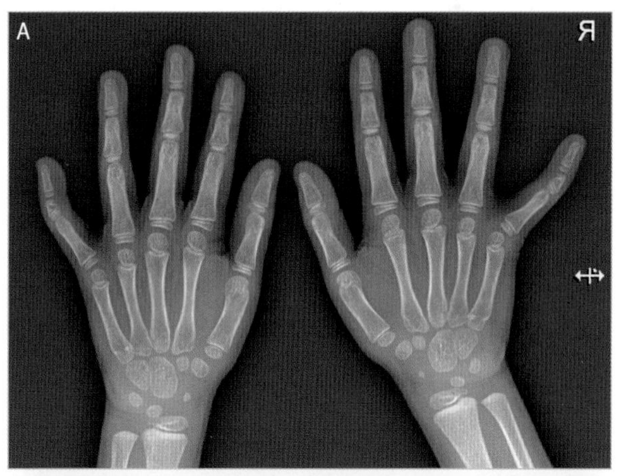

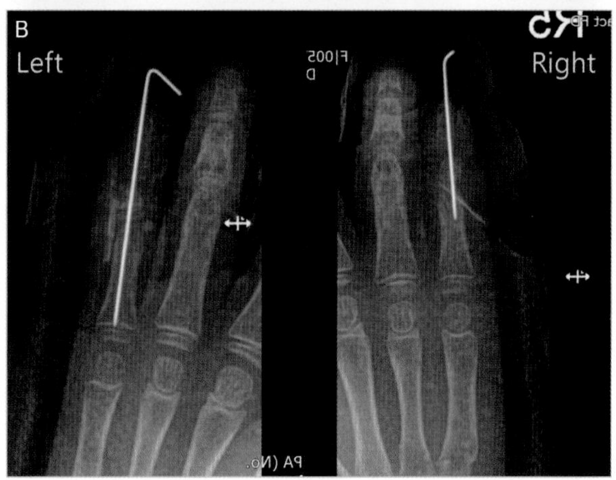

Fig 15. A: 5세 여아로 양측 소지에 측만지 소견이 관찰된다. B: 양측 소지 중위 지골에서 폐쇄성 쐐기 교정 절골술을 시행하였다.

교정 절골술의 방법에는 여러 가지가 있으나 어느 것도 그 결과가 만족스러운 경우는 드물다.

11. Kirner 변형

소지 원위 지골이 앵무새 부리(parrot's beak)처럼 수장-요측으로 굽어진 기형이다. 드물게 소지 이외의 수지에도 발생할 수 있다. 양측성인 경우가 많다. 산발성 또는 상염색체 우성으로 나타난다. Silver 증후군, Cornelia de Lange 증후군, Turner 증후군 등에 동반되어 나타날 수 있다. 수술이 필요한 경우는 드물다. 미용상의 이유로 원위 지골 교정 절골술을 시행할 수도 있다Fig 16.

12. 선천성 중수골 골결합 (congenital metacarpal synostosis)

1) 임상 양상

인접한 두 개의 중수골 사이에 일어나는 선천성 골결합으로 제4-5중수골 사이에 가장 흔하다. 제4지와 5지의 중수골이 결합된 경우 60-80%는 양측성으로 나타난다. 제4지의 기능에는 별 이상이 없으나 제5지는 중수-지간 관절에서 외전된 상태에 있으며 대체로 저형성되어 매우 짧은 경우가 많다. 제5지의 중수-지간 관절의 운동 범위는 감소되어 있다. 단순 방사선 상 결합부는 근위부에만 있는 것이 보통이나, 경우에 따라서는 두 중수골이 완전히 붙어 있어 단일 골을 형성하는 경우도 있다. 소지의 경우, 중수골은 물론 지골의 단축이 흔히 동반된다. 소지 외전근(abductor digiti minimi)의 부착 부위가 심한 섬유화를 보이는 경우가 외전 변형이 심해지는 경향이 있다.

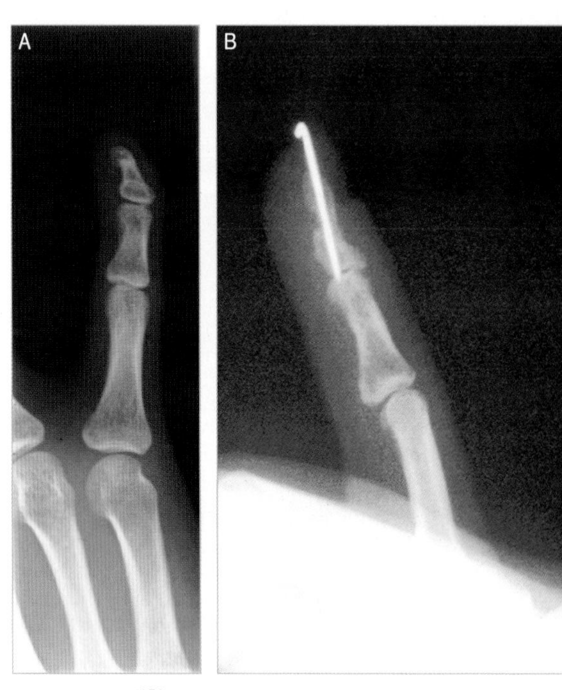

Fig 16. **Kirner 변형.**
A: 원위 지골이 앵무새 부리 모양이다. B: 수술 후 방사선 사진.

2) 치료

손 전체로서의 기능은 별로 감소하지 않으나, 수지가 바깥쪽으로 뻗어있어 모양이 흉하고 손을 주머니에 넣을 때 걸리는 등 사용 시 거추장스러우므로 환자나 보호자가 수술적 치료를 원하는 경우가 대부분이다. 교정 절골술로 모양 및 기능의 호전을 기대할 수 있다. 소지의 외전 변형이 심한 경우, 소지 외전근(abductor digiti minimi) 건절단술을 같이 시행한다. 수지의 단축이 심한 경우 중수골 연장술을 동시에 시행할 수 있다Fig 17.

무지와 인지 사이에도 중수골 결합이 발생할 수 있다. 이 경우 제1물갈퀴 공간이 좁아져 있거나 모지의 대립에 장애가 심각하면 수술적 가료가 필요하게 된다.

13. 파열수(cleft hand lobster-claw hand)

10,000명 출생당 약 1명의 빈도로 발생한다. 크게 전형적 파열수(typical cleft hand)Fig 18와 유합단지증(symbrachydactyly)이라고도 불리는 비전형적(atypical) 파열수Fig 19의 두 가지 형태로 나눌 수 있다Table 2. 전형적 파열수는 경도의 피부 파열만 있는 경미한 형부터 수지 네 개가 모두 결손되고 소지 하나만 남은 형까지 매우 다양한 형태를 보인다. 대부분 무지와 소지 사이의 수지에 결손이 있으며 제3지의 결손이 가장 흔하다. 결손된 부위에 깊은 물갈퀴를 남긴다. 모양이 흉하나 손의 기능은 좋아 Flatt은 "a functional triumph and a social disaster"라고 표현한 바 있다.

* 치료 목표: 기능이 좋더라도 손의 모양이 너무 흉해서 사회 생활에 지장이 있는 경우는 깊이 파인 cleft를 교정하는 수술적 치료가 필요하다. 무지와 인지 사이의

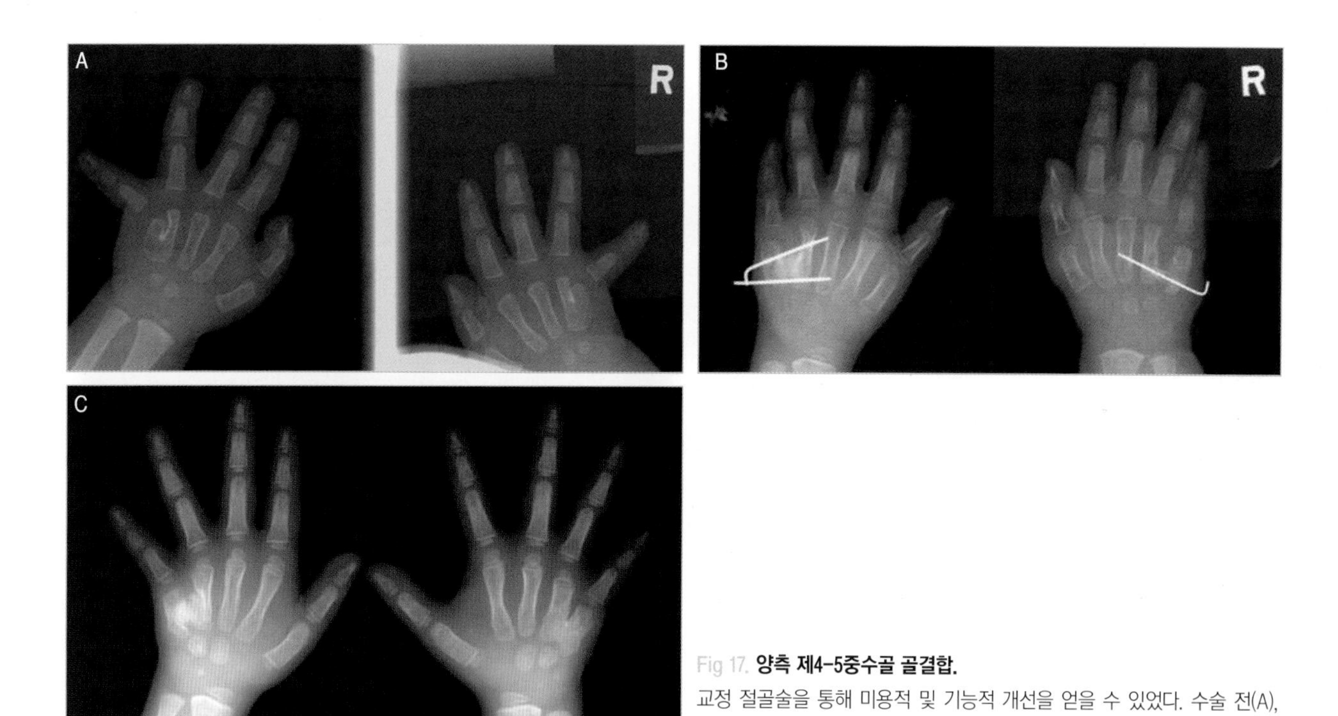

Fig 17. **양측 제4-5중수골 골결합.**
교정 절골술을 통해 미용적 및 기능적 개선을 얻을 수 있었다. 수술 전(A), 수술 직후(B), 수술 후(C).

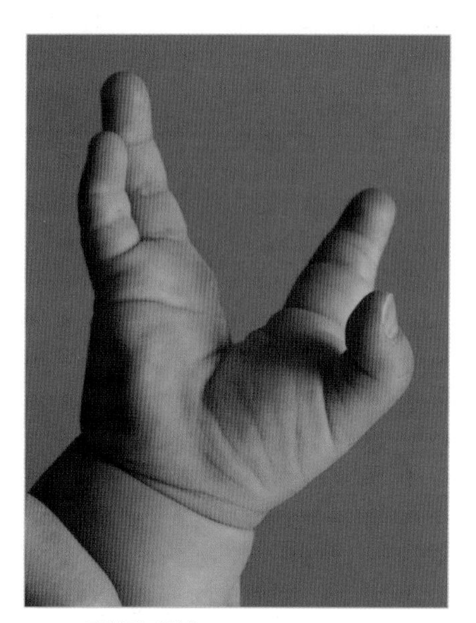

Fig 18. **전형적 파열수.**

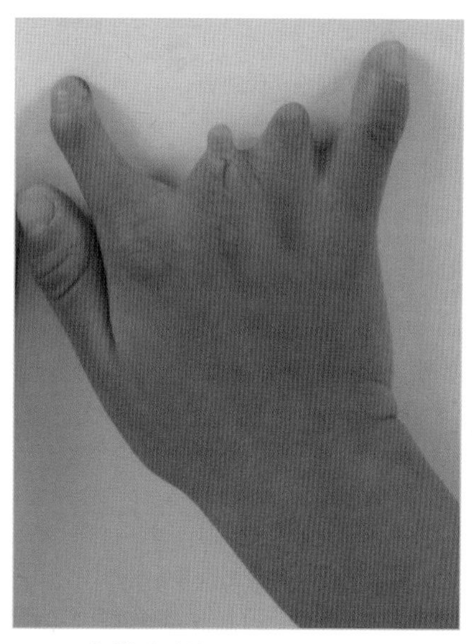

Fig 19. **비전형적 파열수.**

Table 2. **전형적 파열수와 비전형적 파열수의 비교**

Typical cleft hand	Atypical cleft hand (Symbrachydactyly)
Autosomal dominants	Sporadic
1-4 limbs involved	1 limb involved (no feet)
V-shaped cleft	U-shaped cleft
No finger “nubbins”	Finger “nubbins” may occur
Syndactyly (especially first web)	

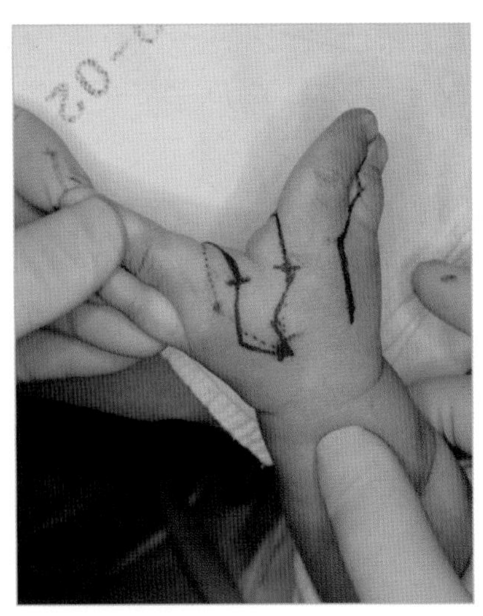

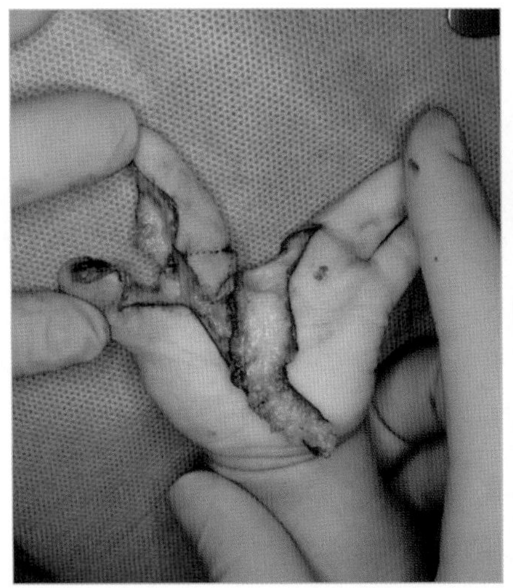
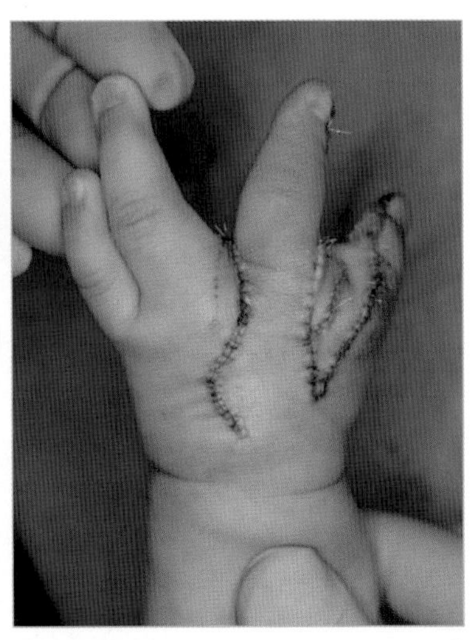

Fig 20. 10개월 여아로 엄지-검지간 합지증이 동반된 파열수에 대해 Snow-littler 술식을 이용하여, cleft repair를 시행하였다.

합지증이 동반된 경우가 많은데, 이 경우 합지증과 파열 수를 한 번에 치료할 수 있는 Snow-Littler 술식이 권장된다Fig 20.

III. 변형(deformation)

1. 선천성 윤상 수축대 증후군 (congenital constriction band syndrome)

선천성 윤상 수축대 증후군 혹은 양막 대 증후군(amniotic band syndrome) 등으로도 불리며, 피부 및 피하 조직이 원형 또는 반지를 낀 것과 같은 형태로 수축대 원위부로의 혈행 장애가 발생할 수 있다. 발생 빈도는 신생아 1,200-15,000명당 한 명 꼴로 발생하는 것으로 알려져 있으며, 대부분의 경우 가족력은 없고, 산발적으로 발생한다. 40-80%에서 다른 선천성 기형이 병발된다.

1) 분류(patterson 분류)

- 제1형: 단순 수축대(simple constriction ring)로 대부분 수지, 족지와 같은 말단부에 발생한다.
- 제2형: 수축대가 원위부의 림프관을 막아 말단부가 부풀어 오른 경우이다.
- 제3형: 첨단 합지증(acrosyndactyly)이 동반된 경우로 질환이 발생하기 이전에 수지 혹은 족지가 분리되었다가 다시 붙은 경우이다.
- 제4형: 가장 심한 형태로 자궁내에서 절단된 상태(intrauterine amputation)이다.

2) 진단

수축대의 피부는 정상적인 피부금과 비슷하나, 피하 조직은 지방성 조직이 줄어들고, 섬유성 조직으로 대치되며, 이 섬유성 조직은 대부분 심부 근막까지 침범하나 드물게는 골막까지 도달하기도 한다. 수축대에 의해 수축대 원위부로의 혈행이 차단되어, 원위부가 붓거나 절단될 수 있으며, 수축대에 의해 신경이 압박되어 신경 증상이 발생할 수도 있다.

3) 치료

출생 후, 수축대 원위부로의 혈행 장애가 관찰되거나 신경 증상이 동반된 경우에는 조기에 수축대를 풀어주는 수술이 필요할 수 있다. 수축대 부위의 밴드를 제거하고 필요에 따라 Z-plasty를 동시에 시행한다. 360도 밴드 전체를 동시에 제거하더라도 혈행 장애가 발생하는 경우는 매우 드물다. 첨단 합지증이 동반된 경우에도 1세 이전에 합지증 분리술을 시행하는 것이 추천된다.

2. 방아쇠 무지/방아쇠 수지 (pediatric trigger thumb/finger)

신생아를 대상으로 한 연구에 의하면, 신생아에서는 방아쇠 무지가 발견되지 않아 이 질환의 원인이 선천성이라기보다는 발달성으로 발생하는 것으로 보이며, 따라서 소아 방아쇠 무지(pediatric trigger thumb)로 부른다. 흔히 만 2세 전후에 외래를 처음 방문하며, 장무지 굴곡건이 커져 있어서 무지 중수 수지 관절 전방에서 혹처럼 만져진다. 굴곡 제한보다는 신전 제한을 보이는 경우가 많지만, 경과 관찰만으로도 5년 이내에 75% 이상에서 그리고 7년 째 90% 정도가 자연 치유가 된다는 보고도 있다. 만약 충분한 보존적 치료에도 호전이 되지 않는다면 A1 활차 유리술을 시행해 볼 수 있다.

무지를 제외한 다른 수지에 발생하는 방아쇠 수지는 무지와 다르게 비수술적 가료에 잘 반응하지 않고 A1 활차를 제거하여도 해결되지 않는 경우가 많다. 심수지굴곡건과 천수지굴곡건 사이의 비정상적인 관계, 천수지굴곡건 근위부에서의 교차 이상, 굴곡건의 결절 형성 그리고 A2, A3 활차의 이상 등이 있을 수 있으므로 이에 대한 고려를 하여 수술에 임하여야 한다. 또한, 다발성으로 발생한 경우 염증성 관절염, 소아당뇨 그리고 MPS (mucopolysaccaridosis) 등을 고려하여야 한다.

Ⅳ. 이형성(dysplasia)

1. 거대지(macrodactyly)

하나 또는 둘 이상의 수지가 전반적으로 비대되는 드문 선천성 기형으로, banana finger라고도 한다. 이 기형은 혈관종, 동정맥 기형, 지방종, 선천성 임파부종(congenital lymphedema), Ollier씨 병, Maffucci 증후군 등에서 나타나는 이차적인 수지의 거대화와는 다르다. 한 손가락만 이환된 경우 제2지에 가장 흔하다Fig 21. 두 개가 이환된 경우, 제2, 3지가 가장 흔하다Fig 22. 거대지에서는 골과 관절을 포함한 거의 모든 조직의 비대가 관찰되나, 혈관과 건은 비대하지 않았다는 주장도 있다. 거대지는 건의 발달이 미약하여 이환된 손가락이 능동적으로 움직이지 않는 경우가 흔하며, 지간 관절의 강직도 흔히 관찰된다. 아주 경한 경우가 아니면, 수술로써 만족스러운 결과에 도달하는 것은 매우 힘들다. 수지의 굵기가 정상의 2배인 경우, 부피는 2의 세제곱에 해당하는 8배이다. 따라서 굵기를 반으로 줄이려면 부피를 1/8로 하여야 하는데, 이는 불가능하기 때문이다.

1) 분류

(1) 정지형(static type)

출생 시부터 특정 수지가 크며 같은 비례로 성장한다.

(2) 진행형(progressive type)

처음에는 그리 크지 않으나 아이가 자라면서 이환된 수지가 점점 더 커지게 되며, 심한 경우 거대지 하나가 건측 손 전체 길이만큼 과성장하는 경우도 있다.

2) 치료

(1) 경증

연부 조직 절제술

(2) 중등도 이상

연부 조직 절제, 골단 유합술, 수지골 중간부 절제 등Fig 22. 수지 신경(digital nerve)을 절제하면, 성장 속도가 완화된다는 주장도 있다. 여러 번의 수술에도 결과가 만족스럽지 못한 경우나 관절의 능동적 운동이 없는 진행형에서는 열절단술(ray amputation)을 시행해 볼 수 있다.

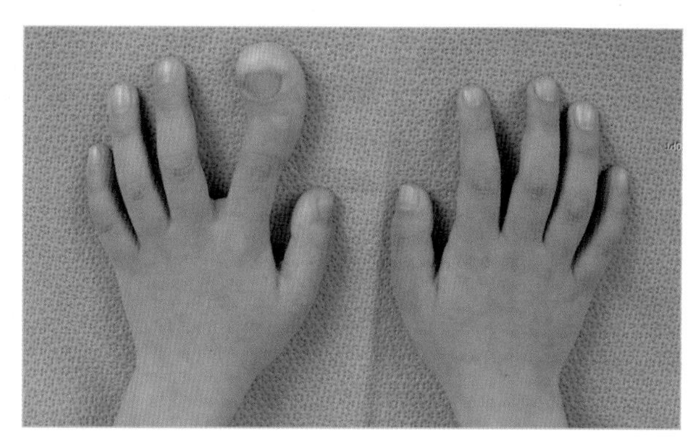

Fig 21. 6세 여아로 좌측 제2수지의 거대지증이 관찰된다.

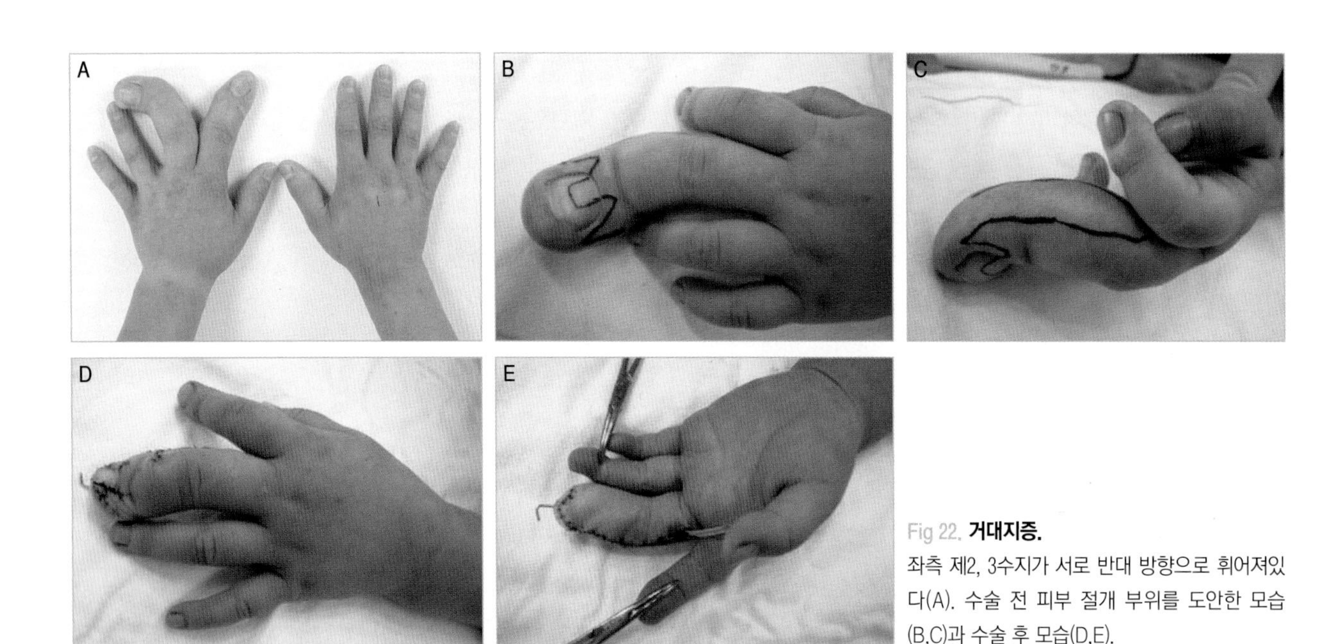

Fig 22. **거대지증.**
좌측 제2, 3수지가 서로 반대 방향으로 휘어져있다(A). 수술 전 피부 절개 부위를 도안한 모습(B,C)과 수술 후 모습(D,E).

V. 증후군

1. Apert 증후군 (Apert syndrome, acrocephalosyndactyly)

1) 병인

10번 염색체의 long arm (10q)에 위치한 FGFR2(fibroblast growth factor receptor gene 2)의 돌연변이가 원인이다. 대부분 산발성(sporadic)으로 나타나나, 상염색체 우성 유전(autosomal dominant)되는 경우도 있다.

2) 임상 양상

(1) 두개골 관상 봉합(coronal suture)

두개골 관상 봉합(coronal suture)이 조기에 융합되어, 머리의 전후 길이가 짧으며, 뇌위축, 뇌압 상승, 지능 저하가 동반될 수 있으며, 양안격리증(hypertelorism), 사시(strabismus), 시력 감퇴 소견을 보일 수 있다.

(2) 수부

Upton의 분류(1991)Fig 23.

① Type I(obstetrician hand 또는 spade hand): 가장 흔하고 경미하다. 2, 3, 4수지는 완전 합지증이며, 1-2수지와 4-5수지는 불완전 단순 합지증(incomplete simple syndactyly)이다.

② Type II(mitten hand 또는 spoon hand): 2, 3, 4수지는 끝이 뼈로 붙어있는 완전 합지증이며, 1-2수지와 4-5수지는 완전 단순 합지증(complete simple syndactyly)이다.

③ Type III(hoof hand 또는 rosebud hand): 가장 드물고 심하다. 엄지를 포함한 2, 3, 4수지는 끝이 뼈로 붙어있는 완전 합지증이며, 4-5수지는 완전 단순 합지증(complete simple syndactyly)이며, 4, 5중수골이 골유합증(synostosis)을 보이는 경우도 있다.

(3) 족부

수부와 유사한 양상을 보인다. 원만한 사회 생활을 위해 손과 마찬가지로 수술적 분리가 권장된다.

(4) 전완골

전완골이 짧고, 주관절 신전 제한, 견관절 외전 제한 등이 흔히 동반된다.

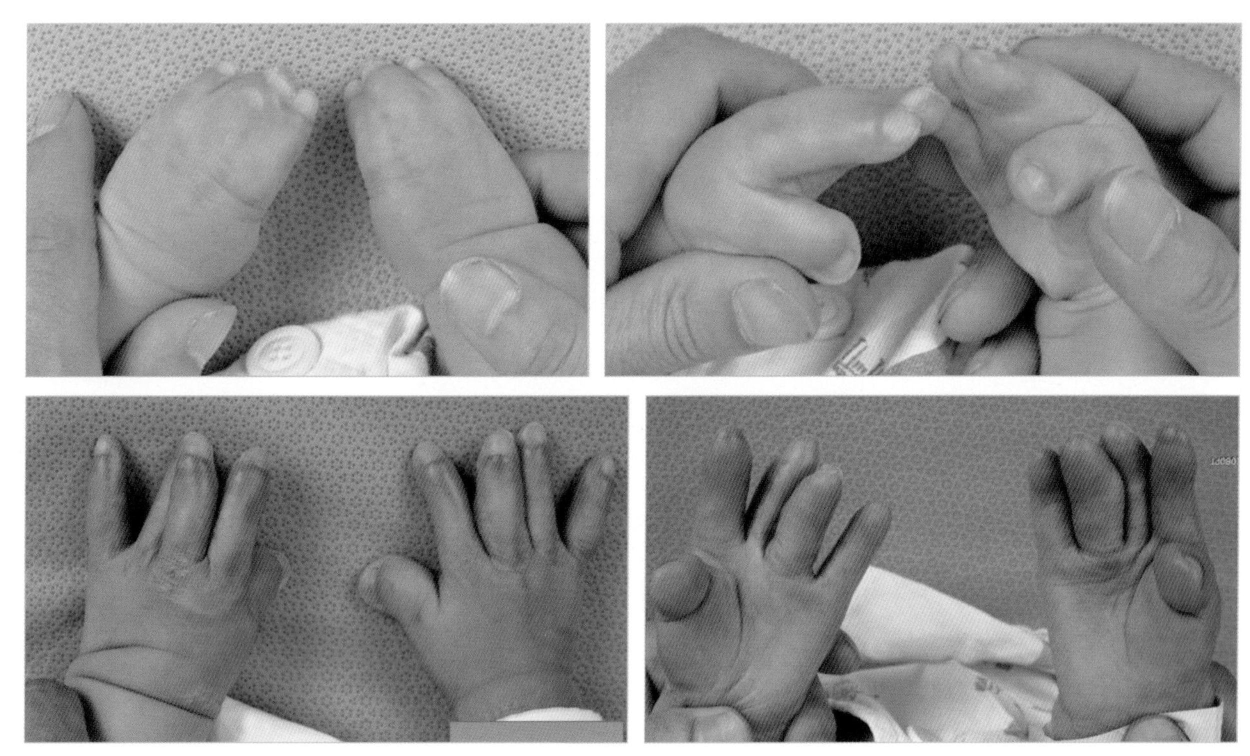

Fig 23. 양측 손에 Upton I형의 Apert hand가 관찰되며, 두 번의 수술을 통해 10개의 손가락을 모두 분리하였다.

3) 치료

일반적으로 두개골에 대한 수술이 먼저 필요하다. 조기 유합된 두개골 봉합을 열어주지 않으면 뇌압이 증가하여 뇌손상이 유발되기 때문이다. 이에 대한 치료가 끝나게 되면, 합지증에 대한 수술을 시작하게 된다. Apert 증후군 환자에서 합지증 분리술은 엄지와 새끼 손가락을 먼저 분리하는 것이 순서이지만, 2, 3, 4 손가락의 분리가 늦어지게 되면, 유두골(capitate)의 성장이 지연될 수 있기 때문에 2, 3, 4 손가락과 같은 중심부 손가락의 분리도 빨리 시행하는 것이 좋다. 모든 손가락이 붙어 있는 합지증의 경우, 1차 수술을 통해 양쪽 엄지-검지 간 합지증과 중지-환지간 합지증을 먼저 분리하고, 6개월 후, 양쪽 검지-중지간 합지증과 환지-소지간 합지증을 분리하는 순서가 추천된다. 손가락에 대한 수술을 마치게 되면, 발가락에 대한 합지증 수술을 같은 순서로 진행하게 된다. Apert 증후군 환자에서 합지증 분리술을 시행할 경우에는 공여 피부가 많이 필요하기 때문에 서혜부(inguinal area) 피부를 이용하는 것이 추천된다.

VI. 기타 수부 질환

1. 지절 유합증(symphalangism)

한 수지 안에 있는 지간 관절들이 하나의 지골로 유합된 기형으로, 50% 이상에서 유전성을 보인다. 근위 지간 관절에 가장 흔히 나타난다. 무지의 지간 관절과 수지의 원위 지간 관절에도 나타나지만, 중수지간 관절에 발생하는 경우는 매우 드물다. 유아기에는 이환된 관절이 연골 조직으로 유합되어 약간의 움직임이 있을 수 있다. 이때는 단순 방사선검사 상 관절 간격이 보여 혼동될 수 있다. 그러나, 수장부의 정상 주름(finger crease)의 발달이 거의 없어 이학적 소견만으로 진단이 가능하다. 이환된 수지는 대개 신전된 상태이다. 유합된 관절의 주변 관절은, 보상을 위해 과굴곡되는 경향이 있다Fig 24.

발견되는 시기에 따라 3형으로 분류된다Fig 25. 1형(섬유성 지절 유합증, fibrous symphalangism), 2형(연골성 지절 유합증, cartilaginous symphalangism), 3형(골성 지절 유합증, bony symphalangism). 환아가 성장함에 따라 1형에서 2

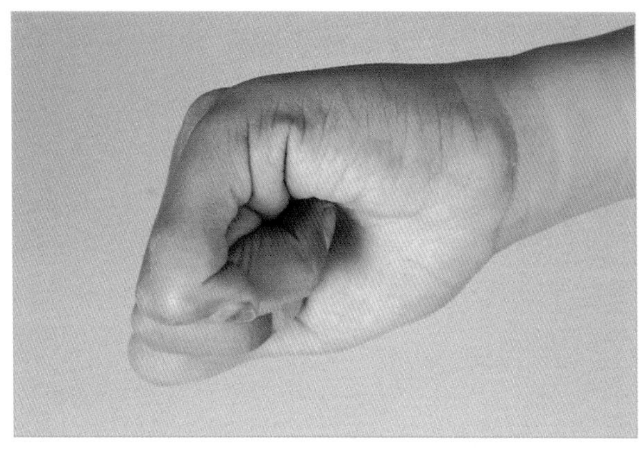

Fig 24. **소지 근위 지간 관절의 지절유합증(symphalangism).** 주먹을 보다 용이하게 쥘 수 있도록 원위 지간 관절이 과굴곡되고 있다.

형 또는 3형으로 진행한다. 각 형의 특징은 Table 3과 같다.

대부분 신전 위치에서 굳기 때문에 쥐는 기능을 위해 수지골 굴곡 절골술을 시행하기도 한다. 1형 및 조기(early) 2형의 경우, 후방 관절절개술 및 양측 측부 인대 후방 50% 절제술을 조기에 시행하면 능동적 움직임을 얻을 수 있다.

2. Congenital clasped thumb (thumb-clasped hand, thumb-in-palm deformity, pollex varus)

무지 중수지 관절의 심한 굴곡-내전 변형을 보이는 기형이다Fig 26. 무지 주위의 근육, 특히 단무지 굴근의 결손이 흔히 나타난다. 신생아는 생후 3-4개월까지 엄지를 다른 손가락 속에 넣은 채 쥐고 있으므로, 이 이후에 발견되는 경우가 대부분이다. 제2-5수지의 척측 전위(ulnar deviation)와 동반되면, windblown hand로 부르기도 한다. 남아에 두 배 많고 약 85%가 양측성이다. 산발성으로 발생하는 경우가 많으나, 관절구축증, Freeman-Sheldon 증후군, MASA (mental retardation, aphasia, shuffling gaits, adducted thumbs) 증후군 등과 동반되기도 한다. 적절한 치료를 위해 방아쇠 무지와 감별 진단이 반드시 필요하다.

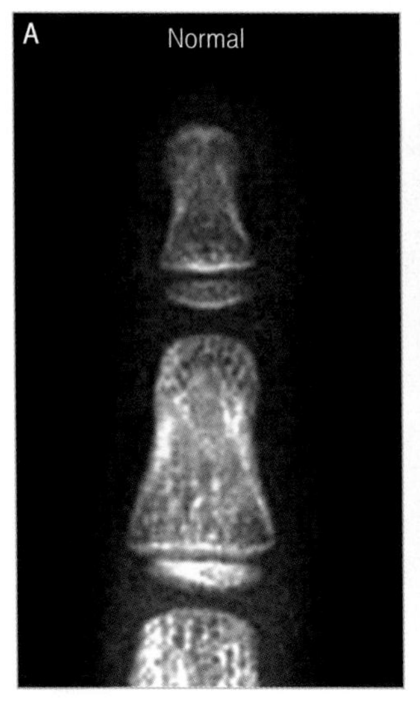

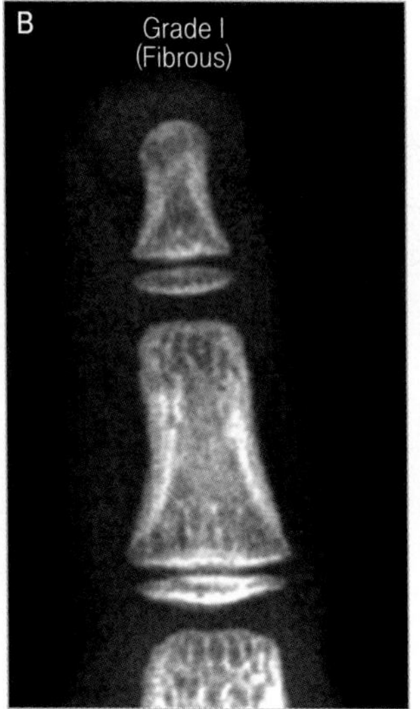

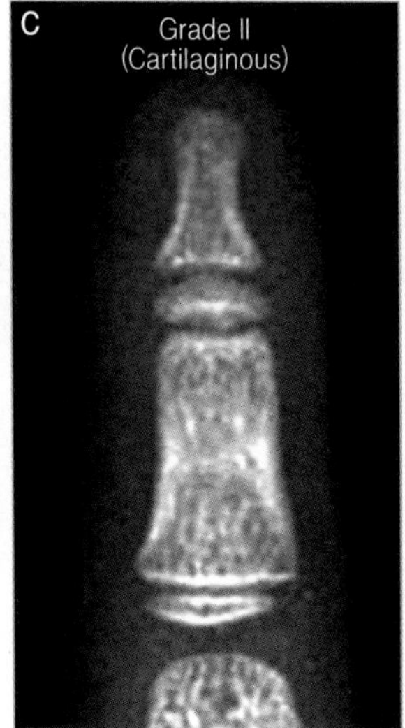

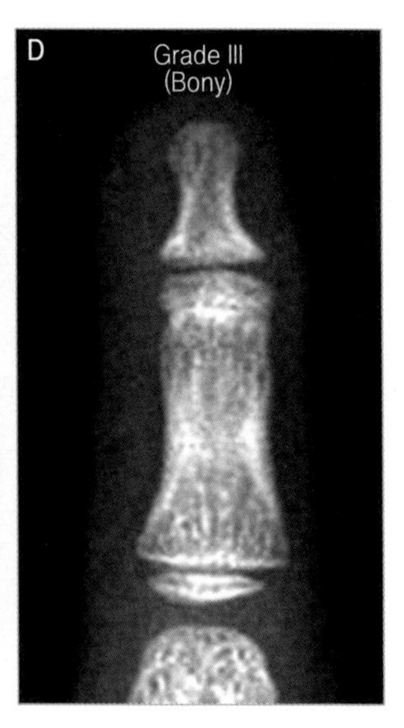

Fig 25. **지절유합증의 분류.**

Table 3. **지절 유합증의 분류와 특성**

	Grade I	**Garde II**	**Grade III**
	Fibrous symphalangism	Cartilaginous symphalangism	Bony symphalangism
Volar skin crease	Fair or absent	Absent	Absent
Active motion	Absent	Absent	Absent
Passive motion	10 to 20 degrees	Only jerk of motion	Absent or jerk of motion
Joint space in simple radiographs	Mild narrowing	Definite narrowing	Joint space absent

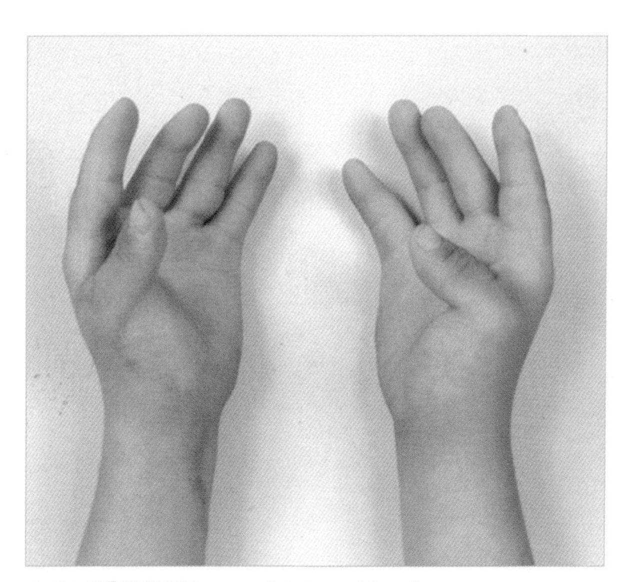

Fig 26. **양측에 발생한 congenital clasped thumb.**

1) 치료

(1) 비수술적 치료

우선적으로 비수술적 치료가 선행되어야 한다. 비수술적 치료의 목적은 연부 조직의 구축을 개선 또는 예방하는 데 있다. 해당 무지를 신전 및 외전한 채로 약 5분 이상 붙들고 있는 수동적 신전 운동(passive stretching)이 효과적이다. 부모에게 이를 교육하여 환아가 잠든 시기에 하루 2-3시간 이상 시행하도록 하는 것이 바람직하다. 경한 경우는 수동적 신전운동만으로 호전되는 경우가 많다. 비교적 심한 경우도 지속적으로 신전운동을 하면 수술하지 않고 지낼 정도로 호전되는 경우가 있다.

(2) 수술적 치료

- Z-plasty 또는 전층 피부 이식술을 이용하여 수장부 피부 및 연부 조직 구축 유리술을 시행할 수 있다.
- 필요에 따라 장무지굴건(flexor pollicis longus)의 Z-plastic lengthening, 무지 중수지 관절의 신전건 단축(shortening or plication) 또는 이전술을 시행할 수 있다. 제1중수골 경부에서 후방 쐐기절골술을 동시에 시행하면 더 좋은 결과를 기대할 수 있다.
- 무지의 저형성증이 있으며 중수지 관절이 불안정한 경우에는 중수지 관절의 관절고정술 등을 시행할 수 있다.

3. 삼각 지골(delta phalanx)

지골이 삼각형 또는 마름모 형태를 이루는 기형이다. 골단은 "C"자형으로 되어 비정상적인 골성장에 따른 수지의 각변형을 초래한다Fig 27. 무지와 소지의 근위 지골에 흔히 발생한다. 해당 골은 삼각형, 능형(trapezoidal), 또는 거의 원형(round)에 가까운 모양으로 보일 수 있다. 산발성(sporadic), 유전성, 또는 다른 증후군과 동반되어 나타난다. 다지증, 합지증, 지절 유합증, diastrophic dysplasia, Poland 증후군 등과 동반하여 발생할 수 있다. 심한 각변형이 있어 수지의 정상적인 발달이 저해될 때에는 교정 절골술을 시행한다. 수술 후 재발이 흔하다.

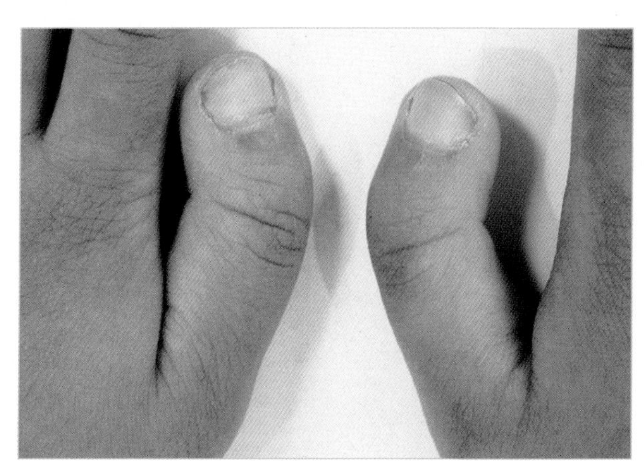

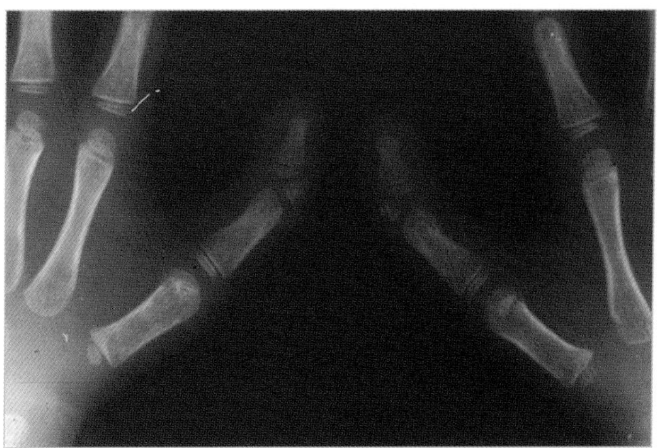

Fig 27. **양측 무지에 발생한 삼각 지골.**

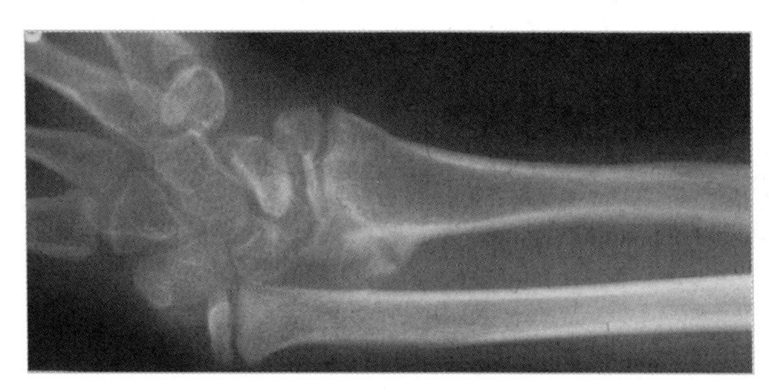

Fig 28. **Madelung 변형.**

4. Madelung 변형

원위 요골 골단판의 척측 및 수장측 부분의 성장이 지연되어서 나타나는 선천성 이상으로Fig 28, 산발성(sporadic)인 경우와 상염색체 우성으로 유전하는 경우가 있다. 대부분 여성에서 나타나며, 양측성인 경우가 더 흔하다. 외상, rickets, 류마티스성 관절염, 감염, Leri-Weill 증후군, 유전성 다발성 외골증, 다발성 골단 이형성증, 내연골종증, Turner 증후군 등의 선행 병변이 있는 경우, Madelung 병이라고 부르기도 한다.

성장의 지연과 변형은 원위 요골 골단판의 척측 골병변과 함께 수근 월상골에서 근위 요골 골단판으로 연결되는 수장 인대(Vicker's Ligament)가 중요한 역할을 하는 것으로 알려져 있다.

1) 병리 소견

(1) 전형적 형(classic type)

원위 요골 관절면이 수장측과 척측으로 기울어져 있고 수근골들은 요골과 척골 사이로 쐐기 모양으로 파고든다. 요골 원위 관절면의 주상골 와(scaphoid fossa)는 비교적 유지되나, 월상골 와(lunate fossa)는 심하게 변형된다. 척골두는 점차 변형되고 커지며 후방으로 전위된다. 심한 척골 양성 변위(ulnar plus variance)를 보인다. 손목 관절의 전방 인대가 tight하고 비정상적 위치에 있는 경우가 흔하다.

(2) 역전 형(reverse type)

매우 드물어 세계적으로 10례 정도 보고된 바 있다. 원위 요골 관절면은 수배측으로 기울어져 있고 수근골들은 배측으로 전위되며 원위 척골은 수장측으로 전위되어 있다.

2) 임상 양상

아동기 말기 또는 초기 청소년기(8-12세)에 변형이 나타난다.

- 요골 경상돌기가 척골 경상돌기와 같은 수준 또는 더 근위부에 위치한다.
- 수근관절운동 제한
  ① 전형적형: 배굴(dorsiflexion)과 척사위(ulnar deviation), 전완부 회외(supination)의 제한
  ② 역전형: 손목의 굴곡 제한, 전완부 회내 운동 제한
- 동통은 매우 드물다.

3) 치료

- 손목의 변형 외에는 통증 및 기능 제한을 호소하는 경우가 드물다. 따라서 수술적 치료가 필요한 경우는 많지 않다.
- 수술적 치료: 해부학적 손목의 복원이 목표이다. 성장이 남아있고 변형이 심하지 않으면, 내측 원위 요골 골단판 유리술, 원위 요골의 삼차원적 각변형 교정 절골술, 손목 전방 관절 인대와 관절낭 등의 연부 조직 유리술, 필요에 따라 척골 단축술 등을 시행할 수 있다.

5. 무지 비정상 삼각 골단

(abnormal triangular epiphysis of the thumb)

무지 원위 지골의 골단(epiphysis)이 삼각형 또는 능형(trapezoidal)으로 발생하여 무지 지간 관절의 척측 각형성을 유발하는 선천성 질환이다. 약 반 정도는 양측성으로 발생하며, 유전적 소인은 관찰되지 않는다. 무지의 삼각 지골과 감별을 요한다Fig 29. 변형이 심하면 교정 절골술로 치료한다. 근위 지골의 절골술보다는 원위 지골 골단에서의 골단내 절골술(intraepiphyseal osteotomy)이 변형 교정에 더 유리하다.

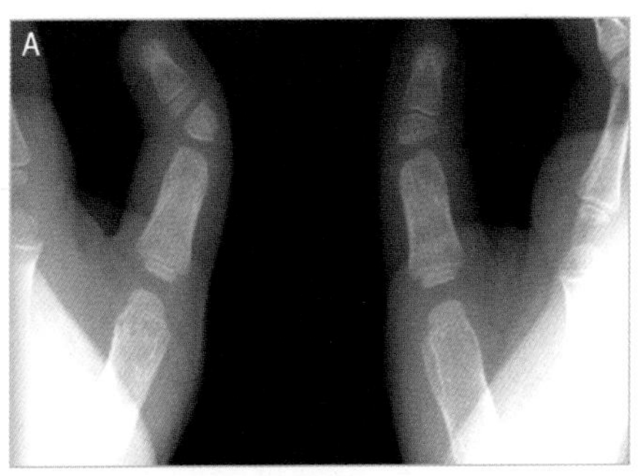

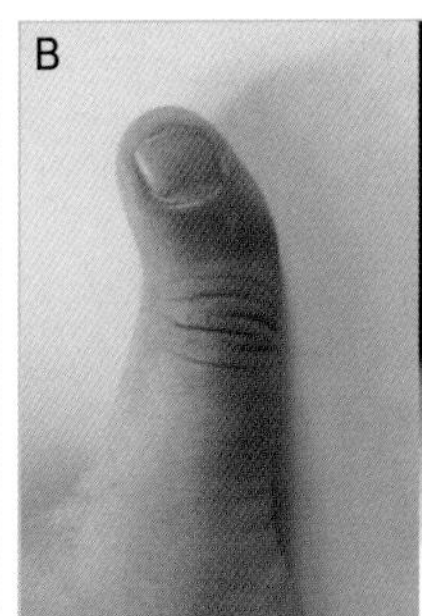

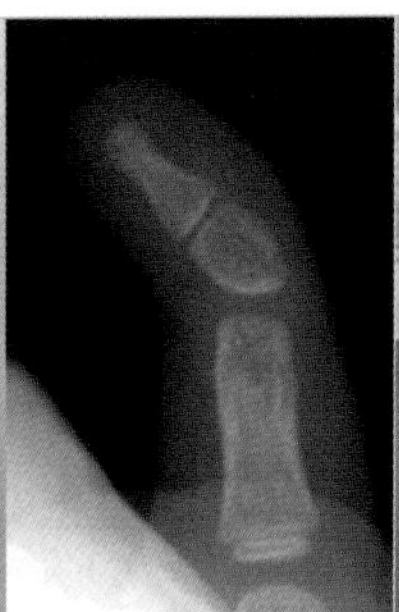

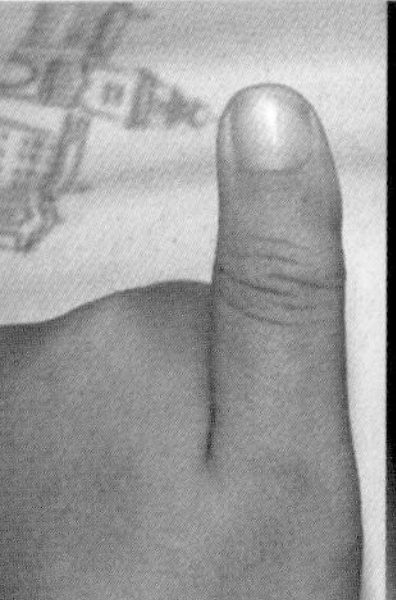

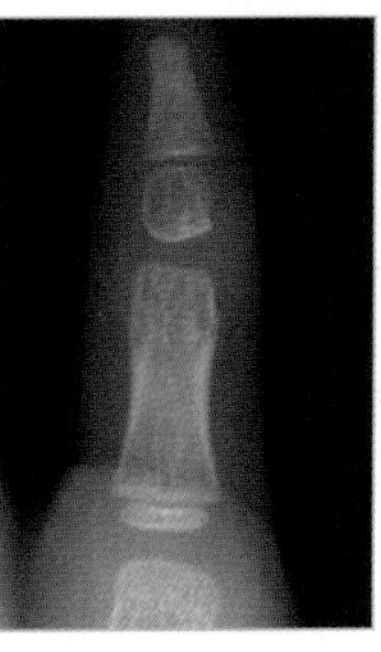

Fig 29. **무지 비정상 삼각 골단.**
A: 좌측은 삼각 지골, 우측은 무지 비정상 삼각 골단. 삼각 지골은 독립되어 원위 지골 및 근위 지골과 관절면을 이룬다. 무지 비정상 삼각 골단은 원위 지골의 골단을 관절면은 지간 관절 하나이다. B: 그림의 상단부는 수술 전 모습이며 하단은 골단내 교정 절골술(intraepiphyseal osteotomy) 후의 모습이다.

참고문헌

정문상, 백구현, 공현식 등. 공저. 손외과학 1판. 군자출판사, 서울, 2005.

Baek GH, Chung MS, Gong HS, et al. Abnormal triangular epiphysis causing angular deformity of the thumb. J Hand Surg [Am]. 2006;31:544.

Baek GH, Gong HS, Chung MS, et al. Modified Bilhaut-Cloquet procedure for Wassel type-II and III polydactyly of the thumb. Surgical technique. J Bone Joint Surg Am. 2008; 90:74.

Baek GH, Kim J, Park JW. Mobilization of joints of the hand with symphalangism. Hand Clin. 2017;551.

Baek GH, Kim J. Radial Polydactyly. In Congenital Anomalies of the Upper Extremity. Laub DR Jr Ed. Springer Nature Switzerland AG. 2021.

Baek GH, Kim JH, Chung MS, et al. The natural history of pediatric trigger thumb. J Bone Joint Surg. 2008;90A:980.

Baek GH, Lee HJ. Classification and surgical treatment of symphalangism in interphalangeal joints of the hand. Clin Orthop Surg. 2012;4:58.

Baek GH, Lee HJ. The Natural History of Pediatric Trigger Thumb: A Study with a minimum of five years follow-up. Clin Orthop Surg. 2011;3:157.

Baek GH. Duplication. In The Pediatric Upper Extremity Abzug JM, Kozin SH, Zlotolow DA, Eds. Springer New York. 2015.

Ducloyer P. Madelung's disease. In The hand. Tubiana R ed. 1st ed, Philadelphia, WB Saunders Co.. 1999.

Goldfarb CA, Ezaki M, Wall LB, et al. The Oberg-Manske-Tonkin (OMT) classification of congenital upper extremity: Update for 2020. J Hand Surg Am. 2020;45:542.

Kikuchi N, Ogino T: Incidence and development of trigger thumb in children. J Hand Surg. 2006;31A:541.

Kim JH, Rhee SH, Gong HS, et al. Characteristic radiographic features of the central ray in Apert syndrome. J Hand Surg Eur Vol. 2013;38(3):257-64.

Leung AG, Wood MB: The thumb-clasped hand. In: Gupta A, Kay SPJ, Scheker LR, eds. The growing hand. 1st ed, London, Mosby, 2000.

Upton J. Apert syndrome: Classification and pathologic anatomy of limb anomalies. Clin Plast Surg. 1991;18:321.

Wolfe SW, Hotchikiss RN, Pederson WC, et al. eds. Green's Operative Hand Surgery. 7th ed, Elsevier Chrchill Livingstone. 2017.

16

기타 상지 질환

Other Upper Extremity Disorders

PEDIATRIC
ORTHOPAEDICS

Chapter

16 기타 상지 질환

Other Upper Extremity Disorders

목차

I. 선천성 근성 사경 (congenital muscular torticollis)

선천적으로 발생한 흉쇄유돌근(sternocleidomastoid)의 구축(contracture)으로 두부가 환측으로 기울며, 얼굴이 반대쪽을 향하도록 회전되는 변형이다.

1. 원인 및 병리

흉쇄유돌근(sternocleidomastoid)은 정상적으로는 전장이 근조직으로 되어 있는 근육이나, 선천성 근성 사경에서는 일부 또는 전부가 치밀한 섬유 조직으로 대체되며, 이로 인하여 구축 및 단축(shortening)되어 두경부의 변형을 초래한다. 근육 조직 중 어느 부위에 어느 정도 심하게 섬유화되는지는 환자마다 다양하다.

- **흉쇄유돌근 내에 섬유화 현상이 발생하는 원인은 불분명하다.**
  - 난산인 경우 호발하는 경향이 있어서 출생 중 흉쇄유돌근의 구획증후군(compartment syndrome)(Davids 1993), 정맥 울혈(Brook 1992, Jepson 1926), 또는 외상에 따른 근육내 혈종이 발생하여 흉쇄유돌근이 섬유화된다는(Chandler 1948) 가설들이 제기되었다.
  - 난산이 아닌 경우에서도 발생하고 약 20%에서 발달성 고관절 이형성증(developmental hip dysplasia)과 동반되어 나타나기 때문에 모체내 과밀(intrauterine crowding)이 원인이라는 주장도 있다(Hummer 1972).
  - 어떤 이유로 섬유화된 근육에 신경이 포착되어 탈신경(denervation) 현상이 일어나 구축이 발생한다는 신경원성(neurogenic) 가설도 있다(Sarnat 1981).
  - 근육에 남아있던 근모세포(myoblast)와 섬유모세포(fibroblast)들이 출생 후 어떤 환경에서 분화하여 종괴를 형성한다는 가설도 있다(Tang 1998).

2. 임상적 소견

- 흉쇄유돌근 종괴: 신생아 시기에는 단단하고 압통이 없는 fusiform 종창이며 상대적으로 커 보이나, 나이가 들면서 크기가 줄어들어서 나중에는 흉쇄유돌근이 건측 근육보다 가늘지만 단단한 밴드가 된다.
- 일차적 변형: 고개를 가누지 못하는 신생아기에는 건측으로 고개를 돌리는 자세를 주로 취하는 것으로 발견된다. 고개를 가누기 시작한 이후에는 환측으로 고개를 기울이고 얼굴은 건측으로 향하게 된다Fig 1. 건측으로의 측방 굴곡운동(lateral bending)과 환측으로의 경부 회전운동이 제한된다. 흉골두(sternal head) 구축이 심하면 회전운동 제한이, 쇄골두(clavicular head) 구축이 심하면 측방 굴곡운동 제한이 더 심하게 나타날 수 있다.

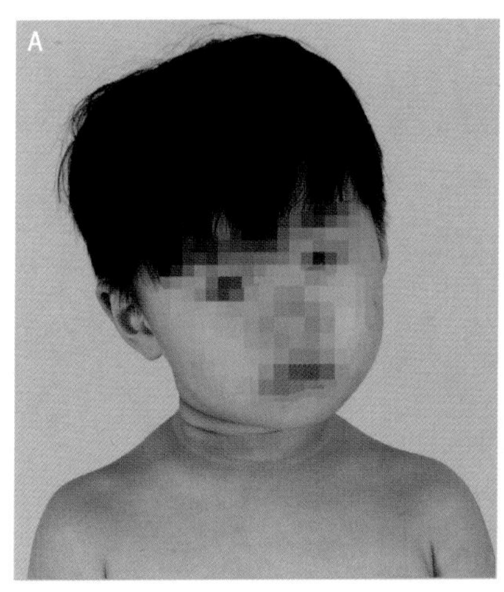

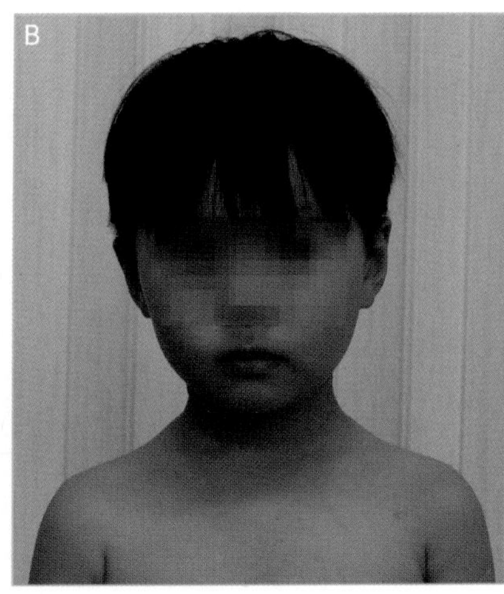

Fig 1. A: 3세 남아의 우측 선천성 근성 사경. 머리가 우측으로 기울어져 있고 얼굴은 좌측으로 돌아가 있다. 우측 흉쇄유돌근 쇄골부착부의 구축이 관찰된다. B: 흉쇄유돌근절단술 후 2년 상태.

- 이차적 두개골 변형: 환측 안면이 편평해지고 건측의 후두부가 납작해지고 얼굴과 두개골이 비대칭인 사두증(plagiocephaly)이 된다. 성장함에 따라서 두개골 변형은 고착된다(Lee 2007). 흉쇄유돌근 절단술 이후 두개기저부가 정상 위치에 있어도, 고착된 두개골 변형으로 인해 두개골이 약간 기울어져 있는 것 같은 모양을 보일 수 있다.
- 이차적 척추 변형: 치료하지 않은 청소년기 또는 성인기 환자에서는 보상성 경추 만곡이 발생하면서 머리가 환측으로 전위되는(translation) 양상을 보일 수도 있고, 경부의 strap muscle, 근막, 그리고 경추 분절간 구축이 이차적으로 발생된다.
- 영유아기에 뚜렷한 흉쇄유돌근 종괴가 없고 두부의 경사/회전 변형이 눈에 띄지 않다가, 성장하면서 학령기 이후에 점차 경사/회전 변형이 뚜렷해지는 예도 있다.

3. 진단

- 대부분 병력 청취, 시진(inspection)과 촉진(palpation)의 신체검사로 확진할 수 있다. 근육의 섬유화 여부가 애매한 경우에는 초음파검사를 통해서 양측 흉쇄유돌근의 굵기와 섬유화 정도를 비교해 볼 수 있다.
- 경추 전후방 단순 방사선검사에서 하악골 각(mandibular angle)을 연결하는 선과 제7경추체 상단이 이루는 경추하악각(cervicomandibular angle, CMA)(Shim 2004)으로 두부 경사 정도를 정량화할 수 있으나, 촬영 시 환자의 머리 위치를 자연스럽게 하여야 일관된 정량이 가능하다Fig 2A.
- 두개골 비대칭성의 측정은 두개골의 표준화된 정면 촬영 방법인 두부 방사선 계측촬영(cephalometry)으로 할 수 있으나(Lee 2007), 수술 여부 결정보다는 수술 후 두개골 비대칭성의 변화를 관찰하는 데에 도움이 된다Fig 2B.

4. 감별 진단

선천성 근성 사경 외에 사경을 일으킬 수 있는 질환

1) 선천성 사경
   - 상부 경추 기형
   - 안구성 사경
2) 후천성, 통증을 동반한 사경
   - 환축추 회전 아탈구(12장 선천성 척추 기형 및 조기 발현 척추측만증 참조)
   - C1 골절
   - 연소기 특발성 관절염
   - 추간판 감염/골수염/기타 경부 감염
   - 호산구 육아종/유골 골종/골모세포종
   - 석회화된 경추 추간판

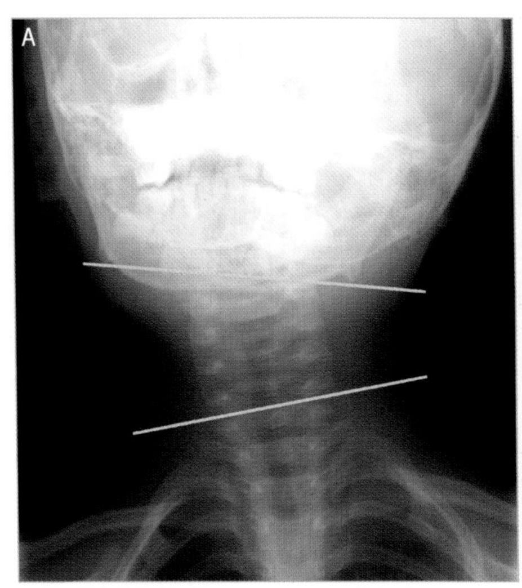

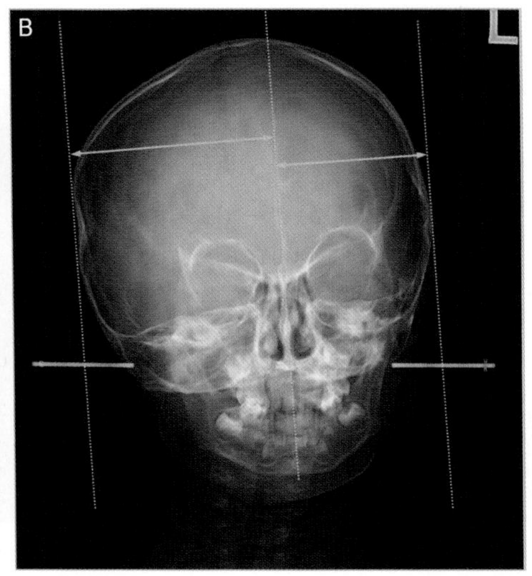

Fig 2. A: 고개가 측방으로 기울어진 정도를 측정하는 경추하악각(CMA). B: 두개골 비대칭성을 측정할 수 있는 두부 방사선 계측 촬영(cephalometry).

- Sandifer 증후군: 위식도 역류, 사경을 비롯한 체간 및 경부의 자세 이상

3) 후천성, 무통성 사경
- 영아 발작성 사경
- 두개 후방와부 종양(posterior fossa tumor)/경척수 종양/청신경종(acoustic neuroma)
- 척수 공동증(syringomyelia)
- Hysterical
- Oculogyric crisis: 신경계 약물 부작용
- Down 증후군 및 고도의 인대이완
- 척추골단이형성증 등의 골이형성증
- 경부 근 이상긴장증(cervical dystonia)

1) 안구성 사경(ocular torticollis)
- 안구 주위 근육 중 상사근(superior oblique muscle) 마비에 의해서 발생한다. 고개를 똑바로 하면 물체가 둘로 보이기 때문에 고개를 기울이고 물체를 응시하게 된다.
- 머리가 기울어져 있으나 회전 변형은 없다.
- 경부의 능동적 및 수동적 운동 범위는 정상이다. 수면 중이나 물체를 보지 않을 때에는 머리가 기울어져있지 않다. 흉쇄유돌근의 섬유성 단축이 없고 두개골 변형이 없다.

2) 선천성 경추 기형
- 영유아기에는 단순 방사선검사로 확인하기 어렵다.
- 경부의 변형이나 두개골 변형은 근성 사경과 유사할 수 있으나 흉쇄유돌근의 구축은 없다.
- 3-5세 이후에 3D-CT로 확인한다.

5. 치료

1) 비수술적 치료
- 진단이 되면 가능한 빨리 시행한다. 고개를 건측으로 기울이고 환측으로 얼굴을 돌려 흉쇄유돌근을 신연하는 동작을 한 번에 10초간, 1회에 15-20번씩, 하루에 4-6회 반복하는 것을 권장한다.
- 흉쇄유돌근의 길이를 늘리는 것이 목표이며, 종괴 자체에 대한 마사지나 보톡스 주사 등은 효과를 기대할 수 없다.
- 1세 이후에는 환자가 저항하기 때문에 수동적 신연 운동을 효과적으로 할 수 없으며, 능동적 운동을 유도하는 것이 바람직하다.
- 구축이 심한 경우에도 수술하기 적절한 연령이 될 때까지 흉쇄유돌근을 신연하는 운동을 지속하는 것이 바람직하다.

2) 수술적 치료

도수 신연 운동을 더 이상 시행할 수 없는 1세 이후에도 상당한 변형과 운동 범위 제한이 남아있으면 수술적 치료를 고려한다. 기능적 문제보다 미용적 문제가 더 크지만, 구축이 심하면 경추부 운동 범위 제한과 이차적 경추 변형으로 기능적 제한이 생길 수도 있고 경추부 퇴행성 변화를 촉진할 수도 있다. 뚜렷한 흉쇄유돌근의 구축이 있으면 성장하면서 변형이 점차 심해지는 경우가 흔하다. 구축이 경한 경우에는 수술 반흔과 사경에 의한 변형 정도를 저울질하여 수술 여부를 결정하며, 아주 경한 경우에는 수술적 치료의 효과가 뚜렷하지 않을 수도 있다.

(1) 수술 시기

- 안면 비대칭의 호전 또는 예방의 측면에서는 빨리 시행하는 것이 바람직한데, 5세 이전에 근 절개술을 하면 그 이후에 시행하는 것에 비해 안면 및 두개골 비대칭의 개선을 기대할 수 있다(Lee 2012). 수술의 난이도, 수술 후 물리치료에 대한 순응도를 고려하면 충분한 순응도를 얻을 수 있는 3-4세까지 지연시키는 것이 유리하다. 저자들은 이러한 점을 고려하여 구축의 정도에 따라서 1.5세에서 4세 사이로 수술 시기를 결정할 것을 권장한다.

(2) 수술 방법

- 흉쇄유돌근의 한쪽 끝(unipolar release)이나 양 끝(bipolar release)을 절개한다. 원위부에서 흉쇄유돌근의 쇄골 및 흉골 부착부를 모두 절제하여야 충분히 교정을 얻을 수 있는 경우가 대부분이다. 쇄골 및 흉골 부착부 주변 건막도 구축되어 있는 경우가 흔하므로 수술 중 촉지하면서 구축된 건막을 완전히 유리하는 것이 필요하다.
- 경미한 경우는 흉쇄유돌근의 Z-성형술이나 부분 절제를 시행할 수도 있다.
- 흉쇄유돌근 유양돌기 부착부의 절개 시 근육의 표재부에 있는 대이 신경(greater auricular nerve)을 확인하고 보호하여야 한다. 또 근육 심부에서 횡단하는 척추부신경(spinal accessory nerve)에 대한 손상도 주의하여야 한다.

(3) 수술 후 처치

- 수술 부위가 안정되고 통증이 감소하는 24-48시간 이후에 적극적으로 수동적 및 능동적 운동을 시작한다. 술 후 고정으로 soft collar, 보조기, Minerva 석고 고정 등이 사용되고 있으나, 절개한 흉쇄유돌근을 신연시켜서 구축되었던 위치에서 다시 유합되지 않도록 측굴곡 및 회전운동을 수술 후 3-4주간 집중적으로 시행하는 것이 중요하다. 청소년기 이후에 경추 구축과 변형이 동반된 경우에는 수술 후 경추 견인을 하여 교정하는 것이 필요하다.

(4) 치료 후 경과

- 경부 운동 범위가 대칭적이 될 정도로 호전되어도 약간의 고개 기울임이 남아있을 수 있는데, 이는 환아의 proprioception이 어느 정도 고개를 기울이는 것을 정상 위치로 인식하기 때문일 수도 있고 두개골의 만곡변형 때문에 그렇게 보일 수도 있다.

II. Sprengel 변형/선천성 상위 견갑골 (Sprengel deformity/congenital high scapula/undescended scapula)

선천적으로 견갑골이 정상적인 위치보다 상방에 위치하며 견관절운동 범위가 제한되는 기형이다. 신체 검사만으로도 진단이 가능하다Fig 3.

1. 원인 및 병리 소견

- 견갑골은 배아 발생 과정 중 중앙 경추부 수준에서 발생하여 상지와 함께 상부 흉추부 수준으로 하방 이동하는데, 발생과정의 문제로 인하여 이러한 이동이 정지되면 Sprengel 변형이 된다. 따라서, 선천성 상위 견갑골이라는 용어 보다는 "하방 이동이 실패한 견갑골(undescended scapula)"이라는 표현이 더 적절하다(Horwitz 1908).

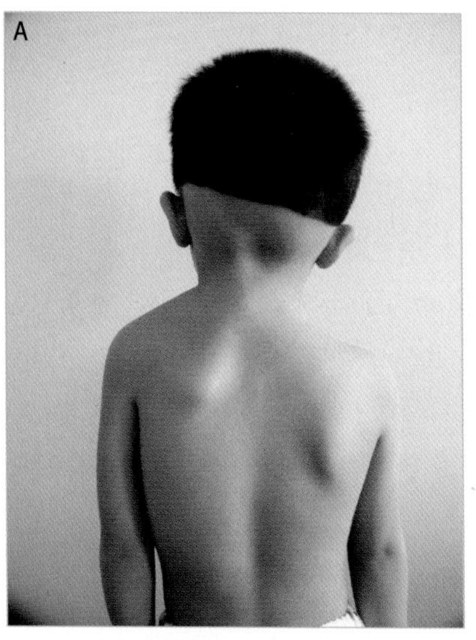

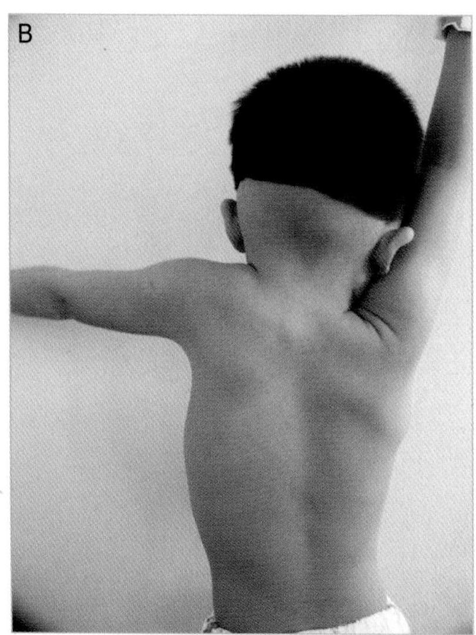

Fig 3. **좌측 Sprengel 변형.**
A: 어깨 높이가 높고 견갑골의 하각의 높이 차이를 볼 수 있다. B: 좌측 견관절 외전이 90도로 제한되어 있다. C: Woodward 견갑골 정위술 후 견관절 외전이 호전되었다.

- 이환된 견갑골은 대개 정상측보다 횡축은 더 길고 종축은 더 짧으며, 3D-CT를 통해서 관찰한 결과 건측보다 면적이 더 넓고, 극상와(supraspinous fossas)는 전방으로 굴곡되어 있는 경우가 흔하다(Cho 2000).
- 견갑골과 척추 사이의 비정상적인 연결 조직(omovertebral connection)Fig 4은 견갑골의 척추연(vertebral border)에서 제4-7 경추 중 일부의 극상돌기, 횡돌기 혹은 추궁으로 연결된다. 전부 또는 부분적으로 골, 연골 또는 섬유 조직으로 이루어져 있다.
- 견갑골의 상방 전위와 회전 변형이 복합되어 있는데 환자마다 각변형 성분의 정도가 다르다(Cho 2000).

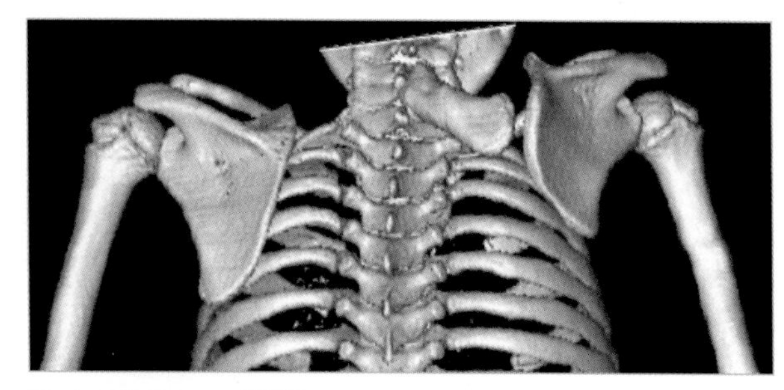

Fig 4. **우측 Sprengel 변형.**
하 경추와 견갑골 내연을 연결하는 견갑척추골을 볼 수 있다.

- 승모근(trapezius), 대흉근(pectoralis major), 능형근(rhomboids), 전거근(serratus anterior), 광배근(latissimus dorsi) 등 견갑골 주위의 근육들은 저형성되거나 비정상적인 구조와 주행방향을 보일 수 있다.
- 선천성 경추 결합(Klippel-Feil syndrome), 선천성 척추측만증(congenital scoliosis), 척추 이분증(spina bifida), 늑골 기형(rib abnormalities) 등이 흔히 동반되며, 그 외에 비뇨기계 이상이 동반되기도 한다(Carson 1981).

2. 임상적 소견

양측의 어깨 높이가 다른 미용적인 문제와 견관절의 외전, 전방굴곡이 제한되는 기능적 문제가 복합되어 있다.

- 견갑골 상방 전위가 우세한 경우에는 견관절 자체가 상방에 위치하게 된다. 반면, 견갑골의 회전 변형이 우세하면 견갑골 척추연의 상각(superior angle)이 목 기저부에서 돌출되지만 상완골두의 높이는 크게 차이 나지 않는다.
- 견갑와-상완 운동(glenohumeral motion)은 정상이지만, 견갑골 자체가 회전되어 있는 만큼 견관절 외전 범위가 감소할 뿐 아니라 견갑골과 흉곽 사이의 섬유성 유착이나 견갑척추 연결(omovertebral connection) 조

직에 의해서 견갑-흉곽 운동(scapulothoracic motion)이 크게 제한되어 있어서 견관절의 외전이 제한된다.

* 변형의 정도(Cavendish 1972)

① Grade 1(매우 경함): 견관절의 위치가 거의 정상적이며, 옷을 입었을 때 외관상 문제가 없는 경우로 수술의 적응이 되지 않는다.

② Grade 2(경함): 견관절의 위치는 거의 정상적이나, 옷을 벗었을 때 경부에 견갑골의 상내연의 돌출이 보이는 경우이다.

③ Grade 3(중등도): 견관절이 정상보다 2-5 cm 정도 상방 전위되어 있다.

④ Grade 4(고도): 견관절이 정상보다 5 cm 이상 상방 전위되어 있다.

3. 치료

1) 치료의 목적

미용의 개선과 견관절 외전 운동 범위를 증진시키는 것이 목적이다. 충분한 유리술을 통해서 외전 운동 범위는 상당 부분 호전시킬 수 있으나, 견갑골의 하방 전위에는 한계가 있어서 미용적 개선은 만족스럽지 못할 수도 있다.

2) 치료 시 고려해야 할 요소들

- 연령: 3-7세가 수술의 적기이며, 8세 이후에 수술을 시행하는 경우에는 상완 신경총 손상의 가능성이 높다.
- 동반 기형의 유무: 선천성 척추측만증에 대해서 후방 유합술이 필요한 경우 견갑골 정위술과 함께 시행할 수 있다.

3) 견갑골 정위술(scapular relocation)

지금까지 소개된 여러가지 방법 중 Woodward 방법이 가장 널리 사용되고 있다.

(1) Woodward 방법(1961)

- 척추 정중 피부절개
- 삼각근(trapezius)과 능형근(rhomboideus)을 척추측 부착부에서 박리한다.
- 견갑척추 연결(omovertebral connection)을 절제한다.
- 견갑거근(levator scapulae) 및 인접한 섬유대 절제 또는 Z-연장술
- 상방으로 연장되고 전방 굴곡되어 있는 견갑골 상극부(superior pole)를 골막외에서 절제한다.
- 견갑골을 하방 전위 및 회전시킨 후 삼각근과 능형근을 원래 부착부보다 하방에 봉합하여 교정 위치를 유지한다.

(2) Green의 방법(1957)

- 견갑골의 상연(superior border)과 척측연(vertebral border)을 따라서 피부를 절개한다.
- 견갑골 주위 근육들을 견갑골 부착부에서 골막 외 박리(extraperiosteal dissection)
- 견갑골을 하방 전위 시킨 후 근육들을 원래 견갑골 부착부보다 상방에 봉합한다.
- 견갑골에 철사(wire)를 매달아 수술 후 골 견인하여 하방 전위를 유지한다.

(3) 그 외 추가하는 술식

- 나이가 많거나 변형이 심하면 상완 신경총과 쇄골하혈관을 보호하고 변형 교정을 쉽게 하기 위하여 쇄골을 절골하거나 분쇄한다(morselization)(Robinson 1967) Fig 5.
- 견갑골과 흉곽 사이에 섬유 유착이 있는 경우가 흔하며 충분한 박리가 필요하다.
- 전거근(serratus anterior)의 견갑골 부착부를 박리해서 견갑골 하방 전위 후 원래 위치보다 상방에 봉합한다. 전거근 섬유는 정상에서는 횡적으로 주행하지만, Sprengel 변형에서는 상하 방향 주행인 경우가 흔히 발견되는데, 이것이 견갑골을 상방으로 포착하는 주요 요인 중 하나로 생각되며 이러한 병적 근육배열에 대한 적절한 유리술이 필수적이다.
- 견갑척추 연결의 견갑골 측에서 연골조직을 충분히 절제하지 않으면 성장하면서 견갑골의 척추측 부분이 척추의 극돌기에 충돌하는 현상이 발생할 수도 있다.

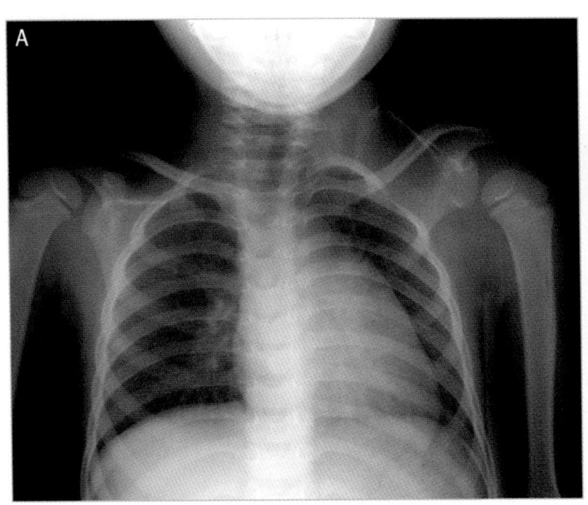

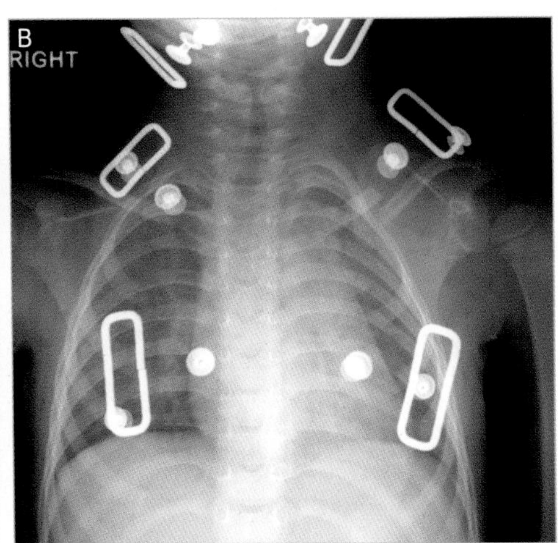

Fig 5. A: 4세 남아 수술 전. B: 수술 후. 상완신경총 손상 가능성을 줄이기 위해서, 쇄골을 인위적으로 절골하였다.

(4) 수술 후 처치

- 견갑골 상방에서 혈종이 형성되지 않도록 Hemovac 등의 효과적인 drainage를 설치한다.
  - 견갑골 주위 근육 발달이 불량한 경우 하방 전위된 견갑골을 견고하게 포착할만한 연부조직이 불충분할 수 있다. 이러한 경우 수술 후 일시적으로 상완부를 하방으로 피부견인 하거나 견갑골에 철사(wire)를 걸어서 골견인을 고려한다.
  - 연부조직 치유가 되는 4주간 Velpeau type bandage로 상지를 고정한 후, 점진적으로 능동적 및 수동적 견관절운동을 시행한다.

4) 견갑골 성형술

일부 저자들은 견갑술 정위술 대신 견갑골 상극 절제술, 견갑골 수직 절골술 등을 소개하였다.

III. 선천성 쇄골 가관절증 (congenital pseudarthrosis of the clavicle)

분만골절, 신경섬유종증(neurofibromatosis), 쇄골두개이형성증(cleidocranial dysplasia) 등과 감별을 요하는 매우 드문 질환으로, 선천성 경비골 또는 요척골 가관절증과는 연관이 없는 별개의 질병이다. 상대적으로 유합이 잘되는 양성 경과를 보인다.

1. 원인

대부분 우측에 발생하며 드물게 좌측에 발생한 경우에는 우심증(dextrocardia)과 동반되는데, 이는 우측 쇄골하동맥이 더 상방에 위치하면서 그 맥박 및 압력에 의해서 태생기에 쇄골 발달을 억제하여 가관절증이 발생한다는 가설을 뒷받침한다. 약 10%에서 양측성으로 발생하며 경늑골(cervical rib)이 있는 경우에도 발생할 수 있다(Lloyd-Roberts 1975).

2. 병리 소견

가관절 부위의 쇄골 양단은 초자양 연골모(hyaline cartilaginous cap)로 덮여있고 그 사이를 섬유성 또는 섬유연골성 조직이 채우고 있다(Hirata 1995).

3. 임상적 소견Fig 6

- 대부분의 환자가 쇄골부 종창으로 발견되어 미용상 문제를 호소하며, 일부에서만 통증을 호소하는데 대부분 사춘기 이후에 운동하면서 느끼게 된다. 극히 일부에서 일상 중에 통증을 호소한다(Kim 2020).
- 흉곽 출구 증후군(thoracic outlet syndrome)이 지연되어 나타나는 경우도 있다(Gibson 1970).
- 가관절 부위는 자연 유합되지 않는다.

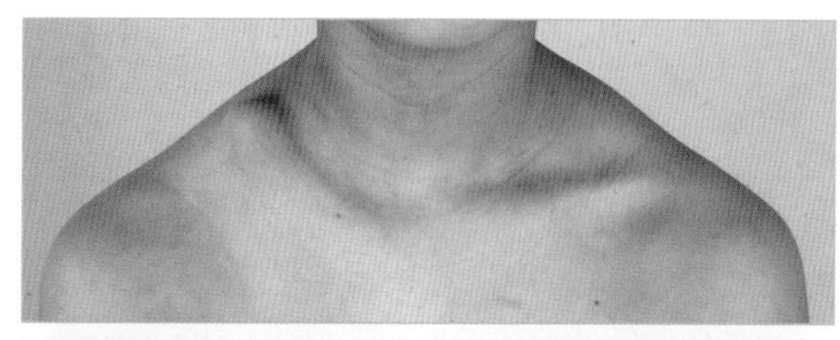

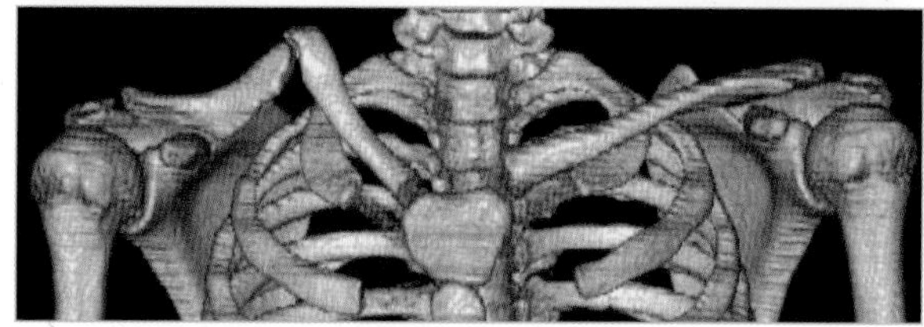

Fig 6. **우측 선천성 쇄골 가관절증이 있는 11세 여아.**
상방 각형성이 피하 돌출되어 있다.

4. 방사선 검사 소견

쇄골의 중간부의 외측에 골 결손이 관찰되고 가관절부의 양단은 비대되어 있으며, 가골 형성이나 가관절부 양단의 위축은 보이지 않는다.

5. 치료

- 임상적 소견을 고려하면 병변이 아동기에 발견되었더라도 견고한 고정이 가능한 연령까지 기다렸다가 수술하는 것이 바람직하다(Kim 2020).
- 가관절부의 절제, 가관절 양단의 소파술, 견고한 내고정술 및 자가 해면골 이식술 등으로 유합을 용이하게 얻을 수 있으며 수술 중 신경혈관의 합병증을 조심하여야 한다(Toledo 1979).

Ⅳ. 선천성 요골두 탈구
(congenital dislocation of the radial head)

드물게 발견되는 선천성 기형으로 대부분 아동기 이후에 발견되는데, Larsen 이형성증, 조갑슬개골 증후군 등의 전신성 질환의 일환으로 발생할 수도 있으며, 다른 선천성 기형과 동반되는 경우도 흔하다. 만성 Monteggia 병변과의 감별이 애매할 수도 있다.

1. 임상적 소견

- 양측성 혹은 편측성으로 발생할 수 있는데, 후방 탈구 또는 후외측 탈구가 흔하지만 전방 탈구도 발견된다.
- 후방 탈구에서는 주관절의 굴곡구축이 동반되며 요골두가 후방에서 촉지된다Fig 7.
- 전방 탈구에서는 주관절의 굴곡 제한이 동반되며 요골두가 전방에서 촉지된다.
- 외반주 변형(cubitus valgus)이 흔하며, 전완부 회전 운동, 특히 회외전이 제한된다.

2. 감별 진단

치료되지 않은 Monteggia 병변, 즉 외상 후 요골두 탈구와의 감별이 중요한데 외상 후 탈구도 오랜 시간이 경과하면 선천성 탈구와 비슷한 변형이 되기 때문에 구분이 어려운 경우가 많다.

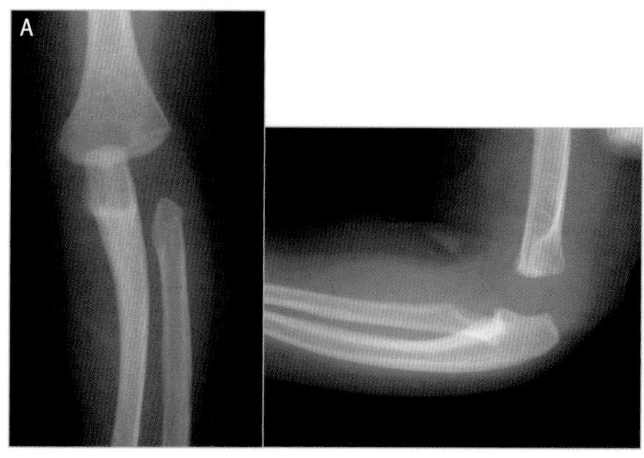

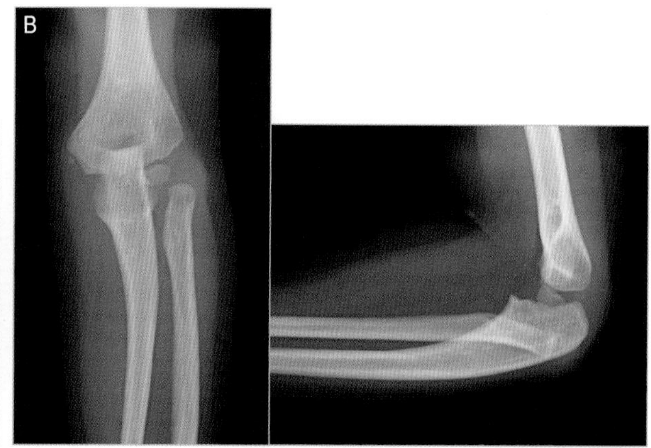

Fig 7. A: 11개월 남아. 좌측 선천성 요골두 후방 탈구. 돌출된 요골두가 촉지되는 것 이외에는 증상이 없다. B: 6세에도 주관절 굴곡구축 10도 이외의 증상이 없다.

만성 Monteggia 병변이 아닌 선천성 탈구를 시사하는 소견
- 요골두의 저형성, 볼록한 관절면(dome-shaped)
- 소두(capitellum)의 저형성
- 영유아기에 발견
- 외상 병력 없음
- 양측성 탈구
- 가족력

요골두 탈구가 증상의 일부인 질환
- 조갑슬개골 증후군(nail-patellar syndrome)
- Larsen 증후군
- Steel 증후군
- 선천성 요척골 유합
- 유전성 다발성 골연골종증

3. 치료

- 어린 나이에는 주관절 굴곡 또는 신전 운동 제한 이외의 증상이 없고 기능적 제한이 없어서, 수술적 정복의 필요성에 대해서는 아직 확립되어 있지 않다.
- 어린 나이에 수술로 성공적인 정복을 얻은 보고가 있지만(Yamazaki 2007, Song 2009), 자연 경과에 비해서 우월한 결과를 보여주는지에 대해서는 장기 추시가 필요하다.
- 학동기 이후 사춘기 또는 성인기에 통증이 발생하면 요골두 절제술로 통증 경감과 전완부 회전 운동 범위를 향상시킬 수 있다. 성장기에 요골두 절제술을 하면, 외상 후 요골두 절제술 보다는 합병증이 적지만, 선천성 요골두 탈구에서도 요골의 근위 전위와 절제단의 과성장 등이 발생할 수 있다(Campbell 1992, Bengard 2012).

만성 Monteggia 병변(chronic/neglected Monteggia lesion)
- 척골 근위부 골절과 요골두 탈구가 동반된 Monteggia 골절에서 요골두 탈구를 무시하고 척골 골절에 대한 유합만 얻은 후 발생하는 후유증이다. 전방 탈구가 흔한데(Bado type I) 대부분 척골의 전방 굴곡이 잔존하며 이를 ulnar bow sign이라고 한다Fig 8.
- 척골 골절 없이 소성변형(plastic deformation)에 의해서 척골의 전방 굴곡이 형성되면서 요골두가 탈구될 수도 있으며(Monteggia equivalent lesion), 외상력을 전혀 기억하지 못하는 경우도 있다.
- 장기적 자연 경과에 대해서 체계적인 연구는 없으나, 외반주 변형, 주관절 굴곡 제한, 전완부 회전 제한, 통증과 조기 퇴행성 관절염, 지연성 신경마비 등이 발생할 수 있다.
- 탈구된지 3년 이내에 발견되고 연령이 12세 이전이며(Nakamura 2009), 요골두-소두 변형이 심하지 않으면서 증상이 있는 경우에는 적극적인 재건술이 권장된다. 요골두가 비후되고 소두가 편평화되는 등의 변형이 이미 발생하였으면 재건술을 통해서 장기적인 기능 개선을 얻을 가능성이 현저히 저하되기 때문에, 증상이 심해지는 것을 기다렸다가 요골두 절제술을 하는 것이 더 나을 수도 있다.

- **만성 Monteggia 병변에 대한 수술적 치료**
- 요골두와 소두 사이 감입된 윤상인대를 적절하게 제거하고, 척골 변형을 교정하는 것이 가장 중요한 요소이다. 이런 술식이 제대로 시행되지 않아서 요골두 정복이 불안정한 상황에서는, 재건한 윤상인대(annular ligament)로 요골두를 고정하거나 소두 통과(transcapitellar) K-강선으로 고정한다고 해서, 요골두의 안정을 얻을 수는 없다. 성공적인 요골두 정복을 얻어도, 전완부 회전은 어느 정도 제한된다(Rodgers 1996).
- 척골 절골술: 굴곡 절골술을 통해서 전방 각형성을 과교정(overcorrection)하여야 요골두의 안정적인 정복을 얻을 수 있다. 상당한 굴곡을 하여야 요골두가 안정적으로 정복되는 경우도 흔하며, 그런 경우 주관절 굴곡 구축처럼 보이게 될 수도 있다. 충분한 척골의 길이를 얻어야 소두-요골두 간 압력을 경감하여 안정적인 정복을 유지할 수 있으므로, 개방쐐기 절골술, 급성 연장술과 골 이식술, 또는 신연 골형성술을 통해 척골 연장과 각변형을 함께 얻는 방법 등이 사용된다.
- 윤상인대 재건술: 윤상인대는 전위되어 요골두와 소두 사이에 감입되어 있는 경우가 대부분이다. 이를 조심스럽게 박리하면 대부분의 경우 요골두 주변을 감아서 재건할 수 있다(Shah 2020). 이것이 불가능하면 절제한 후에 상완 삼두근 건막(Bell Tawse 1965), 전완부 건막, 장장근(palmaris longus) 등으로 재건하는 방법 등이 소개되어 있다.
- 그 외에 수술 후 또는 수술 중 일시적으로 소두 통과 K-강선으로 요골두를 고정하기도 한다.
- 근위 요골의 각변형이 심한 경우에는 이에 대한 변형 교정 절골술이 필요할 수도 있다.

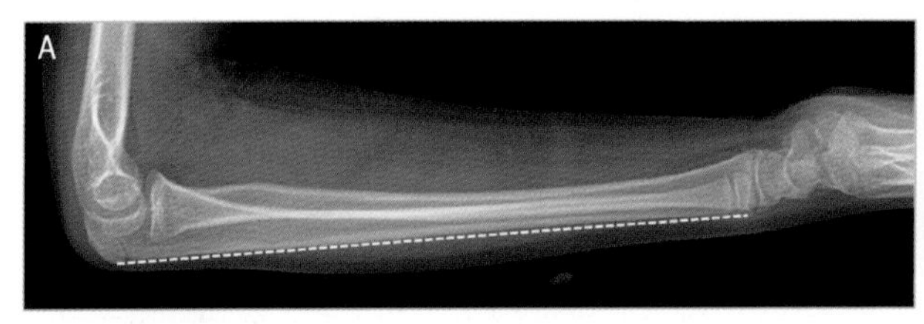

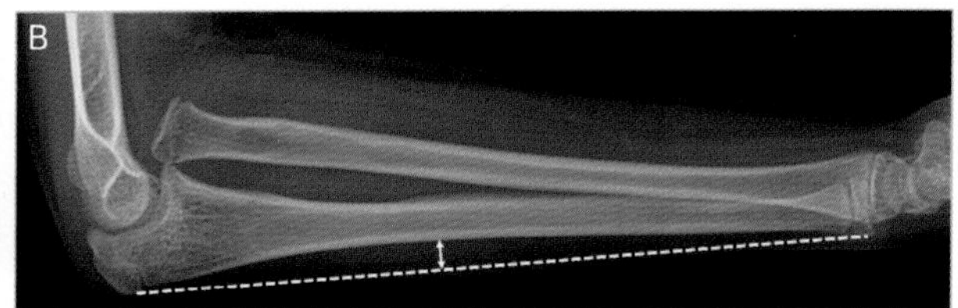

Fig 8. **12세 여아.**
6.5세에 발생한 우측 전완부 골절에 대해 보존적 치료를 받은 바 있다. 측방 방사선 사진에서 좌측 척골의 후방 피질골 선(cortical line)은 일직선에 가까우나(A), 우측 척골은 전방 굴곡으로 인해 후방 피질골 선이 원위 척골과 주두를 연결한 선에서 상당히 벗어나 있다(B). 요골두의 전방 탈구와 함께 관절면의 변형이 관찰된다.

V. 선천성 요척골 골결합 (congenital radio-ulnar synostosis)

태아 발생 과정에서 전완부 연골 원기(cartilage anlage)가 근위부에서 종적 분절되지 않아서 발생하는 선천성 기형이다. 전완부가 고정되어 회내/회외 운동이 일어나지 않는데, 고정된 위치에 따라서 기능적 제한이 적으면 발견시기도 늦어지고 특별한 치료를 요하지 않는다. 태생기에 전완부는 회내전(pronation)되어 있기 때문에 대부분의 환자는 어느 정도의 회내전 상태로 고정되어 있고, 약 80%에서 양측성으로 발생한다.

1. 분류

- Cleary와 Omer의 분류(1985) Fig 9
  - Type I: 섬유성 유합으로 방사선 검사 상 골유합이 관찰되지 않고, 요골두는 정상 모양이지만 약간 크기가 작다.
  - Type II: 골성 유합이 관찰되며 요골두는 정상 모양으로 제 위치에 있다.
  - Type III: 골성 유합이 관찰되며 저형성된 요골두는

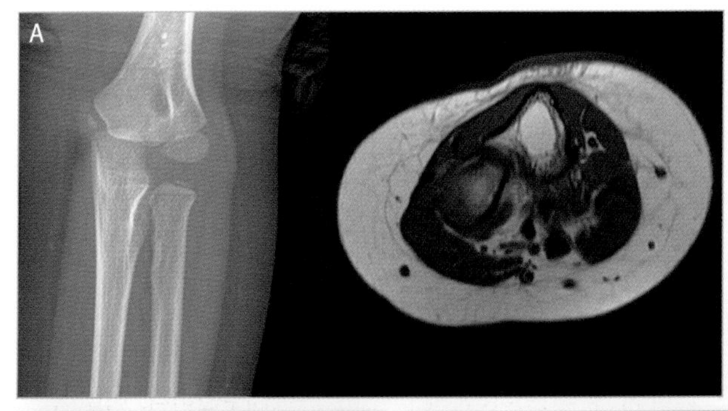

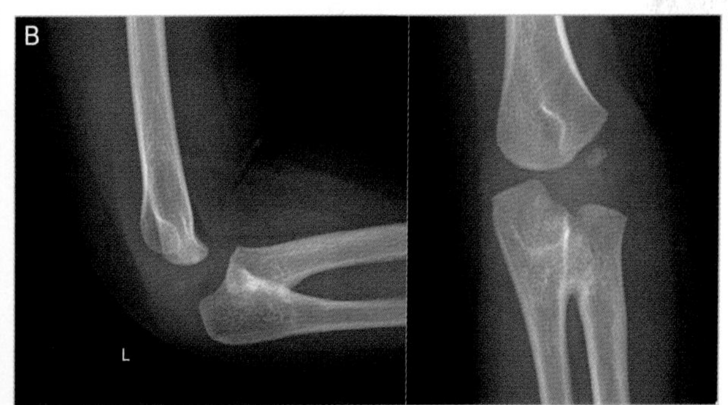

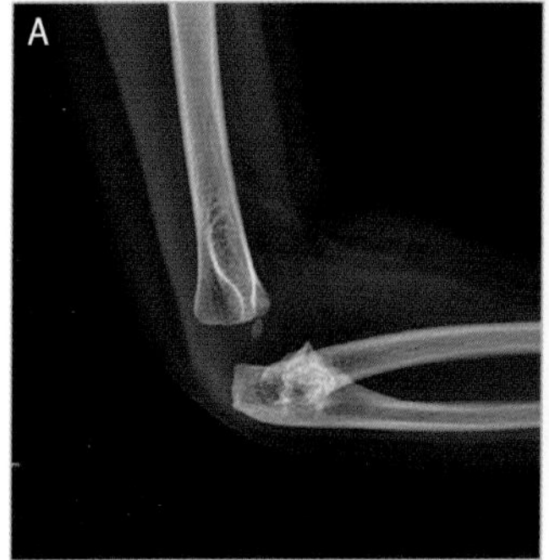

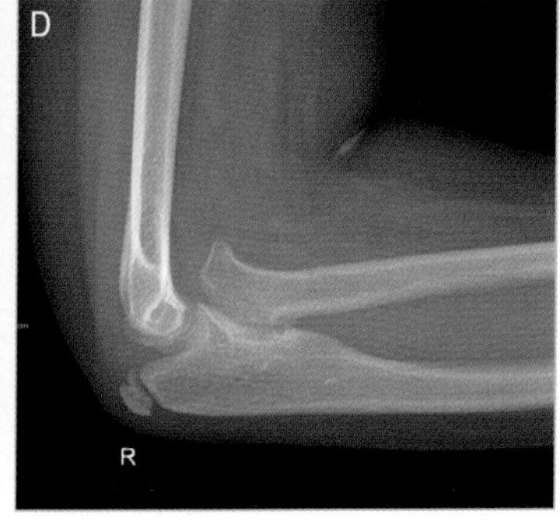

Fig 9. **Cleary-Omer 분류에 따른 선천성 요척골 결합의 단순 방사선 소견.**
A: Type I. 요골(R)과 척골(U) 사이에 섬유성 유합(화살표)이 관찰된다. B: Type II. C: Type III. D: Type IV (본문 참조).

후방 탈구되어 있다.
- Type IV: 골성 유합이 관찰되며 버섯모양의 요골두는 전방 탈구되어 있다.

2. 임상적 소견

- 환측의 전완부는 약간 가늘고 짧다.
- 심한 회내(pronation) 변형이 있으면 세수하기, 숟가락질, 물건 받기, 상지를 많이 쓰는 스포츠, 바이올린 연주, 사격 등을 할 수 없다. 변형이 심하지 않으면 수근관절과 견관절에서의 보상 운동과 환자의 적응으로 인해 기능적 제한을 느끼지 않을 수도 있다.
- 요골두가 탈구되어 있는 Cleary-Omer type III와 IV에서는 드물게 요골두가 소두(capitellum)와 충돌하거나 윤상인대(annular ligament)가 포착되면서 통증이나 주관절운동 제한이 발생할 수도 있다(Shin 2012).

3. 치료

수술적 교정 여부는 환자가 느끼는 장애에 근거하여야 한다. 따라서 아직 장애를 느끼지 않거나 표현할 수 없는 어린 나이에 부모의 요구에 의해서 수술적 교정을 시행하는 것은 적절하지 않다. 양측성 여부, 편측성일 때 우세 수(dominant hand) 여부, 변형이 고착된 위치, 기능적 제한에 대한 환자의 불편 정도 등을 종합적으로 고려하여 수술 여부를 결정한다. 참고로 저자들이 선천성 요척골 결합으로 진단한 환자 중 수술적 치료를 하는 경우는 드문 편이다.

1) 회전 절골술(rotational osteotomy)

심한 회내전 위치로 고정되어 있는 경우, 보다 기능적인 위치로 회전시켜서 기능 개선을 꾀하는 수술이다. 절골술을 골유합 부위에서, 요골 및 척골 모두에서, 또는 원위 요골에서만 시행하는 다양한 절골술 방법이 소개되어 있다. 신경 손상, 특히 척골 신경 손상을 주의하여야 하며, 구획증후군을 예방하기 위하여 교정할 변형이 크면 예방적 근막절개술을 고려한다(Hankin 1987). 저자에 따라 목표로 하는 고정 위치가 다양하게 제시되었다(Green 1979, Simmons 1996, Tonkin 1999).

- 편측성 골유합 시: 중립위 또는 20도 이내의 회외위 또는 회내위
- 양측성 골유합 시: 우세수(dominant hand)를 20-45도 회내위, 비 우세수를 20-35도 회외위로 고정한다.

2) 회전 운동을 얻기 위한 수술적 분리

일부에서 양호한 결과를 보고하였으나(Kanaya 1998), 기능적 개선 정도에 비해서 수술이 복잡하고 다른 조직의 희생이 따르기 때문에 널리 받아들여 지고 있지 않다.

VI. 선천성 요척골 가관절증(congenital pseudarthrosis of the radius and/or ulna)

선천성 경비골 가관절증(congenital pseudarthrosis of the tibia and fibula)과 같은 병변이 요골 또는 척골에 발생하는 매우 희귀한 질환이다. 요골과 척골이 같은 비율로 발생하며, 일부에서는 요골과 척골에서 동시에 발병하기도 한다. 절반 이상에서 제1 형 신경섬유종증이 동반된 것으로 생각된다(Wood 1999). 혈관부착 유리비골 이식술(free vascularized fibular graft)(Bae 2005) 또는 Ilizarov 방법을 이용한 골유합술(Fabry 1988)Fig 10을 통한 골유합이 보고된 바 있다. 골유합을 얻을 수 없는 경우 one-bone-forearm 술식이 대안이 될 수 있다(Siebelt 2020).

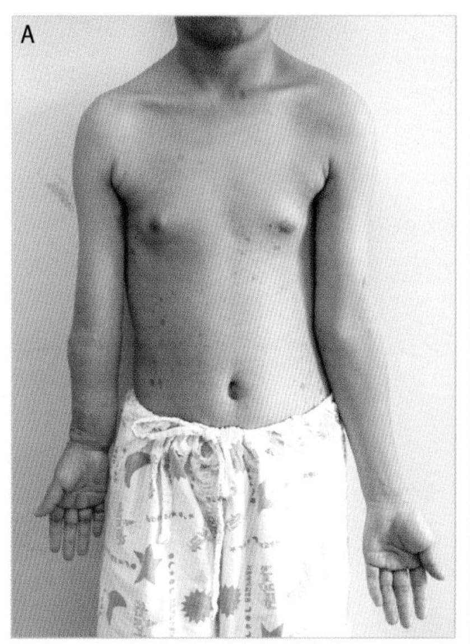

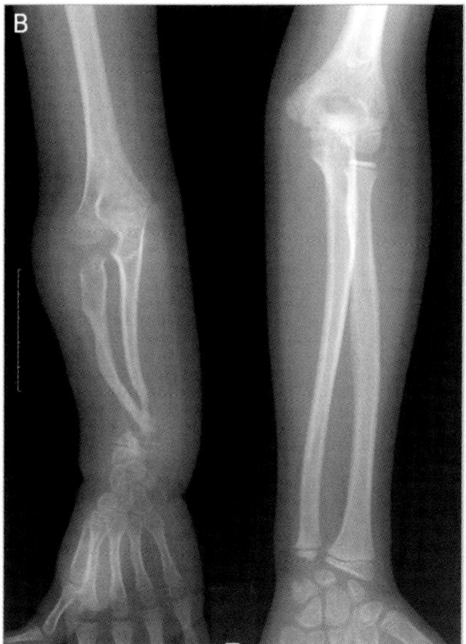

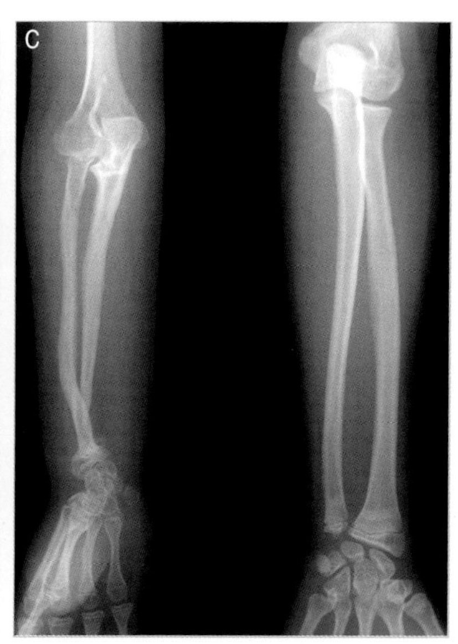

Fig 10. **우측 선천성 요척골 가관절증.**
가관절증 절제술, 자가골 이식술 및 Ilizarov 외고정 장치로 골 유합을 얻었고, 동시에 요척골 연장술을 시행하였다. A,B: 수술 전. C: 유합 얻은 후 2년 추시 소견.

참고문헌

이덕용, 원중희. 요골 및 척골의 선천성 가관절증-1예 보고. 대한정형외과학회지. 1986;21:359.

이동연, 송병욱, 조태준 등. 선천성 근성 사경 환자의 두개 안면 비대칭. 대한정형외과학회지. 2007;42:24.

Bae DS, Waters PM, Sampson CE. Use of free vascularized fibular graft for congenital ulnar pseudarthrosis. J Pediatr Orthop. 2005;25:755.

Bell Tawse AJ. The treatment of malunited anterior Monteggia fractures in children. J Bone Joint Surg Br. 1965;47:718.

Bengard MJ, Calfee RP, Steffen JA, et al. Intermediate-term to long-term outcome of surgically and nonsurgically treated congenital, isolated radial head dislocation. J Hand Surg Am. 2012;37:2495.

Cambell CC, Waters PM, Emans JB. Excision for the radial head for congenital dislocation. J Bone Joint Surg Am. 1992;74:726.

Carson WG, Lovell WW, Whitesides TE Jr, Congenital elevation for scapula. Surgical correction by the Woodward procedure. J Bone Joint Surg Am. 1981;63:1199.

Cavendish ME. Congenital elevation of the scapular. J Bone Joint Surg Br. 1972;54:395.

Cho TJ, Choi IH, Chung CY, et al. The Sprengel deformity. Morphometric analysis using 3D-CT and its clinical relevance. J Bone Joint Surg Br. 2000;82:711.

Cleary JE, Omer GE. Congenital proximal radio-ulnar synostosis. J Bone Joint Surg Am. 1985;67:539.

Davids JR, Wenger DR, Mubarak SJ. Congenital muscular torticollis: sequelae of intrauterine or perinatal compartment syndrome. J Pediatr Orthop. 1993;13:141.

Fabry G, Lammens J, Van Melkebeek J, et al. Treatment of congenital pseudarthrosis with the Ilizarov technique. J Pediatr Orthop. 1988;8:67.

Gibson DA, Carroll N. Congenital pseudarthrosis of the clavicle. J Bone Joint Surg Br. 1970;52:629.

Green WT, Mital Ma. Congenital radioulnar synostosis: surgical treatment. J Bone Joint Surg Am. 1979;61:738.

Hankin FM, Smith PA, Kling TF Jr, et al. Ulnar nerve palsy following rotational osteotomy of congenital radioulnar synostosis. J Pediatr Ortho. 1987;7:103.

Hirata S, Miya H, Mizuno K. Congenital pseudarthrosis of the clavicle. Histologic examination for the etiology of the disease. Clin Orthop Relat Res. 1995;315:242.

Horwitz AE. Congenital elevation of the scapular-Sprengel deformity. Am J Orthop Surg. 1908;6:260.

Hummer CD Jr, MacEwen GD. The coexistence of torticollis and congenital dysplasia of the hip. J Bone Joint Surg Am. 1972;54:1255.

Kanaya F, Ibaraki K. Mobilization of a congenital proximal radioulnar synostosis with use of a free vascularized fascio-fat graft. J Bone Joint Surg Am. 1998;80:1186.

Kelly DW. Congenital dislocation of the radial head: spectrum and natural history. J Pediatr Orthop. 1981;1:295.

Kim AE, Vuillerimin CB, Bae DS, et al. Congenital pseudarthrosis of the clavicle: surgical decision making and outcomes. J Shoulder Elbow Surg. 2020;29:302.

Lee EH, Kang YK, Bose K. Surgical correction of muscular torticollis in the older child. J Pediatr Orthop. 1986;6:585.

Lee JK, Moon HJ, Park MS, et al. Change of craniofacial deformity after sternocleidomastoid muscle release in pediatric patients with congenital muscular torticollis. J Bone Joint Surg Am. 2012;94:e93.

Lloyd-Roberts GC, Apley AG, Owen R. Reflections upon the aetiology of congenital pseudarthrosis of the clavicle. J Bone Joint Surg Br. 1975;54:24.

Nakamura K, Hirachi K, Uchiyama S, et al. Long-term clinical and radiographic outcomes after open reduction for missed Monteggia fracture-dislocations in children. J Bone Joint Surg Am. 2009;91:1394.

Owen R. Congenital pseudarthrosis of the clavicle. J Bone Joint Surg Br. 1970;52:644.

Robinson AR, Braun RM, Mack P, et al. The surgical importance of the clavicular component of Sprengel deformity. J Bone Joint Surg Am. 1967; 49:1481.

Shim JS, Jang HP. Operative treatment of congenital torticollis. J Bone Joint Surg Br. 2008;90:934.

Shim JS, Noh KC, Park SJ. Treatment of congenital muscular torticollis in patients older than 8 years. J Pediatr Orthop. 2004;24:683.

Shin YH, Baek GH, Lee HJ. Limitation of elbow flexion in a patient with congenital radioulnar synostosis. J Hand Surg Eur. 2012;37:576.

Siebelt M, de Vos-Jakobs S, Koenrades N, et al. Congenital forearm pseudarthrosis, a systematic review for a treatment algorithm on a rare condition. J Pediatr Orthop. 2020;40:e367.

Song KS, Cho CH. Open realignment for congenital dislocation for the radial head in children. J Hand Surg Eur. 2011;36:161.

Toledo Cm MacEwen GD. Severe complication of surgical treatment of congenital pseudarthrosis of the clavicle. Clin Orthop Relat Res. 1979;139:64.

Woodward JW. Congenital elevation of the scapular. Correction by release and transplantation of muscle origin. J Bone Joint Surg Am. 1961;43:219.

Yamazaki H, Kato H. Open reduction for the radial head with ulnar osteotomy and annular ligament reconstruction for bilateral congenital radial head dislocation: a case with long-term follow-up. J Hand Surg Eur. 2007;32:93.

17

발달성 고관절 이형성증

Developmental Dysplasia of the Hip

Chapter 17

발달성 고관절 이형성증

Developmental Dysplasia of the Hip (DDH)

목차

I. 서론

종래에는 선천성 고관절 탈구(congenital dislocation of the hip, CDH)로 불렸으나 실제로 출생 시 고관절이 탈구되어 있는 경우는 드물고 출생 후 점차 탈구로 진행되는 경우가 대부분이며 불안정성, 비구 이형성증, 아탈구 등도 탈구와 같은 스펙트럼에 있다는 개념이 확립되면서 1990년대부터 발달성 고관절 이형성증(developmental dysplasia of the hip, DDH)이라는 용어가 보편적으로 사용되고 있다. 2019년에 제안된 ICD-11에는 골격계의 구조적 발달성 변형(structural developmental anomalies of the skeleton)의 하나로 발달성 고관절 이형성증(developmental dysplasia of hip)이라고 분류되어 있다.

1. 발생학 Table 1

- 고관절 부위는 비구와 대퇴골두가 처음에는 하나의 연골원기(cartilage anlage)로 발생하는데 태생 7주 경에 비구와 대퇴골두 사이의 세포들이 세포자멸사(apoptosis)를 하면서 관절이 형성된다.
- 태생 16주에 고관절 주위 및 하지 근육들이 발달하면서 고관절에서 여러 방향으로의 운동이 일어나게 되고 결국 구형의 대퇴골두와 이에 맞는 비구의 형태를 띠게 된다.
- 대퇴 염전은 태생 10주까지는 후염전(retroversion) 10도였다가 점차 전염전으로 전환되어 출생 시에는 약 45도 전염전을 가지고 있다.
- 출생 시 대퇴골두는 아직 골화되어 있지 않으며 비구도 대부분 연골로 되어 있고 관절막도 유연하기 때문에 성인에 비해서 안정성이 대단히 낮은 상태이다.

2. 출생 후 성장 Fig 1

1) 비구(acetabulum)

- 비구의 상방에는 장골(ilium), 전방에는 치골(pubis), 후방에는 좌골(ischium)의 골화중심이 각각 형성되며, 이 세 골화중심들 사이에 남아있는 연골 조직이 삼방연골(triradiate cartilage)이다 Fig 2.
- 비구의 관절면을 덮고 있는 두꺼운 연골이 비구연골(acetabular cartilage)이다.
- 삼방연골의 각 분지의 양쪽에서, 그리고 비구연골과 비구 골 조직 사이에서도 연골내 골화(endochondral ossification)가 진행되어 비구의 크기가 커지면서 연골 조직이 점차 골 조직으로 대치된다 Fig 2C, 3.
- 골 성숙에 달하면 삼방연골은 폐쇄되고 비구연골은 관절연골만 남고 모두 골화된다.

- **비구연의 이차 골화중심** Fig 4
  - 장골, 치골, 좌골 측에 각각 나타나고, 여아는 10-11

Table 1. **산전 인간 대퇴골의 발달(태생 4주부터 분만까지)**

연령(태생기 주수)	대퇴골 길이(mm)	대퇴골 발달
5-6	2	중배엽 세포가 분화하여 골반과 대퇴골 부분 형성
6-7	3-4	관절 부위 초기 형상(대퇴골두 형상 관찰됨)
		연골원기 형성 시작
		(초기 근육 형성)
		(수족지 형상 관찰됨)
7-8.5	6-8	연골원기 형성 완료(비구, 대퇴골두, 대전자, 대퇴골 과)
		골막 형성
		골간에 1차 골화중심 형성
		관절강 형성
		(상지 근육 형성)
8.5-10	8-10	1차 골화중심에서 연골내 골화가 근위 및 원위부로 진행, 원위부로 더 빠르게 진행
		고관절과 슬관절에 관절내 구조물 형성되기 시작
		하지 근육 형성
12	18	후염전 약 10도
		근위 및 원위 골간단으로 연골내 골화 진행
		전자간 및 과(condyle) 부위의 혈관 형성
		관절내 인대 형성 완료
		후염전이 전염전 5-10도로 전환
15-40	27-100	골두와 경부의 혈관 및 골화 확장
		골간부 골수강 형성
		전염각 30-40도 증가
		빠른 성장과 발달

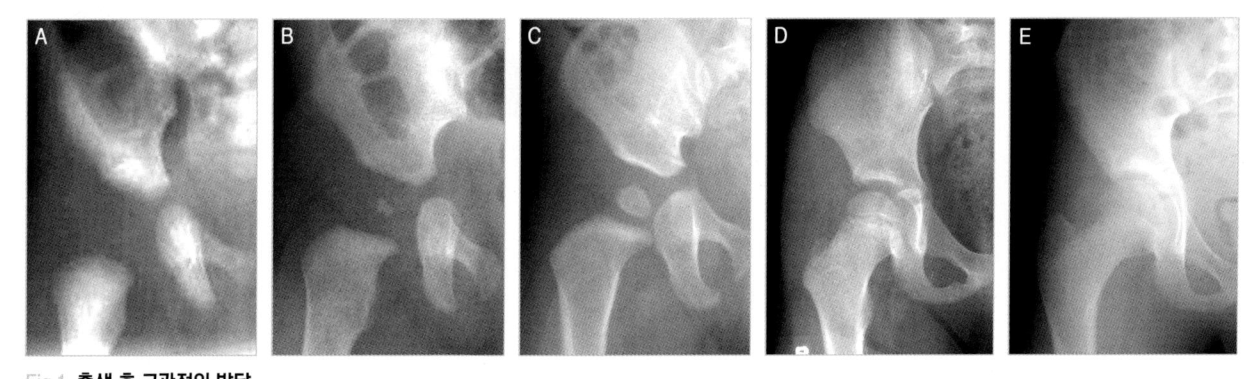

Fig 1. **출생 후 고관절의 발달.**

A: 출생 시에는 많은 부분이 연골로 이루어져 있다. B: 생후 6개월 전후하여 대퇴골두 골화중심이 출현한다. C: 생후 12개월. D: 6세. E: 12세 삼방연골과 골두 골단판이 거의 닫혀가고 있다.

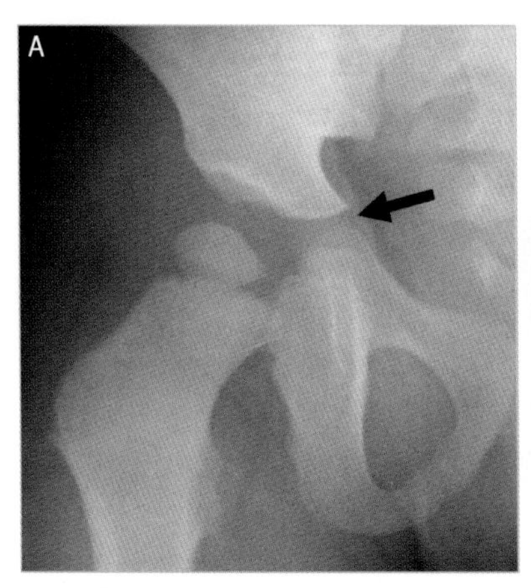

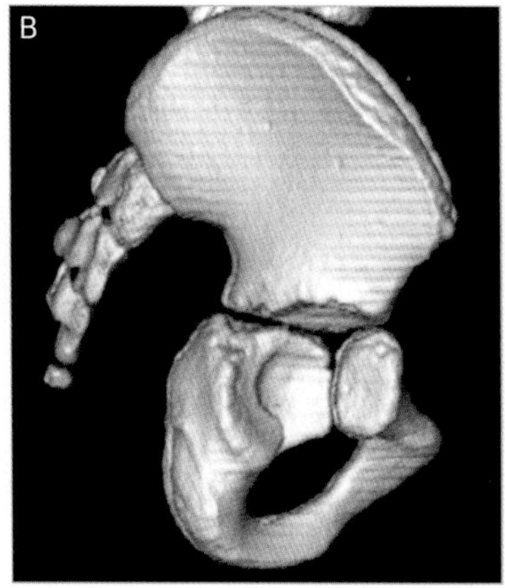

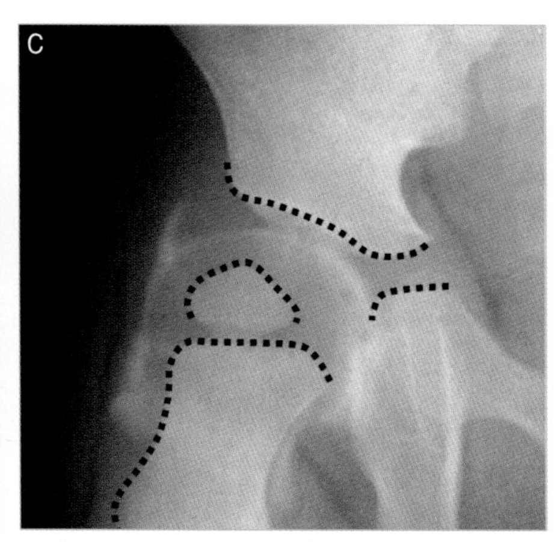

Fig 2. **삼방연골(triradiate cartilage).**
A: 전후면 단순 방사선검사에서는 비구 내측의 빈 공간으로 보인다. B: 측면에서 보면 전, 후, 하방 분지로 되어 있는 것을 알 수 있다. C: 고관절에서 연골내 골화 과정으로 성장이 일어나는 부분이다.

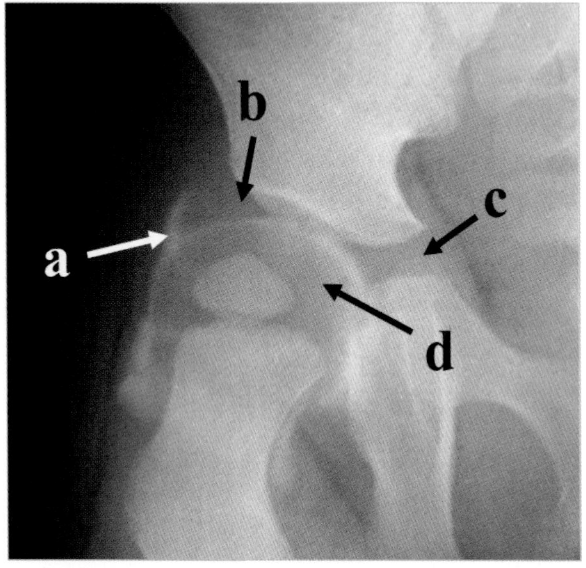

Fig 3. **미성숙 고관절의 구조.**
관절 조영술을 하면 연골 조직을 잘 볼 수 있다. a: 관절순(labrum). b: 비구 연골. c: 삼방연골. d: 대퇴골두 연골골단.

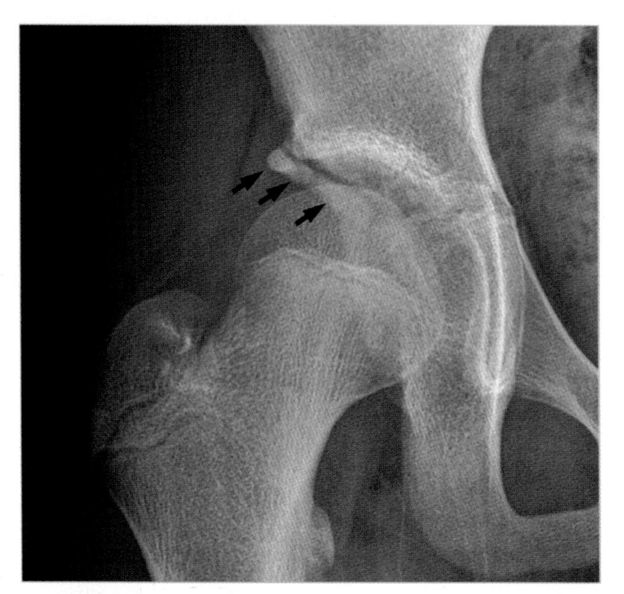

Fig 4. **비구연의 이차 골화중심.**

비구의 성장

- 상하방 및 전후방 직경의 증가: 삼방연골의 연골내 골화
- 비구 깊이의 증가
  ① 비구연골의 간질성장(interstitial growth)
  ② 비구연골 변연부의 부가성장(appositional growth)
  ③ 장골(ilium) 외벽 골막에서 신생골 형성
  ④ 비구연의 이차 골화중심(secondary ossification center)
- 비구개(acetabular roof) 경사의 감소: 비구연골과 장골(ilium) 간의 연골내 골화

세, 남아는 10-13세에 나타나며, 13-15세에 비구에 유합된다. 골절이나 비구연 견열 손상과 감별이 필요하다.

2) 대퇴골

- 대퇴골두 골화중심은 4-7개월 중에 출현한다. 고관절 이형성증에서는 골화중심의 출현이 지연된다. 대퇴골두 무혈성 괴사가 발생하면 골화중심 출현이 더욱 지연된다.
- 대퇴골두와 대전자에 있는 골단판은 대퇴경부 외측연을 통해서 연결되어 있다Fig 5.
- 대퇴 경부의 길이는 골두하 골단판에서의 연골내 골화에 의하여 증가하며, 대전자부의 성장에는 대전자부 아래 골단판뿐 아니라 대전자부의 근육 부착 부위에서의 부가 성장(appositional growth)도 기여한다.

3. 역학과 병인

발병률은 관절 불안정성의 어느 정도 까지를 DDH에 포함시킬 것인지, 어느 연령에 발생 여부를 판단할지에 따라서 큰 차이를 보일 수 있으며, 어떤 방법으로 검사하였는지, 검사 대상을 어떻게 선정하였는지(전수 검사 vs. 증상이 나타난 증례만 포함)에 따라서도 큰 차이를 보일 수 있기 때문에 연구 보고들을 서로 비교하는 데에는 한계가 있다. 이러한 점을 감안하여도 지역과 민족에 따라서 발병률은 큰 차이가 있는 것으로 생각되며 이는 인종 간의 유전적 요인과 신생아를 키우는 방식에 따른 환경적 요인이 모두 작용하는 것으로 생각된다.

1) 유전적 요인을 시사하는 소견

- 관절인대 이완(ligamentous laxity)은 여러 가지 유전적 요인에 의해서 발생할 수 있으며, 관절인대 이완이 어느 정도 있는 환아가 불리한 생역학적 환경에 처하면 관절 불안정성이 심화되면서 아탈구-탈구로 진행할 가능성이 높다.
- 가족적 발병: 부모 또는 형제 자매 중에 DDH 환자가 있으면 발병할 확률이 뚜렷하게 높지만, 우성 또는 열성 유전하는 유전성 질환보다는 발병률이 적다. 따라서, 단일 유전자 돌연변이에 의한 질병은 아니고 질병에 대한 취약성이 유전되는 것으로 생각된다.
- 인종 간의 차이: 특정 미국 원주민, 중부 유럽 등에서 높은 발병률을 보이는 반면 중국인과 흑인에서는 드문 것으로 보고되었다. 1992년부터 1994년 사이에 서울대학교병원에서 출생한 아기 1,000명당 1.4명이 DDH로 치료받은 것으로 조사되었으나, 간과된 환자가 있을 가

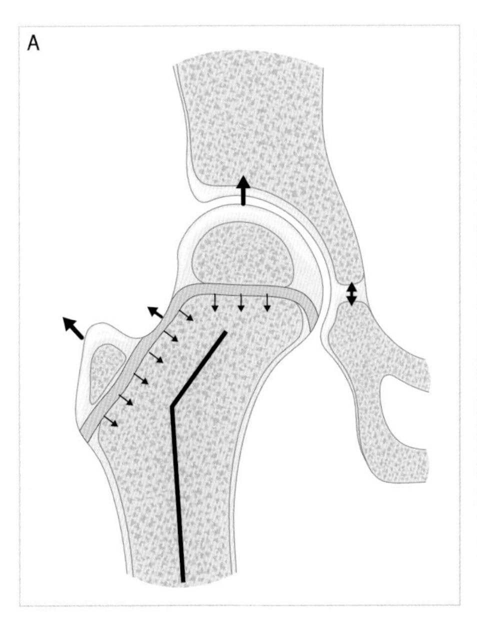

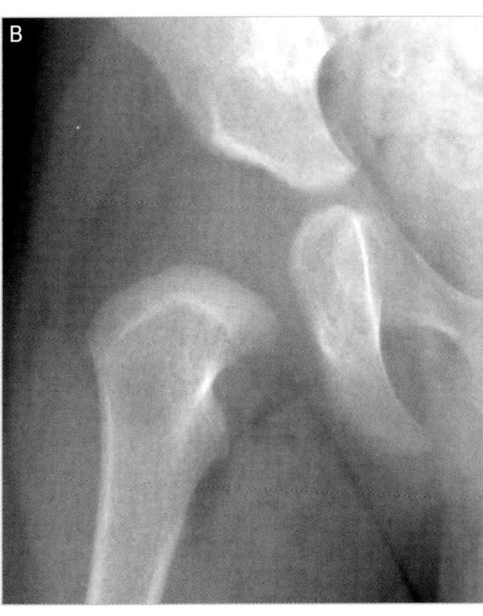

Fig 5. **근위 대퇴골의 골단판.**
A: 근위 대퇴골의 골단판 모식도.
B: 발달성 고관절 탈구를 도수 정복 및 석고 고정술로 정복한 후에 근위 대퇴골에 관찰되는 Harris 성장정지선이 근위 대퇴골의 골단판을 잘 반영하고 있다.

능성을 고려하면 발병률은 적어도 이보다는 더 클 것으로 생각된다. 인종 간의 차이는 유전적 차이뿐 아니라 아기를 키우는 방식에 따른 차이일 가능성도 있다.
- 성별 간의 차이: 여아에서 4-6배 호발한다.

인대 이완을 나타내는 5가지 징후 (Wynne-Davies 1970)(2장 Fig 12 참조)
- 엄지를 전완부에 붙인다.
- 손가락을 뒤로 젖혀 전완부와 평행하게 만들 수 있다.
- 주관절 과신전(15도 이상)
- 슬관절 과신전(15도 이상)
- 족근관절 과배부굴곡(60도 이상)

가족력이 있을 때 발병률
- 부모 중 한쪽이 환자이고, 먼저 아이가 환자일 때: 36%
- 부모 중 한쪽이 환자일 때: 12%
- 정상 부모에서 먼저 아이가 환자일 때: 6%

쌍둥이에서 함께 발병할 확률(Idelberger 1951)
- 일란성 쌍둥이: 42.7%
- 이란성 쌍둥이: 2.8%

2) 역학적 요인을 시사하는 소견

- 둔위 태향(breech presentation)에서 흔하다. 둔위 태향으로 있던 신생아에서 DDH 발병률은 8.3-30%로 보고되었으며, 특히 슬관절이 신전된 진성 둔위(frank breech with knees extended)는 20%로 높다. 신생아 중 2-3%가 둔위 태향이지만 DDH 환자의 16%가 둔위 태향으로 출산된다.
- 첫 번째 아기에서 흔하다. 자궁과 복근의 탄력이 적어 태아가 압박을 더 받아 고관절운동, 특히 외전운동(abduction)이 제한되는 것으로 생각된다.
- 선천성 근성 사경(torticollis), 중족골 내반증(metatarsus adductus), 사두증(plagiocephaly), fetal molded baby syndrome 등 자궁 내 압박으로 발생하는 것으로 생각되는 변형과 동반되는 경우가 흔하다.
- 양수과소증(oligohydramnios)을 겪은 환아에서 흔하다.
- 좌측: 우측: 양측 비율이 60:20:20으로 좌측에 흔하다. 이는 cephalic presentation인 태아에서 좌측 고관절이 산모의 척추 쪽으로 향하고 있는 경우가 그만큼 흔하기 때문으로 이해된다. 이런 경우 좌측 고관절의 운동성이 떨어지고 내전 stress를 받기 때문으로 추정된다.
- 고관절 신전(extension), 내전(adduction)한 위치로 아기를 고정하는 관습이 있는 국가나 종족에서 DDH가 흔하다(예: Navajo Indian, 몽골 등).
- 일본에서 고관절을 신전시키는 전통적 기저귀 방식에서 고관절을 외전시키는 넓적한 기저귀로 바꾸는 국가적 캠페인 이후에 DDH의 발병률이 저하되었다.
- 겨울에 태어난 아기는 두터운 옷을 입게 되어 발병률이 높다는 보고가 있다.

Cf. 우리나라에서 아기를 업고 있는 자세는 아기의 고관절을 굴곡-외전 위치에 있게 하기 때문에 관절 안정성 향상에 도움이 된다.

Fetal molded baby syndrome (Lloyd-Roberts 1965, Hamanish 1994)
- 태내 자세가 영유아기에 잔존하는 것으로, 사경(torticollis), 몸통의 만곡, 골반 경사가 관찰된다 Fig 6.
- 골반 경사로 인하여 경사져서 올라간 쪽 다리가 짧은 것처럼 보인다.
- 짧아 보이는 쪽 고관절은 내전 위치로 있게 되어 DDH가 발생할 위험이 있다.
- 통계적 근거가 뚜렷하지는 않으나 이러한 자세가 심하거나 지속되는 경우 고관절 초음파검사로 DDH 여부를 확인하는 것이 필요하다.

DDH 위험인자
- DDH의 가족력
- 둔위 태위(breech presentation), 특히 임신 말까지 지속된 경우
- 연관된 선천성 기형: 선천성 근성 사경, 중족골 내반증, 선천성 내반족 등
- 양수과소증(oligohydramnios)
- Fetal molded baby syndrome
- 첫째 아이, 여아

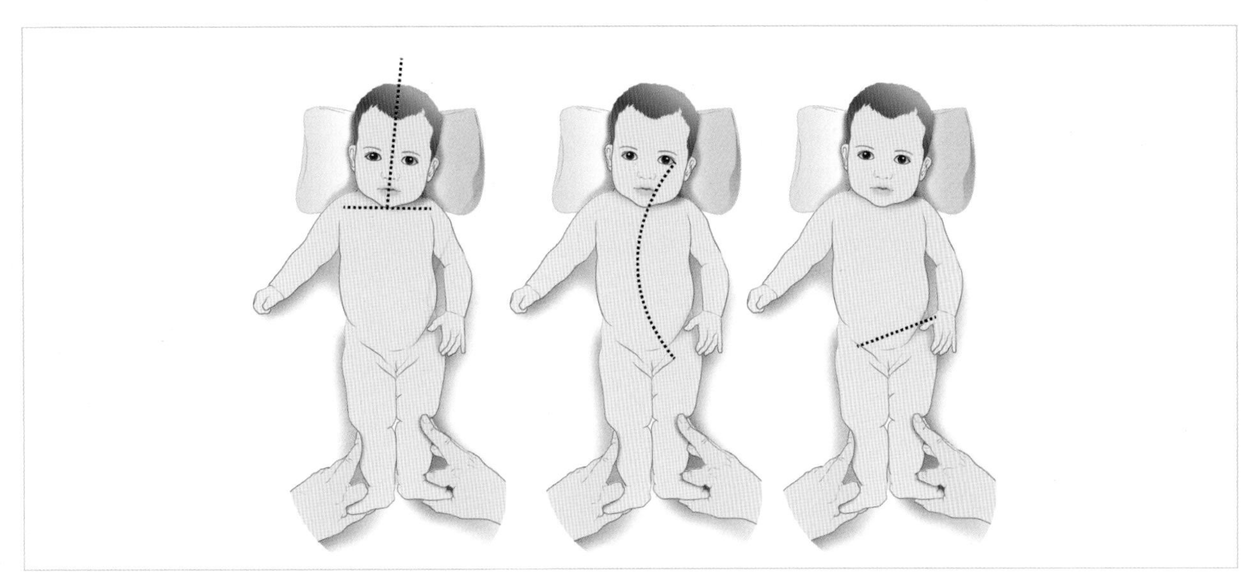

Fig 6. **Fetal molded baby syndrome.**

4. 발달성 고관절 이형성증의 해부병리와 분류

발달성 고관절 이형성증은 고관절 외에는 이상이 없는 환아에서 출생 전(antenatal), 출생 시(perinatal) 또는 출생 후(postnatal)에 이형성증 -> 아탈구 -> 탈구의 과정의 어느 상태에 머물거나 완전히 탈구로 진행하게 된다. 영아기에는 굴곡-외전 위치에서는 정복이 되고 신전-내전 위치에서는 탈구되는 상태에 있다가 점차 탈구된 위치에서 고착되게 되는 경우가 많다. 드물게는 영유아기에 아탈구 또는 탈구 되었던 관절이 점차 정상 발달을 하는 경우도 있으나 아주 예외적인 경우이다.

뇌성마비, 척추수막류를 포함한 각종 신경근육성 질환에서 발생하는 고관절 탈구는 마비성 탈구로 발달성 탈구와 구분하여야 하며, 그 외에 Larsen 증후군, Kabuki 증후군, Steel 증후군 등에서 발생하는 고관절 탈구 역시 증후군 연관 탈구(syndrome-associated dislocation)로 발달성 탈구와는 구분하여야 한다.

- **해부병리에 따른 유형** Fig 7

1) 이형성증(dysplasia)

- 고관절의 불충분한 발달을 지칭하는 좁은 의미이다. 비구와 대퇴골두의 관절면은 완전히 접촉하고 있으나 비구 또는 대퇴골의 비정상적인 형태로 관절이 불안정하여 장기적으로 아탈구-탈구로 진행하거나 조기 퇴행성 관절염으로 발전할 수 있다.
- 비구개(acetabular roof)의 경사가 급하고 전방 결손이 흔하다. 대퇴골은 전염각이 증가된 경우가 많다.

2) 아탈구(subluxation)

- 대퇴골두와 비구 간의 접촉은 유지되어 있지만 대퇴골두가 비구의 중심에 위치하지 못하고 외측 및 상방으로 이동해 있는 경우이다.
- 부하가 있을 때에만 아탈구되는 subluxatable과 항상 아탈구되어 있는 subluxated로 구분하기도 한다.
- 관절막은 이완되어 있고, 원형인대(ligamentum teres)도 연장되어 있으며 비후되어 있을 수도 있다. 관절순은 외번되어 있다.

3) 탈구(dislocation)

- 대퇴골두와 비구 사이에 관절연골 간의 접촉(cartilaginous contact)이 전혀 없는 경우이다.
- 항상 탈구되어 있는 dislocated와 고관절의 위치에 따라서 정복되었다가 탈구되었다가 하는 dislocatable로 나눌 수 있다.

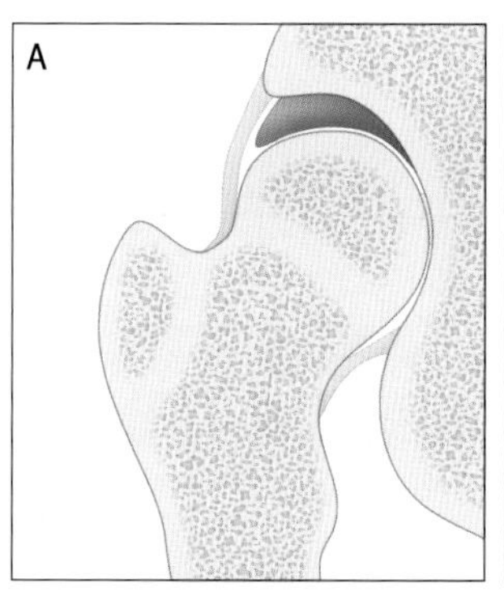

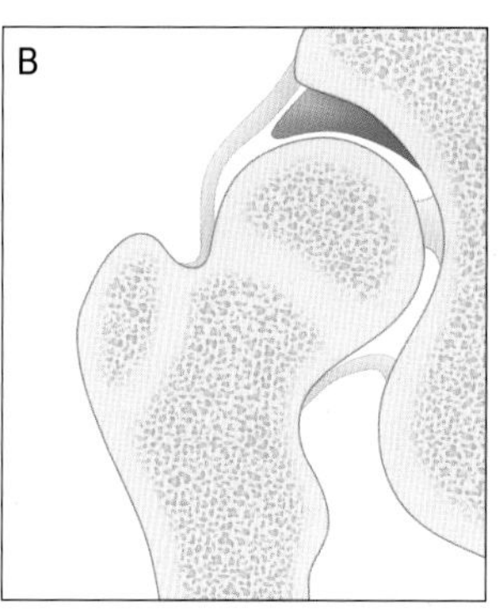

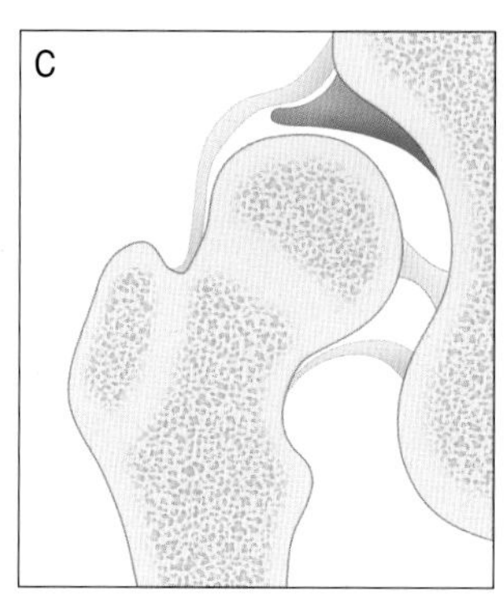

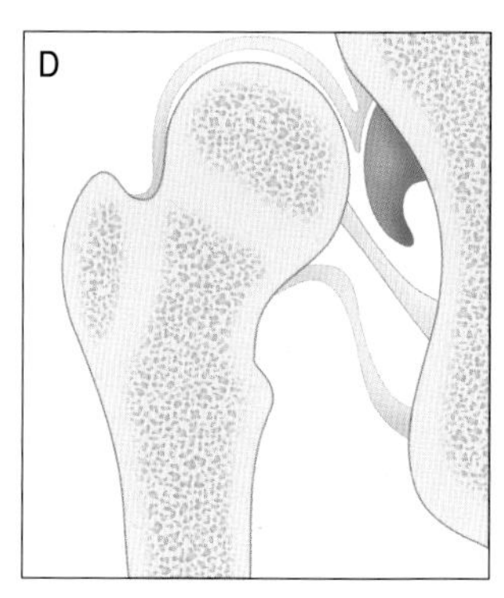

Fig 7. **DDH의 해부병리학적 분류.**
A: 정상 고관절. B: 이형성증(dysplastic). C: 아탈구(subluxation). D: 탈구(dislocation).

- 관절막은 심하게 이완되어 있으며, 원형인대는 길고 두꺼워져 있거나 얇아져서 끊어져 있을 수도 있다. 비구연은 limbus를 형성하여 내번되어 있다. 대퇴골두는 납작해져서 도토리 모양(acorn-shaped)을 띠고 있고, 대퇴골 전염각과 비구 전염각은 증가되어 있다.

Cf. 발달성 고관절 이형성증(DDH)이라는 병명 중의 "이형성증"은 위의 세 가지 경우를 모두 포괄하는 넓은 의미로 사용되는 것이다.

(1) 기형적 탈구(teratologic dislocation)

- 출생 전 이미 탈구되어 있는 경우를 지칭하며 심한 연부 조직 구축과 구조적 변형을 동반하여 DDH의 spectrum 중 가장 심한 극단에 해당한다.
- 흔히 다른 심한 기형을 동반하며 염색체 이상, 신경근육성 질환의 가능성을 검토하여야 한다.

(2) Labrum vs. limbus vs. neolimbus

- 관절순(labrum)은 비구연골 외측단의 섬유연골로, 하부는 횡비구인대(transverse acetabular ligament)에 의하여 연결되어 있는 정상 조직이며 성인에도 남아있다. 탈구된 대퇴골두에 의해서 관절순과 인접한 비구연골이 함께 눌려서, 비정상적인 섬유 조직이 발달되고 비후되어 내번된 구조물을 형성하는데 이를 limbus라고 한다. 탈구된 DDH에서 특징적으로 관찰되는 병적 구조물이다. Neolimbus는 Ortolani에 의하여 기술된 용어로서 비구 상외방에 형성된 연골 주름으로 초자연골로 구성되어 있으며 대퇴골두의 정복 후 자연적으로 재형성되는 구조물이다. 여러 문헌에서 잘못 인용되어 limbus와 혼란이 있어 왔다.

(3) 정복된 발달성 고관절 탈구에서 비구의 발달

- 대퇴골두가 동심성으로 정복(concentric reduction)되면, 대부분의 재형성은 정복 후 18-24개월 내에 이루어진다.
- 비구 발달은 영아기에 가장 많이 일어나므로 대퇴골두의 조기 정복이 중요하다.
- 이후 4세까지 비구 발달은 계속되다가 8세 이후가 되면 그 역량이 크게 줄어든다.
- 비구 이형성증이 계속되는 주요한 이유로는 동심성 정복이 되지 않았거나, 탈구되어 있었던 기간 동안 비구연골에 과도한 압박력이 가해져서 비가역적 손상으로 비구 발달이 저하되었기 때문으로 생각된다. 대퇴골두 무혈성 괴사도 대퇴골두의 비후 또는 변형을 일으켜 비구의 정상적인 발달에 부정적인 영향을 미친다.

II. 치료되지 않은 DDH의 자연 경과 (natural history)

1. 탈구된 DDH

- 장골(ilium) 외측면이 탈구된 대퇴골의 압박에 의해 비구처럼 옴폭 파이게 되어 관절막을 사이에 두고 관절 같은 구조가 만들어진다. 이것을 가성 비구(false acetabulum)라고 한다. 가성 비구와 대퇴골두 사이는 성인기에 조기 퇴행성 관절염이 초래되어 통증이 발생한다.
- 가성 비구가 없이 대퇴골두가 둔부 근육 내에 있는 경우에는 하지길이부동과 고관절 외전 제한은 더 심하지만 퇴행성 관절염으로 진행할 관절 자체가 없기 때문에 통증 발생은 가성 비구가 있는 경우보다 덜하다.
- 일측성에서는 보행을 시작하면 Trendelenburg 및 단하지(short limb) 파행이 관찰된다. 하지길이부동과 좌우 불균형으로 인하여 척추에서의 측만증과 퇴행성 변화, 동측 슬관절 변형과 동통이 성인기 이후에 발생할 수 있다.
- 양측성 탈구에서는 하지 단축, 고관절운동범위 제한, 이상 보행이 모두 대칭적이기 때문에 영유아기에 이상을 발견하지 못하고 아동기에나 진단되는 경우가 많다. Waddling 파행과 요추 전만(lumbar lordosis)이 성인기 이후 요통의 원인이 될 수 있다.

2. 아탈구된 DDH

- 하지길이부동이나 관절운동 제한은 거의 없지만 관절의 퇴행성 변화는 탈구된 경우보다 더 빨리 진행되어 10대에서부터 통증이 나타날 수 있다(Wedge & Wasylenko 1991).

3. 이형성증

- Center-edge각이 20도 미만인 모든 관절에서 22년 추시상, 퇴행성 관절염이 발생한다는 보고도 있으나(Cooperman 1983), 아탈구 없이 이형성증만 있는 경우에 장기간 양호한 경우도 있어 자연 경과는 예측하기 어렵다.
- 퇴행성 관절염은 특히 여자에서 더 흔히 발생한다.

III. 진단

1. 증상 및 징후

DDH는 다양한 spectrum을 보이며 연령에 따라 증상과 징후가 다르기 때문에 이를 잘 이해하는 것이 올바른 진단을 내리는 데에 중요하다. 신생아기에 고관절이 탈구되고 정복되는 순간 보채는 경우가 있으나 대부분 통증을 포함한 증상이 없다. 고관절 외전이 제한되어 있는 경우 기저귀를 갈 때에 다리가 잘 안 벌어지는 것을 보호자가 인지하는 경우가 있다. 그러나, 이형성증 또는 아탈구에서는 증상이나 징후가 없는 경우가 대부분이어서 영유아기에는 초음파검사, 아동기 이후에는 단순 방사선검사를 하기 전에는 진단하기 어렵다.

1) Ortolani 검사

- 넓어진 DDH의 spectrum 중 dislocatable-reducible dislocation에서만 나타나고 이형성증이나 아탈구에서는 나타나지 않는 소견이다.
- Step 1: 한 손으로 골반을 고정하고 환측 고관절을 90도 굴곡한 위치에서 외전하면서 대전자를 밀어 올리면 대퇴골두가 정복되는 느낌을 느끼는 것이다.
- Step 2는 정복되어 있는 고관절을 90도 굴곡한 위치에서 내전시키면서 내전근 부위를 외측으로 밀면 대퇴골두가 탈구되는 느낌을 느끼는 것이다. 이 부분을 Barlow 검사라고도 한다.
- 낮고 둔탁한 소리가 나기도 하지만 소리보다는 손에 느껴지는 느낌이 더 중요하다. 높은 음정의 소리는 관절의 탈구나 정복에 의한 것이 아니고 관절 주위 건에서 나는 소리이다.
- 신생아기에 유용한 검사 방법이며, 3개월 이후에는 탈구되어도 정복이 안되면 Ortolani 검사 음성이기 때문에 DDH 진단 자체보다는 보조기나 도수 정복으로 정복이 가능한지 가늠하는 것에 더 의미가 있다.

2) 피부 주름의 비대칭

- 탈구된 쪽의 서혜부 피부 주름이 깊고 후방으로 길게 연장되어 있다Fig 8A. 서혜부 주름 바로 외측에 또 다른 주

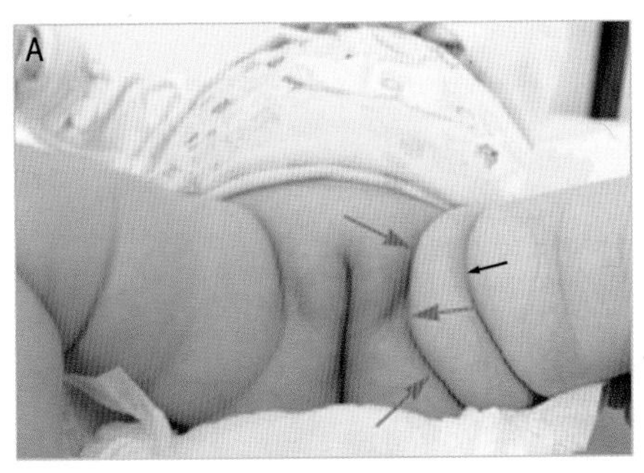

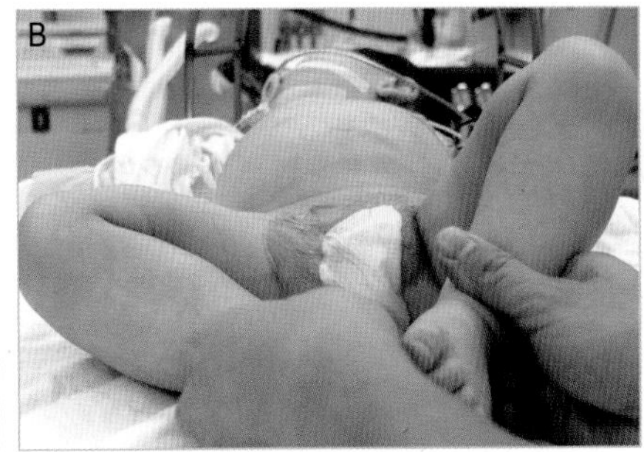

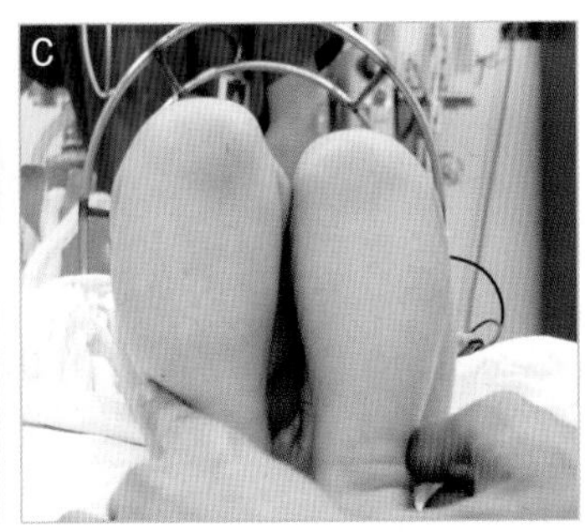

Fig 8. **탈구된 발달성 고관절 이형성증 환아에서 볼 수 있는 임상소견.**
A: 좌측 서혜부의 내전-둔부(adductor-gluteal) 피부 주름이 좌측에 비해 더 깊고 후방으로 확장되어 있다(붉은 화살표). 서혜부 주름에 인접하여 주름이 하나 더 있는 것도 의미 있는 소견이다(검은 화살표). B: 좌측 고관절 외전이 제한되어 있다. C: Galeazzi 징후.

름이 있는 것은 의미있는 소견일 수도 있다. 그러나, 원위 대퇴부 주름의 비대칭성은 DDH와의 관련성이 없다.
- 서혜부 피부 주름이 깊고 긴 것은 태생기 때에 해당 고관절이 내전되어 있는 시간이 많았다는 것을 의미하는 것으로 생각되며, DDH가 발생할 위험이 높은 환경에 노출되었었다는 것을 시사하지만, 그 자체가 DDH를 의미하는 것은 아니다.

3) 고관절 외전 제한Fig 8B

- 영유아의 고관절 외전을 측정할 때에는 골반이 수평을 유지하도록 면밀하게 살피면서 검사하여야 한다.
- 외전 제한은 태생기에 고관절이 내전된 자세로 오래 있었기 때문일 수도 있고, 고관절이 탈구되어 있기 때문일 수도 있다.
- 기저귀를 갈 때에 보호자가 발견하는 경우가 많다.

4) 하지길이부동

- 영유아의 다리를 쭈욱 뻗게 해서 발바닥의 위치가 맞지 않는 것은 골반경사 때문일 가능성이 높으며, 짧아 보이는 쪽 고관절은 내전 구축되어 있어 DDH의 위험이 있다Fig 6.
- 고관절 90도 굴곡, 슬관절 최대 굴곡하여 슬관절의 높이가 낮은 것은 고관절 탈구에 의한 소견일 수 있다(Galeazzi sign 또는 Allis sign)Fig 8C.

5) 파행 및 자세 변화

- 걸음마를 시작하면 탈구된 쪽을 외회전하고 Trendelenburg 파행 또는 short limb 파행을 보이는데, 걸음마 초기에는 파행 자체가 애매하게 보여서 간과될 수도 있다.
- 양측성 탈구인 경우에는 대칭적이기 때문에 간과될 수 있다.
- 탈구된 쪽 고관절의 굴곡 구축과 이로 인한 보상성 요추 전만의 증가가 관찰된다.

2. 초음파검사(ultrasonography)

영유아기 고관절은 골 조직보다 연골 조직이 더 많은 부분을 차지하고 있기 때문에 단순 방사선검사보다는 초음파검사가 결정적인 정보를 제공하며 실시간으로 동적인 검사를 할 수도 있다. 현재 4-6개월 이전의 영유아기 DDH의 표준 진단 방법으로 자리 잡았다.

정적인 영상에서 고관절 구조를 평가하는 방법(Graf 1980)과 동적 검사(Hacke 1984)를 시행하는 방법이 소개되었으며, 대개 두 가지를 병행해서 검사하는 것이 바람직하다. 검사자의 경험과 술기가 대단히 중요하다.

1) 고관절 정적 구조 평가 방법Fig 9, Table 2

- 고관절을 15-20도 굴곡 또는 90도 굴곡한 자세로 움직이지 않는 상태에서 관상면(coronal plane)에서의 영상을 얻은 후 각종 측정값을 구하는 방법이다. 정확한 측

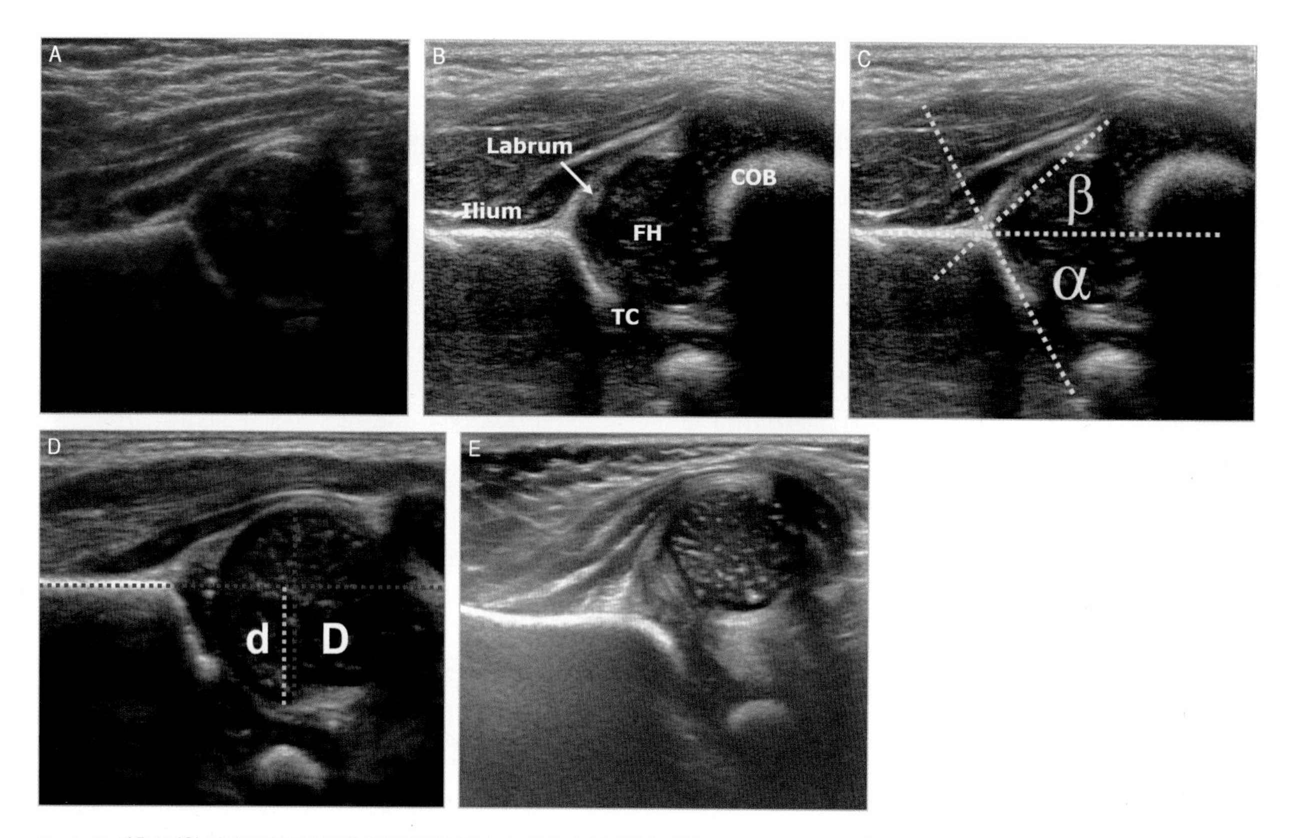

Fig 9. A: 생후 3개월 정상 고관절의 정적 초음파검사 영상. B: 초음파 영상에서 관찰되는 해부학적 구조들(FH: 대퇴골두, COB: chondro-osseous border, TC: triradiate cartilage). C: Graf의 α각 및 β각. D: 대퇴골두 피복 정도(femoral head coverage = d/D X 100%). E. Graf IV에 해당하는 초음파검사 소견.

Table 2. **Graf의 초음파분류 및 치료 원칙**

Class	α angle	β angle	Other description	설명	치료
I	> 60°	< 55°		Normal	None
IIa	50-60°	55°-77°	< 3mo-old	Physiologic immaturity	Confirm improvement after 3mo
IIb	50-60°	55°-77°	> 3mo-old	Pathologic	Pavlik harness
IIc	43-49°	> 77°		Pathologic; acetabular deficiency	Pavlik harness
IId	43-49°	> 77°		Pathologic, displaced, everted labrum	Pavlik harness
III	< 43°	> 77°	a: no structural change of cartilage roof b: structural change	Pathologic, cartilage roof pressed upward	Pavlik harness
IV	< 43°		Inverted labrum	Pathologic; dislocated	Pavlik harness, CR, or OR

정을 위해서는 적절한 표준 영상을 획득하기 위한 교육과 경험 축적이 필수적이다.

- 골성 비구개의 경사도에 해당하는 α각과 비구연골-관절순의 연골비구개 경사도에 해당하는 β각을 기준으로 4개의 군으로 분류하거나(Graf 1980), 대퇴골두 피복 정도(femoral head coverage)를 측정한다(Terjesen 1989).
- 객관적인 평가가 가능하고 추시에서 비교할 수 있다는 장점이 있지만, 여러 측정값 특히 - 각은 검사자 내 및 검사자 간의 일치도가 떨어지는 문제가 있다.

(1) 비구의 성숙도: 골성비구의 형태와 α각 평가부록 20 참조

- α각(골성덮개 각, bony roof angle): 장골(ilium) 외측에 나란한 선과 장골의 외측 골연과 삼방연골(triradiate cartilage)을 연결하는 선 사이의 각도(정상 α각> 60°)
- 성숙된 골성비구: 골성비구의 외측 경계가 각진 형태
- 미성숙 골성비구 또는 비구이형성증: 골성비구의 외측 경계가 둥글고, α각이 60도 미만

(2) 대퇴골두의 위치와 피복 정도

- 정상적으로 대퇴골두는 비구내 깊숙하게 위치해야 하며 골성비구에 의해 대퇴골두 직경의 50% 이상이 덮여 있어야 한다.
- β각(연골덮개 각, cartilage roof angle): 관상면 영상에서 장골 외측에 나란한 선과 장골 외측 골연에서 비구순을 연결하는 선이 이루는 각이다(정상 β각 < 55도). 고관절의 아탈구 또는 탈구가 있을 경우 대퇴골두가 외측 또는 외측 상방으로 이동하며, 이 경우 β각은 55도 이상으로 증가한다.

2) 동적 검사(Harcke 1984)

- 초음파검사의 장점을 살려 실시간(real-time) 동적(dynamic) 검사를 하여 불안정성을 평가하는 방법으로, Barlow 검사를 초음파로 관찰하면서 시행할 수 있다.
- 여러 단계로 시행하여 복잡하며 평가가 주관적이기 때문에, 검사자에 따른 차이가 있을 수 있으며, 신뢰도, 효율 등에 있어서 불리하다.

- **과잉 진단의 문제점**
  - 신생아 초기에는 정상적으로 비구의 발달이 미숙하여 고관절 이형성증의 범주에 속하는 소견이 관찰되는데, 정상적으로 3개월 미만의 신생아의 경우 α각이 60도보다 약간 작을 수 있고(55 < α각 < 60), 2주 이내의 신생아에서는 생리적 이완(physiologic laxity)으로 축상면 영상에서 대퇴골두가 뒤로 약 6 mm까지 움직일 수 있어 주의가 필요하다. 이러한 생리적 미숙은 대개 치료 없이 자연 호전된다. 따라서, 신생아 초기에 초음파검사를 시행하여 자연 호전되는 대다수의 상태를 DDH로 과잉 진단하는 것을 피해야 한다.
  - 신체검사 상 뚜렷한 탈구 소견이 없는 한 생후 6-8주 이후에 초음파검사를 시행하는 것이 바람직하다.

3. 단순 방사선검사

1) 4-6개월 이전 영유아기

- 대퇴골두 골화중심이 출현하는 생후 4-6개월 이전에는 단순 방사선검사의 진단적 가치가 제한적이다. 이는 연골조직으로 된 부분이 차지하는 비중이 커서 탈구 여부를 알 수 없을 뿐 아니라, 탈구되는 경우에도 촬영 시 자세에 따라서 정복이 된 상태에서 촬영될 수도 있기 때문이다.
- 대퇴골두 골화중심은 양쪽이 동시에 형성되기보다는 순차적으로 생기는 경우가 많으며, 좌측이 더 늦게 발생하는 경우가 흔하다. 골화중심이 늦게 나타나는 현상만으로 그 쪽에 고관절 이형성증이 있다고 판단할 수는 없으며, 의심스러우면 초음파검사를 통해서 확인한다.

- **4-6개월 이전 영유아기 단순 방사선검사의 의의**
  - 세균성 고관절염에 의한 병적 탈구를 배제하기 위해서 골 병변 유무 확인
  - 기형성(teratologic) 탈구가 의심될 때
  - 치료 중 골 조직, 특히 비구개의 변화를 추적 관찰

단순 방사선검사 상 DDH를 시사하는 Putti 삼주징
① 비구지수(acetabular index) 증가
② 대퇴골두의 외상방 전위
③ 대퇴골두 골화중심의 지연 출현이나 저형성

2) 대퇴골두 골화중심이 출현한 4-6개월 이후

고관절의 발달과 이형성의 잔존 또는 재발을 평가하는 표준적인 평가 방법이다.

- **단순 방사선검사의 기준선 및 측정값**Fig 10
  - Hilgenreiner 선: 양쪽 삼방연골을 연결하는 골반의 수평 표준 선으로, 일반적으로 비구개가 시작하는 장골(ilium)의 하방 골성 경계(inferior bony margin)를 기준으로 하여 선을 긋는다.
  - Perkins 선: 비구 외측 끝에서 Hilgenreiner 선에 수직으로 내려 그은 골반의 수직 표준 선
  - 비구지수(acetabular index): 비구의 외측 끝과 삼방연골을 연결하는 선과 Hilgenreiner 선 간의 각도. 비구이형성증을 판단하는 지표로 나이가 들면서 점차 감소한다(부록 21, 22).
  - Shenton 선: 근위 대퇴골 내측 피질골과 폐쇄공(obturator foramen)의 상방연은 하나의 원주로 연결되는 것이 정상이다. 고관절 아탈구 또는 탈구 때에는 이 두 곡선이 하나의 원주를 형성하지 못한다.

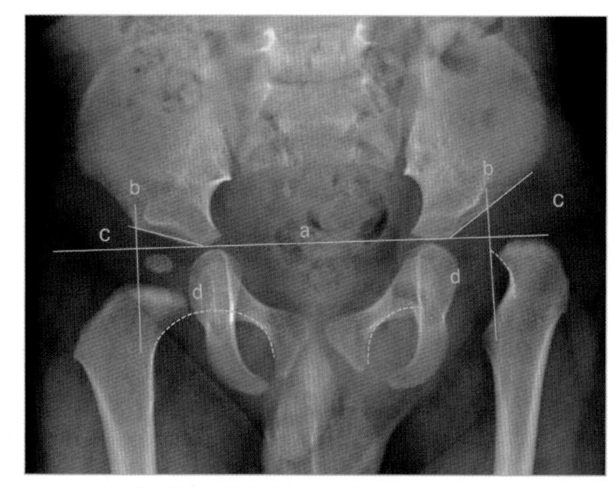

Fig 10. **단순 방사선검사 상의 기준선 및 측정값.**
a: Hilgenreiner 선. b: Perkins 선. c: 비구 지수(acetabular index). d: Shenton 선.

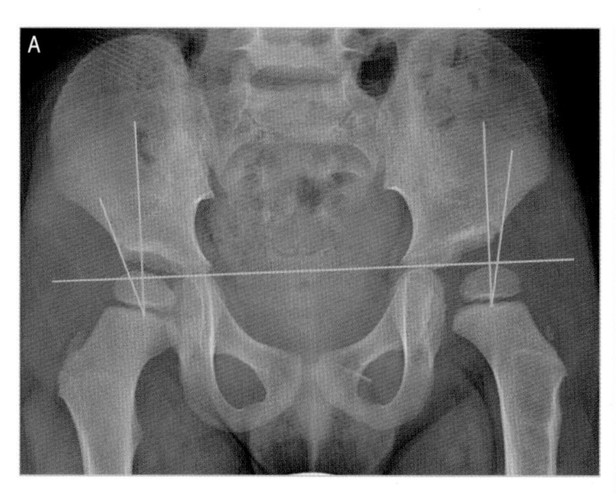

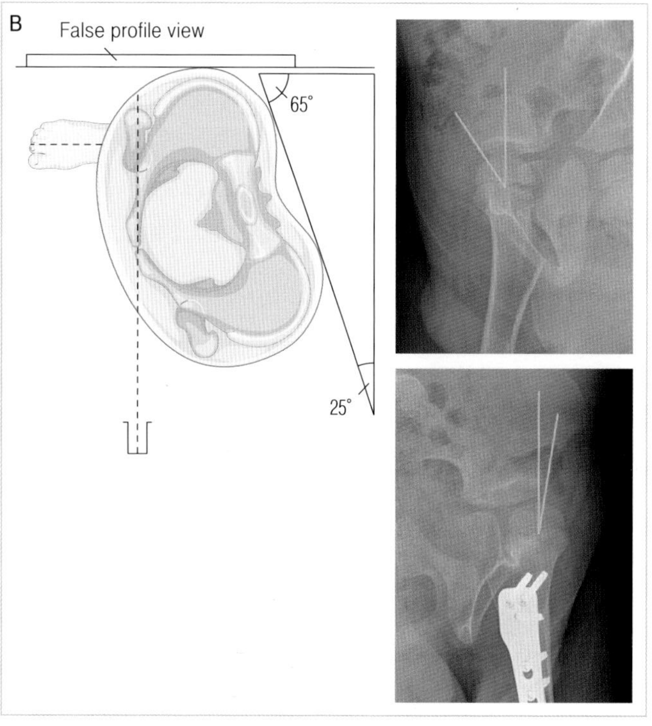

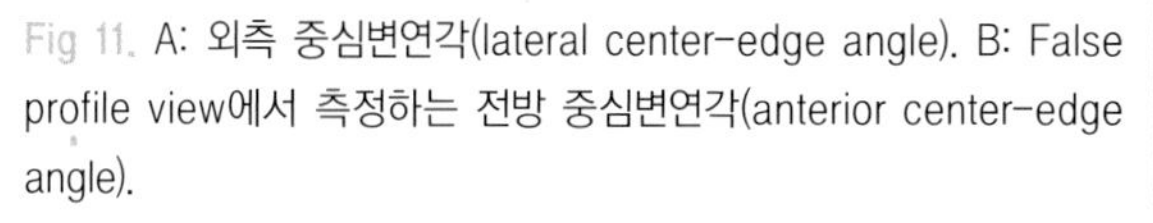

Fig 11. A: 외측 중심변연각(lateral center-edge angle). B: False profile view에서 측정하는 전방 중심변연각(anterior center-edge angle).

그러나 아탈구 없이 고관절 외회전 상태에서도 분리될 수 있다.

- 중심변연각(center-edge angle of Wiberg, CEA)Fig 11: 비구 외측 끝과 대퇴골두 중심을 연결한 선이 수직 표준선과 이루는 각으로 대퇴골두의 피복 정도와 외측 전위 정도에 따라서 결정되며, 고관절 발달 정도를 평가하는 중요 지표이다(부록 21, 23). 고관절 골화가 어느 정도 진행된 3세 이후에 적용한다. 수직 표준선을 Perkins 선으로 하는 방법과 기립 방사선 사진의 수직선으로 하는 방법이 혼용되어서 사용되고 있다. 고관절의 false profile view에서 측정한 값은 전방 중심변연각(anterior center-edge angle)이라 하며 대퇴골두의 전방 피복 또는 전방 전위를 측정한다. 이와 구분하기 위해 전후방 검사에서 측정한 값을 외측 중심변연각(lateral center-edge angle)이라고 한다.

- **고관절 발달과 관련된 단순 방사선검사 소견**Fig 12
  - 비구 눈썹(acetabular sourcil): 비구개에 연골하 골이 치밀화되어 있는 부분이다. 치료 전 DDH에서는 제대로 발달되어 있지 못하며, 정복이 잘 되면 점차 발달하게 된다.
  - 비구 눈물 방울(teardrop): 골반 전후방 단순 방사선 검사에서 비구 내측 벽과 골반의 내측 피질골이 U자 형태로 보이는 모습. 윗쪽보다 아래쪽에서 폭이 넓어 물방울이 떨어지기 직전의 모양과 같다고 이름이 붙었다. 이형성증 또는 아탈구로 대퇴골두가 비구 내에 깊숙이 자리 잡지 못하면 역삼각형이 되거나 전체적으로 두꺼워지게 된다.

  Cf. 비구지수와 중심변연각 측정 시 비구 외측 끝을 비구 눈썹의 끝으로 하는 경우와 골성 비구의 외측 끝으로 하는 경우 측정값에서 차이가 난다. 저자들은 골성비구의 외측 끝으로 측정하고 있다Fig 10C, 11(Shin 2020).

- **대퇴골두 골화중심의 전위 정도에 대해서는 Tönnis 분류와 IHDI (International Hip Dysplasia Institute) 분류가 사용되고 있다**Fig 13.

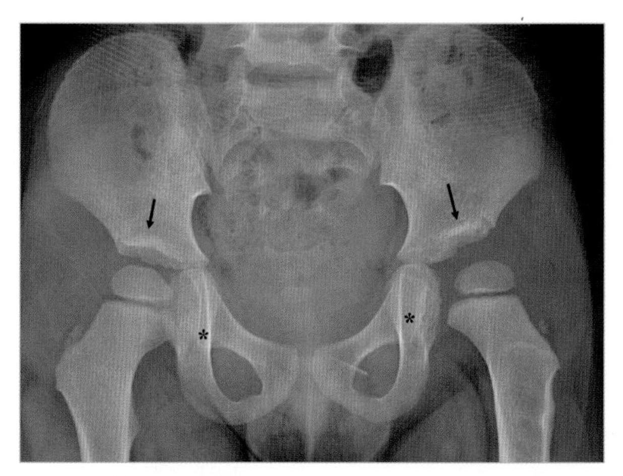

Fig 12. 정상인 우측 고관절에 비해서 잔존 이형성증이 있는 좌측은 비구 눈썹(acetabular sourcil, 화살표) 발달이 불량하며, 비구 눈물(teardrop, 별표)이 두껍고 역삼각형이다.

4. 영유아 고관절 선별검사Fig 14

- 발달성 고관절 이형성증은 조기 발견, 조기 치료할수록 간단한 치료로 우수한 결과를 얻을 수 있어서 출생 후 2개월 이내에 진단하고 치료를 시작하는 것이 추천되나 이때에는 증상이 뚜렷하지 않기 때문에 보호자가 병원을 찾지 않게 된다. 따라서 대상자 전수에 대해서 protocol에 따라 검사하는 선별검사(screening test) 전략이 적용된다.
- 대부분의 국가에서는 모든 신생아에 대해서 위험인자를 파악하고 고관절에 대한 신체검사를 통해서 선별하여 초음파검사를 하는 protocol을 채택하고 있고, 독일 등 일부 국가에서는 초음파검사를 모든 신생아에 대해서 시행하는 선별검사 protocol을 운영하고 있다.
- 국내에서는 2006년부터 영유아 검진 사업이 시작되어 발달성 고관절 이형성증의 조기 진단에 전기를 마련하였으며, 2021년부터 생후 2-5주에 첫 번째 검진을 하며 위험인자 파악과 신체검진을 통해서 전문가에게 의뢰할 환아를 선별하도록 하고 있다. 이를 위해서 영유아 검진을 담당하는 소아청소년과 의사들에 대한 관심 제고와 교육의 필요성이 대두되고 있다.
- 신생아기에 신체검사나 초음파검사 상 이상이 없어도 발육 과정에 DDH가 발생하는 증례도 있기 때문에 선별검사가 고관절의 정상적인 발달/성장을 보장하는 것

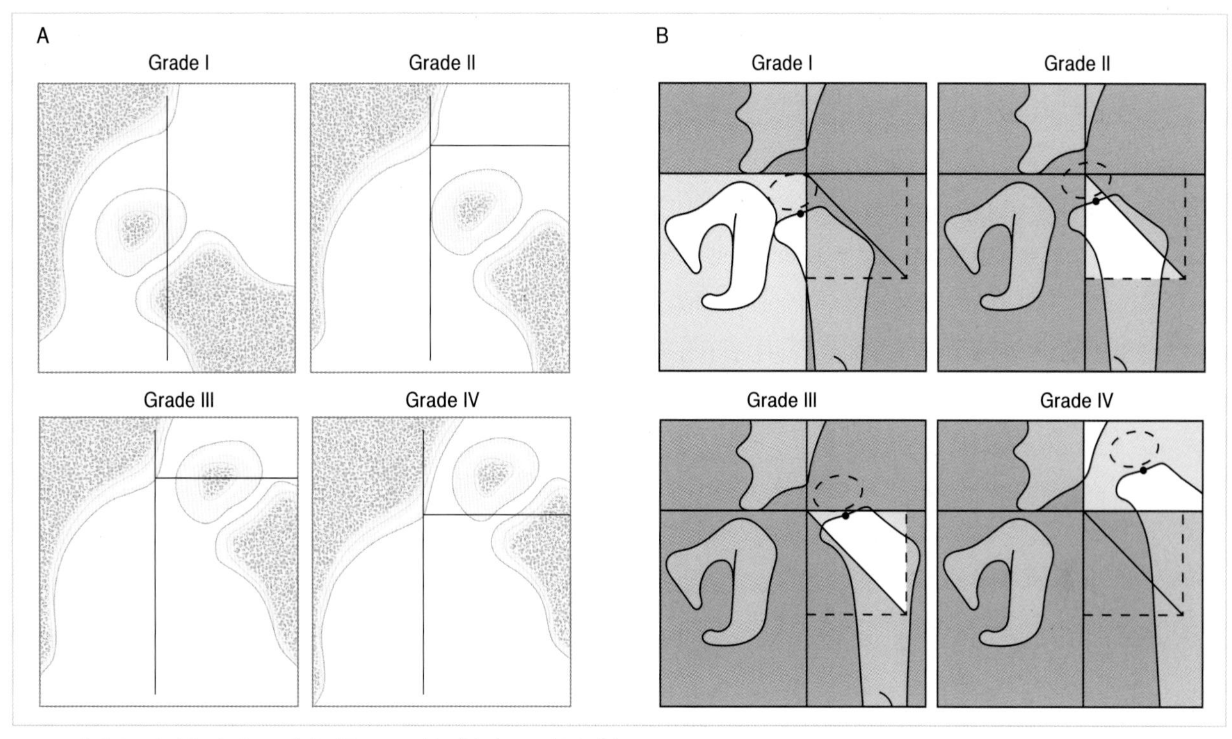

Fig 13. 대퇴골두의 전위 정도(grade)에 따른 Tönnis 분류(A)와 IHDI의 분류(B).

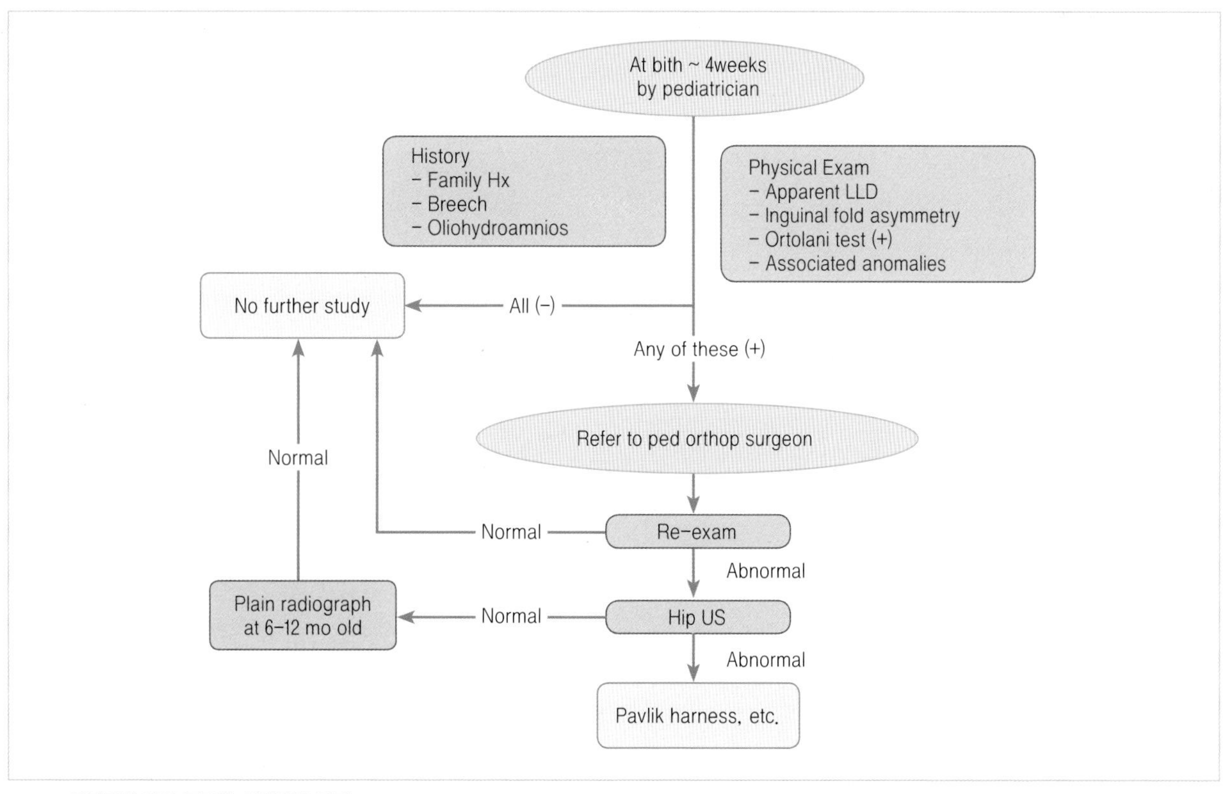

Fig 14. **바람직한 영아 고관절 선별검사 과정.**

은 아니라는 점을 인지하여야 한다. 따라서 고위험군 신생아는 초음파검사 결과가 정상 범위라도 생후 6-12 개월에 단순 방사선검사로 추적하는 것이 권장된다.

- **간과된 발달성 고관절 이형성증(neglected DDH)**
  - 발달성 고관절 이형성증의 진단이 너무 늦었다는 기준은 시대와 소속된 사회에 따라서 달리 정의된다.
  - 신생아 검진의 목표가 생후 2개월 이내에 발견하는 것이므로 2개월 이후에 발견되는 것으로 정의할 수도 있고, 치료 방침이 크게 바뀌게 되는 생후 6개월 또는 보행기 이후에 발견된 경우로 볼 수도 있다.

신생아에서 고관절 초음파검사가 필요한 경우

– 임신 말기까지 둔위태향(breech presentation)으로 출생
– 부모 중 한쪽의 DDH 병력 또는 이전 임신에서 DDH 환아가 태어난 경우
– 양수과소증이 있었던 임신
– 선천성 근성 사경, 전족부 내전증, 선천성 만곡족, fetal molded baby syndrome 등 태내 과밀이 의심되는 변형
– Ortolani 검사 양성
– 뚜렷한 고관절 외전 제한
– 한쪽 서혜부 피부주름이 깊고 긴 경우
Cf. Ortolani 검사로 탈구가 확인된 경우 이외에는 출생 6-8주에 초음파검사를 시행한다.

IV. 치료

- **DDH의 치료의 단계**
  - 탈구된 대퇴골두를 정복할 뿐 아니라 이를 안정화시키고 정상 해부학적 구조로 발달되도록 하는 과정이 필요하며, 성장 종료 시까지 이를 지속적으로 점검하여야 한다Fig 15.
  - 영유아기에 일찍 발견한 경우에는 Pavlik 보장구로 수개월 안에 모든 단계를 완수할 수도 있지만, 진단이 늦은 경우에는 도수 정복 또는 수술적 정복 후에 수개월간의 석고붕대 고정, 수십 개월간의 외전 보

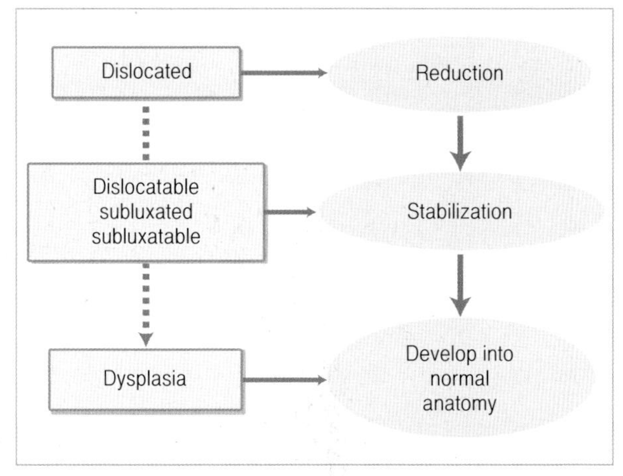

Fig 15. **DDH 치료의 단계.**
탈구된 DDH는 일단 정복을 시키고, 안정화 과정을 거친 후, 정상 해부구조로 발달하는 것을 촉진하거나 경과 관찰하는 과정이 필요하다.

조기 착용을 통한 안정화가 필요하며, 수년간에 걸쳐서 추시하다가 필요하면 절골술 등을 시행하여 이를 촉진하여야 한다.
  - 5세까지는 비구지수(acetabular index)와 중심변연각(center-edge angle)이 정상화되는 것을 목표로 한다. 이들이 호전되는 양상이 관찰되면 조금 더 기다릴 수 있으나 8세 이후에는 고관절이 재형성될 수 있는 여지가 급격히 감소하기 때문에 적어도 8세 이전에는 해부학적으로 정상적인 고관절을 얻어야 한다.
  - 10세 이후에는 중심변연각(center-edge angle)이 20도 이상 되어야 한다.

- **다양한 DDH의 치료 방법**

환아의 나이, 점진적 또는 도수 정복 가능성, 정복 후 관절의 안정성, 골 변형의 정도 등에 따라서 다양한 치료방법이 이용되고 있다. 치료 방법을 결정함에 있어서 환아의 나이만으로 구분하는 것은 대단히 불합리하다. 나이가 어릴수록 Pavlik 보장구 등 보존적 방법으로 치료가 가능한 경우가 많고 나이가 많을수록 수술적 정복술 및 절골술이 필요한 경우가 많지만 여러 가지 치료 방법의 적응증이 되는 연령대가 많이 겹치기 때문에 환자마다 그 특성에 맞는 치료 방법을 적용하는 것이 중요하다Fig 16.

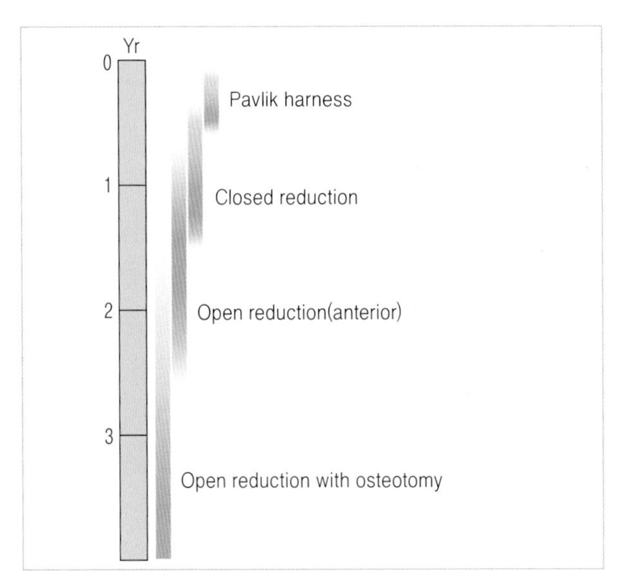

Fig 16. **환자 나이에 따른 치료 방법의 분포.**
나이 이외에 여러 가지 요소를 고려해야 하기 때문에 각각 치료 방법을 사용하는 연령대가 넓게 중복된다.

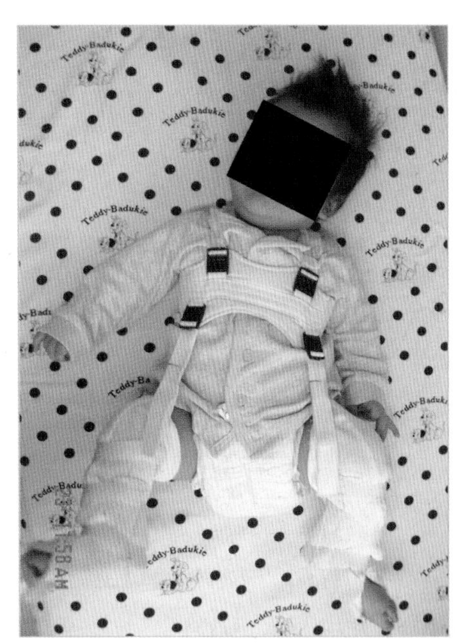

Fig 17. **Pavlik 보장구.**

1. 비수술적 치료

1) 보장구를 이용한 치료

- 출생에서 6개월까지 또는 그 정도의 체구일 때 적용할 수 있는 방법이다. 그보다 체구가 커지면 보장구만으로 치료하기가 어려워진다.
- 6개월 이내에도 탈구된 지 오래되고 변형이 심한 경우에는(예: 기형적 탈구, teratologic dislocation) 보장구로 정복할 수 없는 경우가 있다.
- 영아기에 발견된 경미한 이형성증은 이중 또는 삼중 기저귀로 외전 위치를 유지해 주는 것만으로 치료할 수도 있다.
- 역사적으로 Frejka pillow, Ilfeld splint, Craig splint, Von Rosen splint 등이 사용되었으나 요즘은 거의 사용되지 않고 Pavlik 보장구가 세계적으로 가장 널리 사용되고 있다.

(1) Pavlik 보장구를 이용한 DDH의 치료

① 원리 Fig 17

- 발과 하퇴부를 어깨에 연결된 끈으로 당겨서 고관절이 90도 이상 굴곡되도록 유지하는 것이 근본적인 원리이다. 고관절의 90도 이상 굴곡, 내전-외전 및 회전은 허용되는데 환아가 다리에 힘을 주지 않을 때에는 다리의 무게로 인하여 자연스럽게 굴곡-외전 위치로 가게 된다.
- 고관절 굴곡-외전 위치에서 고관절은 가장 안정적인 상태가 되며 정상적인 비구로 발달되도록 촉진하고, 아탈구된 고관절이 안정성을 찾을 수 있다.
- 슬관절의 능동적 신전이 가능하며 고관절의 외전-내전도 상당 범위에서 허용된다. 따라서 관절운동을 일정 부분 허용하면서 관절이 안정적인 범위 내로 유지하여 주는 것이며, 외력에 의한 과도한 외전으로 발생하는 무혈성 괴사의 위험도 줄일 수 있다.
- 탈구된 경우에도 굴곡-외전 상태가 고관절의 자연 정복을 촉진하며, 일단 정복된 대퇴골두를 비구 내에 유지하게 된다.
- 끈으로만 이루어져 있는 보장구여서 대단히 가볍고 착용한 상태에서 기저귀를 갈아줄 수도 있다.

② 적응증과 착용 방법

- 6개월 이내 또는 그 정도 체구의 발달성 고관절 이

형성증(이형성증, 아탈구, 및 탈구)

- Pavlik 보장구를 착용시켜서 각각의 끈 길이를 조절하는 것은 수술 못지않게 중요한 술식이므로 반드시 치료하는 의사가 직접 조절하고 확인하여야 한다.

Pavlik 보장구 착용 방법

- 보장구가 맨 살에 닿지 않도록 속옷, 양말 등을 신긴 후 적용한다.
- 보장구의 chest strap은 환아의 젖꼭지 정도에 오도록 높이를 조절한다.
- Calf strap은 무릎 바로 아래에 부착하여 하퇴부를 잘 조절할 수 있도록 한다.
- 전-후방 끈이 무릎의 내측 및 외측에서 calf strap과 접촉하도록 조절한다Fig 18.
- 전방 끈(anterior strap)은 고관절의 굴곡이 90-100도가 되도록 조절한다.
- 후방 끈(posterior strap)은 두 무릎을 붙이려고 할 때 손가락 2-3개 넓이 정도 벌어지도록 길이를 조절한다.

- **착용 후 조치**Fig 19
  - 신생아에서는 고관절이 과도하게 외전되어 무혈성 괴사의 위험을 초래할 수 있기 때문에 양쪽 무릎 아래에 수건 등으로 받쳐서 50-60도 이상 외전되지 않도록 한다.
  - 환아가 성장함에 따라 보장구 끈의 길이를 적절하게 늘려주어야 한다. 생후 4주간은 매주, 그 이후에는 2-3주마다 추시하여 고관절 굴곡이 90-100도 정도로 유지되도록 끈이 길이를 조정하는 것이 중요하다. 이를 게을리하면 끈이 상대적으로 짧아지면서 고관절 과굴곡 상태로 유지되고 하방 탈구의 원인이 될 수 있다.
  - 탈구된 DDH에서는 정복이 될 때까지는 보장구를 풀지 말고 지속적으로 착용시키며, 매주 추시하여 정복 여부를 확인한다. Pavlik 보장구를 착용한 채로 초음파검사를 해서 정복을 확인할 수 있다. 정복을 얻은 후에는 이형성증/아탈구에 준해서 Pavlik 보장구를 적용한다.
  - 탈구된 DDH에 대해서 Pavlik 보장구를 적용한지 3-4주 안에 정복을 얻지 못하면 Pavlik 보장구로 치료하는 것을 포기하고 예비 견인 후 도수 정복 또는 수술적 정복 등의 방법으로 치료하는 것이 바람직하다. 정복되지 않은 상태에서 Pavlik 보장구를 계속 적용하면 대퇴골두가 비구 외측을 과도하게 압박하여 비구연골의 성장을 억제하는 소위 "Pavlik disease"를 초래할 수 있다.
  - 정복된 탈구 또는 이형성증/아탈구에서는 목욕시킬 때와 옷 갈아 입힐 때 보장구를 풀어 하루 23시간 착용을 하며, 4주마다 초음파검사를 통해서 정복의 안정성과 변형이 호전되는 것을 추적한다.

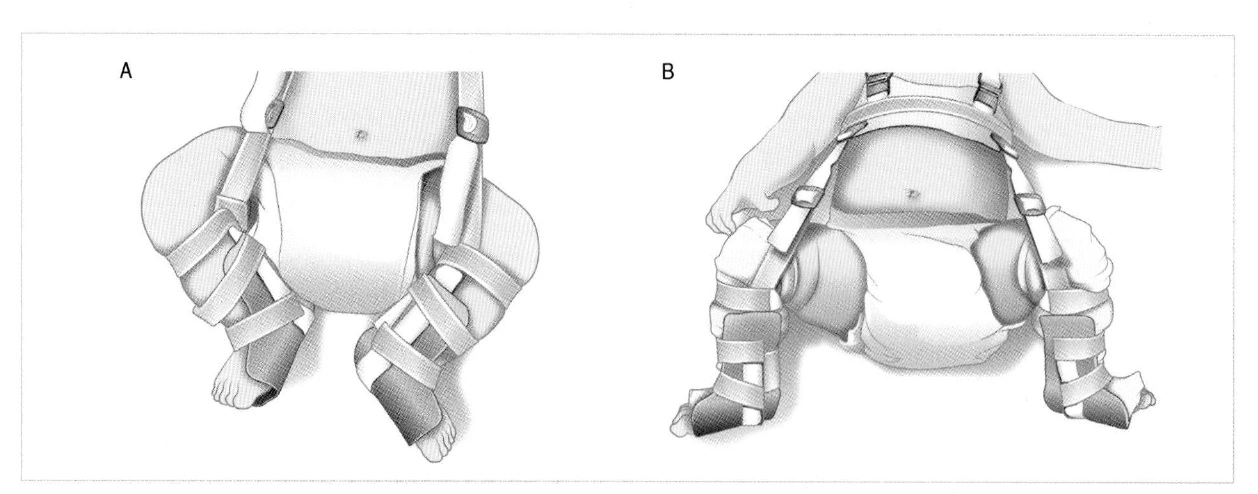

Fig 18. A: 엉성하게 착용된 Pavlik 보장구. B: 제대로 착용된 Pavlik 보장구. 피부 보호용 패딩, 전방 끈의 길이, calf strap과 전-후방 끝의 접촉 위치 등을 적절하게 조절하여야 한다.

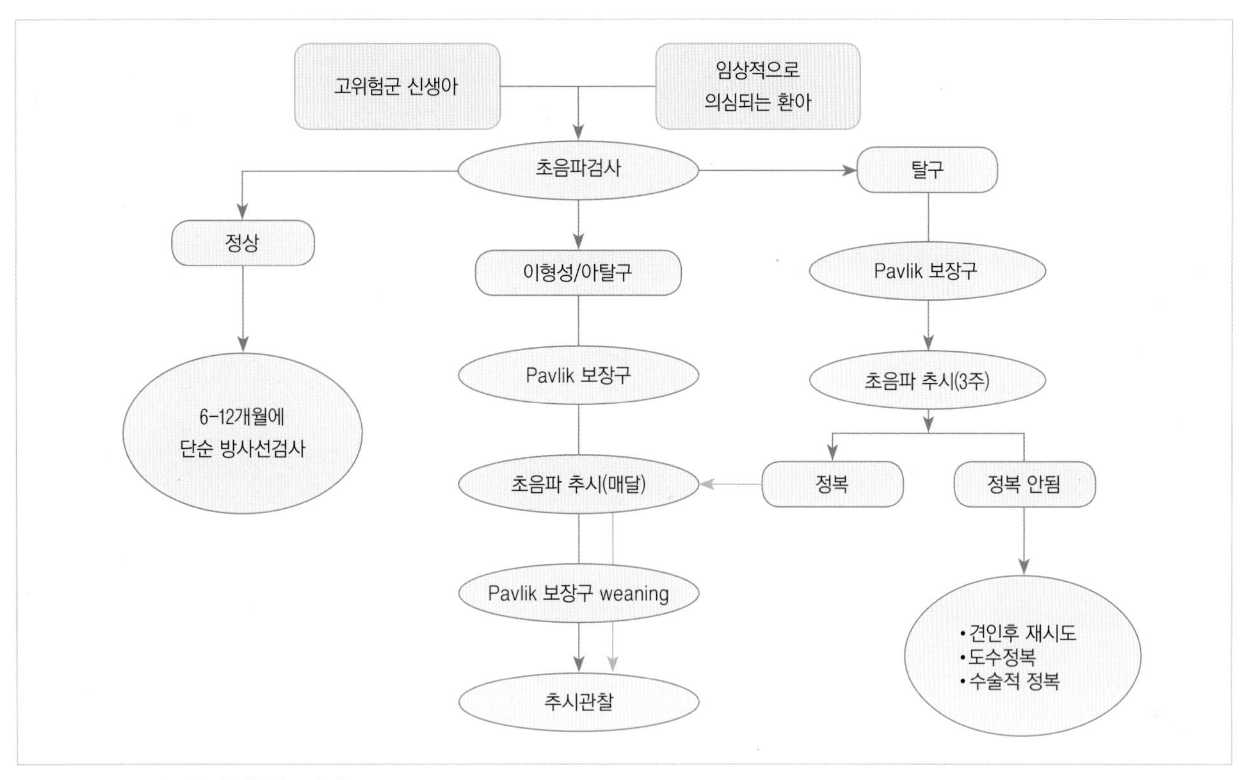

Fig 19. **Pavlik 보장구를 이용한 치료 과정.**

- Pavlik 보장구 착용 기간
  - 임상적 소견과 초음파검사 소견이 정상이 될 때까지 착용하는 것이 원칙이다. 초음파검사에서 α각과 대퇴골두 피복정도가 정상이 되고 뭉툭했던 비구 외측단이 뾰족하게 되는 것을 확인한다.
  - 보장구를 갑자기 제거하지 말고 2-4주에 걸쳐 착용시간을 점차 줄여가면서 착용을 종료하고, 초음파검사를 추시해서 정상적인 고관절 구조의 발달과정이 유지되는 것을 확인한다.

③ 결과 및 합병증
  - 비구 이형성증 또는 아탈구: 치료 성공률 98% Fig 20
  - 탈구: 치료 성공률은 75-85%로 보고되어 있다. 고위탈구 또는 Ortolani 음성인 경우에는 실패율이 50% 이상으로 보고되어 있다.

- Pavlik 보장구 치료의 합병증
  - 무혈성 괴사: 다른 정복 방법보다 드물지만 극히 일부에서는 발생할 수도 있다. 근력이 약한 신생아에서 고관절이 과도하게 외전된 상태로 지속되지 않도록 무릎 아래를 받쳐준다.
  - 비구 발달 지연: 정복되지 않은 상태에서 장기간 Pavlik 보장구를 착용하면 대퇴골두가 비구 외측에 압박을 가해서 향후 비구 발달을 저해할 위험이 있다. 2-4주가 지나도 정복이 안 되는 경우 다른 방법으로 전환하여야 한다.
  - 대퇴신경 마비(femoral nerve palsy), 후방 탈구(posterior dislocation), 폐쇄공 탈구(obturator dislocation): 고관절을 지나치게 굴곡한 자세가 계속되면 발생할 수 있다. 환아의 성장에 따라서 적절하게 보장구의 끈 길이를 늘려주어야 한다.

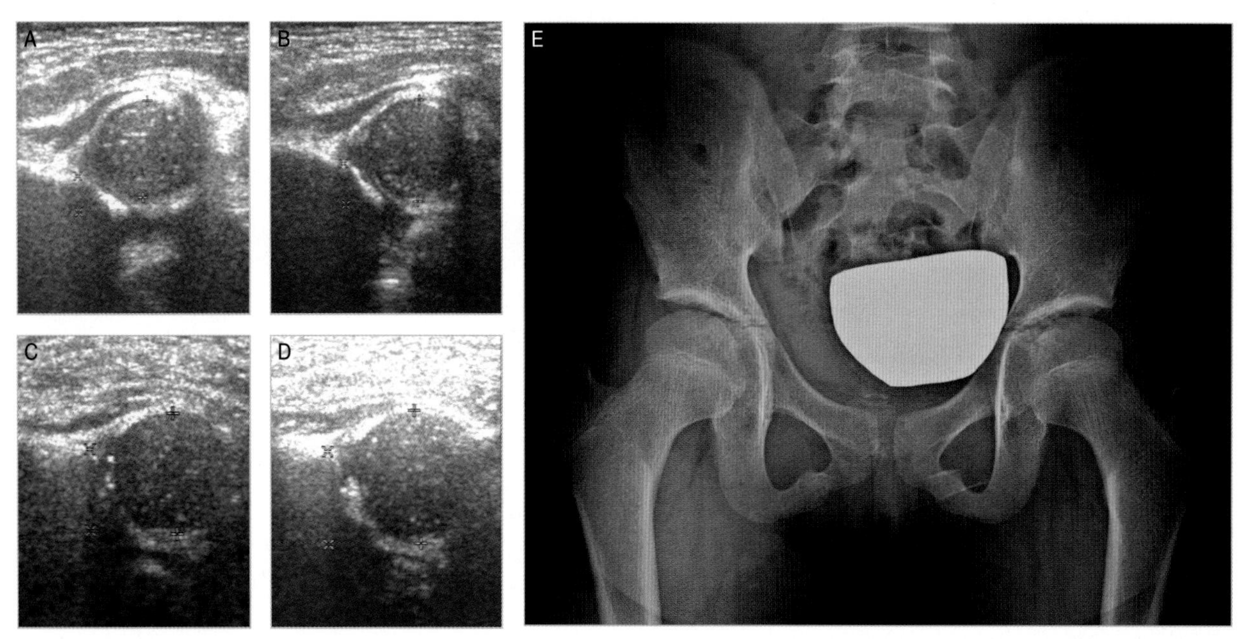

Fig 20. A,B: 생후 2개월에 발견된 양측성 DDH. 좌측 Graf type III, 우측 type IIc. C,D: Pavlik 보장구를 2개월 착용한 후 양측 모두 안정화되고 비구 이형성증이 정상화 되었다. E: 12년 추시에서 정상적인 고관절 발달이 관찰된다.

Pavlik 보장구를 사용하는 것이 바람직하지 않은 경우

- 환아가 보채면 보장구를 풀어주는 믿을 수 없는 보호자
- 관절 유연성이 심한 경우(예: Ehlers-Danlos 증후군, Down 증후군 등)
- 심한 관절 구축으로 적당한 굴곡-외전 자세를 취하지 못할 때(예: 심한 과굴곡 변형, 심한 내전근 구축)
- 마비성 탈구
- 세균성 고관절염에 의한 병적 탈구. 단, 영유아기에 관절 파괴가 심하지 않을 때에 관절 절개술 후 탈구를 예방할 목적으로 사용할 수는 있다.

(2) 플라스틱 외전 보조기(plastic abduction brace)Fig 21

고관절을 굴곡-외전 위치에서 고정하며 약간의 운동성을 허용한다. Pavlik 보장구보다 강한 힘을 줄 수 있으며 착용 상태에서 보행도 가능하다.

- **적용 대상**
  - Pavlik 보장구 치료 중 환아가 너무 커져서 Pavlik 보장구를 더 이상 착용할 수 없을 때
  - 도수 정복-석고붕대 고정 후 비구 재형성을 유도하기 위하여
  - Pavlik 보장구로 정복에 실패한 환자 중 일부에서 효과적(Hedequist et al. 2003)

2) 견인 치료의 역할

- 견인은 수술적 또는 비수술적 정복의 선행 치료로 사용되어 왔다Fig 22.
- 고관절 주변 근육의 긴장을 해소하고 신연해서 도수 정복이 가능하게 하고, 도수 정복 시 과도한 관절 압박을 해소하며 혈액 순환을 증진하여 대퇴골두 무혈성 괴사의 위험을 줄일 것으로 기대한다. 그러나, 견인에 의한 효과가 객관적으로 입증된 바가 없으며 견인 요법을 전혀 시행하지 않는 병원도 있다.
- 저자들은 도수 정복을 시도해 볼만한 환아 중 견인에 대한 순응도가 만족스러우면 1-2주간 견인 치료를 적용한다.
- 일부 저자들은 수주일에 걸친 장기간의 견인으로 정복을 얻고 보조기나 석고붕대 등을 적용하는 방법을 소개하였으나(Kaneko 2013, Rampal 2008, Suzuki 2000), 장기간 입원을 요하기 때문에 사회경제적으로 가능한

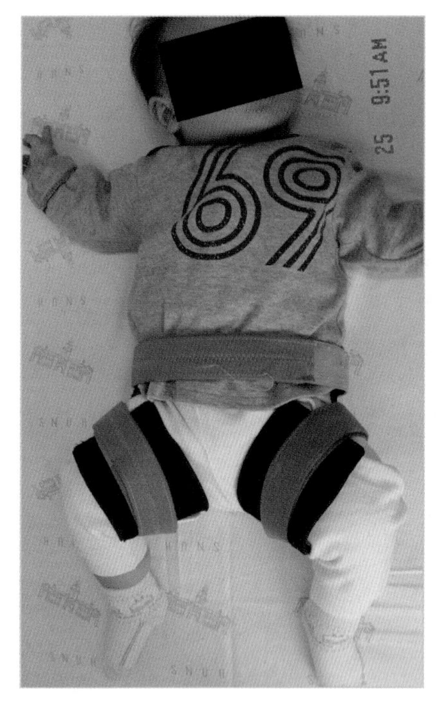

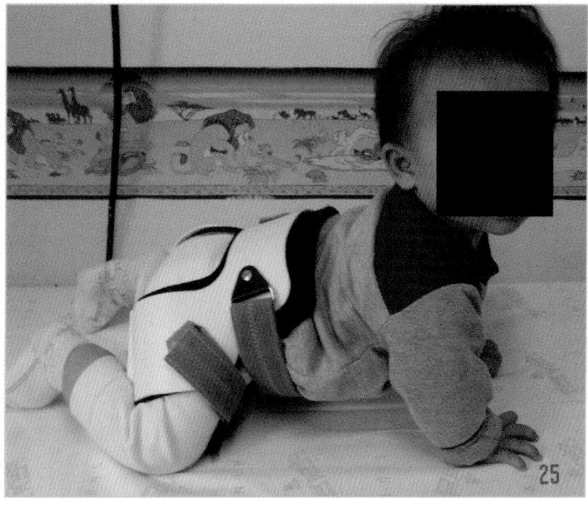

Fig 21. **플라스틱 외전 보조기.**

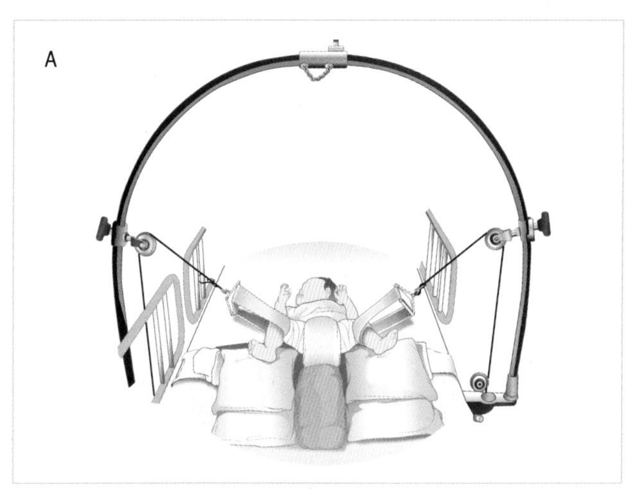

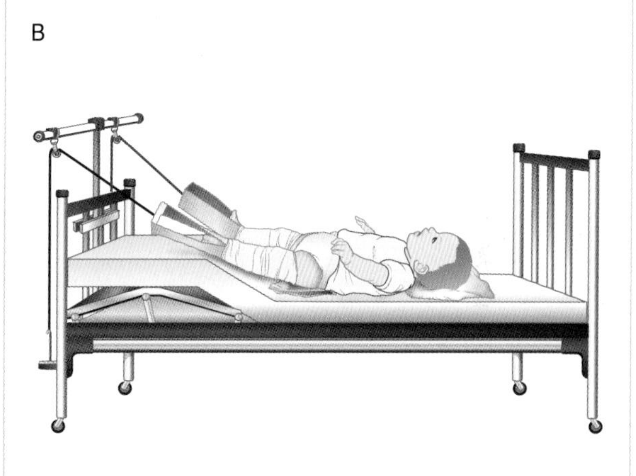

Fig 22. **DDH 환아에 대한 피부견인 방법들.**

A: Rainbow frame을 이용한 overhead traction (Suzuki 2000). 점차 고관절 외전을 증가시키면서 견인한다. 3개월 이하에서 Pavlik 보장구 치료를 촉진하기 위해 내전근 신연에 효과적이다. B: 고위 탈구되어 있는 환아에서 장요근 등을 신연하여 도수 정복의 가능성을 높여 줄 것으로 기대한다.

국가에서만 시행하고 있다.

3) 도수 정복술(closed reduction)

Pavlik 보장구 등으로 고관절 위치를 조절할 수 없을만큼 체구가 크거나(통상 생후 6개월 이후) 고관절 탈구가 고착되어 Pavlik 보장구로 정복이 불가능한 경우에 시도하게 된다. 전신 마취 하에 정복이 유지되는 위치에서 석고붕대를 적용하고 관절이 안정될 때까지 유지하는 방법이다. 고관절 굴곡-외전 위치에서 탈구가 정복되고, 고관절운동 범위 중 충분히 넓은 범위에서 재탈구되지 않고 정복이 유지될 수 있으며, 대퇴골두가 비구 내에 충분히 깊숙하게 정복되는 것이 확인되는 경우에 사용한다.

(1) 예비 견인(preliminary traction) 요법

- 저자들은 대퇴골두가 Hilgenreiner 선 위치 또는 그 상방으로 전위되어 있는 환아에서는 무혈성 괴사 위험을 줄이고 도수 정복의 가능성을 높이기 위해서 통상 1-2 주일간의 피부를 통한 예비 견인을 시행한다. 견인 중 환자와 보호자의 순응도를 고려하여 지속 여부를 결정한다.
- 그러나 예비 견인의 효용성에 대해서는 논란이 있다.

(2) 도수 정복의 방법

① 전신 마취 하에 평가

- 고관절을 굴곡-외전하여 대퇴골두의 정복을 느끼며, 대퇴골두가 안정적으로 정복된 상태로 유지되는 고관절의 굴곡 및 외전 범위를 평가한다. 일반적으로 외전을 많이 하면 정복이 유지되고, 외전 정도가 줄어들면 탈구되는 경향을 보인다. 굴곡을 많이 할수록 정복이 유지되는 외전 범위가 넓어지고, 굴곡이 적으면 정복이 유지되는 외전 범위가 좁다. 저자들은 70도, 90도, 110도 굴곡위에서 각각 최대 외전에서 정복이 유지되는 범위까지의 외전 위치를 기록하여 관절 안정성을 평가하고 있다Fig 23. 이를 safety zone, 3차원적으로는 safety cone이라고 한다.
- 내전근이 구축된 경우에는 경피적 또는 개방적 내전근 절단술을 시행하여 외전 범위를 증가시킨다.
- 석고붕대 안에서도 고관절의 움직임이 어느 정도 있기 때문에 그 범위 안에서 관절의 안정성을 확보할 수 없다면 도수 정복을 포기하여야 한다.

- **관절 조영술(arthrogram)**Fig 24
  - 관절 내 정복을 방해하는 구조물을 파악하고, 정복의 깊이와 안정도를 파악하여 정복의 질을 평가하는데 도움이 된다.
  - Medialization ratio와 labrum의 모양은 의미 있는 예후 인자이다(Forlin 1992).

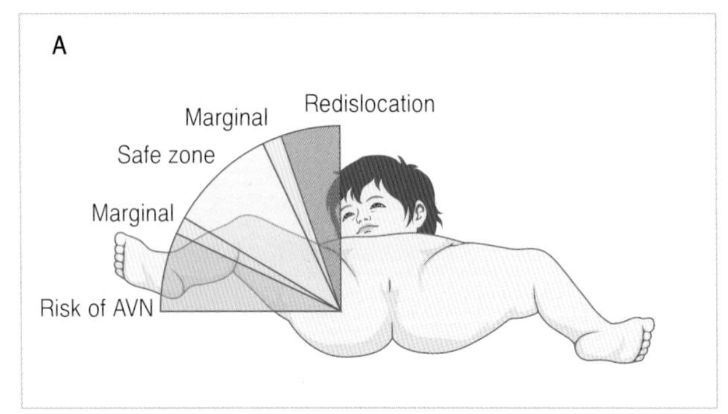

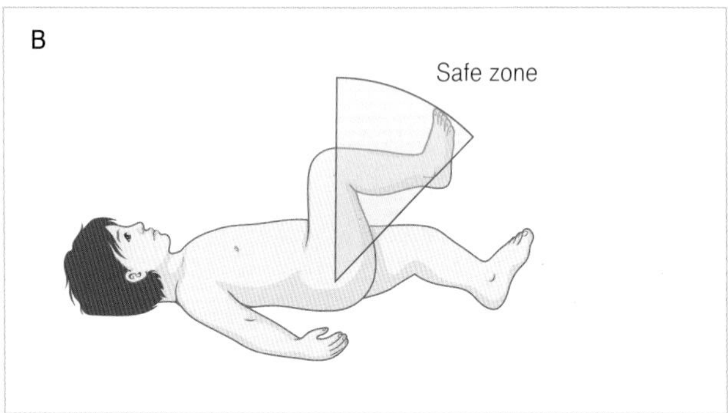

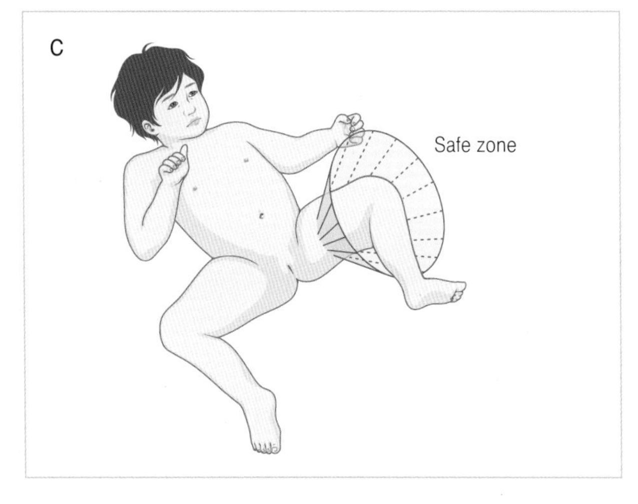

Fig 23. **무혈성 괴사를 피할 수 있는 "안전 지대(zone of safety)"의 개념.**
A: 외전-내전 범위에서 보면 최대 외전 위치에서는 무혈성 괴사의 위험이 높고 내전 위치에서는 재탈구의 위험이 높으므로 그 중간 지대가 안전 지대이다. B: 굴곡-신전에 따라서 안전 지대에 해당하는 외전의 범위가 달라진다. C: 따라서 삼차원적으로 안전 지대는 원뿔 모양을 하고 있다.

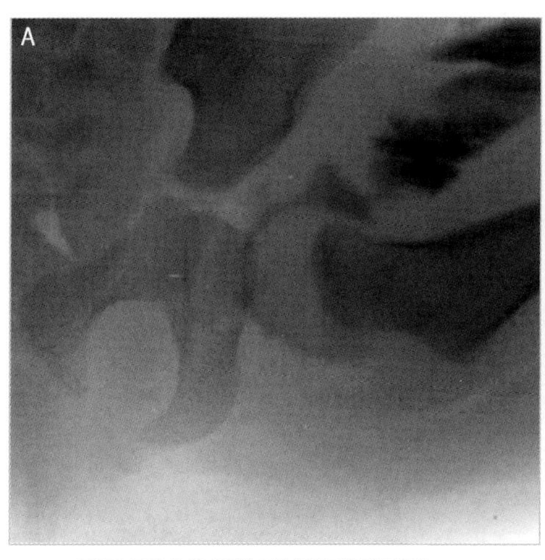

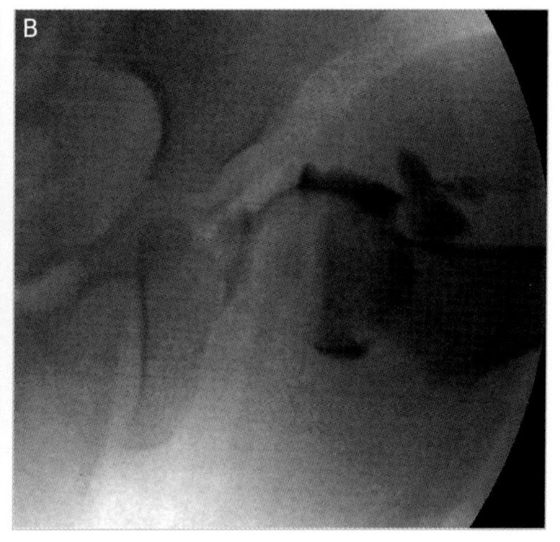

Fig 24. **관절 조영술을 통한 정복의 질(質) 평가.**
두 환아 모두 충분한 안전 지대를 가지고 있었지만 human position에서 촬영한 관절 조영술 상, A는 대퇴골두가 충분히 비구내로 들어간 반면, B는 비구 입구(acetabular introitus)가 좁아서 대퇴골두가 충분히 진입하지 못하였다. A는 도수 정복, B는 수술적 정복으로 치료하였다.

도수 정복 vs. 수술적 정복

- 도수 정복과 수술적 정복을 결정하기에 애매한 회색지대가 넓게 존재한다.
- 수술적 정복술은 규모가 크고 기술적으로 어려운 수술이며 광범위한 수술적 박리를 하기 때문에 관절 주변 반흔 조직이 남는 등의 문제가 있어서 가능하다면 도수 정복술로 치료하는 것이 바람직하다.
- 그러나 safety zone이 너무 좁은 경우에 도수 정복을 고집하면 석고붕대 안에서 재탈구될 위험이 있다. 또, 과도한 외전 위치에서만 정복을 유지할 수 있거나, 대퇴골두가 비구 입구에서 충분히 제 위치로 정복되지 않은 상태에서 석고붕대 고정을 유지하면 대퇴골두 무혈성 괴사의 위험성이 높다.
- 저자들은 전신 마취 하 신체검사를 통한 관절 안정성과 관절 조영술을 통한 정복의 질을 기반으로 결정하고 있다.

② 석고붕대 고정 및 술 후 처치

- 90도 굴곡-90도 외전 위치인 Lorenz 위치로 고정하면 정복을 유지하는 데에는 유리하지만 대퇴골두 무혈성 괴사 발병률이 높아서 사용하지 않는다.
- 무혈성 괴사의 위험을 최소화할 수 있는 고관절 굴곡 90도 이상-중등도의 외전(45-60도)으로 하는 "human position"으로 고정하는 것이 권장된다(Salter 1969)Fig 25. 이 위치에서 안정적인 정복을 유지할 수 없는 경우에는 수술적 정복술로 치료하는 것이 바람직하다.
- 석고붕대 고정 시, 술자가 고관절 위치를 유지하고 보조자가 석고붕대를 시술하여야 하며 대전자부를 앞쪽으로 밀어 올리도록 석고붕대를 molding해야 한다Fig 26.
- 석고붕대 고정 후 정복이 유지되는 지를 확인하는 것이 필요하다. 단순 방사선검사로는 확인하기 불가능하며 CT 또는 MRI의 평면 영상에서 확인하는 것이 필요하다Fig 26. MRI의 perfusion study로 대퇴골두의 혈액 순환을 평가하여 무혈성 괴사의 위험성을 평가하려는 시도가 진행되고 있다(Tiderius 2009, Cheon 2021).
- 고관절이 안정되고 늘어났던 관절막이 수축될 때까지 4-6주마다 전신 마취 하에 석고붕대를 교환하며 보통 3-6개월간 지속한다.
- 석고붕대 고정 후 비구 이형성증 개선을 위하여 플라스틱 외전 보조기 착용한다.
- 골 성숙 시까지 고관절 발달 과정을 주시하며 이형성증이 잔존하면 절골술로 교정하는 것이 필요하다(Shin 2016).

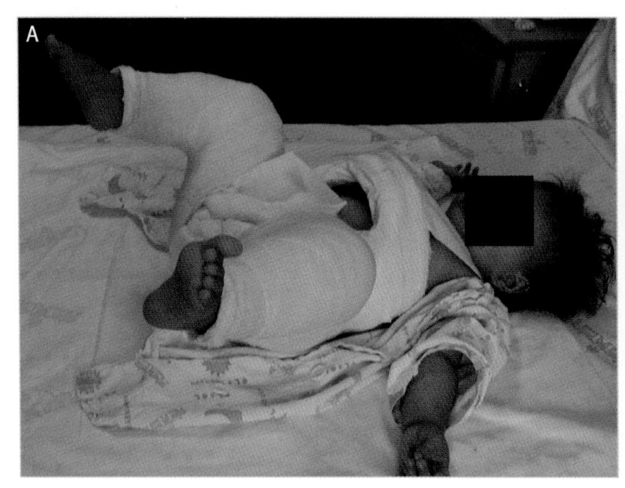

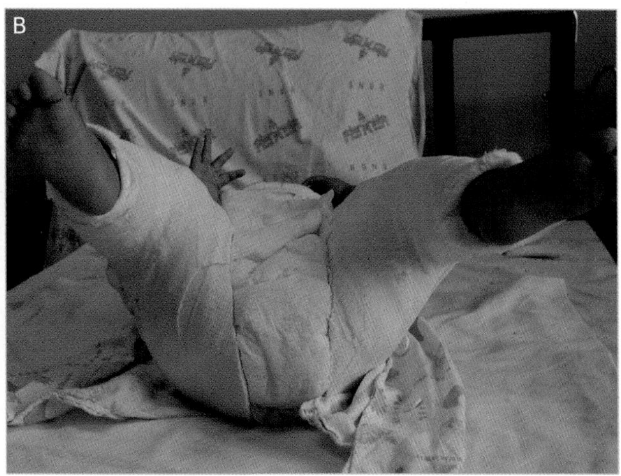

Fig 25. **석고붕대 고정.**
도수 정복 후 "human position"에서 석고붕대 고정하였다.

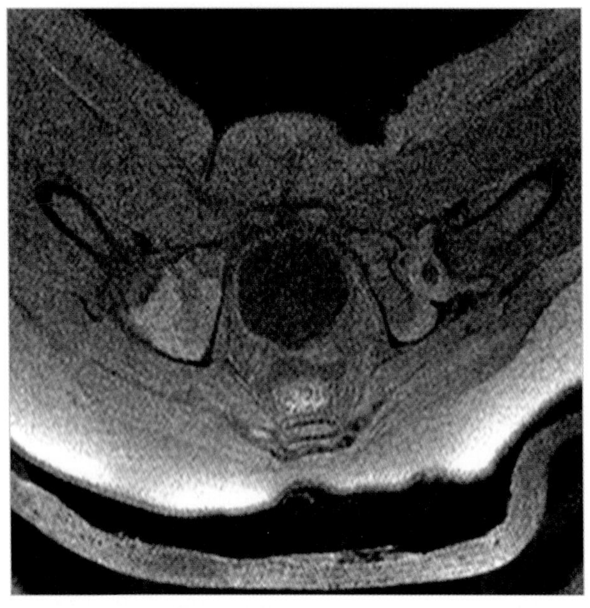

Fig 26. **도수 정복 후 정복 상태 확인.**
도수 정복 후 MRI로 정복이 유지되는 것을 확인하였다. 좌측 대전자부에 석고붕대가 molding되어서 근위 대퇴골을 전방으로 밀고 있는 것을 볼 수 있다.

2. 수술적 치료

1) 수술적 정복술(open reduction)

수술적으로 정복을 방해하는 조직을 제거하여 대퇴골두를 비구 내에 깊숙이 정복하고 관절을 안정화하는 방법이다.

수술적 정복술의 적응증
- 도수 정복이 되지 않는 경우
- 정복이 되어도 유지하기 어려운 경우(좁은 safety zone)
- 관절 조영술에서 정복의 질이 불량하여 무혈성 괴사의 위험이 있는 경우

(1) 도수 정복을 방해하는 조직 Fig 27, 28

① 요근건(psoas tendon): 정상적으로 대퇴골두의 전방으로 주행하는데 탈구되었을 때에는 관절막을 내리 누르면서 대퇴골두가 비구 내로 진입하는 입구를 앞에서 뒤로 눌러서 막는다. 요근건 절단은 수술적 정복술 중 중요한 단계 중 하나이다.

② 원형인대(ligamentum teres): 골두가 탈구되면 비후되면서 비구 내를 꽉 채워서 대퇴골두의 진입을 막는다. 수술적 정복술 과정에서 절제해야 한다. 비구 측에서 박리하여 내측으로 이전하는 술식도 소개되었으나(Bache 2008, Wenger 2008), 광범위한 조직 박리가 필요하기 때문에 저자들은 선호하지 않는다.

③ 횡비구인대(transverse acetabular ligament): 비구의 labrum과 골연골 조직은 말발굽 모양으로 생겼으며 그 아래 쪽 부분은 횡비구 인대로 구형을 이루게 된다. 골두를 깊숙이 정복하기 위해서, 횡비구인대가 비구가 전후방으로 벌어지는 것을 방해하지 않도록 수

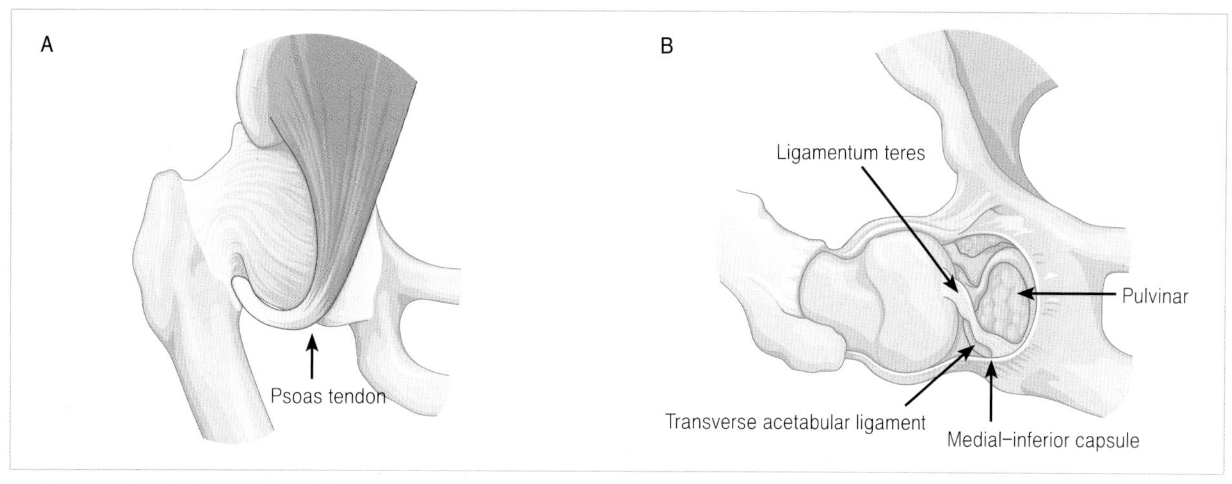

Fig 27. **대퇴골두 정복을 방해하는 구조물.**

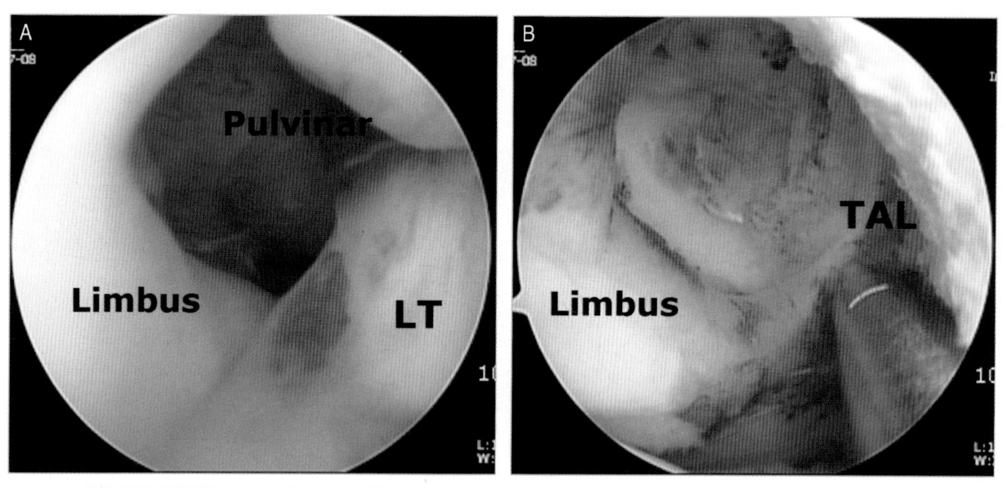

Fig 28. **5개월 여아 탈구된 DDH의 관절 내시경을 통해서 본 관절 내 병태해부학적 구조물.**
A: Limbus, 원형인대, pulvinar가 관찰된다. B: 원형인대와 pulvinar를 제거한 후 limbus와 횡비구인대가 관찰된다.

술적 정복술 과정에서 절개하는 것이 필요하다.

④ 내하측 관절막(medial-inferior joint capsule): 대퇴골두가 탈구되어 있으면 내하측 관절막이 구축되어 비구의 입구를 막게 되며 이를 충분히 절개하는 것이 중요하다.

⑤ Limbus: 환자에 따라서 다양한 양상을 보인다. 전외측 접근법 중에 limbus가 내번되어 있어서 정복의 안정성을 저해하고 저절로 외번되기 어렵다고 판단되면 보통 10시, 2시 방향으로 방사상 절개를 하여 외번이 잘 되도록 한다. 내측 접근법으로는 절개하기 어렵다. Limbus를 절제하는 것은 비구 성장에 이상을 초래하므로 삼가하여야 한다.

⑥ 내전근(adductor): 내전근 구축이 심하면 정복된 골두에 심한 압력이 가해져 무혈성 괴사의 위험이 높아지기 때문에 내전근 절단술을 시행한다.

⑦ 외전근과 관절막의 유착: 전외측 접근법에서는 외전근과 관절막 사이의 유착을 충분히 박리하고 관절막을 비구 전방에 tight하게 봉합하는 것이 필요하다. 내측 접근법에서는 박리할 수 없다.

⑧ Pulvinar: 비어 있는 비구 내에 형성된 섬유지방 조직으로 수술적 정복술 중에 절제해 낸다.

(2) 두 가지 수술적 도달법에 따른 정복술

전외측 도달법이 널리 사용되는 도달법으로 이 방법만 사용하는 병원도 많지만, 저자들을 포함한 일부 병원에서는 특정한 적응증일 때에 내측 도달법을 선별적으로 사용하기도 한다.

① 전외측 도달법 수술적 정복술(anterolateral approach open reduction)

- 가장 널리 사용되는 수술적 정복술 술식이다. 고관절의 전방으로 접근하여 관절막을 절개하고 정복을 방해하는 구조물을 절개 또는 절제한 후 관절막을 봉합하여 대퇴골두를 깊숙이 정복할 뿐 아니라 봉합된 관절막에 의한 안정성도 부여하는 수술 방법이다.

• 술식Fig 29

- 피부절개: 과거 Smith-Peterson 피부절개를 사용하였으나, ASIS에서 서혜부인대를 따라서 피부 절개를 넣어 수술 반흔이 눈에 덜 띄도록 하는 bikini 피부절개를 보편적으로 사용한다.
- 봉공근(sartorius)과 대퇴직근(rectus femoris)을 각각 ASIS와 AIIS에서 박리하여 원위부로 견인한다.
- 대퇴근막장근(tensor fascia lata)을 장골능 앞쪽과 ASIS에서 AIIS에 이르는 장골연에서 박리하여 관절막과 분리한다. 관절막 후방까지 충분히 박리하여 T자형 관절막 절개로 형성된 외측판이 전방 관절막이 되도록 봉합할 수 있게 한다.
- 장요근의 후방 내측에서 요근(psoas) 건을 박리하여 절단한다.
- 비구연을 따라서 관절막 절개를 한다. Limbus를 다치지 않도록 하되 비구 전방연에 밀착하여 하방까지 충분히 절개한다. 대퇴골 경부를 따라 추가 절개하여 T-자형으로 관절막을 절개한다.
- 대퇴골두에서 분리한 원형인대를 따라 비구를 확인하고 비구측 부착부도 분리하여 절제한다.
- Pulvinar를 절제하고 횡비구인대를 절개한다.
- Limbus의 내번 정도를 평가하고 필요하면 이에 방사형 절개를 가하여 외번이 잘 되도록 한다.
- 대퇴골두를 정복하여 정복의 질과 안정성을 평가한다. 관절 내에 조영제를 주사하고 C-arm하에서 최적의 관절 안정성과 관절 조화를 얻을 수 있는 관절 고정 위치를 결정한다.
- 대퇴골두를 정복하고 외측 관절막 flap을 전방-내측

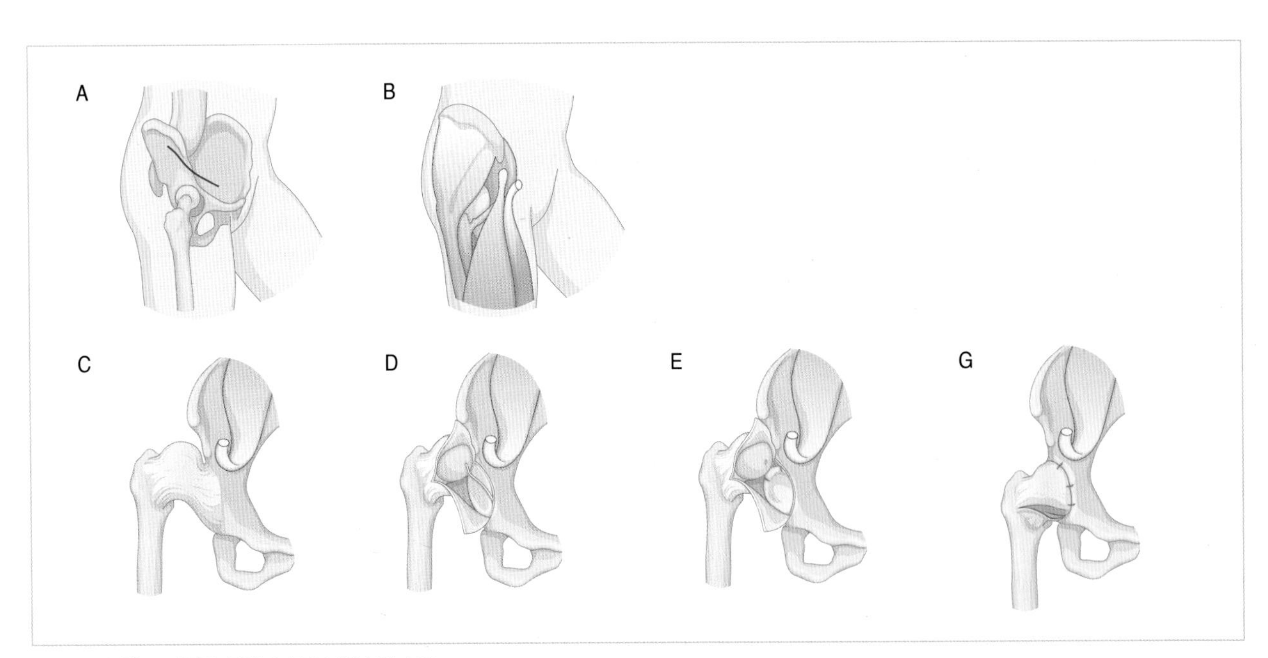

Fig 29. 전외측 도달법을 통한 수술적 정복술의 술기.

비구연에 튼튼히 봉합한다. 저자들은 T자 절개한 관절막의 내측판을 추가로 봉합하지는 않는다.

- **술후 처치**
  - 수술 중 대퇴골두의 최적 위치를 결정하여 그 위치에서 고수상 석고붕대 고정을 한다. 즉, human position이나 고관절을 약간 굴곡하고 외전-약간 내회전한 위치 중에 선택한다.
  - 수술 후 4-6주 간격으로 1-2회 전신 마취 하에 석고붕대 교체를 하면서 약 1-3개월 정도 석고붕대 고정을 시행한다.
  - 관절 봉합술 이전에 대퇴골두 정복의 안정성을 평가하여 중립위에서 탈구가 계속되면 동시에 대퇴골 또는 골반골 절골술을 함께 또는 단계적으로 시행할 것을 고려하여야 한다.
- **장점(vs 내측 도달법)**
  - 관절막 봉합술을 통해서 관절 안정성을 수술 직후부터 얻는다.
  - 같은 피부 절개에서 골반 절골술을 추가할 수 있다.
  - 고위 탈구나 기형성 탈구에서 주변 연부조직을 충분히 유리할 수 있다.
- **단점**
  - 피부 절개가 크고 환아 체구를 고려하면 대단히 큰 수술이다.
  - 상당한 출혈을 동반한다.
  - 술후 고관절 주변 반흔 조직 형성으로 재수술할 때에 박리가 대단히 어렵다.

* 기형성 탈구 등에서와 같이 수술적 정복술 후에도 관절 불안정성이 심할 때에 일시적으로 대퇴골을 골반골에 핀으로 고정하는 방법을 고려할 수 있다. 이러한 목적으로는 관절 내로 핀을 삽입하여 고정하는 것 보다는 핀을 대퇴골 대전자부를 통해서 장골(ilium)에 삽입하는 것이 바람직하다.

② 내측 도달법 수술적 정복술(medial approach open reduction)

- 정복을 방해하는 구조물 중 요근건, 내측-하측 관절막, 횡비구인대, 원형인대, pulvinar 등을 절개 또는 절제하여 대퇴골두가 비구 내에 깊숙이 정복될 수 있도록 하는 것이다.
- 관절막 봉합술(capsulorrhaphy), limbus에 대한 방사상 절개, 외전근과 관절막 사이의 박리 등을 할 수 없기 때문에 그에 따른 관절 안정성을 얻을 수는 없으며, 수술 후 도수 정복에 준해서 수술 후 처치를 하여야 한다.
- 내전근과 요근건 절단술만 하고 관절 조영술을 하여 관절 절개술 후 관절내 정복 방해 구조물 제거를 병행할지 여부를 결정하는 방법이 소개되었다(Bicimoglu 2008).

- **접근 경로에 따른 종류**Fig 30
  - 후내측(Ferguson 1973): 단내전근(adductor brevis)과 대내전근(adductor magnus) 사이
  - 내측(Ludloff 1913): 즐상근(pectineus)과 단내전근(adductor brevis) 사이
  - 전내측(Weinstein 1979): 대퇴 혈관(femoral vessels)과 즐상근(pectineus) 사이
- **장점(vs 전외측 도달법)**
  - 조직 박리를 조금만 해도 고관절에 도달할 수 있고 출혈이 적다.

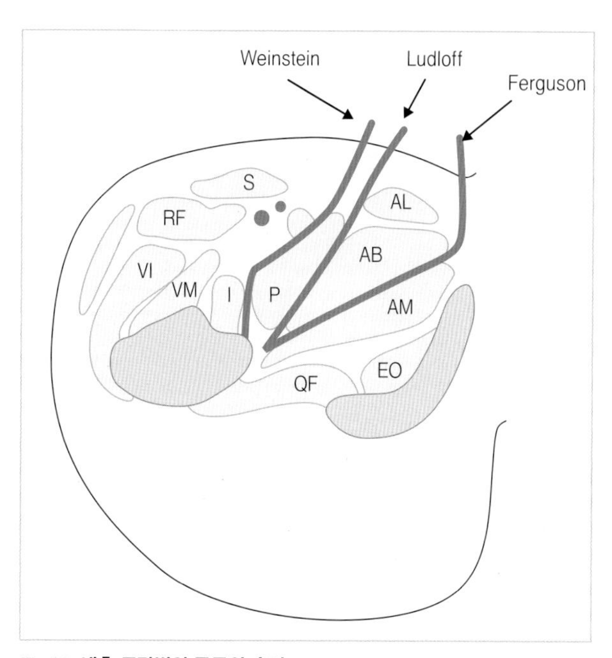

Fig 30. **내측 도달법의 종류와 술기.**

- 가장 중요한 정복 방해 조직인 내측 관절막, 장요근(iliopsoas), 횡비구인대, pulvinar를 쉽게 절개/절제할 수 있다.
- 수술 반흔 형성이 최소화된다.

• **단점**

- 수술 시야가 안 좋다.
- 관절의 안정성을 즉시 얻을 수는 없다.
- 수술 후 창상이 대소변에 오염될 위험이 있다.
- 대퇴 내회선 동맥 손상의 위험이 있다.
- 비구절골술이 필요하게 되면 추가 피부 절개가 필요하다.

• **적응증**

- 대퇴골두의 정복을 방해하는 조직이 완강하여 도수정복으로 충분한 정복이 되지 않는 12-15개월 이하의 환아 Fig 31

• **금기증**

- 정복 방해 구조물이 뚜렷하지 않고 관절막 이완이 주요한 탈구의 원인이라면 적절한 치료 방법이 아니다. 12-15개월 이상의 환아에서는 관절막 봉합술의 필요성이 높기 때문에 적절하지 않다.

• **관절경을 이용한 정복술(arthroscopic-assisted reduction)** Fig 28

- 관절경을 이용하여 요근건 절단, 원형인대 절제, 횡비구 인대 절단, pulvinar 제거 등을 시행하고 도수정복에 준하여 석고붕대 고정을 시행하는 방법이 소개되었다(Bulut 2005, Eberhardt 2012).

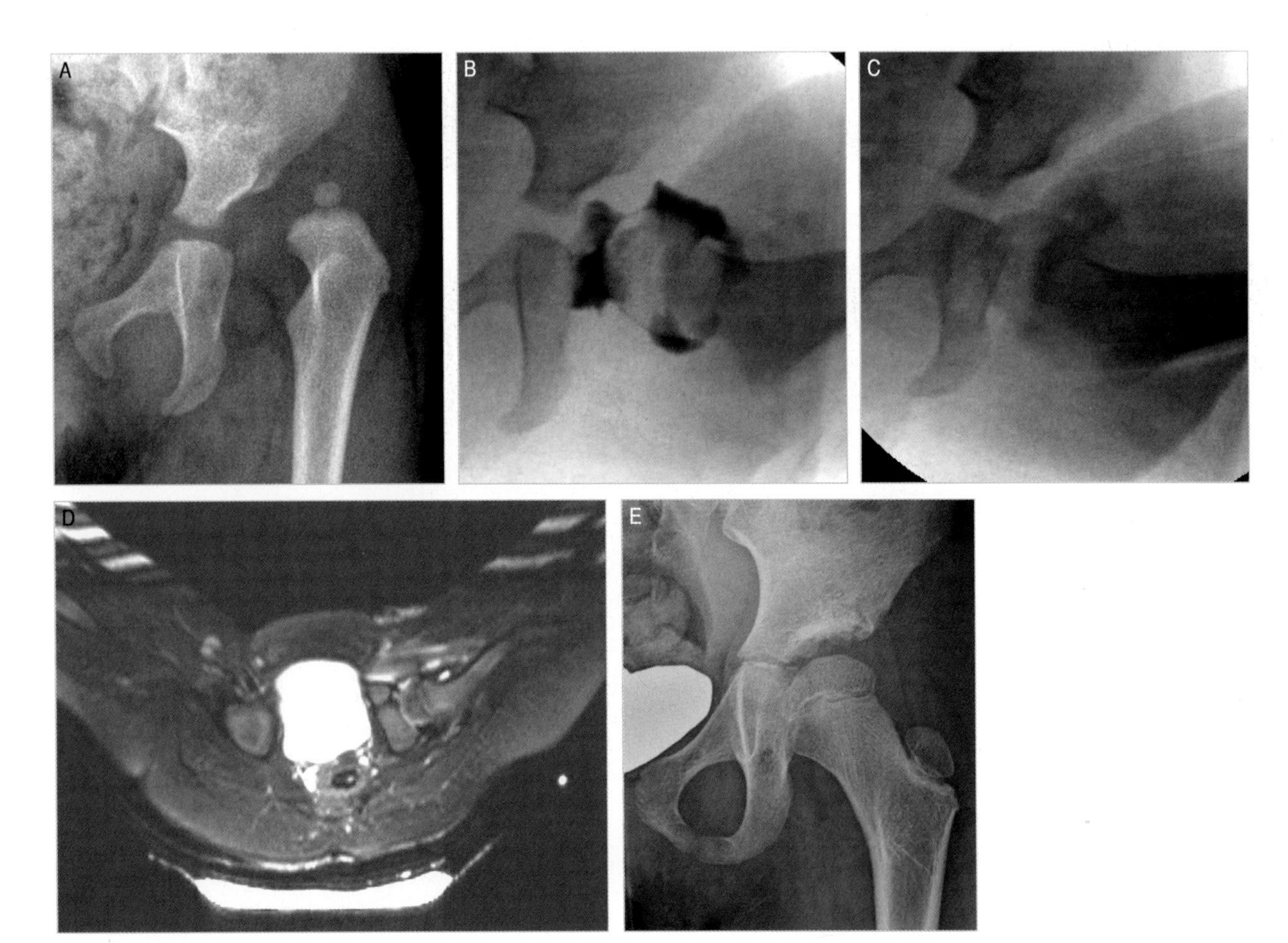

Fig 31. **내측 도달법을 이용한 수술적 정복술.**

A: 1세 여아에서 발견된 발달성 고관절 탈구. B: 전신 마취 하에 시행한 관절조영술에서 좁은 비구 입구를 대퇴골두가 들어가지 못하는 소견. C: 내측 도달법에 의한 수술적 정복술 후 대퇴골두가 깊숙이 정복된 소견. D: 수술 후 MRI로 정복을 확인한다. 고관절 내측에 조직 부종 소견이 관찰된다. E: 5년 추시에서 잘 발달된 고관절을 확인할 수 있다.

- 적응증이 되는 환자들은 내측 도달법에 의한 수술적 정복술과 유사하며, 그 효과도 유사할 것으로 생각된다. 관절 내시경 술기에 익숙한 술자에게 내측 도달법의 대안이 될 수 있다.

(3) 수술적 정복술과 함께 시행하는 절골술(osteotomy)

보행기 이후에 진단된 환아에서는 대퇴골과 비구의 변형이 심해서 수술적 정복술만으로는 관절 정복을 안정적으로 유지할 수 없는 경우가 흔하다. 수술적 정복술 과정에서 정복 방해 조직을 충분히 제거하였는데도 고관절 중립위에서 정복을 유지할 수 없다면 절골술을 동시에 시행하여 수술 직후 안정성을 확보하는 것을 고려한다Fig 32.

① 대퇴골 절골술

- 과도한 대퇴골 전염(femoral anteversion)은 발달성 고관절 이형성증 환아에서 흔히 관찰되며 대퇴골두 정복을 불안정하게 하는 주요한 변형이다.
- DDH 환자들은 관절이완이 동반되는 경우가 흔한데, 이로 인하여 정복 후에도 정상 아동에서 관찰되는 대퇴골 전염의 감소가 나타나지 않는 경우가 많다.
- 대퇴 경간각(neck-shaft angle)이 비정상적으로 증가되는 경우는 드물지만 경간각을 정상보다 더 줄이는 내반 절골술(varization osteotomy)을 함으로써 관절의 안정성을 향상시킬 수 있다.
- 2-3세 이상에서 대퇴골이 상방 전위되며 탈구되어 있다면 대퇴골 단축술을 병행하는 것이 관절내 압력을 줄여서 무혈성 괴사를 방지하고 정복의 안정성을 향상시키는 효과가 있다.
- 충분한 대퇴골 감염 절골술로 동심성 정복을 유지한다면 약간의 비구 이형성증(acetabular dysplasia)의 자연적인 해소를 기대할 수도 있는데(Kasser 1985), 3-4세 이전에 이러한 효과를 기대할 수 있다Fig 33.

• 대퇴골 내반-감염-단축 절골술의 술기

- 경간각은 100-110도로 감소시킨다. 대퇴 후염전을 초래하면 후방 탈구의 위험이 있기 때문에 대퇴 전염각은 20-30도 정도로 교정한다.
- 대퇴골 단축을 함께 시행하는 경우, 견인 상태에서 대퇴골두 상단과 비구연골간의 높이 차이만큼 단축하거나, 절골 후 대퇴골두 정복 상태에서 절골부위에서 겹쳐져 있는 부분만큼을 단축하며, 절제한 골편을 골반골 절골술에 이식골로 사용할 수도 있다.
- 대퇴골 절골술 후 과성장으로 하지길이부동이 나타날 수 있으므로(Yoon 2020), 폐쇄 쐐기절골술(closing wedge osteotomy)로 하는 것이 바람직하다.

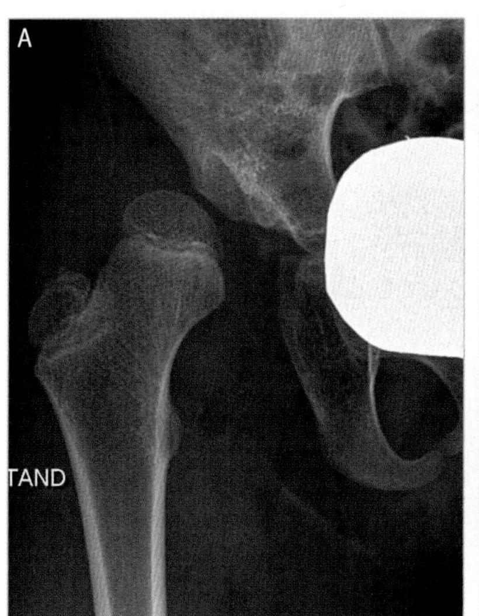

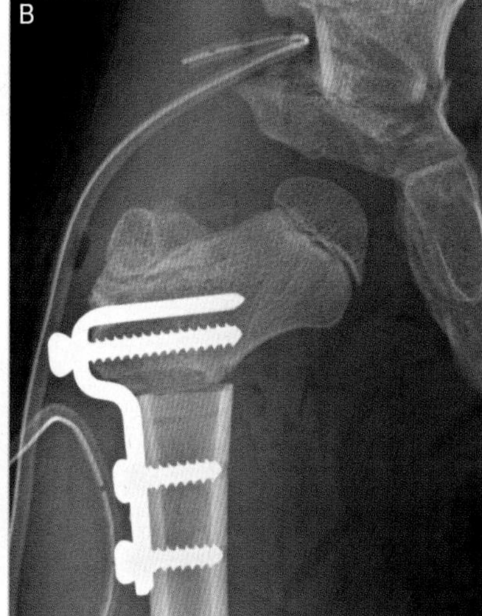

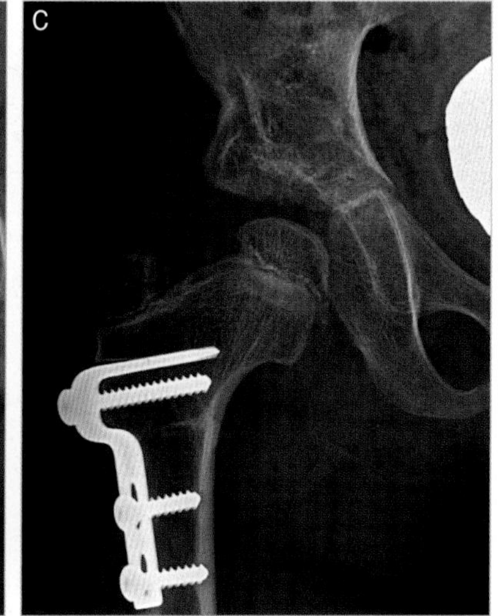

Fig 32. A: 5세 여아, 우측 고관절의 간과된 DDH. B: 전외측 도달법에 의한 수술적 정복술, 대퇴골 단축-내반-감염 절골술과 함께 Dega 절골술을 시행하여 대퇴골두의 안정적 정복을 확보하였다. C: 1년 후 대퇴골두는 비구내 깊숙이 동심성 정복된 상태이며, 향후 지속적인 경과관찰을 요한다.

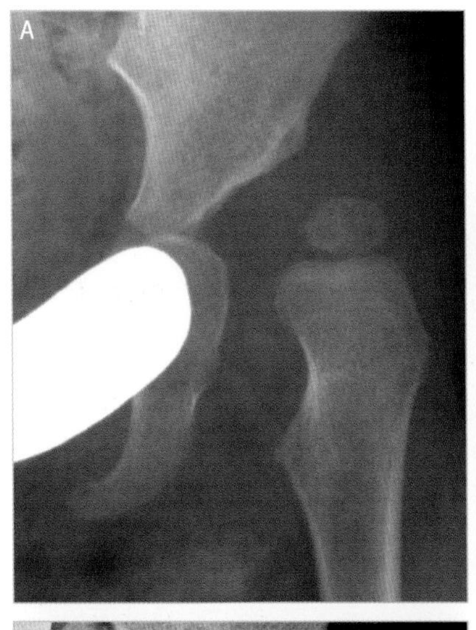

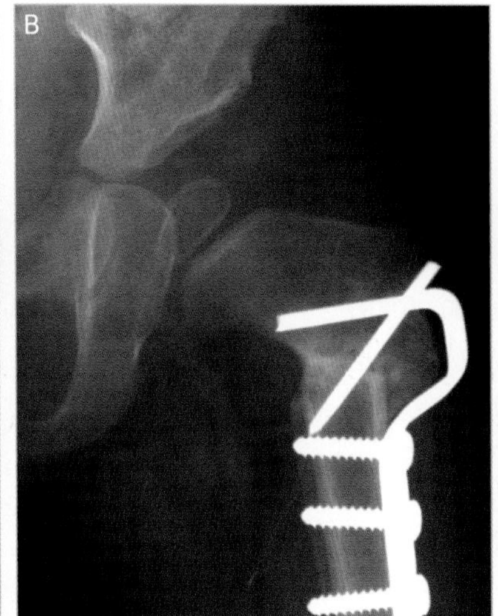

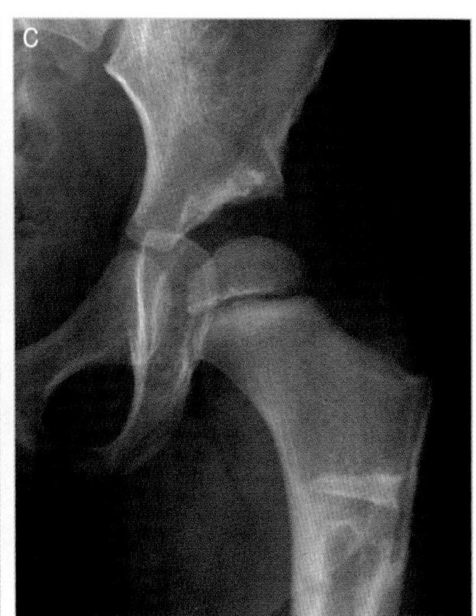

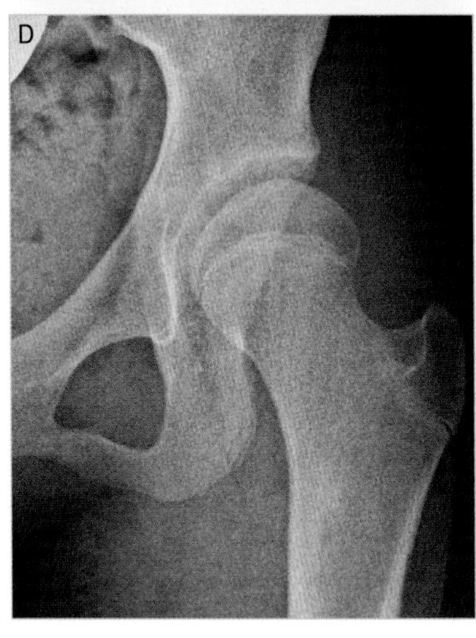

Fig 33. A: 18개월 여아, 좌측 탈구된 DDH. B: 전외측 도달법에 의한 수술적 정복술과 대퇴골 내반-감염 절골술을 시행하였다. 비구 이형성증이 관찰된다. C: 3세, 수술 후 15개월. 비구 이형성증이 많이 호전되었다. D: 11세. 정상적인 고관절로 발달하였다.

- **대퇴골 절골술의 장점(vs 골반골 절골술)**
  - 비교적 술기가 단순하다.
  - 대퇴골두 동심성 정복이 효과적으로 유지되도록 한다.
  - 관절내압을 줄인다.
- **대퇴골 절골술의 단점(vs 골반골 절골술) 또는 주의할 점**
  - 골반골 절골술의 Bikini 피부 절개에 비해서 대퇴부에 수술 반흔이 남는다.
  - 어린 나이에서는 작은 근위 골편을 정확하고 견고하게 교정하는 것이 어렵다.
  - 대퇴골 전염(femoral anteversion)을 과도하게 교정하거나 후염전(retroversion)으로 만들면 후방 탈구를 초래할 수 있다.
  - 비구 이형성증이 동반된 경우 대퇴골 절골술만으로는 호전이 되지 않을 수 있다.
  - 금속 내고정물 제거를 위한 이차 수술이 필요하다.

② 골반골 절골술

비구 이형성증은 발달성 고관절 이형성증의 가장 중요한 요소 중 하나이다. 심하지 않은 비구 이형성증이나 어린 나이에 정복술 또는 대퇴골 절골술로 대퇴골두의 동심성 정복을 얻은 경우 이형성증이 자연 교정이 될 수도 있다. 그러나 비구 이형성증이 심해서 수술적 정복술 시 대퇴골두 정복을 유지할 수 없으면 골반골 절골술을 함께 시행해야 하기도 하며, 대퇴골두 정복 후 추시에서 비구 이형성증이 자연 교정되지 않으면 골반골 절골술을 통해서 교정하여야 한다. 5세 이전에는 Salter, Pemberton, Dega 절골술Fig 34 등이 널리 사용되고 있다.

- **골반골 절골술의 장점(vs 대퇴골 절골술)**
  - 비구 이형성증을 직접 교정한다.
  - 전외측 접근법에 의한 수술적 정복술 시 추가 피부 절개가 불필요하며, 별도로 시행하여도 Bikini 피부 절개로 가능하기 때문에 수술 반흔이 눈에 잘 띄지 않는다.
  - Dega나 Pemberton 절골술 등은 금속 내고정물 없이도 시행할 수 있어서, 이 경우 추후 내고정물 제거술이 필요하지 않다.
- **골반골 절골술의 단점(vs 대퇴골 절골술)**
  - 술기가 어려워 정확하게 시행하기 위해서는 경험의 축적이 필요하다.
  - 부정확한 교정으로 비구 후방 결손을 초래할 수도 있다.

2) 아동기에 사용되는 골반골 절골술의 종류

(1) Salter 무명골 절골술(innominate osteotomy)Fig 34A, 35

- 장골(ilium) 좌골절흔(sciatic notch)까지 골막을 박리하고 Gigli saw를 통과시켜서 완전 절골한 후, 치골결합(symphysis pubis)을 축으로 비구 골편을 회전하여 전외측 피복을 향상시키는 개방 쐐기, 방향 전환 절골술(redirectional ostetotomy)이다.
- 전방 20-30도, 측방 10-15도 정도 비구 피복이 증가하므로 술전 CE angle이 10도 이상일 때 시행하는 것이 효과적이다.
- 최적 시기는 3-10세의 아동이며 기술적으로는 18개월 이후부터 청년기까지도 시행 가능하다.
- 전외측부 피복을 위해 무리하게 무명골을 꺾어 내리면 비구 후염전(retroverted)을 초래하여 pincer형 대퇴-비구 충돌 증후군 또는 후방 비구 결손을 초래할 수도 있다.

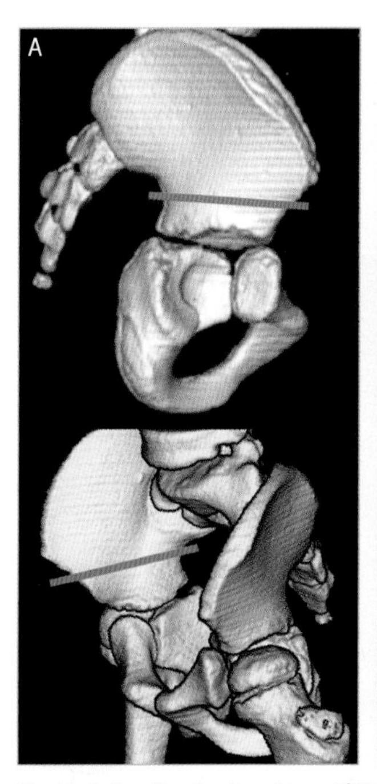

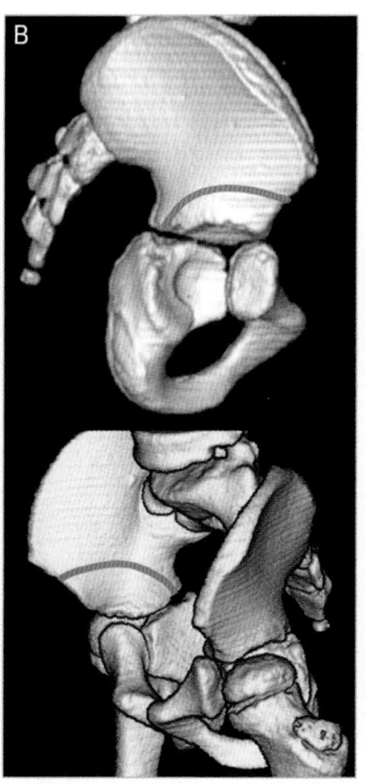

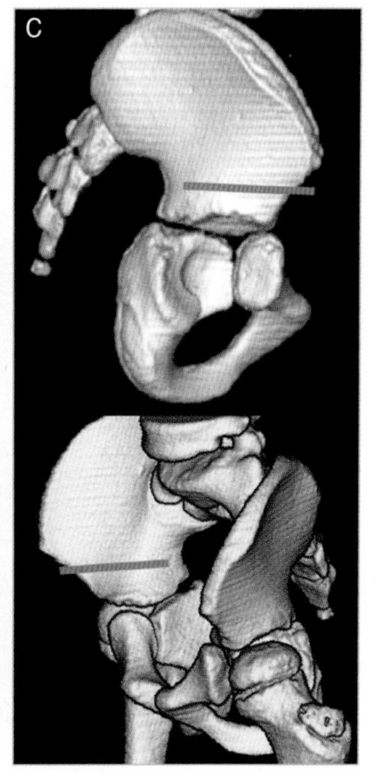

Fig 34. **Salter, Pemberton, Dega 절골술 종류에 따른 절골 부위.**
A: Salter 절골술은 장골(ilium)을 완전히 절골한다. B: Pemberton 비구성형술에서는 삼방연골 후방분지까지 절골한다. C: Dega 절골술에서는 장골(ilium)의 후방 피질골을 남겨두고 이를 경첩으로 쐐기 개방을 한다.

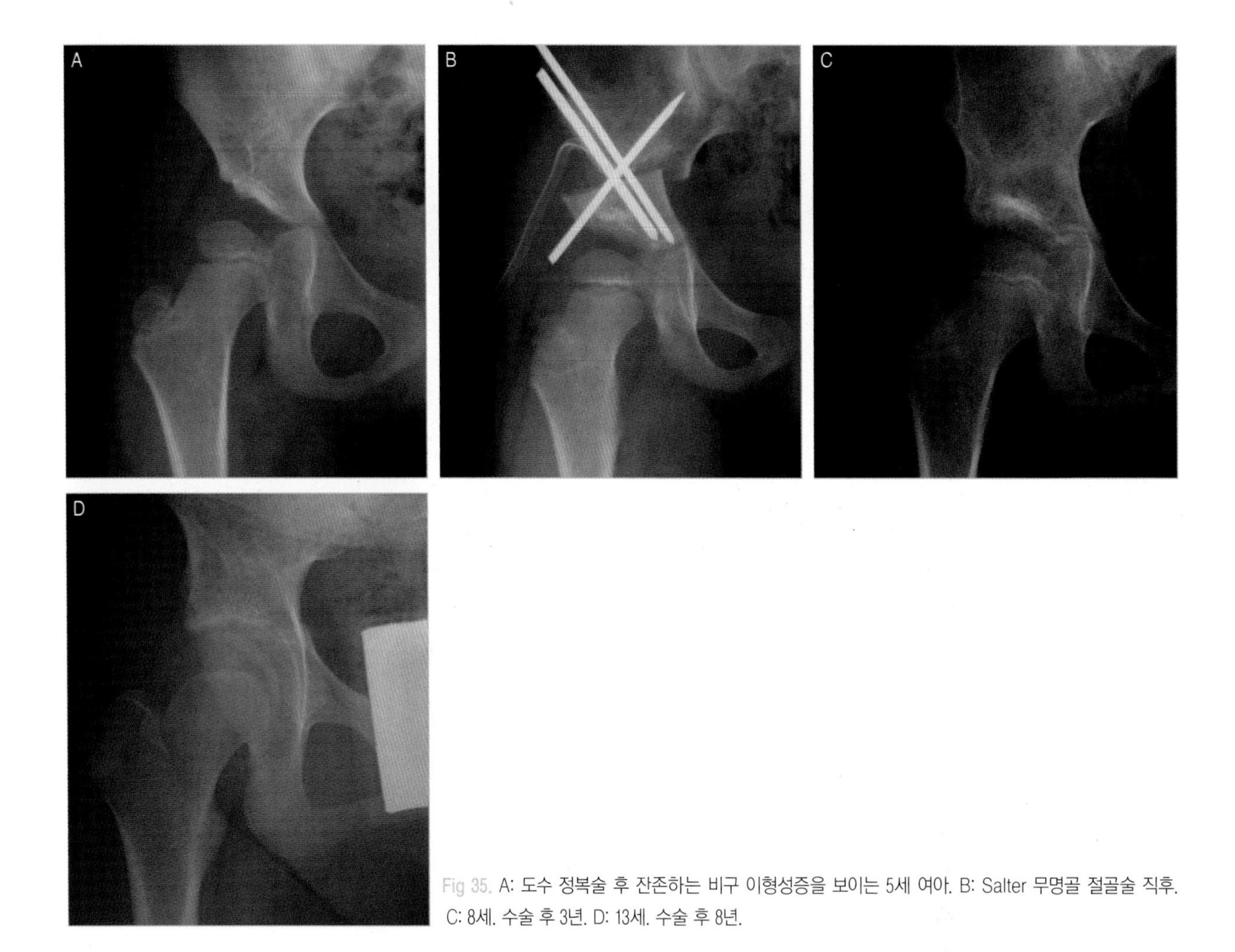

Fig 35. A: 도수 정복술 후 잔존하는 비구 이형성증을 보이는 5세 여아. B: Salter 무명골 절골술 직후. C: 8세. 수술 후 3년. D: 13세. 수술 후 8년.

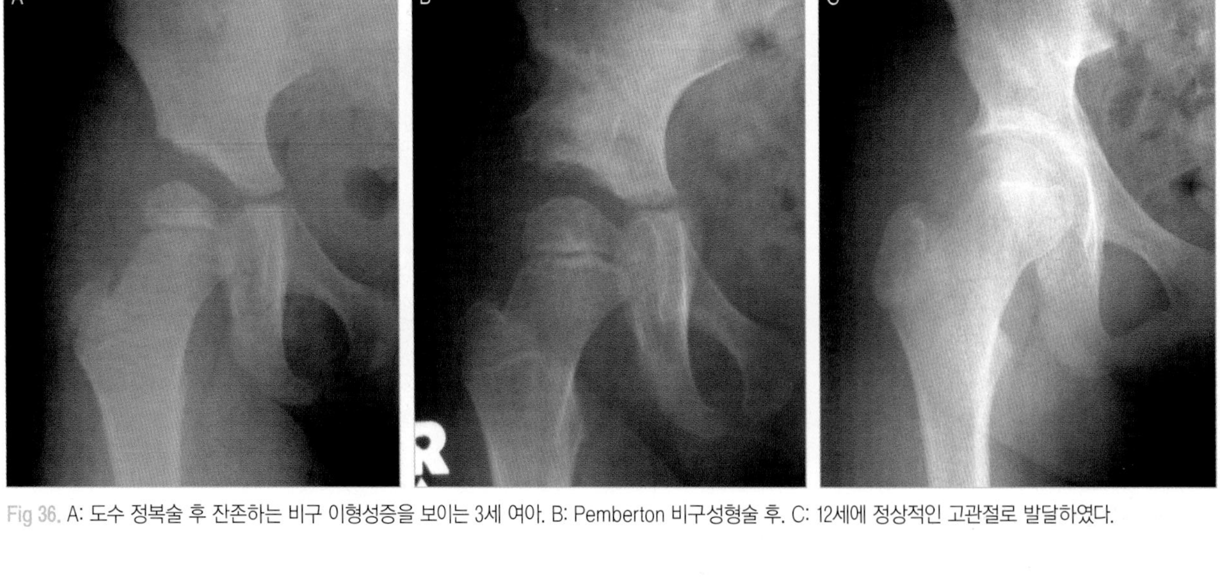

Fig 36. A: 도수 정복술 후 잔존하는 비구 이형성증을 보이는 3세 여아. B: Pemberton 비구성형술 후. C: 12세에 정상적인 고관절로 발달하였다.

(2) Pemberton 비구성형술Fig 34B, 36

- 장골(ilium)의 후방에서 절골 방향을 하방으로 꺾어서 삼방연골(triradiate cartilage)의 후방분지까지 진행한다. 삼방연골을 축으로 비구 상방 골편을 개방 쐐기형으로 회전시켜 비구 형태를 바꾸면서 전외측 피복을 향상시키는 비구성형술(acetabuloplasty)이다.
- Salter 절골술에 비해서 변형 교정능이 크고 얕고 넓은 비구를 좁고 깊은 형태로 변형시킬 수 있으며, 불완전 절골술이므로 이식골편을 핀으로 고정하는 것이 필요하지 않을 수도 있다.
- 이론적으로는 삼방연골의 조기 폐쇄의 위험이 있어서 꺼리는 의사들도 있다.

(3) Dega 절골술(Czubak 2001)Fig 34C, 37

- 장골(ilium)에서 좌골절흔(sciatic notch)의 후방 피질골을 남겨두는 불완전 절골술을 하는 개방 쐐기형 절골술이다. 불완전 절골술이므로 통상 핀 내고정을 필요로 하지 않는다.
- 비구로부터 절골부까지의 거리, 절골하지 않고 남겨두는 부위의 위치와 절골부를 개방하는 방향에 따라서 다양한 효과를 얻을 수 있다. 비구에 가깝게 절골하면 Pemberton 비구성형술과 유사한 비구 성형 효과를 얻을 수 있으며(reshaping osteotomy), 비구에서 멀게 절골하면 Salter 절골술과 유사한 방향전환 절골술의 효과를 얻을 수 있다.
- 내측 피질골을 pelvic brim을 조금 더 넘어서까지 절골하고 외측 피질골은 좌골절흔의 외측 피질골(outer cortex)까지만 절골시키고 남은 단면의 후방 피질골 부위를 축으로 전외측에서 절골부를 개방하고 이식골을 삽입하면 비구의 전외방 피복을 보강하게 되며 DDH에서의 비구 이형성증에 적당하다. 반면, 내측 피질골은 pelvic brim 직전까지만 절골시키고 외측 피질골은 좌골절흔의 내측 피질골까지 완전히 절골한 후 보다 절골면의 내측 피질골을 축으로 주로 외측에서 절골부를 개방하고 이식골을 삽입하면 비구의 후방 피복을 더욱 개선할 수 있어서 후방 결손이 있는 마비성 고관절 탈구에서 유용하다Fig 38(7장 뇌성마비 참조).
- 저자들은 주로 Dega 절골술을 사용하고 있다.

(4) 삼중 무명골 절골술(triple innominate osteotomy)

(17장 발달성 고관절 이형성증, 청소년기 및 청년기 고관절 이형성증 참조)

- 보통 사춘기에 사용되는 방법이지만 아동기에도 비구 이형성증의 정도가 심해서 상기한 골반골 절골술로 만족할 만한 교정을 얻기 어려운 경우에 시도할 수도 있다.

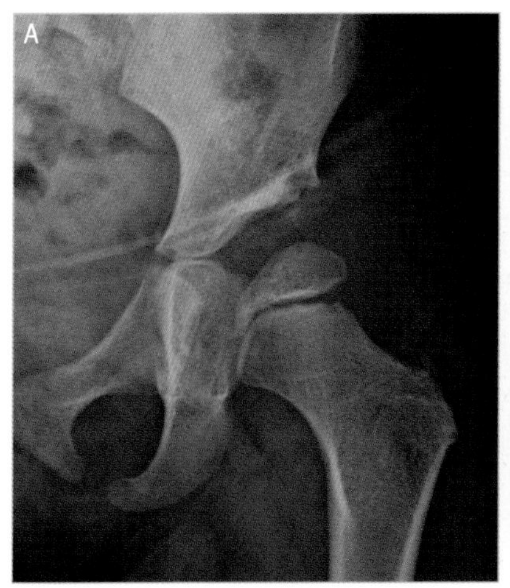

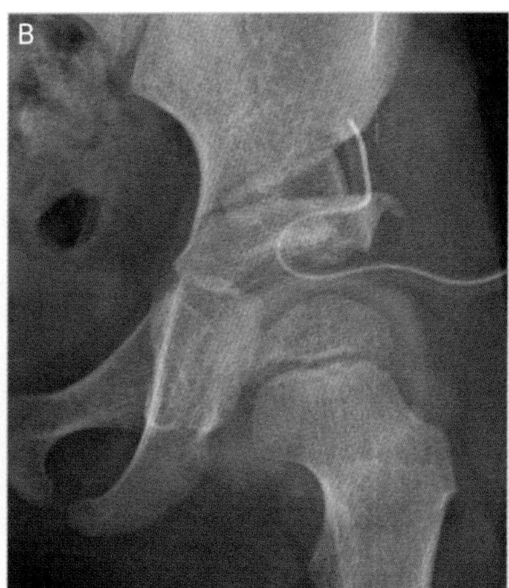

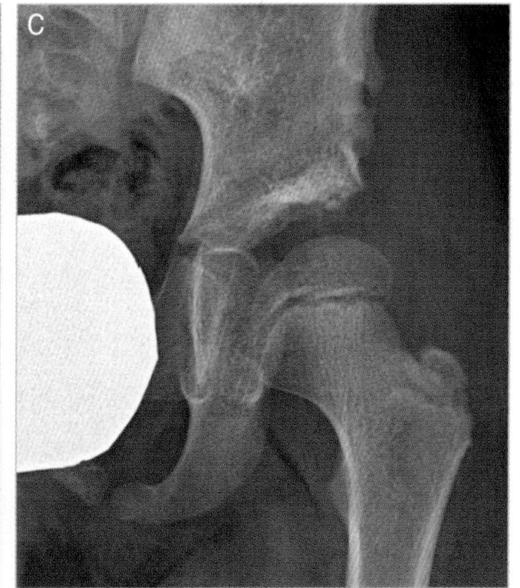

Fig 37. A: 도수 정복술 후 잔존하는 비구 이형성증을 보이는 5세 여아. B: Dega 절골술 후. C: 2년 후 단순 방사선 소견.

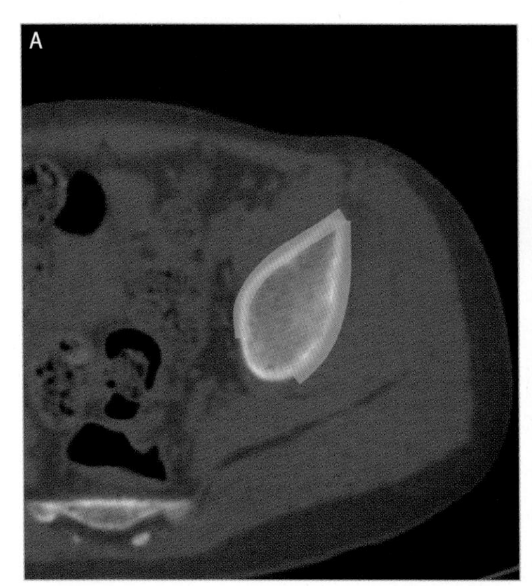

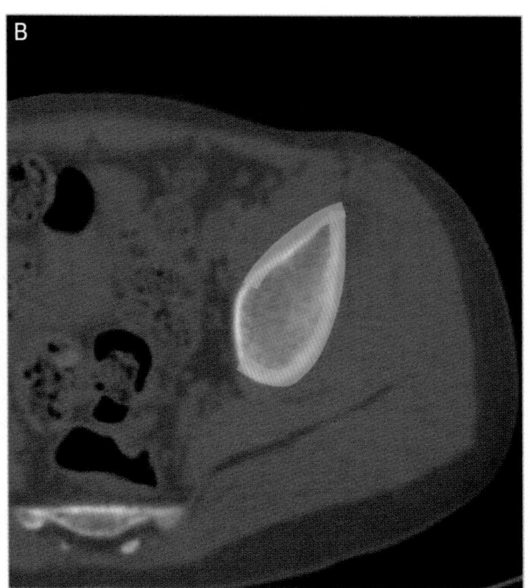

Fig 38. A: 비구 전외방 피복을 위한 Dega 절골술. 좌골절흔 부근의 후방 피질골을 남겨두는 불완전 절골을 시행한다. B: 비구 후방 피복을 위한 Dega 절골술. 좌골절흔을 완전히 절골하고 pelvic brim을 남겨둔 후, 후방을 더 개방 쐐기한다.

- 골막이 두꺼운 어린 환자에서 충분한 교정을 얻기 어려울 수도 있으며 골막을 절개하는 것이 필요할 수도 있다.

• **골반골 절골술에 사용하는 이식골**
- 과거에는 장골릉에서 쐐기형 자가골을 채취하여 사용하거나 대퇴골 단축술에서 채취한 자자골을 사용하였으나 자가골의 형태나 강도가 적절하지 않을 수 있고 공여부에 성장 장애를 초래할 수 있어서 최근에는 장골릉 또는 비골(fibula) 동종골이 널리 사용되고 있다.

3) 2-3세 이후 발견된 탈구의 치료

- 편측성에서는 파행이 뚜렷하기 때문에 간과되는 경우가 드물지만 양측성에서는 파행이 대칭적이기 때문에 문제를 인식하지 못하고 지낼 수도 있다.
- 이미 골변형과 연부조직 단축이 진행되어 있으므로 수술적 정복술과 함께 대퇴골 단축-내반-감염 절골술, 골반골 절골술 등을 함께 시행해야 하는 경우가 대부분이다. 나이가 많을수록 대퇴골두와 비구의 연골 부분이 줄어들기 때문에 정복 후 대퇴골두와 비구가 재형성되는 정도가 줄어들고 관절조화(joint congruity)를 얻기 힘들어 정복하지 않는 것 보다 더 빨리 관절 파괴가 진행할 수도 있다.
- 몇 살까지 수술적 정복을 시도하고 몇 살 이후에는 인공관절 치환술이 필요할 때까지 그냥 지내도록 할 것인지에 대해서는 저자 간에 견해 차이가 많으며, 이는 학문적인 결정보다는 환자가 속한 사회에서의 필요에 따라서 결정하여야 한다. 편측성에서는 파행이 확연하게 눈에 띄기 때문에 더 나이가 들어서도 정복을 시도하는 반면, 양측성인 경우에는 파행이 눈에 덜 띄고 양쪽 모두 우수한 결과를 얻을 확률이 더 적기 때문에 보다 어린 나이에도 정복술을 포기하는 경향이 있다.

4) 잔존 이형성증(residual dysplasia) 또는 잔존 아탈구 (residual subluxation)

- 보장구, 도수 정복 또는 수술적 정복을 통해서 대퇴골두가 비구 내에 동심성(concentric) 정복이 되게 하고, 추시하면서 재형성 과정을 통해서 비구 이형성증이 호전되는 것을 확인하여야 한다. 정복 후 2-3년에 걸쳐서 빠른 재형성이 되는데, 점차 이형성증이 해소되면서 성장 완료 시 정상 해부학적 구조를 갖는 고관절로 발

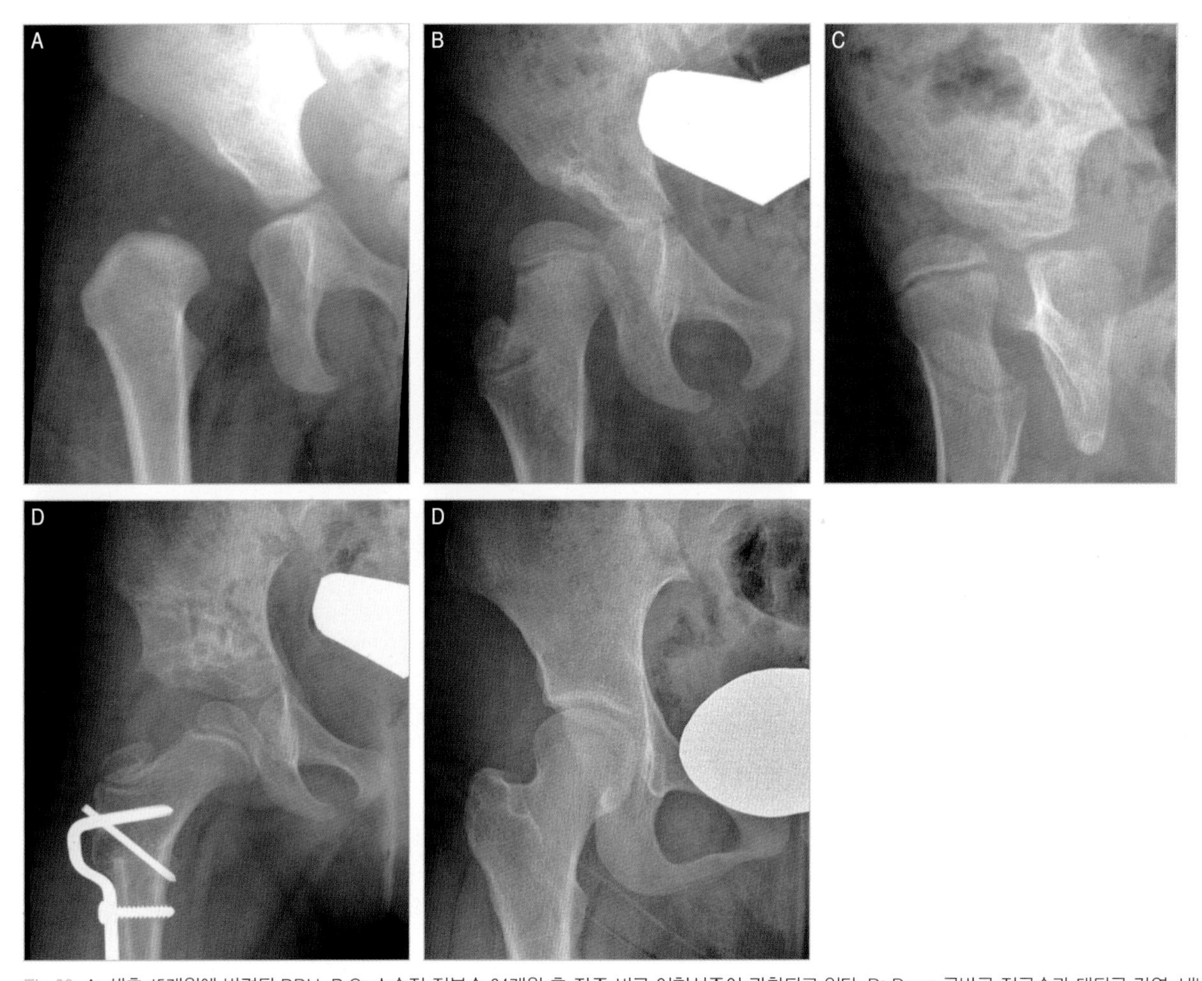

Fig 39. A: 생후 15개월에 발견된 DDH. B,C: 수술적 정복술 34개월 후 잔존 비구 이형성증이 관찰되고 있다. D: Dega 골반골 절골술과 대퇴골 감염-내반 절골술을 시행하였다. E: 15세 단순 방사선검사 상 측방 비구개는 수평이고, 외측 중심변연각 35도로 Severin 분류 상 Ia에 해당한 결과를 얻었다.

달하는 것이 치료의 목표이다.

- 비구의 재형성 능력은 5세 이후에 급격히 감소하여 8세 이후에는 더 이상 기대하기 어렵기 때문에 정도에 따라서 5-8세까지 비구 이형성증이 호전되지 않으면 절골술을 통하여 교정하는 것이 바람직하다Fig 35, 36, 37, 39. 아탈구가 지속되면 그보다 어린 연령에도 절골술을 통해서 아탈구를 해소하는 것이 바람직하다.
- 잔존 이형성증과 아탈구 정도는 단순 방사선검사 상 비구지수(acetabular index), 측방 및 전방 중심변연각(center-edge angle) 등으로 평가한다(Shin 2016). 대퇴골두의 외측 전위 정도를 평가하는 center-head distance difference (CHDD)Fig 40가 6% 이상이면 적극적인 절골술이 권유된다(Chen 1994).

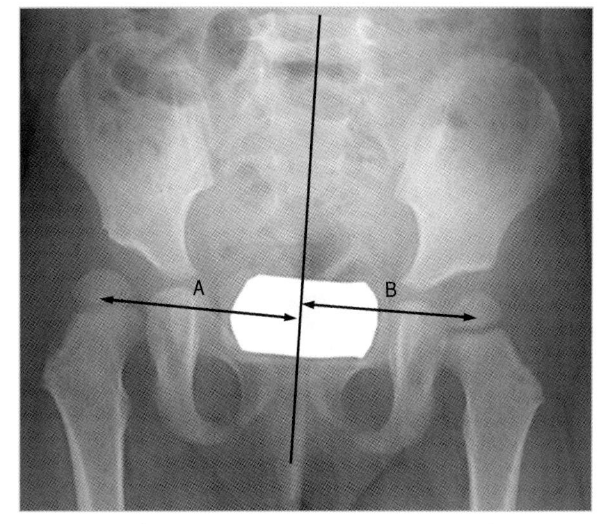

Fig 40. CHDD (Center to head distance discrepancy ratio) = (A-B)/B x 100%.

V. 청소년기와 청년기의 고관절 이형성증
(hip dysplasia in adolescents and young adults)

이 연령대의 고관절 이형성증은 아동기부터 치료하던 발달성 고관절 이형성증이 완전히 정상적인 고관절로 발달/성장하지 못한 경우, 영유아기부터 증상없이 있던 발달성 고관절 이형성증(아탈구 또는 비구 이형성증)이 뒤늦게 발견된 경우, 또는 영유아기 선별검사에서는 정상이었으나 성장과정에서 점차 고관절 이형성증이 발생한 경우 등이 있을 수 있다.

- 퇴행성 관절염이 본격적으로 진행되기 전에 무증상으로 있다가 우연히 발견되거나 고관절 피로감 등 막연한 증상이 있었을 수도 있는데, 본격적인 증상은 비구순(acetabular labrum) 또는 비구연골 등이 파열되어 발생하게 된다.
- 중심변연각(center-edge angle)이 17도 미만이면 60세까지는 거의 대부분의 고관절에 퇴행성 관절염이 발생한다는 보고가 있으며(Murphy 1995), 고관절 불안정성(instability)과 대퇴-비구 충돌 때문에 이차적으로 비구순의 파열(labral tear), 관절면의 손상(cartilage damage)이나 관절연 골절(acetabular rim fracture)을 초래하는 "비구연 증후군(acetabular rim syndrome)"의 한 원인이 된다(Klaue 1991).
- 관절 파괴가 본격적으로 시작되기 전에 정상적인 해부학적 구조를 얻게 되면 퇴행성 변화를 멈추게 하거나 회복시킬 수 있을 것으로 기대하고 적극적인 수술적 치료가 필요하다.

1. 진단

1) 임상검사

- 장거리 보행 또는 운동 후에 사타구니, 대퇴부, 둔부의 통증을 호소하거나 외전근의 피로감, 관절 잠김 증상(locking, catching) 및 Trendelenburg 보행이 나타날 수 있다.
- 외전근의 피로감은 옆으로 누워 자전거 타듯이 굴곡과 신전을 반복하는 "bicycle test"로 검사한다.
- 고관절 과신전위에서 하지를 내전-외회전시키면서 밀어볼 때(hyperextension-external rotation, HEER test) 불편함을 호소하면 고관절 불안정성을 의미한다.
- 하지를 굴곡-내전-내회전 시킬 때 동통이 유발되면 비구연 증후군 또는 대퇴비구 충돌 증후군을 진단할 수 있다.

2) 방사선 검사

- 단순 방사선검사: 양측 고관절 앙와위 전후방, 기립 전후방, frog-leg lateral, false profile view Fig 11B, 고관절 신전위에서 외전-내회전, adduction push view, 외발 기립 전후방 사진이 도움이 된다Table 3.
- 이차원/삼차원 컴퓨터 단층촬영은 고관절의 이형성 부위와 크기, 모양 등을 평가, 해석하는데 큰 도움이 된다Fig 41.

3) 치료

- 정상 고관절의 해부학 및 역학을 수복하여 고관절의 가동성(mobility)은 해치지 않으면서도 안정성(stability)을 얻는 것을 목표로 한다.
- 정상적인 전염각을 갖는 비구와 근위 대퇴부로 이루어진 조화된 고관절을 재건한다. 비구의 체중 부하면(sourcil)은 수평위(horizontal level)를 취하며, 대퇴골두를 충분하되 지나치지 않게 피복하여야만 한다.

Table 3. **청소년/성년 고관절에서의 방사선학적 측정값**

	정상측정값
Acetabular angle of Sharp	< 42°
Acetabular index	< 20°
Center-edge angle	> 20°
Articulotrochanteric distance	> 1 cm
Acetabular depth	> 14.5 mm
Acetabular quotient	> 250
Femoral head spherical index	> 40
Femoral head coverage	> 80%
Head-to-head ratio	0.85-1.15
Tönnis hip ratio	> 20
Acetabular roof angle	0°-13°

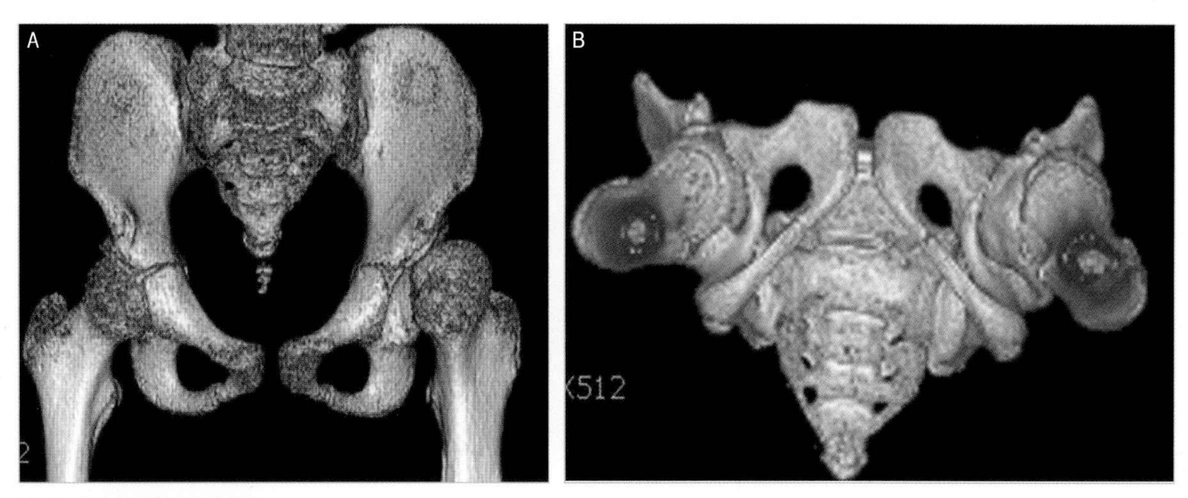

Fig 41. **삼차원 컴퓨터 단층촬영.**
고관절의 이형성 부위와 크기, 모양 등을 평가, 해석하는데 큰 도움이 된다.

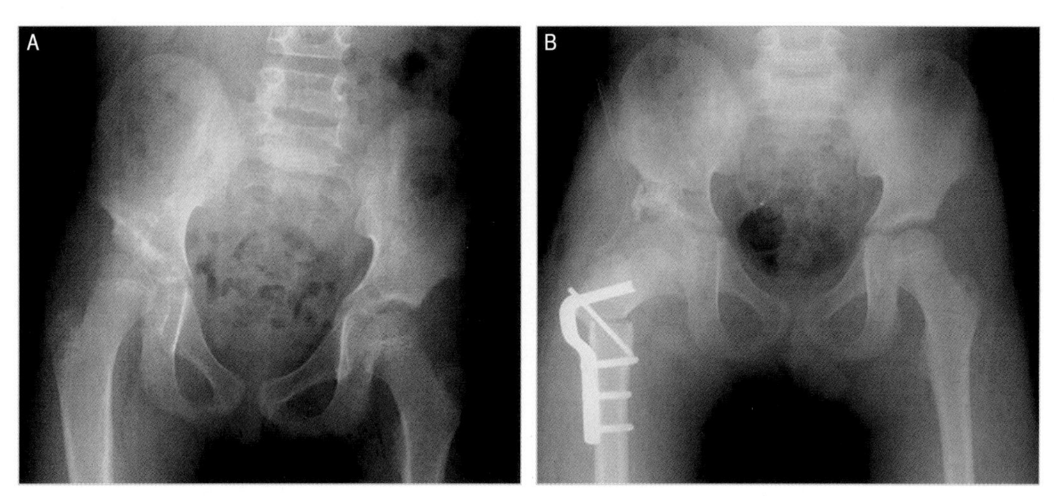

Fig 42. **하지 길이 차이에 따른 고관절 이형성(long leg dysplasia)의 재발.**
A: 환아는 우측 고관절 이형성으로 과거에 타 병원에서 수술적 정복술을 받은 후, 우측 하지의 과성장을 보였다. 이에 따른 골반 경사와 우측 고관절 내전위 편향에 의해 고관절이 아탈구되었다. B: 이에 대한 치료 방법으로 전자간 대퇴 내반-감염 절골술(intertochanteric femoral varus-derotational osteotomy) 시에 대퇴 단축술을 시행하였고 그 골편을 Dega 술식에 의한 골반 절골술 시에 골편으로 사용하였다.

- 비구와 대퇴골 중 어느 쪽에 더 심각한 변형이 있는지에 따라서 수술할 부위를 결정하는데, 상당수의 환자들에서 대퇴골과 골반골 양쪽 모두 수술을 하여야 관절 조화를 얻을 수 있다.

(1) 청소년/성인기의 대퇴골 절골술

- 대퇴골두를 비구 중심으로 향하도록 하여 고관절의 안정성을 도모하는데 내반-외반(varus-valgus), 굴곡-신전(flexion-extension), 그리고 내회전-외회전(internal external rotation) 요소를 복합적으로 적용한다.
- 아탈구가 심할 때는 단독으로 사용하지 못하고, 흔히 골반골 절골술과 함께 사용한다Fig 42.

(2) 청소년/성인기의 골반 절골술

① 삼중 무명골 절골술(triple innominate osteotomy) (Steel, Tonnis, Kotz, or Carlioz)Fig 43

- 이 연령대에서는 불완전 절골부나 치골결합을 축으로 골편을 회전시킬 수 없어서, 장골(ilium), 치골

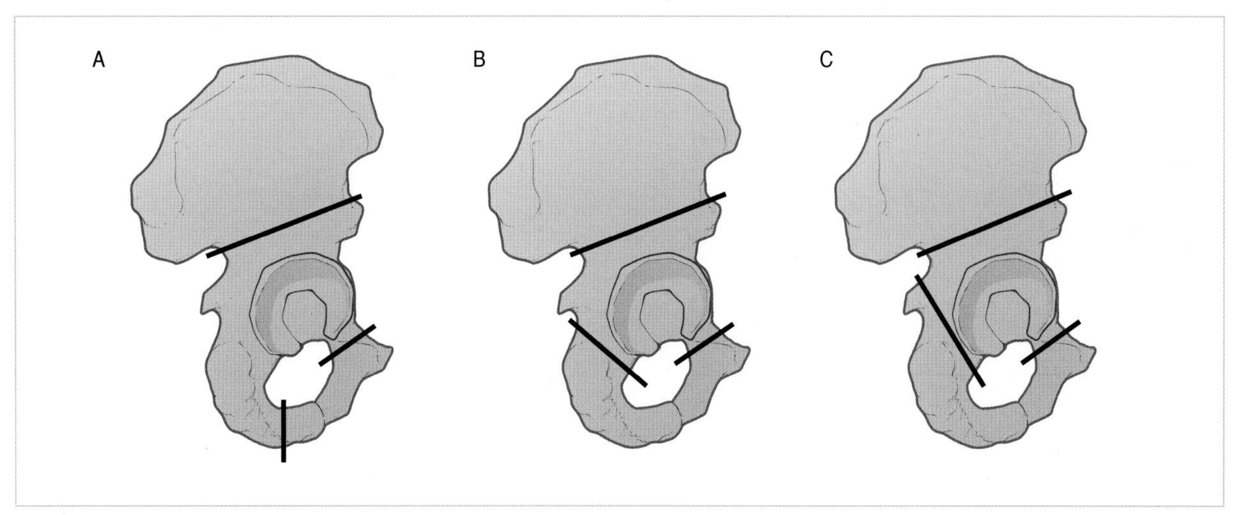

Fig 43. **삼중 무명골 절골술의 종류.**
장골(ilium), 치골(pubis) 절골부위는 동일하나 좌골(ischium) 절골 부위가 서로 다르다. A: Steel. B: Carlioz. C: Tönnis.

(pubis), 좌골(ischium) 모두를 절골하고 비구 골편의 방향을 전환하는 술식이다.

- 삼방연골이 열려 있는 연령에서도 시행할 수 있으며, 아동기에 비구 변형이 심하여 방향 전환을 많이 해야 하는 경우에 적용할 수도 있다.
- Salter, Pemberton, Dega 등과 같은 단일 절골술에 비해서 조직 박리가 광범위하고 좌골신경 손상 등을 조심하여야 한다.
- 견고한 내고정이 필요하다.
- 비구의 방향 전환뿐 아니라 고관절 전체를 내측으로 전위시켜서 생역학적인 개선을 얻을 수도 있다.
- 다양한 수술법들은 좌골(ischium) 절골 위치에 따라 차이가 난다. 비구에 가깝게 절골할 수록(Tönnis) 교정력은 우수하나 좌골신경 등의 손상 위험이 크다. 반대로 비구에서 멀리 좌골 절골술을 시행하면(Steel) 교정력이 떨어진다. 저자들은 Carlioz 방법을 선호하고 있다Fig 44.

② 비구주변 절골술(periacetabular osteotomy, PAO) (Ganz 1995)

- 골반환(pelvic ring)을 유지하면서 비구 주변을 절골하여 비구 골편만을 움직일 수 있게 하여 방향전환하는 수술 방법이다. 치골(pubis)은 완전 절골하되 장골(ilium)과 좌골(ischium)은 전방에서 후방으로 절골하다가 후방 피질골 전에 멈추고 비구의 후주(posterior column)를 따라서 종적으로 절골하여 둘을 연결함으로써, 비구 골편을 나머지 골반에서 완전히 분리한다Fig 45.
- 삼방연골이 열려 있으면 절골선이 통과하면서 손상을 줄 수 있기 때문에 삼방연골이 폐쇄된 경우에만 시행할 수 있다.
- 골반환이 유지되기 때문에 수술 직후에도 골반골의 안정성이 있어 불유합이 적으며, sacrospinal ligament가 부착되어 있지 않기 때문에 비구골편을 삼중 절골술보다 더욱 많이 방향전환 할 수 있다는 장점이 있다.
- 기술적으로 난이도가 높은 수술로 좌골(ischium)과 장골(ilium)의 후방 종적 절골 시에는 직접 눈으로 확인할 수 없고 절골의 촉감과 C-arm 관찰을 이용해 진행해야 한다. 절골선이 비구를 침범하는 등의 합병증 위험이 있다. 이 수술의 경험이 많지 않거나 자주 수술하지 않는 경우에는 후방의 별도의 접근법을 통해서 좌골 절골을 시행하는 것이 안전하다.
- 좌골신경(sciatic nerve)은 좌골 절골부위 외측으로 주행하는데 고관절을 굴곡-외전-외회전(4자형 자

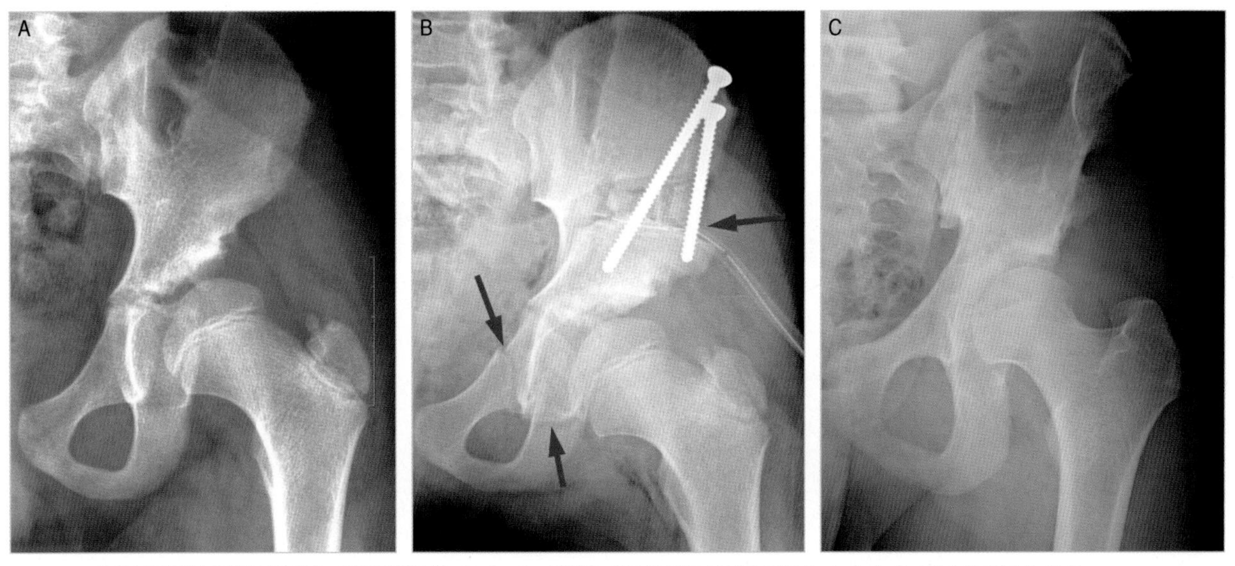

Fig 44. A: 10세 남아에서 우연히 발견된 고관절 이형성증. B: Carlioz 방법을 이용한 삼중 무명골 절골술. C: 수술 후 6년 추시 방사선 검사.

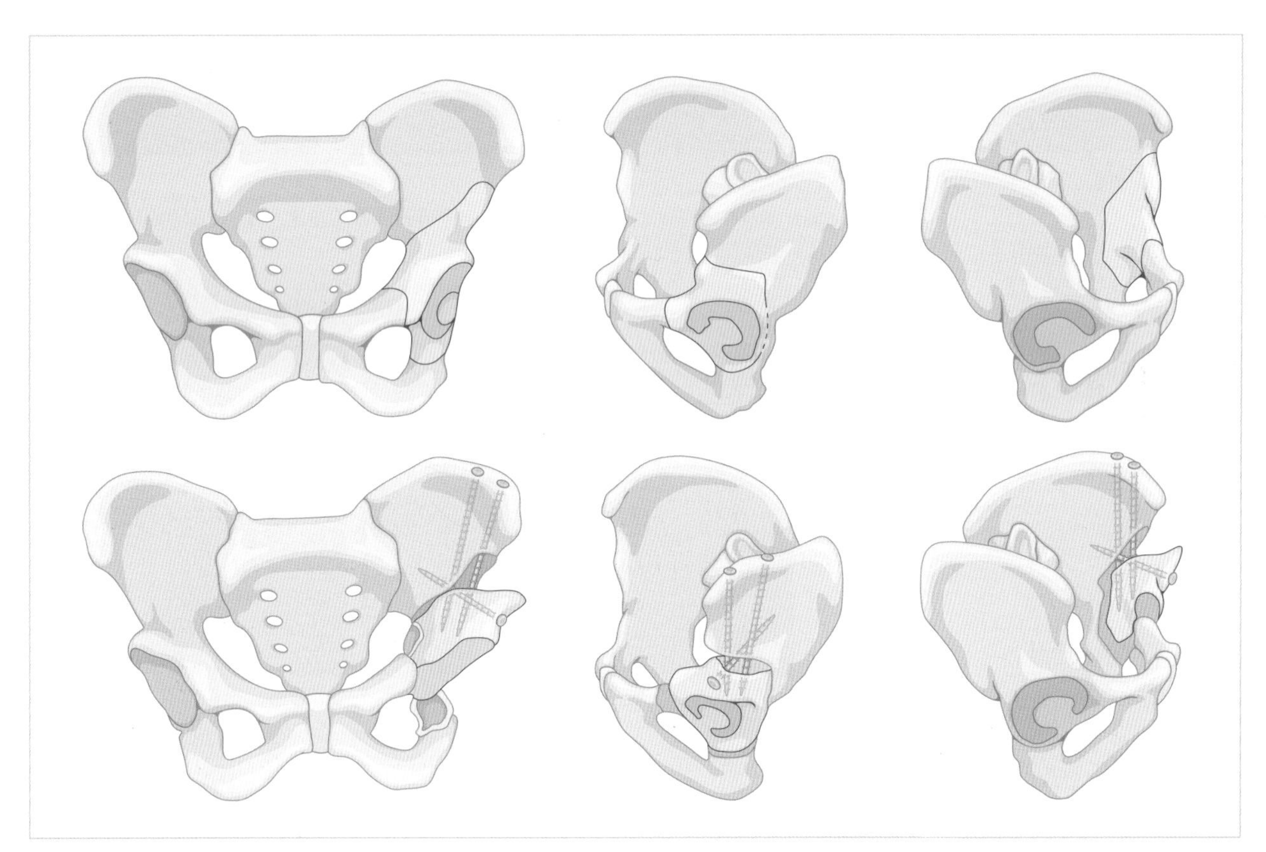

Fig 45. **Ganz 술식의 모식도.**

세)으로 놓는 것이 신경을 가장 멀리 떨어지도록 하는 자세이다(Birke 2011). Osteotome을 좌골의 피질골에 밀착해서 진행하고 너무 외측으로 가지 않도록 주의한다.

- 변형 교정 능력이 대단히 우수한데, 비구 골편을 술전에 계획한 위치로 정확하게 방향전환하도록 하고, 대퇴골두를 과도하게 피복하여 대퇴비구 충돌증후군을 초래하지 않도록 유의하여야 한다. Acetabular sourcil의 방향이 수평이 되도록 충분히 방향전환하되 고관절 굴곡이 90도 이상 확보되는지를 확인하여야 한다Fig 46.
- 가장 좋은 적응증은 관절조화(joint congruity)가 유

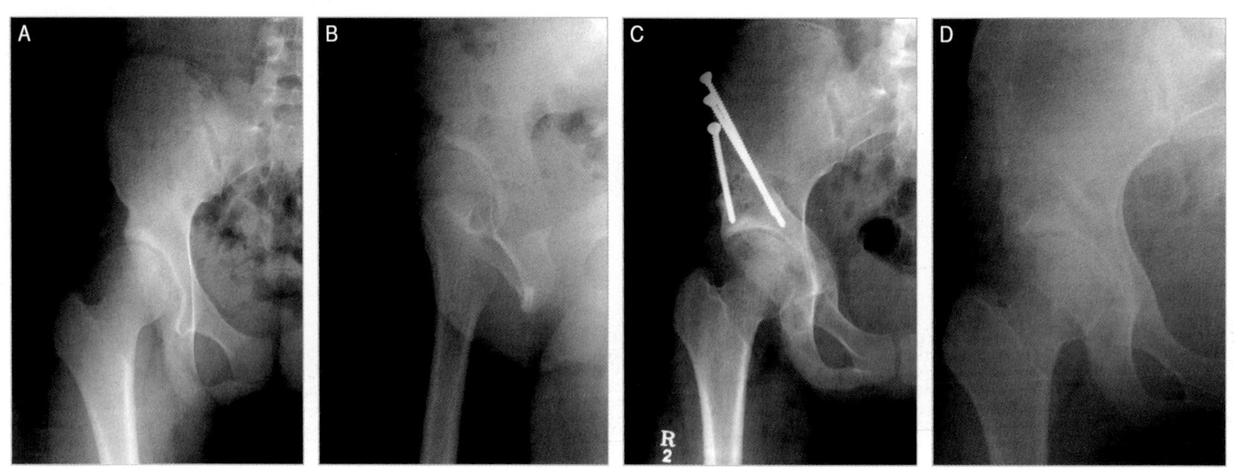

Fig 46. **Ganz 술식.**
A: 우측 비구 이형성증이 잔존한 15세 여아. B: false profile view상 우측 골두의 전방 피복(coverage)이 모자란다. C: 수술 4개월 후. D: 수술 5년 후.

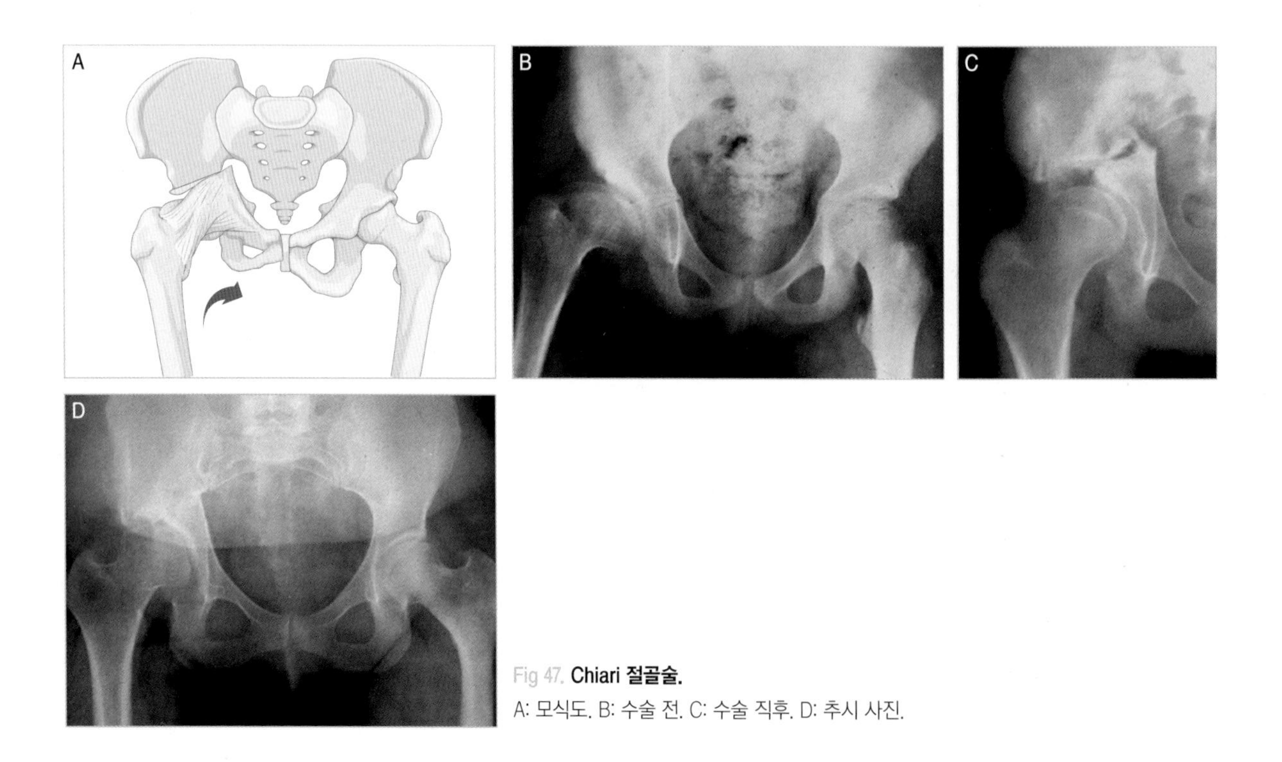

Fig 47. **Chiari 절골술.**
A: 모식도. B: 수술 전. C: 수술 직후. D: 추시 사진.

지되어 고관절운동제한이 경미하며 중심변연각이 15도 미만인 비구이형성증인 환자 중 활동성이 강한 비교적 젊은 사람으로 퇴행성 변화가 뚜렷하지 않거나 경미한(grade 1 이내) 경우이다.

③ Chiari 절골술(Chiari 1974)

- 고관절 관절막의 윗면을 따라서 상방으로 5-10도 경사지게 장골(ilium)을 완전 절골하고 비구측 골편을 내측으로 이동하여 절골면 상부 골편이 관절막 상방을 덮도록 하는 술식이다Fig 47. 골편을 많이 이동시켜서 빈 공간이 생기면 자가골을 이식한다(Bailey 1985).
- 외전근 지렛대(abductor lever arm)가 외측으로 이동하며 고관절은 내측으로 이동한다. 골반골은 치골결합(symphysis pubis)에서 움직인다.
- 확장된 비구 부분의 관절막은 섬유연골로 metaplasia되는데 초자연골(hyaline cartilage)인 관절연골에 비해서 내구성이 떨어지기 때문에 인공관절 치환술 하기 전에 시간을 벌어주는 효과를 기대한다.
- 아탈구 또는 골 변형이 심해서 방향 전환 절골술을 하여도 비구 피복이 불가능하거나 관절조화(joint congruity)가 불량한 경우 적응증이 된다.

VI. 치료 이후의 문제들

- **발달성 고관절 이형성증 치료에 대한 결과 평가**
  - DDH에 대한 궁극적인 치료 결과는 중년기 이후 노년기까지 고관절의 기능이 얼마나 유지되는 가에 따라서 평가한다.
  - 6세에서 골성숙될 때까지 기간에 이러한 치료 결과를 예측하는 평가방법으로 가장 널리 사용되는 방법은 중심변연각(center-edge angle)과 골 변형을 기준으로 하는 Severin의 방사선학적 평가 방법이다 Table 4.

1. 대퇴골두 무혈성 괴사Fig 48

대퇴골두 정복술을 시행한 후에 대퇴골두를 비롯한 근위 대퇴골에서 보이는 일련의 병적인 변화를 통틀어서 통상 무혈성 괴사라고 지칭한다. 그러나 무혈성 괴사라는 조직병리학적 증거가 제시되지 않았고 골단판의 성장 장애 현상도 포함되어 있어서 근위 대퇴골 성장 장애(proximal femoral growth disturbance)라는 용어가 제시되기도 하였다(Weinstein 2006). 무혈성 괴사의 진단 기준은 Table 5, 6과 같다.

Table 4. **Severin의 방사선학적 결과 평가 방법**

	Lateral center-edge angle		Hip deformity
	6-13yo	>= 14yo	
Ia	> 19°	> 25°	No deformity
Ib	15-19°	20-25°	
IIa	> 19°	> 25°	Moderate deformity of femoral head, femoral neck, or acetabulum
IIb	15-19°	20-25°	
III	< 15°	< 20°	Dysplasia without subluxation
IVa	>= 0°		Subluxation
IVb	< 0°		
V			Femoral head articulates with pseudoacetabulum in superior part of original acetabulum
VI			Redislocation

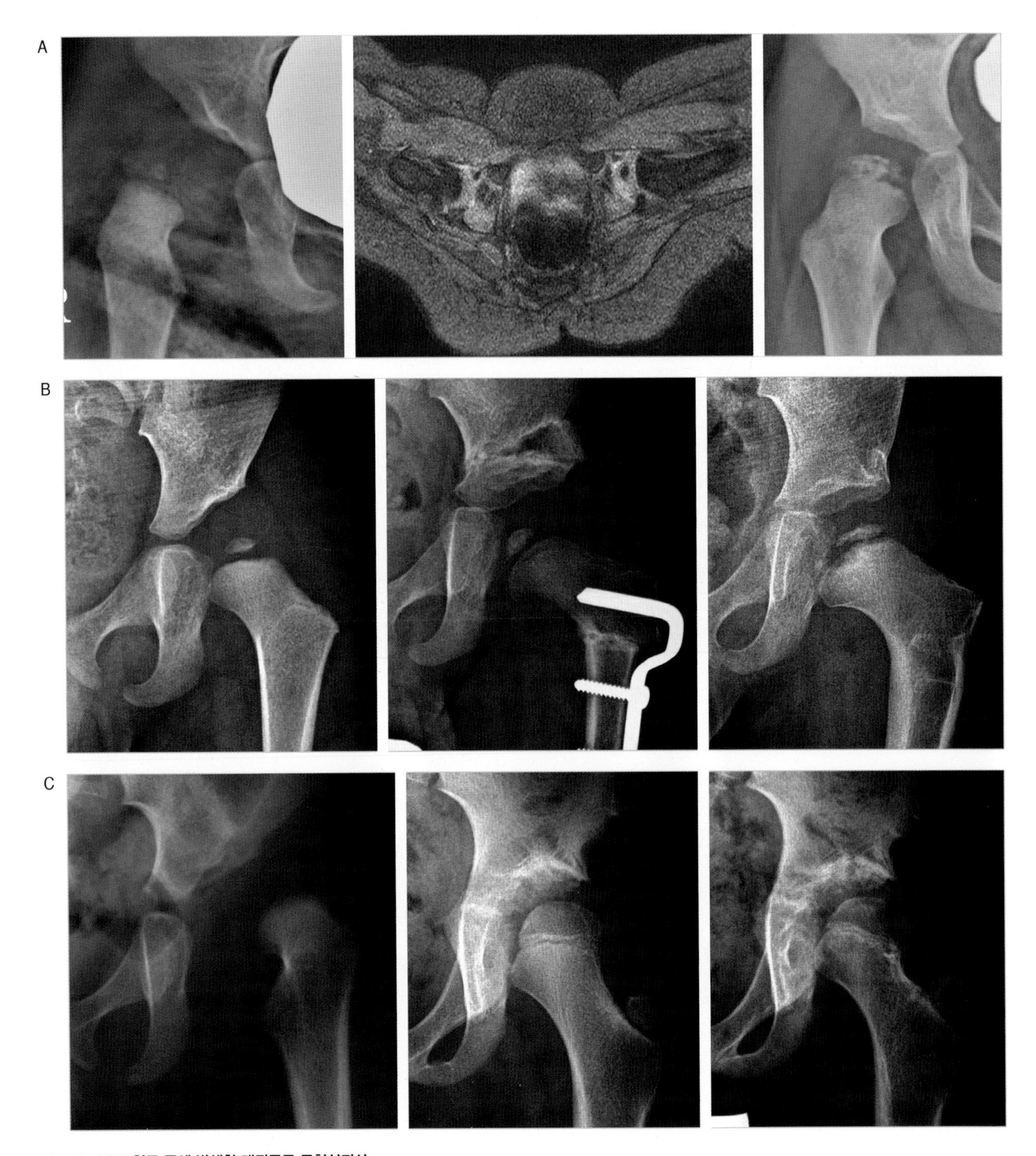

Fig 48. **DDH 치료 중에 발생한 대퇴골두 무혈성괴사.**
A: 8개월에 도수 정복하였으나 고관절을 너무 심하게 외전한 위치에서 석고 고정하였다. 정복 후 4개월에 대퇴골두의 분절화 소견이 관찰되었다. B: 6개월에 시행한 도수정복 후 잔존하는 아탈구에 대해서 3세에 근위 대퇴골 절골술과 Dega 절골술을 시행하였다. 절골술 2년 후 대퇴골두 함몰과 분절화 소견이 관찰된다. C: 16개월에 수술적 정복술을 시행하였다. 7세까지 특이 소견 없었으나 9세에 Kalamchi-MacEwen 제2형 무혈성 괴사가 발견되었다.

Table 5. **Salter의 무혈성 괴사 진단기준(1969)**

대퇴골두 전체 괴사
정복 후 1년 이상 골화중심의 출현 실패
정복 후 1년 이상 기존 골화중심의 성장 실패
정복 후 1년째 대퇴경부의 확대(broadening)
골화중심의 방사선 음영 증가와 이후의 분절화(fragmentation)
재골화(reossification) 종료 시점에 대퇴골두와 경부의 잔여 변형(residual deformity)

Table 6. **Gage와 Winter의 도수정복 후 무혈성 괴사 진단기준(1972)**

대퇴골두 부분 괴사
도수정복 후 2년 이상 경과한 시점에 잔여 변형(보통 대퇴골단 내측부에 경도의 편평화[flattening])
정복 후 1년 이내에 골단 특정 부위의 방사선 이상 소견. 때때로 해당 골단 부위의 분절화로 진행하지만, 정복 후 1년까지 골화의 실패로 나타나는 경우가 더 흔함.
방사선 검사 상 대퇴골두 잔여 부위의 생존 증거

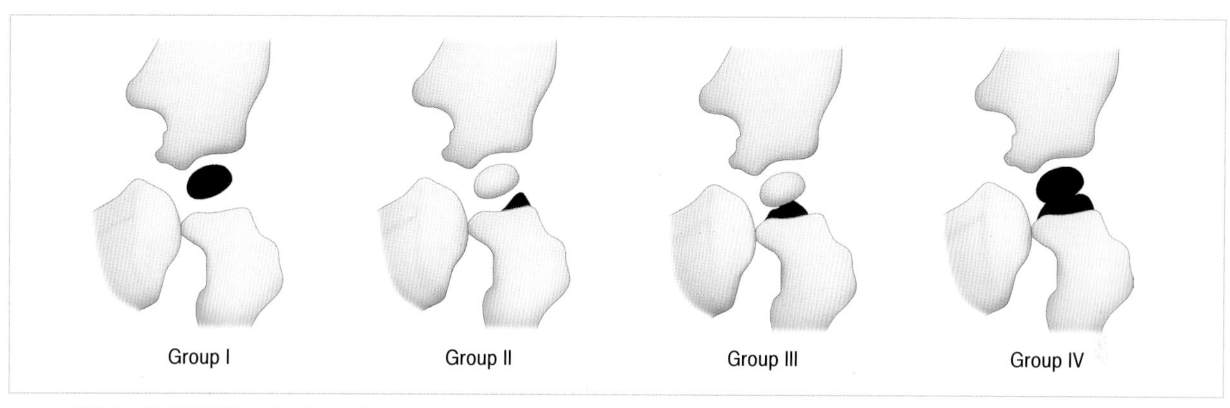

Fig 49. **발달성 고관절 이형성증 치료 후 속발한 무혈성 괴사에 대한 Kalamchi와 MacEwen의 분류.**

1) 무혈성 괴사의 분류

(1) Kalamchi와 MacEwen의 분류(1980)Fig 49

- Group I: 골화중심(ossification center)에 한정된 변화
- Group II: 골단판 외측 손상
- Group III: 골단판 중심부 손상
- Group IV: 골두와 골단판 전체의 손상

(2) Bucholz와 Ogden의 분류(1978)Fig 50

- 전체 골두 이환, 일시적(total head involvement, transient)
- 외측 허혈과 성장정지(lateral ischemia and growth arrest)
- 전체 허혈과 성장정지(total ischemia and growth arrest)
- 내측 허혈과 성장정지(medial ischemia and growth arrest)

2) 무혈성 괴사의 위험인자

- 고위 탈구인 례에서 과도한 힘을 가해서 도수 정복하고 석고붕대 고정하는 경우
- 외전 제한이 심한 례에서 내전근 건을 절단하지 않고 과도한 힘을 가해서 도수 정복하는 경우
- 과도한 외전 자세(Lorenz position)에서 석고붕대 또는 보조기로 고정한 경우
- 내측 도달법 등에서 대퇴내선동맥을 직접 손상한 경우
- 비구 입구가 좁아 대퇴골두가 깊숙히 비구내 정복되지 않았는데 도수 정복-석고붕대 고정을 시행한 경우

3) 무혈성 괴사가 DDH 치료에 미치는 영향

- 무혈성 괴사 이후에는 골두 과성장으로 대고변형(coxa magna)이 발생하며, 이로 인하여 동심성 정복을 유지하기 어렵고, 비구 이형성증도 잘 호전되지 않는다.

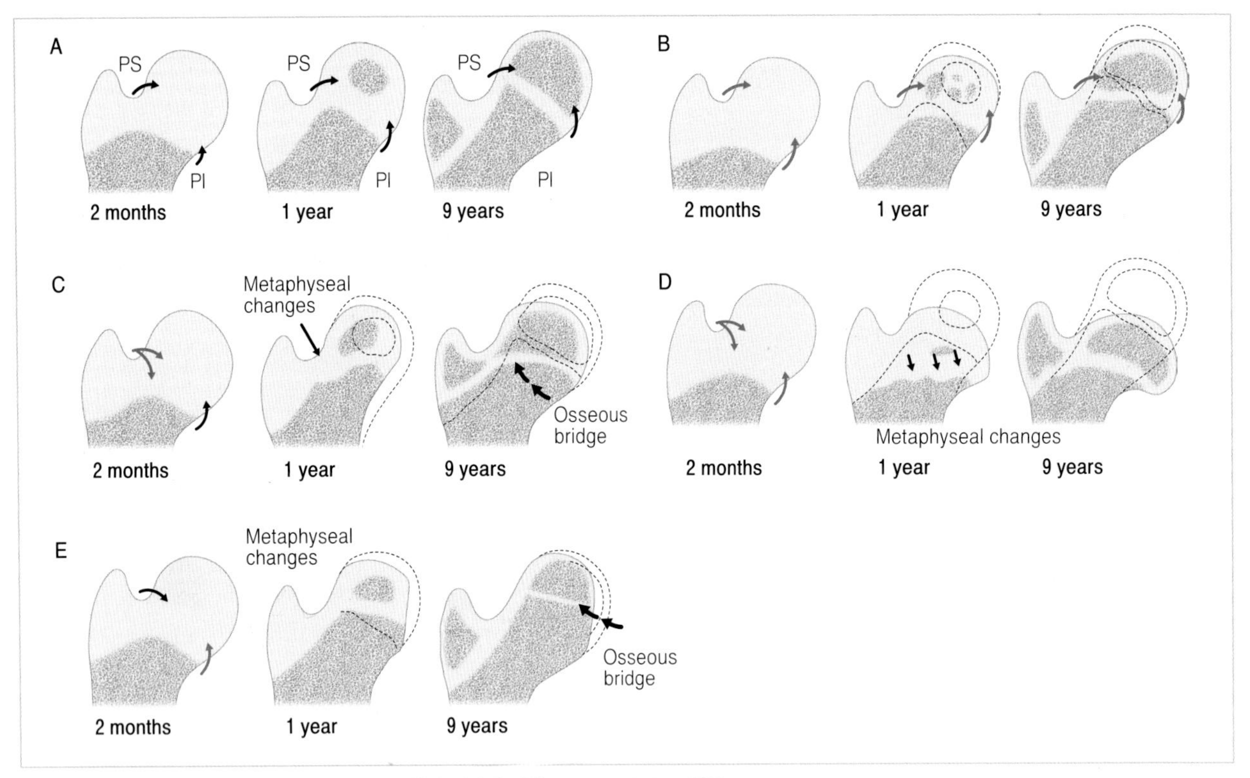

Fig 50. **발달성 고관절 이형성증 치료 후 속발한 무혈성 괴사에 대한 Bucholz-Ogden 분류.**
A: 정상. B: 일시적인 전체 골두 이환. C: 외측 허혈(ischemia)과 성장정지. D: 전체 허혈과 성장정지. E: 내측 허혈과 성장정지.
PS: 내측대퇴회선동맥(medial femoral circumflex artery)의 후상방분지. PI: 내측대퇴회선동맥의 후하방분지. 닫힌 화살표: 후상방 및 후하방 분지로부터의 정상 혈류. 열린 화살표: 일시적인 혈류 장애. 점선: 정상적인 근위 대퇴골 모습.

- 대퇴골두가 구형으로 재형성되지 못하고 란형(ovoid)이 되거나, 대퇴골두에 더 심한 변형이 남으면, 관절 부조화(joint incongruency)로 인한 관절운동 제한 및 조기 퇴행성 관절염이 발생하게 된다.
- 구형 대퇴골두를 얻더라도 골두하 골단판의 성장이 저하되면 단고변형(coxa breva), 대전자 상대적 과성장(greater trochanter overriding), 대퇴골두 외반변형(caput valgum), 하지길이부동 등이 발생하여 고관절의 정상적인 생역학적 관계가 파괴되며 하지단축으로 파행을 초래한다.
- Kalamchi-MacEwen group II 무혈성 괴사는 학동기에 발현하는 경우가 많으므로 지속적인 추시가 필요하며(Kim 2000), 대퇴골두 외반변형(caput valgum)으로 아탈구와 비구 이형성증을 초래할 수 있다(Oh 2009).

4) 치료

방사선 검사 상 무혈성 괴사에 합당한 소견이 관찰되지만 고관절 발달에 큰 영향이 없고 의미있는 생역학적 변화를 초래할 만한 변형이 없으면 경과 관찰하면서 고관절 발달 촉진에 유념한다.

(1) 대퇴골두가 분절기 또는 재골화기인 상태

- 환아의 연령, 대퇴골두의 피복 정도, 비구 이형성증의 정도 등을 고려하여 대퇴골두 유치(containment) 상태를 유지하여 구형의 대퇴골두로 재골화 되도록 유도한다.
- 어린 아동에서 방사선 검사 상 보이는 소견이며 Legg-Calve-Perthes 병와 같은 통증이나 관절운동범위의 제한은 없으나, 골반골 또는 대퇴골 절골술을 통해서 대퇴골두를 유치하고 비구 이형성증을 조속히 개선하는 것이 바람직하다.

(2) 성장장애에 의한 변형

- Kalamchi-MacEwen group II에 의한 대퇴골두 외반변형(caput valgum)이 발견되면 근위대퇴골 골단판 내측 골단판 유합술을 시행하여 변형의 진행을 차단하며(Shin 2017), 이미 변형이 심하면 골반골 또는 대퇴골 절골술로 교정한다(Oh 2005).
- 관상면 뿐 아니라 시상면과 수평면 상에서의 변형도 평가하여 치료 시 고려한다(Joo 2009).
- 유의한 하지길이부동을 초래할 수 있으며 건측 원위 대퇴골 골단판 유합술 또는 환측 대퇴골 연장술을 고려한다.

(3) 관절 부조화 및 연골면 손상

- 청소년기에 통증이 발생하면 Chiari 절골술 등으로 증상 호전을 도모하며 성인기가 되면 퇴행성 변화의 진행과 동통의 정도에 따라 인공 고관절 치환술의 시기를 결정한다.

2. 과성장에 의한 하지길이부동

- DDH에 대한 치료 후 추시 중 일부 환자에서 환측 하지의 과성장으로 인한 하지 부동이 발생한다. 수술적 정복술 및 대퇴골 절골술이 의미 있는 과성장의 유발 요인이다(Yoon 2020). 일부 환자에서는 경골의 과성장도 동반되어 특발성 편비대의 가능성도 있다.
- 환측 하지의 과성장으로 하지길이부동이 발생하면 골반경사(pelvic obliquity)가 생기게 되고, 환측 고관절은 비구 발달이 활발한 시기 동안 내전위를 취하기 때문에 비구 발달에 불리하게 작용한다. 이러한 상황에서 비구 이형성증이 잔존하는 경우를 "long leg dysplasia"라고 부른다Fig 51. 하지길이부동이 비구 이형성증의

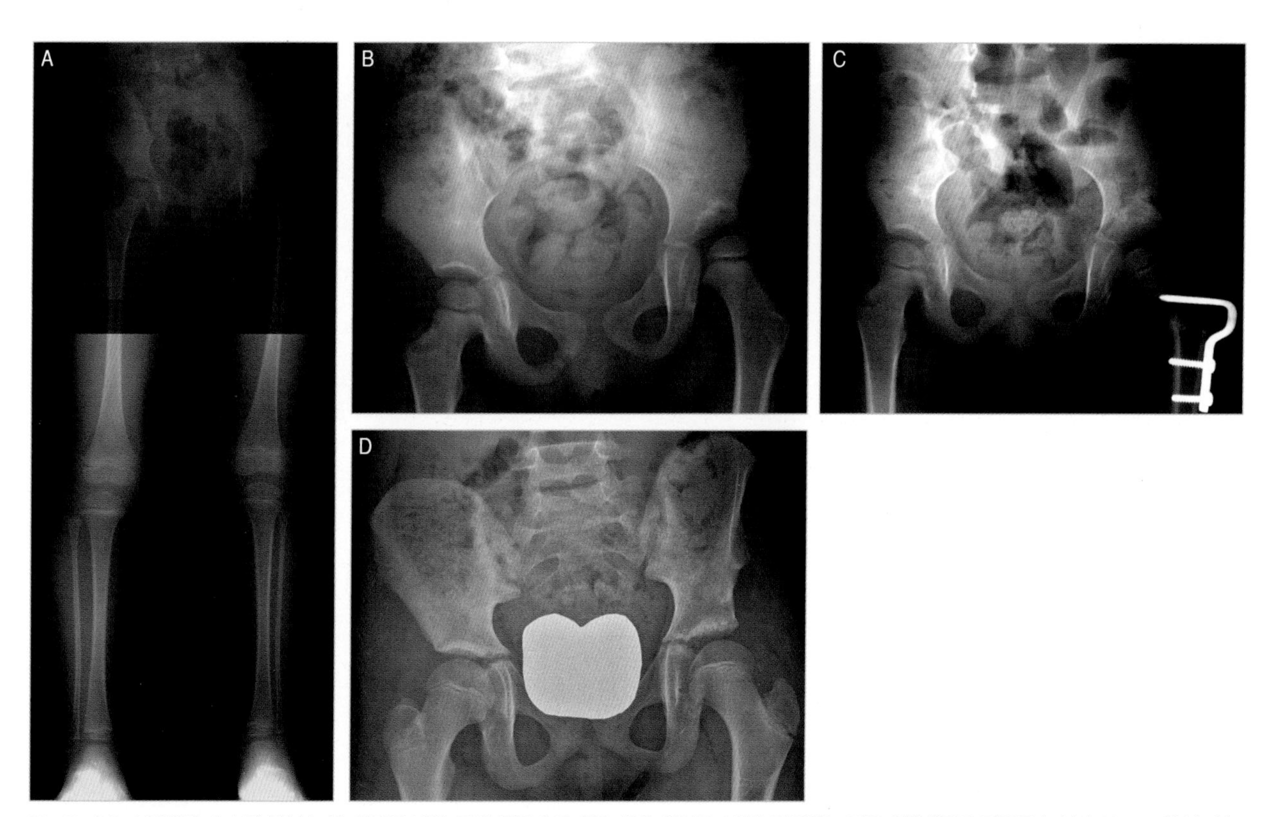

Fig 51. A,B: 14개월에 수술적 정복술 및 대퇴골 내반-감염 절골술로 치료 받은 여아로 3세에 잔존하는 비구 이형성증과 장골릉 높이가 20 mm 차이 나는 long leg dysplasia를 보인다. C: 대퇴골 단축술과 Dega 절골술을 시행하여 장골릉 높이는 환측이 5 mm 높고 대퇴골두 높이는 2 mm 더 낮아졌다. D: 11세 추시에서 비구는 발달은 양호하나 대퇴골두 높이는 11 mm, 장골릉 높이는 29 mm 환측이 더 높아졌다. 12세에 좌측 원위 대퇴골에 경골단판 나사못으로 골단판 유합술을 시행하였다.

유일한 원인인지는 확인할 수 없으나 적어도 일정 부분 기여할 것으로 추정된다. 따라서, 비구 이형성증에 대한 수술적 치료 시 대퇴골 단축술 등으로 하지길이부동에 대한 교정을 고려하여야 하며, 그 이전에는 건측에 높은 굽 신발(shoe lift) 등을 착용하여 골반경사를 해소하는 것이 필요하다.

- 비구 이형성증이 없는 경우에는 높은 굽 신발 등으로 조절하다가 사춘기에 골단판 유합술로 하지길이부동을 치료한다.

- **골반골 절골술 후 하지길이부동**
  - DDH에 대한 수술적 정복술 또는 대퇴골 절골술 후에 환측의 과성장으로 하지길이부동이 발생할 수 있다. 하지길이가 같아도 골반골 절골술은 대부분 개방쐐기 절골술이기 때문에 수술 측 골반의 높이가 커지게 되며 장골릉의 높이가 더 높아져서 척추만곡을 초래할 수 있다.
  - Kalamchi 등은 하지 연장을 방지하기 위하여 Salter 무명골 절골술을 폐쇄 쐐기형으로 시행하는 변법을 소개하였다(Kalamchi 1982). Pemberton과 Dega 절골술은 불완전 절골술이므로 이러한 폐쇄 쐐기형으로 시행할 수 없다.

참고문헌

이덕용, 황규엽, 심종섭. 선천성 고관절 탈구 치료 후 발생하는 대퇴골두 무혈성 괴사. 대한정형외과학회지. 1985;20:840.

Bache CE, Graham HK, Dickens DR, et al. Ligamentum teres tenodesis in medial approach open reduction for developmental dislocation of the hip. J Pediatr Orthop. 2008;28:607.

Bailey TE Jr, Hall JE. Chiari medial displacement osteotomy. J Pediatr Orthop. 1985;5:635.

Birke O, Mitchell PD, Onikul E, et al. The effect of hip position upon the location of the sciatic nerve: an MRI Study. J Pediatr Orthop. 2011;31:165.

Blockey NJ. Derotation osteotomy in the management of congenital dislocation of the hip. J Bone Joint Surg Br. 1984;66:485.

Buchnan JR, Greer RB 3rd, Cotler JM. Management strategy for prevention of avascular necrosis during treatment of congenital dislocation of the hip. J Bone Joint Surg Am 1981;63:140.

Bucholz RW, Ogden JA. Patterns of ischemic necrosis of the proximal femur in nonoperatively treated con-genital hip disease. In Proceedings of the Sixth Open Scientific Meeting of the Hip Society. St. Louis: Mosby; 1978.43.

Bulut O, Ozturk H, Tezeren G, et al. Arthroscopic-assisted surgical treatment for developmental dislocation of the hip. Arthroscopy. 2005;21:574.

Carlioz H, Khouri N, Hulin P. Ostéotomie triple juxta-cotyloïdienne. Rev Chir Orthop Reparatrice Appar Mot. 1982;68:497.

Chen IH, Kuo KN, Lubicky JP. Prognosticating factors in acetabular development following reduction of developmental dysplasia of the hip. J Pediatr Orthop. 1994;14:3.

Cheon JE, Kim JY, Choi YH, et al. MRI risk factors for development of avascular necrosis after closed reduction of developmental dysplasia of the hip: Predictive value of contrast-enhanced MRI. PLos One. 2021;16:e0248701.

Chiari K. Pelvic osteotomy for hip subluxation. J Bone Joint Surg Br. 1970;52:174.

Clarke NMP, Harcke HT, McHugh P, et al. Real-time ultrasound in the diagnosis of congenital dislocation and dysplasia of the hip. J Bone Joint Surg Br. 1985;67:406.

Cooperman DR, Wallensten R, Stulberg SD. Acetabular dysplasia in the adult. Clin Orthop Relat Res. 1983;175:79.

Eberhardt O, Fernandez FF, Wirth T. Arthroscopic reduction of the dislocated hip in infants. J Bone Joint Surg Br. 2012;94:842.

Eberhardt O, Wirth T, Fernandez FF. Arthroscopic anatomy of the dislocated hip in infants and obstacles preventing reduction. Arthroscopy. 2015;31:1052.

Fellander M. General discussion. In Prevention of congenital dislocation of the hip joint in Sweden. Efficiency of early diagnosis and treatment. Acta Orthop Scand. 1970;130:59.

Fergusson AB Jr. Primary open reduction of congenital dislocation of the hip using a median adductor approach. J Bone Joint Surg Am. 1973;55:671.

Forlin E, Choi IH, Guille JT, et al. Prognostic factors in congenital dislocation of the hip treated with closed reduction. The importance of arthrographic evaluation. J Bone Joint Surg Am. 1992;74:1140.

Gage J, Winter R. Avascular necrosis of the capital femoral epiphysis as a complication of closed reduction of congenital dislocation of the hip. A critical review of twenty years' experience at Gillette Children's Hospital. J Bone Joint Surg Am. 1972;54:373.

Graf R. The diagnosis of congenital hip joint dislocation by the ultrasonic compound treatment. Arch Orthop Trauma Surg. 1980;97:117.

Grill F, Bensahel H, Canadell J, et al. The Pavlik harness in the treatment of congenital dislocating hip: Report on a multicenter study of the European Paediatric Orthopaedic Society. J Pediatr Orthop. 1988;8:1.

Hamanish C, Tanaka S. Turned head-adducted hip-truncal curvature syndrome. Arch Dis Child. 1994;70:515.

Harcke HT, Clarke NM, Lee MS, et al. Examination of the infant hip with real-time ultrasonography. J Ultrasound Med. 1984;3:131.

Harris NH, Lloyd-Roberts GC, Gallien R. Acetabular development in congenital dislocation of the hip. J Bone Joint Surg Br. 1975;57:46.

Hedequist D, Kasser J, Emans J. Use of an abduction brace for developmental dysplasia of the hip after failure of Pavlik harness use. J Pediatr Orthop. 2003;23:175.

Hummer, MacEwen. Coexistence of torticollis and congenital dysplasia of the hip. J Bone Joint Surg Am. 1972;54:1255.

Hussell, JG, Rodriguez JA, Ganz R. Technical complications of the Bernese periacetabular osteotomy. Clin Orthop Relat Res. 1999;363:81.

Ilfeld FW, Westin GW, Making M. Missed or developmental dislocation of the hip. Clin Orthop Relat Res. 1986;203:276.

Joo SY, Oh CW, Grissom L, et al. Three-dimensional computerized tomographic analysis of the deformity of lateral growth disturbance of proximal femoral physis. J Pediatr Orthop. 2009;29:540.

Kahle WK, Anderson MB, Alpert J, et al. The value of preliminary traction in the treatment of congenital dislocation of the hip. J Bone Joint Surg Am. 1990;72:1043.

Kalamchi A, MacEwen GD. Avascular necrosis following treatment of congenital dislocation of the hip. J Bone Joint Surg Am. 1980;62:876.

Kalamchi A. Modified Salter osteotomy. J Bone Joint Surg Am. 1982;64:183.

Kaneko H, Kitoh H, Mishima K, et al. Long-term outcome of gradual reduction using overhead traction for developmental dysplasia of the hip over 6 months of age. J Pediatr Orthop. 2013;33:628.

Kasser JR, Bowen JR, MacEwen GD. Varus derotation osteotomy in the treatment of persistent dysplasia in congenital dislocation of the hip. J Bone Joint Surg Am. 1985;67:195.

Keret D, MacEwen GD. Growth disturbance of the proximal part of the femur after treatment for congenital dislocation of the hip. J Bone Joint Surg Am. 1991;73:410.

Kim HW, Morcuende JA, Dolan LA, et al. Acetabular development in developmental dysplasia of the hip complicated by lateral growth disturbance of the capital femoral epiphysis. J Bone Joint Surg Am. 2000;82:1692.

Klaue K, Durnin CW, Ganz R. Acetabular rim syndrome. A clinical presentation of dysplasia of the hip. J Bone Joint Surg Br. 1991;73:423.

Klisic PT. Congenital dislocation of the hip: A misleading term. J Bone Joint Surg Br. 1989;71:136.

Landa J, Benke M, Feldman DS. The limbus and the neolimbus in developmental dysplasia of the hip. Clin Orthop Relat Res. 2008;466:776.

Langenskiold A, Paavilainen T. The effect of prereduction traction on the results of closed reduction of developmental dislocation of the hip. J Pediatr Orthop. 2000;20:471.

Lloyd-Roberts GC, Pilcher MF. Structural idiopathic scoliosis in infancy: a study of the natural histoy of 100 patients. J Bone Joint Surg Br. 1965;47:520.

Ludloff K. The open reduction of the congenital hip dislocation by an anterior incision. Am J Orthop. 1913;10:438.

Mubarak S, Garfin S, Vance R, et al. Pitfalls in the use of the Pavlik harness for treatment of congenital dysplasia, subluxation, and dislocation of the hip. J Bone Joint Surg Am. 1981;63:1239.

Mubarak SJ, Bialik V. Pavlik: the man and his method. J Pediatr Orthop. 2003;23:342.

Murphy SB, Ganz R, Muller ME. The prognosis in untreated dysplasia of the hip. A study of radiographic factors that predict the outcome. J Bone Joint Surg Am. 1995;77:985.

Murphy SB, Millis MB. Periacetabular osteotomy without abductor dissection using direct anterior approach. Clin Orthop Relat Res. 1999;364:92.

Novais EN, Pan Z, Autruong PT, et al. Normal percentile reference curves and correlation of acetabular index and acetabular depth ratio in children. J Pediatr Orthop. 2018;38:163.

O'ara JN. Congenital dislocation of the hip: Acetabular deficiency in adolescence (absence of the lateral acetabular epiphysis) after limbectomy in infancy. J Pediatr Orthop. 1989;9:640.

Ogden JA, Moss HL. Pathologic anatomy of congenital hip dysplasia. In Progress in Orthopaedic Surgery. New York: Springer-Verlag; 1978.

Oh CW, Guille JT, Kumar SJ, et al. Operative treatment for type II avascular necrosis in developmental dysplasia of the hip. Clin Orthop Relat Res. 2005;(434):86.

Oh CW, Joo SY, Kumar SJ, et al. A radiological classification of lateral growth arrest of the proximal femoral physis after treatment for developmental dysplasia of the hip. J Pediatr Orthop. 2009;29:331.

Ortolani M. La lussazione congenital dislocation. Bologna: Cappelli; 1948.

Parvaresh KC, Pennock AT, Bomar JD, et al. Analysis of acetabular ossification from the triradiate cartilage and secondary centers. J Pediatr Orthop. 2018;38:e145.

Pavlik A. Die funktionelle Behandlungsmethode mittels Reimenbugel als Prinzip der konservativen Therpie bei angelborenen Huftgelenksverrenkungen der Sauglinge. Z Orthop. 1957;89:341.

Pemberton PA. Osteotomy of the ilium with rotation of the acetabular roof for congenital dislocation of the hip. J Bone Joint Surg Am. 1958;40:724.

Ponseti IV. Causes of failure of the treatment of congenital dislocation of the hip. J Bone Joint Surg Am. 1944;26:775.

Powell EN, Gerratana FJ, Gage JR. Open reduction for congenital hip dislocation: The risk of avascular necrosis with three different approaches. J Pediatr Orthop. 1986;6:127.

Quinn RH, Renshaw TS, DeLuca PA. Preliminary traction in the treatment of developmental dislocation of the hip. J Pediatr Orthop. 1994;14:636.

Race C, Herring JA. Congenital dislocation of the hip: An evaluation of closed reduction. J Pediatr Orthop. 1983;3:166.

Rampal V, Sabourin M, Erdeneshoo E, et al. Closed reduction with traction for developmental dysplasia of the hip in children aged between one and five years. J Bone Joint Surg Br. 2008;90:858.

Salenius P, Videman T. Growth disturbances of the proximal end of the femur. An experimental study with tetracycline. Acta Orthop Scand. 1970;41:199.

Salter RB, Kostuik S, Dallas S. Avascular necrosis of the femoral head as a complication of treatment for congenital dislocation of the hip in young children: A clinical and experimental investigation. Can J Surg. 1969;12:44.

Salter RB, Kostuik S, Schatzker J. Experimental dysplasia of the hip and its reversibility in newborn pigs. J Bone Joint Surg Am. 1963;45:178.

Salter RB. Innominate osteotomy in the treatment of congenital dislocation and subluxation of the hip. J Bone Joint Surg Br. 1961;43:518.

Shin CH, Hong WK, Lee DJ, et al. Percutaneous medial hemi-epiphysiodesis using a transphyseal screw for caput valgum associated with developmental dysplasia of the hip. BMC Musculoskelet Disord. 2017;18:451.

Shin CH, Yang E, Lim C, et al. Which acetabular landmarks are the most useful for measuring the acetabular index and center-edge angle in developmental dysplasia of the hip? A comparison of two methods. Clin Orthop Relat Res. 2020;478:2120.

Shin CH, Yoo WJ, Park MS, et al. Acetabular remodeling and role of osteotomy after closed reduction of developmental dysplasia of the hip. J Bone Joint Surg Am. 2016;98:952.

Staheli LT. Slotted acetabular augmentation. J Pediatr Orthop. 1981;1:321.

Steel HH. Triple osteotomy of the innominate bone. J Bone Joint Surg Am. 1973;55:343.

Sutherland DH. Double innominate osteotomy in congenital hip dislocation or dysplasia. In Tachdjian, MO(ed). Congenital dislocation ofthe hip. NewYork: Churchill-Livingstone; 1982. 595.

Suzuki S, Seto Y, Futami T, et al. Preliminary traction and the use of underthigh pillows to prevent avascular necrosis of the femoral head in Pavlik harness treatment of developmental dysplasia of the hip. J Orthop Sci. 2000;5:540.

Suzuki S. Reduction of CDH by the Pavlik harness. Spontaneous reduction observed by ultrasound. J Bone Joint Surg Br. 1994;76:460.

Terjesen T, Bredland T, Berg V. Ultrasound for hip assessment in the newborn. J Bone Joint Surg Br. 1989;71:767.

Thomas IH, Dunin AJ, Cole WG, et al. Avascular necrosis after open reduction for congenital dislocation of the hip: Analysis of causative factors and natural history. J Pediatr Orthop. 1989; 9:525.

Tiderius C, Jaramillo D, Connolly S, et al. Postclosed reduction perfusion magnetic resonance imaging as a predictor of avascular necrosis in developmental hip dysplasia: a preliminary report. J Pediatr Orthop. 2009;29:14.

Tönnis D. A modified acetabular roof osteotomy combined with intertrochanteric detorsionn-varus osteotomy. Proc 12th Cong Int Soc Orthop Surg Traumatol. Tel Aviv; 1972.

Tönnis D. Congenital hip dislocation: Avascular necrosis. New York: Thieme-Stratton; 1982.

Viere RG, Birch JG, Herring JA, et al. Use of the Pavlik harness in congenital dislocation of the hip: An analysis of failure of treatment. J Bone Joint Surg Am. 1990;72:238.

Wedge J, Wasylenko M. The natural history of congenital dislocation of the hip: a critical review. Clin Orthop Relat

Res. 1978;137:154.

Wedge JH, Wasylenko MJ, Houston CS. Minor anatomic abnormalities of the hip joint persisting from childhood and their possible relationship to idiopathic osteoarthrosis. Clin Orthop Relat Res. 1991;264:122.

Weinstein SL, Ponseti IV. Congenital dislocation of the hip. J Bone Joint Surg Am. 1979;61:119.

Weinstein SL. Traction in developmental dislocation of the hip. Is its use justified. Clin Orthop Relat Res. 1997;338:79.

Wenger DR, Mubarak SJ, Henderson PC, et al. Ligamentum teres maintenance and transfer as a stabilizer in open reduction for pediatric hip dislocation: surgical technique and early clinical results. J Child Orthop. 2008;2:177.

Wyne-Davis R. Acetabular dysplasia and familial joint laxity: Two aetiological factors in congenital dislocation of the hip. A review of 589 patients and their families. J Bone Joint Surg Br. 1970;52:704.

Yngve D, Gross R. Late diagnosis of hip dislocation in infants. J Pediatr Orthop. 1990;10:777.

Yoon C, Shin CH, Kim DO, et al. Overgrowth of the lower limb after treatment of developmental dysplasia of the hip: incidence and risk factors in 101 children with a mean follow-up of 15 years. Acta Orthop. 2020;91:197.

Zaghloul A and Mohamed EM. Hip Joint: Embryology, Anatomy and Biomechanics. Biomed J Sci & Tech Res. 2018;12:9304.

Zionts LE, MacEwen GD. Treatment of congenital dislocation of the hip in children between the ages of one and three years. J Bone Joint Surg Am. 1986;68:829.

Legg-Calvé-Perthes 병

Legg-Calvé-Perthes Disease

Chapter 18 Legg-Calvé-Perthes 병

Legg-Calvé-Perthes Disease

목차

Legg-Calvé-Perthes (LCP)병은 역사적으로 1910년에 미국의 Legg, 프랑스의 Calvé, 독일의 Perthes에 의해서 거의 동시에 기술되었다. 그보다 1년 전 스웨덴의 Waldenström이 방사선학적 소견을 보고한 바 있으나 그는 이 질환이 결핵성 관절염이라고 생각하였다. 세 명의 연구자들은 LCP병이 골관절 감염과는 다른 새로운 범주의 질병임을 밝히고 그 임상적, 방사선학적 특성을 기술하였다.

I. 정의

LCP병은 소아에서 원인을 알 수 없는 혈행 장애로 초래되는 미성숙 대퇴골두의 허혈성 골/연골 괴사(juvenile idiopathic ischemic necrosis of the femoral head)와 이후 속발되는 일련의 재생 과정을 특징으로 하는 질환이다. 비록 그 원인이 혈류의 차단이라고 추정되지만 아직까지 발생 기전이 상세히 밝혀진 것은 아니다. 이로 인해서 병인, 발병 기전, 분류, 치료, 자연 경과와 치료 결과 등 이 질병의 거의 모든 분야에서 이견이 있다.

II. 원인

다음과 같은 단편적인 소견들이 환자들에서 관찰되기 때문에 병인과 관련될 것으로 추정하고 있지만 명확한 원인으로 보기에는 부족한 점들이 있다. 현재로서는 골단의 관류를 담당하는 혈관들의 혈행 장애와 더불어 골두의 성장 이상이 함께 어우러져서 발생한다고 생각된다.

1. 성장 발달 장애설

사춘기 이전에 전신적인 성장과 발달의 이상을 보이면서 LCP병이 잘 발병하는 소인이 있다는 가설이다. LCP 환자의 수근골 골연령(bone age)은 보통 역연령(chronological age)보다 2-3년 뒤처져 있다. 5세 이전에 진단된 아이들은 보통 이후 4-5년간 골연령 진행 속도가 느린 반면, 8세 이후에 진단된 아이에서는 골연령 지연이 덜 하다고 알려져 있다. LCP병 환아에서 저 출산 체중(low birth weight), 짧은 신장, 골연령의 미숙, 혈중 IGF-1 감소(Kristmundsdottir 1986), 성장 호르몬/인슐린 비(ratio) 저하(Rayner 1986) 등 지연된 성장과 발달에 연관된 요인들이 보고되어 있다. 하지만 이들의 사춘기 시작은 정상이며, 12-15세가 되면 키, 골 연령 등이 정상 범위에 속하게 된다. 다시 말해서, 성장과 발달의 지연은 사춘기 이전에만 국한되며, 사춘기에 들어서면서 동료들의 키와 골 연령 등을 따라잡는 성장 양상을 보인다.

2. 혈행 장애(vascular insufficiency) – 동맥 혈류설

많은 경우에서 동맥조영술이나 레이저 doppler flowmetry 상 대퇴내선동맥(medial femoral circumflex artery)이 보이지 않거나 폐쇄된 소견을 나타낸다. 일부에서는 폐쇄동맥(obturator artery)이나 대퇴골두 외측골단동맥(lateral epiphyseal artery)의 혈행 장애가 보이기도 한다.

3. 골수내 압력 증가(intraosseous pressure) – 정맥 순환장애

대퇴골두와 경부의 정맥압이 증가하여 울혈로 대퇴골두 내의 순환이 잘 안되어 무혈성괴사가 초래된다는 가설이다. 일부 LCP 환자에서는 대퇴내선정맥(medial femoral circumflex vein)보다는 골간정맥(diaphyseal vein)을 통하여 혈류가 순환되는 소견이 관찰되기도 한다. 실제로 개에서 실리콘으로 대퇴 경부의 정맥을 색전(embolization)시키면 골수내 압력이 상승하고 대퇴골두 무혈성괴사가 유도됨을 보인 실험도 있다.

4. 유전적 요인

LCP병에서 유전적 원인이 있다는 보고가 있기는 하지만 매우 제한적인 환자에서만 그러한 것으로 생각된다. 한 보고에 따르면 이환된 환아의 1차 가족(first degree relative)은 일반인 보다 약 35배 높은 이환 확률을 가지고 있다. 제2차 및 3차 가족도 약 4배 높은 확률을 가진다. 그러나, 골이형성증 중에 제2형 교원질 병증, MATN3에 의한 다발성 골단 이형성증 환자의 일부는 고관절에만 병변이 뚜렷한 경우도 있고, 이들 환자에서 무혈성 괴사가 병발하는 경우도 있기 때문에 LCP로 의심되는 환자가 유전 경향을 보이는 경우에는 골이형성증 여부를 확인하는 것이 필요하다.

5. 환경적 요인

주로 영국에서 발표된 연구들이 환경적 원인을 주장하고 있다. 사회경제학적 신분이 낮은 군에서, 시골보다는 도시에서, 또 과거에 비해 LCP병 발생률이 점차 감소한다는 현상을 통해 추정하는 가설이다. 이러한 연구들은 부적절한 아동 관리, 영양 결핍, 혈중 망간 저하, 간접 흡연 등 영양학적 및 환경학적 요인들이 LCP병의 발생과 연관되어 있을 가능성을 시사하고 있다.

6. 외상

LCP병 환아의 1/3에서 주의력 결핍이 동반되었다는 보고(Loder 1993)와 활동성이 큰 아이들이 많이 이환된다는 보고들은 LCP병과 외상과의 연관성을 추정하게 한다. 성장기 아동에서는 대퇴골두의 주 혈류 공급원인 외측골단동맥이 대퇴골 경부의 좁은 통로를 지나가는 해부학적 특성이 있는데, 고관절 부위에 큰 외력이 가해지거나 가벼운 외상이 반복되는 경우 외측골단동맥 손상이 발생될 가능성이 있으리라 추정된다.

7. 혈액응고 이상(coagulation disorder)

한 연구에서는 44명 중 75%에서 혈액응고 이상을 발견하였다고 보고하였다. 가족성 단백 C 및 S 결핍증(Glueck 1996), factor V Leiden 돌연변이, 과응고성(thrombophilia, hypercoagulability), 섬유소용해과소증(hypofibrinolysis), lipoprotein의 증가로 인한 혈전성향(thrombophilia), 혈액점도설(hyperviscosity)(Kleinman 1981) 등이 보고되어 있다. 그러나 이러한 혈액학적 이상 소견이 관찰되지 않는다는 후속 연구들도 다수 있기에, 혈액응고 이상이 LCP 병인이라는 가설은 아직까지 논란이 많다. 앞으로 더욱 민감하고 특이한 검사법이 개발되어야만 정확한 결론을 내릴 수 있을 것이다.

8. 골두 과성장설(overgrowth)(Gershuni 1979)

충혈(hyperemia)이 골두를 과성장하게 하고, 골두가 약간 아탈구된 상태에서 비구연(lip of acetabulum)이 골두에 가하는 압력이 증가하여 압궤(crushing) 손상과 함께 무혈성 괴사에 이르게 한다는 가설이다.

9. 증가된 관절내 압력(intraarticular pressure)

활액막염이 관절내 압력을 증가시켜 대퇴골두로의 혈류 공급을 부분적으로 또는 완전히 차단할 것이라는 가설이다. 그러나, 일시적인 혈류 차단으로 골주사 상의 방사성동위원소 흡수 저하와 MRI 상의 신호 변화는 유발되지만 이러한 일시적 허혈 변화는 금방 정상화된다고 알려져 있다. 또한 발생 빈도가 매우 높은 일과성 활액막염 후 실제로 LCP병이 발생하는 비율이 매우 낮다. 따라서, 대다수의 학

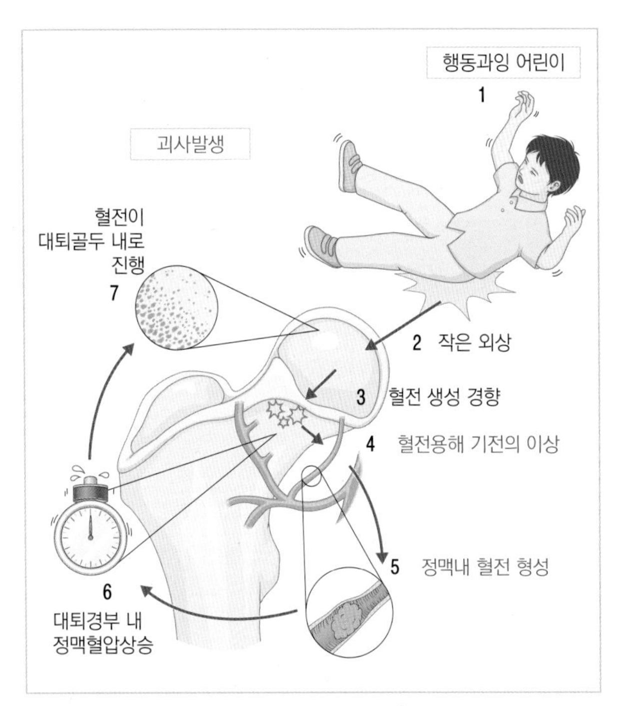

Fig 1. **LCP 병의 원인 가설(Herring의 통합 가설).**
아주 활동적인 아동이 넘어짐 → 대퇴경부 골간단 부위에 혈전형성 → 혈액응고 - 용해기전의 장애로 혈전이 정맥 혈행 방해 → 대퇴경부의 정맥압의 증가 → 혈전 형성이 대퇴골두까지 파급되면서 골두에 경색이 발생하면서 무혈성 괴사로 진행한다는 설이다.

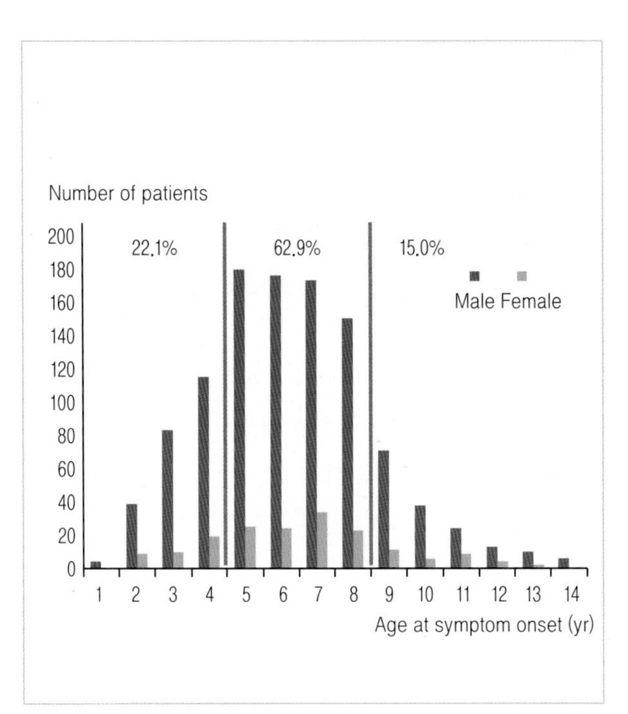

Fig 2. **LCP병 발병 연령의 분포.**
LCP병은 5세부터 9세 사이에 빈발한다. 남자에서의 발생 빈도가 여자보다 높지만, 연령별 분포는 남녀 간에 유의한 차이가 없었다(1985년 10월부터 2010년 12월까지 서울대학교병원 소아정형외과에서 치료받은 1,205명을 대상으로 함).

자들은 고관절 일과성 활액막염이 LCP병의 한 원인이 될 것이라는 주장은 설득력이 낮다고 생각한다.

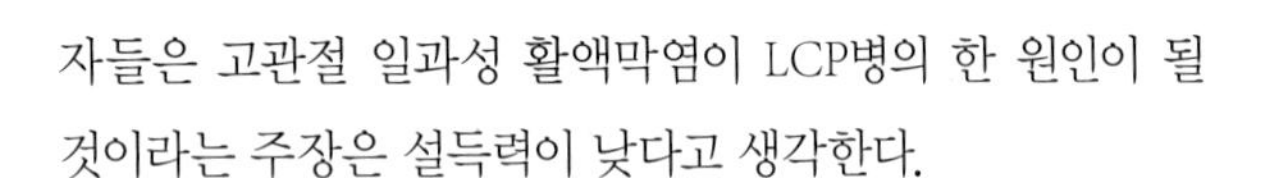

Herring의 통합 가설 Fig 1

Herring은 이상의 원인 가설들을 종합한 통합 가설을 주장하고 있다. 즉, 아주 활동적인 아동이 자주 넘어짐 → 대퇴경부 골간단 부위에 혈전 형성 → 혈액 응고-용해 기전의 장애로 혈전이 정맥 혈행 방해 → 대퇴경부의 정맥압의 증가 → 혈전 형성이 대퇴골두까지 파급되면서 골두에 경색이 발생하면서 무혈성 괴사로 진행한다는 설이다.

III. 역학

18개월부터 14세까지 발생 가능하지만 4세부터 8세에 제일 흔하다Fig 2. 남아가 여아보다 4-5배 이환되며, 양측성은 10-13%이다. 우리나라의 빈도는 10만 명당 3.8명으로 보고되었다(Rowe 2005). 미국의 보고에서는 15세 미만에서 백인은 인구 10만 명당 10.8명이고, 혼혈은 10만 명당 1.7명, 그리고 흑인은 10만 명당 0.45명이었다. 영국의 보고는 1980년대에 15세 이하에서 10만 명당 15.6명이었다가, 1990년대에 들어와서는 그 빈도가 낮아졌는데 사회경제적 요소 및 영향학적 개선 때문이라고 해석하였다.

IV. 질병의 경과

LCP병은 어떠한 이유로 인하여 대퇴골두에 경색이 발생하고 이로 인하여 대퇴골두가 부분 또는 전체적으로 함몰되었다가 연골 골단이 골화되어 골성 골두로 재골화되는 과정에서 정상 또는 변형된 대퇴골두가 형성되는 일련의 경과를 거친다.

1. Waldenström의 단계

질병의 경과를 단순 방사선검사 소견으로 분류하였으며 아직까지도 가장 표준적으로 사용되는 LCP병의 질병 경과 단계 분류 방법이다Table 1.

2. Joseph의 단계

Elizabethtown 분류를 변형하여 병기에 따른 방사선학적 분류를 보고하였다. Waldenström의 단계 분류에 비해서 좀 더 세분화되어 있어서 임상적으로 사용하기에는 복잡하지만 치료 결과나 예후에 대한 분석에는 더 유용할 수 있다Table 2.

3. 병리 소견

LCP병의 초기에는 활액막염이 동반되는데 1년 이상 지속된다. 염증성 삼출액에는 골 치유를 방해할 수 있는 염증성 싸이토카인의 하나인 Interleukin-6 수치가 높다고 알려져 있다. 경색(infarct)이 발생한 후 괴사된 부위의 골세포가 사멸하고 재관류(reperfusion) 및 신생골 형성 과정이 뒤따른다. 경색과 골세포 사멸이 두 차례 이상 반복되어 발생한다고 알려져 있는데, 한 차례 경색이 발생한 후 치유 중이던 혈관이 골두 붕괴 때문에 재손상되어 경색이 재발한다는 설과, 한 차례의 경색으로는 골 연골의 괴사가 초래되지 않고 두 번째 경색이 발생하여야 괴사가 발생하며 경색이 더 반복될수록 더 광범위한 골단이 이환된다는 설이 있다.

1) 무혈성기, 음영 증가기, 경화기(avascular stage, stage of sclerosis, stage of increased density)

- 관절 연골(articular cartilage): 비구 및 대퇴골두 연골의 비후(thickening)가 관찰된다. 연골 표층과 중간층은

Table 1. Waldenstrom의 병기에 따른 방사선 소견(Waldenstrom 1922)

병기	양상	방사선 소견
I	음영 증가기	대퇴골두가 작아지면서 전반적으로 음영이 증가한다. 연골하 골절이 관찰될 수 있고, 골간단에 음영 감소 부위가 나타난다.
II	분절화기	다양한 양상의 골 흡수 소견이 골단에 나타나면서 구획이 구분된다. 골두는 납작해지고 넓어질 수 있고, 골간단 변화는 가라 앉으면서 비구 형태가 변할 수 있다.
III	치유 또는 재골화기	대퇴골두에 신생골이 형성되면서 점차 재골화된다. 골단은 균질화되어간다.
IV	재형성기	대퇴골두는 완전히 골화되고, 골성숙이 될 때까지 대퇴골두와 비구는 재형성 과정을 거친다.

Table 2. Jospeh의 병기에 따른 분류(Joseph 2005)

Type (stage)	Definition
Ia (initial stage)	Sclerosis of the epiphysis without any loss of epiphyseal height.
Ib	Epiphysis is sclerotic and there is loss of height of the epiphysis.
IIa	Epiphysis has just begun to fragment; one or two vertical fissures in the epiphysis are seen in either AP and lateral view.
IIb	Fragmentation of the epiphysis is advanced, but there is no evidence of new bone formation lateral to the fragmented epiphysis.
IIIa	There is evidence of new bone formation at the periphery of the necrotic fragment; the new bone is not of normal texture and covers less than one-third the circumference of the epiphysis.
IIIb	New bone is of normal texture and covers more than one-third the circumference of the epiphysis.
IV	Healing is complete and there is no radiologically identifiable avascular bone.

변화가 없으나 괴사된 골과 면한 심층의 연골 세포들에서는 광범위한 세포 사멸이 관찰된다.

- 골성 골단(bony epiphysis): 괴사로 경화된 관절 연골과 망상골은 더 깨지기 쉽게 변하므로 골단 골화중심(ossification center)의 연골하 부위에 다양한 정도의 골소주 골절(subchondral trabecular fracture)이 발생한다. 이로 인해 골두가 붕괴되어 골단 높이가 낮아진다.
- 골단판(growth plate) 및 골간단(metaphysis): 정상 세포주의 조직학적 구조가 변형되고 1차 해면골에 석회화 연골기질이 과다해지며 골화되지 않은 세포들이 결국 골간단 낭포(cyst)를 형성한다. 골간단 부위의 혈행 역학(hemodynamics) 이상으로 단순 골낭종(simple bone cyst)과 같은 낭포가 발생할 수도 있다.

2) 분절 및 치유기(fragmentation and healing stage)

- 골성 골단: 괴사된 부위에의 재관류와 함께 골파괴세포 전구체(osteoclast precursors)의 동원, 분화 및 활성화 과정이 일어난다. 괴사된 골이 흡수된 다음에 신생골이 형성되는데, 흡수가 형성보다 빠른 속도로 일어나므로 방사선학적으로 골흡수 소견이 보이게 된다. 물리적으로 약해진 골두는 고관절 주위 근력과 체중부하로 붕괴될 위험이 있다고 보는 것이 타당한 추론이다. 하지만 어느 정도의 물리력이 가해져야 그러한 현상이 발생하는지는 아직 알려져 있지 않다. 괴사 부위의 회복은 골소주 구조(trabecular structure)의 유지 여부에 따라 다르게 일어난다. 골소주가 유지된 경우에는 포복 대치(creeping substitution)가 일어나지만, 골소주 골절 시에는 괴사부의 제거와 섬유성 연골에 의한 대치가 일어나 방사선학적 분절 양상이 나타난다.
- 연골성 골단: 동물 실험에서 대퇴골두의 심층 관절 연골 세포는 사멸하나 표층 및 중간층에있는 세포들은 잘 유지되며 이들 세포에서는 허혈에 반응하는 인자들(hypoxia inducible factor-1, VEGF, 기타 허혈 반응에 관여하는 단백질과 싸이토카이들)이 발견되는 것으로 보아 여기에서 허혈성 손상에 대한 치유 반응이 활발히 일어남을 추론할 수 있다. 치유 중인 대퇴골두는 지속적으로 과성장하여 비구 외측으로 돌출 또는 아탈구되며, 골단 외측의 비후된 연골은 석회화되고 골단 내측에서는 괴사되지 않은 골화중심이 성장한다. 정상적으로 고관절 중립위에서 비구연 바깥에 위치하게 되는 대퇴골두는, 비구내 활액막염에 의한 활액막 비후, 삼출액 증가, 원형인대 비후 및 비구 기저부 연골 비후 등으로 인한 아탈구와 함께, 비구연에 의해서 함몰되기 쉽고, 이로 인하여 골두 변형이 발생하게 된다. 심한 경우 경첩 외전(hinge abduction)이 유발되기도 한다.
- 골단판 및 골간단: 허혈성 괴사를 유발한 동물 실험에서 병변 부위에서 골단판의 정상 골주 구조(columnar structure)가 점차 해체되는 현상이 관찰되었다. 이로 인하여 대퇴 경부 전방부와 후방부는 서로 다른 속도로 성장하게 되어 대퇴 경부에 대한 대퇴골두의 경사 변형(tilt deformity)이 발생한다.
- 비구: 골두 비후 및 외측 돌출로 인하여 비구 외측연이 이차적으로 과도한 압박력을 받게 되어 비구 연골의 골화가 지연되는 성장 장애가 초래되면, 그 결과로 이차적인 비구 이형성(secondary acetabular dysplasia)을 초래할 수 있다. 비구 연골이 비후되는 반면, 원래 연골이 덮여 있지 않은 비구저 중앙부분은 상대적으로 깊숙해져 보이면서 전후방 방사선 검사에서 비구의 이중구획화(bicompartmentalization)Fig 3의 소견이 나타날 수 있다(Cho 2005).

4. 대퇴골두 변형 기전

생물학적 요인과 기계적 요인이 함께 작용하여 변형을 만든다.

- 대퇴골두 일부분의 경색은 인접한 기저층 연골(basal cartilage)도 사멸시킨다.
- 경색으로 사멸된 골 조직이 재관류 되면서 괴사된 골조직이 제거되면서 골소주의 지지력이 상실되어 대퇴골두 함몰(collapse)이 발생한다.
- 사멸된 기층 연골보다 바깥 부분의 연골 골단은 생존하여 있으며 연골내골화 과정에 의한 성장이 지속된다.
- 사멸된 기저층 연골은 나중에 성장을 회복하거나 회복

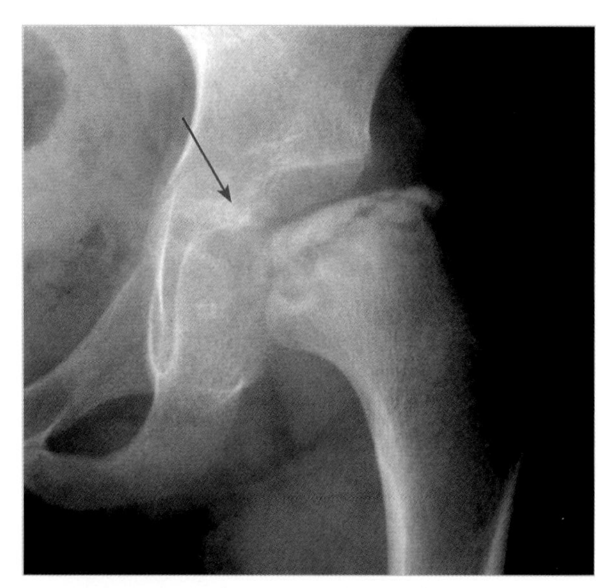

Fig 3. **비구의 이중구획화(bicompartmentalization).**
비구와(acetabular fossa)는 깊어지고 동시에 초생달 모양의 비구 관절 연골면은 바깥으로 자라 나오면서 비구가 마치 화살표를 중심으로 상하로 이중구획화된 것처럼 나타나는 현상이다. 대퇴골두가 커지고 함몰되면서 비구 밖으로 대퇴 골단의 일부가 돌출될 때 잘 나타난다.

되지 못하면 흡수 분해된다.

- 허혈성 변화가 골단에 국한되지 않고 좀 더 광범위하게 발생하여 골단판에까지 미치면 대퇴 경부의 길이 성장도 제한된다. 이에 비해서 대전자부의 골단판은 대개 이환되지 않을 뿐 아니라 이곳의 성장은 부가성장(appositional growth)이 기여하는 부분도 크기 때문에 정상적으로 성장한다. 이로 인해 대전자부의 상대적 과성장(greater trochanteric overriding)이 발생할 수 있다.
- 대퇴골두의 생물학적 가소성(biological plasticity)과 골단판에서의 잔여 성장이 골두 모양의 재형성을 결정한다. 관상면에서 골두 변형이 심한 경우라도 시상면 상에서는 비교적 주화(molding)가 잘 일어나는데 이는 기능적 관절운동이 시상면에서 많이 일어나기 때문이라 추론할 수 있다(Cho 2002).

V. 임상 양상과 영상 검사 소견

1. 증상과 신체검사 소견

가장 흔한 초기 증상은 대개 심하지 않은 고관절부 통증을 동반하는 파행(limp)이다. 키는 또래보다 작고, 매우 마른 활동적인 아이에서 운동 후 잘 발생한다.

1) 통증

- 서혜부나 내전근 부위뿐 아니라 대퇴 전방부나 슬관절부에 연관통(referred pain)을 호소할 수 있다. 따라서 LCP병 호발 연령에서 슬관절 통증을 호소할 때에는 반드시 고관절에 대한 신체검사와 단순 방사선검사를 시행하는 것이 바람직하다.
- 통증은 활동을 많이 하면 심해지지만, 질병 자체의 이환 정도나 단계와는 상관관계가 크지 않다.
- 흔히 통증이 외상에 의하여 유발되기 시작하였다고 진술한다.
- 초기 경과 중 연골하 골절(subchondral fracture)이 발생할 때 고관절 통증 악화가 초래된다.
- 재골화기(reossification stage) 이후에 발생하는 통증은 경첩 외전(hinge abduction)과 관련된 비구순 손상(labral damage)이나 박리성 골연골염(osteochondritis dissecans), 관절연골 퇴행성 변화 및 외전 근력 약화 등과 관련되는 경우가 많다.

2) 파행

- 초기에는 주로 진통 보행(antalgic gait)이 나타난다. 후기에는 단하지 보행(short limb gait) 및 Trendelenburg 보행이 혼합되어서 나타나기도 한다.
- 활액막염이 심해서 고관절운동 제한이 심한 경우에는 고관절 구축 보행(stiff hip gait)을 보일 수도 있다.
- 통증이 심해서 보행이 불가능한 경우는 없다.

3) 고관절운동 범위

- 병의 초기에 고관절운동 제한이 관찰되는데, 특히 외전(abduction)과 내회전(internal rotation) 제한이 뚜렷하다. 외전이 제한되는 것은 활액막염에 의한 내전근

의 연축(spasm)때문이다.
- 활액막염이 심하면 고관절 굴곡이 제한될 수 있고, 외전 변형을 보이면서 내전이 제한되는 경우도 있다. 특히 병 초기부터 외전 보조기나 석고붕대 고정을 한 경우에 이환된 고관절의 외전 변형이 자주 관찰된다.
- 수개월간 증상이 지속된 후에는 대퇴부와 둔부의 근육이 위축될 수 있다.
- 병의 후기에 골두 변형 및 대퇴비구 충돌(femoroacetabular impingement)이 발생하면 운동 제한, 특히 굴곡 및 외전 제한이 발생할 수 있다.

2. 단순 방사선검사 소견

단순 방사선검사 소견은 질병 경과에 따라서 다양한 양상으로 나타난다Table 1, 2.

3. 기타 영상 검사 소견

1) 자기 공명 영상(MRI)

연골과 연부 조직에 대한 상세한 해부병리적 소견을 얻을 수 있다. 즉, 연골면의 원형도, 골두의 유치(containment), 관절삼출액(effusion), 관절막 비후 등의 관찰에 유용하며, 괴사된 골수와 살아 있는 골수의 감별이 가능하다. 골두의 침범 정도는 병이 시작된 첫 3-8개월 동안 MRI에서 잘 나타난다. 임상적 유용성은 아직 확립되어 있지 않으나 방사선학적 head-at-risk 징후를 보다 조기에 정확히 판정할 수 있다. 골단판 및 관절 연골 상태 파악에 유용하여 예후를 예측하는데 도움이 될 수 있다(de Sanctis 2000). 특히 대퇴골두 함몰이 일어나기 전 병 초기 단계에서 시행하는 조영증강(contrast-enhanced) 및 확산(diffusion) 영상들은 병의 경과 과정과 예후를 예측하는데 도움이 된다(Yoo 2011)Fig 4.

2) 골주사 검사(bone scintigraphy)

단순 방사선검사에서 나타나지 않는 병 초기에, technetium-99m 골주사 검사는 무혈성 괴사 발생 여부를 확인하는데 도움이 된다Fig 5. 그러나 방사성 동위원소 주사라는 부담과 MRI 대체 검사가 있음을 감안하면 임상적인 의미는 거의 없다. 일단의 학자는 주기적인 골주사로 예후와 병의 진행 과정을 판단하는 데 도움이 된다고 주장하나(Conway 1993), 이 역시 조영증강 MRI로 비슷하거나 더 나은 정보를 얻을 수 있기에 그 가치가 불확실하다.

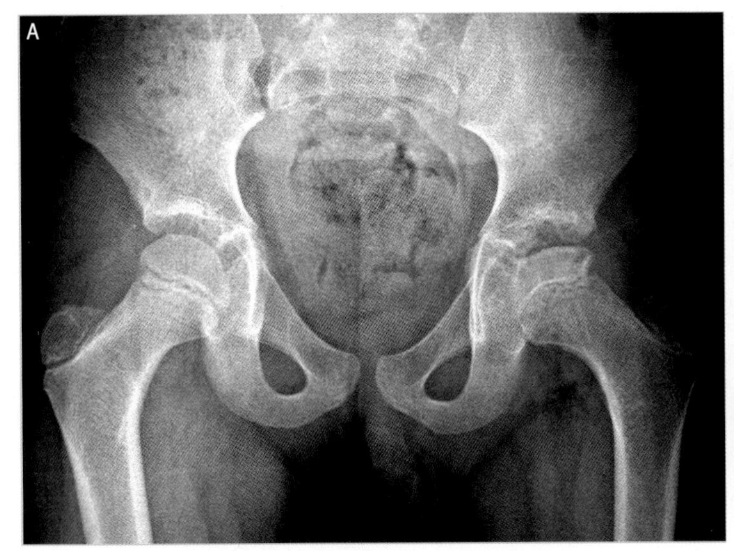

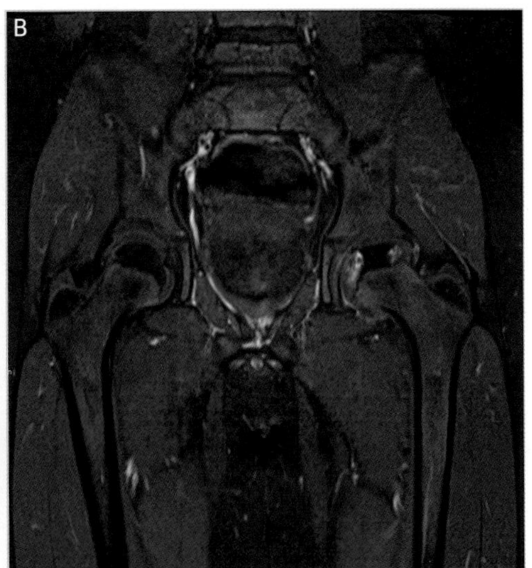

Fig 4. **LCP병 초기 분절기(early fragmentation stage)의 영상검사 소견.**
A: 단순 방사선 사진. B: 조영 증강 MRI. 환측인 좌측 고관절은 정상측인 우측에 비하여 대퇴골두 골단 중앙 부위의 신호 강도 저하와 함께 골두의 외측과 내측에 재관류(reperfusion)에 의한 조영 증강 소견이 뚜렷하다.

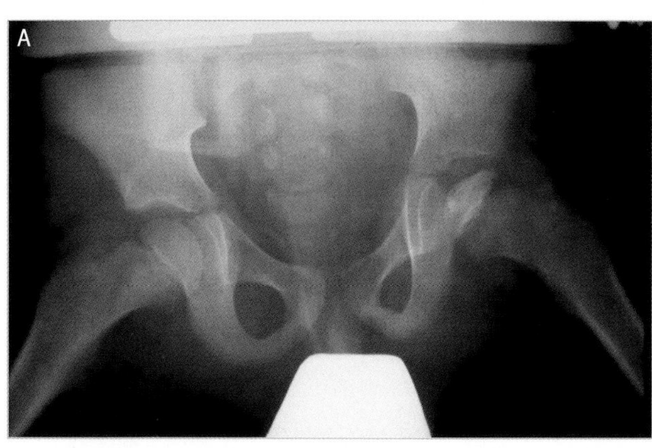

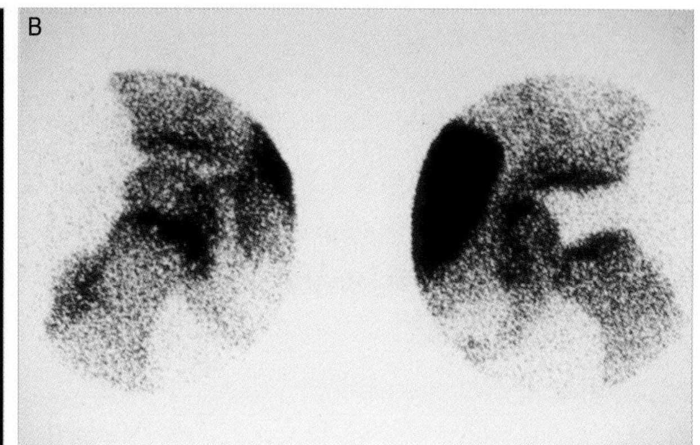

Fig 5. **골주사(bone scan).**
좌측 대퇴골두는 Joseph 병기 Ib로 단순 방사선 사진에서는 골두의 높이가 낮아져 있고 음영은 경화상을 보이며, 골주사 검사에서는 음영 소실(photopenia)이 뚜렷하다.

3) 관절조영술(arthrography)

보통 수술 전 전신 마취 하에 투시진단법(fluoroscopy)으로 촬영하기 때문에 동적 영상을 얻을 수 있다. 고관절 동적 영상은 소위 "4C"라고 불리는 대퇴골두의 비구내 유치(containment), 연골관절의 조화(congruency), 비구내 골두의 피복(coverage) 정도 및 연골 두께(cartilage thickness) 평가를 도와주므로 절골술의 종류와 절골 각도를 정하는 데 큰 도움이 된다. 특히, 경첩외전(hinge abduction)이 발생한 경우에는 수술 후에 하지의 중립위에서 최상의 고관절 조화를 얻어야 하기에 관절조영술은 근위 대퇴골 절골술 시 외전뿐만 아니라 굴곡/신전 및 내회전/외회전 정도를 결정하는데 유용하다.

4) 초음파(ultrasonography)

초기에는 관절내 염증성 삼출액 여부를 평가할 수 있고, 후기에는 골두의 모양을 분석하는데 적용할 수도 있으나 가치는 크지 않다.

5) CT

후기에 대퇴 골두 변형과 고관절 부조화로 인한 대퇴비구 충돌증후군(femoroacetabular impingement)이 발생할 경우에 골두 변형을 3D-CT를 통해 삼차원적으로 평가하여 골연골성형술(osteochondroplasty)의 위치와 범위를 정하고, 근위 대퇴골 절골술 계획을 세우는데 도움이 된다.

4. 감별 진단

1) 골단 이형성증(epiphyseal dysplasia)

- 여러 형태의 척추골단이형성증(spondyloepiphyseal dysplasia), 다발성골단이형성증(multiple epiphyseal dysplasia), Morquio 증후군, Meyer's dysplasia 등이 대표적이다.
- 양측성으로 이환되는 경향이 있고, 키가 작으며, 척추, 슬관절, 족근관절, 수부 등에서 골격 변화가 관찰될 수 있고, 가족력이 있을 수 있다.
- LCP병과 달리 단순 방사선검사 추시에서 괴사, 골 흡수 및 재형성에 따른 순차적인 변화가 나타나지 않는다.
- 일부에서는 실제로 무혈성 괴사가 병발하여 그에 합당한 순차적 단순 방사선 소견의 변화를 보이기도 한다.

2) 다른 원인들

외상 후 혹은 감염 후 혹은 발달성 고관절 탈구 치료 합병증으로 인한 대퇴골두 무혈성 괴사, trichorhinophalangeal 증후군, 겸상 적혈구증(sickle cell anemia), thalassemia, 림프종(lymphoma), Gaucher 병, 갑상선 기능저하증, 스테로이드 유발성 대퇴골두 무혈성괴사 등과 구별해야 한다.

VI. 예후와 관련된 방사선학적 분류

단순 영상 검사로 평가한 이환 범위 또는 대퇴골두 함몰 정도에 따른 분류는 치료 방침의 결정과 예후 판정에 중요하다. Catterall, Salter-Thompson, 그리고 Herring의 분류 방법이 소개되어 널리 사용되어 왔다.

1. Catterall 분류(Catterall 1971)

- 분절기에 촬영한 전후방 및 측방 단순 방사선검사에서 이환된 범위를 평가한다Fig 6, Table 3.
- 분절 및 함몰기에 이르러야 적용 가능하며 질병 경과 초기에는 어느 부분이 분절화 하게 될지 불분명하기 때문에 범위가 저평가될 수 있다. 분절기에 분류하면 단지 6%만 분류가 바뀌지만, 병 초기에 적용시키면 40% 정도가 분류가 바뀐다(Van Dam 1981).
- LCP병의 치료 목적이 골두 변형을 방지하는 것인데, 이미 분절 및 함몰되어 변형된 상태에서 분류를 하므로, 치료 가이드라인으로서의 역할에는 한계가 있다.
- 이러한 문제점이 있지만 가장 먼저 소개되고 사용되어 왔기 때문에 아직도 널리 사용되는 분류이다.

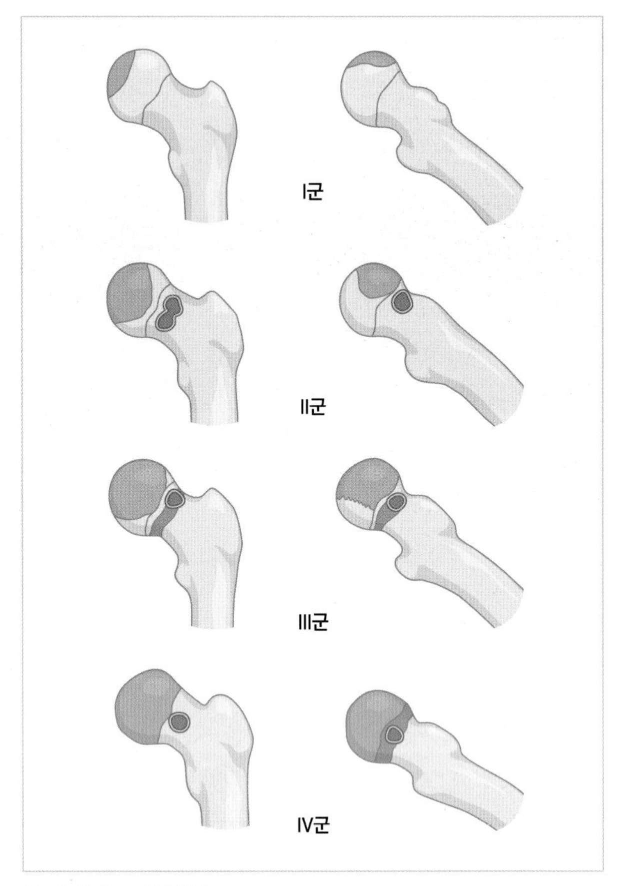

Fig 6. **Catterall의 분류.**
I군: 골단의 전방부에만 이환되었고, 골두 함몰, 부골(sequestrum), 골간단 반응은 없다. II군: 이환된 부분이 골단의 전방 1/2에 국한되어 있고 골두가 함몰되어 부골을 형성하며, 전외측 골간단 반응만 있다. III군: 이완된 부분이 1/2 이상이며 골단의 일부분만을 제외하고는 전부 이환하고, 골간단의 미만성 반응이 관찰된다. IV군: 골두 골단 전체에 이환되어 있다.

2. Salter와 Thompson의 분류(Salter 1984)

- 초기 골경화기에 나타나는 연골하 골절(subchondral fracture, crescent sign)Fig 7의 범위가 골두의 50%보다 작은지 큰지에 따라 각각 A, B로 나눈다. 연골하 골절은 고관절을 45도 굴곡하고 외전, 외회전한 개구리 다리(frog-leg lateral) 자세에서 가장 잘 보인다.
- A군에서는 대퇴골두 변형과 아탈구가 거의 없으나 B군에서는 흔히 발생할 수 있다.
- Catterall 분류 I과 II가 A, III과 IV가 B에 해당된다.
- 연골하 골절이 발생하지 않은 경우, 분절기 이후에 검사한 경우, 또는 추시 중 관찰하지 못하고 지나친 경우에는 이 방법으로 분류할 수 없다는 단점이 있다.

Table 3. **Catterall 분류에 따른 골단(epiphysis) 소견**

Catterall group	I	II	III	IV
Sclerosis	Absent	Present	Present	Present
Subchondral fracture line	Absent	Anterior half	Posterior half	Complete
Junction involved	Clear	Clear, often "V"	Sclerotic	Absent
Viable bone at growth	Anterior margin	Anterior half	Posterior half	None
Triangular appearance to medial/lateral aspects	Absent	Absent	Occasional	Present

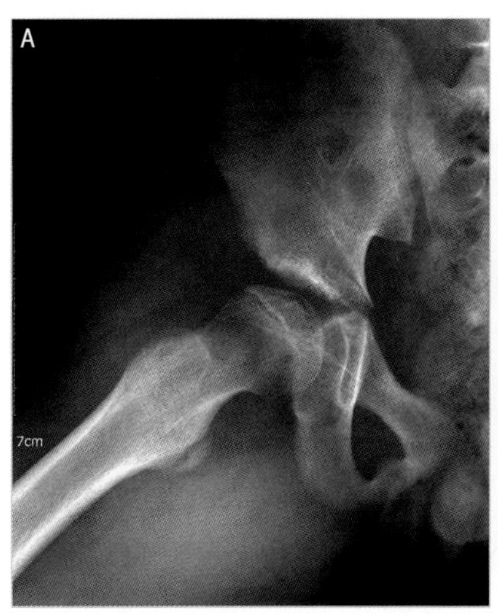

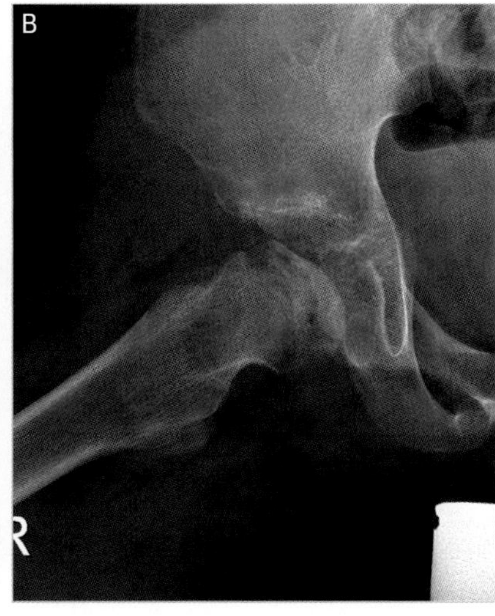

Fig 7. **연골하 골절(subchondral fracture) 소견 (crescent sign).**
A: Joseph 병기 Ib. 골두 전면 1/2 부위까지 골절선이 관찰되나 최전방 부위를 제외하고는 구형의 골두 모양이 비교적 잘 유지되어 있다. B: Joseph 병기 IIb. 연골하 골절이 있었던 부위가 함몰되어 골두의 변형이 명확해 졌고 괴사 부위의 분절화가 관찰된다.

3. Herring의 외측주(lateral pillar) 분류(Herring 1992 & 2004)

- 분절기에 촬영한 고관절 전후방 방사선 검사에서 골두를 내측주(골두 횡폭의 20-35%), 중간주(약 50%) 및 외측주(15-30%)로 나눈 후, 외측주 높이가 감소한 정도를 기준으로 나눈다.
- 외측주 높이가 정상측 같이 유지되어 있으면 A군, 정상측의 50% 이상 남아있으면 B군, 정상측의 50% 미만으로 함몰되어 있으면 C군으로 구분한다Fig 8, Table 4.
- 2004년 B군과 C군의 경계에 있는 B/C 경계군이 추가되었다Fig 8, Table 4.
- 전후방 단순 방사선검사로만 판정하기 때문에 대퇴골두의 전후방 부위의 함몰 여부는 고려되지 않는다는 단점이 있다.
- 외측주 분류법도 Catterall 분류법과 마찬가지로 최대 분절기가 되기 전에는 정확하게 분류할 수 없으며, 분절기 기간 동안에도 분류가 변할 수 있다는 문제점을 내포한다. 보통 최고 분절기에 이르기 전에는 더 경한 군으로 분류되는 경향이 있다(Park 2012).
- 다른 분류에 비해서 치료 방침을 결정하고 예후를 예측하는 데에 비교적 유용한 분류 방법으로 인정되고 있지만, 최대 분절기가 되어서야 정확한 분류가 가능한 외측주 분류법은 그 유용성이 제한적이다. 이런 측면에서 대퇴골두 변형이 일어나기 이전, 즉 병 초기 단계에서 시행하는 조영 증강(contrast-enhanced) 및 확산(diffusion) MR 영상들은 치료 방침을 정하고 예후를 예측하는데 있어서 훨씬 더 중요한 역할을 한다(Yoo 2016).

VII. 치료 원칙 및 치료 방법의 선택

1. 치료의 대상과 시기

1) 어떤 환자를 치료할 것인가?

단순히 경과를 관찰하였을 때보다 치료를 하였을 때 골두의 변형을 막거나 최소화할 수 있는 이득이 있는 환자가 치료의 대상이 될 것이다. 즉, 자연 경과 상 나쁜 예후와 관련된 임상적, 방사선학적 예후 인자를 보이는 경우 치료의 대상이 된다. 임상적으로는 LCP병의 이환 나이가 가장 중요한 요소이고, 방사선학적으로 가장 중요하고 유의한 위험 요인은 아탈구(subluxation)라는 데에는 이견이 없다. 4세 이전의 환자 중에 단순방사선 사진에서 골단의 경한 변화가 있으나 증상이 없고 전형적인 LCP병의 진행 단계를 거치지 않는 경우는 Meyer 이형성증인 경우가 있다. 이것이 LCP병의 경한 형태인지에 대해서는 이견이 있지만 골두

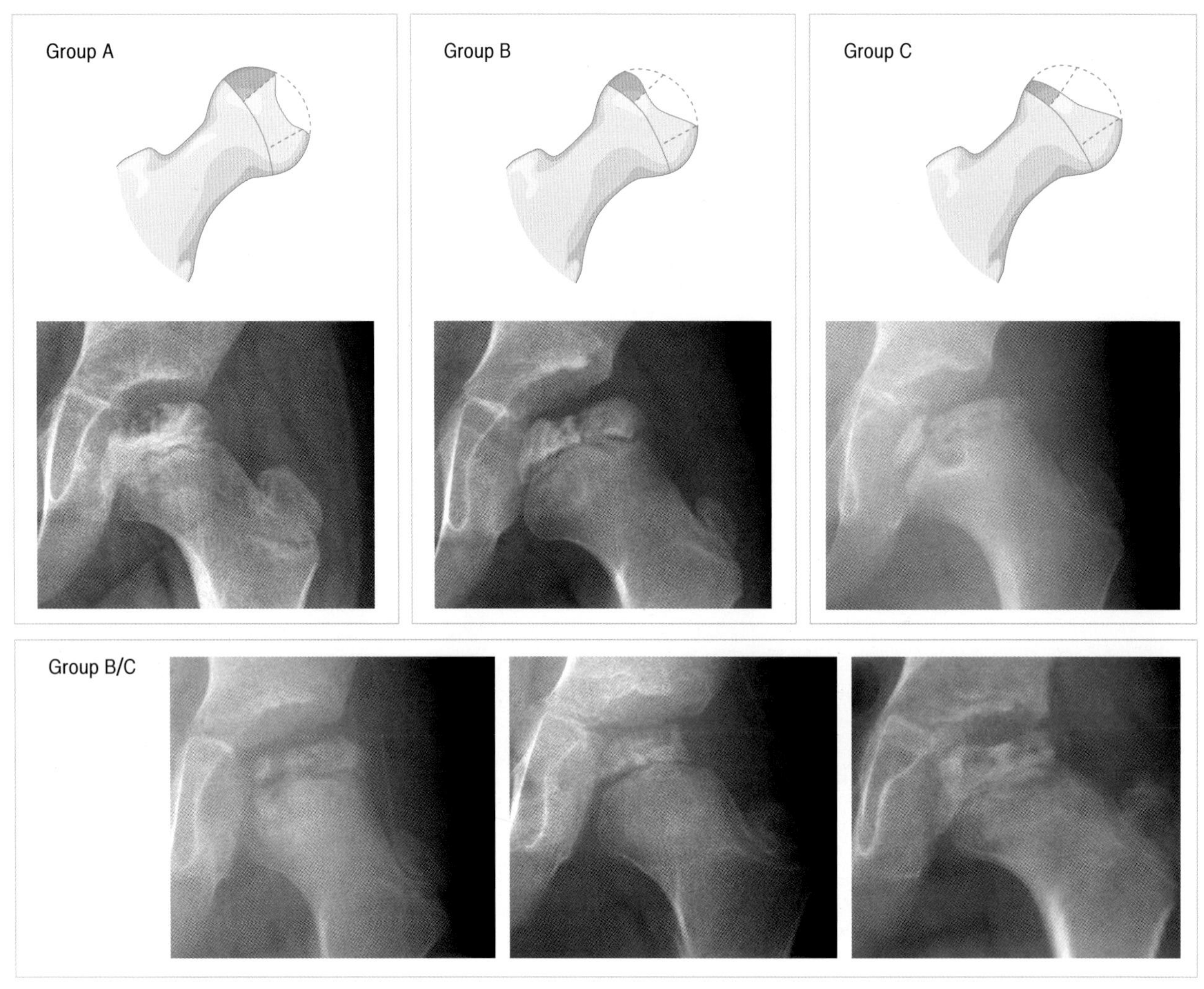

Fig 8. **Herring의 외측주 분류.**
분절기에 고관절 전후방사진에 근거하여 골두를 내측(골두 횡폭의 20-35%), 중간(약 50%) 및 외측(15-30%)으로 나누어 외측 골두 높이의 침범 정도를 기준하여 네 군으로 나눈다(Table 4 참조).

Table 4. **Herring의 외측주(Lateral Pillar) 분류**

Group A	No involvement of the lateral pillar.
	Lateral pillar is radiographically normal.
	May be lucency and collapse in the central and medial pillars, but full height of the lateral pillar is maintained.
Group B	Greater than 50% of the lateral pillar height is maintained Lateral pillar has some radiolucency with maintenance of bone density at a height between 50% and 100% of the original height.
Group B/C border	(a) a very narrow pillar (2-3 mm wide) that is >50% of the original height.
	(b) a lateral pillar with very little ossification but with at least 50% of the original height.
	(c) a lateral pillar with exactly 50% of the original height that is depressed relative to the central pillar.
Group C	Less than 50% of lateral pillar height is maintained.
	Lateral pillar becomes more radiolucent than in Group B, and any preserved bone is at height of <50% of the original height of the lateral pillar.

변형을 거의 초래하지 않아 예후가 좋다. 6세 이전에 발병한 경우는 대개 경한 진행 단계를 거친다. 9세 이후 발생한 경우는 지연 발생(late-onset) LCP병이라고 하며 예후가 좋지 않다. 특히 12세 이후 발병한 경우 가장 예후가 나쁘다. 많은 저자들이 나쁜 예후와 연관된 임상적 방사선학적 골두 위험 징후(head-at-risk sign)들을 보고하였다.

골두 위험 징후

- Catterall의 임상적 위험 요소(Catterall 1982)
  ① 지속적으로 감소하는 고관절운동 범위
  ② 내전 구축의 진행
  ③ 비만
- Catterall의 방사선학적 위험 요소(Catterall 1982)
  ① Gage 징후: 골두 외측부에 연한 V자형 골 음영 감소Fig 9
  ② 골단 외측부 석회화 음영(calcification lateral to bony epiphysis): 비구 밖으로 돌출된 연골성 골두 내에 새로 골화된 부분Fig 10
  ③ 미만성 골간단 반응(diffuse metaphyseal rarefaction)Fig 11
  ④ 대퇴골두의 외측방 돌출(lateral extrusion of femoral head)Fig 10, 12
  ⑤ 대퇴 근위 골단판의 수평위(horizontal growth plate)
- 다른 저자들이 제시한 방사선학적 위험요소(Dickens 1978, Mukherjee 1990, Poussa 1991)
  ① 골두의 외측 이전(lateralization of the femoral head)
  ② 외측 석회화(lateral calcification),
  ③ 골두 중 노출된 부분의 크기(extent of uncovered femoral head)
  ④ 외측 아탈구(increased head-to-tear drop distance)
  ⑤ 분절기 이전에 넓어진 골두
  ⑥ Saturn phenomenon: 골음영이 소실된 내외측 골두 부분이 마치 반지처럼 골두 중앙의 경화된 부분을 감싸는 소견
  ⑦ 병 초기부터 넓어진 대퇴경부
- Hefti가 제시한 임상적 및 방사선학적 예후 인자(Hefti 2007)
  ① 중요도 높음: 나이, 외측주 높이
  ② 중요도 중간: 골단 외측 석회화, 아탈구, 관절 가동성, 성별(여자가 예후 더 나쁨)
  ③ 중요도 낮음: 골괴사 범위(보존된 외측주 높이가 더 중요), 골간단 반응
  ④ 중요도 없음: Gage 징후, 골단판의 수평위(horizontal physis)

2) 언제 치료할 것인가?

- 대퇴골두 변형은 분절화기 초기를 지나면서 현저해지므로(Joseph stage IIa와 IIb 사이), 대퇴골두 변형을 예방하는 것을 목적으로 유치를 하려면 늦어도 Joseph IIa 시기 혹은 그 이전에 치료를 시작하여야 한다(Joseph 2011). 그러나, 이 시기에는 임상 소견과 단순 방사선사진 소견만으로 적극적인 치료가 필요한 환자가 누구인지 예측하는 것이 아직 불분명하다.
- 지금까지의 연구들, 특히 Herring의 외측주 분류를 기반으로 수술적 치료가 구형의 골두를 만드는데 도움이 될지 여부를 판정하려면 증상이 시작된 후 8-12개월에나 도달하게 되는 완전한 분절화기(fragmentation stage)(Joseph stage IIb)까지 기다려야 하는 문제가 있다. 이러한 분류를 기반으로 골두 변형이 이미 발생한 완전 분절화기나 그 이후에 치료를 시작하게 되면 성장 완료 후에 완전한 구형의 대퇴골두를 얻지 못할 가능성이 높아지게 된다.
- 골두 변형이 발생하기 전에 일부 불필요하게 치료하게

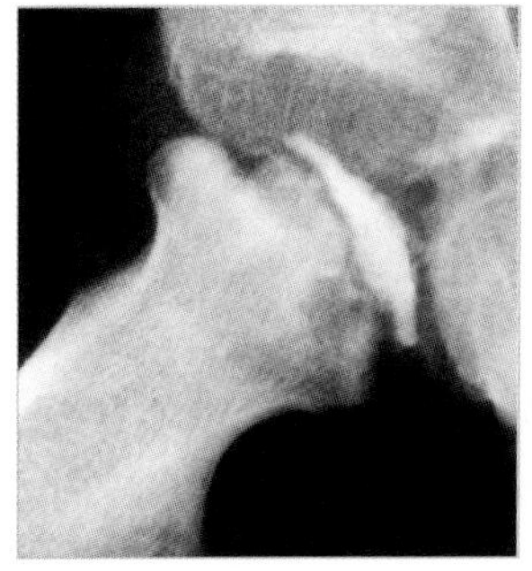
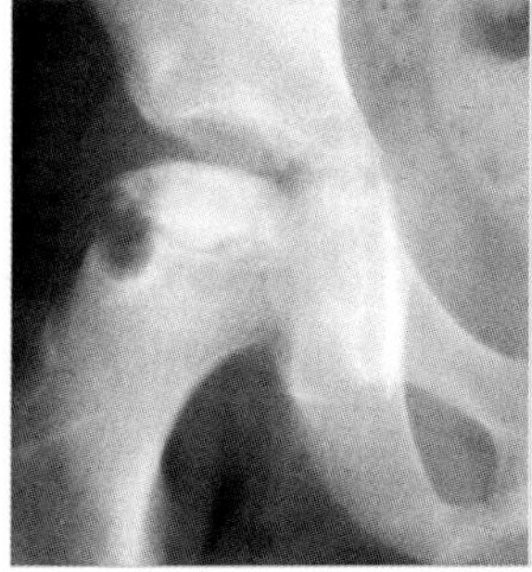

Fig 9. **Gage 징후.**
Gage (1933)의 원래 기술은 골간단부의 외측 돌출(metaphyseal mound)이다. Catterall은 외측 골단의, 또는 외측 골단과 인접한 골간단 부위의 골음영 결손이 단독으로 또는 함께 있는 것을 'Gage 징후'라고 잘못 기술하였는데, 실은 이를 'Catterall 징후'라고 부르는 것이 맞다.

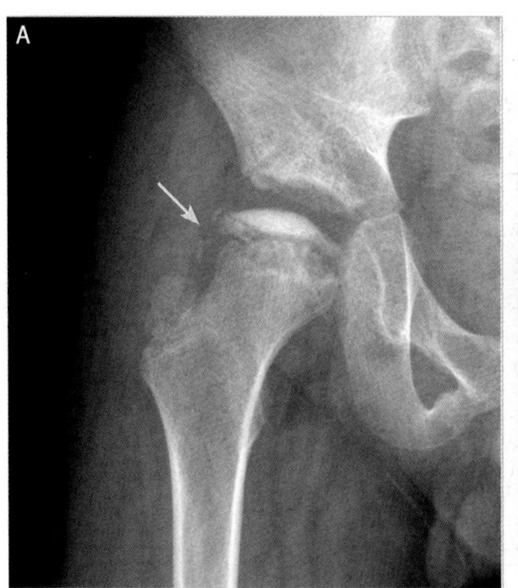

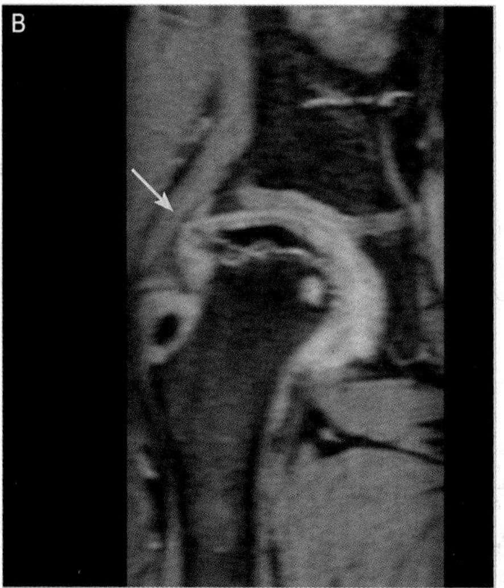

Fig 10. **골단 외측부 석회화 음영(calcification lateral to epiphysis).**
A: 단순 방사선 사진에서 석회화 음영이 관찰된다. B: MRI 영상에서 석회화 음영이 있는 곳은 실제로는 비구 밖으로 돌출된 연골성 골두 내에서 따로 골화가 일어나고 있는 부위임을 보여준다. 비구연 밖으로 돌출된 연골성 골두는 이미 편평화된 변형을 보이고 있는데 이 부위의 골화가 진행된다는 것은 곧 가소성이 떨어져 구형 골두로 재형성될 잠재력이 감소할 것이라는 것을 시사한다.

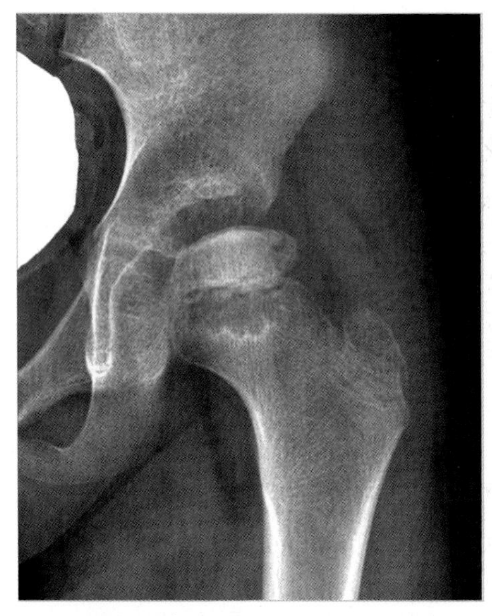

Fig 11. **미만성 골간단 반응(diffuse metaphyseal reaction).**
광범위하게 골간단 골음영이 감소하고 골간단이 넓어진다. 향후 골두 변형과 연관된다는 보고들이 있다. 병의 초기에는 거의 나타나지 않고 분절화기에 이르러야 발견되는 경우가 많다.

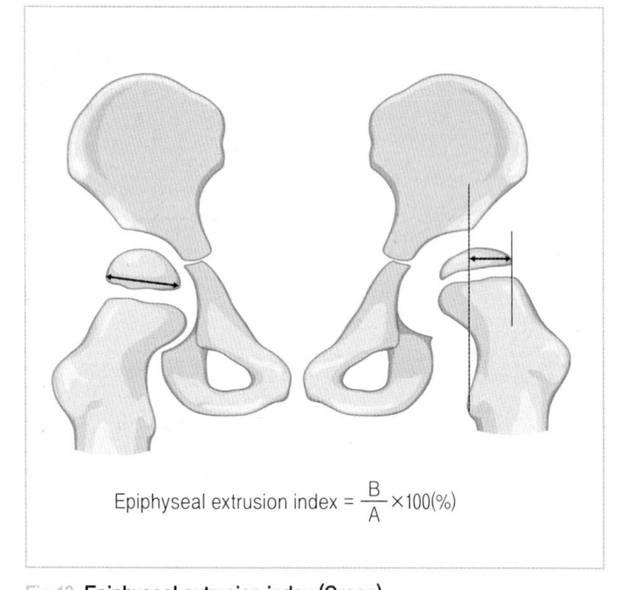

Fig 12. **Epiphyseal extrusion index (Green).**
대퇴골두의 외측 전위를 측정하는 방법으로, Perkins 선 외측의 골두 부분의 폭을 건측 대퇴골두의 폭으로 나눈 백분율이다.

될 할 가능성을 받아들이고 조기에 치료를 시작할 것인지, 아니면 분절화가 어느 정도 진행되어 약간의 골두 변형이 발생한 다음 적극적 치료가 필요한 환자를 선별해서 치료할 것인지는 아직 풀어야 할 숙제로 남아 있다.

- 일부 저자들은 대퇴골두의 함몰이 아직 발생하지 않은 병의 초기에 조영증강 및 확산 MRI 등의 영상 검사를 시행한다. 재관류의 정도, 골단판 및 골간단의 MRI 영상 소견이 향후 재형성기의 골두 변형을 예측하는 예후 인자가 된다는 결과를 바탕으로 치료 방침 결정에 활용하기도 한다(Yoo 2011, 2016).

2. 치료 원칙

LCP병은 그 치료 방법을 정하는데 여간 까다롭지 않다. 그 주된 이유는 이 병의 원인과 병리 기전 및 자연 경과가 완전히 밝혀져 있지 않기 때문이다. 그럼에도 불구하고 어떠한 치료를 할 것인가를 결정하기 위해서는 지금이 병의 진행 단계 중 어디에 위치하고 있는가를 먼저 파악하는 것이 중요하다. 그래야 치료의 목표를 설정하고 그에 맞는 치료 방법을 정할 수 있기 때문이다.

초기 경화기에 골두의 외측 돌출이 없이 통증성 파행만 있는 경우에는 염증을 감소시키고 고관절운동 범위를 회복시키는 것이 치료의 목표가 되어야 한다. 후기 경화기와 분절기까지(나이가 어린 경우에는 초기 재형성기까지)는 골두의 외측 돌출 또는 아탈구가 발생하게 되면 대개 임상적으로 고관절운동 범위의 감소가 동반된다. 이때에는 골두를 비구 내에 유치함으로써 골두를 보호하고 구형의 골두로 재형성을 도모하는 것이 치료의 목표가 되어야 한다. 반면에 골두의 재형성 능력이 현저하게 감소하는 재형성기 후기 이후에는 단기적으로 통증과 운동 범위 개선을 도모하고, 장기적으로는 골단판에서의 성장으로 인한 추가적인 재형성을 기대하면서 비구와 골두의 조화를 개선하고 대퇴비구 충돌을 완화하는 치료를 해야 한다Fig 13.

치료 방침을 정하는데 중요한 몇 가지 개념이 있다.

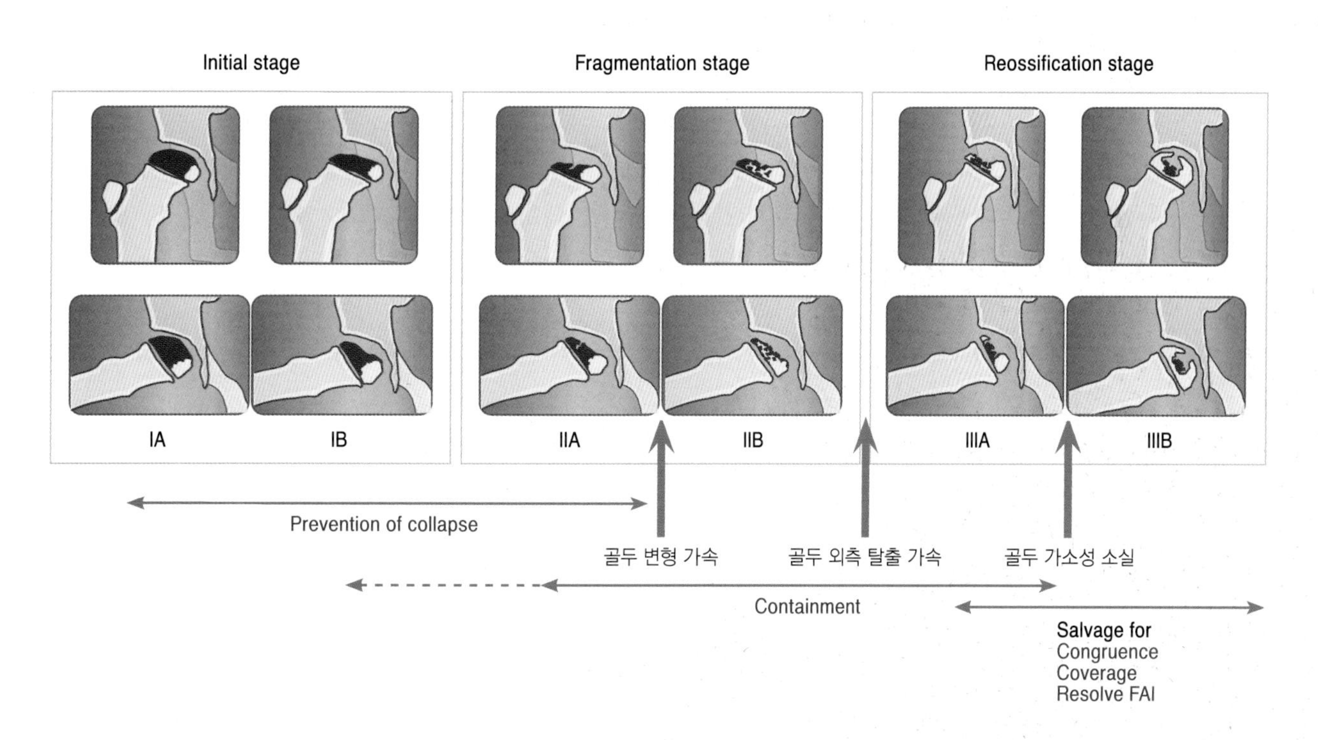

Fig 13. **병기에 따른 치료 목적과 방침.**
골두 변형이 가속화하는 분절기 중기 이전에는 변형을 예방하기 위한 치료가, 골두의 가소성이 현저히 소실되는 재골화기 중기 이후에는 구제술이 적용된다. 유치 치료는 골두의 변형이 발생하기 전에 시작하는 것이 가장 이상적이며 골두의 가소성이 유지되는 동안에는 유치가 가장 중요한 치료의 원칙이다. 유치 치료를 어느 시기까지 시행할 수 있는지는 병의 진행단계뿐 아니라 환자의 나이, 골성숙도 등 여러 요소를 종합적으로 판단하여야 한다.

1) 유치(containment)

LCP병의 치료에 있어 가장 중요한 원칙은 고관절운동 범위 유지와 비구내 골두 유치이다. 유치란 이환된 대퇴골두의 괴사 부위를 비구 내에 위치시키는 걸 말한다. 정상적으로 대퇴골두는 고관절 중립위에서 전외측이 비구 밖에 위치하며, 병에 이환된 골두는 흔히 전외측으로 돌출 또는 아탈구되기 때문에 근위 대퇴부를 외전 및 굴곡 시켜야만 골두를 비구 내에 유치할 수 있다. 고관절 중립위에서 유치된 대퇴 골두는 비구연의 물리적인 압박으로부터 보호되며, 생리적 운동 범위를 유지시키면 생물학적인 가소성(biological plasticity)이 남아있는 대퇴골두가 비구 모양을 따라 구형으로 재형성되기를 기대하는 치료 개념이다. Rab 등(1982)은 유한요소분석(finite element analysis) 연구에서 대퇴골이나 골반 절골술을 통한 비구 치료를 하더라도 골두에 가해지는 압력은 줄어들지 않는다고 보고한 바 있다. 따라서 유치 치료는 전체 대퇴골두에 가해지는 압력을 줄여서 골두의 붕괴를 막으려는 목적이 아니라 전외측으로 돌출된 부위의 국소적 압박을 줄이는 물리적인 환경을 만들어 주는 것이 주 목적임을 이해하는 것이 중요하다. 유치 치료가 가장 도움이 되는 대퇴골두는 돌출된 골두 전외측이 비구연에 압박되어 붕괴 및 변형이 발생될 위험에 처해 있지만 전외측 골두가 어느 정도의 높이와 강성을 유지하고 있는 경우(예: Herring 외측주 분류상 B군)이다. 반면에 괴사의 범위와 정도가 심한 경우(예: Herring 외측주 분류상 C군), 특히 발병 연령이 높은 경우에는 유치 치료를 하더라도 골두 가장자리는 비구 내로 잘 유치되지 않기 때문에 성장 완료 후 구형의 골두를 기대하기는 어렵다.

(1) 유치의 개념: 아이스크림 scoop 이론

- 함몰되고 변형되었지만 성장기 소아의 대퇴골두는 재골화가 끝나기 전까지는 어느 정도 생물학적 가소성(biological plasticity)을 유지하고 있고, 골단판과 골두의 관절 연골 자체의 성장력을 고려할 때 관절운동을 잘 유지하면서 골두를 비구 내에 유치(containment with motion) 시키면, 마치 동그란 아이스크림 주걱으로 푸면 동그란 아이스크림 덩어리가 떠지듯이, 비구를 주형(mold)으로 삼아 골두가 비구의 모양을 따라 구형에 가까운 모습을 띨 것이라는 기계적 이론이다.
- LCP병에서 대퇴 골두의 재형성은 두 가지 요인에 영향을 받는다. 하나는 생물학적인 요인이고 다른 하나는 물리적, 기계적 요인이다. 생물학적 요인은 다시 두 가지 요소에 의해 결정된다. 첫째는 대퇴 골두의 생물학적 가소성으로 이는 초기 재골화기까지 유지된다고 알려져 있다. 두 번째는 근위 대퇴골 골단판의 성장으로 이는 골단판이 폐쇄될 때까지 계속된다.

(2) 유치 치료의 효용성의 증거

- Catterall 등은 LCP병의 자연 경과에 대한 보고에서 아무 치료도 받지 않을 때의 결과와 비교하여 운동 치료, 조기 치료 및 대퇴 절골술에 의한 치료 결과가 낫다고 하였다. 또한, 운동 치료로만 혹은 아무 치료하지 않은 환자의 예와 비교하여 외전 보조기(abduction brace)나 수술적 방법으로 골두를 비구(acetabulum) 내에 유치시킨 예에서 활액막염이 더 적고 질병의 활성 기간(active stage)에 더욱 향상된 관절 가동 범위를 나타낸다는 사실들을 관찰하였다.
- Herring 등(2004)도 8세 이후에 발생한 pillar B형 혹은 B/C형에서는 수술적 유치술(surgical containment)이 비수술적 치료에 비하여 결과가 좋았기 때문에, 이러한 경우에는 적극적으로 수술적 유치법을 고려하여야 한다고 주장하였다.
- 9세 이후, 특히 10세 이상에서 발생한 LCP병의 경우, 골두를 비구 내에 유치시키기 위해서는 흔히 수술적 치료가 요구된다.

(3) 고관절 유치 가능성에 따른 치료 지침

① 중립 위에서 비구 내에 유치된 원형 대퇴 골두를 보이는 경우
   - 대체로 침범 정도가 적은 어린 환아에 해당된다. 이미 유치되어 있으므로 치료는 치유 전 과정 동안 관절운동 범위를 회복하고 유지하는데 초점이 맞춰져야 한다. 대부분 예후가 우수하다.

② 둥글지는 않으나(nonspherical) 고관절을 외전(abduction)만으로 또는 외전-내회전(medial rotation)-굴곡

(flexion)으로 골두를 유치시킬 수 있는 경우

- 대개 나이가 많은 환아에서 골두의 더 많은 부위를 침범하고, 임상적 혹은 방사선학적 위험 징후를 나타낸다.
- 관절조영술은 연골성 대퇴 골두의 원형도뿐만 아니라 완전한 유치를 위해 필요한 외전-내회전-굴곡 정도를 판정하는데 유용하다.
- 관절운동 범위 회복 후에는 대퇴 골두를 비구 내에 유치시키기 위한 외전 보조기 혹은 유치수술(containment surgery)이 필요할 수 있다.

2) 조화(congruence, congruity)

재골화기에 이른 변형 골두는 생물학적 가소성이 점차 떨어지게 되는데, 이러한 골두는 변형 때문에 유치가 불가능하거나 또는 마취 하에서는 유치가 된다고 해도 마취가 깨고 나서는 오히려 통증이 발생하고 운동 범위가 감소하는 결과가 초래되기도 한다. 운동을 회복하지 못하는 관절은 유치의 효과를 기대할 수도 없다. 대퇴 골두 전체가 심하게 변형된 경우도 있지만 적지 않은 경우에 골두의 일부분은 구형의 표면을 유지하기도 하는데, 특히 대퇴 골두의 내측과 후측이 그러한 경우가 많다. 조화의 개념은 고관절 중립위에서 비구와 대퇴 골두가 가장 조화롭게 관절 접촉을 이루도록 관절면의 방향을 바꾸어주는 것이다. 이를 통해 통증을 개선하고 관절운동 범위를 회복하며 잔여 성장기 동안 골단판의 성장을 통한 골두의 재형성을 기대하고 또 나이가 어린 경우에는 재형성기 중반 또는 후기에도 약간의 골두 재형성을 기대해볼 수 있다. 이러한 목적으로 시행하는 구제술(salvage procedure)로 대퇴골 외반 절골술(femoral valgus osteotomy)이 있다.

3) 피복(coverage)

골두의 재형성 능력이 현저하게 떨어진 시기에는 비후된 골두가 변형되어 외측 돌출 및 아탈구가 생기면 비구연에 압력이 가해져서 골연골 비구순 파열, 박리성 골연골염, 및 대퇴 골두-비구 충돌 증후군(femoro-acetabular impingement) 및 이차적인 관절 퇴행성 변화 등으로 통증이 발생하고 고관절운동 범위가 감소될 수 있다. 이러한 경우, 비구의 면적을 증가시켜 골두에 대한 충분한 피복을 함으로써 비구연과 대퇴 골두 사이의 좁은 충돌 부위를 넓은 접촉 부위로 변화시키고, 골두 아탈구의 진행을 감소시킬 경우 통증이나 고관절운동 저하 증상을 개선할 수 있다. 피복을 주 목적으로 하는 구제술에는 비구 선반 성형술(shelf acetabuloplasty)과 Chiari 술식이 포함된다.

4) 충돌(impingement)

진행된 LCP병에서 변형된 대퇴 골두의 비구 바깥쪽 골연골 비후 부위가 비구연과 충돌을 일으킬 수 있다. 이런 고관절에서는 신체 검사에서 고관절을 중립위에서 굴곡시킬 때 대퇴부가 외전 및 외회전하는 Drehmann 징후 양성을 보인다. 골두-경부 부위의 완만한 융기가 있는 변형에서는 cam형의 대퇴-비구 충돌증후군의 병적 변화를 초래하며, 골연골 비후 부위가 현저하여 관절 내로 들어가지 못하는 경우에는 비구순과의 충돌로 비구순 파열을 초래하고 고관절의 경첩 운동(hinge movement) 현상으로 운동 범위 제한이 발생할 수 있다. 이러한 경우에는 충돌 부위에 대한 골연골성형술과 함께 관절면 조화가 가장 좋은 방향으로의 근위 대퇴골 재정렬 절골술(예: 외전 절골술)이 필요할 수 있다.

3. 문헌에 제시된 치료 지침

일단 LCP병이 진단되면, 비수술적 혹은 수술적 치료방법의 선택에 있어서 환아의 나이, 병의 진행 단계, 골두의 무혈성 괴사 침범 정도(Catterall 분류 및 Herring 외측 주 분류 참조), 골두 원형도, 임상적 및 방사선학적 골두 위험 징후(head-at risk sign), 환자의 협조성(compliance), 사회경제적 능력 등을 고려하여 치료 방법을 결정한다.

1) 병의 진행 단계에 따른 치료 지침(Bowen 1984)

(1) I군: 원형의 골단을 보이는 변형 이전기(pre-deformation)에는 관절운동 범위를 획득하기 위해 앉기 운동(sit-up exercise)과 동반한 점진적인 외전 석고, 외전 견인 및 물리 치료와 관절 유치(containment)에 주안점을 둔다.

(2) II군: 골단 함몰 및 이탈을 보이는 변형 중간기(deforming)로 견인 치료와 비수술적 및 수술적 유치 치료가 필요하다.

(3) III군: 잔여 성장(remaining growth)기에는 관절운동 외에는 대개 아무 치료가 필요 없다. 다만, 경첩 외전과 함께 통증이 있을 때에는, 외전 절골술을 고려할 수 있다.

(4) IV군: 골 성숙에 이른 후에는 거대 골두(coxa magna), 불규칙 고관절(coxa irregularis), 단고(coxa brevis), 박리성 골연골염(osteochondritis dissecans)에 대한 치료에 주안점을 둔다.

2) 자연 경과와 예후에 따른 치료 지침(Weinstein 1996)

Weinstein은 Catterall 분류, Salter-Thompson 분류 및 Herring의 lateral pillar 분류법에 근거하여 치료 방침을 제시하였다Table 5. 이 방침은 질병의 시기와 나이 등의 다른 요소를 고려하지 않는 약점이 있다.

> 외측주(lateral pillar)분류와 이환된 나이에 따른 치료 결과(Herring 2004)
> - 외측주 A형: 치료 유무에 관계없이 결과가 좋다.
> - 8세 이전에 발병, B형: 비수술적 혹은 수술적 유치법에 의한 치료 결과가 비슷하다.
> - 8세 이상(골 연령 6세 이상)에 발병, B형 혹은 B/C 경계형: 비수술적 치료에 의한 결과보다 수술적 유치 치료가 결과가 좋다.
> - 외측주 C형: 치료 방법에 관계없이 결과가 불량하다.

Table 5. **자연경과와 예후에 따른 치료 지침(Weinstein 1996)**

Good prognosis : No treatment necessary
Catterall 1 and 2(generally good prognosis in 90% of cases)
Salter-Thompson A
Lateral pillar A
Indeterminate prognosis : May require treatment
Catterall 2
Salter-Thompson B
Lateral Pillar C
At-risk clinically
At-risk radiographically regardless of the disease extent
In reossification stage : No treatment warranted

VIII. 비수술적 치료 또는 보존적 치료

LCP병 초기, 즉 활액막염만 있거나 초기 무혈성 괴사기에는 관절의 안정을 도모하고, 내전근의 구축을 방지하며, 고관절 외전을 가급적 45도 이상 되도록 유지되게 하는 것이 치료의 목표이다. 이를 위해서 침상 안정, 진통소염제 투여, wheelchair, 목발 보행과 함께 필요하다면 피부 견인과 Petrie 석고붕대 또는 외전보조기의 사용이 필요하기도 하다.

1. 단순 경과 관찰

이환된 부분이 대퇴골두의 절반 이내인 LCP 병에는 대개 아무런 치료도 필요 없는 경우가 많다. Catterall 제1군 혹은 2군 LCP 병의 대부분의 환자는 아무 특별한 치료 없이 단지 관찰만으로도 좋은 가동 범위를 유지한다.

2. 피부 견인Fig 14

초기 급성기에 효과적인 대증 요법이다. 관절 내압을 줄이고 외전을 증가시키며 골두의 정맥 울혈을 감소시킨다고 알려져 있다.

3. 비수술적인 유치(containment) 방법

- Atlanta 보조기Fig 15, Toronto 보조기와 같이 탈부착이 가능한 외전 보조기와 Petrie 석고붕대Fig 16와 같은 외

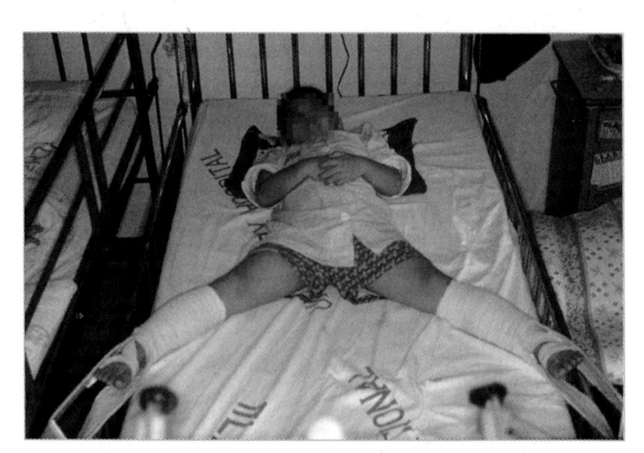

Fig 14. **피부 견인.**
LCP병의 초기에 고관절의 염증 증상(동통과 파행)을 완화시키고, 내전(adduction)-굴곡(flexion) 구축이 발생하는 것을 예방하기 위한 목적으로 사용된다.

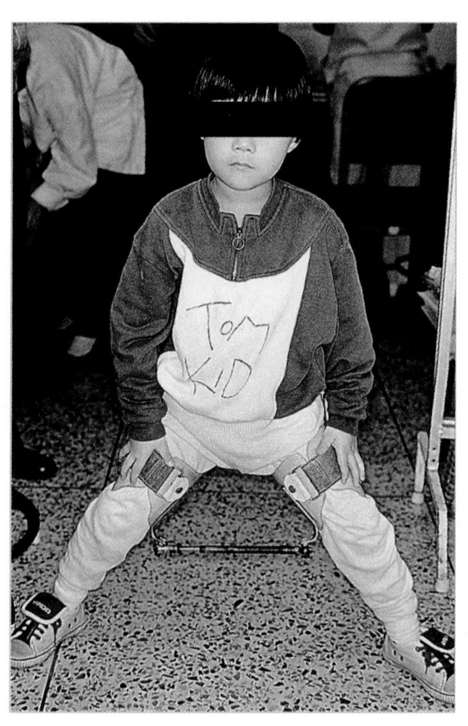

Fig 15. **Atlanta 보조기.**
고관절을 외전시킨 상태에서 관절운동을 허용하며, 고관절의 회전 운동을 조절할 수 없다는 단점이 있다. 보조기 착용 상태에서 방사선 촬영을 하여 골단판(epiphyseal plate)의 외측단이 비구연(acetabular margin)보다 내측으로 들어오는지 확인하여야 한다.

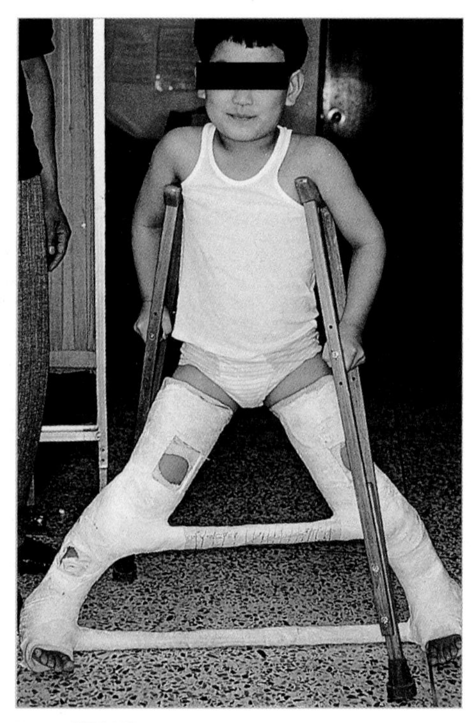

Fig 16. **Petrie 석고붕대.**
고관절을 외전-내회전 위치로 고정하여 유치(containment)를 얻는다.

전 석고붕대 방법이 있다.

- 보조기나 석고붕대로 대퇴골두의 유치를 얻으려면 고관절을 신전위에서 40-45도 이상 외전 시킬 수 있어야만 효과를 볼 수 있으며, 경직된 고관절(stiff hip)에서는 그 효과를 얻을 수 없다. 특히 10세 혹은 그 이후의 환아에게는 적합하지 않다. 비만이 심한 환아는 그렇지 않은 환자보다 외전 보조기 사용 효과가 낮다.
- 보조기를 적용하기 위해서는 침상 안전, 피부 견인, Petrie 석고붕대 등의 방법으로 충분한 고관절의 운동범위를 얻는 것이 전제 조건이다. 이러한 전제 조건이 충족되지 않은 상태에서의 보조기 착용은 오히려 관절 구축을 더 조장할 수 있어 유의해야 한다. 또한 보조기를 채우는 동안에 통증이 발생한다면 침상 안정과 견인 치료가 필요하다.
- 보조기는 연골하 재골화(subchondral reossification)가 완료될 때까지 채우도록 한다. 따라서 LCP병의 활동기인 9-18개월 동안 착용하는 것이 보통이다.
- 보조기 치료는 초기에는 좋은 결과를 보고하는 연구가 많았으나 최근의 연구들은 치료 효과에 회의적이다.
- Petrie 석고 치료는 고관절을 45도 외전 및 5-10도 내회전시킨 위치에서 봉으로 연결된 장하지 석고붕대를 감는 방법이다. 불편하고 평균 1년 전후의 긴 치료 기간이 필요하여 환자의 참여와 협조를 얻기가 쉽지 않지만, 보조기 치료를 거부하거나, 수술적 치료의 대상이 아니거나 거부하는 환자에게는 적합한 차선책이다. 혹자는 보조기나 수술적 치료를 시행하기 전에 운동 범위를 회복하기 위한 목적으로 Petrie 석고붕대를 6-12주의 기간 동안 시행하기도 한다.

4. 비스테로이드 진통소염제(nonsteroidal anti-inflammatory drug)의 투여와 목발 보행

- 통증을 없애기 위하여 사용된다. 목발과 보조기를 거부하는 환자에게는 단기간의 침상 안정과 견인 치료가 중요하며, 자주 외래로 추시하여 아탈구가 보이면 수술적 치료로 전환할 수 있다.

5. 비스포스포네이트(bisphosphonate) 투여

비스포스포네이트는 파골세포에 의한 골흡수를 억제하는 역할을 하므로, LCP병 초기에 괴사 부위의 골소주 붕괴를 차단하여 골두의 함몰을 예방하고 동시에 신생골이 생성되는 지지 구조(frame)로 사용되는데 도움이 될 것이라는 기대를 받고 있다. 그러나, 전신 투여를 하였을 때 혈행이 감소되었거나 차단된 괴사 조직에 도달하는 농도가 낮고, 골형성 능력이 없으며, 골두의 역학적 강도를 즉각적으로 높이지는 못한다는 단점을 가지고 있다. 실제로 성인의 대퇴골두 골괴사증(osteonecrosis of the femoral head)에서는 통증을 감소시키고, 골두의 붕괴를 예방하며, 고관절의 기능을 향상시켜 고관절 치환술을 지연시킬 수 있다는 보고가 있지만, LCP병에서는 동물 실험과 임상 시험 단계이며 아직 임상적으로 효과가 입증되지는 않았다(Kim 2012, Young 2012). 저자는 비스포스포네이트의 투여는 조영증강(contrast-enhanced) MR영상에서 골두 내 잔존 혈관 관류가 있거나 재관류가 뚜렷해질 때가 최적의 타이밍이라고 생각한다.

IX. 수술적 치료

LCP병에 대한 수술적 치료는 과거 수십 년간 선택적으로 사용되어 왔다. 최초에는 괴사된 골두의 치유에 생물학적 효과가 있을 것으로 기대하였으나, 수술한 경우가 비수술적으로 치료한 대조군보다 결코 빨리 치유되지 않는다는 연구들에 의해 부정되고 있다.

LCP병 초기의 수술적 치료는 유치(containment)를 도모하거나 유지할 목적으로 사용되고 있다. 보존적 치료에 비해서 수술적 치료 후 관절을 오랫동안 고정시킬 필요가 없고, 환자가 협조하지 않아도 그 효과를 얻을 수 있으며, 일단 유치가 개선되면 영구적이어서 치료 중단 시점을 정하는 고민을 할 필요가 없고, 그 치료 결과가 보존적 치료에 뒤지지 않거나 더 낫다는 장점이 있다.

- **수술적 치료가 선호되는 경우**
  - 보존적 치료 중 유치가 소실된 경우
  - 증상 시작 나이가 9세 이상인 지연발생 LCP병으로 보조기 착용이 현실적으로 불가능한 경우
  - 물리 치료로 개선되지 않는 고관절 강직
  - 비구연에 대한 대퇴골두 충돌 징후(head impingement sign)
  - 침범 부위가 큰 예후가 나쁜 군
- **유치를 위한 수술 vs. 구제술**
  - 유치 수술은 병의 진행 단계에서 대퇴골두의 가소성이 유지되는 시기에 시행하며, 이후에는 증상을 개선하기 위한 구제술이 적용된다. 구제술이 장기적으로 퇴행성 관절염의 발생을 늦추는 효과가 있는지는 확실하지 않다.
  - 비수술적인 치료가 실패하여 아탈구의 소견과 함께 관절 강직(stiffness)으로 유치가 되지 않는 상태(uncontainable)라도 연부조직 유리술과 일정기간 Petrie 석고고정 등을 시행한 후에 유치 가능한 상태로 전환이 가능한 경우도 있다.
  - 이러한 전환이 가능할 것으로 예상되면 일정 기간 피부 견인, 내전근 건 및 장요근건 절단술(adductor and/or psoas tenotomy), 내측 관절막 절개술(medial capsulotomy) 후에 외전 석고 고정(약 수 주-수개월간)을 시행하여 유치 가능한 상태가 되면 그 때에 유치를 위한 절골술을 시행한다.

1. 유치를 위한 절골술(containment surgery)

유치 가능한 고관절(containable hip)에서 병의 초기(무혈성괴사기-초기 분절기)에 시행한다. LCP병에서 비구-골두간의 재형성은 장기간에 걸쳐서 일어나기 때문에 유치를 지속적으로 유지하는 것이 중요한데, 보조기나 석고붕대 치료와 달리 환아나 보호자의 협조성이 낮아도 대퇴골두의 유치를 영구적으로 유지할 수 있는 장점이 있다. 또한 보조기보다 환아에게 미치는 정신적인 부담이 적다.

1) 대퇴골 내반 절골술(femoral varus osteotomy) Fig 17

- LCP병에서 가장 흔히 사용되는 유치 수술로 골두의 함몰이 진행되지 않은 초기 분절기 이전에 시행할 때 골두의 구형도 및 관절조화에 있어 보다 나은 치료 결

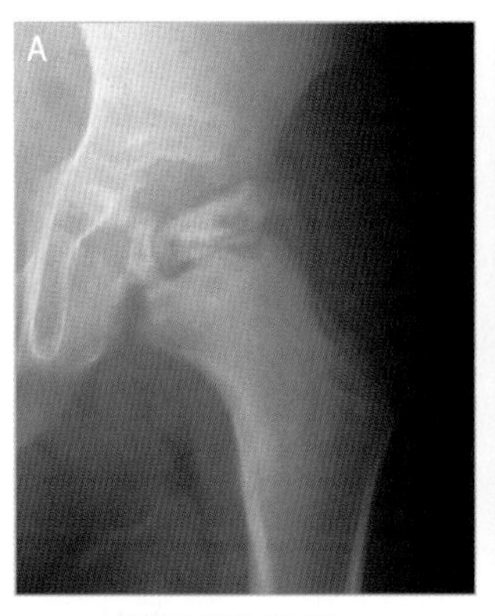

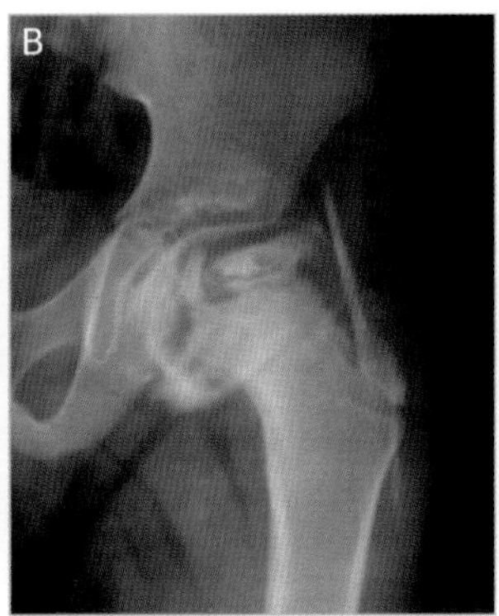

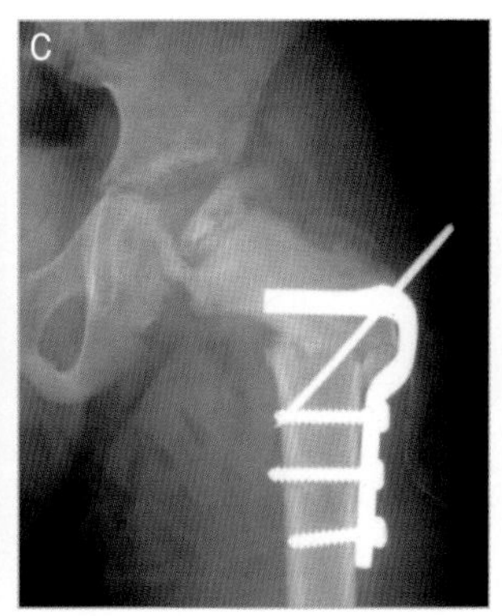

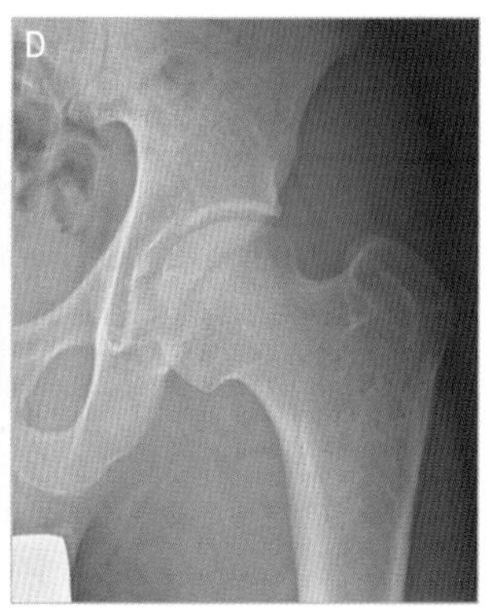

Fig 17. **대퇴골 내반 절골술.**
A: 남자 7세로 병의 진행 단계는 Joseph IIb 분절기이고 lateral pillar B이다. B: 수술 중 관절 조영술(intraoperative arthrography)에서 외측으로 돌출된 연골 골두 상부가 편평화된 소견을 보인다. C: 수술적 유치 치료로 대퇴골 내반 절골술을 시행하였다. D: 12년 경과 후 19세 때 촬영한 방사선 사진에서 대퇴골두는 구형으로 재형성되었다. 비록 증상은 없으나 대퇴 경부의 길이가 짧고 내반각의 감소 지속 및 대전자부의 상대적 과성장(trochanteric overriding)이 관찰된다.

과를 얻을 수 있다. 저자는 유치를 위한 내반 절골술은 Joseph stage Ib 혹은 IIa가 가장 좋다고 생각한다. 그 이유는 Joseph stage Ia에서는 골두 내 혈행이 가장 나쁜 시기이며, 이때는 활액막염을 줄이고 관절운동 회복시키는 게 우선시되어야 하기 때문이다. 반면, Joseph stage IIb에서는 골두 변형이 상당히 진행되어 수술 후 구형 골두로의 재형성이 불완전할 수 있기 때문이다.

- 수술의 전제조건은 ① 만족스러운 고관절운동, ② 대퇴골두와 비구간의 관절조화(congruency), ③ 외전-내회전 시 유치 가능한 고관절 등이다.

(1) 장점

- 관절에 부하되는 압력이 감소된다.
- 술 후 관절 강직이 적다.
- 비교적 쉬운 수술 방법이다.
- 골두의 정맥 울혈이 개선된다는 설

(2) 단점

- 금속 내고정물을 제거하기 위한 재수술이 필요하다.
- 영구적인 경간각(neck-shaft angle) 감소에 따른 하지 단축을 초래할 수 있다. Mirovsky (1984)는 내반 절골술 후에 평균 9 mm 단축되며, 증상 시작이 7세 이하일 경우 또는 8세 이전에 수술할 경우 단축이 적다고 하였다. 단축을 최소화하기 위해서는 폐쇄성 설상 절골술보다는 개방성 설상 절골술(opening wedge)이 선호된다.
- 괴사 범위가 큰 Catterall 제3군 혹은 4군의 환아에서는 종종 대퇴골 근위 골단판이 조기 폐쇄되어 대퇴 경부의 길이가 짧아지고, 대전자부의 상대적 과성장이 발생하여 Trendelenburg 보행을 보일 수 있다. 이러한 경우에 내반 절골술을 시행하면 내반고가 더 현저해지고, 성장에 따라 경간각이 다시 증가하는 재형성이 이루어지지 않아 대전자부 과성장이 더 악화될 수 있다. 대전자부 과성장을 막기위해 대전자부의 견인골단 유합술(apophysiodesis)을 내반 절골술 시에 또는 금속판 제거술 시에 함께 시행하기도 한다.

(3) 기타 고려할 사항

- 수술 후에도 골두 함몰이 추가로 발생하면서 고관절운동 범위가 감소할 수 있으며 이에 대한 면밀한 관찰이 필요하다. 이러한 경우 피부 견인 후 일시적인 Petrie 석고붕대를 적용하는 것이 필요하다.
- 내반(varization)과 함께 대퇴전염각을 감소시키는 감염(derotation) 요소를 포함하기도 하나 이는 외족지 보행(out-toeing)을 초래할 수 있기 때문에 저자들은 그 대신 골두의 재형성이 가능한 시기에는 신전(extension) 요소를 추가하여 골두 전방부를 유치하는 방법을 선호한다.
- 적절한 내반 각도에 대해서는 이견이 있으나 보통

15-20도 내반과 10도 감염 또는 10도 신전이 추천되는 경향이다. 내반 절골술 시에 권장되는 경간각은 7세 이하에서는 110도 미만도 허용하지만 7-9세에는 110-120도, 9세 이상에서는 120도 미만은 허용하지 않는다(Evans 1988).

2) 무명골 절골술(innominate osteotomy; Salter 절골술)Fig 18

- LCP병에 있어서 골반 절골술의 역할은 명백히 확립되지는 않았지만, 선택적으로 사용 가능하다.
- 수술의 전제 조건은 비교적 까다로워 ① 정상에 가까운 고관절운동 범위, ② 원형 또는 이에 가까운 골두원형 이탈(asphericity)(<3 mm), ③ 관절 조화가 있을 때 등이다.
- 골두 전외측의 심한 괴사로 변형이 많이 된 경우에는 대퇴골 또는 무명골 절골술로도 괴사 부위에 응력 보호(stress shield)를 기대할 수 없다.

(1) 장점

- 내고정 금속핀을 전신 마취 없이 간단히 제거할 수 있다.
- 골반의 개방 쐐기 절골술이므로 골연장 효과가 있어서 질병에 의한 하지 단축을 어느 정도 상쇄할 수 있다. 따라서 골단판 조기 폐쇄 위험이 있는 고관절의 경우에 더욱 바람직하다.

(2) 단점

- 병변은 대퇴골두에 있는데, 이환되지 않은 무명골에 절골술을 한다는 논리적 거부감이 있다.
- 골반골이 연장되기 때문에 고관절을 지나는 연부 조직, 특히 외전근과 장요근의 긴장이 증가하여 관절에 미치는 응력이 높아지게 된다. 이로 인해 술후 관절 강

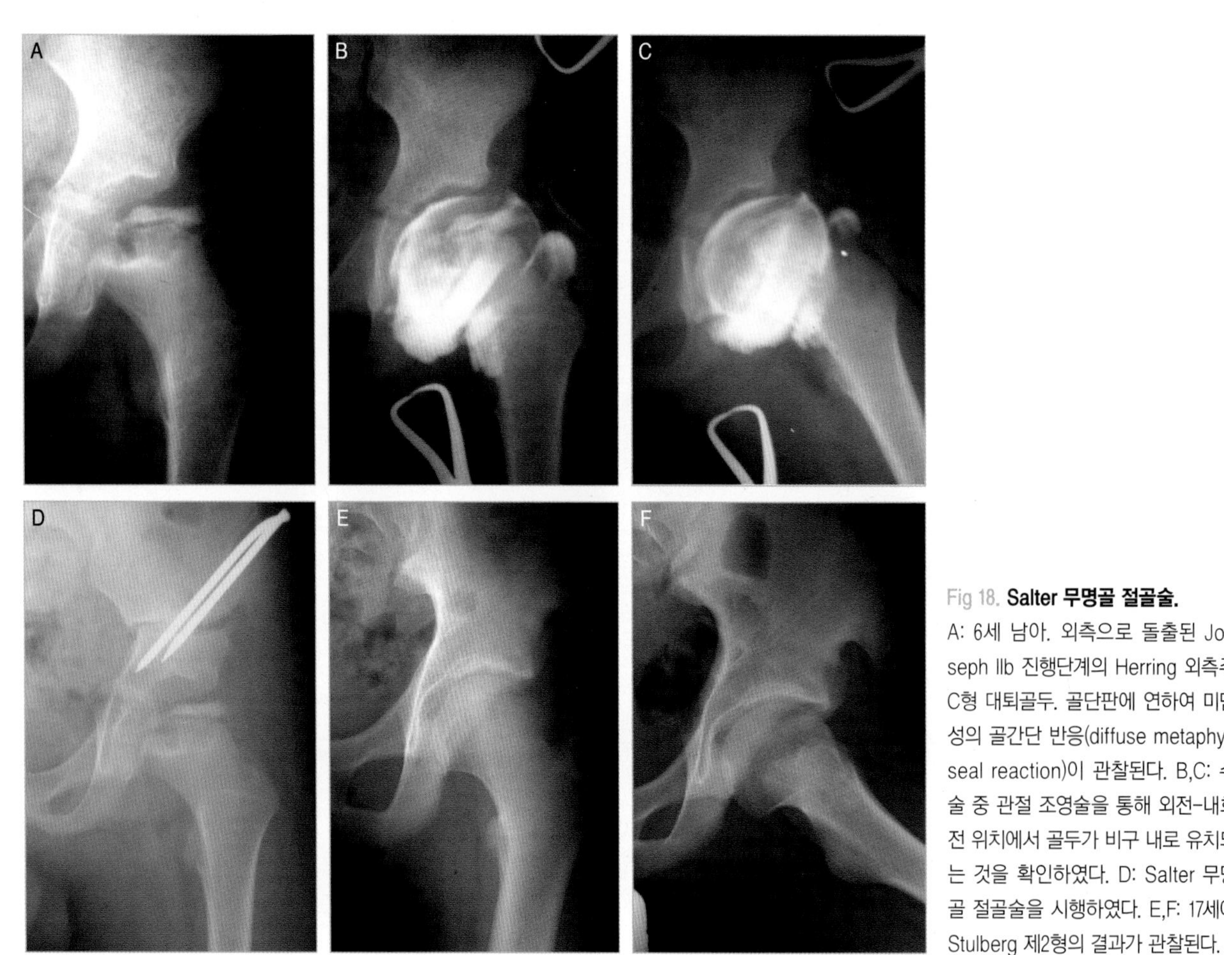

Fig 18. **Salter 무명골 절골술.**
A: 6세 남아. 외측으로 돌출된 Joseph IIb 진행단계의 Herring 외측주 C형 대퇴골두. 골단판에 연하여 미만성의 골간단 반응(diffuse metaphyseal reaction)이 관찰된다. B,C: 수술 중 관절 조영술을 통해 외전-내회전 위치에서 골두가 비구 내로 유치되는 것을 확인하였다. D: Salter 무명골 절골술을 시행하였다. E,F: 17세에 Stulberg 제2형의 결과가 관찰된다.

직이 초래될 위험성이 있다. 따라서, 무명골 절골술 시에 장요근 연장술을 병행함이 바람직하며 외전근막도 긴장되면 역시 연장하는 것이 필요하다.

- 수술이 크고 수기가 상대적으로 어렵다.
- 비후된 골두를 충분히 덮기 어렵고 유치 후에도 골두 함몰과 함께 비구연과 골두 사이에 충돌이 있을 수 있다 Fig 19.
- 비구 밖으로 나온 전외측의 골두를 과도하게 피복하려다가 비구 후염전(acetabular retroversion)을 초래하여 의인성의 대퇴비구 충돌증후군을 초래할 위험성이 있다.

3) 대퇴골 내반 절골술과 무명골 절골술을 함께 시행(combined femoral varus and innominate osteotomy) Fig 20

- 복합 수술을 통해서 내반 절골술이나 무명골 절골술 하나만으로 유치를 얻으려고 할 때 생길 수 있는 문제를 상쇄할 수 있다. 내반 절골술에 의한 하지 단축과 외전근 약화는 무명골 절골술을 통해서 상쇄되며, 무명골 절골술에 의한 관절 압력 증가와 관절 강직은 내반 절골술을 통해서 줄일 수 있다(Olney 1985).
- 일반적으로 9-10세 이상의 환아에서 대퇴골 경간각(neck-shaft angle)을 110도 이하가 되도록 하여야 대퇴골 유치가 가능한 경우 또는 골두 비후가 심한 경우에 적응이 된다.
- 규모가 큰 수술이라는 단점이 있다.

4) 삼중 무명골 절골술(triple innominate osteotomy) Fig 21

- 7세 이상의 아탈구가 심한 LCP병에서 마취 하에서도 대퇴골 내반 절골술이나 무명골 절골술 혹은 이중 절골술로도 대퇴골두가 비구 내로 유치되지 않을 때 사용해 볼 수 있는 수술법이다. 특히 대퇴 골두의 변형이 진행된 시기인 Joseph stage IIb 혹은 IIIa에 비구저(acetabular bottom)의 골-연골 변화(예: 삼각형 형태의 tear drop) 및 이차적인 비구 이형성증(acetabular dysplasia) 발생으로 인하여 비구 깊이가 너비에 비하여 줄어든 경우에, 골두의 유치, 관절 조화 및 피복 개선을 목적으로 삼중 무명골 절골술 단독 혹은 근위 대퇴골 절골술과 함께 시행하는 이중 절골술의 한 형태로 시행할 수 있다.
- 무명골 절골술에 비해 비구의 방향전환(redirection)을 많이 할 수 있고 관절 압력을 증가시키지 않으면서 비구 후염전도 초래하지 않을 수 있다는 장점이 있으나, 수술이 크고 술기가 어렵다는 단점이 있다.

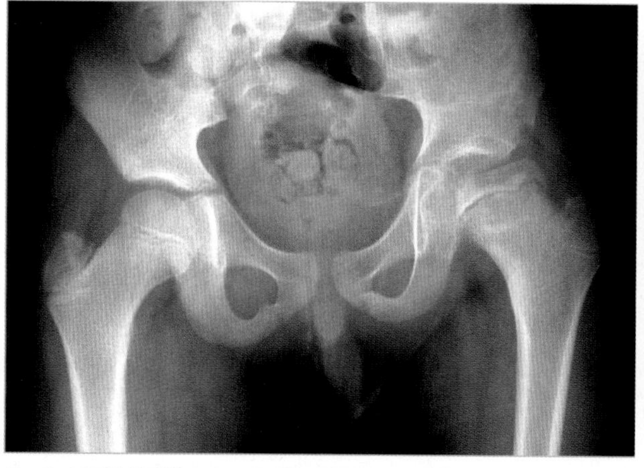
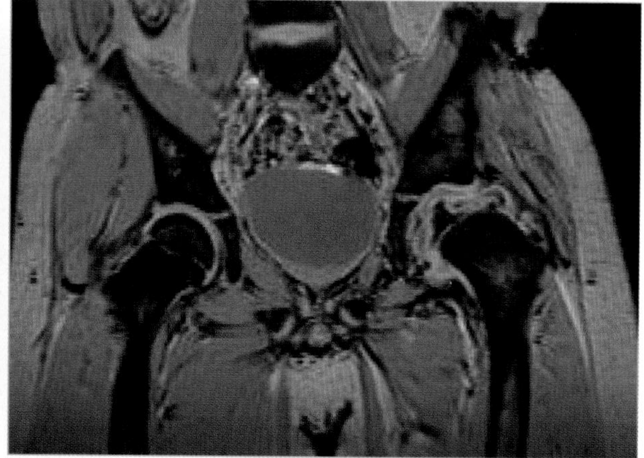

Fig 19. **LCP병 초기에 Salter 무명골 절골술을 시행하였으나 충분한 피복을 얻지 못한 경우.**
관절운동 범위가 충분히 회복되지 않은 상태에서 과도한 전외측 비구 방향 변경을 수반하는 무명골 절골술은 비구 후염전(acetabular retroversion)을 만들어 고관절의 경첩 외전(hinge abduction)을 초래할 우려가 있다. 성공적인 유치 치료 결과를 얻기 위한 전제 조건 중 하나는 관절운동 범위 회복이며, 이 조건이 충족되지 않았을 때 수술적 유치, 특히 골두에 걸리는 압력을 증가시키는 무명골 절골술을 시도하는 것은 위험할 수 있다.

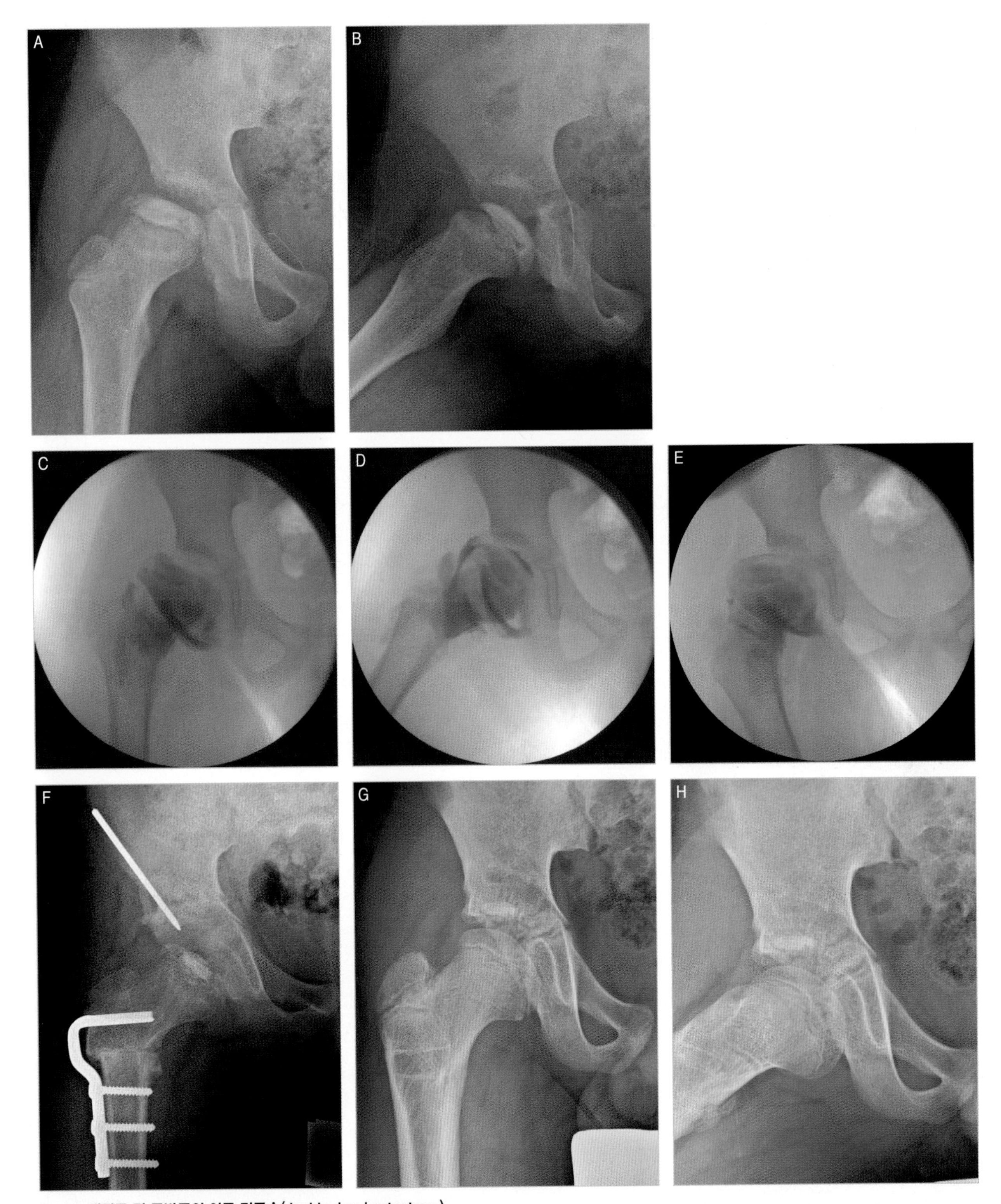

Fig 20. **대퇴골 및 골반골의 이중 절골술(double-level osteotomy).**
A: 8년 9개월 남아로 Herring 외측주 B형에 해당하며, 고관절의 아탈구가 관찰된다. B: 측면 방사선 검사에서 우측 폐쇄공(obturator foramen)의 크기가 작고 좌골극(ischial spine)이 보이는 것은 고관절 외전 제한으로 촬영 시 골반이 경사진 상태였다는 것을 시사하며, 이러한 소견으로도 고관절의 외전 제한을 짐작할 수 있다. C,D,E: 마취하 관절 조영술 상 외전 위치에서 골두가 비구 내로 유치되는 것을 확인하였다. F: 대퇴골 내반 절골술과 함께 Dega 절골술을 시행하였다. G, H: 수술 3년 후, 나이 11년 9개월일 때 방사선 검사 상 Stulberg 제3형에 해당한다.

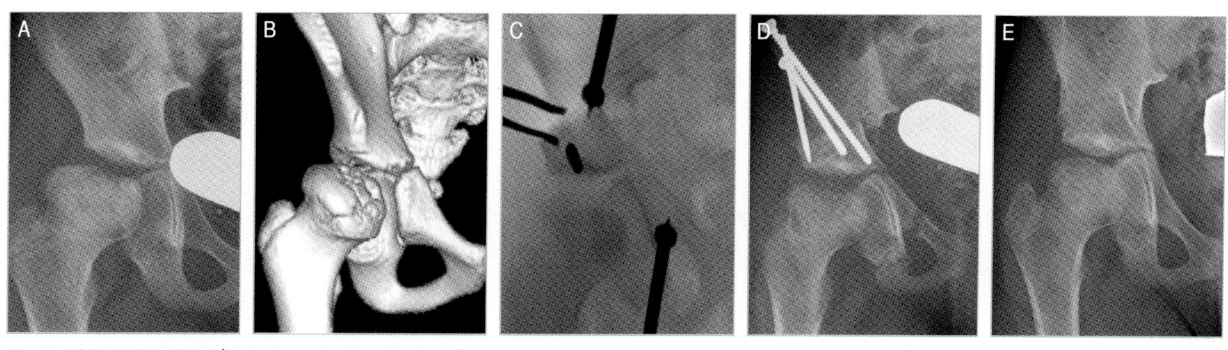

Fig 21. **삼중 무명골 절골술(triple innominate osteotomy).**
A,B: 9세 여아의 수술 전 사진으로 골단 외측 돌출(epiphyseal extrusion)과 내측 관절 간격이 넓어진 아탈구(subluxation)가 관찰된다. Joseph IIIb로 골두의 가소성은 떨어지고 있는 상태이나 나이가 아직 어리고 고관절 외전 시 골두와 비구의 조화가 가능하였기에 삼중 절골술을 이용한 유치 수술을 시행하기로 하였다. C: 수술 중 사진으로 비구를 회전시키고 있는 모습. D: 수술 후 비구가 내고정된 모습. E: 추시 사진. 관절의 조화와 골두 피복이 만족스럽다. 임상적으로도 수술 후 고관절운동 범위가 크게 증가하였다.

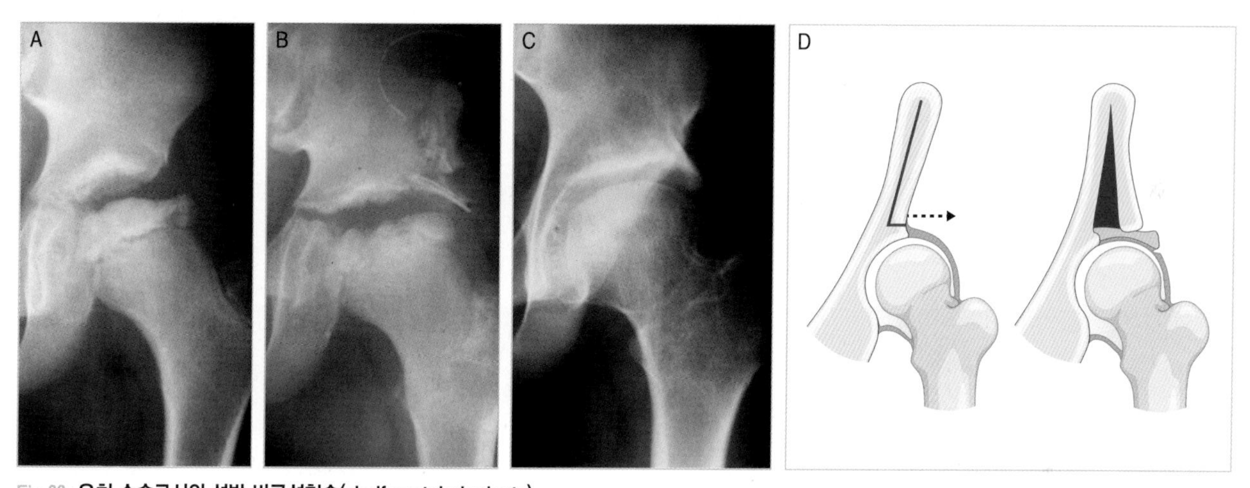

Fig 22. **유치 수술로서의 선반 비구성형술(shelf acetabuloplasty).**
A: 수술 전. 분절기이고 외측주 B/C border 형으로 대퇴골두는 비구연 외측으로 돌출되어 있다. B: 수술 직후. C: 추시 사진으로 구형의 대퇴 골두를 보인다. D: SNUCH 선반 비구성형술의 모식도.

5) 선반 비구성형술(shelf acetabuloplasty)Fig 22

- 골두의 전외부를 덮어줌으로써 아탈구를 막아준다. 주로 골두 피복을 위한 구제수술(salvage operation)로 사용되나 특정 적응증에서는 유치 수술로서도 사용 가능하다.
- 유치 수술로서의 선반 비구성형술은 8세 이상의 Catterall 제3, 4군, 혹은 Herring 외측주 B, B/C 경계 및 C 형에서 LCP병의 분절화기 또는 그 이전에 외측 아탈구가 있지만, 골두 함몰이 심하지 않고, 연부 조직 수술 후에 고관절이 유치 가능할 때(reducible subluxation) 적응이 된다(Yoo 2009).
- 관절 조영술에서 고관절을 신전하여 30-45도 외전시킬 때 골두 외측단이 관절순 내(Hilgenreiner-labral angle이 35도 이상)로 쉽게 유치되면, 선반 비구성형술 후에 비구의 관절면 외측단의 성장이 촉진됨이 알려져 있다(Yoo 2012). 단점은 관절 강직이 증가하여 양반다리를 하기가 어려워질 수 있고, 과도한 선반 형성 시에는 의인성 대퇴 골두-비구 충돌(iatrogenic femoro-acetabular impingement) 증상을 초래할 수도 있으므로 조심해야 한다.

2. 유치 불가능하거나 늦게 치료받게 된 고관절에 대한 수술법

대퇴골두 변형이 Mose 평가에서 원형 이탈(asphericity)이 4 mm 이상일 정도로 심각하고 초기 재형성기를 이미 경과하여 골두의 재형성을 크게 기대하기 어려운 경우에 무리한 유치 수술을 시행하게 되면 통증과 관절 강직이 발생하여 유치 치료의 효과를 기대하기 어렵다. 이러한 경우의 치료 원칙은 유치가 아닌 더 나은 관절면 조화를 도모하기 위한 수술을 시행하는 것이며, 심한 증상과 기능적 장애가 있는 경우에는 골두 피복을 개선하고 대퇴-비구 충돌을 줄여 통증을 줄이고 관절운동 범위를 증가시키기 위한 구제술이 필요하다.

1) Chiari 절골/골반 내측 전위술(Chiari medial displacement osteotomy)Fig 23

- 비구 밖으로 튀어나온 비후된 대퇴골두 부위의 피복을 위하여 관절막 바깥에서 무명골을 절골 시킨 후 절골 원위부를 내측 전위시켜 비구의 부피(volume)를 크게 하는 수술법이다.
- 대퇴 골두의 함몰로 인한 심한 변형(coxa irregularis)이 있어 유치가 불가능한 경우에 마지막으로 시도할 수 있는 수술법이다.
- 골두의 외측을 잘 덮어줄 수 있으나 외전 시 골두 외측의 충돌(lateral impingement)은 해소되지 않는다. 거대 골두가 접촉할 수 있는 관절면을 새로 만들어줌으로써 과도한 응력 집중을 막을 수 있고 비구 재형성을 촉진한다(Handelsman 1980).
- 반면, 외전근 약화를 심화시킬 수 있고 술기가 다소 어렵다. 또한 장기적인 예후에 대한 결과가 보고되어 있지 않은데 결국은 퇴행성 변화를 보일 것으로 생각되며 다만 그 속도를 늦추는 의미가 있을 것으로 보인다.

2) 선반 비구성형술(shelf acetabuloplasty)Fig 24

- Chiari 절골술과 같이 대퇴골두 피복을 증가시키기 위해

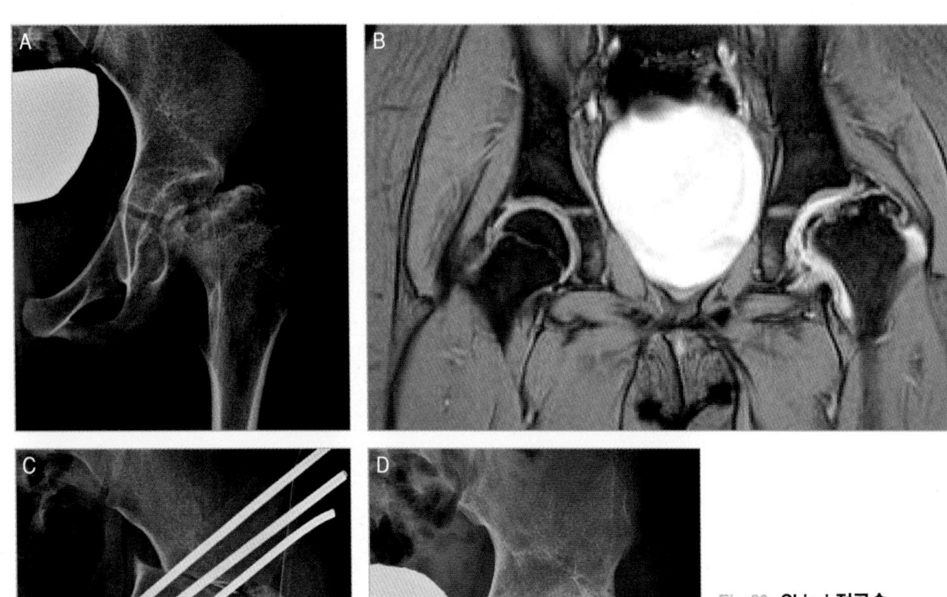

Fig 23. **Chiari 절골술.**
A,B: 7세 여아로 재형성기에 대퇴골두의 심한 변형으로 유치가 불가능한 상태이며 관절 조화가 만족스러운 관절 위치도 찾기 어려운 상태이다. 환아는 운동 시 통증을 호소하였고 고관절의 운동 제한이 있었다. C: Chiari 절골술과 함께 추가로 비구선반성형술을 시행하였다. D: 수술 후 3년, 10세에 대퇴골두는 피복이 잘 되어 있고 통증 없이 일상 생활이 가능하다. 운동 범위 제한은 있으나 술전에 비해 호전되었다.

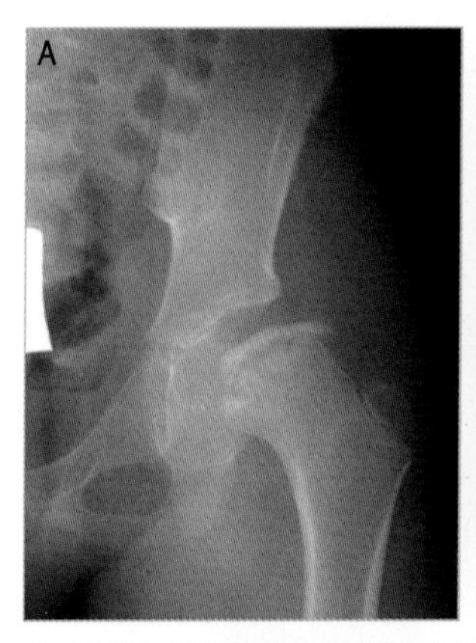

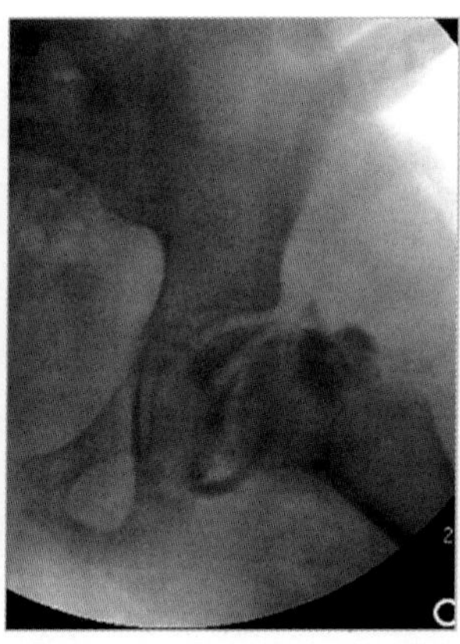
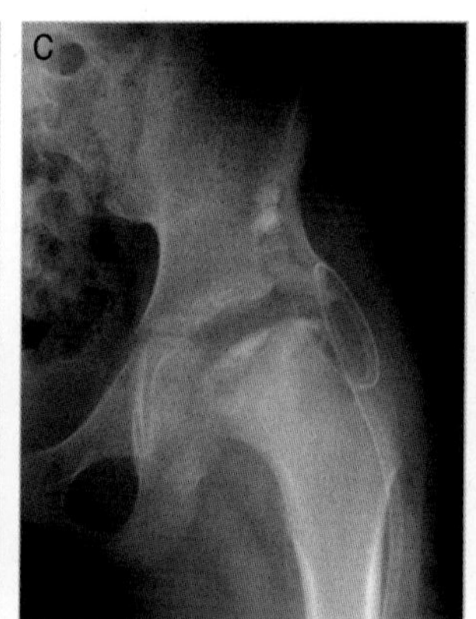

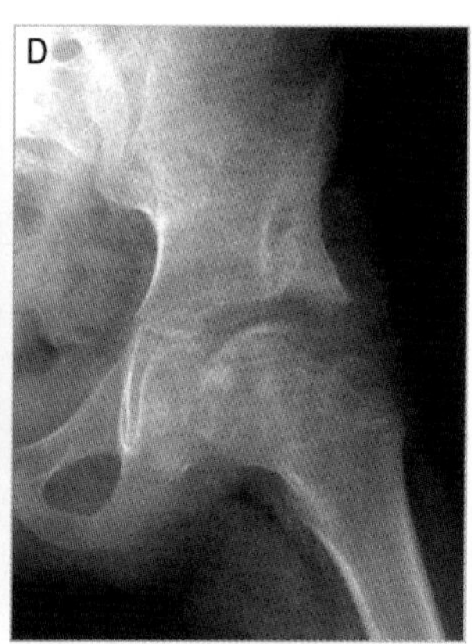

Fig 24. **비구 외측 피복을 호전시키기 위한 선반 비구성형술(shelf acetabuloplasty).**
A,B: 골두 전체가 이환된 여자 환자로 아탈구가 있으면서 관절조영술 상 외전으로 만족스러운 정복을 얻을 수 없었다. C,D: 선반 비구성형술로 비구 외측의 피복을 호전시켰다.

시행한다. 경우에 따라서는 무명골 절골술이나 Chiari 절골술 시 피복이 모자라는 부분에 보충적으로 시행하기도 한다.

- Kruse (1991)는 선반 비구성형술을 시행한 20례의 고관절에서 CE 각과 Mose 원형도 측정 시 뚜렷하게 호전되었고 Iowa 고관절 점수는 91점이며, 보존적 치료를 받은 18례의 고관절에서는 CE 각과 Mose원형도를 측정하였을 때 뚜렷한 호전이 없었고 Iowa 고관절 점수가 81점이라고 보고하였다.
- Catterall (1997)은 8세 이상 환자는 병기에 관계없이 기존의 방향 전환 절골술의 효과가 떨어지므로 선반 비구성형술을 선호하였다. 그는 27례의 고관절에 대하여 2년 추시 결과 아탈구는 진행되지 않았고 치유된 후 대퇴골두의 형태는 만족스러웠으며, 술 전 우려와 달리 외측 비구 성장은 잘 유지되고, 고관절운동 범위도 잘 유지되었다고 하였다.

3) 대퇴골두 돌출부 제거술(cheilectomy, bumpectomy)

앙와위에서 대퇴-비구 충돌을 유발하는 대퇴골두 돌출부를 제거하는 술식이다. 관절운동 범위가 기능적으로 제한된 경우에 적응될 수 있다. 최근 기존의 소극적인 대퇴골두 돌출부 제거술의 개념을 발전시켜 경첩 외전(hinge abduction) 등 대퇴-비구 충돌이 발생한 병의 후기에 대퇴골두 골연골 성형술을 대퇴 근위부의 절골술과 함께 시행하고 있다. 비록 장기적인 결과는 아직 모르지만, 단기적으로는 관절의 운동 범위를 증가시키고 통증을 감소시키는 결과를 얻기도 한다. 최근에는 돌출부가 광범위하지 않다면, 관절경 수술로 대퇴 골두 돌출부를 제거하기도 한다 (Lim 2020).

4) 대퇴골 외반 절골술(femoral valgus osteotomy)Fig 25

- 대퇴골두 변형으로 발생한 전외측의 골연골 융기 부위는 고관절을 굴곡할 때 전방에서, 외전할 때 측방에서 비구와 충돌할 수 있다.
- 이러한 충돌 현상은 통증, 비구순 손상 및 관절 연골 손상을 유발할 뿐 아니라, 전방 충돌은 고관절을 굴곡시킬 때 굴곡 제한과 함께 외전, 외회전을 유발시키고 (Drehmann sign), 측방 충돌은 외전을 제한시킨다.
- 또한 골두의 전방에 치우친 비교적 큰 골연골 융기가 존재하면 이곳이 비구에 충돌되는 것을 피하기 위해 외족지 보행을 보일 수 있으며, 반대로 융기가 외측에 주로 존재한다면 내족지 보행을 유발하기도 한다(Yoo 2008).
- 대퇴골두 변형이 심하여 고관절운동 시에 골두의 탈출 부분이 비구 내로 들어오지 못하는 경우에 고관절운동의 중심 축이 대퇴골두 중심이 아니고 대퇴 골두의 융기 부위와 맞닿은 비구연이 되면 이 점을 경첩 (hinge)으로 비정상적인 운동이 일어나게 되는데, 관상

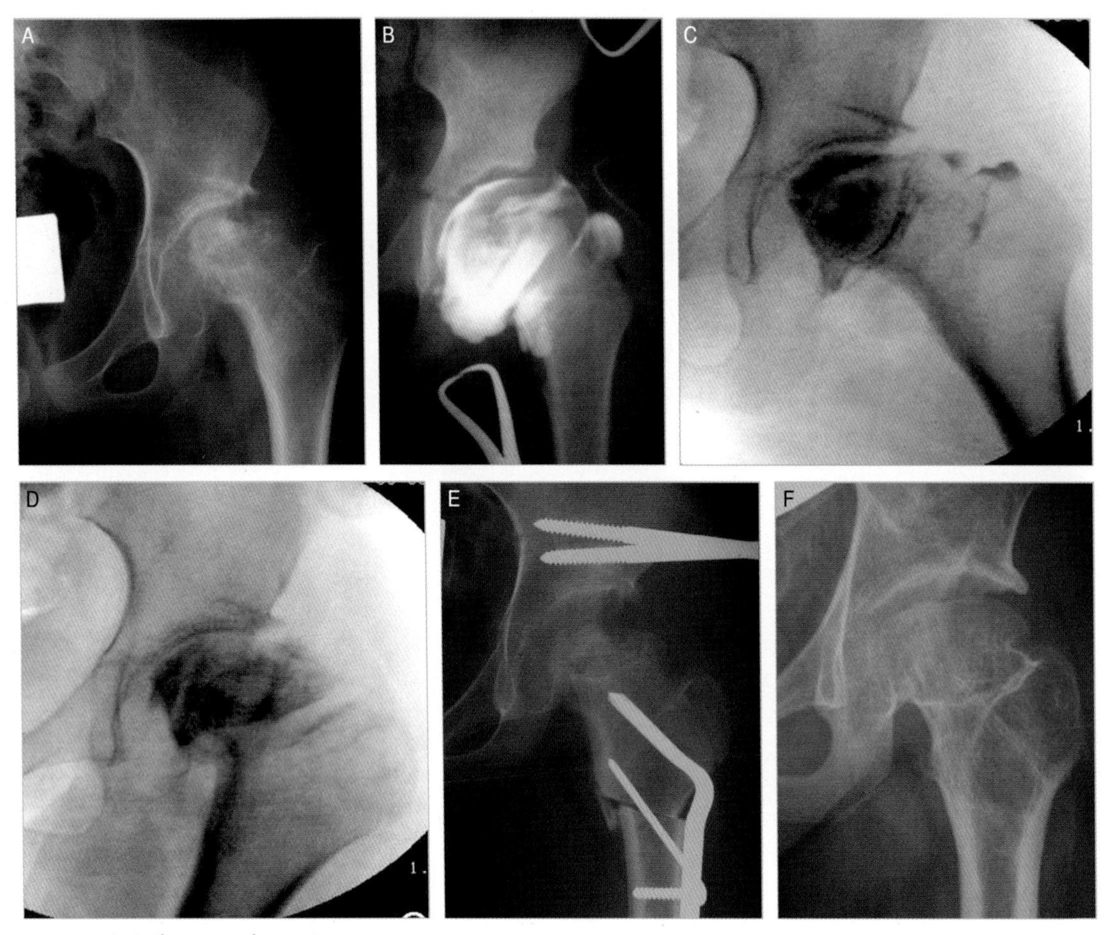

Fig 25. **지연 발생(late-onset) LCP병.**

A: 11년 5개월 여아로 선반 비구성형술(shelf acetabuloplasty)을 시행하였으나 대퇴 골두가 점진적으로 함몰되고 아탈구되었다. 임상적으로 고관절운동이 심하게 저하되었다. B: 관절조영술 상, 중립위에서 비구순이 골단의 돌출된 hump에 의하여 눌려 외번되어 있으며, C: 경첩외전이 뚜렷하다. D: 내전 위치에서는 관절조화(congruency)가 호전된다. E: 대퇴골 외반 절골술과 함께 외고정기를 이용한 관절 신연술을 시행하였다. F: 외고정 장치 제거 후에는 이차적으로 대퇴골두 피복(coverage)을 개선할 목적으로 Chiari 절골술을 추가하였다. 16세 단순 방사선검사 상 Stulberg class IV로 평가되었으나, 임상적으로는 관절운동은 만족스러웠고 파행도 미미하였다.

면에서의 이러한 비정상적인 외전을 경첩 외전이라고 한다.

- 변형된 대퇴 골두와 비구 간의 충돌은 관상면에서의 경첩 외전뿐만 아니라 삼차원적인 공간에서 굴곡 및 회전 시에도 모두 발생하는 현상으로 이해된다(Yoo 2003).
- 대퇴골 외반 절골술은 이환되지 않은 대퇴골두 내측부를 체중 부하 부위에 가져오고 충돌 부위(hump)는 비구연에서 멀어지게 하며 통증을 감소시키고 고관절의 외전을 증가시키는 술식이다. 돌출된 골단 골연골부의 위치, 크기, 형태 및 관절운동 범위에 따라서 필요하다면 외전 요소에 굴곡/신전 또는 회전 요소를 포함하여 시술하기도 한다.
- 외전(abduction) 시 경첩외전(hinging)이 발생하는 유치 불가능 고관절에서 내전 시에는 관절조화(congruency)가 호전되는 경우가 좋은 적응증이다.
- 내전(adduction) 시 대퇴골두 아탈구가 증가하는 경우에는 원칙적으로 외전 절골술은 금기사항이다. 그러나 삼중 절골술과 같은 비구성형술(acetabuloplasty)과 복합적으로 시행하여 고관절의 유치가 어느 정도 가능하

다면 시행해 볼 수도 있다.

- 장점은 ① 관절조화(congruity)를 도모하여 관절 재형성을 촉진시키며, ② 하지 길이를 길게 하는 효과가 있고, ③ 외전근력을 강화시키는 효과가 있다는 것이다.
- 단점으로는 ① 대퇴골두 피복이 나빠질 수 있으며, ② 관절압력을 증가시킬 수 있다는 점이다.
- 절골술 후 고관절 내전이 제한되어 술 후 외전 구축의 가능성이 있는 경우에는 예방적 외근 근막절개술을 시행한다.
- 51례 고관절에 대한 10년 추시에서 단기적으로 통증과 변형 교정에 유용하며, 장기적으로 12례 고관절에서 골두 형상이 호전되었는데, 특히, 나이가 어리고, 재골화기, 그리고 삼방연골이 폐쇄되기 전에 수술한 경우 양호한 결과를 보였다(Bankes 2000).

5) 외고정 장치를 이용한 고관절 신연법 (articulated hip distraction)Fig 25

표준화된 치료로 자리 잡은 방법은 아니다. 다만, 9세 이후에 발병하여 유치 치료로도 그 예후가 극히 불량한 것으로 알려진 지연 발생 LCP병 초기에 감압술(core decompression, multiple drilling)과 함께 또는 단독으로 4개월-6개월간 외고정 장치를 채워 골두의 함몰을 방지하면서 재관류가 될 시간을 번다는 개념은 유용할 것으로 판단된다. 아직까지 몇 개의 소규모 연구만이 보고되어 있는데 통증과 운동 범위 제한이 개선된다고 알려져 있다. 그러나, 골두 구형도를 개선시키는 것은 어렵다는 것이 중론이며 장기 추시 결과도 알려져 있지 않다.

6) 대퇴 골두 골연골 성형술(osteochondroplasty)Fig 26

경첩 외전 등의 원인으로 대퇴 골두의 일부가 비구 밖으로 튀어나오며 변형되면서 cam형 대퇴-비구 충돌증후군을 유발할 수 있다. 흔히 잔존기(residual stage)에 튀어나온 대퇴 골두와 경부의 변형된 부분을 제거하는 수술법이다. 최근에는 측와위에서 Ganz의 안전한 수술적 탈구법(Ganz safe surgical dislocation)을 이용하여 대퇴-비구 충돌을 야기하는 돌출, 융기된 골두 골연골 부분의 제거를 한다. 필요한 경우, 고관절 중립위에서 골두와 비구면의 조화를 개선시키기 위하여 외전-굴곡 절골술(valgus-flexion osteotomy)을 함께 시행할 수도 있다.

7) 고관절 유합술(hip arthrodesis)

아주 심하게 방치된 경우에서 진행된 퇴행성 변화가 발생할 때 시술할 수 있다. 그러나 현재는 거의 시행되지 않는다.

3. 치유기 이후의 문제들

한 보고에서는 치유기 이후 잔존하는 변형으로 58%에서 거대 골두(coxa magna)Fig 27, 21%에서 단고(coxa brevis), 18%에서 불규칙 고관절(coxa irregularis), 3%에서 박리성 골연골염(osteochondritis dissecans), 그 외에 경첩 외전(hinge abduction), 비구순 파열(torn labrum) 및 골관절염의 소견이 관찰된다(Bowen 1984).

1) 박리성 골연골염(osteochondritis dissecans)

- 분절기 이후 재골화기 중 일부 분절이 완전히 골화되지 못하고 잔존하는 경우로 무증상으로 영상검사에만 관찰되는 경우에는 경과 관찰만 한다.
- 박리된 골연골 편이 크고, 체중 부하 면에 있어서 지속되는 고관절 자극 증상의 원인이 될 때에는 대퇴골 경부를 통한 drilling 또는 수술적 관절막 절개술 후에 골연골편을 재고정(refixation)하는 수술이 필요할 수 있다. 그러나 반복적인 증상을 일으키는 골연골편의 위치가 체중부하 면이 아니고 골편의 크기가 크지 않고, 부착이 불가능하다면, 수술적 관절 탈구술 또는 관절경 수술을 통해 제거한다.

2) 대전자 고위(greater trochanter overriding)

- 대퇴 근위 골단판 조기 폐쇄로 대전자가 상대적으로 과성장하여 대전자 고위가 되면 외전근 길이가 단축되면서 근력이 저하되어 Trendelenburg 파행, 외전근 피로 및 통증이 발생할 수 있으며, 대전자가 비구 외측에 충돌하여 외전 제한 및 양반다리로 앉는 것이 어려워질 수 있다. 이는 대부분 대퇴 근위 골단판의 저상장으로 인한 단고(coxa breva)와 병발한다.

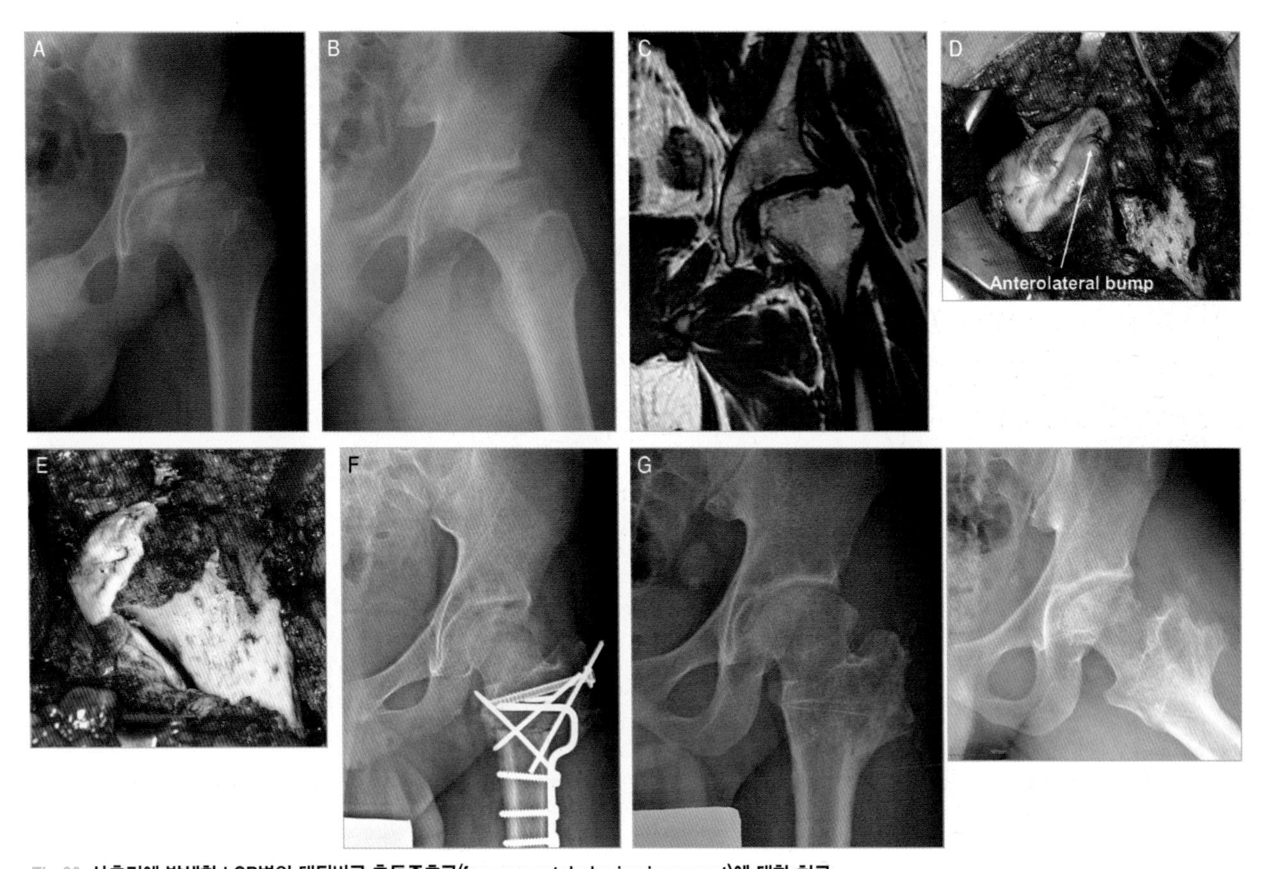

Fig 26. **사춘기에 발생한 LCP병의 대퇴비구 충돌증후군(femoroacetabular impingement)에 대한 치료.**
A,B,C: 13세 남아의 술전 사진. 아탈구가 뚜렷하며 경첩 외전이 관찰된다. D: 수술적 탈구(surgical dislocation)를 통해 노출시킨 대퇴 골두로, 대퇴골두 함몰로 인해 골두 가장자리 부분이 튀어나와 있다. E: 대퇴골두 골연골 성형술(osteochondroplasty)를 시행한 후의 골두 모습. F: 골두 성형술 후에 대퇴골두와 비구와의 관절 조화(congruency)가 더 잘 이루어지도록 외반-굴곡 절골술(valgus-flexion osteotomy)를 함께 시행한 사진. G: 술후 6년 뒤 19세 때의 사진으로 관절 조화가 만족스럽고 임상적인 고관절 기능도 양호하였다.

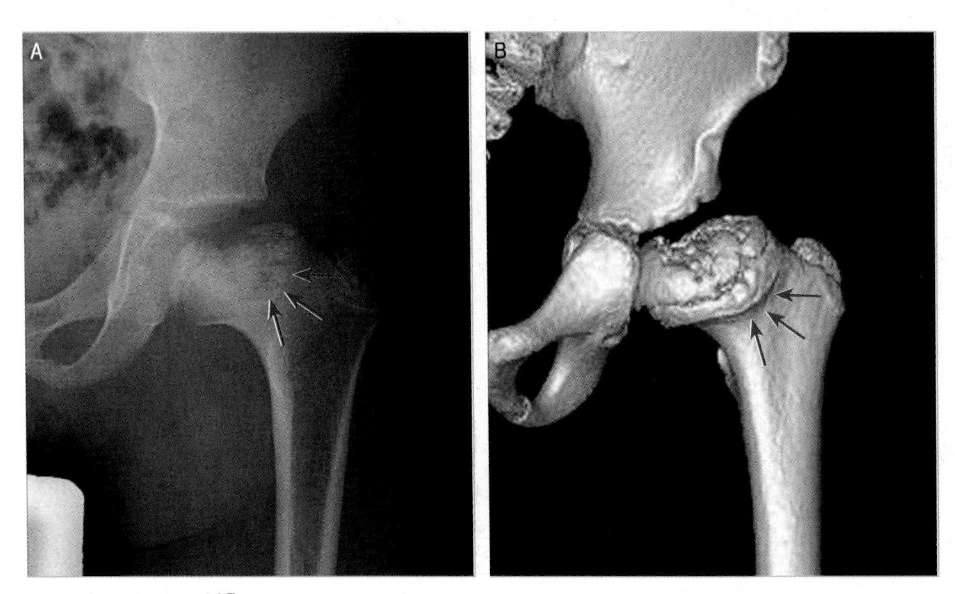

Fig 27. **Sagging rope 징후.**
A: Sagging rope 징후(화살표)는 비대해진 대퇴 골두연(head margin)에 해당한다. B: 3D-CT에서 대퇴 골두연(화살표)이 잘 나타난다.

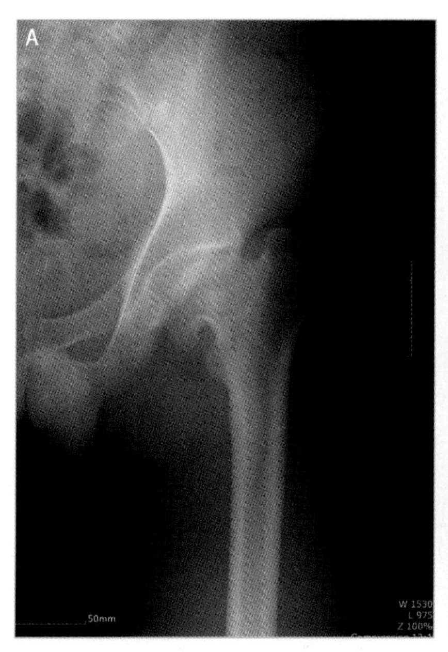

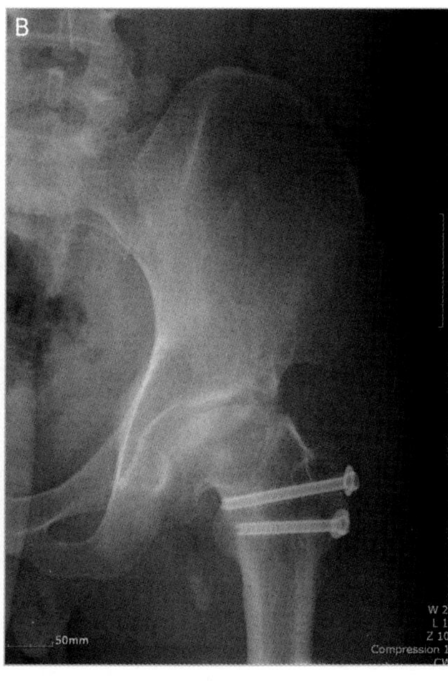

Fig 28. **대전자 전이술(greater trochanteric advancement).**
대퇴 근위 골단판의 조기 폐쇄로 인한 상대적인 대전자의 과성장(A)으로 인하여 지속적인 Trendelenburg 보행과 하지 단축을 호소한 환자이다. 대전자의 원위-외측 전이술과 함께 선반 비구성형술(B)을 시행하였다. 대퇴골연장술은 대퇴 원위부에서 시행하였다.

- 대전자 성장에는 근위 대퇴골과의 사이 골단판에서 뿐 아니라 외전근 부착부에서의 부가성장(appositional growth)에도 기여한다. 특히 8세 이후에는 부가 성장(appositional growth)이 더 중요한 역할을 하므로 대전자와 근위 대퇴골 사이의 골단판 만을 제거하여서는 대전자부 성장 억제를 충분히 얻을 수 없다(Salenius 1970). 따라서, 대전자 고위로 진행할 것으로 우려되면 대전자 첨단부에서의 부가성장까지 함께 억제하는 술식을 고려하여야 한다.
- 고착된 대전자 고위로 인하여 임상적인 문제가 발현되면 대전자를 원위-외측으로 이전시키는 술식Fig 28을 시행할 수 있다. 이는 외전근을 긴장시킬 뿐 아니라 고관절 회전 중심에서 외전근 부착부위까지의 거리를 증가시키는 상대적 경부 연장(relative neck lengthening) 효과를 통해서 외전근의 근력을 향상시킨다.
- 대전자 원위-외측 전이술은 고관절의 발달이 어느 정도 이루어지고 난 8세 이후, 특히 12세 이후에 수술하는 바람직하며, 대전자 상단부가 대퇴 골두 중심과 같은 높이에 있도록 원위측으로 이전하면서 가급적 외측으로 많이 이전한다. 석고 고정이 필요 없을 정도로 견고한 금속 내고정을 시행한다.

3) 하지 부동에 대한 치료

약 9%에서는 LCP병의 후유증으로 2.5 cm 이상의 하지 단축이 발생할 수 있다. 건측 골단판 유합술(contralateral epiphysiodesis)로 치료할 수 있다. 대퇴 골두의 모양이 구형인 경우에는 장기적으로 관절염의 우려가 없거나 적어서 하지길이부동을 최소화하는 것이 필요하나, 골두 변형이 심하여 조만간 인공 관절 수술을 시행해야 할 가능성이 크다고 생각되는 경우에는 약간의 하지 길이 단축을 목표로 치료하는 것이 권장된다. 환측 하지의 단축이 대개 근위 골단판 성장 장애와 골단 높이 저하로 초래되기 때문에 골두 높이를 같게 반대측 골단판 유합술이나 환측 연장술을 시행하면 향후 인공관절 치환술 때 정상적인 해부학적 위치로 대퇴 스템을 고정하면 환측 하지가 길어지는 문제가 발생할 수 있기 때문이다.

X. 저자의 치료방침Fig 29, 30

- 병의 초기에 진단된 경우, 대증적 치료를 시행한다. 적극적 치료가 시작되어야 함을 알리는 임상적인 징후는 운동 범위의 감소, 그리고 방사선학적 징후는 대퇴 골

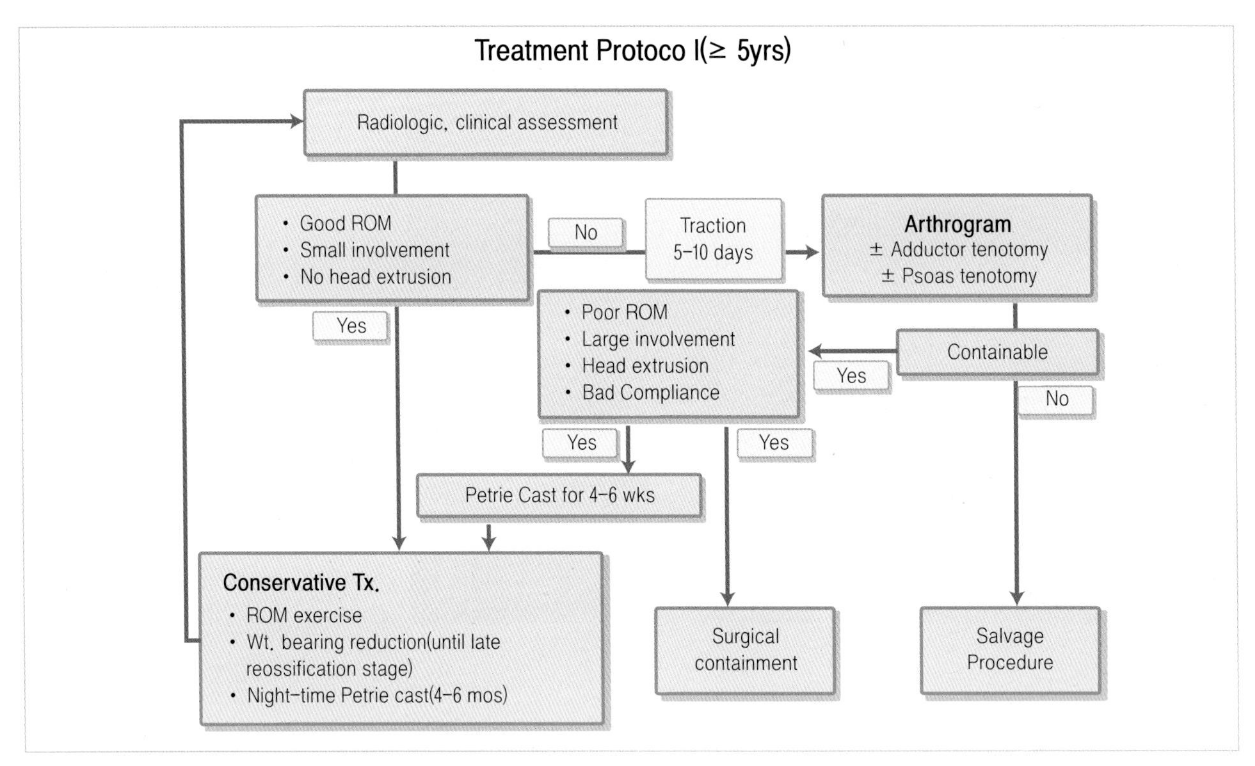

Fig 29. **5세 이상의 LCP병에 대한 서울대학교 어린이병원 치료원칙.**

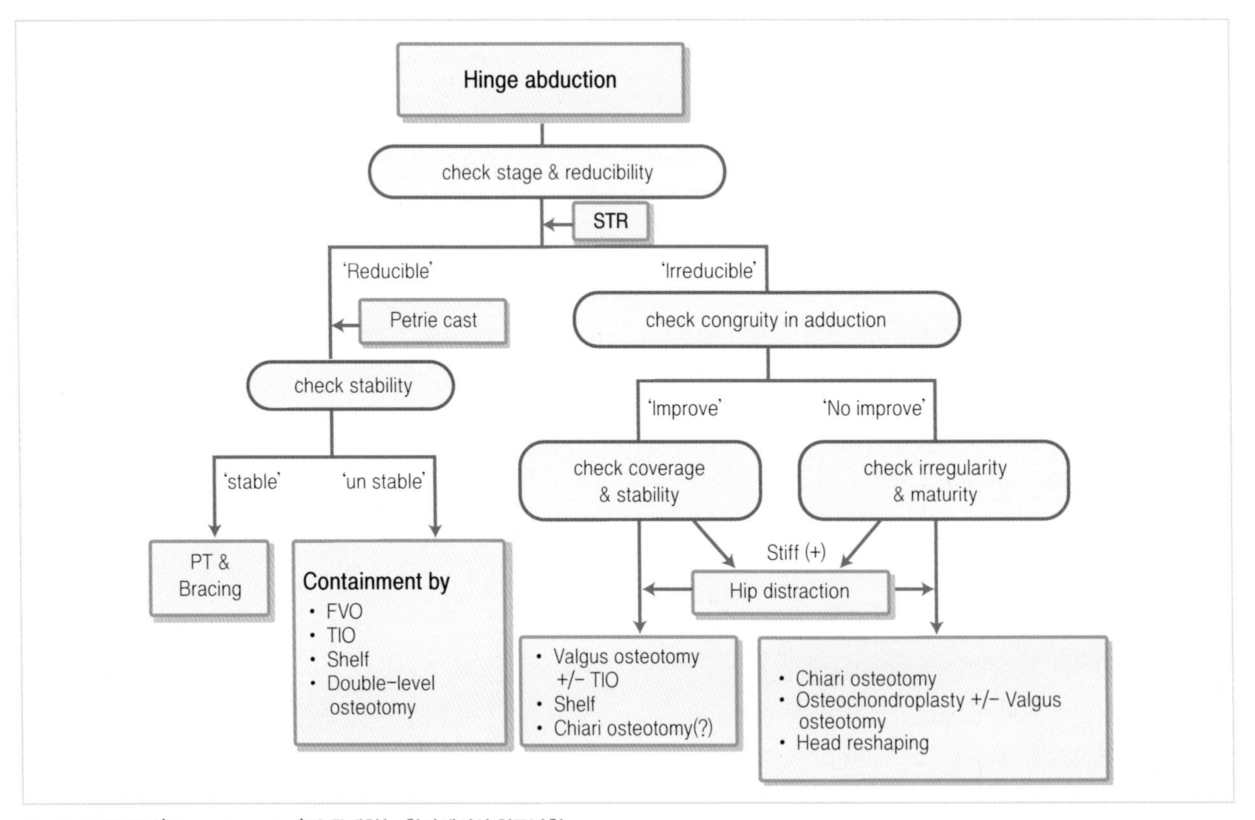

Fig 30. **경첩 외전(hinge abduction)이 존재하는 환자에서의 치료방침.**

STR: soft tissue release, FVO: femoral varization osteotomy, TIO: triple innominate osteotomy, PT: physical therapy (modified from Choi et al. 2011b).

두의 외측 돌출 또는 아탈구의 발생이다.

- LCP 병의 치료 목표가 골두 변형을 방지하는 것이므로 이를 위해서는 아직 골두 변형이 발생하지 않은 초기에 치료가 시작되어야 한다. 그러나, 이 시기에 모든 환자에 대해 수술을 시행하는 접근법은 문제가 있다. 그 이유는 수술적 치료가 불필요할 수도 있는 대상에 대해서 과도한 치료를 시행하게 되고, 혈류 장애를 더 초래할 수 있으며, 골단판이 조기 폐쇄될 위험성이 있는 고관절이었다면 수술로 인해 파행과 골단축을 악화시킬 수 있는 등 그 예후를 모르기 때문이다.
- 병의 초기 단계에서는 고관절의 안정, 다리 벌리기 운동, 자전거타기, 수영 등을 통한 점진적인 관절운동, 외전 석고붕대 고정, 외전 견인 및 물리 치료를 시행하는 편이 안전하다.
- 환자의 나이가 6세 이상이고, 임상적 및 방사선학적 골두 위험 징후('head-at-risk' signs)가 있는 군에서는 일단 입원 상태에서 견인 치료를 시작하여 자극된 고관절(irritable hip)을 안정시킨다. 구체적으로 기술하면, 병 초기에는 약 7일 전후의 피부 견인으로 외전을 포함한 고관절운동이 어느정도 회복시킨 다음 약 4주 전후의 Petrie 석고붕대를 감는다. 이후 골두의 함몰을 예방하고자 체중 부하를 금지시키고, 낮 동안에는 견인 및 외전 중심의 고관절운동을 격려하고, 밤에는 앞뒤 뚜껑으로 된 Petrie 석고붕대를 채우고 잠을 자도록 한다. 이렇게 하면 일단 골두 유치와 관절운동이란 치료 원칙에 부응할 수 있다. 이런 비수술적 접근법을 조영증강(contrast-enhanced) MR 영상에서 골두의 혈관 재관류가 뚜렷해질 때까지 지속한다. 그러나 관절운동(외전 및 내회전) 회복이 원활치 않을 때에는 Ludloff 접근법을 이용하여 선택적으로 내전근 및 장요근건절단술과 함께 내측 관절막 절개술("triple soft tissue release")을 시행한 다음, 환자의 순응도가 좋다면 골두의 재골화(reossification)가 이루어지는 시기까지 위에서 언급한 비수술적 치료법을 지속해 볼 수 있다.
- 관절조영술은 유치될 수 있는 고관절인지 또는 유치 불가능한 고관절인지 분간하는데 매우 도움이 된다. 또한 관절조영술은 연골성 대퇴골두의 둥글기와 비구 밖으로 튀어나온 대퇴 골두 골연골의 모양을 파악할 뿐만 아니라 완전한 유치를 위해 필요한 외전과 회전 정도를 판정하는데 유용하다.
- 나이가 많은 환아에서 골두의 넓은 부위가 침범되었고, 계속적인 강직, 외측 아탈구, 광범위한 골간단 변화, 외측 석회화, Gage 징후 등과 같은 골두 위험 징후를 나타내는 경향이 있을 경우에, 그리고 골두가 생물학적 가소성을 유지하고 있을 때에는 수술적 유치술(surgical containment)이 적응된다.
- 대퇴골 절골술에 의한 수술적 유치는 대퇴 골두가 함몰되기 전인 골 경화기(stage of increased density)나 초기 분절기(early fragmentation stage)에 시행해야만 장기 추시에서 만족스러운 Stulberg등급의 구형 대퇴 골두를 얻을 확률이 높아진다. 만일 고관절의 운동 범위가 좋지 않다면 수술 전에 견인, 물리 치료 또는 내전건 절단술 등의 연부조직 유리술로 가급적 고관절운동 범위를 최대한 확보한 뒤 유치를 위한 절골술을 시행하는 것이 바람직하다.
- 종종 보조기 착용과 같은 비수술적인 치료법으로 시간을 끌다가 혹은 병 자체를 간과하여 대퇴골두는 이미 변형되어 있고 아탈구된 상태로 분절기 후반부(late fragmentation stage)나 초기 재골화기(early reossification stage)와 같이 늦은 병기에 찾아오는 경우라도, 외전-내회전 또는 외전 위치에서의 방사선 검사 상 고관절의 유치가 가능하다고 판단되면 일단 유치를 위한 절골술을 통해서 골두를 비구 내에 유치시켜 재형성을 기대하는 것을 시도해 볼 수 있다. 이러한 적극적인 치료는 나이가 어릴수록 적용해 볼만하다. 이러한 경우에, 저자는 일차적으로위에서 언급한 내전근 및 장요근건절단술과 함께 내측 관절막 절개술 후 일정기간 Petrie 석고붕대로 외전 운동 범위를 증가시킨 다음, 이차적으로 유치 절골술을 시행하는 방법을 선호한다.
- 그러나 이미 괴사된 부분의 골 치유가 상당히 진행된 재골화기 후기에는 골두의 가소성(plasticity)을 상당 부분 잃었기 때문에 유치 수술만을 고집하는 것은 위험하다. 이때는 차라리 대증적 치료를 하거나, 심한 기능적 장애가 있는 경우에는 구제술을 시행하는 것이

바람직할 수 있다. 유치되지 않는 고관절은 대개 골두의 침범이 심하고, 나이가 많으며, 대퇴골두 위험 징후를 보이며 아탈구되어 있거나, 대퇴 골두의 변형이 심하여 외전 시 대퇴 골두가 비구 외측에 걸리는 경첩 외전(hinge abduction)을 나타내는 경우이다.

XI. 최종 치료 결과를 예측하는 지표 및 장기 추시 결과

병의 재골화기 혹은 그 이후에 골두의 심한 변형을 보이거나 아탈구 되어 있는 경우에는 치료가 어려울 뿐 아니라 예후가 아주 불량하다. 치유된 대퇴 골두가 구형(sphericity)을 유지하지 못하면 특히 장, 노년기에 접어들면서 고관절의 부조화(incongruency)에 따른 이차적인 퇴행성 고관절염이 발병하기 쉽다. 미국의 통계에서는 퇴행성 고관절염의 76%에서 선행 질환을 발견할 수 있었고, 이들은 고관절 이형성증(43%), LCP병(22%), 대퇴골두 골단 분리증(11%) 등이다(Aronson 1986).

- LCP병은 대부분 대퇴-비구 충돌증후군의 일환으로서 이차적인 퇴행성 관절염이 발생하리라 여겨진다.
- LCP병에 대한 장기 추시 연구에 의하면 70-80%의 환자는 LCP병을 앓은 후에 첫 20-40년 동안은 치료 방법에 관계없이 통증 없이 일상 생활이 가능하며, 단지 일부분에서 만 30세 이전에 두드러진 통증을 호소하였다. 다시 말해서 대체적으로 50세까지는 기능적으로 양호하지만, 이후부터는 고관절의 기능의 저하가 뚜렷해지면서 60-70대에 이르면 퇴행성 관절염으로 발전하는 형태를 보였다. 48년 장기 추시 결과를 보면, 40%의 환자들이 인공관절 치환술을 받았고, 10%에서는 인공관절 치환술을 받아야 할 정도의 심한 통증을 가지고 있었다. 즉, 50%의 환자에서 방사선학적 기준에 의해서는 불량한 결과(center-edge angle<20도, acetabular index>20도, Mose 원형도>2 mm 원형 이탈)를 나타내는 심한 퇴행성 관절염을 앓고 있었으며, 이러한 빈도는 정상인과 비교할 때 10배 정도에 달한다Table 6 (McAndrew 1984).
- 이미 보고된 치료 성적들을 종합하여 정리해 보면, 치료에 영향을 받지 않으면서 양호한 결과를 보이는 경우가 50%, 치료에 의해서 결과가 호전되는 경우 35%, 치료를 해도 불량한 결과를 보이는 경우 15%로 추정된다. 따라서 각 치료법의 적응증을 적절히 골라내는 것이 중요하다.

• **골두의 원형도와 관절 조화(congruency)를 평가하는 방법**

대퇴 골두의 원형도는 골단의 괴사, 붕괴, 재골화 등 병의 진행 과정 자체뿐 아니라 골단판에서의 성장에 의해서도 영향을 받는다. 따라서, 성장이 완료된 후 평가하는 것이 가장 정확하다.

1) Mose 분류

전후면 및 측면 단순 방사선 사진 상, 대퇴골두 위에 1 mm 간격의 원형 자(template)을 대어 놓고 골두의 원형도를 평가하는 방법이다. 골두 윤곽이 전후면 및 측면 사진 상 1 mm 이내의 차이를 보일 때를 양호(good), 1-2 mm 차이를 보일 경우를 보통(fair), 2 mm 이상일 경우를 불량(poor)으로 분류한다. 이 분류의 단점은 다양한 골두의 변형을 다 포함시켜 측정하기 힘들어 그 적용이 매우 제한적이라는 것이다.

2) Stulberg 분류(1981)Tables 7, 8

Table 6. **Iowa 대학의 장기 추시 결과**

추시기간	Iowa hip score > 80점	인공관절(THRA)	심한 동통(severe pain)
36년	93%	8%	
48년	40%	40%	10%

Table 7. **Stulberg 분류**

Class	Radiographic	Features Congruency
I	Normal hip	Spherical congruency
II	Spherical femoral head, same concentric circle on anteroposterior and frog-leg lateral views but with one or more or the following: coxa magna, shorter than normal neck, abnormally steep acetabulum	Spherical congruency
III	Ovoid, mushroom-shaped(but not flat) head, Aspherical congruency coxa magna, shorter than normal neck, abnormally steep acetabulum	Aspherical congruency
IV	Flat femoral head and abnormalities of the head, neck, and acetabulum	Aspherical congruency
V	Flat head, normal neck, and acetabulum	Aspherical incongruency

Modified From Stulberg SD, Cooperman DR, Wallensten R. The natural history or Legg-Calvé-Perthes disease. JBJS, 63A:1095, 1981.
* Herring 등은 II군은 Mose 방법으로 골두의 원형도가 2 mm 이내 차이가 날 때, III군은 2 mm 이상, 1 cm 이내 차이 날 때, IV군은 1 cm 이상 차이가 날 때로 구체화하였다.

Table 8. **Stulberg 분류에 따른 퇴행성 관절염의 발생 빈도**

Stulberg classification	I	II	III	IV	V
30-yr F/U	0%	0%	0%	40%	85%
40-yr F/U	0%	16%	58%	75%	78%

Note: I 군을 제외하고는 40년 추시 시 퇴행성 관절염의 발생빈도가 증가하였다. 평균적으로 35세까지는 10%가, 그리고 50세까지는 40%가 수술을 필요로 하였다. 이 결과는 골두가 원형일수록 예후가 좋음을 시사한다. McAndrew and Weinstein (1984)의 University of Iowa에서 치료한 군중 평균 56세에 37 고관절 중 40%에서 고관절 치환술이 필요하다고 하였다(Table 7). 이 중 많은 예가 III, IV, V이었다고 하였다.

참고문헌

최인호, 박선양, 유기형 등. Legg-Calvé-Perthes병 환자의 혈액 응고-섬유 소성 용해계의 변화. 대한정형외과학회지. 1995;30:1130.

Aronson J. Osteoarthritis of the young adult hip: etiology and treatment. Instr Course Lect. 1986;35:119.

Arruda VR, Belangero WD, Ozelor MC, et al. Inherited risk factors for thrombophilia among children with Legg-Calvé-Perthes disease. J Pediatr Orthop. 1999;19:84.

Bankes MJ, Catterall A, Hashemi-Nejad A. Valgus extension osteotomy for hinge abduction in Perthes disease. Results at maturity and factors influencing the radiological outcome. J Bone Joint Surg Br. 2000;82:548.

Bowen JR, Foster BK, Hartzell CR. Legg-Calvé-Perthes disease. Clin Orthop Relat Res. 1984;185:97.

Catterall A. Legg-Calvé-Perthes disease. Edinburgh, Churchill-Livingstone;1982.

Catterall A. The natural history of Perthes disease. J Bone Joint Surg Br. 1971;53:37.

Cho TJ, Choi IH, Chung CY, et al. The bicompartmental acetabulum in Perthes' disease: 3D-CT and MRI study. J Bone Joint Surg Br. 2005;87:1127.

Cho TJ, Lee SH, Choi IH, et al. Femoral head deformity in Catterall groups III and IV Legg-Calvé-Perthes disease - MR image analysis on coronal and sagittal planes. J Pediatr Orthop. 2002;22:601.

Choi IH, Yoo WJ, Cho TJ, et al. Principles of treatment in late stages of Perthes disease. Orthop Clin North Am. 2011;42:341-348.

Choi IH, Yoo WJ, Cho TJ, et al. The role of valgus osteotomy in LCPD. J Pediatr Orthop. 2011 ;31:S217.

Conway JJ. A scintigraphic classification of Legg-Calvé-Perthes disease. Semin Nucl Med. 1993;23:274.

Dickens DR, Menelaus MB. The assessment of prognosis in Perthes' disease. J Bone Joint Surg Br. 1978;60:189.

Domzalski ME, Glutting J, Bowen JR, et al. Lateral acetabular growth stimulation following a labral support procedure in Legg-Calvé-Perthes disease. J Bone Joint Surg Am. 2006;88:1458.

Evans IK, Deluca PA, Gage JR. A comparative study of ambulation-abduction bracing and varus derotation osteotomy in the treatment of severe Legg-Calvé-Perthes disease in children over 6 years of age. J Pediatr Orthop. 1988;8:676.

Gershuni DH, Axer A, Siegel B. Localized regressive articular cartilage changes in the hip joint of the rabbit following synovitis. Acta Orthop Scand. 1979;50:179.

Glueck CJ, Alvin Crawford, Dennis R, et al. Association of antithrombotic factor deficiencies and hypofibrinolysis with Legg-Perthes disease, J Bone Joint Surg Am. 1996;78:3.

Handelsman JE. The Chiari pelvic sliding osteotomy. Orthop Clin North Am. 1980;11:105.

Hefti F. Pediatric orthopaedics in practice. Springer-Verlag Berlin Heidelberg, Springer; 2007.Mukherjee A, Fabry G. Evaluation of the prognostic indices in Legg-Calvé-Perthes disease: statistical analysis of 116 hips. J Pediatr Orthop. 1990;10:153.

Herring JA, Kim HT, Browne R. Legg-Calvé-Perthes Disease. Part I. Classification of radiographs with use of the modified lateral pillar and Stulberg classifications. J Bone Joint Surg Am. 2004;86:2103.

Herring JA, Kim HT, Browne R. Legg-Calvé-Perthes Disease. Part II. Prospective multicenter study of the effect of treatment on outcome. J Bone Joint Surg Am. 2004;86:2121.

Herring JA, Neustadt JB, Williams JJ, et al. The lateral pillar classification of Legg-Calvé-Perthes disease. J Pediatr Orthop. 1992;12:143.

Jacobs R, Moens P, Fabry G. Lateral shelf acetabuloplasty in the early stage of Legg-Calvé-Perthes disease with special emphasis on the remaining growth of the acetabulum: a preliminary report. J Pediatr Orthop B. 2004;13:21.

Joseph B, Varghese G, Mulpuri K, et al. Natural evolution of Perthes disease: a study of 610 children under 12 years of age at disease onset. J Pediatr Orthop. 2003;23:590.

Joseph B. Prognostic factors and outcome measures in Perthes disease. Orthop Clin North Am. 2011;42:303-315.

Kim HK. Pathophysiology and new strategies for the treatment of Legg-Calvé-Perthes disease. J Bone Joint Surg Am. 2012;94:659.

Kim HKW. Legg-Calvé-Perthes disease: Etiology, pathogenesis, and biology. J Pediatr Orthop. 2011;31:S141-S146.

Kim HT, Wenger DR. Surgical correction of functional retroversion and functional coxa vara in late Legg-Calvé-Perthes disease and epiphyseal dysplasia: correction of deformity defined by new imaging modalities. J Pediatr Orthop. 1997;17:247.

Kleinman RG, Bleck EE. Increased blood viscosity in patients with Legg- Perthes disease: a preliminary report. J Pediatr Orthop. 1981;1:131.

Kristmundsdottir F, Burwell RG, Hall DJ, et al. A longitudinal study of carpal bone development in Perthes disease: its significance for both radiologic standstill and bilateral disease. Clin Orthop Relat Res. 1986;209:115.

Kruse RW, Guille JT, Bowen JR. Shelf arthroplasty in patients who have Legg-Calvé-Perthes disease. A study of long-term results. J Bone Joint Surg Am. 1991;73:1338.

Lee DY, Seong SC, Choi IH, et al. Changes of blood flow of the femoral head after subtrochanteric osteotomy in Legg-Perthes disease: A serial scintigraphic study. J Pediatr Orthop. 1992;12:731.

Lim C, Cho TJ, Shin CH, et al. Functional Outcomes of Hip Arthroscopy for Pediatric and Adolescent Hip Disorders. Clin Orthop Surg. 2020;12:94.

Lloyd-Roberts GC, Catterall A, Salamon PB. A controlled study of the indications for the results of femoral osteotomy in Perthes disease. J Bone Joint Surg Br. 1976; 58:31.

Loder RT, Schwartz EM, Hensinger RN. Behavioral characteristics of children with Legg-Calvé-Perthes disease. J Pediatr Orthop. 1993;13:598.

Martinez AG, Weinsten SL, Dietz FR. The weight-bearing abduction brace for the treatment of Legg-Perthes disease. J Bone Joint Surg Am.1992;74:12.

McAndrew MP, Weinstein SL. A long-term follow-up of Legg-Calvé-Perthes disease. J Bone Joint Surg Am. 1984;66:860.

Meehan PL, Angel D, Nelson JM. The Scottish Rite abduction orthosis for the treatment of Legg-Perthes disease: A radiographic analysis. J Bone Joint Surg Am. 1992;74:2.

Mirovsky Y, Axer A, Hendel D. Residual shortening after osteotomy for Perthes disease. A comparative study. J Bone Joint Surg Br. 1984;66:184.

Mose K. Methods of measuring in Legg-Calvé-Perthes disease with special regard to the prognosis. Clin Orthop Relat Res. 1980;150:103.

Olney BW, Asher MA. Combined innominate and femoral osteotomy for the treatment of severe Legg-Calvé-Perthes disease. J Pediatr Orthop. 1985;5:645.

Park MS, Chung CY, Lee KM, et al. Reliability and stability of three common classifications for Legg-Calvé-Perthes disease. Clin Orthop Relat Res. 2012;470:2376.

Petrie JG, Bitenc I. The abduction weight-bearing treatment in Legg-Perthes disease. J Bone Joint Surg Br. 1971;53:54.

Poussa M, Hoikka V, Yrjönen T, et al. Early signs of poor prognosis in Legg-Perthes-Calvé disease treated by femoral varus osteotomy]. Rev Chir Orthop Reparatrice Appar Mot. 1991;77:478.

Rab GT, DeNatale JS, Herrmann LR, Three-dimensional finite element analysis of Legg-Calvé-Perthes disease and biology. J Pediatr Orthop. 1982;2:39-44.

Rayner PH, Schwalbe SL, Hall DJ. An assessment of endocrine function in boys with Perthes disease. Clin Orthop Relat Res. 1986;209:124.

Rowe SM, Jung ST, Lee KB, et al. The incidence of Perthes' disease in Korea. A focus on differences among races. J Boen Joint Surg Br. 2005;87:1666.

Salter RB, Thompson G. Legg-Calvé-Perthes disease. The prognostic significance of the subchondral fracture and a two-group classification of the femoral head involvement. J Bone Joint Surg Am. 1984;66:479.

Sanctis N, Rega AN, Rondinella F. Prognostic evaluation of Legg-Calvé-Perthes disease by MRI Part I: The role of physeal involvement. J Pediatr Orthop. 2000;20:455.

Sanctis N, Rega AN, Rondinella F. Prognostic evaluation of Legg-Calvé-Perthes disease by MRI Part II: Pathomorphogenesis and new classification. J Pediatr Orthop. 2000; 20:463.

Stulberg SD, Cooperman DR, Wallenstein R. The natural history of Legg-Calvé-Perthes disease. J Bone Joint Surg Am. 1981;63:1095.

Terjesen T, Wiig O, Svenningsen S. The natural history of Perthes' disease. Acta Orthop. 2010;81:708-714.

Van Dam BE, Crider RJ, Noyes JD, et al. Determination of the Catterall classification in Legg-Calvé-Perthes disease. J Bone Joint Surg Am. 1981;63:906.

Waldenström H. The definite form of the coxa plana. Acta Radiol. 1922;12:384.

Weinstein SL. LCP. In Lovell and Winter: Pediatric Orthopaedics, 4th ed. Lippincott-Raven; 1996.

Weinstein SL. Legg-Calvé-Perthes disease. In Morrisy RT and Weinstein SL(ed)Lovell and Winter. Pediatric Orthopaedics. 4th ed., Lippincott-Raven publishers; 1996.951.

Wenger DR, Ward WT, Herring JA. Legg-Calvé-Perthes disease. J Bone Joint Surg Am. 1991;73:778.

Wiig O, Terjesen T, Svenningsen S. Prognostic factors and outcome of treatment in Perthes' disease: a prospective study of 368 children with five-year follow-up. J Bone Joint Surg Br. 2008;90:1364-1371.

Yoo WJ, Choi IH, Cho TJ, et al. Outtoeing and In-toeing in Patients With Perthes'Disease: Role of the Femoral Hump. J Pediatr Orthop. 2008;28:717-22.

Yoo WJ, Choi IH, Cho T-J, et al. Risk Factors for Femoral Head Deformity in the Early Stage of Legg-Calvé-Perthes Disease: MR Contrast Enhancement and Diffusion Indexes. Radiology. 2016;279:562.

Yoo WJ, Choi IH, Cho TJ, et al. Shelf acetabuloplasty for children with Perthes' disease and reducible subluxation of the hip: prognostic fac-tors related to hip remodelling. J Bone Joint Surg Br. 2009;91:1383.

Yoo WJ, Choi IH, Chung CY, et al. Valgus femoral osteotomy for hinge abduction in Perthes' disease. Decision-making and outcomes. J Bone Joint Surg Br. 2004;86:726.

Yoo WJ, Kim YJ, Menezes NM, et al. Diffusion weighted MRI reveals epiphyseal and metaphyseal abnormalities in Legg-Calvé-Perthes disease: a pilot study. Clin Orthop Relat Res. 2011;469:2881.

Yoo WJ, Moon HJ, Cho TJ, et al. Does shelf acetabuloplasty influence acetabular growth and remodeling? Clin Orthop Relat Res. 2012;470:2411.

Young ML, Little DG, Kim HK. Evidence for using bisphosphonate to treat Legg-Calvé-Perthes disease. Clin Orthop Relat Res. 2012;470:2462.

19

대퇴골두 골단분리증

Slipped Capital Femoral Epiphysis

PEDIATRIC ORTHOPAEDICS

대퇴골두 골단분리증

Slipped Capital Femoral Epiphysis

목차

대퇴골두 골단분리증(slipped capital femoral epiphysis, SCFE)은 대퇴골두 골단판을 통해서 대퇴골두 골단과 대퇴경부 사이에 점차적으로 전위가 발생하는 질환으로 청소년기에, 또는 연령과 관계없이 골격 발달 단계가 청소년기에 해당하는 환자에서 주로 발생한다. 대퇴경부 골절 또는 대퇴골 근위 골단판 손상과는 발병기전, 치료, 예후 등이 엄연히 다른 별개의 질환이다.

I. 서론

1. 역학

- 아주 드문 질환으로 10만 명당 2-13명의 유병률을 보이며 인종 간, 지역 간 차이가 크다. 아시아인은 발병률이 낮은 편으로, 폴리네시안 계 또는 흑인에서 가장 호발하며, 백인에 이어 말레이인, 인도-지중해연안 주민은 현저히 발병률이 낮다.
- 인종간의 차이는 각 인종의 평균 체중과 아주 밀접하게 연관되어 있어 평균 체중이 큰 인종에서 더욱 호발하며, 이는 과체중이 중요한 발병 기전이라는 점을 시사한다.
- 대부분 10-16세 사이의 급성장기에 발생한다.
- 근래에 동양권에서도 발병률이 증가하는 바, 이는 유전적 요소보다는 비만, 식생활 등의 후천적 요인이 더 중요하다는 점을 시사한다.

1989–2003 우리나라에서의 역학적 자료(Song 2009)

- 남:여 = 3.125:1
- 발병 시 나이: 평균 12세 10개월(남), 12세(여)
- 우측 33.3%, 좌측 47.7%, 양측성 19.0%
- 급성 27.3%, 만성 44.0%, 만성의 급성화 28.7%
- BMI: 평균 25.1 kg/m^2(남), 22.2 kg/m^2(여). 참고: 정상 18.5–25, 과체중 25–30, 비만 30 이상

2009–2019년 우리나라에서의 역학적 자료(건강보험심사평가원)

- 총 환자수 586명
- 남:여 = 2.7:1
- 발병 시 평균 나이: 11.1세(남아 11.3세, 여아 10.6세)
- 90%의 환자가 9–14세에 발생한다. 9–14세 연령군에서 발병률은 2009년 0.96명/10만 명에서 2019년 2.05명/10만 명으로 증가하는 추세에 있다[Fig 1].

- 양측성이 21-37%로 보고된다. 약 절반은 초진 시 양측성으로 발견되며, 나머지 절반에서는 시차를 두고 발병하는데 대개 18개월 안에 발병한다.
- 나이가 어리고 내분비적 문제를 동반한 경우 양측성으로 발병할 위험이 높다.
- 발병 당시 골 연령은 아주 좁은 범위에 몰려있다(Loder 1993).

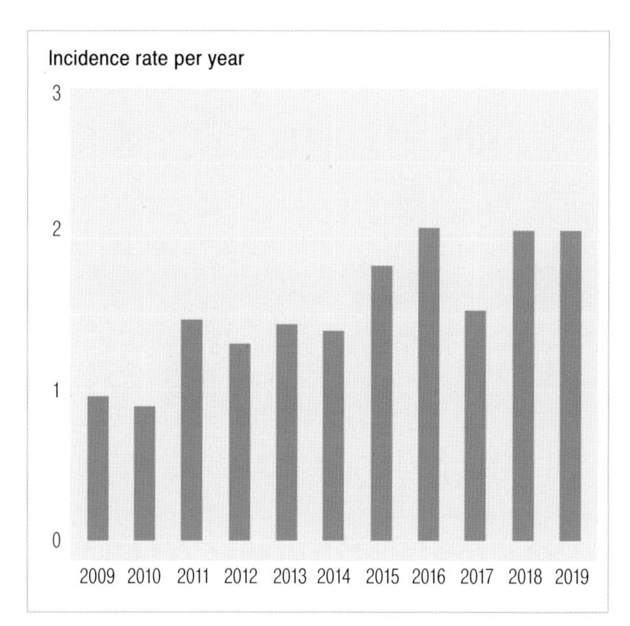

Fig 1. **2009-2019년 우리나라 9-14세 연령층 10만 명당 발생한 대퇴골두 골단분리증.**

2. 병리 소견

1) 육안적 변화

대퇴골두가 후방으로 전위된다. 관상면 상에서의 변화는 고관절의 회전 방향과 정도에 따라서 달리 보일 수 있는데 일반적으로 대퇴골두가 내측으로 전위되며, 드물게 외측으로 전위되는 경우(valgus slip)도 있다.

2) 조직학적 변화

골단분리증의 원인인지 결과인지는 불분명하다.

- 골단판 폭이 건측에 비해서 넓다.
- 정지대의 두께는 정상과 같지만 증식대와 비후대가 두꺼워진다. 정상 골단판에서 비후대는 전체 골단판 폭의 15-30%이지만 대퇴골두 골단분리증에서는 80%까지 증가한다.
- 골단분리증에서의 전위는 성숙대에서 일어나며 간혹 잠정석회화대까지 침범한다. 반면, 외상성 골단판 분리는 주로 잠정석회화대에서 발생한다.
- 활막염이 동반되어 활막에서 과증식, 비후, 융막 형성, 혈관 증가, 원형세포 침윤 등이 관찰된다.
- 만성 골단 분리에서는 마치 신연 골형성술에서와 같이 점진적인 신연으로 신생골이 형성되기도 한다.

3. 병인과 발병기전

대퇴골두 골단판에 가해지는 전단력은 체중, 운동, 해부학적 구조 등에 의해서 결정되는데, 신체 성장에 따라서 점점 더 큰 전단력이 가해진다. 골단판이 폐쇄되기 전까지는 골단판이 대퇴골 근위부에서 전단력에 가장 취약한 부위이며, 청소년기의 성장 폭발에서 골단판 폐쇄 사이의 시기에 병적으로 또는 생리적 범위 안에서의 변화로 전단력에 대한 저항이 가해지는 전단력보다 작아지면 골단 분리가 발생할 것으로 생각된다.

1) 기계적 요인

- 비만, 대퇴 경부의 저염전(decreased anteversion) 또는 후염전(retroversion), 청소년기에 증가하는 골단판 경사도 등의 기계적 요인이 발병에 기여한다.
- 단순 외상이 간접적인 기여요인이 될 수도 있지만 단순 골절 또는 외상성 골단판 분리와는 병리소견이 다르다.
- 나이가 많을수록 근위 대퇴골 골단판의 골막환 복합체(perichondrial ring complex)는 얇아지면서 전단력에 대한 저항이 감소한다.

2) 내분비 장애

대부분의 SCFE 환아에서는 특별한 내분비 장애를 발견할 수 없지만, 내분비 장애가 있는 환아 중 일부에서 SCFE가 합병하는 경우가 있다. 따라서, SCFE 호발 연령대 이외의 환자이거나, SCFE 호발 연령대 환자 중 비만하지 않은 환자의 경우 내분비 이상이 있을 가능성이 있으므로 내분비 계통에 대한 검사가 필요하다. 또한, 전형적인 SCFE 환자라 하더라도 비만에 대한 식이조절, 대사증후군 진단 및 예방에 관한 진료가 필요하므로 모든 SCFE 환자에 대해 소아청소년내분비분과와의 협진이 바람직하다.

- **골단판에 대한 각종 호르몬의 영향**
  - 성장 호르몬: 연골세포 증식과 간질 생산을 촉진하여 골단판 두께를 증가시키는데 이로 인하여 골단

판은 전단력에 취약해진다.

- 갑상선 호르몬: 성장 호르몬 분비에 영향을 주어 성장에 간접적으로 관여하며 사춘기 말에 골단판 폐쇄를 촉진시킨다. 따라서, 갑상선 호르몬 저하시 SCFE 발생률이 높아진다.
- 에스트로겐: 골단판의 두께가 감소하고 전단력에 대한 강도는 증가한다.
- 테스토스테론: 저농도에서는 골단판의 강도를 감소시키지만, 고농도에서는 두께를 감소시키고 강도를 증가시킨다.

대퇴골두 골단분리증과 연관된 대사성/내분비성 이상

- 일차성 갑상선 기능저하증
- 성선 기능저하증(hypogonadism) 또는 범 뇌하수체 기능저하증(panhypopituitarism)
- 성장 호르몬(growth hormone) 치료를 받는 경우
- 구루병(rickets)
- 신성 골이영양증(renal osteodystrophy)
- 괴혈병(scurvy)
- Klinefelter 증후군
- Rubinstein-Taybi 증후군

3) 방사선 조사(radiation)

골반 또는 대퇴골 근위부에 방사선 치료 후 발병한 경우가 보고되어 있는데, 발병 연령이 어리고 무혈성 괴사가 흔하며 골단판 유합이 지연된다.

II. 임상적 소견 및 분류

통증과 파행을 보이며, 고관절운동 범위가 특징적인 양상으로 제한되어 있다.

1. 통증

- 고관절, 서혜부, 대퇴부, 슬관절 등에 통증을 호소한다.
- 대퇴부와 슬관절 통증은 대퇴신경(femoral nerve), 폐쇄신경(obturator nerve)의 분포 범위에 따른 연관통(referred pain)으로 생각된다. 호발 연령대에서 이 부위 통증을 호소하는 환자에서는 반드시 대퇴골두 골단분리증의 가능성을 염두에 두어야 한다.

2. 관절운동 제한

- 고관절을 굴곡하면 외전 및 외회전이 된다. 외전 및 외회전을 억제하면 굴곡이 제한된다(Drehmann sign) Fig 2.
- 고관절의 내회전이 제한되어 있거나 외회전 구축을 보이며 보행 시 외족지 보행을 한다.
- 중등도 이상의 골단분리증에서는 변형된 근위 대퇴골의 구조로 cam-type의 대퇴비구 충돌 증후군(femoro-acetabular impingement)을 초래하여 이러한 관절운동 제한을 보인다. 경도의 골단분리증에서도 관절 자극에 의한 활막염으로 이러한 관절운동 장해를 보일 수 있다.

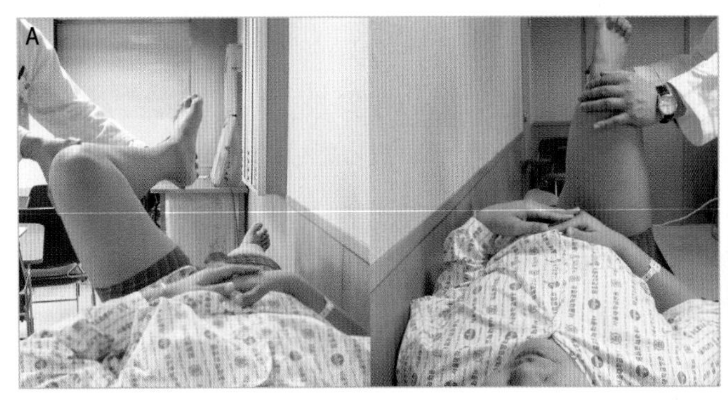

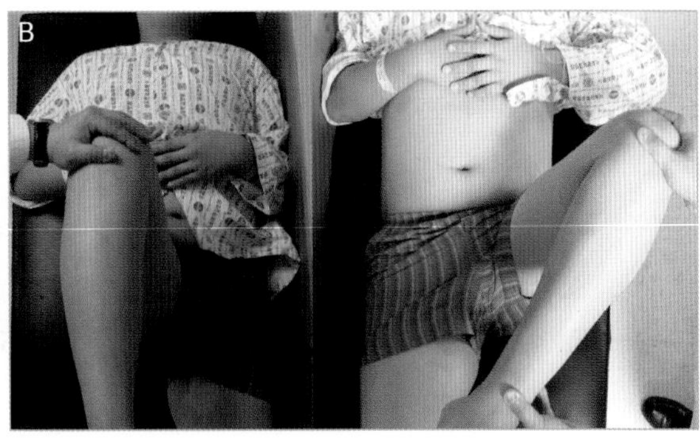

Fig 2. **Drehmann 징후.**
고관절을 굴곡시킬 때 건측인 우측에 비해서 좌측 고관절은 외전(A) 및 외회전(B)되는 것을 관찰할 수 있다.

3. 분류

대퇴골두 골단분리증은 골단의 안정성, 분리된 정도, 증상 발현 시기 등을 기준으로 분류한다.

1) 골단의 안정성에 따른 분류(Loder 1993)

- 안정성(stable) 골단분리증: 목발 없이 또는 목발을 짚고라도 보행이 가능한 경우로, 환측의 체중 부하 여부와는 상관없다.
- 불안정성(unstable) 골단분리증: 목발을 짚어도 통증으로 인하여 보행이 불가능한 경우이다.

• **불안정성 골단분리증**

- 영상검사 기준으로는 관절삼출액이 동반된 경우(Parsch 2009), 골간단 재형성 소견이 없는 경우(Loder 2001), 마취 하 C-arm에서 골두-골간단 움직임이 관찰되는 것을 불안정성 골단분리증이라고 하기도 한다.
- 전신마취 하에서 의도하였건 하지 않았건 전위된 골단이 도수 정복될 수 있다.
- 안정성 골단분리증에서는 대퇴골두 무혈성 괴사가 드물게 발생하는 반면 불안정성 골단분리증에서는 55%까지 발생하는 것으로 보고되고 있는데, 이 점이 안정성 여부를 평가하는 가장 중요한 이유이며 치료 방침을 결정하는 데에 고려하여야 한다.
- 혈관 손상이 초래될 수 있으므로 보행이 불가능한 통증을 호소하는 경우 이학적 검사를 삼가야 한다. 방사선 검사 시에도 frog-leg view는 금기이고 trans-lateral view를 촬영한다.
- 수술적 고관절 탈구 접근을 통해서 골단의 안정성을 직접 평가한 결과, 임상적으로 구분한 불안정성 또는 급성/만성의 급성화 분리증에서도 반드시 실제로 골단이 골간단에서 움직이는 불안정성을 반드시 보이는 것은 아니다(Ziebarth 2012). 또, retinaculum이 파열되어 혈관절증(hemarthrosis)을 초래하기도 하지만, retinaculum이 온전하여 혈관절증이 없는 경우도 있다.

2) 전위의 정도에 따른 분류

- 경도(mild): 각도 차이 30도 이내, 전위 정도 33% 이내이다.
- 중등도(moderate): 각도 차이 30-50(60)도, 전위 정도 33-50%이다.
- 고도(severe): 각도 차이 50(60)도 이상, 전위 정도 50% 이상이다.

• **고려사항**

- 대퇴 골두-간부 간 각도(head-shaft angle)를 전후면, 정측면 촬영에서 측정하고 건측과의 차이를 계산한다Fig 3. 또는 대퇴골두가 대퇴 경부에서 전위된 정도를 대퇴 경부의 폭에 대한 비율로 계산한다.
- 관절운동 장애 또는 골단의 불안정성으로 인하여 정확히 촬영하기 곤란하거나 촬영하지 말아야 하는 경우가 많다. View 차이로 인하여 전위의 정도 측정값의 재현성은 저조하다.

3) 골단 분리 시기에 따른 분류

(1) 분리전기(pre-slip stage) 또는 전구증상 시기

- 실제로 분리 전에 증상이 나타나는지, 아니면 방사선검사 상 발견되지 않을 정도의 분리가 있으며 이에 대한 반응으로 증상이 나타나는지 확실하지 않다.
- 경도의 하지 통증, 무력감, 파행을 호소한다.
- 영상검사에서 이상이 없거나 단순 방사선검사 상 고관절 주위 골 결핍, 골단판의 확장 등의 소견 또는 CT나 MRI로 미세한 전위를 발견하기도 한다Fig 4.

(2) 급성(acute) 골단분리증

- 증상이 발현한지 3주 이내이며 단순 방사선검사 상 골단판 주변 구조의 경계가 뚜렷하고 재형성(remodeling) 소견은 없다.
- 전체 대퇴골두 골단분리증의 약 10%에서 발생하며, 완전 전위되는 경우도 있다.
- 불안정성 골단분리증의 환자들이 급성에 속하는 경우가 많지만 반드시 일치하지는 않는다.

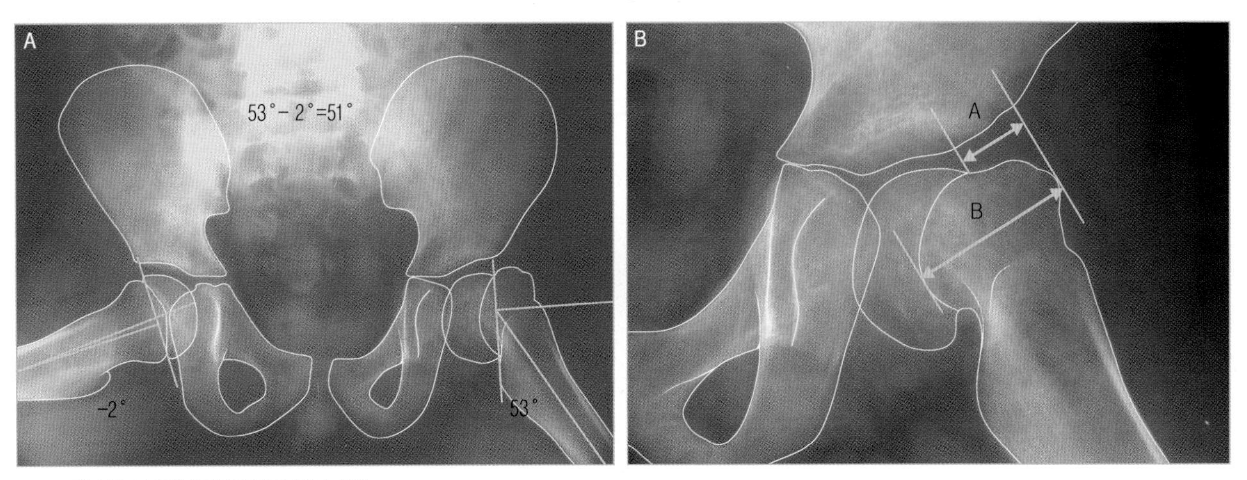

Fig 3. **대퇴골두 골단분리증의 전위 정도 측정.**
A: 측면 촬영에서 대퇴골두의 축과 대퇴간부 축 간의 각도를 측정하여 건측과의 차이를 구한다. B: 대퇴골두의 전위된 정도를 대퇴경부의 폭에 대한 비율로 계산한다[A/B×100(%)].

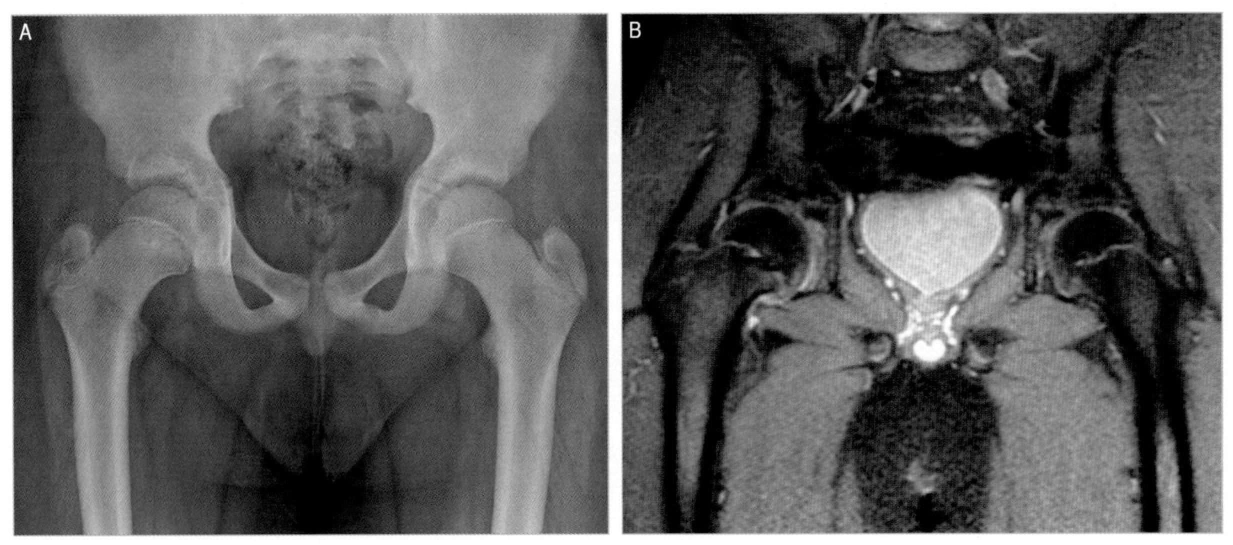

Fig 4. 방사선 검사 및 MRI에서 우측 근위 대퇴골 골단판의 전이는 관찰되지 않지만 확장 소견이 관찰된다.

(3) 만성(chronic) 골단분리증

- 증상이 3주 이상 지속되고 방사선 검사 상 대퇴 경부 주변에 골 재형성 소견이 관찰된다. 하지 통증, 하지 무력감, 파행 등을 보이지만 대부분 안정성 분리증으로 보행이 가능하다.

(4) 만성의 급성화(acute-on-chronic) 골단분리증

- 만성적인 증상을 보이다가 증상이 악화된 지 3주 이내인 경우이다.
- 방사선 검사 상 대퇴 경부 주변에 골 재형성 소견이 관찰된다.
- 가벼운 외상으로 증상 악화가 초래된다.

(5) 외전 골단분리증(valgus slip) Fig 5

- 대부분 골단이 후내측으로 전위되지만 드물게 후외측으로 전위되는 경우를 외전 골단분리증이라 한다.
- 여자에서 더 많고, 대퇴경부가 길고 외반고가 있을 때에 호발한다.

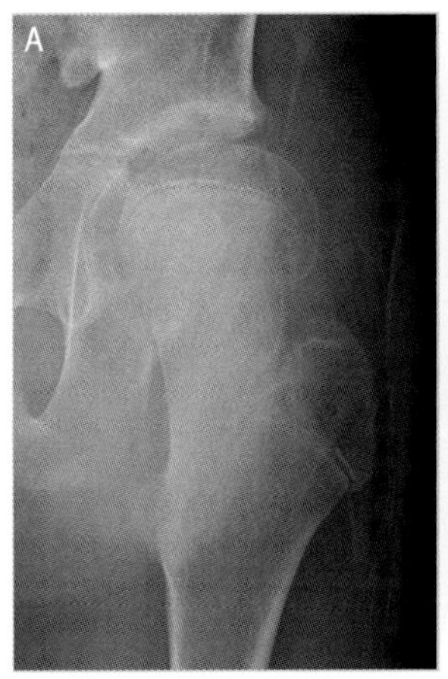

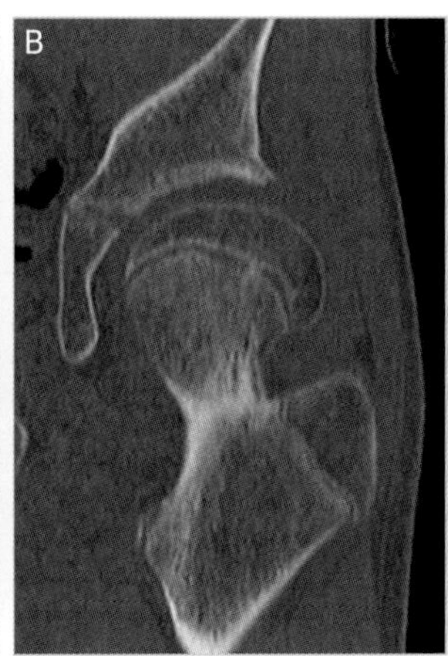

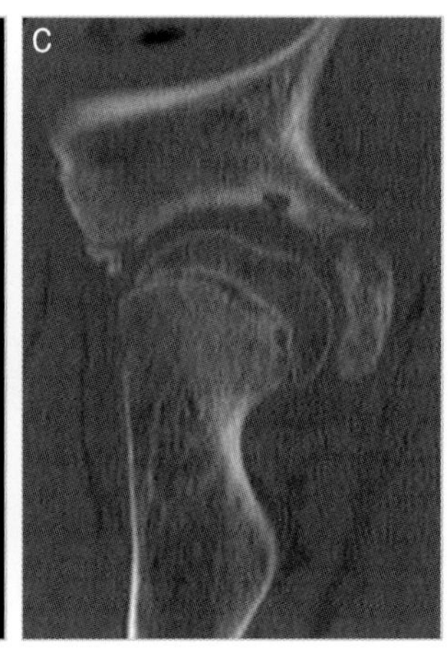

Fig 5. **심한 외반고에 발생한 외전 골단분리증.**
A: 단순 방사선검사. B,C: 3D-CT에서 재구성한 관상면 및 시상면 2차원 영상에서 골단이 외측 및 후방으로 전위된 것을 확인할 수 있다.

- 전후방 방사선 검사 상 Klein line은 정상이며 측면 방사선 검사 상 후방 전위를 확인할 수 있다.
- in-situ 나사못 고정 시 대퇴경부 내측에서 삽입해야 하므로 대퇴혈관 및 신경 손상에 유의해야 하는 등 기술적으로 어려움이 있다.

III. 방사선검사 소견

대퇴골두가 주로 후방으로 전위되기 때문에 전후방 고관절 촬영에서는 경도의 전위를 발견하지 못할 수도 있고 전위의 정도를 정확히 평가하기 어렵다. 대퇴골두 골단분리증이 의심되는 경우에는 반드시 근위 대퇴골에 대한 측면 촬영을 시행하여야 한다. 만성, 안정성 전위에서는 frog leg view를 촬영하고, 급성, 불안정성 전위에서는 환자의 통증, 추가 전위의 위험성 등을 고려하여 frog leg view 촬영을 삼가하고 translateral view를 촬영하는 것이 바람직하다.

고관절 전후방 방사선 검사에서 골단분리증을 시사하는 소견

- 골단판이 넓어지고 불규칙해진다.
- 골단의 높이가 감소한다.
- Steel의 blanch sign (crescent 징후)Fig 6A, B
- Klein line에 의한 Trethowan 징후Fig 6C

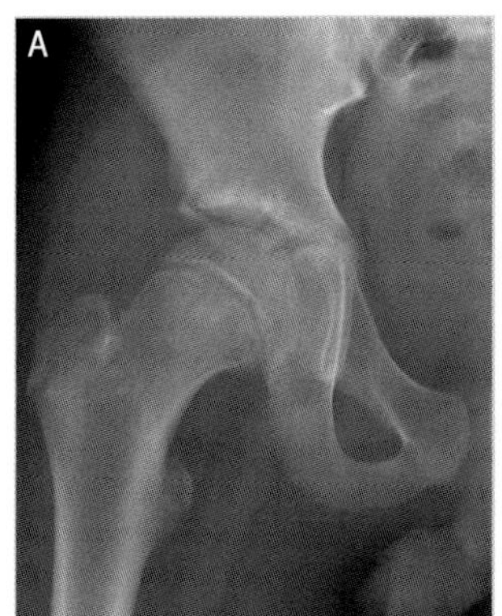

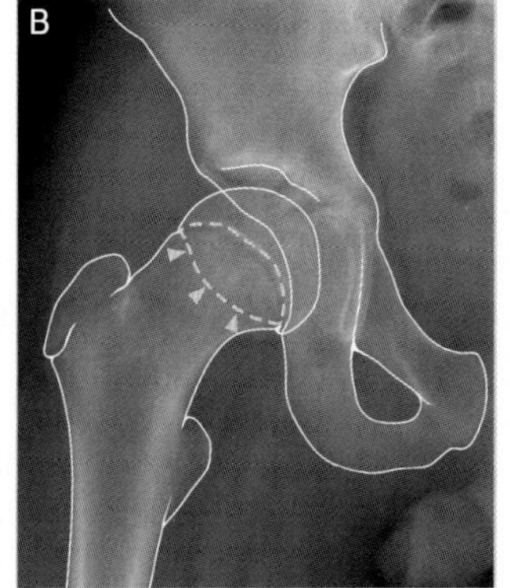

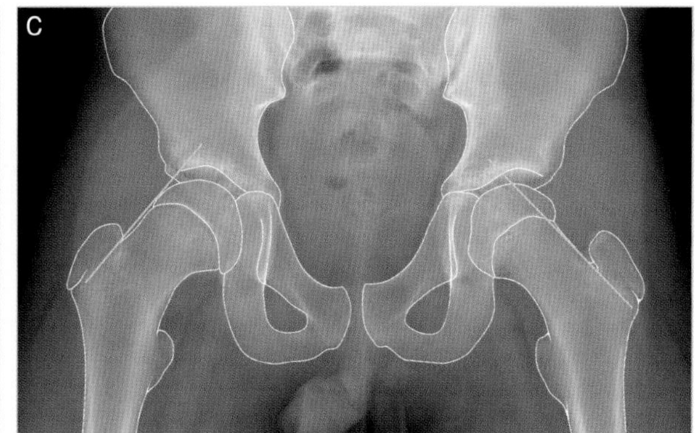

Fig 6. **경도의 대퇴골두 골단분리증의 전후방 방사선 검사에서 관찰되는 소견.**
A,B: Steel's blanch 징후. 골단판 바로 아래의 골간단 부분의 골 음영이 증가하는 현상. C: Trethowan 징후. 대퇴경부 외측연을 연장한 선(Klein line)은 정상인 좌측에서는 대퇴골두의 일부를 통과하지만 골단분리증이 있는 우측에서는 대퇴골두를 지나지 않는다.

- **기타 영상 검사 소견**
  - 골단 step-off
  - 골간단 round-off 또는 가골 형성
  - 관절 간격이 감소한다(대퇴 경부 근위 이동).
  - MRI: 단순 방사선검사 상 발견되지 않는 분리전기의 환자 진단에 유효하다. 골단과 간부 사이의 관계는 정상이지만 골단판이 넓어지고 불규칙하다.

IV. 치료

치료하지 않는 골단분리증의 자연 경과는 골단판이 열려 있는 동안 더 심한 전위로 진행할 위험이 있다. 골단판이 유합되거나 다른 이유로 안정화되면 초기 관절 자극 증상은 소실되지만 전위에 의한 관절운동 제한 및 대퇴비구 충돌증후는 지속되며 장기적으로는 고관절 퇴행성 변화를 앞당길 가능성이 높다. 전위가 심할수록 장기 예후는 불량하다. 골단분리증 발병 당시 발견되지 않고 중년기 이후 근위대퇴골 변형으로 인한 퇴행성 관절염으로 발현하는 경우도 상당수 있을 것으로 추정된다.

치료의 목적은 첫째, 추가 전위를 방지하고, 둘째, 관절 자극 및 관절운동 제한의 증상을 해소하거나 완화시키며, 셋째, 변형을 교정하여 장기적으로 고관절 퇴행성 변화를 방지하는 것이다.

안정성과 불안정성 골단분리증은 치료적 접근 방법이 크게 다르다. 안정성 골단분리증에서는 추가 전위를 방지하고 전위에 따른 변형을 교정하여 대퇴비구충돌을 해소하면서 관절운동 범위를 회복하는 것을 목표로 한다. 반면, 불안정성 골단분리증에서는 대퇴골두 무혈성괴사를 방지하면서 골단판의 안정성을 얻는 것을 최우선 목표로 삼아야 한다.

- **대퇴골두 골단분리증은 응급 상황인가?**
  - 불안정성 골단분리증은 증상 악화 후 24시간 내에 수술하는 것이 무혈성 괴사의 발생을 낮출 수 있을 것으로 생각된다.
  - 안정성 골단분리증 자체는 응급 상황이라고 할 수 없으나 언제든지 불안정성 골단분리증으로 진행할 수 있으므로 가급적 빠른 시일에 골단판을 안정시키는 수술을 시행하여야 한다. 수술 시까지 철저하게 안정 가료하는 것이 바람직하다.

1. 경피적 in-situ 나사못 고정술

안정성 골단분리증에서 전위의 진행을 막기 위해서 사용되는 방법 중 간단하면서 효과적이고 안전하여 가장 보편적으로 사용되고 있다. 안정성 골단분리증은 도수 정복이 되지 않으니 무리한 힘을 주어 시도하지 않고 그 자리에서(in-situ) 나사못으로 고정한다. 불안정성 골단분리증은 정의 상 “in-situ” 상태라는 것이 없기 때문에 이론적으로는 대상이 되지 않는다.

나사못을 골단판에 수직으로 삽입하여 전단력으로 인한 골단의 추가전위를 막으면서, 나사산이 골단과 골간단에 걸쳐지게 삽입함으로써 골단판의 조기 유합을 얻어서 안정화시킨다Fig 7.

1) 나사못 삽입 원칙

- 직경 6.5-7.5 mm의 나사못 한 개를 삽입한다.
- 나사산(thread) 부분이 골단판을 중심으로 골두와 골간단 부위를 충분히 파지하도록 한다. 대퇴골두에만 나사톱 부분이 있고 나사못 머리가 대퇴골 피질골에 걸려서 압력이 가해지도록 하는 것은 효과적이지 않다.
- 전위된 골단의 중심에 수직 방향으로 삽입하는 것을 목표로 한다. 즉, 전위된 골단을 우산이라고 생각하면 나사못은 우산대에 해당되는 방향으로 삽입하는 것이다. 그러기 위해서는 골단의 전위 방향을 고려하여 나사못 삽입을 외측 피질골이 아니고 대퇴경부 전방 피질골에서 시작해야 한다Fig 8. 그러나, 중등도 또는 고도 골단분리증에서는 너무 전방에서 삽입해야 해서 나사못 머리가 비구연에 충돌 증후군을 초래하는 문제가 있어서 이상적인 위치보다는 약간 원위부에서 삽입한다.
- 나사못의 끝이 골두 전외측 사분면(anterolateral quadrant)에 삽입되면 골내 혈행을 방해할 수 있으므로 지양한다.

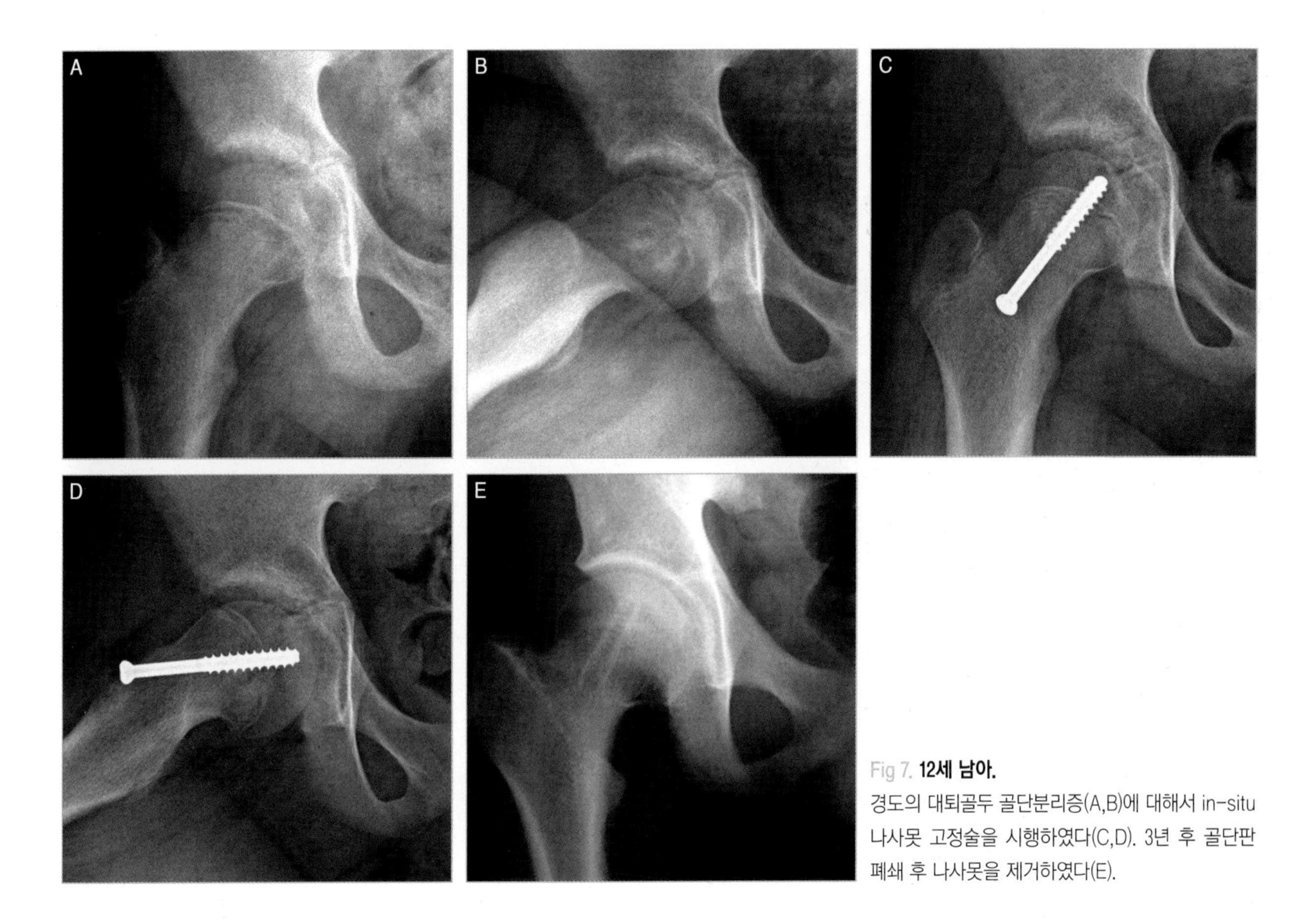

Fig 7. **12세 남아.**
경도의 대퇴골두 골단분리증(A,B)에 대해서 in-situ 나사못 고정술을 시행하였다(C,D). 3년 후 골단판 폐쇄 후 나사못을 제거하였다(E).

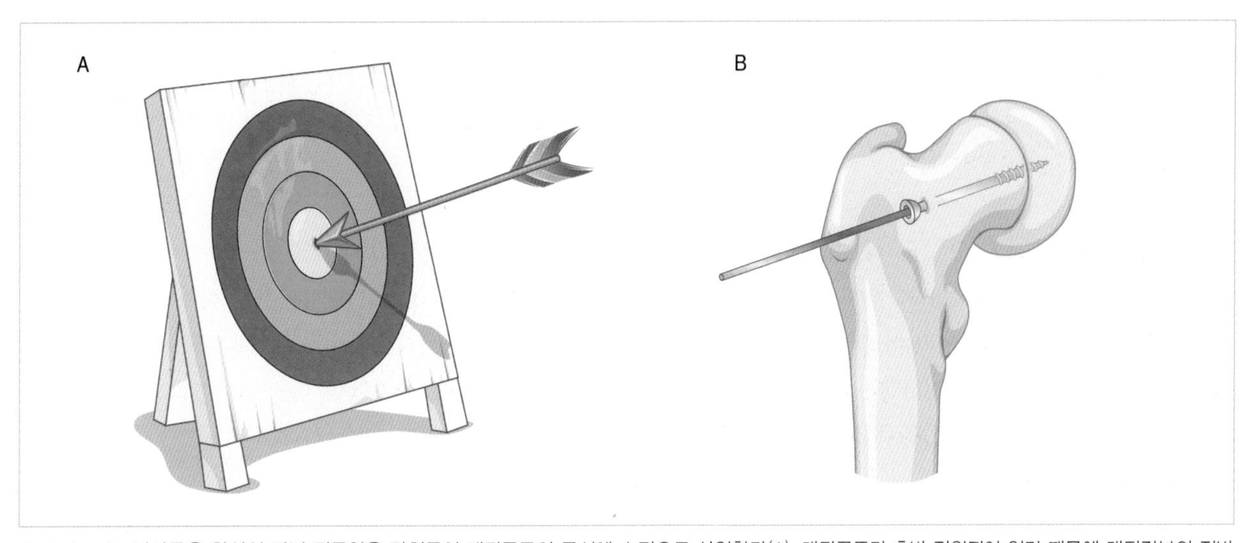

Fig 8. In-situ 나사못은 화살이 과녁 정중앙을 맞히듯이 대퇴골두의 중심에 수직으로 삽입한다(A). 대퇴골두가 후방 전위되어 있기 때문에 대퇴경부의 전방 피질골을 통해서 나사못을 삽입하여야 한다(B).

- 나사못의 끝이 관절면에 돌출되지 않았는지 주의하여야 하며 관절면에서 적어도 5 mm 정도 떨어지게 삽입하되 나사산(thread)이 대퇴골두에 3개 이상 걸쳐지도록 한다. 나사못이 관절면을 뚫지 않았는지 여러 방향에서 방사선 검사를 하여 확인한다.

2) 나사못의 개수

- 한 개의 나사못만 삽입하였을 때에도 92%에서 골단판이 수술 후 1-2년 이내에 대개 조기 폐쇄된다.
- 두 개 이상의 나사못을 삽입하면 생역학적으로 뚜렷한 장점이 있으나 적어도 하나는 정중앙이 아닌 위치에 삽입하여야 하므로 관절면 관통의 위험을 감수하여야 한다.
- 심한 과체중인 환자, 증상 개선이 되면 격렬한 운동을 시작할 것으로 우려되는 환자 등에서는 두 개의 나사못을 삽입하는 것을 고려할 필요가 있다.

3) 반대편 고관절에 대한 예방적 나사못 삽입술

논란이 있으며 다음과 같은 적응증이 제시되고 있다.

- 대사성 또는 내분비 질환으로 발병 위험이 높은 경우
- 경제적, 사회적, 가족적 문제로 정기적인 추시가 곤란한 경우
- 무증상의 반대편 대퇴골두에서 MRI 상 골단판 확장 소견이 관찰되는 경우

4) 나사못의 관절면 관통

- 관절면을 관통한 채로 삽입된 나사못은 연골용해증을 초래할 수 있어서 이를 피하기 위해서 노력해야 한다. 수술 중 일시적으로 guide pin이 관통하는 정도는 무방하다.
- 대퇴골두는 반구형 물체이므로 정중앙에 삽입하지 않으면 나사못이 관절면을 관통하여도 방사선 검사상 발견하지 못할 수도 있다. 따라서 나사못은 대퇴골두 골단의 정중앙 축에 삽입하는 것이 바람직하다.

5) 골단판 유합 후 나사못 제거

- 골단판 유합이 이루어진 후에 나사못을 제거할지 여부에 대해서도 논란이 있다.

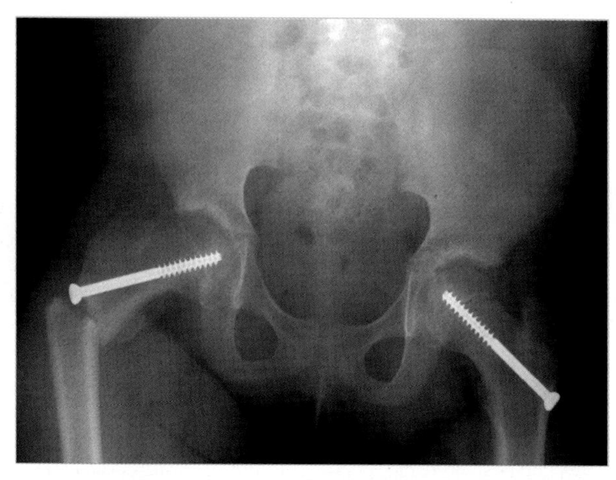

Fig 9. **12세 여아.**
양측 경도의 대퇴골두 골단분리증에 대해서 in-situ 나사못 삽입술 후 자전거를 타다가 넘어져서 우측 전자하 골절이 발생하였다. 골절선은 나사못 삽입부를 지나간다.

- 나사못 삽입 부분이 역학적으로 약점으로 작용하여 경부 골절이 발생할 위험이 있어 제거하는 것이 바람직하지만Fig 9, 골조직에 너무 단단히 고착되어 기술적으로 어려운 경우가 많고 심지어 제거 도중 파쇄되는 경우도 있다.
- 저자들은 이러한 장단점을 고려하여 격렬한 운동을 즐겨 하거나 나사못으로 인한 충돌 증후군 등의 증상을 보이는 경우에는 나사못 제거를 원칙으로 하고 있고, 그 외에는 상황에 따라서 판단한다.

6) 골단판 유지 나사못의 사용

- 어린 나이에 발병한 환자에서는 조기 골단판 폐쇄에 따른 하지길이부동, 대전자부 과성장을 예방하고, 골단판에서의 길이 성장에 따라 골단분리증의 변형이 재형성되는 것을 기대하며 골단판 유지 나사못 기법을 고려한다.
- 저자들은 10-12세 또는 그 이하 나이에서 발병한 환자들에서 고려한다.
- 골단판 통과 부위에 나사산(thread)이 없는 나사못 또는 smooth pin을 여러 개 삽입하여, 전위의 진행을 방지하지만 성장을 허용하는 방법을 고려할 수 있다Fig 10.

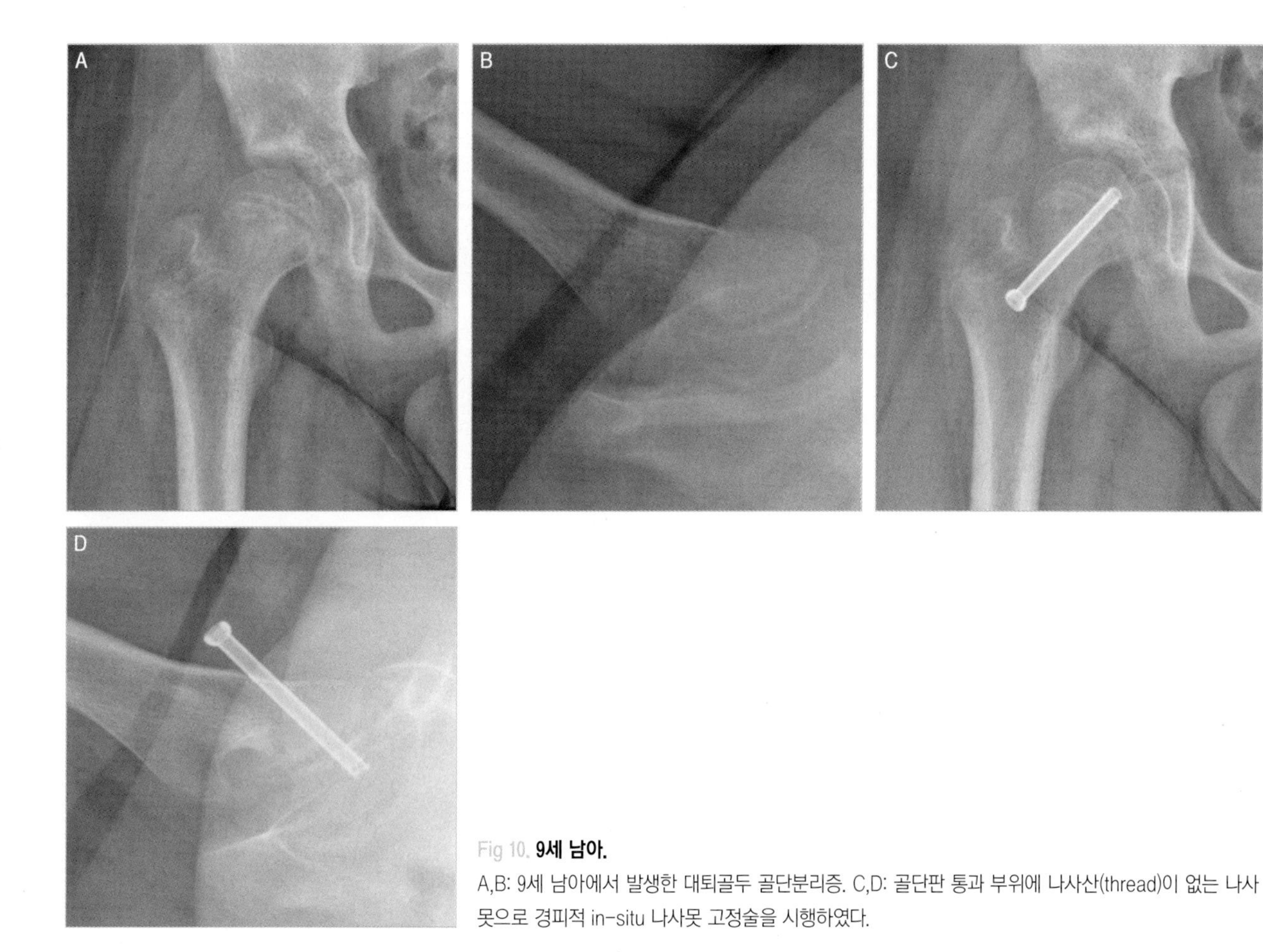

Fig 10. **9세 남아.**
A,B: 9세 남아에서 발생한 대퇴골두 골단분리증. C,D: 골단판 통과 부위에 나사산(thread)이 없는 나사못으로 경피적 in-situ 나사못 고정술을 시행하였다.

2. 불안성정 골단분리증에 대한 골단판 안정화 술식

불안정성 골두분리증에서는 도수적으로 전위된 골단이 쉽게 정복되는데, 무혈성 괴사의 위험이 항상 따른다. 수술 중 자세를 잡으면서 의도하지 않게 얻어진 정복만으로도 무혈성 괴사가 발생할 수 있다.

1) 경피적 나사못 삽입

- 수술 준비 중 전위가 진행되거나 무리한 정복이 되지 않도록 조심스럽게 준비하여 전위되어 있는 상태에서 나사못을 삽입하는 방법이다.
- Fracture table에 환자를 거치하는 것 자체가 무리한 정복이 될 수 있으므로 일반 수술 테이블에서 시행하며, 일단 S-pin 등으로 일시적으로 골단을 고정하고 나서 나사못을 삽입한다. 안정성 골단분리증에서의 in-situ 나사못 삽입 원칙에 준한다.
- 어느 정도의 전위 위치가 안전한지를 가늠할 수 없으며, 상당수에서 대퇴골두 무혈성 괴사가 발생한다.
- 1주 이상의 골견인(skeletal traction)을 하여 어느 정도 정복을 얻으면서 골단판의 안정성을 확보한 후 경피적 in-situ 나사못 고정술로 치료하는 방법도 보고되어 있다(Masaki 2017)Fig 11.

2) Parsch 방법(Parsch 2009)

불안정성 골단분리증에서 대퇴골두 무혈성괴사를 방지하기 위하여 다음과 같은 원칙을 제시하였으며Fig 12, 비교적 작은 규모의 수술로 무혈성괴사 위험을 효과적으로 줄일 수 있다.

- 증상 발현부터 24시간 이내에 시행한다.
- 전방접근법으로 고관절에 접근하고 손가락 끝으로 누를 수 있을 정도만의 힘으로 전위를 정복한다.

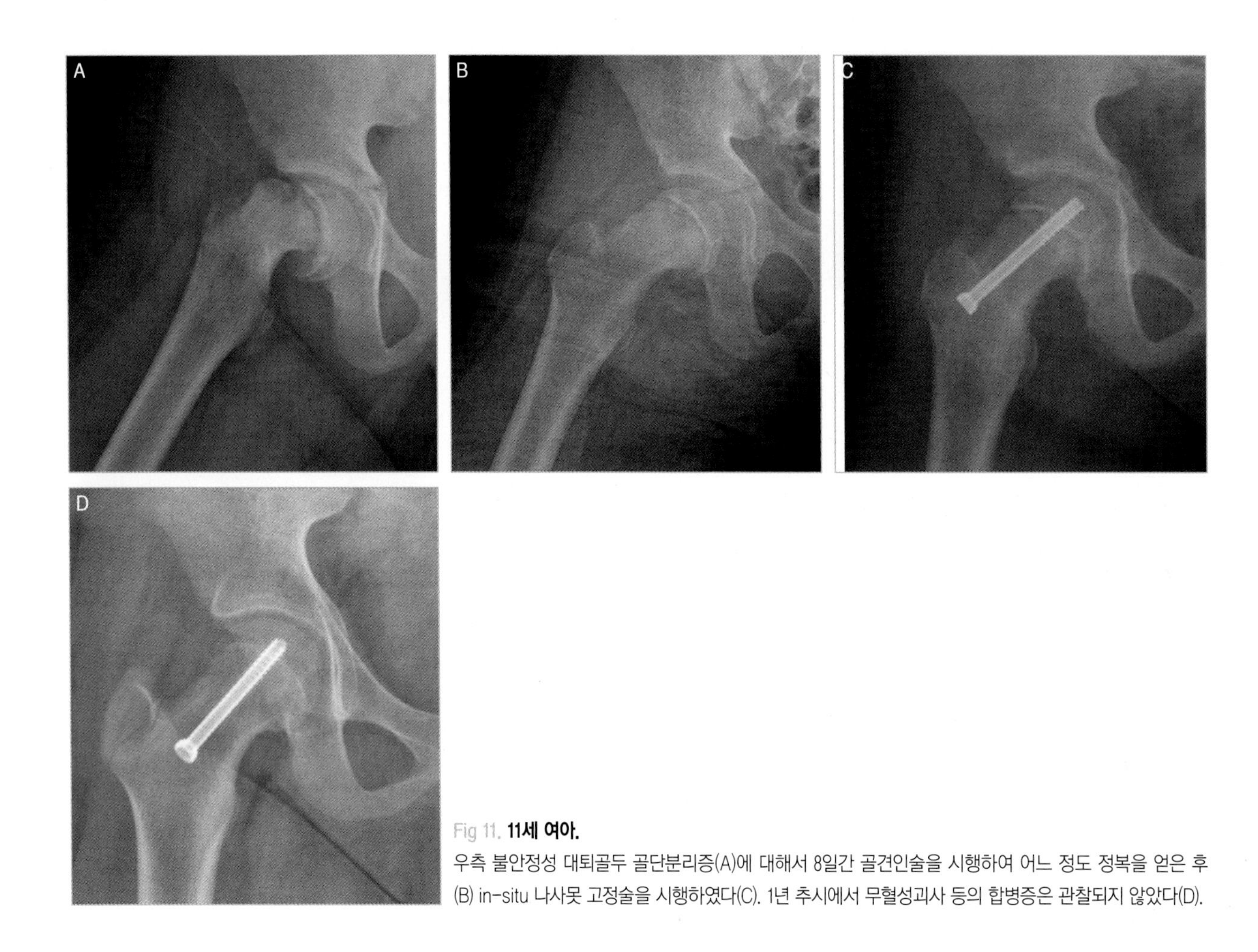

Fig 11. **11세 여아.**
우측 불안정성 대퇴골두 골단분리증(A)에 대해서 8일간 골견인술을 시행하여 어느 정도 정복을 얻은 후 (B) in-situ 나사못 고정술을 시행하였다(C). 1년 추시에서 무혈성괴사 등의 합병증은 관찰되지 않았다(D).

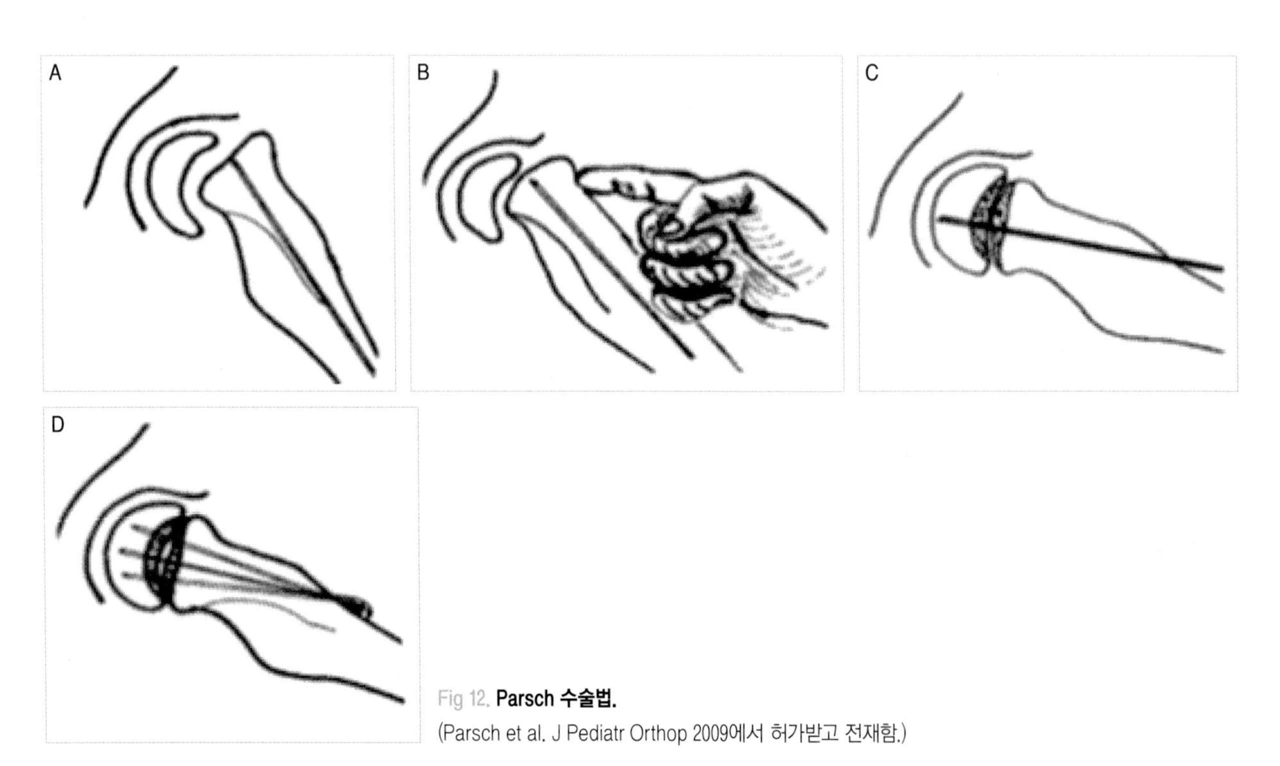

Fig 12. **Parsch 수술법.**
(Parsch et al. J Pediatr Orthop 2009에서 허가받고 전재함.)

- 관절막 절개술을 통해서 혈관절증 또는 관절삼출액을 배출하여 감압한다.
- 다수의 K-wire로 골단을 고정하여 골단을 안정화하면서 변형이 재형성되는 것을 유도한다.

3) 고관절 수술적 탈구를 통한 골두하 절골술 및 대퇴골두 수술적 정복술(subcapital osteotomy and open reduction by surgical hip dislocation approach, modified Dunn procedure)Fig 13

- Ganz의 고관절 수술적 탈구(surgical hip dislocation approach)로 고관절에 접근하여 골두를 천공하여 출혈 양상을 통해서 골두 혈액 순환을 monitor하면서 골두하 절골술(subcapital osteotomy)로 정복하는 술식이다.
- 대퇴골두 혈액 순환을 직접 확인하면서 혈액 순환을 가능하게 할 정도로 충분한 골두하 절골술을 시행하여 대퇴골두 무혈성 괴사를 방지하면서 근위 대퇴골의 변형도 교정하는 적극적 방법이다.
- 증상 발현 24시간 또는 48시간 이내에 시행하여야 무혈성 괴사 방지 효과를 기대할 수 있으며, 수술 규모가 크고 기술적으로 어려운 술식이다.

3. 골단분리증에 의한 변형의 교정

1) 재정렬 절골술(realignment osteotomy)

골단분리증에서 대퇴골두는 후내측 전위되어 대퇴경부가 비구의 전내측 연에 충돌하기 때문에 고관절의 굴곡, 내회전이 제한되고 외족지 보행을 보이며, 장기적으로 고관절 퇴행성 변화를 초래한다. 중등도 및 고도의 골단분리증에서는 이러한 문제를 해소하기 위해서 근위대퇴골 절골술을 통해서 대퇴골두를 비구와 재정렬 시키는 것이 필요하다.

굴곡(flexion), 내회전(internal rotation)을 주로 하고 외반(valgus)은 조심스럽게 추가한다. 절골 부위에 따라서 골두하(subcapital), 경부기저부(base of neck), 전자간(intertrochanteric) 절골술 등이 소개되어 있다Table 1, Fig 14.

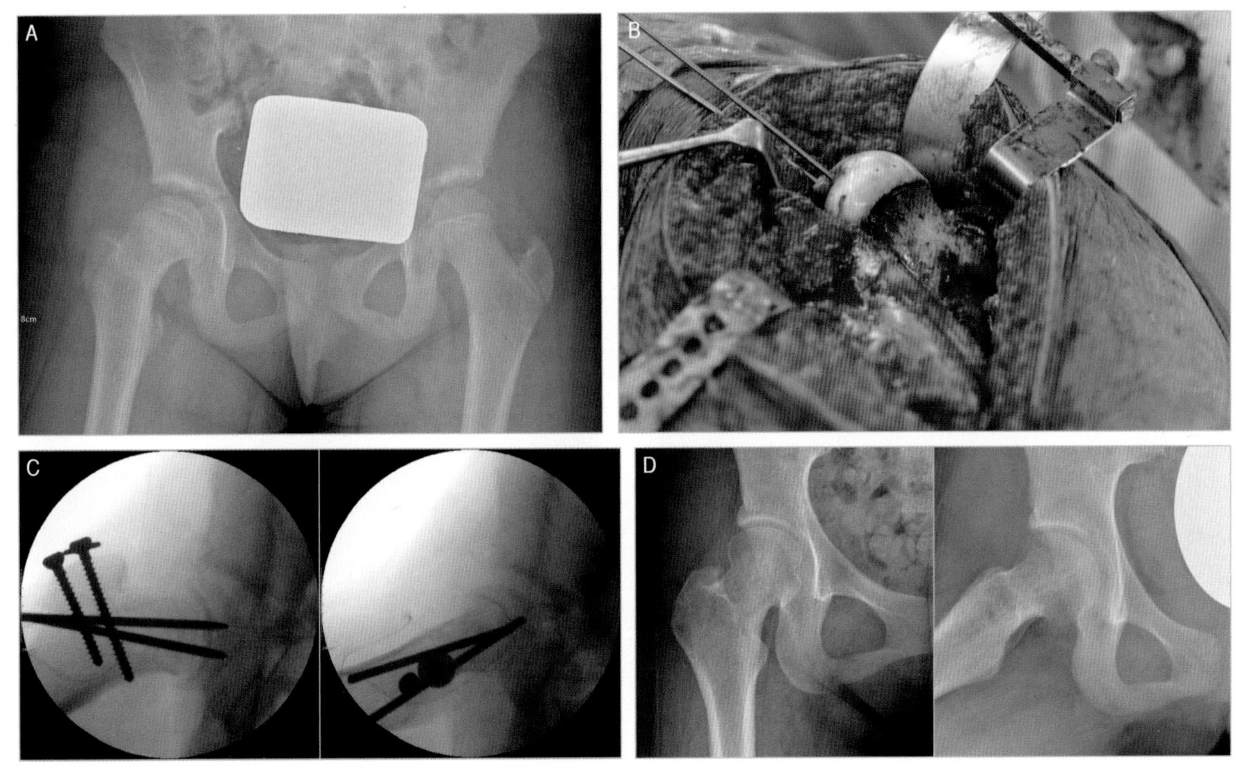

Fig 13. A: 11세 여아에서 발생한 우측 불안정성 골두분리증. B,C: 수술적 탈구를 통한 modified Dunn 술식으로 정복과 골단판 고정을 시행하였다. D: 수술 후 4년 추시에서 무혈성괴사 소견 없이 정상으로 발달한 고관절을 볼 수 있다.

Table 1. **재정렬 수술의 위치와 특성**

Site	Advantage	Disadvantage	Ref.
Subcapital	Anatomical reduction	High Cx rate "Orthopaedic Roulette"	Fish, 1984
Base of neck	Safer than subcapital	Max correction of 35-55°	Abraham, 1993
	Satisfactory restoration of anatomy	May need trochanteric osteotomy	Kramer, 1976
		Shortening	
		Risk of AVN	
Transtrochanteric "Sugioka"	Correction of severe deformity	Risk of AVN	Sugioka, 1984
	Direct observation of correction		
	Preserved abduction mechanism		
	No shortening		
Intertrochanteric	No AVN risk	Chondrolysis	Southwick, 1967
	No arthrotomy	Shortening	Imhauser, 1997
	Improve hip function		Millis, 1996
	Stimulate early closure		
	Not preclude further surgery		

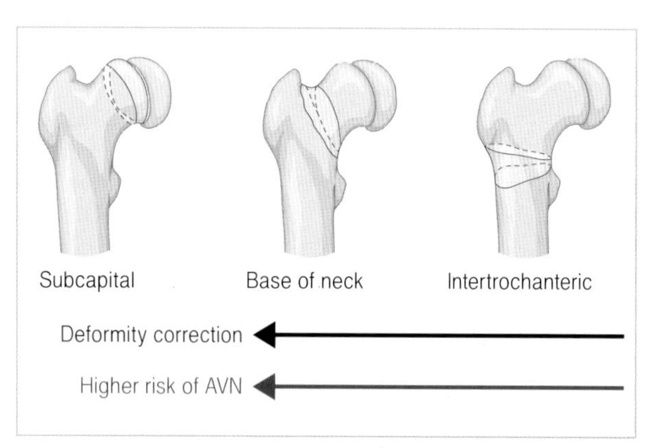

Fig 14. **재정렬 절골술의 종류.**

대퇴골두 가까이에서 시행할수록 변형 교정을 많이 할 수 있지만 무혈성 괴사의 위험은 더욱 커진다. 절골 부위가 대퇴골두에서 멀어질수록 2차 변형이 발생할 가능성이 높은데 전자간 절골술에서는 원위 골편을 충분히 전위하여 이를 최소화하는 것이 필요하다.

- **재정렬 절골술의 시기**
  - in-situ 나사못 삽입술과 동시에 시행하자는 주장: 안정성 골단분리증에서는 수술 횟수를 줄일 수 있으며 수술 후 바로 고관절운동제한 등의 증상을 해소할 수 있다.
  - in-situ 나사못 삽입술로 골단판 유합을 얻은 후 시행하자는 주장: 골단판 유합이 된 후에 재정렬 절골술을 시행하는 것이 대퇴골두 무혈성 괴사의 위험성을 줄일 수 있다. 또, 골단판 안정화 후 근위 대퇴골이 재형성되면서 관절 기능이 향상되어 재정렬 절골술이 필요없게 될 수도 있다는 주장도 있다.

2) 대퇴경부의 골연골성형술(osteochondroplasty)

경부기저부(base of neck) 절골술이나 전자간(intertrochanteric) 절골술로 대퇴골두를 비구내 정상적인 위치로 가져와도 골단분리증에 따라 노출된 전방 골간단 부위는 계속 남아 대퇴비구 충돌증후군을 초래할 수 있는데, 그런 경우 골단이 분리/전위되면서 노출된 골간단부를 깎아내어 head-neck offset을 복구시켜주는 골-연골 성형술이 필요하다.

- **수술적 고관절 탈구 접근을 통한 재정렬 절골술과 골연골성형술**
  - Ganz 수술적 고관절 탈구 접근법으로 재정렬 절골술와 골연골성형술을 동시에 시행할 수 있다.

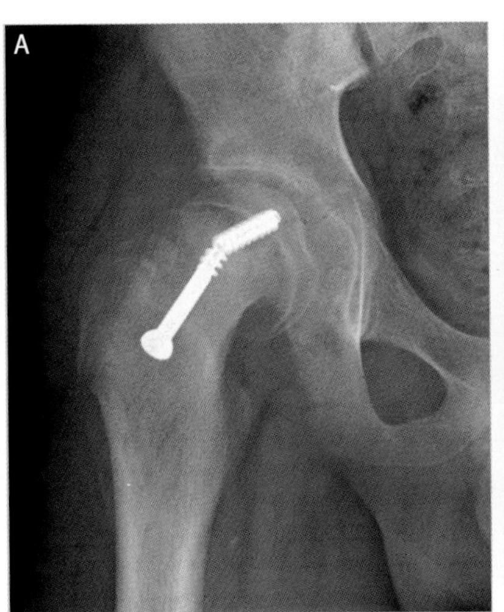

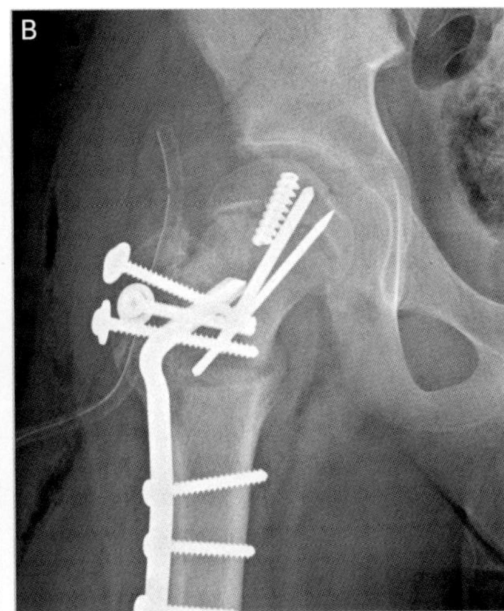

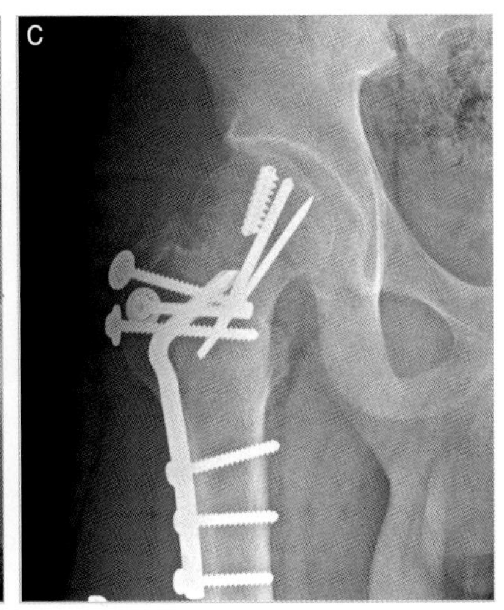

Fig 15. **14세 남아.**
A: 1개월 전에 경도의 골단분리증에 시행한 in-situ 나사못이 부러지면서 중등도의 전위가 되었다. B: 수술적 고관절 탈구 접근법으로 나사 Steinmann pin으로 골단판을 고정하고, 전방 경부 골간단의 골-연골 성형술과 굴곡-외전-내회전 절골술을 시행하였다. 대전자 절골편은 골간에 정렬하여 고정하였다("4-in-1 술식"). C: 1년 추시에서 고관절운동 범위는 정상이었다.

- 전자간 절골술을 시행하면 flip osteotomy로 떼어낸 대전자부(greater trochanter)를 재부착할 부위가 많이 회전되어 있다. 이때에 중둔근(gluteus medius), 외측광근(vastus lateralis) 및 원위 대퇴골편에 정렬하는 위치로 이동/회전시켜서 부착하면 관절 외전근의 생체역학적 관계를 정상적으로 유지할 수 있다.
- in-situ 나사못 고정술을 먼저 시행하여 골단판 유합을 얻은 후 이러한 술식을 시행하기도 하고, 경우에 따라서는 ① in-situ 나사못 고정술, ② 재정렬 절골술, ③ 대퇴경부 골간단 골-연골성형술, ④ 대전자 이동술을 동시에 시행(composite transtrochanteric reconstruction of the hip, CTRH)하기도 한다Fig 15.

V. 합병증

1. 대퇴골두 무혈성괴사

1) 추정되는 발병 기전과 예방 조치

- 불안정성 골단분리증: 치료할 때까지 시간이 경과할 수록 무혈성괴사 발병 가능성이 높아진다. 이는 골단분리 당시의 직접적 혈관 손상(Maeda 2001), 관절막 내 출혈에 의한 tamponade 효과 등으로 발생할 것으로 생각된다.
- 불안정성 골단분리증에서 도수 정복, 특히 해부학적 정복을 목표로 과도한 외력으로 정복할 때 발생하기 쉽다. 따라서 아주 약간만 정복하거나, 수술적 탈구를 통해서 골두 혈액순환을 직접 관찰하면서 정복하는 방법 등이 권장된다.
- 골단의 전외측(anterolateral) 1/4 부분에 핀을 삽입: 골내 혈관 분포상 이 부위가 위험 부위이다. 나사못 고정 시 이 분면으로 삽입하는 것을 지양한다.
- 방사선 조사 후 골단분리증: 골단분리증에 의한 무혈성 괴사인지 방사선 조사에 의한 것인지 구분이 애매하다.

2) 치료

괴사 범위와 부위에 따라서 적절한 방법을 선택하여야 한다. 발병 연령이 10대 중반이고 과체중인 환아들이 많으므로 일반적으로 Legg-Calvé-Perthes 병보다 예후가 불량하다.

- 초기에는 체중 부하를 줄여서 골두 함몰을 억제한다.
- 함몰된 부분의 금속 내고정물을 제거하여 이차적인 관

절 연골 파괴를 방지한다.

- **고려할 수 있는 술식**
  - 환자들의 연령이 10세 이상으로 골두 재형성의 잠재력이 적기 때문에 유치 수술이 적응되는 경우는 드물다.
  - 국소적 함몰에 의해서 경첩 외전(hinge abduction)을 초래할 때에는 대퇴골 외반 절골술이 적응될 수 있다Fig 16. 부분적인 무혈성괴사로 골두 함몰이 심하지 않다면, 선택적으로 Sugioka의 회전 절골술(transtrochanteric rotational osteotomy)이 도움될 수도 있다.
  - 관절 부조화(joint incongruity)에 의한 통증 발생 시 Chiari 수술 또는 비구선반술 등을 고려한다.
  - 관절 파괴가 심하면 성장 종료까지 기다렸다가 인공관절 치환술을 고려한다.

2. 연골용해증(chondrolysis)

과거 55%까지 발병률이 보고되었으나 나사못의 관절면 천공 등을 방지하는 노력으로 발병률이 크게 감소하고 있다.

- 위험 인자로 금속 내고정물의 지속적인 관절면 관통 상태, 장기간의 석고 고정, 재정렬 절골술로 인한 관절 압력 증가, 도수 정복술, 급성 골단분리증, 고도 골단

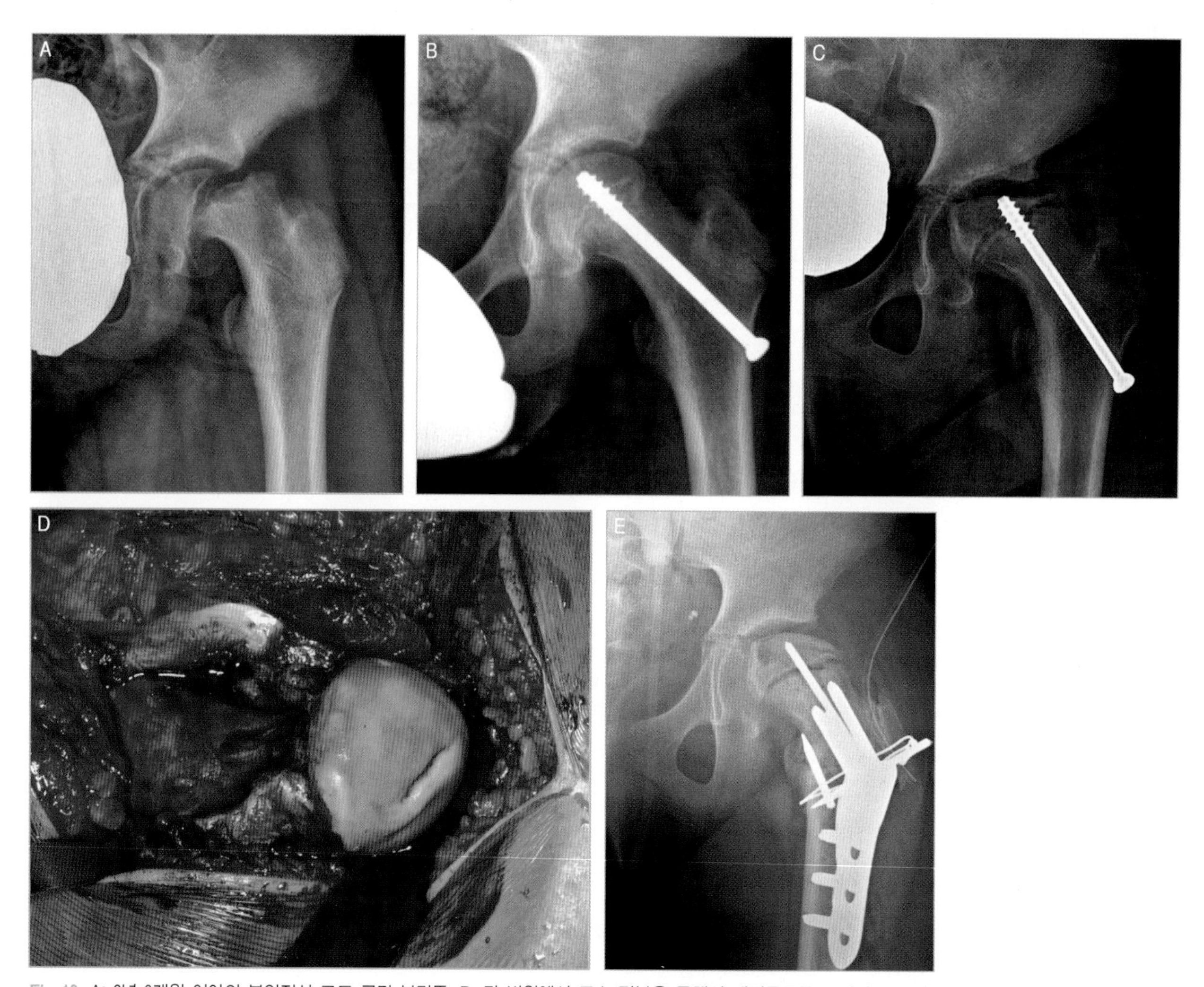

Fig 16. A: 8년 9개월 여아의 불안정성 고도 골단 분리증. B: 타 병원에서 도수 정복을 통해서 대퇴골두를 무리하고 불필요하게 해부학적으로 정복하였다. C: 술후 3개월에 대퇴골두 무혈성괴사로 대퇴골두가 함몰된 소견을 보인다. D: 수술적 고관절 탈구 접근법으로 노출시킨 대퇴 골두에서 찌그러져 있는 연골면(carpet phenomenon)이 관찰된다. E: 외반-굴곡 절골술 시행 후.

분리증, 여성 등이 보고되어 있다.
- 자가면역 반응, 관절 연골의 허혈성 손상, 과도한 관절 압력 등의 기전이 제시되었다.
- 관절운동 범위 감소, 통증, 파행, 관절구축 등의 임상 소견이 관찰되며, 방사선 검사 상 관절 간격 소실, 대퇴골두와 비구 연골하골의 불규칙성, 불용성 골다공증 등이 관찰된다.

• **치료**
- 나사못 관절면 천공이 발견되면 조속히 제거한다.
- 조기에 진단하여도 무혈성 괴사와 마찬가지로 연골용해증의 치료에 효과적인 방법은 없다.
- 약 1/3은 견인, 관절운동과 진통소염제의 경구 투여 등 고식적인 치료방법으로도 좋은 결과를 얻을 수 있다.
- 심한 관절구축이 있는 경우에는 수술적 관절막 절개술 후 지속적 수동운동(CPM)을 시도한다.

참고문헌

Abraham E, Garst J, Barmada R. Treatment of moderate to severe slipped capital femoral epiphysis with extracapsular base-of-neck osteotomy. J Pediatr Orthop. 1993;13:294.

Aronson DD, Carlson WE. Slipped capital femoral epiphysis. A prospective study of fixation with a single screw. J Bone Joint Surg Am. 1992;74:810.

Barrett IR. Slipped capital femoral epiphysis following radiotherapy. J Pediatr Orthop. 1985;5:268.

Chung SKM, Batterman SC, Brighton CT. Shear strength of the human femoral capital epiphyseal plate. J Bone Joint Surg Am. 1976;58:94.

Futami T, Suzuki S, Seto Y, et al. Sequential magnetic resonance imaging in slipped capital femoral epi-physis: assessment of preslip in the contralateral hip. J Pediatr Orthop B.2001;10:298.

Gelberman RH, Cohen MS, Shaw BA, et al. The association of femoral retroversion with slipped capital femoral epiphysis. J Bone Joint Surg Am. 1986;68:1000.

Herrera-Soto JA, Duffy MF, Birnbaum MA, et al. Increased intracapsular pressures after unstable slipped capital femoral epiphysis. J Pediatr Orthop. 2008;28:723.

Ippolito E, Mickelson, M, Ponseti I. A histochemical study of slipped capital femoral epiphysis. J Bone Joint Surg Am. 1981;63:1109.

Kamegaya M, Saisu T, Nakamura J, et al. Drehmann sign and femoroacetabular impingement in SCFE. J Pediatr Orthop. 2011;31:853.

Kennedy JG, Hresko MT, Kasser JR, et al. Osteonecrosis of the femoral head associated with slipped capital femoral epiphysis. J Pediatr Orthop. 2001;21:189.

Kennedy JG, Hresko MT, Kasser JR, et al. Osteonecrosis of the femoral head associated with slipped capital femoral epiphysis. J Pediatr Orthop. 2001;21:189.

Loder RT, Aronson DD, Greenfield ML. The epidemiology of bilateral slipped capital femoral epiphysis. J Bone Joint Surg Am. 1993;75:1141.

Loder RT, Herzenberg JE, Hensinger RN, et al. Narrow window of bone age in children with slipped capital femoral epiphyses. J Pediatr Orthop. 1993;13:290.

Loder RT, O'Donnell PW, Didelot WP, et al. Valgus slipped capital femoral epiphysis. J Pediatr Orthop. 2006;26:594.

Loder RT, Richards BS, Shapiro PS, et al. Acute slipped capital femoral epiphysis: the importance of physeal stability. J Bone Joint Surg Am. 1993;75:1134.

Loder RT. The demographics of slipped capital femoral epiphysis. An international multicenter study. Clin Orthop Relat Res. 1996;322:8.

Maeda S, Kita A, Kokubun S, et al. Vascular supply to slipped capital femoral epiphysis. J Pediatr Orthop. 2001;21:664.

Nguyen D, Morrissy RT. Slipped capital femoral epiphysis: Rationale for the technique of percutaneous in situ fixation. J Pediatr Orthop. 1990;10:341.

Parsch K, Weller S, Parsch D. Open reduction and smooth Kirschner wire fixation for unstable slipped capital femoral epiphysis. J Pediatr Orthop. 2009;29:1.

Puri R, Smith CS, Malhotra D, et al. Slipped upper femoral epiphysis and primary juvenile hypothyroidism. J Bone Joint Surg Br. 1985;67:14.

Shin SJ, Kwak HS, Cho TJ, et al. Applicatgion of Ganz surgical hip dislocation approach in pediatric hip diseases. Clinics in Orthop Surg. 2009;1:132.

Song KS, Oh CW, Lee HJ, et al. Multicenter Study Committee of the Korean Pediatric Orthopedic Society. Epidemiology and demographics of slipped capital femoral epiphysis in

Korea: a multicenter study by the Korean Pediatric Orthopedic Society. J Pediatr Orthop. 2009;29:683.

Song MH, Jang WY, Park MS, et al. Slipped capital femoral epiphysis in children younger than 10 years old: clinical characteristics and efficacy of physeal-sparing procedures. J Pediatr Orthop B. 2018;27:379.

Southwick W. Osteotomy through the lesser trochanter for slipped capital femoral epiphysis. J Bone Joint Surg Am. 1967;49:807.

Steel HH. The metaphyseal blanch sign of slipped capital femoral epiphysis. J Bone Joint Surg Am. 1986;69:920.

Ziebarth K, Domayer S, Slongo T, et al. Clinical stability of slipped capital femoral epiphysis does not correlate with intraoperative stability. Clin Orthop Relat Res. 2012;470: 2274.

Ziebarth K, Zilkens C, Spencer S, et al. Capital realignment for moderate and severe SCFE Using a modified Dunn procedure. Clin Orthop Relat Res. 2009;467:704.

Zionts LE, Simonian PT, Harvey JP Jr. Transient penetration of the hip joint during in situ cannulated-screw fixation of slipped capital femoral epiphysis. J Bone Joint Surg Am. 1991;73:1054.

20

기타 하지 질환

Other Lower Extremity Disorders

PEDIATRIC
ORTHOPAEDICS

Chapter

20 기타 하지 질환

Other Lower Extremity Disorders

목차

I. 발달성 내반고(developmental coxa vara)

대퇴 경부의 원발성 골화 장애로 대퇴 경간각(femoral neck shaft angle)의 감소, 대퇴 경부의 단축, 상대적인 대전자부의 과성장(relative overgrowth of the greater trochanter), 이환된 하지의 단축을 특징으로 한다. 다양한 원인으로 내반고가 발생할 수 있다.

* 선천성 내반고(congenital coxa vara): 선천성 대퇴골 단축, 선천성 대퇴골 각변형, 근위 대퇴골 부분적 결손(proximal femoral focal deficiency, PFFD) 등과 동반된 경우Fig 1
* 후천성 내반고(acquired coxa vara): 외상, 감염, SCFE, LCPD, 종양 등 고관절 질환의 후유증, 골형성부전증, 구루병, McCune-Albright 증후군 등 soft bone disease의 증상, 골이형성증(예: cleidocranial dysplasia, metaphyseal dysplasia, spondylometaphyseal dysplasia Sutcliffe type, achondroplasia 등)의 증상으로 나타나는 경우
* 발달성 내반고(developmental coxa vara): 다른 질환 없이 고관절에만 전형적인 방사선 소견을 보이는 경우이며 본 장은 발달성 내반고에 대해 기술한다.

1. 역학 및 원인

인종 간, 성별 간 차이는 없으며, 편측성이 더 많다는 보고와 양측성이 더 많다는 보고가 있다. 발병률은 발달성 고관절 탈구의 1/10보다도 적은 드문 질병이다. 스칸디나비안 지역에서 25,000명 출생당 1명에서 발생한다고 보고된 바 있다. 가족 내에서의 보고와 쌍생아에서의 보고가 있으나, 정확한 원인은 알려져 있지 않다.

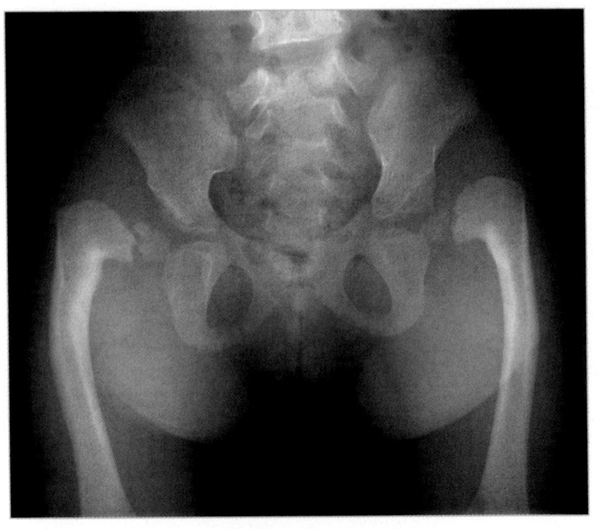

Fig 1. **선천성 대퇴골 단축과 동반된 양측 선천성 내반고.**

2. 발병 기전

정상 고관절에서는 체중 부하가 고관절 중심에 수직 방향으로 가해진다. 골단판에는 수직 압박력으로 작용한다. 대퇴경부 내측에는 압박력, 외측에는 신연력으로 작용한다. 만약, 근위 대퇴골 골단판에 어떤 형태로든 대퇴경부

내측 성장이 늦어지면, 골단판이 점차 내측으로 경사지게 되며, 골단판에 가해지는 체중 부하는 압박력에서 점차 전단력(shearing force)으로 변화하게 된다. 골단판의 전단력이 작용하면, 대퇴경부 내측의 성장은 다시 늦어지는 악순환을 일으키게 되며, 결국 내반고 변형은 진행하는 것으로 이해된다. Hilgenreiner-epiphyseal angle (HE 각)은 골단판 경사각의 정도를 평가하는 것으로 체중 부하가 골단판에 전단력으로 작용하게 되는 정도를 나타내는 지표이다.

3. 임상 소견

출생 시에는 아무 증상을 발견하지 못하는 경우가 대부분이다. 보통 보행을 시작할 때 증상이 발현되는데, 통증은 없고 파행을 보이며, 쉽게 피로를 느낀다. 양측성인 경우에는 신장이 작고, 요추 전만이 증가하고, 뒤뚱거리는 보행(waddling gait)을 한다. 일측성인 경우에는 단하지 보행이나 Trendelenburg 보행을 한다. 고관절의 외전과 내회전이 감소되어 있다. 골이형성증을 시사하는 소견이 없는지 확인해야 하며, 가족력이 있거나, 신장이 작은 경우 특히 유념해서 관찰해야 한다.

4. 방사선 검사 소견

심할수록 골단판이 수직 방향으로 놓이며 대퇴 골단이 하방으로 전위된다.

- 대퇴골두간각(femoral head-shaft angle, HSA)의 감소: 대퇴골두간각은 대퇴골단의 기저부에 수직인 선과 대퇴간부 사이의 각이다. 경간각보다 측정이 용이하고, 변형의 정도를 더 잘 반영한다Fig 2A.
- Hilgenreiner-epiphyseal angle (HE 각): 골단판에 작용하는 전단력의 정도를 제시하는 지표이다. 치료에 대한 중요한 지침이 된다(Weinstein 1984)Fig 2B.

1) HE 각 > 60

변형이 진행하므로 수술적 치료가 필요하다.

2) HE 각 45-60

회색 지대로 환자에 따라 진행 양상이 다를 수 있다.

3) HE 각 < 45

변형이 진행될 가능성이 적을 것을 예상하여, 수술적 치료를 지연하고 경과 관찰할 수 있다. 그러나, HE 각이 45도 미만이라고 모두 자연 회복되는 것은 아니다.

- 대퇴경부의 삼각형 골편: '역V자' 또는 'Y자' 방사선 투과성 띠로 둘러싸여 있는데, 방사선 투과성 부위가 수직이고 넓을수록 내반고가 더 진행할 것을 예상할 수 있다. 삼각골편 크기 자체는 클수록 예후가 양호하다. 내측 band는 대퇴골두 골단판에 해당하고 외측 band는 연골 성숙 오류와 불규칙 골화 부위로 생각된다. 골형성부전증의 첫 소견으로 대퇴 경부의 삼각형 골편이

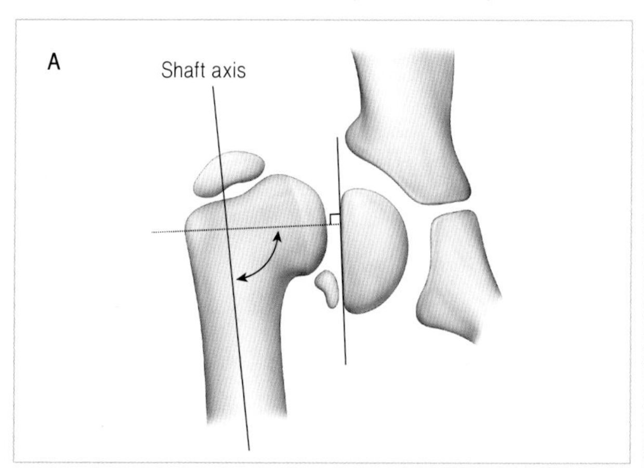

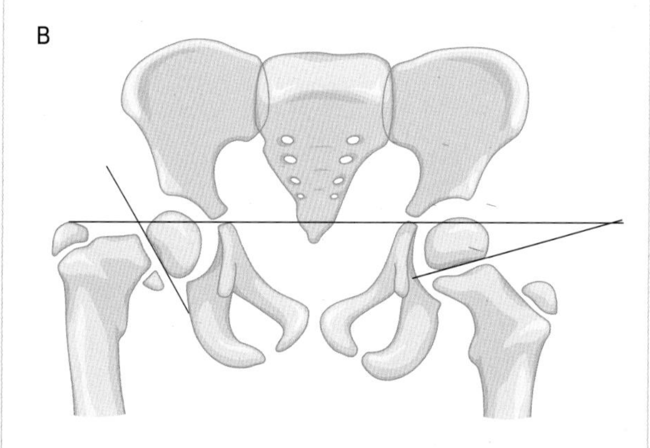

Fig 2. 발달성 내반고에서 측정하는 골두간각(head-shaft angle)(A)과 Hilgenreiner-골단각(HE 각)(B).

나타나는 경우가 있어 감별해야 한다Fig 3.

- 대퇴경간각(femoral neck-shaft angle, NSA)의 감소: 대퇴골단이 대퇴경부로부터 전위되어 있을 수 있기 때문에, 실제의 변형을 경간각이 충분히 반영하지 못할 수 있다.
- 대퇴전염각은 감소되어 있거나 후염전 상태이다.
- 대전자부의 과성장(relative overgrowth of the greater trochanter)
- 단고(coxa breva)

5. 치료

효과적인 보존적 치료 방법은 없고, 적응이 되면 수술적 치료를 시행한다. 치료 목적은 결손이 있는 대퇴경부의 골화와 치유를 촉진시키고, 대퇴골두간각을 교정하며, 고관절 외전근을 포함한 근육의 기계적 기능을 회복시키고, 내반고 변형의 재발을 방지하는 것이다.

수술 시 내반 변형의 정도, 기능 장애의 정도, 연령 및 잔여 성장, 진행의 가능성을 고려해야 한다. 내반 변형의 진행이 예상되는 경우(HE 각 60도 이상, 경간각 110도 이하)나 증상(통증, 파행, 하지길이부동)이 있는 경우 수술의 적응이 된다.

수술은 외반 절골술이 수술적 치료의 주를 이루게 된다. 외반 절골술을 통하여 HE 각을 감소시키면, 골단판에 작용하는 전단력이 압박력으로 바뀌어 진행을 막고, 압박력으로 인해 연골 결손 부위가 치유되는 것으로 알려져 있다. 따라서, 변형이 주로 내반-외회전 변형이기에, 변형을 확인하여 전자간 혹은 전자하 외반-내회전 절골술을 시행하게 된다.

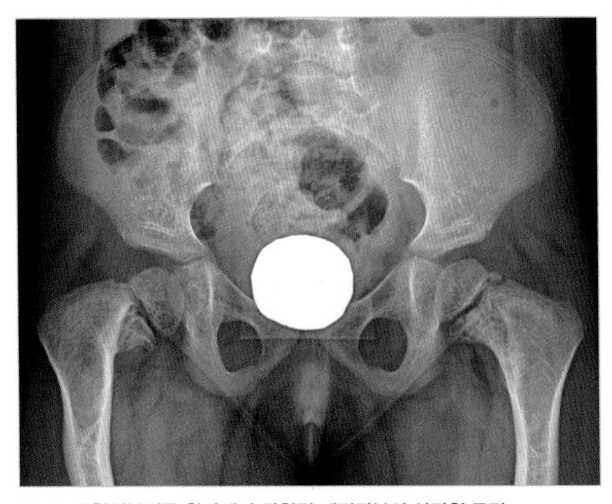

Fig 3. 골형성부전증 환자에서 관찰된 대퇴경부의 삼각형 골편.

외반 절골술 후 문헌에서 30-70%의 재발률을 보고하고 있다. 하지만, Desai와 Johnson (1993)은 외반 절골술 시 HE 각을 35도 이하로 교정하면 수술 시 나이와 상관없이 재발 없는 만족스러운 결과를 얻을 수 있다고 하였다. Carroll 등(1997)도 대퇴 경간각보다는 HE 각이 절골술 후 재발률과 연관되어 있으며 HE 각을 40도 이하로 교정하면 재발을 거의 방지할 수 있다고 하였다. 또한, 외반 절골술 후 경부 연골 결손 부위의 치유와 함께 골단판의 조기 폐쇄가 뒤따를 수 있기에, 하지 부동 및 파행에 대한 추시가 필요하다Fig 4.

II. 선천성 슬관절 탈구 및 과신전
(congenital dislocation and hyperextension of the knee)

출생 시 슬관절의 과신전으로 쉽게 발견되는 질환이다. 선천성 과신전, 선천성 아탈구 및 선천성 탈구 등의 스펙트럼 질환으로 기술되고 있다Fig 5. 그러나 선천성 과신전은 임신 말기 자궁 내에서 슬관절 과신전 상태로 포착되어 발생하며 대퇴사두근 등의 이상 없는 경우가 대부분인 양호한 병변이다. 반면 선천성 아탈구/탈구는 대퇴사두근의 병적인 구축으로 인하여 발생하기에 병태생리가 다른 별개의 질환으로 생각할 수도 있다.

1. 선천성 슬관절 과신전Fig 6

슬와부에 대퇴과가 돌출되어 보이고 슬관절 전방부에 횡피부 주름이 있을 정도로 심한 과신전을 보인다. 겉보기에는 아탈구/탈구 보다 더 심해 보이지만 비교적 쉽게 치료된다.

둔위 태향 등 자궁내 과밀에 의해서 발생하며, 발달성 고관절 이형성증과 병발하는 경우가 흔하기에, 선천성 슬관절 과신전이 있을 경우, 반드시 고관절에 대한 초음파검사가 필요하다.

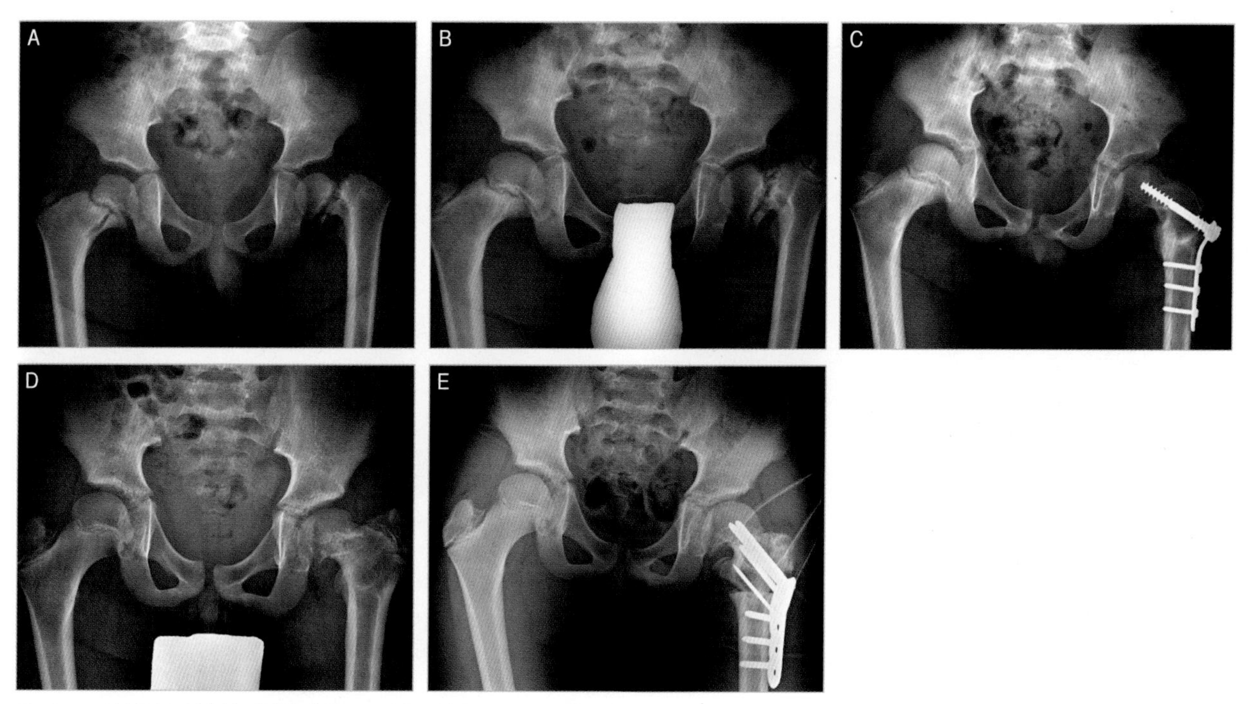

Fig 4. A: 5세 남아로 양측성 발달성 내반고 소견을 보인다. B: 8세 4개월에 촬영한 사진 상 우측은 자연 교정이 되나 좌측은 지속적인 내반고 소견이 관찰되었다. C: 대퇴골 외반 절골술을 시행 후 4개월 추시 사진으로 근위 대퇴골 골단판 성장정지 소견이 관찰된다. D: 12세 5개월에 촬영한 사진 상 내반고 변형이 약간 증가하였고 환자는 외전근 파행(abductor lurch)을 보였다. E: 대퇴골 외반 절골술을 다시 시행하였다.

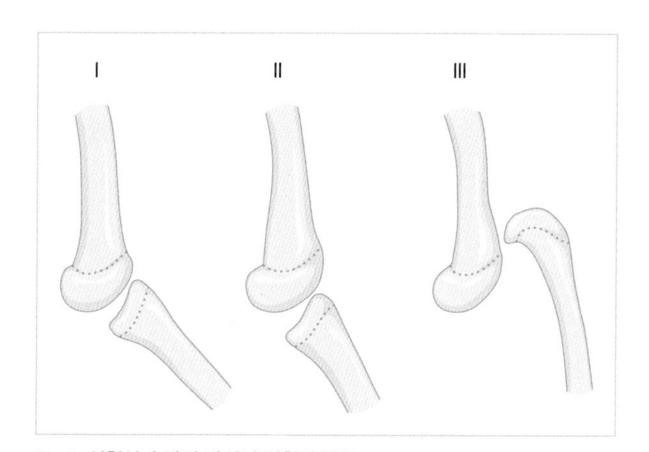

Fig 5. **선천성 슬관절 과신전 변형의 분류.**
I: 과신전(hyperextension). II: 아탈구(subluxation). III: 탈구(dislocation).

치료는 발견 즉시 시작한다. 하퇴부를 가볍게 견인하면서 근위 경골을 전방에서 후방으로 살짝 눌러주면서, 슬관절을 굴곡시킨다. 이때 대퇴사두근의 구축 정도를 평가한다. 무리한 힘을 가하지 말고 얻어진 굴곡 위치에서 석고붕대 또는 부목으로 고정하였다가 주기적으로 도수 조작과 연속적 굴곡 고정을 반복하여 90도 굴곡까지 얻은 후 Pavlik 보장구로 2-3개월간 유지한다. Pavlik 보장구로 발달성 고관절 이형성증에 대한 치료도 동시에 할 수 있다.

2. 선천성 슬관절 아탈구/탈구

출생 시 과신전의 정도는 심하지 않으나 근위 경골이 원위 대퇴골에 대해서 전방으로 전위되어 있는 매우 드문 기형이다. 단순한 태생기 자세 이상보다는 대퇴사두근의 병적 구축이 주요 병인이며 십자인대 결손 또는 저형성 등이 동반될 수 있다. 다발성 관절 탈구를 보이는 Larsen 증후군, Beals 증후군, Ehlers-Danlos 증후군의 일환으로 발생하기도 하며, 척수이형성증(myelodysplasia)이나 다발성 관절 구축증의 일환으로 나타날 수도 있다.

대부분 도수 정복이 되지 않으며 수술적 치료가 필요하다. 대퇴사두근 구축이 아주 심하지 않은 영유아에서는 대퇴사두근 근막을 여러 단계에서 절단하여 근 연장을 하는

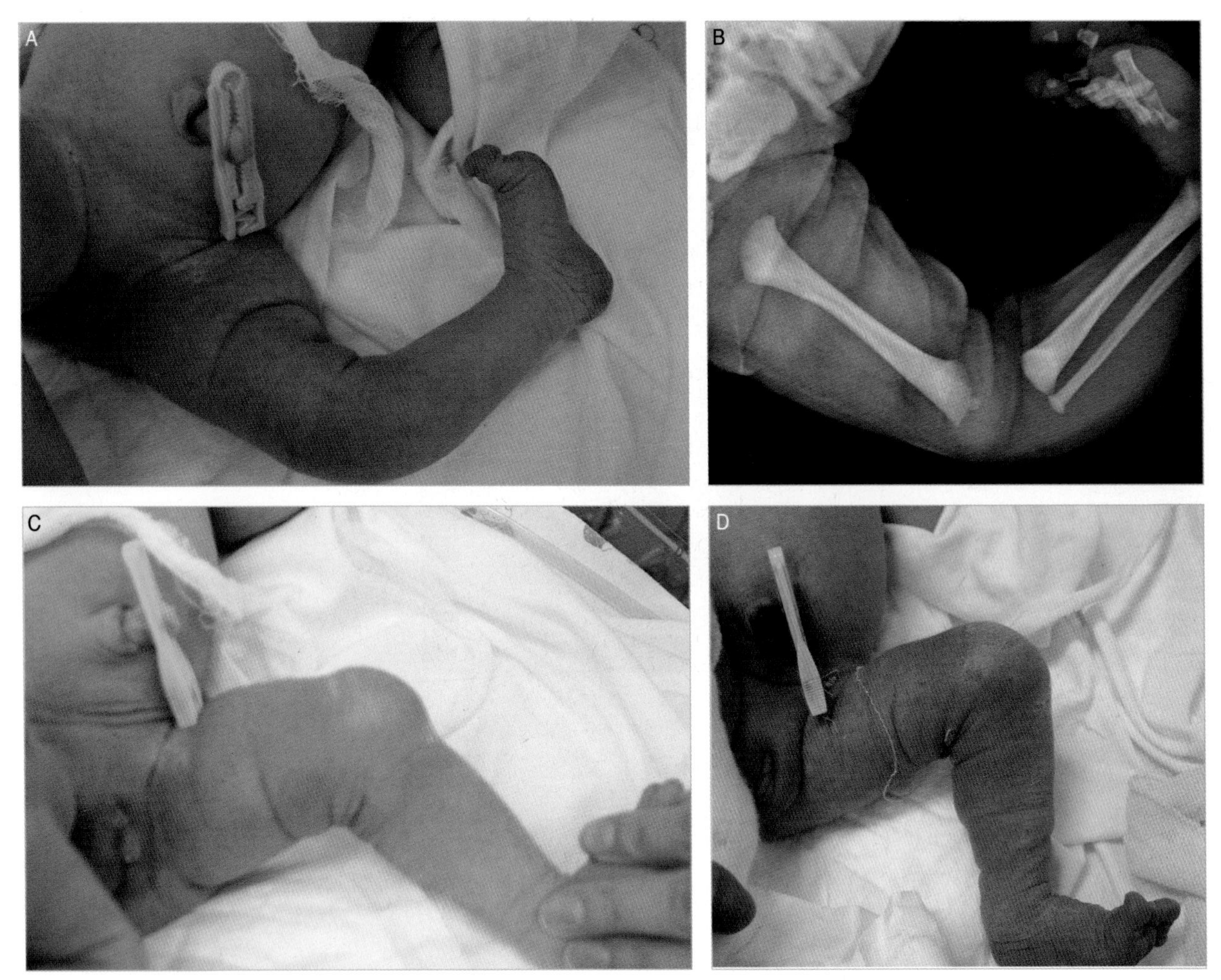

Fig 6. **선천성 슬관절 과신전.**
신생아에서 발견된 좌측 슬관절의 선천성 과신전(A,B)으로 도수 조작 시 45도 굴곡까지 가능하였다(C). 3일간 부목 고정 후 90도 이상 굴곡이 가능하였다(D). 고관절 탈구에 대해서 이때부터 Pavlik 보장구를 착용시켰다.

것이 슬관절 굴곡을 더 얻는 데에 도움이 될 수 있다(Roy & Crawford 1989).

뚜렷한 대퇴사두근 구축으로 슬관절 굴곡이 거의 안 되는 경우에는 대퇴사두근 V-Y 성형술이 가장 널리 사용되고 있다(Tercier 2012)Fig 7. 생후 6개월-1년 사이에 시행하는 것이 바람직하다. 대퇴사두근뿐만 아니라 지지대(retinaculum)와 측부인대도 충분히 유리하여 슬관절 굴곡을 90도까지 얻는다. 장경인대(iliotibial band)의 구축으로 외반슬 변형이 초래되면 장경인대 유리술도 병합한다.

수술적 치료로 슬관절 굴곡을 얻어도 근위 경골과 원위 대퇴골의 관계는 정상적인 정렬을 얻지 못하는 경우가 흔하다. 족부 변형, 슬관절 변형, 고관절 탈구가 동반된 경우는 족부 변형을 교정한 이후, 슬관절을 정복하고 이후에 고관절 탈구를 정복한다. 치료가 지연된 보행기 이후 아동에서는 대퇴골 단축술을 통해서 슬관절운동범위를 얻는 것도 고려할 수 있으나 하지길이부동을 초래할 수 있다. 따라서, 주로 양측성에서 적응이 된다. 전방십자인대 결손과 관절 불안 정성이 심한 경우에는 전방십자인대 재건술을 고려한다.

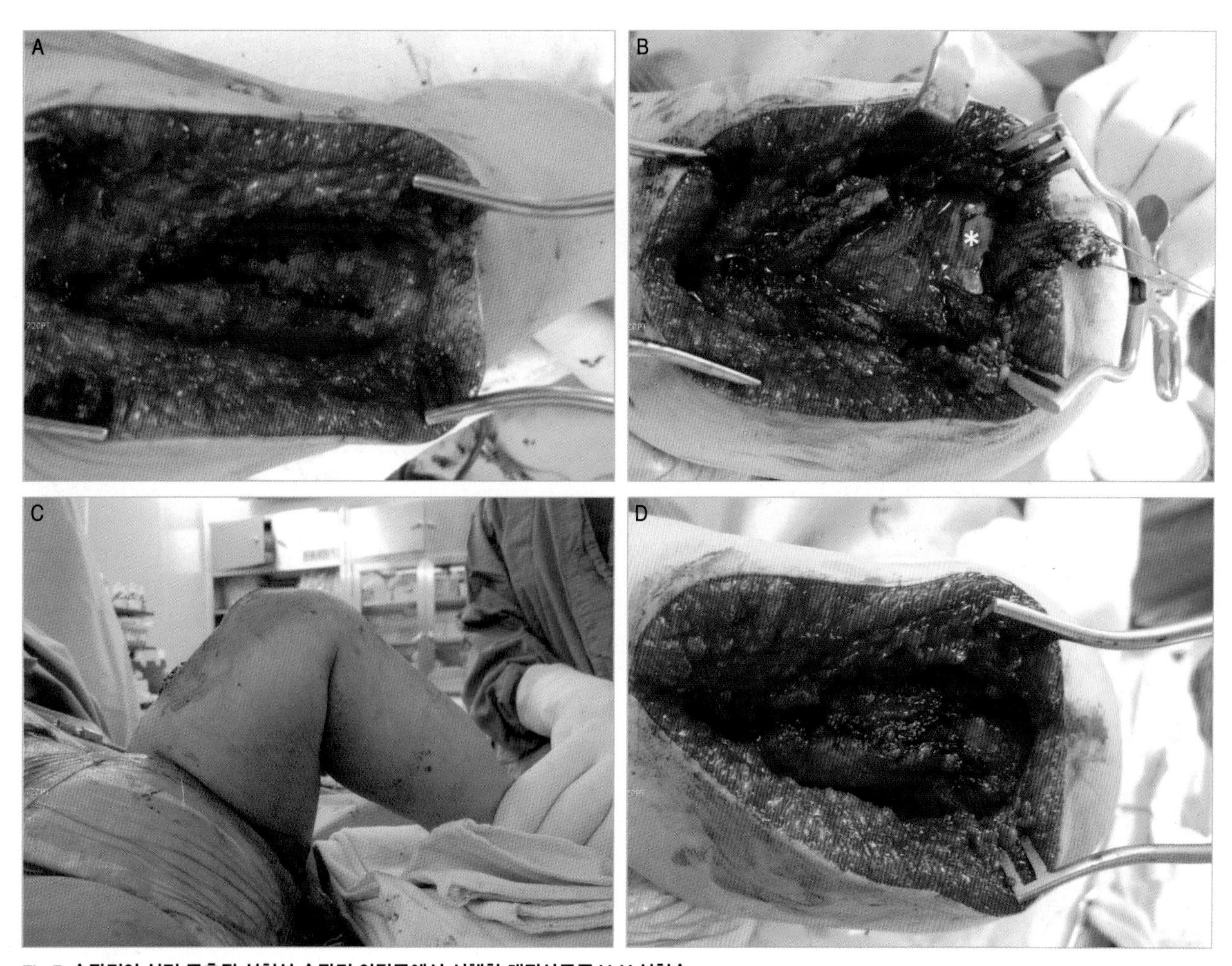

Fig 7. **슬관절이 신전 구축된 선천성 슬관절 아탈구에서 시행한 대퇴사두근 V-Y 성형술.**
A: 원위 대퇴부 전방에 종적 피부 절개 후 대퇴사두근을 노출한 후 V자로 절개한다. B: 원위부를 슬개골과 함께 원위 측으로 견인하면서 양쪽 지지대(retinaculum)를 절개한다. *: 대퇴골 원위 골단. C: 슬관절 굴곡을 90도 이상 얻는다. D: V자로 절개한 대퇴사두근은 Y자로 봉합한다.

Ⅲ. 선천성 슬개골 탈구 (congenital dislocation of the patella)

출생 시부터 슬개골이 외측으로 탈구되어 고착되어 있는 병변이다. 흔히 재발성(recurrent) 슬개골 탈구와 비교해서 습관성(habitual) 슬개골 탈구를 선천성 탈구라고 지칭하는 경우가 있으나 이는 용어를 잘못 사용하는 것이다. 또, 영유아기에 발견된 슬개골 탈구라도 슬관절운동 중 정복이 가능하거나 Down 증후군이나 조갑슬개증후군(nail-patella syndrome)에 동반된 것은 이 범주에 포함하지 말아야 한다(Ghanem 2000).

대퇴사두근(quadriceps femoris)이 외회전 부정정렬(external malrotation)되어 있고 저형성(hypoplastic)된 슬개골은 외측으로 탈구되어 있다. 슬관절이 굴곡, 외회전 되어 있고 외반슬 변형이 있다. 선천성 관절구축증(arthrogryposis) 또는 다발성 기형이 동반되는 경우도 있으며 내반족, 수직거골 등의 족부 변형이 동반되는 경우가 흔하다. 출생 직후에는 슬개골이 골화되어 있지 않기 때문에 단순 방사선검사로는 진단이 불가능하다. 슬관절 굴곡구축이 있는 신생아에서 이 병변을 의심하고 면밀한 촉진과 초음파검사 또는 MRI로 확인하여야 한다Fig 8.

영유아기에는 반복적 슬관절 신전 부목으로 굴곡구축을 최대한 감소시킨다. 슬개골 정복은 수술적인 방법으로만 가능한데 1세 이전에 시행하는 것이 바람직하다(Wada

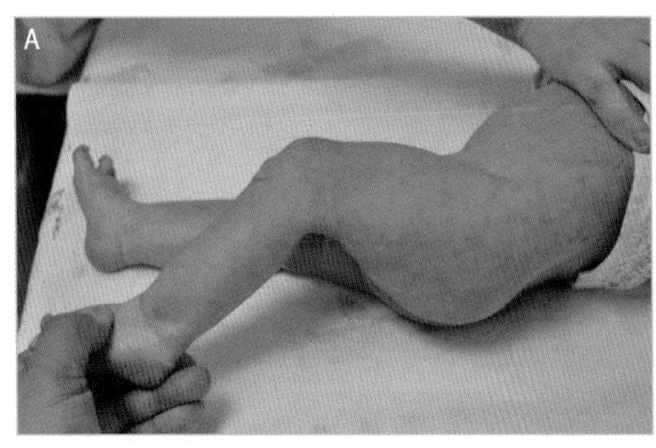

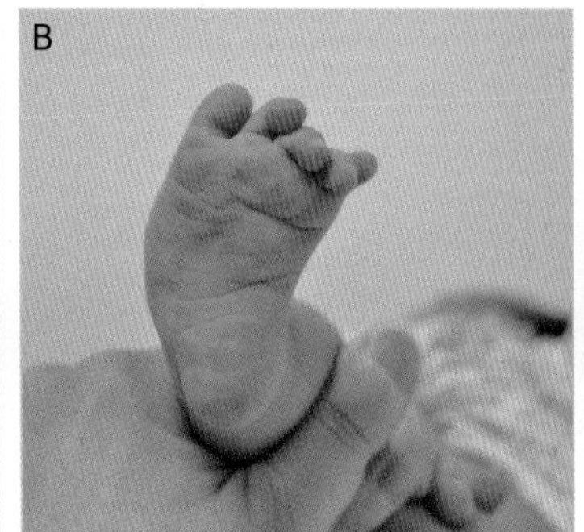

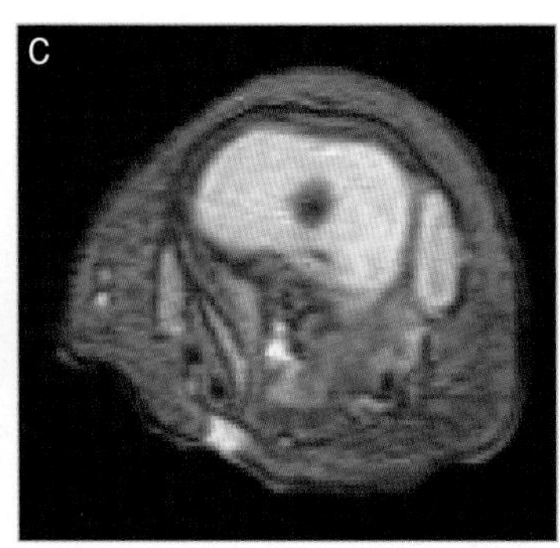

Fig 8. **선천성 슬개골 탈구.**
출생 시부터 슬관절 굴곡 구축(A)과 전족부 외반 변형(B)이 관찰되었다. MRI에서 원위 대퇴골 외과의 외측면에 탈구되어 고착되어 있는 슬개골의 연골원기(cartilage anlage)를 관찰할 수 있다(C).

2008). 외측 지지대 유리술(lateral release)을 시행하고, 대퇴사두근을 내측으로 돌려 근력의 재정렬(realignment)을 도모하며 내측 지지대 봉합술(medial retinaculum plication)을 시행한다. 필요하면 대퇴사두근 V-Y 성형술을 시행한다.

IV. 슬개골 불안정성(patellar instability)

슬갯골 불안정성의 용어(Gao 1990)
- 선천성 슬개골 탈구(congenital dislocation of the patella): 출생 시 슬개골이 탈구되어 있다. 슬관절은 대개 굴곡 구축 및 외반슬 변형을 보이고 완전 신전이 불가능하며 슬개골은 거의 정복되지 않는다. 슬개골이 작고 골화 지연이 흔하다.
- 습관성 슬개골 탈구(habitual dislocation of the patella): 슬관절 신전 시에는 슬개골이 정복되나 굴곡 시에는 거의 항상 탈구가 발생한다(habitual dislocation in flexion). 대개 대퇴사두근이 단축되어 있다. 드물지만 반대로 슬관절 굴곡 시에는 정복되나 신전 시에 거의 항상 탈구되는 경우도 있다(habitual dislocation in extension).
- 재발성 슬개골 탈구(recurrent dislocation of the patella): 2번 이상의 명확한 급성 슬개골 탈구의 병력이 있는 경우를 말한다. 협의의 재발성 탈구에서는 진찰 시에 탈구가 유발되지 않는다.
- 협의의 재발성 탈구와 습관성 탈구를 포함하여 재발성 탈구라고 부르는 경우도 있어 용어 사용에 혼란이 있다. 출생 시 탈구를 발견하지 못한 경우 선천성과 습관성을 명확하게 구분하기 어려운 경우도 있다. 특히, 심하지 않은 선천성 탈구는 나중에 습관성 탈구로 발견될 수도 있다.

1. 재발성 슬개골 탈구 (recurrent dislocation of the patella)

외상성 슬개골 탈구 후 간헐적으로 작은 외상 또는 특정 자세나 동작에서 슬개골이 탈구되는 상태이다. 첫 번째 탈구 이전에 이미 슬개대퇴 불안정성이 있던 환자에서 발병하지만, 일부는 외상성 탈구로 인하여 불안정성이 유발된 경우도 있을 수 있다. 일반적으로 첫 번째 탈구가 발생 후 재발할 가능성은 20% 전후지만 두 번째 탈구가 발생하면 또 다시 재발할 가능성은 50-80%로 급증한다. 소아 연령군에서는 첫 번째 탈구가 발생한 후 재발 가능성을 60% 이상으로 보고한 연구(Lewallen 등)도 있다. 재발성 탈구의 70%는 여자이다.

1) 기저 위험 인자

(1) 골 이상
- 대퇴골 활차 구(trochlear groove)의 저형성
- 대퇴골 전염각의 증가(increased femoral anteversion)
- 외측에 위치한 경골 조면(tibial tuberosity)
- 경골 외회전 변형(increased tibial torsion)
- 슬개골이형성증(dysplasia)

(2) 슬관절 주위 연부 조직 이상

- 외측 지대의 구축(tight lateral retinaculum)
- 비정상적인 장경대(iliotibial band)의 부착
- 내측 광근(vastus medialis)의 위축 및 외측 광근(vastus lateralis)의 비후
- 전신적 인대 이완(ligament laxity)

(3) 비정상적인 하지 축

- 외반슬(genu valgum)

슬개대퇴관절(patellofemoral joint)의 안정화에 기여하는 구조물

- Vastus medialis obliquus (VMO): 1968년 Lieb과 Perry는 내측 광근을 vastus medialis longus과 vastus medialis obliquus로 나누고 종축에 대해 각각 15-18도, 50-55도 기울어 있다고 하였다. VMO는 슬개골을 내측으로 당기는 동적(dynamic) 구조물로서 중요하다.
- Medial patellofemoral ligament (MPFL): 슬개골 내측의 정적(static) 안정화 구조물에는 patellofemoral, patellotibial, patellomeniscal ligament가 있다. 이중에 MPFL이 기여하는 정도가 약 40-80%로 가장 높다. MPFL은 성인에서 대퇴골 adductor tubercle과 medial epicondyle 사이에서 기시하여 슬개골 내측의 근위부 1/2에 부착하는 구조물로서 길이는 약 5 cm 정도이고 폭은 1.9 cm 정도이다. 소아에서는 원위 대퇴골 골단판 근처에서 기시하며 그 정확한 부위에 대해서는 논란이 있지만(Shea 2010, Ladd 2010) 인대의 주된 부분은 골단판 원위부 5-7 mm에서 기시하는 것으로 생각된다.

2) 임상적 소견

사춘기 전후에 호발하며 여자에 더 흔하고 항상 외측(lateral)으로 탈구된다. 갑자기 무릎이 '빠지는 것 같은' 느낌이 들면서 넘어지는 것이 전형적이다. 초기에는 통증이 현저하고 반복되면 통증이 감소한다. 대퇴슬개 불안정성(instability)으로 운동에 참여하지 못하며 장기적으로는 대퇴슬개 관절면에 퇴행성 변화가 초래된다.

3) 진단

급성 탈구 후 일정 시간이 지난 상태에서는 신체검사에서 정상인 경우도 많다. 재발성 슬관절 탈구를 시사하는 신체 검사 소견으로 J sign과 Fairbank의 apprehension test가 있다.

(1) J sign

침대에 걸터앉은 상태에서 무릎을 신전하게 하고 다리를 잡아 준 상태에서 무릎을 능동적으로 굴곡하게 하면서 다리를 잡은 손을 살짝 힘을 빼면 슬개골이 외측으로 이동하였다가 슬관절 굴곡 각도가 증가함에 따라 슬개골이 다시 제자리로 돌아오는 현상을 말한다.

(2) Fairbank apprehension test

환자를 앙와위, 슬관절 30도 굴곡 상태에서 검사자가 환자의 슬개골을 외측으로 밀 때, 환자가 불안감과 통증을 느끼면 슬개대퇴 관절의 불안정성을 의미한다.

(3) 방사선 검사

- 슬개대퇴 관절을 평가하는 skyline view 방사선 촬영 방법이다Fig 9.
- Q 각의 증가: Q 각은 전상장골극(anterior superior iliac spine, ASIS)과 슬개골 중심을 연결한 선이 슬개골 중심과 경골 돌기를 연결한 선과 이루는 각으로 성인 남자에서 8-10도, 성인 여자에서 10-20도이다.
- Sulcus angle과 congruence angleFig 10는 merchant view에서 측정한다. congruence angle이 +16도 이상이면 외측 아탈구를 의미한다.
- 슬개골 고위증(patella alta)Fig 11: 대퇴사두근 단축과 관련하여 관찰될 수 있다. 슬개골과 경골 조면의 골화가 불완전한 소아에서는 Insall-Salvati 지표는 이용할 수 없으며, 대신 Koshino-Sugimoto 지표 등을 이용할 수 있다.
- 경골돌기-활차구 거리(tibial tubercle to trochlear groove distance, TT-TG): 성인에서는 CT 검사 상 20 mm, MRI 검사 상 18 mm 이상이면 슬개골 재발성 탈구의 위험 인자로 알려져 있으나 신체의 크기에 대한 표준화가 되어 있지 않기 때문에, 소아에서는 나이로 보정한 거리를 사용해야 한다(Skelley 2015).

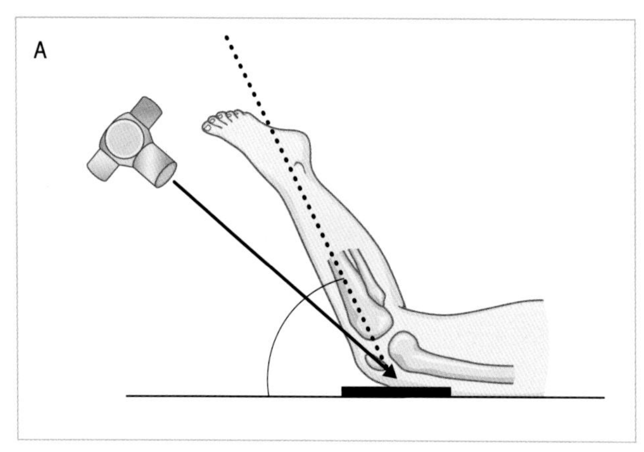

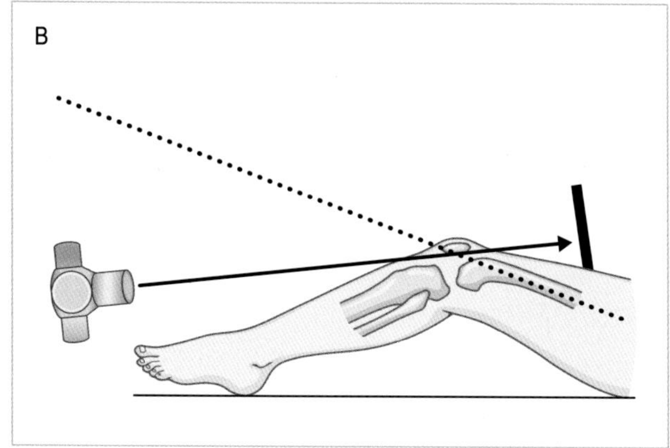

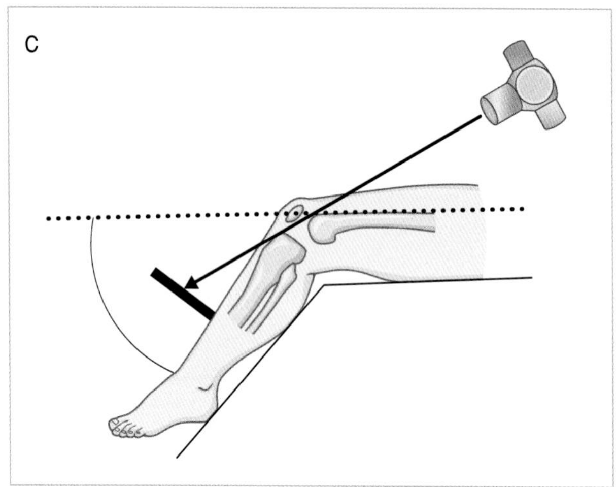

Fig 9. **슬개대퇴 관절을 평가하는 방사선 촬영 방법.**
A: Hughston 법(엎드린 상태로 슬관절을 55도 굴곡하고 X선은 수평면에서 45도 각도로 하방을 향하여 근위부로 조사한다). B: Laurin 법(슬관절을 20도 굴곡하고 X선은 수평면에서 20도 상방을 향하여 근위부로 조사한다). C: Merchant법(슬관절을 45도 굴곡하고 X선은 수평면에서 30도 하방을 향하여 원위부로 조사한다).

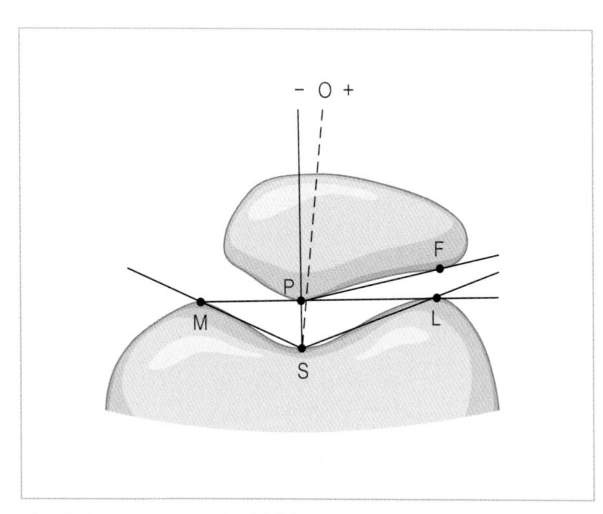

Fig 10. **Congruence angle의 측정.**
M: medial condyle. L: lateral condyle. S: sulcus. P: patellar ridge, sulcus각(∠MSL): 137±6도. SO선: sulcus 각을 양분하는 선. congruence 각(∠PSO): 8±6도.

4) 치료

(1) 최초 탈구에 대한 치료

급성 슬개골 탈구는 슬관절 신전, 고관절 굴곡하면 대퇴사두근 이완으로 정복할 수 있다. 이후 knee immobilizer로 슬관절을 신전한 상태에서 고정한다. 수일 후 대퇴사두근 등척성 수축운동(QSE)과 straight leg raising 운동을 시작하고, 슬개골 고정 보조기로 상당기간 보호한다. 내측 광근(vastus medialis) 강화 운동이 재발 방지에 중요하다.

(2) 수술적 치료

탈구의 재발을 방지하는 것이 수술의 목적이다. 이를 위해, 대퇴사두근과 장경대의 작용축을 교정한다. 탈구가 되는 상태가 아니기에, 습관성 탈구과 달리 수술 중 슬개골 안정화가 충분히 얻어졌는지를 평가하기 어렵다. 탈구를 유발하는 골변형을 교정하고, 슬개골 외측 연부 조직을 이

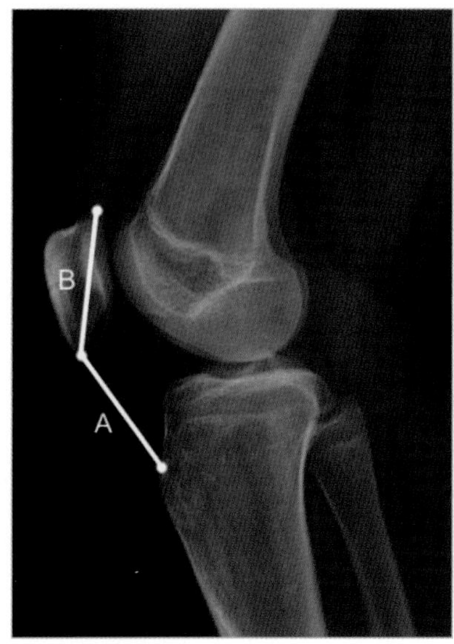

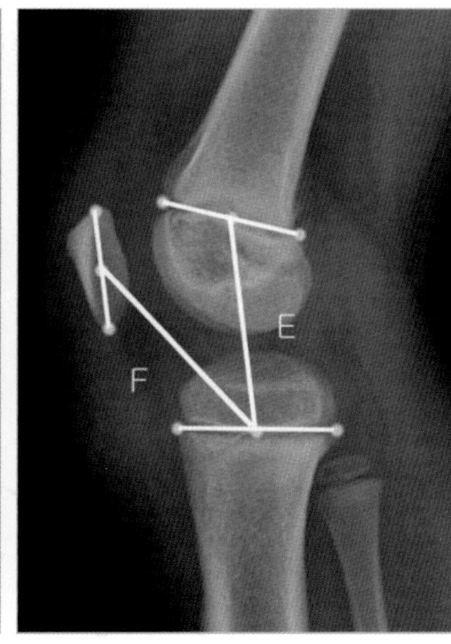

Fig 11. **슬개골 고위증(patella alta).**
Insall-Salvati (A/B)은 슬개건의 길이를 슬개골의 길이로 나눈 지표이기에 경골 조면과 슬개골의 골화가 완성되지 않으면 이용하기 곤란하다. 즉 골화가 완성된 청소년이나 성인의 경우에 사용한다. 소아의 경우, 골단판의 사이의 거리를 이용하는 Koshino-Sugimoto 방법이 더 적합하다.

완시키고, 내측을 보강하는 다양한 술식이 있다Table 1. 환자의 상태에 따라 상기 술식을 조합하여 시행한다. 즉, 수술 방법을 선택할 때는 ① 아탈구/탈구의 정도, ② 탈구의 발생 기전(mechanism), ③ 슬개골 연골연화증(chondromalacia)의 유무, ④ 환자의 연령, ⑤ 환자의 심리 상태를 고려해야 한다.

- Hauser 술식, Elmslie-Trillat 술식 등과 같은 슬개건 부착부를 하내측으로 이전하는 술식은 경골 근위 골단판 손상의 위험이 있으므로 성장기에는 삼가 한다. 슬개건 외측 부위를 내측으로 이전하는 Roux-Goldthwait 술식이 소아에서 대안이 될 수 있다.
- Trochleoplasty, trochlear osteotomy 등과 같은 절골술은 lateral trochlear groove의 저형성이 있는 경우에 시행할 수 있으나 원위 대퇴골 골단판의 손상을 초래할 수 있는 위험이 있다. 또, 잔여 성장이 충분히 남아있으면 슬개골을 안정화함으로써 trochlear groove가 재형성되어 정상화되는 것을 기대할 수도 있기 때문에 나이가 어린 환자에서는 적응증이 제한된다.
- 슬개골 절제술(patellectomy): 연골연화증(chondromalacia)이나 대퇴슬개 관절면의 퇴행성 변화가 심할 때에만 적응증이 되며, 소아청소년기에는 거의 해당하지 않는다.
- 외반슬에 대한 편측 골단판 유합술로 외반각이 1도 교정될 때 마다 TT-TG 거리가 1 mm 정도 줄어드는 효과가 있다(Ceroni 2017).

Table 1. **소아의 재발성-습관성 슬개골 탈구에 대한 수술 술식들**

술식의 목적	술식
외측 연부조직 유리	Lateral release
내측 연부조직 강화	Medial capsular plication
	VMO advancement
	MPFL reconstruction
	Semitendinosus tenodesis (Galeazzi)
	Patellar tendon transfer (Roux-Goldthwait)
각변형, 회전변형 교정	Asymmetrical physeal suppression
	Osteotomy (varization, rotation)

2. 습관성 슬개골 탈구 (habitual dislocation of the patella)

슬관절 굴곡 시에 슬개골이 외측으로 탈구되는 습관성 슬개골 탈구에서는 재발성 탈구와 달리 대퇴사두근과 외측 지대의 단축이 거의 항상 동반된다.

성공적인 정복을 위해서는 외측 조직을 보다 철저하게 유리하고 내측 조직을 보다 강하게 보강하는 것이 필요하며 대퇴사두근 연장술이 필요한 경우가 많다. 골의 각변형 및 회전 변형이 동반된 경우 몇 가지 연부 조직 술식의 조합과 함께 절골술을 함께 시행하여야 하는 경우도 있다. 최근에는 MPFL을 이용한 재건술에 대한 보고가 늘고 있다. MPFL 재건술로 재탈구의 위험을 줄이고 활차구 이형성이 있는 슬관절에서도 좋은 기능적 결과를 보인다는 단기 보고들이 많아지고 있는데, 정확한 위치에 과도한 장력을 피하여 재건하는 것이 중요하다.

일부 임상의는 소아에서 골단판이 열려있는 경우 trochleoplasty, trochlear osteotomy, 경골조면 절골술을 시행하기 어려우므로 증상이 명확해질 때가 아니라면 골단판이 닫힌 후 수술하기를 추천하기도 한다. 그러나, 습관성 탈구는 아래의 이유로 수술을 지연시키기보다는 오히려 어린 나이에 수술하여 슬개골을 안정화시키는 것이 바람직하다.

습관성 슬개골 탈구를 어린 나이에 수술하기를 권장하는 이유

1. 습관성 탈구의 자연 경과는 시간이 지나면서 개선되지 않으며, 나이가 들수록 통증과 대퇴사두근의 약화가 심해진다는 보고가 많다.
2. 반복적인 탈구로 인한 관절 연골 손상과 이로 인한 조기 퇴행성 관절염의 위험이 증가하며 이러한 변화는 비가역적이다.
3. 어린 나이에 수술하는 경우 원위 대퇴골 활차구(trochlear groove)의 저형성이 재형성되어 호전되는 것을 기대할 수 있다(Deie 2003, Benoit 2007, Fu 2018).
4. 청소년기 이후 활차구 및 슬개골 관절면의 재형성 능력이 저하된 후에 슬개골을 안정화시키면 슬개대퇴 관절 부조화(incongruency)가 생길 위험이 높으며, 이러한 경우 단기적으로는 없거나 경한 증상을 악화시키고 장기적으로는 퇴행성 변화를 초래할 가능성이 있다.
5. 골단판을 손상시킬 수 있는 절골술을 제외한 여러 연부 조직 수술만으로도 성공적으로 슬개골을 안정화시킬 수 있다.

V. 이분 슬개골(bipartite patella)

슬개골의 일부가 분리되어 있는 병변으로 유병률은 약 2-3% 정도이다. 약 25%에서 양측성이다. 5% 정도에서는 삼분 슬개골(tripartite patella)을 보인다.

1. 분류(Saupe 1943)

가장 흔한 골편의 위치는 상외측(superolateral corner; type III)이며 약 75%를 차지한다. 약 20%는 외측연(lateral margin; type II)에 그리고 5% 정도는 하방(inferior pole; type I)에 위치한다Fig 12.

2. 증상

대부분은 증상 없이 우연히 발견되는 경우가 많으나 드물게 증상을 일으키기도 한다. 급성 외상에 의해서 또는

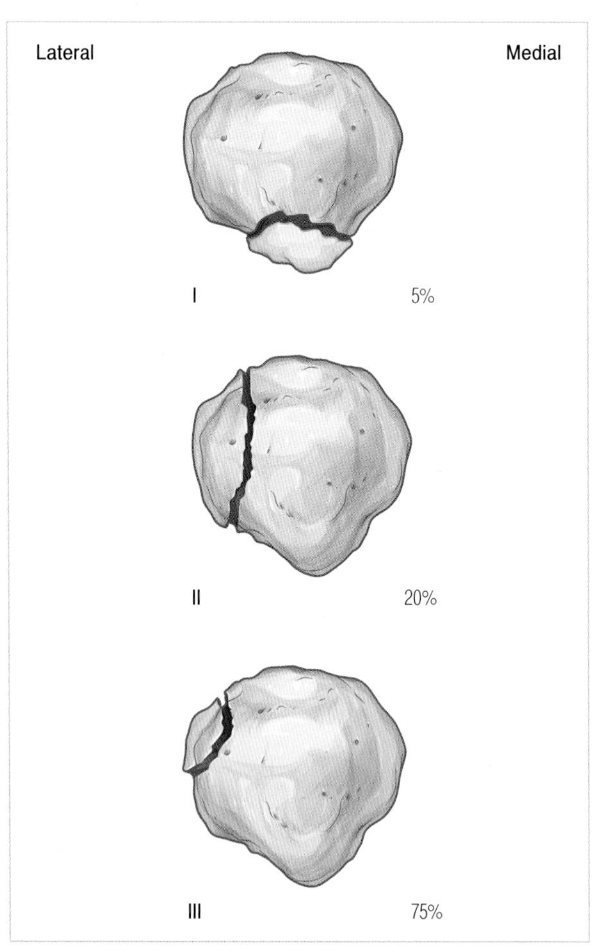

Fig 12. **이분 슬개골에 대한 Saupe 분류.**

만성적인 반복 외력에 의하여 이분 부위에서 추가 분리가 발생하면 통증이 발생하는데 특히 청소년기 운동 선수에서 주로 문제가 된다. 스케이트나 배드민턴 등 지속적인 squatting 자세를 취해야 하거나 점프를 많이 하는 운동에서 문제가 되는 것으로 알려져 있다. 통증은 전방 슬관절 통증 양상이며 국소 압통이 있다.

3. 치료

대부분 보존적으로 치료한다. 보존적 치료가 실패하거나 운동 선수인 경우에는 수술적 치료를 시행할 수 있다. Type III의 경우는 대개 골편 제거술을 시행하며, type II인 경우에는 골편 제거술을 시행하거나 골편이 커서 슬개-대퇴 관절을 이환하는 경우에는 골유합술을 시행할 수도 있다. Type I에 대한 수술적 치료는 거의 보고된 바가 없으나 지속적인 증상이 있다면 골편 제거술을 시도할 수 있다.

VI. 슬와 낭종(popliteal cyst)

Baker 낭종이라고도 한다. 슬와부에는 6개의 점액낭이 있는데 정확한 원인은 미상이지만 관절내압이 증가하거나 슬관절 내의 역학적 문제로 인해 활액이 관절 외부로 밀려 나가는 조건이 갖추어지면 관절액이 점액낭 속으로 빠져나가 낭종이 형성된다고 추정된다. 전형적인 예는 비복근(gastrocnemius)과 반막양근(semimembranosus) 내측에 있는 gastrocnemius-semimembranosus 점액낭에 발생하는 낭종이다.

1. 분류

1) 일차성 낭종

원인 미상이며 슬관절과 교통하지 않는 낭종이다. 남아에서 더 호발한다. 소아에서는 일차성 낭종이 이차성 낭종보다 더 흔하다. 관절 내 이상보다는 외상이나 기타 물리적 자극 때문에 발생한다고 추정되며, 십자인대나 반월상 연골 손상 등은 잘 동반되지 않는 것으로 알려져 있다.

2) 이차성 낭종

소아에서는 흔하지 않다. 역시 남자에서 더 흔하며 슬관절 내의 병적 변화와 연관된 경우가 많다. 성인을 대상으로 한 연구에 의하면 76례 중 66례에서 관절내 이상(퇴행성 관절염, 관절 부종 등)이 동반되었다(Miller 1996).

2. 임상 증상

우연히 발견되는 성인에서의 슬와 낭종과 달리, 소아는 증상 없이 만져지거나 보이는 슬와부 종괴로 발견된다. 가끔 통증 또는 슬관절운동 제한을 호소한다. 외상이나 다른 특별한 이상 병력은 없는 경우가 대부분이다.

3. 진단

슬와부 내측에 주로 위치하지만 외측에 있을 수도 있다. 슬관절을 굴곡, 신전하면서 종괴의 크기와 압력이 변화하는 것을 촉지할 수 있다(Foucher 징후). 영상학적 진단은 초음파검사 및 자기공명영상 촬영으로 가능하다. 소아에서는 초음파검사가 유용한 진단법이지만 5 mm 미만의 작은 크기의 낭종은 발견하기 어렵고 관절 내 이상 여부를 밝히기 어렵다는 제한점도 가지고 있다.

4. 치료

증상이 없거나 미미한 소아에서는 특별한 치료 없이 경과 관찰로 족하다. 크기가 크고 증상이 있는 경우에만 수술적 제거술이 필요한데 수술 후 재발이 드물지 않다.

VII. 생리적 내반슬(physiologic genu varum)

3-4세 이전에 약간의 내반슬은 정상적인 발달 과정 중에 있는 경우가 대부분이며, 생리적 내반슬은 치료 없이 교정된다Fig 13.

- **감별 진단**

  5세 이후까지 내반슬이 잔존하여 있으면, 다른 원인을 감별하여야 한다.

  - 유아기 경골 내반증(infantile tibia vara)

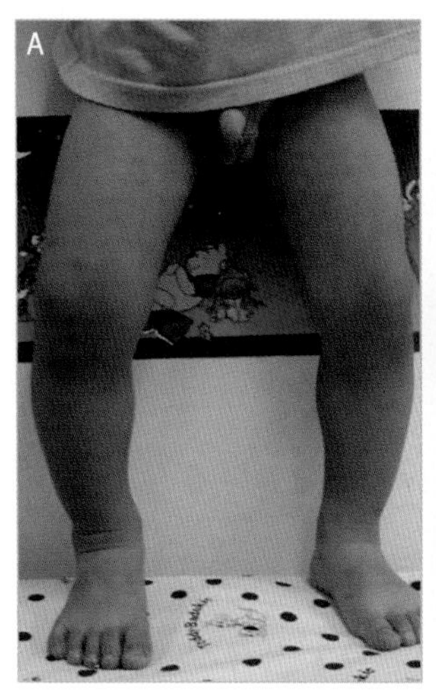

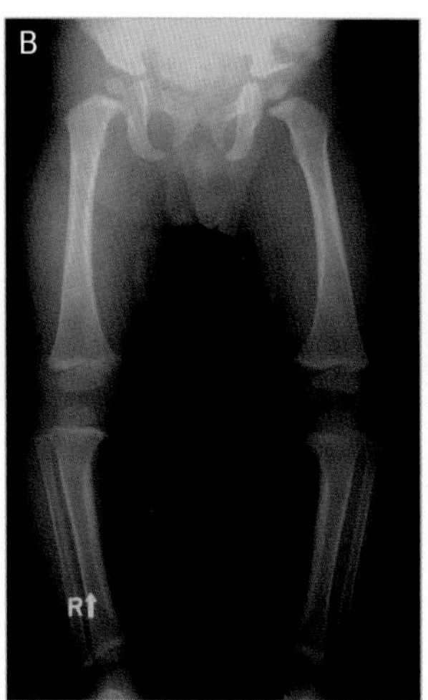

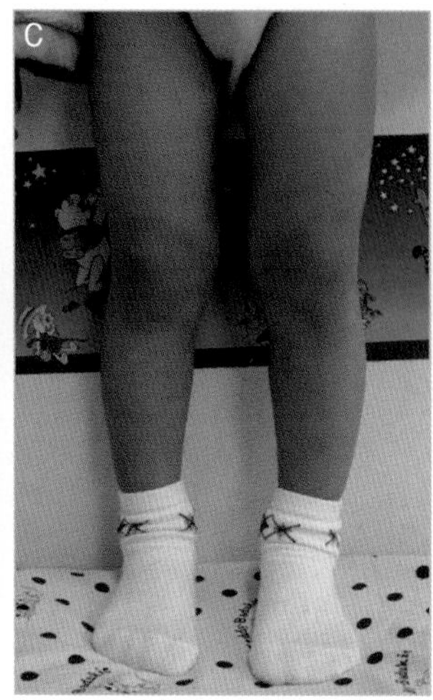

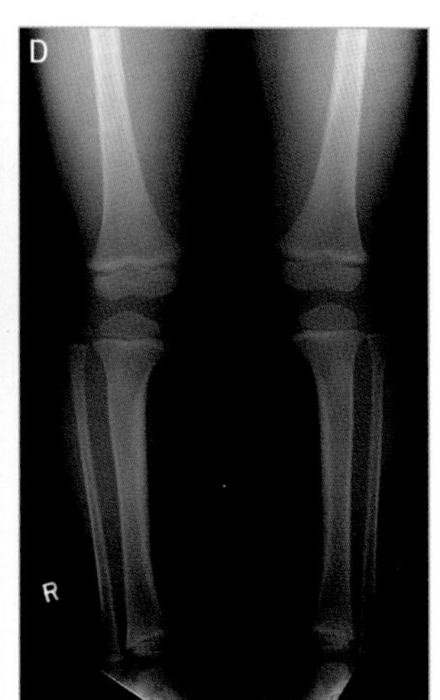

Fig 13. A,B: 생후 14개월에 생리적 내반슬(physiologic genu varum)을 보이는 남아. C,D: 6개월 후 자연 교정되었다.

- 활동성 또는 회복기의 구루병(rickets): 활동성 구루병에서는 특징적인 방사선 검사 소견을 보이나 이미 회복기에 접어든 경우에는 내반 변형만 남고 방사선 검사 소견은 정상으로 보일 수도 있다.
- 국소 섬유연골이형성증(focal fibrocartilaginous dysplasia), 각종 골이형성증

VIII. 특발성 외반슬(idiopathic genu valgum)

정상 하지 정렬의 발달은 3-4세에 최대 외반슬 정렬을 보이다가 점차 감소하여 6-7세에 정상 정렬에 도달하여 성장 완료 시까지 지속된다. 특발성 외반슬은 특별한 이유 없이 외반슬 정렬이 지속되어 성장 완료 시까지 지속되는 경우를 지칭한다. 특히, 비만한 청소년에서 흔하다.

내반슬(genu varum)과 달리 외반슬이 슬관절 외측 구획의 퇴행성 변화를 촉진한다는 연구 결과는 보고된 바가 없으나, 그렇다고 해서 심한 외반슬이 심한 내반슬보다 예후가 양호(benign)하다고 결론지을 수는 없다. 보고가 드문 것은 심한 외반슬을 초래하는 질환이 심한 내반슬을 초래하는 질환보다 드물어서일 수도 있으며, 역학축의 심한 외측 이동으로 인해 슬관절 외측 구획에 비대칭적인 외력이 집중되면 내반슬과 마찬가지로 퇴행성 변화가 속발하거나 운동 시 관절 주위 인대 및 관절 내 구조물의 손상 가능성을 높일 것으로 생각된다.

외반슬을 미용상 문제, 보행 시 슬관절간의 충돌(knock-knee) 등을 주로 호소하며, 슬개골의 외측 아탈구가 동반되면 슬관절 전방 통증과 슬개골 불안정성을 초래할 수도 있다. 또한, 외상 및 감염에 의하여 발생된 외반슬과의 감별을 요한다. 외상이나 감염에 의한 경우라면 골단판의 골교(physeal bar)를 확인할 수 있어야 하며 이는 CT 또는 MRI 등의 검사를 통하여 감별할 수 있다.

비수술적인 방법은 효과가 없다. 잔여 성장이 충분히 남아 있으면 원위 대퇴골 또는 근위 경골 내측 반골단판 유합술을 고려한다[Fig 14](3장 소아청소년 근골격계 질환의 치료 참조). 잔여 성장이 거의 없거나 성장이 완료된 환자에서는 골간단 절골술이 필요하다.

IX. 유아기 경골 내반증
(infantile tibia vara, blount disease)

경골 내반증(tibia vara)은 근위 경골 골단판을 침범하는 발달성 질환으로 국소적인 내전 변형을 야기한다. 발병 연령이 3세 이전인 경우 유아기(infantile), 3-8세를 소아기(juvenile), 8세 이후인 경우 청소년기(adolescent)로 구분한

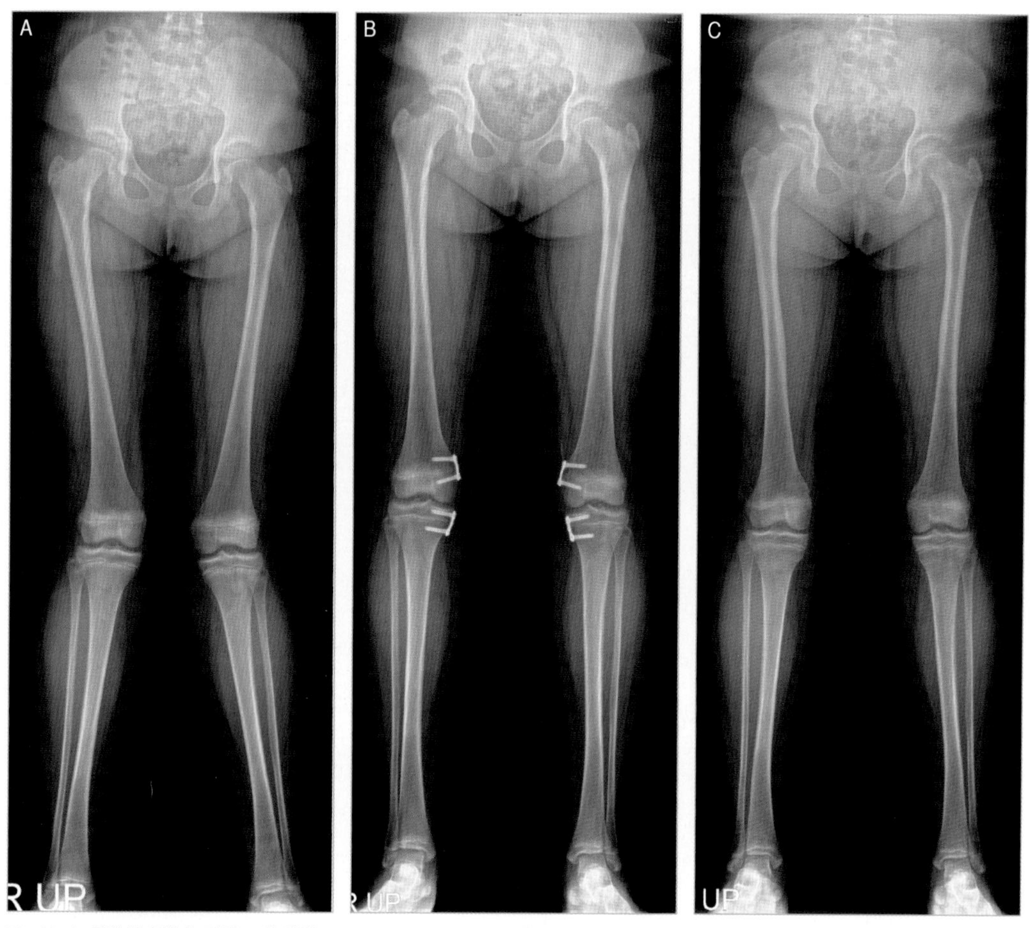

Fig 14. A: 특발성 외반슬 가진 11세 여아. B: tension band plating을 이용한 내측 골단판 유합술로 외반슬이 교정되었다. C: 추시하면서 경도의 rebound 현상이 발생하였다.

다. 소아기와 청소년기를 묶어서 지연 발생 경골 내반증 (late-onset tibia vara)이라고 부르기도 하나 어떤 경우에는 청소년기 경골 내반증은 다른 질병 범주라고 생각하여 이 것만을 지연 발생 경골 내반증으로 다루기도 한다.

1. 발병 원인

발병 원인은 미상이나 걸음마를 빨리 시작한 비만아에 흔한 것으로 보아, 생리적인 내반슬이 있는 환아에서 과도한 체중으로 인한 부하가 근위 경골 내측에 가해져서 성장 억제가 발생하며 이로 인하여 내반슬이 더 악화되고 다시 체중 부하의 집중이 심화되는 악순환이 일어나는 것으로 추정한다. 체중이 90 백분위이면서 20도의 내반 변형이 있는 2세 소아가 한쪽 다리로 서면 Heuter-Volkmann 법칙에 의해 성장이 저하되기에 충분한 압박력이 내측 골단판에 가해진다는 연구도 있다(Cook 1983). 생리적 내반슬과 유아기 경골 내반증이 같은 스펙트럼 선상에 있으며, 생리적 내반슬이 점진적으로 자연 교정되는 반면 경골 내반증은 자연 교정에 실패하고 변형이 오히려 악화되는 상태라고 가정한다면 초기 어느 단계에는 자연 교정되는 생리적 내반슬의 경과를 따를지, 아니면 점차 악화되어 경골 내반증으로 진행할지가 미정인 시기가 있을 것으로 생각된다.

2. 임상 소견

체중이 95 백분위 이상인 비만 아동이 많다. 슬관절 내측 불안정성이 있어 보행 중 입각기에 환측의 슬관절이 갑자기 외측으로 빠지는 것처럼 보인다(lateral thrust). 내반뿐 아니라 내회전 변형이 복합되어 있는 경우가 흔하다.

3. 진단

1세 이전에 단순 방사선검사는 정상이며, 18개월 이전에 단순 방사선검사에서 이상이 관찰되는 경우는 매우 드물다. 초기에는 골주사 검사에서 내측 근위 경골 골간단에 흡수가 증가된다. 전후면 단순 방사선검사에서 내측 골단판이 넓고 불규칙해 보인다. 내측 골단판이 원위부로 경사져 보이며 골단의 골화는 불규칙하다. 병이 진행됨에 따라서 골간단의 beaking, 골간단의 골 파괴양상이 관찰된다. 측방 사진에서는 후반슬(procurvatum)이 관찰된다. 6세 이전에는 골화되지 않은 연골 골단은 정상 모양이지만 병이 진행하면서 골단 후내측 부위의 침강이나 후방 경사 등의 변형이 초래되기도 한다. 병의 진행 단계를 경중에 따라서 분류하여 치료에 이용한다(Langenskiöld 1952)Fig 15. 그러나 Langenskiöld 분류는 보는 사람에 따라서 다를 수 있는 문제점이 있다(Stricker 1994). 또한 치료 후 예후와도 잘 맞지 않는다.

1) 단순 방사선검사에서 경골 내반증 진단Fig 16

- 골간단-골간 각(metaphyseal-diaphyseal angle)(Levine 1982): 방사선 검사 시 하지의 회전에 따라 측정치가 달라질 수 있으므로 임상의가 적절히 판단해야 한다. 11도 이하는 대부분 생리적 내반슬이며 16도 이상은 대

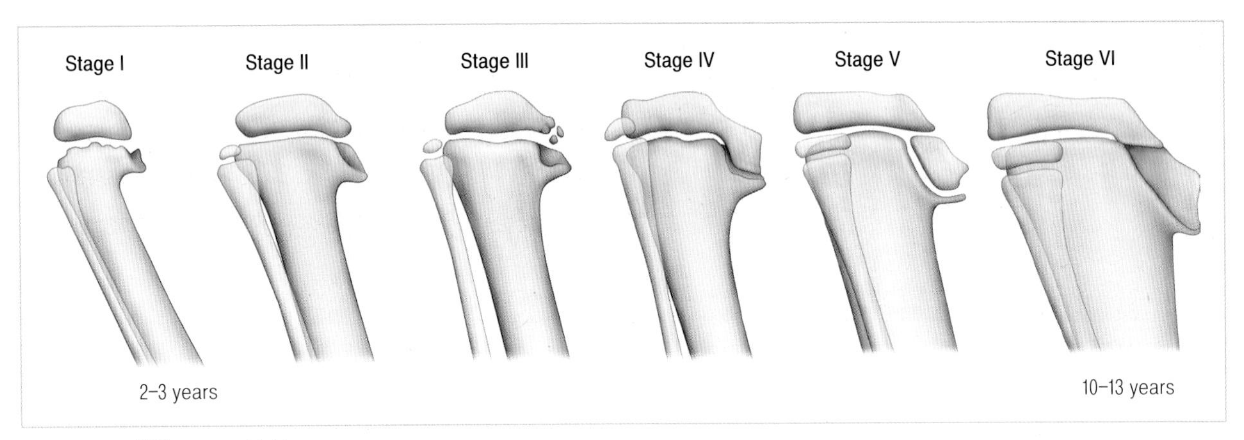

Fig 15. **Blount병의 Langenskiöld stage.**
Stage I은 골간단의 골화가 불규칙하고 내측 원위부로 새부리같이 돌출된다. Stage II부터 IV까지는 골간단 내측이 원위부로 침강하면서 계단 모양의 변형이 만들어진다. Stage V가 되면 골단 내측이 원위부로 침강되고 골단 내측과 외측이 분리되어 보인다. Stage VI에서는 내측의 골단판이 유합된다.

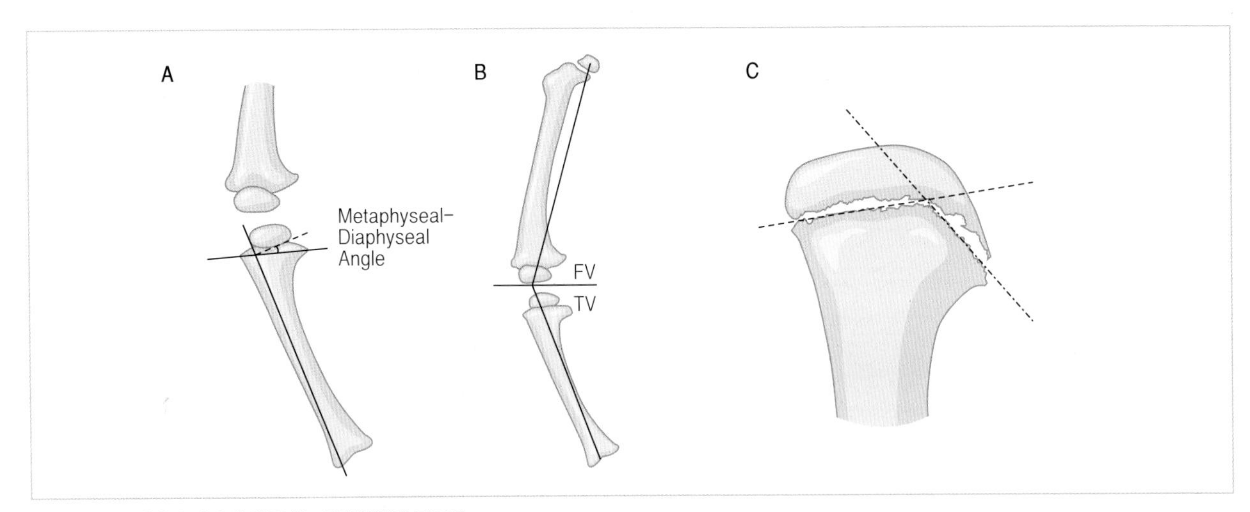

Fig 16. **경골 내반증 진단에 사용되는 방사선학적 지표들.**
A: 골간단-골간 각(metaphyseal-diaphyseal angle). B: femoral varus (FV), tibial varus (TV). C: 내측 골단판 경사(medial physeal inclination).

부분 경골 내반증이다. 11-16도 범위는 회색지대(grey zone)로 체중, 인대 이완, 진행 양상, 기타 방사선 검사 소견 등을 종합하여 진단한다.

- TV/(FV+TV): 전체 내반 정도에서 경골의 내반 정도를 나눈 지표이다. 따라서, 0.5 이상인 경우 경골 내반이 주인 것으로 본다.
- 내측 골단판 경사(medial physeal slope)(Kling 1990)

2) MRI 소견

- 내측 골단판에서의 골교(bone bridge) 형성 여부를 알 수 있다. 골교가 명확히 형성된 경우 골교 절제술 등 치료 계획 수립에 도움이 될 수 있지만 아직까지 MRI가 골단판의 기능을 정확하게 평가할 수는 없음에 유의해야 한다.
- 골화되지 않은 연골 골단 모양을 평가하는데 유용하다.

4. 치료Fig 17

1) 보조기(18-30개월)

슬관절-족근관절-족부 보조기(KAFO)를 착용한다. 족근관절은 자유롭게 움직이며, 내측에 upright가 있고 슬관절은 없으며 대퇴 상부 내측, 족근관절 내측 그리고 슬관절 외측에서 압박을 가하는 3점 압박으로 슬관절의 정렬을 외반으로 유지한다. Langenskiöld 1형이나 2형이고 3세 이전에 보조기로 치료하였을 때 약 50%의 성공률을 기대할 수 있다고 알려져 있으며 편측성 변형이며 환자 순응도가 높은 경우에 효과적이다Fig 18. 보조기를 차는 시간에 대해서는 이견이 있다. 전통적으로는 하루 23시간 착용하는 것이 권장되나, 하지의 역학축을 외측으로 전위시킴으로써 체중 부하 압박력이 가해지는 위치를 외측으로 변화시키는 보조기의 역할을 고려하면 야간에 착용하는 것보다는 주간에 기립 및 보행 중에 착용하는 것이 이론적으로는 더 효과적일 것이다.

2) 절골술(3-5세)Fig 19

근위 경골 외반/외회전 절골술을 시행한다. 건측에 비해서 외반 5-10도 과교정하는 것이 필요하다. 비골 절골술도 함께 시행하여야 하며 이때 비골 신경 마비에 주의하여야 한다. 구획 증후군을 예방하기 위해서 예방적 구획 근막절개술(fasciotomy of anterior, lateral and posterior compartments)을 고려한다.

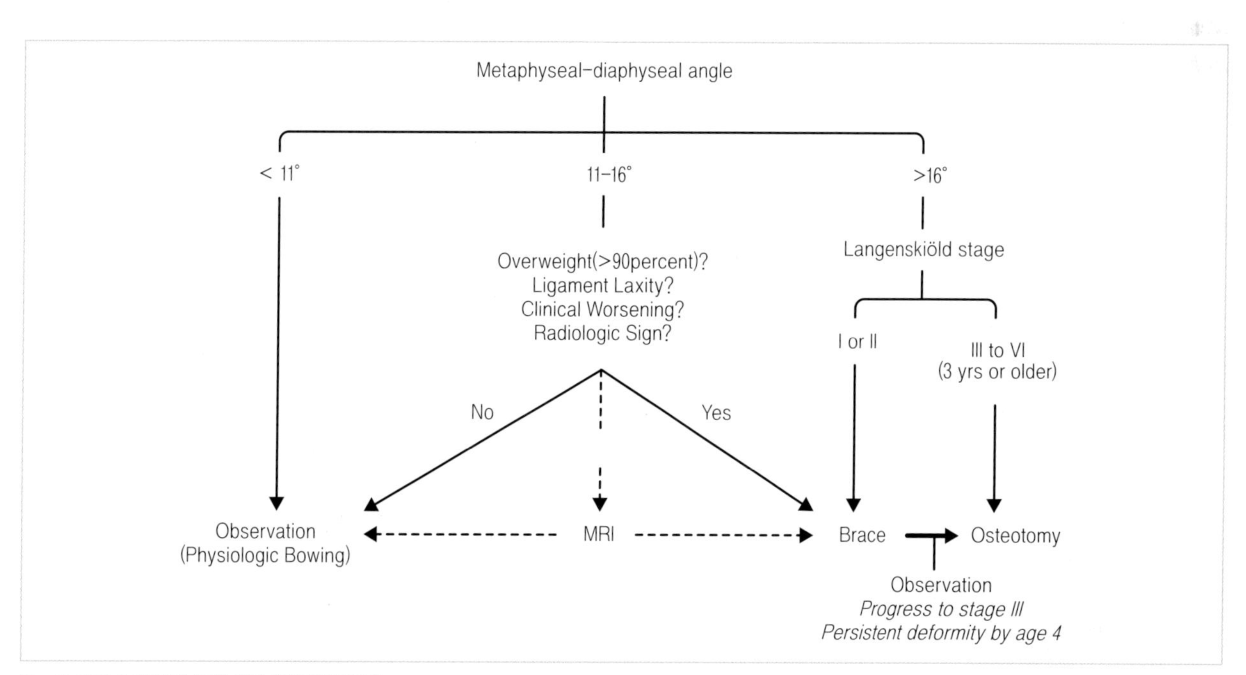

Fig 17. **내반슬 환아에 대한 치료 방침(SNUCH).**

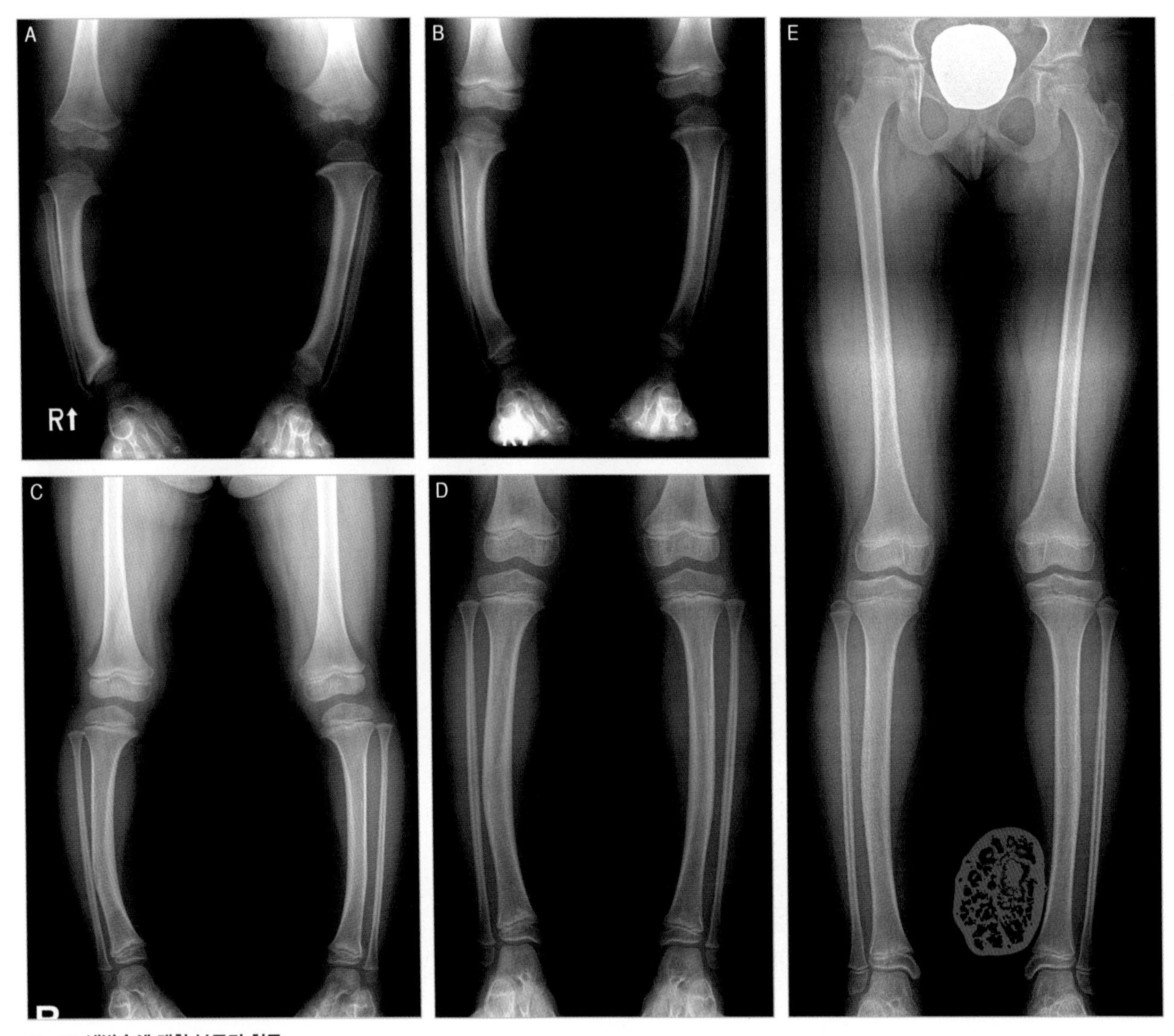

Fig 18. **내반슬에 대한 보조기 치료.**

A: 19개월 여아로 경골 내반 변형을 보인다. B: 1년 추시. 보조기를 1년 동안 착용하였다. C: 2년 추시. D: 4년 추시. E: 환아 나이 10세에 촬영한 사진으로 경골의 변형은 골단판과 골간의 재형성으로 거의 정상화되었다.

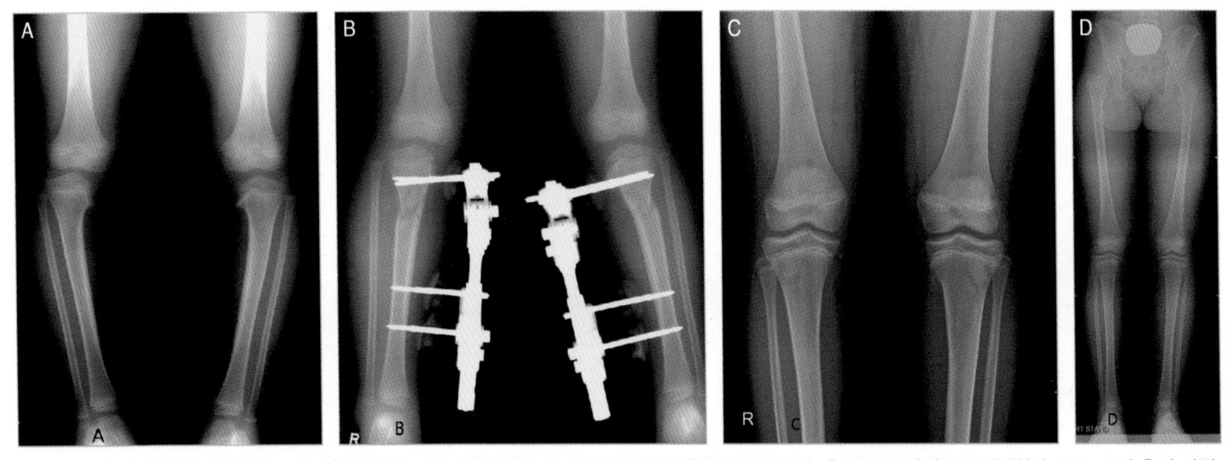

Fig 19. A: 유아기 경골 내반증(Blount 병)을 보이는 6년 4개월 여아. B: 골교 제거술과 함께 교정 절골술 후 외고정 장치로 고정하였다. C,D: 12세 추시 사진. 내반 변형 교정이 완전하며, 근위 경골의 내측 골단판도 정상적인 모습을 보인다.

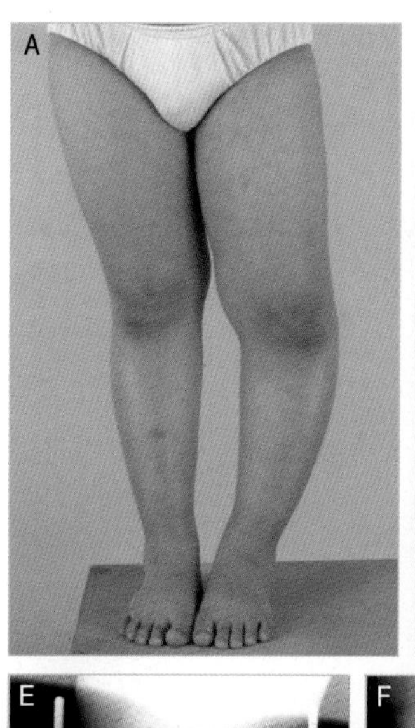

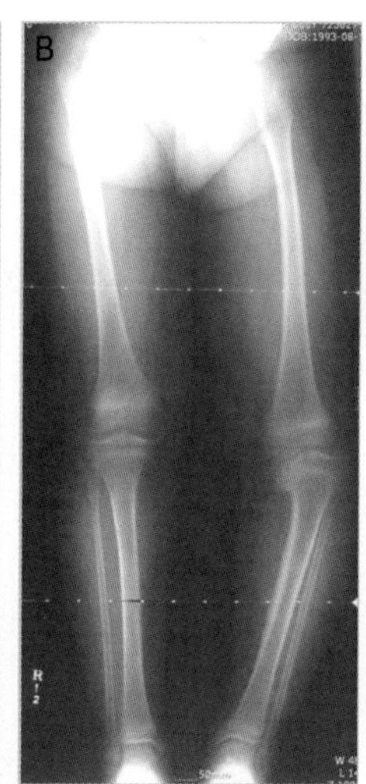

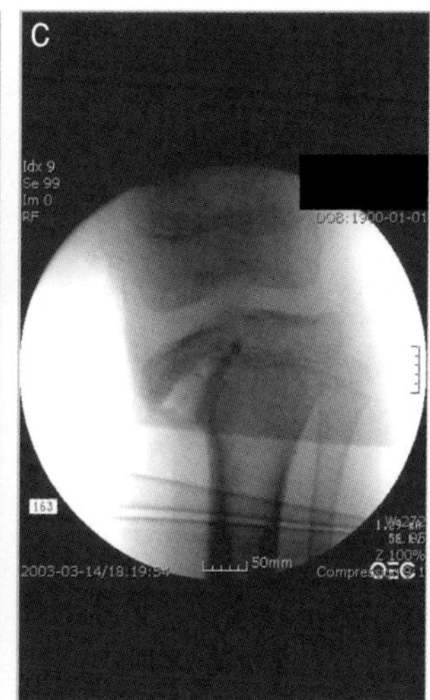

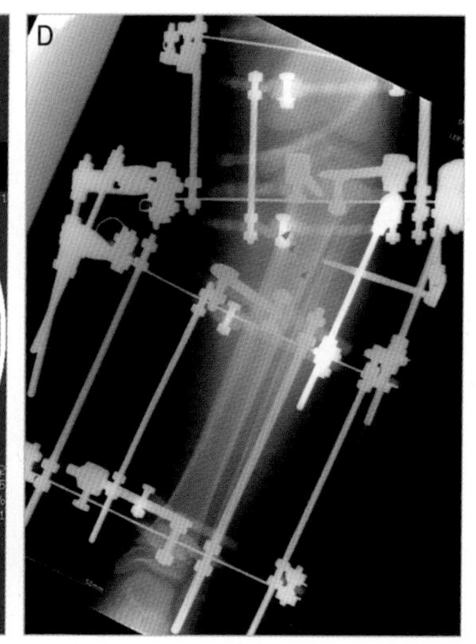

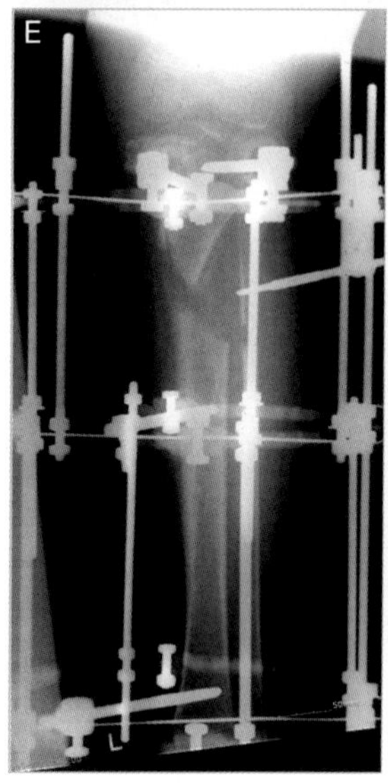

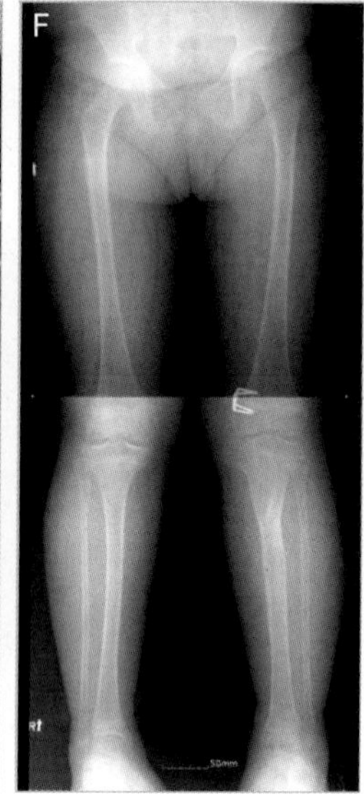

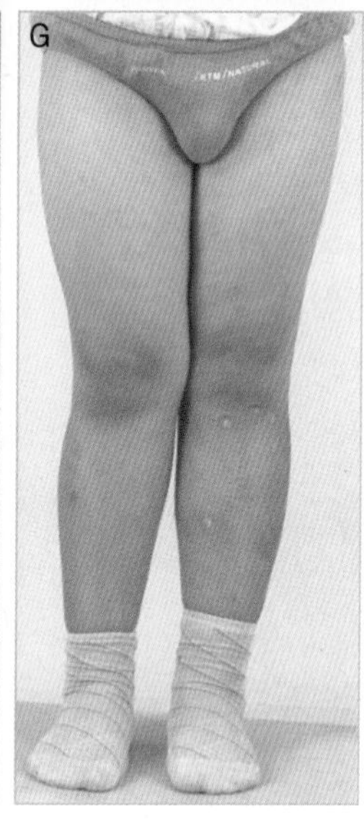

Fig 20. **치료받지 않은 유아기 경골 내반증.**
A,B: 9세 남아 좌측 경골의 심한 내반이 관찰된다. C: 골단 절골술과 근위 경골 및 비골 골단판 유합술을 시행하였다. D,E: Ilizarov 기기를 이용하여 변형 교정과 함께 예상되는 경골 단축만큼 골연장을 시행하였다. F: 원위 대퇴골의 보상성 외반 변형은 반골단판 성장억제술로 교정하였다. G: 치료 종결 후, 좌측의 정상적인 정렬을 얻었으며 우측 외반슬은 향후 반골단판 성장억제술로 교정할 예정이다.

3) 기타 수술 방법 Fig 20

(1) 골단판 골교절제술(physeal bar resection)

근위 경골 내측에 골단판 골교 형성이 있으면 이를 제거하여 재발 방지를 도모한다. 아직 결과는 불분명하다.

(2) 근위 경골 외측 골단판 억제술(asymmetrical physeal suppression; tension-band plating)

내측 골단판이 기능하는 초기 단계에만 효과가 있다.

(3) 근위 경골 외측 골단판 유합술(hemiepiphysiodesis)

내측 골단판이 회생 불가능할 때에는 외측 골단판 유합술을 하여 재발을 방지한다. 하지 단축이 불가피하므로 경골 연장술이나 건측의 골단판 유합술을 함께 고려하여야 한다.

(4) 골단 개방성 쐐기 절골술 (opening wedge osteotomy of the epiphysis)

내측 관절면 함몰이 심하고 나이가 많은 환자에서 효과적으로 내반각변형을 교정할 수 있다.

재발성 내반 변형의 위험 인자
- 연령: 5세 이상
- 내측 골단판 경사도: 60도 이상
- Langenskiöld 제 4기
- 체중: 90 백분위 이상

X. 지연발생 경골 내반증
(late-onset tibia vara)

전술한 바와 같이 Blount는 1937년 경골 내반증을 처음 기술하면서 주된 환자군은 유아기에 발생하지만 소아기 후기 또는 청소년기에 발병하는 또 다른 환자군이 있음을 지적하였다. 문헌에는 저자마다 유아기, 소아기, 청소년기로 경골 내반증을 구분하는 기준이 조금씩 다르지만 연령보다는 뚜렷하게 구분되는 임상 양상으로 유아기 경골 내반증과 지연 발생 경골 내반증을 감별하고 치료하는 것이 더 중요하다. 저자들은 어릴 때에는 변형이 없거나 미미하다가 8-10세 이후에 내반 변형이 점차 증가하는 경우를 지연 발생 경골 내반증으로 정의하고 기술하고자 한다.

1. 임상적 특징

비만이 심한 환자에서 주로 발병하고 일측성인 경우가 많다. 골단판에서 골교가 발견되는 경우는 거의 없다. 근위 경골의 내반 및 후반(procurvatum)뿐 아니라 원위 대퇴골의 내반, 원위 경골의 외반도 흔히 동반된다. 이는 유아기 경골 내반증에서의 보상성 원위 대퇴골 외반 변형과 대비된다. 발병 원인의 하나로 비타민 D 부족과의 연관성에 관한 연구들이 있으나 아직 충분히 검증되지 않았다.

단순 방사선검사에서 유아기 경골 내반증에서 보이는 내측 골단-골단판 변형은 없고, 골단도 거의 정상적인 형태를 보인다. 근위 경골 골단판이 넓어 보이는데 특히 내측 1/4 부위만 그러하기도 하고 가끔은 외측 골단판까지 다 넓어 보인다. 원위 대퇴골 골단판은 외측이 내측보다 넓어 보인다.

2. 치료

보조기는 도움이 되지 않으며 수술적 치료가 필요하다.

내측 골단판이 유합되지 않았고 잔여 성장이 충분하면 반골단판 유합술, 스테이플링이나 긴장대 금속판 등의 일시적 반골단판 성장 억제술(asymmetrical physeal suppression procedures) 또는 골단판 통과 나사못 삽입술(percutaneous epiphysiodesis using transphyseal screw, PETS) 등으로 교정할 수도 있다. 긴장대 금속판을 시행하는 경우 골간단 쪽의 나사못 금속 파단(metal failure)이 종종 보고되고 있는데, 과도한 비만, 과도한 내반 각도, 유관 나사의 강성 등과 연관된다고 알려져 있다.

내측 골단판이 유합된 경우에는 유아기 경골 내반슬의 수술적 치료와 같이 외반 절골술이나 외고정 장치를 이용한 변형 교정, 골교 절제술 및 외측 골단판 유합술/억제술을 조합하여 치료한다. 외반 절골술을 시행하는 경우에도 내반 절골술에서와 같이 비골 신경 마비가 발생할 수 있어 주의해야 한다. 다만, 절골술을 통한 변형 교정 시 유아기 경골 내반증과 달리 정상 하지 축을 만드는 것을 목표로 하여야 하며 과교정은 금기이다.

XI. 국소 섬유연골이형성증
(focal fibrocartilaginous dysplasia, FFCD)

유아기 또는 어린 아동기에 국소적인 내반슬이 나타나는 경우 감별해야 하는 비교적 드문 병이다. 원인과 병태생리에 대해서는 잘 알려진 바가 없다. 대개 편측성으로 발병하며 경골의 골간단-골간 사이에서 발병하는 경우가 대부분이다. 관상면에서의 내반 변형 이외에도 시상면에서는 후방 각형성이 되어 슬관절이 과신전되는 듯한 양상을 보일 수 있다.

1. 방사선 검사 소견

특징적으로 골간단-골간 사이 국소적 부위에서 예리하게 각도를 이루어 경골 내반을 나타낸다Fig 21. 유아기 경골 내반증과는 달리 골단판 부위의 이상 소견은 없다. 변형이 있는 피질골의 비후 및 경화 소견을 보인다.

2. 치료

대부분의 경우 치료 없이 또는 보존적 요법으로 낫는다. 특히 내반각이 30도 이내인 경우 예후가 좋다. 그러나, 주기적인 관찰이 필요하며 각변형이 저절로 호전되지 않거나 진행하는 경우, 또는 인접 관절의 부정 정렬을 초래하는 경우에는 수술적 치료가 필요할 수 있다(Choi 2000). 자연 각교정이 일어나더라도 점진적인 하지 단축이 발생할 수 있다고 보고된 바 있다.

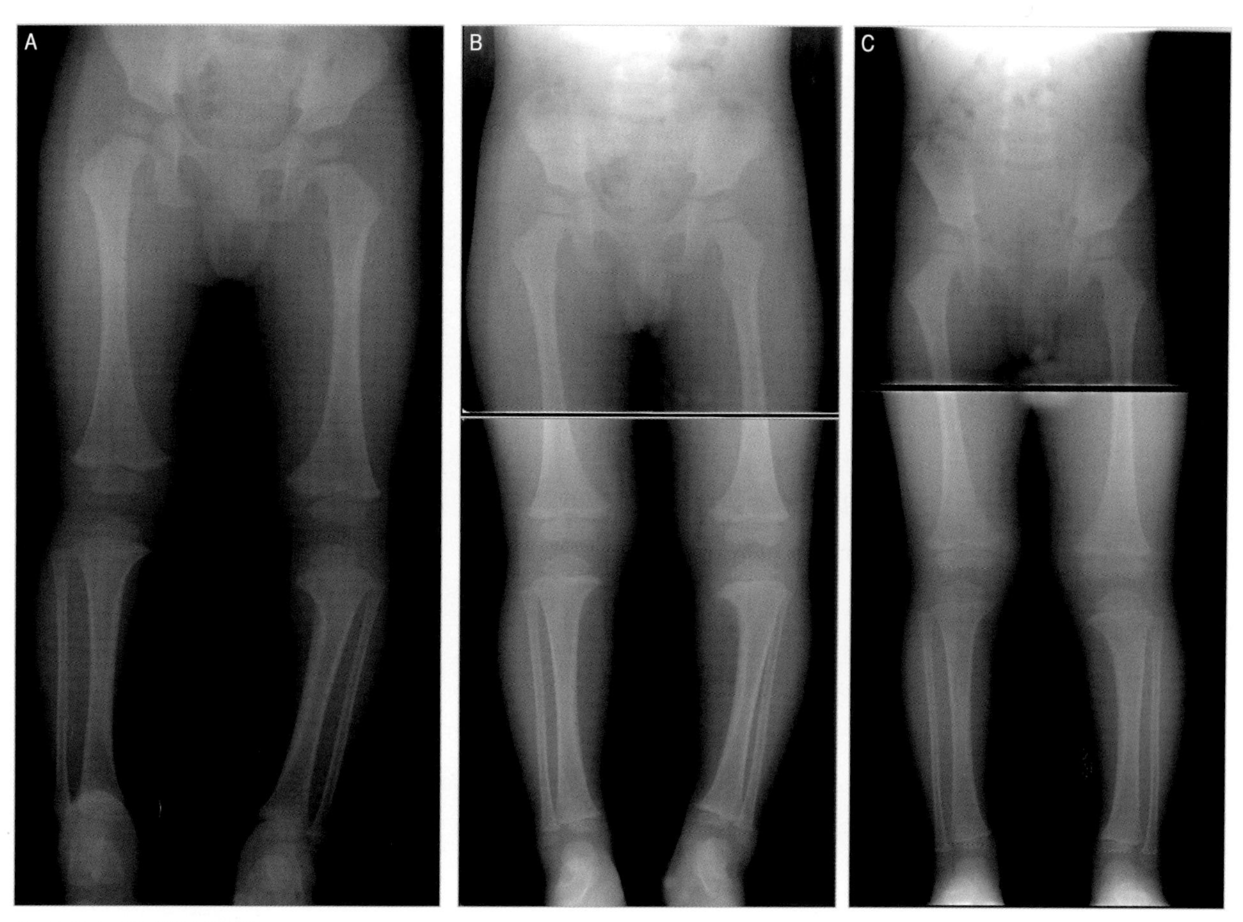

Fig 21. **국소 섬유 연골이형성증.**
A: 2세 남아의 좌측 경골에 발생한 국소 섬유 연골이형성증. B,C: 특별한 치료 없이 1년 및 2년 추시 사진으로 점차 변형이 개선되고 있다.

XII. 선천성 경골 가관절증
(congenital pseudarthrosis of the tibia)

1. 선천성 경골 가관절증

선천적으로 이상이 있는 경골이 저절로 또는 작은 충격에 의하여 골절되고 보존적 치료로는 유합되지 않는 상태를 말한다. 출생 후 골절되기 전까지 상태는 가관절증 전구 상태(pre-pseudarthrotic state) 또는 전외측 만곡을 동반한 선천성 경골이형성증(congenital tibial dysplasia with anterolateral bowing)이라고 부른다. 병변이 비골까지 침범할 수도 있으며 비골에만 이환되는 경우도 있는데 이들은 하나의 스펙트럼으로 생각된다. 경골 이외에도 드물지만 요골 및 척골에 유사한 병변이 발생할 수 있다.

1) 병인 및 조직 병리

제1형 신경섬유종증(neurofibromatosis, type I; NF1)이 발병 기전에 중요하게 작용하는 것으로 생각되는데, 선천성 경골 가관절증 환자의 약 50%가 NF1을 동반하고 있다. 반면, NF1 환자의 5-11%에서만 선천성 경골 가관절증이 발생한다. NF1이 유전되는 가족 간에도 개인에 따라 경골 가관절증의 발생 여부는 일치하지 않는다.

가관절증 부위에서 섬유 이형성증(fibrous dysplasia) 또는 골화성 섬유종(ossifying fibroma) 등이 있다는 보고가 있으나 단지 조직학적 소견이 유사한 것이 아닌가 하는 논란이 있다.

가관절 부위는 세포 밀도가 높은 두꺼운 섬유 조직으로 되어 있는데 이는 섬유과오종(fibrous hamartoma)에 해당하며(Mariaud-Schmidt 2005), 이 조직과 골 조직의 경계부에는 많은 파골세포들이 존재하여 정상 골 조직의 흡수가 발병 기전의 일부분일 것으로 생각되고 있다(Ippolito 2000). NF1 환자에서 발생한 선천성 가관절증의 섬유과오종 조직은 골막세포가 골모세포로 분화되지 못하고 비정상적으로 분화된 것이며, 이들은 주변 파골세포의 분화와 활성화를 촉진하여 가관절증을 초래하는 것으로 이해되고 있다(Cho 2008). 이러한 병적섬유과오종의 범위는 환자마다 다양한데, 가관절 부위뿐 아니라 인근 골 조직을 둘러싸고 있는 비정상적으로 비후된 골막도 같은 병리조직으로 생각된다. 따라서 이러한 부위에서의 골절, 절골술 또는 신연 골형성술 등에서의 신생골 형성이 저하된다(Cho 2007).

NF1은 neurofibromin 유전자의 결함으로 ras 단백이 과도하게 활성화되고 이로 인하여 미분화 중간엽세포가 골모세포로로 분화되는 것을 억제하고 파골세포의 분화를 촉진하는 것으로 생각되는데, 어떤 기전에 의해서 NF1 환자 중 일부 환자에서만 원위 경골과 같은 특정 부위에서 섬유과오종이 증식하고 선천성 가관절증이 발생하는지는 알려져 있지 않다.

2) 분류 Fig 22

다양한 분류법이 제시되었으나, 치료 방법을 결정하거나 질병의 예후를 예측하는 데 도움이 되는 확실한 방법은 아직 없다. 현재 널리 사용되는 방법은 다음 두 가지이다.

(1) Boyd 분류(1982)

① Type I: 출생 시 경골 골절. 다른 선천성 기형과 동반될 수 있다.

② Type II: 모래시계(hour-glass) 모양의 변형으로 2세까지 자연 골절 또는 경한 외상에 골절이 발생한다. 골 절단이 가늘어지면서 경화되어 있으며 골수강이 폐쇄된다. 흔히 신경섬유종증과 연관되어 있다.

③ Type III: 선천성 낭포성 병변

④ Type IV: 경골의 일부분이 좁아지진 않고 경화되어 골수강이 부분 혹은 완전히 폐쇄된다. 불완전 또는 진행성 골절이 한쪽 피질골에서 시작되어 경화된 부분을 지나서 진행된다. 완전히 골절되면 골유합은 잘 안 되고 골절 부위가 넓어지면서 가관절이 생성된다.

⑤ Type V: 비골이형성증 동반. 경골, 비골 또는 양쪽골 모두에서 가관절증이 발생한다.

⑥ Type VI: 골내 신경섬유종 또는 Schwannoma가 가관절을 형성한다.

* 제2형의 예후가 가장 불량하다.

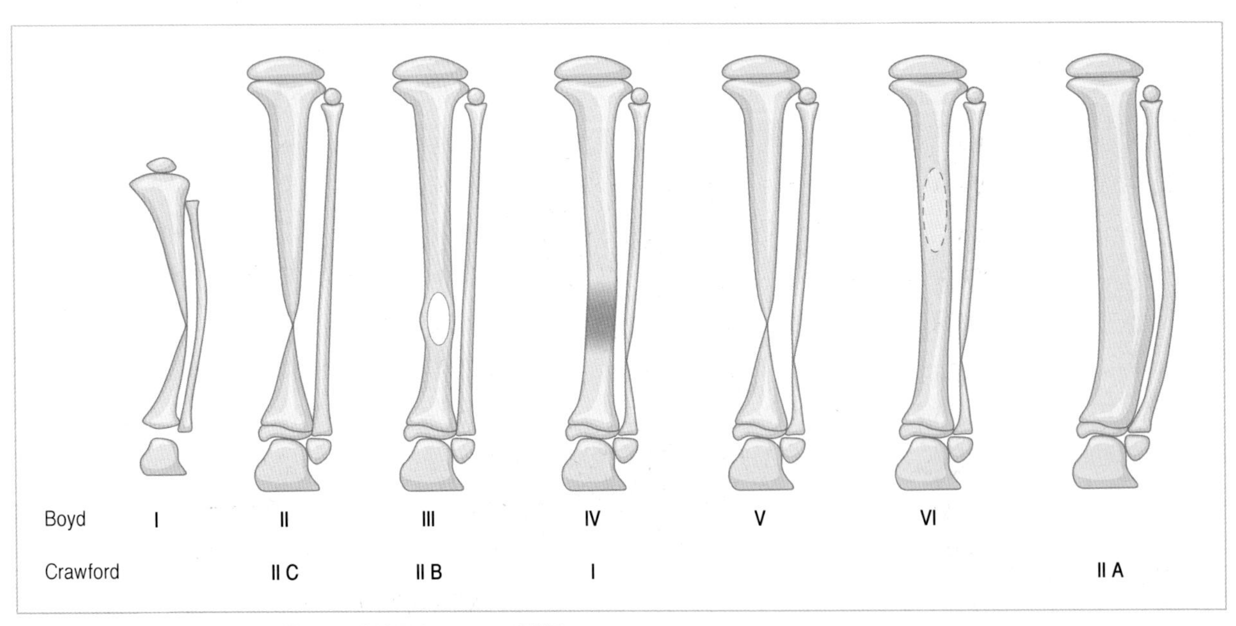

Fig 22. 선천성 경골 가관절증에 대한 Boyd의 분류와 Crawford의 분류.

(2) Crawford 분류(1986)

① Type I (nondysplastic): 전외측 각형성과 골수강 경화. 예후는 제일 양호하다. 보조기 없이 추시하기도 하며, 골절이 발생하지 않을 수도 있다.

② Type II (dysplastic)

- IIA: 전외측 각형성, 골수강 폭이 확장된 원통형 이형성. 진단되면 곧 보조기로 보호해야 하며, 예방적 수술도 고려한다.
- IIB: 전외측 각형성, 낭포성 병변. 과거 골절의 치유 과정. 골절되기 쉽기 때문에 조기에 골이식술을 시행하여야 한다.
- IIC: 전외측 각형성, 골절단이 좁아지는 가관절증. 가장 예후가 불량하다.

3) 치료

선천성 가관절증은 골막에 기본적인 병리현상이 있는 질환(periosteal disease)으로 골밀도가 저하되어 있고 골유도(osteoinduction) 및 재형성(remodelling) 능력이 떨어지므로 골유합을 얻기가 어렵다. 장기적인 치료 목표는 가관절 부위의 유합을 얻고 해당 사지의 골이 충분한 강도를 가지며 각변형이나 하지길이부동이 없는 상태에서 족근관절의 유연성이 충분히 남아있도록 하는 것이다.

(1) 가관절증 전구상태(pre-pseudarthrotic state)

골절이 발행하지 않도록 전접촉 족부-족근관절 보조기(total contact AFO; solid ankle, clam shell type splintage) 등을 지속적으로 착용하여야 한다. 각변형에 대한 절골술은 불유합의 위험이 크기 때문에 청소년기 이후까지 지연하고 가능하면 이형성증이 없는 부위에 대해서는 조심스럽게 교정 절골술을 고려한다. 각변형이 크면 McFarland bypass 골이식술로 생역학적 개선을 고려한다Fig 23.

(2) 골절 후 또는 가관절증 상태에서의 골 유합술

성공적인 골 유합을 얻기 위한 수술적 치료의 요소
- 섬유과오종의 면밀한 제거
- 견고한 고정술: 골수강내 금속정 또는 외고정 장치
- 충분한 골이식술 및 골유도능을 제공

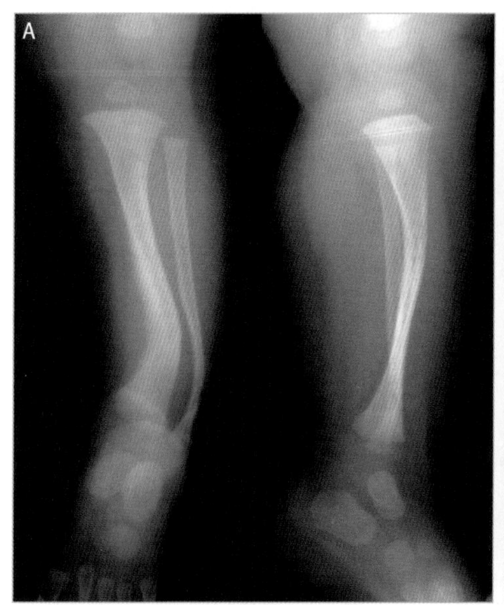

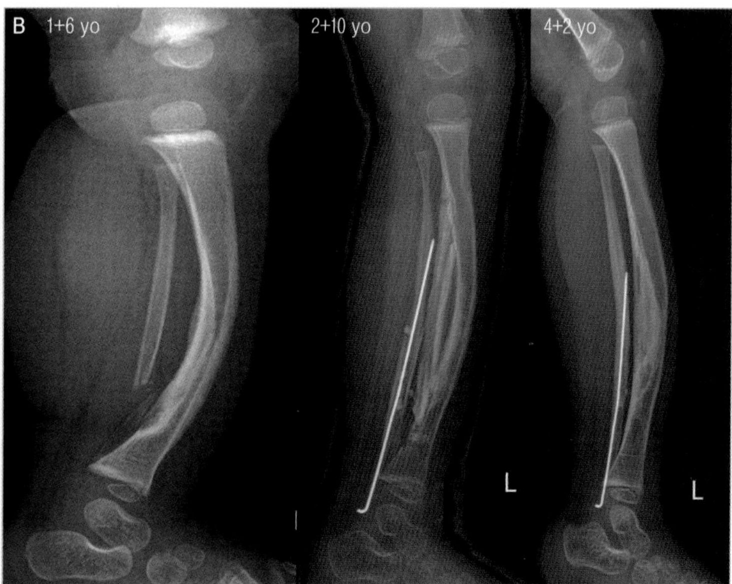

Fig 23. **선천성 경골 가관절증의 전구 상태(prepseudarthrosis).**
A: 경화형(sclerotic type)으로 지속적인 보조기 착용이 필요하다. B: 생후 2년 10개월에 비골가관절증 수술 시 경골에 대해서 McFarland bypass graft 시행하여 각변형 개선 효과를 얻었다.

① 섬유과오종의 제거
- 가관절 부위에서 360도 돌아가면서 모든 방향의 섬유과오종을 제거한다.
- 인근 골편을 둘러싸는 골막이 두꺼워져 있고 섬유과오종과의 경계가 불분명해서 어느 범위까지 병적인 골막을 제거해야 할지 애매하다. 원위 및 근위 골편에 이식골이 충분히 접촉할 수 있을 만한 범위의 정상 골조직이 노출되어야 한다.

② 고정술의 방법
- 골수강내 금속정만으로 고정하는 방법: 영유아기에는 이 방법으로만 고정하기도 한다.
- Ilizarov 외고정 장치로 고정하는 방법: 환자의 체구를 고려하면 3-4세 이후에 적용하는 것이 적절하다. 대개 골수강내 금속정으로 고정한 후에 골간단에 smooth pin을 삽입하여 Ilizarov 장치를 장착하며, 회전 안정성을 얻고 골편 간의 압박력을 가하여 견고한 고정을 얻을 수 있다. 크기가 작고 약한 골조직을 가지고 있는 3세 이상 학동기 이전의 환자에서 가장 확실한 고정을 얻을 수 있는 방법이다.
- 더 큰 환자에서는 금속판과 나사못 고정을 고려할 수도 있으나, 골유합술이 필요한 대부분의 환자에서는 적용하기 어렵다.

③ 골 이식술의 방법
- 충분한 자가골을 이식하여 유합된 부위(fusion mass)의 단면적을 가급적 크게 하는 것이 재골절 예방에 도움이 된다. 가관절부 내측에는 해면골, 외측에는 피질골로 외재 골이식술(onlay bone graft)을 시행한다. 우선적으로 장골릉(iliac crest)에서 채취하나, 나이가 너무 어리거나 장골릉에서 이미 여러 차례 이식골을 채취하여 더 이상 충분한 골을 채취할 수 없는 경우에는 반대편 경골 전내측 피질골을 추가로 채취하기도 한다.
- 유도막 골유합술(induced membrane osteosynthesis; Masquelet technique)을 적용하는 보고가 있으며, 소규모 증례에서 Ilizarov 방법을 시행하기 어려운 어린 나이에도 적용하여 우수한 결과가 보고되었다(Pannier 2013). 보다 많은 임상 증례에 대한 연구가 필요하다.
- 혈관 부착 생비골 이식술(living fibular bone graft)로 양호한 골 유합 결과를 보고하지만, 미세혈관 수술이 필요하고 성장기 비골 공여부에서 비골 성장 장애 등의 후유증을 초래할 수 있다.

- **골수강내 금속정과 자가골을 이용한 골 유합술(Joseph 2003)**
  - 영유아기부터 적용하며 종골에서부터 거골과 족근관절을 관통하여 골수강내 고정을 시행한 후, 가관절 부위에 충분한 자가골 이식술을 시행한다.
  - 골수강내 금속정이 충분히 견고한 고정을 제공하지 못하면 골유합에 실패할 수 있다.
  - 장시간 족근관절을 고정함으로써 족근관절의 기능 저하가 우려되는데, 술자에 따라서는 족근관절 보존보다는 골유합과 그 유지를 위해서 반영구적으로 족근관절을 고정하는 골수강내 고정을 하기도 한다.
- **Ilizarov 방법(Paley 1992, Lee 2006)** Fig 24
  - Ilizarov 방법이 소개된 이후 널리 사용되고 있으며, 환자의 체구를 고려하면 3-4세 정도 되어야 적용하기 적절하다(Grill 2000, Cho 2007).
  - 골수강내 금속정을 같이 적용하여 골유합을 얻은 후, 외고정 장치만 제거하고 금속정은 계속 잔존시켜 재골절과 변형을 예방한다.
  - 골단축이 심한 경우 골유합술과 함께 신연 골형성술로 골연장술을 동시에 시행할 수 있으나 근위 경골부에도 이형성증이 있거나 전에 연장술을 시행한 적이 있으면 신연 골형성술이 실패할 위험이 크다(Cho 2007).
  - 비골 가관절이 없는 상태에서 경골 가관절 부위 절제 후 간격이 발행하였을 때에는 Ilizarov 장치를 이용한 골이동술(bone transport) 방법을 적용할 수도 있다.
  - 고정은 half pin 사용을 지양하고 가는 smooth pin으로만 한다. 잔여 각변형이 남지 않도록 주의한다.
- **유도막 골유합술(induced membrane osteosynthesis)(Pannier 2013)** Fig 25

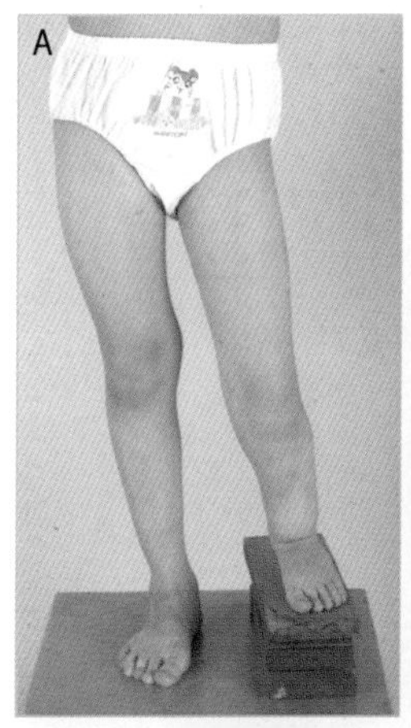

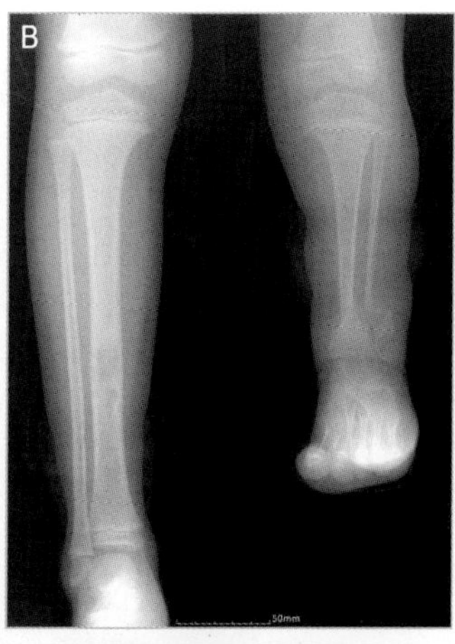

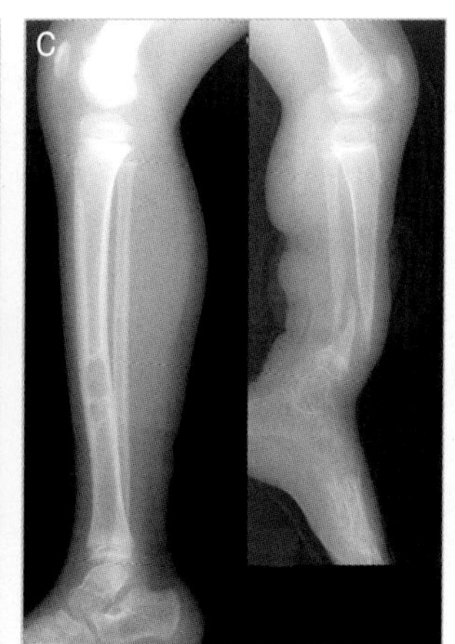

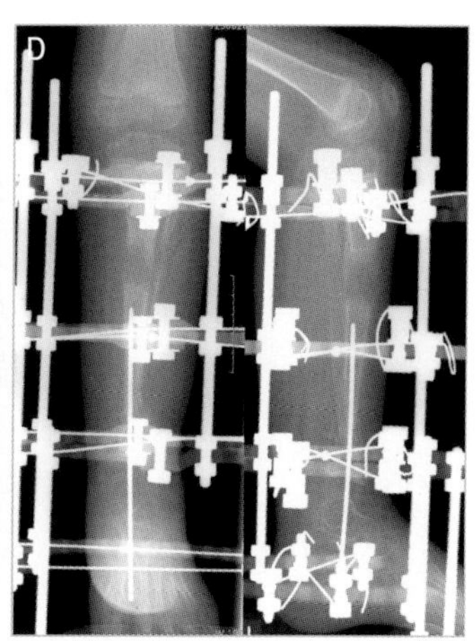

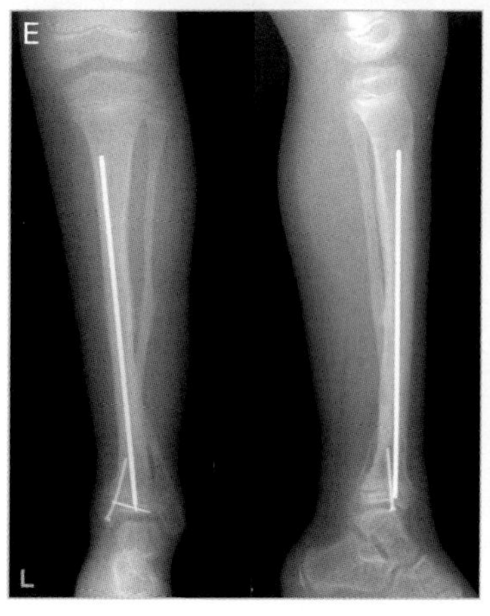

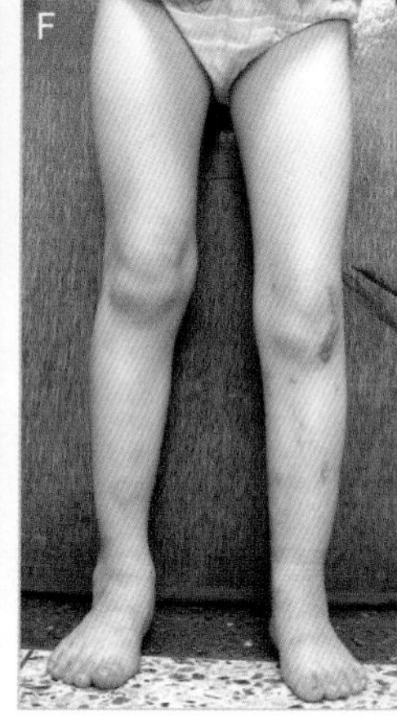

Fig 24. **신경섬유종증을 동반한 좌측 선천성 경골 및 비골 가관절증을 가지고 있는 6세 여아.**
A-C: 좌측 경골이 7 cm 짧다. D: Ilizarov 외고정 장치를 이용하여 압박 골 유합술을 하면서 근위 경골에서 5 cm 연장술을 하였다. 비골은 경골에 함께 유합시켰다. E: 유합을 얻은 후에는 경골 골수강내 금속정을 유지하였고 족근관절 외반에 대해서 원위 경골 내측 나사못 골단판 유합술로 교정하였다. F: 7년 추시 후 경골은 비후되어 재골절의 위험은 현저히 감소하였으나 3.4 cm의 하지단축이 잔존하여 있다.

- 가관절 부위 섬유과오종을 완전히 제거하고, 골수강내 금속정 등으로 고정을 얻은 후 bone cement로 가관절 부위를 충전한다.
- 4-6주 후 bone cement를 제거하고 그 주위에 유도된 막(induced membrane) 안에 자가골을 이식한다.
- 처음부터 자가골을 이식하는 것에 비해서 유도막에서 각종 성장인자들이 분비되기 때문에 골유합을 더 용이하게 얻을 수 있는 것으로 간주되고 있으나, 불충분한 고정 상태에서 어느 정도까지 골유합을 얻을 수 있는지에 대해서는 추가 연구가 필요하다.

• 기타 고려 사항
- 원위 골편이 작은 경우 골수강내 금속정으로 족근관절까지 고정하는 것이 골유합을 얻는 데 유리하지만, 골유합을 얻은 후에는 가급적 빠른 시일에 족근관절을 고정하지 않는 짧은 금속정으로 교체하여 족근관절운동성을 유지하는 것이 바람직하다.
- 비골 가관절(fibular pseudarthrosis)이 동반되어 있는 경우에는 경골과 비골을 별도로 골유합 시키는 것이 이상적이기는 하나 현실적으로는 경골 및 비골의 근위 및 원위 골편을 다 함께 골유합시키는 "4-in-1 골유합술"을 통해서 유합된 부위를 크게 얻는 것이 재골절 예방에 유효하다(Choi 2011).

• 하지 절단
- 수차례 수술을 시행하였으나 가관절증이 지속될 때에는 절단술 후 의지 착용이 기능적으로 더 바람직한 결과를 가져올 수도 있다. 환부에서 절단하면 성장기의 아동에서 절단단의 과성장으로 여러 차례 절단단 성형술이 필요하므로, Syme 절단술 후 가관

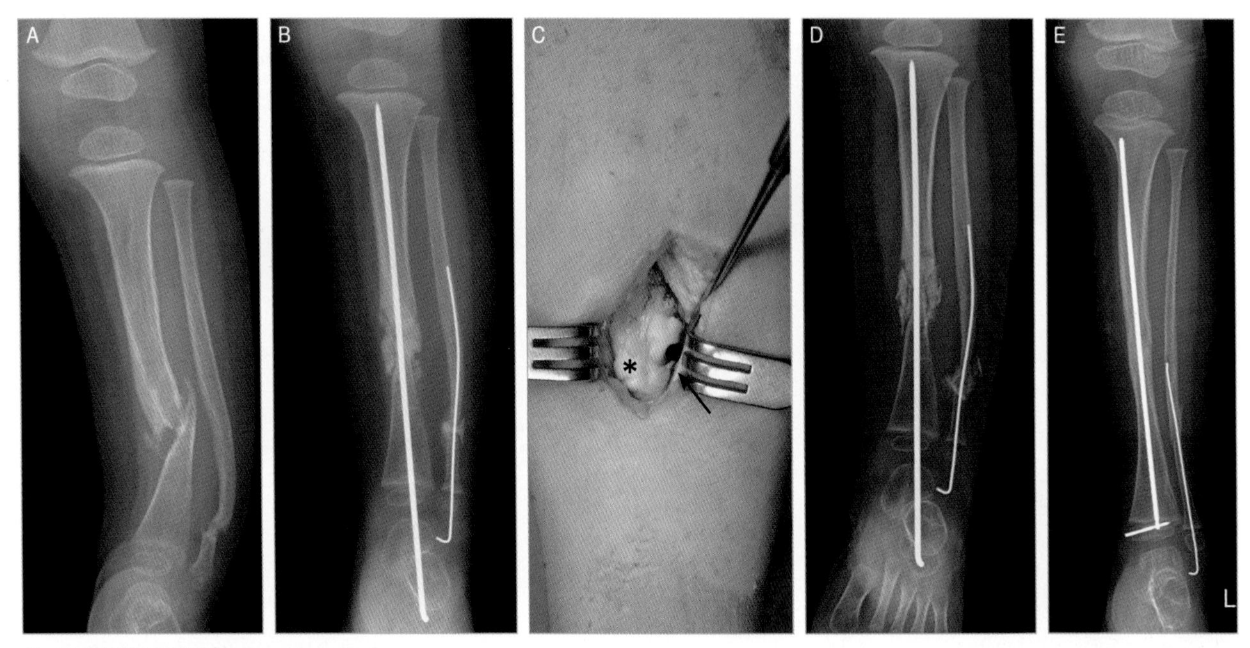

Fig 25. **유도막 골유합술(Masquelet method).**
A: 13개월 환아의 선천성 경골 및 비골 가관절증. B: 경골과 비골에서 섬유과오종을 절제한 후 골수강내 금속정으로 고정하고 bone cement로 충전한다. C: 4주 후 bone cement (*) 주변에 형성된 유도막(화살표). Bone cement를 제거하였다. D: 자가골 이식을 유도막 안에 충전한다. E: 골 유합을 얻은 후 골수강내 금속정은 짧은 것으로 교체하여 족근관절운동을 허용한다. 수술 후 9개월 추시 방사선 소견.

절 부위는 골수강내 핀으로 고정하거나 그대로 의지 socket 안에 집어넣는 방법이 선호되고 있다 (Jacobsen 1983).

(3) 유합을 얻은 후에 발생할 수 있는 합병증

① 각변형

- 근위 경골 외반변형, 골간 전방 각형성, 족근관절 외반변형 등이 흔히 발생한다.
- 비골 가관절이 남아 있는 경우 족근관절 외반변형이 흔히 발생하므로,
  a. 비골에 별도의 골유합술로 가관절을 치료하거나
  b. 원위 경비골 골유합술(distal tibiofibular synostosis; Langenskiold operation)로 원위 비골 골편을 원위 경골에 유합시키거나
  c. 경골 가관절증 치료 시 "4-in-1 골유합술"로 경골과 비골 가관절증을 하나로 유합시킨다.
- 10세 이전에 경비골 유합이 되어 있는 경우 경골과 비골간에 원위 골단판에서의 길이 성장이 다르기 때문에 족근관절 외반이 발생할 수 있다.
- 각변형에 대해서 성장기 중에는 여러가지 반골단판 유합술 방법을 응용하여 교정하는 것이 바람직하며, 골성숙에 이른 후에는 교정 절골술을 고려한다.

② 하지길이부동

- 가관절증 상태 중에는 길이 성장이 저해될 뿐 아니라 골유합을 얻고 나서도 성장 억제가 잔존하는 경우가 많다.
- 건측 골단판 유합술과 환측 경골 연장술을 고려한다.
- 환측 경골의 근위 골간단이 이형성(dysplastic) 상태이면 신연 골형성술(distraction osteogenesis)이 실패할 위험이 크다(Cho 2007). 사춘기 또는 그 이후에 근위 경골에서 골단 분리술(physeal distraction; chondrodiastasis) 또는 골단판 직하부에서의 피질골 절골술(subphyseal corticotomy)로 경골 연장술을 시행한다. 전자는 골단판이 열려있는 상태에서 골

단과 골간단에 외고정 장치를 장착하고 점진적 신연력을 가하여 골단판이 벌어지게 하는 방법이고, 후자는 비슷한 위치에 외고정 장치를 한 후 피질골 절골술을 극단적으로 골단판 쪽에 가깝게 시행하는 방법이다.

③ 재골절

- 성공적인 골유합을 얻은 후에도 5년 이내에 약 절반에서 재골절이 발생할 가능성이 있다.
- 어린 나이에 골유합을 얻었을 때, 골유합 부위의 단면적이 작을 때, 그리고 비골 불유합이 남아 있을 때에 재골절의 위험이 더 높다(Cho 2008).

2. 선천성 비골 가관절증 (congenital pseudarthrosis of the fibula)

선천성 경골 가관절증과 동일한 병리 기전이 하퇴부 비골에 국한되어 있는 경우이다. 신경섬유종증과 동반되는 경우가 많다. 비골에만 가관절증이 있으면 체중 부하 등에 아무런 문제가 없어 모르고 지낼 수도 있으나 성장하면서 족근관절 외반 변형이 발생한다.

1) Dooley 분류(1974)Fig 26

- Grade 1: 가관절증이 없으나 비골이형성증(각변형, 경화 또는 위축). 족근관절 내반인 경우가 흔하다.
- Grade 2: 족근관절 변형 없이 비골 가관절증 형성
- Grade 3: 족근관절 외반 변형이 동반된 비골 가관절증 Fig 27
- Grade 4: 비골 가관절증에 나중에 경골 가관절증이 복합된 경우

2) 치료(Cho 2006)

- 사춘기까지 골절되지 않았을 때: 족근관절 내반이 잔존하여 있으면 사춘기 이후에 조심스럽게 교정 절골술을 시도할 수 있다.
- 골절 후 가관절증이 형성되었으나 족근관절이 아직 중립일 때: 원위 비골 골편이 충분히 크면 비골 골유합술을 시도한다. 원위 골편이 너무 작거나 골편간 간격이 크면 원위 경비골 유합술(distal tibiofibular synostosis)로 원위 비골을 안정화하여 족근관절 외반 변형을 예방한다.
- 가관절증이 족근관절 외반을 초래하였을 때에는 원위 경비골 유합술로 원위 비골 골편을 안정화하고 원위 경골의 외반변형에 대해서는 내측 골단판 유합술 또는 Ilizarov 방법 등을 이용한 골연장 및 변형 교정술을 고려할 수 있다.

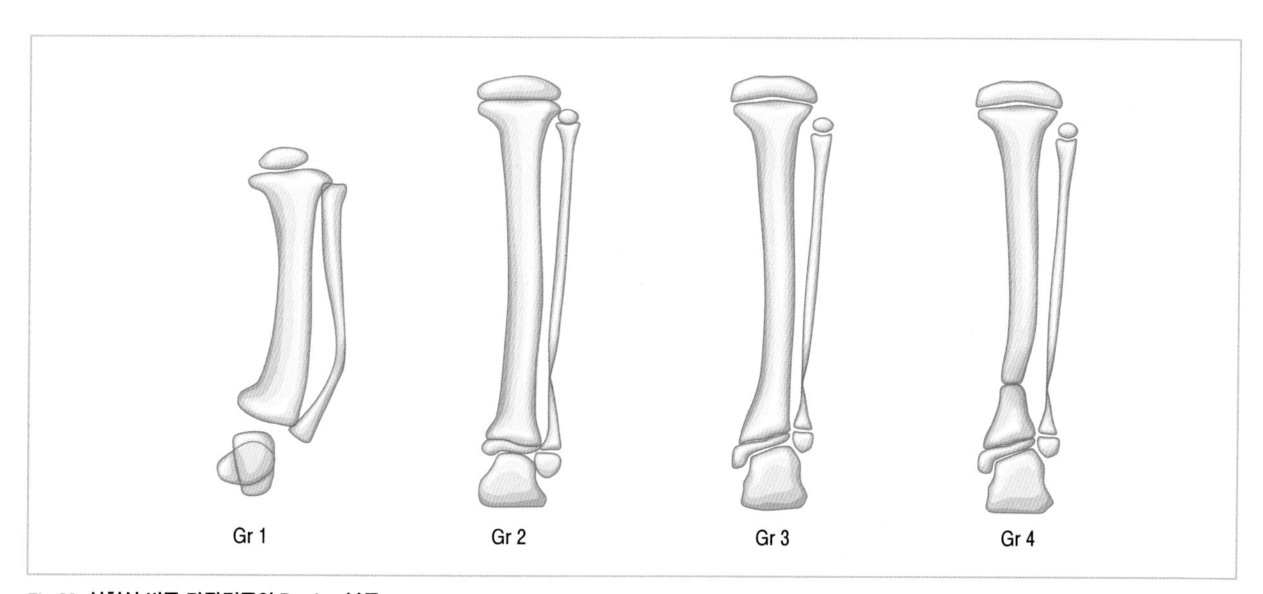

Fig 26. **선천성 비골 가관절증의 Dooley 분류.**

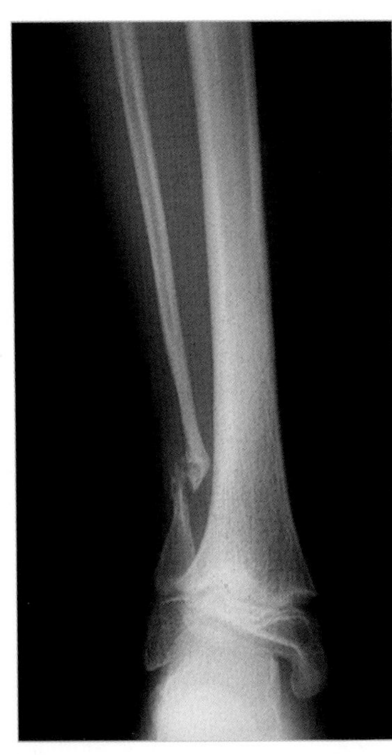

Fig 27. **13세 남아.**
우연히 족근관절 외반 변형을 발견하여 촬영한 단순 방사선검사 소견. 선천성 비골 가관절증이 간과되어 외반 변형을 초래한 것으로 생각한다(Dooley grade 3).

XIII. 선천성 경비골 후내측 각형성 (congenital posteromedial angulation of the tibia and fibula, congenital kyphoscoliotic tibia)

출생 시 선천적으로 첨단부가 후내측을 향하는 경골 각변형과 단축을 보이는 병변이다. 전외측 각형성(anterolateral angulation)을 보이는 선천성 경골 가관절증 전구단계와는 관련이 없는 병변으로 쉽게 골절되지 않는다. 출생 직후에는 족부의 종족 변형(calcaneus deformity)과 족근관절 배굴곡 구축이 있는 종외반족(pes calcaneovalgus)과의 감별이 필요하다. 하퇴삼두근의 위축과 근력 약화가 있으나 기능적 제한을 초래할 정도는 아니다.

각변형은 성장에 따라 상당부분 자연 교정되지만 단축(shortening)은 잔존하는 경우가 많으며 2.5-5.0 cm 정도의 잔존 하지길이부동으로 기능적인 문제를 일으키는 경우가 많다Fig 28. 학동기까지 추시하다가 잔존하는 하지길이부동에 대해 골성숙기에 가까워지면 반대측 골단판 유합술 또는 환측 하지 연장술을 시행한다. 각변형에 대한 수술적 치료가 필요한 경우는 드물다(Johari 2010).

XIV. 성장통(growing pains)

1. 임상 양상

3-12세 사이에 흔하고, 여아에 더 호발한다. 유병률은 3-37% 정도로, 보고에 따라 편차가 크다. 양측성 간헐적 통증, 수일에서 수개월간 증상이 없다가도 재발한다. 하퇴부, 대퇴부의 심부 근육층, 또는 슬관절이나 고관절부에 심부 통증을 호소한다. 심하게 신체 활동한 날, 낮보다는 주로 저녁에 통증을 호소하고, 통증으로 잠에서 깨어나기도 한다. 다음날 아침에는 증상이 소실되고 주간에는 잘 뛰어노는 것이 특징적인 소견이다.

파행(limping), 관절 구축(contracture), 부종(swelling), 발적(erythema), 국소 압통 등은 동반하지 않는다. 이러한 증상들과 함께 특히 아침에 통증을 호소하거나 한쪽 다리만 아프다고 할 때에는 성장통 이외의 다른 원인에 대한 진단적 검사를 시행하여야 한다.

2. 병인

알려져 있지 않다. 병명과는 달리 장관골의 길이 성장과는 직접적인 연관이 없다. 하지의 피로 등이 영향을 미치는 것으로 추정한다.

3. 진단

통증을 유발하는 다른 질환들을 감별함으로써 성장통이라고 진단할 수 있다.

4. 치료

특별한 치료를 하지 않아도 대개는 자연 소멸한다. 초저녁에 따뜻한 물로 전신 목욕을 통한 피로회복이 예방적 효과가 있을 것으로 기대한다. 증상 발생 시 국소 찜질, 마사지 등이 증상 완화에 도움이 되고, 심한 경우 비스테로이드성 진통소염제를 고려한다.

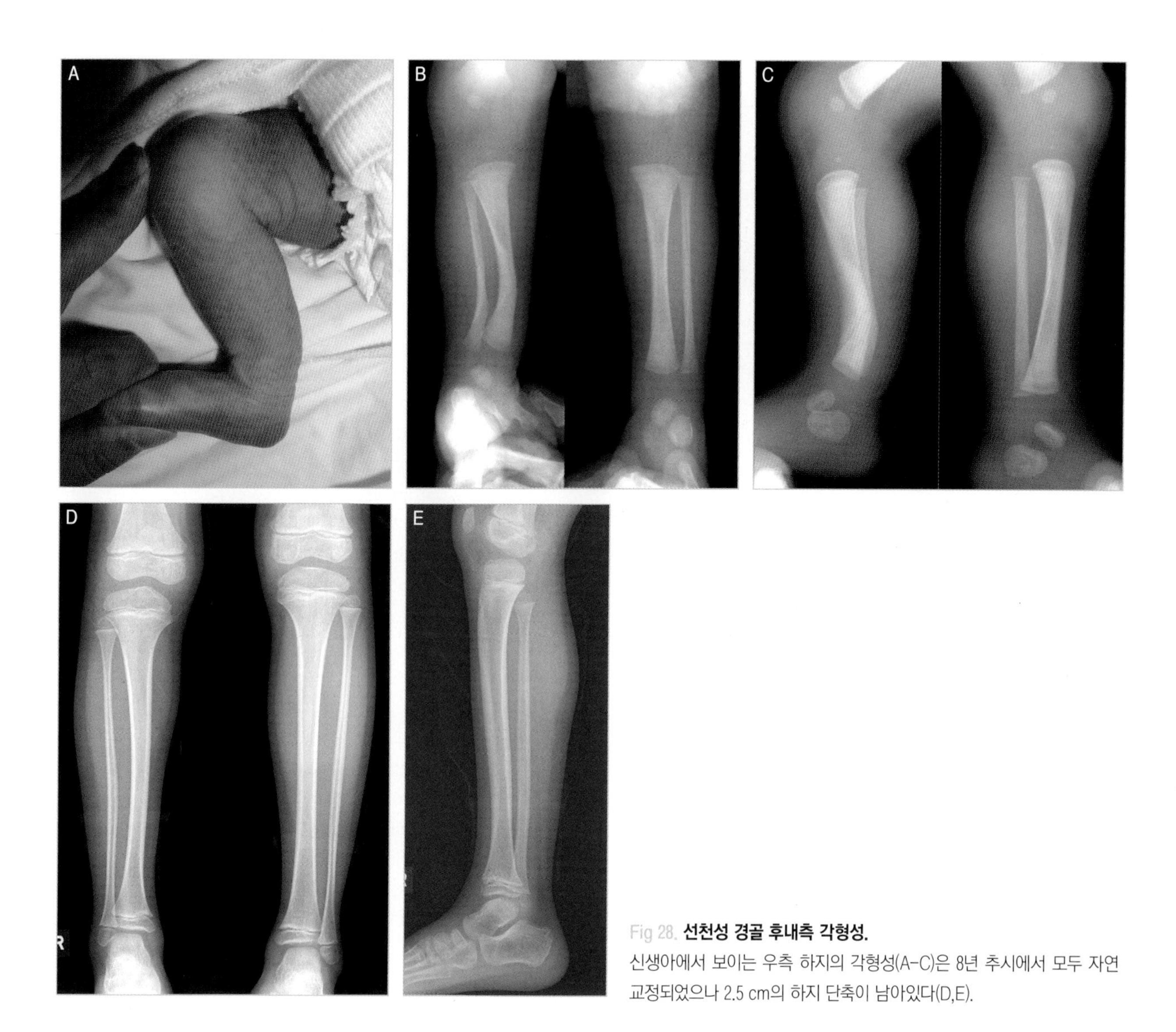

Fig 28. **선천성 경골 후내측 각형성.**
신생아에서 보이는 우측 하지의 각형성(A-C)은 8년 추시에서 모두 자연 교정되었으나 2.5 cm의 하지 단축이 남아있다(D,E).

참고문헌

이기석, 이상민, 조태준 등. Ilizarov 골 유합술로 치료한 선천성 경골 가관절증의 중기 추시 결과. 대한정형외과학회지. 2006;41:891.

Akhmedov B, Ahn S, Chung CY, et al. Estimation of the recovery of physiological genu varum with linear mixed model. J Pediatr Orthop. 2013;33:439.

Atar D, Lehman WB, Grant AD. Growing pain. Orthop Review. 1991; Vol XX:133.

Benoit B, Laflamme GY, Laflamme GH, et al. Long-term outcome of surgically- treated habitual patellar dislocation in children with coexistent patella alta. Minimum follow-up of 11 years. J Bone Joint Surg Br. 2007;89:1172.

Bensahel H, Dal Monte A, Hjelmstedt A, et al. Congenital dislocation of the knee. J Pediatr Orthop. 1989;9:174.

Bowen RE, Dorey FJ, Moseley CF. Relative tibial and femoral varus as a predictor of progression of varus deformities of the lower limbs in young children. J Pediatr Orthop. 2002;22:105.

Boyd HB. Pathology and natural history of congenital pseudarthrosis of the tibia. Clin Orthop Relat Res. 1982;166:5.

Carroll K, Coleman S, Stevens PM. Coxa vara: surgical outcomes of valgus osteotomies. J Pediatr Orthop. 1997;17:220.

Carter JR, Leeson MC, Thompson GH, et al. Late-onset tibia

vara: a histopathologic analysis. A comparative evaluation with infantile tibia vara and slipped capital femoral epiphysis. J Pediatr Orthop. 1988;8:187.

Cho TJ, Choi IH, Chung CY, et al. Isolated congenital pseudarthrosis of the fibula: clinical course and optimal treatment. J Pediatr Orthop. 2006;26:449.

Cho TJ, Choi IH, Lee KS, et al. Proximal tibial lengthening by distraction osteogenesis in congenital pseudarthrosis of the tibia. J Pediatr Orthop. 2007;27:915.

Cho TJ, Choi IH, Lee SM, et al. Refracture after Ilizarov osteosynthesis in atrophic type congenital pseudarthrosis of the tibia. J Bone Joint Surg Br. 2008;90:488.

Cho TJ, Seo JB, Lee HR, et al. Biologic characteristics of fibrous hamartoma from congenital pseudarthrosis of the tibia associated with neurofibromatosis type 1. J Bone Joint Surg Am. 2008;90:2735.

Choi IH, Cho TJ, Moon HJ. Ilizarov treatment of congenital pseudarthrosis of the tibia: a multi-targeted approach using the ilizarov technique. Clin Orthop Surg. 2011;3:1.

Choi IH, Kim CJ, Cho TJ, et al. Focal fibrocartilaginous dysplasia of long bones: report of eight additional cases and literature review. J Pediatr Orthop. 2000;20:421.

Choi IH, Lee SJ, Moon HJ, et al. '4-in-1 osteosynthesis' for atrophic-type congenital pseudarthrosis of the tibia. J Pediatr Orthop. 2011;31:697.

Cook SD, Lavernia CJ, Burke SW, et al. A biomechanical analysis of the etiology of tibia vara. J Pediatr Orthop. 1983;3:449.

Crawford AH, Schorry EK. Neurofibromatosis update. J Pediatr Orthop. 1986;26:413.

De Maio F, Corsi A, Roggini M, et al. Congenital unilateral posteromedial bowing of the tibia and fibula: insights regarding pathogenesis from prenatal pathology. A casereport. J Bone Joint Surg Am. 2005;87:1601.

Deie M, Ochi M, Sumen Y, et al. Reconstruction of the medial patellofemoral ligament for the treatment of habitual or recurrent dislocation of the patella in children. J Bone Joint Surg Br. 2003;85:887.

Desai S, Johnson L. Long-term results of valgus osteotomy for congenital coxa vara. Clin Orthop Relat Res. 1993;294:204.

Dooley BJ, Menelaus MB, Melbourne, et al. Congenital pseudarthrosis and bowing of the fibula. J Bone Joint Surg Br. 1974;56:739.

Dusabe JP, Docquier PL, Mousny M, et al.: Focal fibrocartilaginous dysplasia of the tibia: long-term evolution. Acta Orthop Belg. 2006;72:77.

Fu K, Duan G, Liu C, et al. Changes in femoral trochlear morphology following surgical correction of recurrent patellar dislocation associated with trochlear dysplasia in children. Bone Joint J. 2018;100:811.

Ghanem I, Wattincourt L, Seringe R. Congenital dislocation of the patella. Part I: pathologic anatomy. J Pediatr Orthop. 2000;20:812.

Ghanem I, Wattincourt L, Seringe R. Congenital dislocation of the patella. Part II: orthopaedic management. J Pediatr Orthop. 2000;20:817.

Hawksley JC. The incidence and significance of growing pains in children and adolescents. J Royal Inst Pub Health. 1938;1:798.

Insall J, Bullough PG, Burstein AH. Proximal "tube" realignment of the patella for chondromalacia patellae. Clin Orthop. 1979;144:63.

Jackson DW, Cozen L. Genu valgum as a complication of proximal tibial metaphyseal fractures in children. J Bone Joint Surg Am. 1971;53:1571.

Jacobsen ST, Crawford AH, Millar EA, et al. The syme amputation in patients with congenital pseudarthrosis of the tibia. J Bone Joint Surg Am. 1983;65:533.

Jang WY, Choi YH, Park MS, et al. Physeal and Subphyseal Distraction Osteogenesis in Atrophic-type Congenital Pseudarthrosis of the Tibia: Efficacy and Safety. J Pediatr Orthop. 2019;39:422.

Johari AN, Dhawale AA, Salaskar A, et al. Congenital posteromedial bowing of the tibia and fibula: is early surgery worthwhile? J Pediatr Orthop B. 2010;19:479.

Joo SY, Park KB, Kim BR, et al. The 'four-in-one' procedure for habitual dislocation of the patella in children: early results in patients with severe generalised ligamentous laxity and aplasis of the trochlear groove. J Bone Joint Surg Br. 2007;89:1645.

Kling TF, Volk AG, Dias L, et al. Infantile Blount's disease treated with osteotomy: follow-up to maturity. Orthop Trans. 1990;14:634.

Langenskiöld A. Tibia vara(osteochondrosis deformans tibiae): a survey of 23 cases. Acta Chir Scand. 1952;103:1.

Levine AM, Drennan JC. Physiological bowing and tibia vara. The metaphyseal-diaphyseal angle in the measurement of bowleg deformities. J Bone Joint Surg Am. 1982;64:1158.

Lewallen LW, McIntosh AL, Dahm DL. Predictors of recurrent instability after acute patellofemoral dislocation in pediatric and adolescent patients. Am J Sports Med. 2013;41:575.

Metaizeau JP, Wang-Chung J, Bertrand H. Percutaneous epiphysiodesis using transepiphyseal screws (PETS). J. Pediatr Orthop.1998;18:363.

Miller TT, Staron RB, Koenigsberg T, Levin TL, Feldman F: MR imaging of Baker cysts: Association with internal derangement, effusion, and degenerative arthropathy. Radiology. 1996;201:247.

Ogden JA, McCarthy SM, Jokl P. The painful bipartite patella. J Pediatr Orthop 1982;2:263.

Paley D, Catagni M, Argnani F, et al. Treatment of congenital pseudarthrosis of the tibia using the Ilizarov technique. Clin Orthop Relat Res. 1992;280:81.

Pannier S, Pejin Z, Dana C, et al. Induced membrane technique for the treatment of congenital pseudarthrosis of the tibia: preliminary results of five cases. J Child Orthop. 2013;7:477.

Roy DR, Crawford AH. Percutaneous quadriceps recession: a technique for management of congenital hyperextension deformities of the knee in the neonate. J Pediatr Orthop. 1989;9:717.

Salenius P, Vankka E. The development of the tibiofemoral angle in children. J Bone Joint Surg. 1975;57A:259.

Saupe H. Primare knochenmark seilerung der Kniescheibe. Deutsch Z Chir. 1943; 258:386.

Schmidt TL, Kalamchi A. The fate of the capital femoral physis and acetabular development in developmental coxa vara. J Pediatr Orthop. 1982;2:534.

Shea KG, Grimm NL, Belzer J, et al. The relation of the femoral physis and the medial patellofemoral ligament. Arthroscopy. 2010;26:1083.

Stanisavljevic S, Zemenick G, Miller D. Congenital, irreducible, permanent lateral dislocation of the patella. Clin Orthop Relat Res. 1976;116:190.

Stanitski DF, Dahl M, Louie K, et al. Management of late-onset tibia vara in the obese patient by using circular external fixation. J Pediatr Orthop. 1997;17:691.

Stein D, Cantlon M, Mackay B, et al. Cysts about the knee: evaluation and management. J Am Acad Orthop Surg. 2013; 21:469.

Stevens PM, Maguire M, Dales MD, et al. Physeal stapling for idiopathic genu valgum. J Pediatr Orthop.1999;19:645.

Stevens PM. Guided Growth for Angular Correction. A Preliminary Series Using a Tension Band Plate. Journal of Pediatric Orthop. 2007;253.

Stricker SJ, Edwards PM, Tidwell MA. Langenskiöld classification of tibia vara: an assessment of interobserver variability. J Pediatr Orthop. 1994;14:152.

Tercier S, Shah H, Joseph B. Quadricepsplasty for congenital dislocation of the knee and congenital quadriceps contracture. J Child Orthop. 2012;6:397.

Thomas NP, Jackson AM, Aichroth PM. Congenital absence of the anterior cruciate ligament: A common component of knee dysplasia. J Bone Joint Surg Br. 1985;67:572.

Thompson GH, Carter JR. Late-onset tibia vara (Blount's disease). Current concepts. Clin Orthop Relat Res. 1990;255: 24.

Tuncay IC, Johnston CE 2nd, Birch JG. Spontaneous resolution of congenital anterolateral bowing of the tibia. J Pediatr Orthop. 1994;14:599.

Volpon JB. Idiopathic genu valgum treated by epiphyseodesis in adolescence. Int Orthop. 1997;21:228.

Wada A, Fujii T, Takamura K, et al. Congenital dislocation of the patella. J Child Orthop. 2008;2:119.

Weinstein JN, Kuo KN, Millar EA. Congenital coxa vara: A restrospective review. J Pediatr Orthop. 1984;4:70.

Yoo JH, Choi IH, Cho TJ, et al. Development of tibiofemoral angle in Korean children. J Korean Med Sci. 2008;23:231.

21

선천성 만곡족

Congenital Clubfoot

선천성 만곡족
Congenital Clubfoot

목차

특정 신경학적 질병이나 특정 증후군은 없지만 태아 발생 과정 중 하퇴부와 족부의 근육, 건, 인대, 골관절 및 신경혈관 조직들의 비정상적인 형성 및 발달로 인하여 첨내반요족 변형 상태로 출생하게 되는 족부 변형이다.

I. 빈도

가장 흔한 근골격계 선천성 결함(musculoskeletal birth defect)으로 1,000명 출생 당 1-4명의 빈도로 발생한다. 여아보다 남아의 발생 빈도가 2배 정도 더 높으며, 약 50%에서는 양측성이다. 멘델성 유전 양상을 보이지는 않으나 유전 경향이 강하여 약 1/4에서는 가족력이 있다고 알려져 있다. 한 보고에 따르면 선천성 만곡족을 가진 아들을 둔 정상 부모가 둘째 아이를 낳았을 때에 아들 중 이환될 확률은 1/40이지만 딸 중 이환될 확률은 매우 낮다. 선천성 만곡족을 가진 딸을 둔 정상 부모가 둘째 아이를 낳았을 때에 아들 중 이환될 확률은 1/16이고 딸 중 이환될 확률은 1/40이다. 부모 중 한 명과 자식이 이환된 경우 다시 태어나는 자녀가 이환될 확률은 1/4이다(Wynne-Davies 1964).

II. 원인 및 발병기전

원인으로 명확하게 밝혀진 유전 및 환경 인자는 없다. 복합적인 인자에 의해 발병하는 것으로 생각되며, 질병과정의 결과는 선천성 만곡족으로 동일하지만 원인이나 병리기전은 환아마다 다양할 수 있을 것으로 생각된다. 임산부의 흡연이 발병의 위험 인자 중 하나로 알려져 있다.

1. 태아 발달 정지 (arrest in embryonic development)

정상 발은 태생 6-8주 사이에 첨족, 회외, 전족부 내전 및 거골 경부의 내측 변위와 같은 선천성 만곡족의 특성을 보이며 12-14주가 되면 정상 형태로 바뀐다는 전제하에, 선천성 만곡족은 태생 약 8주의 발달 상태에서 멈춘 병적 상태라는 가설이다. 그러나, 선천성 만곡족의 기본적인 병적 변화인 거골 변형과 주상골 내측 탈구는 정상 발의 발생 과정에서 관찰되지 않기 때문에 이 가설은 입증되지 못하였다.

2. 수축성 섬유 조직 반응 (retractive fibrotic response)

선천성 만곡족의 인대와 건에는 콜라겐 섬유와 근섬유모세포(myofibroblast)가 많아 연부 조직의 저항이 강하기 때문에 이것이 변형의 일차적인 원인이 된다는 가설이다. 그러나, 선천성 만곡족은 인대 유연성을 보이는 다운 증후군 등에서도 동반되며, 섬유화된 연부 조직에서 근섬유모세포 양 세포(myofibroblast-like cell)가 관찰되지 않는다는 연구 결과도 있다.

3. 발생 관련 유전자 결함설

태생기 초기, 지아 분화(limb bud differentiation) 단계에 있는 연골 원기(cartilage anlage)에 이미 결함이 존재하고 있다는 가설이다.

4. 신경 근육성 원인

- 관절구축증이나 척추 이분증 같은 마비성 질환에서 유사한 변형을 초래하기 때문에 유사하지만 미세한 국소적 신경 이상으로 인한 근섬유 소실 및 위축에 의해 발생한다는 설이다.
- 비골근과 하퇴 삼두근에서 제I형 근육과 제II형 근육의 비율 이상 또는 제I형 근육 섬유 수의 감소 및 위축이 관찰되기도 하고, 비골근 결손 또는 마비가 동반되기도 한다.

III. 병리 해부학

신체검사 상 관찰되는 변형 성분 Fig 1
- 족근관절의 첨족(equinus)
- 후족부의 내반(varus)
- 전족부의 내전(adduction)
- 요족(cavus)

- 환아마다 각각변형 성분의 심한 정도가 다를 수 있다.
- 첨족 변형에 의해서 족근관절 후방, 요족변형에 의해서 족저부 내측에 깊은 피부 주름이 관찰될 수 있다.
- 족부뿐 아니라 전신적인 검진을 통해서 신경근육성 질환 등 병발한 다른 질환이 있는지를 확인하여야 한다.

발달성 고관절 이형성증의 동반 여부

아직 논란의 여지가 있다. 일반적으로 특발성 만곡족에서 고관절 이형성증이 동반되는 비율은 1% 미만으로, 고관절 이형성증에 대한 스크리닝은 불필요하다고 알려져 있다. 그러나, 5–6%의 동반 비율을 보고한 연구들도 있으며 이 연구들의 저자들은 선택적인 스크리닝을 권고하기도 하였다.

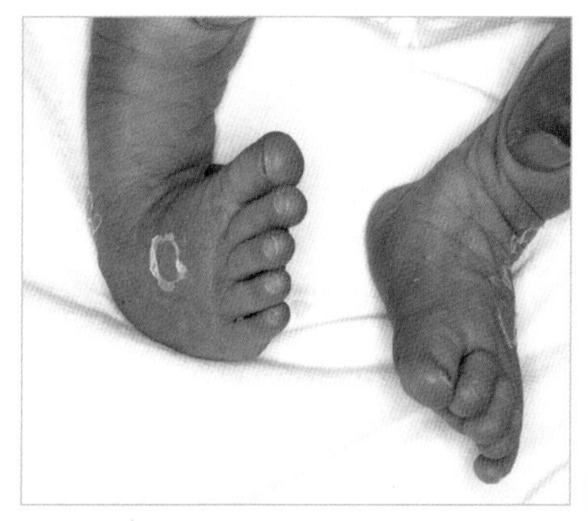
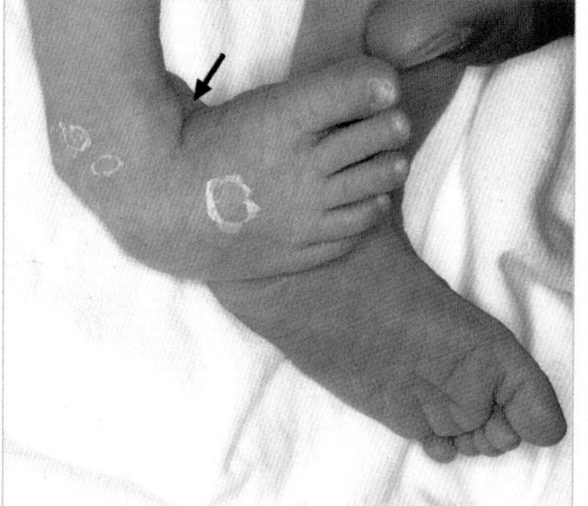
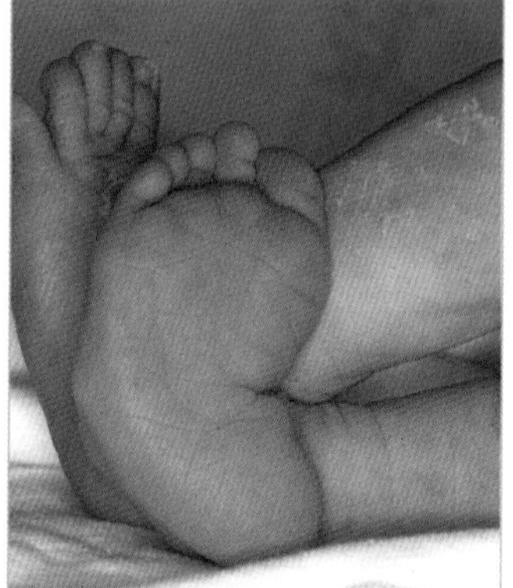

Fig 1. **선천성 만곡족(congenital clubfoot).**
전족부는 내전되어(adducted) 있으며 후족부의 내반(varus), 족근관절의 첨족(equinus) 변형이 있다. 내측에 심한 피부 주름(화살표)이 관찰된다.

1. 족근골의 변형

가장 심한 변형은 거골(talus)에서 관찰되며, 종골(calcaneus), 주상골(navicula), 입방골(cuboid) 등 다른 족근골의 변형은 상대적으로 덜 심하다.

1) 족근골(tarsal bones)

(1) 거골

- 족근관절 격자(ankle mortise) 내에서 거골 체부(body)의 회전 여부에는 이견이 있는데, 내회전(Goldner 1969), 외회전(Carroll 1978, 1988), 중립회전(Simons 1983, McKay 1982)되어 있다는 주장들이 있었다.
- Herzenberg 등(1988)은 거골 체부의 종축은 족근관절 격자(ankle mortise) 내에서 외회전되어 있으나 골두(head)와 경부(neck)는 내측 및 족저로 심하게 각형성되어 있기 때문에 전체적으로는 내회전된 듯이 보인다고 하였다. 그의 연구에 따르면 선천성 만곡족의 거골 경부는 격자 축에 대해 45도 내회전되어 있고 종골은 22도 내회전되어 있는데 이는 정상보다 각각 20도씩 더 내회전된 것이다.
- 짧은 거골 경부: 거골두와 체부가 너무 가까워 진성 경부(true neck)가 없는 경우도 있다.
- 작은 거골 체부
- 거골 하면(inferior surface)의 전방 및 내측 거골하 관절면은 없거나, 유합되거나, 심하게 변형되어 있다.

(2) 종골

- 내반, 내회전 및 족저굴곡(plantar flexion): 종비 인대의 구축Fig 2으로 종골과 비골 간의 후방 간격이 감소되며 종골은 내회전되고 비골은 후방으로 전위된다.
- 종골의 모양은 정상이나 크기가 종종 작다.
- 재거돌기(sustentaculum tali)의 저형성

(3) 주상골 및 입방골

- 각각 거골 및 종골에 대해 전위되어 있으나 모양은 대개 정상이다.

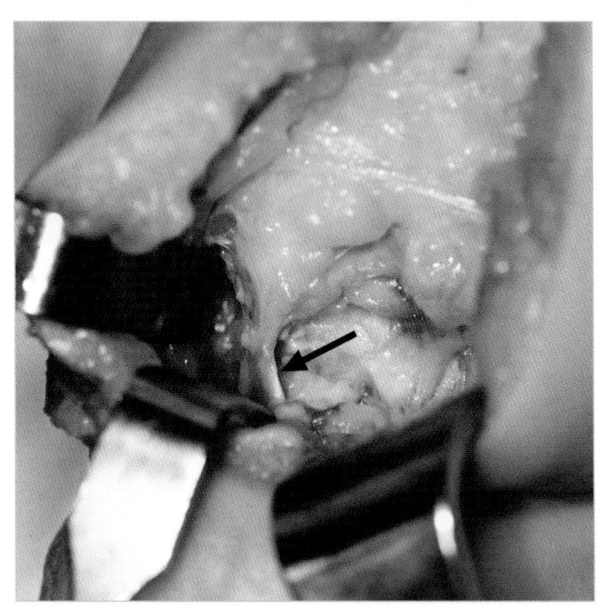

Fig 2. 족근관절 후외측의 종비 인대(calcaneofibular ligament)(화살표)가 짧고 두꺼워져 있다.

(4) 족근관절 격자(ankle mortise)

- 외과(lateral malleolus)의 후방 전위

2) 중족부(midfoot)

주상골이 거골두에 대해 내측 및 족저 전위되고 심한 경우 경골 내과(medial malleolus)에 고착되기도 한다. 심한 만곡족에서는 입방골이 종골에 대해 내측 전위를 보이며, 간과된 예에서는 내측 설상골(medial cuneiform) 내측면의 쐐기형 변형이 있다.

3) 전족부(forefoot)

중족골의 내전 및 첨족 변형

4) 경골(tibia)

- 경골 내염전이 동반될 수 있으나 이보다는 관절에서의 내회전 변형(medial or internal spin)이 내족지 보행(intoeing gait)의 원인으로 더 중요하다.
- 간혹 대퇴골의 전염각(anteversion) 증가 때문에 내족지 보행을 보이는 경우도 있다.
- 출생 시에 경도의 경골 단축이 있는 경우가 있다.

2. 연부 조직 구축

선천성 만곡족에서의 연부조직 병리(Carroll 1996)
- 후외방 tether
- 하퇴부 근육 구축
- 후방 관절막 구축
- 종비 인대(calcaneofibular ligament) 및 거비 인대(talofibular ligament) 구축

1) 근육

족부 내재근(intrinsic muscle), 족저굴곡근 및 내번근들이 짧고 가늘다. 비복근(gastrocnemius) 및 가자미근(soleus)이 위축되고 구축되어 있다.

2) 인대

종비 인대, 거비 인대, 장, 단 spring인대, 거주인대(talonavicular ligament) 및 삼각 인대(deltoid ligament)의 구축

3) 관절막

족근관절막 후방, 거주 관절막 및 종입방(calcaneocuboid) 관절막의 구축

4) 건초

건초의 비후, 특히 후경골근(tibialis posterior)과 비골근

5) 족저근막(plantar fascia)

요족 변형을 동반한 심한 첨내반족에서 구축

사슬 효과(tether)의 개념(Catterall 1988, Scott 1984)
- 족근관절 후외측에 외과(lateral malleolus)와 거골 및 종골간, 족근관절 내측으로는 내과(medial malleolus)와 주상골간, 그리고 전외측 및 족저에서, link기전으로 발생한 사슬 효과에 의해 족부의 족배굴곡이 제한된다.
- 원인이 되는 족저 및 내측 구조물은 단 족저인대(short plantar ligament)와 후경골근의 원위 건 부위이고, 전외측 구조물은 주상골, 종골 및 입방골의 외측면 간의 인대이며, 후외측 구조물은 종비 인대와 비골건막이 있다.
- 정상 족배굴곡이 이루어지려면 모든 단축 구조물들이 유리되어야 한다.

3. 족부 혈관 이상

선천성 만곡족에서 후경골 동맥(posterior tibial artery)과 족배 동맥(dorsalis pedis artery)의 혈류 이상 또는 결손된 예가 보고되어 있다(Katz 2003). 따라서, 수술적 치료 시에는 이러한 혈관 이상에 대해 주의를 기울여야 한다.

IV. 임상적 평가 및 영상의학적 평가

선천성 만곡족은 출생 직후 족부 변형에 대한 개념이 있는 의사라면 누구든지 시진과 촉진만으로도 진단이 가능하며, 일반인이라도 이상이 있다는 것을 바로 인지할 수 있다.

1. 감별 진단

1) 자세성 만곡족(postural clubfoot)

- 출생 전, 특히 출산 직전 자궁내 과밀 상황에서 족부가 첨내반 위치에서 포착되었기 때문에 출생 시 첨내반 자세(equinovarus position)를 취하고 있는 경우이다. 출생 직후 살짝 수동 조작을 해도 쉽게 정상 자세로 움직일 수 있다.
- 족근관절 후방 및 족부 내측에 병적인 피부주름이 없으며 족근관절 외측에는 정상 피부주름이 관찰된다.
- 근육, 건, 인대, 골 조직 등에는 이상이 없으며, 대개 출생 후 족부 운동범위가 확보되면 자연 교정되나, 유연성이 떨어지면 스트레칭이나 단기간 석고붕대 고정이 필요할 수도 있다.
- 신생아는 전경골근 및 후경골근의 근 긴장도가 비골근 등에 비해서 상대적으로 높기 때문에 외반 보다는 내반 자세를 취하는 시간이 많으며 이 때에 만곡족으로 오인할 수도 있다. 짧은 시간 시진(inspection)으로만 판단하지 말고 충분한 시간 동안 관찰을 통해서 환아가 능동적으로 족부-족근관절을 정상적인 자세로 움직이는 것을 확인하거나 촉진을 통해서 족부-족근관절이 부드럽게 반대 방향으로 자세 전환되는지를 확인한다.

2) 신경인성 족부 변형(neurogenic foot deformity)

- 뇌성마비, 척수수막류, 다양한 유전성 신경근육 질환에서 첨내반족 변형이 발생할 수 있으나 신생아기에 족부 변형이 발견되는 경우는 드물며, 성장하면서 서서히 발생하게 된다.

3) 첨내반족 변형을 동반하는 증후군 Table 1

- 신체 다른 부위 특히, 수부 등을 면밀한 검사하여 특정 증후군에 나타나는 족부 변형이 아닌지 확인하는 것이 필요하다.

Table 1. **만곡족이 흔하게 동반되는 증후군**

관절구축증(arthrogryposis)
윤상수축대 이형성증(constriction bands; Streeter dysplasia)
Prune belly 증후군
선천성 종적 결손(longitudinal deficiency)
Mobius 증후군
Freeman-Sheldon 증후군(상염색체 우성)
Diastrophic dysplasia (상염색체 열성)
Larsen 증후군(상염색체 우성, 열성)
Opitz 증후군(상염색체 열성)
Pierre Robin 증후군(성염색체 열성)
Fetal alcohol 증후군

2. 임상적 평가

신생아의 족부는 작고 해부학적 표지가 뚜렷하지 않으며 족근골의 골화가 불충분하고 족근골이 비정형적 형태이기 때문에 객관적으로 변형의 정도를 평가하는 것이 간단하지 않다. 다음 세 가지 방법이 널리 사용되고 있다.

1) Dimeglio의 평가 방법 Fig 3

2) Pirani 평가 체계 Table 2

3) Clubfoot Assessment Protocol (CAP) Table 3

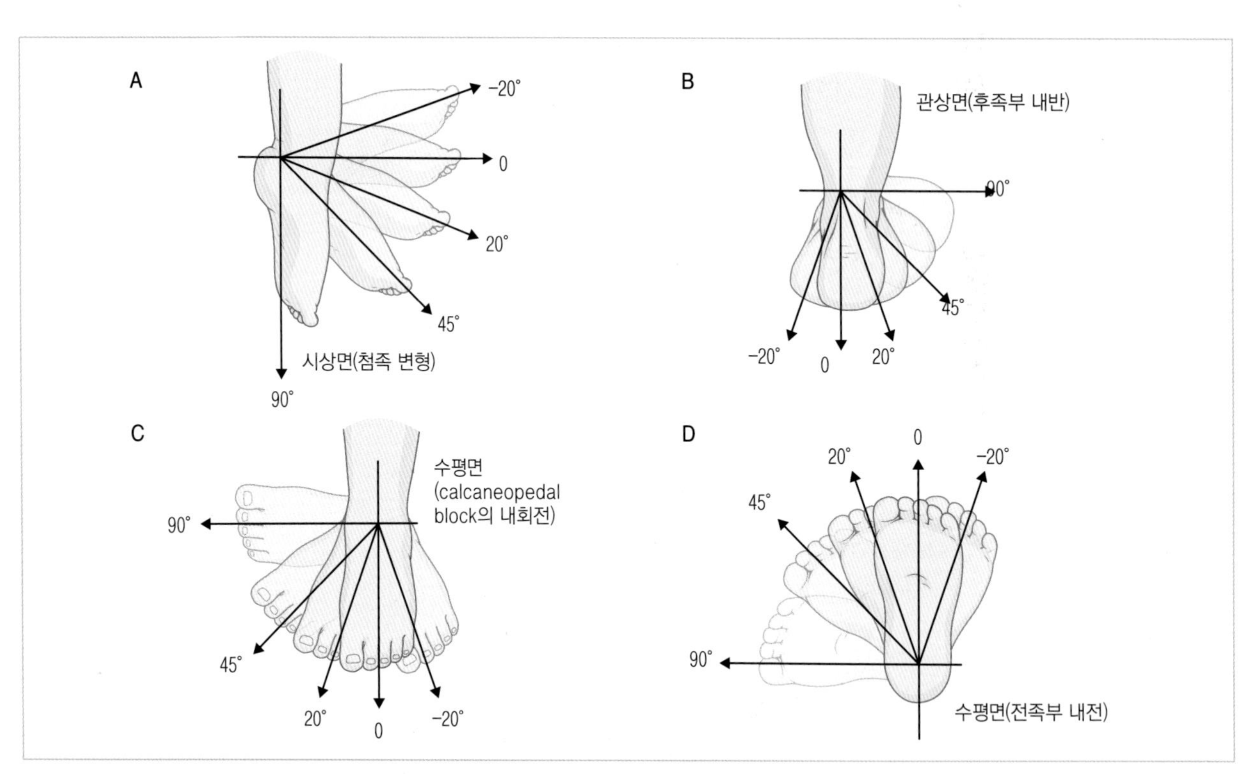

Fig 3. **선천성 만곡족에 대한 Dimeglio 분류(1995).**
삼차원적인 변형을 세 평면에서의 네 변형[시상면에서의 족근관절 첨족(A), 관상면에서의 후족부 내반(B), 수평면에서의 calcaneopedal block의 내회전(C) 및 수평면에서의 후족부에 대한 전족부의 내전(D)]으로 나누어 그 심한 정도에 따라 4점(가장 심한 변형)에서 1점(가장경한 변형)을 부여하였다. 여기에 후방 피부 주름, 내측 피부 주름, 요족, 근력 약화가 있으면 각각에 대해 부가적으로 1점을 부여하였다. 가장 경한 변형은 4점이고 가장 심한 변형은 20점이 된다. 총점이 4점이면 benign, 5-9점이면 moderate, 10-14점이면 severe, 15점 이상이면 very severe로 등급을 나누었다.

Table 2. **Pirani 평가 체계(Flynn 1998)**

1. 족부 외측 만곡
0 = 직선
0.5 = 원위부만 경도의 만곡
1.0 = 종입방 관절 부위부터 만곡
2. 내측 피부 주름(최대 교정 위치에서)
0 = 여러 개의 작은 주름
0.5 = 한 두개의 깊은 주름
1.0 = 깊은 주름이 종아치 외연를 변형시킬 때
3. 후방 피부 주름(최대 교정 위치에서)
0 = 여러 개의 작은 주름
0.5 = 한 두개의 깊은 주름
1.0 = 깊은 주름이 뒤꿈치 외연을 변형시킬 때

4. 거골두 외측 촉진(전족부를 최대 외반한 위치에서)
0 = 주상골이 완전히 정복됨; 거골두 외측 촉진 불가
0.5 = 주상골이 부분적으로 정복됨; 거골두 외측이 겨우 만져짐
1.0 = 주상골 정복이 불가능; 거골두 외측이 쉽게 만져짐
5. 뒤꿈치 부위의 결손(족부와 족근관절을 최대 교정한 위치에서)
0 = 종골 돌기가 쉽게 촉지
0.5 = 종골 돌기 촉지가 쉽지 않음
1.0 = 종골 돌기가 촉지되지 않음
6. 첨족(슬관절 신전, 족근관절 최대 교정 위치에서)
0 = 정상 족배굴곡
0.5 = 족배굴곡이 중립위 이상이나 정상에 못 미침
1.0 = 족배굴곡이 중립위 이하

Table 3. **The Clubfoot Assessment Protocol (CAP; version 1.2) by Andriesse H (2007)**

점수	0	1	2	3	4
수동 운동 범위 I(Passive mobility I)					
1. 족배굴곡(Dorsiflexion)	< -10°	-10- < 0°	0- < +10°	+10 - +20°	> +20°
2. 족저굴곡(Plantar flexion)	0- < 10°	10- < 20°	20- < 30°	30 - 40°	> 40°
3. 내반/외반(Varus/valgus)	> 20° 내반	20- < 10° 내반	10- < 0° 내반	0° - 중립	> 0° 외반
4. 감염(Derotation)	> 20° 내번	20- < 10° 내번	10- < 0° 내번	0 - 10° 외번	> 10° 외번
5. 내전/외전(Add/abd)	> 20° 내전	20- < 10° 내전	10- < 0° 내전	0° - 중립	> 0° 외전
수동 운동 범위 II(Passive mobility II)					
6. 장 족지 굴근(Flx.dig.long.)	매우 감소		감소		정상
7. 장 무지 굴근(Flx.hall.long)	매우 감소		감소		정상
근육 기능(Muscle function)					
8. 비골근(peroneus)	없음/거의 없음		감소		정상
9. 장 족지 신근(ext.dig.long)	없음/거의 없음		감소		정상
변형(Morphology)					
10. 경골 회전(Tibial rotation)	심한 내회전		내회전		정상
11. 종골 위치(Calcaneus position)	> 10° 내반		10-0° 내반		정상/외반
12. 전족부 위치(Forefoot position)	> 20° 내전		20-10° 내전		< 10° 내전
13. 족저궁(Foot arch)	심한 요족		요족		정상
보행 I(Motion quality I)					
14. 달리기, 2세	불가능	매우 비정상	비정상	약간 비정상	정상
15. 걷기, 2세	불가능	매우 비정상	비정상	약간 비정상	정상
16. 발끝으로 걷기, 3세	불가능	매우 비정상	비정상	약간 비정상	정상
17. 뒤꿈치로 걷기, 3세	불가능	매우 비정상	비정상	약간 비정상	정상
보행II(Motion quality II)					
18. 한쪽 다리로 서기, 4세	불가능	매우 비정상	비정상	약간 비정상	정상
19. 한쪽 다리로 제자리 뛰기, 4세	불가능	매우 비정상	비정상	약간 비정상	정상

3. 영상의학적 평가Table 4

- 신생아기에는 단순 방사선검사의 진단적 가치가 없다.
- Ponseti 방법으로 치료 중 아킬레스건 절단술 시행 여부를 판단하기 위하여 족근관절 외측 영상에서 종골의 배굴곡 정도를 판단하는 것이 도움이 된다.
- 전경골근 건 이전술 시기를 정하기 위해서 단순 방사선 검사로 외측 설상골(lateral cuneiform)의 골화 상태를 판단한다.
- 신생아의 대부분의 뼈는 연골 상태인데다가 선천성 만곡족에서는 정상에 비해 골화가 지연되어 있다(Miyagi 1997). 특히 주상골은 3-4세가 되어야 골화중심이 나타난다.
- 거골의 골화중심은 두부와 경부의 사이에 위치하는 등 골화중심(ossification center)이 연골의 중심에 위치하지 않을 수 있다(Cahuzac 1999). 이는 주상골에서도 마찬가지이다.
- 전후면 및 측면 방사선 검사 상 거골-종골간 각이 감소되어 거골과 종골이 평행해지려는 경향이 있으나 촬영 시 발의 자세나 위치에 따라서 재현성이 떨어진다Fig 4.

- **산전 진단**
  - 초음파검사로 선천성 만곡족을 산전 진단하게 되는 경우가 늘고 있다.
  - 다른 근골격계 기형이나 증후군과 동반 여부를 면밀

Table 4. **족부의 방사선학적 정상 측정값**

	Radiographic Indices	Normal Range (°)
Anteroposterior view	Talocalcaneal angle	20-40
	Talo-first metatarsal angle	0-15
	Talo-fifth metatarsal angle	0
Lateral view	Talocalcaneal angle	35-50
	Tibiotalar angle	70-100
	Tibiocalcaneal angle (maximal ankle dorsiflexion)	25-60
Talocalcaneal Index (sum of talocalcaneal angles in anteroposterior and lateral projections)		>40

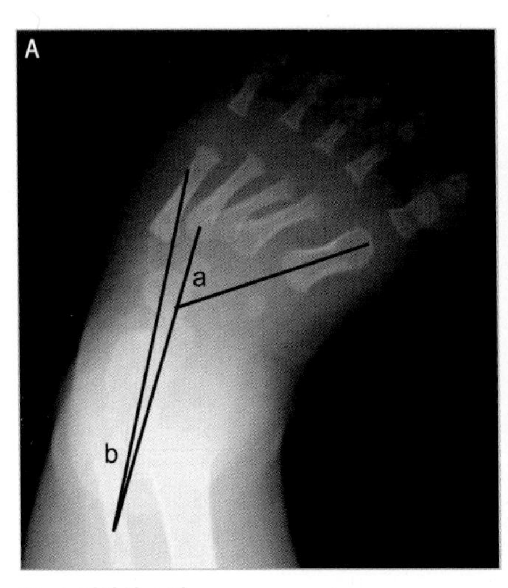

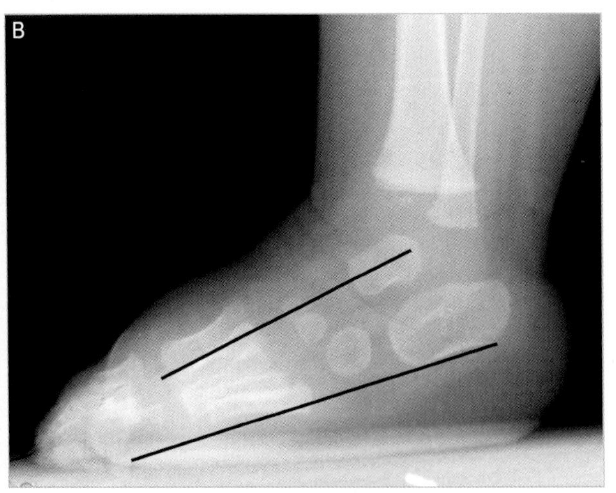

Fig 4. **방사선 소견.**
A: 거골-제1중족골간 각(talo-first metatarsal angel)(a)은 정상에서 0-15도 사이이며 0도보다 작으면 중족부(midfoot) 또는 전족부(forefoot)의 내반(varus)을 의미한다. 전후면 거종간 각(talocalcaneal angle)(b)은 정상에서 20-40도 범위이며, 만곡족에서는 후족부가 내번(inversion)되어 각의 크기가 작아진다.
B: 측면 거종간 각(talocalcaneal angle)은 정상에서 35-50도 범위이며, 만곡족에서는 25도 이하이다. 특히 수동적 족배굴곡(dorsiflexion)하였을 때 차이가 뚜렷해진다.

하게 검토하여야 하나 산전 초음파로 진단하는 데에는 한계가 있다.
- 산모와 가족에 대한 산전 교육으로, 만곡족이 다양한 원인으로 발생할 수 있으며 다른 기형이나 증후군과 동반될 수도 있지만 대부분의 경우에 Ponseti 방법으로 잘 교정되어 기능적인 발을 가질 수 있음을 알려주는 것이 바람직하다.

V. 치료

선천성 만곡족의 치료 목표
- 유연한 족부
- 만족스러운 외형
- 신발 착용이 용이한 족부
- 체중 부하 시 통증이나 불편감이 없는 족부

진성 선천성 만곡족(true congenital clubfoot)에 대해 어떤 치료를 시행하더라도 정상 모양과 기능을 갖는 발을 만들기는 어렵다. 치료를 시작하기 전에 족근관절운동 범위의 감소, 하퇴 근육의 위축 및 작은 발 크기는 개선되지 않을 수 있음을 주지시킬 필요가 있다.

1. 역사적 개괄

선천성 만곡족의 비수술적 치료와 수술적 치료에 대한 논란은 오랫동안 지속되어 왔다.
- Kite 등의 도수조작 및 연속적 석고 고정 방법은 성공률이 높지 않아 상당수 환아가 결국 수술적 치료를 받아야 했다.
- 90년대까지는 족근관절 및 족부의 구축된 인대 조직을 수술적으로 유리하여 정상에 가까운 족근골 배열을 얻는 방법이 널리 사용되었다.
- Ponseti는 수십 년간 해부병리적 분석을 통해서 효과적인 도수조작 및 석고고정 방법을 고안하여 발전시켜왔고 2000년 이후에는 이 방법이 널리 소개되고 인정받게 되었다. 광범위 연부 조직 유리술의 장기 추시 결과가 거의 항상 섬유화된 뻣뻣한 족부로 귀결된다는 보고들과 Ponseti 방법의 우월한 치료 결과가 대비되면서, 현재는 대부분의 저자들이 모든 선천성 만곡족의 치료는 비수술적인 방법으로 시작하여야 하며 수술적 치료는 불충분한 교정, 재발 변형 및 비수술적 치료에 반응하지 않는 심한 변형에 한하여 시행하는 방침을 따르는 추세이다. 또한 치료를 어린 나이에 시작할수록 성공적인 교정을 얻을 확률이 높아진다는 것에도 대부분 동의하고 있다. 관절 구축증(arthrogryposis)에 동반된 만곡족에서도 Ponseti 방법으로 효과를 보고 있다(Church 2020).
- Dimeglio 등은 strapping 후 특수 고안된 CPM으로 지속적인 수동적 운동을 통해서 변형을 교정하는 방법을 고안하였다(Dimeglio 1996). 이 방법 역시 족부의 유연성을 유지하면서 변형을 교정할 수 있으나 Ponseti 방법에 비해서 많은 시간과 인력이 투여되어야 하므로 국내 건강보험 제도 하에서는 적용하기가 어렵다.

2. Ponseti 방법

비수술적 치료 방법 중 가장 널리 인정받고 있는 방법이다.

1) 적용방법

① 초기 교정 과정
- 수분 간 도수조작을 하여서 연부조직 구축을 유리하고, 얻어진 변형 교정 위치에서 석고 고정한다.
- 초기 교정 과정에서 요족 변형, 전족부 내전 및 후족부 내반을 동시에 교정한다.
- 석고 고정은 이번 도수조작에서 얻은 정도만큼의 변형 교정 위치에서 적용하되 석고의 거골 경부와 제1 중족골두를 적절하게 눌러준다. 발뒤꿈치 윗쪽의 뒷부분을 molding하여 발이 석고에서 빠지지 않도록 하며, 장하지 석고를 슬관절 90도 굴곡 상태에서 족부대퇴각이 60-70도 정도 되도록 슬관절 이하를 외회전시킨 상태로 적용한다.
- 5-7일 후 석고를 풀고 다시 도수 조작하여 변형 교정을 더 얻고 그 만큼의 위치에서 다시 석고 고정한다. 교정이 진행함에 따라 전족부 회외 정도를 줄이

게 된다.

- 변형과 구축의 정도에 따라 다르지만 대부분 4-5회 정도의 도수 조작과 석고 고정을 통해서 전족부와 후족부의 변형이 교정된다Fig 5.

② 첨족변형의 교정

- 전족부와 후족부 변형이 완전히 교정된 후 후족부를 약간 외반시키고 족근관절을 족배굴곡시키는 조작을 하고 석고 고정을 하여 첨족변형을 교정한다.

- **초기의 도수조작에서 힘을 가하는 부위와 방향**
  - 전족부를 회외(supination)시킨 상태로
  - 족근동(sinus tarsi)의 거골 경부 외측을 내측으로 미는 counter pressure를 가하면서
  - 제1중족골두를 족배측과 외측의 중간 방향으로 밀어 올린다.
  - 초기 교정 중에는 족근관절의 배굴곡을 시키지 않는다.
  - 자는 아기가 깨지 않을 정도의 힘을 가한다.
  - 시술자의 한 손 두 손가락만을 사용해서 도수조작할 수 있다. 필요하면 무릎 부위를 잡고 하지를 고정하지만 족근관절 부위를 고정하지는 않는다.
  - 상당수의 환아에서 도수조작과 석고고정만으로는 충분한 첨족변형의 교정을 얻을 수 없으며, 경피적 아킬레스건 절단술이 필요하다.
  - 영유아 족부는 두툼한 연부조직으로 인하여 충분한 족배굴곡이 얻어졌는지 시진이나 촉진만으로 정확하게 평가하기 어렵다. 따라서, 중립위 또는 족배굴곡 위치에서 족근관절족부 측방 방사선 검사를 통해서 족근관절에서 충분한 족배굴곡이 되고 정상적인 calcaneal pitch가 얻어졌는지 확인하는 것이 중요하다.
  - 아킬레스건 절단술의 실제 술식은 술자마다 다른데, 수술실에서 전신마취 하에 작은 메스를 사용하는 경우부터 외래에서 국소마취 하에 18G 주사바늘로 하는 경우까지 다양하다Fig 6. 원리는 건막은 유지하면서 건부착부에서 0.5-1 cm 근위부에서 건 전체를 절단한다. 건을 절단하여 족배굴곡이 갑자기

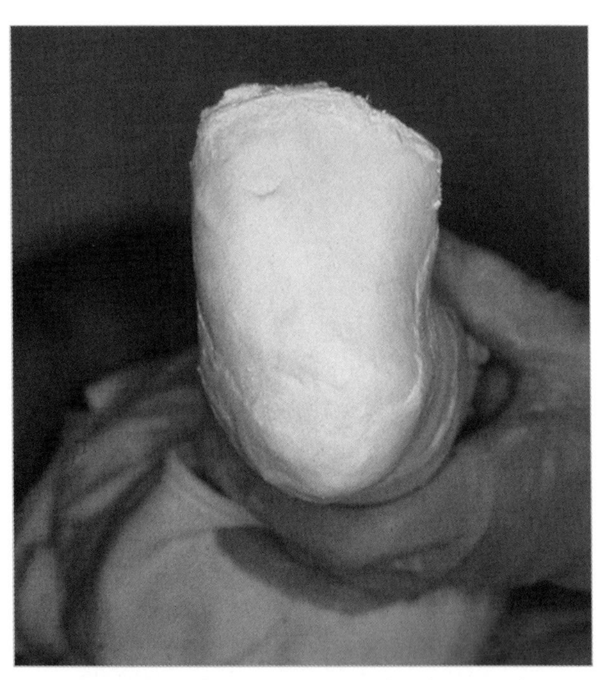

Fig 5. **선천성 만곡족에 대한 연속적 석고붕대 교정술(serial cast).** 전족부는 외전(abduction)되고 후족부는 외반(valgus)된 과교정 위치에서 석고붕대 고정을 한다.

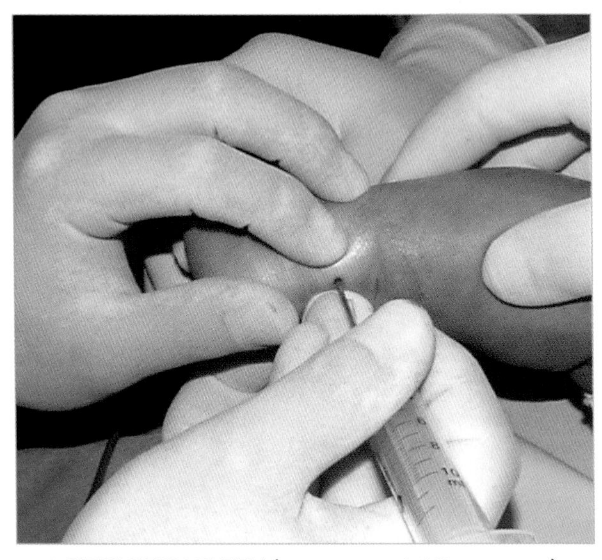

Fig 6. **경피적 아킬레스건 절단술(percutaneous Achilles tenotomy).** 전족부 내전 및 중족부 내반, 요족 변형이 모두 교정되어 적어도 calcane-opedal block의 외회전이 50-60도 이상되며 족근동이 잘 촉지되고 내측 피부 주름이 소실되었을 때 시행한다. 1세까지 시행할 수 있으나 최적의 나이는 2-5개월 사이이다. 저자들은 16 gauge 또는 18 gauge 주사 바늘을 이용하는데 주위 신경 혈관 손상의 위험을 최소화할 수 있는 장점이 있다.

증가하는 것을 느끼게 되고, 족배굴곡한 상태에서 고정해 두면 늘어난 위치에서 아킬레스건이 건막을 따라서 재생된다. 1세까지는 과연장이나 근력 약화를 초래하지 않는다고 알려져 있다.

- 건 절단술 후 족부를 70도 외전, 후족부 외반(valgus), 족근관절은 최대 족배굴곡(최소 15도 이상)한 상태에서 석고 고정을 하며(final cast), 3주간 석고 고정을 유지한 후 족부 외전 보조기를 착용 시킨다.

③ 족부 외전 보조기(Denis-Browne bar orthosis or its modification)

- 전족부, 후족부, 족근관절의 모든 변형이 교정된 후에는 Denis-Browne 보조기와 같은 족부 외전 보조기를 착용하여 변형의 재발을 방지한다.
- 환아 및 보호자의 순응도가 가장 문제가 된다. 착용 초기에 대부분의 환아는 완강하게 거부하는데 이를 극복하고 환아가 받아들이게 하는 보호자의 노력에 대해서 자세한 교육이 필수적이다.
- 환아의 순응도를 높이기 위하여 족부 고정부와 연결막대 사이에 관절부를 장착하여 좀 더 자유로운 동작이 가능하도록 하는 변형 보조기들이 소개되어 있다.
- Denis-Browne 보조기는 70도 외회전, 15도 족배굴곡 상태로 전족부 및 후족부 변형 교정을 유지하고 족근관절 족저굴곡을 방지하며 슬관절을 굴곡하면 족근관절이 배굴곡된다. 편측성 만곡족인 경우 정상 측은 40도 외회전 위치로 고정하면 된다.
- 처음 3개월 동안은 하루 23시간, 이후 최소한 18개월 연령까지는 야간과 낮잠을 잘 때 착용시켜야 하며 만 4세까지 착용하는 것을 권장한다Fig 7.

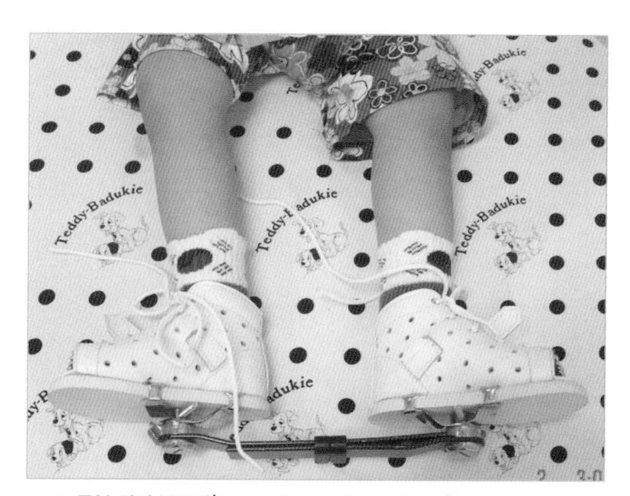

Fig 7. **족부 외전 보조기(Denis-Browne bar orthosis).**

Ponseti 방법 적용 시 범하기 쉬운 오류들(Ponseti 1997)

- 족부를 회내(pronation) 및 외번(eversion)하여 회외(supination)을 교정하려는 조작
- 족부 내측 인대를 늘리기 위한 교정 과정(굴곡 및 회외 상태를 유지하며 족부를 외회전)을 따르지 않고, 내반되어 있는 종골을 외반시키기 위해 족부를 외회전 조작: 거골의 외회전으로 비골이 후방 전위되어 bean-shaped foot을 초래
- 종골-입방골 관절 부위를 경첩점으로 삼아 전족부 외전 조작
- 도수 조작 후 석고 고정을 하지 않는 경우
- 단하지 석고 고정
- 전족부의 회외 및 후족부 내반 교정 전에 족근관절 첨족 변형교정을 시도: 호상족(rocker-bottom foot)을 초래
- Denis-Browne 부목 사용을 안 하는 경우: 3개월간은 하루 종일, 이후 적어도 만 4세까지 야간과 낮잠을 잘 때 착용
- 완전한 해부학적 정복을 얻으려는 시도

심한 선천성 만곡족에서는 완전한 해부학적 정복이 불가능한 경우가 있는데, 인대를 절단하거나 과도한 조작을 시도하여 완전 정복을 얻으려 하는 것보다는 점진적으로 최대한 스트레칭하고 약간 불완전한 상태에서 멈추는 것이 낫다. 족골 정렬에 관한 방사선학적 지표들과 장기적인 발의 기능 간의 연관성은 낮은 것으로 알려져 있다.

④ 재발한 또는 치료받지 않은 만곡족에 대한 Ponseti 방법 적용

- 영아기에 Ponseti 방법으로 치료한 후에도 보조기 착용을 제대로 하지 않으면 대부분 재발할 수 있으며 보행 시작 후 성장하면서 변형이 재발하는 경우도 있다.
- 2세 이전에 재발한 만곡족은 일반적으로 족부 외전 보조기에 대한 낮은 순응도와 연관이 있고, Ponseti 방법과 같은 원리로 도수 조작과 석고 고정으로 전

족부와 후족부 변형 교정을 얻을 수 있다. 2세 이후에 재발한 경우 Ponseti 방법을 다시 적용해 보되, 재발이 반복되는 경우 전경골근이 강하면서 전족부 회외 변형이 지속하면 전경골근 이전술을 고려한다(Dietz 2006). 재발한 첨족변형에 대해서는 아킬레스건 연장술 및 후방 유리술이 필요할 수 있다.

- 치료받지 않은 만곡족에서도 도수조작과 석고고정을 통해서 변형교정을 얻어 유연하고 발바닥이 땅에 닿는 기능적인 발을 얻을 수 있다. Lourenco 등(2007)은 1.2세에서 9세까지의 치료받지 않은 만곡족 환자 17명 24족부 중 12명 16족부에서 만족할 만한 변형교정을 보고하였다.

3. 수술적 치료

Ponseti 방법에 의한 초기 치료에도 불구하고 일부 변형이 잔존해 있거나, 교정 후 변형이 재발하거나 방치된 경우, 그리고 관절 구축증(arthrogryposis)에 동반된 심한 변형의 만곡족 등에서는 여전히 수술적 방법이 필요하다 Fig 8. 보조기에 대한 순응도가 낮거나, 여아, 진단 시 Dimeglio 점수가 높은 경우 수술적 치료가 필요할 위험이 높다. 하지만 일률적으로 광범위 연부조직 유리술(extensive soft tissue release)을 시행하기보다는 각각의 족부의 변형 상태에 따라 필요한 부위에 대해 선택적으로 수술을 시행하는 "a la carte approach" 방법(Bensahel 1987)이 바람직한 접근법이다.

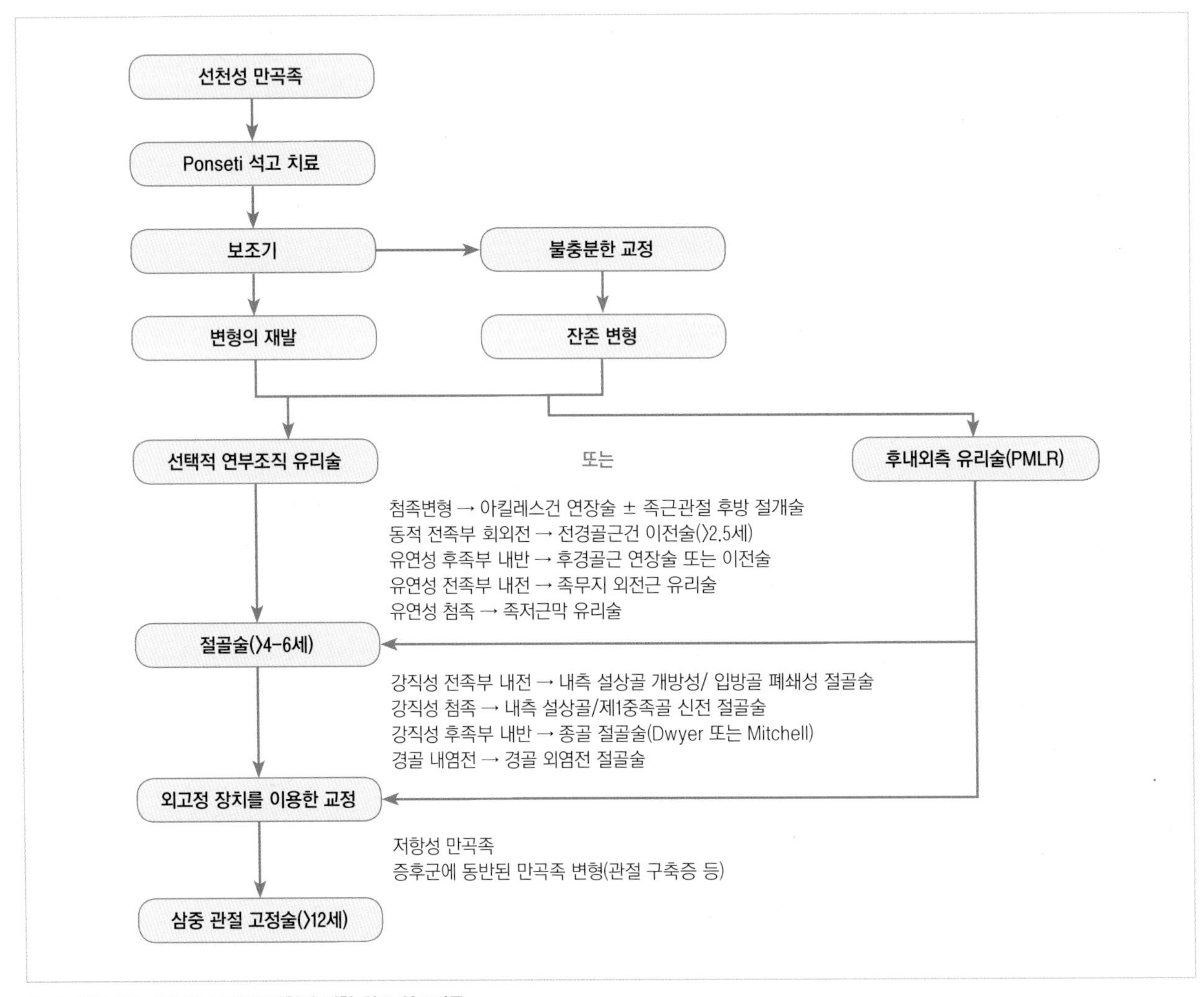

Fig 8. **재발 또는 잔존한 만곡족 변형에 대한 치료 알고리즘.**

1) 잔존 또는 재발된 변형(residual or recurrent deformity)에 대한 수술적 치료

- Ponseti 방법으로 비교적 완전한 교정을 얻고 난 후 경과 관찰 중 발목의 배굴(dorsiflexion)이 15도 이상 되지 않거나 후족부의 내반 변형(hindfoot varus) 또는 보행 중 전족부 회외전(dynamic forefoot supination)이 발생하는 경우에는 재발 변형이 발생한 것으로 보고 치료해야 한다Table 5, Fig 9.
- 재발 시에는 후족부의 첨족 변형, 내반 변형이 가장 흔하게 발생한다. 일단 재발이 발생한 경우, 보조기가 발에 잘 맞지 않기 때문에 보조기 착용 순응도가 더욱 떨어지게 되고 변형의 악화가 예상되므로 재발이 발생한 경우에는 최대한 빠른 처치가 필요하다.

2) 첨족변형(equinus deformity)에 대한 수술적 치료

- 스트레칭 및 석고고정과 같은 보존적 치료를 시도할 수 있으나 결국 수술적 치료를 고려해야 한다.
- 1세 이전에는 경피적 아킬레스건 절단술(percutaneous Achilles tenotomy)을 시행할 수 있으나, 12-18개월 이후에는 관혈적 아킬레스건 연장술이 바람직하다.
- Ponseti 방법을 이용한 보존적 치료의 일환으로 경피적 아킬레스건 절제술을 시행 받은 많은 수의 환아들에게 반복적으로 경피적 혹은 관혈적 아킬레스건 연장술을 재차 시행하는 것은 수술 흉터가 건 주위 유착을 초래하여 관절운동에 제한할 수 있다는 문제가 있다. 이러한 단점을 피하기 위해 종아리의 후내측 피부절개를 통한 Vulpius 식의 비복가자미 근막유리술(gastrocsoleus fascial release)이 아킬레스건 연장술의 대안으로 제시되고 있다.
- 아킬레스건 연장술만으로 원하는 정도의 첨족 교정이 이루어지지 않을 때는 족근관절과 거골하 관절의 후방 관절막 절개술 및 거비(talofibular) 인대와 종비(calcaneofibular) 인대의 절개술을 추가로 시행해야 한다. 이 인대들은 거골 및 종골을 tether하는 역할을 하고, 후

Table 5. **보존적 치료 후 잔존변형 및 재발변형에 대한 수술적 치료**

Deformity	Treatment (joint sparing technique)
Forefoot adduction with dynamic supination	Tendon recession of abductor hallucis Transfer of tibialis anterior tendon (split or total) Cuboid decancellation Combined closing wedge cuboid and opening wedge medial cuneiform osteotomy
Hindfoot (calcaneus) varus	Intramuscular or Z lengthening of tibialis posterior tendon
	Medial opening wedge calcaneal osteotomy (Kumar)
	Lateral closing wedge calcaneal osteotomy (Dwyer)
	Lateral displacement calcaneal osteotomy (Mitchell)
Equinus deformity	Percutaneous Achilles tenotomy
	Gastrocsoleus fascial release (Vulpius)
	Open Achilles tendon lengthening
	Posterior ankle capsulotomy
Cavus deformity	Plantar fascia release
	Plantar opening or dorsal closing wedge osteotomy of medial cuneiform or 1st metatarsal bone
	Mid-foot osteotomy
Calcaneus deformity (overlength of the Achilles tendon)	Shortening of the Achilles tendon, possibly also lengthening of the foot extensor
Internal rotation of the lower leg	Supramalleolar tibial derotation osteotomy
Resistant or neglected case	Extensive posteromedial release
	Ilizarov instrumentation ±selective soft tissue surgery

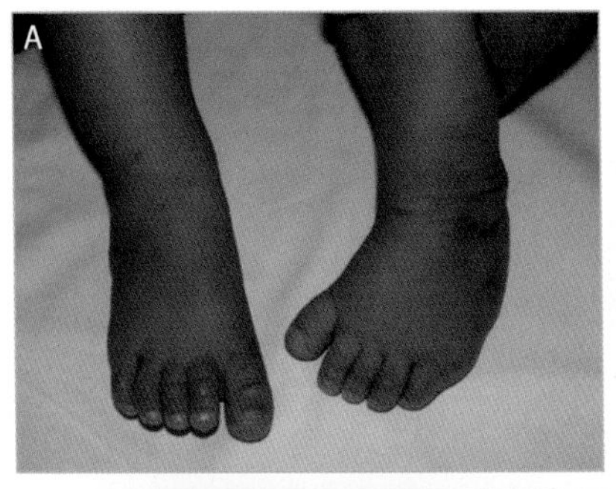

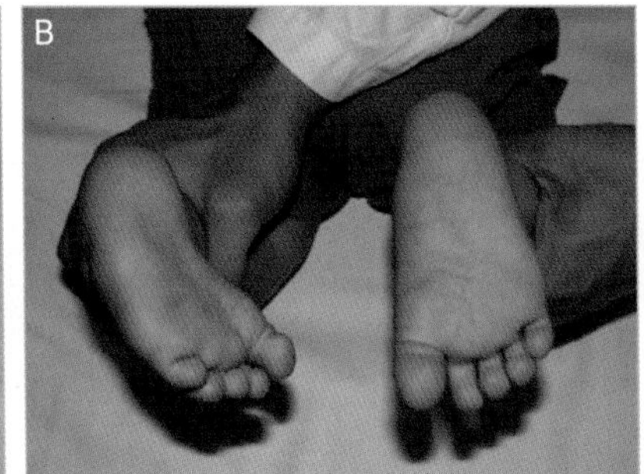

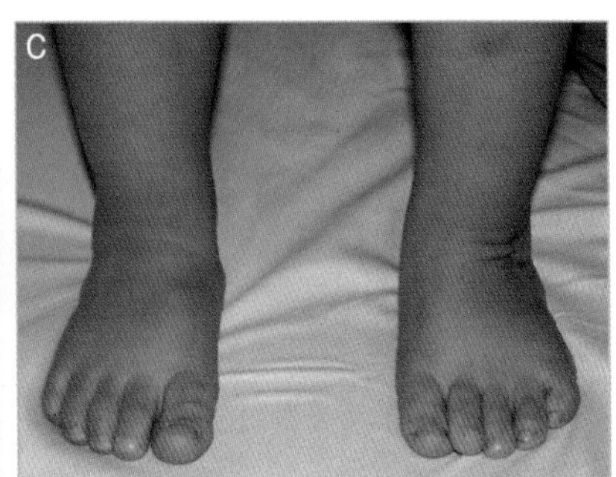

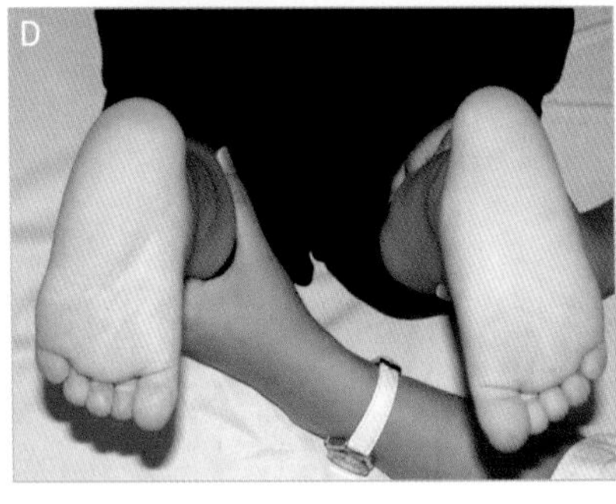

Fig 9. A,B: Ponseti 방법을 이용한 보존적 치료 후 교정을 얻었던 2세 남아에서 후족부의 첨족 및 내반 변형이 재발하였다. C,D: 'a la carte 접근법'에 의한 선택적 연부조직 유리술(selective soft tissue release)로 변형을 교정하였다.

거비인대(posterior talofibular ligament)는 족부의 정상적인 배부 굴곡을 저해한다. Attenborough (1966)는 거골이 첨족 위치에서 정상 위치로 돌아오려면 비골의 가동성이 중요하다고 하였다. 만약 비골의 후방 및 외측연에 붙어 있는 구조물들이 단축되어 있으면, 비골의 정상 운동 범위와 거골의 배부 굴곡을 얻기 어려우므로 이들을 유리시켜야 한다.

- 거골체의 dome이 납작해지는 flat-top talus가 흔히 발견되는데 도수조작 시 무리한 족배굴곡 때문이기보다는 선천적인 거골 변형일 가능성이 높다. 이러한 골 변형은 연부조직 수술로 첨족변형을 교정하는 데에 한계가 있다는 점을 시사한다.

3) 전족부의 동적 회외전 변형(dynamic supination of the forefoot)에 대한 수술적 치료

- 많은 선천성 만곡족 환자에서 전경골근과 비골근의 근육 불균형으로 전경골근에 의한 회외력(supinating power)이 상대적으로 과도하게 발생한다. 대개 보행기 이후에 확인할 수 있는데 보행 중 유각기(swing phase)에 전족부의 내반과 회외전이 관찰되고 능동적 족배굴곡 시 전경골근의 우세하여 전족부가 회외전된다.
- 전경골근 건의 외측 이전술로 교정한다Fig 10. 건 이전술 전에 Ponseti 방법으로 잔존하는 전족부와 후족부 변형을 교정하는 것이 바람직하다.
- 전경골근을 분리하여 입방골 또는 단비골근 건으로 이전하거나, 전경골근 전체를 외측 설상골(lateral cuneiform)로 이전한다. 후자의 경우에는 외측 설상골이 충분히 골화되는 3세 이후에 시행하여야 한다.

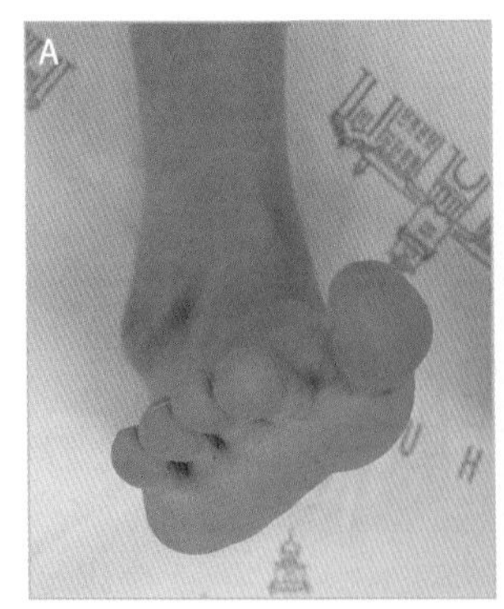

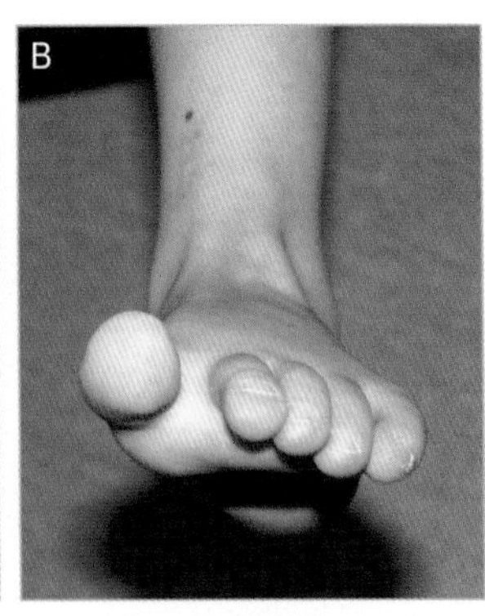

Fig 10. A: 전경골근의 과활동성에 의한 근육 불균형에 의해 발생한 전족부의 역동성 회외 변형으로, B: 전경골건 건의 분리 이전술(split transfer of tibialis anterior tendon) 후 회외변형이 해소되어 중립위로의 배부굴곡이 가능해졌다.

4) 전족부 내전 변형(forefoot adduction deformity)에 대한 수술적 치료

- 수동적으로 교정이 가능한 경우 석고 교정으로 호전을 기대할 수 있으나 교정이 되지 않을 때 수술적 치료를 고려한다.
- 골성 변형이 고착되어 있는 4세 이후에는 외측주를 단축시키는 입방골의 해면골 절제술(cuboid decancellation) 또는 폐쇄성 쐐기절골술과 함께 내측 설상골 개방성 쐐기 절골술을 시행하는 이중 절골술(double level osteotomy)로 교정할 수 있다Fig 11.

5) 후족부 내반 변형(hindfoot varus deformity)에 대한 수술적 치료

- 수동적으로 중립위로 교정 가능한 유연성 내반 변형은 비후된 후경골근의 근막 연장술(aponeurotic lengthening)이나 Z-성형술을 시행한다.
- 골성 변형이 고착되어 있는 경우에는 종골에 대한 내측 개방성 쐐기형 절골술(medial opening wedge osteotomy), 외측 폐쇄성 쐐기형 절골술(lateral closing wedge osteotomy) 또는 외측 이전 절골술(lateral displacement osteotomy) 등으로 교정한다.
- 전족부 내전 변형과 동반된 경우가 많고 그런 경우에는 입방골, 내측 설상골, 종골에 대한 삼중 절골술(triple osteotomy)로 동시에 시행한다.

6) 내족지 보행(intoeing gait)에 대한 수술적 치료

- 전족부 동적 회외전 변형이나 전족부 내전증으로 인한 경우가 대부분이나 대퇴골 전염(femoral antetversion)이나 경골 내염전(tibial internal torsion)에 의해서도 발생할 수 있다.
- 내족지 보행을 초래하는 심한 경골 내염전은 원위 경골 과상부에서 외회전 절골술을 시행하는 것이 일반적인 치료법이다.

7) 요족 변형(cavus deformity)

- 요족 변형 요소는 만곡족 변형 성분 중 하나로 Ponseti 치료 시 이에 대한 충분한 교정을 하지 않으면 잔존 변형으로 남을 수도 있고, 교정 후 재발할 수도 있다.
- 팽팽한 족저 근막(tight plantar fascia), 과활동성 전경골근건이나 주상골의 배부 아탈구(dorsal subluxation of navicular)에 의해 나타나게 된다.
- 나이가 어릴수록 변형이 유연하여 족저 근막 유리술과 석고 고정으로 변형이 해소되는 경우가 많으나 나이가 들어 골성 변형이 고착된 상태에서는 족부의 첫 번째 열(first ray) 혹은 중족부에 대한 절골술이 필요하다.

8) 광범위 연부조직 유리술

- Derosa (1983), Turco (1979) 등은 거골하 관절을 후내측에서 유리하기 위해 아킬레스건, 족지 굴근건 및 후

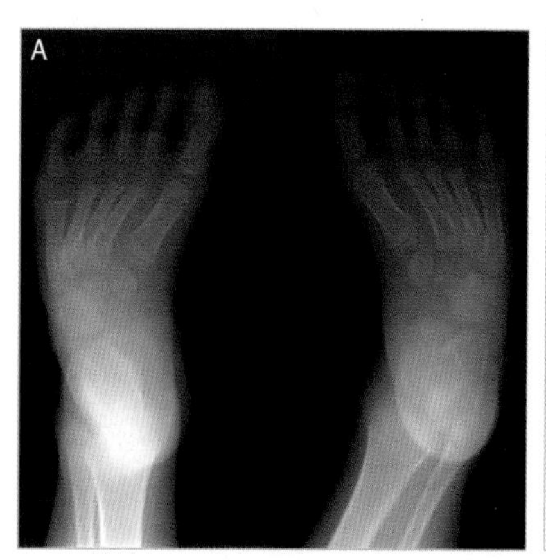

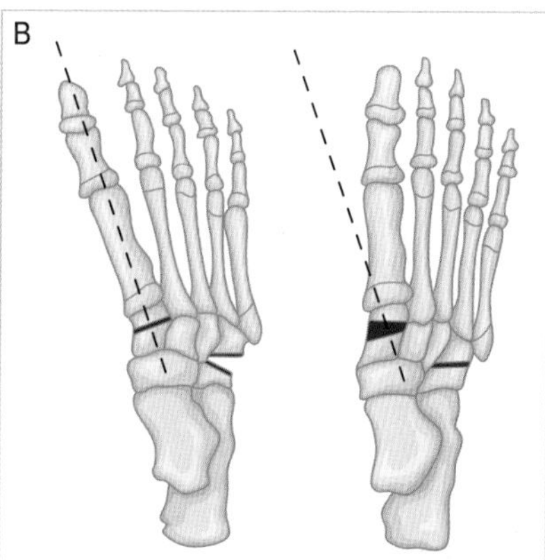

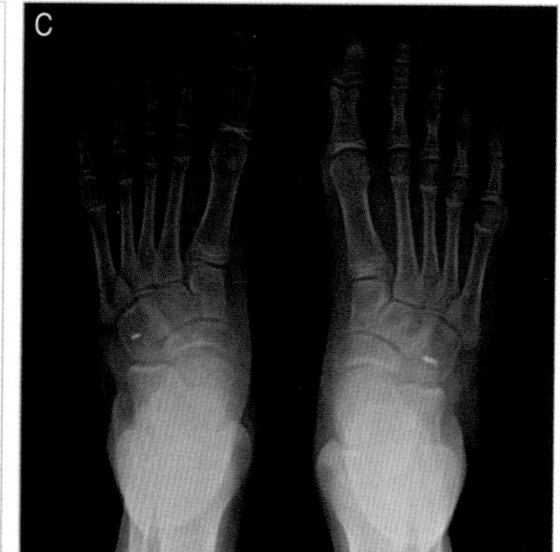

Fig 11. A: 전족부 내전 변형이 고착되어 수동적 교정이 어려웠던 5세 남아. B: 내측 설상골 개방성 쐐기형 절골술(opening wedge osteotomy of medial cuneiform)과 전경골근 건의 외측 분리 이전술을 시행하였다. C: 7년 추시 후 잘 교정된 방사선 검사 소견.

경골근건을 연장하고 종비 인대, 종주상 스프링 인대, 거주상 관절막을 유리하고 거주상 관절(talonavicular joint)을 정복한 후 거주상 관절을 통과하는 한 개의 K 강선으로 정복을 유지하는 후내측 유리술을 제시하여 당시에는 표준적인 수술 방법으로 사용되었었다.

- McKay (1982, 1983a, b)와 Simons (1985 a, b) 등은 Cincinnati incision을 이용한 더 광범위한 후내외측 유리술(posteromediolateral release, PMLR)을 주장하였다. 이는 모든 후족부 및 중족부 관절을 포함한 대부분의 거골 주위의 조직을 유리하여 종골이 수평면상 거골하 회전되어 있는 것을 교정하는 것으로 90년대에 널리 사용되었었다.
- 그러나 광범위 연부조직 유리술을 시행한 환자의 장기 추시 결과 발목 및 거골하 관절의 강직, 관절염, 근 위약, 통증, 잔존 변형 등이 있을 수 있으며 그 합병증의 정도가 Ponseti 방법을 이용한 보존적 치료를 시행 받은 경우보다 심한 것으로 보고되었다(Dobbs 2006). Ponseti 방법이 보급되면서 광범위 연부조직 유리술은 극히 제한적으로만 사용되고 있다.

9) Ilizarov 방법을 이용한 심하게 구축된 변형의 교정

- 골 및 연부조직을 신연하는 Ilizarov 방법은 구축이 매우 심한, 간과되었거나 재발한 만곡족 또는 증후군 관련 만곡족(syndromic clubfoot)에서 유용하게 사용될 수 있다(Choi 2001)Fig 12.
- Ilizarov 외고정장치는 강력한 교정력을 제공하는데 골막이나 인대와 같은 연부조직이 너무 심하게 구축되어 있으면 골단판 분리 현상이 발생할 위험도 있으므로 필요한 연부조직을 적절하게 절개하고 교정하는 것이 바람직하다.
- 필요에 따라서 다발성 절골술 또는 환형 절골술(crescentic osteotomy)을 시행하고 급성 교정 또는 신연골형성술을 통해서 변형을 교정할 수도 있다.
- 교정이 완료되면 Ilizarov 외고정장치를 장착한 채로 또는 석고 고정 상태로 2-4개월간 교정 상태를 유지하여야 재발을 막을 수 있다.
- Ilizarov 방법은 다른 치료 방법으로는 해결이 불가능한 심한 구축을 보이는 만곡족을 상당한 양의 골 절제 없이 치료할 수 있는 거의 유일한 방법으로서 매우 유용한 도구이지만 치료 기간이 길고 물리 치료 및 정신적인 문제에 있어서 해결해야 할 문제가 적지 않음에 유의해야 한다.

10) 삼중 관절고정술(triple arthrodesis)

- 다른 모든 방법으로 적절한 변형 교정을 얻을 수 없거나 족근골간 관절의 퇴행성 변화로 통증이 발생한 경우 마지막 구제술로 시도할 수 있는 방법이다.
- 족근골의 성장을 저해할 수 있으므로 12세 이후에 시행하는 것이 바람직하다.
- 변형 교정력이 뛰어나서 심한 변형을 충분히 만족스럽

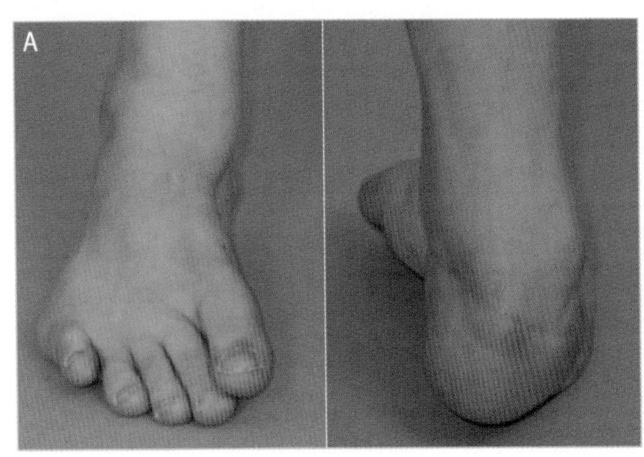

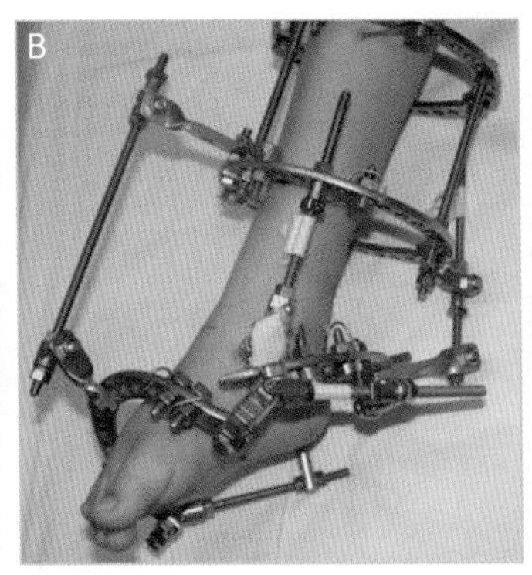

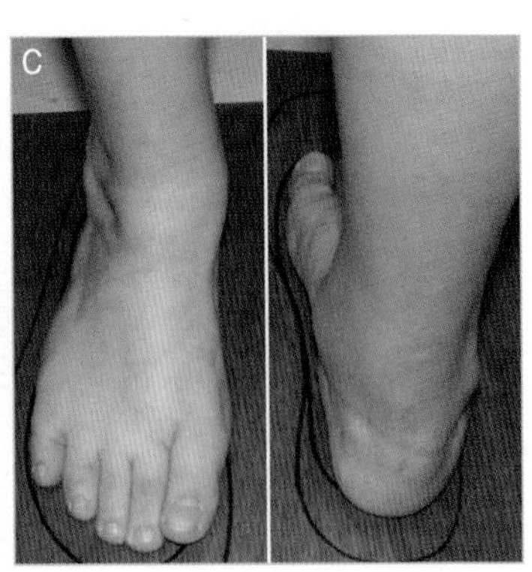

Fig 12. A: 6세 여아로 1.5세에 광범위 연부조직 유리술을 받았으나 변형이 재발하였다. B: 선택적 연부조직 유리술 및 Ilizarov를 이용한 변형 교정술로 치료하였으며, C: 4년 추시 관찰 사진으로 만족스런 변형교정이 이루어졌다.

게 교정할 수 있지만 장기적으로는 접 관절의 퇴행성 변화를 유발시키기 때문에 심한 변형에서만 선택적으로 사용되어야 한다.

VI. 치료 중 또는 치료 후 발생할 수 있는 합병증

1. 호상족(rocker-bottom foot)Fig 13

- 아킬레스건의 구축이 교정되지 않은 상태에서 족배굴곡을 과도하게 하면 족근관절이 아닌 중족부에서 족배굴곡이 발생한다. 특히 인대 이완이 있는 환자에서 쉽게 발생한다.
- 영아의 족부는 피하지방 등으로 족근골의 정렬을 신체검사로 정확하게 평가하기 어렵다. 따라서, Ponseti 치료 중 족배굴곡 상태에서 족부족근관절 측면 방사선 검사를 시행하여 후족부가 적절하게 배굴곡 되는지를 확인하는 것이 바람직하다.
- Ponseti 방법으로 치료 중에 발생하면 치료를 중단하고 수동적 전족부 족저굴곡 운동을 시켜서 중족부를 정복한 후 다시 치료 과정을 시작한다.
- 변형이 고착되어 있는 경우에는 아킬레스건 연장술, 거주 관절 및 종입방 관절 정복, spring 인대 및 족저 인대 재건술 등을 고려한다.

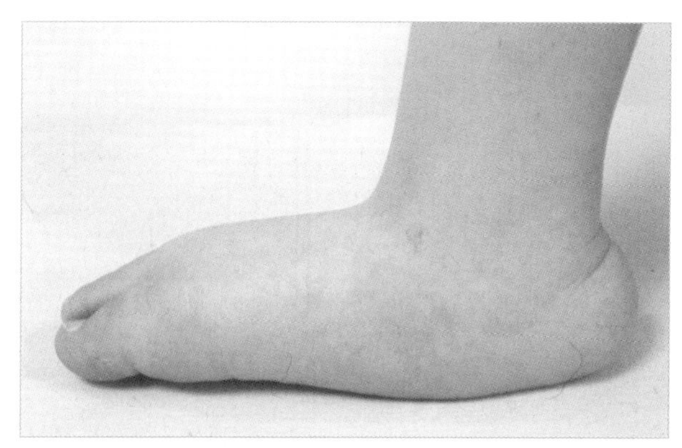

Fig 13. **호상족(rocker bottom foot).**
아킬레스건의 구축이 있고 관절 유연성이 있는 경우 과도한 족근관절 배부굴곡 시도는 족근관절이 아닌 족부에서의 전족부 배측 굴곡을 유발시킨다. 이로 인해 발바닥이 볼록하게 융기된 호상족 변형이 초래될 수 있다.

2. 두상족(bean-shaped foot)(Swann 1969)

- 변형이 심하거나 잘못된 도수 조작으로 발생할 수 있다. 예컨대 Ponseti 치료 과정에서 전족부를 회외하지 않고 회내하여 내측의 중족 관절(midtarsal joint)이 벌어지지 않은 상태에서 외전 조작을 가하면 전족부에 대한 외전력이 종골에 전달되어 종골이 외회전하고 비골은 후방으로 끌려간다. 마치 중족부와 후족부의 변형이 교정된 것으로 보이나 실제로 교정된 것은 없다.
- 대개 4-11세의 나이에 변형이 임상적으로 현저해지는데 이 시기는 연부 조직 수술만으로는 부족하고 삼중 고정술을 시행하기에는 어리다. Dillwyn-Evans 술식, 내측 설상골의 열린 쐐기형 절골술 및 외측 입방골의 닫힌 쐐기형 절골술(McHale 1991), 족골에 대한 환형 절골술(midtarsal circular osteotomy) 등을 고려할 수 있다.

3. 거골 상부의 편평화(flat-top talus)Fig 14

- 보존적 치료 과정 중 아킬레스건이 늘어나지 못하는데 과도한 족배굴곡을 시행하여 거골의 골연골 골절 또는 무혈성 괴사의 가능성이 있다.
- 본격적인 족배굴곡을 하기 전에 시행한 족근관절 관절조영술에서 거골 연골원기 상부의 편평화가 관찰되기도하기 때문에 선천적으로 거골 연골원기 자체의 변형일 수도 있다.
- 전족부 내반이 있는 경우 족부 측면 방사선 사진 촬영시 전족부 기준으로 측면 촬영을 하면 후족부에서는 전외방에서 후내방으로 비스듬하게 찍히게 되므로 거골 상부 dome의 측면 영상이 제대로 보이지 않고 편평하게 보이는 위양성(false-positive)이 있을 수도 있다(Dunn 1974).
- 이로 인한 첨족변형으로 기능적 제한이 크면 경골 상과 신전 절골술(supramalleolar extension osteotomy)을 고려할 수 있다.

4. 거골/주상골의 무혈성 괴사(avascular necrosis of talus/navicular)

- 광범위 연부조직 유리술은 족근동(sinus tarsi) 주위 연부 조직의 과도한 손상, 거종 골간 인대의 완전 절단이

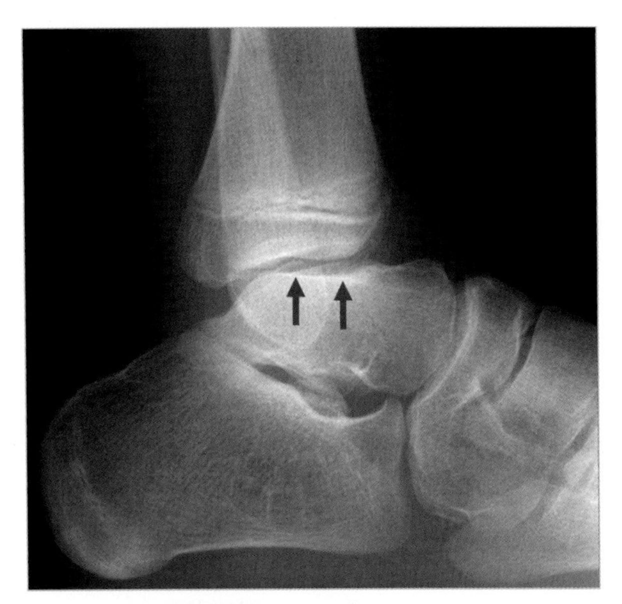

Fig 14. **거골 상부의 편평화(flat-top talus).**

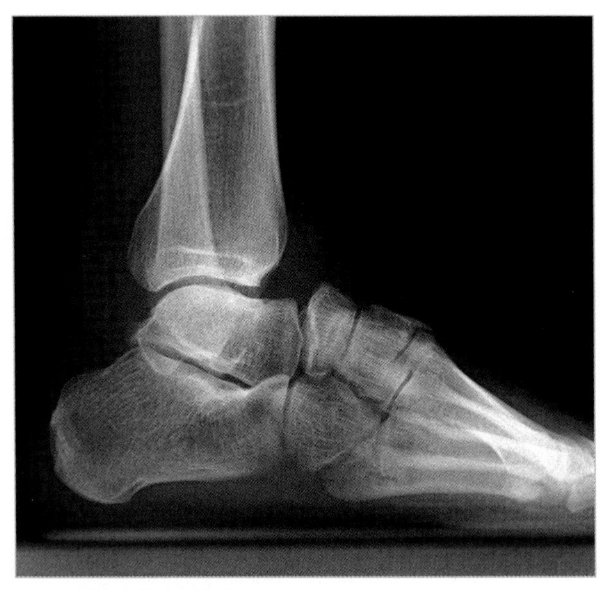

Fig 15. **주상골의 배부 회전성 아탈구.**

나 주상골-내측 설상골 관절막을 과도하게 유리했을 때 발생할 수 있다.

- 무혈성 괴사된 주상골은 대개 재골화되며 기능적 장애를 일으키는 경우는 드물다. 증상 호전을 위해서 슬개건 지지 보조기(patellar tendon bearing orthosis)를 착용시키거나 관절 고정술이나 거골 절제술을 시행할 수 있다.

5. 주상골의 배부 회전성 아탈구(dorsal rotatory subluxation of the navicula; 쐐기형 주상골)Fig 15

- 광범위 연부조직 유리술 시행 시 불충분한 족저부 유리로 인한 잔존 요족(cavus) 변형, 거주(talonavicular) 관절막의 과도한 유리, 경골-주상골 인대 및 거주 관절막 배외측을 유리하지 못한 경우와 거주 관절의 외회전 정렬 등으로 인하여 발생한다.
- 주상골의 내측은 상방으로 회전 전위되고 외측은 거주 인대, 주상-설상골 인대 및 입방-주상골 인대에 의해 붙들려 있다. 족부는 요내반(cavovarus) 변형을 보인다.
- 약 6세까지는 내측 및 족저부 연부 조직 유리 후 거주 관절 정복술을 시도할 수 있으며 그 외 내측주(medial column) 연장술 및 외측주(lateral column) 단축술이나 재발성인 경우 거주 관절고정술을 시행한다.

6. 과교정(overcorrection)

- 초기 변형이 과도하게 교정된 경우, 편평 외반변형(plano-valgus deformity)이 초래될 수 있는데 거골하관절에서 정복이 가능할 정도로 유연한 상태이면 종골 연장술(calcaneal lengthening)의 적응증이 되나, 정복이 힘든 경우에는 종골의 내측 전이 절골술(medial translational osteotomy) 또는 거골하 관절을 통한 내측 폐쇄성 쐐기형 절골술이나 외측 개방성 쐐기형 거골하 관절 고정술을 시행할 수 있다.
- 경골 원위부에서의 외반 변형이 동반되어 있다면 골단판 내측의 반골단판 유합술(hemiepiphysiodesis)을 시행한다.
- 아킬레스건의 과도한 연장에 따른 종골 변형(calcaneal deformity)은 족배부의 연부조직 유리술과 아킬레스건의 단축술(imbrications)이나 고정술(tenodesis)을 시행할 수 있다.

7. 배부 건막류(dorsal bunion)

- 강한 전경골근(tibialis anterior)과 장 무지 굴근(flexor hallucis longus), 약한 장비골근(peroneus longus)과 비복근(gastrocnemius)에 의해 발생하는 것으로 보이며 하퇴 삼두근 근력 약화가 있으면 보행 시 장, 단 족지 굴근들이 발가락 들기(push off) 기능을 수행하기 위해 보상성 과도 수축을 하게 된다. 이때 장비골근이 수술 중 절단되었거나 반흔 조직에 의해 기능하지 못하면 전경골근의 작용에 의해 내측 설상골-제1종족골관절이 신전된다. 장, 단 족지 굴근의 수축에 의해 제1중족지절 관절(metatarsophalangeal joint)은 굴곡된다.
- 장 족무지 굴근을 이용한 역 Jones 술식이 효과적인 수술로 알려져 있으나, 족근-중족 관절이 굳은 변형(stiff tarsometatarsal joint)에서는 제1중족골 기저부에서의 굴곡 절골술(plantar flexion osteotomy)이 필요하다.

참고문헌

Bill PL, Versfeld GA. Congenital clubfoot: an electromyographic study. J Pediatr Orthop. 1982;2:139.

Carroll NC, McMurtry R, Leete SF. The pathoanatomy of congenital clubfoot. OCNA. 1978;9:225.

Choi IH, Yang MS, Chung C, et al. The treatment of recurrent arthrogrypotic club foot in children by the Ilizarov method. A preliminary report. J Bone Joint Surg Br. 2001;83:731.

Cowell HR, Wein BK. Genetic aspect of clubfoot. J Bone Joint Surg Am.1980;62:1381.

Dimeglio A, Bensahel, H Souchet P, et al. Classification of clubfoot. J Pediatr Orthop. 1996; 4:129.

Dimeglio A, Bonnet F, Mazeau P, et al. Orthopaedic treatment and passive motion machine: Consequences for the surgical treatment of clubfoot. J Pediatr Orthop B. 1996;5:173.

Dobbs MB, Rudzki JR, Purcell DB, et al. Factors predictive of outcome after use of the Ponseti method for treatment of idiopathic clubfeet: J Bone Joint Surg Am. 2004;86A:22.

Flynn JM, Donohoe MP.T, Mackenzie WG. An independent assessment of two clubfoot classification systems. J Pediatr Orthop. 1998;18:323.

Herzenberg JE, Carroll NC, Christofersen MR, et al. Clubfoot analysis with three-dimensional computer modeling. J Pediatr Orthop. 1988;8:257.

Katz DA, Albanese EL, Levinsohn EM, et al. Pulsed color flow doppler analysis of arterial deficiency in idiopathic clubfoot. J Pediatr Orthop. 2003;23:84.

Khan AM, Ryan MG, Gruber MM, et al. Connective tissue structures in clubfoot: a morphologic study. J Pediatr Orthop. 2001;21:708.

Kuo KN, Smith PA. Correcting residual deformity following clubfoot releases. Clin Orthop Relat Res. 2009;467:1326.

Lourenco AF, Morcuende JA. Correction of neglected idiopathic club foot by the Ponseti method. J Bone Joint Surg Br. 2007;89:378.

McHale KA, Lenhart MK. Treatment of residual clubfoot deformity - the "bean-shaped foot"- by opening wedge medial cuneiform osteotomy and closing wedge cuboid osteotomy. Clinical review and cadaver correlations. J Pediatr Orthop. 1991;11:374.

Miyagi N, Iisaka H, Yasuda K, et al. Onset of ossification of the tarsal bones in congenital clubfoot. J Pediatr Orthop. 1997;17:36.

Noh H, Park SS. Predictive factors for residual equinovarus deformity following Ponseti treatment and percutaneous Achilles tenotomy for idiopathic clubfoot. Acta Orthop. 2013;84:213.

Novotny T, Eckhardt A, Knitlova J, et al. Increased Microvessel and Arteriole Density in the Contracted Side of the Relapsed Clubfoot. J Pediatr Orthop 2020;40:592-596.

Park SS, Jung BS, Kim SW, et al. Selective soft tissue release for recurrent or residual deformity after conservative treatment of idiopathic clubfoot. Journal of Bone & Joint Surgery. 2009;91:11.

Park SS, Lee HS, Han SH, et al. Gastrocsoleus facial release for correction of equinus deformity in residual or relapsed clubfoot. Foot Ankle Int. 2012;33:1075

Ponseti IV. Treatment of congenital clubfoot. J Bone Joint Surg Am. 1992;74:448.

Simons GW, Sarrafian S. The microsurgical dissection of a stillborn fetal clubfoot. Clin Orthop Relat Res. 1983;173:275.

Simons GW. A standardized method for radiographic evaluation of clubfoot. Clin Orthop Relat Res. 1978;135:107.

Tarraf YN, Carroll NC. Analysis of the components of residual deformity in clubfeet presenting for reoperation. J Pediatr Orthop. 1992;12:207.

Thompson GH, Hoyen HA, Barthel T. Tibialis anterior tendon transfer after clubfoot surgery. Clin Orthop Relat Res. 2009;467:1306.

22

기타 족부 질환

Other Foot Disorders

기타 족부 질환

Other Foot Disorders

I. 족부 변형의 평가

족부 변형을 적절히 치료하기 위해서는 족부 변형의 정확한 평가가 중요하다. 족부는 많은 관절로 이루어져 있고, 각 관절의 운동은 연관이 되어 있고 3차원 운동을 한다. 그래서, 족부의 변형은 정확한 평가를 하려면, 시상면, 관상면, 횡단면에서 관절의 운동과 변형에 대한 용어를 이해하는 것이 중요하다. 변형 교정의 기본 용어에 대해서는 4장 변형 교정의 원리를 참고한다.

1. 족부 관절운동과 변형의 용어

1) 첨족(equinus)

족근관절의 족배굴곡(dorsiflexion)이 제한되는 변형이다. 이에 반해서 까치발(tip-toeing)은 후족부가 지면에 닿지 않고 걷는 동적인 상태를 지칭하며 반드시 첨족과 일치하지는 않는다.

2) 내번(inversion)과 외번(eversion)

운동을 지칭하는 용어로 내번(inversion)은 족근관절과 족부가 관상면에서 내측으로 회전하는 동작을 뜻한다. 족근관절(ankle joint)은 정상 상태에서는 관상면의 운동이 없으므로 거골하 관절에서 일어나게 된다. 외번도 마찬가지로 관상면에서 거골하 관절이 외측으로 회전 운동하는 동작을 뜻한다. 내번은 정상적으로 40도 정도까지 가능하고, 외번은 좀 더 제한이 되어 20도 정도까지 가능하다. 거골하 관절은 거주상 관절 및 종입방 관절과 이어져 있기 때문에, 내번이나 외번이 단독으로 발생하지는 않는다. 내번을 하면 중족부의 족저굴곡, 전족부의 내전이 같이 일어나게 된다. 외번의 경우도 중족부의 족배굴곡, 전족부의 외전이 같이 일어난다.

3) 후족부 내반(hind foot varus)과 후족부 외반(hind foot valgus)

변형을 지칭하는 용어이다. 변형의 중심축(center of rotation of angulation, CORA)은 족근관절(ankle joint), 거골, 거골하 관절 그리고 종골 등 다양하게 있다. 족근관절에 CORA가 있을 경우는 족근관절 내반과 외반이라고 한다.

4) 족부의 회내(pronation)와 회외(supination)

운동과 변형을 모두 지칭하는 용어이므로, 운동과 변형을 나누어 이해해야 한다. 먼저 회내 운동은 전족부/중족부가 관상면에서 내측 회전을 하는 것을 뜻하며 후족부의 운동인 내번(inversion)과 혼용해서 쓰이기도 한다. 회외 운동도 외번과 혼용해서 쓰인다. 내번과 외번은 후족부의 운동을 지칭하는 것인 반면, 회내와 회외 운동은 전족부/중족부의 운동을 기술하는 것이다.

변형을 의미할 때, 회내 변형은 후족부를 기준으로 중족부/전족부가 관상면 상에서 내측으로 회전되어 있는 변형을 말한다. 따라서, 후족부가 내반되어 있어도 관상면 상에서 전족부/중족부가 후족부보다 덜 내측 회전되어 있으면 전족부/중족부는 회외 변형되어 있는 것이다. 예를 들어 편평외반족(planovalgus)에서 전족부는 후족부에 대해서는 회외 변형되어 있으며, 선천성 만곡족에서는 후족부가 내반(hindfoot varus)되어 있지만 중족부는 후족부에 대해서 회내 변형되어 있다.

5) 편평족(planus)과 요족(cavus)

변형을 지칭하는 용어로 중족골이 시상면 상에서 신전 또는 굴곡 변형되어 있는 것을 지칭한다. 편평족은 거주상 관절(talonavicular joint)의 족배굴곡 변형에 의한 경우가 가장 많다. 편평족은 후족부 외반을 동반하므로 흔히 편평외반족(planovalgus)이라 하고, 발바닥이 편평하다고 해서 평발(flat foot)이라고 한다.

요족은 거주상 관절의 족저굴곡 변형, 쐐기골의 변형, 제1중족골의 첨족(1st metatarsal equinus) 등 다양한 원인으로 발생하기 때문에 CORA의 확인이 중요하다.

6) 전족부 내전(adduction)과 외전(abduction)

변형을 지칭하는 용어로 횡단면에서 중족부를 기준으로 전족부가 내회전되어 있으면 전족부 내전(forefoot adduction), 외회전되어 있으면 전족부 외전(forefoot abduction)이라고 한다.

7) 무지 외반(hallux valgus)

무지 외반은 제1중족-족지 관절의 외반 변형을 뜻한다. 대부분, 제1중족 내전(1st metatarsal adduction/varus)과 동반한다. 지간 무지 외반(hallux valgus interphalangeus)은 지간에서 외반이 발생한 경우이다.

2. 방사선 검사에서 족부 변형의 측정

족부 변형의 대부분은 회전 변형(rotational deformity)으로 방사선 검사 상 근위와 원위 분절의 장축 사이의 각도로 평가하게 된다. 족부의 변형을 측정할 때 고려할 사항으로는, 첫째, 족부는 기립이나 보행을 할 때 주 기능을 하기 때문에 기립 영상(standing image)에서 평가해야 한다는 것이다. 기본이 되는 영상은 기립 족부 전후면(standing foot AP)과 기립 족부 및 족근관절 측방(standing foot and ankle lateral) 영상이다. 둘째, 각도를 측정할 때는 분절의 장축이 명확할수록 측정이 정확해진다. 예를 들어 중족골의 경우 길이가 상대적으로 길어 장축을 정의하기 쉬운 반면 주상골의 경우 장축을 정의하기가 쉽지 않다.

1) 첨족(equinus)

족근관절의 족배굴곡이 제한되는 변형이며 중족부 특히 거주상 관절의 족저굴곡(plantar flexion) 변형과는 구분하여야 한다. 이학적 검사에서는 중족부 잠긴 상태 혹은 중립위 상태에서 족근관절의 족배굴곡 제한을 확인하여야 한다. 방사선 검사에서는 기립 족부 및 족근관절 측방(standing foot and ankle lateral) 영상에서 경골의 장축과 거골의 장축이 이루는 각, 즉 경골-거골각(tibio-talar angle)으로 평가한다. 편평외반족 중에는 까치발이 없더라도 족근관절에서 경골-거골각이 증가되어 있다Fig 1A.

2) 후족부 내반 및 외반

후족부 관상면 변형의 직접적인 측정은 쉽지 않다. 기립 종골 축성(standing calcaneal axial) 영상에서 경골의 장축과 종골의 장축이 이루는 경골-종골각(tibio-calcaneal angle)을 측정할 수 있으나, 영상이 왜곡되기 쉬워 신뢰성이 떨어진다. 앙와위(supine position)에서 촬영하는 CT 등의 영상검사의 경우 기립 상태가 아니므로 변형을 측정할 때 적합하지 않다.

족부의 변형은 후족부 관상면의 변형이 족부 시상면 및 횡단면의 변형과 상관 관계가 높기 때문에, 전후방 거골-제1중족각(AP talo-1st metatarsal angle)과 측방 거골-제1중족각(AP talo-1st metatarsal angle)을 대리 지표로 쓴다.

3) 편평족(planus)과 요족(cavus)

시상면의 변형이므로 측방 거골-제1중족각을 이용하여 측정한다Fig 1A, B, Fig 2. 상대적으로 골편의 길이가 긴 거골의 장축과 제1중족골의 장축의 각도이므로 측정이 용이하다. 골화가 빨리 일어나는 골이므로 어린 나이에도 측정

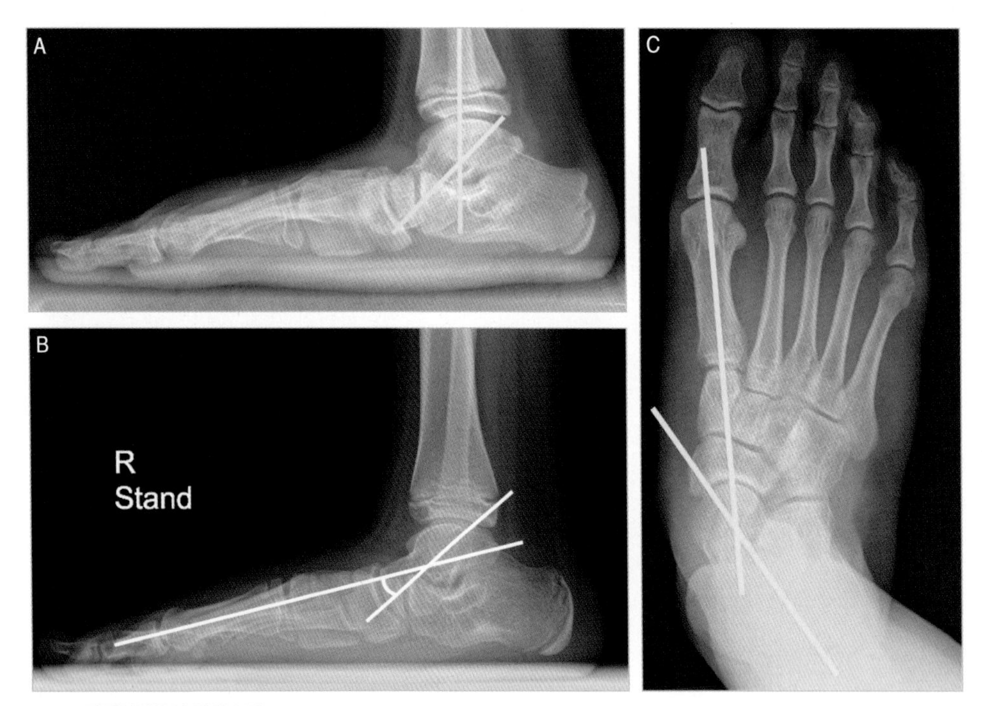

Fig 1. **편평외반족의 영상소견.**
기립 족부 및 족근관절 측방(standing foot and ankle lateral) 방사선 검사에서 경골-거골각(tibio-talar angle)이 감소되어 있고(A), 거골-제1중족골각이 족저측 각형성되어 있다(B). 기립 족부 전후방(standing foot AP view) 방사선 검사에서 거골-제1중족각(AP talo-1st MT angle)이 외측으로 증가되어 있다(C).

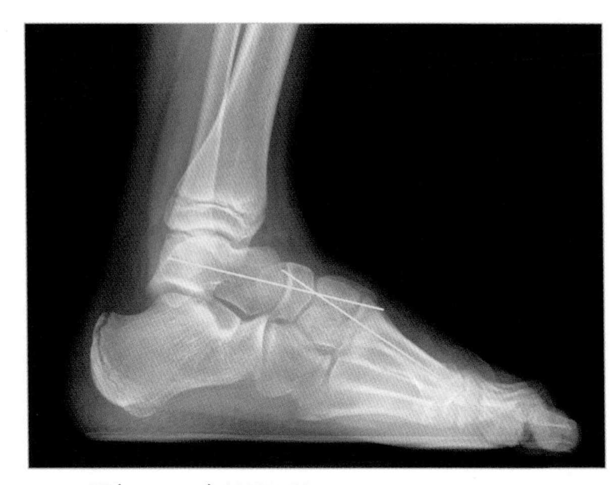

Fig 2. **요족(pes cavus)의 영상소견.**
기립 족부 및 족근관절 측방(standing foot and ankle lateral) 방사선 검사에서 거골-제1중족골각이 족배측 각형성되어 있다.

이 가능하다. Calcaneal pitch로 편평족의 정도를 측정하기도 하였지만, 해당 방법은 족부의 변형을 잘 반영하지 못하는 단점이 있다.

4) 전족부 내전(adduction)과 외전(abduction)

관상면의 변형이므로 전후방 거골-제1중족각을 이용하여 측정한다Fig 1C. 측방 거골-제1중족각과 마찬가지로 상대적으로 골편의 길이가 긴 거골의 장축과 제1중족골의 장축의 각도이므로 측정이 용이하고 거골은 빨리 골화되기 때문에 어린 나이에서도 측정할 수 있다는 장점이 있다. 그러나, 이 측정값은 후족부(거골)와 전족부(중족골)의 관계를 나타내고 있어서, 중족부의 변형이 없다는 가정 하에 의미가 있다. 전후방 거골-제1중족각은 편평외반족에서 심한 정도에 따라 증가를 한다Fig 1C. 그러나, 심한 편평외반족에서도 전족부 내전이 같이 있는 사형족(skew foot)과 무지 외반을 동반하는 경우에는 정상 범위일 수 있다Fig 3A. 사형족의 경우, 중족부 외전과 전족부 내전이 함께 있으므로, 중족부 변형에 대한 측정이 추가로 필요하다. 실제로 거주상 관절의 아탈구가 있는지 확인하고, 주상골이 거골 관절면을 어느 정도 피복해 있는지 거골-주상골 피복각(talo-navicular coverage angle)을 측정해서 보조할 수 있다Fig 3B. 무지 외반을 동반한 경우는, 제1중족 내전이 있으

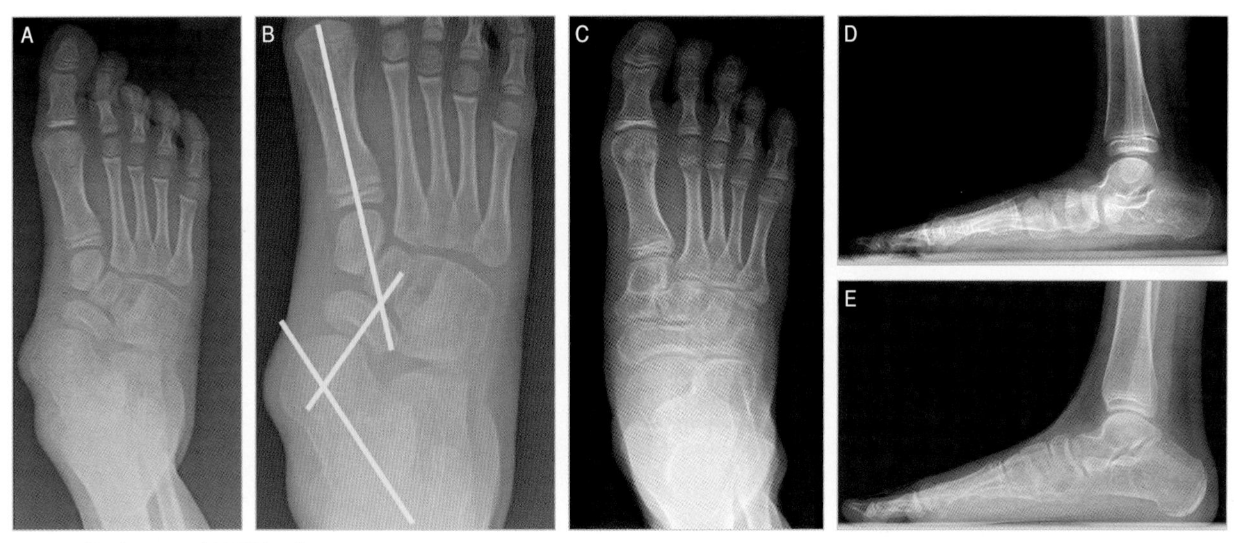

Fig 3. **사형족(skew foot)의 영상소견.**
A: 수술 전 전후방 거골축과 제1중족골은 평행에 가깝지만 축이 일치하지 않는다. B: 거골 장축, 주상골 장축, 제1중족골 장축은 CORA가 두 곳에 있는 것을 확인할 수 있다. D: 수술 전 측방 영상에서 편평족과 유사한 양상을 보인다. C,E: 종골 연장술과 중족부 이중 절골술로 변형을 교정하였다.

므로 상대적으로 중립위인 제2중족골을 원위 절편으로 이용할 수 있다. 즉, 전후방 거골-제2중족각(AP talo-2nd metatarsal angle)을 상보적으로 이용한다.

3. 족부 변형과 CORA

족부 변형에서 CORA를 이용하면 복잡한 변형을 체계적으로 이해할 수 있고, 수술 계획을 세울 수 있다. 기립 족부 전후면(standing foot AP)과 기립 족부 및 족근관절 측방(standing foot and ankle lateral) 영상을 기준으로 제1중족골의 장축, 중족부의 장축, 거골의 장축을 이용하여 족부 변형의 CORA를 확인한다. 그리고, 전족부과 중족부의 관계, 중족부과 후족부의 관계를 파악한다. CORA를 확인하면, 절골술의 적절한 위치를 결정할 수 있고, 향후 발생할 수 있는 전위(translation)를 미리 예측할 수 있다Fig 3C.

II. 중족골 내전증(metatarsus adductus)

유아기에 가장 흔하게 발견되는 선천성 족부 변형으로 전족부는 내측으로 편향되고 약간 회외(supination)되어 있다. 제1-2족지 사이가 벌어져 있는 경우가 흔하다. 1,000명 출생당 한 명의 비율로 발생하며 절반에서는 가족력이 있다. 남아와 여아가 비슷하게 이환된다.

1. 병인

정확한 병인은 미상이나 다음과 같은 주장들이 있다.

- 포장 결함(packaging defect): 근골격계의 태생기 발달은 정상이나 마지막 단계에서 자궁 내의 상대적 공간 부족 환경에서 발의 잘못된 자궁내 위치로 인한 압박에 의해 변형이 발생한다는 설
- 근육 불균형: 전경골근 부착부 이상 또는 전경골근과 후경골근 사이의 불균형
- 골관절 이상: 내측 설상골(medial cuneiform)이 사다리꼴의 형태를 취하여 제1중족골과의 관절면이 내측으로 경사진 것이 원인 또는 Lisfranc 관절의 이상

2. 임상 소견

아주 경한 내전 변형부터 심한 변형에 이르기까지 다양한 스펙트럼으로 발생한다. Tachdjian은 경한 변형을 metatarsus adductus라고 하고 심한 변형을 metatarsus varus라고 명명하기도 하였다. 발의 내측부에 깊은 피부 주름이 있으면 어떤 형태이든지 치료가 필요하다는 것을 뜻한다. 족근

관절 및 거골하 관절의 운동성은 정상이며, 흔히 동반되는 변형으로는 searching great toe, 경골 내회전 변형 등이 있다.

3. 분류

1) Bleck의 분류

두 가지 관점에서 분류하였다.

(1) 정적 변형 정도

발뒤꿈치 이분선(heel bisector line)은 정상 아동에서는 제2족지 또는 제2족지와 제3족지 사이의 물갈퀴 공간을 통과하는데, 이 선이 제3족지 또는 그보다 외측으로 통과할수록 더 심한 중족골 내전증을 의미한다Fig 4

(2) 유연성

후족부를 고정한 후 전족부를 수동적으로 외전시켜 변형을 교정할 수 있는지 여부에 따라 유연성을 평가한다. 발뒤꿈치 이분선을 지나도록 외전가능하면 유연(flexible), 중심선까지만 외전이 가능하면 부분 유연, 그리고 외전이 불가하면 강직(rigid)으로 분류한다.

2) Crawford와 Gabriel의 분류(1987)

(1) 제1형: 능동적 및 수동적으로 과교정이 가능하다.

(2) 제2형: 수동적으로만 교정 가능하다.

(3) 제3형: 수동적으로도 교정이 불가능하다.

4. 자연 경과

86-89%의 환자들이 3-4세까지 정상 또는 경도의 변형으로 자연 교정되며 잔존 변형으로 인한 장애는 적다.

5. 치료

1) 원칙

- 6개월 이전의 제1형과 제2형: 특별한 치료가 필요 없다. 6-12개월 후 자연 교정되는 것이 일반적이다.
- 6개월 이후의 제1형과 제2형, 또는 호전되지 않는 경우: 족부 내측의 깊은 피부 주름, 짧고 넓은 제1중족골 등이 있는 경우에는 보존적 요법이 실패할 가능성이 크다. 이러한 경우 외전 도수 조작 및 연속적 석고 교정이 필요할 수 있다.
- 제3형 또는 보존적 치료에 실패한 경우: 수술적 교정

2) 연속 석고붕대 교정

족부 외측단이 곧게 되고 수동적으로 과교정이 가능해질 때까지(대개 4-8주 소요), 매 1-2주마다 연속적 석고붕대를 시행한다. 그 후에는 하루에 23시간씩 straight last

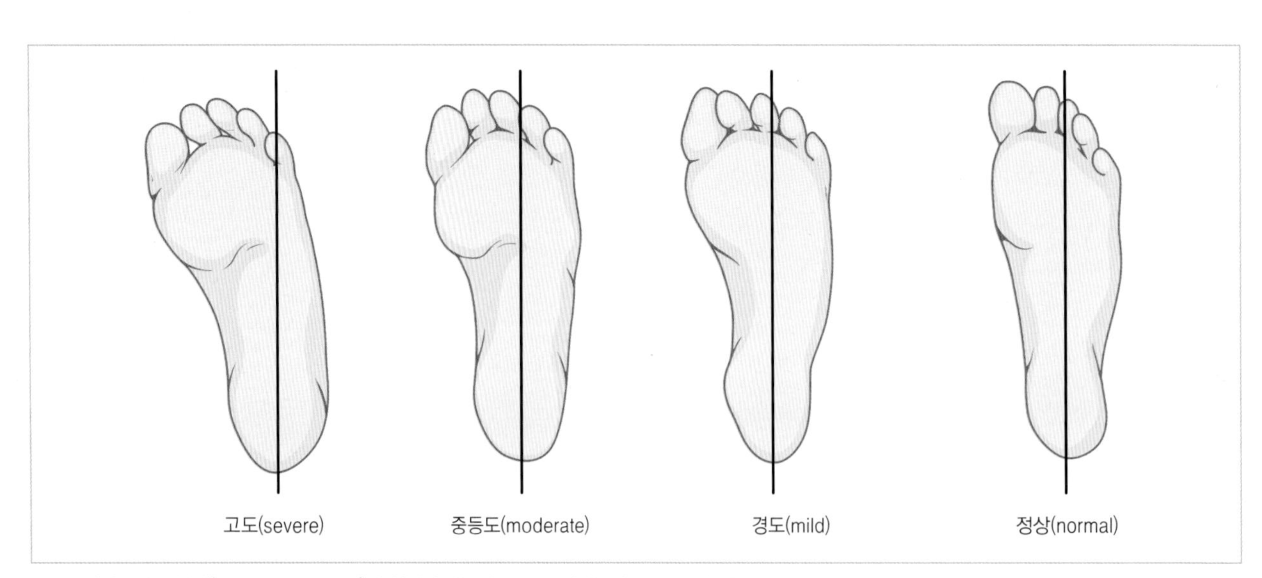

Fig 4. **발뒤꿈치 이분선(heel bisector line)의 위치에 따라서 중족골 내전증의 정도를 평가한다.**

shoes를 3개월간 착용시킨다. 교정 후 재발은 약 11-37%에 달한다고 알려져 있다.

- 과도한 교정은 의인성 후족부 외반이나 사형족(skew foot) 변형을 초래할 수 있으므로 주의하여야 하며 족근관절을 족저굴곡하여 거골하 관절을 잠근 상태(locking)에서 전족부를 외전시키거나 후족부를 의도적으로 내번한 상태에서 도수 조작을 하면 후족부 외반이 발생하는 합병증을 줄일 수 있다.
- 스트레칭이 도움이 된다는 보고도 있으나 보호자가 적절히 시행하지 못하는 경우가 많다. 교정 신발 단독 착용 또는 Denis-Browne 보조기 등이 효과 있다는 증거는 희박하다. Denis-Browne 보조기는 오히려 의인성 사형족(skew foot) 변형을 초래할 위험이 있다.

3) 수술적 치료

- 변형이 심하여 충분히 보존적 요법을 시행하여도 심한 통증, 굳은살, 신발 신기 등의 어려움이 계속되는 예외적인 경우에만 드물게 수술적 치료를 시행한다.
- 제3형 족부에서 교정 신발은 피부 자극 및 통증만 유발하므로 착용시키지 말아야 한다.
- 무지 외전근(abductor hallucis) 유리술, 내측 관절막 유리술 등의 연부 조직 수술과 중족골 기저부의 교정 절골술 등이 소개되었으나 이들 수술은 의인성 무지 외반증, Lisfranc 관절의 돌출, 제1중족골 골단판 성장정지 등의 문제가 발생할 위험이 있어 주의해야 한다.
- 3-4세 이후에 증상이 있는 심한 변형에 대해서는 제2, 3, 4중족골 기저부의 교정 절골술, 내측 설상골의 열린 쐐기형 절골술 및 입방골의 닫힌 쐐기형 절골술 등으로 치료할 수 있다 Fig 5.

중족골 내전증 환자에서의 고관절 이형성증 스크리닝

- 중족골 내전증과 발달성 고관절 이형성증의 연관성에 대해서는 전혀 동반되지 않았다는 보고(Bielski 2006)부터 10%에서 동반된다는 보고(Jacobs 1960)까지 다양한 의견이 있다.
- 중족골 내전증 환자에 대해서는 주의 깊게 고관절 이형성증에 대한 이학적 검진을 시행하여야 하며 의심스러운 소견이 있거나 고관절 이형성증의 위험 인자가 동반되어 있는 환자에서는 초음파검사를 시행하는 것이 권장된다.

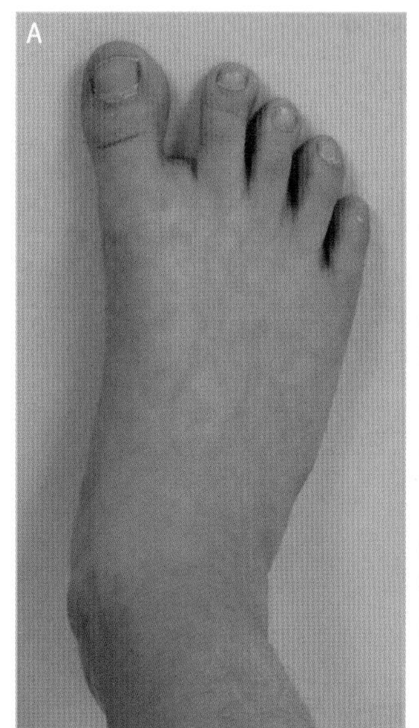

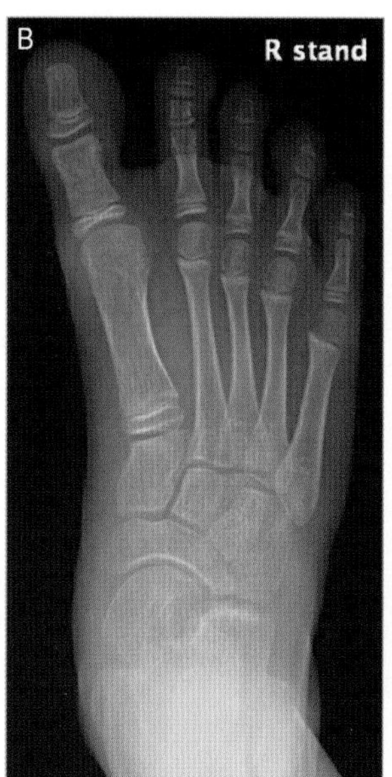

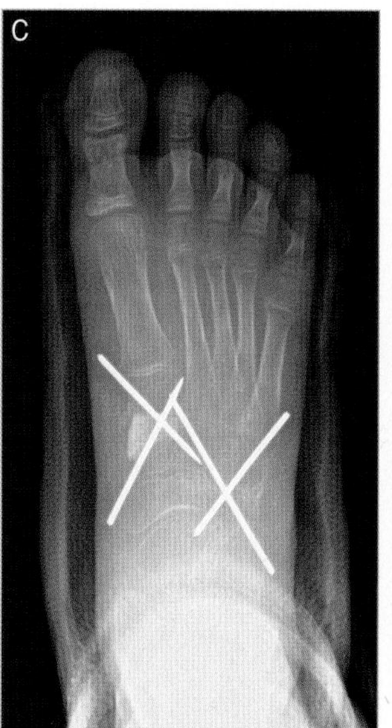

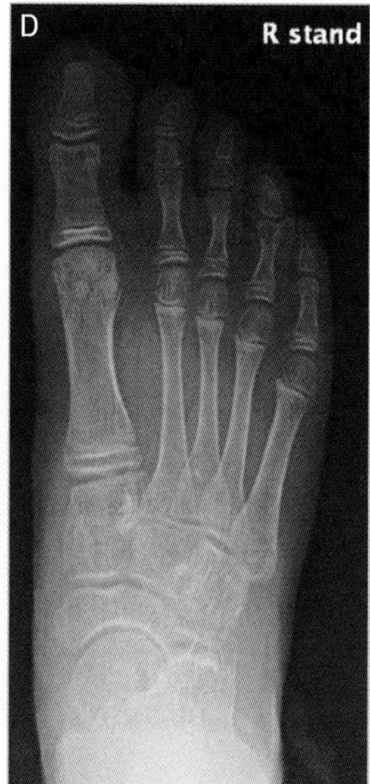

Fig 5. A,B: 12세 남아의 중족골 내전증. C: 입방골의 닫힌 쐐기형 절골술 및 동종 이식골을 이용한 내측 설상골의 열린 쐐기형 절골술을 시행하였다. D: 수술 3년 후 추시 방사선 소견.

III. 선천성 종외반족
(congenital calcaneovalgus foot)

족근관절이 과도하게 족배굴곡 및 외반되어 발등 외측이 하퇴부 전면에 맞닿아 있는 변형이다Fig 6. 약 1,000명 출생당 한 명꼴로 관찰되는 비교적 흔한 기형이며 초산인 경우가 많고 남아보다 여아에서 흔하다. 중족골 내전증처럼 포장 결함(packaging defect)의 하나로 추정하고 있다.

1. 임상 소견

- 족근관절의 심한 족배굴곡, 전족부 외반, 거골하 관절에서의 경도의 외전을 동반한다.
- 발등 외측의 연부 조직은 구축되어 있을 수도 있지만, 전형적인 변형은 유연하며 수동적으로 정상적인 모양을 취하게 할 수 있다.

2. 감별 진단

- 선천성 경골 후내만곡증(congenital posteromedial bowing of tibia)(20장 기타 하지 질환 참조)
- 선천성 수직거골: 외관상 종외반족에서는 후족부가 종족 변형을 보이나 수직거골에서는 후족부는 첨족, 전족부는 족배굴곡 되어있어 호상족(rocker-bottom foot) 변형을 보인다는 점으로 구별된다. 종외반족에서는 수동적 족저굴곡이 쉽게 되거나 약간의 저항만이 있는데 반해 수직거골에서는 매우 큰 저항이 있다.

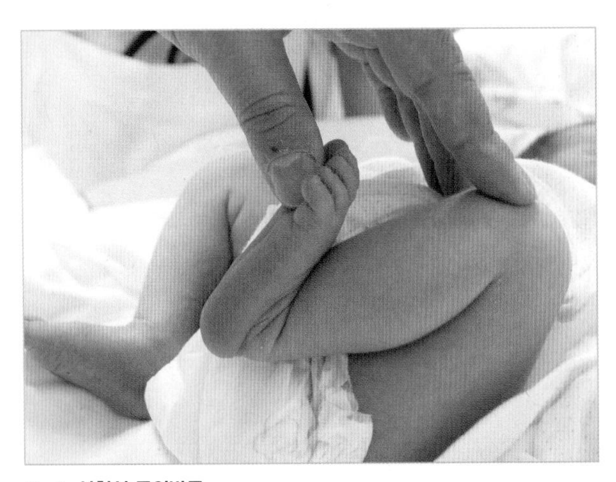

Fig 6. **선천성 종외반족.**

- 비복근(gastrocnemius) 기능이 없는 마비성 발: 근육 불균형에 의해 종족 변형이 진행한다. 척수수막류가 전형적인 예이다.

3. 치료

출생 후 자연 치유되며 간헐적 족저굴곡 운동 정도를 권한다.

IV. 선천성 수직거골
(congenital vertical talus/congenital convex pes valgus/congenital flatfoot with talonavicular dislocation/congenital rigid rockerbottom foot)

거골두는 족저 내측을 향하여 거의 수직으로 놓여 있고 주상골은 배측 및 외측으로 탈구되어 있다. 드문 변형으로 절반에서는 다른 질병들과 병발한다Table 1. 약 50% 정도에서 양측성이며 성별에 따른 차이는 없다.

1. 병인

- 정확한 원인은 알려져 있지 않으며, 다발성 관절 구축증을 비롯한 신경근육질환의 일환으로 발병하기도 하지만 다른 질병 없이 단독으로 발생할 수도 있다.
- 주상골이 거골에 대해서 배측 및 외측으로 탈구된 것이 일차적인 변형이다.

2. 임상 소견

- 경직된 족부(rigid foot): 도수 정복이 불가능하다.
- 족부 내측 및 족저부에 거골두가 촉지된다. 보행기 이후에는 거골두 아래 피부에 굳은살이 형성되어 통증을 유발한다.

Table 1. **선천성 수직거골과 동반되는 신경-근육 및 유전학적 이상**

척수수막류	척수 근 위축증
천추 무형성증	신경섬유종증
척수 이분증	발달성 고관절 탈구
관절구축증	Rasmussen 증후군
Prune-Belly 증후군	Trisomy 13, 14, 15, 18

- 호상족(rocker bottom foot) 변형으로 족저부가 볼록하다Fig 7.
- 족근동(sinus tarsi)에 오목한 피부선이 관찰된다.
- 보행 시 전족부의 push-off가 없고 어색하다.

3. 감별 진단

1) 경사거골(oblique talus)

저자에 따라 경사거골이라는 용어를 사용하는 경우가 있는데 명확한 분류 기준이 있는 것은 아니지만, 편평족보다는 강직되어 있고 수직거골보다는 유연하여 족근관절 족저굴곡 시 거주상 관절이 정복되는 경우를 말한다. 경사거골과 수직거골은 치료 면에서 차이가 있어 구분하는 것이 필요하다. 전자의 경우에는 궁 지지대 및 연속 석고 교정으로 호전되나 후자의 경우는 항상 광범위 연부 조직 수술이 필요하다.

2) 신경근육성 편평족

뇌성마비 등 신경근육 질환 환자의 편평족과 감별을 요한다.

3) 선천성 종외반족

4) 선천성 비골 형성 부전과 동반된 첨외반족

4. 분류

1) Coleman의 분류(1970)

- 제1형: 종입방 관절(calcaneocuboid joint)이 정상적인 관계를 유지하는 경우이다.
- 제2형: 종입방 관절의 배측 탈구가 동반된 경우. 더 심한 변형으로 치료가 더 까다롭다.

2) Hamanishi의 분류(1984)

- Group 1: 신경관 결손 또는 척추 기형과 관련된 변형이다. 중추신경계 질환과 척수이형성증이 10%에서 동반되며Fig 8, 근육의 불균형으로 변형이 발생한다.
- Group 2: 척추 기형을 제외한 선천성 다발성 관절구축증(arthrogryposis multiplex congenita), 신경섬유종증, 뇌성마비, 뇌손상 후유증 등의 신경근육성 질환과 관련되어 있다.

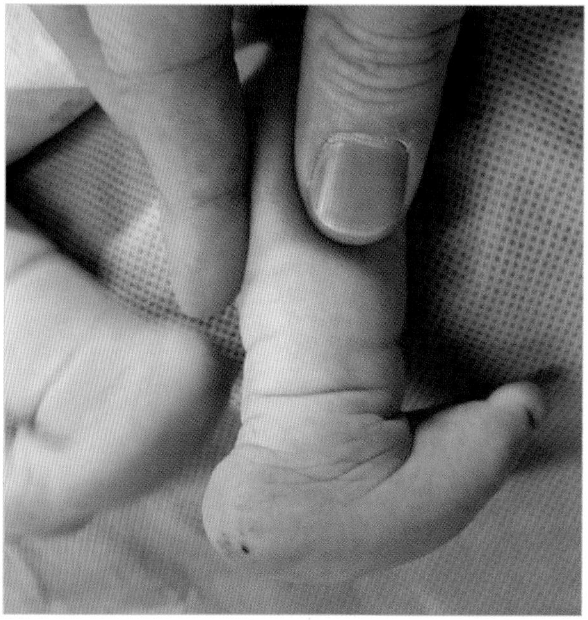

Fig 7. 선천성 수직거골 환자의 발은 족저부가 볼록한 호상족(rocker bottom foot) 변형을 보인다.

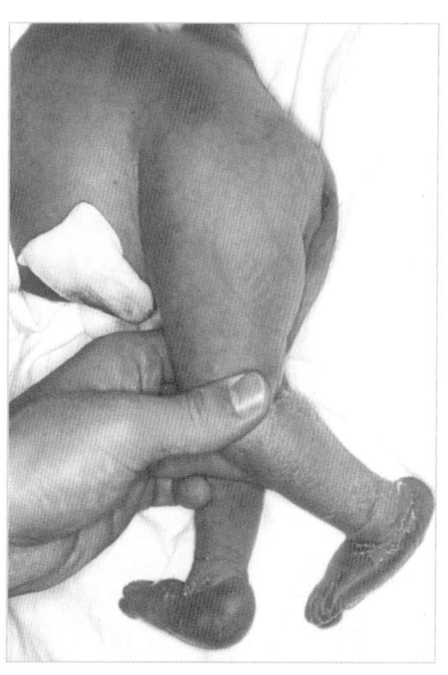

Fig 8. **척수수막류와 동반된 선천성 수직거골.**

- Group 3: Freeman-Sheldon 증후군 등의 기형 증후군(malformation syndrome)과 관련되어 있다.
- Group 4: 제13, 14, 15 또는 18번 삼염색체(trisomy)와 같은 염색체 이상과 관련되어 있다.
- Group 5: 특발성

5. 병리학적 소견

1) 골성 변형

- 종골(calcaneus)은 외번(eversion), 첨족(equinus) 및 외측 전위(laterally displaced)되어 있다.
- 재거돌기(sustentaculum tali)는 저형성되어 뭉툭해지고(blunted) 거골두를 받치고 있지 않다.
- 거골하 관절의 전방 관절이 저형성(hypoplastic)되어 있고 거골은 족저굴곡(plantarflexion) 및 내측 전위되어 있다.
- 입방골(cuboid), 설상골(cuneiform)들이 외반변형되어 있다. 심한 경우 종입방 관절에서 입방골이 배측, 외측으로 탈구되어 있다.

2) 연부 조직 변형

- 아킬레스건의 단축과 함께 족부 배측의 전경골근, 장무지신근, 단무지신근, 장족지신근 및 제삼 비골근이 단축되어 있고 심한 경우에는 후경골근과 장, 단비골근이 각각 내과와 외과 전방으로 아탈구되고 단축되어 있다.
- 거주상 관절막과 인대는 배측이 짧고 두꺼워져 있고 종주인대(spring ligament; calcaneonavicular ligament)는 늘어나 있고 약하다.
- 신전건 지대(extensor retinaculum)의 결손이 있다.

3) 변형 기전

하퇴 삼두근(triceps surae)은 후족부를 첨족위로 당기고 후경골근의 기능은 저하되어 있으며 족배굴곡근, 특히 장족지신근이 강하고 구축되어 있어 후족부가 외반 및 첨족되고 전족부는 외전 및 족배굴곡되면서 중족부가 붕괴되어 주상골이 배측 아탈구된다.

6. 방사선 검사 소견

1) 족부-족근관절 측방 방사선 검사

체중부하 측방 방사선 검사에서 수직으로 배열된 거골과 그 배측으로 탈구된 주상골 또는 제1족지열이 관찰된다. 종입방 관절(calcaneocuboid joint)의 동반 배측 탈구 여부도 평가한다. 감별진단을 위해서 최대 족배굴곡 및 최대 족저굴곡 측방 방사선 사진을 촬영한다

- 최대 족저굴곡(plantar flexion) 측방 방사선 검사: 전족부가 후족부에 대하여 지속적으로 족배위로 전위되어 있으며, 탈구된 거주상 관절(talonavicular joint)의 정복이 이루어지지 않는다Fig 9. 반면, 편평족이나 경사거골에서는 거골과 제1중족골이 거의 일직선 상에 놓이게 된다.
- 최대 족배굴곡(dorsiflexion) 측방 검사: 거골과 종골이 지속적으로 족저굴곡 되어있다.

2) 족부 전후방 방사선 검사

거골-종골간 각(talocalcaneal angle)이 증가되어 있다.

7. 치료

보존적 치료만으로는 변형이 경한 경우를 제외하고는 치료에 성공하지 못한다. 전통적인 수술법은 단 단계 정복술과 연부 조직 유리술(및 이전술)Fig 10이지만 Dobbs 등(2006)은 연속 석고 교정을 통해 단축된 족배부의 연부 조직을 신연시킨 후 적은 범위의 수술을 시행하는 방법을 제시하였다.

1) 수술적 치료 원칙

- 시기: 6개월에서 12개월 사이에 시행하는 것이 가장 바람직하며 3세 이후에는 성공률이 감소한다.
- 수술법: 단 단계 혹은 이 단계 수술적 정복술, 거골 절제술, 연부 조직 유리술과 병행한 주상골 절제술, 거골하 관절 고정술, 삼중 관절고정술 등이 있다. 최근에는 거골 절제술은 거의 이용되지 않으며, 주로 1세 전후(2세 이전)에 단 단계 정복술을 시행하는 것이 가장 선호된다. 이 단계 정복술도 변형이 심한 경우에 사용되나,

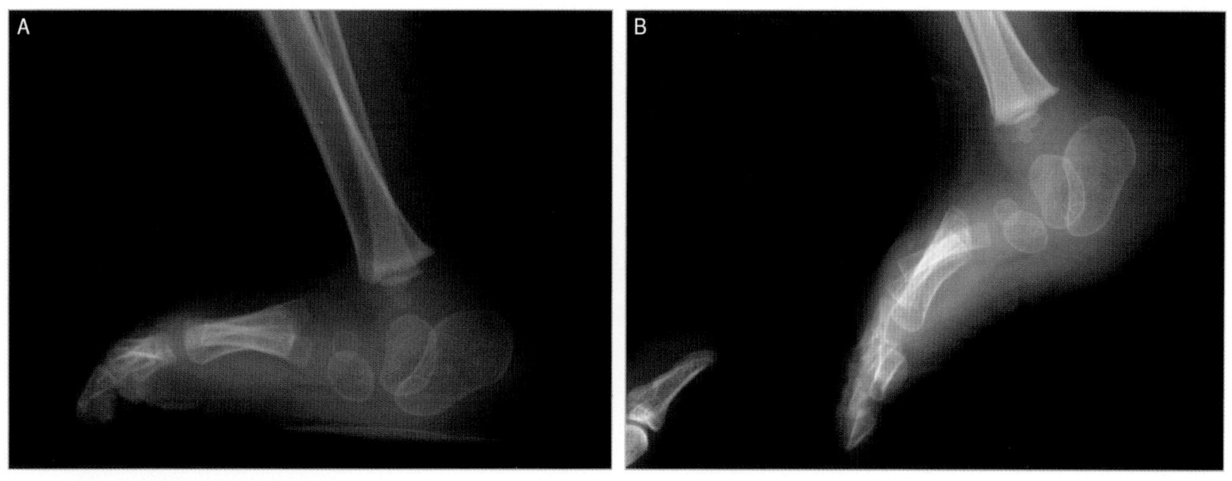

Fig 9. **선천성 수직거골의 측면 방사선 소견.**
A: 정상 족에서 거골의 장축은 입방골의 하반부를 통과하고 제1중족골 축과 거의 나란하다. 그러나 수직거골에서는 거골의 장축이 수직으로 서있어 종골의 전방부나 앞쪽을 통과한다. B: 수동 족저굴곡을 하여도 주상골은 거골의 배측에 머물러 있다.

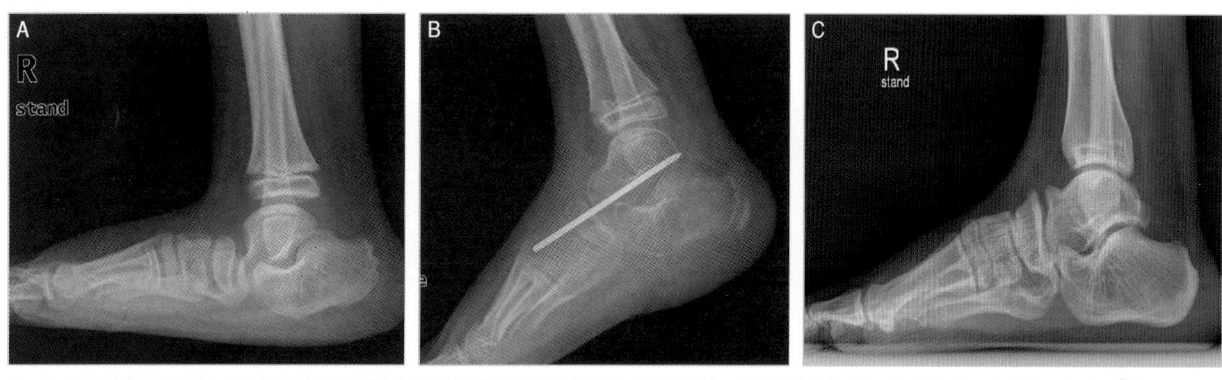

Fig 10. 8세 남아의 선청성 수직거골(A)에 대하여 거주상 관절의 관혈적 정복술 및 핀고정술, 전방관절막 유리술 및 건연장술, 아킬레스건 연장술을 시행하였으며(B), 수술 10년 후 변형의 교정은 잘 유지되었다(C).

거골의 무혈성 괴사의 위험성이 높다는 보고(Ogata 1979)가 있다. 수직거골이 있는 족부의 혈액 순환은 주로 족배 동맥(dorsalis pedis artery)에 의하여 이루어 지며 후경골 동맥(posterior tibial artery)이 결손된 경우가 있으므로 연부 조직 유리술 시에 주의해야 한다.

- 피부 절개: Cincinnati 절개술이 효과적이나 18-24개월 이후에는 피부가 닫히지 않을 우려가 있어 두 개의 피부 절개(후내측 및 외측, 또는 후외측 및 내측)가 필요할 수 있다.

2) 단 단계(one-stage) 수술적 정복술(골 변화가 발생하기 이전)

- 거골 주위의 관절막과 인대를 유리하여 거주상 관절(talonavicular joint)을 정복하는 것이 첫 단계이다. 주상골 절제는 바람직하지 않다.
- 족배측의 신전건 및 비골건을 Z-성형술로 연장하고 종입방 관절이 탈구된 경우에는 관절막 및 bifurcate 인대를 유리하여 정복시킨다.
- 아킬레스건 연장술 및 후방 족근관절/거골하 관절 절개술을 시행한다.

- 저자에 따라서는 단비골건이나 전경골건 전체 또는 일부를 거골두로 이전하여 거골두의 내하방 전위를 동적으로 막는 술식을 추가하기도 한다.
- 수직거골 환자에서의 거골하 관절운동 범위는 고정술을 시행하지 않아도 정상에 비해서 심하게 제한된다. 따라서 거골하 관절 유합술은 대개 필요하지 않다.
- 수술 후 장하지 석고 고정을 2개월 이상 시행하며 체중 부하를 금지한다. 환아가 보행을 시작하면 UCB 삽입물(insert)을 이용하여 후족부의 외반과 전족부 외전을 방지한다.

3) 거골하 관절 유합술을 포함한 Coleman-Stelling의 2단계 수술법(1970)

(1) 1단계: 4-6주간 석고붕대의 설상 조작(cast wedging)을 통해 족근관절을 족저굴곡시킨 후

- 장족지신근, 장무지신근, 전경골근을 Z-성형술로 연장
- 거주상 관절을 정복
- 거종 골간 인대(talocalcaneal interosseous ligament)를 유리
- 전족부를 족저굴곡 시키고 거주상 관절을 핀으로 고정
- 2.5-6세 사이의 환아에서는 관절외 거골하 관절 유합술(extraarticular subtalar fusion)

(2) 2단계: 6주 후

- 핀 제거
- 아킬레스건 Z-성형술 및 후관절막 절개술(posterior capsulotomy)
- 후경골근(tibialis posterior)을 주상골 족저부(navicular plantar surface)로 전전(advancement)
- 하부 경비 인대결합(inferior tibiofibular syndesmosis) 유리술(Walker 1985)

4) 건 이전술

- 단비골근(peroneus brevis) 거골 경부 이전술(Osmond-Clark 1956)
- 전경골근(tibialis anterior) 거골 경부(분리) 이전술(Duncan 1999, Kumar 1982): 전경골근을 전부 혹은 일부를 옮기는데, 이론적으로는 근육의 불균형을 막기 위해서는 일부를 옮기는 것이 타당하다.

5) 주상골 절제술

수직거골이 조기에 정복되지 않는 경우 족부의 내측과 외측에 가해지는 압력의 차이가 발생한다. 즉, 내측 주(medial column)에 비하여 외측 주(lateral column)에 더 큰 압박력이 가해지는데, 이는 Heuter-Volkmann 법칙에 의하여 내측 주의 과성장, 외측 주의 성장 장애를 초래한다. 이러한 경우에 연부 조직 유리술과 함께 내측 주를 단축시키기 위해 주상골 절제술을 시행하기도 한다(Clark 1977, Colton 1973).

6) 삼중 관절고정술

12세 이상 연령에서 간과된 경우나 치료에 실패한 심한 변형에 대해서 시행할 수 있다.

• Dobbs 등은 Ponseti 방법에 준해서 연속적 석고붕대 고정을 하되 도수 조작의 방향을 반대로 하여 연부조직의 구축을 어느 정도 해소한 후, 경피적 아킬레스건 절단술, 전경골근 또는 단비골근 연장술을 시행하고 거주상 관절(talonavicular joint)을 도수 정복하고 핀으로 고정하여 변형을 교정하는 방법을 소개하였다(Dobbs 2006). 이후 여러 저자들이 선천성 수직거골 환아에서 Dobbs methods를 이용한 치료 결과가 우수함을 보고하였다.

V. 유연성 편평족 (flexible or hypermobile flatfoot)

편평족은 정상적인 발의 내측 종아치(medial longitudinal arch)가 감소되어 후족부는 외반(valgus) 변형되어 있다. 전족부는 관상면 상에서 후족부 외반 정도보다는 덜 회전되어 있기 때문에 전반적으로 회내(pronation)되어 있어 보여도 후족부에 비해서는 회외(supination)되어 있고, 수평면 상에서는 외전(abduction)되어 있다. 그러나 어느 정도로

종아치가 감소해야 편평족으로 정의하는지에 대해서는 일관된 기준이 없다. 유연성이란 체중을 부하하지 않거나 수동적으로 정복할 때에는 이러한 변형들이 없어진다는 것을 의미한다. 또, 긴장을 풀고 서 있을 때에는 종아치가 감소되어 편평족으로 보이나 보행시 근육들이 수축하면 종아치가 형성되는 경우도 있다.

1. 종아치 발달의 자연 경과

- 발은 태생기 3개월이 되면 전후방 및 측방으로 오목한 구조가 된다. 출생 시에는 자궁내 자세로 인하여 첨족, 내전 및 내반된 형태이며, 신생아기에는 수개월간 이러한 형태를 유지한다. 족저부는 두터운 지방 조직으로 인하여 수년간 편평하게 보인다. 따라서 대부분의 어린이 발은 편평족이다.
- 어린이가 기립하고 보행을 시작하면서, 발을 넓게 벌리고 서는 자세를 취하는데 이때에 체중이 족부 내측에 부하되어 유연한 발이 외번과 전족부 외전 모양을 취하게 된다.
- 정상 아동에서는 2-3세에 관절 가동성이 가장 크고, 그 이후에는 점차 감소하게 된다. 족부 종아치(longitudinal)는 성인이 될 때까지 계속 편평족으로 남게 되는 10-20%를 제외하고는 10세까지 서서히 높아진다(Staheli 1987). 편평족 관련 방사선학적 지표도 10세까지 지속적으로 향상된다(Park 2013).
- 신발을 신는 원시 부족들과 신발을 신지 않는 원시 부족들 간에 편평족 발병률이 거의 동일하므로, 족부의 발달에 있어서 신발의 효과는 의문이 있다.

2. 발병률

진단에 대한 임상적 및 방사선적인 정확한 기준이 없기 때문에 진정한 발병률은 알 수 없다.

3. 편평족의 종류(Harris 1948)

- 성인의 23%에서 편평족이 발견된다는 보고가 있다.
- 그 중 유연성 혹은 과운동성 편평족(flexible or hypermobile flatfoot)은 약 2/3이다.
- 하퇴 삼두근의 구축이 동반된 편평족(flexible flatfoot with short tendo-Achilles)은 약 1/4인데, 거골두가 돌출된 족저부에 굳은살이 형성되며 통증으로 인한 기능의 제한이 올 수 있다.
- 족근골 유합, 뇌성마비와 같은 신경 근육성 질환 등에 의해 발생한 강직성 편평족(peroneal spastic or rigid flatfoot)은 약 1/10인데 거골하 관절운동이 제한된다.

- **편평족 종류의 감별**
  - 유연성 편평족은 족지를 족배굴곡 시키거나(Jack's toe-raise test), 발끝으로 설 경우 종아치가 형성되는 것을 볼 수 있다.
  - 하퇴 삼두근의 구축이 동반된 경우에는 환자가 발뒤꿈치로 걷는 동작(heel gait)을 할 수 없게 된다.
  - 강직성 편평족에서는 발의 자세와 상관없이 종아치가 소실되어 있다.
  - 병적 편평족에서는 근육의 경직성이나 근력 약화, 근력 불균형 등이 관찰된다.

4. 병인

유연성 편평족은 인대의 과도한 이완 및 이에 따른 골변형으로 발생하는 것으로 생각된다. 근전도 검사에 의하면 가만히 서있을 때에는 족부 내재근 및 외재근의 활성이 없다. 근육은 발의 균형을 잡고 불규칙한 바닥을 걸을 때 인대가 받는 힘을 보완하지만 종아치의 구조를 유지하는 데 필수적인 기능을 하지는 않기 때문에 체중 부하 시 종아치가 감소하는 것은 근력 약화 때문이 아니라 관절(골-인대 복합체) 이완에 의한 것이다.

5. 병리해부학적 소견

- 내측 종아치를 이루는 거종관절(talocalcaneal joint), 거주상 관절(talonavicular joint), 주상설상 관절(naviculocuneiform joint), 설상중족 관절(cuneiform-metatarsal articulation) 중에 거종, 거주상 또는 주상절상 관절에서 종아치가 내려앉는 것이 기본적인 변형이다.
- 과운동성 족(hypermobile foot)에 체중 부하가 되면 거골 아래에서 종골이 회내된다.
- 거골두(talar head)는 종주 인대(calcaneonavicular liga-

ment)의 지지를 받지 못해서 내측-족저측(medioplantar)으로 이동한다.

- 거종 골간 인대(talocalcaneal interosseous ligament)는 이완되어 있고, 이로 인해 후족부가 외반된다.
- 주상골(navicula)은 거골두(talus head)로부터 외전(abduction)된다.
- 전족부는 주상골을 따라서 이동하며, 무게 중심은 제1 중족골 또는 그 내측으로 이동된다.
- 회외된 족부가 역학적으로 약화되는 것은 종아치가 납작해진 것 때문이 아니라 체중 부하가 내측으로 이동하였기 때문이다.
- 소아에서는 전족부에서의 체중 부하를 외측으로 이동시키기 위해서 보상성 내족지(intoeing) 자세를 취하기도 한다.
- 하퇴 삼두근(triceps surae) 구축(contracture)과 종골의 족저굴곡이 있으면 외반이 더 과장되고 보상성 내족지(intoeing) 자세를 취할 수 없게 된다.

6. 임상 소견

- 학령기 이전의 유연성 편평족에서는 통증 등의 증상이 없고 활동에도 전혀 지장을 주지 않으나 보호자가 외모에 대한 불만이나 단순한 염려 때문에 내원하게 된다.
- 학령기 이후 또는 비만 아동 등에서 장시간 서있거나 걷는 경우, 또는 하퇴삼두근 구축이 동반된 경우에는 종종 통증을 호소한다.
- 전족부 외전의 정도가 임상증상과 밀접한 관련이 있는 것으로 알려져 있다(Min 2020).

1) 신체 검사

- 전신적인 관절 유연성, 대퇴전염각 증가, 슬관절 외반, 경골 외염전 등의 동반 여부를 확인한다(2장 소아청소년 근골격계 질환의 진단 참조).
- Jack 관절 유연성, 대퇴전염각 증가, 환아가 서있는 상태에서 엄지발가락을 수동적으로 배굴곡시키면 족저근막이 단축되면서 종아치가 상승하는 현상(windlass 효과)Fig 11으로 편평족이 유연성임을 시사한다.

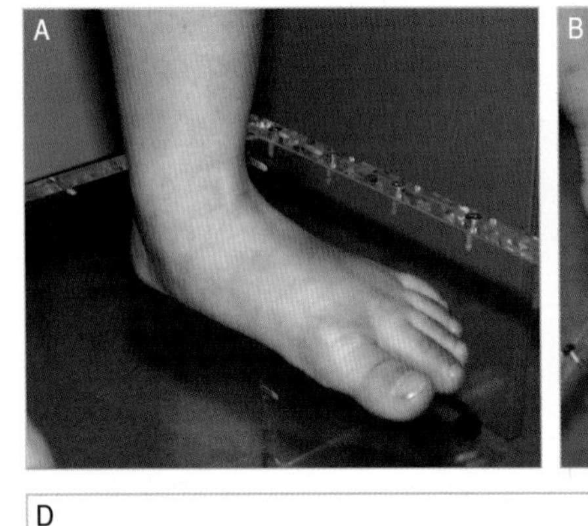

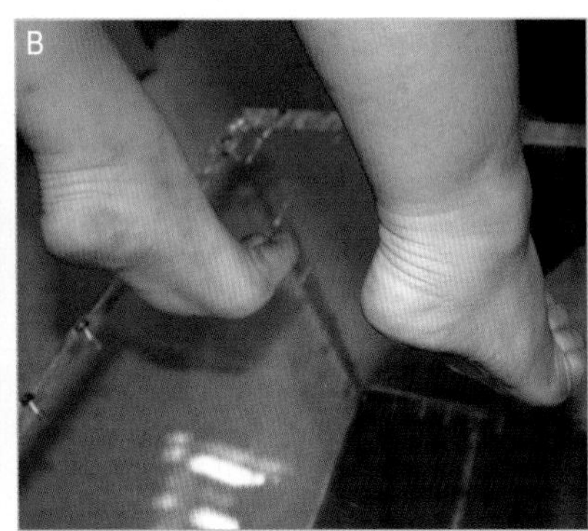

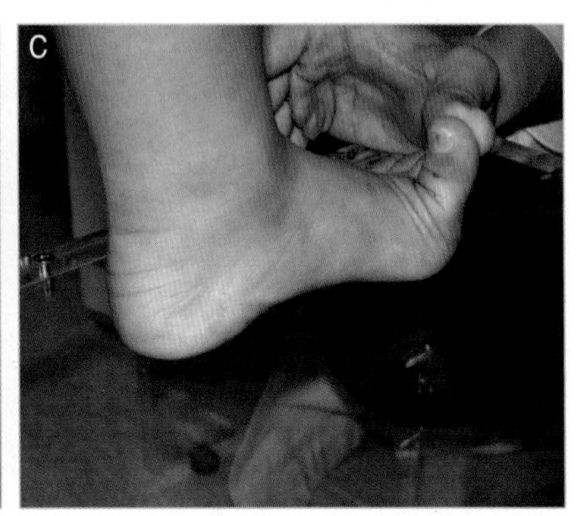

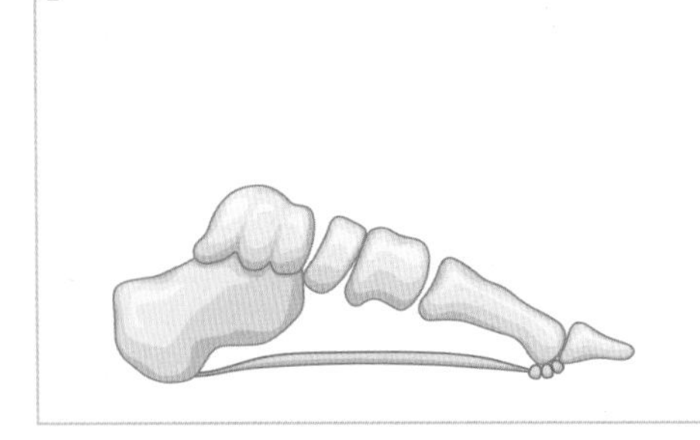

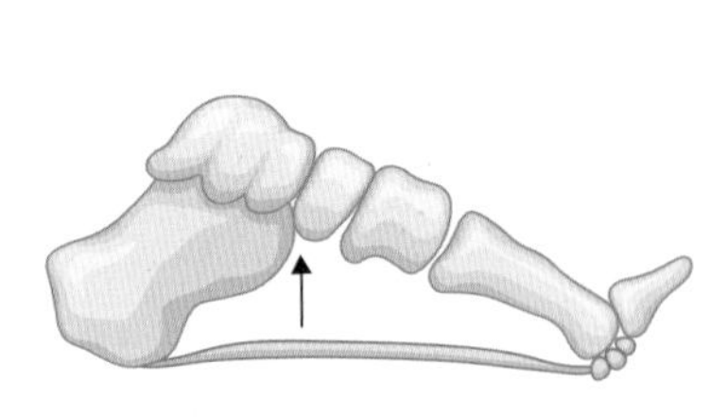
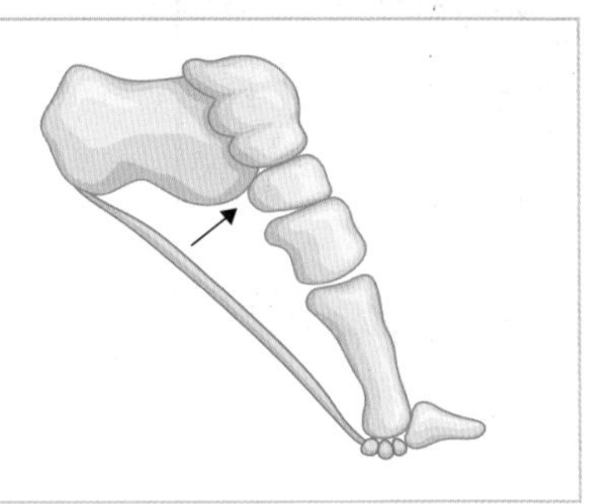

Fig 11. **유연성 편평족.**
체중 부하 시 종아치가 소실되어 있으나(A), 족지로 서는 자세(B) 또는 족지 거상 검사(C)에서 windlass 효과(D)에 의하여 종아치가 형성되는 것을 볼 수 있다.

- 서 있을 때에는 종아치가 내려앉아 있지만 발끝으로 서게 하면 종아치가 형성된다.
- 아킬레스건 구축이 동반되었는지 검사한다.
- 거골두 및 제1중족골 골두 돌출부위 피부에 굳은살 여부를 확인한다.

- **정도에 따른 분류**
  - 경도: 체중 부하 시에 종아치의 높이가 낮아지지만 완전 소실되지는 않는다.
  - 중등도: 체중 부하 시에 종아치가 완전 소실된다.
  - 고도: 체중 부하 시에 종아치는 소실되고, 족저부로 돌출된 거골두로 인하여 족부 내측면이 볼록하다.

유연성 편평족에서의 아킬레스건 구축

- 아킬레스건 구축이 편평족 변형 발달의 원인인지 편평족 상태가 지속되면서 이차적으로 구축되는 것인지에 대해서는 알려져 있지 않다.
- 아킬레스건 구축 여부는 임상적으로 중요한데, 그 이유는 아킬레스건 구축이 동반된 경우에는 족근관절을 배굴할 때 외반된 종골이 거골 하에서 통증을 유발하거나 감소된 종아치가 10세 이후에도 지속되는 경우가 많기 때문이다.
- 아킬레스건의 구축 여부를 검사할 때에는 거골하 관절을 내번시켜 족배굴곡이 거골하 관절에서 일어나지 않게 하여야 거골과 족근관절 사이에서의 족배굴곡 정도를 측정할 수 있다.

7. 방사선 검사 소견

체중 부하 상태에서 족부 전후방 및 측방 방사선 사진을 촬영한다. 다른 원인을 감별하기 위해서는 사면상(oblique view)이나 Harris 상이 필요한 경우도 있다.

1) 측방 방사선 검사 소견

- 거골-제1중족각(talo-first metatarsal angle, Meary angle): 거골의 축과 제1중족골의 축이 이루는 각도로 정상은 0도 혹은 일직선상에 놓인다. 편평족에서는 제1중족골-주상골이 거골두의 배측으로 전위되어 있어 족저측으로 각형성된다. 요족 변형에서는 족배 측으로 각형성된다. 심한 편평족이나 경사거골(oblique talus)은 기립 방사선 검사에서 선천성 수직거골과 감별이 어려울 수도 있지만, 족저굴곡 측방 영상에서 거골과 제1중족골이 거의 일직선 상에 놓이게 된다Fig 12.
- 주상 입방골 중첩(naviculocuboid overlap): 주상골과 입방골의 중첩 정도를 %로 표시한 지표이다. 중족부의 후족부에 대한 회외 및 회내 정도를 나타내 주는 지표다. 편평족에서는 중족부의 회내 변형으로 인해 증가한다.
- 종골 경사각(calcaneal pitch): 편평외반족의 측정에 과거에 많이 쓰였으나, 측정이 쉬운데 비하여, 타당도가 떨어진다(Lee 2010).

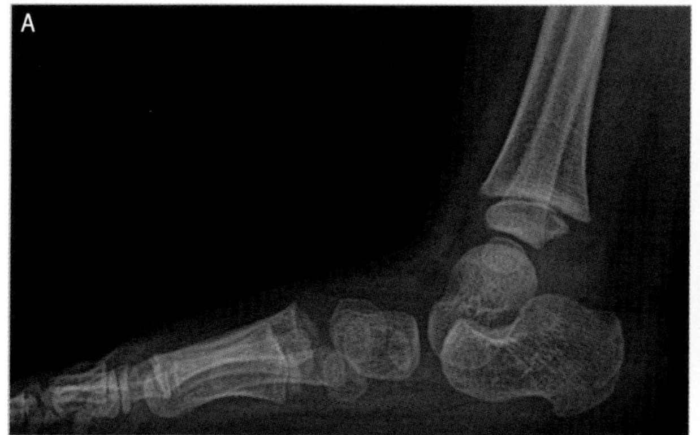

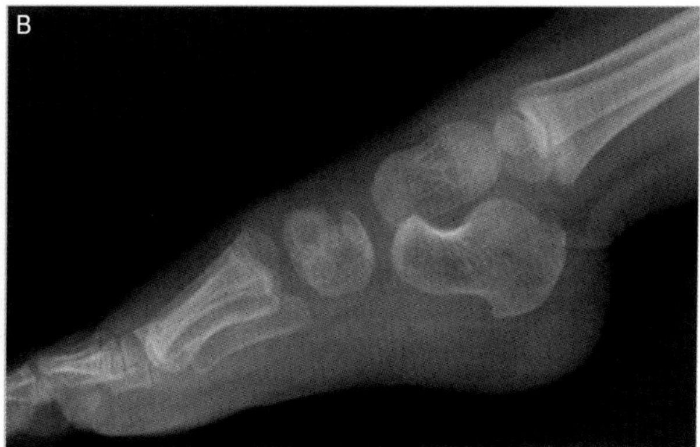

Fig 12. 심한 편평족의 체중부하 측방 방사선 검사에서 거골의 장축이 거의 수직으로 서있으나(A), 최대 족저굴곡 측방 방사선 검사에서 거주상관절이 정복되어 거골과 제1중족골이 거의 일직선상에 놓여있다(B).

2) 전후방 방사선 검사 소견

- 거골-제1중족각(talo-first metatarsal angle): 거골의 축과 제1중족골의 축이 이루는 각도로 정상에서는 거의 일직선상에 있다. 편평족에서는 전족부가 외전되어 각도가 증가한다. 무지외반증을 동반한 경우에는 제1중족골의 내전으로 인해 정상 범위에 있을 수 있어 거골-제2중족각을 측정한다.
- 거주상 피복각(talonavicular coverage angle): 주상골의 원위 관절면에 수직인 선과 거골의 축이 이루는 각도로 거주상 관절의 아탈구 정도를 반영한다. 주상골의 골화가 충분히 이루어지지 않은 연령에서는 측정할 수 없다.

8. 치료

증상이 없는 유연성 편평족은 정상발의 일종이다. 일부 유연성 편평족은 10대 이후에도 지속되면서 통증을 유발할 수 있다. 특히 아킬레스건의 단축이 있는 경우 이러한 연관성을 보임을 입증한 보고들이 다수 있다. 그러나, 발병기전이 내재적인 인대의 유연성임을 고려하면 궁 지지대(arch support), 보조 기구, 보조 신발 등을 착용한다고 해서 변형이 교정되는 것을 기대할 수는 없다.

1) 보조기와 특수 신발

- 궁 지지대를 신발 내에 삽입하여 마찰에 의한 통증을 완화하거나, 발의 외회전이 심한 경우 보행 중 push-off 시에 발 내측의 스트레스가 증가하여 증상이 생기는 것을 완화하거나, 또는 관절 불안정성 때문에 발목과 발의 염좌가 자주 발생하는 환아에서 관절의 과도한 이완을 줄일 목적으로 사용할 수 있다.
- 증상이 없는 유연성 편평족에서 변형 교정 목적으로 사용하는 것은 적절하지 않다.
- 현재 우리 의료 현실에서 범람하는 근거 없는 보조기는 자칫 환자와 가족의 적지 않은 경제적, 정신 발달적 손해를 초래할 수 있기 때문에 사용에 있어 신중해야 한다.
- 편평족에서는 정상 발에 비해 발 내재근의 활성이 증가되어 있어 오랫동안 서거나 걸었을 때 쉽게 피로 및 통증을 호소할 수 있다. 따라서 쿠션이 좋고 부드러운 운동화를 착용시키는 것이 좋다. 그러나, 특수 신발이 필요한 경우는 거의 없다.

2) 근육 강화 운동

- 발 내측과 족저의 근육을 강화시키기 위해서 예컨대 공기돌을 발가락으로 잡기 등을 시키거나, 후족부 외반과 인대 유연성이 심한 경우 후경골근 근력을 강화시킬 목적으로 발끝으로 서서 걷기(tip-toeing) 등을 권장하기도 한다.
- Windlass 효과를 유도할 목적으로 시행하나 그 효과가 입증된 바는 없다.

3) 아킬레스건 스트레칭

- 효과가 입증되지는 않았으나 아킬레스건의 수동적 신장은 슬관절 신전 및 후족부 내반 상태에서 부모가 족근관절을 족배굴곡시켜주는 방법이 권장된다. 나이가 든 환아는 발바닥을 땅에 붙인 상태로 벽에 손을 대고 몸을 앞으로 기울여 아킬레스건을 신장시키는 방법을 사용한다.

4) 수술적 치료

수술적 치료를 요하는 경우는 매우 드물다. 대부분 10세 이상이며, 아킬레스건 구축과 통증을 동반하는 경우이다. 10세 이하의 환자에서는 변형이 매우 심한 경우에 고려할 수 있다

(1) 적응증

- 정상 활동에 지장을 줄 정도로 심한 통증이나 피로감
- 비수술적 요법에 반응하지 않을 때
- 체중에 의한 이차 변형을 유발할 정도로 심한 변형

(2) 연부 조직에 대한 수술법

보존적 치료로도 하퇴삼두근 구축이 해결되지 않고 통증이 있는 환자에서는 아킬레스건 또는 비복근에 대한 연장술을 시행할 수 있다. 편평족 환자에서 아킬레스건 연장술 시행 후 방사선학적 지표의 호전을 보고하기도 하지만(Kim 2021), 변형이 심한 환자에서는 아킬레스건 연장술만

으로는 편평족의 완전한 교정을 기대할 수 없어 골에 대한 수술을 함께 고려해야 한다.

(3) 골에 대한 수술

① 종골 정지술(calcaneo-stop procedure)Fig 13

- 거골하 관절 외부에서 종골 또는 거골에 나사못을 삽입하여 돌출된 나사머리가 다른 골에 감입되어 거골하 관절의 외반이 억제되도록 하는 술식으로 유럽을 중심으로 널리 사용되고 있다.
- 수술이 간단하고 수술 직후 변형이 교정되며 빠른 재활이 가능하다.
- 증상이 있는 8-14세의 유연성 편평족이 종골 정지술의 대상이 된다.

② 종골 연장 절골술(calcaneal lengthening osteotomy) Fig 14

- 전방 및 중간 거골하 관절면 사이로 종골을 절골한 후 골편을 벌리고 이식골을 삽입하여 종골의 길이를 늘린다.
- 후족부 외반(valgus), 전족부 외전(abduction)을 동시에 교정하고 종아치를 증가시키는 효과가 있다.
- 후족부 외반으로 인한 전족부의 보상성 회외(supination) 변형이 유연하지 않은 경우에는 내측 설상골의 족저 측에 닫힌 쐐기 절골술을 시행하여 회내(pronation) 시키면 종아치가 커지는 효과가 얻어진다.
- 대부분 아킬레스건 연장술 및 단비골근(peroneus brevis) 연장술이 필요하다. 변형이 심한 경우 거주상 관절막과 후경골근에 대한 연부조직 단축술을 함께 시행하기도 한다.
- 동종골(allograft)을 사용하였을 때 특히, 나이가 많은 환아에서는 불유합의 위험이 있어 주의해야 한다.

③ 종골-입방골-설상골 절골술(calcaneo-cuboid-cuneiform osteotomy, triple C osteotomy)

- 종골의 내측 전이 절골술, 내측 설상골의 족저굴곡 및 회내 닫힌 쐐기 절골술, 입방골의 열린 쐐기 절골술을 포함한다.
- 종골 연장 절골술과 비교하여 교정력은 큰 차이가 없으며 불유합 등의 합병증은 적은 것으로 알려져 있다.

④ 관절 고정술: 심한 편평족 변형 교정을 위해서 Hoke의 주설상(naviculocuneiform)관절 유합술 또는 거주상(talonavicula)관절 유합술, Green-Grice의 관절외 거골하 관절 고정술(extra-artcular subtalar arthrodesis), 삼중 관절고정술(triple arthrodesis) 등이 소개되어 있으나, 유합하지 않는 족부 관절이나 족근관절에 과부하를 주어 조기에 퇴행성 관절염을 유발하게 되므로 유연성 편평족에서는 거의 사용되지 않는다.

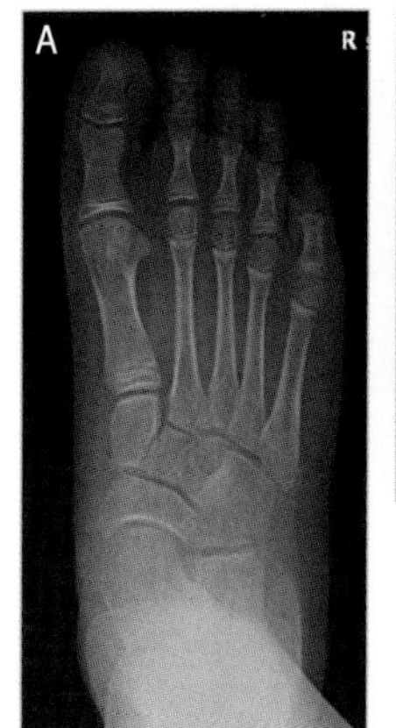

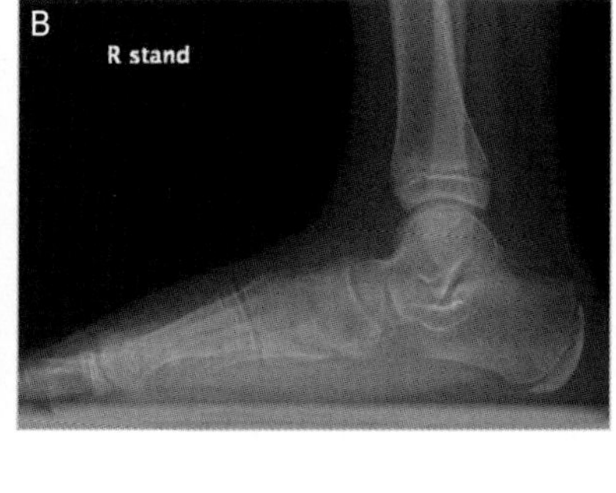

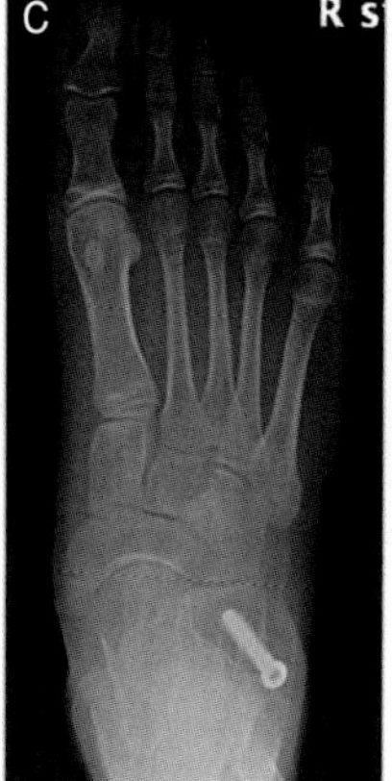

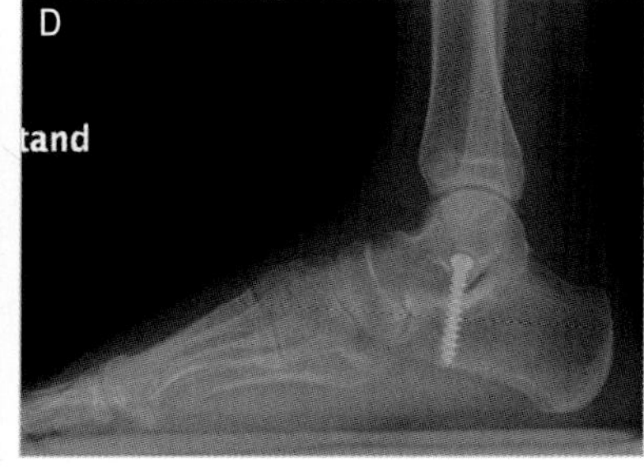

Fig 13. 11세 남아의 편평족에 대하여(A,B) 종골 정지술(calcaneo-stop)을 시행하였으며 방사선 검사 지표가 호전된 것이 관찰된다(C,D).

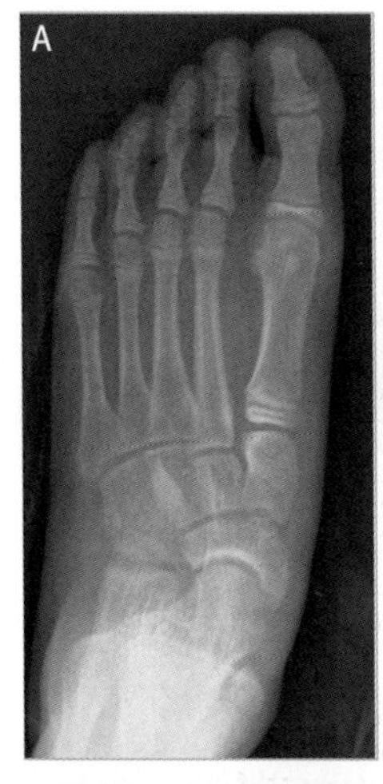

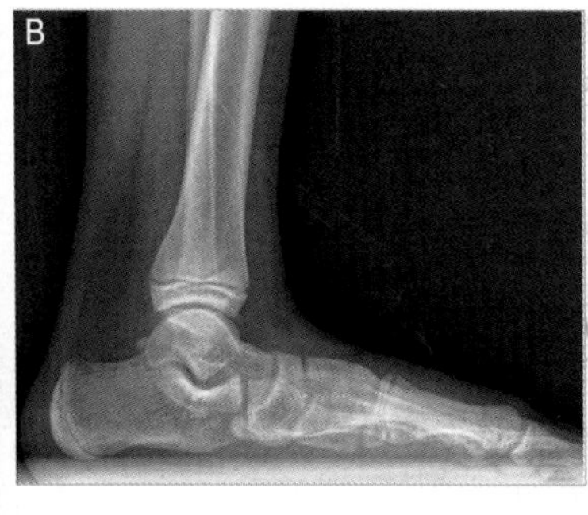

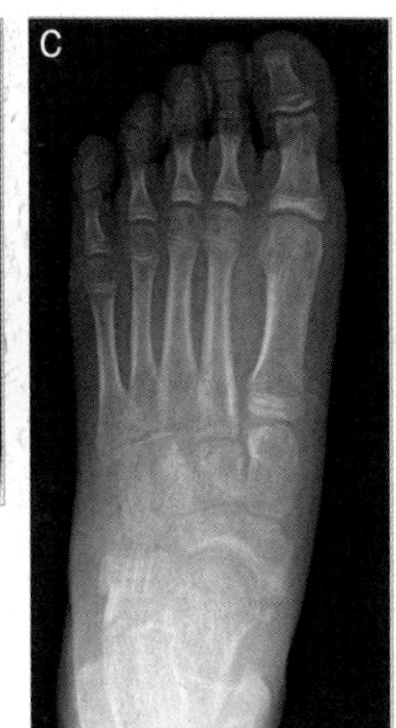

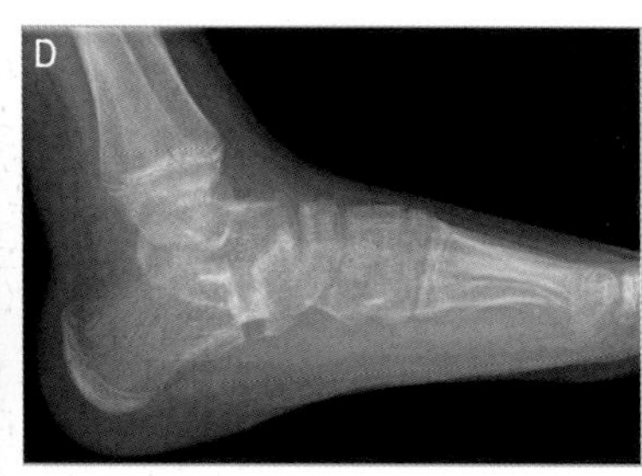

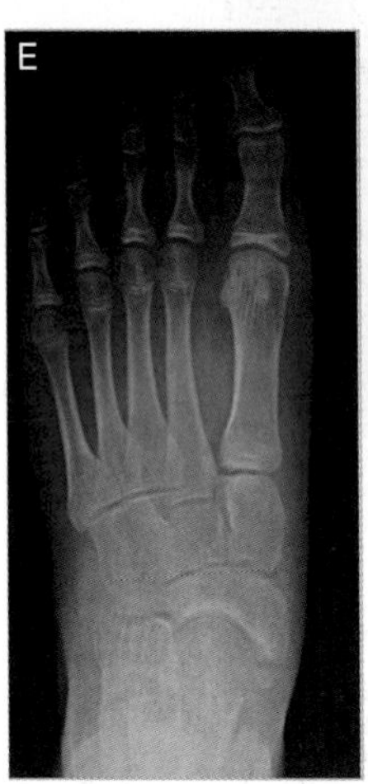

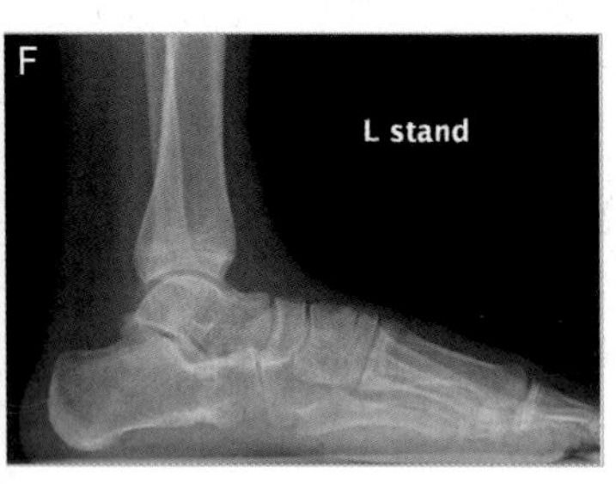

Fig 14. 12세 남아의 방사선 사진에서 전후방 및 측방 거골-제1중족골간각의 증가 및 종골 경사각이 감소된 편평족 소견이 보인다(A,B). 이에 대해 종골 연장 절골술을 시행하였으며(C,D), 방사선 검사 지표가 호전된 것이 관찰된다(E,F).

VI. 사형족(skewfoot/ Z-foot/ S-shaped foot/ serpentine foot)

전족부는 중족부에 대해서 내전(adduction) 및 족저굴곡(plantarflexion)되어 있고, 주상골(navicula)은 거골(talus)에 대해서 외측 및 배측 전위되어 있으며, 후족부에서는 종골이 외반(valgus)되어 있고 거골은 내측으로 회전되어 있는 변형이다. 즉, 중족골 내전증(metatarsus adductus)과 편평족(flatfoot)의 후족부 변형이 복합되어 있는 양상이다 Fig 15.

1. 병인

- 원인을 모르는 환자가 대부분이다.
- 의인성(iatrogenic) 발생: 드물게 중족골 내전증에 대한 석고 교정 시 전족부 내전은 교정되지 않으면서 거골하 관절 및 거주상 관절에 외반 및 외전력이 가해지거나, 선천성 만곡족 교정 시 중족부의 유리(release)는 부족하고 후족부의 유리는 과도한 경우에 의인성(iatrogenic)으로 발생하기도 한다.

2. 병리해부학적 소견

- 심한 전족부 내반
- 내측 설상골(cuneiform)의 변형
- 연부 조직 구축: 아킬레스건, 장족지굴곡근, 후경골근, 전경골근, 족저근막
- 주상골이 거골두에 대해서 외측으로 전위

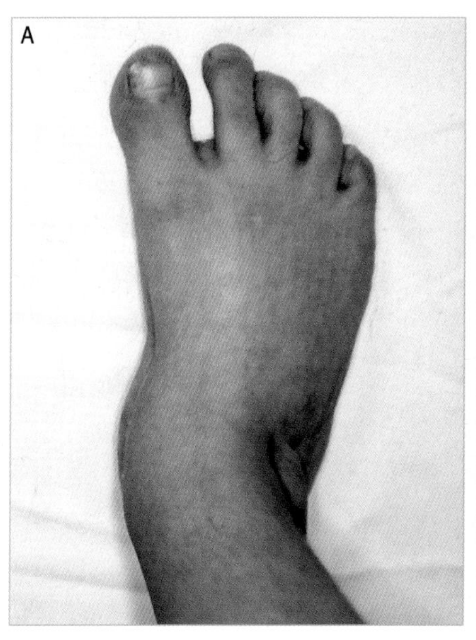

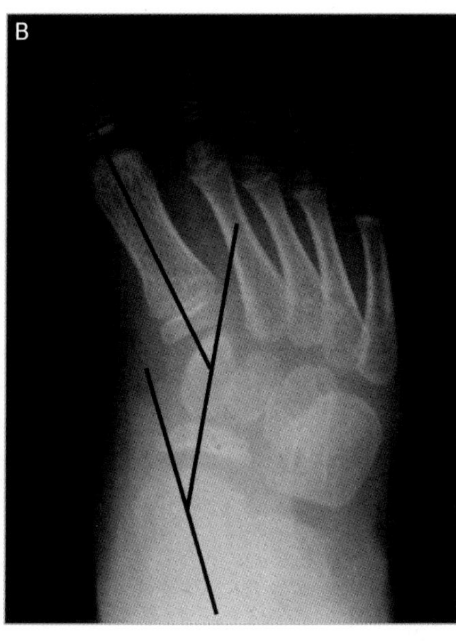

Fig 15. **사형족.**
A: 선천성 만곡족 치료 중 발생한 의인성 사형족으로 전족부는 내전(adduction)되어 있고 후족부는 외반(valgus) 변형을 보인다. B: 단순 방사선 사진 상 전족부가 중족부에 대해서 내전되고 중족부는 후족부에 대해서 외전되어 있어 지그재그 변형을 보인다.

- 종골이 거골에 대해서 외측으로 전위
- 상대적으로 긴 족부의 외측 부분

3. 방사선 검사 소견

- 전후방 및 측방 검사에서 zig-zag 혹은 총검(bayonet) 변형
- 내측 설상골은 근위 및 원위 관절면이 내측으로 수렴하는 사다리꼴(trapezoidal) 형태
- 후족부는 거골이 족저굴곡하는 편평족과 동일한 소견

4. 임상 소견

- 경한 변형은 편평족이나 중족골 내전증에서와 같이 자연 교정되며, 굳은살을 만들 정도의 변형인 경우에는 10세 이전에 통증과 신발 착용의 어려움이 있을 수 있다.
- 심한 경우에는 거골두, 제1종족골두 및 제5중족골 기저부 등 돌출 부위에 통증성 굳은살(callosity)이 관찰되며 아킬레스건도 단축되어 있다.

5. 치료

1) 비수술적 치료

- 어린 나이에서는 도수 조작 및 석고 고정으로 전족부 내전을 교정한다. 후족부 변형은 잔존하여 편평족으로 전환된다.
- 도수 조작 시에는 후족부 외반 및 거주상 관절의 추가 아탈구를 초래하지 않도록 족근관절을 족저굴곡하고 후족부를 약간 내반시킨 상태에서 종입방 관절 부위에 엄지손가락을 대서 지지한 상태로 전족부에만 부드럽게 외반력을 가하도록 해야 한다.

2) 수술적 치료

수술적 치료를 가장 흔히 요하는 환아들은 신경근육성 원인을 갖는 환자(주로 뇌성마비), 수술 후 회내(pronation)된 선천성 만곡족 환자 등이다. 변형의 돌출 부위에 굳은살이 현저하고 아킬레스건이 단축되어 있어 통증과 신발 착용의 불편함이 심한데 보존적 방법으로 증상이 개선되지 않는 경우에 시행하는데 대개 5-7세 이후에 시행한다.

- **수술적 치료 방법**

  수술적 치료에 있어서 아킬레스건 구축을 해소시키는 과정이 중요하며 비골근 특히 단비골근도 변형을 일으키는 중요한 요소일 수 있음에 주의하여야 한다.
  - 아킬레스건 연장술
  - 전족부 내전변형을 교정하기 위한 내측 설상골의 열

린 쐐기 절골술+후족부 외반변형을 교정하기 위한 종골 연장 절골술(Mosca 1993)
- 변형 정도에 따라 입방골 닫힌 쐐기 절골술(cuboid closing wedge osteotomy)을 추가
- 거골하 관절 고정술 또는 삼중 관절고정술: 심한 변형 시 적응

VII. 요족(cavus foot)

후족부에 대하여 전족부가 족저굴곡된 변형으로 종아치가 비정상적으로 증가된 경우를 일컫는다.

1. 분류

후족부의 위치에 따라서 다음과 같이 분류된다.

1) 요족(pes cavus)

- 내측 열(ray)과 외측 열의 족저굴곡 정도가 동일하다.
- 후족부는 중립이거나 약간의 외반 변형만이 있다.

2) 요내반족(pes cavovarus)

- 제1중족골이 가장 족저굴곡(plantar flexion)되어 있고 회내, 내전되어 있다.
- 후족부는 내반변형이 고착되어 있을 수도 있고, 유연한 경우에는 체중 부하 시 "삼점 지지대" 효과(tripod effect)에 의해서 내반위(varus position)를 취하게 된다 Fig 16.

3) 종요족(pes calcaneocavus)

- 종골이 족배굴곡(dorsiflexion) 위치에 고착되고 전족부는 족저굴곡되어 있는 변형이다.
- 종골의 "권총 손잡이" 변형(pistol grip deformity)은 소아마비 후유증, 뇌성마비, 척수이형성증 등에서 하퇴 삼두근(triceps surae) 근력 약화로 종골 골단(calcaneal apophysis)의 성장에 필요한 생리적 자극이 저하되어 발생한다.

4) 첨요족(pes equinocavus)

- 전족부, 족근관절 모두 첨족 변형을 보인다.
- 선천성 만곡족에서 흔히 관찰된다.

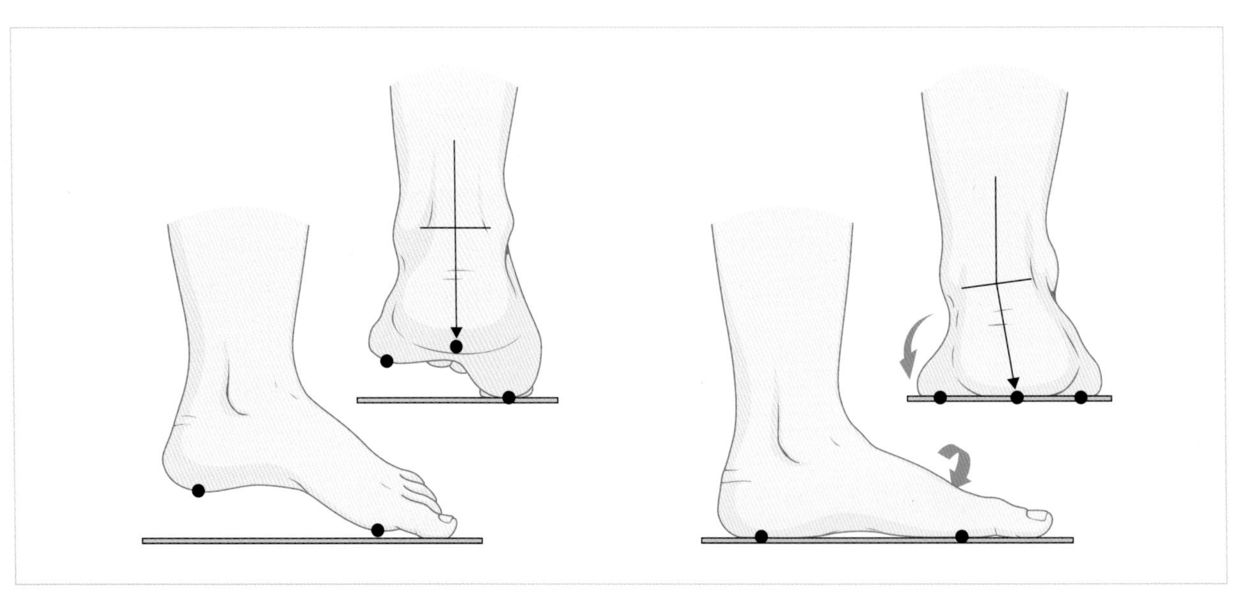

Fig 16. **삼점 지지대 효과(tripod effect).**
정상 족에서 체중 부하 시 뒤꿈치와 제1중족골두 및 제5중족골두 부분이 지면과 닫게 된다. 요족에서는 제1열(first ray)이 족저굴곡되므로 체중 부하 시 보상성 전족부 회외(supination) 및 후족부 내반(varus)이 발생하게 된다. 처음에는 변형의 구축이 없으나 오랜 시간이 경과하면 보상성 변형은 비가역적 구축으로 진행하게 된다.

2. 병인

- 2/3 이상에서 기저 신경 질환이 있다Table 2. 가장 흔한 기저 질환은 제1, 2형 Charcot-Marie-Tooth 병을 포함하는 유전성 감각 운동 신경병증(hereditary sensory motor neuropathy, HSMN)이다.
- 유전성 운동 감각 신경병증, Friedreich 실조증, 척수수막류, 다발성 신경염, 근 이영양증(muscular dystrophy), 척수 근 위축증(spinal muscular atrophy), 특발성 요족과 같은 경우는 양측성으로 발생하며, 건이나 신경의 외상성 손상, 소아마비, 척수지방종, 경직성 편마비와 같은 경우에는 편측성으로 발생한다(Brewerton 1963).

3. 발병 기전

요족 변형의 발생은 기본적으로 근육간의 불균형(imbalance)에 기인하는데, 원인 질환에 따라서 발병 기전에 차이가 있다.

- Charcot-Marie-Tooth 병 등에서의 전형적 양상으로는 전경골근과 단비골근이 약화되는 반면 후경골근과 장비골근의 근력은 유지되어 후족부는 내반되고 제1중족골은 족저굴곡된다. 족저부 내재근도 약화되면서 구축되어 종아치가 상승한다.
- 선천성 만곡족의 요족 변형이 잔존하거나 재발성 변형에서 뚜렷하게 나타날 수 있다.
- 하지 외상 후 구획증후군으로 외재근 근육 괴사와 구축으로 요족 변형이 나타날 수도 있다.
- 근력 검사나 신경근전도 검사 등에서 아무런 이상 소견이 없이 요족변형이 발생하는 경우도 있다.

Table 2. **요족의 원인 질환**

1. 신경근육성 질환
a. 유전성 감각운동신경병증
b. 척수이형성증
c. 뇌성마비
d. 소아마비 후유증
e. 척수공동증
f. 일차성 소뇌 질환 또는 척수소뇌 질환, Friedreich 실조증
g. 척수 종양
h. 잠복성 수뇌증
I. 말초신경병증
2. 선천성 질환
a. 선천성 만곡족
b. 관절구축증
3. 특발성: 드물다.
4. 기타
a. 외상
b. 감염
c. Ledderhose's disease

4. 임상 소견Fig 17

임상 증상은 원인 질환에 따라 달라진다. 족부 변형이 없다가 학동기나 사춘기에 서서히 발생하는 요족 변형은 Charcot-Marie-Tooth 병과 같이 지연 발현하는 신경근육성 질환 또는 척수수막류나 지방종에서 척수 사슬증(tethered cord syndrome)의 가능성이 있다.

1) 족부 변형

- 전족부 족저굴곡 및 회내(pronation) 변형, 후족부 내반(varus) 변형
- 족저 근막 구축과 종아치의 상승
- 갈퀴 족지(claw toe)

2) 증상

- 높은 종아치로 신발 안에서 발이 불편할 수 있다.
- 후족부 내반변형으로 보행 시 자주 염좌가 발생한다.
- 중족골두의 족저부 및 근위 지간 관절의 배부에 통증성 굳은살(callus)이 형성된다.

5. 진단

기저 질환이 있는 경우가 많기 때문에 족부 변형 이외의 동반된 전신 증상, 출생력 및 발달력을 잘 파악해야 한다. 족부 변형의 출현 시기와 발의 크기가 작지 않은지 잘 살펴보아야 하며 유전성 신경근육 질환의 가능성이 있으므로 가족력을 파악하는 것이 필요하다.

- 족부의 개개 근력을 체크하고 하퇴근 위축 또는 비후 여부를 살펴본다. 심부건 반사 및 족간대 경련(ankle clonus) 여부를 체크해야 한다. 접촉, 통증, 진동 및 고유

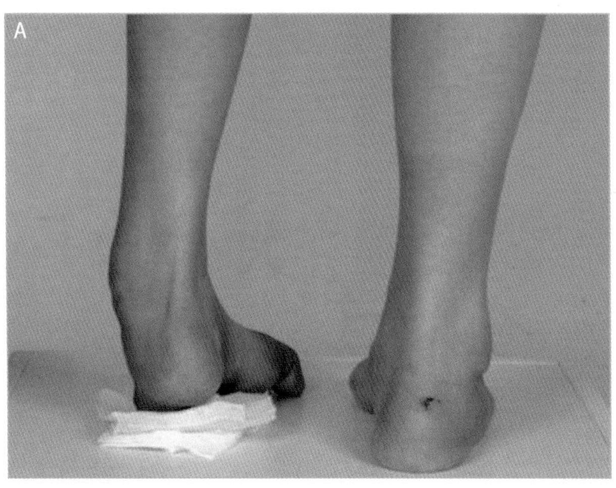

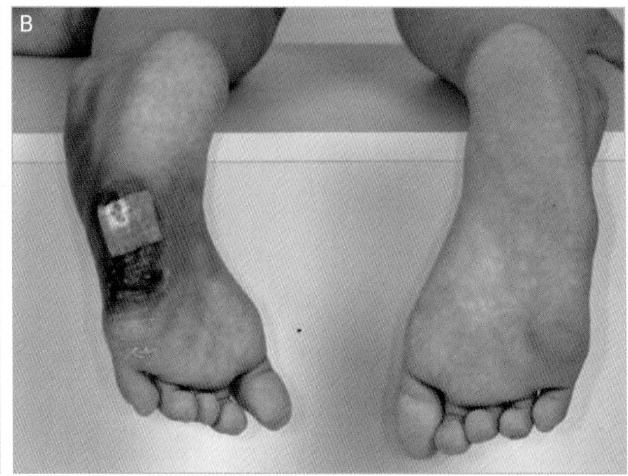

Fig 17. **첨요내반족.**
A: 종아치가 증가되어 있고 후족부는 내반변형이 있다. B: 후족부 내반으로 인해 발바닥 외측에 과도한 압력으로 피부 궤양이 발생하였다.

감각에 대한 감각 검사를 시행하여 특히 이상 감각 또는 감각 저하 양상이 말초 신경 질환의 특성인 스타킹-장갑 분포 양상으로 나타나는지 아니면 신경 지배 영역을 따라 분포하는지 체크해야 한다.

- 척수포착증후군에 대해서 척추에 대한 방사선 검사와 MRI 등 영상 검사가 필요하다.
- 신경근육성질환에 대해서 근전도 및 신경전도 속도 검사, 신경 및 근육 조직검사, 유전자 검사 등이 필요하다.

Coleman block test Fig 18

- 요내반족(pes cavovarus)에서 후족부 내반이 고착되어 있는 것인지 아니면 후족부는 유연한데 전족부 회외변형에 따른 이차적인 내반인지를 구별하는 방법이다.
- 발뒤꿈치와 전족부의 외측을 나무토막 위에 올려놓고 전족부의 내측 제1, 2열은 나무토막 아래로 늘어뜨리도록 하여 기립한 자세에서 후족부의 내반이 잔존하는지, 중립이나 외반으로 교정되는지를 관찰한다.
- 삼점 지지대(tripod)를 구성하는 전족부의 제1중족 골두가 바닥면과 접촉하지 않으므로 후족부에 보상성 내반이 되려는 힘이 작용하지 않게 된다. 따라서 후족부의 보상성 내반이 유연한 경우에는 중립 또는 외반으로 교정되며 후족부 변형이 고착된 경우에는 교정되지 않는다.
- 후족부 내반이 유연한 경우에는 전족부 변형만을 교정하지만, 후족부 내반이 고착되어 있을 때에는 종골 외반 또는 외측전위 절골술 등을 통해서 함께 교정한다.

- Kelikian유연 "push-up test" Fig 19
  - 갈퀴족(clawfoot)에서 중족지간 관절(metatarsophalangeal joint)과 지간 관절(interphalangeal joint)의 유연성을 검사하는 방법이다.
  - 중족골두를 수동적으로 밀어 올릴 때, 이 관절들이 유연하면 지간 관절의 굴곡과 중족지간 관절의 과신전이 해소된다.

6. 방사선 검사 소견 Fig 20

- **체중 부하 전후방 및 측방 방사선 검사**
  - 요족 변형의 첨단부(apex)를 평가한다.
  - 전후방 거골-제1중족각(anteroposterior talo-first metatarsal angle)
  - 측방 거골-제1중족각(lateral talo-first metatarsal angle, Meary angle)
  - 주상골-입방골 중첩(naviculocuboid overlap)
  - Hibb 각: 종골과 제1중족골의 장축 간의 각도 감소 (정상: 150도 이상)
  - 거주상 피복각(talonavicular coverage angle)
  - 종골 경사각(calcaneal pitch)

7. 치료

신경학적 기저 질환에 대한 정확한 진단과 가능한 치료

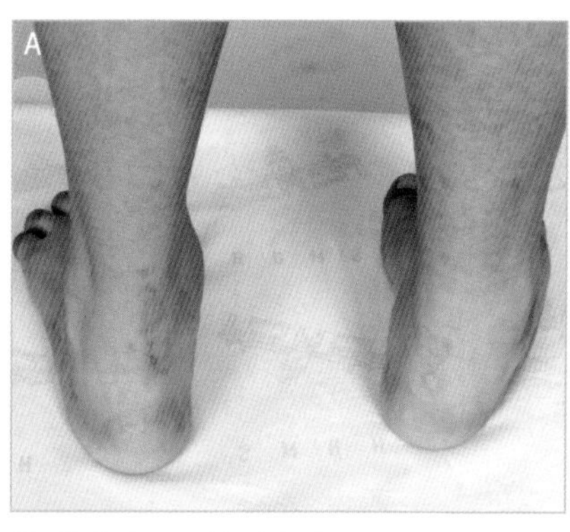

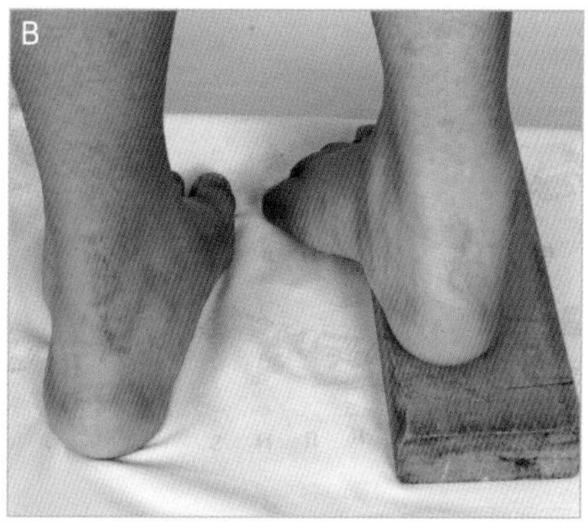

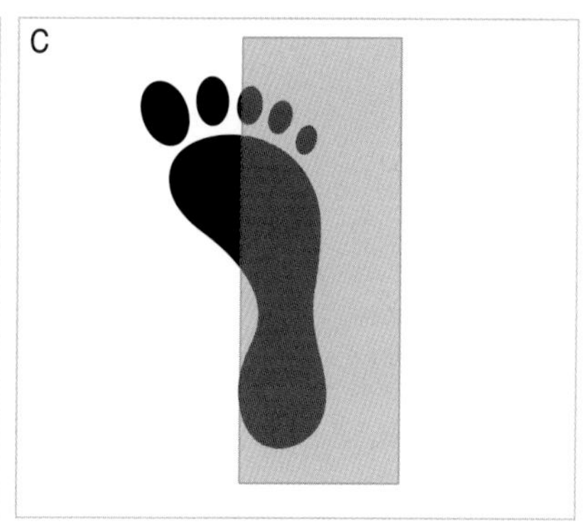

Fig 18. **Coleman block test.**
A: 회내(pronation)된 전족부(forefoot)로 인해서 후족부(hindfoot)가 내반(varus)되어 있는 요내반족(cavovarusfoot) 환자를 B: 나무토막 위에 세워서 전족부 회내(pronation)에 의한 효과를 제거하면 후족부가 유연한 환자에서는 내반(varus)변형이 해소된다. 후족부가 유연한 경우에는 전족부에 대한 변형만 교정하면 후족부는 저절로 교정되지만, 후족부가 경직된(rigid) 경우에는 후족부에 대한 치료도 병행하여야 한다. C: 나무토막 위에 발을 올려 놓는 위치.

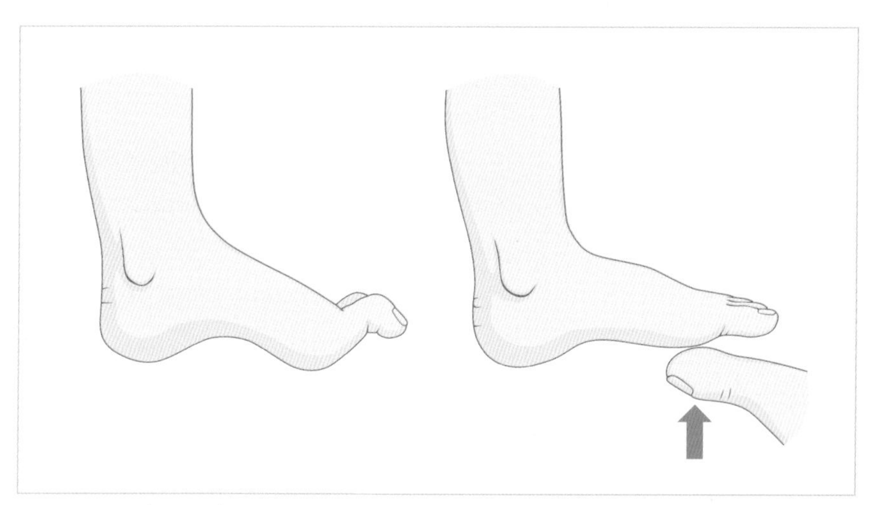

Fig 19. 갈퀴족지(clawfoot)에서 중족지절관절의 유연성을 검사하는 Kelikian's "push-up" test.

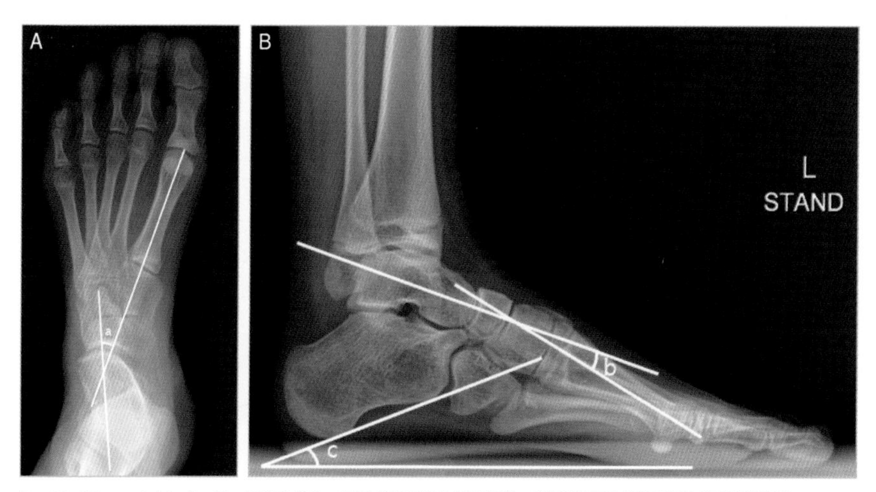

Fig 20. **Charcot-Marie-Toot 병이 있는 13세 여아에서 관찰되는 요내반족의 체중부하 방사선 검사.**
전후방 거골-제1중족각(a) 및 측방 거골-제1중족각(b)의 변화 및 증가된 종골 경사각(c)이 관찰된다.

를 우선적으로 해야 한다. 그러나 대부분의 신경학적 질환은 치료할 수 없으며, 신경학적인 문제가 해소되더라도 대개 근육의 불균형은 회복되지 않으며 변형에 대한 치료가 필요하다.

1) 보존적 방법

- 하퇴 삼두근 약화 및 위축에 대해 능동적 근력 강화와 스트레칭 운동이 필요하며 반복적인 염좌를 예방하기 위해 단하지 보조기(AFO)를 착용시킬 수 있다.
- 약화된 비골근이나 전경골근에 대해 선택적인 근력 강화 운동이 도움이 될 수 있다.
- 통증이 있는 굳은살에 대해서는 자극이 덜되는 편한 신발을 신게 하고 중족골두 돌출에 대해서는 신발 안에 metatarsal bar 또는 pad를 넣어주면 자극을 줄일 수 있다.
- 후족부 내반이 유연한 경우에는 발뒤꿈치에 외측쐐기(lateral wedge)가 있는 신발이 도움이 될 수 있다.

2) 수술적 치료

수술적인 치료는 변형의 정도와 유연성 여부에 따라 결정한다. 제1중족골의 족저굴곡이 유연한 경우 건 이전술로 치료할 수 있으나 고착된 변형은 절골술이 필요하다. 후족부 내반도 유연한 경우에는 전족부나 중족부의 절골술 후 자연 교정될 수 있으나 고착된 변형인 경우에는 종골 절골술이 필요하다. 경우에 따라서는 중족 절골술(midfoot osteotomy)을 통해 전후면 상의 변형과 축 상의 회전 변형을 함께 교정하기도 한다. 족지 변형에 대해서는 역시 정도에 따라 다양한 연부 조직 수술 또는 관절 유합술을 시행한다.

(1) 적응증

① 증상이 있는 변형이 진행할 때

② 중족 골두의 족저부 및 제5중족골 기저부에 통증을 동반한 굳은 살이 형성된다.

③ 동반된 내반변형으로 인하여 자주 족근관절 염좌가 발생

(2) 수술 원칙(Chapter 7. 뇌성마비 족부변형의 치료 참고)

① 유연한 변형을 가진 어린 환자에서는 대개 연부 조직 수술로 교정할 수 있지만 변형이 고정되는 사춘기 또는 성인기에는 골 수술을 시행하여야 척행족(plantigrade foot)을 얻을 수 있다.

② 족저 근막, 족저 근육과 인대 등 족저부 유리술을 우선 시행한다. 전족부 첨족 변형이 지속되면 골 수술을 시행하여 교정한다.

③ 족부의 모든 고착된 변형을 다 교정하고 난 후에 필요하면 근력의 균형을 맞추는 술식을 시행한다.

④ 수술 전에 재발의 가능성에 대하여 설명하고 변형이 재발하였을 때의 대처 방안을 미리 염두에 두고 수술 계획을 세운다.

(3) 연부 조직 수술

① 족저부 유리술: 족저 근막, 단족지굴근, 족무지 외전근, 족소지 외전근 등 종골에서 기시하는 구조물들을 유리한다(Steindler).

② 건 이전술: 중족 골두를 상승시키는 것이 목적이다.

* 장족지신근을 중족 골두로 이전(Sherman)

* 장족무지신근을 제1중족골 경부로 이전(Jones)

* 전경골근건을 제1중족골 기저부 배측으로 이전(Fowler)

* 이외의 건 이전술

- 장비골근을 단비골근으로 이전: 장비골근의 제1족지열을 족저굴곡시키는 힘을 제거한다.
- 후경골근건을 족배부로 이전: 족배굴곡력을 증가시키기 위하여 사용한다.

(4) 골 수술

① 전족부 첨족 변형의 교정

증가되어 있는 종아치(longitudinal arch)의 첨단에서 배측 폐쇄 쐐기 절골술 또는 유합술을 시행한다. 여러 저자들이 다양한 위치에서 수술 기법을 소개하였다.

- 족근골 간 관절 중 운동 범위가 가장 적은 주상설상(naviculocuneiform) 관절에서 배측 폐쇄쐐기 유합술은 수술 후 족부 유연성 손실이 적기 때문에 선

호된다. 외측 종아치는 입방골 배측 폐쇄쐐기 유합술로 교정한다(midtarsal osteotomy, Japas V-osteotomy).

- 요족 변형 자체가 심하지 않으며 제1중족골의 첨족 변형이 주로 문제인 경우에는 관절 유합술 없이 제1중족골 기저부에서 배측 폐쇄쐐기 절골술로 교정할 수 있다.
- 내측 설상골 족저측 개방쐐기 절골술은 발의 크기를 크게 하는 장점이 있으나 교정할 수 있는 변형의 크기에 한계가 있다.

② 후족부 내반 변형의 교정

- 종골의 내측 개방성 또는 외측 폐쇄성 쐐기 절골술(Dwyer)
- 종골의 외측 전위 절골술

③ 삼중 관절고정술(triple arthrodesis): 거종(talocalcaneal), 거주상(talonavicular), 종입방(calcaneocuboid) 관절에서 적절하게 폐쇄쐐기하면서 유합을 하는 술식으로 변형이 매우 심한 경우에 최후로 사용되는 술식이다. 수술 후 장기 추시에서 주위 관절의 관절염이나 Charcot 관절의 발생 가능성이 높기 때문에 가급적 재발된 심한 요족 변형에 국한하여 사용하는 것이 바람직하다.

④ 복잡하고 심한 변형의 경우 Ilizarov 기기를 이용하여 교정하는 방법들이 효과적인 경우가 많다.

VIII. 족근골 유합(tarsal coalition)

족부의 두 개 혹은 그 이상의 뼈들이 골 조직, 연골 조직 또는 섬유 조직으로 연결된 상태이다.

1. 분류 및 발생 빈도

- 족근골 유합은 비골 형성 부전, 선천성 첨내반족, Apert 증후군, Nievergelt-Perlman 증후군 등에서 동반 변형으로 나타나기도 한다. 단독으로 발생되는 경우의 발병률은 0.03%에서 1%까지 보고되고 있다.
- 종주상(calcaneonavicular) 유합과 거종(talocalcaneal) 관절의 중 관절면(middle facet) 유합이 가장 흔하며, 모든 유합의 90% 정도를 차지한다. 드물게 거주상(talonavicular) 유합, 종입방(calcaneocuboid) 유합, 주상설상(naviculocuneiform) 유합, 주상입방(naviculocuboid) 유합 등도 발생한다. 50-60%에서 양측성으로 나타난다.

2. 병인 및 유전

- 두 개 또는 그 이상 족근골의 일차 간엽(mesenchyme)이 분화 및 분절에 실패하여 섬유성, 연골성 또는 골성 연결로 남는다.
- 상염색체 우성 유전 양상의 가족성 발병 보고가 많다(Wray 1963).

3. 병리역학

- 보행 중에 거골하 관절에서는 활강 운동(gliding motion)과 회전 운동(rotatory motion)이 함께 발생한다.
- 배측 굴곡(dorsiflexion)을 하면 종골은 거골에 대해서 전방으로 활강하게 되고, 종입방 관절과 거주상 관절에서는 상방으로 활강하게 된다. 심하게 배측 굴곡(dorsiflexion)을 하면 주상골의 넓은 돌기가 거주 인대(talonavicular ligament)에 의하여 제한을 받으면서 거골두의 상방으로 이동한다.
- 거종 유합(talocalcaneal coalition)이 있으면 이러한 활강 운동에 장애가 오며 중족부의 관절들에서 경첩 운동(hinge motion)을 초래한다. 그러면, 주상골은 거골에 감입되어 거주 인대를 신연시켜서 돌기를 형성하게 된다. 비슷한 기전으로 거골이 종골구(calcaneal sulcus)의 외측에 감입되면 거골 외측 돌기가 넓어지면서 납작해진다(Close 1967, Outland 1960).

4. 임상 소견

- 족근골 유합이 있어도 증상없이 지내는 사람이 많다.
- 일부 환자에서만 아동기 말이나 청소년기에 통증이나 운동 장애 등의 증상을 호소하게 된다. 이는 연골 원기의 골화가 어느 정도 진행되면 유합 부위의 피로 골절 혹은 반복되는 스트레스가 골유합 주위의 관절막이나

골막에 분포된 신경단을 자극하는 것에 의한 것으로 생각된다.

- 변형된 상태로 유합된 족근골은 출생 시부터 발견되기도 한다. 선천성 비골 결손 등 하지 결손과 동반된 족근골 유합 등에서 그런 예를 볼 수 있다.
- 족근골 유합으로 거골하 관절의 내반, 외반 운동이 제한되면 족근관절에서 보상 작용으로 내반/외반이 일어나면서 족근격자와 거골 원개가 둥글게 재형성되어 절구공이(ball-and-socket) 족근관절Fig 21을 형성하기도 한다.
- 족근골 유합은 대표적인 강직성 편평족(비골근 경직성 편평족)으로 Jack's toe-raise test 음성이다. 다른 강직성 편평족의 원인인 류마티스 관절염, 외상, 감염, 종양(특히 유골골종) 등과 감별하여야 한다.

1) 통증

- 족근골 유합의 약 25% 정도에서 통증이 생긴다고 하는데 보통 연골 원기의 골화가 진행하면서 유합 부위의 운동성이 어느 정도 이상 제한되면 발생하는 것으로 생각된다. 보통 종주상 유합은 8-12세 사이, 거종 유합은 그보다 늦은 12-16세 사이 증상이 발현한다.
- 거종 유합에서는 족근관절 내과 아래에, 그리고 종주상 유합인 경우에는 족근동 부위에 통증이 있다. 이외에도 종아치 부위나 발등 부위의 통증을 호소하는 경우도 있다.
- 통증은 운동 후에 악화되고 쉬면 경감되는 양상인데, 특히 불규칙한 바닥면에서 걷거나 달리기하는 것을 불편해한다.

2) 잦은 족근관절부 염좌

3) 변형 및 보행 이상

후족부 외반 변형 및 외족지 보행(out-toeing gait)

4) 관절운동 제한

거골하 관절운동이 제한되며, 특히 거종 유합이 종주상 유합보다 운동 제한이 심하다.

5. 영상의학적 검사

1) 방사선 검사

전후방, 측방, 사면, Harris 상 등을 촬영한다.

(1) 종주상 유합(calcaneonavicular coalition)

- 종골 전방 돌기의 신장(개미핥기 징후; anteater sign): 측방 및 외사면 방사선 검사에서 종골의 전방 돌기가 주상골로 향하여 두껍게 연장되어 있고 유합되거나 거

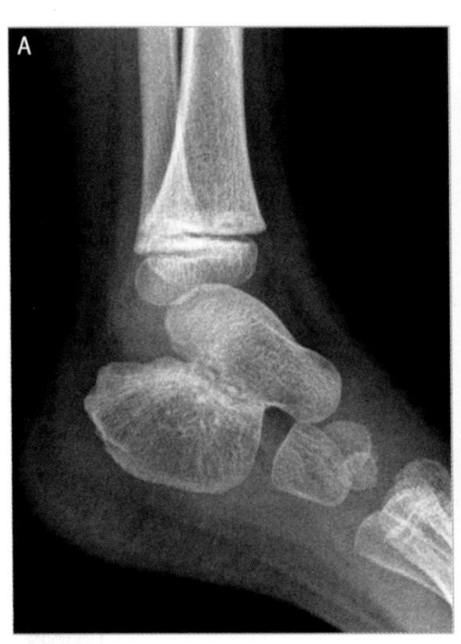

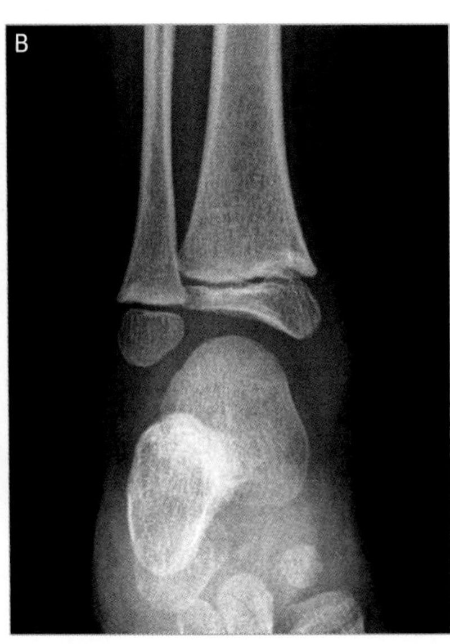

Fig 21. **절구공이 족근관절(ball-and-socket ankle)을 보이는 5세 남아.**
A: 족부의 제5열 결손(5th. ray deficiency)과 하지 단축이 동반된 선천성 비골 결손 환자로 거종 유합(talocalcaneal coalition)이 관찰된다. B: 거골 원개 및 원위 경골 관절면이 둥글게 변화된 절구공이 관절 형태를 보인다.

의 유합된 소견을 보인다Fig 22.
- 주상골도 종골 측으로 길어져 있다.

(2) 거종 유합(talocalcaneal coalition)
- 거골 후방 돌기의 둔화(blunting)
- 거골징후(C sign): 측방 방사선 검사에서 거골 원개(talar dome) 후방과 종골 재거 돌기(sustentaculum tali) 하연이 연결되어 C자 형태의 음영을 형성한다Fig 23. 편평족에서도 관찰될 수 있어서 민감도와 특이도 모두 높지 않다.
- 거골 외측 돌기(lateral process)가 넓어지거나(broadening) 또는 둥그렇게(rounding) 된다.
- 거골 경부 하면이 오목해지고 중간부 거골하 관절이 관찰되지 않는다.

2) 골 주사 검사 상 유합 부위는 종종 흡수가 증가된다.

3) 컴퓨터 단층촬영이 골성 유합을 진단하는데 가장 정확한 검사이다.

4) 자기공명영상(MRI)
- 섬유성 및 연골성 유합을 진단하는데 유용하다.
- 류마티스 관절염 등의 염증성 질환에 의해 발생하는 강직성 편평족을 감별 진단하는데 도움이 되기도 한다.

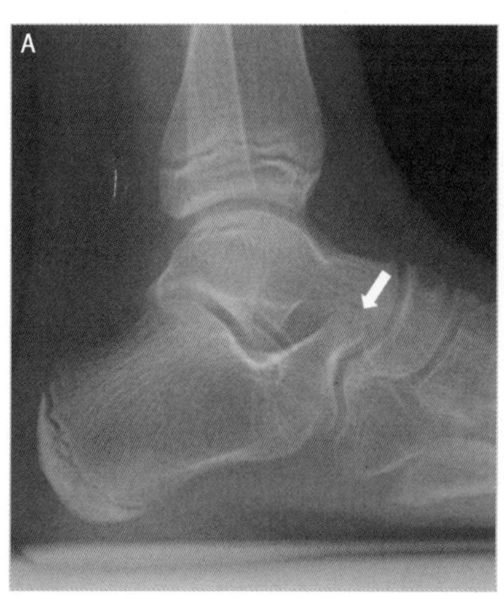

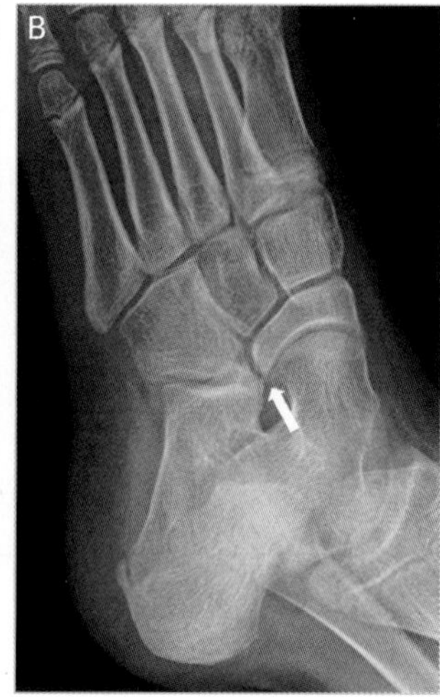

Fig 22. **종주상 유합(calcaneonavicular coalition).**
측방 방사선 사진(A)에서 개미핥기(anteater) 징후(화살표)가 보이며 외사면 방사선 사진(B)에서 종주 유합(화살표)을 확진할 수 있다.

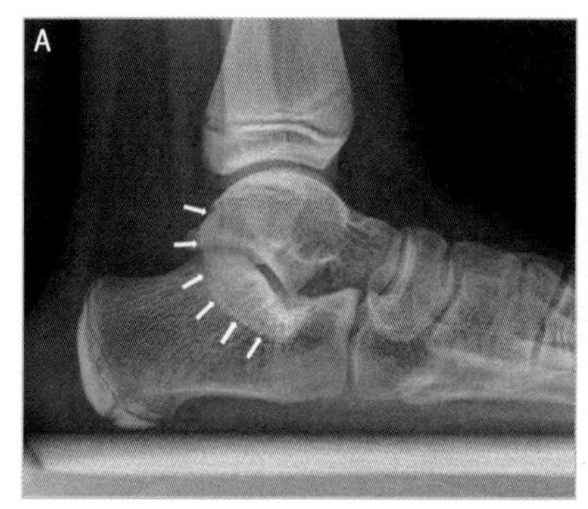

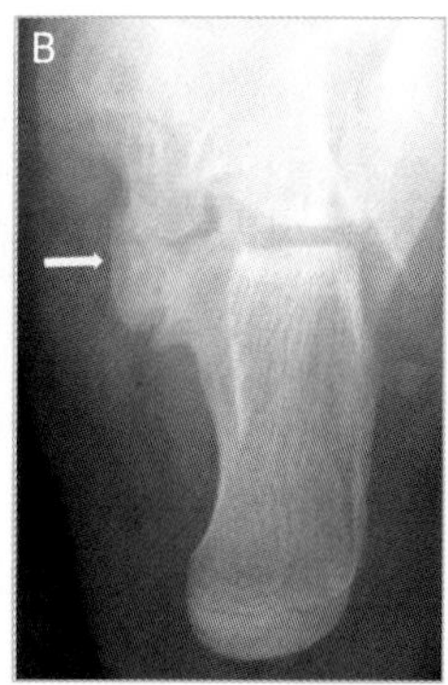

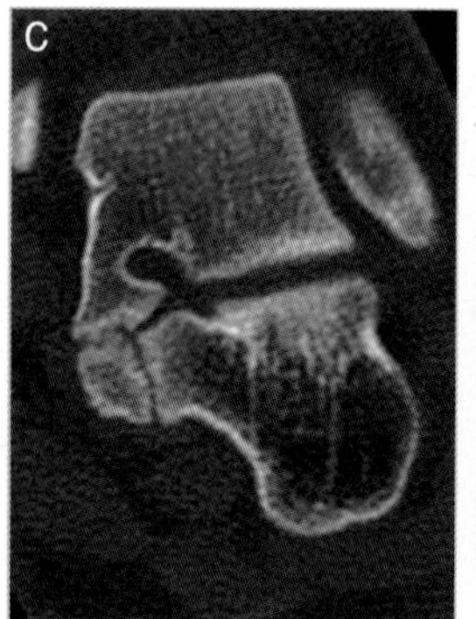

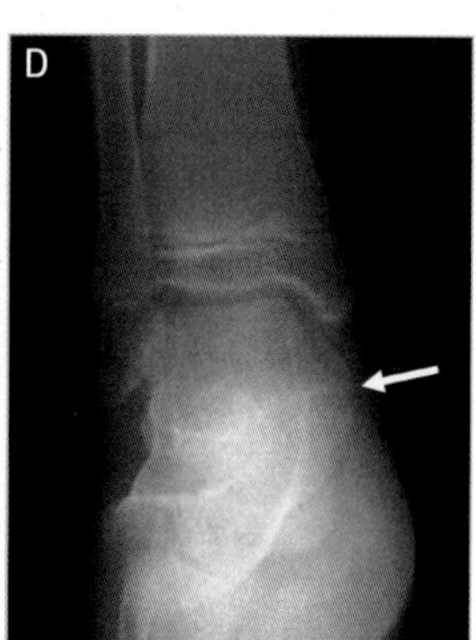

Fig 23. **거종 유합(talocalcaneal coalition).**
A: 족부 측면 방사선 사진에서 관찰되는 C 징후(화살표). B: Harris상(화살표)과, C: CT에서 거골과 종골 제거돌기 부위의 유합이 관찰된다. D: 전후방 족근관절 방사선 검사에서 관찰되는 경우도 있다(화살표).

6. 치료

치료의 목표는 통증을 줄이고 관절 가동성을 증가시키는 것이다. 치료는 통증이 있는 경우에만 시행하며 통증 없이 거골하 관절 가동성만 저하되어 있는 경우에는 치료의 대상이 아니다.

1) 보존적 치료

- 활동 제한, 진통 소염제 투여, 석고 고정 등이 있다.
- 환자 중 약 30%는 보존적 치료에 반응한다(Kumar 1977).

2) 수술

(1) 종주상 유합

- 유합부를 족저쪽의 깊은 부위까지 충분히 절제해야 한다.
- 재발을 막기 위해 단족지신전근(extensor digitorum brevis)이나 지방(fat)을 이용하여 개제술(interposition)을 시행한다.

(2) 거종 유합

- 컴퓨터 단층촬영 상 유합된 부위가 거골하 관절 면적의 50% 이하이며 관절의 퇴행성 변화가 없을 때 절제술의 대상이 된다(Wilde 1994, Scranton 1987).
- 거골하 관절의 움직임이 제한되지 않도록 충분히 유합된 부위를 절제해야 한다.
- 재발을 막기 위해 지방이나 반으로 나눈 장무지굴근(flexor halluces longus)을 이용하여 개제술을 시행한다.
- 거골하 관절의 퇴행성 변화가 심할 경우 거골하 관절 유합술이나 삼중 유합술을 고려할 수 있다.

IX. 주상골 부골 증후군(accessory navicular syndrome/prehallux syndrome)

주상골 부골은 실제로 부골인 경우도 있고, 또는 후경골근 건에 단독으로 있는 종자골(sesamoid bone)인 경우도 있는데 후자의 경우에는 거의 증상이 없다. Prehallux, accessory scaphoid, os naviculare secundarium, navicular secundum, os tibiale externum으로 불리기도 한다. 유병률이 14-26%에 이를 정도로 흔하다.

1. 임상 소견

1) 통증

- 대부분은 증상이 나타나지 않으나, 일부에서는 아동기 말이나 청소년기 초에 족부의 내측과 후경골근 건을 따라서 분포하는 통증이 발생한다.
- 통증의 원인은 섬유연골 유합 부위에의 반복적인 미세 외상(골절), 이차적인 후경골근 건염 또는 신발에 의한 돌출부에의 직접적인 압박 등이다.
- 여아에서 호발하고 종종 양측성으로 발생한다.

2) 압통

- 보통 후경골근이 정상적으로 주상골에 부착되는 지점보다 근위/족저측에 있다.

3) 족부 내측의 돌출

4) 종아치의 감소

유연성 편평족과 동반될 수 있다.

2. 주상골 부골의 유형(Ray 1983)Fig 24

- 제1형: 완두콩 크기의 부골로서 후경골근 건의 원위부 중앙에 위치하며, 거의 증상을 일으키지 않는다.
- 제2형: 총알 모양의 부골로서 주상골의 내측 조면(tuberosity)과 섬유성 혹은 연골성 결합을 하고 있다. 가장 흔하게 증상을 유발하는 유형이다. 제2형에서 원골과 부골 사이는 섬유 연골과 함께 혈관 및 간질 조직의 증식이 있다. 이러한 조직학적 소견은 치유 중인 미세 골절이나 만성 피로 골절과 유사하다.
- 제3형: 주상골이 내측으로 뿔모양으로 돌출된 양상이며, 이는 제2형 부골이 주상골과 골 결합한 유형이다.

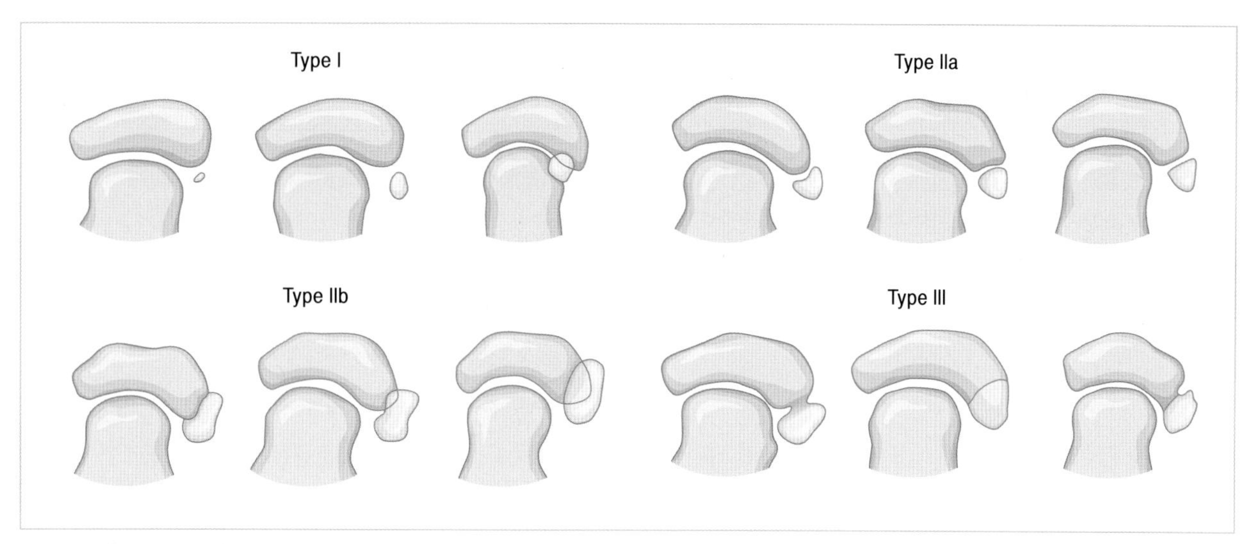

Fig 24. **주상골 부골의 유형.**
1형은 후 경골근 건 내에 위치하는 작은 크기의 부골이다. 2형은 주상골과 섬유성 혹은 연골성 결합을 하고 있다. 3형은 주상골과 골성 유합 되어있다. 어떤 저자들(Sella & Lawson 1987)은 2형을 두 가지로 나누는데 2a형에서는 장력이 주로 작용하는데 비해 2b형은 전단력이 작용하므로 2a형에서 견열 손상(avulsion injury)의 위험이 더 크다고 하였다.

3. 단순 방사선검사 소견

가장 좋은 방사선 사진은 외사면상(external oblique view)이다. 주상골은 족근골 중에 가장 늦게 골화되는 뼈이며 주상골 부골은 더욱 늦게 골화되기도 한다. 따라서 방사선학적 진단은 보통 늦은 아동기나 청소년기에 이르러야 가능하다.

4. 치료

1) 보존적 치료

- 부골 부위에 직접적인 압력이 가해지지 않도록 부드러운 신발 및 신발 내 패드를 사용한다. 궁 지지대(arch support)는 오히려 돌출 부위에 압박을 가할 수 있어 조심해야 한다.
- 편평 외반족이 동반된 경우에는 후족부 외반을 교정하는 UCBL (university of California biomechanics laboratory) 보조기가 증상 완화에 도움이 되기도 한다.
- 증상이 심한 경우에는 단하지 석고 고정을 시행한다.
- 대부분 보존적 치료로 증상이 소실된다.

2) 수술

보존적 치료로 해결되지 않는 심한 주상골 부골 증후군에 대해서 수술적 치료를 고려한다. 수술은 두 가지 방법으로 시행할 수 있다.

(1) 골편 제거술

후경골근 건을 종적으로 절개하고 골편을 제거하는 수술이다. 비교적 간단한 수술이지만 증상 호전을 90% 정도의 환자에서 기대할 수 있다는 보고도 있다. 피부 절개는 나중에 신발에 의해서 자극되는 것을 피하기 위해 발등 쪽으로 가하는 것이 좋다.

(2) Kidner 술식

족부 내측으로 절개해서 골편과 골 돌출부를 제거하고 후경골건 전전술(advancement procedure)을 시행한다. Kidner는 주상골 부골에 의해 후경골근의 견인 기능이 감소하게 되어 편평족 변형을 초래하게 되므로 이러한 전전술이 필요하다고 주장하였으나 주상골 부골과 편평족은 관련이 없다는 후속 연구들도 있다. 또한 편평족과 동반된 주상골 부골 증후군 환아에서 단순 골편 제거술과 Kidner 술식은 통증 호전 및 변형 교정 여부에 있어 차이가 없다는 보고도 있다.

X. 족부의 골연골증
(osteochondrosis of the foot)

1. Köhler 병

1908년 Köhler가 기술한 족부 주상골의 골연골증이다. 자한성(self-limited) 질환으로 2-7세에 흔하고, 남아에서 약 4배 호발하며, 1/3은 양측성으로 발병한다.

1) 병인

- 주상골에의 물리적 스트레스 또는 혈행 장애가 원인으로 추정되나 정확한 원인은 미상이다.
- 주상골은 종아치의 첨단에 있어서, 계속적인 긴장과 반복적인 압박력으로 비정상적인 골화와 혈관 폐색이 발생하여 무혈성 괴사를 초래한다는 설이 있다(Waugh 1958).
- 주상골은 다른 족근골들보다 골화가 늦게 시작되기 때문에 연골 상태로 오랫동안 물리적 자극에 노출, 손상되기 쉬운 것이 중요한 발생 원인이라는 주장도 있다. 이러한 점이 1.5-2세에 골화가 일어나는 여아보다 2년 정도 더 늦게 골화가 시작되는 남아에서 이 질환이 4배 정도 더 호발하는 것을 설명하는 근거가 되고 있다.
- 환자의 82%에서 거골이 종골의 전면보다 더 길게 전방으로 돌출되어 있어 주상골 공간이 좁기 때문에 물리적 스트레스가 증가된다는 주장도 있다(Scaglietti 1962).

2) 임상적 소견

- 중족부 통증 및 파행: 족부 외측을 딛고 보행하는 양상을 보이기도 한다.
- 부종, 주상골 내측 후경골근 건 부착 부위의 압통: 거골하 관절과 중족 관절운동은 정상이다(연소기 류마토이드 관절염과 감별).

3) 방사선 검사 소견Fig 25

- 주상골의 편평화, 경화, 분절 소견을 보인다.
- 반대측 족부에도 비슷한 소견이 관찰될 수 있다. 불규칙한 골화 소견과 함께 증상이 동반될 때에는 Köhler 병으로 진단하지만 증상이 동반되지 않으면 정상으로 간주한다(William 1981). 즉, 주상골의 골화중심이 다발성으로 나타나 나중에 서로 합치는 경우가 있는데, 이 경우 Köhler 병과 감별이 필요하다.

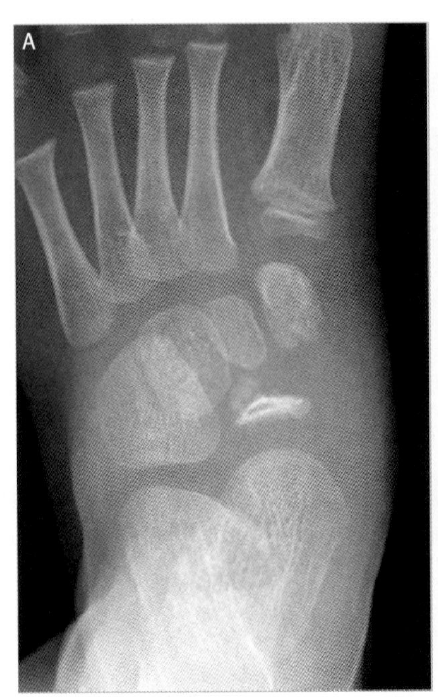

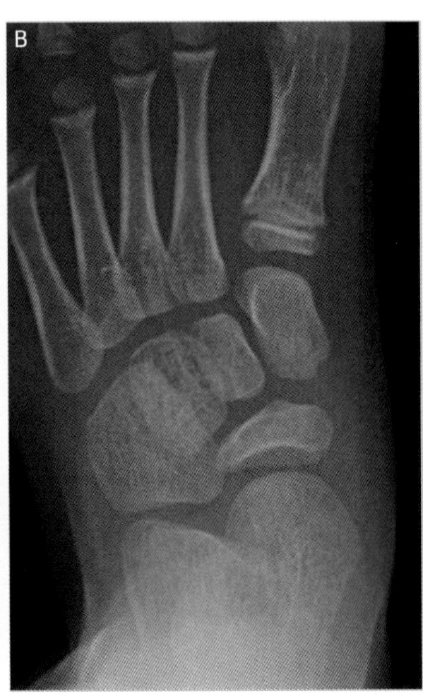

Fig 25. **Köhler 병.**
6세 남아로 족배부의 통증 및 파행으로 내원하였다. 단순 방사선검사에서 주상골의 골연골증(A)이 관찰된다. 2년 추시 방사선 사진에서 정상화되었다(B).

4) 치료

증상이 경미하면 경과관찰만 하고, 통증이 심하면 보행 석고(walking cast) 등으로 대증적 치료를 한다.

5) 예후

매우 양호하여, 1.5-3년(최소 6개월)이면 주상골이 재건된다. 잔여 변형이나 퇴행성 변화가 없다(Ippolito 1984).

2. Freiberg 병

중족골두의 골연골증으로 13-18세의 여아에서 주로 발생한다. 제2중족골두가 가장 흔한 호발 장소이고 다음이 제3중족골이다. 드물게는 제1, 4, 5중족골에도 발생한다. 양측성은 10% 미만이다.

1) 병인

정확한 원인은 미상이나 외상(Braddock 1957), 반복적인 스트레스, 혈액 순환 장애(Smillie 1955)에 의한다는 주장이 있고 높은 굽의 구두 착용과 관련된다는 보고들이 있다.

2) 임상 소견

중족 골두 통증, 국소 부종, 중족지절 관절의 운동 장애가 나타나며 운동 시에 증상이 악화된다.

3) 방사선 검사 소견(Ketcherian 1994)

- 초기: 관절 간격 증가, 관절 삼출액
- 중기: 골 경화, 연골하골의 골흡수
- 후기: 중족골두의 비후, 편평화, 불규칙화

4) 자연 경과

지속적으로 모든 시기를 거치며 진행하기도 하며, 일부는 어떤 시기에서 멈출 수도 있다. 장기적인 예후는 최후 변형의 정도와 관절 연골의 복원 상태(관절면의 조화)에 따른다.

5) 치료

- 많은 경우에서 비수술적인 치료로 증상 완화와 적절한 치유를 기대할 수 있다. 활동을 줄이고 중족 패드(metatarsal pad)를 신발 내에 삽입하며 굽이 높은 신발은 피한다. 필요하면 일시적으로 단하지 석고 고정을 시행한다.
- 병이 진행된 후에는 대증 요법과 관절 보호에 중점을 둔다. 장기간의 보존적 요법에 실패한 경우 수술의 적응이 된다.
- 수술적인 치료로는 관절 관개 및 변연 절제술, 유리체 제거술, 함몰 관절면 거상 및 골이식술, 중족골두 제거 및 단축술, 중족골 배부 닫힌 쐐기 절골술 등이 있다Fig 26.
- 어떠한 수술을 하더라도 연부 조직 박리를 최소화하여 중족 골두로의 혈액 순환을 보존하도록 노력하여야 한다.

3. Sever 병

- 활동이 많은 어린이의 발뒤꿈치 통증을 유발하는 원인의 하나이다.
- 종골의 견인 골단에 발생하는 골연골증으로 10-12세에 호발하며 남아에서 여아에 비하여 3배 정도 많이 발생하며, 약 60% 정도에서 양측성으로 발생한다. 축구, 농구, 체조, 육상 선수들에 많다.
- 원인은 미상이나 하퇴 삼두근 및 족저 근막의 신연과 보행 시 직접적인 뒤꿈치 충돌로 인한 반복적인 미세 외상의 결과로 발생하는 일종의 피로 골절로 생각되기도 한다.
- 아킬레스건 부착 부위 근처에 통증이 있고 발뒤꿈치 부위에 압통이 있으며, 활동하면 증상이 심해진다. 일부에서는 아킬레스건의 단축 소견을 보인다.
- 발뒤꿈치 통증이 있고 방사선 검사 상 종골 견열골단의 음영이 증가하고 분절되는 소견Fig 27이 관찰되면 Sever 병이라고 진단하나, 이러한 방사선 소견은 정상에서도 나타날 수 있다.
- 이 병은 자한성 질환이며, 대증적 치료로 충분하다. 활동을 줄이고, 신발의 뒤축을 올려주며 증상이 심하면 석고붕대로 일시적으로 고정시킨다. 대개 치료 후 2개월 정도면 증상이 호전되고 성인기에 후유증을 남기지 않는다.

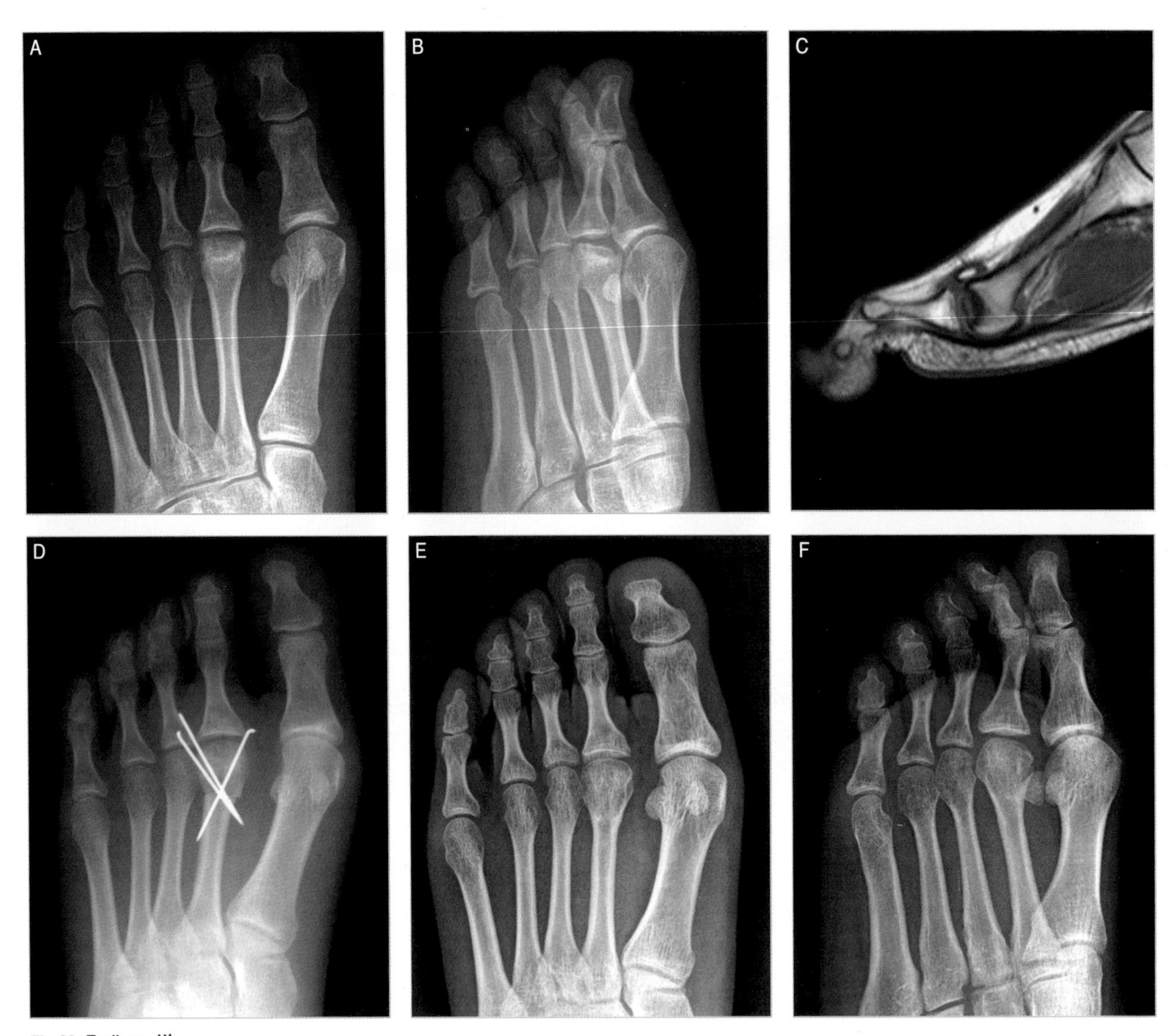

Fig 26. **Freiberg 병.**

A,B: 15세 여아로 제2중족 골두의 골연골증이 관찰된다. C: MRI 검사 상 병변은 골두 배부에 국한되어 있다. D: 손상되지 않은 족저부로 관절면을 재건하기 위해 중족골 경부에서 배부 폐쇄성 쐐기 절골술 및 유리체 제거술을 시행하였다. E,F: 3년 추시 상 만족스러운 관절면 상태가 관찰되며 임상적으로도 통증 없이 정상적인 관절운동 범위를 보이고 있다.

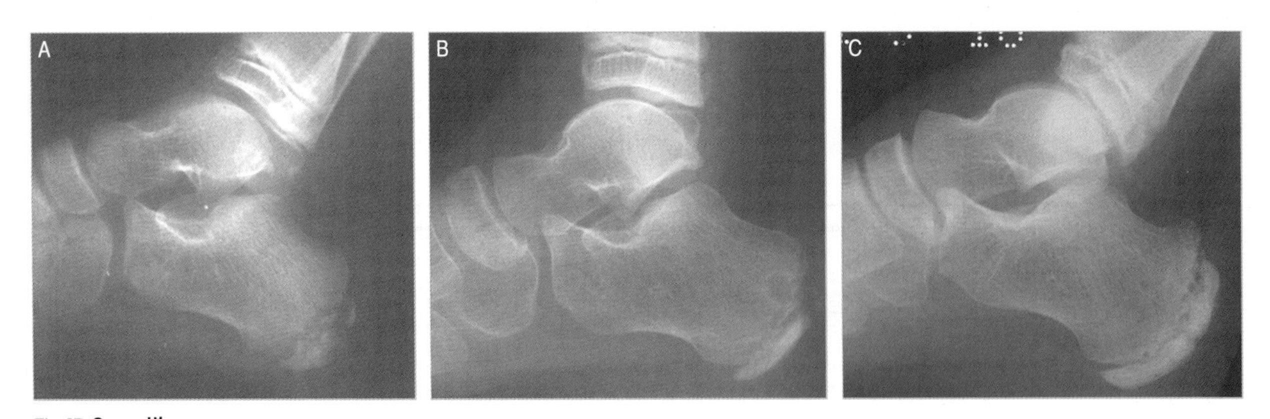

Fig 27. **Sever 병.**

A: 후족부 통증을 주소로 내원한 7세 여아. B: 추시 1개월 경과한 후 LCP병과 유사한 ephiphyseal sclerosis 및 metaphyseal cyst의 소견을 보인다. C: 재골화되면서 증상이 소실되었다.

XI. 아킬레스건 주위 통증

아킬레스건 주위의 통증을 일으키는 여러 질환에 대한 명명에 있어 역사적으로 혼란이 있어왔다. 아래의 여러 병적 변화는 함께 발생할 수도 있다. 특히 아킬레스건 병증(tendinopathy)과 부건병증(paratendinopathy)이 자주 동반되며 종골 후면 점액낭염과 부착부 건병증도 병발하는 경우가 많다.

1. 중앙부 아킬레스건 병증 (mid-portion Achilles tendinopathy)

아킬레스건이 종골에 부착하는 곳에서 근위부로 2-7 cm 부위가 방추상 비후를 보이고 통증 및 부종이 동반된다. 건자체의 퇴행성 변화 및 손상 후 치유 부전 소견이 있다.

2. 아킬레스 부건병증 (Achilles paratendinopathy)

아킬레스건막(paratenon)의 급성 또는 만성 염증 또는 퇴행성 변화로 정의된다. 급성일 때에는 국소 부종 및 염발음(crepitus)이 있다. 만성이 되면 운동으로 유발되는 통증이 있으며 급성일 때보다 국소 부종 및 염발음은 적다.

3. 부착부 아킬레스건 병증 (insertional Achilles tendinopathy)Fig 28

아킬레스건이 종골에 부착하는 부위에 발생하는 건병증으로 종골에 골극이나 건에 석회화가 발생할 수 있다. 종골 후면의 중앙부에 통증과 부종이 있다. 건-골 부착 부위에 미세한 건 파열이 동반될 수 있다.

4. 종골후면 점액낭염 (retrocalcaneal bursitis; Achilles bursitis)

아킬레스건 전하방과 종골 후상방 사이의 공간(retrocalcaneal recess) 부위에 있는 점액낭의 염증으로 이 부위의 통증, 부종, 발적을 보인다. 단순 방사선 사진에서 종골 후상방이 융기되어 있는 경우가 많다.

5. 표층 종골 점액낭염 (superficial calcaneal bursitis)

종골 후면과 피부, 또는 아킬레스건과 피부 사이에 위치한 점액낭(adventitious bursa)의 염증으로 통증과 부종 그리고 피부의 색조 변화가 관찰된다. 주로 종골의 후외방 부위에 위치하는 경우가 많으며 딱딱한 뒷부분을 가진 신발을 신는 경우에 잘 발생한다. 그러나 아킬레스건 자체에는 문제가 없다.

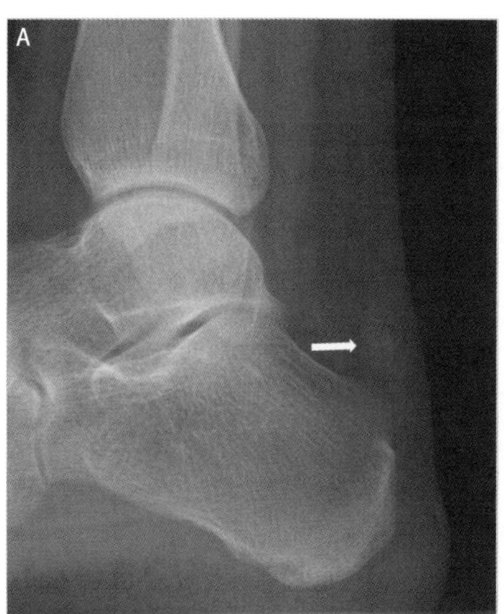

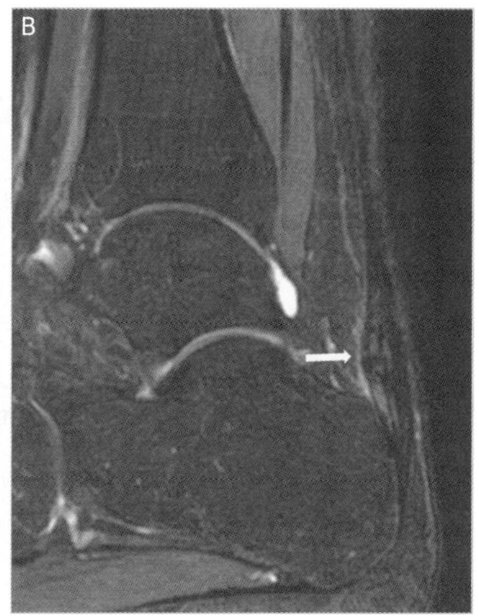

Fig 28. 뒷꿈치 통증이 있는 16세 남아로 단순 방사선 사진(A)에서 아킬레스건 부착부 근위부에 석회화가 관찰되며, MRI(B)에서 아킬레스건 병증 소견이 보인다.

XII. 청소년기 무지 외반증(adolescent hallux valgus/adolescent bunions)

무지 외반증은 선천적인 소인이 있고 신발을 신으면서 악화되는 흔한 질환으로 통증성 족부 변형을 초래한다. 청소년에서 발견되는 경우 제1중족골 내반(metatarsus primus varus)이 동반되는 경우가 대부분이다.

1. 원인

1) 내재적(intrinsic) 원인

- 여자에서 3배 더 흔하다.
- 70% 이상에서 어머니-딸 간의 유전 양상을 보인다는 보고(Coughlin 1995)도 있어, 여성에서는 다양한 투과도를 보이는 반성 우성 유전 질환일 가능성이 있다. 반면에 남성에서는 상염색체 우성 또는 좀더 복잡한 유전 양상일 것으로 생각된다.

2) 외재적(extrinsic) 요인

- 좁은 신발코(toe box)와 높은 뒷굽을 가진 신발과 관련된다.
- 뇌성마비 등 신경학적 이상에 동반되는 경우도 있다.

2. 해부학적 변이

1) 제1중족골 내반(inverted first metatarsus)

- 제1중족골 원위 관절면의 외측 전위: 제1중족골두 관절면의 양끝을 연결하는 선에 직각인 선과 제1중족골 종축이 이루는 각도(distal metatarsal articular angle, DMAA)가 증가된 상태에서 근위 지골 관절면과는 상합성(congruency)을 이루고 있는 경우가 약 절반에 달한다.
- 제1중족-설상관절면 경사도(first metatarsocuneiform joint obliquity): 내측 경사로 인해 중족골 내반이 초래된다.

2) 짧거나 과다하게 긴 제1중족골

아직 원인 여부에 대하여 논란이 있다.

3) 편평족

인대 과유연성과 함께 신경근육성 질환이나 교원질과 관련된 질환에서는 무지 외반증의 발병과 연관이 있다. 정상인의 경우는 직접적인 연관은 없다고 알려져 있으나 증상을 일으키는 외반증에서는 편평족과 동반되어 있는 경우가 드물지 않다.

3. 신체 검사

1) 근골격계 및 신경계 검사

2) 족부 검사

체중 부하 축의 정렬, 보행 축, 족부의 운동성, 굳은살 및 신발 유형을 평가한다.

4. 임상 소견

- 소아 청소년기 환자의 주소는 통증보다는 대개 미관상의 문제이다.
- 건막류(bunion)의 마찰에 의한 통증 또는 제1-2족지의 겹침이 문제가 되기도 하나 성인에서 흔한 관절 자체의 통증이나 전이 중족골 통증(transfer metatarsalgia)을 호소하는 경우는 흔하지 않다. 또한 퇴행성 변화나 관절운동 제한이 있는 경우도 드물다. 비후된 건막류 자체가 주된 증상인 경우도 흔하지 않다.

5. 방사선 검사

체중 부하 상태에서 촬영한다Fig 29.

- 중족골간각(intermetatarsal angle): 10도 이상(> 8도; 비정상)
- 무지 외반각(hallux valgus angle): 16도 이상(> 14도; 비정상)
- 원위 중족골 관절면각(DMAA): 15도 이상
- 제1중족골-설상골 정렬(first metatarsal-cuneiform alignment)이 비정상
- 편평족

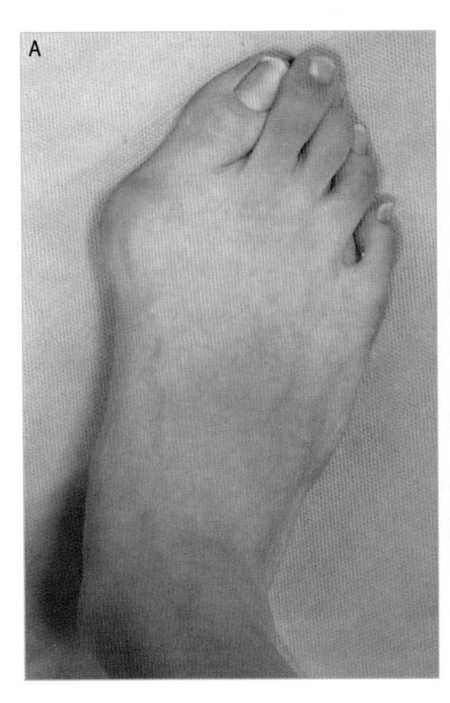

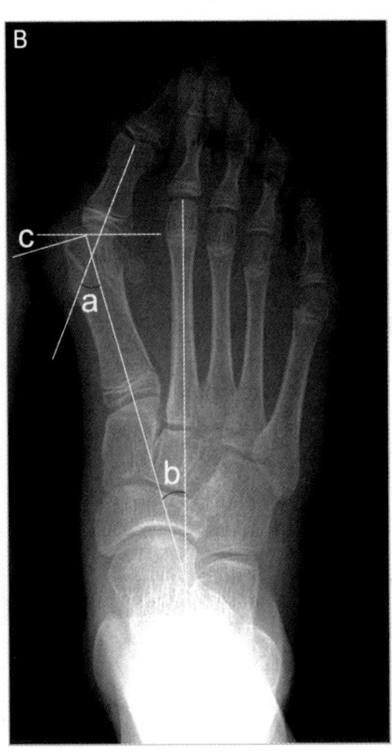

Fig 29. **무지 외반증(hallux valgus)을 보이는 14세 여아.**
A: 무지 외반으로 인한 제1-2족지의 겹침과 건막류가 관찰되며 편평족이 동반되어 있다. B: 체중 부하 단순 방사선 사진에서 측정해야 할 방사선 지표들은 무지 외반각(hallux valgus angle)(a), 중족골간 각(intermetatarsal angle)(b) 및 원위 중족골 관절면각(distal metatarsal articular angle, DMAA)(c) 등이 있다.

6. 치료

청소년기 무지 외반증에 대한 수술적 치료의 결과는 성인과 비교하여 좋지 않다. 그 이유로는 지속적인 골성장으로 인한 변형의 재발, 제1중족골 기저부 골단판 성장정지, 증가된 DMAA를 교정하지 않아서 변형 교정에 실패하는 것 등이 제시되고 있다. 따라서 청소년기에는 되도록이면 보존적인 방법으로 치료하는 것이 좋으며 수술은 족부 성장이 완료된 이후에 시행하는 것을 권장한다.

1) 보존적 치료

불편을 줄여주기 위해 넓은 신발코(toe-box)-낮은 뒷굽 신발, 무지외반증 패드 또는 증상에 대한 치료를 시행한다.

2) 수술적 치료

- 중족골 절골술 없이 연부 조직 수술만으로 성공적인 결과를 얻기 힘든 경우가 많다.
- 뇌성마비 환아에서는 수술 후 재발이 매우 흔하므로 제1중족-지간 관절 유합술이 권장된다.
- 외측 전위 절골술(chevron 술식, Mitchell 술식 등)은 DMAA를 교정하지 못하므로 절골 부위에서 함께 각 교정을 하거나 이중 절골술(원위 중족골 및 근위 중족골 또는 원위 중족골 및 내측 설상골)을 고려하여야 한다.
- 성인에서와 마찬가지로 제1중족지 관절의 아탈구 여부, 제1중족-설상 관절면의 내측 경사 여부 및 중족골 간 각 등을 고려하여 수술 계획을 수립하여야 한다.

3) 적응증

- 통증에 대한 보존적 요법이 실패했을 때 수술한다. 변형의 정도로 수술 적응증을 결정하는 것은 권장하지 않는다. 변형이 경미하더라도 보존적 치료로 통증이 조절되지 않는다면 수술적 교정을 시행하나 변형이 심하더라도 증상이 경미하다면 수술적 치료를 시행하지 않는다.

4) 수술 방법

- 중족골 절골술: DMAA의 변화 유무에 따라서 각 교정 절골술 및 외측 전위 절골술로 구분할 수 있으며 절골 위치에 따라서 근위, 골간부, 원위 및 이중 절골술로 구분할 수 있다.
- 제1설상골 개방성 쐐기 절골술(first cuneiform opening

wedge osteotomy)
- 근위 지절 절골술(proximal phalangeal osteotomy)과 연부 조직 수술
- 외측 중족골 반골단판 유합술(Davids 2007): 9-11세 사이에 시행하여, 족무지 외반각의 일부 호전을 기대할 수 있다고 알려져 있으나 수술의 결과를 예측하기 어려운 단점이 있다.
- 내측 설상골-제1중족골 간 관절고정술(tarsometatarsal arthrodesis): 구제술로서 신경근육성 질환, 연소기 류마토이드 관절염 등에 적응이 된다.

5) 수술 합병증

- 과교정(족무지 내반, hallux varus): 과도한 각 교정 또는 외측 연부 조직 유리
- 불완전 교정
- 부정유합: 수술 시의 잘못 또는 조기 체중 부하로 인해 절골 부위에 신전 부정유합이 발생하는 경우가 있다.
- 불유합
- 무혈성 괴사: 중족골 원위 절골술에서 발생할 수 있다. 과도한 연부 조직 유리술을 함께 시행하는 경우 위험이 증가된다.
- 중족지간 관절(metatarsophalangeal)의 골관절염

XIII. 족지의 이상(anomalies of toes)

1. 다지증(polydactyly)

1) 임상 소견

1,000명 출생당 1.7명 발생하는 흔한 질환으로 약 30%에서 가족력을 보이며, 약 50% 정도에서 양측성이다. 수지다지증이나 족지 합지증을 동반할 수도 있다. 제5족지 중복(80%)이 가장 흔한데Fig 30 이를 다시 관절을 형성하는 A형과 관절 미발달형인 B형으로 분류한다. 족무지 중복은 약 15%를 차지한다. 중족골이 중복되거나 bracket 골단을 보이는 경우도 있다. 신발을 신기 어렵거나, 통증, 미용상의 문제가 된다.

2) 치료 원칙

- 축성 정렬이 가장 잘 된 족지를 남겨둔다.
- 삐져나와 증상을 유발하는 족지를 절제한다.
- 관절막을 봉합하고 연부 조직 균형을 맞춘다.
- 중족골의 돌출부를 깎는다.
- 동반된 중족골 기형도 함께 치료한다.
- 보통 생후 1년에 수술하는데 미발달된 B형은 출생 시 결찰하여 제거한다.

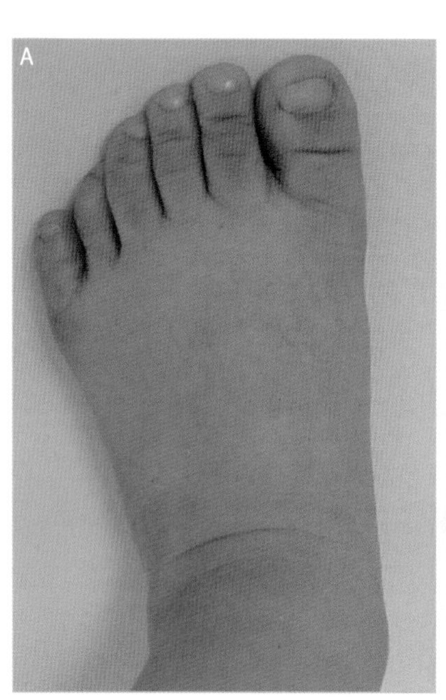

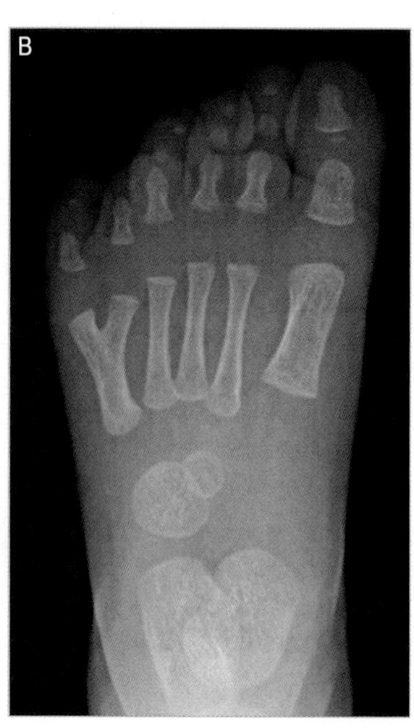

Fig 30. 제5족지의 다지증으로(A) 방사선 검사에서 중족골 원위부부터 중복되어 있는 것이 확인된다(B).

2. 합지증(syndactyly)

족지의 숫자는 정상이면서 제2족지와 제3족지 간에 유합된 경우가 가장 흔하다. Polysyndactyly는 제5족지의 중복이 있으면서 제4족지와 제5족지 간의 합지증인 경우가 흔하다Fig 31. 외측 중족골들의 골유합이 있을 수도 있으며, 수술적 치료를 요하는 경우도 있다.

3. Curly toes

1) 임상 소견

족지의 가장 흔한 변형으로 대개 가족성으로 발생하며, 양측에 대칭적이다. 제4, 5족지에 가장 많이 이환되며Fig 32 대개 증상을 호소하지는 않는다. 근위지절 관절이 굴곡되고 회전 및 내반 정렬되어 발톱이 외측 원위 방향으로 향하고 있다. 장족지굴근과 단족지굴근의 단축이 있다.

2) 치료

(1) 보존적 요법

유아/아동기 환자의 25-50%는 자연 소실되며, 테이핑이나 부목은 효과가 없다.

(2) 수술

① 장족지굴근(FDL), 단족지굴근(FDB) 건절단술(tenotomy): 가장 적절한 수술 방법으로 대개 3-4세 경에 수술한다. 피부 주름을 가로지르는 절개는 삼간다.

② 굴곡근을 신전근으로 이전(Girdlestone)

③ 근위 지간 관절고정술(PIP fusion): 아동기 말이나 청소년기에 강직성 변형을 보이는 경우에 적용된다.

4. 제5족지 겹침

1) 임상 소견

제5족지가 내전되어 제4족지 위로 겹쳐진 변형으로, 족지는 내전, 신전, 외회전되어 있고, 장족지신근의 신전 구축과 배부 중족 관절 구축이 나타난다. 환자는 신발 신기가 불편하며, 약 50%에서 통증을 호소하기도 하고, 미용상의 문제가 된다.

2) 치료

비수술적 치료는 효과가 없다. 수술적 치료로는 Butler 수술, V-Y 성형술, 족지 합지화(syndactylization) 및 근위

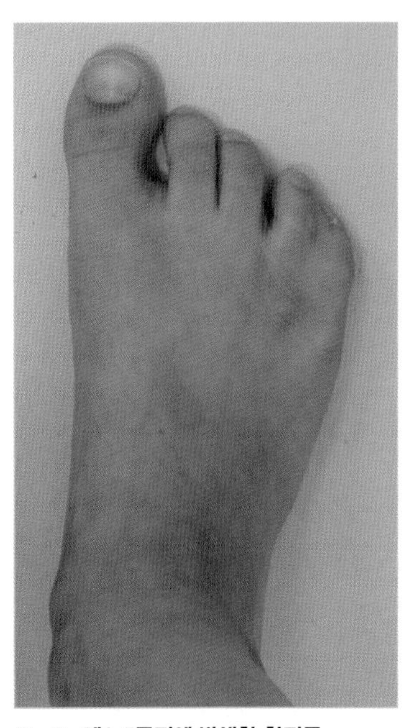

Fig 31. **제4, 5족지에 발생한 합지증.**

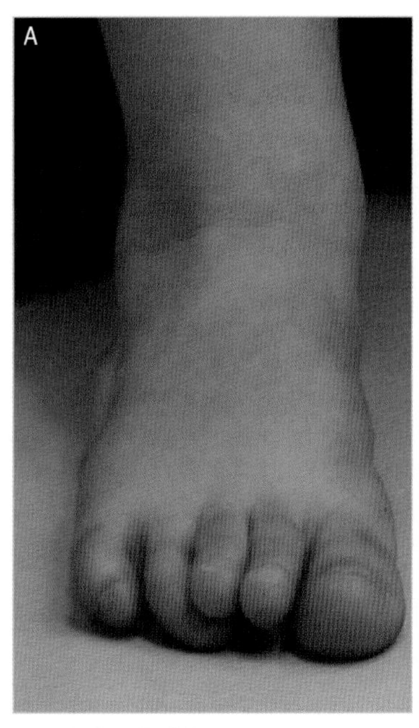

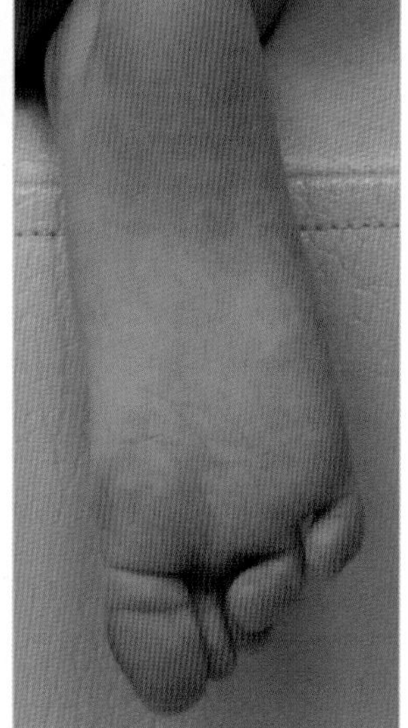

Fig 32. **제4, 5족지의 curly toe.**

지골 절제술 등이 있으며 이 중 Butler 수술이 일반적으로 많이 사용된다.

5. 추상족지(hammer toe)

1) 임상 소견

Curly toe와 유사하나 비정상적인 회전 변형이나 내반은 없다. 근위 지간 관절의 굴곡 구축이 있고 원위 지간 관절은 정상이거나 신전되어 있다. 중족 관절은 보상성 신전을 보이고 중족 골두가 저하되어 있다Fig 33. 대칭적으로 양측성 변형이 있고 제2족지에 가장 많다. 근위 지간 관절 배측에 통증을 동반한 굳은살이 문제가 된다.

2) 치료

(1) 수동적 신연 및 테이핑

유아와 어린 아동에서 적용된다.

(2) 수술적 치료

장족지굴근 및 단족지굴근의 건절단술(tenotomy), 굴곡근을 신전근으로 이전하는 술식(Girdlestone) 및 근위 지간 관절고정술 등이 사용된다.

6. 추족지(mallet toe)

1) 임상 소견

원위 지간 관절의 굴곡 변형으로, 증상은 주로 청소년기에 발생한다. 배측의 굳은살(corn)에 통증이 있고 발톱바닥(nail bed)의 자극이 있다.

2) 치료

- 비수술적 치료는 효과가 없다. 대증 요법으로 굳은살을 깎거나 pad를 댈 수 있다.

• 수술적 치료

- 장족지굴근 유리술
- 원위 지간 관절유합술: 청소년기에 강직성 변형에서 시행한다.

7. 갈퀴족지(claw toe)

1) 임상 소견

중족 관절이 과신전 구축 또는 배측 아탈구가 되고 근위 및 원위 지간 관절의 굴곡 구축이 있다. 배측에 굳은살이 있고, 신발이 비정상적으로 닳는다.

2) 감별 진단

(1) 신경학적 질환

- Charcot-Marie-Tooth 병

(2) 심부 후방 구획 증후군(deep posterior compartment syndrome)의 후유증

3) 치료

(1) 수술적 치료

- 장족지신근(EDL)을 중족골 경부로 이전
- 근위 지간 관절고정술
- 동반된 다른 족부 변형에 대한 치료

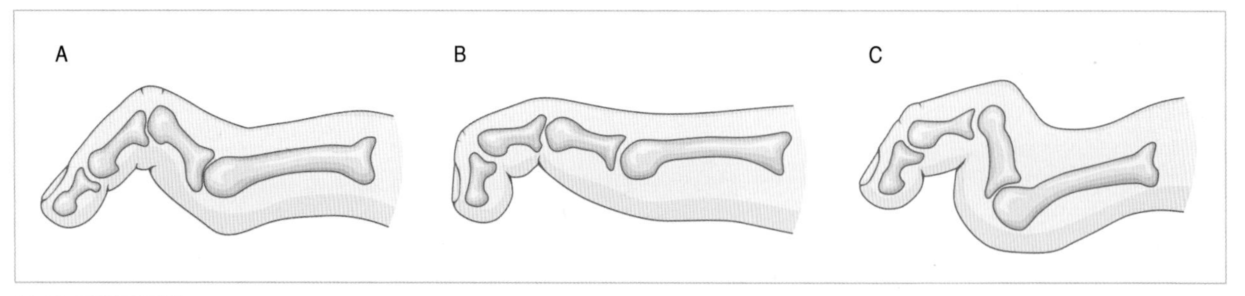

Fig 33. **족지의 변형들.**
A: 추상족지(hammer toe). B: 추족지(mallet toe). C: 갈퀴 족지(claw toe).

참고문헌

정진엽, 박문석. 동작분석입문, 1판. 서울. 영창출판사; 2019.

Badelon O, Benasshel H. Subtalar posterior displacement osteotomy of the calcaneus. J Pediatr Orthop. 1990;10:401.

Bennett GL, Weiner DS, Leighley B. Surgical treatment of symptomatic accessory tarsal navicular. J Pediatr Orthop. 1990;10:445.

Bleck EE. Metatarsus adductus: classification and relationship to outcomes of treatment. J Pediatr Orthop. 1983;3:2.

Borges J, Guille J, Bowen J. Kohler's bone disease of the tarsal navicular. J Pediatr Orthop. 1995;15:596.

Canale PB, Aronsson DD, LaMont RL, et al. The Mitchell procedure for the treatment of adolescent hallux valgus. J Bone Joint Surg Am. 1993;75:1610.

Cha SM, Shin HD, Kim KC, et al. Simple excision vs the Kidner procedure for type 2 accessory navicular associated with flatfoot in pediatric population. Foot Ankle Int. 2013;34:167.

Coleman SS, Hofmann AA, Constine RM, et al. Osteotomy of the first cuneiform as treatment of residual adduction of the fore part of the foot in club foot. J Bone Joint Surg Am. 1984;66:985.

Coleman SS. Chestnut WJ. A simple test for hindfoot flexibility in the cavovarus foot. Clin Orthop Relat Res. 1977;123:60.

Coughlin MJ, Roger A. Juvenile hallux valgus: etiology and treatment. Foot Ankle Int. 1995;16:682.

Davids JR, McBrayer D, Blackhurst DW. Juvenile hallux valgus deformity: surgical management by lateral hemiepiphyseodesis of the great toe metatarsal. J Pediatr Orthop. 2007;27:826.

Dobbs MB, Purcell DB, Nunley R, et al. Early results of a new method of treatment for idiopathic congenital vertical talus. J Bone Joint Surg Am. 2006;88:1192.

Duncan R, Fixsen J. Congenital convex pes valgus. J Bone Joint Surg Br. 1999;81:250.

Dwyer FC. Osteotomy of the calcaneum for pes cavus. J Bone Joint Surg Br. 1959;41:80.

Farsetti P, Weinstein SL, Ponseti IV. The longterm functional and radiographic outcomes of untreated and non-operatively treated metatarsus adductus. J Bone Joint Surg Am. 1994;76:257.

Geissele A, Stanton R. Surgical treatment of adolescent hallux valgus. J Pediatr Orthop. 1990;10:642.

Gonzalez PK, Kumar SJ. Calcaneonavicular coalition treated by resection and interposition of the extensor digitorum brevis muscle. J Bone Joint Surg Am. 1990;72:71.

Gruber MA, Lozano JA. Metatarsus varus and developmental dysplasia of the hip: is there a relationship Orthop Trans. 1991;15:336.

Hamer AJ, Stanley D, Smith TW. Surgery for curly toe deformity: A doubleblind, randomized, prospective trial. J Bone Joint Surg Br. 1993;75:662.

Kim NT, Lee YT, Park MS, et al. Changes in the bony alignment of the foot after tendo-Achilles lengthening in patients with planovalgus deformity. J Orthop Surg Res. 2021;16:118.

Kodros S, Dias L. Single stage surgical correction of congenital vertical talus. J Pediatr Orthop. 1999;19:42.

Kumai T, Takakura Y, Akiyama K, et al. Histopathologic study of nonosseous tarsal coalition. Foot Ankle Int. 1998;19:525.

Kumar SJ, Guille JT, Lee MS, et al. Osseous and nonosseous coalition of the middle facet of the talocalcaneal joint. J Bone Joint Surg Am. 1992;74:529.

Lee IH, Chung CY, Lee KM, et al. Incidence and risk factors of allograft bone failure after calcaneal lengthening. Clin Orthop Relat Res. 2015;473:1765.

Lee KM, Ahn S, Chung CY, et al. Reliability and relationship of radiographic measurements in hallux valgus. Clin Orthop Relat Res. 2012;470:2613.

Lee KM, Chung CY, Park MS, et al. Reliability and validity of radiographic measurements in hindfoot varus and valgus. J Bone Joint Surg Am. 2010;92:2319.

Lee KM, Chung CY, Park MS, et al. Analysis of three-dimensional computed tomography talar morphology in relation to pediatric pes planovalgus deformity. J Pediatr Orthop B. 2019;28:591.

Lee SY, Jeong J, Lee K, et al. Unexpected angular or rotational deformity after corrective osteotomy. BMC Musculoskelet Disord. 2014;15:175.

Liberson A, Lieberson S, Mendes D, et al. Remodeling of the calcaneal apophysis in the growing child. J Pediatr Orthop. 1995;4:74.

Min JJ, Kwon SS, Sung KH, et al. Factors affecting subjective symptoms in children with pes planovalgus deformity: a study using the Oxford Ankle Foot Questionnaire. J Bone Joint Surg Am. 2020;102:1479.

Mosca VS, Bevan WP. Talocalcaneal tarsal coalitions and the calcaneal lengthening osteotomy: the role of deformity correction. J Bone Joint Surg Am. 2012;94:1584.

Mosca VS. Calcaneal lengthening for valgus deformity of the hindfoot: results in children who had severe, symptomatic flatfoot and scewfoot. J Bone Joint Surg Am. 1995;77:500.

Mosca VS. Skewfoot deformity in children: correction by calcaneal neck lengthening and medial cuneiform opening wedge osteotomy. J Pediatr Orthop. 1993;13:807.

Mubarak SJ, O'rien TJ, Davids JR. Metatarsal epiphyseal bracket: treatment by central physiolysis. J Pediatr Orthop. 1993;13:5.

Park MS, Kwon S-S, Lee SY, et al. Spontaneous improvement of radiographic indices for idiopathic planovalgus with age. J Bone Joint Surg Am. 2013;95:1931.

Paton RW. V-Y plasty for correction of varus fifth toe. J Pediatr Orthop. 1990;10:248.

Peterson HA, Newman SR. Adolescent bunion deformity treated with double osteotomy and longitudinal pin fixation of the first ray. J Pediatr Orthop. 1993;13:80.

Roth S, Sestan B, Tudor A, et al. Minimally invasive calcaneo-stop method for idiopathic, flexible pes planovalgus in children. Foot Ankle Int. 2007;28:991.

Stricker S, Rosen E. Early one stage surgical correction of congenital vertical talus. Foot Ankle Int. 1997;18:535.

Wenger DR, Maulin D, Speck G, et al. Corrective shoes and inserts as treatment for a flexible flatfoot in infants and children. J Bone Joint Surg Am. 1989;71:800.

Wilde P, Torode I, Dickens D, et al. Resection for symptomatic talocalcaneal coalition. J Bone Joint Surg Br. 1994;76:797.

Wokuch D, Bowen JR. Longterm study of triple arthrodesis for correction of pes cavovarus in Charcot-Marie-Tooth disease. J Pediatr Orthop. 1989;9:433.

23 선천성 사지결손

Congenital Limb Deficiency

PEDIATRIC ORTHOPAEDICS

23 선천성 사지결손

Congenital Limb Deficiency

목차

용어설명

- Acheiria (achiria): 손의 결손
- Acheriopodia: 손과 발의 결손
- Adactylia (adactyly): 손가락 또는 발가락의 결손
- Amelia: 사지 하나가 완전히 결손
- Amelia totalis: 모든 사지의 완전 결손
- Amputation: 사지 원위부의 결손
- Aphalangia: 손가락 마디의 결손
- Aplasia: 특정한 하나 또는 그 이상의 골 결손
- Apodia: 발의 결손
- Ectrocheiria: 손의 부분 혹은 전체의 결손
- Ectrodactyly: 중앙부 손(또는 발)가락 하나 또는 그 이상의 결손(= split hand, cleft hand, lobster claw hand)
- Hemimelia: 전완부와 손 혹은 하퇴부와 발의 결손
- Hypophalangia: 손가락 마디가 정상 보다 적은 경우
- Intercalary deficiency: 사지의 원위부와 근위부는 존재하나 중간 부분이 결손
- Longitudinal deficiency: 사지의 장축을 따라서 사지의 부분 결손이 있는 경우(축전성, 축후성, 중앙)
- Meromelia: 손 또는 발은 존재하지만 그 중간 사지의 부분 결손
- Oligodactyly: 손(또는 발)가락 중 일부의 결손
- Paraxial deficiency: 사지의 축전(preaxial) 또는 축후(postaxial) 부분만 결손된 경우
- Phocomelia: 완전형은 상지에서는 상완부와 전완부, 하지에서는 대퇴부와 하퇴부의 완전 결손으로 손이나 발이 몸통에 바로 달려있는 경우이다. 부분형은 원위부(전완부 또는 하퇴부)나 근위부(상완부 또는 대퇴부)만 결손된 경우이다.
- Postaxial: 상지에서는 척골 측, 하지에서는 비골 측을 가리킴.
- Preaxial: 상지에서는 요골 측, 하지에서는 경골 측을 가리킴.
- Terminal deficiency: 사지에서 특정 부위의 원위부가 완전히 결손된 경우
- Transverse deficiency: 사지의 폭 전체가 결손된 경우

I. 사지결손의 원인

- 태생 7주까지 사지 모든 부분의 형성이 완성되기 때문에, 대부분의 사지결손의 병리 과정은 사지 형성에 민감한 시기인 태생 5-6주 전에 일어난다. 사지결손과 달리 선천성 윤상 수축대 증후군(congenital constriction band syndrome)과 같은 외력에 의한 형성된 구조의 변화인 변형(deformation)은 태아 발달의 어느 시기에서도 발생 가능하다.
- 선천성 사지결손의 개개의 특별한 원인은 대부분 알려져 있지 않다. 유전자 변이에 의해서 발생하는 경우가 일부 알려져 있지만Table 1, 전체적으로 보면 가족력이 있는 경우 선천성 사지결손을 갖는 아이가 다시 태어

Table 1. **유전성 사지 결손(heritable limb deficiency)**

축전성 종적 결손(preaxial longitudinal deficiencies): 요골(radial) 또는 경골(tibial)
* Fanconi 증후군(Fanconi's pancytopenia syndrome, AR)
- 상지에서 요골과 무지 결손(deficiencies of thumb and radius)
- 때때로 발달성 고관절 탈구(DDH) 동반
- 동반 기형: 심장, 비뇨기, 눈의 이상
- 백혈병의 전구증
* 혈소판결핍-요골 결손 증후군[Thrombocytopenia-absent radius (TAR) syndrome, AR]
- 요골 무형성 또는 저형성 및 동반된 수근의 요측 편위
- 무지 무형성 또는 저형성 및 척골 저형성
- 동반기형: 저신장(short stature), 선천성 심장기형, 상완골 단축, 견관절 저형성, 사시(strabismus), 하악 저형성(micrognathia), 고관절 탈구, 만곡족(clubfoot), 하지 결손 동반
축후성(postaxial) 종적 결손 : 척골(ulnar) 또는 비골(fibular)
* 단독 ectrodactyly (isolated ectrodactyly, AD)
- 수부, 족부의 중심축(central ray)의 결손
- 불완전 발현(incomplete penetrance) 때문에, 상염색체 열성유전(AR) 방식의 ectrodactyly와 구별하기 어렵다.
개재형(intercalary) 또는 해표상지성(phocomelic) 종적 결손: 중간 부분(middle segment)
* Holt-Oram 증후군(Holt-Oram syndrome; AD)
- 무지부터 흉곽-견갑부에 이르는 넓은 범주의 상지 결손의 모든 형태를 망라함(ranging from partial or complete absence of the thumb, radial aplasia, radially clubbed hand with or without elbow function to severe hypoplasia of entire forearm and defects of humerus, clavicle, scapula, or sternum)
- 동반 기형: 심장기형, 척추기형
경골 무형성
* 다지증과 동반된 경골 무형성(tibia absence with polydactyly, AD)
- 상지 요축 중복(duplications of radial ray)과 동반된 경골 결손
- 동반 기형: 심장기형

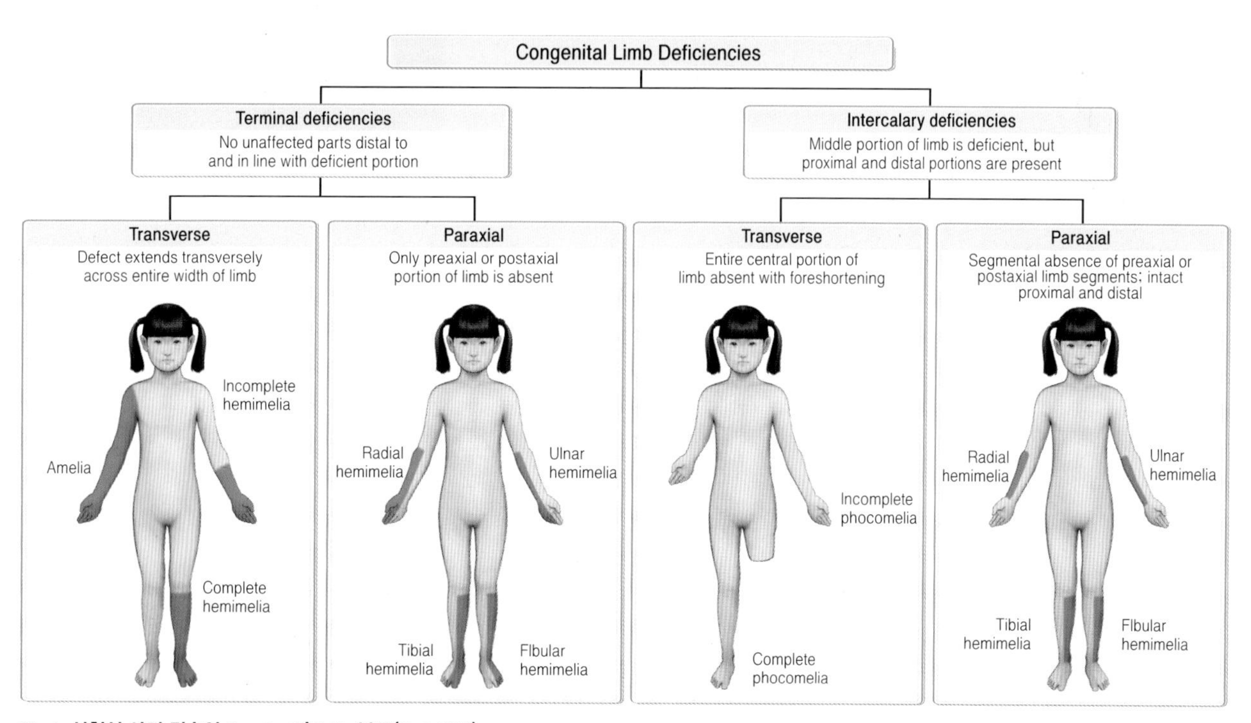

Fig 1. **선천성 사지 결손의 Frantz–O'Rally 분류(Hall 1962).**

날 확률은 일반인에서의 발병률보다 약간 높은 1-3%에 지나지 않는다.

- 선천성 사지결손과 연관 있는 약제로는 thalidomide만이 확인되었다.
- 윤상 수축대(constriction band)가 선천성 사지 절단의 원인이 될 수 있다.
- 유전자 결함, 환경적 요소, 외상, 가족력 등이 확실하지 않은 경우가 많다. 선천성 사지결손에 대한 체계적인 분류로는 Frantz-O'Rally의 분류Fig 1가 자주 인용된다.

II. 근위 대퇴골 부분적 결손과 선천성 대퇴골 단축(proximal femoral focal deficiency, PFFD, including congenital short femur)

- 대퇴골의 선천성 결손은 약간 단축된 것부터 완전 결손된 것까지 다양하다.
- 근위 대퇴골 부분적 결손(proximal femoral focal deficiency, PFFD)은 대퇴골이 단축되어 있고, 대퇴 경부와 간부 사이의 연속성이 끊어진 것처럼 보이는 변형을 지칭한다. 많은 경우에 근위 대퇴골의 결손은 아이가 성장함에 따라 골화가 진행된다. 방사선 검사 상 골화 결손이 없는 선천성 대퇴골 단축은 PFFD의 경미한 형태로 생각된다Fig 2.
- PFFD의 발생 빈도가 10만 명의 신생아 중에서 2명이지만 선천성 대퇴골 단축까지 포함하는 전체 대퇴골 형성 부전증의 빈도는 더 높을 것으로 추정된다.

1. 분류

- PFFD만 국한하여 분류한 Aitken의 분류Fig 3와 모든 대퇴골이형성증을 심한 정도에 따라 분류한 Pappas 분류Fig 4가 가장 많이 사용되어 왔다.
- Paley는 치료 관점에서 선천성 대퇴골 결손을 분류Table 2, Fig 5하였다.

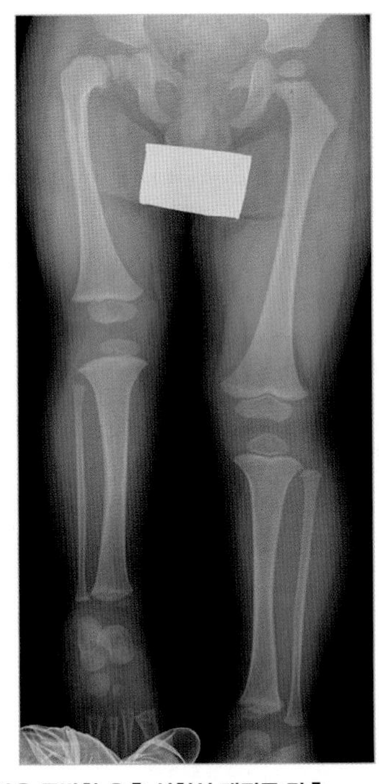

Fig 2. **대퇴골 내반을 동반한 우측 선천성 대퇴골 단축.**

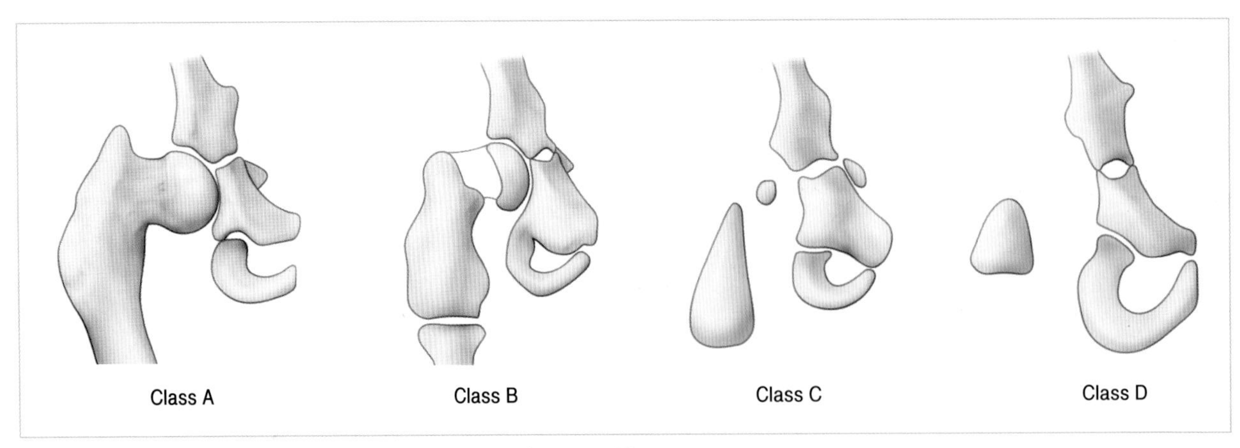

Fig 3. **근위 대퇴골 부분 결손(proximal femoral focal deficiency)의 Aitken 분류.**

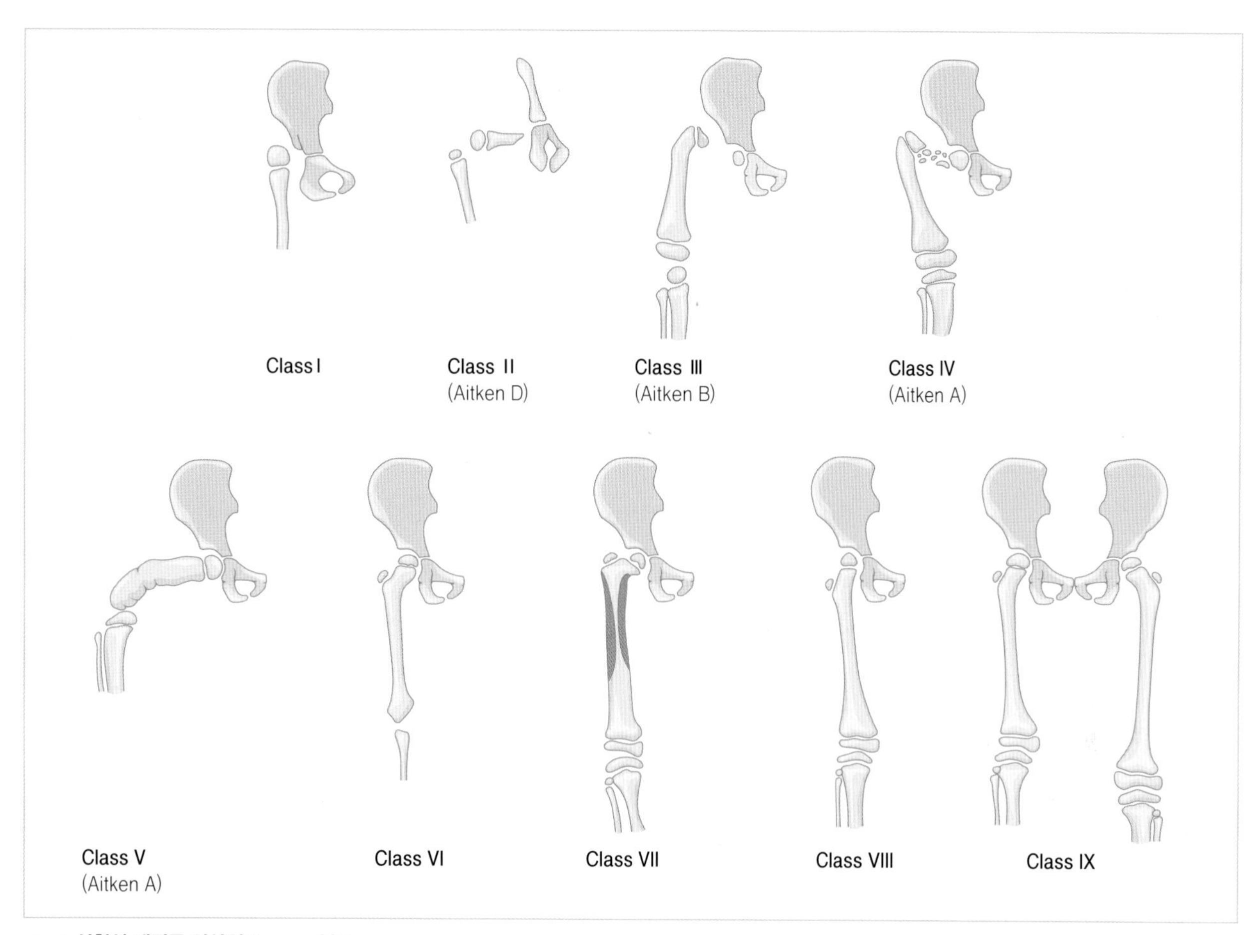

Fig 4. **선천성 대퇴골 이상의 Pappas 분류.**

Table 2. **선천성 대퇴골 결손의 분류(Paley)**

Type	Treatment
1. Intact femur with mobile hip and knee Normal ossification of proximal femur a) Delayed ossification, subtrochanteric type b) Delayed ossification, neck type	Soft tissue release, hip osteotomy; knee instability correction + Lengthening + Lengthening
2. Mobile pseudarthrosis (hip not fully formed a false joint) with mobile knee a) Femoral head mobile in acetabulum b) Femoral head absent or stiff in acetabulum	Soft tissue release, hip osteotomy; knee instability correction + Lengthening + Lengthening & pelvic support osteotomy
3. Diaphyseal deficiency of femur (femur does not reach the acetabulum) a) Knee motion more than 45 degrees b) Knee motion less than 45 degrees c) Complete absence of femur	Soft tissue release, hip osteotomy; knee instability correction + Lengthening & pelvic support osteotomy prosthetic reconstruction (with Rotation plasty)
4. Distal deficiency of femur	

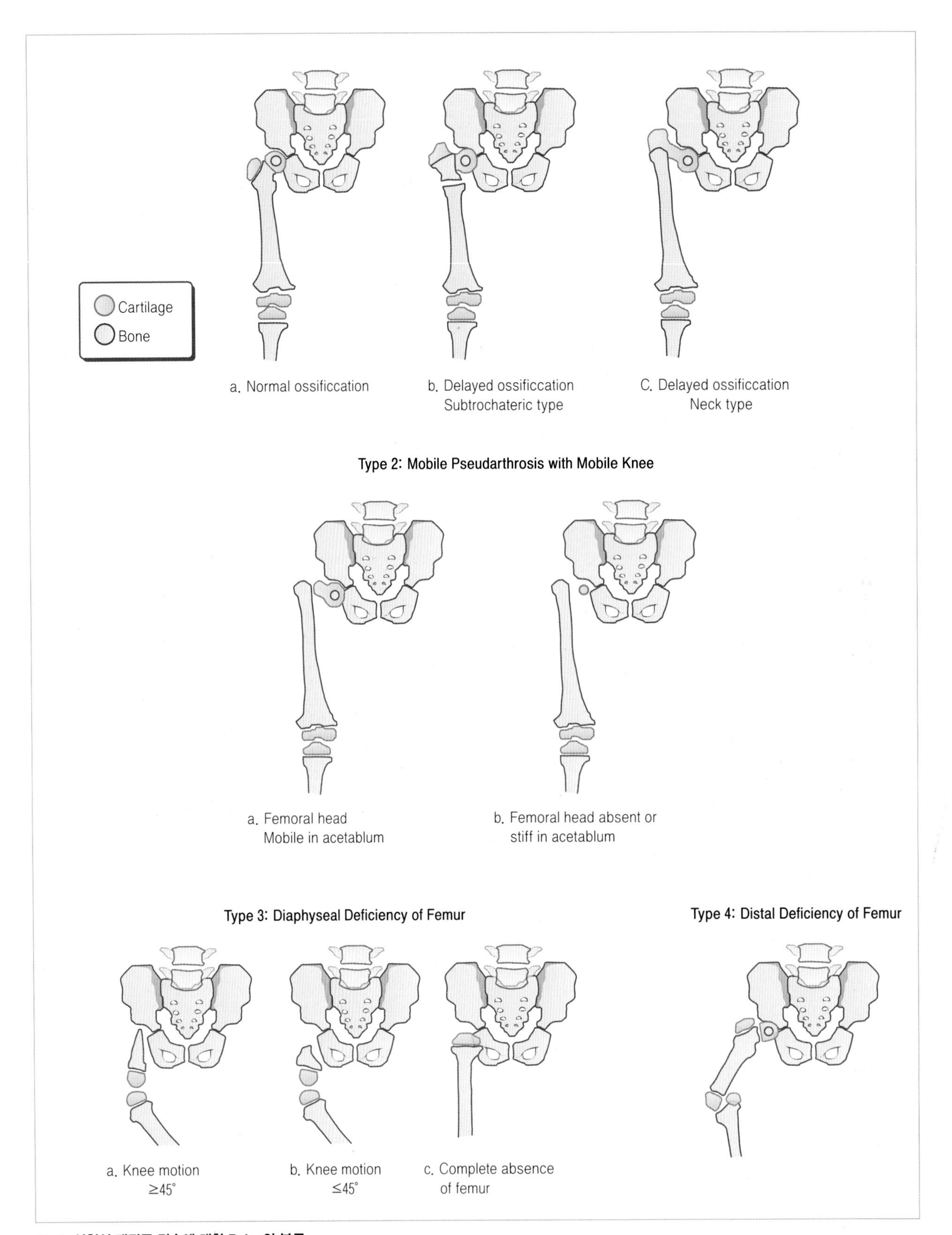

Fig 5. **선천성 대퇴골 결손에 대한 Paley의 분류.**

2. 임상적 소견

- PFFD가 있으면 대퇴부는 짧고 뚱뚱하며 굴곡 및 외회전 구축이 있는 경우가 흔하다. 심한 하지 단축, 대퇴골의 전외방 만곡, 고관절과 슬관절의 불안정성, 근력 약화, 슬관절 굴곡 구축 등이 문제가 된다Fig 6. 비골 형성부전과 경골 단축이 50% 정도에서 병발하며, 이와 같은 타 부위 기형이 동반되는 경우가 약 70% 정도이다.
- 원위 대퇴골 외과의 저형성(hypoplasia)으로 인한 외반슬과 함께 저형성된 슬개골이 외측으로 아탈구되는 경향이 관찰된다. 족지의 일부 결손과 거골의 불안정성, 족근골 유합 소견이 관찰된다. 간혹 상지 혹은 반대편 하지의 선천성 기형도 동반되기도 한다.
- 건측과 환측 전체 하지의 길이 비율은 나이에 관계없이 일정하게 유지되는 경향이 있다. 따라서 Paley의 승수(multiplier) 방법으로 비교적 정확하게 성장 완료 시기의 하지길이부동 정도를 예측할 수 있다(4장 참조).
- 고관절과 슬관절의 굴곡 구축 때문에 다리가 실제 길이보다도 더 짧아 보일 수 있는데, 환자가 앉은 상태에서 반대쪽과 비교하면 더 정확하게 길이 차이를 알 수 있다.
- 근위 대퇴골 부분적 결손이 양측성인 경우에는, 하지 길이부동의 크기, 족부의 위치 그리고 골반-대퇴골 불안정성이나 단축된 하지의 실제 길이에 이차적인 영향을 미치는 동반 기형들에 의해서 전체적인 기능이 결정된다.

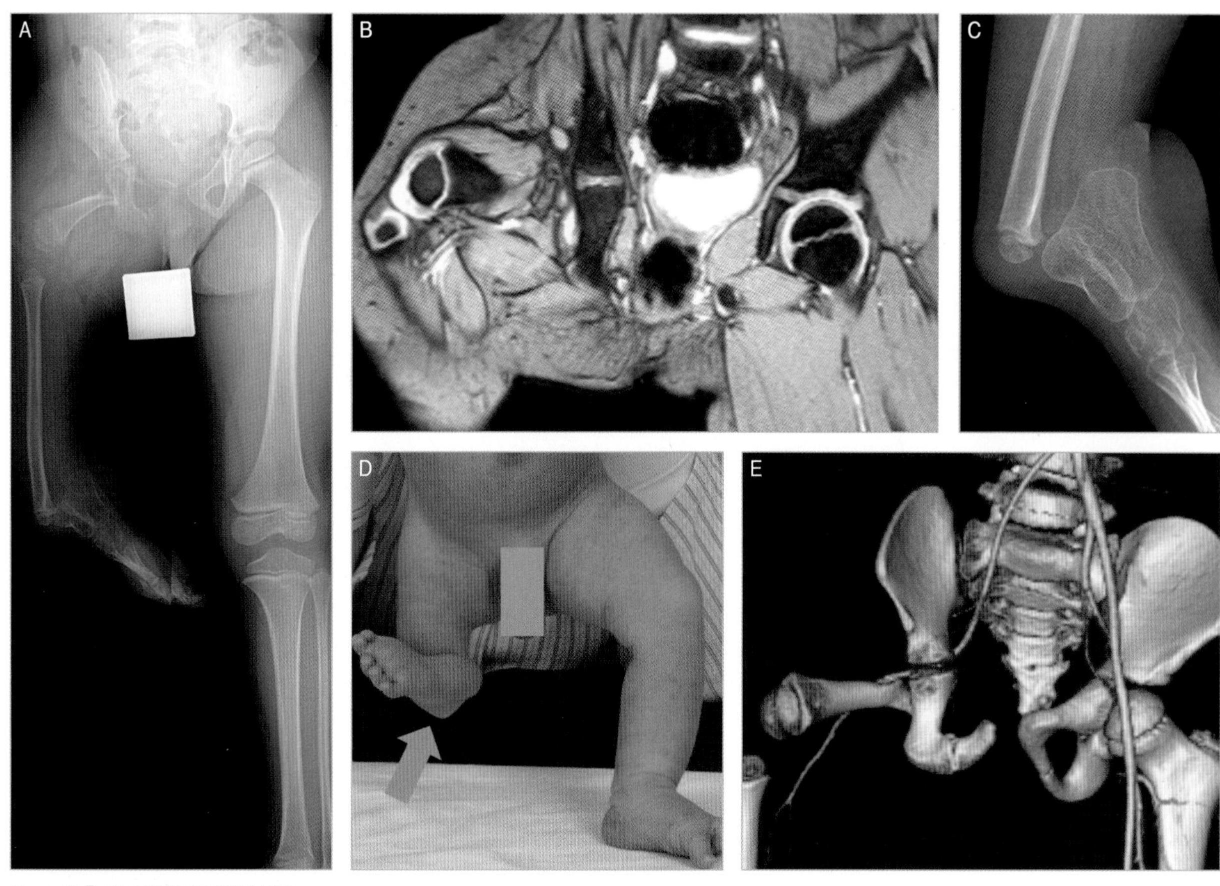

Fig 6. **우측 근위 대퇴골 부분적 결손.**

A,B: 대퇴골이 심하게 단축되어 있으며, 근위 대퇴골은 형성되어 있지 않으며, 비구도 형성되어 있지 않다. C: 경골 결손과 족근관절 탈구가 동반되어 있다. D: 화살표가 가리키는 부위는 슬관절이 아닌 족근관절이다. E. 대퇴골의 심한 굴곡 소견이 관찰되며, 대퇴동맥이 형성되어 있지 않다.

3. 방사선 소견

비구의 존재와 형태는 대퇴골두의 유무를 반영하는 것이므로, 대퇴골두 골단의 골화가 되기 전에도, 비구의 존재와 형태에 따라서 비구 내에 대퇴골두가 존재하는 정상적인 관절 관계 여부를 추측할 수 있다. MRI 또는 초음파 검사로 쉽게 연골 골두의 존재를 파악할 수 있다.

4. 병리 소견

대퇴골의 결손된 부분에서 기시하는 근육들은 골과 동일한 중배엽(mesoderm)에서 발생하는 것이므로 함께 결손된다. 슬관절에도 항상 이상이 동반되는데, 관절 구축, 불안정성 특히 전방십자인대 결손 등이 나타난다.

5. 치료

지능은 정상이며, 적절한 수술적 치료로 일상 생활에 적응하여 지낼 수 있다. 치료 계획을 수립하는 데에 있어서 예측되는 성장 완료 시의 하지길이부동의 정도가 중요하다. 치료 방법의 큰 갈림길은 의지(prosthesis) 착용을 전제로 일부분 절단 등을 통해서 의지 착용에 적합한 하지를 만들 것인가 아니면 하지를 재건하여 의지 없이 재건된 하지로 보행하도록 할 것인가를 결정하는 것이다.

1) 결손이 없는 선천성 대퇴골 단축의 치료

- 내반고에 대한 치료와 함께 골 단축에 대한 연장술을 시행한다Table 3.

2) 의지를 사용하지 않고 하지를 재건하는 경우

- 고관절, 슬관절, 족근관절, 족부의 안정성과 가동성을 얻어야 하고, 변형을 교정해야 하며, 길이를 연장해야 한다.
- 고관절이 불안정한 경우에는, 골반과 대퇴골 절골술로 고관절을 안정화해야 한다. 가관절증이나 각변형이 있으면 골 이식술과 절골술로 교정한다. 심한 PFFD로 고관절을 재건하는 수술은 성공하지 못하면 통증만 유발할 수 있기 때문에 바람직하지 않다.
- 안정된 고관절이 있고 하지 길이가 반대편의 50% 이상 또는 하지 단축이 17-20 cm 미만일 때에는 서너 차례에 나누어 골연장술을 시행할 수 있다.

Table 3. **선천성 대퇴골 결손의 하지 부동 교정 전략(Paley 2007)**

하지길이부동	골연장술 횟수	연령별 계획
≤ 6 cm	1 Lengthening	Age > 6 yr
7-12 cm	2 Lengthenings	Age 2-4 yr, ≤ 6 cm; age 8-14 yr, < 8 cm Age 2-4 yr, ≤ 6 cm or age 6-10 yr, < 8 cm + epiphysiodesis of < 5 cm
12-16 cm	2 Lengthenings	Age 2-4 yr, < 7 cm or age 6-8 yr, 6-8 cm + age 10-14 yr, 8 cm
16-20 cm	2 Lengthenings	Age 2-4 yr, ≤ 6 cm or age 6-8 yr, < 8 cm + age 10-14 yr, 8 cm + tibia < 5 cm during one femoral lengthening
	3 Lengthenings	Age 2-4 yr, ≤ 6 cm + age 8-10 yr, 6-8 cm + age 10-14 yr, 8 cm
	2 Lengthenings	Age 2-4 yr, ≤ 6 cm + age 10-14 yr, 8 cm + epiphysiodesis of < 5 cm
21-25 cm	3 Lengthenings	Age 2-4 yr, < 5 cm + age 8-10 yr, 6-8 cm + age 12-14 yr, 10-12 cm
	3 Lengthenings	Age 6-8 yr, < 8 cm + age 10-12 yr, 8 cm + age 12-16 yr, 8-12 cm + tibia <5 cm during one femoral lengthening
	2 Lengthenings	Age 6-8 yr, <8 cm + age 10-12 yr, 8 cm + epiphysiodesis of 5 cm + tibia < 5 cm during one femoral lengthening + epiphysiodesis of < 5 cm
> 25 cm	3 Lengthenings	+ epiphysiodesis of 5 cm
	4 Lengthenings	

3) 의지를 착용해야 하는 경우

- 고관절의 안정성을 얻을 수 없거나 하지 길이가 반대편 하지의 50% 이하일 때는 슬관절 유합술과 함께 Syme 절단술, Boyd 절단술 또는 Van Ness 회전성형술(rotationplasty)을 고려할 수 있다.
- 고관절이 형성되지 못해 불안정한 경우에는 짧은 대퇴골을 90도 굴곡한 채로 골반에 유합시키고 슬관절로 하여금 고관절의 역할을 하도록 하는 Steel의 고관절 유합술을 고려할 수 있다.
- 회전성형술은 발을 180도 앞뒤로 회전시켜, 발가락이 뒤를 향하게 하여, 족근관절이 의지의 굴곡과 신전을 담당하는 슬관절의 역할을 하게 하는 수술 방법이다. 기능적으로 좋은 결과를 보여주고 있지만, 성장에 따라 회전시킨 분절이 원래의 방향으로 돌아가는 경향이 있어 재수술이 필요할 수도 있고 발바닥이 앞을 향하는 모습을 받아들이지 못하는 경우도 있다.

III. 선천성 비골 형성부전

(congenital longitudinal deficiency of the fibula, paraxial fibular hemimelia)

1. 자연 경과

비골과 그에 연관된 구조물들 전부 혹은 일부가 선천성으로 결손되어 있는 질환으로 하지 장관골의 선천성 결손 중 가장 흔하다. 독일의 연구에 의하면 10,000명 신생아 중 0.3명이 비골 형성 부전증을 가지고 태어난다고 하였다. 남아에서 거의 2배 정도 많이 발생하며, 대개 편측성이고, 족부 외측 결손이 동반되는 경우도 있다.

2. 분류

1) Achterman과 Kalamchi의 분류(1979) Fig 7

가장 널리 사용되는 방법으로 비골의 결손 정도를 중심으로 하는 분류방법이다.

- 1A형: 근위 비골의 골단이 근위 경골 골단판보다 원위부에 위치하며, 원위 비골의 골단판은 거골 돔(dome)보다 근위부에 존재한다 Fig 8.
- 1B형: 비골의 근위부 부분 결손으로, 비골 본래 길이의 30-50% 정도가 결손되어 있다. 비골 원위부가 존재하지만 족근관절을 지지하지는 못한다.
- 2형: 비골이 전혀 없거나, 원위부에 흔적 조각(vestigial fragment)으로 존재한다.

2) Choi-Kumar-Bowen의 분류(1990)

하지를 절단하고 의족을 장착할지 혹은 골연장술을 시행할지를 결정하는 데 도움이 되는 분류이다.

- Group 1: 환측의 족부가 건측 하퇴부 원위 1/3 수준에 있는 경우. 하지길이의 15% 이내 단축
- Group 2: 환측의 족부가 건측 하퇴부 중간 1/3 수준에 있는 경우. 하지길이의 16-25% 단축
- Group 3: 환측의 족부가 건측 하퇴부 근위 1/3 수준에 있는 경우. 하지길이의 26% 이상 단축

3) Paley의 분류(2007)

하지 단축의 심한 정도나 비골의 단축 정도와는 상관없이 족근관절/족부의 상태와 변형을 중심으로 한 분류이다. 하지 연장술과 함께 족부/족근관절의 기형을 교정하기 위한 절골 부위를 결정하는데 도움이 된다 Fig 9.

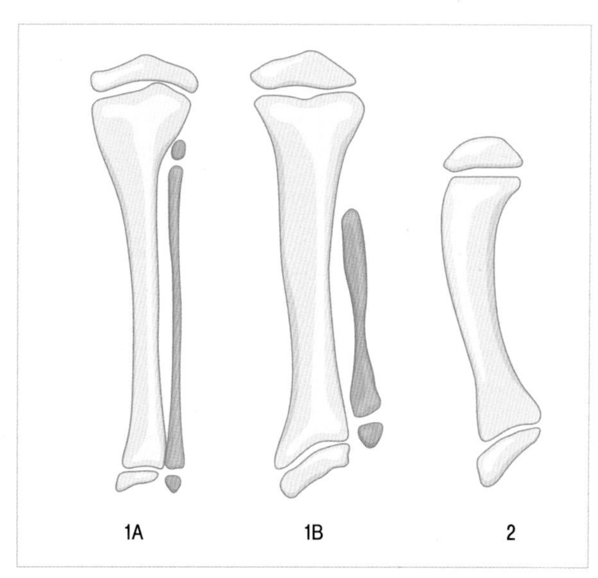

Fig 7. **선천성 비골 형성부전의 Achterman-Kalamchi 분류.**

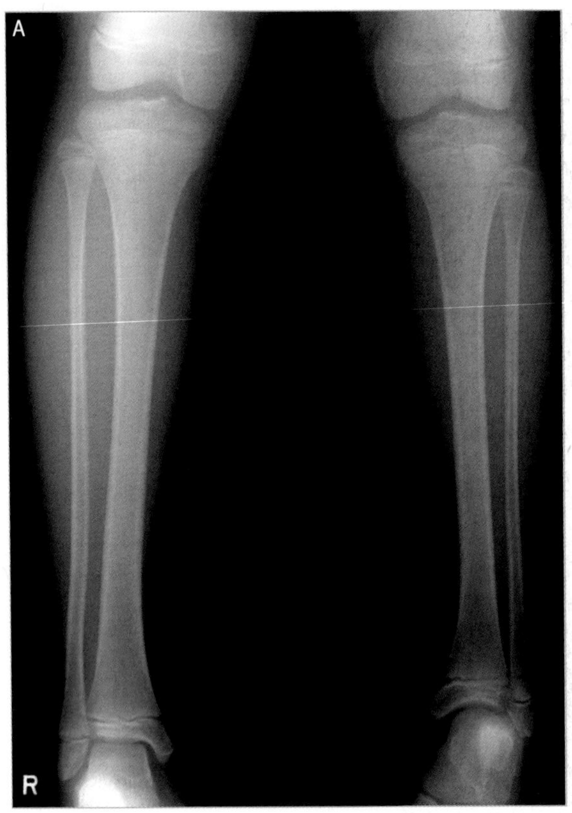

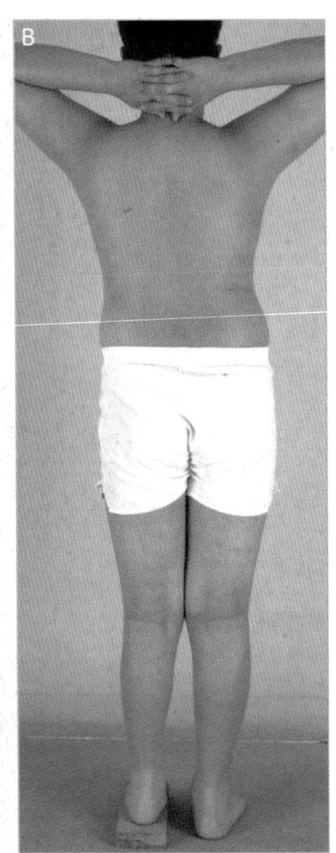

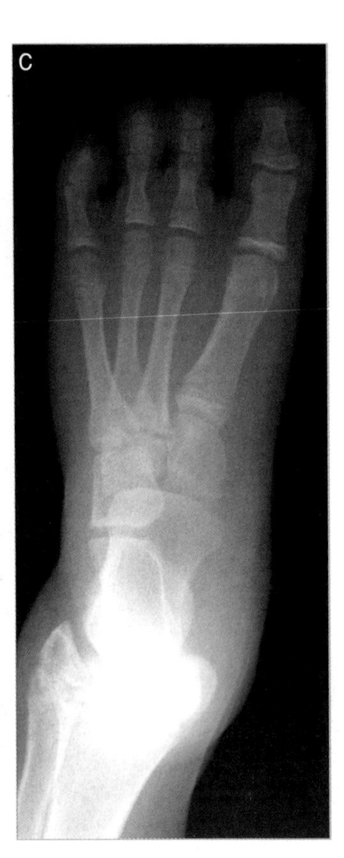

Fig 8. **Achterman과 Kalamchi 분류 1A형 좌측 선천성 비골 형성부전.**
A: 경골에 비해 비골의 길이가 단축되어 있고, 절구공이 족근관절(ball-and-socket ankle)이 동반되어 있다. B: 비교적 양호한 정렬과 심하지 않은 하지길이 부동을 보인다. C: 외측 족지가 결손되어 있다.

제1형 = 안정된 족근관절(stable ankle)

제2형 = 역동적 외반(dynamic valgus)

제3형 = 고착된 첨외반(fixed equinovalgus)

제3a형 = 족근관절형(ankle type). 족근관절이 procurvatum 및 외반으로 부정방향(malorientation)을 띈 형태를 지칭한다.

제3b형 = 거골하형(subtalar type). 거골하 관절이 첨외반 및 외측 전위된 형태로 부정유합된 족근골 유합(coalition)을 지칭한다.

제3c형 = 족근관절형 + 거골하형

제3d형 = 거골형(talar type). 거골하 관절이 부정방향을 띈 형태를 지칭한다.

제4형 = 고착된 첨내반(fixed equinovarus; clubfoot type)

3. 임상 소견

선천성 비골결손에서 가장 문제가 되는 두 가지는 하지 길이부동과 족부/족근관절 불안정성 및 변형이다.

- 이환된 하퇴부는 단축되고 전내측으로 휘어 있으며 (anteromedial bowing), 경골 만곡의 첨단부 피부에는 보조개가 파여 있다.
- 족부에는 첨외반(equinovalgus) 변형이 흔하나 간혹 첨내반(equinovarus) 변형이 있는 경우도 있다. 거골과 종골 사이에 족근골 유합(tarsal coalition)이 동반된 경우가 흔하며 ball-and-socket 족근관절을 보인다. Achterman과 Kalamchi 분류 제2형에서는 외과가 만져지지 않는다. 외측 족지들이 결손된 과족지(oligodactyly)가 동반되는 경우가 있는데 족지의 숫자보다는 후족부 변형, 족근골 유합 등이 족부 기능을 결정한다.
- 골 성숙이 되었을 때 하지길이부동 정도는 이환 정도에

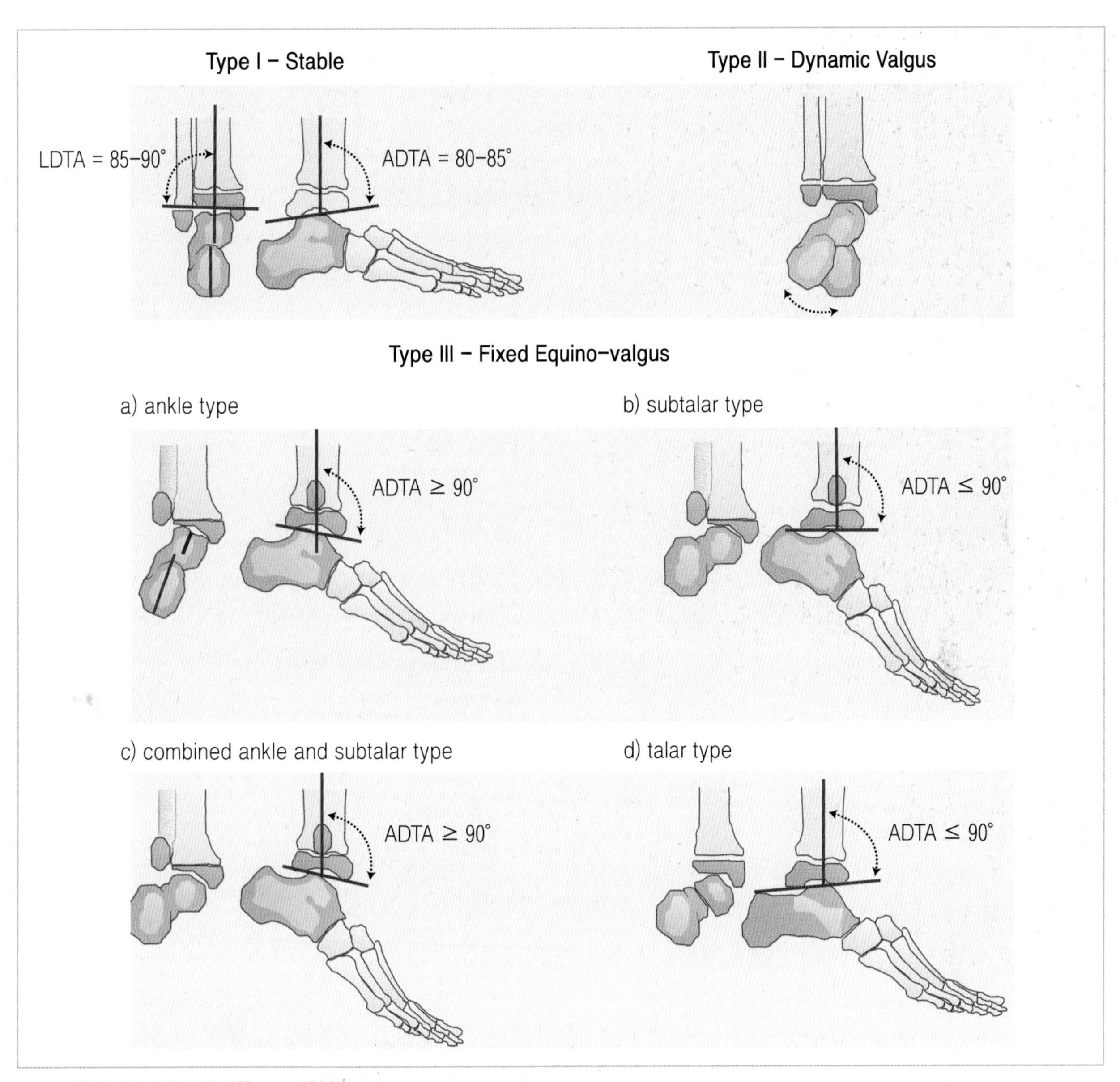

Fig 9. **선천성 비골 결손증에 대한 Paley의 분류.**

따라 다른데 대부분 대퇴골과 경골 단축도 동반된다. 동반 기형도 흔하다Table 4.

4. 병리해부 소견

비골 결손에 동반된 근육 결손으로 근력 약화와 불안정성을 보인다. 첨외반족이 있는 경우에는 비복근-가자미근과 아킬레스건, 그리고 비골근이 구축되어 있다. 비골 완전 결손 시에는 비골 원기(anlage)에 해당하는 섬유연골대(fibrocartilaginous band)가 존재한다.

5. 치료

치료 목적은 안정적이고 변형이 없는 족부/족근관절을 재건하고 하지길이부동을 해소하는 것인데, 수술적으로 하지를 재건하는 방법과 적당한 절단 후 의지(prosthesis)를 착용하는 방법을 저울질하여야 한다. 그 외에 경골의 각변형과 외반슬(genu valgum) 변형에 대한 교정이 필요할 수도 있다.

Table 4. **선천성 비골 결손의 기능적 분류 및 치료 지침(Birch 2011)**

분류	특징	치료지침
제1형 보존 가능한 족부(foot preservable) - 보통 “3-rayed foot” 이상임		
1A	< 6% 단축	관찰/ 보장구/ 골단판유합술
1B	6 - 10% 단축	골단판유합술 ± 골연장술
1C	11 - 30% 단축	1-2회 골연장술 ± 골단판유합술, 신장 보장구(extension orthosis)
1D	> 30% 단축	> 2회 골연장술, 절단술, 신장 보장구
제2형 보존 불가능한 족부(foot nonpreservable)		
2A	기능 있는 상지	조기 절단술
2B	기능 없는 상지	구제술 고려(족부가 손 기능 대체)

1) 족부/족근관절의 재건

- 불안정한 족근관절보다는 다소 가동성(mobility)을 잃더라도 통증이 없고 족저면이 평지와 평행하고(plantigrade foot) 안정된 발(stable foot)을 만드는 것이 목적이다.
- 족부 첨외반(equinovalgus) 변형을 유발하는 팽팽한 섬유연골대를 근위부에서 절제하고 연골원기(cartilaginous anlage)를 족근관절 수준까지 박리하여 원위 경골 골단으로 전위시키고 유합시켜서 족근관절 mortise를 재건한다.
- 원위 경골 골단판을 양분하여 거골의 내측과 외측을 지지하도록 하는 Gruca 술식도 소개되어 있다.

2) 재건 불가능한 족부/족근관절

- 족부/족근관절의 변형과 불안정성이 심해서 기능 회복이 불가능하다고 판단되면 Syme이나 Boyd법으로 절단술을 시행하고 하퇴 의지를 착용시킨다.

• **절단술**

- 절단 및 의족 착용으로 결정되면 걸음마를 시작하는 시기에 맞추어 시행하는 것이 바람직하다.
- 절단술 후 경골 각변형은 자연히 교정되는 경향이 있으므로 45도 이상 심한 환자에서만 절골술이 필요하다.

3) 하지길이부동에 대한 치료

① 경한 하지 부동: 굽 높은 신발(shoe lift)로 교정한다. 성장하면서 하지길이부동이 더 커질 때까지 임시방편으로 사용할 수도 있다.

② 심한 하지 단축 또는 심한 족부 결손: Syme이나 Boyd 절단술 후 착용하는 의지로 하지 부동을 교정할 수 있다.

* 골연장술

- 골연장술은 대개 6세 이후 학령기에 시행하며 그 이전에는 굽 높은 신발(shoe lift)로 하지길이부동을 견디어 낸다.
- Achterman과 Kalamchi 분류 제1A형으로서 하지 부동이 8세에 10 cm 이하이면서 제1, 2, 3족지가 남아 있는 경우 또는 Choi-Kumar-Bowen 분류 group I에서 고관절, 슬관절, 족근관절이 안정적이고 발바닥을 땅에 대고 보행할 수 있는 경우 등이 좋은 적응증이다.
- 경골연장술 중에 첨외반족 변형이 악화하기 쉽기 때문에 Ilizarov 외고정기를 족부까지 연장하여 고정하는 것이 필요할 수 있다.
- 골 연장이 끝난 후에도 하퇴부가 성장함에 따라 족부의 첨외반(equinovalgus) 변형이 재발할 수 있다Fig 10.
- 대퇴골 단축으로 인하여 대퇴골과 경골 모두 골연장술을 시행해야 할 때에는 가급적 양쪽 무릎의 높이 차이가 2.5-5 cm 이상 되지 않도록 한다.

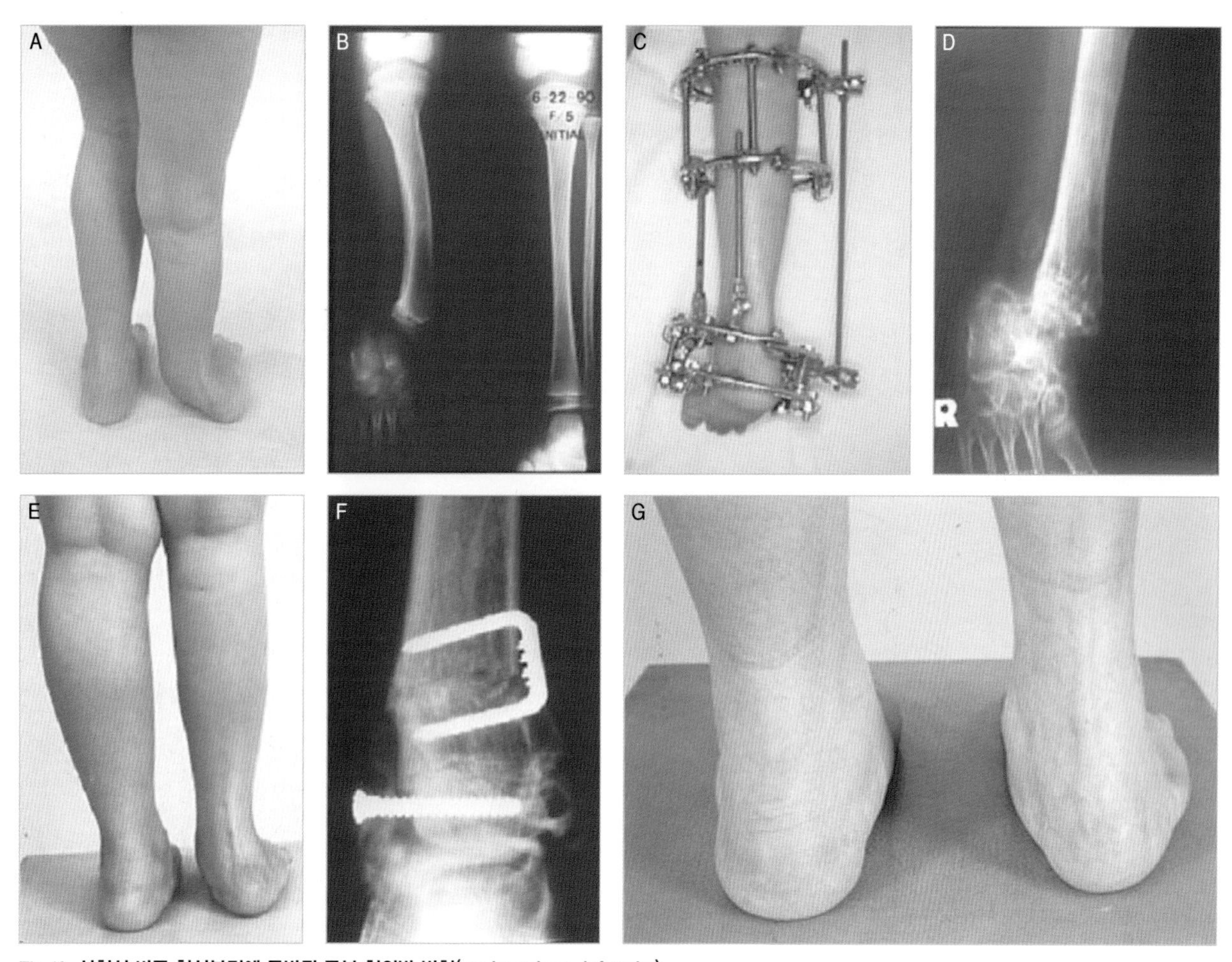

Fig 10. **선천성 비골 형성부전에 동반된 족부 첨외반 변형(equinovalgus deformity).**
A,B: 하지길이부동과 족부의 첨외반 변형이 동반되어 있다. C,D,E: Ilizarov 기기를 이용하여 골연장술을 하면서 족부 첨외반에 대한 교정도 시행하였으나 변형이 재발하였다. F,G: 첨외반 변형에 대한 추가적인 절골술과 족근관절 유합술 후 교정을 얻었다.

IV. 선천성 경골 형성부전
(congenital longitudinal deficiency of the tibia, paraxial tibial hemimelia)

선천성 경골 형성부전에 의한 결손증은 비골 결손증보다 훨씬 드물다. 미국에서의 발병률은 100만 명당 1명으로 추정되고 있다. 상염색체 우성으로 유전되는 tibial aplasia with polydactyly는 SHH 발현을 조절하는 유전자 배열의 돌연변이에 의해 발병하며, SHH 활성을 억제하는 역할을 하는 GLI3 단백질에 영향을 주는 돌연변이가 발견된 증례도 있다. 합지증(syndactyly), 다지증(polydactyly), 파열수(lobster claw deformity), 대퇴골 저형성증, cryptorchism, varicocele, 심장 결손 등의 선천성 기형이 동반되는 경우가 흔하다. 선천성 고관절 이형성증의 발병률은 20%에 달하며, 30%에서 양측성이다.

1. 자연 경과

출생 시에 하퇴부의 심한 내반(varus) 변형이 있고 족지의 결손(ray defects)이나 족근골 유합(tarsal coalition)이 동반되어 발의 변형 또한 흔하며, 발모양이 정상인 경우는 50% 정도이다.

경골 결손은 대개 원위부에서 근위부 방향으로 점차 심

해지는 경향이 있어서, 족근관절은 항상 심하게 변형되거나 기능이 없다. 경골 근위부의 잔존 여부와 슬관절 신전근 기전이 기능적인가가 예후를 결정하는 가장 중요한 요소이다. 하지 부동이 심하며 정상 하지에 대한 단축 비율은 성장을 하더라도 일정하게 유지된다. 족근관절을 안정시킬 수 있는 경골 부분이 없기 때문에 기능적인 족부 재건이 어렵다.

2. 분류

1) Jones와 Lloyd-Roberts의 분류(1978)Fig 11

영아기의 방사선 소견을 기초로 분류하였다.

- 1a형: 경골이 보이지 않고 원위 대퇴골 골단이 저형성되어 있다.
- 1b형: 경골이 보이지 않고 원위 대퇴골 골단은 정상이다. 근위 경골은 존재하나 출생 시 골화되어 있지 않아 존재하지 않는 것처럼 보인다.
- 2형: 원위 경골이 보이지 않는다.
- 3형: 근위 경골이 보이지 않는다. 가장 드문 형태이다.
- 4형: 원위 경비골 관절의 이개(diastasis). 거골이 근위부로 쐐기 같이 전위된다.

2) Kalamchi의 분류(1985)

- 1형: 경골 완전 결손
- 2형: 경골 원위부 결손
- 3형: 경골 원위부 이형성증, 원위 경비골 이개(diastasis)

3. 임상 소견

하지길이부동, 슬관절 불안정성과 구축, 족부의 강직성 내반 및 회외(supination)와 같은 족부 회전 부정정렬(rotational malalignment)이 주요한 문제이다. 슬관절은 두 평면상에서 불안정할 수 있으며, 슬와부 webbing으로 심한 굴곡 구축을 보일 수도 있다. 경골이 완전히 결손된 경우에는 비골이 근위부로 이동하고 슬관절은 불안정하다.

4. 방사선 소견

초기에는 골화되지 않은 연골이 있기 때문에 경골의 어느 정도가 결손되었는지 알기가 어렵다. 연골 원기(anlage)와 슬관절의 잔존물을 확인하는 데에는 초음파검사나 MRI가 도움이 된다.

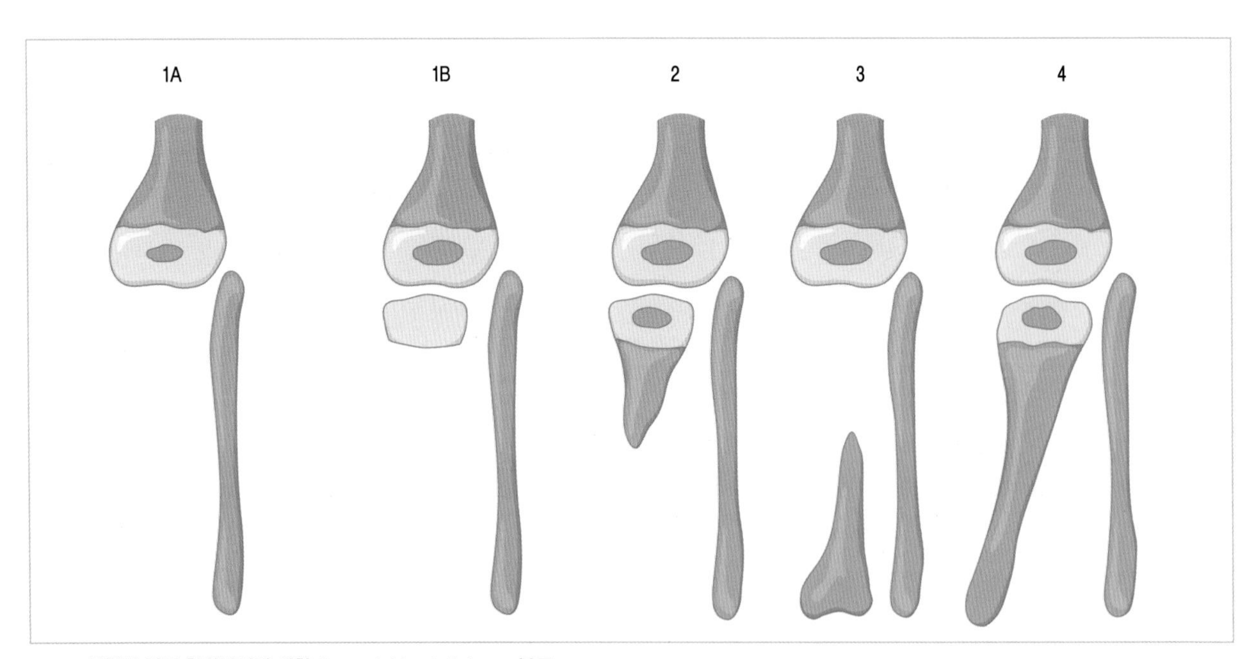

Fig 11. **선천성 경골 형성부전에 대한 Jones & Lloyd-Roberts 분류.**

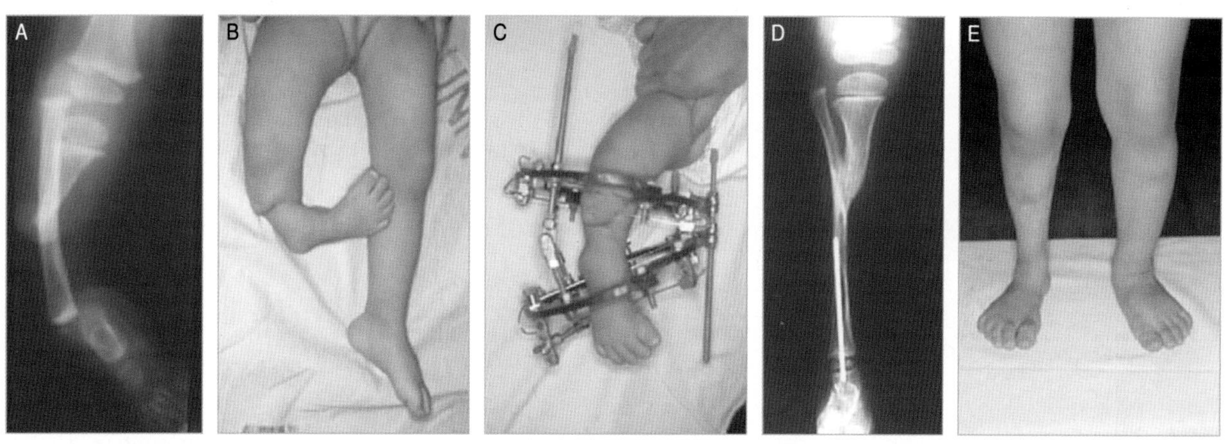

Fig 12. **제2형 선천성 경골 형성부전에 동반된 하지길이부동과 족부 첨내반 변형(equinovarus deformity).**
A,B: 하지길이부동과 족부의 첨내반 변형이 관찰된다. C,D,E: Ilizarov 기기를 이용하여 족부 첨내반 교정을 시행하고, 경비골 융합술 및 족근관절 유합술을 시행하여 교정을 얻었다.

5. 치료

1) 부분 결손 시

- 하퇴 절단과 대퇴 절단의 기능적 차이가 크기 때문에 가급적 슬관절을 보존하는 것이 중요하다. 남아있는 경골과 근위 비골을 유합시키고 하퇴 절단에 해당하는 의지를 착용시킨다.
- Syme 또는 Boyd 절단술은 부분 결손이 있으면서 족근관절 불안정성과 하지길이부동이 심할 때에 시행한다.
- 비골과 족근골 유합을 통해서 유합되었지만 변형이 교정된 족부-족근관절을 얻을 수 있는 경우에는 Ilizarov 술식으로 하지 연장술을 하여 하지를 재건하는 방법도 시도할 수 있다Fig 12.

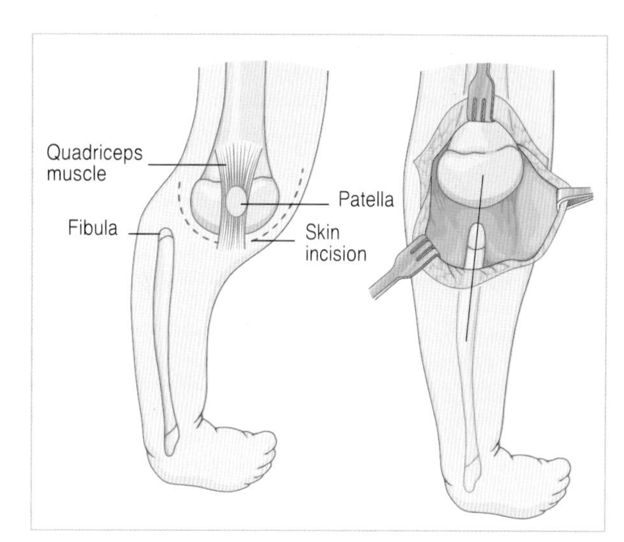

Fig 13. **선천성 경골 형성부전에 대해서 비골을 이전시켜서 대퇴골과 관절을 형성하게 하는 Brown 술식.**

2) 완전 결손 시

① 슬관절 이단술(disarticulation): 족부의 변형이 심하고, 하지 단축이 심하며, 대퇴 사두근이 없거나 근력이 아주 약할 때 적응증이 된다.

② 비골-대퇴골 관절성형술(Brown 술식)Fig 13: 비골을 견인하여 내린 다음 대퇴골 밑에 연결시켜 새로운 슬관절을 만들고자 하는 것이다. 성공 여부는 불확실하며 지속적인 불안정성과 관절구축 및 통증이 발생한다면 청소년기의 슬관절 이단술(knee disarticulation)보다도 못한 결과를 초래할 수 있기 때문에 널리 시행되지 않고 있다.

- **선천성 원위 경비골 이개증**(congenital inferior tibiofibular diastasis)Fig 14
  - 선천성 경골 형성부전의 스펙트럼에 속하는 것으로 간주되고 있다.

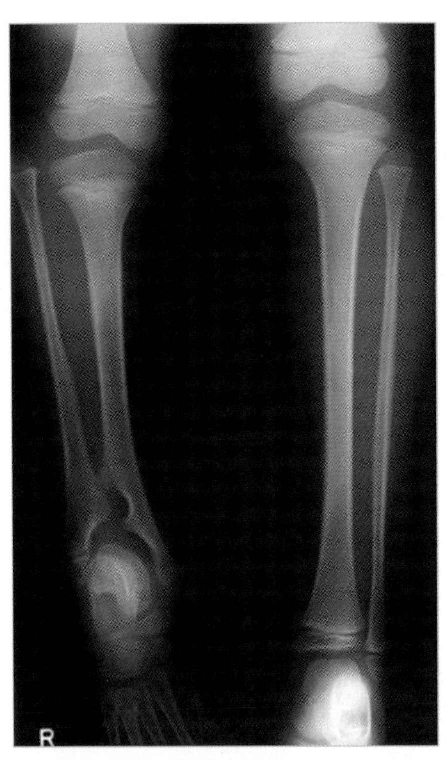

Fig 14. **선천성 원위 경비골 이개증(congenital inferior tibiofibular diastasis).**

- 첨내반족 변형, 족근관절 이개, 하지길이부동 및 경-비골의 내회전 등의 문제를 초래한다.
- Syme 절단술과 원위 골단판 유합술 후 의지 착용이 치료 방법으로 사용되어 왔다. 환자에서 Ilizarov 술식으로 하퇴와 족부변형을 교정하고, 경비골 연장술로 하지 부동을 치료하여 만족할만한 결과가 보고된 바 있다(Choi 2004).

V. 선천성 요골 형성부전

(congenital longitudinal deficiency of the radius/radial club hand/radial deficiency/paraxial radial hemimelia)

요골의 단순 저형성에서 완전 결손까지 다양한 형태를 보인다.

1. 역학

- 30,000-100,000명 출생당 1례로 보고되고 있다. 양측성이 38-50%이고 일측성에서는 우측이 좌측보다 두 배 더 흔하다. 남아 : 여아 = 1.5 : 1이다.
- 유전성을 보이지 않는 경우가 많으나, Holt-Oram 증후군(AD), Fanconi's anemia (AR), TAR (thrombocytopenia absent radius) 증후군(AR) 등과 동반되어 나타나는 경우에는 유전성이 있다. 다양한 증후군에서 증상의 일환으로 나타난다Table 5.

2. Bayne과 Klug의 분류

- I형: 요골의 근위 골단부는 정상이나, 원위 골단부의 저형성이 나타난다. 수근관절은 안정되고, 요측 사위(radial deviation)도 심하지 않다. 무지의 저형성이 대개 동반된다.
- II형: 요골의 근위 및 원위 골단부의 저형성이 나타난다. 요골은 환아가 성장함에 따라 점점 짧아진다. 결국은 요골은 miniature처럼 된다.
- III형: 요골의 부분 결손을 보이는 형으로, 근위부, 중위부, 또는 원위부 각각에서 나타날 수 있는데, 원위부의 결손이 가장 흔하다. 손목은 불안정하고 요측으로 편향되어 있다. 척골은 건측에 비해 휘고, 두터우며, 짧다.

Table 5. **선천성 요골 형성부전과 연관된 증후군**

상지	척골 편지증(ulnar hemimelia), 상지 완전 결손(amelia), 합지증
대퇴골	외과의 저형성증, 내반 혹은 외반 대퇴경부각, 비구 이형성증, 대퇴골 후염전(retroversion)에 의한 외회전 변형, 골단축증
슬관절	외반슬, 전방 십자인대의 결손
족근관절	Ball and socket 격자(mortise), planar mortise, 외반변형, 불안정성/탈구
족부	족근골 유합, 외측 중족골 및 족지 결손, 저형성, 첨내반족(clubfoot)

- IV형: 요골이 완전히 결손되어 있는 형으로 가장 흔하다. 주상골, 대능형골, 제1중수골, 무지골 등이 결손된 경우가 흔하다. 연부 조직 구축이 심하고, 수근골들은 요측 및 수장 측으로 전위되며, 중수지관절의 신전 구축, 근위 지간관절의 굴곡 구축 등이 있다. 주관절은 후부의 관절막과 연부조직의 섬유성 구축과 근육의 불균형으로 인해 약 1/4에서 신전 구축되어 있다Fig 15. 요골의 결손이 심할수록 무지의 저형성(hypoplasia)도 심해지는 경향을 보인다.
- James 등은 Bayne과 Klug 분류법에 N형과 0형을 추가하였다. N형은 요골과 수근골은 정상이며, 엄지가 저형성되거나 없는 형태이며, 0형은 요골의 길이, 요골 근위부 및 원위부 골단판은 정상이지만, 요측 수근골이 저형성되거나 결손된 형태이다.

3. 해부병리

1) 근육

신전근 공통 기시부(common extensor origin) 또는 요골에서 기시하는 근육들이 결손, 저형성 혹은 섬유화되어 있다.

- Extensor communis: 대부분 정상이다.
- ECRL, ECRB, brachioradialis, supinator brevis, EIP: 결손, 저형성, 또는 섬유화되어 있다.
- FDP: 인지의 무지형성술(pollicization) 수술에 앞서서 확인해야 한다.
- FPL, EPL, EPB, APB: 무지 결손이 있으면 이들도 결손된다.
- Pronator teres, FCR, FCU: 비정상적인 골부착을 보이는 경우가 흔하다.

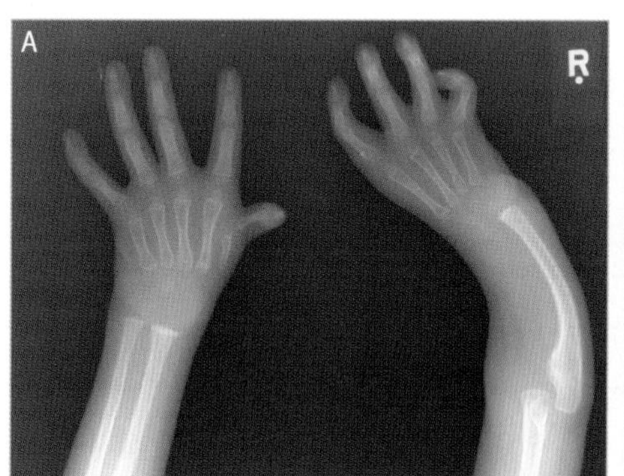

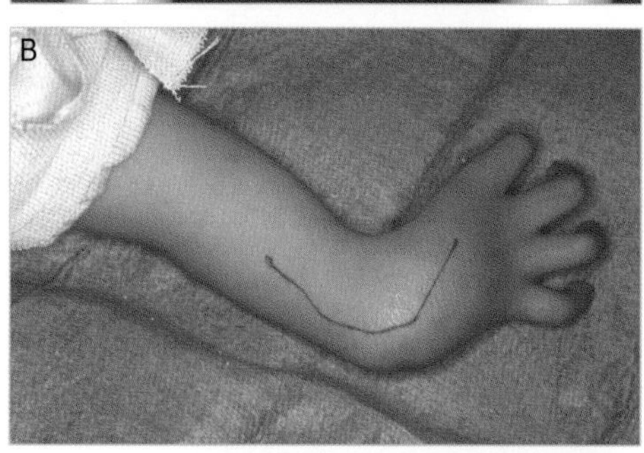

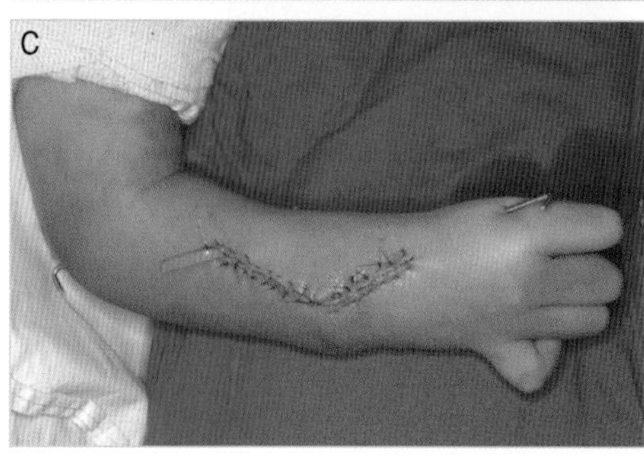

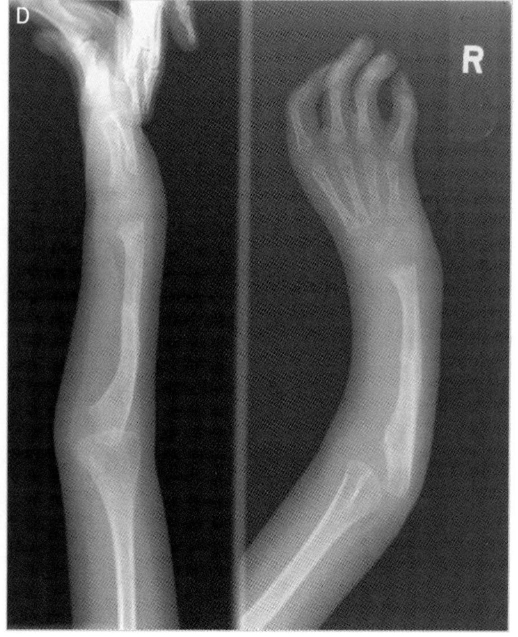

Fig 15. **선천성 요골 형성부전 IV형(total absence).**
A: 우측 요골과 무지가 관찰되지 않으며, 좌측 무지도 저형성되어 있다. B: 수술 전 모습. C: 수술 후(radialization) 모습. D: 수술 후 방사선 사진. 추후 index의 pollicization이 예정되어 있다.

2) 신경

- 액와 신경(axillary nerve), 척골 신경(ulnar nerve), 정중 신경(median nerve): 정상이다.
- 근피 신경(musculocutaneous nerve): 종종 결손된다.
- 요골 신경: 대개 주관절부에서 중단되고, 요골 신경의 감각 영역은 정중 신경이나 척골 신경에서 지배한다.

3) 혈관

- 요골 동맥은 없는 경우가 대부분이다. 척골 동맥이 전완부와 수부의 주 동맥이다. 요측은 척골 동맥에서 분지한 전골간 동맥(anterior interosseous artery)이 분포한다.

4. 치료

영유아기에는 모든 형(type)에서 비수술적 치료가 선행되어야 한다. 손목 요측의 구축된 조직을 늘리기 위해 스트레칭 운동이나 환아가 잘 때에 부목 고정을 하는 것이 도움이 될 수 있는데, 피부 궤양 등의 문제에 주의해야 한다. 수술은 6개월 이후에 시행한다. 양측 주관절 신전 구축을 개선할 수 없는 경우 한쪽만 수술하는 것이 손을 입으로 가져가는 데에 더 기능적이다.

- **수술 금기증**

① 생명에 지장이 있는 기형이 동반된 경우
② 나이가 들어 변형에 익숙해지고 미용을 크게 문제 삼지 않는 경우

1) 유형에 따른 치료 원칙

- 0형: 손목의 요측 변위각이 20도를 넘는 경우 수술적 치료를 고려할 수 있다. 손목 후방 접근법을 통해 후방 관절막과 요측 손목 신전건 절제술을 시행해 볼 수 있으며, 손목을 중립위 또는 약간 신전된 위치에서 핀으로 고정한 후, 6-8주 후 부목 고정을 제거한 후 손목 관절운동을 시작해 볼 수 있다.
- I, II형: 수술적 치료가 필요한 경우가 거의 없지만, 필요한 경우, 외고정 장치를 이용한 요골 연장술을 시행해 볼 수 있다.
- III, IV형: 손목 요측의 단축된 연부 조직을 반복된 캐스트나 외고정 장치를 이용하여 연장한 후, 손목 뼈를 원위 척골 위에 올려 놓는 중심화(centralization) 수술을 시행해 볼 수 있다. 이 때 손목 관절 주변의 연부 조직 균형을 맞추기 위해 척 수근 신전건을 단축시키거나 요 수근 신전건을 척 수근 신전건으로 건이전술을 시행할 수도 있다. 하지만, 변형의 재발이 흔해, Buck-Gramcko는 요골화(radialization) 술식을 제시하였다. 요골화 수술은 요 수근 신전건과 요 수근 굴곡건을 척측으로 이전하고, 척-수근 관절을 열어 원위 척골을 제2중수골과 정열을 맞춘 후, K-강선으로 고정하여, 2-3개월 유지하는 방법이다.

VI. 선천성 척골 형성부전

(congenital longitudinal deficiency of the ulna/ulnar club hand/ulnar deficiency/paraxial ulnar hemimelia)

선천성 척골 형성부전은 10만 명 출생당 1-7.4명 빈도로 나타나며, radial club hand에 비해 3-10배 정도 더 드물다. 척골이 완전 결손되는 경우는 전체의 약 25%에 해당한다. 일측성으로 발생하는 경우가 흔하다. 대부분 가족력 또는 유전자 이상은 없다.

1. Bayne의 분류(1993)

- I형: 척골 저형성. 척골 원위 및 근위 골단 존재. digital absence or hypoplasia가 흔하다.
- II형Fig 16: 척골 원위 골단 결손. 척골 근위부는 있으며, 주관절이 비교적 안정된다. 요골 두는 후외방 탈구된 경우가 많다. 소지의 완전 결손이 흔하다.
- III형: 척골 완전 결손. 주관절은 불안정하며, 요골두는 후외방 탈구를 보인다. 수근골 및 수지의 결손이 심하다. 주관절 굴곡 구축이 심한 경우가 많다.
- IV형: 척골 완전 결손과 radiohumeral synostosis가 동반된 경우이다.

2. 동반 기형

선천성 요골 형성 부전과는 달리, 심장이나 조혈기관의 이상은 거의 동반되지 않으나 근위 대퇴골 부분 결손(proximal femoral focal deficiency), 내반고, 선천성 경골 또는 비골 형성부전(congenital tibial or fibular hemimelia), 만곡족, 이분 척추 등과 같은 근골격계 이상이 동반될 수 있다Table 6.

3. 치료

영유아기에는 우선 비수술적 치료가 선행되어야 한다. 수술적 치료는 생후 6개월 이후 시행한다.

- I형: 필요에 따라 척골 연장술, 수지 결손 또는 저형성증에 대한 수술적 치료
- II형: 척골 연골 원기(cartilage anlage of the ulna) 절제술을 포함한 손목의 척측 연부 조직 유리술. 요골의 휨(bowing)이 심하면 요골 교정 절골술Fig 16. 요골 골두의 탈구가 있어 이를 절제할 경우 위의 술식에 요-척골 유합술(one-bone forearm procedure)을 추가한다.
- III형: 척골 연골 원기(cartilage anlage) 절제술을 포함한 손목의 척측 연부 조직 유리술. 요골의 휨(bow-ing)이 심하면 요골 교정 절골술. 주관절 연부 조직 유리술 또는 주관절 관절고정술(주관절을 움직일 근육이 없는 경우)
- IV형: 손을 기능적 위치에 옮기기 위한 교정 절골술

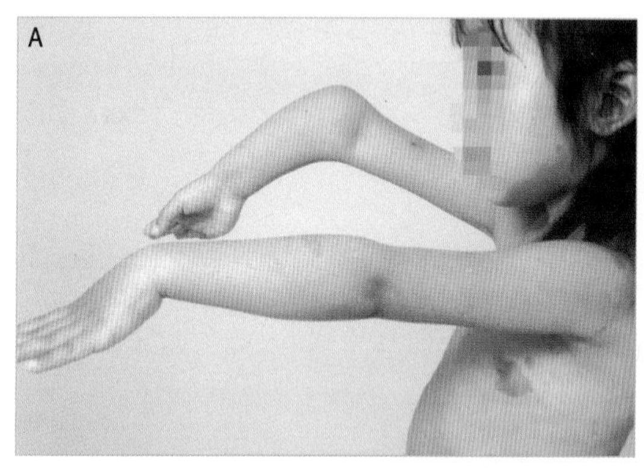

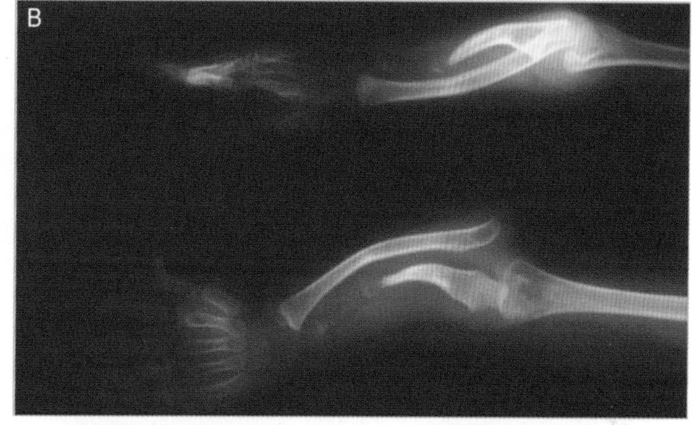

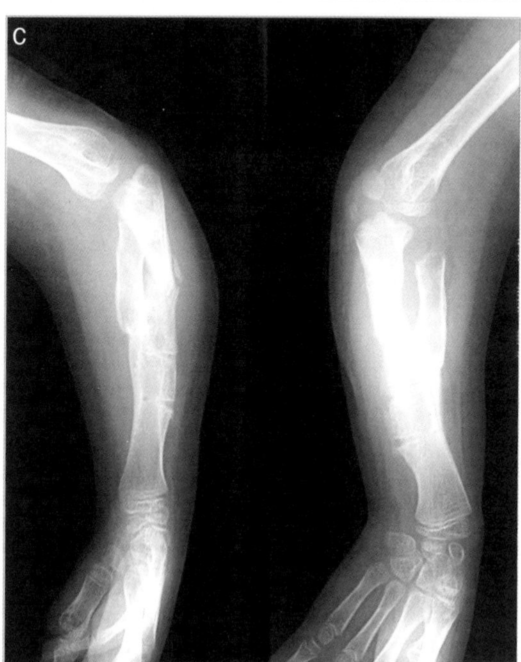

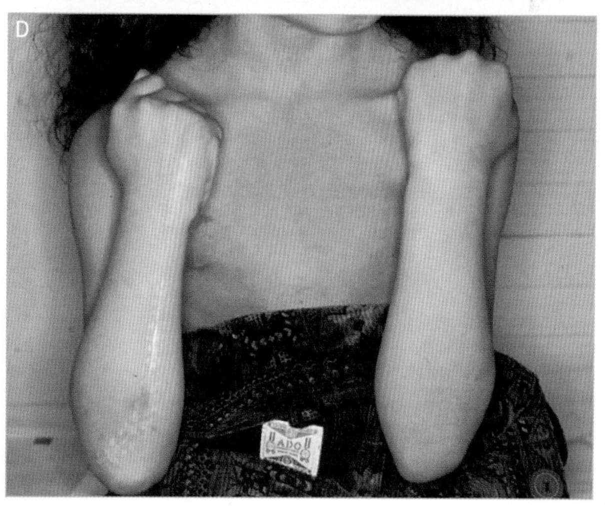

Fig 16. **선천성 척골 형성부전 II형(total absence).**
A: 우측 전완부가 짧고 척측 전위를 보인다. B: 원위 척골의 결손과 요골 두의 탈구가 관찰된다. C: one-bone forearm procedure 후 외고정 장치를 이용한 골연장술을 시행하였다. D: 수술 후 사진.

Table 6. 선천성 척골 형성부전과 연관된 증후군

Associations	Syndrome
Blood dyscrasias	Fanconi's anemia
	TAR syndrome
	Aase-Smith syndrome
Congenital heart diseases	Holt-Oram syndrome
	Lewis's upper limb cardiovascular syndrome
Craniofacial abnormalities	Nager acrofacial dysostosis
	Goldenhar syndrome
	Cleft lip/palate
	Hemifacial microsomia
	Hanhart micrognathia and limb anomalies
	Craniosynostosis with radial defects
	Acro-renal-ocular syndrome
	Laryngeal atresia and laryngeal web
	Juberg-Hayward syndrome
	Goldblatt-Viljoen syndrome
	Baller-Gerold syndrome
	Rothmund-Thomson syndrome
	Duane-radial dysplasia syndrome
	Roberts-SC phocomelia syndrome
	IVIC syndrome
	Möbius syndrome
	Levy-Hollister (LADD) syndrome
	Treacher Collins syndrome
Vertebral anomalies	VATER association
	Funston syndrome (cervical rib)
	Klippel-Feil syndrome
	Keutel syndrome
Mental retardation	Seckel syndrome (rare)
	Cornelia de Lange syndrome
Chromosome aberrations	Trisomy 18, 13, 17, or 21
	Ring chromosomes (B and D2)
	Chromosome 4 and 13 deletions

참고문헌

정문상, 백구현, 공현식. 선천성 요골 결손. 정문상, 백구현 공저. 손외과학 1판. 군자출판사, 서울, 2005.

Achterman C, Kalamchi A. Congenital deficiency of the fibula. J Bone Joint Surg Br. 1979;61:133.

Aitken GT. Congenital lower limb deficiencies. Inst Course Lect. 1975;24:81.

Amstutz HC. Prognosis for growth and development of congenital anomalies of the lower extremities. J Bone Joint Surg Am. 1967;49:1011.

Bavinck JN, Weaver DD. Subclavian artery supply supply disruption sequence: hypothesis of a vascular etiology for Poland, Klippel-Feil, and Mobius anomalies. Am J Med Genet. 1986;23:903.

Bayne LG, Klug MS. Long-term review of the surgical treatment of radial deficiencies. J Hand Surg, 1987; 12-A: 169.

Birch JG, Lincoln TL, Mack PW, et al. Congenital fibular deficiency: a review of thirty years' experience at one institution and a proposed classification system based on clinical deformity. J Bone Joint Surg Am. 2011;93:1144.

Birch JG, Walsh SJ, Small JM, et al. Syme amputation for the treatment of fibular deficiency. An evaluation of long term physical and psychological functional status. J Bone Joint Surg Am. 1999;81:1511.

Blair WF, Shurr DG, Buckwalter JA. Functional status in ulnar deficiency. J Pediatr Ortho, 1983;3:37.

Broudy AS, Smith RJ. Deformities of the hand and wrist with ulnar deficiency. J Hand Surg, 1983;4:304.

Brown FW. Construction of a knee joint in congenital total absence of the tibia (paraxial hemimelia tibia): a preliminary report. J Bone Joint Surg Am. 1965;47:695.

Buck-Gramcko D. Radialization as a new treatment for radial club hand. J Hand Surg, 1985;10-A:964.

Catagni MA. Management of fibular hemimelia using the Ilizarov method. Inst Course Lect. 1992;41:431.

Choi IH, Kumar SJ, Bowen JR. Amputation or limb lengthening for partial or total absence of the fibula. J Bone Joint Surg Am. 1990;72:1391.

Choi IH, Lipton GE, Mackenzie W, et al. Wedge shaped distal tibial epiphysis in the pathogenesis of equinovalgus deformity of the foot and ankle in the tibial lengthening for fibular hemimelia. J Pediatr Orthop. 2000;20:428.

Choi IH, Yoo JH, Chung CY, et al. Congenital diastasis of inferior tibiofibular joint: report of three additional cases treated by the Ilizarov method and literature review. J Pediatr Orthop. 2004;24:304.

Deimling S, Sotiropoulos C, Lau K, et al. Tibial hemimelia associated with GLI3 truncation. J Hum Genet. 2016;61:443.

Epps CH Jr, Tooms RE, Edholm CD, et al. Failure of centralization of the fibula for congenital longitudinal deficiency of the tibia. J Bone Joint Surg Am. 1987;73:858.

Grill F, Dungl P. Lengthening for congenital short femur: Results of different methods. J Bone Joint Surg Br. 1991;73:439.

Hamanishi C. Congenital short femur: Clinical, genetic, and epidemiological comparison of the naturally occurring condition with that caused by thalidomide. J Bone Joint Surg Br. 1980;62:307.

Herring JA, Barnhill B, Gaffney C. Syme amputation: An evaluation of the physical and psychological function in young patients. J Bone Joint Surg Am. 1986;68:573.

James MA, Green HD, McCarroll HR Jr, et al. The association of radial deficiency with thumb hypoplasia. J Bone Joint Surg Am, 2004;86A:2196.

Jones E, Barnes J, Lloyd-Robers GC. Congenital aplasia and dysplasia of the tibia with intact fibula: classification and management. J Bone Joint Surg Br. 1978;60:31.

Kalamchi A, Cowell HR, Kim KI. Congenital deficiency of the femur. J Pediatr Orthop. 1985;5:129.

Kalamchi A, Dawe RV. Congenital deficiency of the tibia. J Bone Joint Surg Br. 1985;67:581.

Kruger LM. Recent advances in surgery of lower limb deficiencies. Clin Orthop Relat Res. 1980;148:97.

Loder RT, Herring JA. Fibular transfer for congenital absence of the tibia: A reassessment. J Pediatr Orthop. 1987;7:8.

Marquardt E. The Knud Jansen lecture. The operative treatment of congenital limb malformation. Part II, Case study. Prosthet Orthot Internat. 1981;5:2.

McCredie J, Willert HG. Logitudinal limb deficiencies and the sclerotomes. An analysis of 378 dysmelic malformations induced by thalidomide. J Bone Joint Surg Br. 1999;81:9.

Mezhenina EP, Roulla EA, Pechersky AG, et al. Methods of limb elongation with congenital inequality in children. J Pediatr Orthop. 1984;4:201.

Paley D, Standard SC. Lengthening reconstruction surgery for congenital femoral deficiency. In Limb lengthening and Reconstruction Surgery. S. Robert Rozbruch, Svetlana Ilizarov. New York, London: Informa; 2007. 393.

Paley D. Surgical reconstruction for fibular hemimelia. 2016;10:557.

Pappas AM. Congenital abnormalities of the femur and related lower extremity malformations: Classification and treatment. J Pediatr Orthop. 1983;3:45.

Pirani S, Beauchamp RD, Sawatzky B. Soft tissue anatomy of

proximal femoral focal deficiency. J Pediatr Orthop. 1991;11:563.

Schmidt CC, Neufeld SK: Ulnar ray deficiency. Hand Clinics, 1998;14:65.

Schoenecker PL, Capelli AM, Millar EA, et al. Congenital longitudinal deficiency of the tibia. J Bone Joint Surg Am. 1989;71:278.

Steel HH, Lin PS, Betz RR, et al. Iliofemoral fusion for proximal femoral focal deficiency. J Bone Joint Surg Am. 1987;69:837.

Stephens DC. Femoral and tibial lengthening. J Pediatr Orthop. 1983;3:424.

Tagashima AH, Al-Sheikh AA, Upton J. Preoperative soft-tissue distraction for radial longitudinal deficiency- an analysis of indications and outcomes. Plastic Recons Surg, 2007;120:1305.

Thomas IH, Williams PF. The Gruca operation for congenital absence of the fibula. J Bone Joint Surg Br. 1987;69:587.

Weber M. Congenital leg deformities: tibial hemimelia. In Limb lengthening and Reconstruction Surgery. S. Robert Rozbruch, Svetlana Ilizarov. New York, London,: Informa; 2007. 429.

Weber M. New classification and score for tibial hemimelia. J Child Orthop. 2008;2:169.

Wieczorek D, Pawlik B, Li Y, et al. A specific mutation in the distant sonic hedgehog (SHH) cis-regulator (ZRS) causes Werner mesomelic syndrome (WMS) while complete ZRS duplications underlie Haas type polysyndactyly and preaxial polydactyly (PPD) with or without triphalangeal thumb. Hum Mutat. 2010;31:81.

Wolfe SW, Pederson WC, Hotchikiss RN, et al. Green's operative hand surgery. 7th ed, Elsevier Chrchill Livingstone, 2017.

24

소아청소년 특이 골격계 손상

Musculoskeletal Injury Specific in Children and Adolescents

소아청소년 특이 골격계 손상

Musculoskeletal Injury Specific in Children and Adolescents

목차

I. 소아 골격계 손상의 특징

소아의 뼈는 형태적, 생역학적 특성이 성인의 골과 상이하며 치료법에도 차이가 있다. 장골의 양단에는 골단판(growth plate, epiphyseal plate)이 존재하며 골단판에서 골절이 일어나면 약 15-20%에서 성장장애(growth disturbance)가 발생할 수 있다. 또한 소아의 뼈는 다공성(porous)이면서 무기질이 적어서 비교적 작은 힘에도 골절이 발생할 수 있으나 두꺼운 골막 때문에 성인에 비해 외력에 대하여 탄성력이 크고 특징적인 골절 양상을 보이게 된다. 또한 재형성 능력이 뛰어나고, 골절의 치유기간이 짧다. 이처럼 소아 골격계의 해부학적인 구조, 골 성장, 손상 후의 회복이 성인과 어떻게 다른지 이해하는 것은 치료 계획을 세우는데 필수적인 요소이다.

1. 융기 골절(torus fracture)

소아의 골간단 부위는 주로 해면골로 구성되어 있으며 뼈 회전율이 상대적으로 더 높다. 또한 골간단 부위의 피질은 골간부에 비하여 더 얇고 다공성이며, 피질을 관통하는 섬유혈관 연조직이 골수와 골막하 영역을 연결하고 있다. 반면에 골간단 부위의 골막은 골간에 비해 두껍고 질겨서 이 부위에 압박력이 가해지면 완전히 골절되기 보다는 피질골이 융기되는 형태의 불완전 골절인 torus 골절(또는 buckle 골절)이 발생할 수 있다. 이는 소아의 원위 요골에서 가장 흔히 발생하며 기본적으로 압박골절(compression fracture)의 한 형태이기 때문에 안정적이다. 따라서 통증이 경미할 수 있고 며칠 뒤 추시 방사선 사진에서 진단되는 경우도 있다. 치료는 캐스트 또는 스플린트로 3주간 고정하는 것이 일반적이며 보통 3-4주 내에 회복된다Fig 1.

2. 소성 변형(plastic deformation)

소아의 골은 성인에 비하여 탄성력이 크고 골막이 두껍고 질기다. 외력이 작용하면 골 변형이 진행되다가 골절을

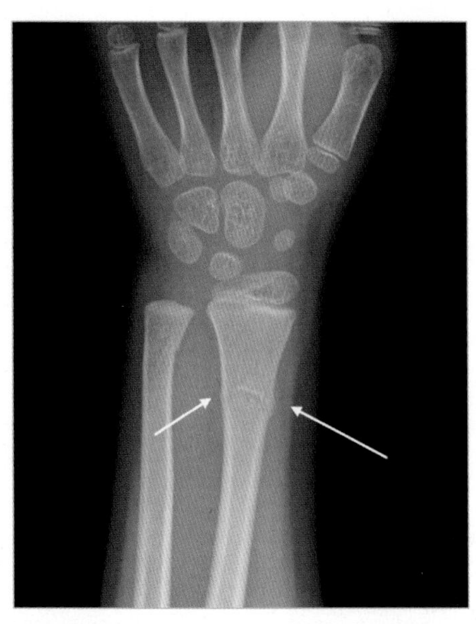

Fig 1. **7세 남아의 원위 요골의 골간단부에 발생한 융기 골절.**

일으킬 정도의 힘이 아닌 경우 외력이 사라지면 변형이 회복되지 못하고 남게 되는데 이를 소성 변형이라고 한다. 방사선 검사상 피질의 불연속적인 파열이 없이 휘거나 또는 여러 개의 미세한 골절이 나타나는 경우가 있으며 소아의 전완부에서 주로 발생한다. 가장 흔한 경우는 요골 골절과 동반된 척골의 소성 변형이며 요골두 탈구를 동반하는 소아 몬테지아 골절 탈구(Monteggia fracture dislocation)의 가능성이 있어 주의를 요한다. 소성 변형에 의한 각변형은 재형성이 가능하지만 나이가 많은 경우 불완전하게 교정될 수 있기 때문에 기능적으로 허용되지 않는 각변형의 경우 전신 마취 하 교정이 필요하다Fig 2.

3. 녹색 줄기 골절(greenstick fracture)

골막이 두껍고 질긴 소아 골의 특성으로 인해 신연력이 가해지는 부위의 피질골은 골절되고 반대측의 압박력이 가해지는 부위는 골막이 유지되며 소성 변형을 동반한다. 녹색 줄기 골절의 대부분은 수술 없이 치료가 되며 정복이 필요한 경우 정복을 시행하고 캐스트 고정을 시행하지만 경우에 따라 완전 골절로 치환하여 교정해야 하는 경우도 있다Fig 3.

4. 견열 골절(avulsion fracture)

소아는 건과 인대가 관절 주위의 골, 골단판 연골 및 관절 연골보다 상대적으로 강하여 건과 인대의 직접 손상 및 탈구보다는 견열 골절이 일어나기 쉽다. 소아 슬관절에서 전방 십자인대의 파열보다 경골 과간융기 골절(tibial eminence fracture)이 더 흔한 것이 예이다. 연골편만 견열된 경우에는 단순 방사선검사에서 골절편이 관찰되지 않으므로 주의하여야 한다Fig 4.

5. 골절 후 과성장

소아에서 골절 후 골간단부, 골단판, 골단부로의 혈행이 증가되는 것이 길이 성장(longitudinal growth)의 기전으로 생각된다. 이러한 이유로 손상 받은 쪽의 뼈의 길이가 반대측에 비해 더 길어질 수 있는데 특히 대퇴골이나 경골 골절 후의 과성장은 다리 길이 차이로 인한 파행을 유발할 수 있다Fig 5. 대부분의 과성장은 수상 후 18-24개월 이내에 발생하는 것으로 알려져 있다. 이를 피하기 위해 보존적 치료 시 뼈를 중첩시켜 길이를 짧게 하는 총검형 접촉(bayonet apposition)을 시행하는 경우도 있지만 과성장의 정도를 정확하게 예측하기는 어렵다. 또한 편심성 과성장(eccentric

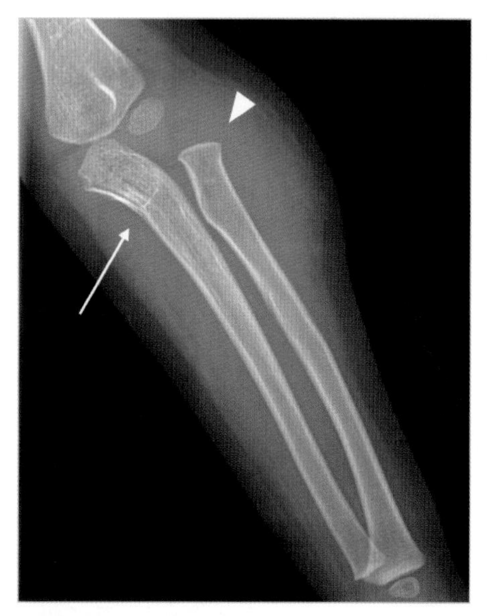

Fig 2. **3세 환아의 좌측 전완부에 발생한 몬테지아 골절 탈구(Monteggia fracture dislocation).**
척골의 소성변형(arrow)과 함께 요골두의 외측 탈구(arrow head) 소견이 관찰된다.

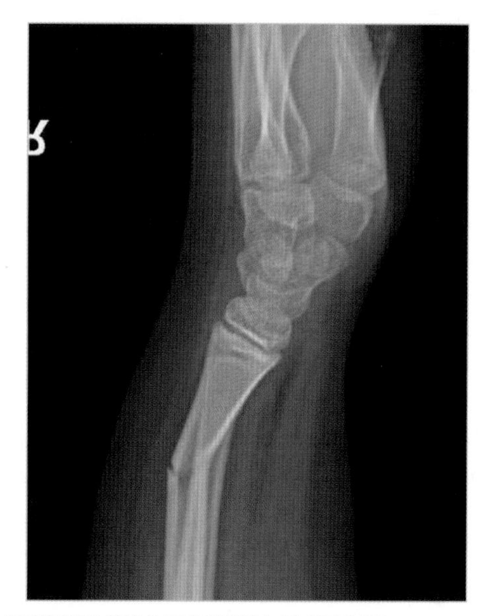

Fig 3. **11세 남아의 원위 요골에 발생한 녹색 줄기 골절.**

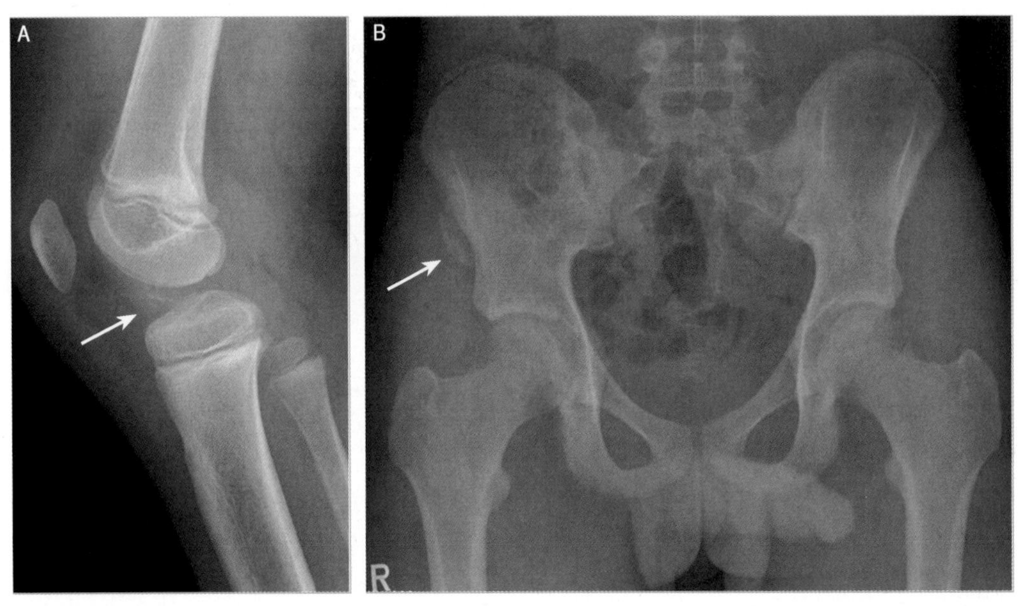

Fig 4. A: 9세 남아에서 발생한 좌측 슬관절 경골 과간융기 견열 골절. B: 14세 환아에서 발생한 우측 골반의 위앞엉덩뼈가시(anterior superior iliac spine, ASIS) 견열 골절.

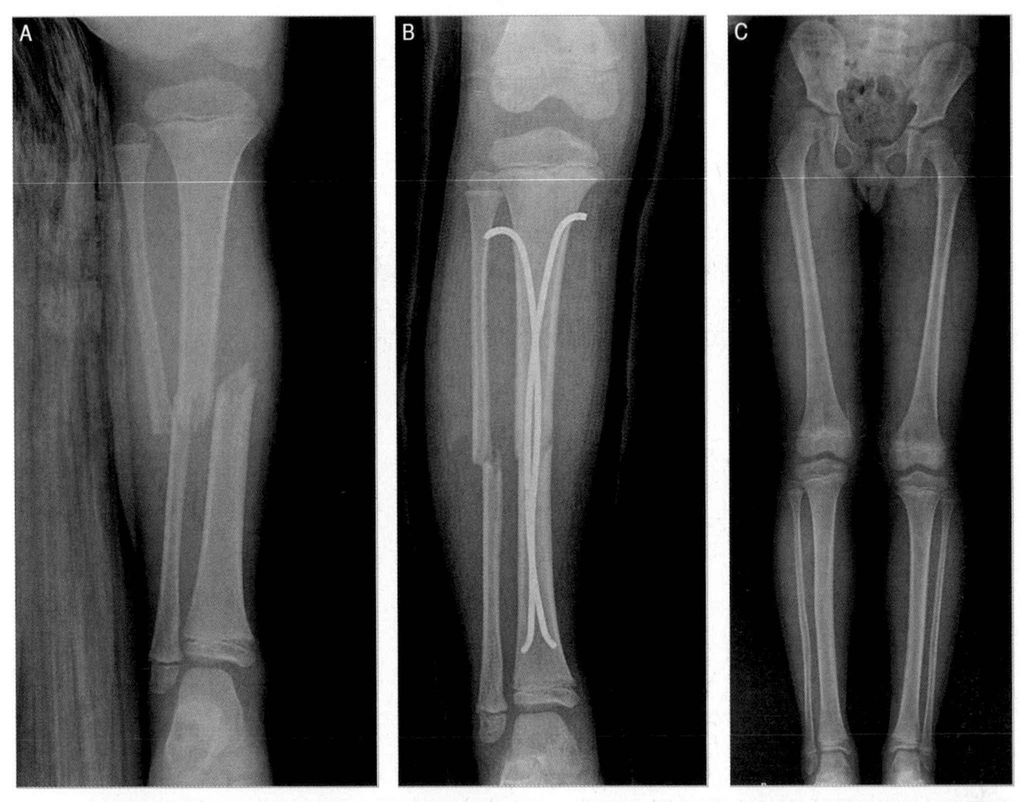

Fig 5. A: 보행자 교통사고로 7세 남아에서 발생한 경비골 간부 골절. B: 비관혈적 정복술 및 유연성 골수정을 사용한 내고정술을 시행하였다. C: 수술 후 1년 3개월 째에 과성장으로 인한 하지길이부동을 보이고 있다.

overgrowth)이 발생하는 경우도 있는데 대표적으로 근위 경골 골간부의 불완전 골절 이후 발생하는 경골의 외반(tibia valgum)이 그러한 경우이다.

6. 골절 후 재형성(remodeling)

소아 골절은 성인에 비해 빨리 치유되며 재형성 능력이 뛰어나다. Wolff 법칙에 따른 골의 형성(formation)과 흡수(absorption)의 과정을 통해 재형성이 일어나게 된다Fig 6. 따라서, 소아 골절에서는 보존적 치료를 많이 시행하게 되며, 성인과 같은 해부학적 정복을 요하지 않는다Fig 7. 재형성은 환아의 나이가 어릴수록, 골절 부위가 골단판에 더 가까울수록, 인접한 골단판의 성장기여 정도가 클수록, 각 변형이 관절의 정상 운동 평면 내에서 발생한 경우 더 크다. 예를 들어, 상완골 근위부 골절로 발생된 각변형은 상완골 근위 골단판의 상완골 길이 성장 기여도가 80%이므로 대부분 재형성된다. 무릎, 발목, 팔꿈치 또는 손목과 같은 경첩 관절(hinge joint)의 경우 관절의 운동 평면에서 발생한 시상면상의 변형, 즉 전후방 각형성은 재형성이 가능하다. 그러나 외반 또는 내반 각변형과 같은 관상면상의 변형과 회전변형은 거의 교정되지 않는다. 소아에서 흔한 원위 상완골의 과상부 골절(supracondylar fracture) 이후에 발생한 내반주 변형(cubitus varus deformity)은 거의 재형성되지 않는다.

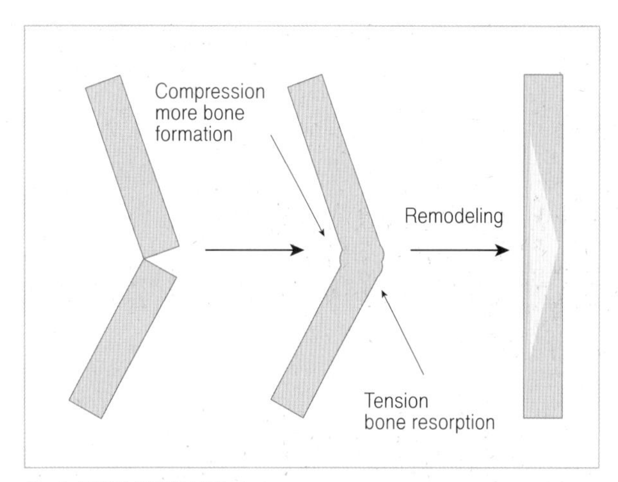

Fig 6. **골절의 재형성 기전.**
뼈의 축적과 흡수로 인해 어떻게 뼈가 재형성되는지 나타내고 있다.

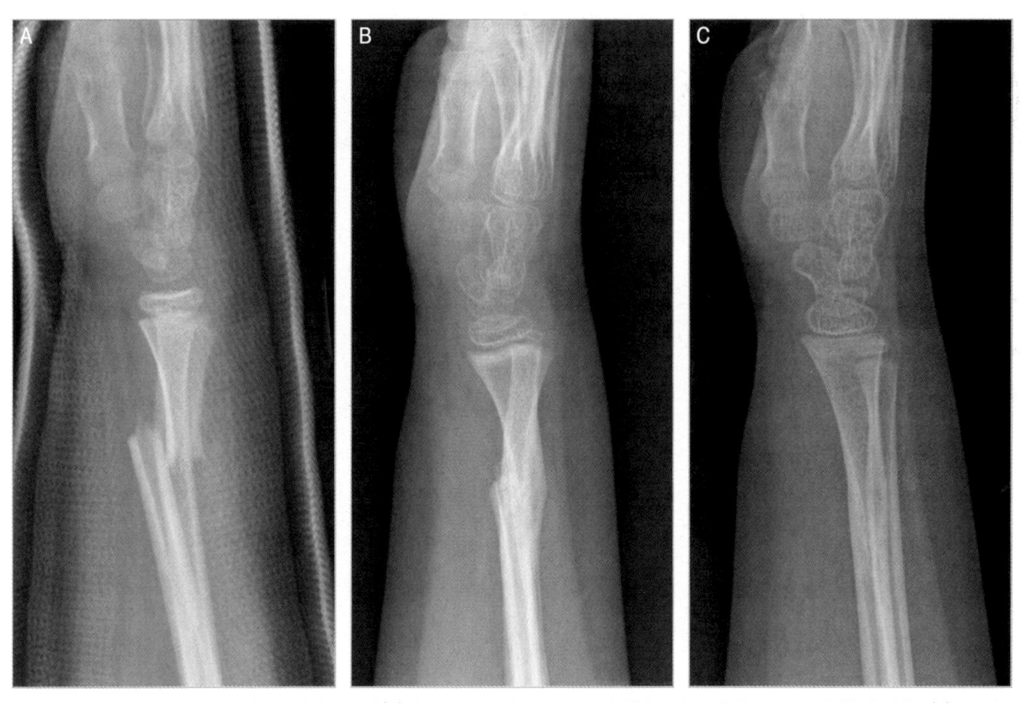

Fig 7. 8세 남아의 원위 요골의 완전 전위된 골절(A)에 대하여 장상지 석고 고정하였으며 수상 후 8주째 골유합이 되었다(B). 수상 8개월 후 골절의 완전한 재형성이 이루어졌다(C).

II. 골단판 손상과 합병증
(physeal Injury Sequelae)

1. 골단판 성장 장애(physeal growth disturbance)

1) 원인

(1) 골절

- 골단판 골절을 일으키는 외력은 장력(tensile force)이나 전단력(shearing force)인 경우가 많다. 골단판의 잠정 석회화대(provisional calcification zone)는 이러한 힘에 약한 부위로 골단판 분리가 여기에서 일어나면 골단판 성장 장애는 유발되지 않는다.
- 그러나, 배세포 층(germinal layer)을 통과하는 Salter-Harris 3형, 4형의 골절은 향후 성장 장애를 유발할 가능성이 높다.
- Salter-Harris 5형 골절은 그 존재 여부에 대해 논란이 있으나 실제 존재한다면 진단되는 순간 이미 골단판의 성장정지가 초래된 상태이다.
- 골단판 골절은 전체 소아 골절의 15-30%를 차지하지만 골단판 골절의 약 1-10%에서만 성장 장애가 초래된다.

(2) 감염

골수염 및 화농성 관절염 후유증으로 골단판이 손상될 수 있다. 특히 meningococemia에 의한 신생아 패혈증, 조산아의 감염증 및 산모가 당뇨병인 경우에 발생하는 감염증에서는 다발성 골단판 손상과 함께 관절 연골 파괴, 관절막 유착 등이 병발하는 경우가 많아 예후가 좋지 않다.

(3) Blount 병

근위 경골 골단판 내측의 성장 장애 및 골화 지연으로 내반 변형이 초래된다. 병변 부위의 골단판 세포층은 불규칙하며 정상적인 연골내 골화가 일어나지 못한다. 7세 이하의 어린 연령의 환자 중 병의 후기(Langenskiöld stage IV)에 도달한 환자에서는 골교 절제술(physeal bar resection)을 시행하기도 하나 대상이 되는 환자가 드물고 7세 이상에서는 수술의 성공률이 50%에도 미치지 못한다.

(4) 종양

내연골종(enchondroma)이나 단순골낭종(simple bone cyst) 같은 양성 종양이 골단판 성장 장애를 유발할 수 있다. 이외에도 악성 종양의 직접 침범, 구제수술이나 방사선 치료 등의 의인성 요인으로 골단판이 손상되기도 한다. 종양에 의한 골단판 성장 장애는 골교 절제술의 적응이 되지 않는 경우가 많고 수술의 결과도 좋지 않다.

(5) 만성 과사용 손상(chronic overuse injury)

(25장 스포츠 관련 질환 참조)

(6) 기타

드물게 방사선 조사, 수족지의 한랭 손상(동상), 화상, 감전 및 레이저 조사에 의한 골단판 손상이 보고되어 있으며 골단판 손상의 특별한 원인을 찾을 수 없는 경우도 있다.

2) 골단판 성장 장애에 영향을 주는 요소들

(1) 골단판 골절 유형(Salter-Harris type)

- 3형과 4형에서 성장 장애를 초래할 위험이 크다.

(2) 손상 정도

- 고에너지 손상에 의한 분쇄 골절인 경우 성장 장애를 초래할 위험이 크다.
- 손상 후 형성된 골교의 크기가 골단판 단면적의 7% 이내인 경우에는 성장 장애를 초래하지 않는 경우가 많다(Janarv 1998, Makela 1988).

(3) 나이

동물 실험(Bright 1974) 상 나이가 어릴수록 골절선은 배세포 층보다는 비후대(hypertrophic zone)와 골간단 사이를 통과하며 나이가 많아지면서 배세포 층을 통과하는 경우가 많았다. 이 결과는 골단판 골절 시 성장 장애는 나이가 많은 어린이(older child)에서 더 흔하다는 사실과 부합된다.

(4) 골단판의 구조

- 골단판 골절이 가장 흔한 곳은 수지와 원위 요골이지만 이곳은 일면성(uniplanar) 골단판으로 Salter-Harris

1, 2형 골절 시 성장정지가 유발되는 경우는 드물다.
- 반대로 원위 대퇴골과 근위 경골은 골단판 골절의 각각 1.4%, 0.8% 정도만을 차지하는 부위이지만 성장정지는 각각 35%와 15%의 높은 비율로 발생한다. 이는 이곳의 골단판이 굽이치는 형태(undulation)를 보이는 다면성(multiplanar) 구조이기 때문에 약간의 전위를 보이는 Salter-Harris 1형의 골단판 손상 시에도 현미경적으로는 배세포 층의 손상이 발생하기 때문이다.

(5) 골단판 성장 속도
- 원위 대퇴골 및 근위 경골의 골단판은 성장이 왕성하게 일어나기 때문에 손상 시 임상적인 문제가 더 현저하다.
- 반면에 요, 척골 근위부나 상완골 원위부는 성장에 기여하는 비율이 작아 손상 후 골단판 부분 유합이 발생하더라도 임상적인 문제를 야기할 가능성이 상대적으로 작다.

(6) 골단에의 혈류 공급 유형
골단에의 혈류 공급 유형에는 두 가지가 있다Fig 8.
- 첫 번째는 골단이 관절막 내에 들어 있는 경우(intracapsular)로 대퇴골 근위 골단이나 요골 근위 골단이 여기에 속한다. 이 경우에는 골단과 골단판의 배세포 층을 공급하는 혈관이 골단판의 가장 자리를 따라, 관절 연골과 골단판 사이의 좁은 공간을 통해 골단으로 들어가야 하므로 이 혈관들은 외력에 의한 골단판 분리 시 쉽게 손상되거나 막히게 된다.
- 두 번째는 더 흔한 형태인데, 골단이 관절막 밖에 위치하는 경우(extracapsular)로서 경골 근위 골단이나 요골 원위 골단이 여기에 속한다. 골단으로 들어가는 혈관은 골단의 측면으로 직접 들어가며 골막과 관절막 부착부에 의해 싸여있어 골단판 분리 시에도 골단의 혈행 차단의 가능성은 상대적으로 작다.

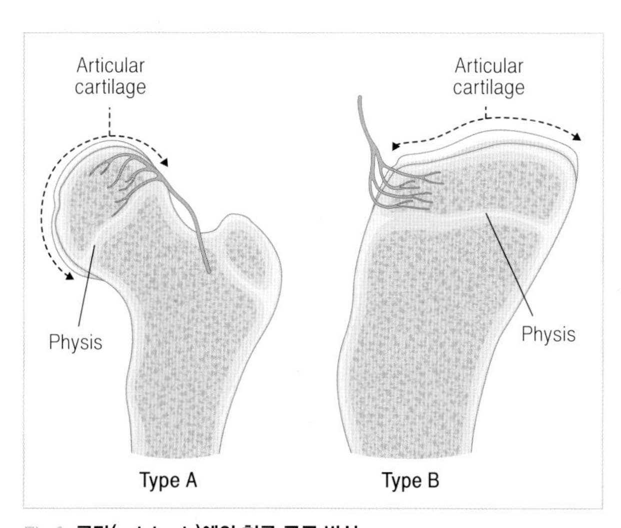

Fig 8. **골단(epiphysis)에의 혈류 공급 방식.**
(본문참조)

3) 골단판 성장 장애에 따른 후유증

골단판의 직접적인 손상이나 혈류 차단 등 간접적 요인에 의해 골단판 세포의 기능이 소실되거나 저하되면 성장 장애(growth disturbance)가 초래된다. 해당 골단판 전체가 손상되어 성장이 정지되면 정상 편측의 성장에 따라 점차 사지길이부동이 증가되며, 골단판이 부분적으로 손상되면 손상되지 않은 부위에서의 지속적인 성장에 의해 각변형이 단독으로 또는 골 길이 단축과 함께 나타난다.

골단판 중심부에의 부분적인 손상은 골단 모양을 변형시키고 관절 주위 인대가 부착하는 위치를 변화시켜 관절면 부조화(joint incongruity)와 관절 불안정성을 유발하기도 한다.

2. 성장 장애의 평가 (assessment of growth disturbance)

보통 골단판 손상 후 2-6개월이면 성장 장애 소견을 관찰할 수 있으나 경우에 따라서는 1-2년이 경과한 후에야 비로소 발견되는 경우도 있다. 성장 장애는 대개 골단판을 가로지르는 골교(physeal bar, bone bridge)가 형성되어 발생하지만, 골교가 형성되지 않는 경우에도 골단판 세포의 기능 부전으로 인한 성장 장애가 발생할 수 있다.

1) 단순 방사선 소견

- 초기에는 단순 방사선 사진 상 좁아지거나 넓어진 골단판 간격, 손상된 골단판 부위의 경화되고(sclerotic) 흐릿해진(blurring) 음영 및 손상 부위로 수렴하는 Harris

성장정지선(Harris growth arrest line)이 관찰된다.

- 사지 전장에 대한 원격방사선 사진(teleradiography)을 이용한 하지 정렬 검사(alignment test)를 통해 단축과 각변형을 평가하고 각 골단판에서의 잔여 성장을 추정하여 성장 완료 시의 사지길이부동과 각변형을 예측할 수 있다.

• Harris 성장정지선(growth arrest line)

골단판 성장이 저하된 기간 동안 골단판에서 형성된 신생골이 수평으로 응축되어 경화된 선을 말한다. 골단판에서의 성장이 재개되면 성장정지선은 골단판과 나란하게 골간단부로 이동하지만, 부분 성장정지가 일어난 부위에서는 성장정지선의 이동이 없으므로 마치 성장정지선이 성장정지 부위로 수렴하는 것처럼 보이게 된다Fig 9.

2) 골교(physeal bar, bone bridge)

손상된 골단판 부위에 형성되는, 골단과 골간단 사이를 연결하는 골성 구조물이다.

(1) 형성 과정

골단판 손상-신생 혈관과 골전구세포(osteoprogenitor cell)의 침투-섬유혈관성 가교−골교Fig 10

(2) 유형Fig 11

① 변연형(peripheral type): 가장 흔하다. 각변형이 초래된다.

② 중심형(central type): 골단판 중심부의 사슬 효과로 인해 관절면의 부조화가 초래된다.

③ 선형(linear type): 전위된 Salter-Harris 제4형 골절에서 흔히 발생한다.

④ 복합형(mixed type)

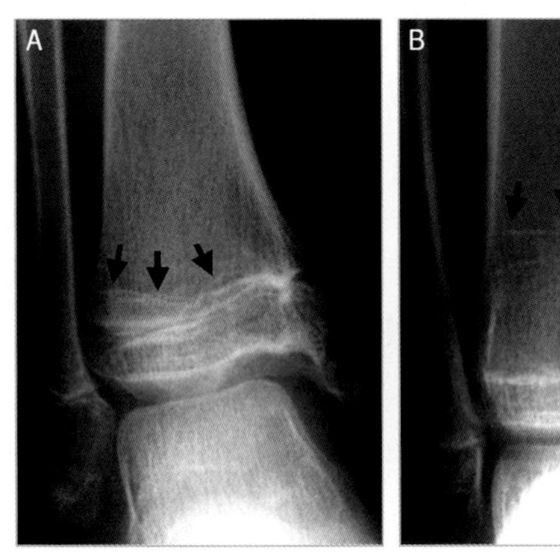

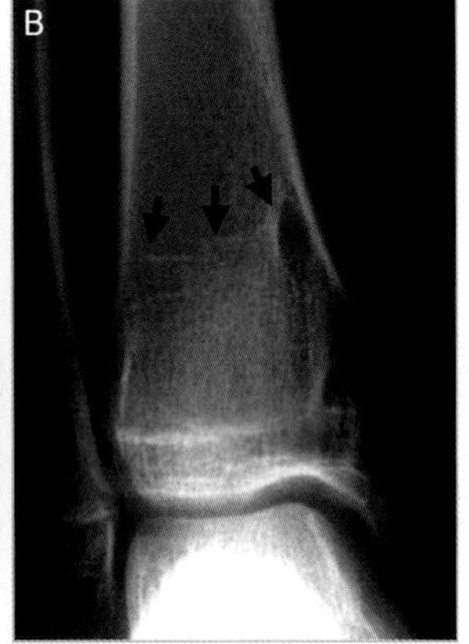

Fig 9. **성장정지선의 변화.**
A: 성장정지선이 골교 부위로 수렴(converge)하는 양상을 보인다. B: 골교 절제 및 지방 삽입술 5년 추시 사진으로 성장정지선이 골단판과 평행하다.

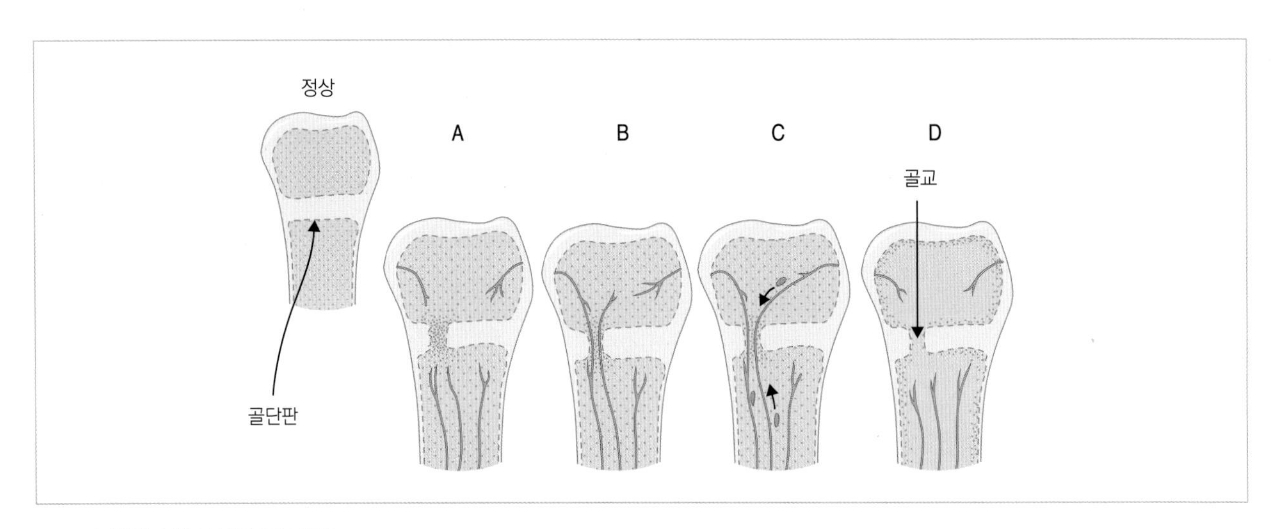

Fig 10. **골단판 손상 후 골교 형성 단계.**
A: 골단판 연골 손상. B: 인접 골에서의 혈관 침투. C: 골전구세포의 이동. D: 골교가 성숙된 후에는 혈관 밀도가 감소.

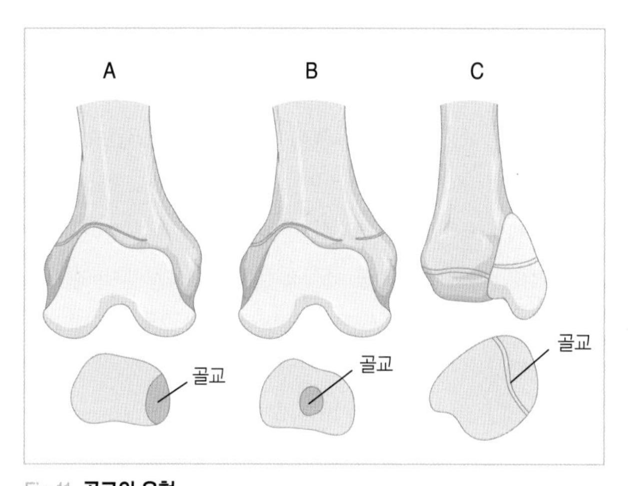

Fig 11. **골교의 유형.**
A: 변연형(peripheral type). B: 중심형(central type). C: 선형(linear type).

(3) 골교 지도 작성(mapping of physeal bar)

- 골교 절제술을 시행할 수 있을지 여부와 수술적 접근법을 결정하기 위해서는 손상된 골단판 연골과 골교를 지도화(mapping)하여 그 위치와 크기를 파악하여야 한다Fig 12.
- MRI가 골교 지도 작성에 주로 사용되는데, T1 강조영상에서 정상 골단판은 두 개의 어두운 띠(dark band) 사이에 밝은 부분(bright cartilage)이 끼어 두 개의 선으로 관찰(double lines)되는 반면에 손상된 골단판은 한 개의 어두운 띠(dark band)로 보이며(single line), 골단판이 좁아지거나(narrowing), 단절(disruption)된 소견을 보일 수 있다. Three-dimensional fat-suppressed spoiled gradient echo (SPGR) 영상에서는 골단판 연골이 밝은 띠로 나타나며 골교는 주위 골과 같이 어두운 신호를 나타낸다. 골교가 형성되지는 않았으나 기능이 저하된 골단판 연골은 두꺼워지거나 불규칙한 모양의 밝은 신호로 나타난다.
- MRI는 단순 방사선 촬영이나 컴퓨터 단층 촬영과는 달리 방사선 피폭의 위험이 없고 영상의 질이 뛰어날 뿐 아니라 컴퓨터를 이용한 3차원 합성 테크닉(three-dimensional rendering, three-dimensional projection)을 이용하여 좀 더 정확한 골단판 지도를 작성할 수 있는 장점이 있다(Peterson 1998, Borsa 1996).
- MRI는 골단판 손상을 평가하는 데에 가장 좋은 방법이지만(Kim 2000), 골단판 손상의 초기에 이상 소견을 보

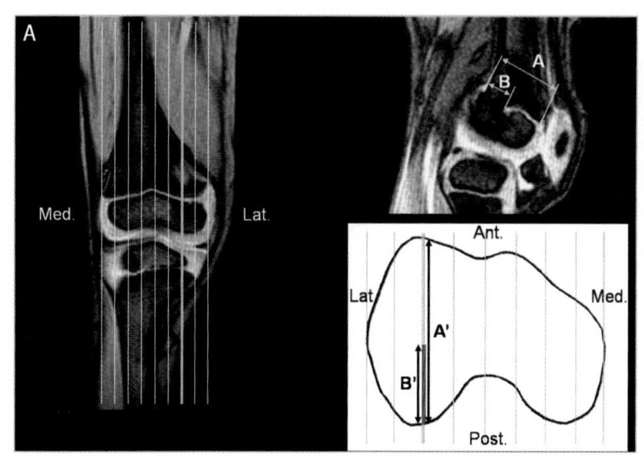

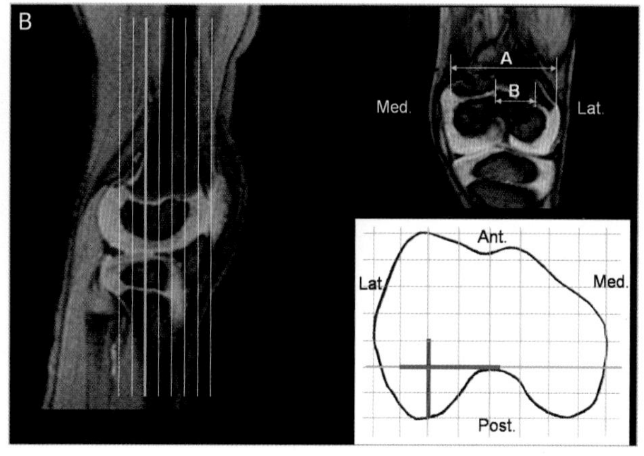

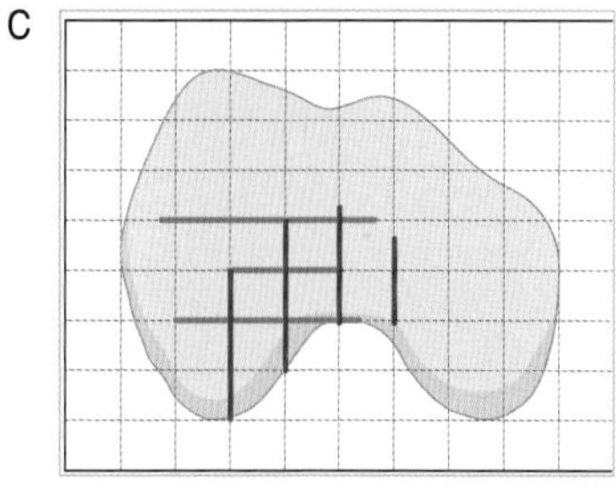

Fig 12. **골교의 지도화(mapping).**
A: 특정 시상면(녹색 선)에서 골교의 크기와 위치를 골단판 단면도에 그려 넣는다. MRI에서의 길이와 단면도에서의 길이의 비를 계산하면 단면도에 골교의 정확한 길이와 위치(빨간색 선)를 그려 넣을 수 있다. B: 마찬가지 방법으로 특정 관상면(녹색 선)에서 골교의 크기와 위치(파란색 선)를 골단판 단면도에 그려 넣는다. C: 완성된 지도로 골교는 빨간색 선과 파란색 선의 합집합에 해당한다. 모눈종이를 이용하면 골교의 위치와 함께 크기를 계산할 수 있다.

인 부분도 일부분은 정상적인 치유가 일어나기 때문에 손상 후 너무 일찍 MRI를 촬영하게 되면 절제해야 할 골교의 범위를 정확히 평가하기가 어려울 수 있다.

3. 치료

골단판 손상에 대한 치료는 후유증에 대한 치료와 후유증이 발생하기 전 또는 발생한지 얼마 되지 않은 상태에서의 예방적인 치료로 나누어 생각할 수 있다. 골단판 손상의 후유증에 대한 치료는 사지 단축 및 변형에 대한 치료이며 후유증에 대한 예방적인 치료는 골교 절제술 및 개재물질 삽입술을 말한다. 이 두 가지 치료 방법을 동시에 적용해야 하는 경우가 적지 않다Fig 13.

1) 골단판 손상 후유증에 대한 치료

(1) 사지길이부동

사지 단축에 대해 짧은 사지의 연장술 또는 긴 사지의 단축술이 적용된다. 건측 골단판 유합술 또는 단축술, 환측 신연 골형성술(distraction osteogenesis) 및 골단 신연술(epiphyseal distraction) 등의 방법이 있다. 연장술과 단축술은 모두 단단계 수술(절골술 및 급성 단축술 또는 절골술 및 신연 골이식술) 또는 점진적 방법(신연 골형성술 또는 골단판 유합술)으로 시행할 수 있다.

(2) 각변형 및 관절면 부조화

- 각변형에 대해서 쐐기 절골술을 이용한 급성 교정술(acute correction) 또는 외고정기를 이용한 점진적 교정술을 시행할 수 있다. 골 연장이 함께 필요한 경우에는 점진적 교정 방법을 이용한다.
- 관절면의 부조화는 일단 발생하면 치료가 매우 어렵기 때문에 심한 부조화가 발생하기 이전에 남아 있는 정상 골단판에 대한 골단판유합술을 시행하고 이후에 사지 단축 및 각변형에 대해 치료하는 방법이 권장된다 Fig 14.

2) 골교절제술(physeal bar resection)

골교의 사슬 효과를 제거하기 위하여 골교를 절제하고 여기에 불활성 개재 물질(inert interposition material)을 삽입하여 골교의 재형성을 방지하는 술식이다. 단독으로 시행하는 경우도 있으나 각변형 및 사지 단축에 대한 수술을 동시에 또는 순차적으로 시행해야 하는 경우도 있다. 일반적으로 각변형이 20도 이상이면 골교 제거술만으로는 변형 교정을 기대하기 어려워 교정 절골술을 함께 시행하는 것이 권장되고 있지만 교정 절골술을 함께 시행할지 여부는 개개 환자의 상태에 따라서 결정할 필요가 있다. 각변형이 인접 관절 운동과 동일 평면상에 있다면 30도까지도 절골술 없이 경과를 관찰해 볼 수 있겠지만, 회전변형이 복합되어 있거나 관절운동 평면에 있지 않은 각변형이 10-15도 이상 되면 교정술을 함께 시행하는 것이 필요하다. 최근에는 골교 절제술 시 관절경을 이용하여 절제 범위와 완전한 골교 절제 여부를 확인하여 좋은 결과를 보고하고 있다 Fig 15.

(1) 적응증

① 잔여 성장이 2.5 cm 이상 또는 잔여 성장 기간이 2년 이상이다.

② 골교가 골단판 단면적의 40-50% 이하, 환아의 나이가 아주 어린 경우에는 50%를 초과한 경우에도 고려할 수 있다.

(2) 골교 절제 부위에 대한 처치

① 혈종 형성을 예방

- 절제술 후 Thrombin을 적신 Gelfoam이나 다른 지혈제로 빈 공간을 충만 → 지혈이 된 후에 이 지혈제를 제거하고 개재 물질을 삽입한다.
- 공간 점유 효과가 좋은 개재 물질을 사용한다.

② 개재 물질 삽입

골교 제거 부위의 개재 물질로 자가 지방 조직이나 골왁스, 실리콘, 골시멘트, Cranioplast, 연골 조직 등이 사용된다. 이들의 역할은 공간 점유물로서 골교 절제 부위에 혈종이 생기고 골 치유 과정이 진행되는 것을 막는 것이다.

(3) 수술의 결과

수술 후 우수한 결과를 보이는 증례에서는 정상 측과 거

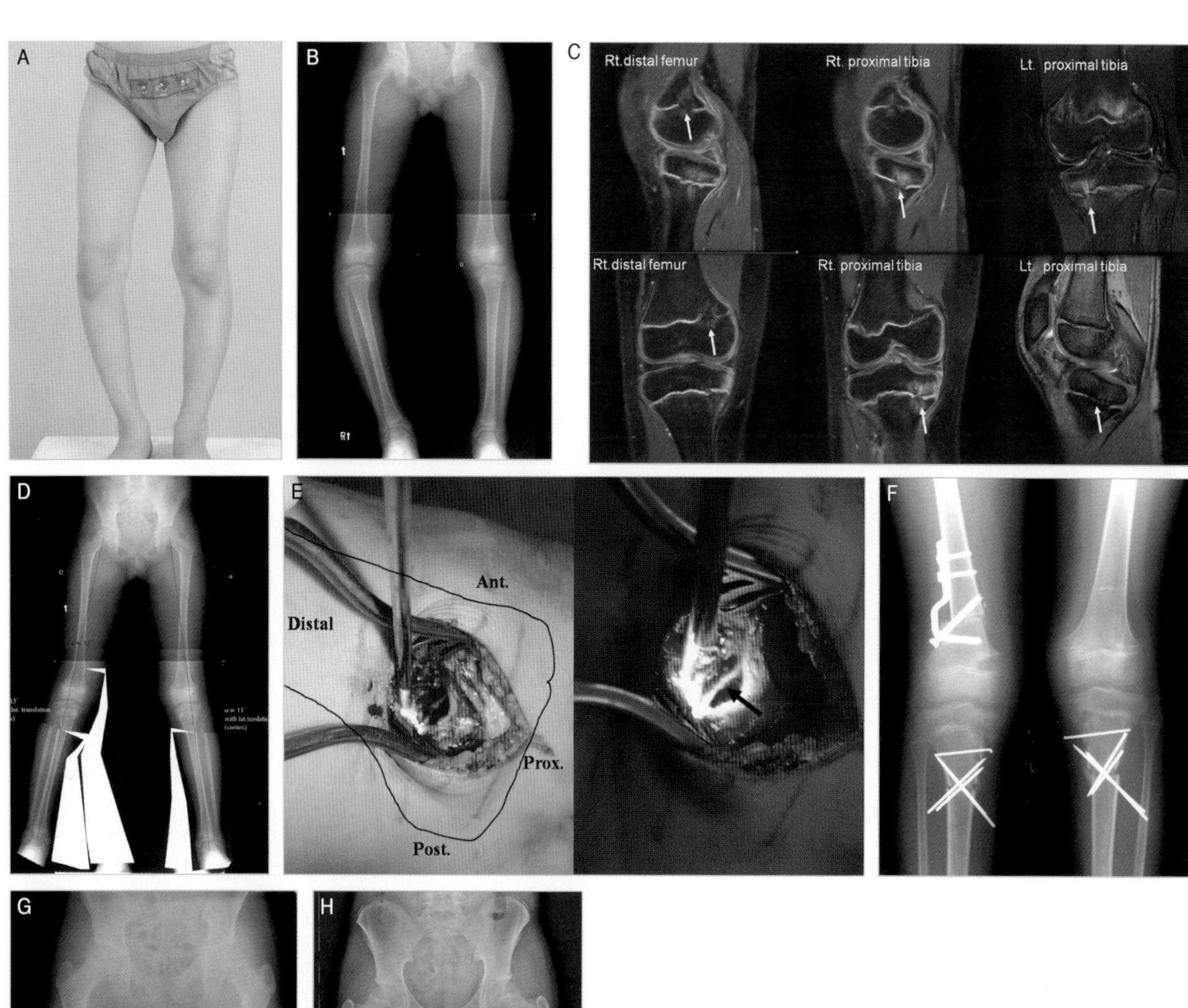

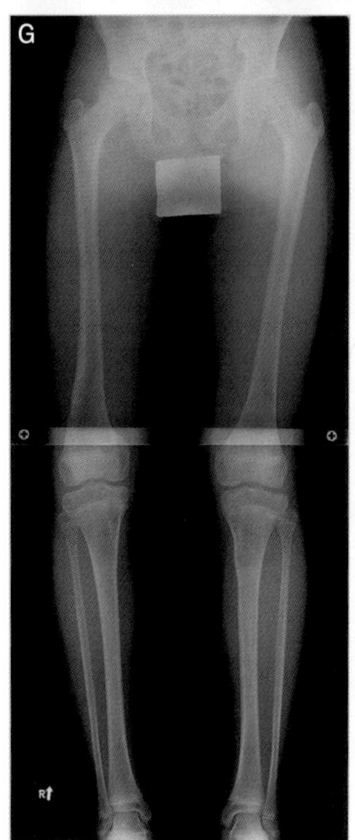

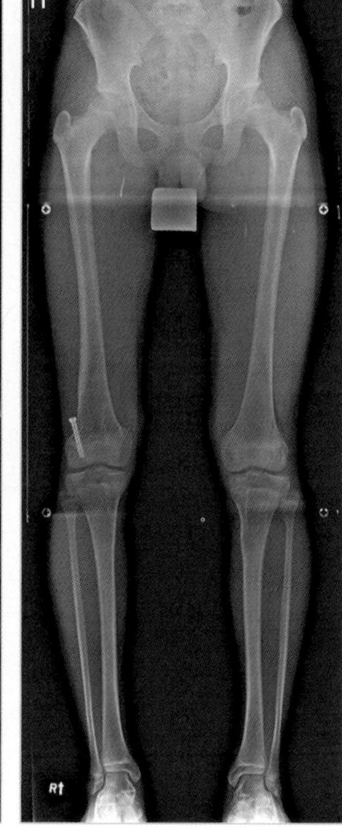

Fig 13. **선천성 심기형 관련 다발성 부분 골단판 성장정지를 보인 11세 남아에서 시행한 골교 절제술 및 지방 삽입술.**

A,B: 양측성 슬내반 변형을 보인다. C: MRI상 양측 원위 대퇴골 및 근위 경골 골단판 모두가 부분 성장정지 소견(화살표)을 보였다. D: 술전 malalignment test를 통해 변형 교정 각도를 계산하였다. E: 우측 원위 대퇴골, 근위 경골 및 좌측 근위경골에 대해서 골가교 절제술 및 지방 삽입술을 시행하였다. 사진은 우측 근위 경골로 골가교 절제 후 정상 골단판(화살표)이 관찰된다. F: 수술 후 사진. G: 추시 중 다른 부위는 변형 증가 없이 잘 성장하였으나 우측 원위 대퇴골에서 내반 변형이 서서히 진행하였다. H: 나사못을 이용한 경피적 (반)골단판 유합술(percutaneous epiphysiodesis using transphyseal screw, PETS)을 통해 점진적으로 변형이 교정된 모습으로 골가교 절제술로부터는 3년 뒤 사진이다.

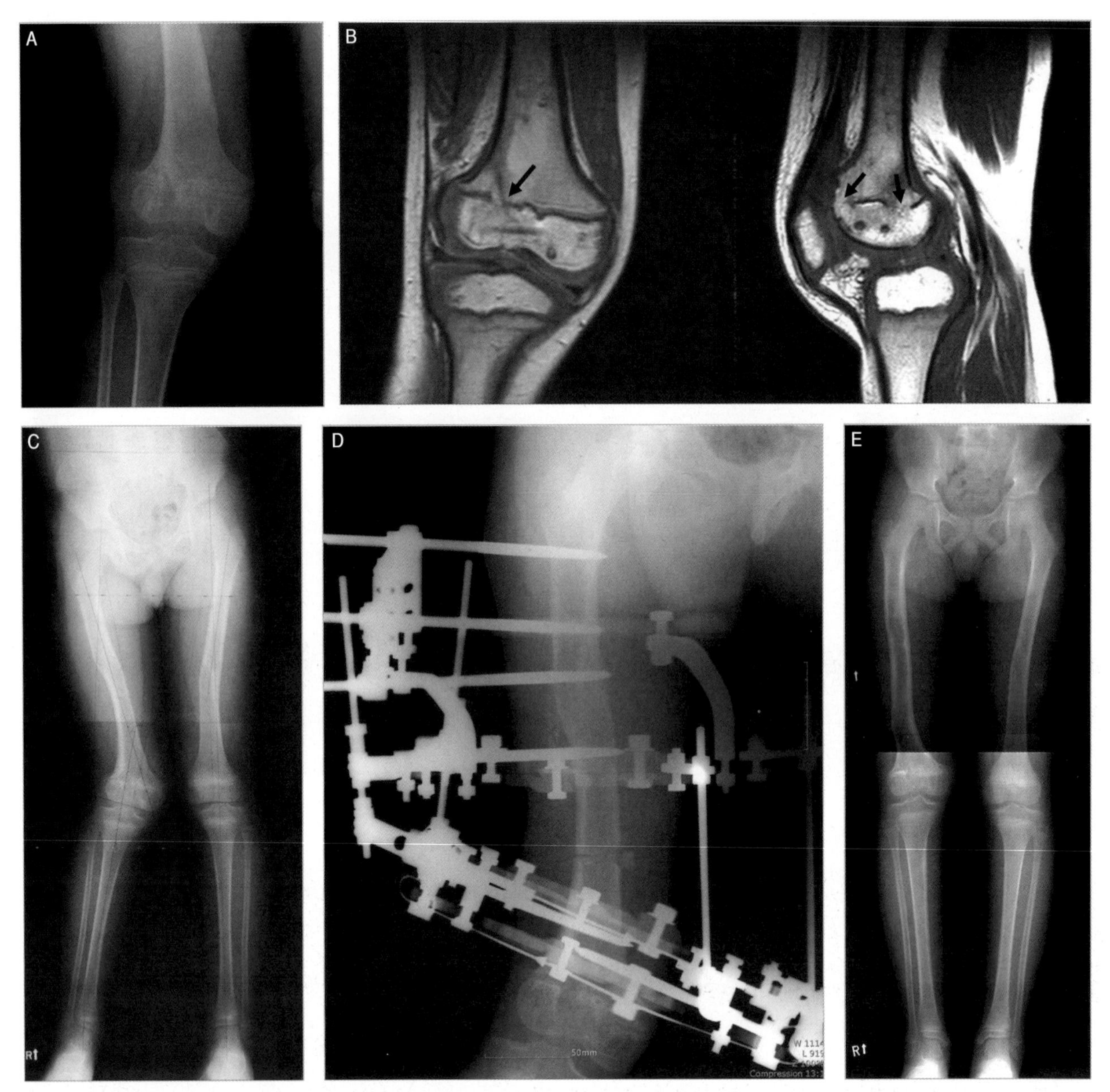

Fig 14. **반골단판 유합술과 함께 시행한 외고정기를 이용한 골연장 및 변형 교정술.**
A: 6세 남아로 우측 대퇴골 원위부의 Salter-Harris 제4형 골절 후 진행성 외반 및 굴곡 변형을 보였다. B: MRI 상 다발성 골교(화살표)가 관찰된다. 골교 절제술을 시행하였다. C: 골교 절제술 후 6개월 후 사진으로 오히려 변형이 더 증가하였다. D: 남아 있는 정상 골단판에 대해 반골단판 유합술을 시행하고 Ilizarov 기기를 이용하여 골연장 및 변형 교정술을 시행하였다. E: 골연장 및 변형 교정 완료 후 사진.

의 유사하게 성장하거나 오히려 과성장하여 변형 및 골 길이 단축을 극복하는 경우도 있으나 항상 이러한 결과를 기대할 수는 없다. Williamson과 Staheli (1990)는 골교 절제술 및 유리 지방 삽입술 후 평균 2년 추시 결과 50%에서 우수한 결과를 보였다고 하였으나, 일부에서는 수술 후 골 성장이 재개되는 비율이 약 33%에 불과하다고 주장하기도 한다(Birch 1992). 또한 수술 후 초기의 결과는 좋으나 시시간이 경과하면서 변형이 재발하거나 또는 조기 골단판 폐쇄로 추가적인 수술을 요하는 증례가 적지 않음에 유의하여야 한다.

* 수술의 실패 요인

골교의 재형성이 가장 흔하며 그 다음으로는 주위 정

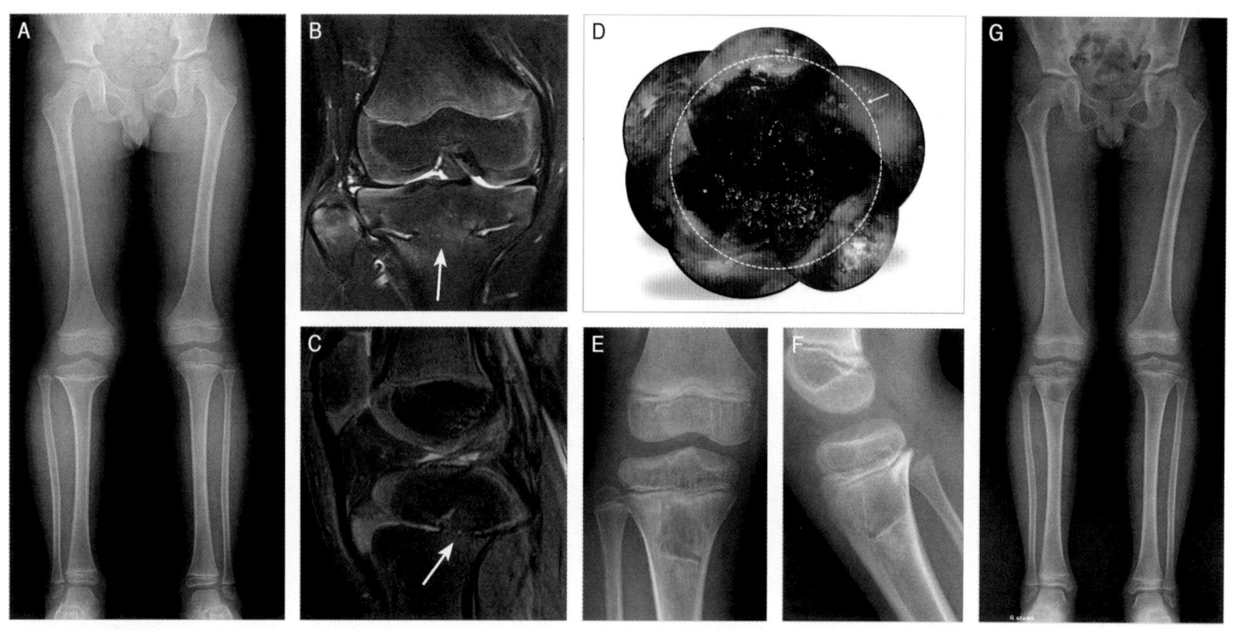

Fig 15. **타병원에서 근위 경골 골절에 대해 비관혈적 정복술 및 K-강선을 이용한 내고정술 시행 받은 7세 남아.**
방사선 사진에서 우측 하지가 1.5 cm 짧은 하지 부동이 있으며(A), MRI에서 근위 경골 골단판의 중심성 골교(화살표)가 관찰된다(B,C). 이에 대해 골가교 절제술을 시행하였으며 관절경을 삽입하여 주위로 정상 골단판(화살표)을 관찰하여 완전히 골가교가 절제된 것을 확인하고(D) 절제 부위에 골왁스를 삽입하였다. 수술 3년 후 골가교는 완전히 제거되었으며(E,F) 우측 하지는 정상적으로 성장하고 있다(G).

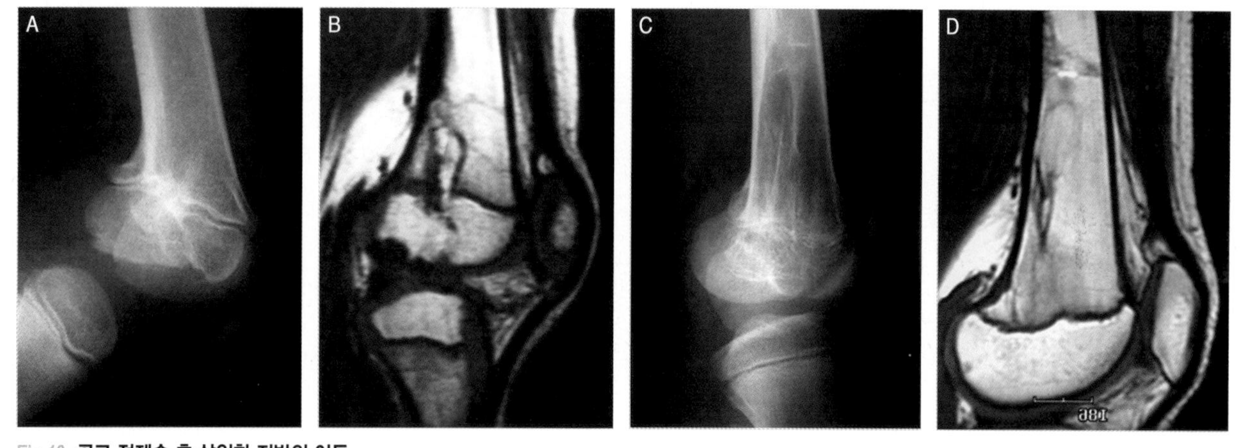

Fig 16. **골교 절제술 후 삽입한 지방의 이동.**
A: 골교가 원위 대퇴골 골단판의 중앙부에 형성되어 있다. B: 교정 절골술과 함께 골교 절제술 및 지방 삽입술 시행 후 1년 추시 MRI 사진. C,D: 수술 후 7년 추시 단순 방사선 및 MRI 사진. 지방 조직이 상방으로 이동한 것이 관찰된다.

상 골단판의 조기 성장정지(premature growth arrest of the remaining physis)이다.

① 골교의 재형성: 골교 절제술을 처음 고안한 Langenskiöld는 골교 절제 부위가 주위 정상 연골세포들의 간질 성장(interstitial growth)에 의해 복구된다고 주장하였다. 그러나, Langenskiöld 이후 여러 연구들은 골교 절제술 부위는 골단판 연골로 재생되는 경우보다는 개재 물질이 이동하면서 섬유성 조직이나 골 조직으로 대치된다고 보고하고 있다Fig 16.

② 주위 정상 골단판의 조기 성장정지: 골교 주위의 정상

골단판은 생리적인 성장정지 시기 이전에 조기 유합되는 경우가 많다. 이의 원인은 정확히 규명되지는 않았지만 골단판 손상의 원인에 의해 이미 주변 골단판 조직도 함께 손상을 받았거나 또는 골교에 의한 장기간의 사슬 효과에 의해 손상 받을 가능성도 있다.

(4) 예후 인자(최인호 1996, 이덕용 1990)

- 나이: 나이가 많은 환자에서 나쁘다. 어린 환자에서 골교 절제술이 성공적으로 되었을 때에 변형의 재형성이 일어나는 경우도 있다.
- 골단판 손상의 원인: 감염이 외상보다 나쁘다.
- 이환된 골: 원위 대퇴골인 경우 나쁘다.
- 골교의 위치와 크기: 다발성 골교가 단발성보다, 변연형이 중심형보다, 그리고 큰 골교인 경우 예후가 나쁘다.
- 손상 후 골교 제거까지의 시간: 수상 후 9-12개월이 golden period이다.

III. 아동학대

(child abuse, battered child syndrome)

1. 서론

1946년에 Caffey는 손상에 합당한 수상 과거력 없이 장골 골절, 만성 경막하 혈종 및 안구 내 출혈이 있는 6명의 환아를 보고하였고, 1953년 Silverman은 학대 아동에게서 발견된 독특한 골간단부의 골절을 보고하였다. 1962년에는 아동학대에 대한 일반 대중의 인식이 높아짐에 따라 소아과 의사인 Kempe가 피학대 아동 증후군(battered child syndrome)이라는 용어를 사용하기 시작했다.

세계보건기구(WHO)는 전세계적으로 57,000명의 어린이가 학대로 사망하는 것으로 추정하고 있으며 미국에서는 학대받는 어린이 1,000명 중 1명이 사망하며 매일 3명의 어린이가 학대 또는 방치로 사망하는 것으로 집계되고 있다. 아동학대의 피해자는 일시적으로 또는 평생 우울 장애로 고통받을 확률이 높으며 과반수 이상이 결국 정상적인 기능을 수행하지 못하거나 아이를 학대하는 부모가 되며 단지 3분의 1 정도에서만 정상적인 부모로 성장한다.

국내에서는 아동복지법 제3조 제7호에 따라 아동학대를 '보호자를 포함한 성인에 의하여 아동의 건강, 복지를 해치거나 정상적 발달을 저해할 수 있는 신체적, 정신적, 성적 폭력 또는 가혹행위 및 아동의 보호자에 의하여 이루어지는 유기와 방임'으로 정의하고 있다. 2018년 보건복지부 학대 피해아동 보호 현황에 따르면 국내 아동학대 건수는 2012년 6,403건에서 2018년 24,604건으로 발생 빈도가 꾸준히 증가하고 있으며 2019년 아동보호전문기관에서 집계된 아동학대 의심 사례는 총 38,380건에 이르고 있다. 학대 행위자와 피해 아동과의 관계는 2019년 기준 친부모가 75.6%로 가장 많으며, 대리 양육자 16.6%, 친인척 4.4%, 타인 2.2% 등의 순으로 나타났다. 피해아동의 연령은 중학생에 해당하는 만 13-15세 아동이 전체의 23.5%로 가장 큰 비중을 차지하며 그 다음으로 10-12세가 21.8%, 만 7-9세가 18.6%이다. 학대받는 아동의 30-50%가 정형외과 진료를 보게 되며 아동학대인 것을 인지하지 못하고 집으로 돌아갈 경우 심각한 부상을 입을 확률은 25%, 사망 확률은 5%에 이르는 것으로 추정되기 때문에 처음 진료한 정형외과 의사가 아동학대를 초기에 인지하는 것이 매우 중요하다.

2. 아동학대 신고 의무

국내에서는 아동학대처벌법 제10조 제2항에 따라 신고의무자는 직무를 수행하면서 아동학대 범죄를 알게 된 경우나 의심이 되는 경우에는 아동 보호 전문기관 또는 수사기관에 신고하여야 한다. 신고의무자가 아동학대를 신고하지 않을 경우 500만 원 이하의 과태료가 부과된다. 신고의무자는 크게 의료인, 교사, 시설종사자 및 공무원 등으로 세부적으로는 의료인, 의료기사, 응급구조사, 구급대원, 유치원 교직원 및 강사, 아동복지시설, 가정폭력 관련 상담소 등 총 24개 직군이다. 또한 2021년 아동학대범죄의 처벌 등에 관한 특례법 일부 개정 법률안에 따르면 아동학대 신고의무자의 신고가 있는 경우 지방자치단체나 수사 기관은 정당한 사유가 없는 한 즉시 조사 또는 수사에 착수해야 한다. 또한 아동학대 사건의 증인에 대한 신변 안전 조치가 강화되는 등 아동학대 사건에 대한 사회적 관심은 지속적으로 높아져 가는 추세이다.

3. 아동학대의 위험 요인

별거, 실직, 이혼, 가족 사망, 주거 문제, 재정적 문제가 있는 가구에서 아동학대가 발생할 가능성이 높다. 부모의 위험 인자로는 젊은 미혼모, 어릴 때 학대를 받았던 과거력, 낮은 교육수준, 높은 수준의 스트레스, 약물 남용 등이 있다.

4. 아동학대의 진단

1) 문진과 기록

면담은 일반적으로 조용한 장소에서 하는 것이 좋으며 개방형 질문을 사용해야 한다. 정형외과 의사는 환아 스스로가 다치는 상황을 유발할 수 있는지 발달 상태를 정확히 평가해야 한다. 보호자는 임상 양상에 부합하는 적절한 수상 기전을 설명할 수 있어야 하며 의사는 이런 것들을 물었을 때 보호자가 얼마나 신속하고 적절히 응답했는지 등을 평가해야 한다. 예를 들어 4개월 유아의 대퇴골 골절이 발생했을 때 환아가 혼자 서있다가 넘어져서 다친 것이라고 진술하는 경우 이는 아동 발달 능력과 일치하지 않는다. 언제 어디서 어떻게 다쳤는지, 손상이 발생하기 전 환아의 자세와 행동, 손상을 당한 후의 자세, 환아의 반응, 손상 후 위치 등을 최대한 상세하게 평가해야 한다.

또한 진료 기록지 등이 추후에 법적 증거로 제시될 수 있기 때문에 정확한 기록이 매우 중요하다. 보호자의 진술에 대해서는 인용부호를 사용하여 최대한 자세하게 기록해야 하며 가족들이 추후에 진술을 번복하는 경우 이에 대한 초기 의무기록을 수정해서는 안 된다. 의무기록에는 부상의 시기와 기전, 환아를 발견한 사람, 사건의 시기, 기저 질환, 가족력, 방사선 사진 등이 포함되어야 한다.

2) 신체검사

급성 또는 만성 손상의 징후를 발견하기 위해 피부, 중추 신경계, 복부 및 생식기를 포함하여 아동학대에 일반적으로 관련된 신체 부위에 초점을 맞춰 체계적으로 평가해야 한다.

일반적으로 가장 먼저 볼 수 있는 피부 병변의 유형은 타박상, 부종, 찰과상, 열상, 흉터 및 화상이다. 학대가 아닌 일반적인 상황에서의 타박상은 보통 턱, 이마, 무릎 및 정강이와 같은 뼈 돌출부 위에 나타나는데 뒤통수, 목, 엉덩이, 복부, 뺨 또는 생식기에 발생한 멍은 아동학대를 의심해 볼 수 있으며 특히 얼굴의 멍은 훨씬 드물기 때문에 아동학대를 고려하여 신중히 평가해야 한다. 환아의 나이나 병인에 따라 다를 수는 있지만 타박상이 발생한 시점은 멍의 색 변화로 짐작이 가능하다. 급성 타박상은 파란색 또는 적자색이며 점차 녹색으로 변한 다음 노란색으로 변하고, 최종적으로 헤모글로빈이 분해됨에 따라 갈색 얼룩이 된다. 노란색 타박상은 수상 이후 18시간 이상이 지났음을 암시한다. 또한 멍이나 출혈에 대해 출혈 체질에 대한 가족력, 기저 출혈 장애에 대한 혈액학적 평가를 진행해야 한다.

3) 골절의 평가

피부 병변과 더불어 두번째로 흔한 아동학대의 증거는 골절이다. 아동학대와 관련된 특이적인 골절은 다음과 같다Table 1. 하지만 이 외에도 거의 모든 유형의 골절이 아동학대 문헌에 보고되고 있기 때문에 반드시 종합적으로 판단해야 한다. 6개월 미만의 영아에서 흔히 나타나는 정상적인 골막 반응과의 감별이 필요한데 이는 주로 대칭적으로 장골의 골간부에서 나타난다. 또한 골형성부전증과 같이 골 약화 및 골절 소인을 초래하는 의학적 상태들이 있

Table 1. **아동학대에서 나타나는 특이적 근골격계 손상**

High Specificity
• Classic metaphyseal lesions
• Posterior rib fracture
• Scapular fracture
• Spinous process fracture
• Sternal fracture
Moderate Specificity
• Multiple fractures, especially bilateral
• Fractures in various stages of healing
• Epiphyseal separation
• Vertebral body fracture or subluxation
• Digital fracture
• Complex skull fracture
Low Specificity
• Clavicular fracture
• Long-bone shaft fracture
• Linear skull fracture

기 때문에 이에 대한 조사가 필요하며 일부 골간부에 이상을 일으키는 대사 질환을 골절과 혼동해서는 안 된다.

(1) 골격계의 체계화된 조사

① 영상검사

5세 이상의 경우 본인이 통증이 있는 곳을 묘사할 수 있지만 2세 미만의 경우 전체적인 근골격계에 대한 조사가 필수적이다. 상당수가 2주 후 추시 방사선 사진에서 추가 골절이 발견되므로 의심스러운 상황이라면 2주 후 재촬영을 해야 한다. 또한 위음성 골절과 갈비뼈 골절에 대한 진단을 위해 골주사 검사(bone scan)가 도움이 될 수 있다.

② 골절 발생 시기 평가

설명이 되지 않는 다양한 치유 단계의 골절은 아동학대의 강력한 증거이다. 골막 반응은 빠르면 4일부터 일어날 수 있고 대개 골막하 신생골 형성은 8-10일에, 최소 과반수 이상에서 가골이 14일 전후로 생기며, 골절 후 8주에 재형성이 최고조로 일어나게 된다. 이를 통해 골절 발생 시기를 유추할 수 있다.

③ 두개골 골절

학대로 인한 두개골 골절의 80%는 1세 미만의 영아에서 나타나며 누락될 가능성이 높기 때문에 반드시 두개골 골절을 염두에 두고 추가적인 평가가 필요하다.

④ 사지 골절

간부의 골절에서는 아동학대에 특이적인 패턴은 없으나, 횡골절(transverse fracture)은 일반적으로 심한 굽힘 힘 또는 사지에 대한 직접적인 타격과 관련이 있는 반면, 긴 뼈의 나선형(spiral fracture) 또는 비스듬한 골절(oblique fracture)은 낙상과 같이 축 방향 하중을 받는 비틀림 부상으로 인해 발생한다. 또한 아동학대의 경우 상완골 골절이 자주 나타나는데 원위 쇄골, 견갑골, 견봉 끝, 근위 상완골 결절 또는 원위 상완골 골단판 골절과 같은 비정상적인 위치의 골절은 격렬한 타격이나 상지 견인 손상으로 인해 발생할 수 있으며 아동학대를 의심해야 한다Fig 17A.

⑤ 갈비뼈 골절

어린이에서 갈비뼈 골절은 흔하지 않으며, 특히 뒤쪽 갈비뼈 골절이거나 다른 장골 골절과 동반될 경우에는 아동학대를 강하게 의심해야 한다. 늑골 골절은 보호자가 가슴을 꽉 쥐거나 아이를 뒤에서 때리는 경

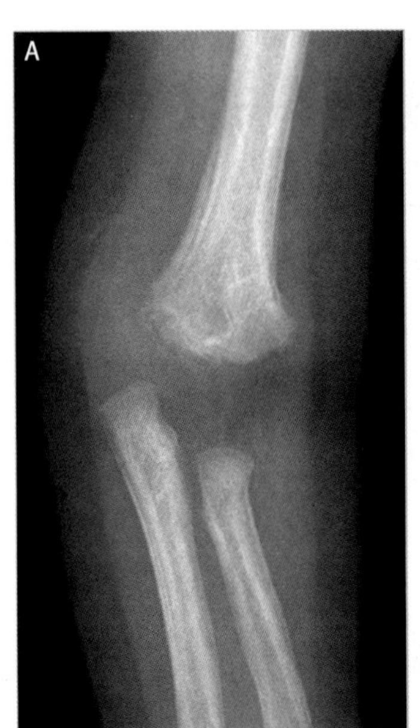

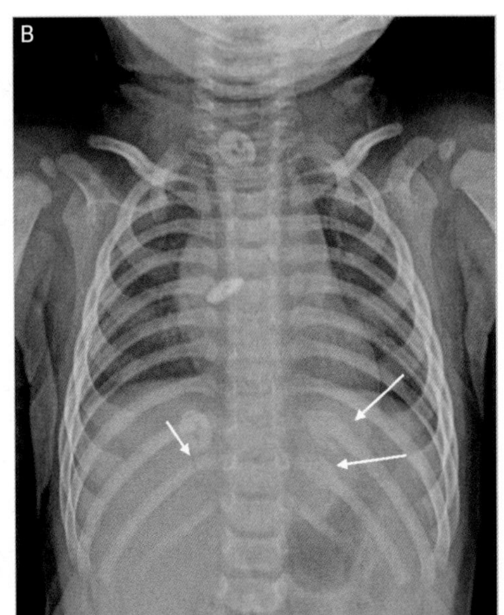

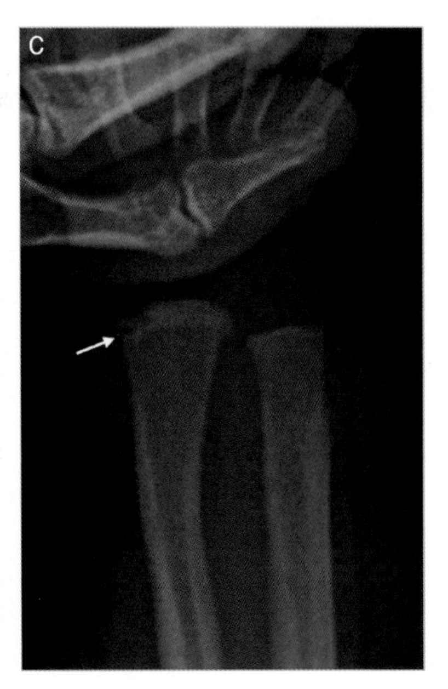

Fig 17. **아동학대가 의심되는 5개월 환아.**
A: 좌측 원위 상완골의 골단판 골절 및 척골 주위의 골막 반응. B: 후방 갈비뼈의 다발성 골절. C: 우측 원위 요골의 구석 골절.

우 발생할 수 있다. 후방 갈비뼈 골절은 제4흉추와 제9흉추 사이에 발생하는 하는 경향이 있으며 후방이 가장 흔한 위치이지만 전방 늑골 접합부를 포함하여 어디에서나 골절이 발생할 수 있다Fig 17B.

⑥ 기타

그 외에 척추 골절 등도 발생 가능하다

(2) 아동학대의 전형적인 병변

아동학대에서 전형적이라고 볼 수 있는 골절은 구석 골절(corner fracture) 또는 양동이손잡이 골절(Bucket handle fracture)이라고 불리우는 골간단부 병변이다. 이는 아이를 난폭하게 흔들거나(violent shaking), 잡아당김(traction)으로서 발생한다. 방사선 사진에서 잠정 석회화대의 골화 부분 가장자리에 골간단부 방향으로 나타나며, 구석 부위만 골절이 되는 것이 아니라 골단판 전층에 걸쳐 나타나는 Salter-Harris 제2형의 골절이다. 단 하나의 구석 골절이라도 발견될 시 아동학대를 강력하게 의심해야 한다Fig 17C.

4) 혈액 검사

아동학대로 의심되는 경우 일반혈액검사(CBC), 간기능 검사, 요검사를 시행해야 한다. 출혈 또는 반상 출혈 환자에서 응고 관련 검사(PT, aPTT, thrombin time, fibrinogen, factor VIII, factor IX, von Willebrand factor)를 시행한다. 구루병과 골밀도를 평가하기 위해 calcium, phosphorous, alkaline phosphatase, 25-OH vitamin D를 검사한다.

5) 감별 진단

Caffey disease, osteomyelitis, septic arthritis, hypophosphatasia, leukemia, metastatic neuroblastoma, osteogenesis imperfecta, scurvy, vitamin D deficient rickets, congenital insensitivity to pain, osteopetrosis, benign bone tumors 등의 전신 질환에서 아동학대와 같은 방사선 소견이 나타날 수 있어 감별을 요한다.

Ⅳ. 소아 골절 치료의 이해

1. 골절 치료의 원칙

모든 골절 치료의 원칙은 첫째, 적절한 정복(reduction), 둘째, 적절한 유지(maintenance), 셋째, 기능의 회복(functional restoration)이다. 성인에서는 골절 부위의 재형성이 잘 되지 않고, 유합까지 오랜 시간이 걸리며, 관절운동 등 재활이 지연되면 기능의 회복이 힘들다. 따라서 성인의 경우, 가능한 정확히 정복(accurate reduction)하고, 내고정을 통해 견고히 유지(rigid fixation)를 하여, 빠르게 재활(early rehabilitation)을 하는 방향으로 술기 및 치료 방침이 발전하였다.

소아의 경우, 골절을 치료할 때 소아의 특성을 알아야 한다. 첫째, 소아는 재형성(remodeling)이 가능하기에 정확한 정복이 꼭 필요하지 않은 경우가 있다. 허용 범위 내의 정복(reduction within acceptable range)을 하였을 때 최종 결과는 재형성으로 인하여 동일할 수 있기 때문이다. 이는 주로 골간부(diaphysis)와 골간단부(metaphysis)의 골절에 해당하며 부위와 변형 방향에 따라 허용 범위(acceptable range)가 다르다. 물론 소아청소년에서도 관절내 골절, 골단판 골절, 환자의 나이가 많아 재형성을 기대할 수 없는 경우 등에서는 정확한 정복이 필요하다.

둘째, 소아의 경우 골절의 유합이 성인에 비해 빠르다. 대략 장골(long bone)의 골간부가 신생아에서는 4주에 유합되며 이후에는 환자의 나이를 주수에 대입하여 유합되는 것으로 이해할 수 있다(예를 들어 8세 환아는 8주에 유합된다). 대략 골간단부의 유합 시기는 골간부의 절반(1/2), 골단판 골절의 유합시기는 골간단부의 절반(1/2)이다.

따라서, 허용 범위가 넓고, 유합 시기가 짧은 경우에 석고 고정 등 보존적 치료나 유연한 내고정(flexible fixation)이 가능하게 된다. 물론 소아청소년에서도 허용 범위가 좁아지고, 나이가 들어 유합 시기가 긴 경우는 정확한 정복과 견고한 내고정이 필요하다.

셋째, 소아의 경우 관절운동 등 기능의 회복이 성인에 비해 용이하다. 골 유합이 빠르고, 기능 회복이 용이하기에, 조기 재활 혹은 재활 자체가 필요 없는 경우가 많다. 소아에서는 유합 후 수동 관절운동(passive ROM)의 재활을 시행하지 않아도, 향후 관절운동 회복에 문제가 되지 않는 경우가 많다. 또한 무리하게 수동 관절운동을 시행하였을 때는 오히려 근손상으로 인해 관절운동이 안 되고, 이소성 골화(heterotopic ossification) 등 심각한 합병증이 발생할 수 있다.

2. 소아 골절 치료 원칙과 상완골 과상부 골절의 이해

소아 상완골 과상부 골절은 수술이 필요한 소아 골절 중 대표적인 골절이다. 역사적으로 오래전부터 많은 임상의가 치료와 연구를 하여서 치료 원칙이나 방법이 혼란스러울 수도 있다. 본장에서는 해당 골절의 치료가 왜 현재의 방식이 되었는지 이해하도록 한다.

1) 소아 상완골 과상부 골절의 특징

소아의 상완골 과상부 골절은 주로 5-9세경에 호발한다 Fig 18. 골간단 골절이고, 대부분 관절외 골절(extra-articular fracture)이다. 재형성 가능성(remodeling potential)은 제한적이어서 관상면의 각형성(varus and valgus)과 시상면의 각형성(extension) 변형은 거의 허용되지 않고, 전위(translation)는 비교적 허용된다. 호발 연령과 위치를 고려하였을 때, 3-4주면 골 유합이 된다. 따라서 정복은 허용 범위에 맞추어 적절하게 하여야 하고, 고정은 견고한 내고정까지는 필요 없다. 그래서, 수술이 필요한 경우, 대부분의 임상의는 비관혈적 정복술과 경피적 핀 고정술 및 석고 고정을 시행한다.

2) 소아 상완골 과상부 골절의 정복과 고정

소아 골절은 비관혈적 정복을 하는 경우가 많기에 적합한 술기가 필요하다. 특히 소아는 두꺼운 골막(periosteum)이 존재한다. 골절 시 손상되지 않은 골막을 지렛대로 이용하여 정복을 하거나, 유지를 할 수 있다 Fig 19. 상완골 과상부 골절의 경우도 이를 이용하여 정복한다. 소아 상완골 과상부 골절의 경우, 신전 손상으로 발생하는 경우가 많은데, 이때 후방의 골막이 보존되어 있다면, 정복 후 굴곡을 유지만 하여도 정복을 유지할 수 있다.

정복은 근위 골편에 대해 원위 골편을 제 위치로 이동시키는 것이다. 이를 위해서는 근위 골편과 원위 골편을 잘 잡고 용이하게 움직일 수 있어야 한다. 그런데, 근위 골편은 상완골을 잡으면 되지만, 원위 골편은 짧기 때문에, 전

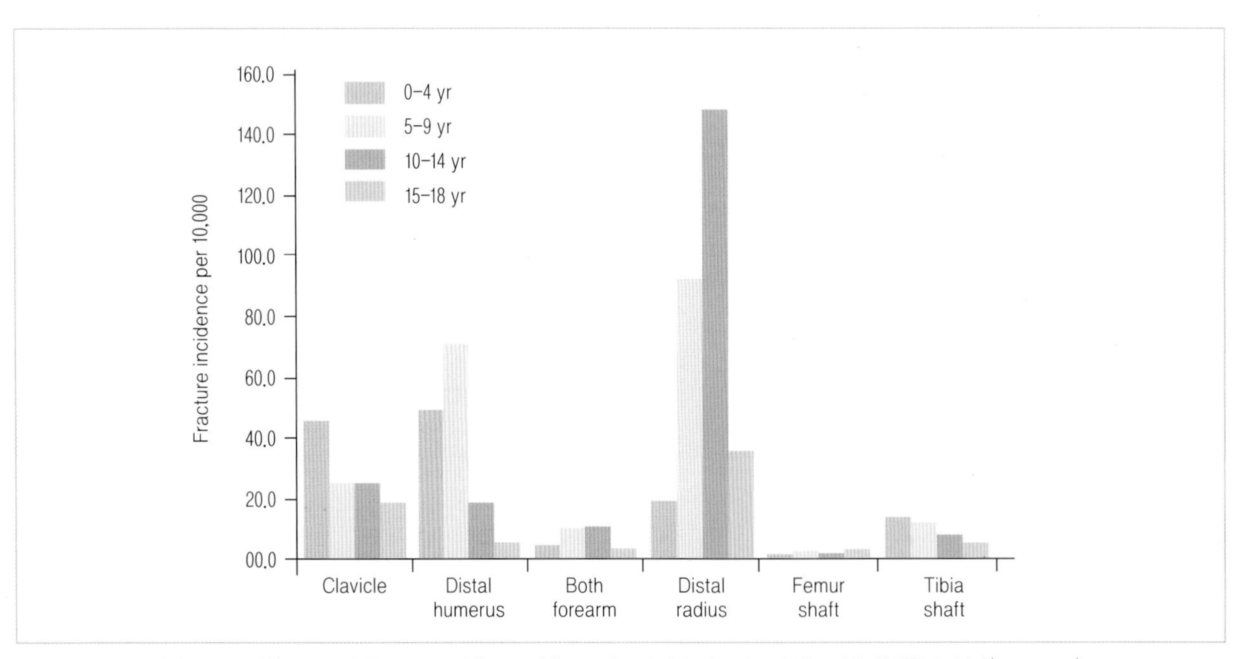

Fig 18. 연령과 계절에 따른 소아청소년 골절의 발생률로 상완골 골절은 5-9세 소아에서 여름에 호발하는 것을 확인할 수 있다(Park, 2013).

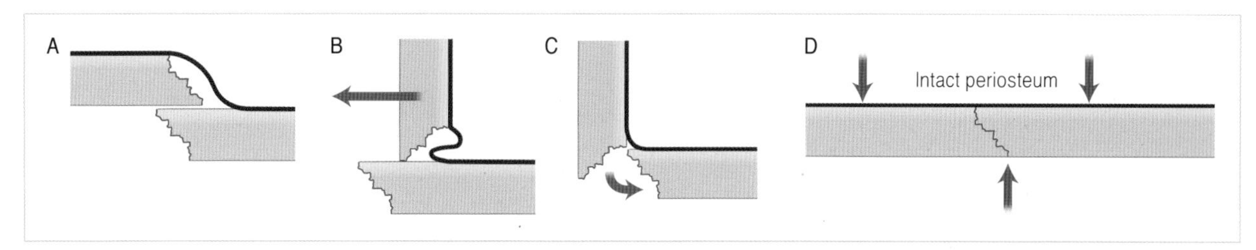

Fig 19. A-D의 순서로 보존된 골막을 이용하여, 골절을 정복 및 유지할 수 있다.

완(forearm)을 잡고 원위 골편을 조작하는 수밖에 없다.

상완골 과상부 골절의 정복은 1) 견인(traction)을 통하여 후방 골막 부위의 근위와 원위 골편을 맞춘(translation) 후 Fig 20, 2) 주관절을 굴곡(elbow flexion)하여 시상면의 변형(sagittal extension)을 정복하고Fig 21, 3) 전완의 회내(pronation) 혹은 회외(supination)로 관상면의 변형(varus and valgus)을 정복하게 된다. 주관절을 굴곡한 상태에서 전완을 회내(pronation)시키면 원위 골편이 외반(valgus)되는 힘을 받게 되므로 주관절 내측의 골막이 유지되어 있는 경우 안정된 정복을 유지할 수 있다Fig 22.

후방 골막이 보존되어 있는 골절에서는 굴곡만 지속하여도 정복이 유지되며, 빠른 유합 시기를 고려하면 내고정이 필요 없다. 다만 주관절의 과도한 굴곡 위치는 구획 증후군의 위험이 있기 때문에 부종이 심한 환자에서는 이 경우에도 경피적 핀 고정술을 하고, 90도 이하의 굴곡을 유지한 상태에서 석고 고정을 하는 것이 안전하다Fig 23.

3) 골 유합 이후

상완골 과상부 골절의 경우, 성인과는 달리 유합 후 수동 관절운동(passive ROM)의 재활을 시행하지 않는다. 골유합이 빠르고, 기능 회복이 용이하기에, 환자의 능동적 운동만 강조한다. 수동 관절운동은 오히려 합병증을 초래할 위험이 있음에 유의하여야 한다.

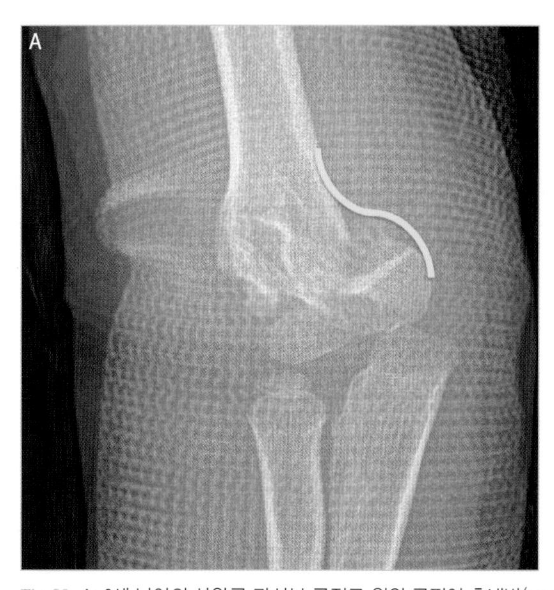

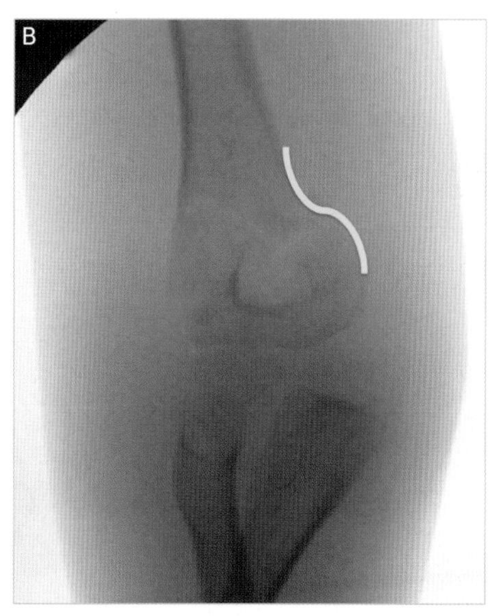

Fig 20. A: 6세 남아의 상완골 과상부 골절로 원위 골편이 후내방(posteromedial) 전위를 보인다. 과상부 골절의 가장 흔한 형태로 이 경우 근위 골편의 모서리로 인하여 요골 신경의 마비가 생길 수 있다. B: 후방과 내측의 골막(yellow line)이 보존되어 있을 것으로 예상하였고, 견인으로 어느 정도 전위를 정복한다.

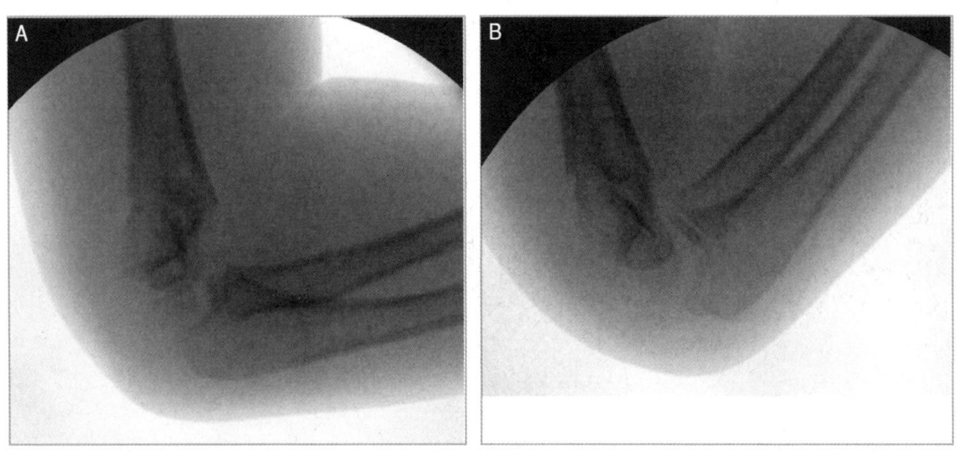

Fig 21. 시상면에서의 신전 변형(A)을 주관절의 과다 굴곡(deep flexion)을 통하여 정복한다(B). 이는 후방 골막이 보존되어 있기에 가능하다.

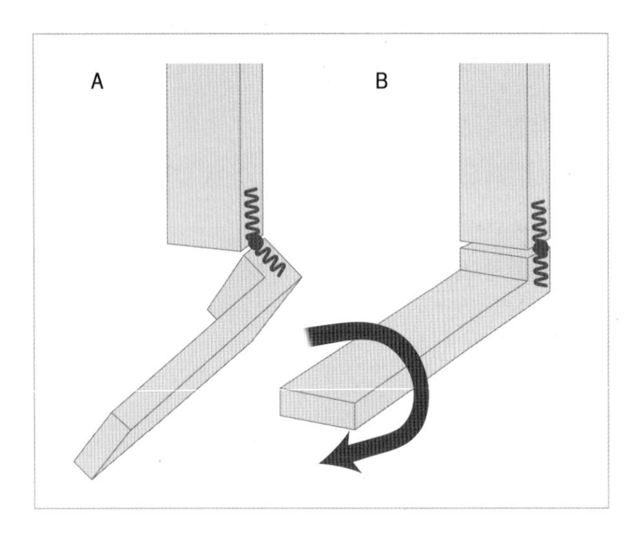

Fig 22. **우측 과상부 골절의 모식도.**
A: 후내방 전위 골절의 내반(varus) 변형은 내측 골막이 보존되어 있으면 원위 골편의 외반력(valgus/abduction force)을 가하면 정복할 수 있다. B: 원위 골편의 외반력을 가하려면, 주관절이 90도 굴곡인 상태에서는 전완부를 회내(pronation) 시키면 된다.

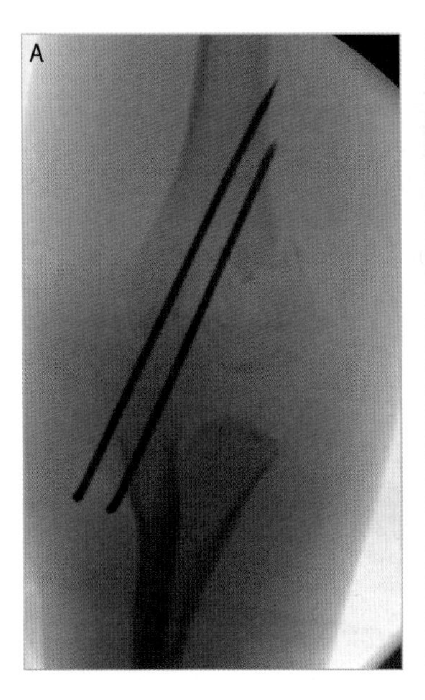

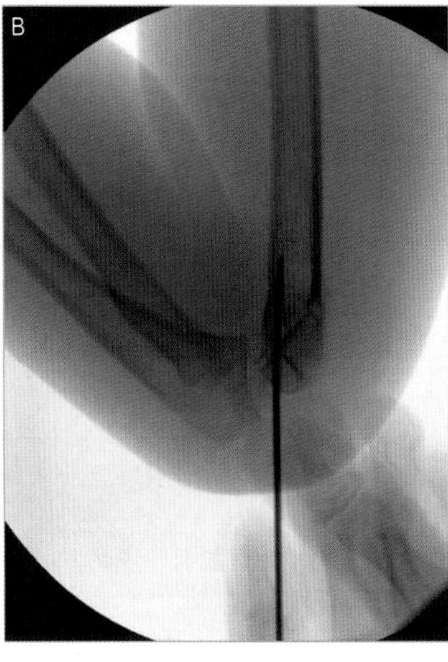

Fig 23. 후내방 전위의 경우 주관절의 과다 굴곡, 전완부의 회내 상태로 정복을 유지할 수 있으나, 구획 증후군을 방지하기 위해, 경피적 핀 삽입술 후 90도 이하 굴곡 상태로 석고고정을 한다.

참고문헌

이덕용, 최인호, 정진엽. 골교 제거술 및 유리 지방 삽입술에 의한 골단판 부분 폐쇄 환자의 치료. 대한정형외과학회지. 1990;25:187.

정형외과학, 제 8판. 대한정형외과학회. 최신의학사; 2020.

최인호, 유원준. 골단판 부분 폐쇄의 치료를 위한 골교 제거술 및 지방 삽입술의 예후 인자. 대한정형외과학회지. 1996;31:649.

Beck CL, Burke SW, Roberts JM, et al. Physeal bridge resection in infantile Blount disease. J Pediatr Orthop. 1987;7:161.

Borsa J, Peterson H, Ehman R. MR imaging of physeal bars. Radiology. 1996;199:683.

Bright R, Burstein A, Elmore S. Epiphyseal plate cartilage: a biomechanical and histological analysis of failure modes. J Bone Joint Surg Am. 1974;56:688.

Caine D, DiFiori J, Maffulli N. Physeal injuries in children's and youth sports: reasons for concern. Br J Sports Med. 2006;40:749.

Carlson WO, Wenger DR. A mapping method to prepare for surgical excision of partial physeal arrest. J Pediatr Orthop. 1984;4:232.

Chapman S, Hall CM. Nonaccidental injury or brittle bones. Pediatr Radiol. 1997; 27:106.

Cheon JE, Kim IO, Choi IH, et al. Magnetic resonance imaging of remaining physis in partial physeal resection with graft interposition in a rabbit model: a comparison with physeal resection alone. Invest Radiol. 2005;40:235.

Choi WY, Park MS, Lee KM, et al. Leg length discrepancy, overgrowth, and associated risk factors after a paediatric tibial shaft fracture. J Orthop Traumatol. 2021;22:12.

Etchebehere EC, Caron M, Pereira JA, et al. Activation of the growth plates on three-phase bone scintigraphy: the explanation for the overgrowth of fractured femurs. Eur J Nucl Med. 2001;28:72.

Houshian S, Holst AK, Larsen MS, et al. Remodeling of Salter-Harris type II epiphyseal plate injury of the distal radius. J Pediatr Orthop. 2004;24:472.

Janarv PM, Wikström B, et al. The influence of transphyseal drilling and tendon grafting on bone growth: an experimental study in the rabbit. J Pediatr Orthop. 1998;18:149.

Jenny C. Evaluating infants and young children with multiple fractures. Pediatrics. 2006;118:1299.

Kim IO, Kim HJ, Cheon JE, et al. MR imaging of changes of the growth plate after partial physeal removal and fat graft interposition in rabbits. Invest Radiol. 2000;35:715.

Krug EG, Dahlberg LL, Mercy JA, et al. World Report on Violence and Health. Geneva: World Health Organization; 2002.

Langenskiöld A. An operation for partial closure of an epiphysial plate in children, and its experimental basis. J Bone Joint Surg Br. 1975;57:325.

Lee KM, Chung CY, Gwon DK, et al. Medial and lateral crossed pinning versus lateral pinning for supracondylar fractures of the humerus in children: decision analysis. J Pediatr Orthop. 2012;32:131.

Lee S, Park MS, Chung CY, et al. Consensus and different perspectives on treatment of supracondylar fractures of the humerus in children. Clin Orthop Surg. 2012;4:91.

Lee SY, Jeong J, Lee K, et al. Unexpected angular or rotational deformity after corrective osteotomy. BMC Musculoskelet Disord. 2014;15:175.

Maguire S, Mann MK, Sibert J, et al. Are there patterns of bruising in childhood which are diagnostic or suggestive of abuse? A systematic review. Arch Dis Child. 2005;90:182.

Marsh JS, Polzhofer GK. Arthroscopically assisted central physeal bar resection. J Pediatr Orthop. 2006;26:255.

Orbach Y, Lamb ME. Enhancing children's narratives in investigative interviews. Child Abuse Negl. 2000;24:1631.

Park MS, Chung CY, Choi IH, et al. Incidence patterns of pediatric and adolescent orthopaedic fractures according to age groups and seasons in South Korea: a population-based study. Clin Orthop Surg. 2013;5:161.

Peinado Cortes LM, Vanegas Acosta JC, Garzon Alvarado DA. A mechanobiological model of epiphysis structures formation. J Theor Biol. 2011;287:13.

Peterson HA. Magnetic resonance imaging of growth plates. In: dePablos J, ed. Surgery of the growth plate. Madrid: Ediciones Ergon, SA; 1998.22.

Pierce MC, Bertocci GE, Janosky JE, et al. Femur fractures resulting from stair falls among children: An injury plausibility model. Pediatrics. 2005;115:1712.

Rockwood and Wilkin's Fracture in Children 9th. Wolters Kluwer.

Sidebotham P, Golding J. The ALSPAC Study Team: Child maltreatment in the "Children of the Nineties"-a longitudinal study of parental risk factors. Child Abuse Negl. 2001;25:1177.

Stirling J Jr, Amaya-Jackson L. Understanding the behavioral and emotional consequences of child abuse. Pediatrics. 2008;122:667.

Williamson R, Staheli L. Partial physeal arrest: treatment by bridge resection and fat interposition. J Pediatr Orthop. 1990;10:769.

Yoo WJ, Choi IH, Chung CY, et al. Implantation of perichondrium-derived chondrocytes in physeal defects of rabbit tibiae. Acta Orthop. 2005;76:628.

소아정형외과학

25

소아청소년 스포츠 관련 손상

Sports-Related Injury in Children and Adolescents

PEDIATRIC ORTHOPAEDICS

25 소아청소년 스포츠 관련 손상
Sports-Related Injury in Children and Adolescents

목차

6세에서 18세 사이의 많은 소아와 청소년들이 스포츠 활동에 참가하고 있으며 점점 더 조직화 및 조기 전문화(early specialization)되고 있어 이와 관련된 스포츠 손상이 급격히 증가하고 있으며 부상 정도가 심화되고 있다. 모든 소아 청소년의 외상성 손상의 25% 정도가 스포츠 관련 손상으로 보고되고 있다.

골 성장이 완료되지 않은 소아와 청소년의 스포츠 손상은 성인과 다른 점이 많다. 소아가 성인의 축소판이 아닌 것처럼 소아 청소년 스포츠 손상도 성인 스포츠 손상의 축소판이 아니다. 소아 청소년은 생리, 성장, 정신적 측면 및 스포츠 기술에 있어 성인과 다르다. 성장기에 과도한 반복적인 손상이나 부하가 관절 연골 및 골단판(physis, growth plate) 연골에 가해지면 장기적으로 통증과 변형을 일으킬 수도 있다. 또한 많은 선천성 질환이나 발달성 장해가 스포츠 손상으로 악화되거나 문제를 일으킬 수 있다.

I. 소아 청소년에 특징적인 운동 생리 (exercise physiology)

1. 지구력(endurance)

- 성인에서 지구력 훈련, 즉 수영이나 달리기 등의 유산소 훈련(aerobic training)을 통해 최대 산소 섭취율을 15-20%까지 증가시킬 수 있음이 알려져 있지만, 소아 청소년에서는 아직 논란의 여지가 있다. 기존에는 지구력 훈련을 통해 소아 청소년의 유산소 능력을 증진시킬 수 없다는 의견이 더 많았으나, 점차 이와 반대되는 보고들이 늘고 있으며 이러한 보고들에서는 대개 일주일에 3-4회, 한 번에 30분-60분 정도, 최대 심박수의 80% 이상의 지구력 훈련을 권장하고 있다.

2. 유연성(flexibility)

- 소아기에는 매우 유연하다가 사춘기에 들어서면서 점차 유연성이 감소하게 되는데 이는 주로 근육-건 불균형(muscle-tendon imbalance)에 기인한다. 유연성의 저하는 빠르게 성장하는 시기에 급성 및 만성 과사용 손상의 원인이 되기도 한다.
- 인구의 약 4-7% 정도에서는 전신적 인대 이완(generalized ligament laxity)을 보이는데 이런 소아 청소년은 특히 방향이나 가속이 바뀌는 동작 중에 손상의 위험이 높다.

3. 근력(strength)

- 전통적으로 소아에서는 근력 강화 운동이 성장 장애 및 다른 손상을 유발할 위험이 있다고 생각되어 권장하지 않았다. 그러나, 많은 연구들은 근력 강화 운동이 심폐 기능의 강화, 운동 손상의 위험 감소, 골밀도 증가 및 혈중 지방 감소 등의 이점을 가지고 있어 소아 청

소년의 운동 능력 향상에 도움이 됨을 보여주고 있다.

- 사춘기 이전 소아 연령대에서 근력 운동은 신경 적응(neurogenic adaptation) 과정을 통해 근력을 강화시키는 것으로 알려져 있다. 이는 근육의 비후가 아니라 근수축에 관여하는 운동 신경 단위의 동원(recruitment)을 증가시킴으로써 근력을 향상시키는 것이다.
- 사춘기와 그 이후에는 근력 운동이 호르몬에 의한 근육 성장 촉진을 유발한다.

4. 체온조절(thermoregulation) 능력

- 열성 질환(heat-related illness)은 예방이 가능하지만 열사병(heat stroke)은 미국에서 고등학교 운동 선수의 사망 원인으로 두부 손상, 심장 관련 질환에 이어 세 번째로 높은 원인이다. 소아는 체중에 피해 피부 표면적이 크고, 발한 능력이 떨어지며, 단위 대사 열(metabolic heat) 발생이 많고, 열 적응(heat acclimatization) 속도가 느린 특성이 있어 열성 질환에 취약하다. 덥고 습한 날씨에서는 상대적으로 큰 피부 표면적으로 인해 열 흡수가 과도하게 되어 중심 체온이 쉽게 오를 위험이 있으며 반대로 추운 날씨에서는 과도한 열 손실이 발생하기 쉽다. 따라서, 오랜 시간 동안 운동을 하는 소아 청소년들은 운동 전 충분한 수분 섭취와 더불어 운동 중에도 자주 물을 마시도록 해야 한다.

5. 여성 스포츠 선수 삼주징(female athlete triad)

여성 스포츠 선수에서 섭식 장애(disordered eating), 무월경(amenorrhea) 그리고 조기 골다공증(premature osteoporosis)을 보이는 현상을 지칭한다. 엄격한 의미의 골다공증보다는 DEXA로 측정한 골밀도 T-score가 -1.0과 -2.5 사이인 골감소증(osteopenia)인 경우가 더 흔하다. 모든 여자 소아 청소년 운동 선수들은 위험 인자를 가지고 있는데 특히 체급이 있는 종목, 마른 몸매가 필요한 종목, 몸매가 드러나는 유니폼이 있는 경우, 주관적인 평가가 많은 종목, 청소년기 이전의 보디빌더 등에서 위험도가 높다. 영양 부족, 에스트로겐 결핍, 글루코코르티코이드(glucocorticoid) 증가, 칼슘 부족, 감소된 골량(bone mass) 등이 모두 골다공증과 관계가 있다. 교육을 통한 예방이 가장 중요하다. 모든 10대 청소년과 20대 초반 여성 운동 선수에서는 적절한 칼슘을 식단에 공급하여야 하다. 철분 부족도 흔하게 관찰되며 이러한 경우 지구력 감소뿐 아니라 인지, 면역 기능 및 위장관 기능에도 이상이 발생한다.

II. 연부조직 손상

1. 근육 긴장(muscle strain)

근육 긴장은 스포츠 손상의 30-50%를 차지하는 가장 흔한 손상이다. 대부분의 긴장은 근-건 이행부에서 일어나며 주로 편심성 수축(eccentric contraction)을 하는 이관절성(biarticular) 근육, 특히 제2형 근섬유(type 2; fast-twitch muscle fiber)에서 발생한다. 가장 흔하게 이환되는 근육은 대퇴사두근과 슬근이며 이어서 내전근과 비복근 순서이다. 근육 긴장의 분류는 제1형은 경도의 압통과 근육 신장 시 통증이 있는 경우이며, 제2형은 근육의 부분층 파열이 있어 근경련이 발생하는 경우이며, 제3형은 근건이행부의 완전 파열이 있어 근 결손이 촉지되는 경우이다.

1) 대퇴사두근 긴장(quadriceps femoris strain)

달리기, 점프 동작 또는 차는 동작이 많은 스포츠인 축구, 야구 및 미식 축구에서 잘 발생한다. 대퇴사두근 중 이관절성 근육인 대퇴직근(rectus femoris) 손상이 가장 흔하다. 대퇴사두근의 편심성 수축이 일어나는 동작인 공을 차는 순간, 달리기 중 발을 땅에 착지하는 순간 등에서 주로 발생한다.

(1) 증상

- 통증 및 근육 경직으로 인한 관절운동 범위 제한
- 근막 구획 내 출혈로 인한 대퇴부 부종
- 슬관절 신전을 제한하면서 신전을 유도하면 통증이 심화
- 파열 부위의 결손이 촉진되거나 만성인 경우 파열된 근육이 종괴로 만져지기도 한다.

(2) 감별 진단

골단판 손상을 포함한 대퇴부 골절, 연부 조직 종양 등을 감별하여야 한다.

(3) 비수술적 치료

- 초기 치료로 첫 24-48시간 동안은 RICE (Rest, Ice, Compression, Elevation) 및 부드러운 수동 스트레칭을 시행한다.
- 통증이 제거되면 등척성 운동(isometric exercise)을 서서히 시작한다. 이때 조급한 운동은 재출혈을 야기하므로 삼가야 한다. 통증이 없이 전체 관절운동 범위에 걸친 운동이 가능하면 등장성 운동(isotonic exercise)을 시작할 수 있다. 근력이 회복되기 시작하면 등속성 운동(isokinetic exercise)을 시작하는데 처음에는 저항을 줄이고 속도는 높이도록 하여야 한다.
- 운동에의 복귀는 통증, 운동 범위, 근력 등을 고려하여 결정하여야 하는데 근긴장이 심한 경우에는 완전히 회복되는데 수개월이 소요되기도 한다. 일반적으로 건측과 동일한 운동 범위를 회복하고 등속성 운동 강도가 건측의 85%에 도달한 후 기능적 훈련 프로그램을 마치면 경기에 복귀할 수 있다.
- 혈종(hematoma) 제거 및 부신피질호르몬 주사는 금기사항이다.

(4) 수술적 치료

수술적 치료는 다음과 같은 경우에 선택적으로 시행할 수 있다.

- 완전 파열 또는 거의 완전 파열
- 비수술적 치료 후에도 지속되는 통증
- 전위가 심한 견열 골절인 경우
- 혈종이 너무 크게 형성된 경우에 시행하는 혈종 제거술

(5) 예후

- 출혈은 대개 저절로 흡수되며 관절의 운동 제한을 야기하는 심한 양상은 드물고 제거술을 요하는 경우도 거의 없다.
- 재출혈의 경우에는 화골성 근염(myositis ossificans)이 잘 발생하며 수상 후 2-4주 사이에 방사선 검사에 보인다.

2) 슬근 긴장(hamstring strain)

(1) 증상

달리기나 점프 중에 허벅지 뒤쪽의 급성 통증으로 나타난다.

(2) 손상 기전

반막양근(semimembranosus) 및 반건양근(semitendinosus)의 긴장은 주로 후기 유각기(late swing phase)에 이들 근육의 편심성 수축을 통해 슬관절이 신전되는 속도가 줄어드는 시점에 발생하는 것으로 알려져 있다. 가장 흔하게 손상되는 슬근은 대퇴 이두근(biceps femoris)인데 이 근육은 early toe-off 시에 주로 손상된다고 한다.

(3) 증상

허벅지 뒤쪽의 통증, 근력 감소, 압통이 있고 일시적인 좌골신경 자극 증상이 나타나기도 한다.

(4) 진단

- 파열 부위의 부종, 압통이 있고 출혈에 의한 피부 변색이 관찰된다. 슬관절 굴곡을 제한하면서 굴곡을 유도하면 통증이 심화된다.
- 서서 발만을 이용하여 신발을 벗도록 하면 하지의 90도 외회전 및 20-30도 슬관절 굴곡이 된 상태에서 대퇴 이두근이 허벅지 뒤쪽에 위치하게 되고 가장 큰 수축력을 내게 된다. 이때 날카로운 통증이 유발되면 슬근 긴장일 가능성이 높다.
- 초음파검사와 MRI를 시행할 수 있으나 필요한 경우는 드물다.

(5) 치료

대퇴사두근 긴장과 비슷하게 치료한다. 수술적 치료는 비수술적 치료에 실패한 경우와 근육 근위부 또는 원위부의 견열 손상일 때에만 적응된다. 견열되어 전위된 거리가

2 cm 이상일 때에는 수술적 치료를 시행함으로써 수상 전의 운동 수준으로 복귀시킬 수 있다는 보고들이 있으나 아직 논란이 있다.

(6) 예후

대증적인 치료만을 받은 슬근 긴장의 재발률이 34%에 이른다는 보고도 있다. 화골성 근염, 구획 증후군 등의 합병증이 발생할 수 있으며 근력 약화가 초래되기도 한다. 근위부 파열일수록 회복이 느리다고 알려져 있다.

2. 염좌(sprain)

염좌는 인대나 관절낭의 손상을 의미하며 손상의 정도는 가해지는 힘의 정도에 비례한다.

1) 분류

- 제1형: 인대 자체의 파열은 없으나 인대 섬유의 미세 파열 종창 섬유 주변 조직의 손상이 있는 경우이다.
- 제2형: 인대의 부분파열이 있는 경우이다.
- 제3형: 인대가 완전파열된 경우로 관절의 불안정성이 발생한다.

2) 족근관절 염좌(ankle sprain)

(1) 역학

족근관절 염좌는 모든 스포츠 손상의 약 25%를 차지할 정도로 흔하다. 나이가 어린 소아는 원위 비골의 골단판 골절(대개 Salter-Harris I 또는 II형)이 발생하지만 나이가 들어감에 따라 족근관절 외측부 인대의 염좌가 더 흔해진다. 85%가 외측 인대 손상이며, 대개 족근관절이 내번 및 회외전 상태에서 손상을 받는다. 전 거비 인대(anterior talofibular ligament)의 손상이 가장 흔하다.

(2) 진단

- 병력
- 국소 압통 부위
- 전방 전위 검사(anterior drawer test): 전 거비 인대의 불안정성 검사로 알려져 있으나, 후 거비 인대의 손상을 보고하는 연구도 있다(Lee 2013).
- 방사선 검사: 전후면, 측면 및 격자상(mortise view)을 촬영한다.
- 내반 스트레스 상(varus stress view): 건측에 비해 거골 경사(talar tilt)가 10도 이상 차이 나는 경우에는 전 거비 인대 및 종비 인대(calcaneofibular ligament) 파열에 의한 족근관절 불안정성을 의미한다고 알려져 있다(Marder 1994)Fig 1. 그러나 내반 스트레스 상은 급성 손상에서는 통증으로 인해 시행할 수가 없고, 나이가 어리거나 여아의 경우 정상적으로도 거골 경사가 크므로 주의하여야 한다.

(3) 감별 진단

원위 비골 골단판 손상, 삼면 골절(triplane fracture), 거골의 골연골 골절(osteochondral fracture of the talus), Maisonneuve씨 골절

(4) 치료

초기 치료는 얼음찜질, 압박, 고정 및 수상 부위 거상 등이며 제1형 손상의 경우 약 1-2주간 안정 후 스포츠 활동을 재개할 수 있다. 제2형 손상은 족근관절운동을 제한하는 보조기를 2-3주간 착용하여야 하며 보통 2개월 후에나 스포츠 활동을 재개할 수 있다. 제3형 손상은 보통 약 3-4주간의 비체중 부하 석고 고정이 필요하다. 이후 재활 훈련을 시작하면서 필요에 따라서 족근관절 회전 운동을 제한하는 보조기를 4-8주 정도 착용시킨다.

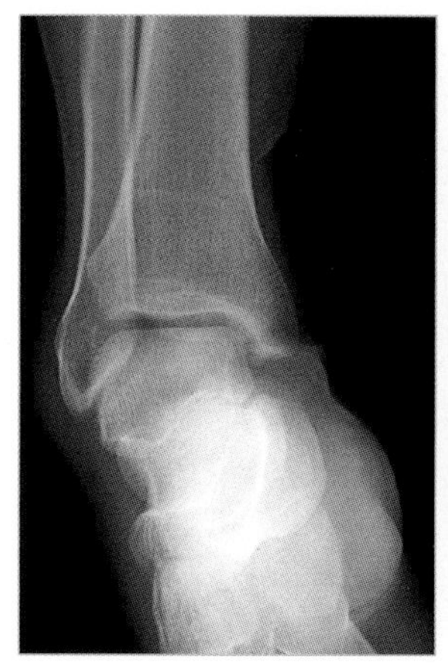
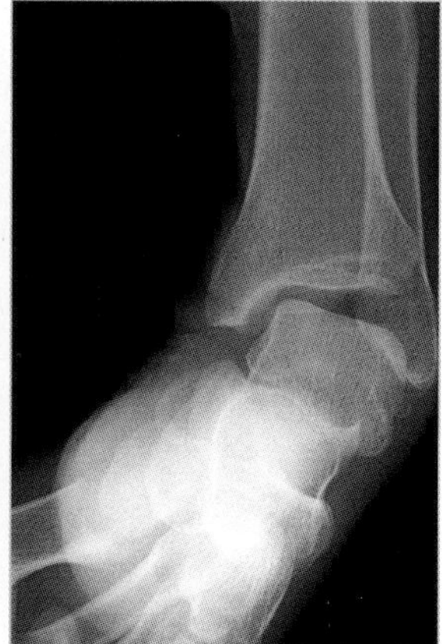

Fig 1. **족근관절 내반 스트레스 상(varus stress view).**
좌측 족근관절 외측부 인대의 부전(insufficiency)이 관찰된다.

III. 급성 스포츠 손상

1. 골반골 견열 골절(avulsion fracture of the pelvis)

청소년기 스포츠 손상으로 고관절 주위의 견열 골절이 발생할 수 있다. 주로 육상과 축구 선수에서 발생하며 빈도는 약 4% 정도로 알려져 있다. 급성 손상의 병력 없이 만성적인 반복적 견열에 의해 발생하는 경우도 있다.

1) 기전

과격한 수동 신전 운동 또는 급작스러운 근육 수축에 의해 견열 골절이 발생한다.

2) 부위

좌골(ischium)에서 가장 흔하다. 그 다음으로는 전상장골극(anterior superior iliac spine, ASIS)과 전하장골극(anterior inferior iliac spine, AIIS)이 흔한 발생 부위이다. 이상 세 곳에서 전체의 95%가 발생한다. 골반골에 부착된 근육에 대한 이해를 하면 진단에 도움을 줄 수 있다. 전상장골극(ASIS)에는 봉공근(sartorius), 전하장골극(AIIS)에는 대퇴직근(rectus femoris), 장골릉(iliac crest)에는 복근, 소전자(lesser trochanter)에는 장요근(iliopsoas)이 좌골(ischium)에는 슬근(hamstring)이 부착된다Fig 2.

3) 진단

- Pop 느낌을 동반한 급성 통증 및 압통이 있다.
- 만성 견열 손상인 경우에는 서서히 증가되는 통증과 관절운동 제한을 호소한다.
- 이완되는 자세나 위치에서는 통증이 감소한다.
- 대개 방사선 소견만으로 진단이 가능하다.

4) 치료

- 보존적 치료가 우선이며 만성 통증 및 장해가 발생하면 골편 절제술을 시행할 수 있다. 보존적 치료로 손상 이전 레벨의 스포츠 활동으로 복귀할 수 있다고 하는 주장도 있으나 증상이 지속적으로 발생하는 경우가 적지 않고 향후 스포츠 활동 레벨이 감소하는 경우가 많기 때문에 정복술 및 내고정술 등 적극적인 수술적 치료를 권하는 주장도 있다.
- 통증 감소 위치, 즉 이환된 근육이 신연되지 않는 위치로 휴식을 취해야 하며, 골절부에 가골이 보일 때까지 목발 보행 등으로 체중 부하를 제한하며 이후 물리 치료를 시행한다.
- 성급한 운동 시작은 견열 부위의 치유를 지연시킬 수 있다.
- 완전한 방사선 치유는 6주에서 수개월까지 소요된다.

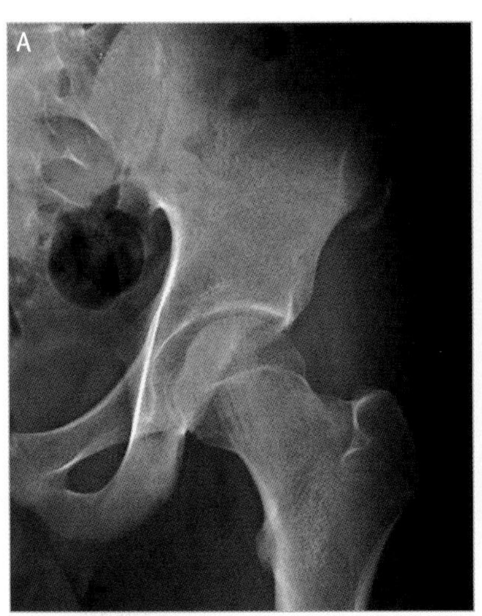

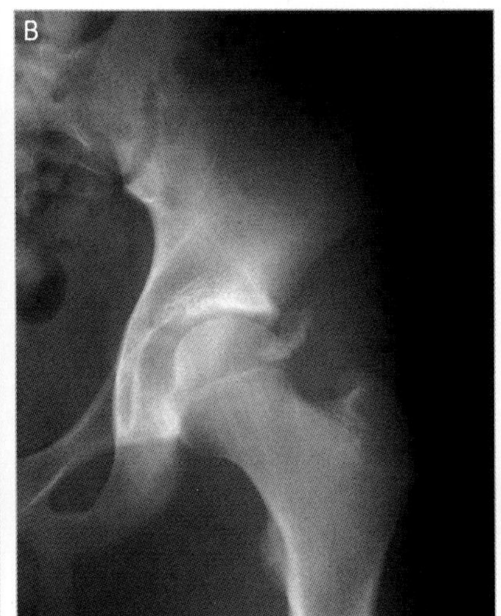

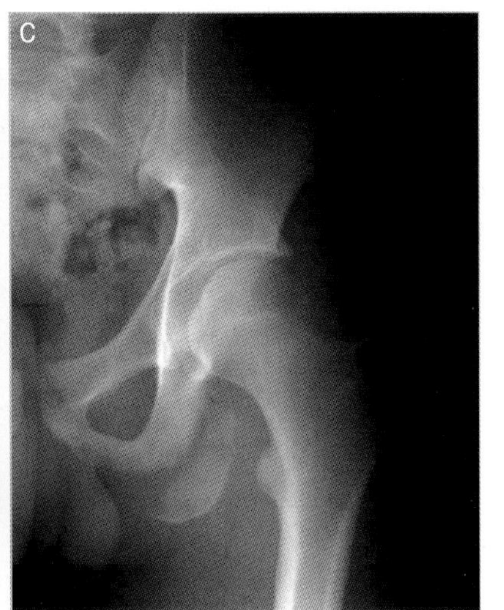

Fig 2. **골반골의 견열 골절(avulsion fracture).**
A: 전상장골극(ASIS). B: 전하장골극(AIIS). C: 좌골 결절(ischial tuberosity).

2. 원반형 연골판 파열(discoid meniscus tear)

원반형 연골판은 탄발음성 슬관절(snapping knee)의 주요한 원인이며 연골판이 파열되면 슬관절 통증, 신전 제한과 잠김(locking) 등의 증상이 발생된다. 선천성으로 발생하며 발생률은 인종과 지역의 차이가 있으나 1.5-15.5% 정도로 보고하고 있으며 주로 외측 연골판에 발생한다. Watanabe는 경골과를 완전히 덮는 완전형(complete type), 일부만 덮고 있는 불완전형(incomplete type)과 연골판 후각부착부가 Wrisberg 인대만 부착하고 있어 후각부가 불안정한 Wrisberg형으로 분류하였다.

1) 증상

증상은 주로 청소년기에 발생하며 슬관절 통증과 함께 신전 제한, 잠김, 탄발음, giving way 등을 보이며 Wrisberg 형인 경우 탄발음이 굴곡 상태에서 신전시킬 때 주로 나타나며, 원반형 연골판이 전각부 파열이 있는 경우는 신전 상태에서 굴곡시킬 때 나타나는 경우가 많다.

2) 진단

일반적으로 단순 방사선 사진을 원반형 연골판의 진단에 도움이 되지 않는 경우가 많다. 그러나 외측 원반형 연골판이 있는 경우 단순 방사선 사진에서 외측 관절 간격이 넓어져 있고 대퇴골 외과 만곡이 감소된 소견을 보일 수 있다. 자기공명영상은 진단에 제일 중요한 검사이며 5 mm 절편 두께의 시상면 영상에서 연골판의 체부가 연속 3단면 이상에서 전각과 후각이 분리되지 않고 이어져 있어 나비넥타이 모양을 보이거나, 관상면 영상에서 연골판 체부의 중간부 넓이가 15 mm 이상이거나 연골판의 두께가 2 mm 이상일 때 원반형 연골판으로 진단할 수 있다.

자기공명영상으로 다양한 형태의 파열의 진단이 가능하며 소아에서는 주로 변연부 파열이 많고 성인으로 갈수록 복합파열이 많이 발생한다고 보고하고 있다. 안(Ahn) 등은 자기공명영상으로 파열을 분류하였다. A형은 변연부 파열이 없고 연골판의 전위가 없는 경우이며, B형은 후방 변연부 파열이 있어 연골판이 전내측 전위된 경우, C형은 전방 변연부 파열이 있어 연골판이 후내측으로 전위된 경우이며 D형은 후외측부 파열이 있어 내측으로 전위된 경우로 분류하였다.

3) 치료

전통적으로 증상이 없는 원반형 연골판의 경우 특별한 치료를 필요로 하지 않았다. 그러나 통증이 있거나 연골판의 퇴행성 변화 또는 파열이 있거나 불안정한 Wrisberg형인 경우는 치료가 필요하다. 증상 발생 초기에는 휴식, 활동 수정(activity modification), 대퇴사두근 및 슬근 강화운동 등의 치료를 시행한다. 증상이 지속적이거나 영상 검사에서 파열이 진단된 경우에는 수술적 치료를 시행한다.

수술적 치료는 관절경적 연골판 절제술 및 원반형 연골판 중심부 부분 절제술(partial central meniscectomy; saucerization)을 시행한다. 연골판은 성인 기준으로 6-8 mm 폭을 보존하는 것이 권장되나 소아의 연령과 무릎 크기에 따라 달리 적용하여야 한다. 변연부 파열이 있거나 Wrisberg형인 경우 과거에는 전절제술을 시행하였으나 이는 조기퇴행성 관절염의 발생 가능성이 있어 연골판 중심부 부분절제술 후 변연부를 봉합해주는 것이 권장된다. 원반형 연골판 수술 후 재파열 등으로 재수술이 필요한 경우가 약 15% 정도 보고되고 있으며, 일반적인 양측성 비율이 20% 전후로 알려져 있으나 수술이 필요한 원반형 연골판 환아에서는 증상이 없는 반대측에도 원반형 연골판 기형이 있을 비율이 80% 이상이기 때문에 수술 후에도 세심한 경관 관찰이 필요하다.

3. 슬개골 탈구(patellar dislocation)

슬개골은 종자골이며 슬관절의 신전기전에 매우 중요한 역할을 하는 구조물이다. 슬개골 탈구는 소아, 특히 여아에서 흔히 발생한다. 특히 스포츠 손상 후 슬관절 부종으로 내원한 환자의 경우 반드시 고려해야 한다.

1) 진단

슬관절부 전체적인 통증과 부종을 보이며 특히 슬개골 내측에 통증과 압통이 있는 경우 슬관절 내측지대(medical retinaculum)의 파열가능성을 염두에 두어야 한다. 단순방사선 슬관절 전후면, 측면사진 및 merchant view를 촬영하여 대퇴 과간과 슬개골의 위치를 파악해야 하며 관절내 골

연골 골편(ostetochondral fragment)이 존재하는지 세심한 관찰이 필요하다. 인대손상이나 골연골 골편 등이 의심되는 경우 자기공명영상을 촬영하여 확인해야 하며 동반손상 여부 등도 확인한다.

2) 치료

급성 탈구의 경우 대부분 자연스럽게 정복되는 경우가 많다. 자연정복이 안된 경우 환자를 안정시킨 상태에서 고관절을 굴곡하여 대퇴사두근의 긴장을 축소하고 슬관절을 천천히 신전시키면서 슬개골에 외측에서 내측으로 압력을 가하면 쉽게 정복된다. 이후 2-4주간 석고 고정한다. 관절 내 골 연골 유리 골편이 있거나 내측슬개대퇴인대(medial patellofemoral ligament, MPFL)의 골성 견열(bony avulsion) 파열이 있는 경우는 수술적 치료로 급성기에 내측지대 봉합술 및 유리골편이 작을 때는 절제술을, 큰 경우는 정복하여 고정한다. 보존적 치료에 실패하여 지속적인 아탈구 또는 재발성 탈구가 발생하는 경우에는 다양한 술식을 조합한 슬개골 안정화 수술이 필요하다.

4. 경골 과간 융기 골절(tibial eminence fracture)

소아 슬관절에서 비교적 흔치 않은 손상 중의 하나이다. 전방십자인대의 경골 부착부 견열에 의하여 발생하며 8-14세 사이에 흔하다. 과간 융기 골절과 동시에 전방십자인대 손상이 동반되는 경우도 있다. 약 40%에서 반월연골판, 관절막, 측부 인대, 또는 골연골 골절이 동반된다. 전방십자인대의 견열 골절은 대퇴골 부착부보다는 경골 부착부에서 주로 발생한다. 골 견열 없이 연골만 분리되거나 매우 얇은 골편(bone flake)만 포함되어 분리되는 경우에는 단순 방사선 사진으로 진단을 놓치게 되는 경우가 있어 주의를 요한다Fig 3.

1) 발생 기전 및 분류

주된 발생 기전은 슬관절의 외반 상태에서 회전 부하가 가해지는 경우에 잘 발생하며, 과신전 손상이나 급작스런 저항성 굴곡에 의해서도 발생할 수 있다. 견열되는 골편의 크기는 다양하며 특히 내측 경골 고평부(medial tibial plateau) 일부가 함께 분리될 수 있다. 내측 반월연골판 전각

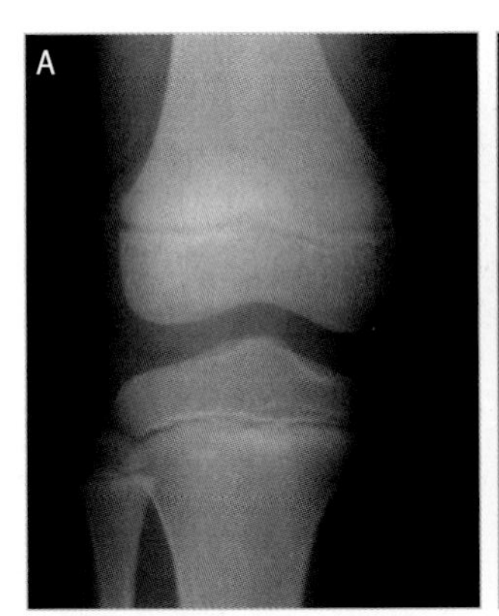

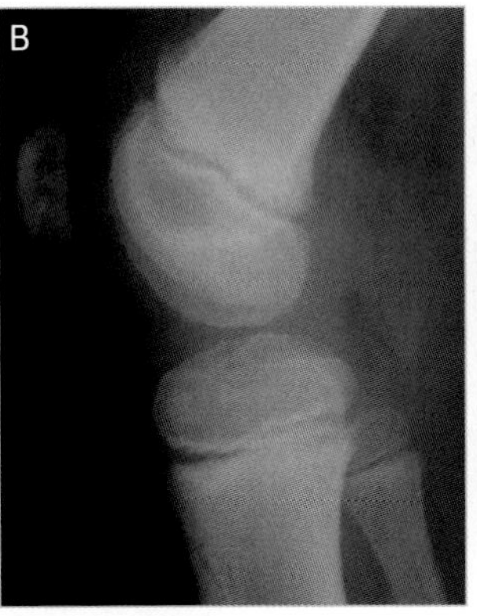

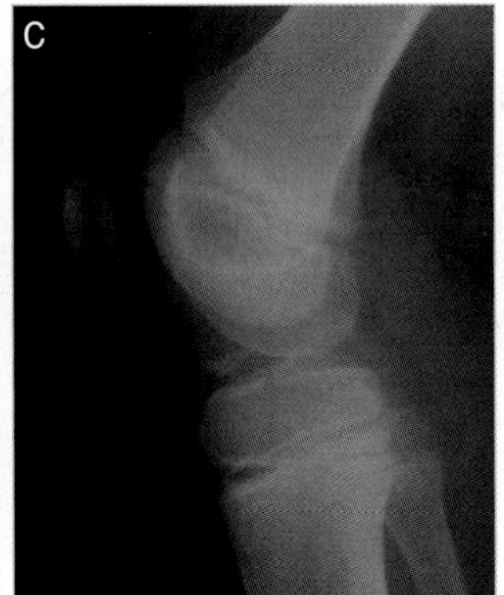

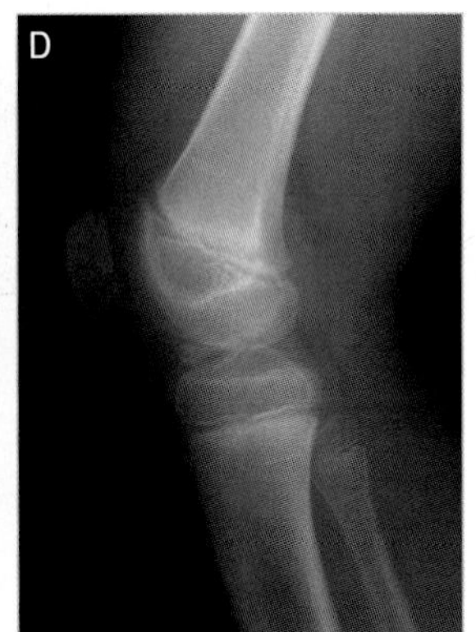

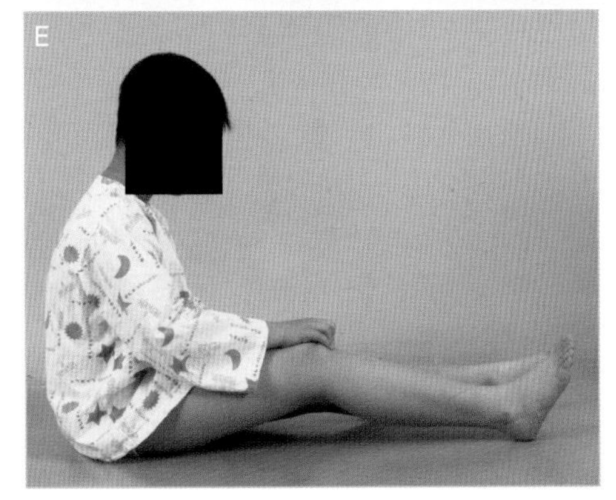

Fig 3. **간과된 경골 과간 융기 골절(intercondylar eminence fracture of the tibia).**
11세 남아로 보행자 교통사고 후 슬관절의 동통성 부종이 발생하였다. 단순 방사선 사진(A,B) 상 특이한 소견이 없었으나 3개월 후 견열된 연골성 과간 융기 연골편에 골화 소견이 관찰된다(C). 1년 6개월 후 환아는 섬유성 유합된 경골 과간 골편이 융기되어(D) 슬관절 신전 제한을 보였으며(E), 관절경 수술 소견 상 융기된 골편이 슬관절 신전 시 대퇴골 과간 절흔(intercondylar notch)에 충돌하는 현상이 관찰되었다.

부 또는 횡슬인대(transverse genicular ligament)가 견열된 골편 사이에 끼어 정복을 방해하는 경우가 적지 않다.

2) Meyers 와 McKeever 분류

제I형은 비전위 골절, 제II형은 전방 피질골만 골절되어 융기되고 후방 피질골은 경첩처럼 부착되어 있는 골절이다. 제III형은 완전 전위된 골절로서 IIIA형은 골절 부위 바로 위에 전위만 된 경우이며 IIIB형은 전위된 골편이 회전되어 있는 경우이다. Zaricznyj (1977)는 분쇄 골절을 제IV형으로 명명하였다Fig 4.

3) 진단

슬관절의 통증과 운동 제한을 보이며 혈관절증(hemarthrosis)이 대부분 동반된다. 단순 방사선 사진 상 경골 과간 융기에 작은 골편이 관찰되나 연골편만이 견열된 경우에는 단순 방사선 사진 상 특별한 이상 소견이 관찰되지 않는 경우도 있으며 이러한 경우에는 MRI 검사가 필요하다. MRI는 동반된 반월연골판, 관절 연골 및 인대 손상 여부 평가에 도움이 된다. 경골 고평부의 Segond 골절이 동반되기도 한다.

4) 치료

제1형의 경우 4-6주간의 석고 고정으로 충분하며, 치료 방법에 대한 이견이 거의 없다. 석고 고정을 슬관절 완전 신전위로 할 것인가 아니면 20-30도 굴곡위로 할 것인가에 대한 논란이 있다. 완전 신전위로 하면 대퇴골과(femoral condyle)가 견열 골편을 압박하여 정복을 유지하게 하는 효과를 기대할 수 있는 장점과 함께 슬관절의 굴곡 구축을 예방할 수 있는 효과도 부수적으로 기대할 수 있다. 그러나 전방 십자 인대는 슬관절 30도 굴곡 상태에서 장력이 가장 작게 작용하므로 이 위치에서 석고 고정을 하는 것을 추천하는 저자들도 있다. 저자의 경우에는 도수 정복이 된 경우에는 완전 신전위에서 고정하며 수술적 정복을 시행하여 골편의 고정이 비교적 안정적인 경우에는 30도 굴곡 위에서 고정하고 있다. II형 골절에서는 혈 슬관절 천자 후 슬관절을 서서히 완전 신전시킴으로써 정복을 시도하며 정복되지 않는 경우에는 수술적 정복을 시행하여야 한다. III형 골절은 도수 정복을 시도할 필요가 있느냐에 대해서는 논란의 여지가 있다. 그러나, 많은 경우에 도수정복이 불가능하며 특히 내측 반월연골판 전각부가 골절 부위에 끼어 있는 경우에 많기 때문에 대부분 III형의 경우 수술적 치료가 필요하다.

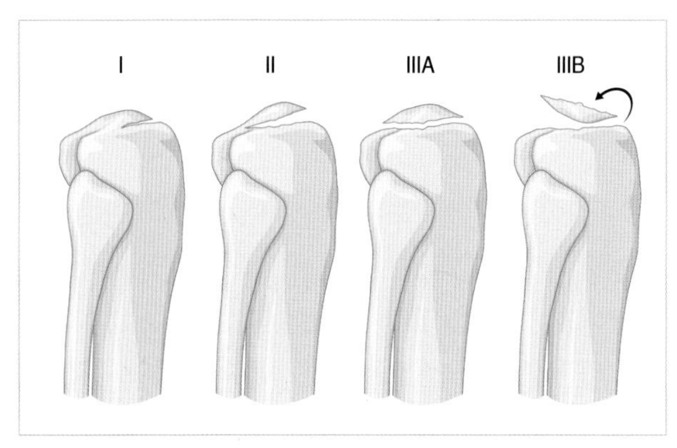

Fig 4. **경골 과간 융기 골절의 분류(Meyers와 McKeever 분류).**

절개술을 통한 관혈적 정복술은 해부학적 정복이 가능한 반면에 결코 쉽지만은 않고 관절 구축증을 유발할 수 있으며 반흔으로 인한 외관상의 문제 발생 등의 단점이 있다. 관절경 수술은 반흔을 최소화하여 미관상으로 우월하고 관절 구축증 발생 우려가 적은 대신 수술 기법이 쉽지 않고 파열된 관절막을 통해 식염수가 빠져나가 심한 부종을 유발할 수 있는 단점이 있다.

저자는 수술 술기에 익숙한 경우에는 일반적으로 관절경 하에서의 수술이 더 이점이 많다고 생각한다. 그러나 진단이 지연된 경우 등에서는 관절경 하에서의 정복술이 쉽지 않으며 이 경우에는 절개를 통한 관혈적 정복술이 필요할 수도 있다.

정복한 골편의 내고정에 사용되는 내고정물로는 k-강선, 봉합사, 유관나사, 압박나사, anchor 등이 있다. 모두 장단점이 있으나 나사못을 사용하는 경우에는 골단판을 통과하지 않도록 주의하여야 한다. 저자의 경우 골편이 충분히 크고 두꺼운 경우에는 두개 정도의 유관 나사 (5.0 mm 또는 4.0 mm 직경)를 이용한 내고정을 선호하며(Shin 2018) 골편이 얇고 작은 경우는 봉합사를 이용한 pull-out 봉합술을 사용한다Fig 5.

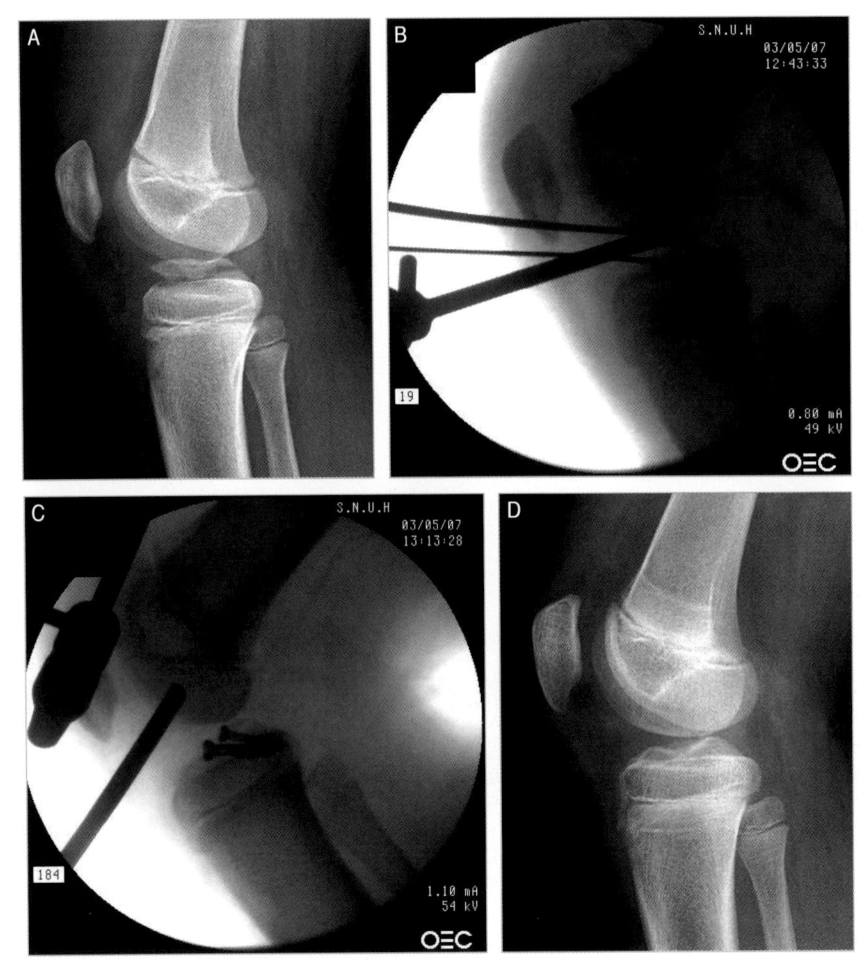

Fig 5. **경골 과간 융기 골절에 대한 수술적 치료.** 9세 여아로 스키 손상으로 인한 제3형 골절(A)에 대해 관절경 하 정복술 및 유관 나사 내고정술(B,C)을 시행하였다. 1년 경과 후 나사못 제거술 후 사진(D)

5) 합병증

주된 합병증은 슬관절의 관절 강직, 신전 제한 및 불안정성이다. 전위된 골절에서 치료받지 않은 경우 또는 부정유합이 된 경우 슬관절 신전 제한이 발생할 수 있다. 골편의 해부학적 정복을 얻을 수 있는 경우에도 전방십자인대의 이완에 의한 불안정성이 남을 수 있다. 이는 견열골절이 발생하기 직전까지 전방십자인대의 소성변형(plastic deformity) 및 신장(stretching)이 먼저 발생하는 것이 원인으로 생각된다.

5. 소아청소년 전방십자인대 손상 (anterior cruciate ligament injury)

소아 청소년 환자에서의 전방십자인대 손상은 성인에 비하여 현저히 드물지만 점차 늘어나는 추세이다. 80년대 초까지만 하더라도 전체 슬관절 손상 환자 중 전방 십자 인대 손상의 빈도는 약 1% 정도라고 알려졌으나 80년대 중반 이후에는 3-3.5%로 보고되고 있다. 소아 청소년에서 전방십자인대 손상 보고가 늘어나는 이유는 축구, 농구, 스키 등의 스포츠를 즐기는 인구가 늘어나 실제로 다치는 환자가 늘어날 뿐만 아니라 MRI 등 진단 방법이 좋아지고 소아청소년에서의 관절경 치료법이 일반화된 것도 이유 중 하나이다.

골단판이 열려 있는 소아 연령에서는 전방십자인대 손상과 경골 과간 융기 골절의 비율이 약 3:2 정도이나 골단판이 닫히면 주로 전방십자인대 손상이 발생하는 것으로 알려져 있다. 이는 소아 연령에서는 전방십자인대의 교원질 섬유가 연골막을 통하여 연골 골단에 부착하지만 성장함에 따라 인대가 Sharpey 섬유를 통하여 골에 직접 부착하거나 섬유연골을 경유하여 골에 부착하기 때문에 견인 장력이 가해졌을 때 손상되는 취약 부위가 다르기 때문인 것으로 생각된다. 두 손상의 경계 연령은 대략 12-14세 정도로 알려져 있다.

여자 스포츠 선수는 남자에 비해 약 2-8배 손상 위험이 높다. 특히 25세 이하의 젊은 연령대에서는 더욱 위험도가 높은데 이는 골반 크기와 모양, 대퇴골 과간 절흔의 폭, ACL의 크기, Q각, 큰 체간-질량 지수(body mass index, BMI), 전반적인 인대 유연성 등이 원인으로 추정된다. 보조기나 특별한 신발 처방이 손상의 위험을 줄인다는 결정적인 증거는 없으나, 신경근육 훈련 프로그램(neuromuscular training program)을 통해 청소년 여자 스포츠 선수의 ACL 손상의 빈도를 감소시킬 수 있다고 알려져 있다.

1) 진단

(1) 병력

전방십자인대의 파열은 성인과 마찬가지로 대퇴사두근이 수축하는 상태에서의 비접촉 외반 손상이 주된 수상 기전이다. 그리고 과신전(hyperextension), 직접 외력(direct blow) 또는 비틀림(twisting) 외력에 의해서도 전방십자인대의 손상이 발생할 수 있다.

- Pop 음을 듣거나 느꼈다는 병력이 있는 경우가 많고 신체검사상 관절 부종, 통증 및 압통, 운동 제한 및 혈슬관절증이나 전방불안정성을 보인다.

(2) 이학적 검사

슬관절 불안정성에 대한 전방 전위 검사(anterior drawer test)를 포함한 이학적 검사는 성인과 크게 다르지 않으나 소아 청소년에서는 나이가 어릴수록 정상적인 전방 전위가 커서 6-10세 소아의 경우 이학적 검사 상의 전방 전위가 평균 11 mm이며 14-18세의 경우는 9 mm에 이를 수 있음에 유의하여야 한다. Lachman 검사에서 end point가 없으며 lateral pivot shift 검사 양성 소견을 보일 수 있다.

(3) 영상 검사

슬관절 전후면, 측면, 사면, tunnel view 등의 단순 방사선검사로 경골 과간 융기골절, 골 연골 골절 및 기타 이상 유무를 확인하고 자기공명영상검사를 통해서 전방십자인대 파열을 확진할 수 있으며 반월연골판 파열 및 측부인대 파열 등의 동반 손상 유무도 확인해야 한다. 선천성 전방십자인대 결손이 있는 소아도 있어 외상성 파열과 감별을 요한다.

2) 치료

전통적으로 소아 청소년의 전방십자인대 손상은 활동 제한, 보조기 착용 및 근력 강화 운동 등의 보존적 방법으로 치료하였는데, 가장 큰 이유는 전방십자인대 재건술 시 골단판에 의인성 손상을 줄 수 있는 우려 때문이었다. 보존적 치료를 통해서도 일상 생활과 조깅 등의 스포츠를 즐기는데 문제가 없는 경우가 많지만 전방십자인대의 완전 파열인 경우에는 cutting, pivoting 동작이 많은 스포츠를 즐기기가 어려울 수 있는데 특히 소아 청소년 연령대에서 또래와 뛰어 노는 일은 그러한 동작을 요하는 경우가 많기 때문에 보존적으로 치료받은 경우에는 이차적 추가 손상(secondary injury)의 위험이 적지 않다. 일반적으로 비수술적 치료의 예후는 좋지 않은 것으로 알려져 있으며 손상 전 스포츠 레벨로의 복귀, 반월연골판과 관절 연골의 이차 손상 방지 및 조기 퇴행성 관절염 예방 측면에서 수술적 치료가 비수술적 치료에 비해 우월하다는 점은 이미 많은 연구에서 입증되고 있다. 또한 또래 스포츠와 레크리에이션에 참여하지 못함으로써 갖게 될 수 있는 정신사회적인 위축에 대해서도 고려해야 한다. 그럼에도 불구하고, 수술로 얻을 수 있는 이득과 수술로 발생할 수도 있는 의인성 성장 장애라는 위험의 경중에 대해서는 여전히 논란이 있으며 아직 수술적 치료의 장기 추시 결과가 없고 대규모 연구도 없는 현재에는 수술 여부를 결정하는 데에 있어 신중해야 한다.

소아 청소년기의 전방십자인대 파열의 치료를 결정하기 위해서는 우선 환자의 골 연령과 잔여성장을 정확하게 평가해야 한다. 이를 위해서 골 연령, Tanner stage, 초경 여부, Risser sign, 성장 폭발 개시 여부, 환아의 친척 간의 키 비교 등을 이용하여 평가하여야 한다.

(1) 수술적 치료

수술적 치료는 슬관절의 안정성을 부여하여 2차 손상을 예방하며 스포츠 활동에 복귀하는 것이 주된 목적이다. 수술적 치료 여부는 슬관절 불안정성의 정도, 환자 및 보호자의 치료 순응도(compliance), 개인적인 정신사회적인 동기, 동반된 반월연골판 및 관절 연골 손상 여부 등을 평가하여 종합적으로 판단하여야 하나 수술이 필요한 경우에는 손상 후 3개월 이내에 시행한다. 수술적 치료 방법의 선택은 환자의 골성숙도 및 성장 정도에 따라 정해야 한다. 일반적으로 12세 이하의 남아, 11세 이하의 여아 등 Tanner stage 1, 2인 사춘기 이전의 소아는 골단판에 의인성 손상을 주지 않는, 장경대를 이용한 관절외 및 관절내 재건술(combined intraarticular and extraartucular reconstruction of the ACL using the iliotibial band) 또는 골단내 재건술(all epiphyseal technique)을 사용하며, 13-16세 남아 및 12-14세 여아 또는 Tanner stage 3, 4인 경우는 골단판을 최대한 보호(physeal respecting) 할 수 있는 골단판 통과 재건술(transphyseal reconstruction)을 시행하는데, 자가 슬건을 이용하며, 골터널은 가능하면 골단판에 수직으로 만들며 열손상을 최소화하도록 하여야 한다. Tanner stage 5 또는 16세 이상의 남아, 14세 이상의 여아는 성인과 동일한 재건술을 시행할 수 있다Fig 6.

(2) 수술 방법

① 일차 봉합술

파열된 전방십자인대에 대한 일차 봉합술은 보고가 많지 않으나 그 결과는 모두 좋지 않았다. Engebretsen 등은 일차 봉합술을 시행한 예 모두에서 관절 불안정성이 남았다고 하였다.

② 장경대를 이용한 관절외 및 관절내 재건술(combined intraarticular and extraarticular technique using iliotibial band)

Modified McIntosh 재건술로 Micheli와 Kocher 등에 의해서 정립된 방법이다. 장경대 중앙 1/3을 원위부를 부착시킨 상태로 떼어 내어 대퇴골 외과를 경유하여 over the-top으로 관절 내로 통과시켜 전방십자인대를 재건한 후 경골 골단의 앞쪽(over-the-front tibia)으로 빼내어 근위 경골에 부착시키는 술식이다. Kocher 등

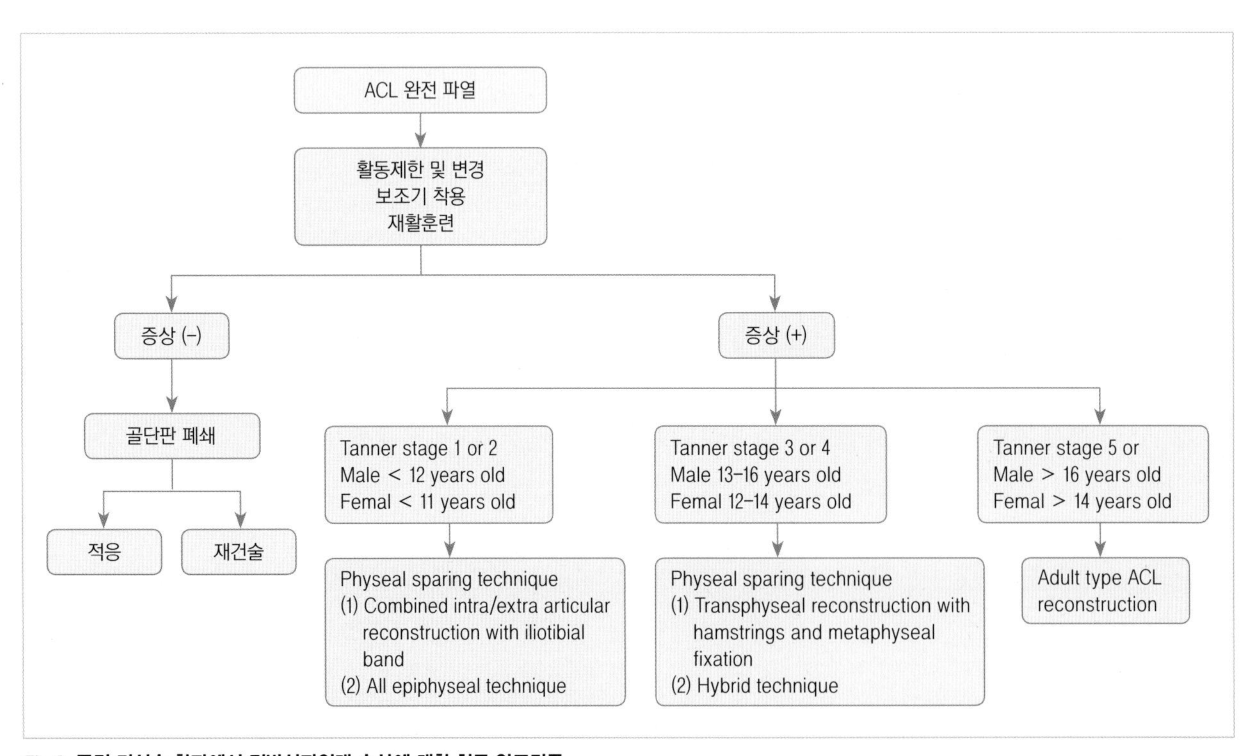

Fig 6. **골격 미성숙 환자에서 전방십자인대 손상에 대한 치료 알고리즘.**

(2005)은 이 술식을 이용하여 수술한 Tanner stage 1, 2의 소아에 대해 우수한 결과를 보고한 바 있다Fig 7A

③ 관절내 골단판 비통과 재건술(all epiphyseal technique)
2003년 Anderson은 골단판을 통과하지 않고 자가 슬근을 이용하여 골단 내에 터널을 만들고 골단판의 의인성 손상을 피할 수 있는 재건술을 발표하였고 이후 여러 저자들에 의해 다양한 고정 방법이 고안되었고 비교적 좋은 결과가 보고되고 있다Fig 7B.

④ 관절내 골단판 통과 재건술(Intra-articular transphyseal procedures)
여기에는 내측 슬근을 유리하여 대퇴골 및 경골 골단판을 모두 통과시키는 술식 및 근위 경골 골단판만을 통과시키고 대퇴골 골단에 고정하거나 over-the-top으로 고정시키는 술식 등이 있다Fig 8. 동물 실험에서 Makela (1988)와 Javarv (1998)는 토끼의 골 터널 크기가 골단판 단면적의 7% 이내인 경우에는 성장 장애가 발생하지 않았다고 보고하였고, Stadelmaier (1995)는 개의 대퇴골 및 경골에 골 터널을 만들고 연부조직 이식물을 삽입하였을 때 골단판 손상 부위에 골교가 형성되지 않았다고 보고한 바 있다. 그러나, Edwards (2001)는 비슷한 조건이지만 연부 조직 이식물에 과도한 장력을 가하여 고정하였을 때에는 성장 장애가 발생하였다고 발표하였다. 따라서 성장기 환자의 골단판 통과 재건술시에는 골 터널 사이즈를 가능한 한 작게 만들며, 주변부보다는 중심부에, 그리고 최대한 골단판에 수직으로 터널을 만든다. 열 손상을 막기 위해 가능하면 hand drill을 쓰거나 느린 속도로 reaming한다. 자가 연부 조직 이식물을 사용하며, 이식물 고정 시에는 과도한 장력을 가하지 않는다.

- **골단판 통과 재건술의 임상 결과**
  - 대부분의 연구 결과는 골단판 통과 재건술 후에도 임상적인 성장 장애가 발생하지 않음을 보여주고 있다. 그러나, 일부의 연구들(Lipscomb 1986, Koman 1999, Kocher 2002, Yoo 2011)은 성장 장애를 유발한 증례를 보고하고 있어 생물학적 성숙 단계가 낮은 환아에서의 골단판 통과 술식이 안전한 술식이라고 결론짓기는 아직 어렵다. Cohen (2009) 등은 골단판 통과 재건술 후 IKDC 점수는 평균 91.5, Lysholm 점수는 평균 93.5였고, 술전 활동 정도로의 복귀율도 88.8%로 좋은 결과를 보고하였다. 평균 다리길이 차이는 1.2 mm (range: -7 mm-+7 mm)였다.

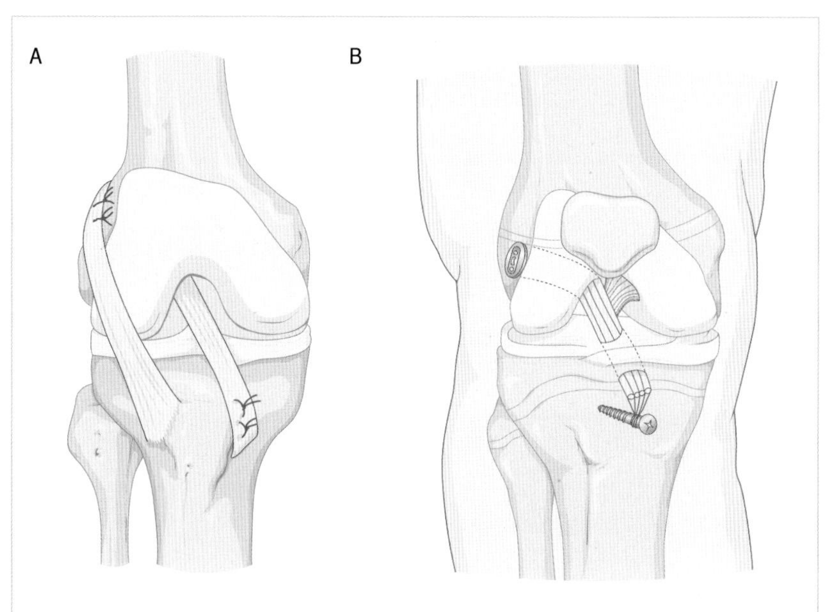

Fig 7. **전방 십자 인대 재건술: 골단판 비통과 재건술.**
A: 장경대를 이용하여 관절외 및 관절내 재건술을 시행하는 방법. B: 슬괵근 이식물을 경골 골단 및 대퇴골 골단에 통과시키는 방법.

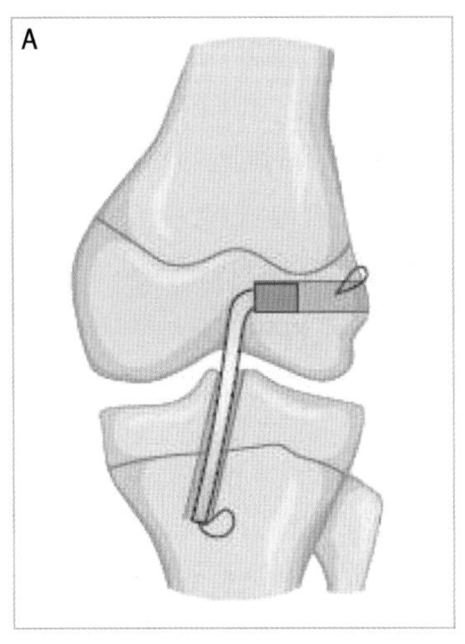

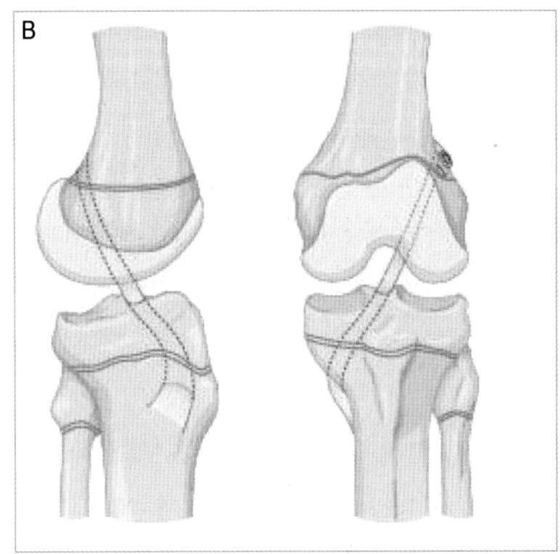

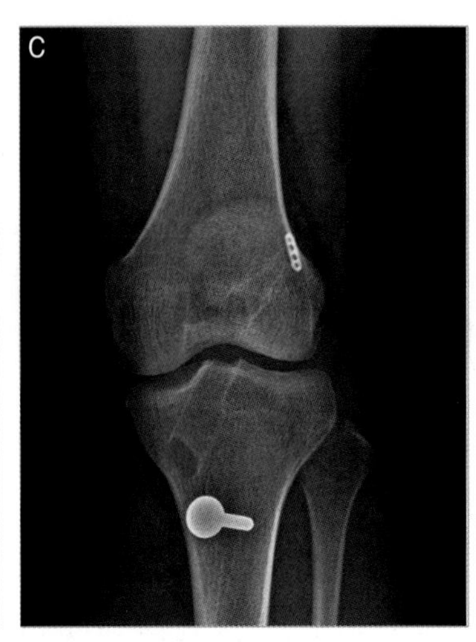

Fig 8. **전방 십자 인대 재건술: 골단판 통과 재건술.**
A: 경골 골단판 통과+대퇴골 골단 고정. B: 경골 골단판 통과+대퇴골 골단판 비통과(over-the-top). C: 경골 골단판 통과+대퇴골 골단판 통과.

6. 슬관절 내측부인대 손상 (medial collateral ligament injury)

골단판 연골이 주위 인대보다 약하기 때문에 인대 파열보다 골절이나 골단판 손상이 더 흔하다는 점을 염두에 두어야 한다. 장기적으로 볼 때 예후는 성인에 비하여 꼭 좋다고 할 수는 없다. MCL 완전 파열은 전방십자인대 손상 등 다른 조직 손상을 동반하는 경우가 많다. 또한 견인력에 의한 골단 손상(epiphyseal injury)이 동반될 수 있음에 주의하여야 한다.

- **슬관절 내측의 구조물**
  - 제I층: 심부 봉공근 근막(deep sartorius fascia)
  - 제II층: 표층 내측부인대(superficial MCL), 후내측 관절막인대
  - 제III층: 심층 내측부인대(deep MCL), 관절막
- **내측부인대 부착 부위와 골단, 골단판의 관계**
  - 표층 내측부인대의 기시부는 원위 대퇴골 골단의 광범위한 부위에서 시작하며 일부 섬유는 골단판에 이른다. 부착부는 근위 경골 골간단이다. 심층 내측부인대는 원위 대퇴골 골단과 근위 경골 골단을 연결한다.
  - 원위 대퇴골 골단판과 근위 경골 골단판 모두 관절외(extracapsular), 활액막외(extrasynovial) 구조이다.

1) 분류(American Medical Association Standard Nomenclature of Athletic Injuries)

- Grade I: 슬관절 불안정성은 없다. 30도 굴곡위 외반 스트레스 방사선 사진 상 내측 관절 간격이 벌어지지 않는다.
- Grade II: MCL 부분 파열로 경한 기능적 불안정성이 있다. 경도(5 mm까지) 또는 중등도(6-1 0mm)로 관절 내측 간격이 벌어진다.
- Grade III: MCL 완전 파열로 명확한 슬관절 불안정성이 있으며 내측 관절 간격이 10 mm 이상으로 벌어진다.

2) 진단

급성 손상인 경우 통증과 압통, 부종, 운동 제한이 있다. 만성인 경우 슬관절 불안정성에 대한 이학적 검사와 외반 스트레스 단순 방사선 사진으로 진단할 수 있다. MRI는 소아에서 민감도와 특이도가 높지 않아 효용성이 떨어진다는 보고가 많다.

3) 치료

손상 정도에 따라서 치료를 결정한다. Grade I, II에서 보존적 치료를 시행하는 데에는 이견이 없다. 대개 Grade I에서는 관절운동을 허용하는 sleeve를 착용하고 바로 물리 치료를 시행할 수 있다. Grade II에서는 약 2-4주간 슬관절을 고정하되 부분 체중 부하를 허용하고 이후 관절운동 및 물리 치료를 시작한다. Grade III에서는 2-4주 동안 슬관절을 약 30도 굴곡위로 고정하고 체중 부하를 금한다. 이후 부분 체중 부하를 허용하면서 수동적 관절운동 및 근력 강화 운동을 서서히 시작한다. MCL 완전 파열에서 수술적 치료가 단기적인 불안정성 회복에 더 우월하고 장기적으로는 조기 퇴행성 관절염의 발생 위험을 감소시킨다는 보고도 있으나 대부분의 연구들은 Grade III에서도 보존적 치료의 결과가 만족스러움을 보여주고 있으므로 원칙적으로 보존적인 접근을 하는 것이 권장된다.

IV. 만성 과사용 스포츠 손상 (과사용 증후군, overuse syndrome)

모든 스포츠 손상의 절반은 과사용 손상이다. 신체 조직에 회복이 불가능할 정도로 과도한 부하가 가해지면 세포가 손상되고, 손상된 세포와 조직은 새로운 운동 부하에 적응하지 못하게 된다. 처음에는 임상 증상을 일으키지 않지만 점차 신체 손상이 축적되게 되면 어느 시점에 이르러 통증을 포함한 임상 증상이 나타나게 된다. 과사용 손상의 원인은 운동기술 부족, 과도한 훈련, 딱딱한 훈련장 바닥, 부적절한 장비 등의 외재적 요인과 운동 선수에 고유한 생역학적 이상인 내재적 요인 즉 유연성 및 근력 부족, 하지 부정열, 근력 불균형 등이 있다.

1. 피로 골절(stress fracture)

급성 골절을 일으킬 정도로 크지는 않은 힘이 반복적으로 작용하여 불완전 또는 완전 골절을 일으키는 것을 말한다. 훈련을 막 시작한 선수 또는 여성 스포츠선수 삼주징이 있는 발레리나나 체조 선수에게서 호발한다. 압박력이 작용하는 부위가 아닌 장력(tensile force)이 가해지는 부위에 발생한 피로 골절은 치료하지 않았을 때 완전 골절로 진행하거나 불유합 및 지연유합이 발생할 위험이 큰 피로 골절을 고위험 피로 골절(high-risk stress fracture)이라고 부른다. 고위험 피로 골절이 잘 발생하는 부위는 대퇴 경부 상외측, 슬개골, 경골 간부 전면, 경골 내과, 거골, 족부 주상골, 제4, 5중족골, 및 족무지 종자골 등이 있으며 이러한 경우에는 적극적인 치료가 필요하다.

1) 호발 부위

제2중족골 및 경골 근위부가 가장 흔하며 그 외에 종골이나 주상골, 입방골, 대퇴골 경부에 발생하기도 한다Fig 9, 10.

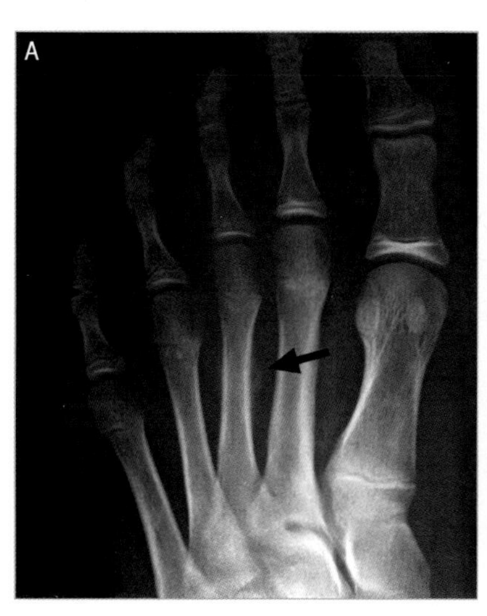

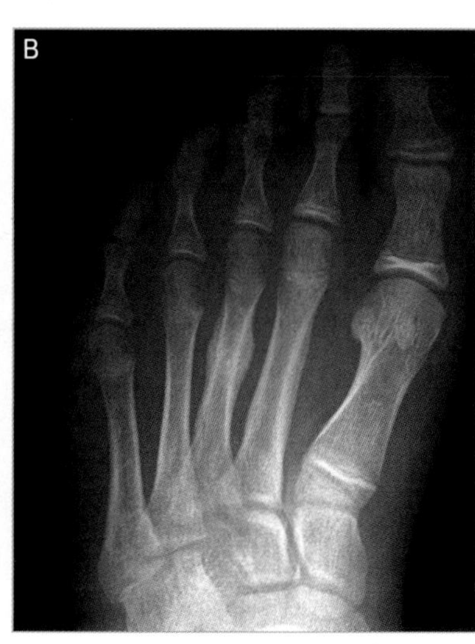

Fig 9. **중족골의 피로 골절.**
A: 13세 남아로 제2중족골 간부에 방추형의 신생골 형성 소견이 관찰된다. B: 1개월 경과 후 사진.

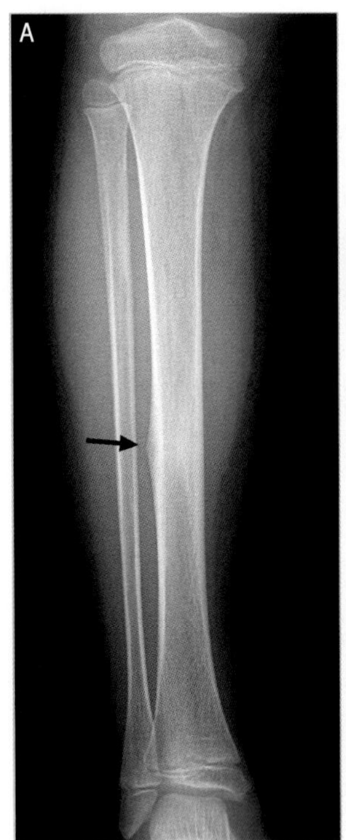

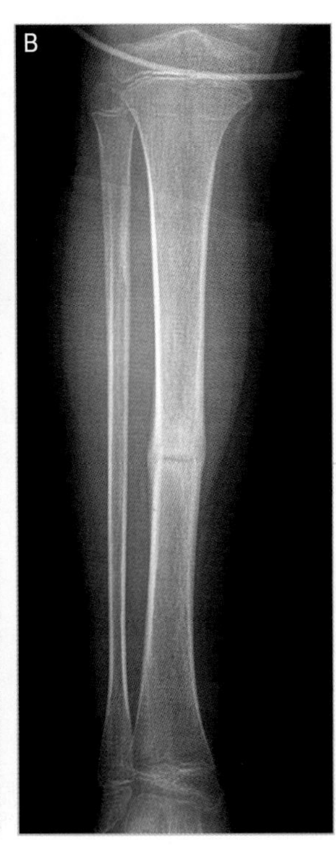

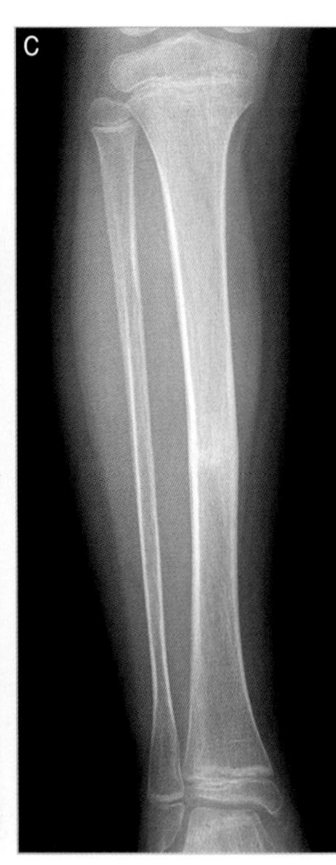

Fig 10. **경골 간부의 피로 골절.**
A: 9세 남아로 가는 골절선과 미약한 골막 반응이 관찰된다. B: 3개월 추시 사진으로 골막하 신생골 형성은 증가하였고 골절선은 더 명확해졌다. C: 5개월 추시 사진으로 완전 치유에 도달하였다.

달리기 선수들은 보통 경골 중간부 또는 원위부에 피로 골절이 발생하지만 배구나 농구 선수들은 근위부에 발생하는 경우가 많다. 여성 발레리나는 중족골 피로 골절이 자주 발생한다.

2) 임상 양상 및 검사 소견

- 서서히 증가되는 통증으로 휴식을 취하면 소실된다.
- 해당 부위의 압통, 부종 등이 관찰될 수 있으며, 최초 단순 방사선검사에서 골절이 발견되는 경우는 10%에 불과하다.
- 골주사 검사(bone scan)에서는 초기에도 양성 소견을 보인다.

3) 감별 진단

- 유골 골종(osteoid osteoma), 만성 골수염 및 악성 골 종양
- 제1중족-족지 관절의 통증을 호소하는 운동선수에서는 종자골(sesamoid) 골절을 의심하여야 한다. 이분 종자골(bipartite sesamoid)이 인구의 5-30%에서 있으므로 진단에 유의하여야 하는데 골주사 검사나 CT 검사가 감별 진단에 유용하다.

4) 치료

(1) 치료 원칙

- 상태를 악화시키는 흐름을 차단하기 위해서는 반복적인 체중 부하를 없애야 한다.
- 원인이 되는 운동을 중단한다.
- 협조적이지 않거나 골절이 전위될 위험이 있는 경우 또는 2-4주간의 활동 제한 및 소염 진통제 사용 후에도 심한 증상을 호소하는 경우에는 보조기나 석고 고정이 필요하다.
- 골절 치유에는 대개 2-3개월(경골의 치유는 4-6개월)이 필요하다.

(2) 수술적 치료

보존적 치료에 실패한 경우, 완전 골절로 이행한 경우, 고위험 피로 골절인 경우에 수술적 치료를 고려한다. 경골에서는 골수강내 금속정이 가장 좋은 치료법이다.

* 주상골의 피로 골절은 진단하기가 쉽지 않은 골절인데 대개 농구 선수, 허들 또는 달리기 육상 선수에게 발생한다. 방사선 검사 소견은 대개 정상이며 골주사 검사나 MRI로 진단할 수 있다. 6-8주간의 비체중 부하 석고 고정이 필요하며 그 이후에도 통증이 지속되거나 방사선학적인 골절의 증거가 있으면 나사못 고정 및 골 이식술의 적응이 되며 약 4-6개월간 스포츠 활동을 금지하여야 한다.

* 종자골(sesamoid) 피로골절: 단하지 석고 고정을 6-8주간 시행하여야 한다. 무혈성 괴사의 증거가 있으면 절제하여야 증상을 호전시킬 수 있다.

2. 만성 골단판 손상

골단판에 만성적이고 반복적인 스트레스가 가해지면 병적인 변화가 유발된다. 그 기전은 반복적인 부하가 골간단에의 혈류를 저하시켜 골단판 연골 세포 분화의 마지막 단계-무기질화 과정을 저해하는 것으로 이해되고 있다. 만성 골단판 손상은 방사선 사진 상 골단판 간격이 넓어지고 불규칙해지는 소견을 나타내며 대부분 휴식으로 호전되지만 드물게 부분 또는 전체 골단판 성장장애가 발생할 수 있으며 각변형이나 길이 단축이 초래될 수 있다.

1) 근위 상완골 골단분리증
(epiphysiolysis of the proximal humerus)

야구, 송구와 같은 과도한 투구동작을 반복적으로 하는 12-15세 소아청소년에서 근위 상완골 골단판에 발생하는 만성 골단판 손상을 "little leaguer's shoulder 또는 thrower's shoulder"라고 부른다. 투구동작 중 later cocking 과 acceleration phase에서 견관절에 체중의 80% 정도의 견인력과 회전력이 가해지는데 이런 스트레스가 지속적 반복적으로 가해져서 발생한다.

(1) 증상

투구 동작 시 통증이 발생하며 경기 사이에는 통증이 감소하지만 전체적으로는 점차 통증이 증가된다. 특히 견관절의 내회전 시 통증이 심해지며 근위 상완부에 압통이 있다. 견관절운동 범위는 정상으로 유지된다.

(2) 진단

방사선 검사 상 골단판 간격이 국소적 또는 전체적으로 넓어지고 불규칙해진다Fig 11. 심한 경우는 골단이 분리(slippage)되기도 하며 골간단부에는 경화상 병변이나 낭종이 발생한다. 골주사 검사는 도움이 되지 못하며 조기진단

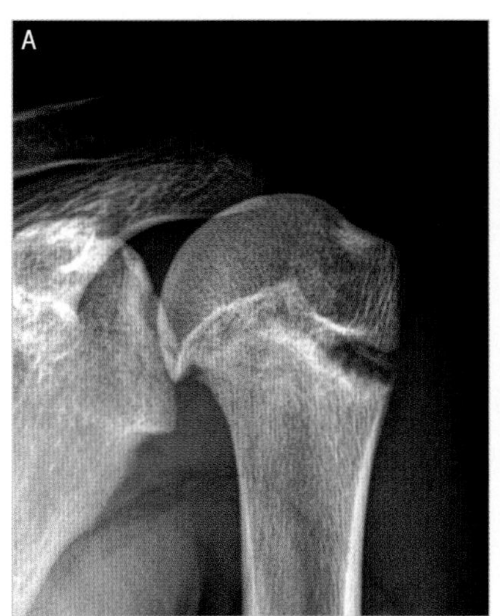

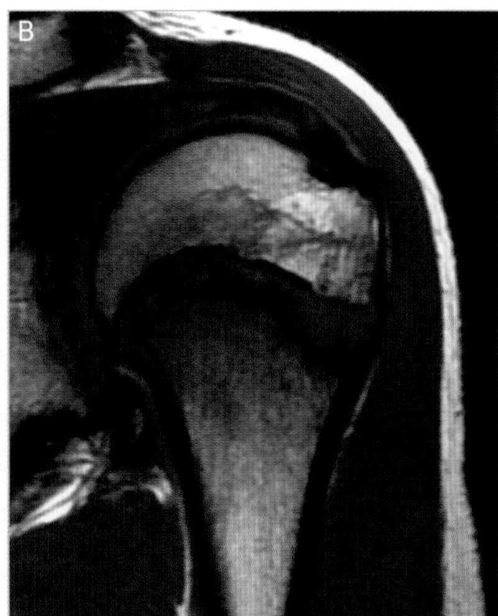

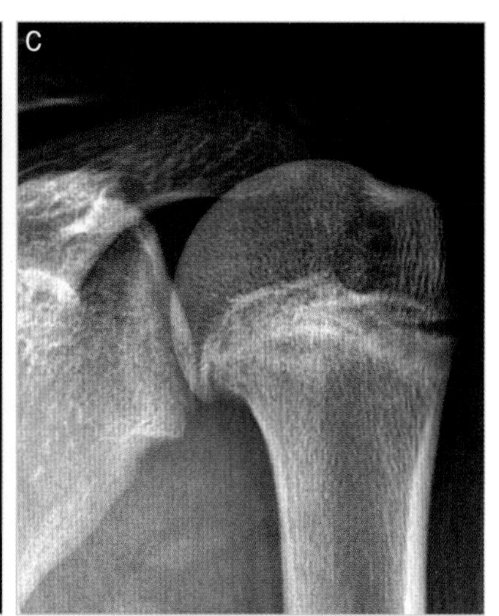

Fig 11. **근위 상완골 골단분리증.**
A: 12세 여자 기계체조 선수로 상완골 근위부 골단판 부위의 간격이 넓어져있다. B: MRI 상 골화가 지연되어 넓어진 골단판 연골이 관찰된다. C: 3개월간 운동을 금지하고 이후 서서히 견관절운동을 시작하였다. 6개월 추시 후 촬영한 방사선 사진 상 골 병변이 호전되었다.

으로는 MRI 검사에서 골단판의 다층 경계상 구조(multiple laminar layer)가 파괴되고 넓어져 있으며 주변 골간단부의 부종이 보이면 진단할 수 있다.

회전근개 건염(rotator cuff tendinitis), 견봉쇄관절 손상(acromioclavicular joint injury), 견관절 상부전후방관절와 순파열(SLAP), 상완와 관절내회전제한(glenohumeral internal rotation deficit, GIRD), 견관절 불안정성(shoulder instability), 종양(상완골 단순 골낭종 등)과의 감별 진단이 필요하다.

(3) 치료

활동을 줄이고 통증이 심하면 팔걸이 등의 보조기를 착용시킨다. 증상만 있고 방사선상 골단판 간격이 정상인 경우에는 3주간 휴식을 취하며, 골단판이 넓어지는 등의 변화가 뚜렷하면 최소 3개월 간의 휴식과 이후 점진적 재활치료 후 스포츠에 복귀하는 것이 좋다. 골단판 간격 감소, 신생골 형성 등 방사선학적 치유에는 6개월 정도가 소요된다고 알려져 있으며, 최근 연구에 의하면 증상이 호전되는 기간은 평균 2.6개월, 스포츠 복귀 기간은 4.2개월이 소요되었다고 보고하였다

2) 원위 요골 골단분리증(epiphysiolysis of the distal radius)

체조 선수에서는 과신전된 손목 관절에 자기 체중의 두 배가 넘는 힘이 반복적으로 전달되면서 만성 과사용 손상이 발생한다고 알려져 있는데 골단판이 열려있는 소아에서는 원위 요골 골단분리증이 발생하며 이를 “gymnast wrist” 라고 부른다. 이외에도 척골 충돌 증후군, 주상골 충돌 증후군(scaphoid impaction syndrome), 유두골(capitate) 무혈성 괴사 등의 손목 질환이 발생할 수 있다.

(1) 진단

단순 방사선검사 상 골단판 간격이 확대되고 경계가 불분명해진다. 골간단 경계도 불규칙해지고 낭종성 변화를 보이기도 한다. 골주사 검사는 대개 정상이다.

(2) 치료

방사선학적 이상 소견을 보이는 경우 최소 6주간의 휴식이 필요하다. 단상지 부목이나 석고 고정이 도움이 된다. 대개는 보존적 치료로 충분하지만 치료 없이 운동을 계속하는 경우 골단판의 영구적인 폐쇄가 발생할 수 있으며 요골 단축 및 상대적 척골 연장에 의한 척골 충돌증후군이 발생할 수 있다.

3. 투구 관련 주관절 손상 (throwing injuries of the elbow)

1) 주관절의 인대 구조

- 내측부 인대(medial or ulnar collateral ligament)는 anterior oblique ligament, posterior oblique ligament, transverse ligament의 세 부분으로 나뉘어 있는데, 던지기 동작에서 주관절의 외반력에 저항하는 가장 중요한 부분은 상완골 내상과(medial epicondyle)와 척골 구상돌기(coronoid process)를 연결하고 있는 anterior oblique ligament이다.
- 외측부 인대 복합체(lateral or radial collateral ligamentous complex)는 radial collateral ligament, lateral ulnar collateral ligament (LUCL), accessory lateral collateral ligament의 세 부분으로 나뉘어 있다. 이 중 주관절의 후외측 안정성에 일차적으로 중요한 부분은 LUCL이다.

2) 던지기 동작

투구 동작 시에 주관절에 반복되는 외반력(valgus force) 및 신연력(distraction force)이 가해진다.

- **던지기의 다섯 동작** Fig 12
  - Phase 1: wind-up 또는 준비 단계
  - Phase 2: early cocking. 공을 쥔 팔의 견관절이 외전 및 외회전되고 반대쪽 발이 땅에 닿을 때까지
  - Phase 3: late cocking. phase 2에서 이어지면서 어깨의 외회전이 최대로 일어날 때까지
  - Phase 4: acceleration. 상완골이 빠르게 내회전되면서 가속되며 공이 손에서 떠나는 순간까지
  - Phase 5: follow-through. 공이 손에서 떠난 후부터 투구 동작이 완료될 때까지

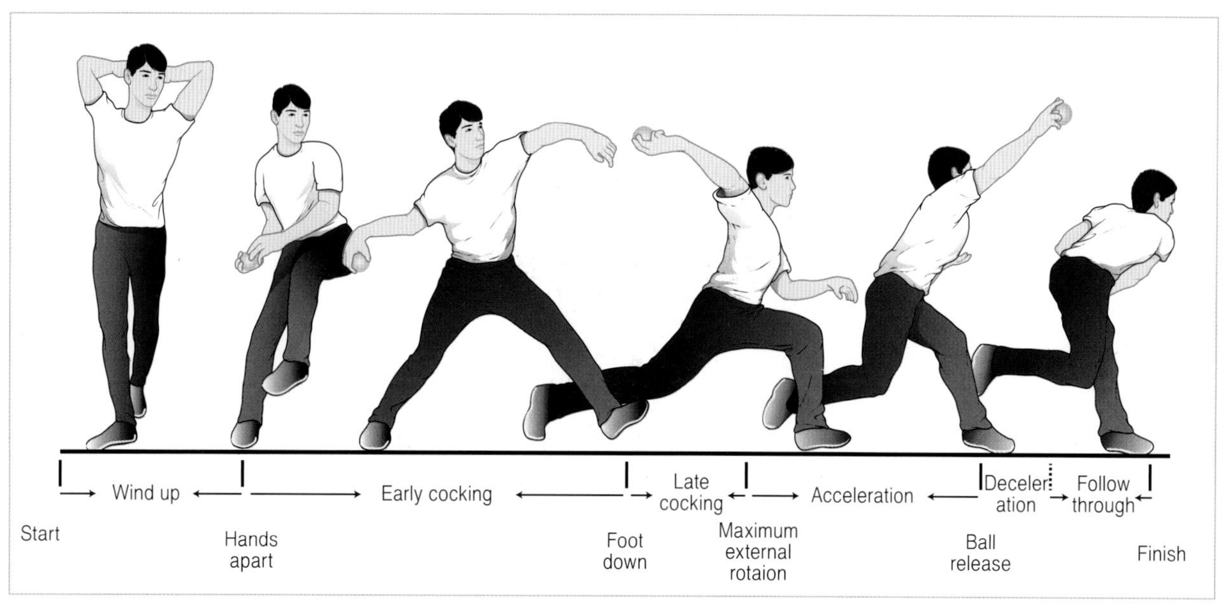

Fig 12. **던지기 동작**(본문 참조).

이러한 다섯 단계와 달리 준비 단계를 제외하고 early cocking, late cocking, acceleration, deceleration, follow through의 다섯 단계로 분류하기도 한다.

3) 던지기와 관련된 주관절 손상

(1) 내측 인대 구조물의 외반 신연 손상

내상과 견열 골절 또는 골단판 분리, 내측부인대 손상, 내상과염, 구상돌기 신연 골극(traction spur)

(2) 외측 관절면의 과도한 압박 손상

소두(capitellum) 및 요골두의 성장 장애 및 변형, 연골 또는 골연골 골절 및 관절내 유리체, 소두 골연골증(panner's disease), 소두 박리성 골연골염(OCD of capitellum)

(3) 후방 관절면의 후외반 전단력 및 신연 손상

주두 골단판 손상(olecranon apophysitis), 주두(olecranon) 후방 골극, 후내방 골극, 구상돌기 골극

(4) 외측 인대 구조물의 신전 손상: 외상과염

Little leaguer's elbow

성장이 완료되지 않은 운동 선수에서 반복적인 투구 동작은 주 관절에 과도한 견인력, 압박력 및 전단력을 가하여 주관절의 내측, 외측 및 후방에 다음과 같은 문제를 일으킨다.

- 내상과의 분절화 및 견열 골절
- 내상과 골단 성장(apophyseal growth)의 지연 또는 급성장
- 내상과 골단판의 지연 유합
- 소두의 골연골증 및 박리성 골연골염
- 요골두의 변형 및 박리성 골연골염
- 척골 주두의 비후
- 척골 주두 골단염 및 주두 골단의 지연 폐쇄

4) 상완골 소두의 골연골증

(osteochondrosis of the capitellum, Panner's disease)

(1) 증상

보통 7-10세 연령의 소아에서 주관절 부위의 둔한 통증으로 나타나며 운동에 의해 악화된다. 부종이 있는 경우도 있고 완전 신전이 어려운 경우가 흔하다. 소아에서 비외상성 주관절 통증 및 운동 제한의 가장 흔한 원인이다.

(2) 진단

단순 방사선 사진으로 쉽게 진단된다. 소두 전체의 불규칙한 골경화 소견이 관찰된다Fig 13.

(3) 감별 진단

박리성 골연골염과의 감별이 중요한데, 감별점은 골연골증은 더 어린 나이에서 발병하고 소두 침범 범위가 소두 이차 골화중심 전체이며, 발병이 급성인 경우가 많고, 관절 내 유리체가 형성되는 경우는 없다는 점이다. 또한 증상이 더 가볍고 좋은 예후를 가진다는 것도 차이점이다.

(4) 치료 및 예후

다른 골연골증처럼 자한성(self-limited) 질환으로 대증적인 치료만을 요한다. 방사선학적 이상도 대부분 저절로 호전된다.

5) 소두 박리성 골연골염 (osteochondritis dissecans of the capitellum)

(1) 발병 원인

미상이나 혈행 장애, 외상 및 유전적 요인으로 추정된다.

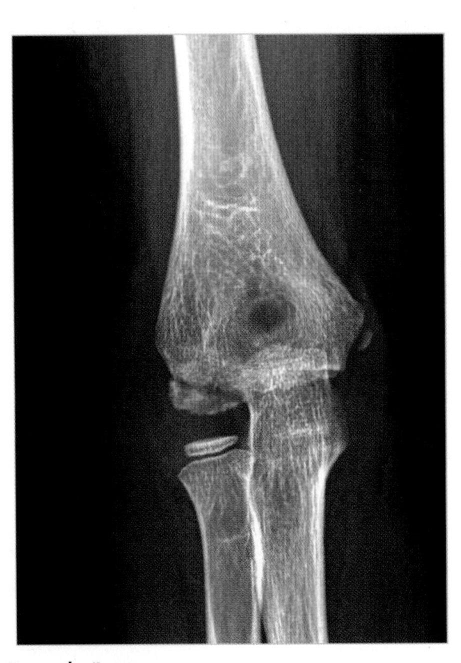

Fig 13. **Panner's disease.**
9세 환아로 주관절 외측부의 통증과 압통으로 내원하였다. 소두 부위 전체의 불규칙한 골음영이 관찰된다.

주관절 외측 관절면에 반복적 압박력이 가해지는 청소년기 야구 선수나 체조 선수에 빈발한다.

(2) 증상

12-14세 청소년에서 주로 발생한다. 양측성인 경우가 5-20%이다. 증상은 운동 후 경한 통증으로 시작하는 경우가 많고 대개 통증이 경미하여 소염제 등을 복용하면서 지내 온 경우가 많다. 점차 통증이 서서히 악화되며 주관절의 운동 범위가 감소되기 시작한다. 약 15도 이상의 굴곡 구축을 보이는 경우가 적지 않다. 주관절 외측의 부종이 관찰되고 관절내 유리체의 감입 증상이 생기기도 한다.

(3) 진단

- 방사선 사진 상 상완골 소두 일부분의 연골하골 분절화(fragmentation)가 관찰된다Fig 14. 만성화된 경우에는 소두의 변형이 관찰되기도 한다. 주관절에 외반력을 가했을 때 관절 외측의 통증이 유발되며 압통이 있다.
- MRI: 병변의 크기, 연골편의 탈착 여부 및 관절 내 유리체 유무를 판정하는데 도움이 된다.

(4) 치료

안정적인 병변에 대해서는 대증 치료를 시행한다. 보존적 치료에도 증상이 지속되거나, 관절내 유리체가 발생하거나, 골연골 골편이 불안정성이 있는 경우에는 수술적 치료의 적응이 된다. 특히 MRI 상 소두 외측 가장자리까지 침범한 병변인 경우에는 자연 치유가 어려워 적극적인 수술적 치료가 필요하다. 유리체가 큰 경우에는 병소가 있는 연골하골을 변연절제 후 자가골 이식술 및 불안정한 골연골 골편을 정복하고 내고정술을 시행한다. 관혈적 정복이 불가능한 경우에는 골연골 골편을 제거한 후 골연골 이식술을 시행하기도 한다. 유리체가 작은 경우에는 유리체 제거술 및 손상된 관절 연골에 대한 변연절제술(debridement) 및 미세 천공술을 시행한다. 그러나, 치료 후에도 영구적인 운동 범위 제한, 골 비후 및 변형 등의 후유증이 남을 수 있다Fig 15.

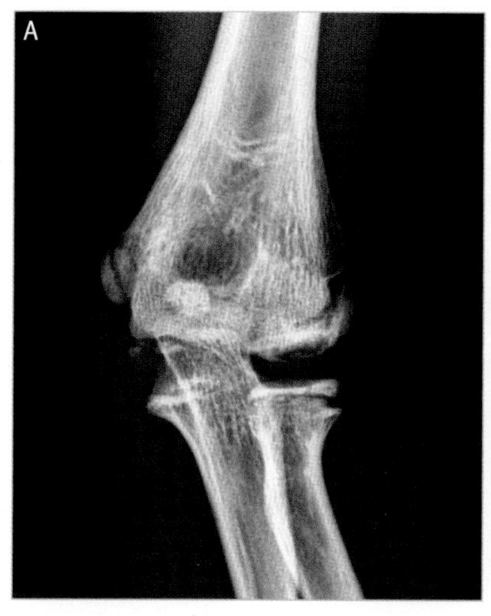

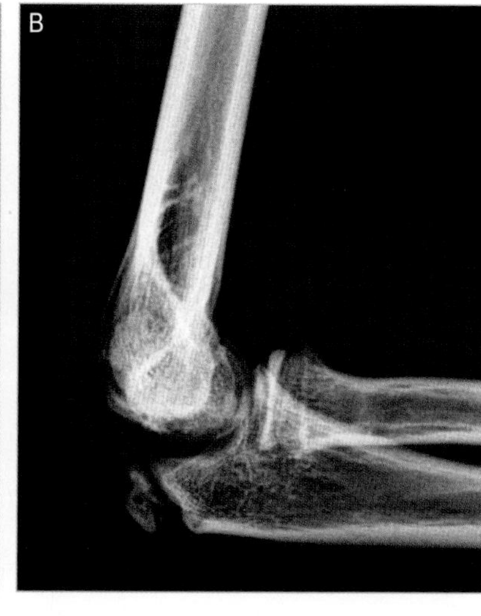

Fig 14. 13세 여자 기계 체조 선수의 주관절 방사선 사진으로 소두의 박리성 골연골염, 요골두 골단판의 성장 장애(A) 및 주두 골단의 분절화(B) 소견이 관찰된다.

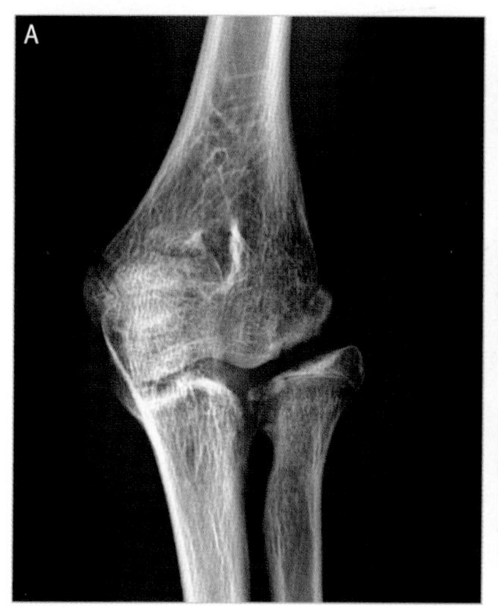

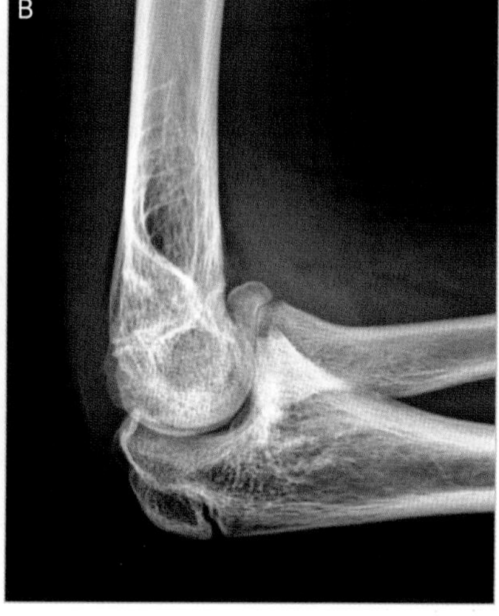

Fig 15. 14세 남자 야구 투수의 주관절 단순 방사선 검사 소견으로 만성화된 소두의 골연골 병변 및 근위 요골 골단판 성장 장애로 골변형 및 관절 내 유리체가 관찰된다.

6) 상완골 내상과의 피로 골절, 주관절 내상과 골단판 손상 (stress fracture of the medial epicondyle, medial epicondyle apophysitis of humerus)

주로 활동적인 청소년 운동선수에 호발하는데, 반복적인 투구동작에 의한 외반력(인장력)이 주관절 내측에 가해져 발생하는 상완골 내상과 골단 및 골단판 손상이다. 성장기 소아 청소년기의 대표적인 과사용 주관절 손상 중 하나이다.

(1) 방사선 소견

상완골 내상과 골단판의 확대 및 분절(fragmentation) 소견을 보인다.

(2) 치료 및 예후

3-6주간의 휴식으로 대부분 자연 치유되고 후유증은 거의 없다.

7) 상완골 내상과 견열골절 (humerus medial epicondylar avulsion fracture)

야구 선수에 호발한다. 급격한 외상 또는 내상과 피로골절이 있는 환아에서 발생할 수 있으며 치료는 주관절이 안정되어 있으면 2-3주간의 고정 후 서서히 관절운동을 허용한다. 그러나 다음과 같은 경우에는 수술적 치료를 요한다.

- 수술 적응증
  - 절대적 적응증: 관절 내에 골절편이 끼어 있을 때
  - 상대적 적응증: 불안정한 주관절(심한 내측부 인대 손상, 특히 야구나 체조 등 운동 선수로 주관절의 안정성이 더 중요한 경우), 척골 신경 마비를 동반할 때 또는 5 mm 이상의 전위가 있는 경우

8) 주관절 후방의 병적 문제

나이에 따라서 발생 양상이 달라진다. 어린 나이에는 척골 주두의 골연골증, 청소년기에는 주두의 견열 골절 및 골단 불유합, 그리고 젊은 성인에서는 주두의 부분 견열 골절 및 후내측 골극 형성이 주로 관찰된다.

(1) 주두 골단 불유합

청소년 운동 선수에서 피로 골절로 견열된 주두 골단이 불유합되고 유리체를 형성하는 경우가 있다. 지속적인 통증이 있는 경우에는 이를 제거하거나 골유합 치료를 시행하여야 한다. 불유합된 골단을 유합시키기 위해서는 압박 나사 및 자가 골이식술이 효과적이다Fig 16.

4. 장경 인대 마찰 증후군 (Iliotibial band friction syndrome)

장경 인대가 대퇴골 외상과 부위에서 반복적인 마찰로 인해 염증이 발생한다.

1) 진단

- 통증성 탄발음
- 슬관절 30도 굴곡위에서 대퇴골 외상과 부위를 촉진하여 압통과 탄발음을 유발한다.

2) 치료

- 스테로이드 국소 주사를 포함한 보존적 치료를 시행한다.
- 해결되지 않는 심한 경우에 드물게 장경 인대 후방 섬유 절제술이나 Z-연장술

5. Osgood-Schlatter 병

1) 정의

대퇴사두근의 견인 골단염(traction apophysitis)이다. 골 성장이 빠르게 일어나는 청소년에서 대퇴사두근의 장력이 증가된 상태에서 반복적인 슬관절 신전에 의해 슬개인대의 부착부인 근위 경골 골단 전면에 염증 및 경한 견열이 생기고 이것이 치유되는 과정이 반복되면서 경골 결절(tibial tuberosity) 부위의 통증, 압통, 부종 및 비후가 초래되는 질환이다.

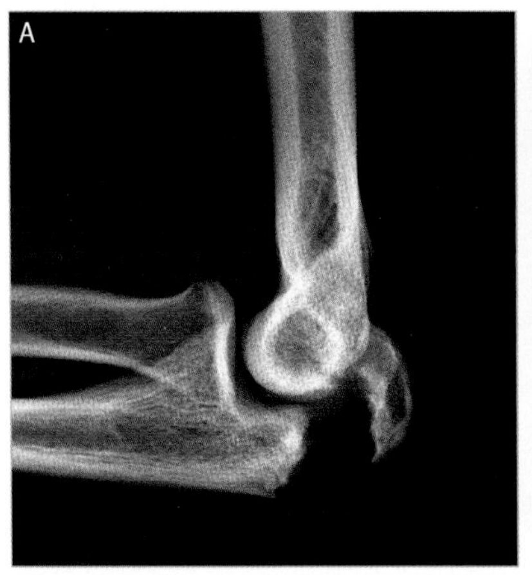

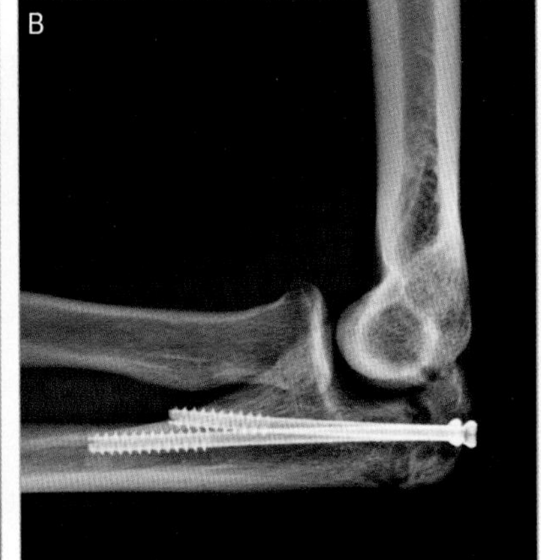

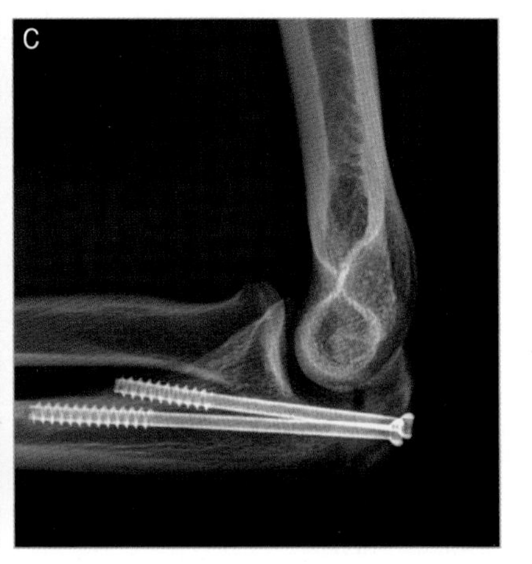

Fig 16. **척골 주두의 스트레스 골절.**
A: 15세 남자 야구 선수로 척골 주두의 골절 소견을 보인다. 골편 양단에 골경화성 음영이 있고 수술 소견 상 골절면이 서로 맞지 않았다. B: 경화된 부위를 소파하고 유관나사로 내고정을 하면서 골이식술을 함께 시행하였다. C: 1년 추시 상 골절이 잘 유합되었다.

2) 임상 증상

- 여아는 10-13세, 남아는 12-14세에 호발한다. 남녀비는 비슷하다. 운동 선수에서 약 20%의 이환율을 보여 일반인 이환율의 5배에 달한다. 약 20-30%에서는 양측성으로 발병한다.
- 대개 수개월 또는 수년 동안 지속된 후 서서히 완화된다.

- **진행 양상**(Hirano 2002)
  - 1단계: 경한 통증 및 부종, MRI 상 정상이다.
  - 2단계: 단순 방사선 사진 상 정상이나 MRI 상 이차 골화중심에 저신호 강도를 보인다.
  - 3단계: 경골 결절의 연골 손상 및 이차 골화중심의 파열과 슬개건 주위의 부종이 발생한다.
  - 4단계: 치유 소견으로 부종의 감소와 단순 방사선 사진 상 골편이 관찰된다.
  - 5단계: 치유 완료 단계로 경골 결절이 커진 것 이외에는 방사선학적으로 정상이다.

3) 진단

측면 단순 방사선 사진으로 확진할 수 있다Fig 17. 방사선 사진 상 경골 결절이 커져 있거나 골편이 관찰되기도 한다.

4) 치료

(1) 보존적 치료

치료는 활동 제한, 얼음 찜질, 소염제 투여와 함께 대퇴사두근 및 슬근의 신전운동(stretching) 및 근력강화운동(strengthening) 등 재활 치료를 함께하는 보존적인 치료로 대개 충분하다. 심한 증상이 있는 경우에는 수 주간의 knee immobilizer 등 보조기 착용도 효과적이다. 골단판이 닫힌 후에는 임상적으로 별다른 문제를 일으키지 않는다는 심리적 확신을 주는 것이 중요하다.

(2) 수술

보존적 치료가 실패하거나 골단판이 닫힌 후에도 경골 결절내에 골편이 남아서 증상이 지속되는 경우에는 수술적 치료의 적응이 된다. 수술은 골편 절제술이나 경골 결절 성형술이며 이를 관절경 하에서 시행하는 보고도 있다. 그러나 성장기 아동에서 수술적 치료가 보존적 치료에 비하여 우월하다는 증거는 희박하다(Trail 1988).

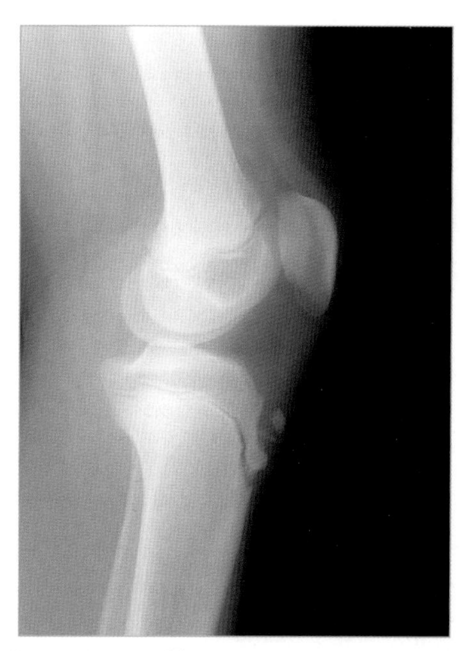

Fig 17. **Osgood-Schlatter 병.**
13세 남아로 경골 결절 부위의 통증 및 돌출을 주소로 내원하였다. 방사선 사진 상 골단판 간격 증가 및 골편이 관찰된다.

5) 예후

대부분 증세가 호전되나 경골 결절 골단판의 조기 유합에 의한 슬관절 과신전 변형이 남을 수 있다는 보고도 있다(Lynch 1991, Jeffreys 1965). 초기에 골편이 형성되거나 경골 결절 골화 이상을 보이는 경우에는 그렇지 않은 환자들에 비해 성인기에 무릎을 꿇을 때 통증이 잔존하는 비율이 높다(Krause 1990).

6. Sinding-Larsen-Johansson 증후군

슬개골 하단(inferior pole)의 견인 골단염이다. 10-13세 사이 활동적인 소아에서 호발한다. 국소 압통이 있으며 단순 방사선 사진 상 슬개골 하단이 길어져 있거나 골편이 관찰되기도 한다. Osgood-Schlatter 병과 마찬가지로 자한성 병변이다. 보존적으로 치료한다.

7. 정강이 통증 Shin splint (medial tibial stress syndrome)

경골의 원위 1/3 후내방을 따라 발생한 통증을 지칭하는 증후군으로 운동 중 증상이 악화되며 휴식을 취하면 소멸된다. 가자미근(soleus muscle)의 근막, 장족지 굴곡근(flexor digitorum longus)과 심부하퇴근막(crural fascia) 등이 견인되어 통증을 유발한다고 알려져 있다. 다음과 같은 다양한 병명으로 불리고 있다.

- 내측 경골 스트레스 증후군(medial tibial stress syndrome)
- 가자미근 증후군(soleus syndrome)
- 전 경골 통증(anterior tibial spine)
- 정강이 부목(shin splint)

모든 운동 관련 손상의 10%를 차지할 정도로 흔하다. 50%에서 양측성이고, 여성이 남성보다 호발하며 대개 15세 이후의 청소년기에 발생한다.

1) 내재적 유발 인자

* 근력 약화
* 쿠션이 좋지 않은 신발
* 부적절한 아치 지지(arch support)
* 딱딱한 바닥
* 역학적 요인
    - 후족부 내반(hindfoot varus)
    - 과도한 전족부 회내(excessive forefoot pronation)
    - 외반슬(genu valgum)
    - 심한 대퇴 전염 또는 경골 외염전

2) 진단

주로 병력을 통해 진단한다. 최근 변경되거나 과도한 스포츠 환경 여부, 신발을 바꾸면서 증상이 발생하였는지에 대한 문진이 필요하다. 보행 이상 유무, 하지길이부동, 회전 변형 또는 각변형 여부, 근력 및 관절운동 범위를 측정한다. 단순 방사선 소견은 정상이다. 감별 질환으로 피로골절, 만성 구획 증후군(chronic exertional compartment syndrome), 좌골 신경통(sciatica), 심부 정맥 혈전증(deep vein thrombosis), 슬와 동맥 포착증(popliteal artery entrapment), 정맥류(varicose vein) 등이 있다.

3) 치료

처음에는 원인에 관계없이 대증적 요법을 시도한다.

- 안정 및 투약, 얼음찜질
- 운동 요법: 신전운동 및 근력강화운동
- 역학적 요인이 있을 경우: 신발 삽입물(custom foot orthosis) 등의 보조기 착용
- 통증이 사라지면 점차 원래의 운동을 회복시킨다.

8. 만성 구획 증후군 (chronic compartment syndrome)

운동 중에 또는 운동 후 일정 시간 후에 악화되고 휴식하면 완화되는 통증이 특징적이다. 주로 달리기를 하는 어린 운동 선수에 호발한다. 남녀 비는 비슷하다. 조직 괴사 등의 심각한 후유증은 거의 발생하지 않는다.

1) 원인

정상적으로 운동 중에는 근육이 약 20% 정도 커지게 되는데, 특별히 근막이 두껍고 신축성이 작은 경우에 운동에 의한 구획 내 압력 증가로 모세 혈관을 통한 혈행이 감소되고 이로 인해 일시적인 근육의 허혈성 통증이 유발되는 것으로 추정된다. 하퇴부 네 개의 구획 중 전방 구획이 가장 흔하게 이환되며(45%), 이어 심층 후방, 외측, 표층 후방 구획 순서이다.

2) 증상

- 운동 직후 유발되는 쥐어짜는 듯한 통증으로 양측성인 경우가 50-70%이다.
- 일시적인 족하수증(foot drop)
- 족배부의 일시적인 감각 이상

3) 진단

- 구획압 측정으로 진단한다. 정상적으로는 운동 후 5분 이내에 구획압은 정상으로 돌아온다. 그러나, 만성 구획 증후군에서는 5-10분 후에도 여전히 구획압이 높다. 운동 전 구획압이 15 mmHg 이상이거나, 운동 후 1분에 30 mmHg 이상이거나 5분에 20 mmHg 이상인 경우 진단할 수 있다(Pedowitz 1990). 어떤 저자는 운

동 후 15분 경과 뒤에 측정한 구획압이 15 mmHg이상 인 것이 가장 의미 있는 소견이라고 주장하기도 한다.
- 영상학적 검사는 대개 정상이나 급성기에 MRI를 촬영하면 이환된 구획 내의 근육들에 신호 강도 변화를 관찰할 수 있다.

4) 치료

- 활동을 줄이고 보조기를 착용하는 등 보존적 치료를 시행하여 약 1/3에서 호전된다.
- 3-6개월간 시행한 보존적 치료가 효과가 없을 때에는 근막절개술(fasciotomy)을 시행하여 약 90%에서 완치를 기대할 수 있다. 재발한 경우에는 근막제거술(fasciectomy)을 시행한다. 외방 구획에 대한 근막절개술 시에는 성인 기준 비골단에서 11 cm 근위부에 있는 지점에서 천비골 신경이 근막을 뚫고 표층으로 나오는 부분에서 의인성 손상이 일어나지 않도록 주의해야 한다.

9. 슬관절 박리성 골연골염 (osteochondritis dissecans of the knee)

박리성 골연골염은 연골하골(subchondral bone)의 무혈성 변화와 관절 연골의 퇴행성 변화가 나타나 치유되지 않을 경우 연골하골을 덮고 있는 연골이나 골이 분리되어 관절내 유리체를 발생시키는 질환이다. 소아 청소년기의 슬관절 박리성 골연골염은 성인과 비교하여 예후가 좋다. 약 절반 정도에서는 보존적 치료를 통해 자연 치유를 기대할 수 있다. 그러나, 치유되지 않은 병변은 퇴행성 관절염으로 발전할 수 있다. 특히 병변이 크거나, 외측 대퇴골 체중 부하 부위에 병변이 있는 경우에 퇴행성 관절염으로 이어질 가능성이 있다.

1) 원인

외상, 유전성, 허혈성 등의 가설이 제시되었으나 정확한 발병기전은 알려져 있지 않다.

2) 병리 소견

- 특징적인 소견: 무혈성 괴사와 다양한 정도의 주위 관절 연골의 섬유화
- 포복 대치(creeping substitution)에 의해 괴사된 부위의 재생이 일어난다.

3) 임상 증상

- 비특이성 슬관절통: 가장 흔한 증상이다. 통증은 운동 정도에 따라 심해질 수 있다.
- 박리된 유리체, 관절 부종, 압통, 근위축: 중증인 경우 동반된다.
- 염발음(crepitus), popping, 잠김(locking): 박리된 연골 또는 골연골편이 관절 내에 유리체로 돌아다닐 경우 나타난다.
- Wilson 징후(1967): 슬관절을 90도 굴곡한 상태에서 경골을 완전히 내회전시킨 후 서서히 슬관절을 신전할 경우 30도 굴곡위에서 원위 대퇴골 전면에 통증이 발생하는 경우 양성으로 판정한다.

4) 진단

- 단순 방사선: 슬관절 전후면, 측면 및 tunnel 상
- 원위 대퇴골 내과의 후외측에 병변이 있는 경우 tunnel 상(view)에서 가장 잘 관찰된다.
- 초기 병변은 관절면에 작은 방사선 투과성(radiolucency) 병변으로 나타나며 진행하면 괴사 부위의 방사선 밀도의 증가 및 주위 방사선 밀도 감소의 소견이 뚜렷이 나타난다.
- 소아의 발달 과정에서 대퇴 골단 골화 부위가 불규칙하게 관찰될 수 있어 이를 박리성 골연골염으로 오진할 수 있다.
- 그 외의 진단 방법으로 CT는 병변의 크기와 위치를 좀 더 정확히 평가할 수 있고 MRI는 골편의 분리 정도 즉 안정도(stability)와 괴사 여부를 판단할 수 있다.

- **박리성 골연골염 병변에 대한 ICRS (International Cartilage Repair Society) 등급체계**
  - 등급 I: 안정성 및 연속성이 유지된 경우, 손상되지 않은 관절 연골에 의해 덮여있으며 연골연화만 관찰된다.

- 등급 II: 부분적으로 연속성이 없으나 탐색자로 확인 시 안정성이 있는 경우
- 등급 III: 완전히 분리되어 있으나 이동되지 않고 제자리에 있는 경우
- 등급 IV: 골편이 완전 분리되어 이동된 경우(유리체)

5) 치료

(1) 비수술적 치료법

- 골단판이 닫히기까지 적어도 6-12개월 이상 남은 환자에서는 골편의 전위가 없는 안정 병변(stable lesion)에 대해서 비수술적 치료로 성인에 비해서 우수한 치료 성적을 기대할 수 있다.
- 비수술적 치료 방법은 슬관절을 굴곡시킨 상태로 실린더 장하지 석고나 슬관절 고정기(knee immobilizer)를 채워 6주간 관절운동 제한하며 체중 부하가 되지 않도록 한다. 약 6-12주 후 슬관절 움직임은 허용하되 스포츠 활동을 금지시키고 목발을 사용하게 하여 부분 체중 부하만 시키면서 임상 증상과 방사선 소견을 추시한다.
- 방사선학적으로 치유의 증거가 관찰되면 이때부터 완전 체중 부하를 허용하고 방사선 사진 상 완전 치유되었을 때 비로소 스포츠 활동을 허용할 수 있다.
- 이러한 비수술적 치료는 3-12개월(평균 6개월) 정도 지속해야 하는데 이 이후에도 통증이 소실되지 않거나, 방사선학적으로 골연골편의 전위가 발생하거나 치유 소견이 보이지 않으면 수술적 치료를 고려하여야 한다.
- 비수술적 치료의 성공률은 약 50% 정도이고 약 1/3 정도에서는 골연골편이 분리된다.

(2) 수술적 치료

① 수술 적응증
- 수개월 동안의 보존적 치료에도 불구하고 통증이 지속되거나 악화되는 안정 병변(stable lesion)
- 안정 병변이었으나 방사선 추시 상 불안정 병변(unstable lesion)으로 진행하는 경우
- ICRS 등급 II 이상의 불안정 병변(unstable lesion)

② 관절경적 치료 방침
- 등급 I: 천공술(drilling)
- 등급 2: 천공술 및 흡수성 핀이나 나사못, 또는 K-강선 등을 이용한 정위치 고정술(in situ fixation) Fig 18
- 등급 III: 분화구(crater)내의 괴사조직의 변연 절제술 및 천공술 후 골연골편을 원위치에 고정한다.
- 등급 IV: 분리된 병변(detached lesion)을 보존할 수 없는 경우 다양한 방법의 치료가 시도된다.

③ 등급 IV에 대한 치료 방법
- 골연골편 내고정술, 골수 자극술[다발성 천공술(multiple drilling) 또는 미세골절술(microfracture)], 자가 골연골 이식술[osteochondral autograft transfer system (OATS)= mosaicplasty], 자가 연골세포 이식술(autologous chondrocyte implantation, ACI) 등이 사용되고 있다.
- 골연골편의 단순 제거술은 단기적인 결과는 좋으나 장기적으로는 좋지 않다고 알려져 있다.
- 골연골편의 내고정에는 K 강선, 압박 나사못(미니 허버트 나사못, 흡수성 나사못 등) 등을 사용할 수 있으며 좋은 결과를 보고한 논문들도 있으나 그 장기적 추시 결과에 대해서는 보고가 드물다.
- 다발성 천공술은 순행성(antegrade drilling) 또는 역행성(retrograde drilling) 방법으로 시행할 수 있으며 대부분 83-98% 정도에서 병변 치유를 얻었다고 보고하고 있다.
- 골 소실이 많이 동반된 병변에 대해서는 4 cm^2 이하 크기의 병변에 대해서는 대퇴골과 내외측 가장 자리에서 3 mm-4.5 mm 직경의 골연골 이식물(osteochondral plug)을 채취하여 이식하는 OATS가 유용하며, 넓은 면적의 연골 소실이 주가 되는 병변에 대해서는 ACI가 적응이 된다. 그러나 이들 술식이 장기 추시에서 얼마나 유용한지는 아직 입증되지 않았다.

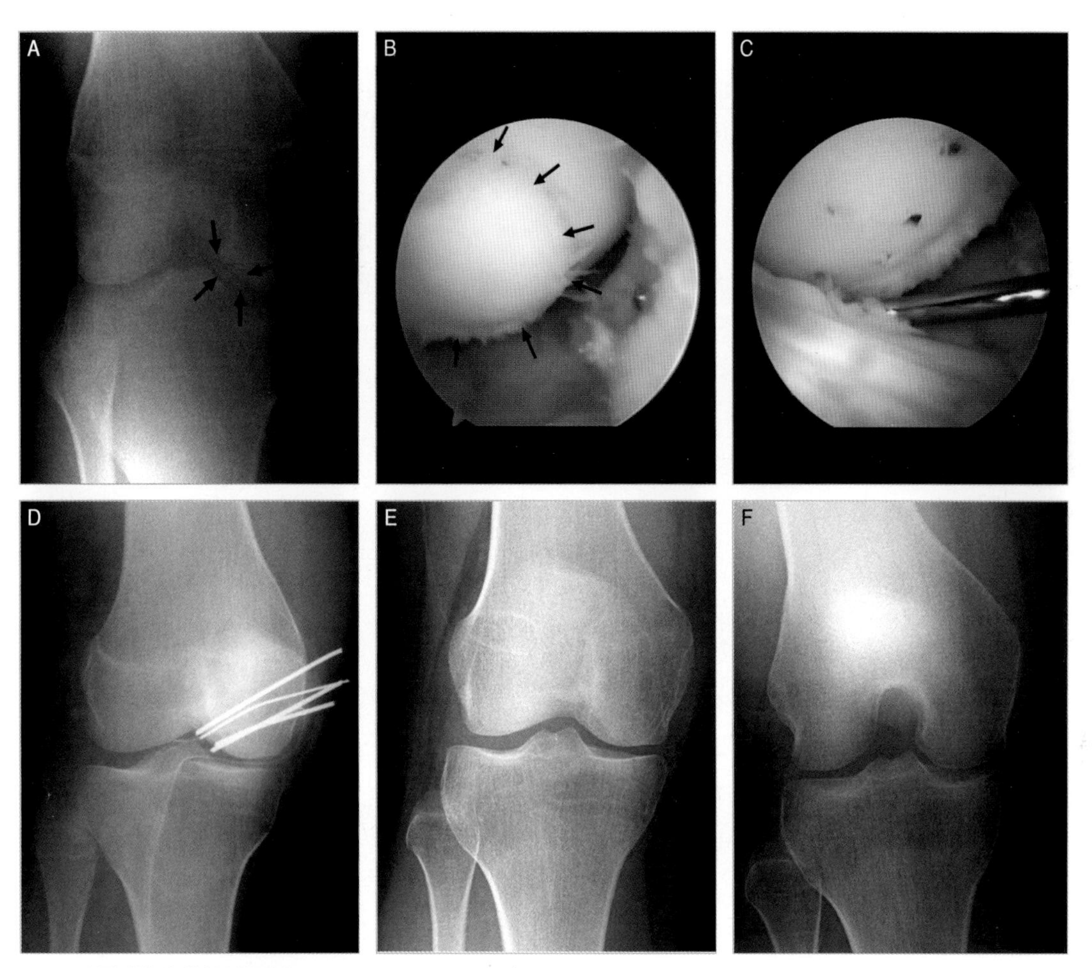

Fig 18. **슬관절의 박리성 골연골염(osteochondritis dissecans).**
15세 여자 환자로 7개월간의 보존적 치료에도 지속적인 통증이 있었다. A: 방사선 사진 상 전위된 골연골편이 관찰된다. B: 관절경 소견 상 불안정 병변이었다. C,D: 골연골편을 젖히고 박리된 부위를 소파 및 다발성 천공한 후 골연골편을 정복하여 K 강선으로 내고정하였다. E,F: 2년 경과 후 방사선 사진 상 완전 치유된 소견이다.

10. 족근관절 전방 충돌 증후군 (anterior ankle impingement syndrome)

1) 골형(bone type)

발레 댄서나 체조 선수 등에서 과도한 족근관절 족배굴곡에 의해 발생하거나 축구 선수에서 원위 경골의 골연골 골절 후 후유증으로 발생하기도 한다.

2) 연부 조직형(soft tissue type)

심한 염좌의 후유증으로 전 거비 인대가 포착되거나 축구 선수에서 반복적인 염좌로 인해 비골과 거골 사이에 반월상 연골판 형태의 병변(meniscoid lesion)이 생겨 이것이 포착되기도 한다.

3) 진단

전방 충돌 증후군은 방사선학적으로는 진단하기가 어려우며 정확한 진단은 관절경 소견으로 내릴 수밖에 없는 경우가 많다.

11. 족근관절 후방 충돌 증후군 (posterior ankle impingement syndrome)

족근관절 후방 충돌 증후군을 초래할 수 있는 질환으로는 삼각 부골(os trigonum), 장 족무지 굴근 건염(flexor hallucis longus tendinitis), 부 근육(accessory muscles) 등이 있다.

1) 삼각 부골

- 거골 후외방에 출현한 골화중심은 평균 1년 정도 경과 후 여아는 9-11세, 남아는 11-14세경에 거골과 유합된다. 그러나 종종 유합되지 않고 남아 있을 수 있는데 이를 삼각 부골이라고 한다.
- 대부분은 증상이 없으나 족근관절을 과도하게 족저굴곡하는 발레, 체조, 다이빙, 아이스 스케이팅 등의 스포츠 활동과 관련하여 삼각 부골이 족근관절 후방부에 충돌하거나 골절되어 통증을 일으킨다.
- 족근관절을 강하게 족저굴곡 시 족근관절 후방에 통증이 유발된다.

2) 장 족무지 굴근 건염

- 장 족무지 굴근 건염은 발레나 체조를 하는 소아 청소년의 족근관절 후내측 부위 통증의 주요 원인이다. 삼각 부골과 함께 동반하여 나타나기도 한다Fig 19.
- 족근관절을 배측 굴곡시킨 상태에서 족무지를 배측 굴곡하면 족근관절 후내측에 통증이 유발된다. 대개 압통이 있다.

3) 부 근육

족근관절 후방 부위의 통증을 일으킬 수 있는 부 근육으로는 부 가자미 근(extra soleus muscle)이 있다. 인구의 8% 정도에서 발견되는데 아킬레스건 내측의 오목한 부위(Kager's triangle)에 존재하여 이 부분에 무언가 꽉 찬 느낌을 호소하며 족근관 증후군(tarsal tunnel syndrome)을 일으킬 수 있다.

4) Haglund 변형

종골 후외측 부위의 골 돌출을 의미하며 보통 신발과의 지속적인 마찰에 의해 생긴다. 아이스 스케이팅 선수에서 흔하나 육상, 스키, 축구 선수에서도 볼 수 있다.

5) 치료

- 족근관절 후방 충돌 증후군에 대한 치료는 대증적 치료 및 신발 교정을 포함한 보존적 치료로 시작하여야 한다. 보존적 치료에 반응하지 않는 심한 경우이거나 과도한 족근관절 족저굴곡을 계속해야 하는 선수인 경우에만 선택적으로 수술적 치료를 고려한다.
- 삼각 부골 절제술은 후내측 및 후외측으로 접근하여

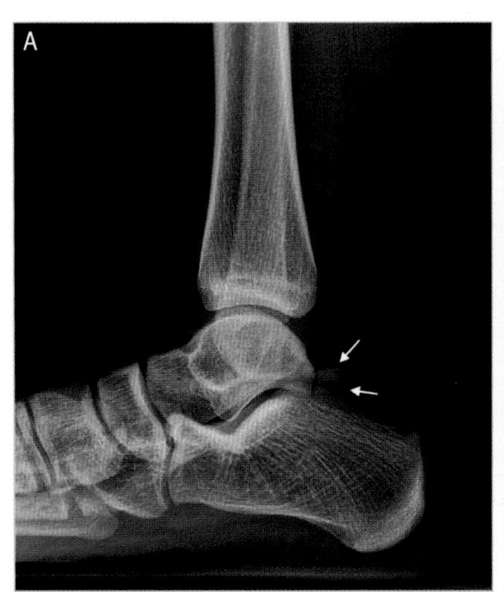

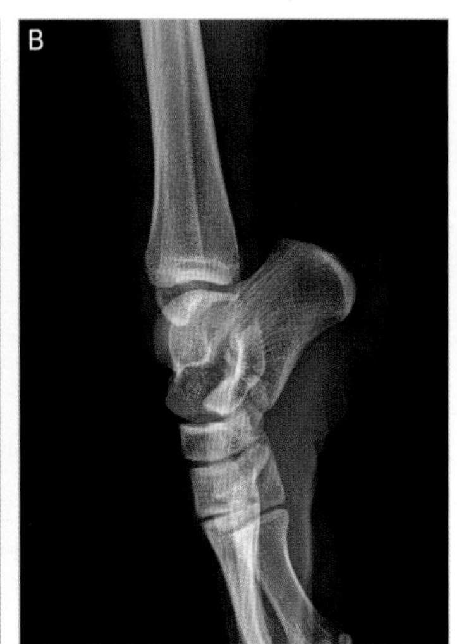

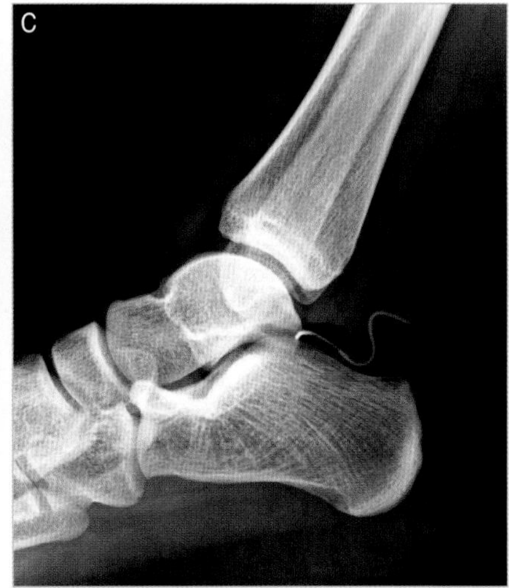

Fig 19. **발레리나에서 발생한 족근관절 후방 충돌 증후군.**
A: 큰 삼각부골(화살표). B: En pointe 자세에서 후방 충돌이 발생한다. C: 보존적 치료에 반응하지 않아 삼각 부골 제거술 및 장 족무지 굴근 건막 유리술로 치료하였다.

수술할 수 있다. 단순 부골 절제를 하는 경우에는 후외측 접근법이, 장 족무지 굴근 건염이 동반된 환자에서는 후내측 접근법이 권장된다. 관절경 수술로 치료하기도 한다.

12. 족무지 손상

1) 제1지간 관절 내측 측부 인대 파열

태권도 등의 운동으로 인한 제1지간 관절 내측 측부 인대 파열이 보고되고 있다. 제1지간 관절은 경첩 관절로 중족지 관절과 비교했을 때 횡단면상에서 안정적인 것으로 알려져 있으며 태권도에서 발차기 등의 과격한 동작으로 인해서 제1지간 관절이 불안정해지며 쉽게 내측으로 아탈구될 수 있다. 쉽게 도수정복이 이루어지나 내측 부분의 개방성 상처 도수정복이 이루어지지 않을 경우에는 수술적 처치를 시행한다Fig 20, 21(Gong 2007, Shin 2008).

2) 잔디 족지(turf toe)

제1중족지간 관절(metatarsophalangeal joint)의 과신전 손상으로 인해 발생하는 족저측 관절막의 염좌이다. 주로 미식축구, 축구, 농구 선수에서 발생하며 push-off 할 때 통증을 호소한다.

- Grade I 손상: 통증과 경한 압통이 있으나 발가락 테이핑만으로도 달리기를 할 수 있다.
- Grade II 손상: 관절운동 범위가 감소하고 반상 출혈이 있다. 약 1-2주간 스포츠 활동을 중단해야 한다.
- Grade III 손상: 발 외측으로 체중을 부하하여야 걸을 수 있으며 심한 통증과 부종이 동반된다. 약 1-2주간의 목발 보행이 필요하며 4-6주간 스포츠 활동을 중단해야 한다.

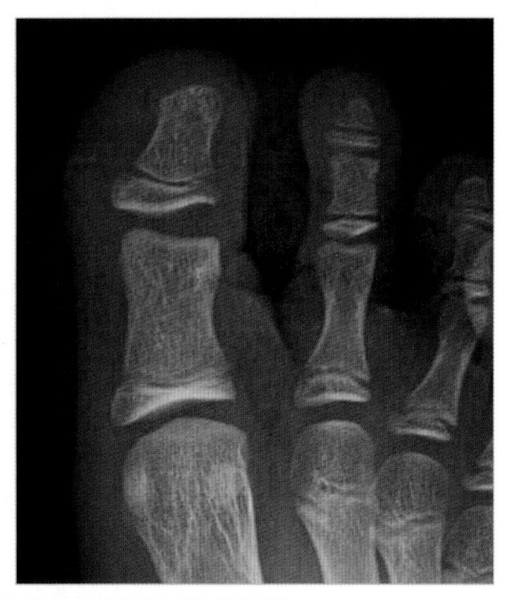

Fig 20. **제1지간 관절 내측 측부 인대 파열.**
10세 남아로 우측 제1지간 관절의 간격이 넓어져 있다.

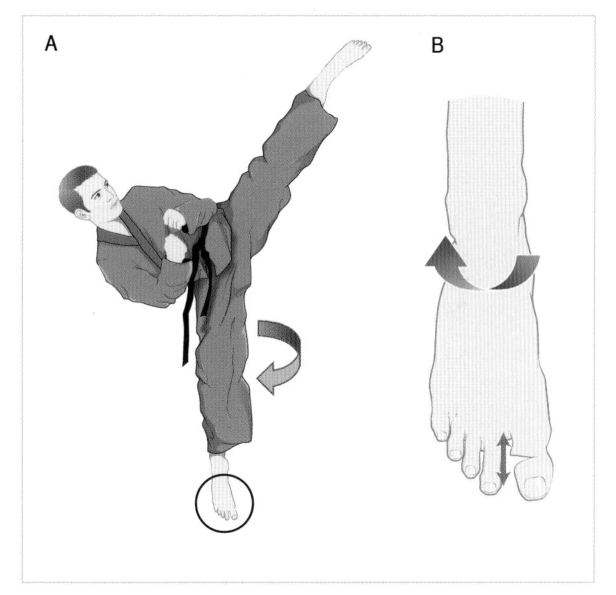

Fig 21. **높이차기 시에 발생하는 제1지간 관절의 손상기전.**
A: 몸 전체가 회전할 때 엄지 발가락에 회전력이 걸리게 된다. B: 그 결과 제1지간 관절에 내반력이 작용하고 측부인대 손상으로 인해 내측 아탈구나 탈구가 발생할 수 있다.

참고문헌

Anderson AF, Richards DB, Pagnani MJ, et al. Antegrade drilling for osteochondritis dissecans of the knee. Arthroscopy. 1997;13:319.

Beck BR, Osternig LR. Medial tibial stress syndrome. The location of muscles in the leg in relation to symptoms. J Bone Joint Surg Am. 1994;76:1057.

Boden BP, Osbahr DC. High-risk stress fractures: evaluation and treatment. J Am Acad Orthop Surg. 2000;8:344.

Cahill BR. Osteochondritis Dissecans of the Knee: Treatment of Juvenile and Adult Forms. J Am Acad Orthop Surg. 1995;3:237.

Gong HS, Kim YH, Park MS. Varus instability of the hallux interphalangeal

Hirano A, Fukubayashi T, Ishii T, et al. Magnetic resonance imaging of Osgood-Schlatter disease: the course of the disease. Skeletal Radiol.2002;31:334.

Joint in a taekwondo athlete. Br J sports Med. 2007;41:917.

Jung JY, Choi SH, Ahn JH, et al. MRI findings with arthroscopic correlation for tear of discoid lateral meniscus: comparison between children and adults. Acta Radiologica 2013;54:442.

Kocher MS, Czarnecki JJ, Andersen JS, et al. Internal fixation of juvenile osteochondritis dissecans lesions of the knee. Am J Sports Med. 2007;35:712.

Kocher MS, Grag S, Micheli LJ. Physeal-sparing reconstruction of the anterior cruciate ligament in skeletally immature prepubescent children and adolescents. J Bone Joint Surg Am. 2005;87:2371.

Krause BL, Williams JP, Catterall A. Natural history of Osgood-Schlatter disease. J Pediatr Orthop. 1990;10:65.

Lee KM, Chung CY, Kwon S-S, et al. Relationship between stress ankle radiographs and injured ligaments on MRI. Skeletal Radiology. 2013.

Lorentzon R et al. Treatment of deep cartilage defects of the patella with periosteal transplantation. Knee Surg Sports Traumatol Arthrosc. 1998;6:202.

Lynch MC, Walsh HP. Tibia recurvatum as a complicaton of Osgood-Schlatter disease: a report of two case. J Pediatr Orthop. 1991;11:543.

Marder RA. Current methods for the evaluation of ankle ligament injuries. J Bone Joint Surg Am. 1994;76:1103.

Michael RH, Holder LE. The soleus syndrome. A cause of medial tibial stress(shin splints). Am J Sports Med. 1985;13:87.

Pedowitz RA, Hargens AR, Mubarak SJ, et al. Modified criteria for the objective diagnosis of chronic compartment syndrome of the leg. Am J Sports Med. 1990;18:35.

Shin CH, Lee DJ, Choi IH, et al. Clinical and radiological outcomes of arthroscopically assisted cannulated screw fixation for tibial eminence fracture in children and adolescents. BMC Musculoskelet Disord. 2018;19:41.

Shin YW, Choi IH, Rhee NK. Open lateral collateral ligament injury of the interphalangeal joint of the great toe in adolescents during Taekwondo. Am J Sports Med. 2008;36:158.

Yoo WJ, Choi IH, Chung CY, et al. Discoid lateral meniscus in children: Limited knee extension and meniscal instability in the posterior segment. J Pediatr Orthop. 2008;28:544-548.

Yoo WJ, Jang WY, Park MS, et al. Arthroscopic Treatment for Symptomatic Discoid Meniscus in Children: Midterm Outcomes and Prognostic Factors. Arthroscopy. 2015;31:2327.

Yoo WJ, Kocher MS, Micheli LJ. Growth plate disturbance after transphyseal reconstruction of the anterior cruciate ligament in skeletally immature adolescent patients: an MR imaging study. J Pediatr Orthop. 2011;31:691.

Yoo WJ, Lee K, Moon HJ, et al. Meniscal morphologic changes on magnetic resonance imaging are associated with symptomatic discoid lateral meniscal tear in children. Arthroscopy. 2012;28:330

Zaricznyj B. Avulsion fracture of the tibial eminence: treatment by open reduction and pinning. J Bone Joint Surg Am. 1977;59:1111.

부록

Supplement

PEDIATRIC
ORTHOPAEDICS

부록

Supplement

목차

부록 1. 한국소아의 발육곡선

1-1. 연령별 신장 곡선

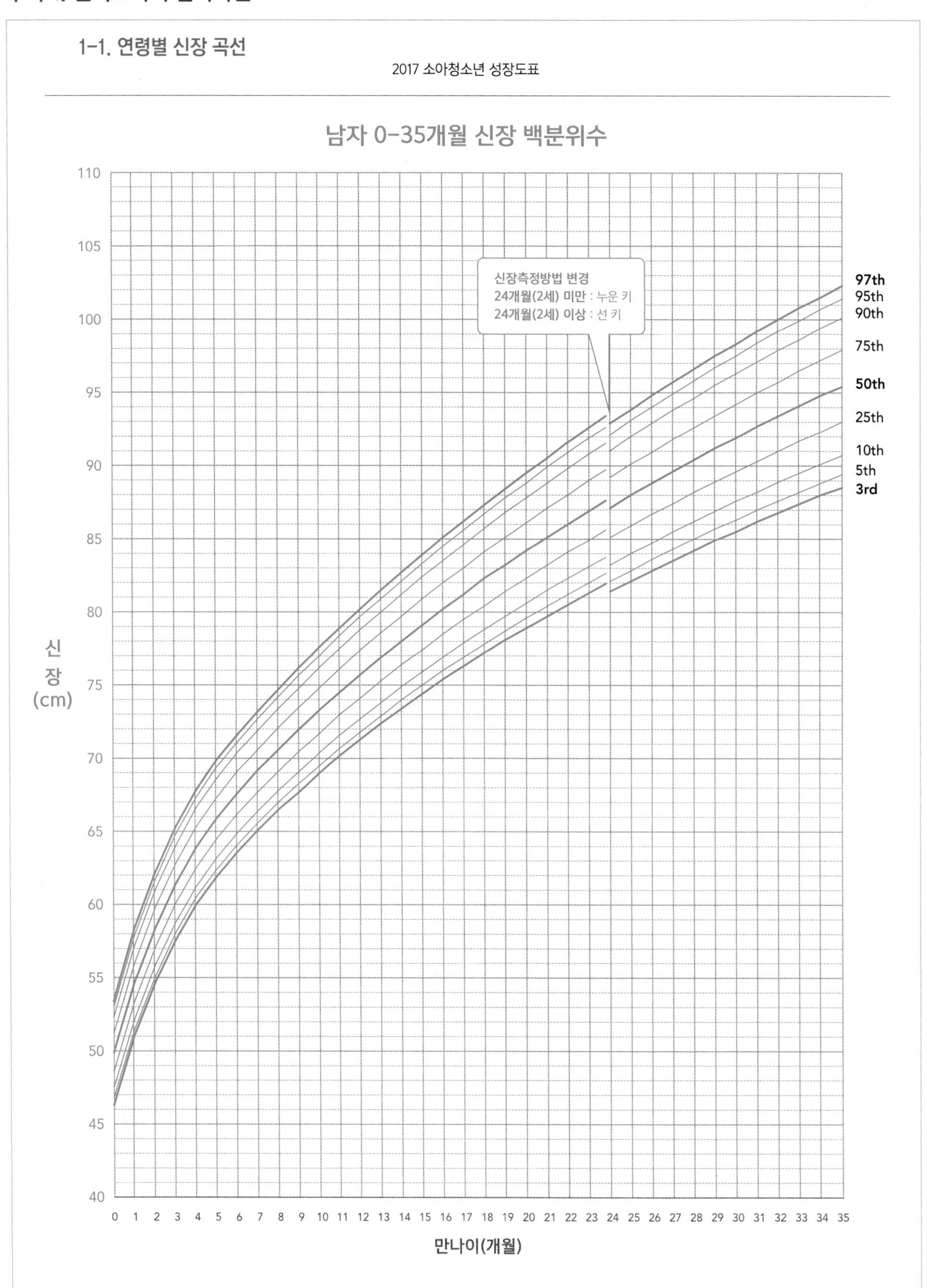

질병관리본부, 대한소아청소년과학회 2017

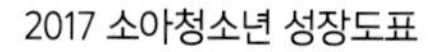
2017 소아청소년 성장도표

여자 0-35개월 신장 백분위수

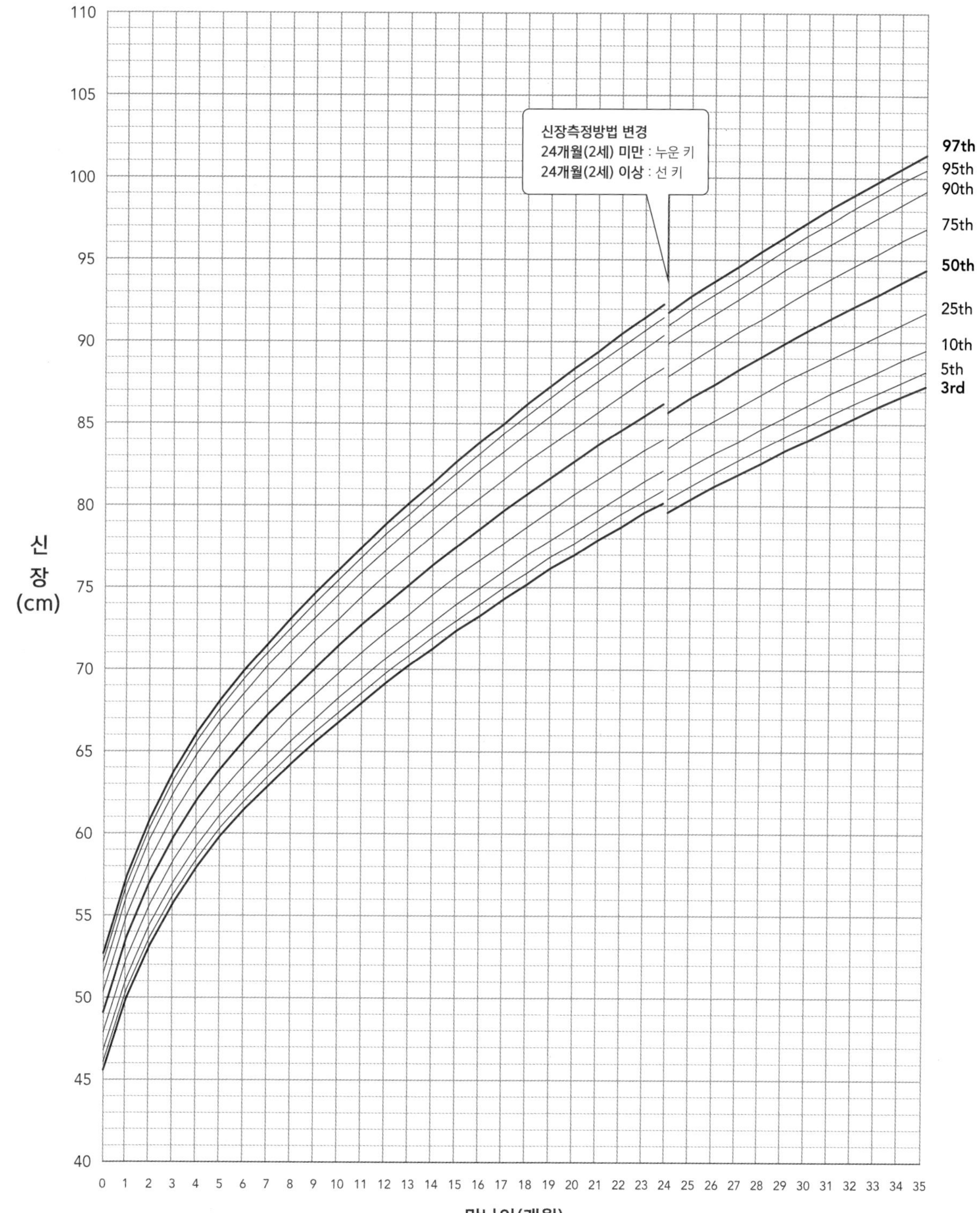

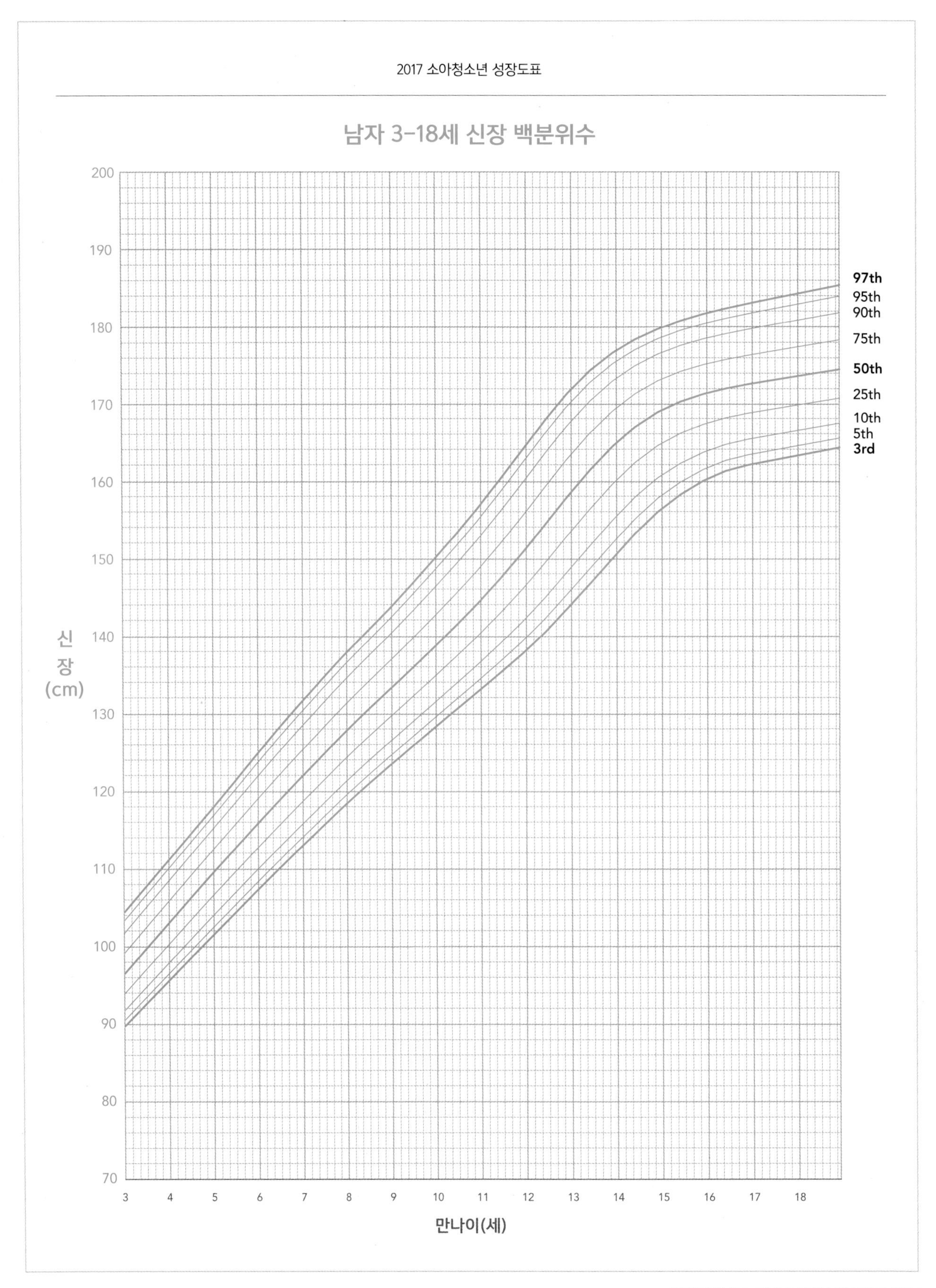

질병관리본부, 대한소아청소년과학회 2017

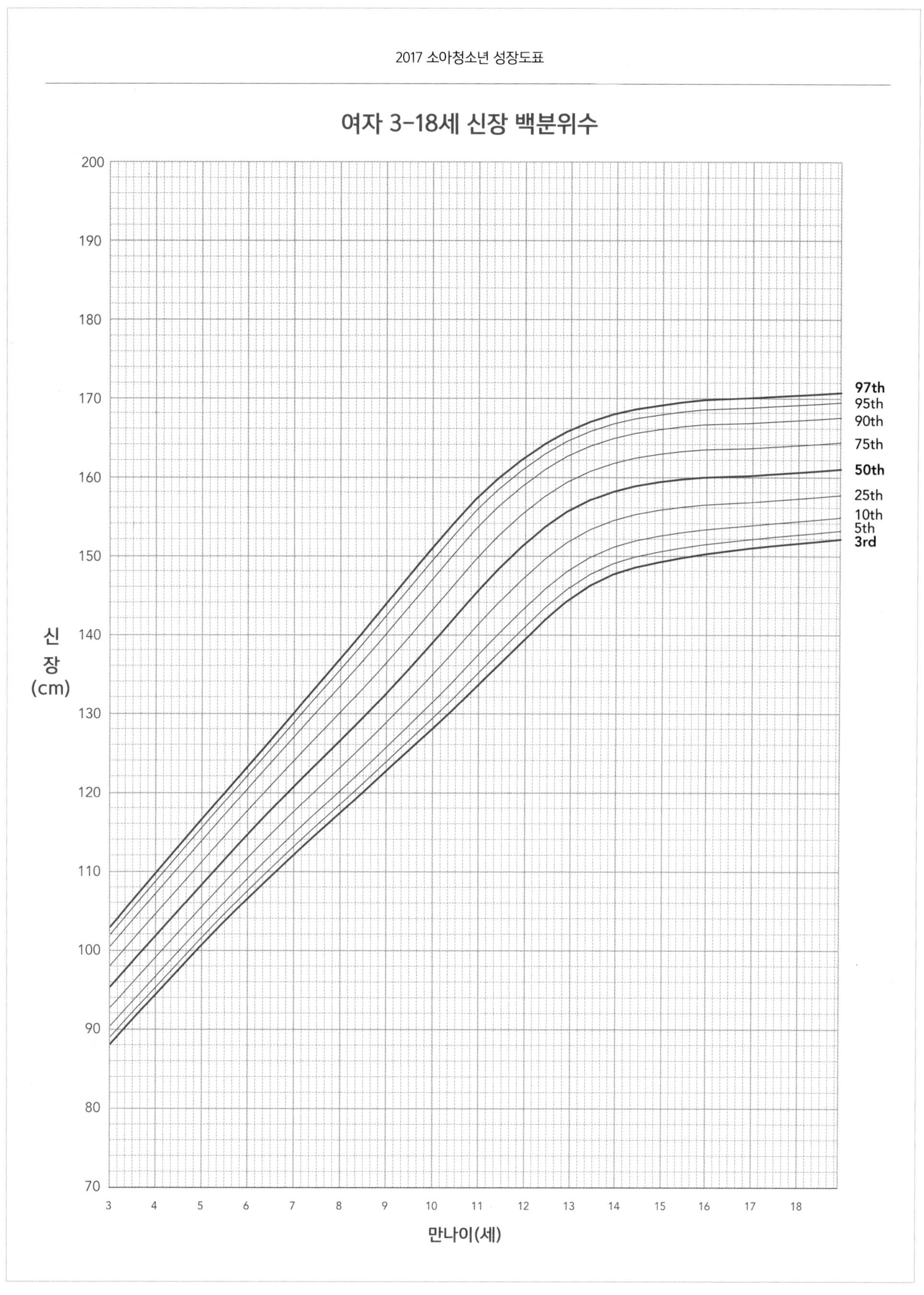

질병관리본부, 대한소아청소년과학회 2017

1-2. 연령별 신장 도표

성별	년	개월	평균	표준편차	신장(cm) 표준점수						
					-3SD	-2SD	-1SD	0.0	+1SD	+2SD	+3SD
M	0	0	49.8842	0.0380	44.2	46.1	48.0	49.9	51.8	53.7	55.6
M	0	1	54.7244	0.0356	48.9	50.8	52.8	54.7	56.7	58.6	60.6
M	0	2	58.4249	0.0342	52.4	54.4	56.4	58.4	60.4	62.4	64.4
M	0	3	61.4292	0.0333	55.3	57.3	59.4	61.4	63.5	65.5	67.6
M	0	4	63.8860	0.0326	57.6	59.7	61.8	63.9	66.0	68.0	70.1
M	0	5	65.9026	0.0320	59.6	61.7	63.8	65.9	68.0	70.1	72.2
M	0	6	67.6236	0.0317	61.2	63.3	65.5	67.6	69.8	71.9	74.0
M	0	7	69.1645	0.0314	62.7	64.8	67.0	69.2	71.3	73.5	75.7
M	0	8	70.5994	0.0312	64.0	66.2	68.4	70.6	72.8	75.0	77.2
M	0	9	71.9687	0.0312	65.2	67.5	69.7	72.0	74.2	76.5	78.7
M	0	10	73.2812	0.0312	66.4	68.7	71.0	73.3	75.6	77.9	80.1
M	0	11	74.5388	0.0313	67.6	69.9	72.2	74.5	76.9	79.2	81.5
M	1	0	75.7488	0.0314	68.6	71.0	73.4	75.7	78.1	80.5	82.9
M	1	1	76.9186	0.0315	69.6	72.1	74.5	76.9	79.3	81.8	84.2
M	1	2	78.0497	0.0317	70.6	73.1	75.6	78.0	80.5	83.0	85.5
M	1	3	79.1458	0.0320	71.6	74.1	76.6	79.1	81.7	84.2	86.7
M	1	4	80.2113	0.0322	72.5	75.0	77.6	80.2	82.8	85.4	88.0
M	1	5	81.2487	0.0325	73.3	76.0	78.6	81.2	83.9	86.5	89.2
M	1	6	82.2587	0.0328	74.2	76.9	79.6	82.3	85.0	87.7	90.4
M	1	7	83.2418	0.0331	75.0	77.7	80.5	83.2	86.0	88.8	91.5
M	1	8	84.1996	0.0334	75.8	78.6	81.4	84.2	87.0	89.8	92.6
M	1	9	85.1348	0.0338	76.5	79.4	82.3	85.1	88.0	90.9	93.8
M	1	10	86.0477	0.0341	77.2	80.2	83.1	86.0	89.0	91.9	94.9
M	1	11	86.9410	0.0345	78.0	81.0	83.9	86.9	89.9	92.9	95.9

신장측정방법 변경
24개월(2세) 미만 : 누운 키
24개월(2세) 이상 : 선 키

성별	년	개월	평균	표준편차	-3SD	-2SD	-1SD	0.0	+1SD	+2SD	+3SD
M	2	0	87.1161	0.0351	78.0	81.0	84.1	87.1	90.2	93.2	96.3
M	2	1	87.9720	0.0354	78.6	81.7	84.9	88.0	91.1	94.2	97.3
M	2	2	88.8065	0.0358	79.3	82.5	85.6	88.8	92.0	95.2	98.3
M	2	3	89.6197	0.0361	79.9	83.1	86.4	89.6	92.9	96.1	99.3
M	2	4	90.4120	0.0364	80.5	83.8	87.1	90.4	93.7	97.0	100.3
M	2	5	91.1828	0.0367	81.1	84.5	87.8	91.2	94.5	97.9	101.2
M	2	6	91.9327	0.0370	81.7	85.1	88.5	91.9	95.3	98.7	102.1
M	2	7	92.6631	0.0373	82.3	85.7	89.2	92.7	96.1	99.6	103.0
M	2	8	93.3753	0.0376	82.8	86.4	89.9	93.4	96.9	100.4	103.9
M	2	9	94.0711	0.0379	83.4	86.9	90.5	94.1	97.6	101.2	104.8
M	2	10	94.7532	0.0381	83.9	87.5	91.1	94.8	98.4	102.0	105.6

질병관리본부, 대한소아청소년과학회 2017

성별	년	개월	평균	표준편차	신장(cm) 표준점수						
					-3SD	-2SD	-1SD	0.0	+1SD	+2SD	+3SD
M	2	11	95.4236	0.0384	84.4	88.1	91.8	95.4	99.1	102.7	106.4
성장도표 변경											
36개월(3세) 미만 : WHO Growth Standards											
36개월(3세) 이상 : 2017 소아청소년 성장도표											
M	3	0	96.4961	0.0403	86.1	89.3	92.8	96.5	100.6	105.0	109.8
M	3	1	97.0464	0.0403	86.6	89.8	93.3	97.0	101.1	105.5	110.4
M	3	2	97.5965	0.0402	87.0	90.3	93.8	97.6	101.7	106.1	110.9
M	3	3	98.1463	0.0402	87.5	90.8	94.3	98.1	102.2	106.7	111.4
M	3	4	98.6959	0.0402	87.9	91.3	94.9	98.7	102.8	107.2	112.0
M	3	5	99.2452	0.0402	88.4	91.8	95.4	99.2	103.4	107.8	112.5
M	3	6	99.7930	0.0401	88.8	92.3	95.9	99.8	103.9	108.3	113.1
M	3	7	100.3406	0.0401	89.3	92.8	96.4	100.3	104.5	108.9	113.6
M	3	8	100.8881	0.0401	89.7	93.2	97.0	100.9	105.1	109.5	114.2
M	3	9	101.4353	0.0401	90.2	93.7	97.5	101.4	105.6	110.0	114.7
M	3	10	101.9824	0.0401	90.6	94.2	98.0	102.0	106.2	110.6	115.3
M	3	11	102.5294	0.0400	91.1	94.7	98.5	102.5	106.7	111.2	115.8
M	4	0	103.0749	0.0400	91.5	95.2	99.0	103.1	107.3	111.7	116.4
M	4	1	103.6204	0.0400	92.0	95.7	99.6	103.6	107.9	112.3	116.9
M	4	2	104.1657	0.0400	92.4	96.2	100.1	104.2	108.4	112.8	117.5
M	4	3	104.7109	0.0399	92.9	96.7	100.6	104.7	109.0	113.4	118.0
M	4	4	105.2560	0.0399	93.3	97.2	101.1	105.3	109.5	114.0	118.6
M	4	5	105.8009	0.0399	93.8	97.6	101.7	105.8	110.1	114.5	119.1
M	4	6	106.3440	0.0399	94.2	98.1	102.2	106.3	110.7	115.1	119.7
M	4	7	106.8869	0.0399	94.7	98.6	102.7	106.9	111.2	115.7	120.3
M	4	8	107.4298	0.0398	95.1	99.1	103.2	107.4	111.8	116.2	120.8
M	4	9	107.9726	0.0398	95.6	99.6	103.7	108.0	112.3	116.8	121.4
M	4	10	108.5153	0.0398	96.0	100.1	104.2	108.5	112.9	117.4	122.0
M	4	11	109.0579	0.0398	96.5	100.6	104.8	109.1	113.4	117.9	122.5
M	5	0	109.5896	0.0398	96.9	101.1	105.3	109.6	114.0	118.5	123.1
M	5	1	110.1212	0.0399	97.4	101.5	105.8	110.1	114.6	119.1	123.7
M	5	2	110.6529	0.0399	97.9	102.0	106.3	110.7	115.1	119.7	124.4
M	5	3	111.1846	0.0399	98.3	102.5	106.8	111.2	115.7	120.3	125.0
M	5	4	111.7162	0.0400	98.8	103.0	107.3	111.7	116.2	120.9	125.6
M	5	5	112.2479	0.0400	99.3	103.5	107.8	112.2	116.8	121.4	126.2
M	5	6	112.7735	0.0400	99.7	104.0	108.3	112.8	117.3	122.0	126.8
M	5	7	113.2990	0.0401	100.2	104.5	108.8	113.3	117.9	122.6	127.5
M	5	8	113.8245	0.0401	100.7	104.9	109.3	113.8	118.5	123.2	128.1
M	5	9	114.3501	0.0402	101.2	105.4	109.8	114.4	119.0	123.8	128.8

성별	년	개월	평균	표준편차	신장(cm) 표준점수						
					-3SD	-2SD	-1SD	0.0	+1SD	+2SD	+3SD
M	5	10	114.8756	0.0402	101.6	105.9	110.3	114.9	119.6	124.4	129.4
M	5	11	115.4010	0.0403	102.1	106.4	110.8	115.4	120.1	125.0	130.0
M	6	0	115.9183	0.0403	102.6	106.9	111.3	115.9	120.7	125.6	130.7
M	6	1	116.4356	0.0404	103.0	107.3	111.8	116.4	121.2	126.2	131.3
M	6	2	116.9528	0.0404	103.5	107.8	112.3	117.0	121.8	126.7	131.9
M	6	3	117.4701	0.0405	104.0	108.3	112.8	117.5	122.3	127.3	132.5
M	6	4	117.9874	0.0405	104.4	108.8	113.3	118.0	122.9	127.9	133.2
M	6	5	118.5047	0.0406	104.9	109.2	113.8	118.5	123.4	128.5	133.8
M	6	6	119.0136	0.0406	105.3	109.7	114.3	119.0	123.9	129.1	134.4
M	6	7	119.5225	0.0406	105.8	110.2	114.8	119.5	124.5	129.6	134.9
M	6	8	120.0314	0.0406	106.2	110.7	115.3	120.0	125.0	130.2	135.5
M	6	9	120.5404	0.0406	106.7	111.1	115.7	120.5	125.5	130.7	136.1
M	6	10	121.0493	0.0406	107.1	111.6	116.2	121.0	126.1	131.3	136.7
M	6	11	121.5582	0.0406	107.6	112.1	116.7	121.6	126.6	131.8	137.3
M	7	0	122.0537	0.0406	108.0	112.5	117.2	122.1	127.1	132.4	137.8
M	7	1	122.5492	0.0406	108.5	113.0	117.7	122.5	127.6	132.9	138.4
M	7	2	123.0447	0.0406	108.9	113.4	118.1	123.0	128.1	133.4	138.9
M	7	3	123.5402	0.0406	109.3	113.9	118.6	123.5	128.7	134.0	139.5
M	7	4	124.0357	0.0406	109.8	114.4	119.1	124.0	129.2	134.5	140.1
M	7	5	124.5313	0.0406	110.2	114.8	119.6	124.5	129.7	135.0	140.6
M	7	6	125.0114	0.0406	110.7	115.3	120.0	125.0	130.2	135.6	141.1
M	7	7	125.4914	0.0405	111.1	115.7	120.5	125.5	130.7	136.1	141.7
M	7	8	125.9715	0.0405	111.5	116.1	121.0	126.0	131.2	136.6	142.2
M	7	9	126.4515	0.0405	111.9	116.6	121.4	126.5	131.7	137.1	142.7
M	7	10	126.9316	0.0405	112.3	117.0	121.9	126.9	132.2	137.6	143.2
M	7	11	127.4116	0.0405	112.8	117.5	122.3	127.4	132.7	138.1	143.8
M	8	0	127.8793	0.0405	113.2	117.9	122.8	127.9	133.1	138.6	144.3
M	8	1	128.3469	0.0404	113.6	118.3	123.2	128.3	133.6	139.1	144.8
M	8	2	128.8145	0.0404	114.0	118.7	123.7	128.8	134.1	139.6	145.2
M	8	3	129.2821	0.0404	114.4	119.2	124.1	129.3	134.6	140.1	145.7
M	8	4	129.7497	0.0404	114.8	119.6	124.6	129.7	135.1	140.6	146.2
M	8	5	130.2172	0.0404	115.2	120.0	125.0	130.2	135.6	141.1	146.7
M	8	6	130.6754	0.0404	115.6	120.4	125.5	130.7	136.0	141.6	147.2
M	8	7	131.1336	0.0404	116.0	120.9	125.9	131.1	136.5	142.1	147.8
M	8	8	131.5919	0.0404	116.4	121.3	126.4	131.6	137.0	142.6	148.3
M	8	9	132.0501	0.0404	116.8	121.7	126.8	132.1	137.5	143.1	148.8
M	8	10	132.5084	0.0404	117.2	122.1	127.2	132.5	137.9	143.6	149.3

질병관리본부, 대한소아청소년과학회 2017

성별	년	개월	평균	표준편차	신장(cm) 표준점수						
					-3SD	-2SD	-1SD	0.0	+1SD	+2SD	+3SD
M	8	11	132.9666	0.0404	117.6	122.6	127.7	133.0	138.4	144.1	149.9
M	9	0	133.4136	0.0405	118.0	123.0	128.1	133.4	138.9	144.6	150.4
M	9	1	133.8606	0.0406	118.4	123.4	128.5	133.9	139.4	145.1	151.0
M	9	2	134.3076	0.0406	118.8	123.8	128.9	134.3	139.9	145.6	151.6
M	9	3	134.7545	0.0407	119.2	124.2	129.4	134.8	140.3	146.1	152.2
M	9	4	135.2014	0.0408	119.6	124.6	129.8	135.2	140.8	146.7	152.7
M	9	5	135.6482	0.0409	120.0	125.0	130.2	135.6	141.3	147.2	153.3
M	9	6	136.1026	0.0410	120.3	125.4	130.6	136.1	141.8	147.7	153.9
M	9	7	136.5569	0.0411	120.7	125.8	131.1	136.6	142.3	148.3	154.5
M	9	8	137.0113	0.0412	121.1	126.2	131.5	137.0	142.8	148.8	155.1
M	9	9	137.4656	0.0414	121.5	126.6	131.9	137.5	143.3	149.3	155.7
M	9	10	137.9199	0.0415	121.8	127.0	132.3	137.9	143.8	149.9	156.3
M	9	11	138.3742	0.0416	122.2	127.4	132.7	138.4	144.3	150.4	156.9
M	10	0	138.8473	0.0417	122.6	127.8	133.2	138.8	144.8	151.0	157.5
M	10	1	139.3205	0.0419	122.9	128.2	133.6	139.3	145.3	151.5	158.1
M	10	2	139.7936	0.0420	123.3	128.6	134.0	139.8	145.8	152.1	158.7
M	10	3	140.2667	0.0422	123.7	129.0	134.5	140.3	146.3	152.6	159.3
M	10	4	140.7398	0.0423	124.0	129.4	134.9	140.7	146.8	153.2	159.9
M	10	5	141.2130	0.0424	124.4	129.8	135.4	141.2	147.3	153.8	160.5
M	10	6	141.7059	0.0426	124.7	130.1	135.8	141.7	147.9	154.3	161.1
M	10	7	142.1987	0.0428	125.1	130.5	136.2	142.2	148.4	154.9	161.7
M	10	8	142.6916	0.0430	125.4	130.9	136.7	142.7	149.0	155.5	162.4
M	10	9	143.1844	0.0432	125.8	131.3	137.1	143.2	149.5	156.1	163.0
M	10	10	143.6773	0.0434	126.1	131.7	137.6	143.7	150.0	156.7	163.6
M	10	11	144.1701	0.0436	126.5	132.1	138.0	144.2	150.6	157.3	164.2
M	11	0	144.7010	0.0438	126.8	132.5	138.5	144.7	151.2	157.9	164.9
M	11	1	145.2319	0.0441	127.1	132.9	139.0	145.2	151.8	158.5	165.6
M	11	2	145.7627	0.0443	127.4	133.3	139.4	145.8	152.3	159.2	166.2
M	11	3	146.2935	0.0445	127.7	133.7	139.9	146.3	152.9	159.8	166.9
M	11	4	146.8242	0.0448	128.0	134.1	140.4	146.8	153.5	160.4	167.5
M	11	5	147.3549	0.0450	128.3	134.5	140.8	147.4	154.1	161.0	168.2
M	11	6	147.9321	0.0453	128.7	134.9	141.3	147.9	154.7	161.7	168.8
M	11	7	148.5094	0.0455	129.0	135.3	141.8	148.5	155.3	162.3	169.5
M	11	8	149.0866	0.0457	129.3	135.7	142.3	149.1	156.0	163.0	170.1
M	11	9	149.6638	0.0459	129.6	136.1	142.8	149.7	156.6	163.6	170.8
M	11	10	150.2409	0.0462	129.9	136.6	143.4	150.2	157.2	164.3	171.4
M	11	11	150.8180	0.0464	130.1	137.0	143.9	150.8	157.8	164.9	172.1

질병관리본부, 대한소아청소년과학회 2017

성별	년	개월	평균	표준편차	신장(cm) 표준점수						
					-3SD	-2SD	-1SD	0.0	+1SD	+2SD	+3SD
M	12	0	151.4223	0.0465	130.5	137.4	144.4	151.4	158.5	165.6	172.7
M	12	1	152.0268	0.0466	130.8	137.9	144.9	152.0	159.1	166.2	173.3
M	12	2	152.6312	0.0467	131.1	138.3	145.5	152.6	159.7	166.8	173.9
M	12	3	153.2358	0.0468	131.4	138.8	146.0	153.2	160.4	167.5	174.5
M	12	4	153.8404	0.0469	131.7	139.2	146.6	153.8	161.0	168.1	175.1
M	12	5	154.4450	0.0470	132.0	139.7	147.1	154.4	161.6	168.7	175.7
M	12	6	155.0459	0.0469	132.4	140.2	147.7	155.0	162.2	169.3	176.2
M	12	7	155.6468	0.0469	132.8	140.7	148.3	155.6	162.8	169.9	176.8
M	12	8	156.2477	0.0468	133.2	141.2	148.8	156.2	163.5	170.5	177.3
M	12	9	156.8487	0.0467	133.6	141.7	149.4	156.8	164.1	171.0	177.8
M	12	10	157.4497	0.0466	134.0	142.2	150.0	157.4	164.7	171.6	178.3
M	12	11	158.0507	0.0465	134.4	142.7	150.5	158.1	165.3	172.2	178.9
M	13	0	158.6245	0.0463	134.8	143.2	151.1	158.6	165.8	172.7	179.3
M	13	1	159.1984	0.0460	135.2	143.7	151.7	159.2	166.3	173.2	179.7
M	13	2	159.7724	0.0457	135.6	144.2	152.3	159.8	166.9	173.6	180.1
M	13	3	160.3465	0.0454	136.1	144.8	152.8	160.3	167.4	174.1	180.5
M	13	4	160.9207	0.0452	136.5	145.3	153.4	160.9	168.0	174.6	180.9
M	13	5	161.4949	0.0449	136.9	145.8	154.0	161.5	168.5	175.1	181.3
M	13	6	162.0038	0.0445	137.4	146.4	154.5	162.0	169.0	175.5	181.6
M	13	7	162.5128	0.0440	137.8	146.9	155.1	162.5	169.4	175.8	181.9
M	13	8	163.0218	0.0436	138.3	147.4	155.6	163.0	169.9	176.2	182.1
M	13	9	163.5308	0.0431	138.8	148.0	156.1	163.5	170.3	176.6	182.4
M	13	10	164.0398	0.0427	139.3	148.5	156.7	164.0	170.7	176.9	182.7
M	13	11	164.5488	0.0423	139.7	149.1	157.2	164.5	171.2	177.3	183.0
M	14	0	164.9650	0.0417	140.3	149.6	157.7	165.0	171.5	177.6	183.2
M	14	1	165.3813	0.0412	140.9	150.1	158.2	165.4	171.9	177.9	183.4
M	14	2	165.7975	0.0407	141.5	150.7	158.7	165.8	172.2	178.1	183.6
M	14	3	166.2138	0.0402	142.1	151.2	159.2	166.2	172.6	178.4	183.8
M	14	4	166.6301	0.0397	142.7	151.8	159.6	166.6	172.9	178.7	184.0
M	14	5	167.0464	0.0392	143.3	152.3	160.1	167.0	173.3	179.0	184.2
M	14	6	167.3647	0.0388	143.9	152.8	160.5	167.4	173.6	179.2	184.4
M	14	7	167.6831	0.0384	144.5	153.3	160.9	167.7	173.8	179.4	184.6
M	14	8	168.0013	0.0379	145.1	153.7	161.3	168.0	174.1	179.6	184.8
M	14	9	168.3195	0.0375	145.7	154.2	161.7	168.3	174.3	179.9	185.0
M	14	10	168.6377	0.0370	146.3	154.7	162.1	168.6	174.6	180.1	185.2
M	14	11	168.9558	0.0366	146.9	155.2	162.5	169.0	174.9	180.3	185.3
M	15	0	169.1812	0.0363	147.5	155.6	162.7	169.2	175.1	180.5	185.5

질병관리본부, 대한소아청소년과학회 2017

성별	년	개월	평균	표준편차	신장(cm) 표준점수						
					-3SD	-2SD	-1SD	0.0	+1SD	+2SD	+3SD
M	15	1	169.4066	0.0360	148.0	156.0	163.0	169.4	175.3	180.7	185.7
M	15	2	169.6319	0.0357	148.6	156.3	163.3	169.6	175.4	180.8	185.9
M	15	3	169.8571	0.0353	149.1	156.7	163.6	169.9	175.6	181.0	186.0
M	15	4	170.0824	0.0350	149.6	157.1	163.9	170.1	175.8	181.2	186.2
M	15	5	170.3076	0.0347	150.2	157.5	164.2	170.3	176.0	181.4	186.4
M	15	6	170.4684	0.0345	150.6	157.8	164.4	170.5	176.2	181.5	186.6
M	15	7	170.6294	0.0342	151.1	158.1	164.6	170.6	176.3	181.6	186.7
M	15	8	170.7906	0.0340	151.6	158.4	164.8	170.8	176.4	181.8	186.9
M	15	9	170.9520	0.0338	152.0	158.7	165.0	171.0	176.6	181.9	187.1
M	15	10	171.1137	0.0335	152.5	159.0	165.2	171.1	176.7	182.1	187.2
M	15	11	171.2756	0.0333	152.9	159.3	165.4	171.3	176.9	182.2	187.4
M	16	0	171.3949	0.0332	153.2	159.6	165.6	171.4	177.0	182.4	187.6
M	16	1	171.5145	0.0330	153.6	159.8	165.8	171.5	177.1	182.5	187.7
M	16	2	171.6344	0.0328	153.9	160.0	165.9	171.6	177.2	182.6	187.9
M	16	3	171.7546	0.0327	154.2	160.2	166.1	171.8	177.3	182.7	188.0
M	16	4	171.8752	0.0325	154.6	160.5	166.2	171.9	177.4	182.8	188.2
M	16	5	171.9960	0.0324	154.9	160.7	166.4	172.0	177.5	183.0	188.3
M	16	6	172.0897	0.0323	155.1	160.8	166.5	172.1	177.6	183.1	188.5
M	16	7	172.1836	0.0323	155.2	160.9	166.6	172.2	177.7	183.2	188.6
M	16	8	172.2775	0.0322	155.4	161.1	166.7	172.3	177.8	183.3	188.7
M	16	9	172.3716	0.0322	155.6	161.2	166.8	172.4	177.9	183.4	188.9
M	16	10	172.4658	0.0321	155.8	161.3	166.9	172.5	178.0	183.5	189.0
M	16	11	172.5600	0.0321	155.9	161.5	167.0	172.6	178.1	183.6	189.2
M	17	0	172.6404	0.0321	156.0	161.6	167.1	172.6	178.2	183.7	189.3
M	17	1	172.7207	0.0321	156.2	161.7	167.2	172.7	178.3	183.8	189.4
M	17	2	172.8009	0.0321	156.3	161.8	167.3	172.8	178.4	183.9	189.5
M	17	3	172.8812	0.0321	156.4	161.9	167.4	172.9	178.4	184.0	189.7
M	17	4	172.9614	0.0321	156.5	161.9	167.4	173.0	178.5	184.1	189.8
M	17	5	173.0416	0.0321	156.6	162.0	167.5	173.0	178.6	184.2	189.9
M	17	6	173.1222	0.0321	156.7	162.1	167.6	173.1	178.7	184.3	190.1
M	17	7	173.2027	0.0321	156.9	162.2	167.7	173.2	178.8	184.4	190.2
M	17	8	173.2832	0.0321	157.0	162.3	167.8	173.3	178.9	184.5	190.3
M	17	9	173.3636	0.0320	157.1	162.4	167.9	173.4	179.0	184.6	190.4
M	17	10	173.4440	0.0320	157.2	162.5	167.9	173.4	179.0	184.7	190.5
M	17	11	173.5244	0.0320	157.3	162.6	168.0	173.5	179.1	184.8	190.7
M	18	0	173.6037	0.0320	157.4	162.7	168.1	173.6	179.2	184.9	190.8
M	18	1	173.6830	0.0320	157.5	162.8	168.2	173.7	179.3	185.0	190.9

질병관리본부, 대한소아청소년과학회 2017

성별	년	개월	평균	표준편차	신장(cm) 표준점수						
					-3SD	-2SD	-1SD	0.0	+1SD	+2SD	+3SD
M	18	2	173.7622	0.0320	157.7	162.9	168.3	173.8	179.4	185.1	191.0
M	18	3	173.8413	0.0320	157.8	163.0	168.3	173.8	179.5	185.2	191.2
M	18	4	173.9204	0.0320	157.9	163.1	168.4	173.9	179.6	185.4	191.3
M	18	5	173.9995	0.0320	158.0	163.2	168.5	174.0	179.6	185.5	191.4
M	18	6	174.0764	0.0320	158.1	163.3	168.6	174.1	179.7	185.6	191.6
M	18	7	174.1532	0.0320	158.2	163.4	168.7	174.2	179.8	185.7	191.7
M	18	8	174.2300	0.0320	158.4	163.5	168.8	174.2	179.9	185.8	191.8
M	18	9	174.3067	0.0319	158.5	163.6	168.8	174.3	180.0	185.9	192.0
M	18	10	174.3833	0.0319	158.6	163.7	168.9	174.4	180.1	186.0	192.1
M	18	11	174.4598	0.0319	158.7	163.8	169.0	174.5	180.1	186.1	192.2
F	0	0	49.1477	0.0379	43.6	45.4	47.3	49.1	51.0	52.9	54.7
F	0	1	53.6872	0.0364	47.8	49.8	51.7	53.7	55.6	57.6	59.5
F	0	2	57.0673	0.0357	51.0	53.0	55.0	57.1	59.1	61.1	63.2
F	0	3	59.8029	0.0352	53.5	55.6	57.7	59.8	61.9	64.0	66.1
F	0	4	62.0899	0.0349	55.6	57.8	59.9	62.1	64.3	66.4	68.6
F	0	5	64.0301	0.0346	57.4	59.6	61.8	64.0	66.2	68.5	70.7
F	0	6	65.7311	0.0345	58.9	61.2	63.5	65.7	68.0	70.3	72.5
F	0	7	67.2873	0.0344	60.3	62.7	65.0	67.3	69.6	71.9	74.2
F	0	8	68.7498	0.0344	61.7	64.0	66.4	68.7	71.1	73.5	75.8
F	0	9	70.1435	0.0344	62.9	65.3	67.7	70.1	72.6	75.0	77.4
F	0	10	71.4818	0.0345	64.1	66.5	69.0	71.5	73.9	76.4	78.9
F	0	11	72.7710	0.0346	65.2	67.7	70.3	72.8	75.3	77.8	80.3
F	1	0	74.0150	0.0348	66.3	68.9	71.4	74.0	76.6	79.2	81.7
F	1	1	75.2176	0.0350	67.3	70.0	72.6	75.2	77.8	80.5	83.1
F	1	2	76.3817	0.0351	68.3	71.0	73.7	76.4	79.1	81.7	84.4
F	1	3	77.5099	0.0353	69.3	72.0	74.8	77.5	80.2	83.0	85.7
F	1	4	78.6055	0.0356	70.2	73.0	75.8	78.6	81.4	84.2	87.0
F	1	5	79.6710	0.0358	71.1	74.0	76.8	79.7	82.5	85.4	88.2
F	1	6	80.7079	0.0360	72.0	74.9	77.8	80.7	83.6	86.5	89.4
F	1	7	81.7182	0.0362	72.8	75.8	78.8	81.7	84.7	87.6	90.6
F	1	8	82.7036	0.0364	73.7	76.7	79.7	82.7	85.7	88.7	91.7
F	1	9	83.6654	0.0367	74.5	77.5	80.6	83.7	86.7	89.8	92.9
F	1	10	84.6040	0.0369	75.2	78.4	81.5	84.6	87.7	90.8	94.0
F	1	11	85.5202	0.0371	76.0	79.2	82.3	85.5	88.7	91.9	95.0

신장측정방법 변경
24개월(2세) 미만 : 누운 키
24개월(2세) 이상 : 선 키

성별	년	개월	평균	표준편차	-3SD	-2SD	-1SD	0.0	+1SD	+2SD	+3SD
F	2	0	85.7153	0.0376	76.0	79.3	82.5	85.7	88.9	92.2	95.4

질병관리본부, 대한소아청소년과학회 2017

성별	년	개월	평균	표준편차	신장(cm) 표준점수						
					-3SD	-2SD	-1SD	0.0	+1SD	+2SD	+3SD
F	2	1	86.5904	0.0379	76.8	80.0	83.3	86.6	89.9	93.1	96.4
F	2	2	87.4462	0.0381	77.5	80.8	84.1	87.4	90.8	94.1	97.4
F	2	3	88.2830	0.0383	78.1	81.5	84.9	88.3	91.7	95.0	98.4
F	2	4	89.1004	0.0385	78.8	82.2	85.7	89.1	92.5	96.0	99.4
F	2	5	89.8991	0.0387	79.5	82.9	86.4	89.9	93.4	96.9	100.3
F	2	6	90.6797	0.0389	80.1	83.6	87.1	90.7	94.2	97.7	101.3
F	2	7	91.4430	0.0391	80.7	84.3	87.9	91.4	95.0	98.6	102.2
F	2	8	92.1906	0.0393	81.3	84.9	88.6	92.2	95.8	99.4	103.1
F	2	9	92.9239	0.0395	81.9	85.6	89.3	92.9	96.6	100.3	103.9
F	2	10	93.6444	0.0397	82.5	86.2	89.9	93.6	97.4	101.1	104.8
F	2	11	94.3533	0.0399	83.1	86.8	90.6	94.4	98.1	101.9	105.6

성장도표 변경
36개월(3세) 미만 : WHO Growth Standards
36개월(3세) 이상 : 2017 소아청소년 성장도표

성별	년	개월	평균	표준편차	-3SD	-2SD	-1SD	0.0	+1SD	+2SD	+3SD
F	3	0	95.4078	0.0413	83.9	87.7	91.5	95.4	99.4	103.4	107.6
F	3	1	95.9472	0.0412	84.4	88.2	92.0	95.9	99.9	104.0	108.2
F	3	2	96.4867	0.0411	85.0	88.7	92.6	96.5	100.5	104.6	108.8
F	3	3	97.0262	0.0410	85.5	89.3	93.1	97.0	101.1	105.2	109.4
F	3	4	97.5658	0.0409	86.1	89.8	93.6	97.6	101.6	105.8	110.0
F	3	5	98.1054	0.0408	86.6	90.3	94.2	98.1	102.2	106.3	110.6
F	3	6	98.6465	0.0407	87.1	90.8	94.7	98.6	102.7	106.9	111.2
F	3	7	99.1877	0.0406	87.6	91.4	95.2	99.2	103.3	107.5	111.8
F	3	8	99.7288	0.0405	88.2	91.9	95.8	99.7	103.8	108.1	112.4
F	3	9	100.2700	0.0404	88.7	92.4	96.3	100.3	104.4	108.6	113.0
F	3	10	100.8113	0.0403	89.2	93.0	96.8	100.8	104.9	109.2	113.6
F	3	11	101.3525	0.0402	89.7	93.5	97.3	101.4	105.5	109.8	114.2
F	4	0	101.8943	0.0401	90.3	94.0	97.9	101.9	106.1	110.4	114.8
F	4	1	102.4361	0.0400	90.8	94.5	98.4	102.4	106.6	110.9	115.4
F	4	2	102.9779	0.0399	91.3	95.1	98.9	103.0	107.2	111.5	116.0
F	4	3	103.5197	0.0398	91.8	95.6	99.5	103.5	107.7	112.1	116.6
F	4	4	104.0616	0.0397	92.4	96.1	100.0	104.1	108.3	112.7	117.2
F	4	5	104.6034	0.0396	92.9	96.6	100.5	104.6	108.8	113.2	117.8
F	4	6	105.1425	0.0395	93.4	97.2	101.1	105.1	109.4	113.8	118.4
F	4	7	105.6816	0.0395	93.9	97.7	101.6	105.7	109.9	114.4	119.0
F	4	8	106.2208	0.0394	94.4	98.2	102.1	106.2	110.5	114.9	119.6
F	4	9	106.7600	0.0393	95.0	98.7	102.7	106.8	111.0	115.5	120.2
F	4	10	107.2992	0.0392	95.5	99.3	103.2	107.3	111.6	116.1	120.8
F	4	11	107.8384	0.0391	96.0	99.8	103.7	107.8	112.2	116.7	121.4

질병관리본부, 대한소아청소년과학회 2017

성별	년	개월	평균	표준편차	신장(cm) 표준점수						
					-3SD	-2SD	-1SD	0.0	+1SD	+2SD	+3SD
F	5	0	108.3714	0.0390	96.5	100.3	104.2	108.4	112.7	117.2	122.0
F	5	1	108.9045	0.0390	97.0	100.8	104.8	108.9	113.2	117.8	122.5
F	5	2	109.4375	0.0389	97.5	101.3	105.3	109.4	113.8	118.3	123.1
F	5	3	109.9706	0.0389	97.9	101.8	105.8	110.0	114.3	118.9	123.7
F	5	4	110.5036	0.0388	98.4	102.3	106.3	110.5	114.9	119.5	124.2
F	5	5	111.0366	0.0388	98.9	102.8	106.8	111.0	115.4	120.0	124.8
F	5	6	111.5656	0.0388	99.3	103.3	107.3	111.6	116.0	120.6	125.3
F	5	7	112.0946	0.0388	99.8	103.7	107.8	112.1	116.5	121.1	125.9
F	5	8	112.6235	0.0388	100.2	104.2	108.3	112.6	117.1	121.7	126.5
F	5	9	113.1523	0.0388	100.7	104.7	108.8	113.2	117.6	122.2	127.0
F	5	10	113.6811	0.0388	101.1	105.2	109.3	113.7	118.2	122.8	127.6
F	5	11	114.2098	0.0388	101.5	105.6	109.9	114.2	118.7	123.3	128.1
F	6	0	114.7289	0.0388	102.0	106.1	110.3	114.7	119.2	123.9	128.7
F	6	1	115.2479	0.0388	102.4	106.6	110.8	115.2	119.8	124.5	129.3
F	6	2	115.7670	0.0389	102.8	107.0	111.3	115.8	120.3	125.0	129.9
F	6	3	116.2860	0.0389	103.3	107.5	111.8	116.3	120.9	125.6	130.4
F	6	4	116.8050	0.0390	103.7	108.0	112.3	116.8	121.4	126.2	131.0
F	6	5	117.3240	0.0390	104.1	108.4	112.8	117.3	122.0	126.7	131.6
F	6	6	117.8257	0.0391	104.6	108.9	113.3	117.8	122.5	127.3	132.2
F	6	7	118.3274	0.0391	105.0	109.3	113.8	118.3	123.0	127.9	132.9
F	6	8	118.8292	0.0392	105.5	109.8	114.2	118.8	123.6	128.4	133.5
F	6	9	119.3310	0.0393	105.9	110.3	114.7	119.3	124.1	129.0	134.1
F	6	10	119.8329	0.0394	106.4	110.7	115.2	119.8	124.6	129.6	134.7
F	6	11	120.3348	0.0394	106.8	111.2	115.7	120.3	125.2	130.2	135.4
F	7	0	120.8229	0.0396	107.3	111.6	116.1	120.8	125.7	130.8	136.0
F	7	1	121.3110	0.0397	107.7	112.1	116.6	121.3	126.2	131.4	136.7
F	7	2	121.7993	0.0398	108.2	112.5	117.1	121.8	126.8	131.9	137.4
F	7	3	122.2876	0.0399	108.6	113.0	117.5	122.3	127.3	132.5	138.0
F	7	4	122.7761	0.0400	109.1	113.4	118.0	122.8	127.8	133.1	138.7
F	7	5	123.2646	0.0401	109.5	113.9	118.4	123.3	128.3	133.7	139.4
F	7	6	123.7505	0.0402	110.0	114.3	118.9	123.8	128.9	134.3	140.0
F	7	7	124.2364	0.0404	110.4	114.7	119.4	124.2	129.4	134.9	140.7
F	7	8	124.7224	0.0405	110.8	115.2	119.8	124.7	129.9	135.4	141.3
F	7	9	125.2084	0.0406	111.2	115.6	120.3	125.2	130.5	136.0	142.0
F	7	10	125.6944	0.0407	111.7	116.1	120.7	125.7	131.0	136.6	142.6
F	7	11	126.1805	0.0408	112.1	116.5	121.2	126.2	131.5	137.2	143.3
F	8	0	126.6703	0.0410	112.5	116.9	121.6	126.7	132.0	137.8	143.9

질병관리본부, 대한소아청소년과학회 2017

성별	년	개월	평균	표준편차	신장(cm) 표준점수						
					-3SD	-2SD	-1SD	0.0	+1SD	+2SD	+3SD
F	8	1	127.1601	0.0411	112.9	117.4	122.1	127.2	132.6	138.3	144.6
F	8	2	127.6500	0.0412	113.4	117.8	122.6	127.6	133.1	138.9	145.2
F	8	3	128.1399	0.0413	113.8	118.3	123.0	128.1	133.6	139.5	145.8
F	8	4	128.6297	0.0414	114.2	118.7	123.5	128.6	134.1	140.1	146.5
F	8	5	129.1197	0.0415	114.6	119.1	124.0	129.1	134.7	140.7	147.1
F	8	6	129.6197	0.0416	115.1	119.6	124.4	129.6	135.2	141.3	147.8
F	8	7	130.1199	0.0417	115.5	120.0	124.9	130.1	135.8	141.9	148.5
F	8	8	130.6200	0.0418	115.9	120.5	125.4	130.6	136.3	142.5	149.1
F	8	9	131.1202	0.0420	116.4	120.9	125.8	131.1	136.8	143.1	149.8
F	8	10	131.6204	0.0421	116.8	121.4	126.3	131.6	137.4	143.6	150.5
F	8	11	132.1207	0.0422	117.2	121.8	126.8	132.1	137.9	144.2	151.1
F	9	0	132.6442	0.0423	117.6	122.2	127.2	132.6	138.5	144.8	151.8
F	9	1	133.1677	0.0425	118.0	122.7	127.7	133.2	139.1	145.4	152.4
F	9	2	133.6912	0.0426	118.4	123.1	128.2	133.7	139.6	146.0	153.0
F	9	3	134.2147	0.0428	118.8	123.6	128.7	134.2	140.2	146.6	153.7
F	9	4	134.7382	0.0429	119.2	124.0	129.2	134.7	140.7	147.2	154.3
F	9	5	135.2617	0.0430	119.6	124.4	129.7	135.3	141.3	147.8	154.9
F	9	6	135.8116	0.0432	119.9	124.9	130.2	135.8	141.9	148.4	155.5
F	9	7	136.3617	0.0433	120.3	125.3	130.7	136.4	142.5	149.0	156.1
F	9	8	136.9119	0.0434	120.7	125.8	131.2	136.9	143.1	149.6	156.6
F	9	9	137.4622	0.0435	121.1	126.2	131.7	137.5	143.6	150.2	157.2
F	9	10	138.0126	0.0436	121.4	126.6	132.2	138.0	144.2	150.8	157.8
F	9	11	138.5631	0.0438	121.8	127.1	132.7	138.6	144.8	151.4	158.4
F	10	0	139.1218	0.0438	122.1	127.5	133.2	139.1	145.4	152.0	158.9
F	10	1	139.6805	0.0439	122.5	128.0	133.7	139.7	146.0	152.5	159.4
F	10	2	140.2395	0.0439	122.9	128.4	134.2	140.2	146.5	153.1	159.9
F	10	3	140.7986	0.0440	123.2	128.9	134.7	140.8	147.1	153.7	160.4
F	10	4	141.3578	0.0440	123.6	129.3	135.2	141.4	147.7	154.2	161.0
F	10	5	141.9172	0.0441	123.9	129.8	135.7	141.9	148.3	154.8	161.5
F	10	6	142.4689	0.0440	124.3	130.2	136.3	142.5	148.8	155.3	162.0
F	10	7	143.0207	0.0440	124.7	130.7	136.8	143.0	149.4	155.8	162.4
F	10	8	143.5726	0.0439	125.1	131.1	137.3	143.6	149.9	156.4	162.9
F	10	9	144.1246	0.0438	125.4	131.6	137.8	144.1	150.5	156.9	163.3
F	10	10	144.6765	0.0438	125.8	132.1	138.4	144.7	151.0	157.4	163.8
F	10	11	145.2285	0.0437	126.2	132.5	138.9	145.2	151.6	157.9	164.3
F	11	0	145.7568	0.0435	126.6	133.0	139.4	145.8	152.1	158.4	164.6
F	11	1	146.2852	0.0433	127.0	133.5	139.9	146.3	152.6	158.8	165.0

성별	년	개월	평균	표준편차	신장(cm) 표준점수						
					-3SD	-2SD	-1SD	0.0	+1SD	+2SD	+3SD
F	11	2	146.8136	0.0431	127.4	134.0	140.4	146.8	153.1	159.3	165.4
F	11	3	147.3421	0.0429	127.7	134.4	141.0	147.3	153.6	159.7	165.7
F	11	4	147.8706	0.0427	128.1	134.9	141.5	147.9	154.1	160.2	166.1
F	11	5	148.3990	0.0425	128.5	135.4	142.0	148.4	154.6	160.6	166.5
F	11	6	148.8746	0.0421	128.9	135.9	142.5	148.9	155.0	161.0	166.8
F	11	7	149.3501	0.0418	129.4	136.3	143.0	149.4	155.5	161.4	167.1
F	11	8	149.8256	0.0415	129.8	136.8	143.5	149.8	155.9	161.8	167.4
F	11	9	150.3011	0.0412	130.3	137.3	144.0	150.3	156.4	162.2	167.8
F	11	10	150.7766	0.0409	130.7	137.8	144.5	150.8	156.8	162.5	168.1
F	11	11	151.2521	0.0406	131.1	138.3	144.9	151.3	157.2	162.9	168.4
F	12	0	151.6571	0.0402	131.6	138.7	145.4	151.7	157.6	163.3	168.7
F	12	1	152.0621	0.0399	132.1	139.2	145.8	152.1	158.0	163.6	168.9
F	12	2	152.4672	0.0395	132.6	139.7	146.3	152.5	158.3	163.9	169.2
F	12	3	152.8722	0.0392	133.1	140.1	146.7	152.9	158.7	164.2	169.5
F	12	4	153.2772	0.0388	133.5	140.6	147.1	153.3	159.1	164.5	169.8
F	12	5	153.6821	0.0385	134.0	141.1	147.6	153.7	159.4	164.9	170.0
F	12	6	154.0138	0.0382	134.5	141.5	148.0	154.0	159.7	165.1	170.3
F	12	7	154.3455	0.0378	135.0	141.9	148.3	154.3	160.0	165.4	170.5
F	12	8	154.6772	0.0375	135.4	142.3	148.7	154.7	160.3	165.7	170.7
F	12	9	155.0089	0.0372	135.9	142.7	149.1	155.0	160.6	165.9	171.0
F	12	10	155.3405	0.0368	136.4	143.1	149.4	155.3	160.9	166.2	171.2
F	12	11	155.6722	0.0365	136.9	143.6	149.8	155.7	161.2	166.4	171.4
F	13	0	155.9198	0.0362	137.3	143.9	150.1	155.9	161.4	166.6	171.6
F	13	1	156.1672	0.0360	137.7	144.2	150.4	156.2	161.6	166.8	171.8
F	13	2	156.4146	0.0357	138.1	144.6	150.7	156.4	161.9	167.1	172.0
F	13	3	156.6619	0.0355	138.5	144.9	151.0	156.7	162.1	167.3	172.2
F	13	4	156.9091	0.0352	138.9	145.3	151.2	156.9	162.3	167.5	172.4
F	13	5	157.1562	0.0350	139.3	145.6	151.5	157.2	162.5	167.7	172.6
F	13	6	157.3292	0.0348	139.6	145.8	151.7	157.3	162.7	167.8	172.8
F	13	7	157.5021	0.0346	139.9	146.1	151.9	157.5	162.8	168.0	172.9
F	13	8	157.6750	0.0345	140.2	146.3	152.1	157.7	163.0	168.1	173.1
F	13	9	157.8478	0.0343	140.5	146.5	152.3	157.8	163.2	168.3	173.2
F	13	10	158.0205	0.0342	140.8	146.8	152.5	158.0	163.3	168.4	173.4
F	13	11	158.1932	0.0340	141.1	147.0	152.7	158.2	163.5	168.6	173.5
F	14	0	158.3159	0.0339	141.2	147.2	152.8	158.3	163.6	168.7	173.6
F	14	1	158.4387	0.0338	141.4	147.3	153.0	158.4	163.7	168.8	173.7
F	14	2	158.5614	0.0337	141.6	147.5	153.1	158.6	163.8	168.9	173.8

질병관리본부, 대한소아청소년과학회 2017

성별	년	개월	평균	표준편차	신장(cm) 표준점수						
					-3SD	-2SD	-1SD	0.0	+1SD	+2SD	+3SD
F	14	3	158.6842	0.0336	141.8	147.6	153.3	158.7	163.9	169.0	174.0
F	14	4	158.8069	0.0335	141.9	147.8	153.4	158.8	164.0	169.1	174.1
F	14	5	158.9297	0.0335	142.1	147.9	153.5	158.9	164.2	169.2	174.2
F	14	6	159.0139	0.0334	142.2	148.0	153.6	159.0	164.2	169.3	174.2
F	14	7	159.0981	0.0333	142.4	148.1	153.7	159.1	164.3	169.4	174.3
F	14	8	159.1823	0.0332	142.5	148.2	153.8	159.2	164.4	169.5	174.4
F	14	9	159.2666	0.0332	142.6	148.4	153.9	159.3	164.5	169.5	174.5
F	14	10	159.3508	0.0331	142.8	148.5	154.0	159.4	164.6	169.6	174.5
F	14	11	159.4351	0.0330	142.9	148.6	154.1	159.4	164.6	169.7	174.6
F	15	0	159.4917	0.0330	143.0	148.7	154.2	159.5	164.7	169.8	174.7
F	15	1	159.5483	0.0330	143.2	148.8	154.2	159.5	164.7	169.8	174.8
F	15	2	159.6051	0.0329	143.3	148.9	154.3	159.6	164.8	169.9	174.9
F	15	3	159.6619	0.0329	143.4	149.0	154.4	159.7	164.9	170.0	175.0
F	15	4	159.7189	0.0328	143.6	149.0	154.4	159.7	164.9	170.0	175.1
F	15	5	159.7760	0.0328	143.7	149.1	154.5	159.8	165.0	170.1	175.2
F	15	6	159.8149	0.0328	143.8	149.2	154.5	159.8	165.0	170.2	175.3
F	15	7	159.8539	0.0327	143.9	149.3	154.6	159.9	165.1	170.2	175.3
F	15	8	159.8930	0.0327	144.1	149.4	154.7	159.9	165.1	170.3	175.4
F	15	9	159.9321	0.0326	144.2	149.5	154.7	159.9	165.1	170.3	175.5
F	15	10	159.9714	0.0326	144.3	149.5	154.8	160.0	165.2	170.4	175.6
F	15	11	160.0107	0.0325	144.4	149.6	154.8	160.0	165.2	170.4	175.7
F	16	0	160.0286	0.0325	144.5	149.7	154.8	160.0	165.2	170.5	175.7
F	16	1	160.0465	0.0324	144.7	149.8	154.9	160.0	165.2	170.5	175.8
F	16	2	160.0644	0.0323	144.8	149.8	154.9	160.1	165.3	170.5	175.8
F	16	3	160.0823	0.0322	144.9	149.9	155.0	160.1	165.3	170.5	175.9
F	16	4	160.1002	0.0322	145.0	150.0	155.0	160.1	165.3	170.6	175.9
F	16	5	160.1182	0.0321	145.1	150.0	155.0	160.1	165.3	170.6	176.0
F	16	6	160.1342	0.0320	145.2	150.1	155.1	160.1	165.3	170.6	176.0
F	16	7	160.1502	0.0320	145.3	150.2	155.1	160.2	165.3	170.6	176.1
F	16	8	160.1661	0.0319	145.5	150.2	155.1	160.2	165.3	170.7	176.1
F	16	9	160.1821	0.0318	145.6	150.3	155.2	160.2	165.4	170.7	176.2
F	16	10	160.1980	0.0317	145.7	150.4	155.2	160.2	165.4	170.7	176.2
F	16	11	160.2140	0.0317	145.8	150.4	155.2	160.2	165.4	170.7	176.3
F	17	0	160.2483	0.0316	145.9	150.5	155.3	160.2	165.4	170.8	176.3
F	17	1	160.2827	0.0316	145.9	150.5	155.3	160.3	165.4	170.8	176.4
F	17	2	160.3170	0.0315	146.0	150.6	155.4	160.3	165.5	170.8	176.4
F	17	3	160.3514	0.0315	146.1	150.6	155.4	160.4	165.5	170.9	176.4

질병관리본부, 대한소아청소년과학회 2017

성별	년	개월	평균	표준편차	신장(cm) 표준점수						
					-3SD	-2SD	-1SD	0.0	+1SD	+2SD	+3SD
F	17	4	160.3857	0.0314	146.1	150.7	155.4	160.4	165.5	170.9	176.5
F	17	5	160.4200	0.0314	146.2	150.7	155.5	160.4	165.6	170.9	176.5
F	17	6	160.4524	0.0313	146.3	150.8	155.5	160.5	165.6	170.9	176.5
F	17	7	160.4847	0.0313	146.3	150.8	155.6	160.5	165.6	171.0	176.5
F	17	8	160.5171	0.0313	146.4	150.9	155.6	160.5	165.6	171.0	176.6
F	17	9	160.5494	0.0312	146.4	150.9	155.6	160.5	165.7	171.0	176.6
F	17	10	160.5817	0.0312	146.5	151.0	155.7	160.6	165.7	171.0	176.6
F	17	11	160.6140	0.0311	146.5	151.0	155.7	160.6	165.7	171.1	176.6
F	18	0	160.6484	0.0311	146.6	151.1	155.8	160.6	165.8	171.1	176.7
F	18	1	160.6827	0.0310	146.7	151.1	155.8	160.7	165.8	171.1	176.7
F	18	2	160.7171	0.0310	146.7	151.2	155.8	160.7	165.8	171.1	176.7
F	18	3	160.7514	0.0310	146.8	151.2	155.9	160.8	165.8	171.2	176.8
F	18	4	160.7857	0.0309	146.8	151.3	155.9	160.8	165.9	171.2	176.8
F	18	5	160.8200	0.0309	146.9	151.3	156.0	160.8	165.9	171.2	176.8
F	18	6	160.8591	0.0309	146.9	151.4	156.0	160.9	165.9	171.3	176.8
F	18	7	160.8981	0.0308	147.0	151.4	156.1	160.9	166.0	171.3	176.9
F	18	8	160.9372	0.0308	147.0	151.5	156.1	160.9	166.0	171.3	176.9
F	18	9	160.9762	0.0307	147.1	151.5	156.1	161.0	166.0	171.4	176.9
F	18	10	161.0153	0.0307	147.2	151.6	156.2	161.0	166.1	171.4	176.9
F	18	11	161.0543	0.0307	147.2	151.6	156.2	161.1	166.1	171.4	177.0

질병관리본부, 대한소아청소년과학회 2017

1-3. 연령별 체중 곡선

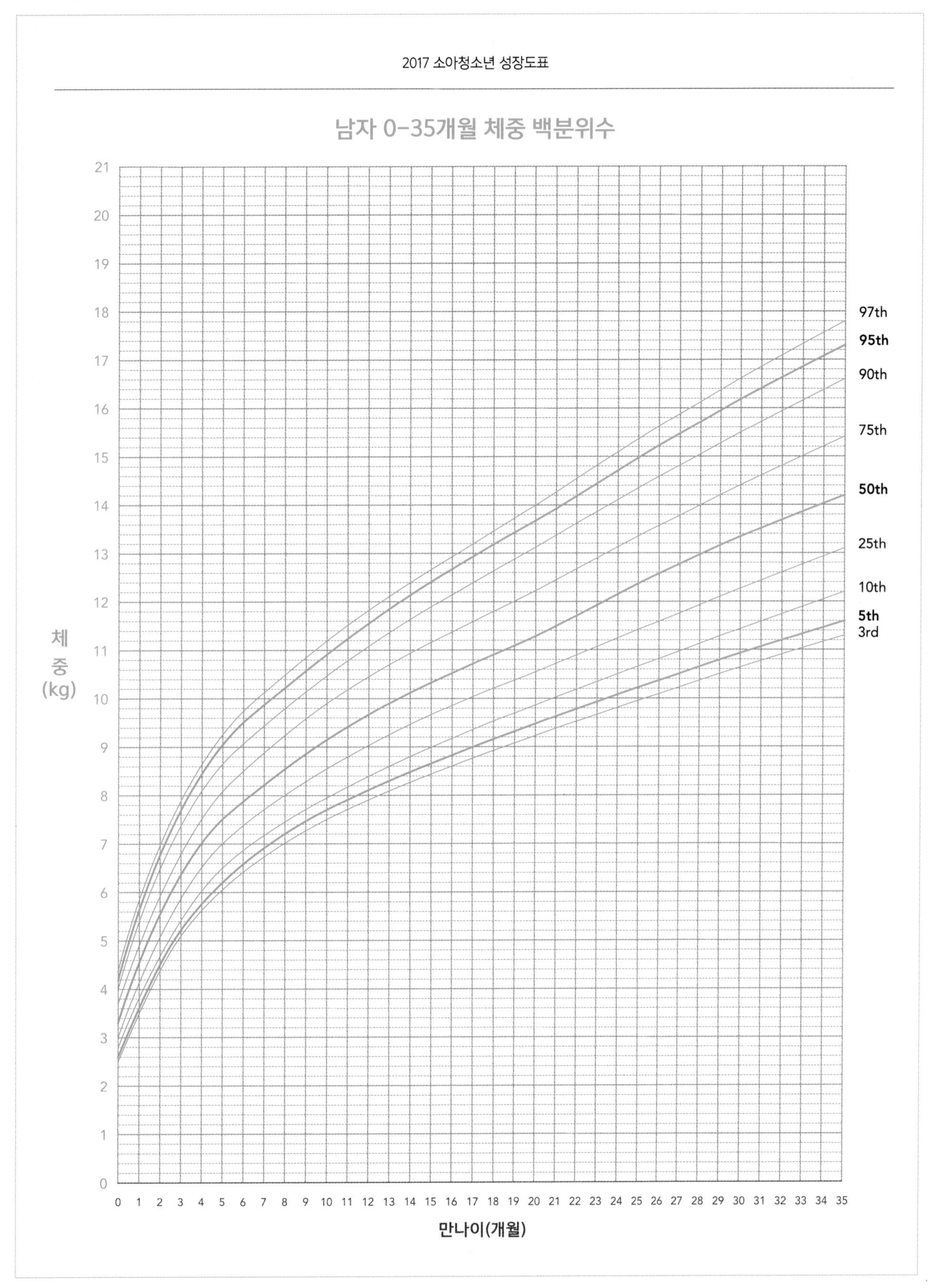

질병관리본부, 대한소아청소년과학회 2017

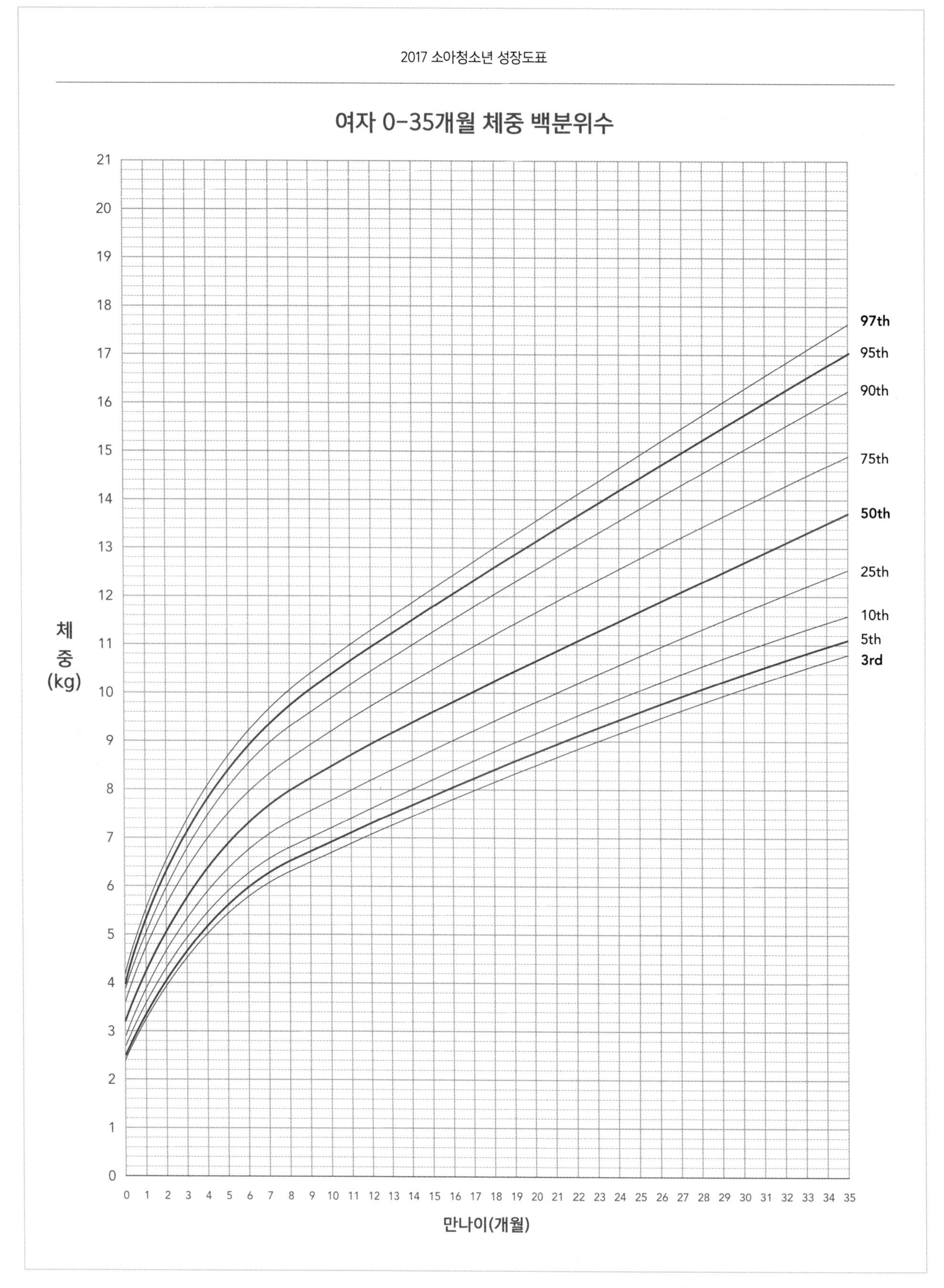

질병관리본부, 대한소아청소년과학회 2017

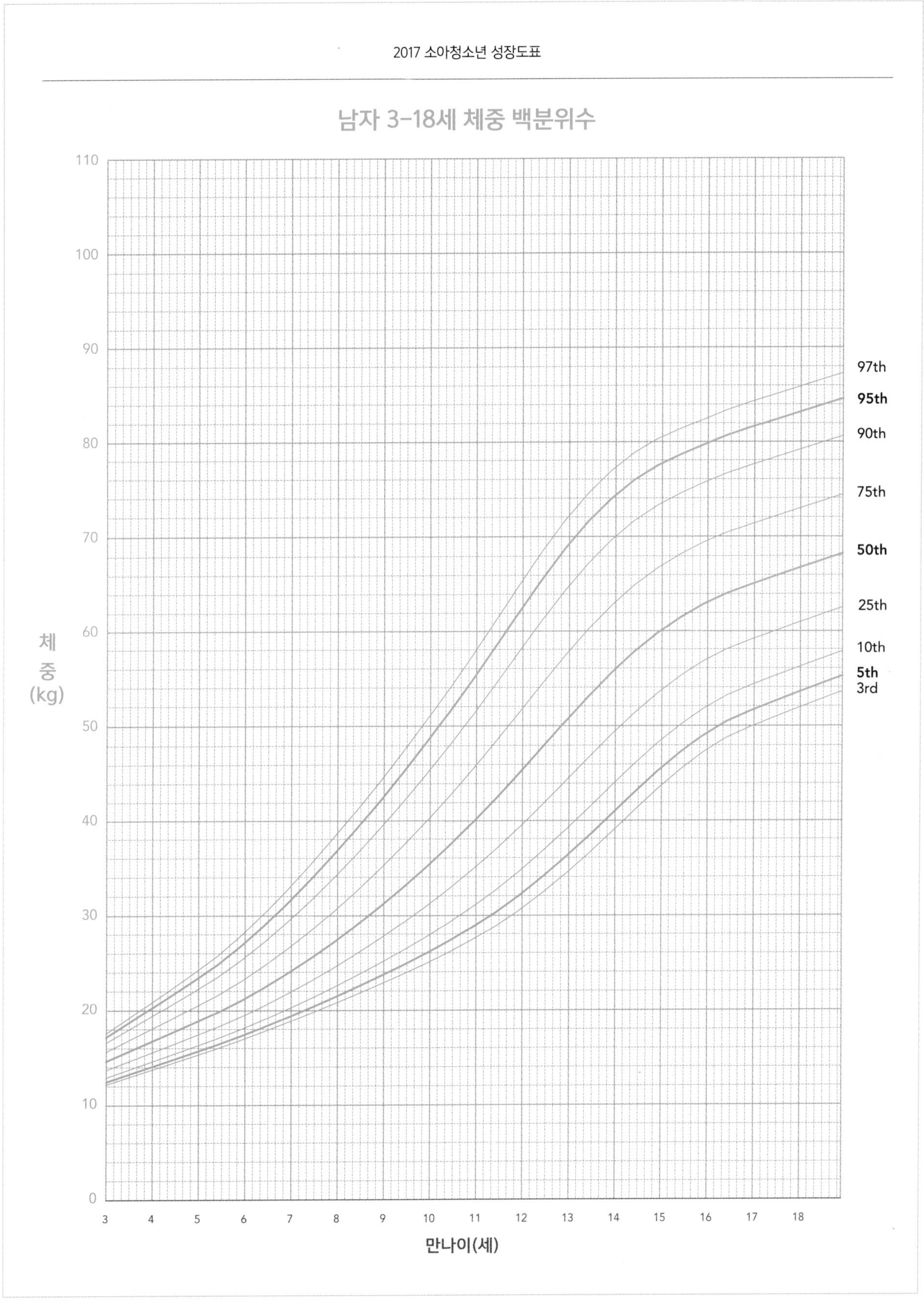

질병관리본부, 대한소아청소년과학회 2017

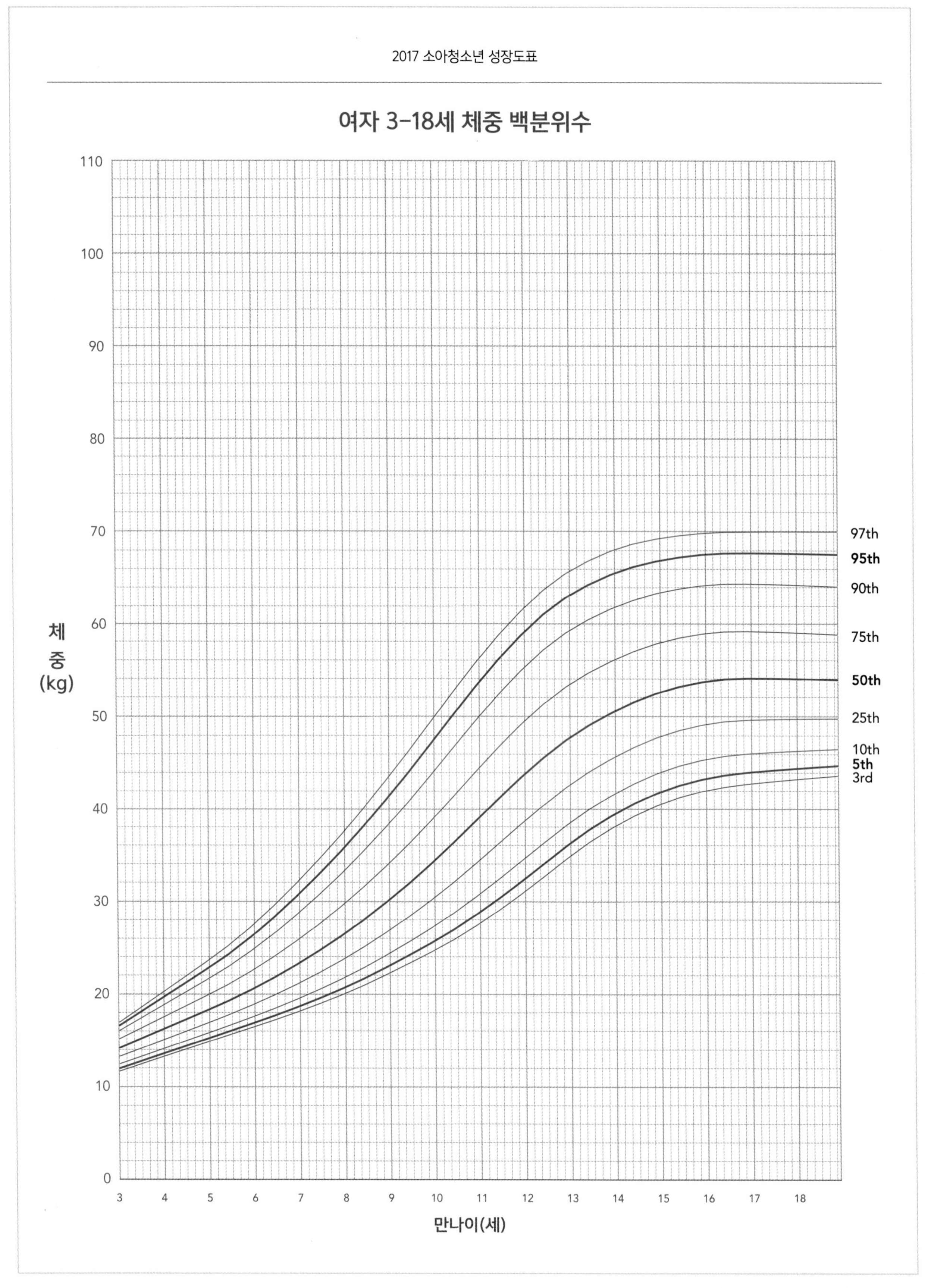

질병관리본부, 대한소아청소년과학회 2017

1-4. 신장별 체중 곡선

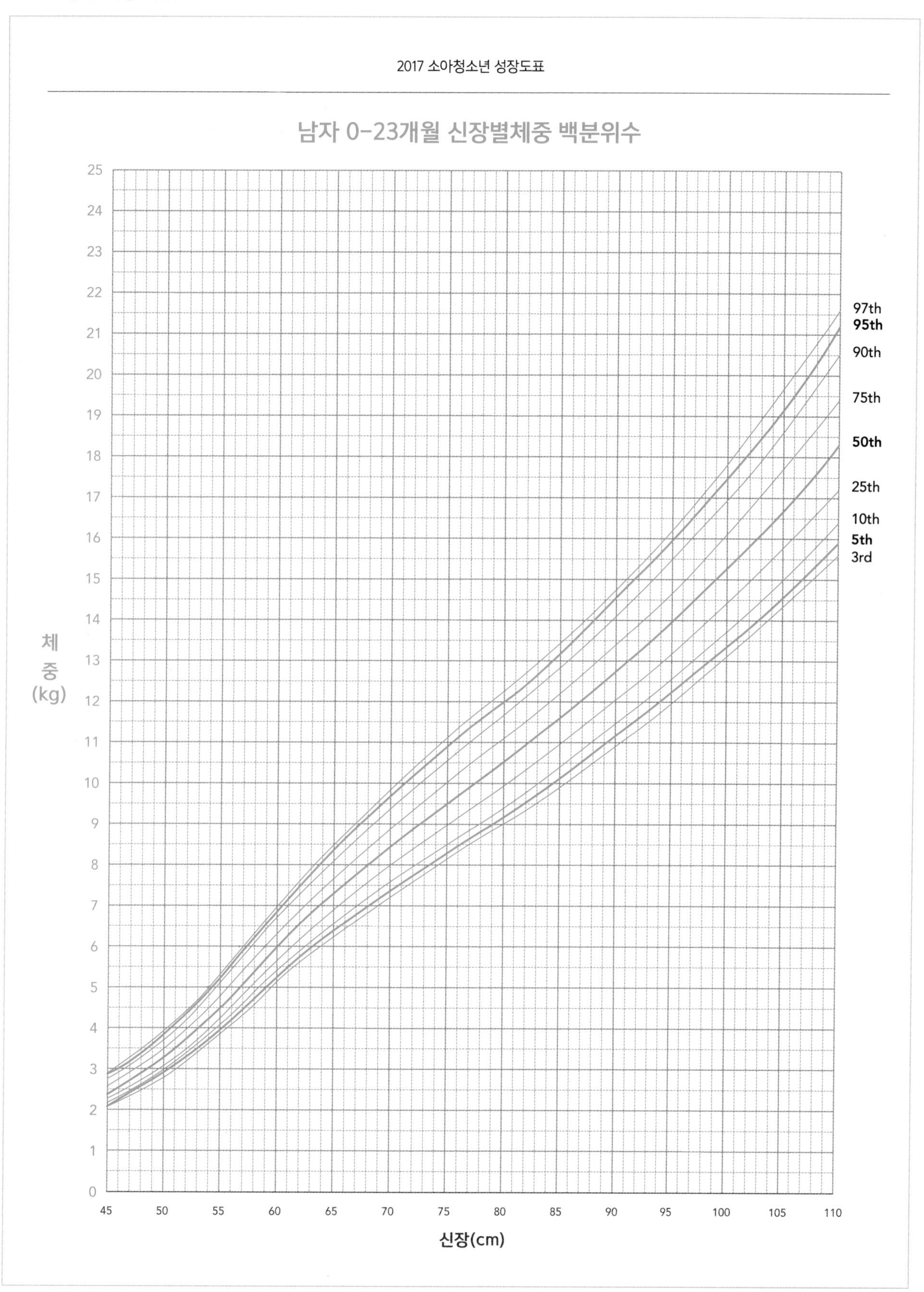

질병관리본부, 대한소아청소년과학회 2017

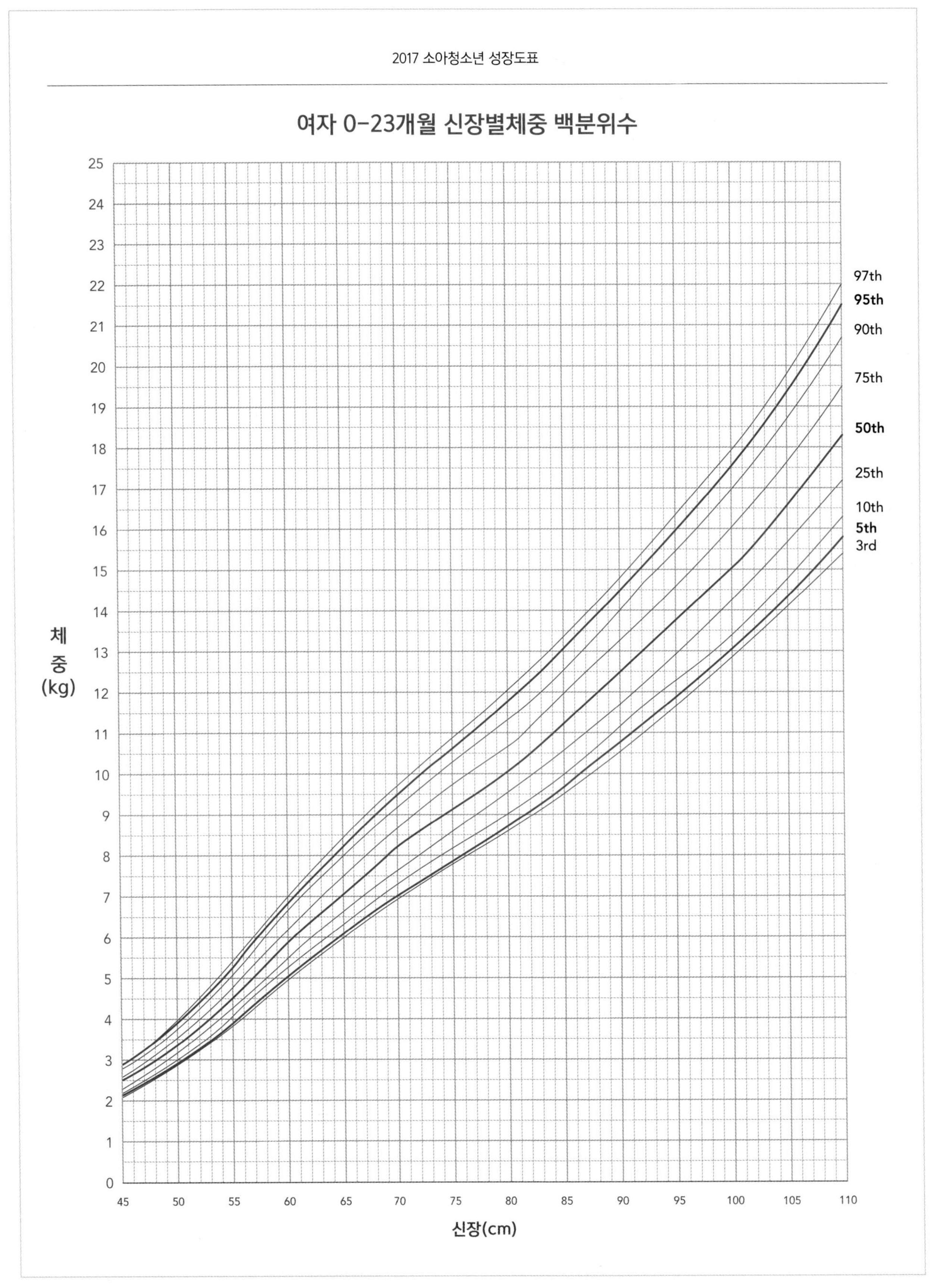

질병관리본부, 대한소아청소년과학회 2017

부록 2. 연령에 따른 신체상절과 하절의 비

연령에 따른 신체상절(치골결합;symphysis pubis의 상부)과 하절의 비. 출생시에는 1.7이었으나 성인에서는 1.0이 된다(Hensinger, 1986).

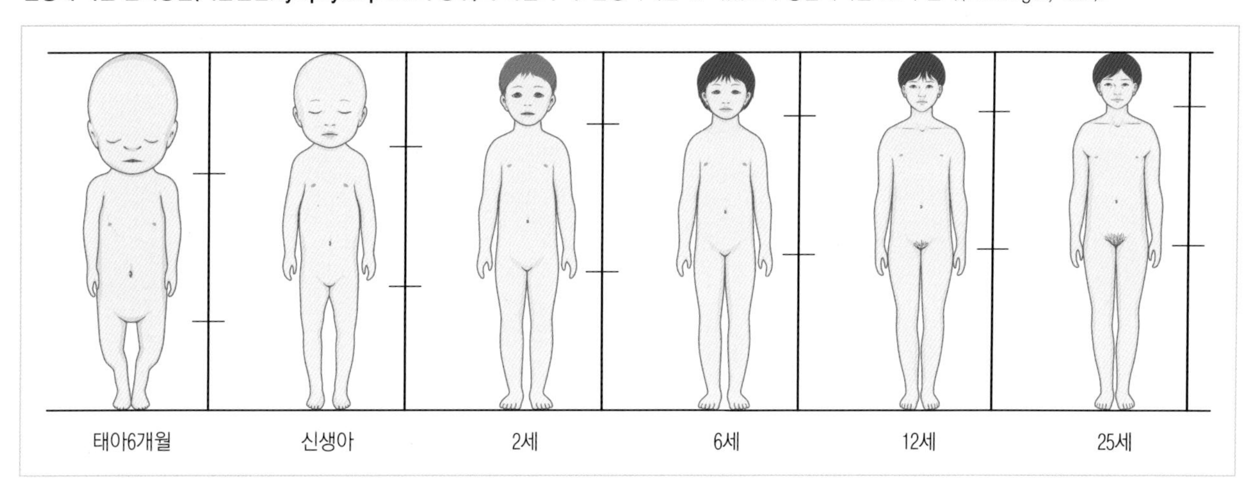

부록 3. 연령에 따른 대퇴골, 경골의 길이 성장

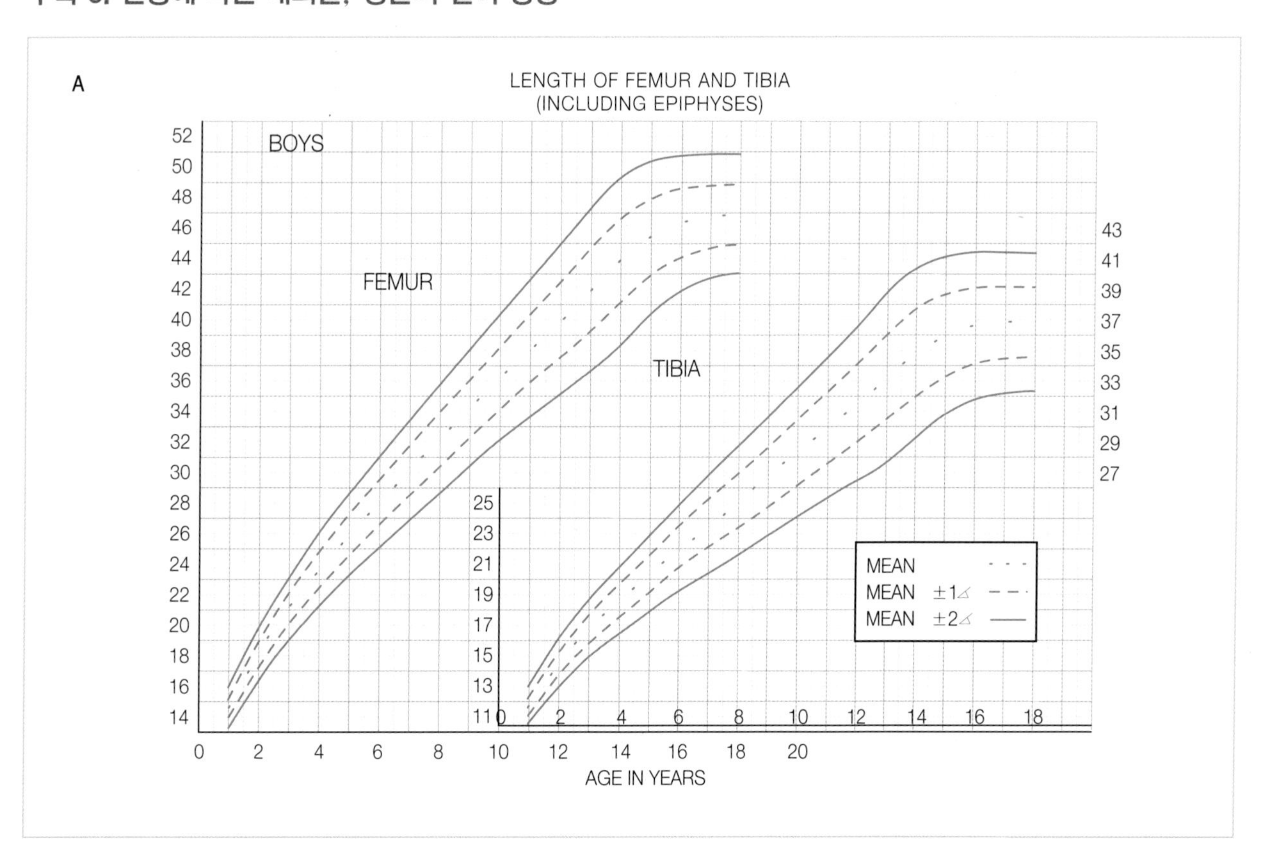

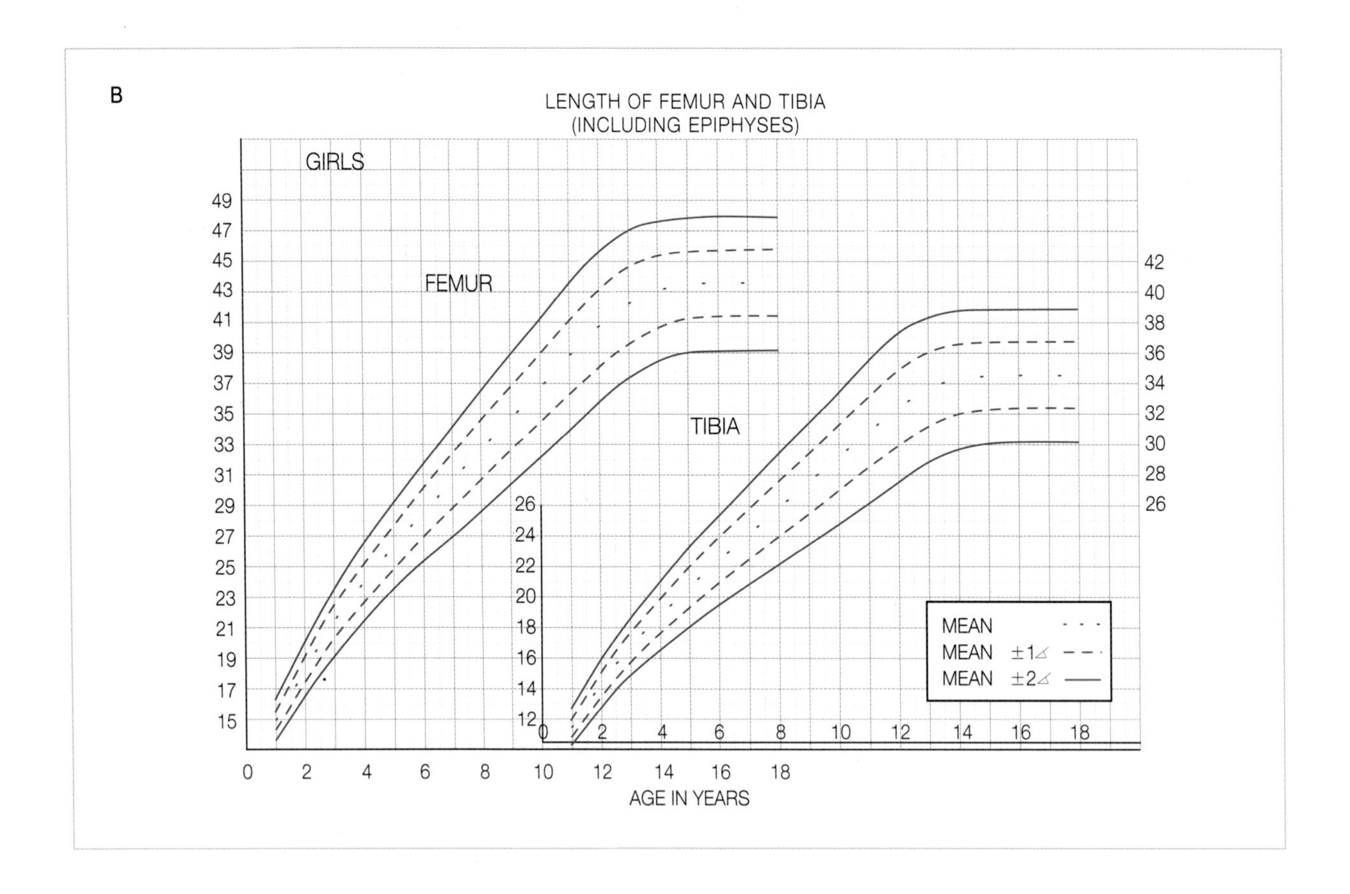
B
LENGTH OF FEMUR AND TIBIA
(INCLUDING EPIPHYSES)
GIRLS
FEMUR
TIBIA
49
47
45
43
41
39
37
35
33
31
29
27
25
23
21
19
17
15
26
24
22
20
18
16
14
12
42
40
38
36
34
32
30
28
26
0 2 4 6 8 10 12 14 16 18
0 2 4 6 8 10 12 14 16 18
AGE IN YEARS
MEAN
MEAN ±1⊿
MEAN ±2⊿

부록 4. 연령에 따른 하지 및 척추의 잔여 성장

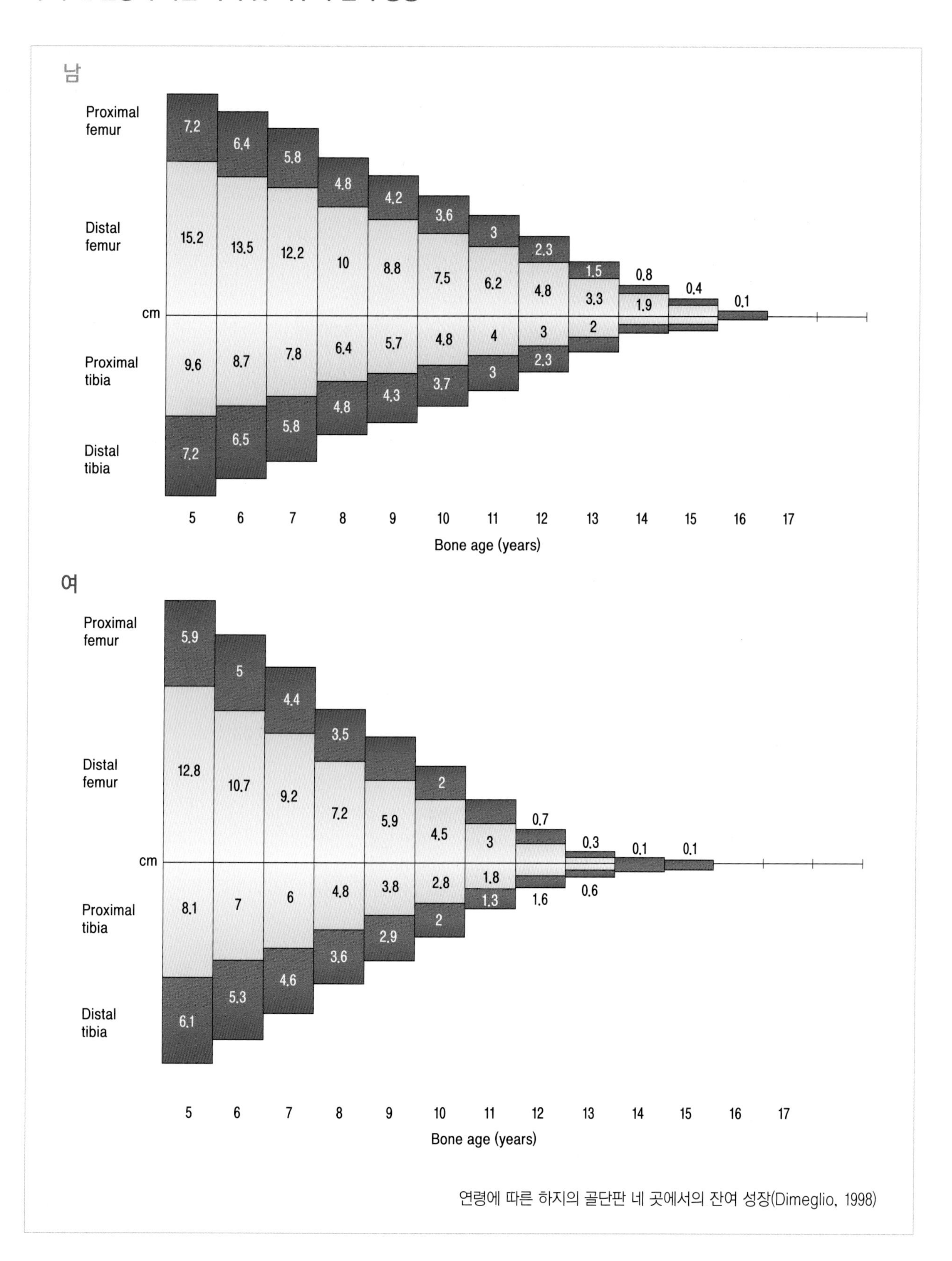

연령에 따른 하지의 골단판 네 곳에서의 잔여 성장(Dimeglio, 1998)

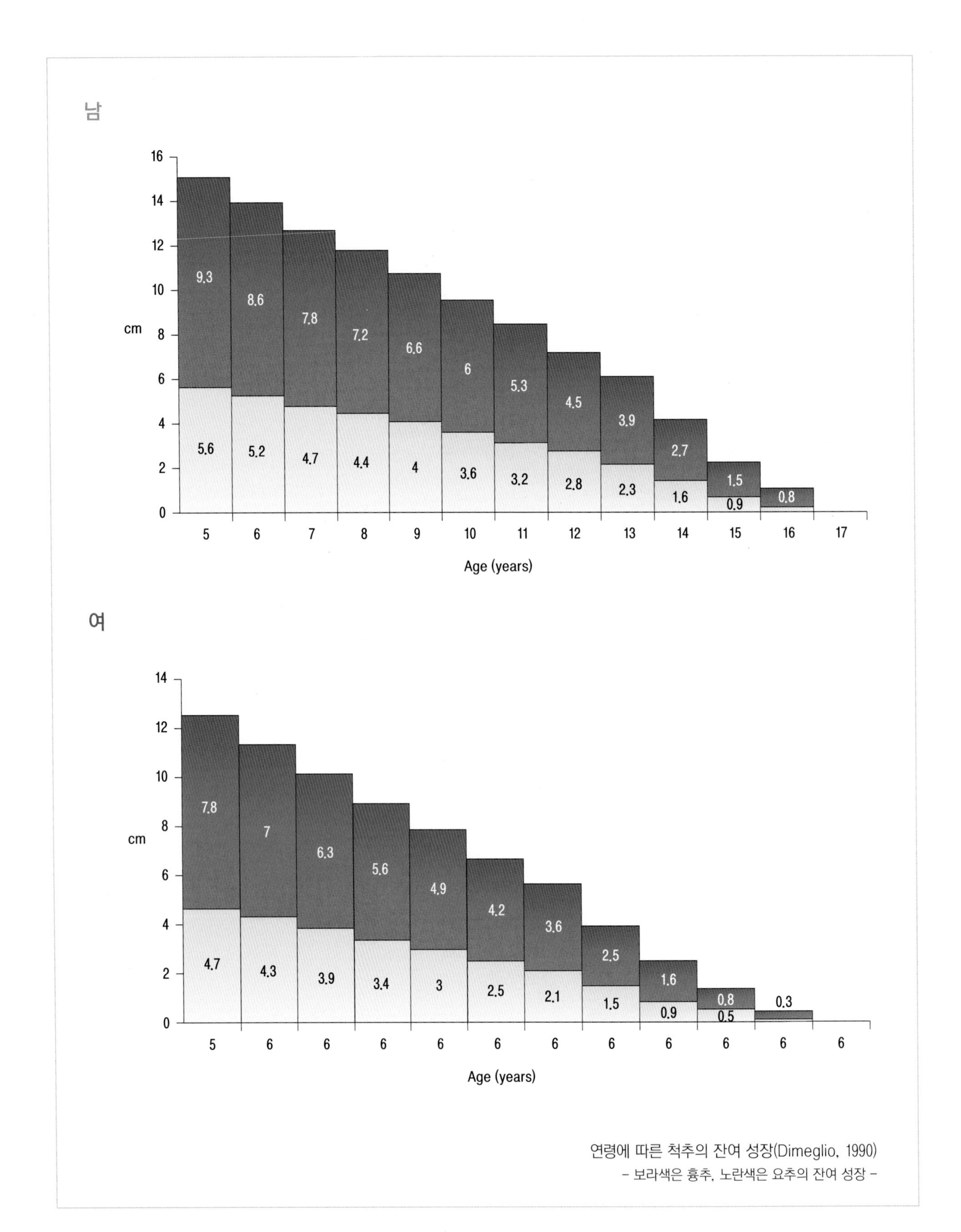

연령에 따른 척추의 잔여 성장(Dimeglio, 1990)
- 보라색은 흉추, 노란색은 요추의 잔여 성장 -

부록 5. 연령에 따른 원위 요골, 원위 척골, 근위 상완골의 잔여 성장(Pritchett, 1988)

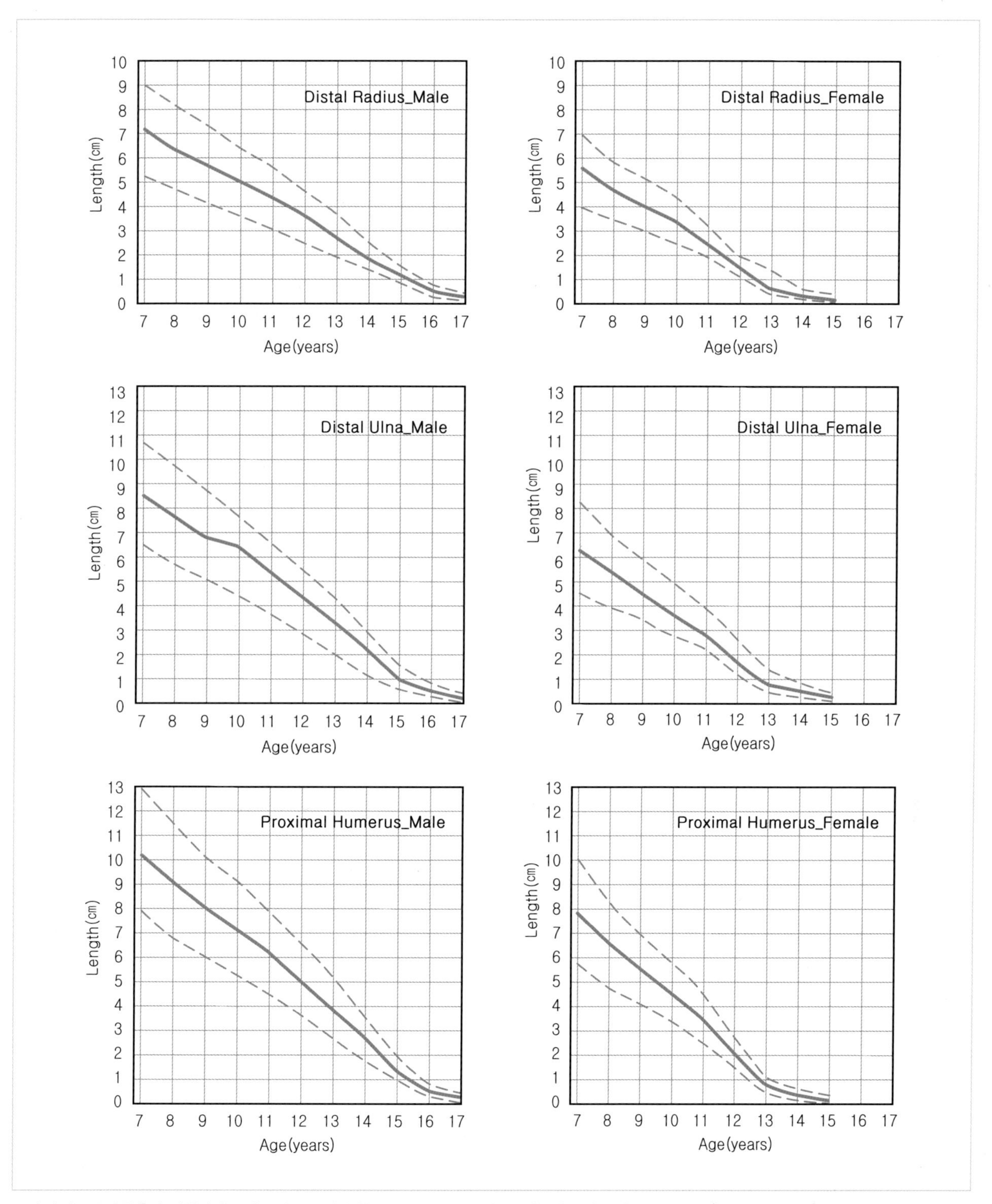

골의 길이는 골의 종축과 평행하게 근위 골단부 끝에서 원위 골단부 끝까지 거리를 측정한 값을 사용하였고, 골과(styloid process)가 있는 경우 그 끝까지의 거리를 포함하였다.

부록 6. 연령에 따른 요골, 척골, 상완골의 잔여 성장 직선 그래프(Bortel, 1993)

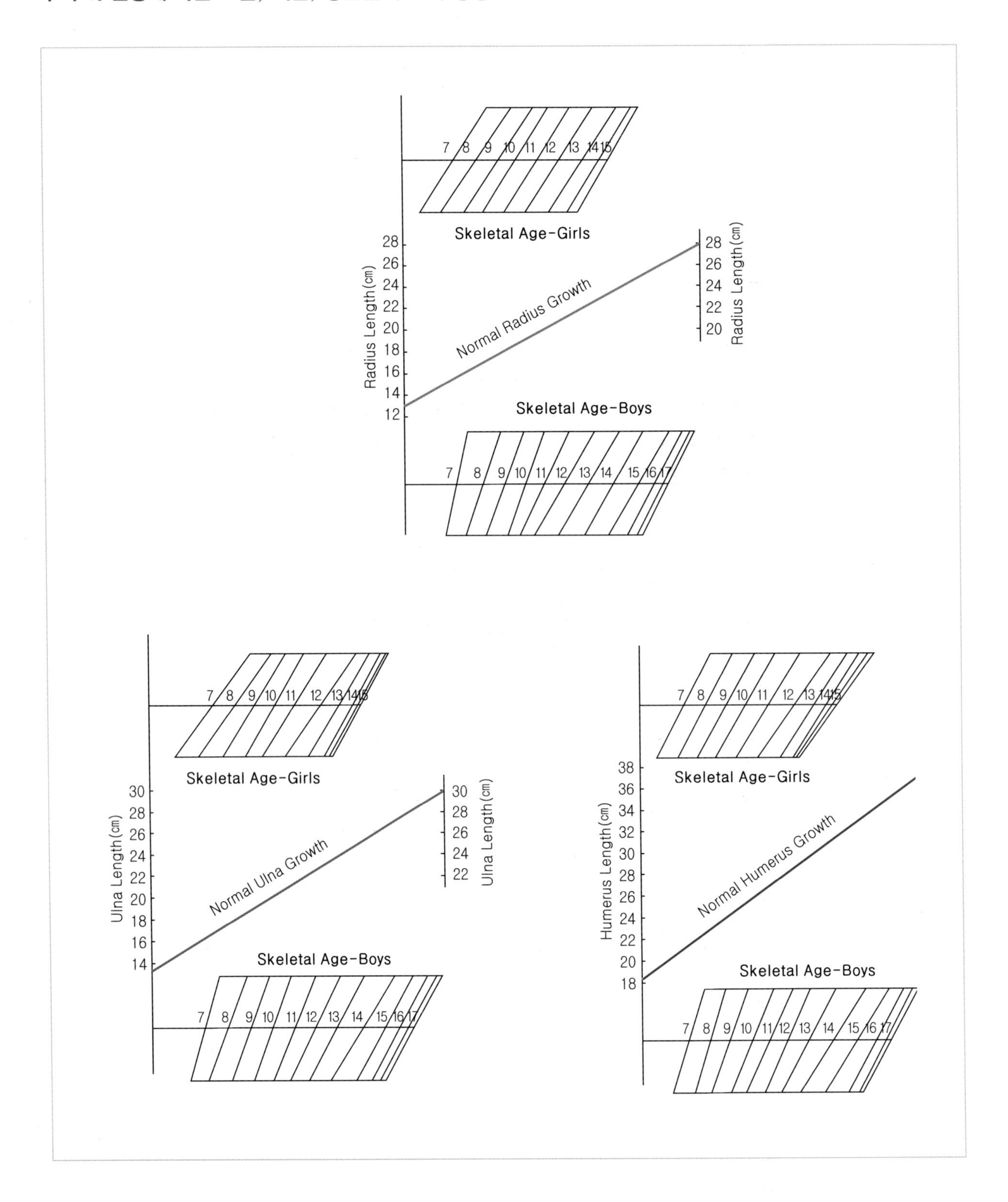

부록 7. 연령에 따른 각종 반사(reflex)의 성숙(Tachdijian, 1990)

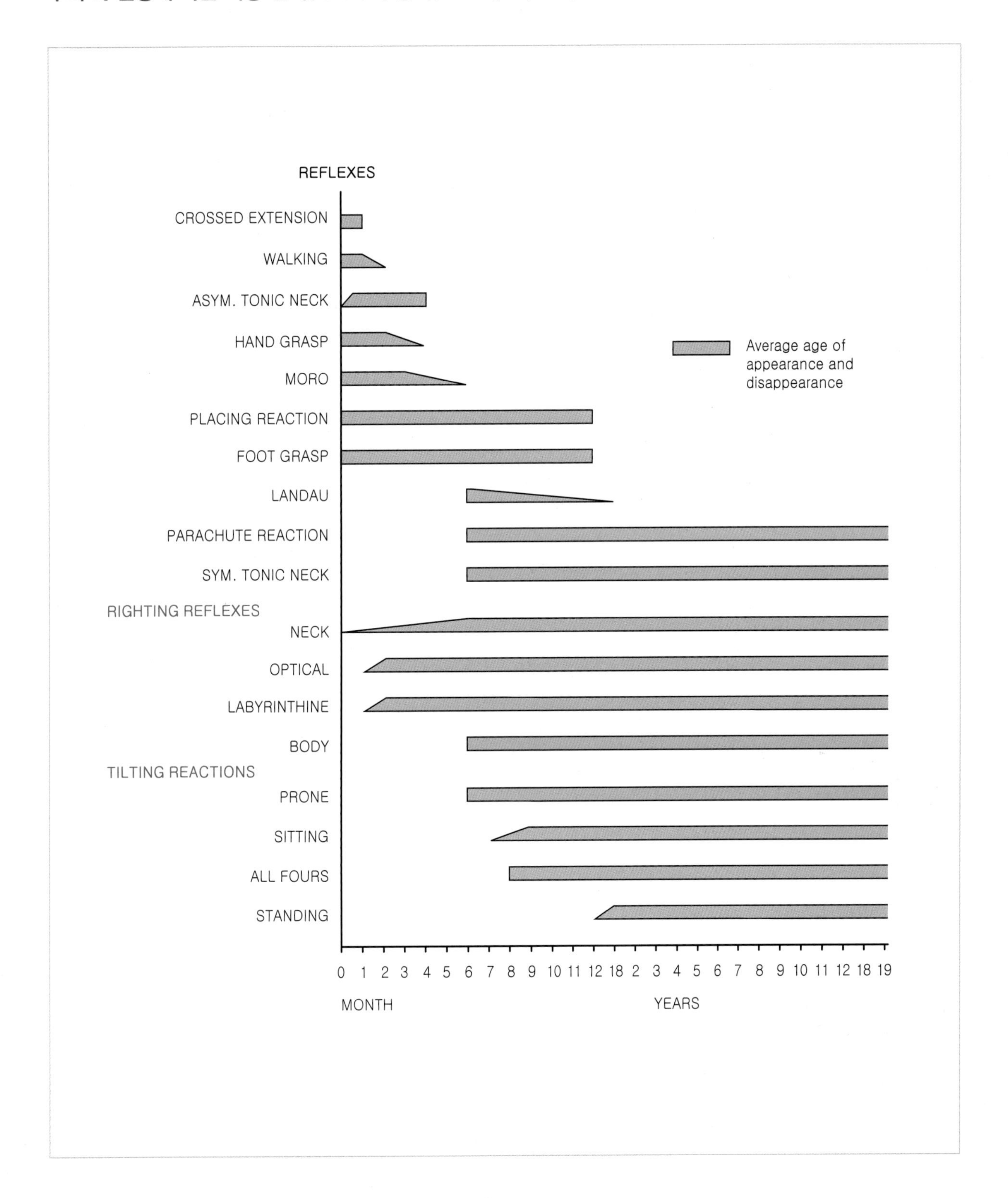

부록 8. 유아의 발달(Bailey scale)

Item	Activity	Percentiles(months)		
		Mean(50%)	5%	95%
1	Lifts when held at shoulder	0.1	-	-
2	Postural adjustment when held at shoulder	0.1	-	-
3	Lateral head movement	0.1	-	-
4	Crawling movement	0.4	0.1	3
5	Retains red ring	0.8	0.3	3
6	Arm thrusts in play	0.8	0.3	2
7	Leg thrusts in play	0.8	0.3	2
8	Head erect vertical	0.8	0.3	3
9	Head erect and steady	1.6	0.7	4
10	Lifts head : dorsal suspension	1.7	0.7	4
11	Turns from side to back	1.8	0.7	5
12	Elevates self by arms : prone	2.1	0.7	5
13	Sits with support	2.3	1.0	5
14	Holds head steady	2.5	1.0	5
15	Hands predominantly open	2.7	0.7	6
16	Cube : ulnar - palmar prehension	3.7	2.0	7
17	Sits with slight support	3.8	2.0	6
18	Head balanced	4.2	2.0	6
19	Turns from back to side	4.4	2.0	7
20	Efforts to sit	4.8	3.0	8
21	Cube : partial thumb opposition (radial-palmar)	4.9	4.0	8
22	Pulls to sitting position	5.3	4.0	8
23	Sits alone momentarily	5.3	4.0	8
24	Unilateral reaching[a]	5.4	4.0	8
25	Attempts to secure pellet[b]	5.6	4.0	8
26	Rotates wrist	5.7	4.0	8
27	Sits alone 30 seconds or more	6.0	5.0	8
28	Rolls from back to stomach	6.4	4.0	10
29	Sits alone, steadily	6.6	5.0	9
30	Scoops pellet	6.8	5.0	9
31	Sits alone, good coordination	6.9	5.0	10
32	Cube: complete thumb opposition (radial-digital)	6.9	5.0	9
33	Prewalking progression	7.1	5.0	11
34	Early stepping movements	7.4	5.0	11
35	Pellet : partial finger[b] prehension (inferior pincer)	7.4	6.0	10
36	Pulls to standing position	8.1	5.0	12
37	Raises self to sitting position	8.3	6.0	11
38	Stands up by furniture	8.6	6.0	12
39	Combines spoons or cubes[b] : midline	8.6	6.0	12
40	Stepping movements	8.8	6.0	12
41	Pellet : fine prehension[b] (neat pincer)	8.9	7.0	12

Item	Activity	Percentiles(months)		
		Mean(50%)	5%	95%
42	Walks with help	9.6	7.0	12
43	Sits alone	9.6	7.0	14
44	Pat-a-Cake : midline skillb	9.7	7.0	15
45	Stands alone	11.0	9.0	16
46	Walks alone	11.7	9.0	17
47	Stands up : I	12.6	9.0	18
48	Throws ball[b]	13.3	9.0	18
49	Walks sideways	14.1	10	20
50	Walks backward	14.6	11	20
51	Stands on right foot with help	15.9	12	21
52	Stands on left foot with help	16.1	12	23
53	Walks up stairs with help	16.1	12	23
54	Walks down stairs with help	16.4	13	23
55	Tries to stand on walking board	17.8	13	26
56	Walks with one foot on walking board	20.6	15	29
57	Stands up : Ⅱ	21.9	11	30+
58	Stands on left foot alone	22.7	15	30+
59	Jumps off floor, both feet	23.4	17	30+
60	Stands on right foot alone	23.5	16	30+
61	Walks on line, general direction	23.9	18	30+
62	Walking board: stands with both feet	24.5	17	30+
63	Jumps from bottom step	24.8	19	30+
64	Walks up stairs alone: both feet on each step	25.1	18	30+
65	Walks on tiptoe, few steps	25.7	16	30+
66	Walks down stairs alone: both feet on each step	25.8	19	30+
67	Walking board: attempts step	27.6	19	30+
68	Walks backward, 10 feet	27.8	20	30+
69	Jumps from second step	28.1	21	30+
70	Distance jump: 4 to 14 inches	29.1	22	30+
71	Stands up : Ⅲ	30+	22	30+
72	Walks up stairs : alternating forward foot	30+	23	30+
73	Walks on tiptoes, 10 feet	30+	20	30+
74	Walking board : alternates steps part way	30+	24	30+
75	Keeps feet on line, 10 feet	30+	23	30+
76	Distance iump : 14 to 24 inches	30+	25	30+
77	Jumps over string 2 inches high	30+	24	30+
78	Distant jump : 24 to 34 inches	30+	24	30+
79	Hops on one foot, 2 or more hops	30+	30+	-
80	Walks down stairs : alternating one forward foot	30+	30+	-
81	Jumps over string 8 inches high	30+	28	30+

[a] May be observed incidentally

[b] May be presented during administration of Mental scale

부록 9. 상지의 골화중심(ossification centers)의 출현 시기(남아–여아 순)(von Lanz, 1938)

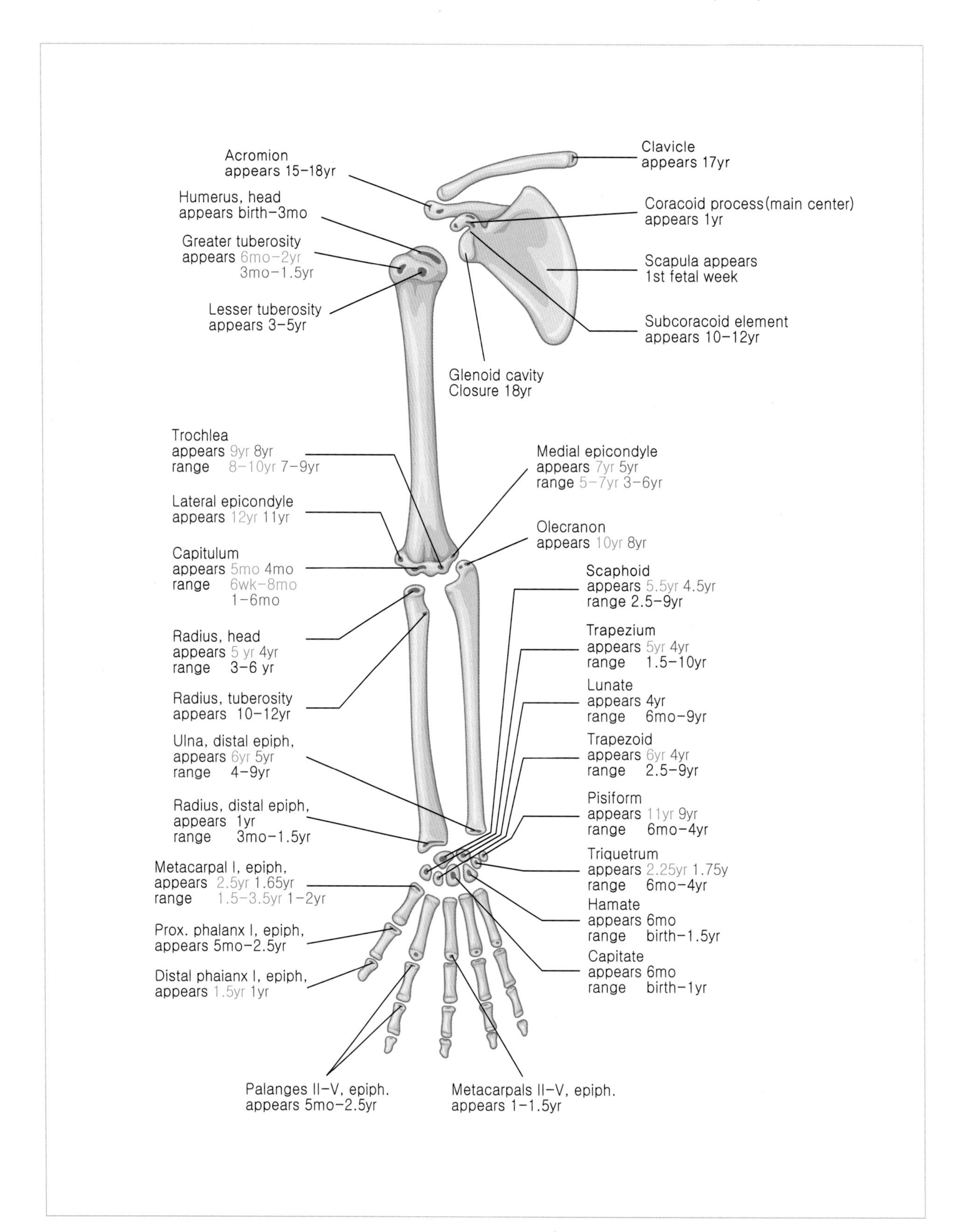

부록 10. 하지의 골화중심(ossification centers)의 출현 시기(남아-여아 순)(von Lanz,1938)

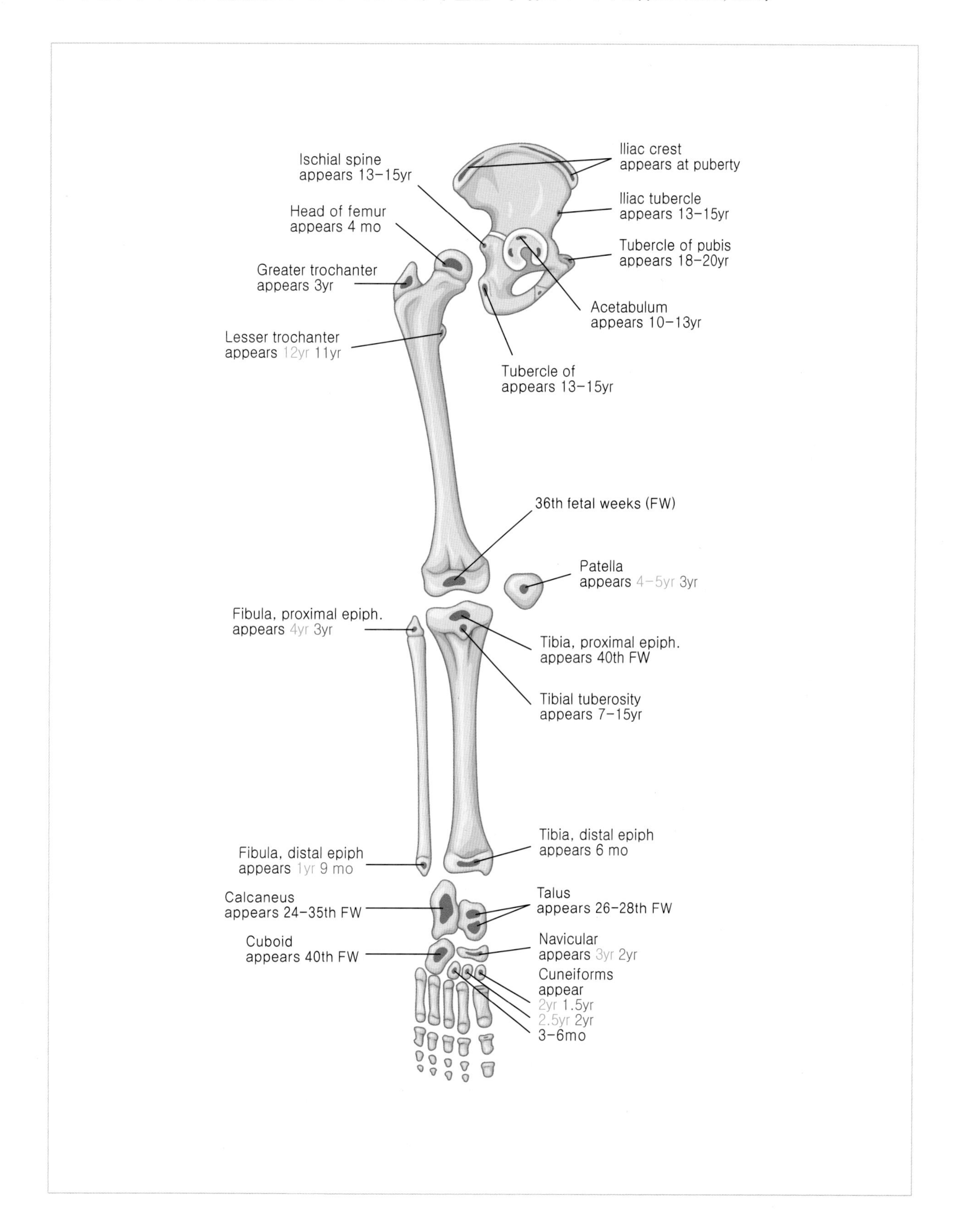

부록 11. 상지의 골화중심(ossification centers)의 유합 시기(남아–여아 순)(von Lanz,1938)

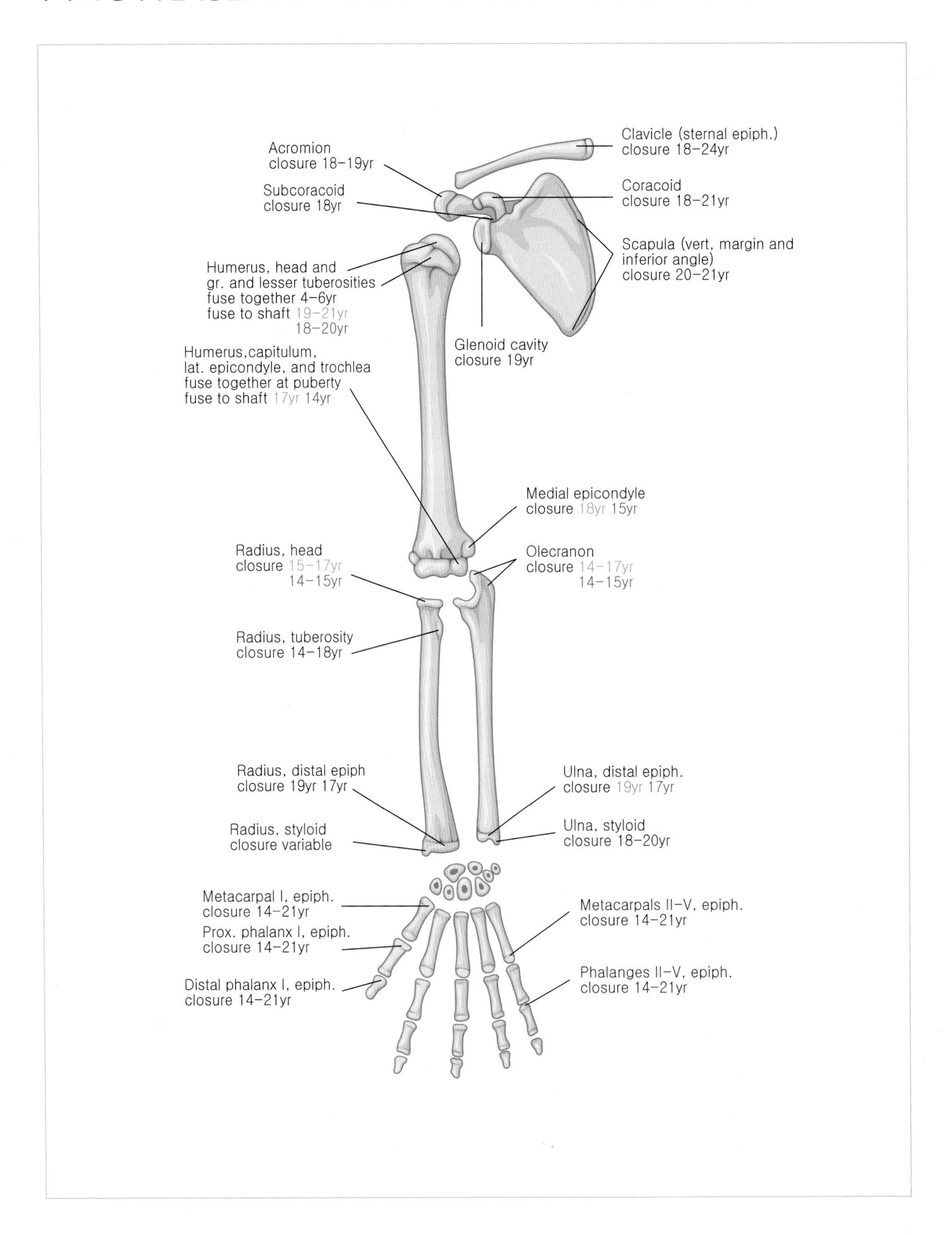

부록 12. 하지의 골화중심(ossification centers)의 유합 시기(남아-여아 순)(von Lanz, 1938)

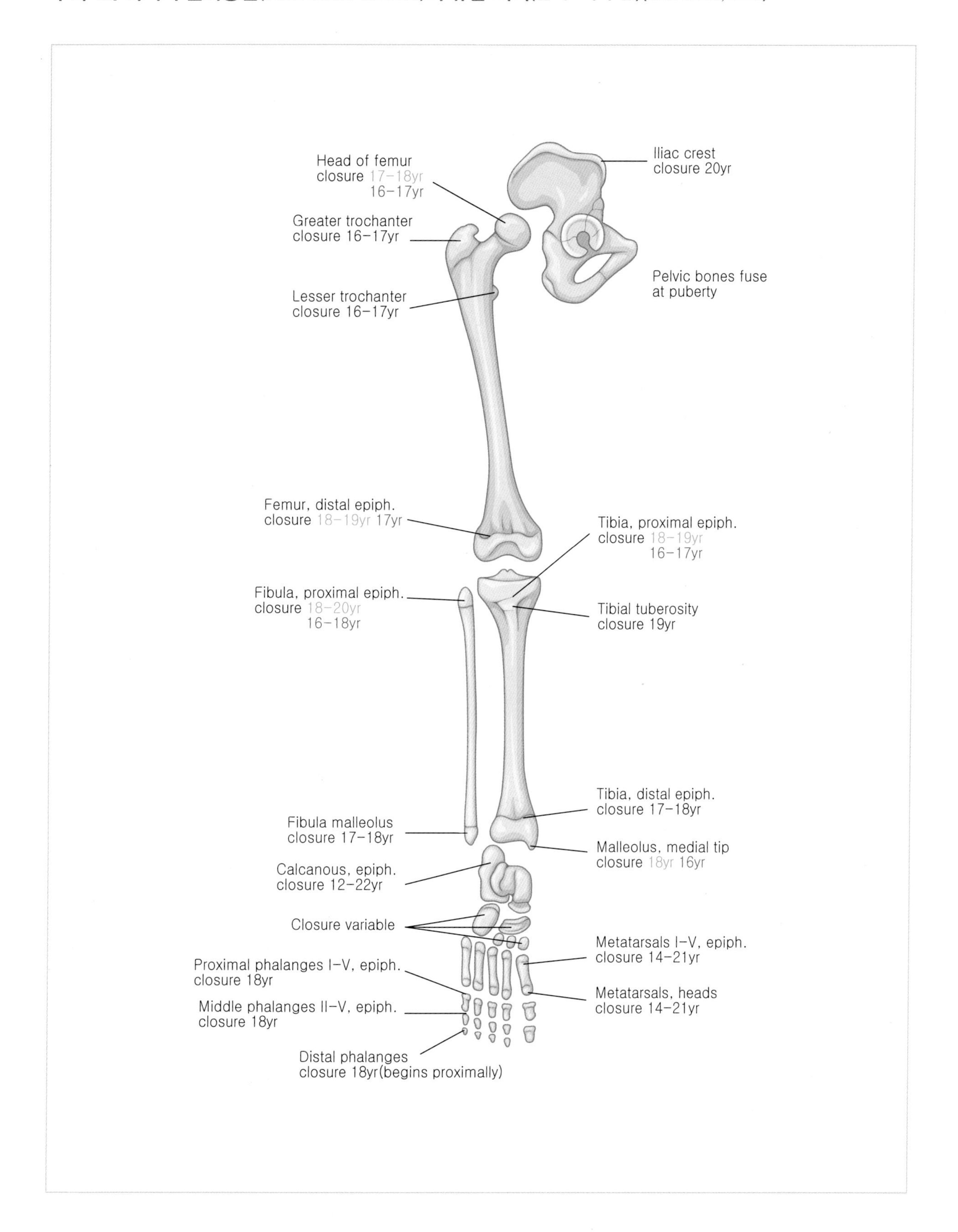

부록 13. Tanner의 발달 단계

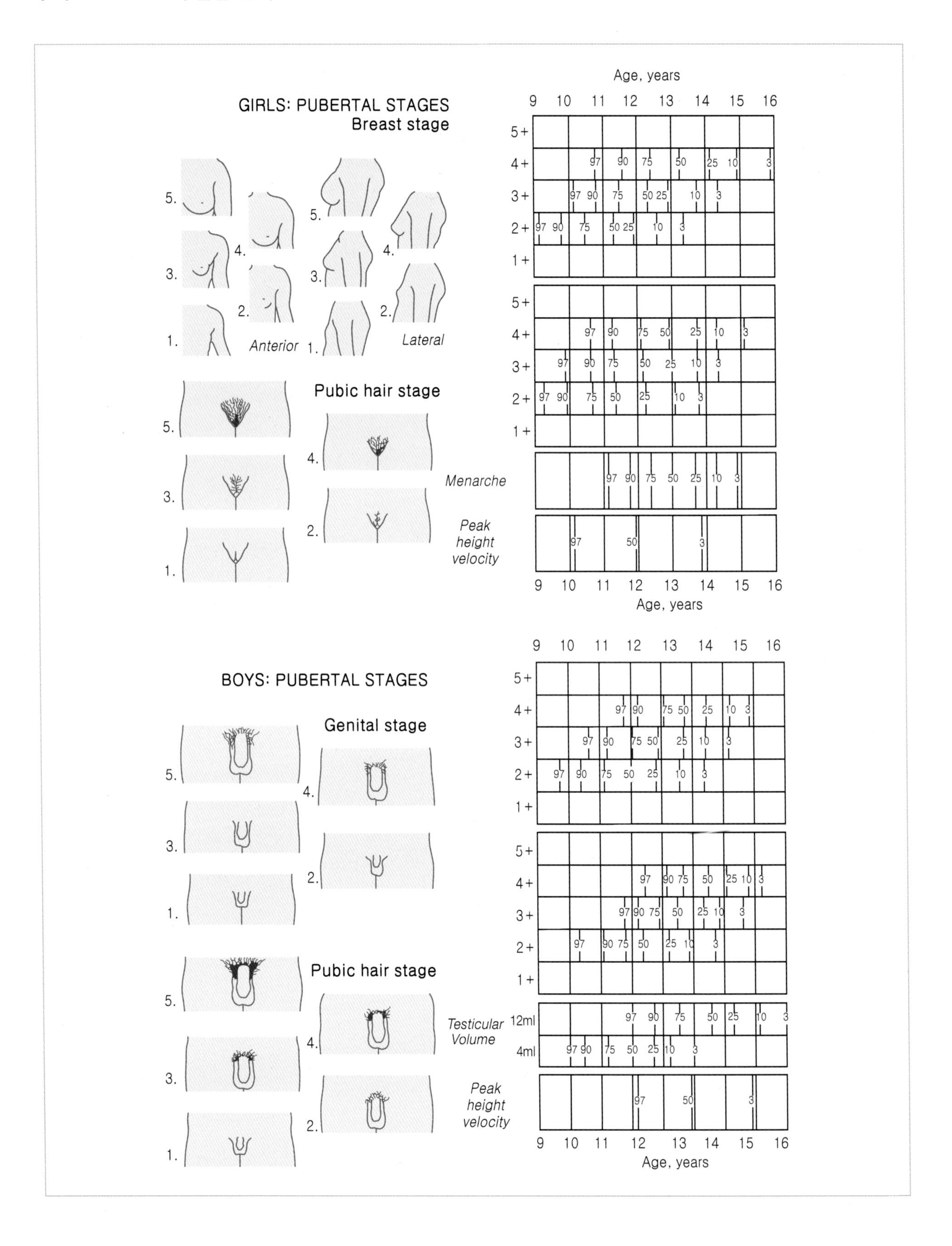

부록 14. Oxford 골반 골연령 측정법(Acheson RM. CORR. 1957)

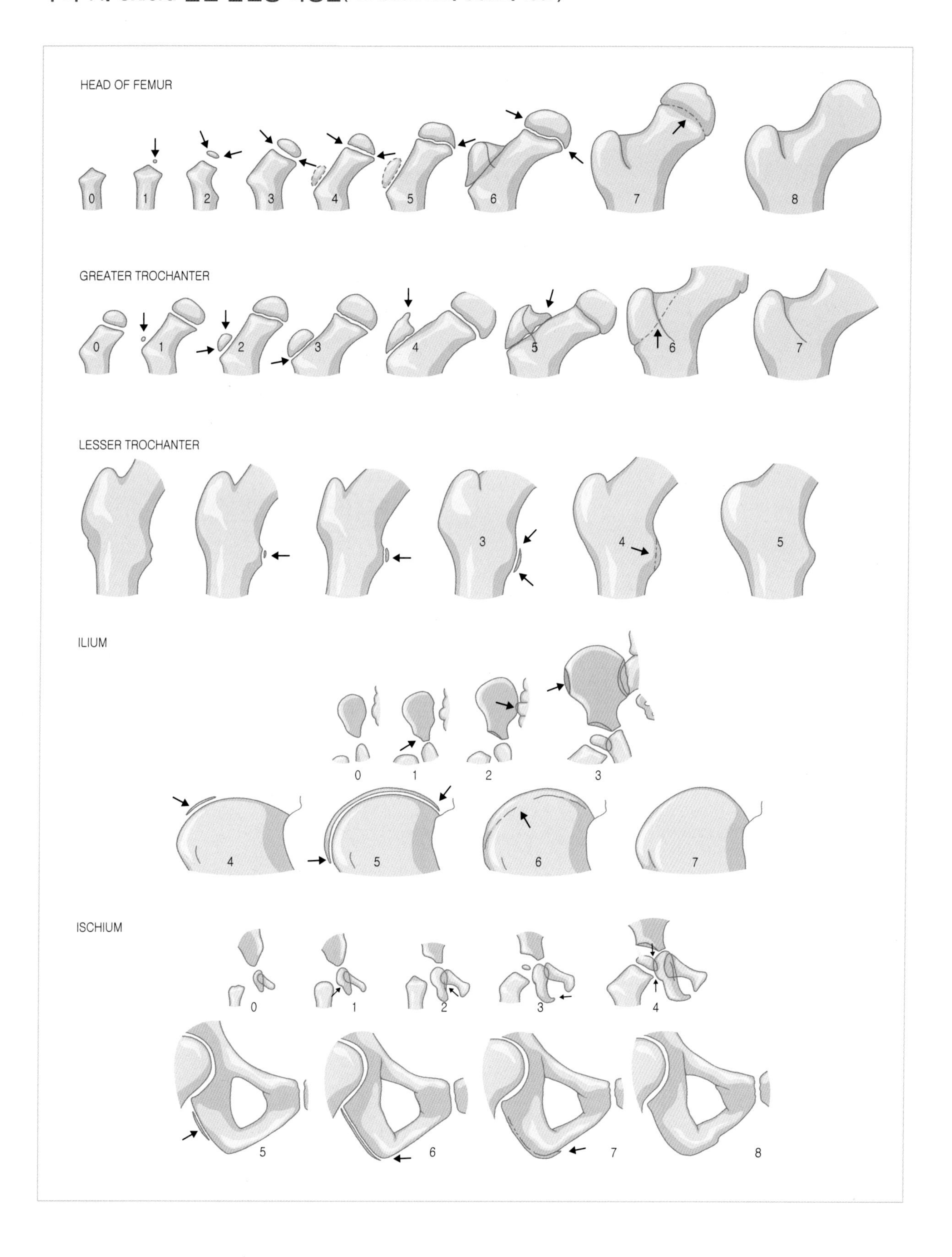

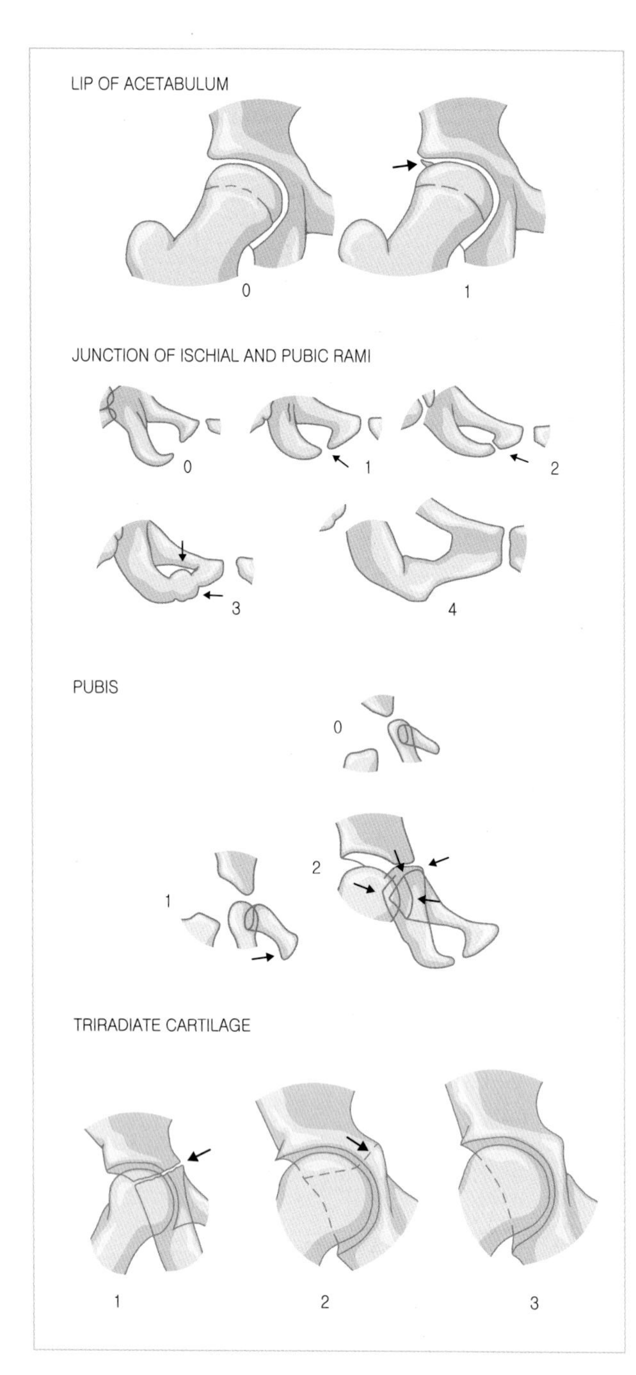

Oxford 골반 골연령 환산표

Item	남		여	
	성숙도 점수		성숙도 점수	
	평균	표준편차	평균	표준편차
0.25	4.3	1.1	4.6	1.3
0.5	6.5	1.0	6.6	1.2
0.75	7.5	0.9	7.6	0.9
1	8.2	0.9	8.4	0.9
1.5	9.2	0.9	9.4	0.8
2	10.0	1.0	1.7	1.2
2.5	11.0	1.2	11.9	1.1
3	12.0	1.3	12.9	1.3
3.5	12.9	1.3	14.1	1.5
4	14.0	1.4	15.2	1.6
4.5	15.0	1.5	16.4	1.7
5	16.1	1.4	17.5	1.6
6	17.5	1.5	19.1	1.7
7	18.7	1.5	20.4	1.6
8	19.8	1.4	21.9	1.7
9	20.9	1.4	23.4	1.8
10	22.0	1.6	25.0	2.4
11	23.3	1.7	27.2	2.4
12	25.0	2.1	29.9	2.9
13	26.8	2.4	32.6	3.3
14	29.7	2.6	36.7	3.2
15	32.6	3.3	38.3	2.6
16	36.1	4.0	41.4	1.7
17	39.5	3.2	42.5	1.4
18	41.8	2.1	43.6	

부록 15. Sanders 수부 골성숙도 단계(Sanders JO. JBJS Am. 2008)

Key Findings of the Simplified Tanner-Whitehouse-III Skeletal Maturity Assessment

Stage	Key Features	Tanner-Whitehouse-III Stage	Greulich and Pyle Reference	Related Maturity Signs	Radiograph
1. Juvenile slow	Digital epiphyses are not covered.	Some digits are at stage E or less.	Female 8 yr + 10 mo, male 12 yr + 6 mo (note fifth middle phalanx)	Tanner stage 1	
2. Preadolescent slow	All digital epiphyses are covered.	All digits are at stage F.	Female 10 yr, male 13 yr	Tanner stage 2, starting growth spurt	
3. Adolescent rapid-early	The preponderance of digits are capped. The second through fifth metacarpal epiphyses are wider than their metaphyses.	All digits are at stage G.	Female 11 and 12 yr, male 13 yr + 6 mo and 14 yr	Peak height velocity, Risser stage 0, open pelvic triradiate cartilage	
4. Adolescent rapid-late	Any of distal phalangeal physes are clearly beginning to close	Any distal phalanges are at stage H.	Female 13 yr (digits 2, 3, and 4), male 15 yr (digits 4 and 5)	Girls typically in Tanner stage 3, Risser stage 0, open triradiate cartilage	
5. Adolescent steady-early	All distal phalangeal physes are closed. Others are open.	All distal phalanges and thumb metacarpal are at stage I. Others remain at stage G.	Female 13 yr + 6 mo, male 15 yr + 6 mo	Risser stage 0, triradiate cartilage closed, menarche only occasionally starts earlier than this	
6. Adolescent steady-late	Middle or proximal phalangeal physes are closing.	Middle or proximal phalanges are at stages H and I.	Female 14 yr, male 16 yr (late)	Risser sign positive (stage 1 or more)	
7. Early mature	Only distal radial physis is open. Metacarpal physeal scars may be present.	All digits are at stage I. The distal radial physis is at stage G or H.	Female 15 yr, male 17 yr	Risser stage 4	
8. Mature	Distal radial physis is completely closed.	All digits are at stage I.	Female 17 yr, male 19 yr	Risser stage 5	All closed

부록 16. 대퇴골 및 경골의 승수

하지의 multiplier (남자, 경골)

Age (yrs.)	Multiplier*						
	Mean	+2 SD	+1 SD	-1 SD	-2 SD	Avg.	Vari-ability
0	5.04	4.98	5.01	5.07	5.08	5.04	±0.05
1	3.21	3.26	3.24	3.19	3.16	3.21	±0.05
2	2.56	2.59	2.58	2.55	2.54	2.56	±0.03
3	2.22	2.24	2.23	2.21	2.20	2.22	±0.02
4	2.00	2.01	2.00	1.99	1.99	2.00	±0.01
5	1.82	1.82	1.82	1.82	1.82	1.82	±0.00
6	1.69	1.68	1.68	1.68	1.68	1.68	±0.01
7	1.57	1.55	1.56	1.58	1.60	1.57	±0.02
8	1.47	1.45	1.46	1.48	1.50	1.47	±0.03
9	1.38	1.35	1.37	1.40	1.42	1.38	±0.04
10	1.31	1.28	1.29	1.33	1.35	1.31	±0.04
11	1.24	1.21	1.22	1.26	1.29	1.24	±0.04
12	1.17	1.14	1.15	1.20	1.23	1.18	±0.03
13	1.11	1.07	1.09	1.14	1.18	1.12	±0.06
14	1.06	1.02	1.04	1.08	1.11	1.06	±0.04
15	1.03	1.01	1.01	1.04	1.05	1.03	±0.02
16	1.01	1.00	1.00	1.01	1.02	1.01	±0.01
17	1.00	1.00	1.00	1.00	1.01	1.00	±0.00
18	1.00	1.00	1.00	1.00	1.00	1.00	±0.00

*SD = standard deviation.

하지의 multiplier (남자, 대퇴골)

Age (yrs.)	Multiplier*						
	Mean	+2 SD	+1 SD	-1 SD	-2 SD	Avg.	Vari-ability
0	5.09	5.06	5.14	5.14	5.22	5.13	±0.08
1	3.26	3.24	3.30	3.27	3.28	3.27	±0.03
2	2.60	2.57	2.62	2.62	2.64	2.61	±0.04
3	2.24	2.21	2.26	2.26	2.28	2.25	±0.03
4	2.00	1.96	2.01	2.02	2.04	2.00	±0.04
5	1.82	1.79	1.83	1.84	1.86	1.83	±0.03
6	1.68	1.64	1.69	1.70	1.73	1.69	±0.04
7	1.56	1.52	1.56	1.58	1.61	1.57	±0.05
8	1.46	1.43	1.46	1.49	4.51	1.47	±0.04
9	1.37	1.34	1.38	1.40	4.51	1.47	±0.04
10	1.30	1.27	1.30	1.32	1.35	1.31	±0.04
11	1.24	1.20	1.24	1.26	1.29	1.24	±0.05
12	1.18	1.14	1.17	1.20	1.23	1.18	±0.05
13	1.12	1.07	1.11	1.15	1.18	1.13	±0.06
14	1.07	1.03	1.06	1.09	1.12	1.08	±0.03
15	1.03	1.01	1.04	1.05	1.06	1.04	±0.03
16	1.01	1.00	1.02	1.02	1.03	1.03	±0.02
17	1.00	1.00	1.02	1.01	1.01	1.01	±0.01
18	1.00	1.00	1.01	1.00	1.00	1.00	±0.00

*SD = standard deviation.

하지의 multiplier(여자, 경골)

Age (yrs.)	Multiplier*						
	Mean	+2 SD	+1 SD	-1 SD	-2 SD	Avg.	Vari-ability
0	4.76	4.58	4.54	4.58	4.67	4.63	±0.11
1	2.99	3.03	3.01	2.98	2.95	2.99	±0.04
2	2.39	2.44	2.41	2.36	2.33	2.39	±0.06
3	2.06	2.10	2.08	2.04	2.02	2.06	±0.04
4	1.84	1.84	1.84	1.83	1.83	1.84	±0.01
5	1.67	1.67	1.67	1.67	1.67	1.67	±0.00
6	1.54	1.53	1.53	1.54	1.55	1.54	±0.01
7	1.43	1.42	1.42	1.44	1.45	1.43	±0.02
8	1.34	1.32	1.33	1.35	1.36	1.34	±0.02
9	1.26	1.24	1.25	1.27	1.29	1.26	±0.03
10	1.18	1.16	1.17	1.20	1.22	1.19	±0.03
11	1.12	1.09	1.10	1.14	1.16	1.12	±0.04
12	1.06	1.04	1.05	1.08	1.09	1.06	±0.03
13	1.02	1.01	1.02	1.03	1.04	1.03	±0.02
14	1.00	1.00	1.00	1.00	1.00	1.00	0.00
15	1.00	1.00	1.00	1.00	1.00	1.00	0.00
16	1.00	1.00	1.00	1.00	1.00	1.00	0.00

*SD = standard deviation.

하지의 multiplier (여자, 대퇴골)

Age (yrs.)	Multiplier*						
	Mean	+2 SD	+1 SD	-1 SD	-2 SD	Avg.	Vari-ability
0	4.64	4.71	4.63	4.60	4.56	4.63	±0.04
1	2.94	2.97	2.96	2.93	2.91	2.94	±0.03
2	2.39	2.40	2.40	2.39	2.38	2.37	±0.01
3	2.05	2.04	2.05	2.05	2.05	2.05	±0.01
4	1.82	1.81	1.81	1.83	1.85	1.82	±0.02
5	1.66	1.65	1.65	1.66	1.67	1.66	±0.01
6	1.53	1.51	1.52	1.54	1.55	1.53	±0.02
7	1.42	1.40	1.41	1.44	1.45	1.43	±0.03
8	1.33	1.31	1.32	1.35	1.36	1.33	±0.03
9	1.26	1.23	1.24	1.27	1.29	1.26	±0.03
10	1.19	1.16	1.17	1.20	1.22	1.19	±0.03
11	1.12	1.10	1.11	1.14	1.16	1.13	±0.03
12	1.07	1.05	1.06	1.08	1.10	1.07	±0.03
13	1.03	1.02	1.02	1.04	1.05	1.03	±0.02
14	1.00	1.00	1.00	1.00	1.00	1.00	±0.00
15	1.00	1.00	1.00	1.00	1.00	1.00	±0.00
16	1.00	1.00	1.00	1.00	1.00	1.00	±0.00

*SD = standard deviation.

부록 17. 연령에 따른 rotation profile(Staheli. JBJS Am. 1985;67:39)

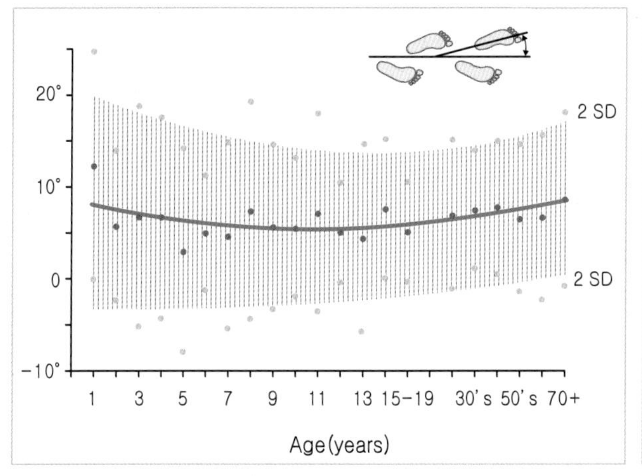

족부 전진각(foot progression)의 변화

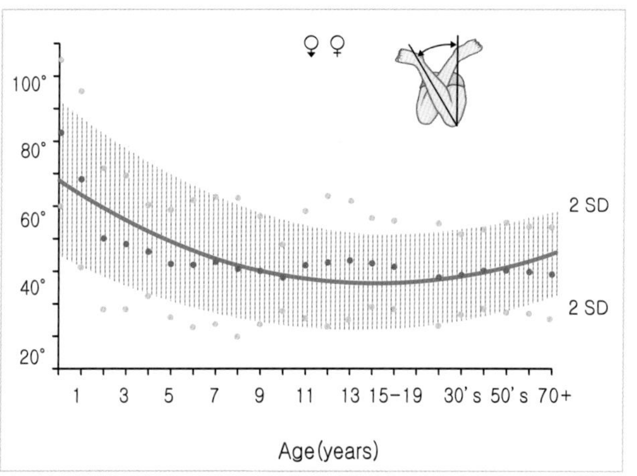

고관절 외회전(external rotation)의 변화

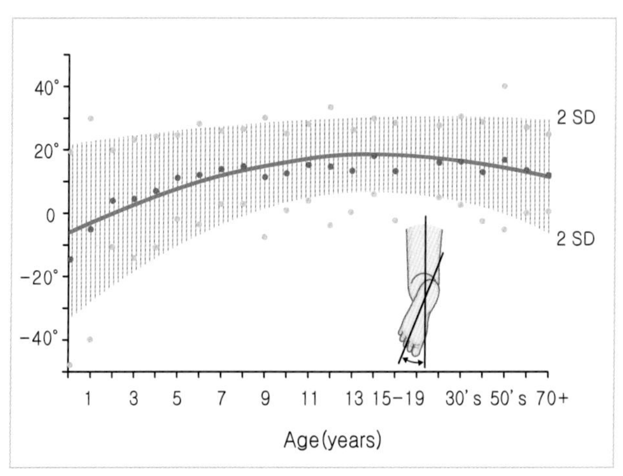

대퇴-족부각(thigh-foot angle)의 변화

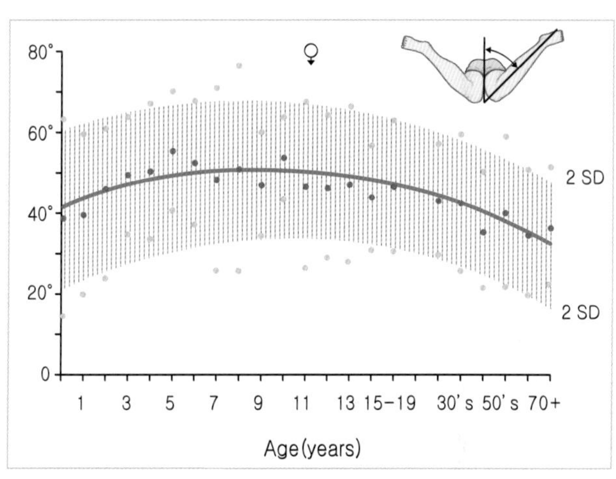

남아에서 고관절 내회전(internal rotation)의 변화

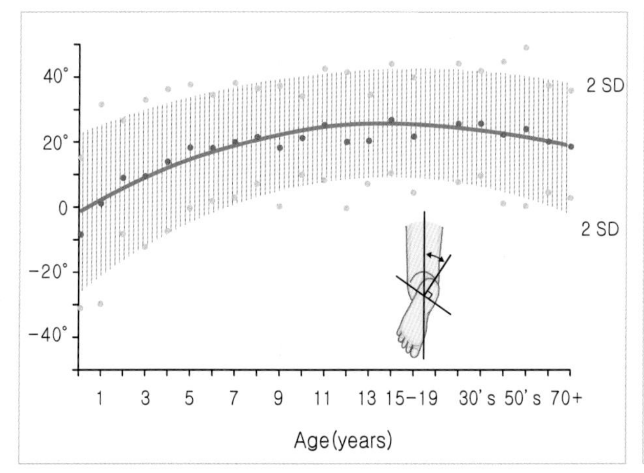

횡과각(transmalleolar angle)의 변화

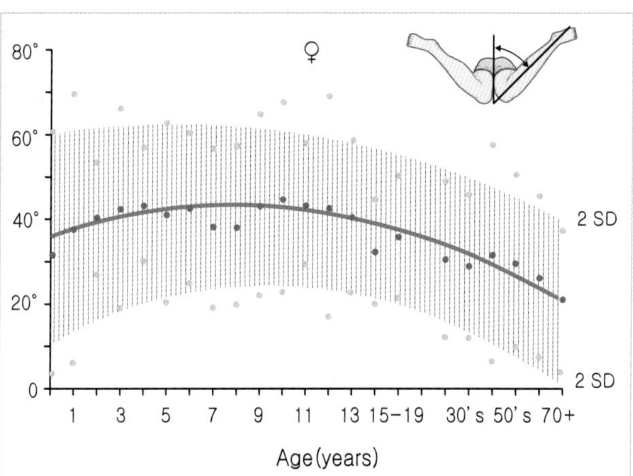

여아에서 고관절 내회전(internal rotation)의 변화

부록 18. 연령에 따른 대퇴 전염각(anteversion)의 변화(Crane. JBJS Am. 1959;41:423)

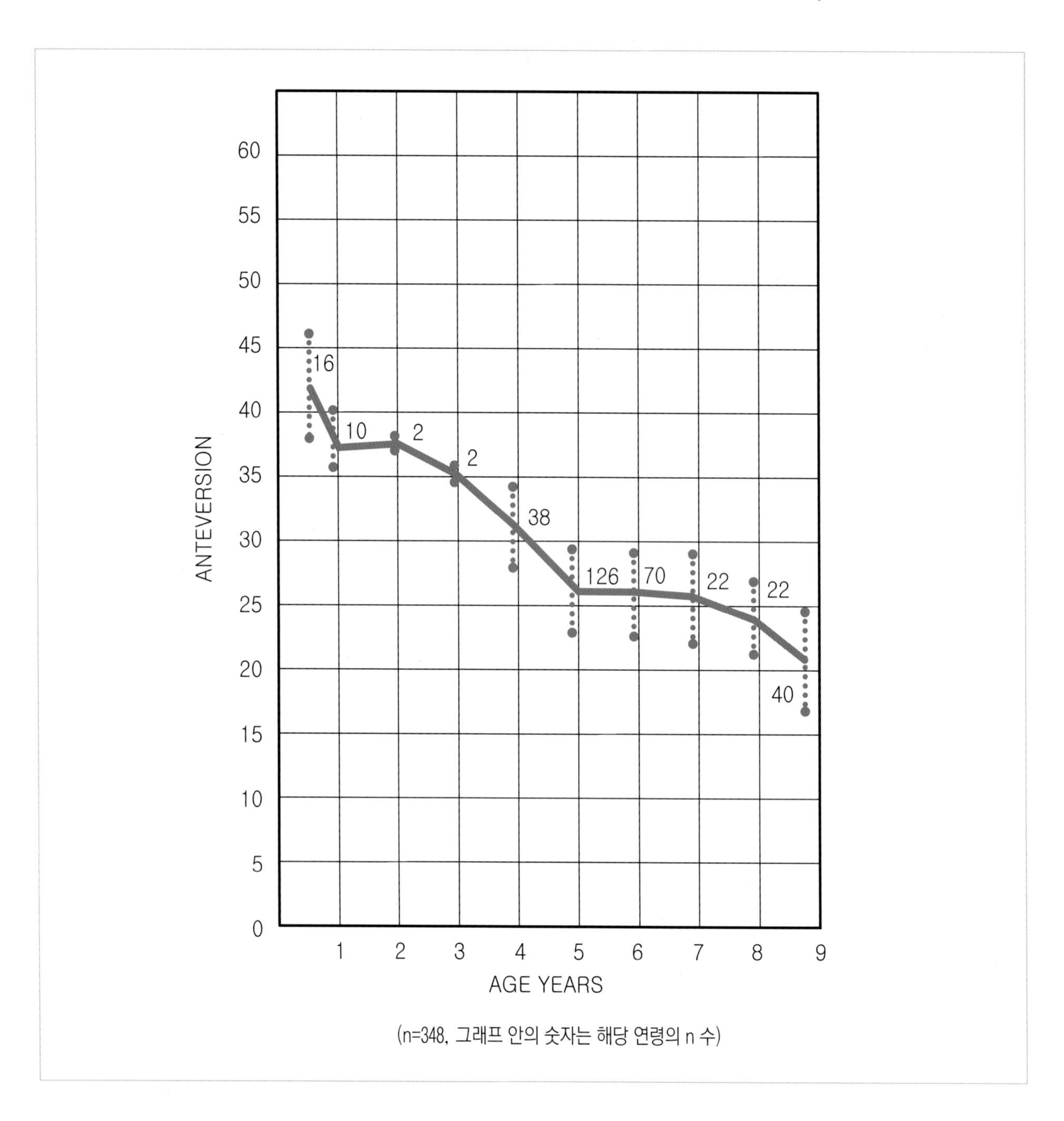

(n=348, 그래프 안의 숫자는 해당 연령의 n 수)

부록 19. 연령에 따른 대퇴 경간각(neck-shaft angle)의 변화

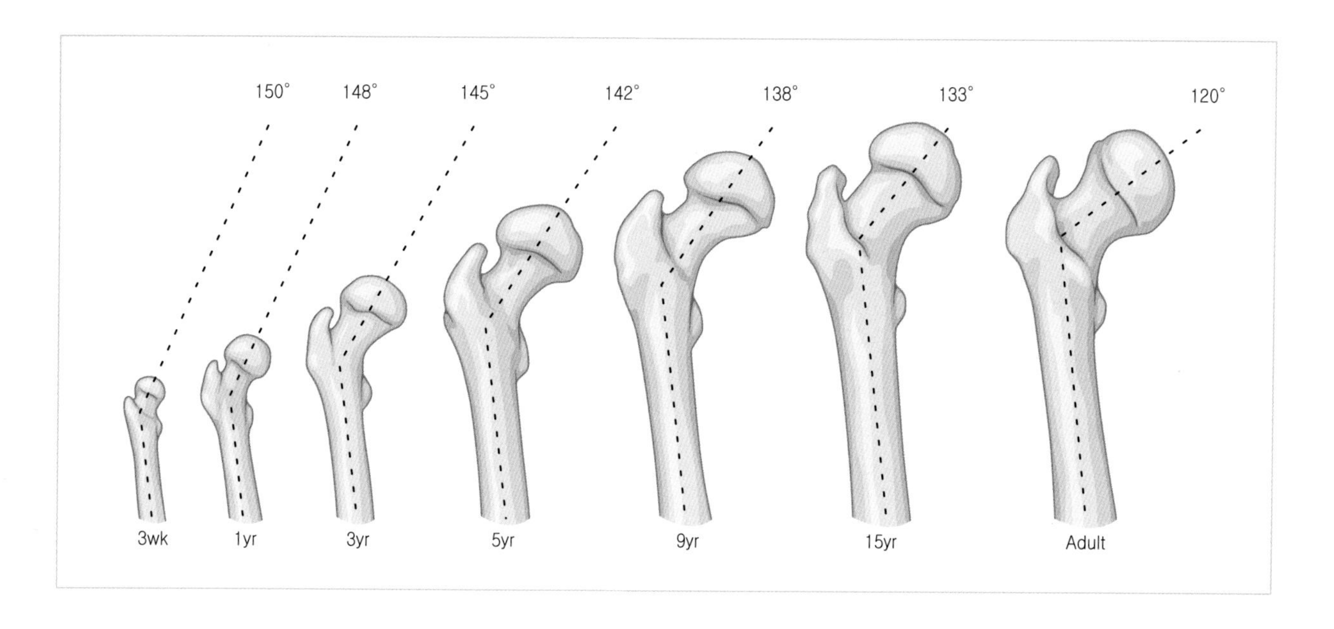

부록 20. 연령에 따른 Graf의 α angle의 변화(Tschauner,1980)

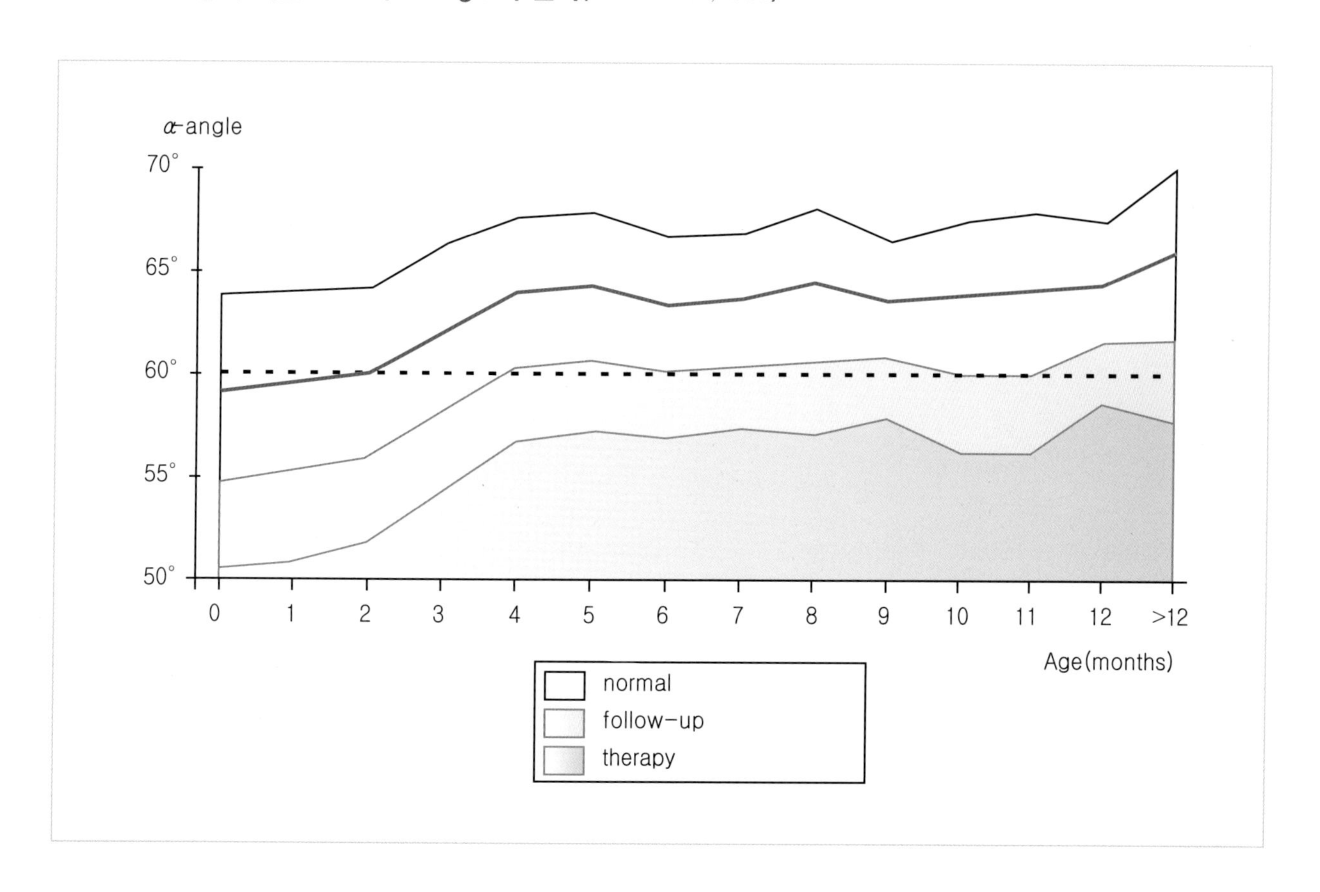

부록 21. 소아 고관절의 방사선학적 평가

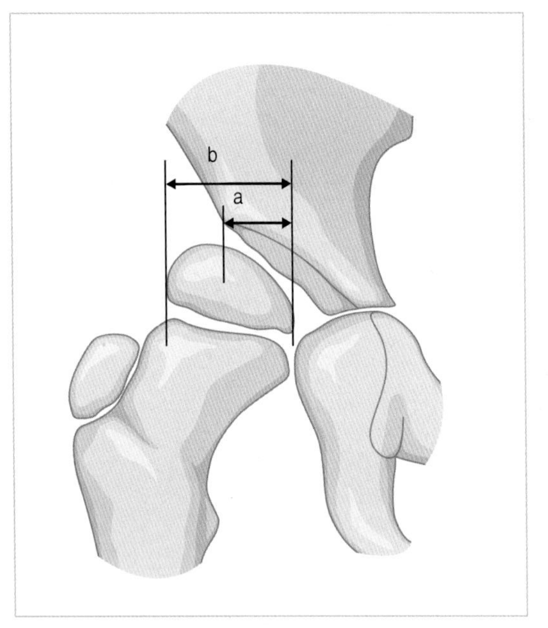

Femoral head coverage = $\frac{a}{b}$ × 100 (%)
(Cooperman. CORR. 1983;175:79)

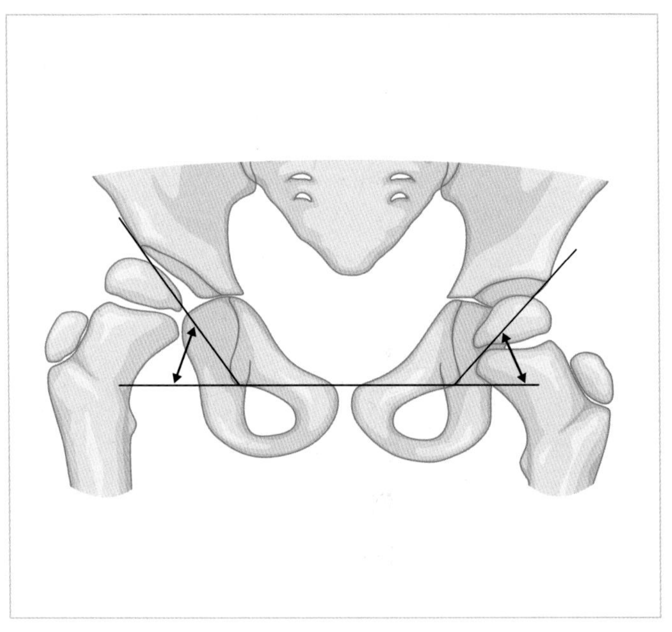

Sharp angle (Sharp. JBJS Br. 1961;43:268)

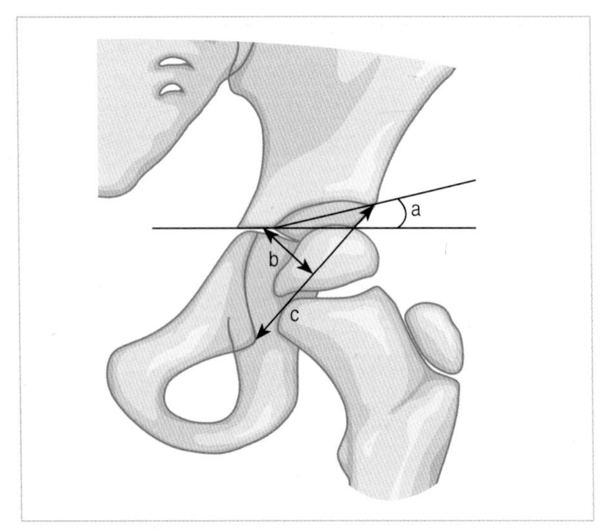

a: Acetabular index (Hilgenreiner. Zur Fruhdiagnose der angeborenen Huftgelenksverrenkung. Med Klin. 1925;21:1385)
b: Acetabular depth
c: Acetabular width

Acetabular depth ratio = $\frac{b}{c}$ × 100 (%)

Heyman-Herdon의 acetabular quotient
(Heyman. JBJS Am. 1950;32:767)

$= \frac{\text{환측의 acetabular depth ratio}}{\text{건측의 acetabular depth ratio}} \times 100\ (\%)$

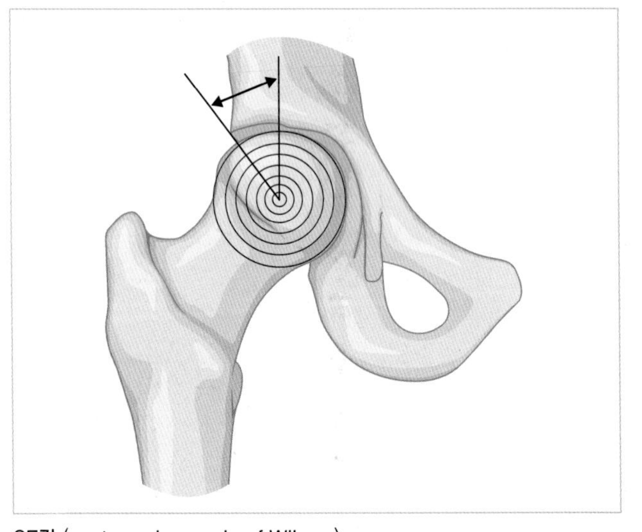

CE각 (center-edge angle of Wiberg)
(Wiberg. Acta Chir Scand. 1939;83:5)

부록 22. 연령에 따른 비구지수(acetabular index)의 변화

22-1. 골성비구의 외측경계(lateral osseous margin of the acetabular roof)를 기준으로 측정한 비구지수의 변화 곡선 (Tönnis D. CORR. 1976)

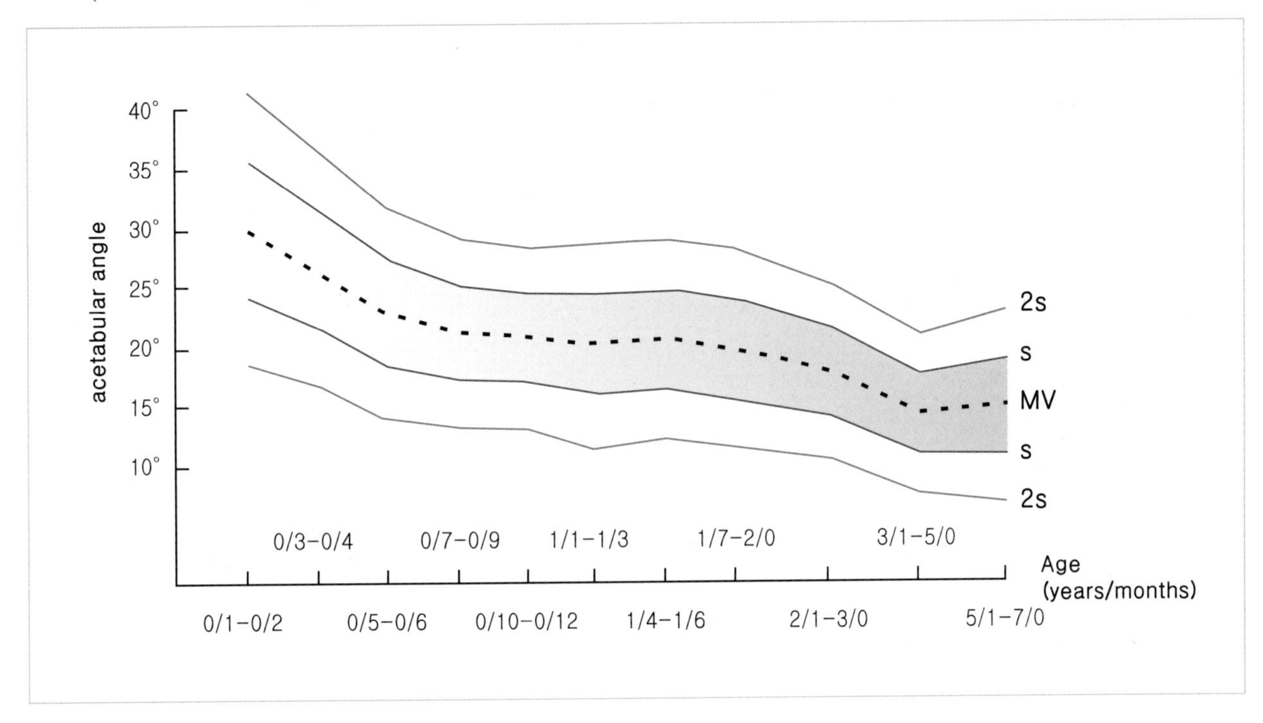

22-2. 골성비구의 외측경계(lateral osseous margin of the acetabular roof)를 기준으로 측정한 비구지수의 변화 도표 (Tönnis D. CORR. 1976). s = standard deviation

(mos)	Girls				Boys			
	Light dysplasea above (s)		Severe dysplasea above (2s)		Light dysplasea above (s)		Severe dysplasea above (2s)	
Age	right	left	right	left	right	left	right	left
1+2	35.8	36.1	41.6	41.6	27.7	31.2	31.8	35.2
3+4	31.4	33.2	36.3	38.7	27.9	29.1	32.4	33.7
5+6	27.3	29.3	37.8	34.1	24.2	26.8	29.0	31.6
7-9	25.3	26.6	29.4	31.1	24.6	25.4	28.9	29.5
10-12	24.7	27.1	28.6	31.4	23.2	25.2	27.0	29.1
13-15	24.6	26.9	29.0	31.7	23.1	24.0	27.5	27.7
16-18	25.0	26.1	29.3	30.4	23.8	25.8	28.1	30.0
19-24	24.1	26.4	28.4	30.8	20.6	23.2	24.4	27.3
2-3 yrs	21.8	23.3	25.6	27.1	21.0	22.7	25.3	26.9
3-5 yrs	17.9	21.2	21.3	25.8	19.2	19.8	23.5	23.8
5-7 yrs	19.3	19.8	23.4	23.8	16.8	19.3	20.9	23.2

22-3. 비구눈썹의 외측단(lateral end of the acetabular sourcil)을 기준으로 측정한 비구지수의 변화 곡선
(Novais EN. J Pediatr Orthop. 2018)

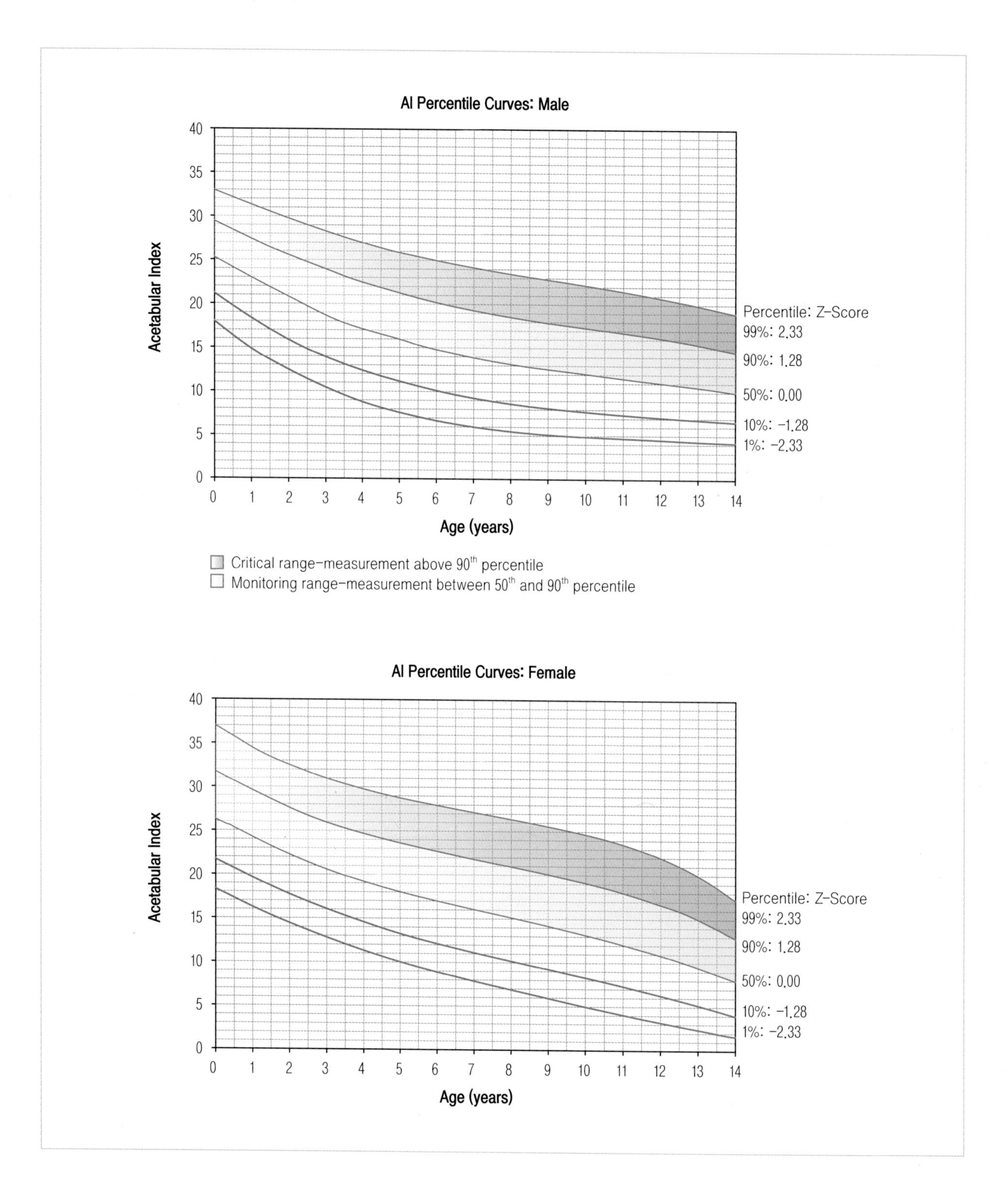

22-4. 비구눈썹의 외측단(lateral end of the acetabular sourcil)을 기준으로 측정한 비구지수의 변화 도표
(Novais EN. J Pediatr Orthop. 2018)

Age (y)	Females		Males	
	Right ± SD	Left ± SD	Right ± SD	Left ± SD
0-0.5	24.04 ± 3.7	25.64 ± 4.0	24.14 ± 1.8	23.43 ± 3.0
0.5-1	24.60 ± 4.2	25.67 ± 3.9	23.41 ± 3.7	23.91 ± 4.0
1-2	23.84 ± 3.4	25.46 ± 4.0	22.95 ± 3.9	23.00 ± 4.0
2-3	21.48 ± 3.8	21.81 ± 3.6	19.82 ± 4.0	19.87 ± 4.1
3-4	19.58 ± 4.0	19.42 ± 3.6	17.23 ± 4.0	18.09 ± 4.3
4-5	19.07 ± 4.1	18.52 ± 3.8	16.92 ± 2.7	16.27 ± 3.4
5-6	16.80 ± 5.1	17.86 ± 4.7	14.88 ± 3.5	15.08 ± 4.1
6-7	16.64 ± 3.8	16.96 ± 4.6	15.30 ± 4.4	15.53 ± 4.0
7-8	14.45 ± 3.0	15.94 ± 4.0	13.79 ± 2.8	14.24 ± 3.2
8-9	15.0 ± 5.1	14.83 ± 4.1	13.00 ± 3.6	12.71 ± 4.2
9-10	14.03 ± 3.9	13.97 ± 3.3	13.07 ± 4.0	12.74 ± 4.2
10-11	14.29 ± 4.5	15.52 ± 4.1	12.14 ± 4.1	12.33 ± 3.7
11-12	10.36 ± 3.2	10.56 ± 4.4	10.51 ± 3.3	11.77 ± 3.6
12-13	11.36 ± 3.90	10.00 ± 3.6	12.16 ± 3.9	11.34 ± 3.2
13-14	9.43 ± 4.1	9.32 ± 3.6	10.78 ± 2.0	10.47 ± 3.8

부록 23. 연령에 따른 외측 중심-변연 각(lateral center-edge angle)의 변화(Shi YY. JBJS Br. 2010)

Age (yrs)	Male		Female	
	CEA (°)	SD (°)	CEA (°)	SD (°)
4	22.8	5.79	19.7	6.52
5	23.6	6.07	21.6	6.24
6	24.0	5.27	21.8	4.80
7	23.3	4.85	23.0	4.80
8	23.1	6.02	23.1	5.09
9	23.8	7.07	26.5	6.50
10	23.9	5.24	25.7	5.75
11	26.3	6.34	28.6	5.53
12	27.7	6.07	27.8	5.06
13	30.3	6.83	29.0	5.53
14	31.9	7.07	30.4	5.31
15	30.9	4.86	29.5	3.46
16	33.7	5.46	27.5	5.41
17	31.1	8.23	28.8	5.43
18	32.6	5.45	31.4	6.79
19-30	31.7	6.07	30.0	5.21
31-40	33.8	5.54	31.5	6.28
41-50	33.4	6.35	32.2	7.27
51-60	35.9	8.79	32.1	7.67
61-80	35.2	5.45	34.7	6.88

부록 24. 유아기 화농성 고관절염 후유증의 분류(modified from Choi. JBJS Am. 1990;72:1150)

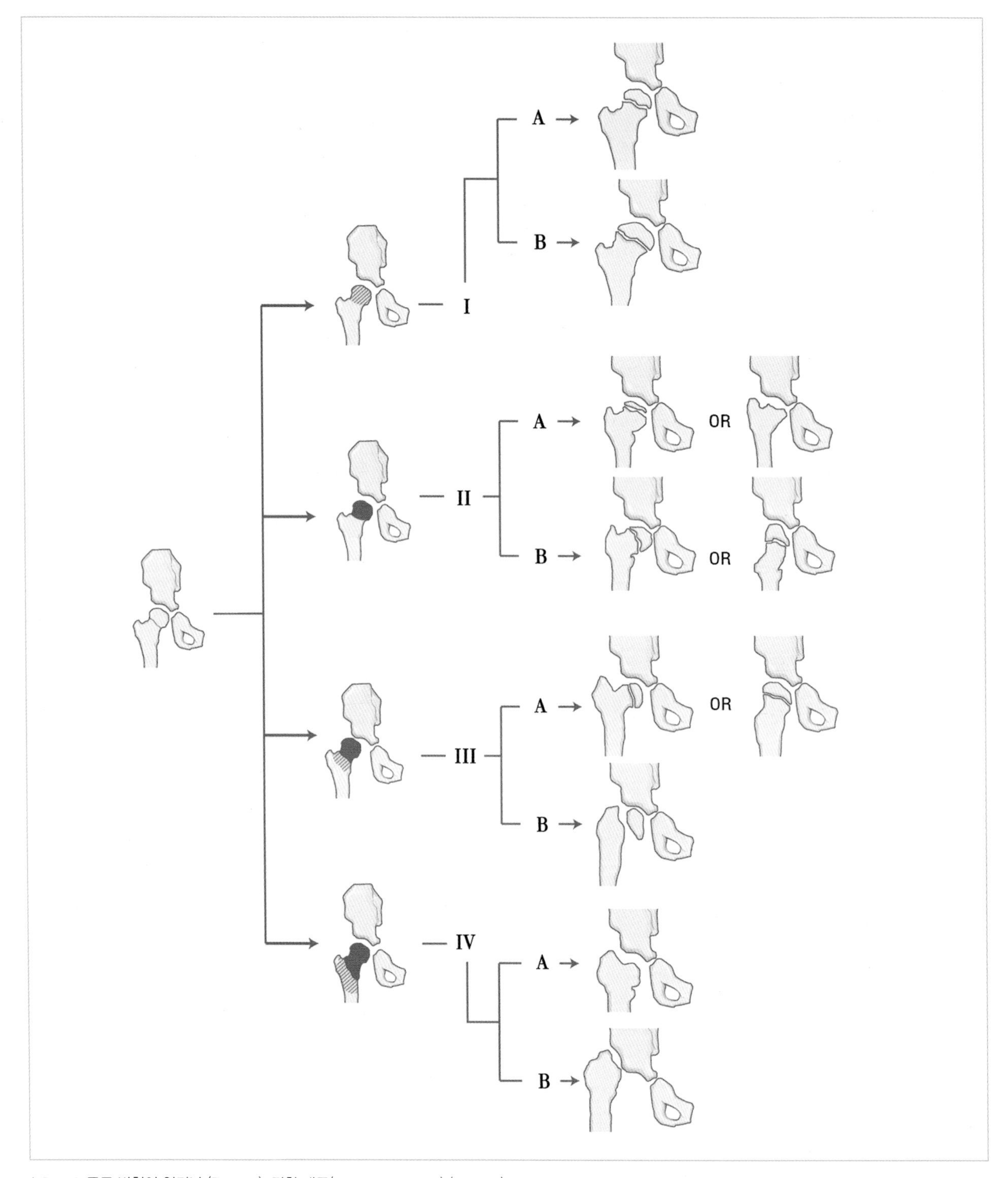

* Type I: 골두 변형이 없거나 (Type IA), 경한 대두(mild coxa magna) (Type IB).
* Type II: 골두 변형을 동반한 단두(coxa breva) (Type IIA), 또는 조기 골단판 성장정지로 인한 진행성 내반고(coxa vara) 또는 외반고(coxa valga) (Type IIB).
* Type III: 대퇴경부에서 골두 전위로 인한 내반고 또는 외반고가 심한 전염(anteversion) 또는 후염(retroversion)과 동반 (Type IIIA)되거나, 대퇴경부에서 가관절(pseudarthrosis)이 형성 (Type IIIB).
* Type IV: 대퇴골두와 경부의 파괴로 일부 잔여물(remnant)만이 남아 있거나(Type IVA), 또는 대퇴골두와 경부의 완전 소실(Type IVB).

부록 25. 골이형성증의 분류

Group/name of disorder	Inheri-tance	Gene(s)	OMIM number	ORPHANET code	Notes
1. FGFR3 chondrodysplasia group					
Thanatophoric dysplasia type 1	AD	*FGFR3*	187600	18060	Includes previous San Diego type
Thanatophoric dysplasia type 2	AD	*FGFR3*	187601	93274	
Severe achondroplasia with developmental delay and acanthosis nigricans (SADDAN)	AD	*FGFR3*	616482	85165	
Achondroplasia	AD	*FGFR3*	100800	15	
Hypochondroplasia	AD	*FGFR3*	146000	427	
Camptodactyly, tall stature and hearing loss syndrome (CATSHL)	AD, AR	*FGFR3*	610474	85164	Loss-of-function mutations
2. Type 2 collagen group					
Achondrogenesis type 2 (Langer–Saldino)	AD	*COL2A1*	200610	93296	Achondrogenesis type 2 and hypochondrogenesis form one phenotypic continuum
Hypochondrogenesis	AD	*COL2A1*	200610	93297	Achondrogenesis type 2 and hypochondrogenesis form one phenotypic continuum
Platyspondylic dysplasia, Torrance type	AD	*COL2A1*	151210	85166	See also severe spondylodysplastic dysplasias (group 14)
Spondyloepiphyseal dysplasia congenita (SEDC)	AD, AR*	*COL2A1*	183900	94068	Includes mild skeletal dysplasia (SED) with premature onset arthrosis and SED Stanescu type.
Spondyloepiphyseal dysplasia congenita (SEDC)			616583		Mild SED cases may resemble multiple epiphyseal dysplasia (MED) (see note).
Spondyloepiphyseal dysplasia congenita (SEDC)			604864		AR*: A few cases with biallelic COL2A1 mutations have been reported
Spondyloepiphyseal dysplasia with marked metaphyseal changes (SEMD)	AD	*COL2A1*	184250	93346	Includes SEMD Strudwick type, SMD Algerian type, dysspondyloenchondromatosis and some cases of SMD corner fracture type
Spondyloepiphyseal dysplasia with marked metaphyseal changes (SEMD)			184253	93316	
Spondyloepiphyseal dysplasia with marked metaphyseal changes (SEMD)			184255	93315	
Spondyloepiphyseal dysplasia with marked metaphyseal changes (SEMD)				85198	
Kniest dysplasia	AD	*COL2A1*	156550	485	
Spondyloperipheral dysplasia	AD	*COL2A1*	271700	1856	
SED with metatarsal shortening (formerly Czech dysplasia)	AD	*COL2A1*	609162	137678	Often associated with the p.R275C mutation
Stickler syndrome type 1	AD	*COL2A1*	108300	828	See also COL11A1, COL11A2, COL9A1, COL9A2, and COL9A3
Stickler syndrome type 1				90653	
Dysplasia of the proximal femoral epiphyses	AD	*COL2A1*	608805	2380	Heterogeneous condition, not all cases are due to COL2A1 mutations (usually p.G393S; p.G717S; p.G1170S)

Group/name of disorder	Inheri-tance	Gene(s)	OMIM number	ORPHANET code	Notes
Dysplasia of the proximal femoral epiphyses			150600		
Stickler syndrome type 2	AD	*COL11A1*	604841	90654	Can also result from somatic mosaicism for a COL11A1 mutation
Marshall syndrome	AD	*COL11A1*	154780	560	One report with homozygous p.Gly901Glu mutation in two affected sibs (PMID 22499343)
Stickler syndrome type 3 (nonocular)	AD	*COL11A2*	184840	166100	
Fibrochondrogenesis	AR, AD	*COL11A1*	228520	2021	
Fibrochondrogenesis	AR, AD	*COL11A2*	614524		
Otospondylomegaepiphyseal dysplasia (OSMED), recessive type	AR	*COL11A2*	215150	1427	
Otospondylomegaepiphyseal dysplasia (OSMED), dominant type (Weissenbacher–Zweymüller syndrome, Stickler syndrome type 3)	AD	*COL11A2*	184840	3450	
4. Sulphation disorders group					
Achondrogenesis type 1B (ACG1B)	AR	*SLC26A2*	600972	93298	Formerly known as achondrogenesis, Fraccaro type
Atelosteogenesis type 2 (AO2)	AR	*SLC26A2*	256050	56304	Includes de la Chapelle dysplasia, McAlister dysplasia, and neonatal osseous dysplasia
Diastrophic dysplasia (DTD)	AR	*SLC26A2*	222600	628	
MED, autosomal recessive type	AR	*SLC26A2*	226900	93307	Classified in OMIM as EDM4; see also multiple epiphyseal dysplasia and pseudoachondroplasia group (group 10) and EDM7 in group 20
SEMD, PAPSS2 type	AR	*PAPSS2*	612847	93282	Formerly "Pakistani type."See also SEMD group (group 13)
Brachyolmia, recessive type	AR	*PAPSS2*	612847	448242	Probably includes Toledo and Hobaek types of brachyolmia
Chondrodysplasia gPAPP type (includes Catel–Manzke-like syndrome)	AR	*IMPAD1*	614078	280586	
Chondrodysplasia with congenital joint dislocations, CHST3 type (recessive Larsen syndrome)	AR	*CHST3*	143095	263463	Includes recessive Larsen syndrome, humero-spinal dysostosis, and SED Omani type
Ehlers–Danlos syndrome, musculocontractural type	AR	*CHST14*	601776	2953	Includes adducted thumb-clubfoot syndrome
Ehlers–Danlos syndrome, musculocontractural type	AR	*DSE*	615539		
5. Perlecan group					
Dyssegmental dysplasia, Silverman–Handmaker and Rolland–Desbuquois types	AR	*HSPG2*	224410	1865	

Group/name of disorder	Inheritance	Gene(s)	OMIM number	ORPHANET code	Notes
Dyssegmental dysplasia, Silverman–Handmaker and Rolland–Desbuquois types			224400	156731	
Schwartz–Jampel syndrome (myotonic chondrodystrophy)	AR	*HSPG2*	255800	800	Mild and severe forms; includes previous Burton dysplasia
6. Aggrecan group					
SED, Kimberley type	AD	*ACAN*	608361	253	
SEMD, Aggrecan type	AR	*ACAN*	612813	171866	
Short stature and advanced bone age	AD	*ACAN*	165800	364817	Sometimes with osteochondritis dissecans
7. Filamin group and related disorders					
Frontometaphyseal dysplasia	XL	*FLNA*	305620	1826	
Frontometaphyseal dysplasia	AD	*MAP3K7*	617137		
Frontometaphyseal dysplasia	AD	*TAB2*			
Cardiospondylocarpofacial syndrome	AD	*MAP3K7*	157800	3238	
Melnick–Needles syndrome	XL	*FLNA*	309350	2484	Includes osteodysplasty
Otopalatodigital syndrome type 1 (OPD1)	XL	*FLNA*	311300	90650	
Otopalatodigital syndrome type 2 (OPD2)	XL	*FLNA*	304120	90650	
Terminal osseous dysplasia (TOD)	XL	*FLNA*	300244	88630	Includes digitocutaneous dysplasia
Atelosteogenesis type 1 (AO1)	AD	*FLNB*	108720	1190	Includes Boomerang dysplasia, Piepkorn dysplasia, and spondylohumerofemoral (giant cell) dysplasia
Atelosteogenesis type 1 (AO1)			112310	1263	
Atelosteogenesis type 3 (AO3)	AD	*FLNB*	108721	56305	
Larsen syndrome (dominant)	AD	*FLNB*	150250	503	
Spondylocarpotarsal synostosis syndrome	AR	*FLNB*	272460	3275	
Spondylocarpotarsal synostosis syndrome	AD, AR	*MYH3*			
Frank-ter Haar syndrome	AR	*SH3PXD2B*	249420	137834	Includes Borrone dermatocardioskeletal syndrome
8. TRPV4 group					
Metatropic dysplasia	AD	*TRPV4*	156530	2635	Includes "hyperplastic,"lethal and nonlethal forms. Can also result from somatic mosaicism for a TRPV4 mutation
Spondyloepimetaphyseal dysplasia, Maroteaux type (pseudo-Morquio syndrome type 2)	AD	*TRPV4*	184095	263482	Includes parastremmatic dwarfism (OMIM 168400)
Spondylometaphyseal dysplasia, Kozlowski type	AD	*TRPV4*	184252	93314	
Brachyolmia, autosomal dominant type	AD	*TRPV4*	113500	93304	
Familial digital arthropathy with brachydactyly	AD	*TRPV4*	606835	85169	
9. Ciliopathies with major skeletal involvement					
Chondroectodermal dysplasia (Ellis-van Creveld)	AR	*EVC1*	225500	289	See also Weyers acrofacial (acrodental) dysostosis in group 34

Group/name of disorder	Inheri-tance	Gene(s)	OMIM number	ORPHANET code	Notes
Chondroectodermal dysplasia (Ellis-van Creveld)	AR	*EVC2*			
Chondroectodermal dysplasia (Ellis-van Creveld)	AR	*WDR35*			
Chondroectodermal dysplasia (Ellis-van Creveld)	AR	*DYNC2LI1*			
Short rib–polydactyly syndrome (SRPS) type 1/3 (Saldino–Noonan/Verma–Naumoff)	AR	*DYNC2H1*	613091	93270	There is significant clinical and radiological overlap between SRP1/3 and ATD. Some forms of both remain unlinked to the known genes.
Short rib–polydactyly syndrome (SRPS) type 1/4 (Saldino–Noonan/Verma–Naumoff)	AR	*IFT80*		93271	
Short rib–polydactyly syndrome (SRPS) type 1/5 (Saldino–Noonan/Verma–Naumoff)	AR	*WDR34*			
Short rib–polydactyly syndrome (SRPS) type 1/6 (Saldino–Noonan/Verma–Naumoff)	AR	*WDR60*			
Short rib–polydactyly syndrome (SRPS) type 1/7 (Saldino–Noonan/Verma–Naumoff)	AR	*DYNC2LI1*			
Asphyxiating thoracic dysplasia (ATD; Jeune)	AR	*DYNC2H1*	613091	474	Dynein motor
Asphyxiating thoracic dysplasia (ATD; Jeune)	AR	*DYNC2LI1*			
Asphyxiating thoracic dysplasia (ATD; Jeune)	AR	*WDR34*			
Asphyxiating thoracic dysplasia (ATD; Jeune)	AR	*TCTEX1D2*			
Asphyxiating thoracic dysplasia (ATD; Jeune)	AR	*WDR60*			
Asphyxiating thoracic dysplasia (ATD; Jeune)	AR	*WDR19*			Retrograde transport (IFT-A)
Asphyxiating thoracic dysplasia (ATD; Jeune)	AR	*IFT140*			
Asphyxiating thoracic dysplasia (ATD; Jeune)	AR	*TTC21B*			
Asphyxiating thoracic dysplasia (ATD; Jeune)	AR	*IFT80*			Anterograde transport (IFT□B)
Asphyxiating thoracic dysplasia (ATD; Jeune)	AR	*IFT172*			
Asphyxiating thoracic dysplasia (ATD; Jeune)	AR	*IFT81*			
Asphyxiating thoracic dysplasia (ATD; Jeune)	AR	*IFT52*			
Asphyxiating thoracic dysplasia (ATD; Jeune)	AR	*TRAF3IP1*			

Group/name of disorder	Inheri-tance	Gene(s)	OMIM number	ORPHANET code	Notes
Asphyxiating thoracic dysplasia (ATD; Jeune)	AR	*CFAP410*			Basal body
Asphyxiating thoracic dysplasia (ATD; Jeune)	AR	*CEP120*			Centrosome
Asphyxiating thoracic dysplasia (ATD; Jeune)	AR	*KIAA0586*			
Asphyxiating thoracic dysplasia (ATD; Jeune)	AR	*KIAA0753*			
SRPS type 2 (Majewski)	AR	*DYNC2H1*	263520	93269	
SRPS type 2 (Majewski)	AR	*NEK1*			
SRPS type 2 (Majewski)	AR	*IFT81*			
SRPS type 2 (Majewski)	AR	*TRAF3IP1*			
SRPS type 4 (Beemer)	AR	*IFT122*	269860	93268	
SRPS type 4 (Beemer)	AR	*IFT80*			
SRPS type 5	AR	*WDR35*	614091	1505	
SRPS unclassified	AR	*ICK*			
SRPS unclassified	AR	*INTU*			
SRPS unclassified	AR	*FUZ*			
SRPS unclassified	AR	*IFT43*			
SRPS unclassified	AR	*WDR35*			
Orofaciodigital syndrome type 4 (Mohr–Majewski)	AR	*TCTN3*	258860	2753	
Orofaciodigital syndrome type 2 (Mohr syndrome)	AR	*NEK1*	252100	2751	There are also overlapping OFD phenotypes due to mutations in INTU, CEP120, and C2CD3
Cranioectodermal dysplasia (Levin–Sensenbrenner) type 1, 2	AR	*IFT122* *WDR35*	218330	1515	
Cranioectodermal dysplasia (Levin–Sensenbrenner) type 1, 2	AR	*WDR19*			
Cranioectodermal dysplasia (Levin–Sensenbrenner) type 1, 2	AR	*IFT43*			
Cranioectodermal dysplasia (Levin–Sensenbrenner) type 1, 2	AR	*IFT52*			
Mainzer–Saldino syndrome	AR	*IFT140*	266920	140969	
Mainzer–Saldino syndrome	AR	*IFT172*			
Axial spondylometaphyseal dysplasia	AR	*CFAP410*	602271	168549	
Axial spondylometaphyseal dysplasia	AR	*NEK1*			
Thoracolaryngopelvic dysplasia (Barnes)	AD		187760	3317	
10. Multiple epiphyseal dysplasia and pseudoachondroplasia group					
Pseudoachondroplasia (PSACH)	AD	*COMP*	177170	750	
Multiple epiphyseal dysplasia (MED)	AD	*COMP*	132400	93308	Not all MED (-like) cases seem to have mutations in these genes
Multiple epiphyseal dysplasia (MED)	AD	*COL9A2*	600204	166002	
Multiple epiphyseal dysplasia (MED)	AD	*COL9A3*	600969	166002	
Multiple epiphyseal dysplasia (MED)	AD	*MATN3*	607078	93311	

Group/name of disorder	Inheri-tance	Gene(s)	OMIM number	ORPHANET code	Notes
Multiple epiphyseal dysplasia (MED)	AD	*COL9A1*	614135	166002	
Stickler syndrome, recessive type	AR	*COL9A1*	614134	250984	See also groups 2 and 3
Stickler syndrome, recessive type	AR	*COL9A2*	614284		
Stickler syndrome, recessive type	AR	*COL9A3*	120270		
11. Metaphyseal dysplasias					
Metaphyseal dysplasia, Schmid type (MCS)	AD	*COL10A1*	156500	174	
Cartilage-hair hypoplasia (CHH; metaphyseal dysplasia, McKusick type)	AR	*RMRP*	250250	175	Includes anauxetic dysplasia
Metaphyseal dysplasia, POP1 type	AR	*POP1*	617396	93347	Includes anauxetic dysplasia
Metaphyseal dysplasia, Jansen type	AD	*PTHR1*	156400	33067	Activating mutations—see also Blomstrand dysplasia (group 23)
Eiken dysplasia	AR	*PTHR1*	600002	79106	Activating mutations—see also Blomstrand dysplasia (group 23)
Metaphyseal dysplasia with pancreatic insufficiency and cyclic neutropenia (Shwachman–Bodian–diamond syndrome, SBDS)	AR	*SBDS*	260400	811	
Metaphyseal dysplasia with pancreatic insufficiency and cyclic neutropenia (Shwachman–Bodian–diamond syndrome, SBDS)	AR	*EFL1*	617941		
Metaphyseal dysplasia with pancreatic insufficiency and cyclic neutropenia (Shwachman–Bodian–diamond syndrome, SBDS)	AR	*DNAJC21*			
Metaphyseal dysplasia with pancreatic insufficiency and cyclic neutropenia (Shwachman–Bodian–diamond syndrome, SBDS)	AD	*SRP54*			
Metaphyseal anadysplasia type 1	AD, AR	*MMP13*	602111	1040	Includes SEMD Missouri type.
Metaphyseal anadysplasia type 2	AR	*MMP9*	613073	1040	
Metaphyseal dysplasia, Spahr type	AR	*MMP13*	250400	2501	
Metaphyseal dysplasia with maxillary hypoplasia	AD	*RUNX2*	156510	2504	May cause multiple vertebral fractures due to osteoporosis
12. Spondylometaphyseal dysplasias (SMD)					
Spondyloenchondrodysplasia (SPENCD)	AR	*ACP5*	271550	1855	Includes combined immunodeficiency with autoimmunity and spondylometaphyseal dysplasia (OMIM 607944)
Odontochondrodysplasia (ODCD)	AR	*TRIP11*	184260	166272	See also achondrogenesis type IA in group 14; may represent a phenotypic spectrum
SMD, Sutcliffe type or corner fractures type	AD	*FN1*	184255	93315	Some cases are linked to COL2A1 but not the original family
SMD with cone-rod dystrophy	AR	*PCYT1A*	608940	85167	
SMD with corneal dystrophy	AR	*PLCB3*			

Group/name of disorder	Inheri-tance	Gene(s)	OMIM number	ORPHANET code	Notes
13. Spondylo-epi-(meta)-physeal dysplasias (SE(M)D)					
Dyggve–Melchior–Clausen dysplasia (DMC)	AR	*DYM*	223800	239	Includes Smith–McCort dysplasia (OMIM 607326)
Dyggve–Melchior–Clausen dysplasia (DMC)	AR	*RAB33B*	615222		
Immuno-osseous dysplasia (Schimke)	AR	*SMARCAL1*	242900	1830	
SED with diabetes mellitus, Wolcott–Rallison type	AR	*EIF2AK3*	226980	1667	
SEMD, Matrilin type	AR	*MATN3*	608728	156728	See also matrilin-related MED in group 10
SEMD, Shohat type	AR	*DDRGK1*	602557	93352	
SEMD with leukodystrophy, AIFM1 type	XL	*AIFM1*	300232	168484	
SEMD, biglycan type	XL	*BGN*	300106	93349	Previously known as SEMD, Camera type
SEMD with immune deficiency, EXTL3 type	AR	*EXTL3*	617425	508533	Also known as Immunoskeletal dysplasia with neurodevelopmental abnormalities; see also immuno-osseous dysplasia (Schimke)
SEMD with intellectual disability, NANS type	AR	*NANS*	610442	168454	Also known as SEMD, Genevieve type
SEMD with intellectual disability, RSPRY1 type	AR	*RSPRY1*	616723	457395	Also known as SEMD, Faden–Alkuraya type
SEMD, TMEM165 type	AR	*TMEM165*	614727	314667	Congenital disorder of glycosylation type IIk
SEMD, PISD type	AR	*PISD*			Phenotypically variable; see also case reported by Liberfarb RM et al. (PMID: 3561949)
SEMD, UFSP2 type	AD	*UFSP2*	617974	2114	Includes familial hip dysplasia (Beukes)
SEMD, UFSP2 type			142669		
SEMD, short limb–abnormal calcification type	AR	*DDR2*	271665	93358	See also other dysplasias with stippling in group 21
SED tarda, X-linked (SED-XL)	XL	*TRAPPC2*	313400	93284	
Ehlers–Danlos syndrome, spondylodysplastic type	AR	*SLC39A13*	612350	157965	
SPONASTRIME dysplasia	AR	*TONSL*	271510	93357	
Platyspondyly (brachyolmia) with amelogenesis imperfecta	AR	*LTBP3*	601216	2899	
CODAS syndrome	AR	*LONP1*	600373	1458	
EVEN-PLUS syndrome	AR	*HSPA9*	616854	496751	
CAGSSS syndrome	AR	*IARS2*	616007	436174	
Steel syndrome	AR	*COL27A1*	615155	438117	
14. Severe spondylodysplastic dysplasias					
Achondrogenesis type 1A (ACG1A)	AR	*TRIP11*	200600	93299	
Schneckenbecken dysplasia	AR	*SLC35D1*	269250	3144	
Spondylometaphyseal dysplasia, Sedaghatian type	AR	*GPX4*	250220	93317	

Group/name of disorder	Inheritance	Gene(s)	OMIM number	ORPHANET code	Notes
Severe spondylometaphyseal dysplasia (SMD Sedaghatian-like)	AR	*SBDS*			
Opsismodysplasia	AR	*INPPL1*	258480	2746	Includes lethal and milder cases
MAGMAS related skeletal dysplasia	AR	*PAM16*	613320	401979	
15. Acromelic dysplasias					
Trichorhinophalangeal dysplasia types 1/3	AD	*TRPS1*	190350	77258	
Trichorhinophalangeal dysplasia types 1/3			190351		
Trichorhinophalangeal dysplasia type 2 (Langer–Giedion)	AD	*TRPS1 and EXT1*	150230	502	Microdeletion syndrome; see also multiple cartilaginous exostoses in group 29
Acrocapitofemoral dysplasia	AR	*IHH*	607778	63446	
Geleophysic dysplasia	AR	*ADAMTSL2*	231050	2623	Some forms unlinked to either gene
Geleophysic dysplasia	AD	*FBN1*	614185		
Geleophysic dysplasia	AD	*LTBP3*	617809		
Acromicric dysplasia	AD	*FBN1*	102370	969	Includes acrolaryngeal dysplasia, previously known as Fantasy Island dysplasia or Tattoo dysplasia, and Moore–Federman syndrome
Acromicric dysplasia	AD	*LTBP3*			
Weill–Marchesani syndrome	AD	*FBN1 ADAMTS10*	608328	3449	
Weill–Marchesani syndrome	AR	*ADAMTS17*	277600		
Weill–Marchesani syndrome	AR	*LTBP2*	613195		
Weill–Marchesani syndrome	AR		614819		
Myhre dysplasia	AD	*SMAD4*	139210	2588	
Acrodysostosis	AD	*PDE4D*	614613	950	Includes acroscyphodysplasia (PMID 30006632)
Acrodysostosis	AD	*PRKAR1A*	101800		
ASPED	AD		105835	63442	Possibly related or allelic to brachydactyly type C
Leri Pleonosteosis	AD	*8q22.1*	151200	2900	Duplication at 8q22.1 encompassing GDF6 and SDC2
SED, MIR140 type	AD	*MIR140*			Brachydactyly with cone-shaped epiphyses
16. Acromesomelic dysplasias					
Acromesomelic dysplasia type Maroteaux (AMDM)	AR	*NPR2*	602875	40	
Grebe dysplasia	AR	*GDF5*	200700	2098	Includes acromesomelic dysplasia Hunter–Thompson type and acromesomelic dysplasia with genital anomalies; see also brachydactylies (group 37)
Grebe dysplasia	AR	*BMPR1B*	609441		
Fibular hypoplasia and complex brachydactyly (Du pan)	AR	*GDF5*	228900	2639	See also brachydactylies (group 37)
Fibular hypoplasia and complex brachydactyly (Du pan)	AR	*BMPR1B*			

Group/name of disorder	Inheri-tance	Gene(s)	OMIM number	ORPHANET code	Notes
Acromesomelic dysplasia, Osebold–Remondini type	AD		112910	93437	
17. Mesomelic and rhizo-mesomelic dysplasias					
Dyschondrosteosis (Leri–Weill)	Pseudo - AD	*SHOX*	127300	240	
Mesomelic dysplasia, Langer type	Pseudo - AR	*SHOX*	249700	2632	Includes Reinhardt–Pfeiffer dysplasia (OMIM 191400)
Omodysplasia, recessive type	AR	*GPC6*	258315	93329	
Omodysplasia, dominant type	AD	*FZD2*	164745	93328	See also Robinow syndrome, dominant type
Robinow syndrome, recessive type	AR	*ROR2*	268310	1507	Includes previous COVESDEM (costo-vertebral segmentation defect with mesomelia); see also brachydactyly type B
Robinow syndrome, recessive type	AR	*NXN*			
Robinow syndrome, dominant type	AD	*WNT5A*	180700	3107	
Robinow syndrome, dominant type	AD	*DVL1*	616331		
Robinow syndrome, dominant type	AD	*DVL3*	616894		
Robinow syndrome, dominant type	AD	*FZD2*			
Mesomelic dysplasia, Kantaputra type	AD	*HOXD*	156232	1836	Duplications at HOXD gene cluster locus; includes mesomelic dysplasia, Korean type
Mesomelic dysplasia, Nievergelt type	AD		163400	2633	
Mesomelic dysplasia, Kozlowski–Reardon type	AR		249710	2631	
Mesomelic dysplasia with acral synostoses (Verloes–David–Pfeiffer type)	AD	*SULF1 and SLCO5A1*	600383	2496	Microdeletion syndrome involving two adjacent genes
Mesomelic dysplasia, Savarirayan type (triangular tibia-fibular aplasia)	AD	*ID4*	605274	85170	Microdeletions on 6p22.3; Microdeletion on 2q11.2 encompassing LAF4 can cause a phenotype with overlapping skeletal features (PMID 18616733)
18. Bent bone dysplasia group					
Campomelic dysplasia (CD)	AD	*SOX9*	114290	140	Includes acampomelic campomelic dysplasia (ACD), mild campomelic dysplasia (OMIM 602196) and isolated Pierre–Robin sequence
Stüve–Wiedemann dysplasia	AR	*LIFR*	601559	3206	Includes former neonatal Schwartz–Jampel syndrome or SJS type 2
Kyphomelic dysplasia, several forms			211350	1801	Probably heterogeneous
Bent bone dysplasia	AD	*FGFR2*	614592	313855	
19. Primordial dwarfism and slender bones group					
3-M syndrome	AR	*CUL7*	273750	2616	Includes dolichospondylic dysplasia and Yakut short stature syndrome
3-M syndrome	AR	*OBSL1*	612921		

Group/name of disorder	Inheri-tance	Gene(s)	OMIM number	ORPHANET code	Notes
3-M syndrome	AR	*CCDC8*	614205		
Sanjad–Sakati syndrome	AR	*TBCE*	241410	93324	Referred to in OMIM as Kenny–Caffey type 1 but does not correspond to the disorder described by Kenny and Caffey which is the dominant form
Kenny–Caffey syndrome	AD	*FAM111A*	127000	93325	
Osteocraniostenosis	AD	*FAM111A*	602361	2763	
Microcephalic osteodysplastic primordial dwarfism type 1/3 (MOPD1)	AR	*RNU4ATAC*	210710	2636	Usually homozygous mutations;Includes Taybi–Linder cephaloskeletal dysplasia
Roifman syndrome	AR	*RNU4ATAC*	616651	353298	
Multiple epiphyseal dysplasia with microcephaly and nystagmus (Lowry–Wood syndrome)	AR	*RNU4ATAC*	226960	1824	See also group 10 because of multiple epiphyseal dysplasia
Microcephalic osteodysplastic primordial dwarfism type 2 (MOPD2; Majewski type)	AR	*PCNT2*	210720	2637	
Microcephalic osteodysplastic primordial dwarfism (other types)	AR	*ATR*	210600		Seckel syndrome 1
Microcephalic osteodysplastic primordial dwarfism (other types)	AR	*RBBP8*	606744		Seckel syndrome 2
Microcephalic osteodysplastic primordial dwarfism (other types)	AR	*CEP152*	613823		Seckel syndrome 5
Microcephalic osteodysplastic primordial dwarfism (other types)	AR	*DNA2*	615807		Seckel syndrome 8
Microcephalic osteodysplastic primordial dwarfism (other types)	AR	*TRAIP*	616777		Seckel syndrome 9
Microcephalic osteodysplastic primordial dwarfism (other types)	AR	*NSMCE2*	617253		Seckel syndrome 10
Microcephalic osteodysplastic primordial dwarfism (other types)	AR	*CENPE*	616051		Overlaps with primary microcephaly syndromes
Microcephalic osteodysplastic primordial dwarfism (other types)	AR	*CRIPT*	615789		
Microcephalic osteodysplastic primordial dwarfism (other types)	AR	*XRCC4*	616541		
IMAGE syndrome (intrauterine growth retardation, metaphyseal dysplasia, adrenal hypoplasia, and genital anomalies)	AD	*CDKN1C*	614732	85173	
IMAGE syndrome (intrauterine growth retardation, metaphyseal dysplasia, adrenal hypoplasia, and genital anomalies)	AR	*POLE*	618336		With immunodeficiency
Hallermann–Streiff syndrome	AR		234100	2108	
Saul–Wilson syndrome	AD	*COG4*	618150	85172	
20. Dysplasias with multiple joint dislocations					
Desbuquois dysplasia type 1 (with accessory ossification center in index finger)	AR	*CANT1*	251450	1425	There are also cases with or without accessory ossification centers unlinked to CANT1

Group/name of disorder	Inheri-tance	Gene(s)	OMIM number	ORPHANET code	Notes
Desbuquois dysplasia with short metacarpals and elongated phalanges (Kim type)	AR	*CANT1*	251450	1425	
Desbuquois dysplasia type 2 (Baratela–Scott syndrome)	AR	*XYLT1*	615777	1425	
Multiple epiphyseal dysplasia, recessive type	AR	*CANT1*	617719		Classified in OMIM as EDM7; very rare form of MED
SEMD with joint laxity (SEMD-JL), leptodactylic or Hall type	AD	*KIF22*	603546	93360	
SEMD with joint laxity (SEMD-JL), Beighton type	AR	*B3GALT6*	271640	93359	
SEMD with joint laxity (SEMD-JL), EXOC6B type	AR	*EXOC6B*	618395	93359	Phenotype resembles SEMD-JL leptodactylic or Hall type
Pseudodiastrophic dysplasia	AR		264180	85174	
CSGALNACT1 deficiency (joint dislocations and mild skeletal dysplasia	AR	*CSGALNACT1*	616615		
B3GAT3 deficiency	AR	*B3GAT3*	245600	284139	Multisystem linkeropathy including osteopenia with fractures (osteogenesis imperfecta-like) and dislocations (Larsen-like) and developmental delay
Short stature with joint laxity and myopia	AR	*GZF1*	617662	527450	Phenotype resembles Larsen syndrome
Multiple joint dislocations with amelogenesis imperfecta	AR	*SLC10A7*	618363		
Severe (lethal) neonatal short limb dysplasia with multiple dislocations	AR	*FAM20B*			Phenotype resembles Desbuquois dysplasia
Ehlers–Danlos syndrome, kyphoscoliotic type 1	AR	*PLOD1*	225400	1900	
Ehlers–Danlos syndrome, kyphoscoliotic type 2	AR	*FKBP14*	614557	300179	
21. Chondrodysplasia punctata (CDP) group					
CDP, X-linked dominant, Conradi–Hünermann type (CDPX2)	XL	*EBP*	302960	35173	
CDP, X-linked recessive, brachytelephalangic type (CDPX1)	XL	*ARSE*	302950	79345	
CHILD (congenital hemidysplasia, ichthyosis, limb defects)	XL	*NSDHL*	308050	139	
Keutel syndrome	AR	*MGP*	245150	85202	
Greenberg dysplasia	AR	*LBR*	215140	1426	Includes hydrops-ectopic calcification-moth-eaten appearance dysplasia (HEM) and dappled diaphyseal dysplasia
Rhizomelic CDP	AR	*PEX7*	215100	177	
Rhizomelic CDP	AR	*DHPAT*	222765		
Rhizomelic CDP	AR	*AGPS*	600121		
Rhizomelic CDP	AR	*FAR1*	616154		
Rhizomelic CDP	AR	*PEX5*	616716		
CDP tibial-metacarpal type	AD, AR		118651	79346	

Group/name of disorder	Inheri-tance	Gene(s)	OMIM number	ORPHANET code	Notes
Astley–Kendall dysplasia	AR?			85175	Relationship to OI and to Greenberg dysplasia unclear
22. Neonatal osteosclerotic dysplasias					
Blomstrand dysplasia	AR	*PTHR1*	215045	50945	Caused by recessive inactivating mutations; see also Eiken dysplasia and Jansen dysplasia
Desmosterolosis	AR	*DHCR24*	602398	35107	See also other sterol-metabolism related conditions
Caffey disease (including prenatal, infantile and attenuated forms)	AD	*COL1A1*	114000	1310	See also osteogenesis imperfecta related to collagen 1 genes (group 25)
Caffey dysplasia (severe variants with prenatal onset)	AR		114000	1310	
Raine dysplasia (lethal and nonlethal forms)	AR	*FAM20C*	259775	1832	Includes lethal and nonlethal cases (milder cases with hypophosphatemic rickets)
Dysplastic cortical hyperostosis, Kozlowski–Tsuruta type	AR?			2204	Two cases reported (see PMID 12401992)
Dysplastic cortical hyperostosis, Al-Gazali type	AR?		601356		
23. Osteopetrosis and related disorders					
Osteopetrosis, severe neonatal or infantile forms	AR	*TCIRG1*	259700	667	
Osteopetrosis, severe neonatal or infantile forms	AR	*CLCN7*	611490		
Osteopetrosis, severe neonatal or infantile forms	AR	*SNX10*	615085		
Osteopetrosis, infantile form, with nervous system involvement (OPTB5)	AR	*OSTM1*	259720	85179	Includes former osteopetrosis with infantile neuraxonal dysplasia (OMIM 600329)
Osteopetrosis, infantile form, osteoclast-poor with immunoglobulin deficiency (OPTB7)	AR	*TNFRSF11A*	612301	178389	See also familial expansile osteolysis in the osteolysis group (group 28)
Osteopetrosis, intermediate form	AR	*TNFSF11*	259710	667	
Osteopetrosis, intermediate form	AR	*PLEKHM1*	611497	210110	
Osteopetrosis, intermediate form	AR	*CLCN7*	259710		
Osteopetrosis with renal tubular acidosis (OPTB3)	AR	*CA2*	259730	2785	
Osteopetrosis, late-onset form type 2 (OPTA2)	AD	*CLCN7*	166600	53	
Osteopetrosis with ectodermal dysplasia and immune defect (OLEDAID)	XL	*IKBKG*	300301	69088	
Osteopetrosis, moderate form with defective leucocyte adhesion (LAD3)	AR	*FERMT3*	612840	99844	Also mutations in RASGRP2 have been reported (PMID 18709451)
Osteosclerotic metaphyseal dysplasia	AR	*LRRK1*	615198	500548	Heterogeneous condition
Pycnodysostosis	AR	*CTSK*	265800	763	
Dysosteosclerosis	AR	*SLC29A3*	224300	1782	Bi□allelic mutations in CSF1R cause a dysosteosclerosis□like phenotype

Group/name of disorder	Inheri-tance	Gene(s)	OMIM number	ORPHANET code	Notes
Dysosteosclerosis	AR	*TNFRSF11A*	224300		
Dysosteosclerosis	AR	*CSF1R*			
24. Other sclerosing bone disorders					
Osteopoikilosis	AD	*LEMD3*	166700	166119	Includes Buschke–Ollendorff syndrome
Osteopoikilosis				1306	
Melorheostosis with osteopoikilosis	AD	*LEMD3*	166700	1879	Includes mixed sclerosing bone dysplasia
Melorheostosis	SP	*MAP2K1*	155950	2485	Probably locus heterogeneity
Osteopathia striata with cranial sclerosis (OSCS)	XL	*AMER1*	300373	2780	
Craniometaphyseal dysplasia	AD	*ANKH*	123000	1522	
Craniometaphyseal dysplasia	AR	*GJA1*	218400		
Diaphyseal dysplasia Camurati–Engelmann	AD	*TGFB1*	131300	1328	Probably locus heterogeneity
Hyperostosis–Hyperphosphatemia syndrome	AR	*GALNT3*	211900	306661	
Hyperostosis–Hyperphosphatemia syndrome	AR	*FGF23*	617993		
Hyperostosis–Hyperphosphatemia syndrome	AR	*KL*	617994		
Cerebellar hypoplasia-endosteal sclerosis	AR	*POLR3B*	213002	85186	
Hematodiaphyseal dysplasia Ghosal	AR	*TBXAS1*	231095	1802	
Hypertrophic osteoarthropathy	AR	*HPGD*	259100	248095	Includes cranio-osteoarthropathy and cases of recessive pachydermoperiostosis
Hypertrophic osteoarthropathy	AR	*SLCO2A1*	614441		
Pachydermoperiostosis (hypertrophic osteoarthropathy, primary, autosomal dominant)	AD		167100	2796	Relationship to recessive form (OMIM 259100, HPGD deficiency) unclear
Oculodentoosseous dysplasia (ODOD) mild type	AD	*GJA1*	164200	2710	
Oculodentoosseous dysplasia (ODOD) severe type	AR	*GJA1*	257850	2710	Possibly homozygous form of mild ODOD
Osteoectasia with hyperphosphatasia (juvenile Paget disease)	AR	*TNFRSF11B*	239000	2801	
Osteosclerosis	AD	*LRP5*	144750	2790	Includes AD osteopetrosis type 1 (OPTA1) (OMIM 607634) and endosteal hyperostosis, Worth type; see note for group 23
Osteosclerosis				2783	
Osteosclerosis				3416	
Sclerosteosis	AR	*SOST*	269500	3152	
Sclerosteosis	AR	*LRP4*	614305		
Endosteal hyperostosis, van Buchem type	AR	*SOST*	239100	3416	Specific 52kb deletion downstream of SOST
Trichodentoosseous dysplasia	AD	*DLX3*	190320	3352	

Group/name of disorder	Inheri-tance	Gene(s)	OMIM number	ORPHANET code	Notes
Diaphyseal medullary stenosis with malignant fibrous histiocytoma	AD	*MTAP*	112250	85182	Also known as Hardcastle syndrome
Craniodiaphyseal dysplasia	AD	*SOST*	122860	1513	Dominant negative
Craniometadiaphyseal dysplasia, Wormian bone type	AR		269300	85184	
Lenz–Majewski hyperostotic dysplasia	AD	*PTDSS1*	151050	2658	
Metaphyseal dysplasia, Braun–Tinschert type	AD		605946	85188	
Pyle disease	AR	*SFRP4*	265900	3005	
25. Osteogenesis Imperfecta and decreased bone density group					
Osteogenesis imperfecta, nondeforming with persistently blue sclerae (OI type 1)	AD	*COL1A1*	166200	216796	OMIM OI type I
Osteogenesis imperfecta, nondeforming with persistently blue sclerae (OI type 1)		*COL1A2*			
Osteogenesis imperfecta, perinatal lethal form (OI type 2)	AD	*COL1A1*	166210	216804	OMIM OI type II
Osteogenesis imperfecta, perinatal lethal form (OI type 2)	AD	*COL1A2*	166210	216804	OMIM OI type II
Osteogenesis imperfecta, perinatal lethal form (OI type 2)	AR	*CRTAP*	610854	216804	OMIM OI type VII
Osteogenesis imperfecta, perinatal lethal form (OI type 2)	AR	*LEPRE1*	610915	216804	OMIM OI type VIII
Osteogenesis imperfecta, perinatal lethal form (OI type 2)	AR	*PPIB*	259440	216804	OMIM OI type IX
Osteogenesis imperfecta, progressively deforming type (OI type 3)	AD	*COL1A1* *COL1A2*	259420	216812	OMIM OI type III
Osteogenesis imperfecta, progressively deforming type (OI type 3)	AD	*IFITM5*	259420	216812	OMIM OI type III
Osteogenesis imperfecta, progressively deforming type (OI type 3)	AD	*SERPINF1*	610967	216812	OMIM OI type V
Osteogenesis imperfecta, progressively deforming type (OI type 3)	AR	*CRTAP*	613982	216812	OMIM OI type VI
Osteogenesis imperfecta, progressively deforming type (OI type 3)	AR	*LEPRE1*	610682	216812	OMIM OI type VII
Osteogenesis imperfecta, progressively deforming type (OI type 3)	AR	*PPIB*	610915	216812	OMIM OI type VIII
Osteogenesis imperfecta, progressively deforming type (OI type 3)	AR	*SERPINH1*	259440	216812	OMIM OI type IX
Osteogenesis imperfecta, progressively deforming type (OI type 3)	AR	*FKBP10*	613848	216812	OMIM OI type X
Osteogenesis imperfecta, progressively deforming type (OI type 3)	AR	*TMEM38B*	610968	216812	OMIM OI type XI
Osteogenesis imperfecta, progressively deforming type (OI type 3)	AR	*BMP1*	615066	216812	OMIM OI type XIII
Osteogenesis imperfecta, progressively deforming type (OI type 3)	AR	*WNT1*	112264	216812	OMIM OI type XIV

Group/name of disorder	Inheri-tance	Gene(s)	OMIM number	ORPHANET code	Notes
Osteogenesis imperfecta, progressively deforming type (OI type 3)	AR	*CREB3L1*	615220	216812	OMIM OI type XV
Osteogenesis imperfecta, progressively deforming type (OI type 3)	AR	*SPARC*	616229	216812	OMIM OI type XVI
Osteogenesis imperfecta, progressively deforming type (OI type 3)	AR	*TENT5A*	616507	216812	OMIM OI type XVII
Osteogenesis imperfecta, progressively deforming type (OI type 3)	AR		617952	216812	OMIM OI type XVIII
Osteogenesis imperfecta, moderate form (OI type 4)	AD	*COL1A1* *COL1A2* *WNT1*	166220	216820	OMIM OI type IV
(Note: In adults always, normal sclerae)	AD	*IFITM5*	166220	216820	OMIM OI type IV
Osteogenesis imperfecta, moderate form (OI type 4)	AD	*CRTAP*	615220	216820	OMIM OI type XV
Osteogenesis imperfecta, moderate form (OI type 4)	AD	*PPIB*	610967	216820	OMIM OI type V
Osteogenesis imperfecta, moderate form (OI type 4)	AR	*FKBP10*	610682	216820	OMIM OI type VII
Osteogenesis imperfecta, moderate form (OI type 4)	AR	*SP7*	259440	216820	OMIM OI type IX
Osteogenesis imperfecta, moderate form (OI type 4)	AR		610968	216820	OMIM OI type XI
Osteogenesis imperfecta, moderate form (OI type 4)	AR		613849	216820	OMIM OI type XII
Osteogenesis imperfecta with calcification of the interosseous membranes and/or hypertrophic callus (OI type 5)	AD	*IFITM5*	610967	216828	
Osteoporosis—X-linked form	XL	*PLS3*	300910	391330	OMIM OI type XIX
Osteoporosis—X-linked form	XL	*MBTPS2*	301014		
Osteoporosis—AD form	AD	*WNT1*	615220	216820	OMIM OI type XV
Osteoporosis—AD form	AD	*LRP5*	166710	85193	
Bruck syndrome type 1 (BS1)	AR	*FKBP10*	259450	2771	See autosomal recessive OI, above; intrafamilial variability between OI type 3, arthrogryposis and BS1 documented
Bruck syndrome type 2 (BS2)	AR	*PLOD2*	609220	2771	
Osteoporosis-pseudoglioma syndrome	AR	*LRP5*	259770	2788	May mimic OI types 3 and 4 without eye involvement
Calvarial doughnut lesions with bone fragility	AD	*SGMS2*	126550	85192	Overlap with SMD phenotype
Cole–Carpenter dysplasia (bone fragility with craniosynostosis)	AD	*P4HB*	112240	2050	
Cole–Carpenter like dysplasia	AR	*SEC24D*	616294		Cole–Carpenter syndrome 2
Spondylo-ocular dysplasia	AR	*XYLT2*	605822	85194	
Gnathodiaphyseal dysplasia	AD	*ANO5*	166260	53697	
Ehlers–Danlos syndrome, spondylodysplastic type	AR	*B4GALT7*	130070	75497	Formerly known as "EDS, progeroid form"; also known as "Larsen syndrome, la Réunion variant"; see also B3GALT6 deficiency in group 20

Group/name of disorder	Inheri-tance	Gene(s)	OMIM number	ORPHANET code	Notes
Geroderma osteodysplasticum	AR	*GORAB*	231070	2078	
Cutis laxa, autosomal recessive form, type 2B (ARCL2B)	AR	*PYCR1*	612940	90350	Skeletal features overlapping with progeroid EDS and geroderma osteodysplasticum
Cutis laxa, autosomal recessive form, type 2A (ARCL2A)	AR	*ATP6VOA2*	278250	90350	Skeletal features overlapping with progeroid EDS and geroderma osteodysplasticum
(Wrinkly skin syndrome)			219200		
Wiedemann–Rautenstrauch syndrome	AR	*POLR3A*	264090	3455	
Singleton–Merten dysplasia type 1	AD	*IFIH1*	182250	85191	
Singleton–Merten dysplasia type 2	AR	*DDX58*	616298	85191	
Short stature, optic nerve atrophy and Pelger–Huet anomaly(SOPH syndrome)	AR	*NBAS*	614800	391677	
26. Abnormal mineralization group					
Hypophosphatasia, perinatal lethal, infantile and juvenile forms	AR	*ALPL*	241500	436	
Hypophosphatasia, juvenile and adult forms	AD	*ALPL*	146300	247676	Includes odontohypophosphatasia
Hypophosphatemic rickets, X-linked	XL	*PHEX*	307800	89936	
Hypophosphatemic rickets, autosomal dominant	AD	*FGF23*	193100	89937	
Hypophosphatemic rickets, autosomal recessive, type 1 (ARHR1)	AR	*DMP1*	241520	289176	
Hypophosphatemic rickets, autosomal recessive, type 2 (ARHR2)	AR	*ENPP1*	613312	289176	
Hypophosphatemic rickets with hypercalciuria, X-linked	XL	*CLCN5*	300554	1652	Part of Dent's disease complex
Hypophosphatemic rickets with hypercalciuria, autosomal recessive (HHRH)	AR	*SLC34A3*	241530	157215	
Vitamin D-dependent rickets, type 1A	AR	*CYP27B1*	264700	289157	
Vitamin D-dependent rickets, type 1B	AR	*CYP2R1*	600081	289157	
Vitamin D-dependent rickets, type 2A	AR	*VDR*	277440	93160	
Vitamin D-dependent rickets, type 2B	AR?		600785	93160	
Familial hyperparathyroidism, types 1–4	AD	*CDC73*	145000	99879	Genetic hyperparathyroidism due to parathyroid adenoma occurs in a number of tumor-associated syndromes such as MEN
Familial hyperparathyroidism, types 1–4	AD	*CDC73*	145001	99880	
Familial hyperparathyroidism, types 1–4	AD	-	610071	99879	-
Familial hyperparathyroidism, types 1–4	AD	*GCM2*	617343	99879	
Neonatal hyperparathyroidism, severe form	AR, AD	*CASR*	239200	417	
Neonatal hyperparathyroidism, transient form	AR	*TRPV6*	618188	417	
Familial hypocalciuric hypercalcemia with transient neonatal hyperparathyroidism	AD	*CASR*	145980	405	Other forms of familial hypocalciuric hypercalcemia do not show significant skeletal phenotypes

Group/name of disorder	Inheri-tance	Gene(s)	OMIM number	ORPHANET code	Notes
Calcium pyrophosphate deposition disease (familial chondrocalcinosis) type 2	AD	*ANKH*	118600	1416	Loss-of-function mutations (see craniometaphyseal dysplasia in group 24)
Cutaneous skeletal hypophosphatemia syndrome	SP	*HRAS*			
Cutaneous skeletal hypophosphatemia syndrome	SP	*NRAS*			
27. Lysosomal storage diseases with skeletal involvement (dysostosis multiplex group)					
Mucopolysaccharidosis type 1H-1S	AR	*IDUA*	607014	579	
Mucopolysaccharidosis type 1H-1S			607015		
Mucopolysaccharidosis type 1H-1S			607016		
Mucopolysaccharidosis type 2	XL	*IDS*	309900	580	
Mucopolysaccharidosis type 3A	AR	*SGSH*	252900	79269	
Mucopolysaccharidosis type 3B	AR	*NAGLU*	252920	79270	
Mucopolysaccharidosis type 3C	AR	*HSGNAT*	252930	79271	
Mucopolysaccharidosis type 3D	AR	*GNS*	252940	79272	
Mucopolysaccharidosis type 4A	AR	*GALNS*	253000	309297	
Mucopolysaccharidosis type 4B	AR	*GLB1*	253010	309310	
Mucopolysaccharidosis type 6	AR	*ARSB*	253200	583	
Mucopolysaccharidosis type 7	AR	*GUSB*	253220	584	
Mucopolysaccharidosis-plus syndrome (VPS33A deficiency)	AR	*VPS33A*	617303	505248	
Fucosidosis	AR	*FUCA*	230000	349	
Alpha-Mannosidosis	AR	*MAN2B1*	248500	61	
Beta-Mannosidosis	AR	*MANBA*	248510	118	
Aspartylglucosaminuria	AR	*AGA*	208400	93	
GM1 Gangliosidosis, several forms	AR	*GLB1*	230500	354	
Sialidosis, several forms	AR	*NEU1*	256550	812	
Sialidosis, several forms				93399	
Sialidosis, several forms				93400	
Sialic acid storage disease (SIASD)	AR	*SLC17A5*	269920	834	
Galactosialidosis, several forms	AR	*PPGB*	256540	351	
Multiple sulfatase deficiency	AR	*SUMF1*	272200	585	
Mucolipidosis II (I-cell disease), alpha/beta type	AR	*GNPTAB*	252500	576	
Mucolipidosis III (pseudo-Hurler polydystrophy), alpha/beta type	AR	*GNPTAB*	252600	423461	
Mucolipidosis III (pseudo-Hurler polydystrophy), gamma type	AR	*GNPTG*	252605	423470	
28. Osteolysis group					
Familial expansile osteolysis	AD	*TNFRSF11A*	174810	85195	Includes early-onset familial Paget disease of bone.
Familial expansile osteolysis			602080		See also osteopetrosis and dysosteosclerosis (group 23)
Mandibuloacral dysplasia	AR	*LMNA*	248370	2457	

Group/name of disorder	Inheri-tance	Gene(s)	OMIM number	ORPHANET code	Notes
Mandibuloacral dysplasia	AR	*ZMPSTE24*	608612		
Progeria, Hutchinson–Gilford type	AD	*LMNA*	176670	740	
Multicentric osteolysis, nodulosis and arthropathy (MONA)	AR	*MMP2*	259600	371428	Includes Winchester–Torg syndrome and nodulosis-arthropathy-osteolysis syndrome
Multicentric osteolysis, nodulosis and arthropathy (MONA)	AR	*MMP14*	277950		
Hajdu–Cheney syndrome	AD	*NOTCH2*	102500	955	Includes serpentine fibula-polycystic kidney syndrome
Multicentric carpal-tarsal osteolysis with and without nephropathy	AD	*MAFB*	166300	2774	
29. Disorganized development of skeletal components group					
Multiple cartilaginous exostoses (osteochondromas)	AD	*EXT1*	133700	321	
Multiple cartilaginous exostoses (osteochondromas)	AD	*EXT2*	133700	321	
Cherubism	AD	*SH3BP2*	118400	184	
Fibrous dysplasia, polyostotic form (McCune–Albright)	SP	*GNAS*	174800	562	Somatic mosaicism and imprinting phenomena
Metachondromatosis	AD	*PTPN11*	156250	2499	
Osteoglophonic dysplasia	AD	*FGFR1*	166250	2645	Craniosynostosis is also an important feature (group 33)
Fibrodysplasia ossificans progressiva (FOP)	AD	*ACVR1*	135100	337	
Neurofibromatosis type 1 (NF1)	AD	*NF1*	162200	363700	
Cherubism with gingival fibromatosis (Ramon syndrome)	AR		266270	3019	
Dysplasia epiphysealis hemimelica (Trevor)	SP		127800	1822	
Lipomembraneous osteodystrophy with leukoencephalopathy (presenile dementia with bone cysts; Nasu–Hakola)	AR	*TREM2, TYROBP*	221770	2770	
Enchondromatosis (Ollier) and Enchondromatosis with hemangiomata (Maffucci)	SP	*IDH1, IDH2*	166000	296	
Enchondromatosis (Ollier) and Enchondromatosis with hemangiomata (Maffucci)				163634	
Metaphyseal chondromatosis with D-2-hydroxyglutaric aciduria	SP	*IDH1*	614875	99646	
Genochondromatosis	AD		137360	85197	Probably includes Vaandrager–Peña syndrome
Genochondromatosis				93398	
Gorham-stout disease	SP		123880	73	See also familial diffuse cystic angiomatosis of bone (PMID 2910603)
Osteofibrous dysplasia	AD, SP	*MET*	607278	488265	
30. Overgrowth (tall stature) syndromes with skeletal involvement					

Group/name of disorder	Inheri-tance	Gene(s)	OMIM number	ORPHANET code	Notes
Weaver syndrome	AD	*EZH2*	277590	3447	Some cases reported with NSD1, EED, and SUZ12 mutations
Sotos syndrome	AD	*NSD1*	117550	821	Includes Malan syndrome
Sotos syndrome	AD	*NFIX*	614753	420179	
Sotos syndrome	AR	*APC2*	617169		
Luscan–Lumish syndrome	AD	*SETD2*	616831		
Tatton–Brown–Rahman syndrome	AD	*DNMT3A*	615879	404443	
Marshall–Smith syndrome	AD	*NFIX*	602535	561	
Proteus syndrome	SP	*AKT1*	176920	744	
CLOVES	SP	*PIK3CA*	612918	140944	
Marfan syndrome	AD	*FBN1*	154700	558	
Congenital contractural arachnodactyly	AD	*FBN2*	121050	115	
Loeys–Dietz syndrome (types 1–6)	AD	*TGFBR1*	609192	60030	
Loeys–Dietz syndrome (types 1–6)	AD	*TGFBR2*	610168		
Loeys–Dietz syndrome (types 1–6)	AD	*SMAD3*	613795		
Loeys–Dietz syndrome (types 1–6)	AD	*TGFB2*	614816		
Loeys–Dietz syndrome (types 1–6)	AD	*TGFB3*	615582		
Loeys–Dietz syndrome (types 1–6)	AD	*SMAD2*	601366		
Meester–Loeys syndrome	XL	*BGN*	300989		See also SEMD, biglycan type (group 13)
Overgrowth syndrome with 2q37 translocations	SP	*NPPC*		498488	Overgrowth probably caused by overexpression of NPPC
Tall stature with long halluces, NPR2 type	AD	*NPR2*	615923	329191	Includes epiphyseal chondrodysplasia, Miura type; gain-of-function mutations
Tall stature with long halluces, NPR3 type	AR	*NPR3*			Loss-of-function mutations
Moreno–Nishimura–Schmidt syndrome	SP		608811	498485	
31. Genetic inflammatory/rheumatoid-like osteoarthropathies					
Progressive pseudorheumatoid dysplasia (PPRD; SED with progressive arthropathy)	AR	*WISP3*	208230	1159	
Chronic infantile neurologic cutaneous articular syndrome (CINCA) / neonatal onset multisystem inflammatory disease (NOMID)	AD	*CIAS1*	607115	1451	
Sterile multifocal osteomyelitis, periostitis, and pustulosis (CINCA/NOMID-like)	AR	*IL1RN*	147679	210115	
Chronic recurrent multifocal osteomyelitis with congenital dyserythropoietic anemia (CRMO with CDA; Majeed syndrome)	AR	*LPIN2*	609628	77297	
Hyaline Fibromatosis syndrome	AR	*ANTXR2*	236490	2176	Previously known as infantile systemic hyalinosis, juvenile hyaline fibromatosis (OMIM 228600) and puretic syndrome
32. Cleidocranial dysplasia and related disorders					
Cleidocranial dysplasia	AD	*RUNX2*	119600	1452	See also metaphyseal dysplasia with maxillary hypoplasia (group 11)

Group/name of disorder	Inheri-tance	Gene(s)	OMIM number	ORPHANET code	Notes
CDAGS syndrome (craniosynostosis, delayed fontanel closure, parietal foramina, imperforate anus, genital anomalies, skin eruption)	AR		603116	85199	
Yunis–Varon dysplasia	AR	*FIG4*	216340	3472	
Yunis–Varon dysplasia	AR	*VAC14*			
Parietal foramina (isolated)	AD	*ALX4*	609597	60015	See also frontonasal dysplasia type 1 (group 34)
Parietal foramina (isolated)	AD	*MSX2*	168500		
Parietal foramina with cleidocranial dysplasia	AD	*MSX2*	168550	251290	MSX2 mutations also cause craniosynostosis Boston type (group 33)
33. Craniosynostosis syndromes					
Pfeiffer syndrome	AD	*FGFR1*	101600	93258	Most have FGFR1 p.P252R mutation; Includes Jackson–Weiss syndrome (OMIM 123150)
Pfeiffer syndrome	AD	*FGFR2*	101600	710	
Apert syndrome	AD	*FGFR2*	101200	87	
Craniosynostosis with cutis gyrata (Beare–Stevenson)	AD	*FGFR2*	123790	1555	
Crouzon syndrome	AD	*FGFR2*	123500	207	
Crouzon-like craniosynostosis with acanthosis nigricans (Crouzonodermoskeletal syndrome)	AD	*FGFR3*	612247	93262	Defined by specific FGFR3 p.A391E mutation
Craniosynostosis, Muenke type	AD	*FGFR3*	602849	53271	Defined by specific FGFR3 p.P250R mutation
Antley–Bixler syndrome	AR	*POR*	201750	83	
Antley–Bixler syndrome				63269	
Craniosynostosis Boston type	AD	*MSX2*	604757	1541	Heterozygous p.P148H mutation in two families
Saethre–Chotzen syndrome	AD	*TWIST1*	101400	794	Mutations in FGFR3, FGFR2, and TCF12 have been reported to cause phenotypes resembling Saethre–Chotzen syndrome
Shprintzen–Goldberg syndrome	AD	*SKI*	182212	2462	
Baller–Gerold syndrome	AR	*RECQL4*	218600	1225	
Carpenter syndrome	AR	*RAB23*	201000	65759	
Carpenter syndrome	AR	*MEGF8*	614976		
Coronal craniosynostosis	AD	*TCF12*	615314	35099	Mutations in ERF also cause Chitayat hyperphalangism syndrome
Complex craniosynostosis	AD	*ERF*	600775		
34. Dysostoses with predominant craniofacial involvement					
Mandibulofacial dysostosis (Treacher Collins, Franceschetti–Klein)	AD	*TCOF1* *POLR1C* *POLR1D*	154500	861	
Mandibulofacial dysostosis (Treacher Collins, Franceschetti–Klein)	AR		248390		

Group/name of disorder	Inheri-tance	Gene(s)	OMIM number	ORPHANET code	Notes
Mandibulofacial dysostosis (Treacher Collins, Franceschetti–Klein)	AD, AR		613717		
Mandibulofacial dysostosis with microcephaly	AD	*EFTUD2*	610536	79113	
Mandibulofacial dysostosis with alopecia	AD	*EDNRA*	616367	443995	
Miller syndrome (postaxial acrofacial dysostosis)	AR	*DHODH*	263750	246	
Acrofacial dysostosis, Nager type	AD, AR	*SF3B4*	154400	245	
Acrofacial dysostosis, Rodriguez type	AR	*SF3B4*	201170	1788	
Acrofacial dysostosis, Cincinnati type	AD	*POLR1A*	616462	1200	
Frontonasal dysplasia, type 1	AR	*ALX3*	136760	391474	
Frontonasal dysplasia, type 2	AR	*ALX4*	613451	228390	
Frontonasal dysplasia, type 3	AR	*ALX1*	613456	306542	
Craniofrontonasal syndrome	XL	*EFNB1*	304110	1520	
Acromelic frontonasal dysostosis	AD	*ZSWIM6*	603671	1827	
Hemifacial microsomia	SP, AD		164210	374	Includes Goldenhar syndrome and oculo-auriculo-vertebral spectrum; genetically heterogeneous; in some cases, a microduplication on 14q23.1
Richieri–Costa–Pereira syndrome	AR	*EIF4A3*	268305	3102	
Auriculocondylar syndrome, type 1	AD	*GNAI3*	602483	137888	
Auriculocondylar syndrome, type 2	AR, AD	*PLCB4*	614669	137888	
Auriculocondylar syndrome, type 3	AR	*EDN1*	615706	137888	
Orofaciodigital syndrome type I (OFD1)	XL	*OFD1*	311200	2750	
Weyers acrofacial (acrodental) dysostosis	AD	*EVC1*	193530	952	See also Ciliopathies (group 9)
Weyers acrofacial (acrodental) dysostosis	AD	*EVC2*			
35. Dysostoses with predominant vertebral with and without costal involvement					
Currarino syndrome	AD	*MNX1*	176450	1552	Overlap with caudal regression syndrome (see OMIM 600145; heterozygous mutations in VANGL1)
Spondylocostal dysostosis	AR	*DLL3*	277300	2311	
Spondylocostal dysostosis	AR	*MESP2*	608681	2311	
Spondylocostal dysostosis	AR	*LFNG*	609813	2311	
Spondylocostal dysostosis	AR	*HES7*	613686	2311	
Spondylocostal dysostosis	AR, AD	*TBX6*	122600	122600	
Spondylocostal dysostosis	AR	*RIPPLY2*	616566	2311	
NAD deficiency syndrome	AR	*HAAO*	617660	521438	With associated cardiac, limb, and renal defects
NAD deficiency syndrome	AR	*KYNU*	617661		
Vertebral segmentation defect (congenital scoliosis) with variable penetrance	AD	*MESP2*	608681	2311	
Vertebral segmentation defect (congenital scoliosis) with variable penetrance	AD	*HES7*	613686	2311	
Klippel–Feil syndrome	AD	*GDF6*	118100	2345	Role of GDF6 mutations in AD spondylothoracic dysostosis remains unclear

Group/name of disorder	Inheri-tance	Gene(s)	OMIM number	ORPHANET code	Notes
Klippel–Feil syndrome	AR	*MEOX1*	214300	2345	
Klippel–Feil syndrome	AD	*GDF3*	613702	2345	
Klippel–Feil syndrome	AR	*MYO18B*	616549	447974	
Cerebrocostomandibular syndrome (rib gap syndrome)	AD	*SNRPB*	117650	1393	Mutations in COG1 are found in a cerebrocostomandibular□like syndrome (CDG type IIg)
Diaphanospondylodysostosis	AR	*BMPER*	608022	66637	Includes ischiospinal dysostosis
Spondylo-megaepiphyseal-metaphyseal dysplasia (SMMD)	AR	*NKX3-2*	613330	228387	
36. Patellar dysostoses					
Ischiopatellar dysplasia (small patella syndrome)	AD	*TBX4*	147891	1509	
Nail-patella syndrome	AD	*LMX1B*	161200	2614	
Genitopatellar syndrome	AD	*KAT6B*	606170	85201	
Ear-patella-short stature syndrome (Meier–Gorlin)	AR	*ORC1*	224690	2554	
Ear-patella-short stature syndrome (Meier–Gorlin)	AR	*ORC4*	613800	2554	
Ear-patella-short stature syndrome (Meier–Gorlin)	AR		613803	2554	
Ear-patella-short stature syndrome (Meier–Gorlin)	AR		613804	2554	
Ear-patella-short stature syndrome (Meier–Gorlin)	AR		613805	2554	
Ear-patella-short stature syndrome (Meier–Gorlin)	AD		616835	2554	
Ear-patella-short stature syndrome (Meier–Gorlin)	AR		617063	2554	
37. Brachydactylies (without extraskeletal manifestations)					
Brachydactyly type A1	AD	*IHH*	112500	93388	
Brachydactyly type A2	AD	*BMPR1B*	112600	93396	
Brachydactyly type A2	AD	*BMP2*	112600		Duplication of BMP2 enhancer
Brachydactyly type A2	AD	*GDF5*	112600		
Brachydactyly type B	AD	*ROR2*	113000	93383	See also Robinow syndrome/COVESDEM
Brachydactyly type B2	AD	*NOG*	611377	140908	
Brachydactyly type C	AD, AR	*GDF5*	113100	93384	See also ASPED (group 15) and other GDF5 disorders
Brachydactyly type D	AD	*HOXD13*	113200		Brachydactyly type D is often a component of brachydactyly type E
Brachydactyly type E	AD	*PTHLH*	613382	93387	
Brachydactyly type E	AD	*HOXD13*	113300		
Brachydactyly with anonychia (Cooks syndrome)	AD	*KCNJ2*	106995	1487	Duplications of SOX9/KCNJ2 regulatory region
Preaxial brachydactyly, PAX3 type	AD	*PAX3*			See PMID 25959774

Group/name of disorder	Inheri-tance	Gene(s)	OMIM number	ORPHANET code	Notes
38. Brachydactylies (with extraskeletal manifestations)					
Brachydactyly–mental retardation syndrome	AD	*HDAC4*	600430	1001	
Hyperphosphatasia with mental retardation, brachytelephalangy, and distinct face	AR	*PIGV*	239300	247262	Some patients have microdeletions involving contiguous genes (2q37 deletion syndrome)
Brachydactyly-hypertension syndrome (Bilginturan)	AD	*PDE3A*	112410	1276	
Microcephaly-oculo-digito-esophageal -duodenal syndrome (Feingold syndrome)	AD	*MYCN*	164280	1305	
Hand-foot-genital syndrome	AD	*HOXA13*	140000	2438	
Rubinstein–Taybi syndrome	AD	*CREBBP*	180849	783	
Rubinstein–Taybi syndrome	AD	*EP300*	613684	353284	
Brachydactyly, Temtamy type	AR	*CHSY1*	605282	363417	
Coffin–Siris syndrome	AD	*ARID1B*	135900	1465	Mutations in various components of the SWI/SNF complex have been reported in patients with a diagnosis of Coffin–Siris syndrome
Coffin–Siris syndrome	AD	*SMARCB1*	614608		
Coffin–Siris syndrome	AD	*SMARCA4*	614609		
Coffin–Siris syndrome	AD	*SMARCE1*	616938		
Catel–Manzke syndrome	AR	*TGDS*	616145	1388	
Pseudohypoparathyroidism type IA	AD	*GNAS*	103580	79443	Caused by loss-of-function mutations on the maternal allele; formerly known as Albright hereditary osteodystrophy
39. Limb hypoplasia–reduction defects group					
Ulnar-mammary syndrome	AD	*TBX3*	181450	3138	
de Lange syndrome	AD	*NIPBL*	122470	199	
de Lange syndrome	XL	*SMC1A*	300590		
de Lange syndrome	AD	*SMC3*	610759		
de Lange syndrome	AD	*RAD21*	614701		
de Lange syndrome	XL	*HDAC8*	300882		
Fanconi anemia (see note below)	AR	*Several*	227650	84	Several complementation groups and genes
Thrombocytopenia-absent radius (TAR)	AR	*RBM8A*	274000	3320	Deletion and common SNP on other allele that has regulatory function
Thrombocythemia with distal limb defects	AD	*THPO*	187950	329319	Distal limb defects postulated as consequence of vascular occlusions
Holt–Oram syndrome	AD	*TBX5*	142900	392	
Okihiro syndrome (Duane–radial ray anomaly)	AD	*SALL4*	607323	93293	
Cousin syndrome	AR	*TBX15*	260660	93333	
Roberts syndrome	AR	*ESCO2*	268300	3103	
Split-hand-foot malformation with long bone deficiency (SHFLD)	AD	*BHLHA9*	612576	3329	Duplication which is less than 50% penetrant and shows markedly variable expression

Group/name of disorder	Inheri-tance	Gene(s)	OMIM number	ORPHANET code	Notes
Tibial hemimelia	AR		275220	93322	
Tibial hemimelia-polysyndactyly-triphalangeal thumb (Werner syndrome)	AD	*SHH*	188740	988	Mutations in ZRS (limb enhancer of SHH)
Acheiropodia	AR	*SHH*	200500	931	Deletion in LMBR1 that affects ZRS (limb enhancer of SHH)
Tetra-amelia	AR	*WNT3*	273395	3301	
Tetra-amelia	AR	*RSPO2*	618021		
Gollop–Wolfgang syndrome	AD	*BHLHA9*	228250	1986	Duplications or triplications of genomic region including BHLHA9
Al-Awadi Raas-Rothschild limb-pelvis hypoplasia-aplasia	AR	*WNT7A*	276820	2879	
Fuhrmann syndrome	AR	*WNT7A*	228930	2854	
RAPADILINO syndrome	AR	*RECQL4*	266280	3021	
Adams–Oliver syndrome	AD	*ARHGAP31* *DOCK6*	100300	974	
Adams–Oliver syndrome	AR	*RBPJ* *EOGT*	614219		
Adams–Oliver syndrome	AD	*NOTCH1*	614814		
Adams–Oliver syndrome	AR	*DLL4*	615297		
Adams–Oliver syndrome	AD		616028		
Adams–Oliver syndrome	AD		616589		
Poland syndrome	SP, AD		173800	2911	
Femoral hypoplasia-unusual face syndrome (FHUFS)	SP		134780	1988	Some phenotypic overlap with FFU syndrome (below)
Fibular Aplasia, Tibial Campomelia, and Oligosyndactyly syndrome (FATCO)	SP, AD?		246570	2492	
Femur-fibula-ulna syndrome (FFU)	SP		228200	2019	
Hanhart syndrome (Hypoglossia-hypodactylia)	AD		103300	989	
Scapulo-iliac dysplasia (Kosenow)	AD		169550	2839	
Clubfoot with or without deficiency of long bones and/or mirrorimage polydactyly	AD	*PITX1*	119800	199315	In some patients bilateral patellar hypoplasia (see group 36)
Sirenomelia	SP			3169	Probably heterogeneous
Terminal transverse defects	SP		102650	973	
40. Ectrodactyly with and without other manifestations					
Ankyloblepharon-ectodermal dysplasia-cleft palate (AEC)	AD	*TP63*	106260	1071	
Ectrodactyly-ectodermal dysplasia cleft-palate syndrome type 3 (EEC3)	AD	*TP63*	604292	1896	
Ectrodactyly-ectodermal dysplasia-macular dystrophy syndrome (EEM)	AR	*CDH3*	225280	1897	
Limb-mammary syndrome (including ADULT syndrome)	AD	*TP63*	603543	69085	
Split-hand–foot malformation, isolated form, type 4 (SHFM4)	AD	*TP63*	605289	2440	

Group/name of disorder	Inheri-tance	Gene(s)	OMIM number	ORPHANET code	Notes
Split-hand-foot malformation, isolated form, type 1 (SHFM1)	AD	*DLX5*	220600	2440	Structural variations at locus; also regulatory mutations affecting exons of DYNC1I1 that regulate DLX5
Split-hand-foot malformation, isolated form, type 1 (SHFM1)	AD	*DLX6*	183600		
Split-hand-foot malformation, isolated form, type 3 (SHFM3)	AD	*10q24*	246560	2440	Duplications at 10q24 encompassing LBX1, BTRC, POLL, DPCD, and FBXW4
Split-hand-foot malformation, isolated form, type 6 (SHFM6)	AR	*WNT10B*	225300	2440	
Split-foot malformation with mesoaxial polydactyly (SFMMP)	AR	*ZAK*	616890	488232	
Hartsfield syndrome	AD	*FGFR1*	615465	2117	
41. Polydactyly-Syndactyly-Triphalangism group					
Preaxial polydactyly type 1 (PPD1)	AD	*SHH*	174400	93339	
Preaxial polydactyly type 2 (PPD2)/Triphalangeal thumb (TPT)	AD	*SHH*	174500	93336	Regulatory mutation or duplication of ZRS (limb enhancer of SHH)
Preaxial polydactyly type 3 (PPD3)	AD		174600	93337	Regulatory mutation or duplication of ZRS (limb enhancer of SHH)
Preaxial polydactyly type 4 (PPD4)	AD	*GLI3*	174700	93338	
Greig cephalopolysyndactyly syndrome	AD	*GLI3*	175700	380	
Pallister-Hall syndrome	AD	*GLI3*	146510	672	
Synpolydactyly (complex, fibulin1—associated)	AD	*FBLN1*	608180	93403	
Synpolydactyly	AD	*HOXD13*	186000	295195	
Townes-Brocks syndrome (renal-ear-anal-radial syndrome)	AD	*SALL1*	107480	857	
Lacrimo-auriculo-dento-digital syndrome (LADD)	AD	*FGFR2*	149730	2363	
Lacrimo-auriculo-dento-digital syndrome (LADD)	AD	*FGFR3*			
Lacrimo-auriculo-dento-digital syndrome (LADD)	AD	*FGF10*			
Acrocallosal syndrome	AR	*KIF7*	200990	36	
Acro-pectoral syndrome	AD		605967	85203	
Acro-pectoro-vertebral dysplasia (F-syndrome)	AD	*WNT6*	102510	957	Structural variations of locus resulting in ectopic activation of WNT6
Mirror-image polydactyly of hands and feet (Laurin-Sandrow syndrome)	AD	*SHH*	135750	2378	Duplication of ZRS (limb enhancer of SHH)
Cenani-Lenz syndactyly	AR	*LRP4*	212780	3258	
Cenani-Lenz like syndactyly	SP, AD?	*GREM1, FMN1*			Monoallelic duplication of both loci (observed in one case only so far)
Oligosyndactyly, radio-ulnar synostosis, hearing loss and renal defects syndrome	SP, AR?	*FMN1*			Deletion
Syndactyly, Malik-Percin type	AD	*BHLHA9*	609432	157801	
STAR syndrome (syndactyly of toes, telecanthus, ano- and renal malformations)	XL	*FAM58A*	300707	140952	

Group/name of disorder	Inheri-tance	Gene(s)	OMIM number	ORPHANET code	Notes
Syndactyly type 1 (III-IV)	AD		185900	93402	
Syndactyly type 3 (IV-V)	AD	*GJA1*	186100	93404	
Syndactyly type 4 (I-V) Haas type	AD	*SHH*	186200	93405	Duplication of ZRS (limb enhancer of SHH)
Syndactyly Lueken type	AD	*IHH*		295189	Duplication of IHH and regulatory region
Syndactyly type 5 (syndactyly with metacarpal and metatarsal fusion)	AD	*HOXD13*	186300	93406	
Syndactyly with craniosynostosis (Philadelphia type)	AD	*IHH*	185900	1527	Duplication of IHH regulatory region
Syndactyly with microcephaly and mental retardation (Filippi syndrome)	AR	*CKAP2L*	272440	3255	
Meckel syndrome types 1–6	AR	*MKS1*	249000	564	
Meckel syndrome types 1–6	AR	*TMEM216*	603194		
Meckel syndrome types 1–6	AR	*TMEM67*	607361		
Meckel syndrome types 1–6	AR	*CEP290*	611134		
Meckel syndrome types 1–6	AR	*RPGRIP1L*	611561		
Meckel syndrome types 1–6	AR	*CC2D2A*	612284		
42. Defects in joint formation and synostoses					
Multiple synostoses syndrome	AD	*NOG*	186500	3237	
Multiple synostoses syndrome	AD	*GDF5*	610017		
Multiple synostoses syndrome	AD	*FGF9*	612961		
Multiple synostoses syndrome	AD	*GDF6*	617898		
Radio-ulnar synostosis with amegakaryocytic thrombocytopenia	AD	*HOXA11*	605432	71289	
Radio-ulnar synostosis with amegakaryocytic thrombocytopenia	AD	*MECOM*	616738		
Liebenberg syndrome	AD	*PITX1*	186550	1275	Deletion of H2AFY gene resulting in ectopic activation of PITX1 in the upper limb
SAMS syndrome	AR	*GSC*	602471	397623	

부록 26. 골이형성증에서의 성장곡선

26-1. 남아 연골무형성증(achondroplasia)의 성장곡선(Horton. J Pediatr. 1980;93:435)

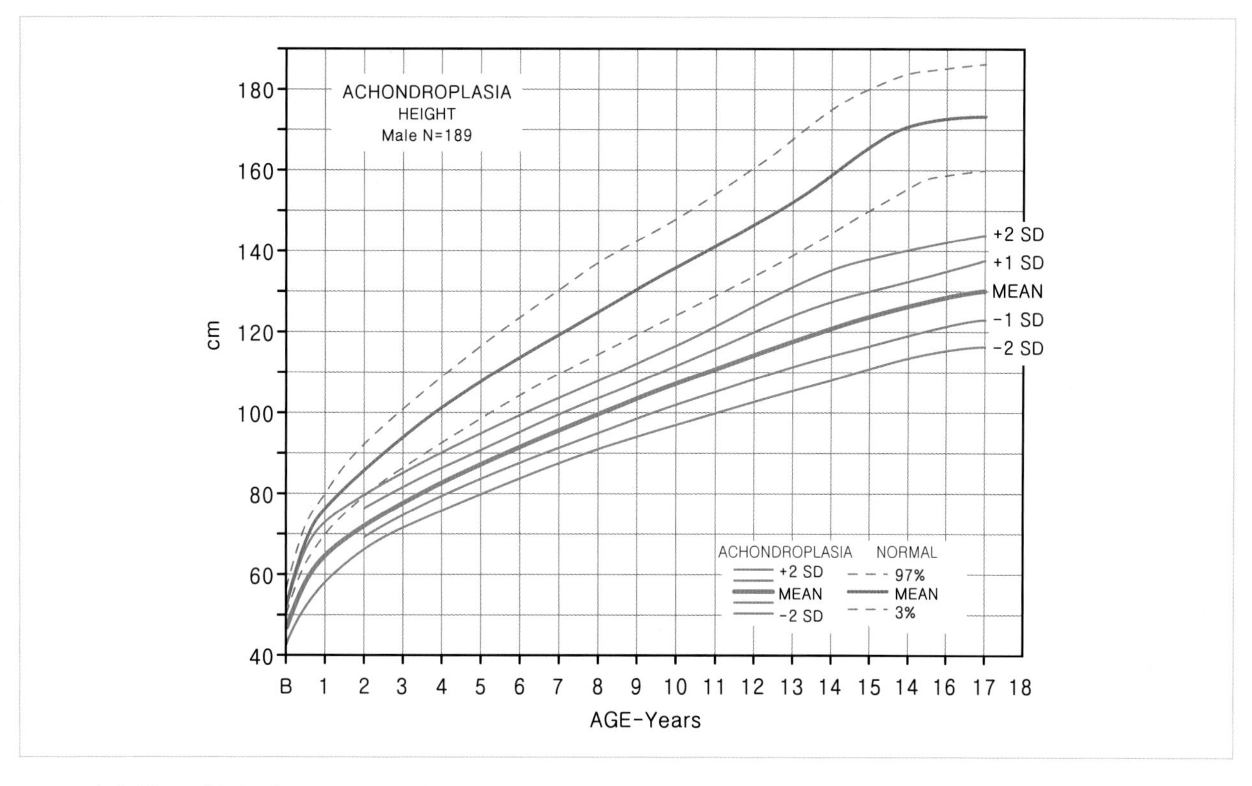

26-2. 여아 연골무형성증(achondroplasia)의 성장곡선(Horton. J Pediatr. 1978;93:435)

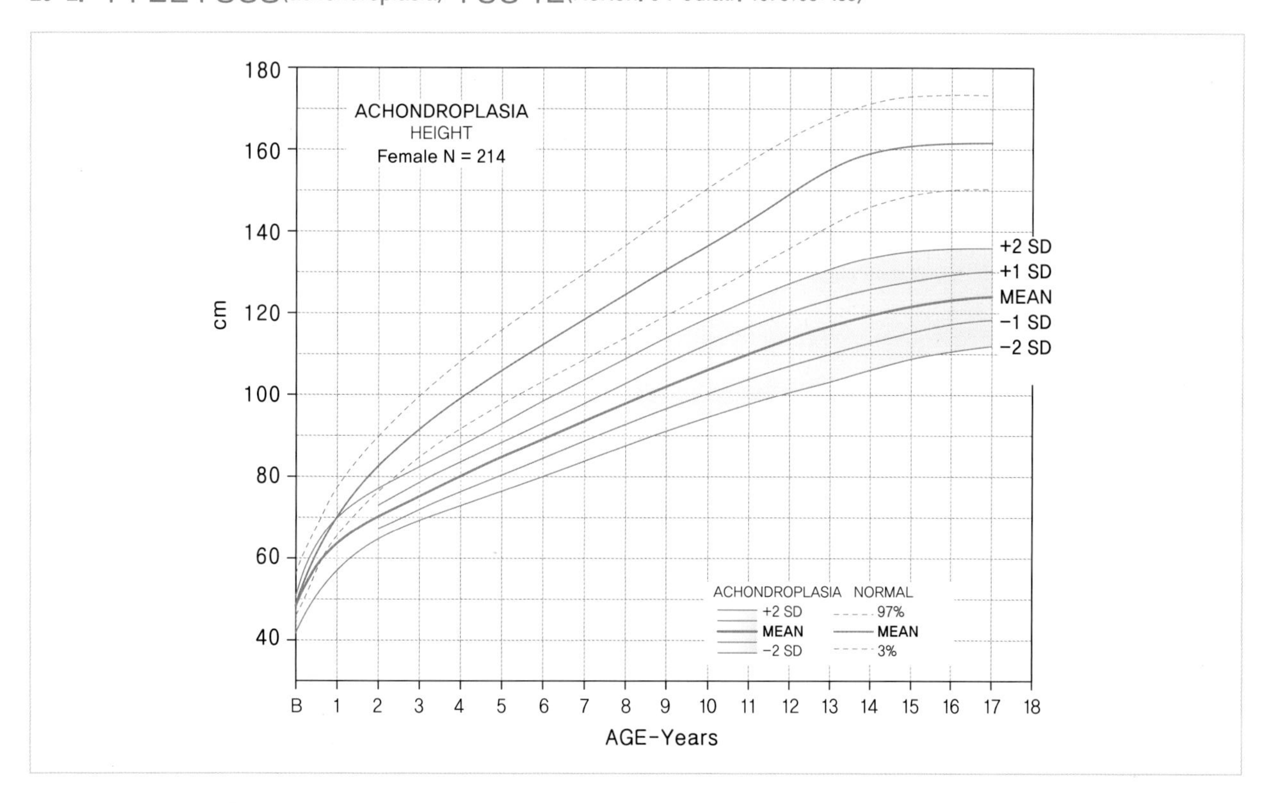

26-3. 각 골이형성증에서의 성장곡선(Horton. Am J Dis Child. 1982;136:316)

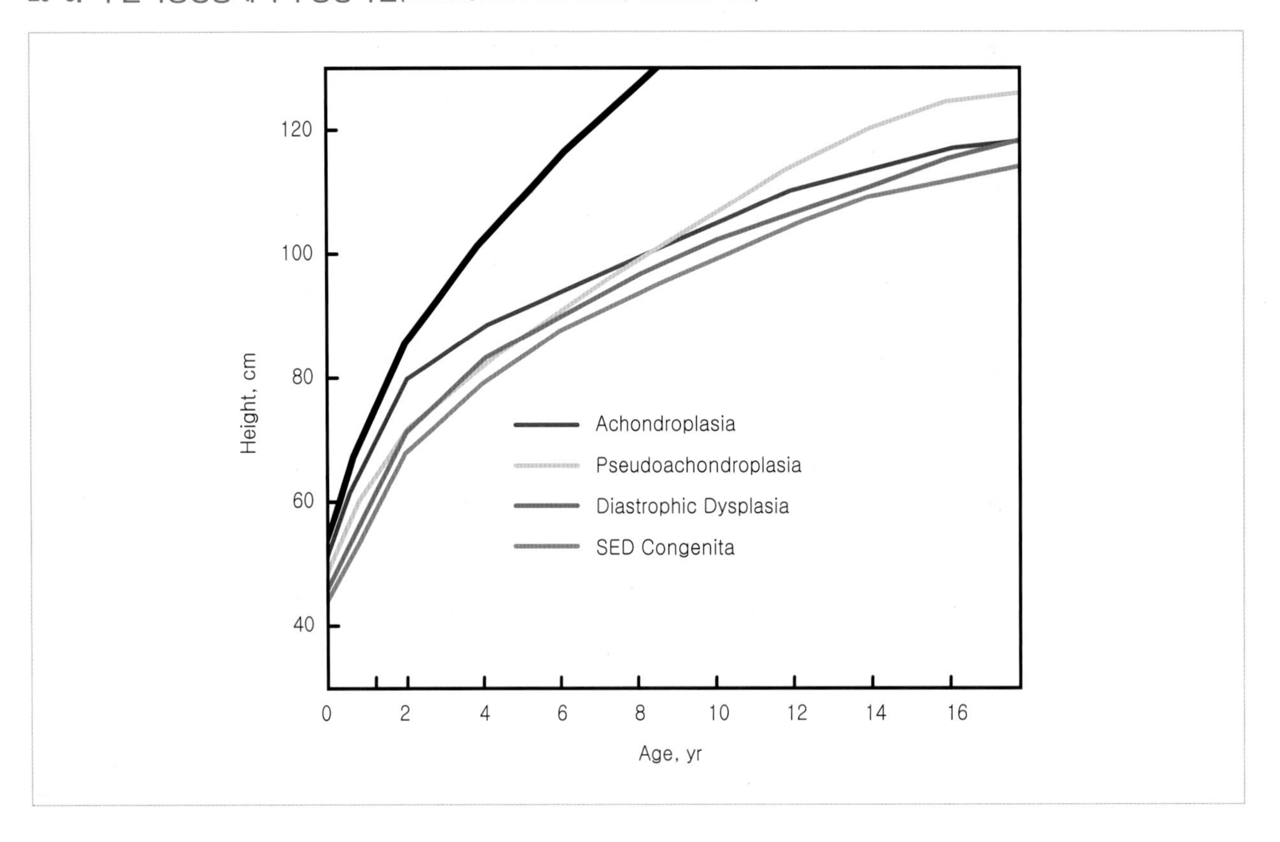

부록 27. 소아 체액검사의 정상값

27-1. 혈액학적 검사의 정상범위(Harriet Lane Handbook, 1969)

	Hgb. (Gm)	Hct. (%)	WBC/mm³	Polys (%)	Rectis (%)
1 day	16-22†	53-73†	18,000(7-35,000)	45-85	2.5-6.5
1 week	13-20†	43-66†	10,000(4-20,000)	30-50	0.1-4.5
1 mo	16	53	10,000(6-18,000)	30-50	0.1-1.0
3 mo	11.5	38	10,000(6-17,000)	30-50	0.7-3.0
6 mo	12	40	10,000(6-16,000)	30-50	0.7-2.3
1 yr	12	40	10,000(6-15,000)	30-50	0.6-1.7
2-6 yr	13	43	9,000(7-13,000)	35-55	0.5-1.0
7-12 yr	14	46	8,500(5-12,000)	40-60	0.5-1.0

Absolute eosinophil count : 100–600/mm³, average 250

† Under the age of 1 month, capillary Hgb. and Hct. exceed venous.

1 hour : 3.6 gm. av. difference

5 days : 2.2 gm. av. difference

3 weeks : 1.1 gm. av. difference

27-2. 혈액 화학적 검사의 정상값

검사 종목	종전 단위		SI 단위	
Alkaline Phosphatase	1~9년 : 145~420 U/L		145~420 U/L	
	10~11년 : 130~560 U/L		130~560 U/L	
Amylase	신생아 : 5~65 U/L		5~65 U/L	
	1~19년 : 30~100 U/L		30~100 U/L	
Bicarbonate	동맥혈 : 21~28 mmol/L		21~28 mmol/L	
	정맥혈 : 22~29 mmol/L		22~29 mmol/L	
Bilirubin	미숙아	신생아	미숙아	신생아
Total	제대혈 : <2.0	<2.0 mg/dL	<34	<34 μmol/L
	0~1일 : <8.0	<6.0 mg/dL	<137	<103 μmol/L
	1~2일 : <12.0	<8.0mg/dL	<205	<137 μmol/L
	2~5일 : <16.0	<12.0mg/dL	<274	<205 μmol/L
	>5일 : <20.0	<10.0mg/dL	<340	<171 μmol/L
Calcium, ionized(Ca)	제대혈 : 5.0~6.0 mg/dL		1.25 ~ 1.5 mmol/L	
	3~24시간 : 4.3~5.1 mg/dL		1.07 ~ 1.27 mmol/L	
	24~48시간 : 4.0~4.7 mg/dL		1.00 ~ 1.17 mmol/L	
	그 이후 : 4.48~4.92 mg/dL		1.12 ~ 1.23 mmol/L	
	또는 2.24~2.46 mEq/L		1.12 ~ 1.23 mmol/L	
Chloride	제대혈 : 96~104 mmol/L		96~104 mmol/L	
	신생아 : 97~110 mmol/L		97~110 mmol/L	
	그 이후 : 98~106 mmol/L		98~106 mmol/L	
Cholesterol	1~3년 : 45~182 mg/dL		1.15~4.70 mmol/L	
	4~6년 : 109~189 mg/dL		2.80~4.80 mmol/L	
Creatinine	신생아 : 0.3~1.0 mg/dL		27~88 μmol/L	
	영아 : 0.2~0.4 mg/dL		18~35 μmol/L	
	소아 : 0.3~0.7 mg/dL		27~62 μmol/L	
	청소년 : 0.5~1.0 mg/dL		44~88 μmol/L	
Glucose(fasting)	신생아 : 50~90 mg/dL		2.8~5.0 mmol/L	
	소아 : 60~100 mg/dL		3.3~5.5 mmol/L	
	성인 : 70~105 mg/dL		3.9~5.8 mmol/L	
Lactate dehydrogenase(LD)	<1년 : 170~580 U/L		170~580 U/L	
LDL-Cholesterol	1~9년 : 150~500 U/L		150~500 U/L	
	10~19년 : 120~330 U/L		120~330 U/L	
	남자	여자	남자	여자
	1~9년 : 60~140	60~150 mg/dL	1.55~3.63	1.55~3.89 mmol/L
	10~19년 : 50~170	50~170 mg/dL	1.30~4.40	1.30~4.40 mmol/L
Magnesium	7일~2년 : 1.6~2.6 mg/dL		0.65~1.05 mmol/L	
	2~14년 : 1.5~2.3 mg/dL		0.60~0.95 mmol/L	

pH(arterial whole blood)	7.35~7.45	35~44 mmol/L
Phosphorus, inorganic	1~3년 : 3.8~6.5 mg/dL	1.25~2.10 mmol/L
	4~11년 : 3.7~5.6 mg/dL	1.20~1.80 mmol/L
	12~15년 : 2.9~5.4 mg/dL	0.95~1.75 mmol/L
	16~19년 : 2.7~4.7 mg/dL	0.90~1.50 mmol/L
Potassium	2~12개월 : 3.5~6.0 mmol/L	3.5~6.0 mmol/L
	>12개월 : 3.5~5.0 mmol/L	3.5~5.0 mmol/L
Protein, total	미숙아 : 4.3~7.6 g/dL	43~76 g/L
	신생아 : 4.6~7.4 g/dL	46~74 g/L
	1~7년 : 6.1~7.9 g/dL	61~79 g/L
	8~12년 : 6.4~8.1 g/dL	64~81 g/L
	13~19년 : 6.6~8.2 g/dL	66~82 g/L

안효섭. 홍창의 소아과학, 제10판, 서울, ㈜미래엔; 2012.

27-3. 관절 활액 검사의 정상값과 질병에 따른 결과

	Normal	Non-inflammatory	Inflammatory	Septic	Hemorrhagic
Appearance	Transparent	Transparent	Yellow, Cloudy	Turbid	Bloody
	Straw-colored	Straw-colored	Turbid	Opaque	
Viscosity	High	High	Low	Low	Variable
Mucin clot	Good	Good	Fair	Poor	
SF WBC/mm^3	< 200	< 2000	2,000~50,000	> 50,000	Variable
SF % PMN	< 25	< 25	> 50	> 75	Variable
Glucose(% blood level)	95~100%	95~100%	80~100%	< 50%	
Protein	1.3~1.8	3~3.5	> 4.0	> 4.0	
Crystals	None	None	Multiple or none	None	None

부록 28. 수액요법

	24-Hour requirements			
	Fluid	Sodium	Potassium	Chloride
Newborn (2 days age)	70 ml/kg	3 mEq/kg	2 mEq/kg	2 mEq/kg
1~10 kg	100 ml/kg	3 mEq/kg	2 mEq/kg	2 mEq/kg
10~20 kg	1,000 ml + 50 ml/kg	3 mEq/kg	2 mEq/kg	2 mEq/kg
> 20 kg	1,500 ml + 20 ml/kg	3 mEq/kg	2 mEq/kg	2 mEq/kg

부록 29. 자기공명영상검사 상 각 조직 상태에 따른 신호강도의 차이

Tissue	T1WI spine-echo	T2WI spine echo	T1WI gradient echo	T2* gradient echo	STIR	T1WI post GD-DTPA spin echo	T1WI post GD-DTPA gradient echo
Newborn(2days age)							
Normal tissue							
Cortical bone	L	L	L	L	L	L	L
Ligament or tendon	L	L	L	L	L	L	L
Nerve	L	L	L	L	L	L	L
Fibrocartilage	L	L		L			
CSF or vessel	I	L	H	L, I, H	H	L, H	L
Muscle	I	L	L	H	L, I	L, I	L, I
Articular cartilage	I	L		H			
Fat	H	I	H	L	L	H	H
Bone marrow	H	I	H	L	L	H	H
Patholgic tissue							
Ineraosseous tumors	L, I	H, I	L, I	H	H	H	H
Extraosseous tumors	L, I	H, I	L, I	H	H	H	H
Fatty tumor portions	H	I, H	H	I	L	H	H
Tumor sclerosis	L	L	L	L	L	L	
Tumor cysts	L	H	L	H	H	L	L
Hemorrhage(fresh)	L	H	L	H	H	L	L
Hemorrhage(4 week)	H	H	H	H	H	H	H
Hemorrhage(old)	L	L	L	L	L	L	L
Peritumorous edema	L	H	L	H	H	H	H

L : low signal, H : high signal, I : intermediate signal, T1WI: T1-weighted imaging, T2WI: T2-weighted imaging, STIR: short-tau inversion recovery

부록 30. 선천성 척추측만증의 종류 및 부위별 자연경과(McMaster MJ, 1994)

Site of curvature	Type of congenital anormaly					
	Block vertebra	Wedge vertebra	Hermivertebra		Unilateral unsegmented bar	Unilateral unsegmented bar and contralateral hemivertebra
			Single	Double		
Upper thoracic	< 1° - 1°	★ - 2°	1° - 2°	2° - 2.5°	2° - 4°	5° - 6°
Lower thoracic	< 1° - 1°	< 2° - 2°	2° - 2.5°	2° - 3°	5° - 6.5°	6° - 7°
Thoracolumbar	< 1° - 1°	1.5° - 2°	2° - 3.5°	5° - ★	6° - 9°	> 10° - ★
Lumbar	< 1° - ★°	< 1° - ★	< 1° - 1°	★	> 5° - ★	★
Lumbosacral	★	★	1° < - 1.5°	★	★	★

No treatment required May require spinal surgery Require spinal fusion
★Too few or no curves
Median yearly rate of deterioration (in degrees) without treatment for each type of single congenital scoliosis in each region of the spine. The numbers on the left in each column refer to patients who were seen before the age of ten years; the numbers on the right refer to patients who were seen at or after the age of ten years.

부록 31. 상지와 하지의 피판(dermatome) 분포도(Grays anatomy, 1973)

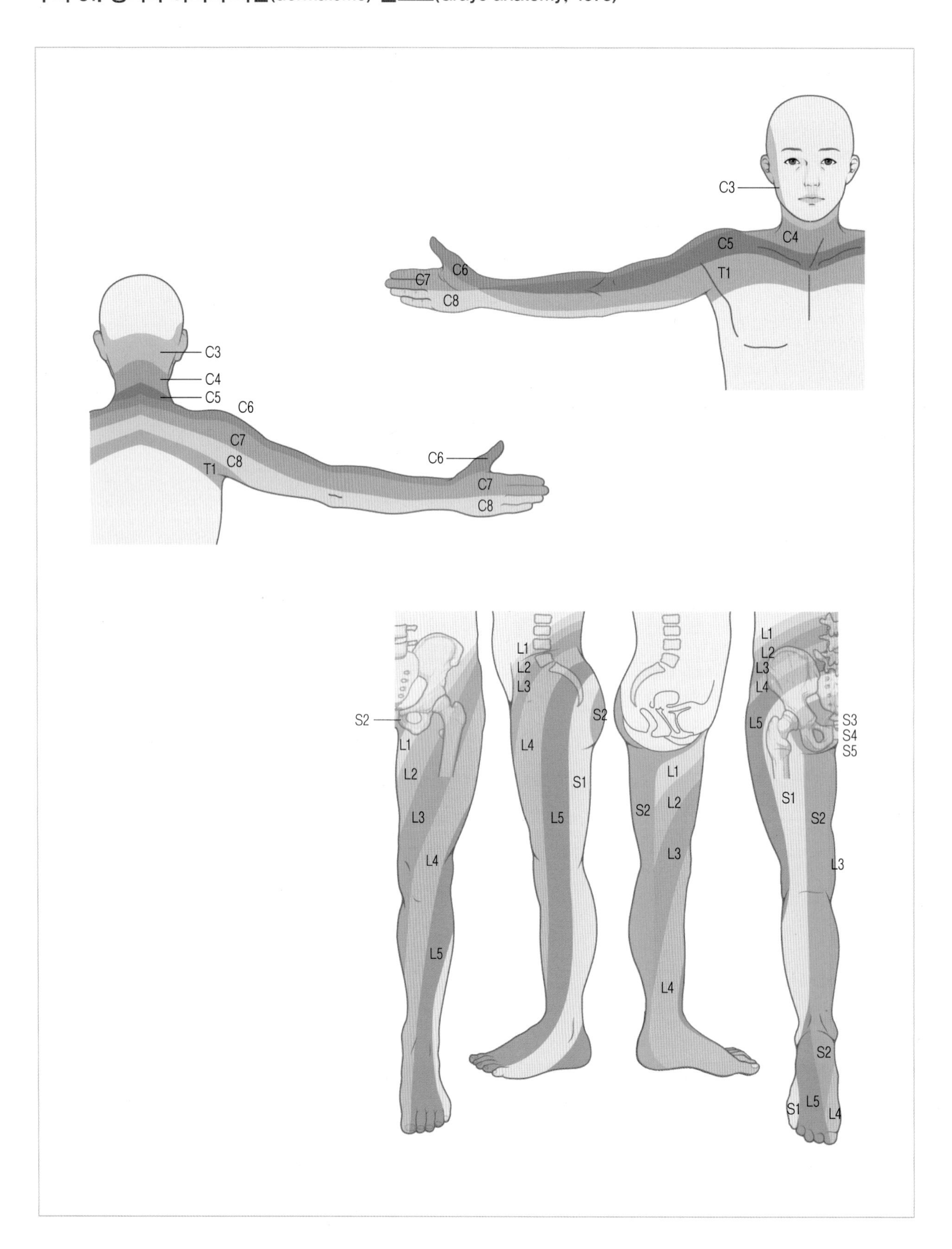

부록 32. 상지와 하지의 운동신경

32-1. 상지 근육의 운동신경(Netter's atlas of human anatomy, 2018)

Trapezius	CN XI, C3-4	Accessory n. and cervical plexus
Levator scapulae	C3-4	Dorsal scapular n.
Rhomboid major	C4-5	Dorsal scapular n.
Rhomboid minor	C4-5	Dorsal scapular n.
Serratus anterior	C5-7	Long thoracic nerve
Deltoid	C5-6	Axillary n.
Teres major	C5-6	Subscapular n.
Teres minor	C5-6	Axillary n.
Supraspinatus	C5-6	Suprascapular n.
Infraspinatus	C5-6	Suprascapular n.
Latissimus dorsi	C6-7	Thoracodorsal n.
Pectoralis major	C5-T1	Med. and Lat. pectoral n.
Pectoralis minor	C5-T1	Med. and Lat. pectoral n.
Subscapularis	C5-6	Subscapular n.
Coracobrachialis	C5-7	Musculocutaneous n.
Biceps brachii	C5-6	Musculocutaneous n.
Brachialis	C5-7	Musculocutaneous and radial n.
Brachioradialis	C5-6	Radial n.
Triceps brachii	C6-8	Radial n.
Anconeus	C5-7	Radial n.
Supinator	C6-7	Radial n.
Extensor carpi radialis longus	C6-7	Radial n.
Extensor carpi radialis brevis	C7-8	Radial n.
Extensor carpi ulnaris	C7-8	Radial n.
Extensor digitorum communis	C7-8	Radial n.
Extensor indicis proprius	C7-8	Radial n.
Extensor digiti minimi	C7-8	Radial n.
Extensor pollicis longus	C7-8	Radial n.
Extensor pollicis brevis	C7-8	Radial n.
Abductor pollicis longus	C7-8	Radial n.
Abductor pollicis Brevis	C8-T1	Median n.
Pronator teres	C6-7	Median n.
Flexor carpi radialis	C6-7	Median n.
Flexor carpi ulnaris	C7-T1	Ulnar n.
Pronator quadratus	C7-8	Median n.

Palmaris longus	C7-8	Median n.
Flexor digitorum superficialis	C8-T1	Median n.
Flexor digitorum profundus (2,3)	C8-T1	Median n.
Flexor digitorum profundus (4,5)	C8-T1	Ulnar n.
Lumbricals (1,2)	C8-T1	Median n.
Lumbricals (3,4)	C8-T1	Ulnar n.
Flexor pollicis longus	C7-8	Median n.
Flexor pollicis brevis	C8-T1	Median n.
Interossei (dorsal)	C8-T1	Ulnar n.
Interossei (palmar)	C8-T1	Ulnar n.
Flexor digiti minimi	C8-T1	Ulnar n.
Abductor digiti minimi	C8-T1	Ulnar n.
Opponens pollicis	C8-T1	Median n.
Opponens digiti minimi	C8-T1	Ulnar n.
Palmaris brevis	C8	Ulnar n.
Adductor pollicis	C8-T1	Ulnar n.

32-2. 하지 근육의 운동신경(Netter's atlas of human anatomy. 2018; Netter's concise orthopaedic anatomy. 2015)

Psoas major	L1-3	Anterior rami of L1-3
Psoas minor	L1	Anterior rami of L1
Iliacus	L2-3	Femoral n.
Quadriceps femoris	L2-4	Femoral n.
Sartorius	L2-3	Femoral n.
Pectineus	L2-3	Femoral and Obturator n.
Gluteus maximus	L5-S2	Inferior gluteal n.
Gluteus medius	L4-S1	Superior gluteal n.
Gluteus minimus	L4-S1	Superior gluteal n.
Tensor fasciae latae	L4-5	Superior gluteal n.
Piriformis	L5-S2	Anterior Rami of upper L5-S2
Adductor longus	L2-4	Obturator n.
Adductor brevis	L2-4	Obturator n.
Adductor magnus (deep)	L2-4	Obturator n.
Adductor magnus (superficial)	L4	Tibial n.
Gracilis	L2-3	Obturator n.

Obturator externus	L2-3	Obturator n.
Obturator internus	L5-S2	Nerve to obturator internus
Gemellus superior	L5-S2	Nerve to obturator internus
Gemellus Inferior	L4-S1	Nerve to quadratus femoris
Quadratus femoris	L4-S1	Nerve to quadratus femoris
Biceps femoris (long head)	L5-S2	Tibial n.
Biceps femoris (short head)	L5-S2	Common peroneal n.
Semimembranosus	L5-S2	Tibial n.
Semitendinosus	L5-S2	Tibial n.
Popliteus	L4-S1	Tibial n.
Gastrocnemius	S1-2	Tibial n.
Soleus	S1-2	Tibial n.
Plantaris	L5-S1	Tibial n.
Tibialis posterior	L4-5	Tibial n.
Flexor digitorum longus	L5-S1	Tibial n.
Flexor digitorum brevis	S2-3	Medial plantar n.
Flexor hallucis longus	L5-S2	Tibial n.
Tibialis anterior	L4-5	Deep peroneal n.
Peroneus tertius	L5-S1	Deep peroneal n.
Extensor digitorum longus	L5-S1	Deep peroneal n.
Extensor digitorum brevis	L5-S1	Deep peroneal n.
Extensor hallucis longus	L5-S1	Deep peroneal n.
Extensor hallucis brevis	L5-S1	Deep peroneal n.
Peroneus longus	L5-S2	Superficial peroneal n.
Peroneus brevis	L5-S2	Superficial peroneal n.
Flexor hallucis brevis	S1-2	Medial plantar n.
Abductor hallucis	S2-3	Medial plantar n.
Lumbricals (1)	S2-3	Medial plantar n.
Lumbricals (2,3,4)	S2-3	Lateral plantar n.
Plantar interossei	S2-3	Lateral plantar n.
Dorsal interossei	S2-3	Lateral plantar n.
Quadratus plantae	S1-3	Lateral plantar n.
Adductor hallucis	S2-3	Lateral plantar n.
Abductor digiti minimi	S2-3	Lateral plantar n.
Flexor digiti minimi brevis	S2-3	Lateral plantar n.

소아정형외과학

찾아보기

Index

PEDIATRIC
ORTHOPAEDICS

Chapter

Index

ㅇ

ㅈ

ㅊ

ㅋ

ㅌ

ㅍ

ㅎ

Chapter

찾아보기(영문)

Index

B

C

D

G

H

I

J

K

L

M

Q

R

S

T

U

V

W

X

Y

Z